R. N. Champlin, Ph.D.
ENCICLOPÉDIA de BÍBLIA, TEOLOGIA & FILOSOFIA

VOLUME 3 H/L

©1991 por Russel N. Champlin

1ª edição: 1991
14ª reimpressão: abril de 2021

REVISÃO
Equipe Hagnos

CAPA
Maquinaria Studio

DIAGRAMAÇÃO
Imprensa da Fé

EDITOR
Aldo Menezes

COORDENADOR DE PRODUÇÃO
Mauro Terrengui

IMPRESSÃO E ACABAMENTO
Imprensa da Fé

As opiniões, as interpretações e os conceitos emitidos nesta obra são de responsabilidade do autor e não refletem necessariamente o ponto de vista da Hagnos.

Todos os direitos desta edição reservados à
EDITORA HAGNOS LTDA.
Av. Jacinto Júlio, 27
04815-160 — São Paulo, SP
Tel.: (11) 5668-5668

E-mail: hagnos@hagnos.com.br
Home page: www.hagnos.com.br

Dados Internacionais de Catalogação na Publicação (CIP)
Angélica Ilacqua CRB-8/7057

Champli, Russel Norman, 1933-2018.

Enciclopédia de Bíblia, Teologia & Filosofia. Vol. 3: H-L. / Russel Norman Champlin — São Paulo: Hagnos, 1991. 6 vols.

ISBN 978-85-88234-33-8

1. Bíblia – Enciclopédias 2. Teologia – Enciclopédias 3. Filosofia – Enciclopédias I. Título

21-0891   CDD 220.3

Índices para catálogo sistemático:
1. Bíblia – Enciclopédias 220.3

Editora associada à:

1. Formas Antigas

fenício (semítico), 1000 A.C.   grego ocidental, 800 A.C.   latino, 50 D.C.

2. Nos Manuscritos Gregos do Novo Testamento

H h n

3. Formas Modernas

H *H* h *h*   H H h h   H *H* h *h*   H h

4. História

H é a oitava letra do alfabeto português. Historicamente, deriva-se da letra semítica *heth*, «sebe», uma letra consoante. Originalmente, tinha um som gutural, «ch». No grego ocidental, esse símbolo foi modificado e chamado *eta*, uma vogal com um fonema longo, *ei*. No grego ocidental tinha um som aspirado, «h». Ao ser adotada pelo latim, essa letra reteve este último fonema (perdendo a aspiração no português), de onde passou para outros idiomas modernos, retendo a aspiração em alguns deles e perdendo em outros.

5. Usos e Símbolos

HP significa «cavalo de força» (em inglês, *horsepower*). *H* é usado como símbolo do *Codex Wolfii B*, descrito no artigo separado *h*.

Caligrafia de Darrell Steven Champlin

Reprodução Artística de
Darrell Steven Champlin

Arte céltica — o leão, símbolo do evangelho de Marcos, e o boi, símbolo do evangelho de Lucas

H

H (CÓDICE WOLFII B)

Esse manuscrito foi trazido do Oriente, juntamente com G (códice Wolfii A) (vide), por Andrew E. Seidel, no século XVII. Foi adquirido por J.C. Wolf, o que lhe explica o nome. Ele publicou extratos do mesmo em 1723. A partir de então, desconhece-se sua história, exceto que, em 1838, foi adquirido pela biblioteca pública de Hamburgo, na Alemanha. Esse manuscrito data do século IX ou X D.C., contendo os quatro evangelhos, com muitas lacunas. Representa um antigo estágio do tipo de texto bizantino comum (padronizado). Publiquei um livro sobre esse manuscrito e seus aliados chamado *Family E and Its Allies in Matthew* (Studies and Documents, Salt Lake City, Utah, 1966). Meu amigo e colega, Dr. Jacob Geerlings, publicou estudos desses mesmos manuscritos quanto aos outros evangelhos. Publicações como essas ilustram a história da transmissão do texto e demonstram como o mesmo foi fundido, até que se chegou ao *Textus Receptus* (vide). Esse texto representa o último estágio do texto bizantino, antes da invenção da imprensa. Ver o artigo geral sobre os *Manuscritos do Novo Testamento*.

HAASTARI

Nome de uma família que descendia de Judá, que ocorre somente em I Crô. 5:6. O nome parece significar «mensageiro» ou «guia de mulas». Ele aparece como homem que descendia de Asur, por meio de sua segunda esposa, Naará. Ele viveu por volta de 1618 A.C.

HABACUQUE (O PROFETA E O LIVRO)

Esboço:
I. O Profeta
II. Caracterização Geral
III. Data
IV. Estilo Literário e Unidade
V. Pano de Fundo e Propósitos
VI. Canonicidade e Texto
VII. Conteúdo e Mensagem

I. O Profeta

No hebraico, o nome dele significa «abraço amoroso» ou, então, «lutador». Habacuque foi um dos mais distinguidos profetas judeus. Sua obra aparece entre as dos chamados oito profetas menores. Essa palavra, «menores», nada tem a ver com a estatura do indivíduo ou com a importância de sua obra, mas apenas com o volume da mesma, em contraste com os «profetas maiores», como Isaías, Jeremias e Ezequiel, cujos escritos foram bem mais volumosos. Não dispomos de qualquer informação segura sobre o lugar de nascimento, sobre a parentela e sobre a vida de Habacuque. Obras apócrifas dizem algo a respeito, mas suas informações são conflitantes, pois, mui provavelmente, foram forjadas. O Pseudo-Epifânio (*de Vitis Prophet, opp.* tom. 2.18, par. 247) afirma que ele pertencia à tribo de Simeão, tendo nascido em um lugar de nome Baitzocar. Dali, supostamente, ele fugiu para Ostrarine, quando Nabucodonosor atacou Jerusalém. Mas, depois de dois anos, voltou à sua cidade natal. Porém, os escritores rabínicos fazem Habacuque ser da tribo de Levi, além de mencionarem um lugar diferente de seu nascimento (Huetius, *Dem. Evang.* Prop. 4, par. 508). Eusébio informa-nos que havia em Ceila, na Palestina, um proposto túmulo desse profeta. Nicefo (*Hist. Eccl.* 12:48)

repete essa informação. Todavia, ainda há outras estórias contradizentes.

Alguns estudiosos pensam que ele era filho da mulher sunamita, mencionado em II Reis 4:16, ou, então, que seria o «atalaia» referido em Isaías 21:6. Outros pensam que ele também esteve na cova dos leões, em companhia de Daniel. Esta última informação aparece na obra apócrifa Bel e o Dragão (vs. 33 ss). Mas tudo parece ser tão imaginário quanto tudo que aparece nas obras apócrifas.

O próprio livro de Habacuque presta-nos bem poucas informações. O trecho de Hab. 3:19 indica que ele estava oficialmente qualificado para participar do cânticolitúrgico do templo de Jerusalém, e isso parece indicar a exatidão da informação que o aponta como um levita, visto que estava encarregado da música sacra. É curioso que não nos seja dado o nome de seu pai, e nem a sua genealogia, o que é contrário aos costumes judaicos. Elias também pode ser mencionado como uma das grandes personagens do Antigo Testamento cuja genealogia não é dada.

II. Caracterização Geral

Habacuque viveu em tempos dificílimos. À semelhança de Jó, ele enfrentou o problema do sofrimento dos justos. Ver o artigo sobre o *Problema do Mal*. Por que razão um Deus justo silencia e nada faz, quando os ímpios devoram aqueles que são mais justos do que eles (1:13)? A resposta certa é que devemos deixar a questão aos cuidados da vontade soberana de Deus, crendo que ele continua sendo soberano, e que a seu próprio modo, no tempo certo, ele usará de estrita justiça com todos os seres humanos, incluindo os ímpios. Destarte, «...o justo viverá por sua fé» (Hab. 2:4), uma famosa declaração que, posteriormente, foi incluída no Novo Testamento. Alguns eruditos sugerem que uma melhor tradução, nesse versículo, seria «o justo viverá por sua fidelidade», e, nesse caso, os trechos de Rom. 1:17; Gál. 3:11 e Heb. 10:38,39 não contêm aplicações exatas. O ensino parece ser que os caldeus produziriam muita destruição, mas, no fim, haveriam de ser julgados, por sua vez. Entrementes, os justos confirmariam sua maneira de viver piedosamente e sua espiritualidade, o que se reveste de grande valor diante de Deus, vivendo em fidelidade, de acordo com os princípios da justiça.

O livro de Habacuque, na verdade, é um poema em duas partes, que alude à queda final da Babilônia, com pequenas interpolações nos capítulos primeiro e segundo. O terceiro capítulo parece ser um salmo acrescentado. Alguns eruditos pensam para esse livro em uma data entre 612 e 586 A.C., mas, se Habacuque se encontrava no exílio, então seu poema, mais provavelmente, foi escrito entre 455 e 445 A.C., quando a Pérsia começou a mostrar que era suficientemente forte para derrotar a Babilônia, e assim impor a justiça divina sobre aquele império. Habacuque ansiava por ver isso suceder, a fim de que fosse feita a justiça contra um brutal opressor de Israel, sem importar os meios usados para tanto. O poema termina com o pronunciamento de uma lamentação sobre a Babilônia. Características distintivas de outros escritos proféticos, como uma ética específica, assuntos religiosos e um esboço da reforma do povo de Deus, não fazem parte desse livro. Esse livro parece muito mais uma explosão de indignação contra a Babilônia, que levara a nação de Judá para o cativeiro, espalhando miséria e matanças generalizadas entre os judeus.

HABACUQUE (O PROFETA E O LIVRO)

III. Data

Os eruditos não estão acordes quanto à questão da data. A única referência histórica clara é aos caldeus, em Hab. 1:6. E, com base nisso, a profecia tem sido datada no fim do século VII A.C., após a batalha de Carquêmis, que teve lugar em 605 A.C. Nessa batalha, os caldeus derrotaram os egípcios, dirigidos pelo Faraó Neco, nos vaus do rio Eufrates, e marcharam para o Ocidente, a fim de dominarem Joiaquim, de Judá. Entretanto, alguns estudiosos pensam que esse versículo refere-se aos gregos (com o nome de *quitim*, o que aludiria à ilha de *Creta*; ver sobre *Quitim*). Nesse caso, estaria em foco a invasão de Alexandre, que partira do Ocidente, no século IV A.C., e não às invasões de Nabucodonosor, dirigidas do norte e do leste. Todavia, não há qualquer evidência textual em favor dessa conjectura. O trecho de Hab. 1:9 refere-se ao grande número de cativos que houve, o que parece refletir o cativeiro babilônico. Porém, se Habacuque escreveu esse poema como um exilado, então a data mais provável é algum tempo entre 455 e 445 A.C. Mas, a idéia mais comum é de que a data fica entre 610 e 600 A.C. Porém, outros estudiosos salientam que o trecho de Hab. 1:5 mostra-nos que o soerguimento da potência em pauta ocorreu como uma surpresa, pelo que uma data tão tardia quanto 612 A.C., quando os babilônios capturaram Nínive, ou 605 A.C., quando eles derrotaram o Egito, não seria provável. Para que tenha havido o elemento de surpresa, supõe-se que uma data mais recuada deve ser concebida, como os últimos anos do reinado de Manassés (689 — 641 D.C.), ou então, como os primeiros anos de reinado de Josias (639 — 609 A.C.), quando a ameaça babilônica ainda era remota. Outros pensam que a Assíria é que está em vista, e não a Babilônia. Não obstante, é possível que a ameaça babilônica fosse antiga (com base na posição do autor sagrado, dentro da história), mas que somente em cerca de 612 A.C., tenha-se tornado *crítica* para a nação de Judá.

IV. Estilo Literário e Unidade

A profecia de Habacuque apresenta três estilos literários distintos: 1. O trecho de 1:2-2:5 é um tipo de diálogo entre o profeta e Deus, que parece refletir porções do segundo capítulo do livro de Jó. 2. A passagem de 2:6-20 é o pronunciamento de «cinco ais» contra uma nação iníqua, mais ao estilo de outros livros proféticos do Antigo Testamento. 3. O terceiro capítulo é um longo poema, até certo ponto similar aos salmos, na forma em que os encontramos, aparentemente tendo em vista um uso litúrgico. Por causa dessa grande variedade quanto ao estilo, muitos têm pensado que o livro, na verdade, seja uma compilação, que gira em torno do tema comum da *teodicéia*, isto é, a justificação dos caminhos de Deus, em face de tanta maldade como há no mundo. Assim, há uma unidade temática, mas com grande divergência de estilo, o que sugere que diferentes matérias, de diversos autores, foram compiladas por algum editor.

Quase todos os eruditos liberais rejeitam a unidade do livro. Mas a maior parte dos conservadores (alguns de forma hesitante) aceita a unidade desse livro profético. Alguns supõem que a divergência quanto ao estilo pode ser explicada conjecturando-se que um mesmo autor, em ocasiões diferentes, escreveu o material, e então, finalmente, ele mesmo reuniu todo o material, formando um único livro. A adaptação do terceiro capítulo, para fins litúrgicos, poderia ter sido obra de uma outra pessoa, que trabalhasse como músico levita, no templo de Jerusalém. É significativo que o *Comentário de Habacuque*, que foi encontrado

entre outros materiais escritos da primeira caverna de Qumram (ver sobre *Mar Morto, Manuscritos do* e sobre *Khirbet Qumram*), omita o terceiro capítulo desse livro. Todavia, os comentários encontrados em Qunran são irregulares, e essa omissão pode ter sido proposital, nada refletindo no tocante à unidade do livro. Albright conjecturava que o Salmo de Habacuque, embora formasse uma unidade juntamente com o resto, contém reminiscências acerca do mito do conflito entre Yahweh e o dragão primordial do Mar ou do Rio. Porém, tal idéia requer que se façam trinta e oito emendas sobre o texto massorético, pelo que ela perde inteiramente a sua força.

V. Pano de Fundo e Propósitos

Grandes eventos históricos haviam sacudido o mundo, pouco antes desse livro ter sido escrito. Israel, a nação do norte, fora levada para o cativeiro, pelo poder da Assíria. Mas, o poderoso império assírio fora subitamente esmagado. Os egípcios haviam sido derrotados pelos caldeus. Portanto, surgira uma nova potência mundial, e Judá encontrava-se entre suas vítimas em potencial. Nabucodonosor estava expandindo, o seu poder, e, dentro de um período de aproximadamente vinte anos, os caldeus já haviam varrido Judá, em sucessivas ondas atacantes, provocando ali uma destruição geral. Além disso, os poucos judeus que haviam sido deixados em Judá acabaram sendo deportados para a Babilônia, em 597 e 598 A.C. Isso deixara toda a terra de Israel vazia de hebreus, mas reocupada por estrangeiros, em vários lugares estratégicos. Os profetas culpavam o declínio e a apostasia graduais de Israel por essas calamidades. O trecho de Habacuque 1:2-4 descreve a depravação que se instalara ali. Contudo, a própria Babilônia era um exemplo máximo de corrupção. Como é que Deus poderia usar tal instrumento, a fim de punir àqueles que eram mais justos que esse instrumento, especialmente levando em conta que nem todo Israel e Judá haviam apostatado? O propósito principal do livro, pois, é a apresentação de uma *teodicéia* (vide), que deseja justificar os atos de Deus, em face da iniqüidade do opressor, que fora usado como instrumento de castigo contra Israel. Quanto a isso, o livro está filosoficamente relacionado ao livro de Jó. Ver sobre o *Problema do Mal*. E um outro propósito era a demonstração do fato de que o instrumento usado por Deus para punir Israel, visto que era um instrumento iníquo, seria castigado no seu tempo próprio. A justiça deve ser servida em todos os sentidos, embora, algumas vezes, os meios divinamente usados para produzir a mesma sejam estranhos e difíceis de entender.

A arrogância humana contém em si mesma as sementes de sua própria destruição (Hab. 2:4). Porém, o indivíduo fiel pode confiar na bondade de Deus, mesmo em meio aos sofrimentos físicos e ao julgamento. Desse contexto foi que se originou aquele versículo que diz «...o justo viverá por sua fé (ou por sua fidelidade)...» Fazemos aqui uma citação. «Como é claro, o pleno sentido paulino da fé não pode ser encontrado nessa passagem bíblica freqüentemente citada (ver Romanos 1:17; Gálatas 3:11 e Hebreus 10:38)» (ND).

VI. Canonicidade e Texto

A aceitação da autoridade do livro de Habacuque nunca foi posta seriamente em dúvida. Ele tem retido a sua posição de oitavo dos profetas menores, nas coletâneas e nas citações referentes à autoridade. Albright referiu-se à questão como segue: «O texto encontra-se em melhor estado de preservação do que geralmente se supõe, embora sua arcaica obscuridade tornasse-o um tanto enigmático para os primeiros

HABACUQUE — HABITAÇÃO

tradutores». Ele propôs cerca de trinta alterações no texto massorético, na esperança de poder compor um texto mais correto. No entanto, o descobrimento do *Comentário de Habacuque*, em Qumran, não alterou o nosso conhecimento sobre o texto. De fato, apesar desse material servir de boa fonte informativa quanto às idéias dos essênios, não tem qualquer valor para a interpretação do próprio livro de Habacuque. No entanto, o texto possibilitou a restauração de textos originais, em alguns lugares onde antes havia dúvidas. Esse material dá testemunho sobre a unidade dos capítulos primeiro e segundo; mas, por omitir o terceiro capítulo, empresta maior crédito à opinião de que isso se deveu à adição feita por algum compilador, não sendo obra do autor original.

VII. Conteúdo e Mensagem

A. As Queixas do Profeta (1:1-2:20)
1. Deus faz silêncio, apesar da iniqüidade de Israel (1:2-4)
Deus responde que uma nação inimiga julgará Israel (1:5-11)
2. Deus julga, usando uma nação mais ímpia que a nação julgada (1:12-2:20)
a. Deus silencia, aparentemente, e olvida-se da crueldade dos caldeus (1:12-2:1)
b. Deus responde, revelando que Israel será salva, mas que a Babilônia será destruída (2:2-20).
B. Os Salmos do Profeta, na Forma de uma Oração (3:1-19)
1. A teofania do poder (3:2-15)
2. A persistência da fé (3:16-19)

A ira de Deus espalha a destruição. Mas, é precisamente através disso que a nação de Israel é salva de suas próprias corrupções. O aspecto subjetivo da mensagem de Habacuque é que os justos viverão por sua fé. À parte de Isaías (7:9 e 28:16), nenhum outro profeta salientara a significação da fé e da oração confiante, da maneira como o fez Habacuque. Embora a terra seja desnudada pelos juízos divinos, contudo, o profeta regozijar-se-ia no seu Senhor (Hab. 3:17,18). O tema central da profecia de Habacuque é que o justo viverá por sua fé (Hab. 2:4), o que reaparece no Novo Testamento, sendo aplicado em significativos contextos (Rom. 1:17; Gál. 3:11 e Heb. 10:38,39).

Bibliografia: ALB AM E I IB WBC WES WHB YO

HABAÍAS

No hebraico, «Yahweh ocultou» ou «Yahweh protege». Ver Esd. 2:61; Nee. 7:63 e I Esdras 5:38. Esse era o nome de classe de uma família de sacerdotes que retornaram à Palestina após o cativeiro babilônico (vide), em companhia de Zorobabel. Visto que a genealogia deles não estava em ordem, não receberam permissão de servir como sacerdotes. O tempo foi cerca de 536 A.C.

HABAZINIAS

No hebraico, seu nome talvez signifique «lâmpada de Yahweh». Seu nome ocorre somente por uma vez, em Jer. 35:3. Habazinias era o pai de um certo Jeremias e avô do chefe recabita, Jaazanias, ao qual o profeta Jeremias testou com vinho. Viveu em algum tempo antes de 609 A.C. O teste feito por Jeremias era para ver se os recabitas seriam obedientes à ordem do antepassado deles, de que, entre outras coisas, não beberiam vinho.

••• ••• •••

HABDALAH

No hebraico, **distinção**. Nome de uma cerimônia religiosa, realizada em alguma residência ou sinagoga, no término dos sábados e de outras festas religiosas. Essa cerimônia era de ação de graças a Deus, distinguindo certos dias para neles serem efetuadas santas observâncias. Tal cerimônia consistia de palavras de bênção, proferidas sobre o vinho, sobre as lamparinas e sobre o odor das especiarias.

HABILIDADE, MÃO DE OBRA

Ver sobre **Artes e Ofícios**.

HABIRU, HAPIRU

A semelhança entre esse nome e **hebreu**, é evidente. Porém, os estudiosos têm mostrado que é mais abrangente que o nome «israelita». Isso é evidente porque se deriva do nome de Éber (Gên. 10:24), filho de Selá e neto de Sém, em honra a quem os hebreus eram chamados. Éber viveu oito gerações antes de Jacó (Israel), que deu nome aos israelitas. Isso posto, todos os israelitas eram *iberi* (hebreus), mas nem todos os hebreus eram israelitas.

Os nomes *habiru* e *hapiru* têm sido encontrados em textos com escrita cuneiforme, no sul da Mesopotâmia, na Ásia Menor e em Mari, que datam de tempos tão remotos quanto o século XX A.C. As cartas de Tell El-Amarna (século XIV A.C.) também contêm esses nomes. A forma ugarítica é *'apiruma*, enquanto que a forma hebraica é *'ibri*. É curioso que as referências a essa gente situam-nos fora de outras ordens sociais, **pois constituíam-se essencialmente** de pessoas destituídas de terras. Na Babilônia, os habirus serviam como mercenários, no exército babilônico; e outros, em Nuzi, venderam-se à servidão, a fim de conseguirem ao menos sobreviver. Cartas enviadas por Abdi-Hiba, de Jerusalém, a Aquenatom, do Egito, mencionam esse povo como uma ameaça à segurança dos habitantes da Palestina. Talvez isso se refira à invasão encabeçada por Josué, em seus estágios iniciais.

A palavra *Éber*, a base do nome desse povo, significa «travessia», o que poderia aludir ao caráter nômade deles. Porém, também poderia significar «ultrapassadores». Os ciganos imediatamente nos sobem à mente. Povos que não têm nenhuma terra fixa, que sempre vivem entre outros povos, que estão sempre se mudando de lugar para lugar, que nunca se tornam parte da ordem de qualquer sociedade.

O trecho de Gênesis 14:13 chama Abraão de *hebreu*; e José também é chamado por esse nome (Gên. 41:12). Os israelitas consolidaram um dos ramos do povo hebreu, fazendo desse ramo uma nação organizada, mas sempre houve *habiru* não israelitas.

HABITAÇÃO

Há um certo número de referências bíblicas, literais e figuradas, que empregam a idéia de habitação, morada.

1. Em Núm. 24:21; I Crô. 6:54; Eze. 6:6; 37:23 temos a palavra *moshab*, «assento», que a nossa versão portuguesa traduz por «habitação», «lugares habitáveis», e, estranhamente, na última dessas referências, «apostasias», o que representa uma interpretação, e não uma tradução.

2. Em II Crô. 30:27; 36:15; Sal. 90:1; Jer. 51:37, temos a palavra hebraica *maon*, «habitação», e que nossa versão portuguesa traduz por essa palavra, ou

HABITAÇÃO

então por «morada», «refúgio».

3. O vocábulo hebraico *naveh* é outra dessas palavras; esta é usada por trinta e duas vezes. Significa «lar», «habitação». Para exemplificar, ver Êxo. 15:13; II Sam. 15:25; Jó 5:3; Pro. 3:33; Isa. 27:10; 32:18; 35:7; Jer. 10:25; 25:30; 31:23; 50:7,19,44,45.

4. *Zebul*, «habitação». Palavra hebraica empregada por cinco vezes: II Crô. 6:2; Isa. 63:15; Hab. 3:11; Sal. 49:14; I Reis 8:13.

Essas são as principais palavras hebraicas envolvidas. São substantivos, havendo vários verbos cognatos.

No grego também há várias palavras envolvidas, a saber:

1. *Katoiketérion*, «habitação». Esse termo é usado por duas vezes somente: Efé. 2:22 e Apo. 18:2.

2. *Katoikía*, «casa de habitar», palavra grega usada somente em Atos 17:26, embora o verbo correspondente, *katoikéo*, «residir», apareça por quarenta e cinco vezes, de Mat. 2:23 até Apo. 17:8.

3. *Oiketérios*, «habitação», palavra grega usada somente por duas vezes: II Cor. 5:2 e Jud. 6.

4. Em I Cor. 4:11, nossa tradução portuguesa diz «morada», onde o original grego diz «estamos desestabelecidos», o que dá a idéia de que Paulo e outros apóstolos do Senhor não tinham residência fixa, pois eram pregadores ambulantes. Ali a palavra grega usada é o verbo *astatéo*, que é um *legomenon hapax*.

Linguagem Simbólica

a. Sião aparece como a habitação de Deus (Sal. 132:13).

b. O tabernáculo armado no deserto era o lugar onde Deus resolveu manifestar sua presença, onde ele simbolicamente residia (Êxo. 37:1; Lev. 26:11).

c. O céu é o lugar da habitação de Deus (Deu. 26:15; Sal. 123:1).

d. O próprio Deus é o lugar onde habita o justo, o seu refúgio ou fortaleza (Sal. 90:1; 91:1).

e. Deus habita na luz, o que alude à glória de sua presença e manifestação (I Tim. 6:16; I João 1:7).

f. A encarnação de Cristo é retratada como um ato mediante o qual ele armou tenda entre nós (João 1:14). Essa idéia fica oculta na maneira como nossa versão portuguesa traduz esse versículo, mas ela é clara no original grego e em algumas versões modernas, em outras línguas.

g. Deus habita entre seu povo e comunga com eles (Gên. 9:27).

h. Deus estabeleceu sua residência, no Novo Testamento, no seio da Igreja (Efé. 3:17-19), o que ele realiza mediante a presença do seu Santo Espírito (I Cor. 3:16; II Tim. 1:14).

i. A Palavra de Deus deve residir ricamente nos crentes (Col. 3:16; Sal. 119:11). Dessa forma é que ela exerce sobre eles a sua influência moral e espiritual.

j. Babilônia aparece na Bíblia como residência de demônios, o que reconhece que há uma habitação profana, de poderes malignos, entre os homens (Apo. 18:2).

1. Satanás manifesta-se de modos especiais, em alguns lugares ou em algumas pessoas, e isso é referido como se ele estivesse residindo nesses lugares ou indivíduos (Apo. 2:13).

m. Após a sua ressurreição, Jesus ascendeu aos céus a fim de preparar-nos um lugar, uma habitação condigna para o seu povo, para a sua Igreja (João 14:2).

n. A «casa do Pai» consiste em muitas «moradas», o

que fala de multiplicidade de habitações nos mundos celestiais (João 14:2). Isso já reflete a palavra grega *moné*, «aposento», empregada somente em João 14:2 e 23.

HABITAÇÃO DA DIVINDADE CORPORALMENTE EM CRISTO

Habita corporalmente, Col. 2:9. A primeira dessas duas palavras, no original grego, é «katoikeo», que significa «habitar permanentemente», «estabelecer residência», em contraste com «paroikeo», «residir temporariamente». Trata-se da mesma palavra usada em Col. 1:19, que fala sobre a «plenitude de Deus», que em Cristo habita. Ver o NTI onde é mais amplamente comentada. Notemos o tempo presente. O Cristo glorificado está em foco.

Corporalmente. No grego temos **somatilos**, isto é, «de modo corpóreo», «pertencente ao corpo». Esse uso cria certas dificuldades, pois não devemos imaginar que um corpo literal e físico seja capaz de ser a residência de todas as perfeições da natureza divina, porquanto isso seria uma contradição em termos, já que o espiritual dificilmente se identifica com o que é corporal.

O contexto descreve a glória do Cristo atualmente glorificado, em contraste com a posição inferior que os gnósticos lhe atribuíam, como se ele fosse apenas um dentre muitos «aeons». Notemos aqui o tempo presente: toda a plenitude divina «está habitando» em Cristo, pelo que dificilmente está em vista a encarnação. Abaixo expomos as principais interpretações de Col. 2:9.

1. Alguns estudiosos pensam que a «encarnação» é aqui focalizada. Mas isso é quase impossível, do ponto de vista doutrinário, pois o próprio Paulo, em Fil. 2:7, aludindo à encarnação, via Cristo como *esvaziado* dos atributos divinos. Ainda que compreendêssemos (e isso corretamente) que isso não indica a «natureza», mas antes, suas manifestações (a manifestação dos atributos divinos), continuaria difícil perceber como, na encarnação, Cristo poderia ser visto como possuidor de toda a plenitude de Deus. De fato, fazia parte do plano divino que, na encarnação, essa «plenitude» fosse despida. Teria sido impossível a Cristo viver entre os homens, se porventura tivesse retido a plenitude de Deus. A encarnação, pois, foi a desistência temporária dessa plenitude, o que, neste texto, significa os «atributos» divinos e sua manifestação, com base na natureza divina.

2. Alguns pais da igreja pensavam que o termo significa «genuinamente», em oposição a «simbolicamente», sem qualquer alusão ao corpo físico; e isso é um uso legítimo do vocábulo. Em Cristo habita, *realmente*, a plenitude divina, em contraste com os «aeons», que eram tidos como possuidores de partículas da mesma, embora todos juntos, exibissem tal plenitude.

3. Essa palavra também indica que, em Cristo, «em um só lugar, totalmente», em um «todo orgânico» (conforme diz Peake, *in loc.*), habita a plenitude, *como que formando um só corpo*. Nada de meras partículas da plenitude a habitarem em Cristo, conforme pensavam os gnósticos. As muitas «partículas» dos atributos divinos, pelos gnósticos eram distribuídas entre as «stoicheia», ou ordens de seres angelicais.

4. Há quem pense que isso alude ao modo atual da existência do Logos divino, em seu «corpo celeste», o qual, naturalmente, não se compõe de matéria, mas é antes uma forma de energia que pertence à natureza

HABITAÇÃO

espiritual, própria para os lugares celestiais. (Ver I Cor. 15:20,35,40 quanto ao que sabemos sobre esse corpo e sobre o que se tem conjecturado a seu respeito. Ver Fil. 3:21 e as notas expositivas ali existentes no NTI sobre o «corpo da glória» de Cristo). Esse é um sentido possível, que alguns estudiosos preferem.

5. Também há aqueles que pensam que a alusão ao «corpo» aponta para a igreja. Nesse corpo, ele tem a plenitude de Deus. Mas essa idéia é obviamente falsa, porquanto é a grandeza de Cristo que está em pauta, independentemente de tudo o mais. Em Col. 2:10, entretanto, a igreja entra em cena. Então ela é vista como possuidora, igualmente dessa «plenitude de Deus», devido à sua associação com Cristo. No entanto, essa é uma doutrina extremamente rara nos púlpitos das igrejas evangélicas.

Antes da encarnação, a plenitude habitava em Cristo, em forma não-corpórea; mas também veio a habitar nele, em «forma corpórea», embora isso não aluda a qualquer coisa física. Diz-se que os crentes estão destinados a habitar na glória, da mesma maneira, cheios de «toda a plenitude de Deus» (ver Efé. 3:19), tal como sucede no caso de Cristo.

As interpretações de números três e quatro são as mais prováveis; não são contraditórias. Ambas aludem a sua «glorificação», e ambas dizem que a «pleroma» ou plenitude de Deus habita em Cristo. A terceira meramente afirma que o termo «corporalmente» não alude a seu «corpo celeste», mas somente ao fato de que se acha «em um único ser», manifestando-se em «um único lugar». Não se acha ela dispersa entre uma sucessão quase interminável de seres sombrios, chamados «aeons». Tudo está localizado em uma única pessoa. Talvez o texto não tencione fazer diferença entre o Cristo preencarnado e o Cristo pós-encarnado. Na qualidade de Verbo eterno, a cada lado da eternidade, ele possui a «plenitude». Somente Cristo, portanto, é objeto digno de nossa adoração. Somente ele é o alvo de nossa busca espiritual.

Santos em adoração postam-se em torno dele,
E tronos e poderes caem à sua frente;
E Deus rebrilha gracioso, através do homem,
Distribuindo doces glórias a todos.

(Isaac Watts)

«Que tremendo contraste com as tradições humanas e com os rudimentos do mundo» (Meyer, em Col. 2:9)

«Que contraste com as agências espirituais, concebidas como intermediárias entre Deus e os homens, em cada uma das quais a plenitude divina se dividia e a glória divina se esmiuçava, em proporção à posição distanciada de Deus, em sucessivas emanações». (Vincent, em Col. 2:9)

Senhor de todo ser, entronizado no alto
Tua glória procede do sol e das estrelas,
Centro e alma de toda a esfera,
Mas de cada coração amante, quão próximo!

(Oliver Wendell Holmes).

Da Divindade, Col. 2:9. No grego temos o vocábulo **theotes**, «deidade», «divindade», «natureza divina». A própria *essência* da divindade está em foco, segundo o mostrará a consulta em qualquer bom léxico. Essa palavra fala sobre o «estado do ser divino»; mas, vinculado à «plenitude», deve incluir também a idéia da «manifestação» de todos os atributos e perfeições divinos. Cristo é o guardião de toda a natureza divina e seus atributos; não participa meramente de algum fragmento da mesma, conforme dizia a idéia gnóstica dos «aeons», entre os quais eles classificavam também

o Cristo.

HABITAÇÃO DE CRISTO NO CRENTE

Porém Cristo é tudo e em todos, Col. 3:11. Cristo é o credo inteiro, a vida inteira, a lei inteira, o motivo de ufania do crente, o motivo de alegria do crente, substituindo todos os antigos valores e as antigas distinções. Ele está *em todos* por meio do seu Espírito, que em nós vem residir. Ele é «tudo para todos» (ver Efé. 1:23). A terminologia, «tudo e em todos», evidentemente foi tomada por empréstimo do vocabulário do panteísmo dos gnósticos, que imaginavam que Deus se manifesta em tudo, como se todas as coisas fossem «emanações» suas. Portanto, ele é a fonte de tudo, e, na redenção, tudo é pintado como «reabsorvido» por Deus, perdendo a sua individualidade. Essas eram idéias dos mestres gnósticos. Paulo, entretanto, rejeita o panteísmo e retém a individualidade de cada pessoa. Mas, para o apóstolo, só em Cristo é que nossa existência se reveste de significado. Isso pode ser confrontado com I Cor. 15:28, onde se lê que Deus é «tudo em todos». Uma vez mais se vê a justaposição entre Deus e Cristo, o que serve de prova indireta da divindade de Cristo. Nenhum mero homem, por mais exaltado que fosse, poderia ser considerado como tal.

Este versículo salienta novamente a preeminência absoluta de Cristo, o tema abordado longamente em Col. 1:15-20. A relação com Cristo transcende a todos os laços terrenos, porque se reveste de significação eterna. (Comparar com Efé. 1:23). Cristo «preenche a tudo»; a tudo ele dá significado, em sua existência. O fato de que devem ser eliminadas as distinções de sexo, raça, religião e cultura era uma idéia nova e revolucionária, nos dias de Paulo. Nada parecido com isso foi obtido, até agora, mas é o elevadíssimo alvo na direção do qual a igreja se movimenta. Não há classes privilegiadas, conforme pensavam os gnósticos erradamente. O evangelho promete um novo mundo, no qual haverá união e unidade. Que nossos corações se fixem naquele mundo.

Em conexão com o conceito da unidade que há na igreja cristã, em torno de Cristo, o terceiro capítulo da epístola aos Efésios apresenta-nos o interessante conceito de que a igreja é o teatro e o campo experimental de Deus, porque nela o Senhor mostrará como, finalmente, ele unirá a criação inteira, incluindo os seres angelicais e todas as dimensões espirituais, quando Cristo se tornará o Cabeça de tudo, tal como agora ele é o Cabeça da igreja. Em Cristo, portanto, tudo será unificado. Cristo dará sentido e razão para a existência de tudo.

Já, na mente de Deus,
Ergue-se, bela, aquela cidade;
Eis, como seu resplendor desafia
As almas que grandemente ousam—
Sim, ordena-nos a segurar o todo da vida
E edificar a sua glória ali.

(Walter Russell Bowie)

«Deve ter sido estranho encontrar escravos e seus senhores, judeus e gregos, assentados em uma só mesa, ligados por laços fraternais. O mundo ainda não apreendeu plenamente essa verdade, e a igreja tem falhado lamentavelmente em mostrar que isso é uma realidade. No entanto, essa verdade rebrilha acima de todas as nossas guerras e cismas, acima das miseráveis distinções de classe, como um arco-íris da promessa, por baixo de cujo portal aberto, o mundo, um dia, passará para aquela terra rebrilhante, onde povos errantes serão reunidos em paz, ao redor dos pés de Jesus, havendo um só rebanho, porque há um

HABITAÇÃO — HÁBITO

só Pastor». (Maclaren, em Col. 3:11).

«Cristo ocupa a esfera inteira da vida humana e permeia todo o seu desenvolvimento» (Lightfood, em Col. 3:11).

Referências e idéias. A *presença habitadora do Espírito Santo*:

1. O Espírito Santo habita na igreja, como seu templo (ver I Cor. 3:16). 2. Habita no conjunto dos santos, como seu templo (ver I Cor. 6:19 e II Cor. 6:16). 3. Foi prometido aos santos (ver Eze. 36:27). 4. Os santos desfrutam da presença habitadora do Espírito Santo (ver Isa. 63:11 e II Tim. 1:14). 5. Os santos são cheios da presença habitadora do Espírito Santo (ver Atos 6:5 e Efé. 5:18). 6. A presença habitadora do Espírito Santo é meio revivificador (ver Rom. 8:11). 7. É meio de orientação (ver João 16:13 e Gál. 5:18). 8. É prova da adoção (ver Rom. 8:15 e Gál. 4:5). 9. É algo permanente (ver I João 2:27). 10. Os que não têm a presença habitadora do Espírito Santo são sensuais (ver Jud. 19). 11. Não têm Cristo (ver Rom. 8:9). 12. Opõem-se a Deus devido a sua natureza carnal (ver Gál. 5:17).

Segundo Efésios 3:17

que Cristo habita pela fé nos vossos corações, a fim de que, estando arraigados e fundados em amor,

O crente é o *templo* de Cristo.

As palavras «...*habite* Cristo nos vossos corações...» indicam a permanência habitadora do Espírito de Deus, nos crentes, na qualidade de *alter ego* de Cristo, conforme temos comentado amplamente em Efé. 2:21,22 no NTI, onde esse pensamento é enfatizado, de tal maneira que o crente torna-se o próprio templo de Deus, o que significa, por sua vez, que goza de perfeito acesso à sua glória e ao seu poder, bem como a todo o bem-estar espiritual. O segundo pedido de Paulo, em oração, é que houvesse essa presença habitadora divina em seus leitores, e isso através do poder de Deus. Consideremos ainda os pontos abaixo discriminados:

1. A trindade divina habita em nós, o que se deduz do trecho de Efé. 2:21,22, em confronto com este versículo. O Espírito Santo é o agente dessa habitação.

2. «Habitar» significa tomar residência permanente, estabelecer moradia.

3. Uma vez que Cristo é a «riqueza da glória do mistério» que em nós habita, tudo isso nos será comunicado por ele.

4. O seu Espírito, em nós residente, nos conduzirá de glória em glória, até participarmos plenamente de sua natureza, de sua santidade e de seus atributos perfeitos. (Ver II Cor. 3:18 e Rom. 8:29). Esse é o grande tema e alvo do evangelho.

5. Cristo veio habitar em nossos corações a fim de sermos o que ele é, e a fim de que todas as graças divinas tenham realização em nós. Em certo sentido, portanto, *somos Cristo*, isto é, estamos sendo feitos naquilo que ele é—somos Cristo «em formação». E assim participamos em tudo quanto ele realizou e experimentou, em sua morte, em sua ressurreição, em sua ascensão e em sua glorificação, conforme o trecho de Efé. 1:19 e *ss* nos mostra, e que faz parte de conceitos por muitas vezes reiterados, dentro da teologia paulina. (Ver no NTI Rom. 6:3 quanto a notas expositivas a respeito desse tema).

6. Cristo se encontra em nossos corações para que recebamos o que ele possui, a sua herança (ver Rom. 8:17), e para que participemos de sua glorificação (ver Rom. 8:30).

7. A idéia de que Cristo habita em nós, além de

significar que o seu Santo Espírito habita em nós, expressa também a nossa comunhão mística com ele, porque estamos «em Cristo» em virtude de sua presença habitadora. Portanto, estar «em Cristo» e possuir sua «presença habitadora em nossos corações» são expressões místicas que indicam a comunhão mútua de que desfrutamos no nível da alma. (Ver o artigo sobre *Cristo-Misticismo*). A expressão *em Cristo* ocorre por cento e sessenta e quatro vezes nas epístolas de Paulo. Mas, uma vez que essas são expressões místicas e espirituais, não podemos pretender qualquer coisa como compreendê-las plenamente, embora saibamos que indicam o contacto real entre o ser divino e o ser humano. No presente, devido às limitações do nosso conhecimento, isso é sabido mais através da «experiência» do que através da compreensão racional.

8. «Como é que Cristo habita nos corações? Ouçamos a voz do próprio Cristo, que disse: '...meu Pai o amará, e viremos para ele e faremos nele morada'». (Crisóstomo, que aludia ao trecho de João 14:23). (Ver também Col. 1:27, onde se lê: «...*Cristo em vós, a esperança da glória*).

«...*nos vossos corações*...» Temos aqui um equivalente poético à expressão que figura em Efé. 3:16, o «homem interior». Envolve algo intelectual e emocional, mas, na realidade, aponta principalmente para o princípio íntimo da vida, para o homem essencial, para a alma ou espírito do homem, onde a habitação de Deus tem lugar, por tornar-se templo do Espírito Santo. É a alma do homem que entra em contacto direto com Deus, e que recebe as suas influências.

«O coração é nosso autopensamento interior e consciente, nossos sentimentos e nossa vontade, em sua unidade pessoal». (Findlay, *in loc.*). Mas, ajuntamos nós, que todas essas qualidades são meramente atributos da alma.

Pela fé. Está em foco a «fé evangélica», que consiste da «entrega da alma» aos braços de Cristo, e não da mera aceitação de um credo ou de tornar-se alguém membro de uma organização religiosa. (Isso pode ser comparado com o décimo segundo versículo do terceiro capítulo de Efésios, que mostra que a «fé» é o instrumento do nosso «acesso» a Deus.). Ver também o trecho de Efé. 2:8, onde a «fé» aparece como o meio que nos traz a graça divina a nós mesmos. No trecho de João 3:16, essa fé aparece como «salvadora». (Ver o artigo sobre a «fé»). Também é de *fé* em *fé*, de um grau de fé a outro, de um exercício de fé a outro, o justo vive (ver Rom. 1:17). Outrossim, a fé é «dom» e «fruto» do Espírito Santo (ver Efé. 2:8 e Gál. 5:22). No entanto, a fé foi posta à disposição de todos os homens, mediante a «graça geral» exibida na cruz de Cristo (ver João 12:32 e Rom. 11:32).

HÁBITO

Esboço:

I. Na Filosofia
II. Na Fé Religiosa
III. Quebrando Hábitos
IV. Como Vestes Eclèsiásticas

1. Na Filosofia

1. Aristóteles usava a palavra (no grego, **éthos**) para referir-se a como a *disposição* de agir corretamente pode tornar-se um estado permanente, um bom hábito, da mesma maneira que um vício, mediante o uso, pode tornar-se tal mediante o cultivo, a repetição. Os hábitos desenvolvem-se de qualquer *atividade* constante, podendo ser bons ou maus. Tomás de Aquino reteve as idéias essenciais de Aristóteles, sobre a questão.

HÁBITO

2. Condillac (vide) dizia que os hábitos estão à base das funções intelectuais de onde surgem os conceitos.

3. Em Hume (vide), os hábitos estabelecem os processos de análise, mediante os quais obtemos conceitos como os da causalidade e de pontos de vista mundiais.

4. Charles Peirce (vide) dava grande valor aos hábitos, aplicando-os à metafísica. O próprio Universo teria vindo a uma existência ordeira mediante hábitos formados. Mas, é impossível comprovar esse ponto.

5. Os hábitos estão à base de todas as teorias psicológicas. A repetição determina as nossas reações, e as reações tornam-se a base das atitudes e dos atos humanos.

II. Na Fé Religiosa

1. Somos encorajados a cultivar as virtudes espirituais e a descontinuar os vícios (ver Gál. 5:19 ss). Isso se faz mediante atos habituais, que se transformam em atitudes.

2. Devemos buscar a mente espiritual, rejeitando a conformidade com os hábitos mundanos (Rom. 12:1,2). A conformidade se dá mediante uma série de atos que se tornaram habituais. Os hábitos determinam o destino do indivíduo. Um pensamento pode tornar-se um ato; um ato pode tornar-se um hábito; um hábito pode determinar o destino da pessoa.

«O hábito é um cabo; tecemos um fio do mesmo a cada dia;

E, finalmente, não mais podemos quebrá-lo».

(Horácio Mann).

«De fato, parece que a segunda metade da vida de um homem de nada mais se compõe senão dos hábitos acumulados durante a primeira metade de sua vida» (Dostoievski).

«Como o *uso* cria um *hábito* em um homem!» (Shakespeare).

3. Um hábito pode interpretar falsamente a verdade. Todos os homens são, acima de tudo, produtos de sua própria época, de suas experiências e de suas associações. Algumas vezes, porém, Deus intervém nisso. As pessoas que nascem em alguma denominação ou fé religiosa, mediante o hábito (associações constantes), acabam convencidas de que a mesma está absolutamente certa. Ao mesmo tempo, os hábitos fazem as pessoas crerem em *outros* sistemas. A verdade pode ser mais facilmente descoberta quando investigamos em todos os níveis, e chegamos a conhecer todas as alternativas. A interpretação de qualquer texto bíblico pode ser devida apenas aos hábitos de uma denominação, o que a faz desviar-se para longe do verdadeiro significado daquele texto. Há hábitos bons e hábitos maus; e, no entanto, um *hábito* qualquer serve de critério da verdade, no caso de quase todas as pessoas. Os hábitos, paralelamente a uma atitude conservadora, podem ser o maior obstáculo às mudanças e ao progresso. Não obstante, existem bons hábitos, que refletem a verdade. Cada indivíduo tem a responsabilidade de distinguir os bons dos maus hábitos; mas poucos estão interessados nesse tipo de atividade.

III. Quebrando Hábitos

1. Reações Incompatíveis. Uma pessoa tenta, propositalmente, desenvolver uma reação a certa situação, a qual é contrária ou incompatível com suas antigas reações, que formaram um hábito qualquer. Assim, têm sido aplicados choques elétricos em homossexuais enquanto viam fotografias de homens despidos, e estimulados agradavelmente, enquanto viam fotografias de mulheres nuas. Desse modo, a idéia de algo desagradável fica associada à nudez masculina, ao mesmo tempo em que a idéia de algo agradável é associada à nudez feminina. Esse método tem funcionado bem, no caso de alguns indivíduos homossexuais.

2. *Exaustão*. Uma pessoa é forçada a pôr em prática o seu hábito até ser vencida pela fadiga, o que empresta àquele hábito uma aura indesejável. Por exemplo, um pai que apanha um filho seu fumando, obriga-o a fumar até ele ficar enjoado. Dessa maneira, o enjôo é associado ao hábito ou vício de fumar.

3. *Tolerância*. Certa criança tem medo de gatos. A fim de curá-la dessa atitude mental sem sentido, seus pais compram para ela um gatinho. A criança não sente medo do gatinho. O gatinho não demora muito a crescer, tornando-se um gato. A criança acompanhou o processo de crescimento do animal, e, quando o gato torna-se adulto, a criança não sente mais medo de gatos.

4. *Mudança de Ambiente*. Muitos hábitos são formados mediante reações a algum meio ambiente. Indivíduos que costumam freqüentar clubes noturnos ou lupanares ou bares, desenvolvem hábitos negativos. Assim, as pessoas que convivem com fumantes, em muitos casos tornam-se fumantes também; e outro tanto sucede no caso do alcoolismo. E as pessoas que convivem com aqueles que enfatizam os hábitos salutares e espirituais do estudo da Bíblia e da oração, acabam adquirindo esse hábito, por força do exemplo. Há mudança de hábitos quando alguém deixa de freqüentar seus lugares habituais, deixa de se associar com pessoas que praticam habitualmente certas coisas. Temos aí a aplicação do exemplo (vide), o que é uma maneira de encorajar outras pessoas a corrigirem seus hábitos e suas atitudes. Paulo escreveu que: «Não vos enganeis: as más conservações corrompem os bons costumes» (I Cor. 15:33). E Sêneca lamentava que, em certas vilas romanas, exigia-se o relaxamento dos bons costumes e da moral.

5. *A Intervenção Divina*. Deus pode mudar a maneira de pensar de uma pessoa. Isso pode ocorrer através de alguma súbita experiência espiritual ou mística, ou, então, pode ser o produto do desenvolvimento espiritual, mediante o emprego dos meios de crescimento espiritual. Esses meios envolvem o uso e desenvolvimento do intelecto, através do estudo da Bíblia e de livros espirituais; através do uso da oração e da meditação; através da prática de boas obras, com vistas à santificação e ao toque místico, e, também, através do uso dos dons espirituais e da iluminação através da meditação.

IV. Como Vestes Eclesiásticas

Em algumas denominações cristãs e grupos não-cristãos, várias ordens religiosas distinguem-se das outras mediante algum tipo específico de veste. Essas vestes são chamadas *hábitos*. O propósito psicológico e espiritual disso é *separar* certos indivíduos para alguma tarefa ou dedicação específica, e suas próprias vestes servem de símbolo desse ato. Esses *hábitos* tendem por preservar a modéstia, dando à pessoa uma aparência não mundana, em contraste com as maneiras normais de vestir, que enfatizam o sensual e têm por detrás o espírito do exibicionismo. Mas, aqueles que não usam essas vestes distinguidoras, objetam ao uso das mesmas, porquanto tal uso tende por obscurecer o fato de que todos os seguidores de Cristo são sacerdotes, e que todos eles deveriam separar-se ou santificar-se para o Senhor.

••• ••• •••

HABOR — HADADE

HABOR

No hebraico, «reunião». Nas páginas do Antigo Testamento, esse é o nome de uma região geográfica e de um rio, a saber:

1. Uma região da Média, para onde foram transportados contingentes das dez tribos de Israel, durante o cativeiro assírio (vide). Os responsáveis por isso foram Tiglate-Pileser (I Crô. 5:26) e, posteriormente, Salmaneser (II Reis 17:6; 18:11). A região tem sido identificada com a região montanhosa entre a Média e a Assíria, que Ptolomeu chamava de *Carboas* (Geog. 6:1). Porém, a maior parte dos estudiosos pensa que apenas a similaridade de nomes sugere tal identificação. Habor ficava às margens do rio Gozan, e, ao que parece, esse rio chama-se, modernamente, Kizzil-Ozan. Várias ruínas têm sido encontradas naquela região, apontando para várias antigas ocupações humanas da área.

2. *O rio Habor*. Esse rio da Mesopotâmia tem sido identificado com o moderno rio Khabur. Flui para o sul, atravessando Gozã e após pouco mais de trezentos quilômetros, deságua no ramo oriental do rio Eufrates. Os israelitas deportados pelos assírios foram instalados em suas margens, conforme se vê naquelas referências bíblicas. Alguns estudiosos modernos continuam pensando que se trata do rio que, em grego, se chamava *Charboras*. Na antiguidade, toda aquela região foi densamente povoada, e vários cômoros têm sido escavados ali. O arqueólogo Layard encontrou ruínas de procedência assíria, naquela região.

HACABA

Chefe de uma família de servidores do templo, cujos descendentes retornaram com Zorobabel. (Ver I Esdras 5:30). Ele é chamado Hagaba em Esd. 2:45.

HACALIAS

No hebraico, «trevas de Yahweh». Esse foi o nome do pai de Neemias. Mas, a respeito dele, não temos mais informações do que isso. Ver Nee. 1:1 e 10:1. Ele viveu por volta de 446 A.C.

HACMONITA, TAQUEMONI

No hebraico, «habilidoso», um termo usado para designar um ou mais homens e os seus descendentes:

1. Um homem conhecido como pai (ou antepassado) de Jasobeão, um dos poderosos guerreiros de Davi (ver I Crô. 27:2 e 11:11). Nesta última referência, o filho de Hacmoni é chamado de *hacmonita*. Porém, em II Sam. 23:8 (trecho paralelo), encontramos o nome próprio *Taquemoni*. Muitos eruditos, entretanto, pensam que esse nome próprio envolve um erro textual.

2. A família de Jeiel, que era um dos servos de Davi (I Crô. 27:32). Ele era «filho de Hacmoni» (conforme a nossa versão portuguesa), o que também é dito acerca de Jasobeão, em I Crô. 11:11 (em nossa versão portuguesa, «Jasobeão, hacmonita»). No entanto, no original hebraico, a maneira de dizer é uma só. O pai de Jasobeão era Zabdiel (I Crô. 27:2). Lemos, em I Crô. 27:3, que ele era dos filhos de Perez e, portanto, da tribo de Judá.

HACUFA

No hebraico, «incitação». Esse homem era o cabeça de uma família de netinins, ou servos do templo, que voltaram do exílio babilônico em companhia de Zorobabel. São mencionados em Esd. 2:51; Nee. 7:53 e I Esdras 5:31.

HADADE

No hebraico, provavelmente, «trovão». Esse foi o nome de uma das principais divindades dos sírios, de um deus arameu, e de quatro homens, nas páginas do Antigo Testamento:

1. *A divindade síria*. Ver o artigo geral sobre os *Deuses Falsos*. Como título de uma divindade, essa palavra, mui provavelmente, significa «trovejador». No hebraico, a forma do nome é *hadad* e, no assírio, *haddu*. Era o equivalente amorreu do deus das tempestades, Baal, segundo os textos de Ras Shamra. O deus grego, *Zeus*, também é retratado a controlar os deuses e os homens com o seu famoso raio. Os antigos personificavam e deificavam as forças da natureza.

Um templo consagrado a Hadade foi construído em Alepe, que os arqueólogos têm investigado. Hadas ou Adad era um deus assírio babilônico que controlava os ventos, as tempestades, o relâmpago, a chuva e o trovão. Na Assíria, ele também aparecia como um deus da guerra. Na Síria, era chamado *haddu*, e não *adad*. Sua adoração disseminou-se pela Palestina, pela Síria e pela Mesopotâmia, mais ou menos a começar pela época de Abraão. Era o equivalente ao Baal dos cultos de fertilidade de Ugarite e de Canaã. Envolvia muitas características, em um sincretismo que misturava as idéias envolvidas em muitos deuses. Falava com uma voz de trovão; era um deus que morria e ressuscitava, à semelhança de Tamuz, da Mesopotâmia; era um guerreiro montado em um touro, armado de maça de guerra e de um raio; e, em seu capacete, havia os chifres de um touro. Um monolito de Salmaneser chama-o de «o deus de Alepo». O Antigo Testamento, porém, nunca menciona especificamente essa divindade pagã.

2. *A divindade araméia*. Esse deus dos arameus tem sido identificado com o deus das condições atmosféricas, chamado Ramom (no hebraico, Rimon; vide). O nome Hadade aparece em muitos nomes compostos arameus, como Hadadezer, Ben-Hadade (filho de Hadade), etc.

3. Um filho de Ismael, neto de Abraão, tinha esse nome. Ver Gên. 25:15; I Crô. 1:30. Ele viveu por volta de 1900 A.C. Foi o oitavo dos doze filhos de Ismael. Algumas traduções dizem Hadar, em Gên. 25:15, mas Hadade em I Crô. 1:30, seguindo diferentes variantes no hebraico.

4. Um dos reis de Edom, cujo pai chamava-se Bedade (Gên. 36:35,36; I Crô. 1:46,47). Ele derrotou os midianitas na planície de Moabe e fez da cidade de Avite a sua capital. Viveu por volta de 1500 A.C.

5. Um outro rei de Edom, que sucedeu a Baal-Hanã no trono. Fez de Paí a sua capital. Sua esposa chamava-se Meetabel (I Crô. 1:50). Em Gên. 36:39, ele é chamado Hadar. Viveu por volta de 1015 A.C. Ele foi o último dos primeiros reis idumeus.
— Na infância, escapou do massacre que Joabe promoveu.

6. Um príncipe idumeu, que viveu na época de Salomão, isto é, por volta de 1015 A.C. É mencionado em I Reis 11:14,17,19,21,25. Escapou do massacre encabeçado por Joabe, e fugiu para o Egito, na companhia de outros. Ali foi bem tratado pelo Faraó, e acabou se casando com uma cunhada do monarca egípcio. Genubate, filho desse casamento, foi criado como um dos filhos de Faraó. Quando Davi faleceu, Hadade resolveu reconquistar o território que havia perdido, mas o rei do Egito não o apoiou no plano.

HADADEZER — HADES

Porém, Hadade retornou de qualquer modo a Edom e causou a Salomão algumas dificuldades. Instigou os edomitas e desfechou ataques contra várias localidades. Obteve um êxito limitado em seus esforços.

HADADEZER

No aramaico, «Hadade é ajudador». Ele era rei de Zobá, na Síria, nos tempos de Davi. Seu território estendia-se para leste até às margens do Eufrates, e para o sul até à fronteira com Amom. O Antigo Testamento refere-se a ele como quem entrou em vários choques armados com Davi. Sofreu sua primeira derrota diante de Davi nas vizinhanças do rio Eufrates, em cerca de 984 A.C. Houve grande matança, com o envolvimento de várias cidades. Hadadezer perdeu muitos homens, e Davi tomou como despojos muito de seu equipamento. Ver II Sam. 8:3 *ss* e I Crô. 18:3 *ss*. Nessa batalha, vieram sírios de Damasco ajudar a Hadadezer, pelo que Davi matou a vinte e dois mil sírios.

Os amonitas, ato contínuo, formaram uma liga com outros arameus, a fim de apresentarem uma frente sólida contra Davi. Eles insultaram embaixadores que Davi tinha enviado, raspando suas barbas (ver II Sam. 10:1-6). Em vista disso, Davi enviou forças armadas contra eles, sob o comando de Joabe. Este obteve uma notável vitória; mas Hadadezer não desistiu. Retirou-se para o território a leste do rio Eufrates e reuniu um novo e mais poderoso exército, sob o comando de Sofaque, seu general. Dessa vez a ameaça era suficientemente séria para fazer com que Davi fosse pessoalmente à cena da batalha. A vitória de Davi foi tão definitiva que o poder de Hadadezer sofreu um golpe fatal. Outros governantes, que se tinham sujeitado a ele, aproveitaram a oportunidade para se livrarem de seu jugo. Dessa maneira, Davi estendeu o seu poder sobre todos aqueles territórios envolvidos. Ver II Sam. 10:15-18. Davi estabeleceu uma guarnição armada em Damasco, e recebia tributos por parte de Hadadezer.

HADADRIMOM

Esse nome é a combinação dos nomes de duas divindades sírias, *Hadade* e *Rimom*, formando um título que significa «lamentação por Hadade». Hadadrimom era um deus da vegetação, cujo nome forma combinação com Romom, o deus das tempestades, que figura em fontes extrabíblicas. Os textos de Ras Shamra demonstram que Hadade era o nome apropriado para designar Baal.

Nas páginas da Bíblia, Hadadrimom designa uma localidade, existente no vale de Megido (Zac. 12:11), onde os judeus efetuaram uma cerimônia de lamento nacional, em face da morte do rei Josias, na última batalha que ele participou, na famosa planície de Esdrelom. Ver II Reis 23:29 e II Crô. 35:23. Jerônimo identificava esse lugar como Maximianópolis, uma aldeia próxima de Jezreel. Mas, alguns intérpretes supõem que essa palavra não tem o intuito de identificar uma localidade e, sim, o próprio estado de lamentação. Outros identificam esse lugar com a moderna Rummaneh, ao sul de Megido. Seja como for, a grande lamentação que assinalou a morte de Josias, às mãos de Neco II, Faraó do Egito, em cerca de 609 A.C., foi tão grande que se tornou proverbial. E o termo *hadadrimom* veio a simbolizar tal lamentação, sem importar se está em pauta ou não alguma localidade específica.

••• ••• •••

HADASSA

No hebraico, «murta». Hadassa era o nome judaico original de Ester (ver Est. 2:7). Todavia, foi-lhe dado um novo nome, *Ester* (vide).

HADES

Ver também sobre **Sheol**.

Esboço:
I. Hades na Mitologia Grega
II. Na Septuaginta
III. Portas do Inferno (Mat. 1:18)
IV. Na Literatura Hebraica
V. A Descida de Cristo ao Hades
VI. Hades — o Abismo (Apo. 9:1)

I. Hades na Mitologia Grega

Originalmente, **Hades** era o nome do deus do submundo que, segundo os gregos, ficava no seio da terra. *Hades* era o filho de *Cronos* (Tempo), o deus mais alto. *Zeus*, outro filho de *Cronos* finalmente o substituiu através do uso de força. Assim, ele ficou o deus mais poderoso da mitologia grega. *Hades* continuava reinando no submundo compartilhando seu poder com sua esposa, *Persefone*. Com o desenvolvimento da mitologia, o termo *hades* começou a ser usado para significar o *próprio submundo*, a habitação dos *fantasmas* de homens desencarnados. No início, estes seres foram representados como entidades sem razão ou qualquer vida real. Gradualmente, uma vida real foi atribuída a eles, e assim se tornaram *espíritos* e não fantasmas. Mas o *hades foi* descrito como a habitação dos espíritos bons e maus e somente depois de maior desenvolvimento da doutrina, é que os espíritos bons receberam no submundo um lugar bom, em contraste com o estado miserável dos espíritos maus.

II. Na Septuaginta

Na versão LXX (**Septuaginta**) do A.T. (a tradução do original hebraico do A.T. para o grego), a palavra *hades* passou a ser usada para traduzir o termo hebraico «sheol», lugar dos espíritos desencarnados, igualmente tanto bons quanto maus, tanto os que se encontram na bem-aventurança quanto os que sofrem o justo castigo de seus pecados. Algumas traduções vernáculas, entretanto, têm obscurecido a idéia do «hades», traduzindo essa palavra por «inferno», o que dá a entender algum lugar horrível de punição ardente. O próprio termo «hades», entretanto, não indica necessariamente nem bem-aventurança e nem castigo, embora também possa indicar qualquer dessas situações, dependendo do sentido tencionado no contexto em que o vocábulo aparece.

Os empregos da palavra são bastante amplos, porquanto pode ela significar tanto simplesmente a *morte*, sem qualquer pensamento especial sobre as condições que existem antes da morte (que parece ter sido o uso hebraico mais antigo do vocábulo, bem como no pensamento grego dos tempos mais remotos, quando não havia ainda surgido a idéia de almas imortais a residirem nesse lugar, mas quando muito, apenas —alguma forma— de fantasma vazio, que não retinha a inteligência e a memória do indivíduo ali parado), mas também pode significar o lugar dos espíritos desencarnados. Os judeus calcularam que esse lugar estaria dividido em duas porções, uma para os ímpios e outra para os justos. Nesse caso, algumas vezes surge a idéia da existência de uma parede fina como papel entre essas duas porções. Isso significaria que embora não houvesse comunicação entre essas duas divisões, e embora não pudessem passar

HADES

mensageiros de uma para outra parte, o que ocorria em um dos lados podia ser observado do outro.

O lado bom desse lugar recebeu o nome de *paraíso*, de «seio de Abraão», etc. E, naturalmente, existem outras descrições fabulosas sobre toda a questão, na literatura judaica, embora nenhum intérprete as leve a sério, por não serem tais descrições inspiradas divinamente e dignas de confiança. A palavra «Tártaro» (igualmente de origem grega), tem sido usada para fazer alusão àquela parte do hades onde os homens são punidos. Essa palavra é usada no N.T. exclusivamente na passagem de II Ped. 2:4. Mas o próprio Senhor Jesus empregou a palavra *geena*, a fim de referir-se ao lugar de punição; e, se tivesse sido indagado sobre a identificação desse lugar, mui provavelmente teria concordado que a parte «má» do hades é a que estava em foco. (Ver o artigo sobre *Geena*, que também aborda o simbolismo contido nesse termo).

O trecho de Luc. 16:19-31 pinta tanto o rico como Lázaro no «hades», o que preserva a idéia judaica da natureza daquele lugar. (Comentários sobre esse lugar podem ser encontrados nessa referência bíblica no NTI. Tal palavra ocorre também em passagens como Mat. 11:23; 16:18; Luc. 10:15; Atos 2:27,31; Apo. 1:18; 6:8; 20:13,14).

A idéia de que o lado bom do hades foi eliminado desde a ressurreição de Cristo, tem base na ênfase dada por Paulo ao *terceiro* céu (ver II Cor. 12:1-4), e na declaração paulina que Cristo levou cativo o cativeiro (ver Efé. 5:8-10), o que supostamente significa o transporte dos bons espíritos para outro lugar, não está bem fundamentada nas Escrituras, e certamente não é consubstanciada por qualquer das referências bíblicas geralmente apeladas para isso. Muitas evidências demonstram que continua em existência o *mundo intermediário*, sob muitas formas fora de nossa capacidade de investigação plena. Poderíamos afirmar, pois, que não sabemos grande coisa sobre esse mundo intermediário, que continuará existindo até o julgamento final, quando o hades entregará o seus mortos, e for estabelecido o julgamento eterno, conforme lemos em Apo. 20:13, 14. Acreditamos, todavia, que na era da graça os verdadeiros convertidos vão para os «lugares celestiais», esferas mais altas do que «o lado bom» do hades.

Embora o vocábulo *hades* possa fazer alusão à simples morte física, nada dando a entender sobre a vida após-túmulo, contudo, é muito provável que não seja esse o sentido que lhe é atribuído neste passo bíblico, conforme E.H. Plumptre observa (*in loc.*): «A morte de Cristo foi uma morte verdadeira, e apesar de que o seu corpo foi posto no sepulcro, a sua alma partiu para o mundo dos mortos, que é o 'sheol' dos hebreus e o 'hades' dos gregos, para continuar ali a obra remidora que ele havia iniciado à face da terra... e aqui temos, uma vez mais, uma interessante coincidência com a linguagem de Pedro (ver I Ped. 3:19), quanto à obra de Cristo que foi pregar aos *espíritos em prisão*».

III. Portas do Inferno (Mat. 1:18).

«Portas do inferno», ou melhor, **portas do hades,** era uma expressão oriental para indicar a corte, o trono, o poder e a dignidade do reino do mundo inferior. No V.T. (como aqui neste texto), indica o poder da morte. A idéia principal é que a igreja nunca será destruída por qualquer poder —nem mesmo pela morte ou pelo resultado da morte, e nem pelo reino do mal. A igreja é eterna; a morte, ou qualquer outro poder oculto e perverso, jamais poderá ser vitoriosa sobre ela. «Reino de Satanás» é uma interpretação que

os intérpretes em geral não aceitam, embora a promessa de Cristo, naturalmente, tenha incluído a idéia de que Satanás e seus agentes (seu reino) jamais poderão vencer a igreja edificada sobre a rocha. As portas do hades abrem-se para devorar a humanidade inteira, e fazem-no com êxito; mas Cristo e sua igreja vencerão esse poderoso inimigo. Esse reino da morte será abolido por Cristo (ver as seguintes passagens: Is. 25:8; I Cor. 15:15 e Efé. 1:19,20). Esse trecho implica, naturalmente, na luta contra o reino do mal, mas ensina, principalmente, a vitória sobre a morte, com todas as suas implicações. Há bons intérpretes, porém, como Erasmo, Calvino e outros, que interpretam o trecho como a vitória final sobre Satanás. A vitória sobre a morte, realmente, deve incluir essa idéia, pelo menos por implicação. Essa expressão, «porta do hades», é comum na literatura judaica (fora do V.T.), mas também se encontra em Is. 28:10 e em Sabedoria de Salomão 16:13. Na passagem de Apo. 6:8 o símbolo da morte é mais personificado, pois a *morte* é apresentada montada em um cavalo e seguida pelo *hades*.

IV. Na Literatura Hebraica

Não há nenhum conceito simples de «hades», nem na literatura judaica, anterior aos tempos neotestamentários, nem no próprio N.T. A idéia hebraica original do «após-vida», é que não havia «após-vida». Portanto, até mesmo nos primeiros cinco livros do A.T., apesar de ali ser ensinada a existência da vida espiritual, não ensinam a possibilidade de «vida espiritual para os homens». Os comentários dos mestres judeus, acerca desses livros, bem como seu uso no N.T., parecem subentender tal coisa; mas esses livros, considerados em si mesmos, não ensinam a possibilidade do «após-vida» para os homens. O estágio seguinte, no pensamento judaico, no tocante a isso, é similar aos conceitos gregos com seu «hades» (a região «invisível» dos espíritos). Então os judeus vieram a crer (tal como o criam os gregos) que o hades era um lugar literal, localizado no centro da terra. Para esse lugar desceriam todos os espíritos humanos, bons e maus, sem qualquer distinção; e ali não teriam qualquer existência real, com memória e consciência; antes, arrastar-se-iam em uma vida sem formas, como se fossem energias desgastadas, e não seres reais.

Gradualmente, entretanto, veio a aceitar-se que os «espíritos» possuem existência real, de alguma modalidade. Assim o hades se tornou lugar de punição ou de recompensa. Essa idéia de que o hades é lugar de recompensa ou de punição, surgiu primeiramente na religião persa, de onde parece que penetrou no judaísmo. Já que o «hades» prometia recompensa ou castigo, foi apenas natural que daí se pensasse estar o mesmo dividido em «duas regiões distintas». E assim essa idéia veio a fazer parte da doutrina do «hades». Todos esses «estágios» de desenvolvimento dessa idéia podem ser traçados na literatura judaica, e mais de um estágio desses é refletido nas páginas do N.T. Como exemplo disso, considere-se o décimo sexto capítulo do evangelho de Lucas, onde se percebe a *divisão* do hades em porção pertencente aos bons e porção pertencente aos incrédulos. A idéia no Apocalipse, é de que todos os espíritos descem ao hades, com exceção dos «mártires», que passam diretamente para os «céus», um lugar glorioso e totalmente distinto do *hades*. Seja como for, para o vidente João, o «hades» era um lugar *intermediário*, e não permanente. Isso perdurará até que o estado eterno divida os homens em suas habitações devidas. As almas dos crentes martirizados aguardam, nos céus, pela primeira ressurreição (ver Apo. 20:4-6), ao passo que os demais mortos permanecerão no hades,

HADES

aguardando a segunda ressurreição, ou ressurreição geral (ver Apo. 20:12,13).

No livro de Apocalipse, tal como no pensamento grego, o «hades» parece ser distinguido do *mundo inferior*, do qual um anjo tem a chave (ver Apo. 9:1 e *ss*). Parece que o *«mundo inferior»*, pertence a espíritos horrendamente malignos, piores que os ímpios mortos. Essa distinção, entretanto, parece não ser geralmente observada nas páginas do N.T.

O hades do N.T. é equivalente ao «sheol» do A.T., ainda que, conforme já foi destacado, o «sheol» *não* representa um *único* conceito, mas muitos, formando uma série que mostra estágios cada vez mais desenvolvidos. Por conseguinte, o «sheol» pode significar apenas «estado de morte», e não «estado onde habitam os mortos». Contudo, por toda a parte, a Septuaginta (tradução do original hebraico do A.T. para o grego, feita antes da era cristã) traduz «sheol» por «hades». Ora o termo grego «hades» envolve um desenvolvimento similar como conceito.

V. A Descida de Cristo ao Hades

Os trechos de I Ped. 3:18-20 e 4:6 descrevem a descida misericordiosa de Cristo ao hades, a fim de que ele ali anunciasse, às almas perdidas, o evangelho. A maior parte da igreja cristã tem reconhecido a descida de Cristo ali como uma *melhoria*, ou até mesmo para «oferecer a salvação» aos perdidos daquela região. Porém, alguns grupos evangélicos dos tempos modernos, têm chegado a rejeitar essa doutrina com base *«a priori»* do que Cristo poderia ter feito ou não (segundo a opinião deles), já que isso entraria em choque com suas rígidas idéias sobre o que deverá ser o julgamento. A despeito dessas objeções, não há que duvidar que esses versículos ensinam uma missão misericordiosa de Cristo entre as almas perdidas. É possível (*mas não provável*) que João, o vidente, se tenha referido a esse conceito ao falar das «chaves» brandidas por Cristo, as quais, como é óbvio, podem abrir ou fechar aquele lugar temível; mas lugar que pode ser aberto no caso de todos quantos aceitarem sua misericórdia. As fronteiras eternas não serão traçadas senão quando da «parousia» ou segundo advento de Cristo. Tais fronteiras não são determinadas quando da morte física de qualquer indivíduo. O julgamento final não ocorrerá senão após o «milênio», conforme fica claro no vigésimo capítulo do livro de Apocalipse. (Ver I Ped. 4:6 quanto ao estabelecimento dos limites eternos, por ocasião da «parousia», que é conceito neotestamentário comum). (Ver o artigo sobre a *Descida de Cristo ao Hades*).

VI. Hades — o Abismo (Apo. 9:1)

Poço do abismo, Apo. 9:1. O grego seria mais literalmente traduzido ainda como «fenda do abismo». O termo grego *«phrear»* pode significar ou «poço» ou «fenda», que desce até o subsolo. A própria ambigüidade do vocábulo grego tem provocado a ambigüidade de sua tradução e interpretação. Alguns têm preferido pensar que o próprio «hades» está em foco; mas outros pensam que se trata de uma *fenda* que conduz ao hades, mas não o próprio hades. E ainda outros imaginam que se trata de uma fenda que leva a algum poço, ou ao próprio poço, inteiramente distinto do hades, por ser o lugar da habitação desses seres eminentemente malignos. Não há modo indiscutível para determinar qual a interpretação correta, mas a discussão abaixo deixa implícito que a «fenda» e o «hades» representam uma e a mesma coisa, ou então diferentes locais de uma única grande área de julgamento.

Outrossim, não há nenhuma interpretação isolada

e absolutamente certa sobre o próprio hades. Originalmente, o lugar era reputado como a prisão que abrigava os *fantasmas* dos mortos; mas ali viveriam não realmente como almas sobreviventes, e, sim, como sombras sem bom senso, a vaguearem ao redor. Mais tarde, a idéia de «autêntica sobrevivência» veio a fazer parte da doutrina. Finalmente, surgiu a idéia da «separação» entre os «bons» e os «maus», havendo «galardões» para os primeiros e «punições» para os segundos. Por conseguinte, a cada vez em que o «hades» é mencionado, não podemos ter a certeza (a menos que o próprio contexto entre em detalhes) acerca do «estágio» do desenvolvimento da doutrina do «hades» que ali se reflete. (Ver no NTI as notas expositivas em Luc. 16:23 e Apo. 1:18, quanto a maiores detalhes sobre essa doutrina). O trecho de II Ped. 2:4 emprega o vocábulo «Tártaro». Originalmente, era uma região ainda mais inferior e desgraçada que o hades. O hades era considerado como algo que estava no coração da terra. Nesse caso, o Tártaro estaria bem no centro do globo, sendo reputado um lugar de dores e castigos especiais. Gradualmente, entretanto, o conceito de «Tártaro» se foi mesclando com o conceito de «hades», a tal ponto que tanto uma como outra palavra puderam ser usadas para indicar o mesmo lugar. (Ver o artigo sobre *Tártaro*. Ver também II Ped. 2:4).

No Apocalipse, essa «fenda do abismo» também é mencionada em Apo. 11:7; 17:8 (lugar de onde subirá a «besta»), e 20:1,2 (onde se lê que ali serão lançados a besta e o próprio Satanás). Ali ficarão até o fim do milênio, após o que serão lançados no lago do fogo, o lugar do castigo final (ver Apo. 14:11, onde, sem que seja empregado esse nome, evidentemente também há alusão a essa «fenda», mostrando que os seguidores do anticristo haverão de compartilhar de sua sorte). Comparando-se entre si todas essas referências, chegamos à conclusão de que o vidente João estava aqui descrevendo a «porção má» do hades, e não algum lugar distinto do mesmo. Cumpre-nos observar que «a morte e o hades» serão lançados no «lago do fogo», juntamente com os perdidos; e supomos que o «diabo», a «besta» e seu «falso profeta» (mencionados no trecho de Apo. 20:10) participarão dessa sorte. Portanto, do «hades» serão transferidos para o definitivo «lago do fogo». Já que o vigésimo capítulo do Apocalipse não estabelece distinção entre o «hades» e a «fenda» (no grego, *«phrear»*), fazendo com que os perdidos, o anticristo, Satanás, etc. estejam associados ao «hades», ao passo que, em Apo. 9:1 e em Apo. 11:7 e 17:8, estão vinculados à «fenda do abismo», somos forçados a concluir que o «hades» e essa «fenda» são uma e a mesma coisa, a menos que o autor simplesmente estivesse falando a respeito de «vários compartimentos do hades», ou então de diversas localidades do mesmo lugar em geral, existentes no âmago da terra.

O Apocalipse não faz o contraste entre a *geena* e o *hades*; mas é possível que neste livro, o «lago do fogo» seja a mesma coisa que a «geena» é nos evangelhos.

O «abismo» ou «fenda» nas páginas do A.T. Consideremos os pontos seguintes:

1. Talvez haja ali alusão a algum abismo subterrâneo que fecha um grande oceano «não da superfície», conforme fica implícito em Sal. 33:7. A Oração de Manassés, em seu terceiro capítulo, indica que os antigos imaginavam a existência de uma «fenda» que conduziria a esse mar subterrâneo, desde a superfície. Esse conceito não tem qualquer relação com o presente texto.

2. O abismo era considerado como lugar apropriado para os inimigos de Yahweh (ver Amós 9:3; Jó

11

HADES — HADRAQUE

41:24 LXX). Supunha-se que esse abismo seria uma imensa fenda na terra, e não um mar subterrâneo. (Ver Isa. 24:21,22 e 51:9). Esse abismo seria equivalente aos *hades*, mas, até este ponto, nunca fora considerado como um lugar onde há fogo. Essa idéia penetrou posteriormente, não antes de 100 A.C.

O **abismo**, na literatura judaico-apocalíptica. O primeiro livro de Enoque expõe certo ensinamento a esse respeito. (Ver I Enoque 17:7,8 e 18:12-16). Ali é considerado como lugar de punição de anjos caídos. Supomos que seria um compartimento do «hades», de alguma maneira. Não haveria ali água, nem pássaros, mas seria um lugar caótico, horrendo e invadido pelo fogo. Em alguns trechos o «abismo» era situado na terra; mas, em outros escritos, como em Enoque 22:2; 28:12,15;31:3, o *abismo* é situado nos confins da terra e dos céus, conforme os conhecemos. Seria um lugar de confinamento «temporário». Em I Enoque 10:6,13; 18:11; 21:7-10; 54:6; 56:4; 90:24,25; 118:11 aparece como um lugar de castigo eterno, um autêntico *inferno*, um lugar além dos céus e da terra. Nos escritos apocalípticos judaicos há diversos nomes para esse lugar; «o abismo de fogo» (I Enoque 10:3); o «abismo» (I Enoque 21:7). Nesta última passagem esse lugar é situado na terra, entrando-se no mesmo através de uma «fenda», conforme se vê aqui, no Apocalipse. Em I Enoque 18:11 esse lugar é chamado de *grande abismo*; e em I Enoque 54:6 é chamado de *fornalha ardente*. É óbvio que certas descrições do castigo futuro no Novo Testamento foram emprestadas diretamente dos livros pseudepígrafes, como I Enoque. Também, é óbvio que alguns trechos do Novo Testamento olham para além deste tipo de doutrina sobre o julgamento. Ver o artigo sobre o *Julgamento*. Ver também o artigo sobre *Restauração*.

O mesmo conceito de julgamento contra Satanás, os anjos e os homens perdidos é pintado como um «deserto de fogo», mas o trecho de I Enoque 108:3 o situa para além dos limites da terra. O conceito de *lago de fogo* do Apocalipse, sem dúvida, foi emprestado da literatura pseudepígrafe.

Conforme se pode ver, há muitos conceitos e muitos nomes para esses conceitos, pelo que também nunca poderemos ter certeza do que está em pauta. Em primeiro lugar, é declarado que Satanás e os seus anjos estão destinados a residir eternamente em tais lugares. Mais adiante se vê que os homens terão parte em tudo isso. Nos evangelhos, poderíamos supor que a «geena» é lugar de castigo exclusivamente dos homens; mas talvez essa impressão seja dada porque os autores dos evangelhos não tinham nenhum motivo para mencionar a punição dos anjos naqueles lugares, em que o apelativo «geena» lhes pareceu termo apropriado para referir-se àquele lugar de «punição».

HADIDE

No hebraico, «apontada», «aguda». Uma cidade do território de Benjamim. Ver Esd. 2:33 e Nee. 7:37; 11:34. Eusébio e Jerônimo falaram sobre duas cidades, uma chamada Adita, e outra Adi, uma das quais ficava perto de Gaza, enquanto que a outra ficava perto de Dióspolis ou Lida. Esta última, mais provavelmente, corresponde a Hadide. Nos textos dados, figura juntamente com Lode e Ono. Provavelmente, também é a mesma Adida de I Macabeus 12:38 e 13:13. Os estudiosos identificam-na com a moderna el-Haditheth, que fica entre cinco a sete quilômetros a nordeste de Lida. Josefo (*Anti.* 13:11,5) informa-nos que Simão Macabeu a fortificou, conforme também o fez Vespasiano, tempos mais

tarde (*Guerras* 4:9,1). Perto desse lugar, Aretas III derrotou Alexandre Janeus (*Anti.* 13:15,2).

HADITE (HADIS)

Palavra árabe que significa «tradição». Esse título designa o corpo ou coletânea de tradições que se tem reunido no islamismo, desde os tempos de Maomé e seus associados, e que veio fazer parte da *sunna* (vide) que significa *norma*. Esse é o nome da coleção literária, fora do Alcorão, que é a base da ortodoxia islâmica.

HADJ

Palavra árabe que se refere a uma **peregrinação** a Meca (vide). O próprio peregrino, em árabe, é um *Hadji*.

HADLAI

No hebraico, «descanso» ou «guarda de dia santo». Esse foi o nome de um homem da tribo de Efraim, cujo filho, Amsa, era chefe da tribo, durante o reinado de Acaz, rei de Judá (II Crô. 28:12). Viveu por volta de 758 A.C.

HADORÃO

No hebraico, «Hadar é exaltado». Nas referências originais, parece haver alguma alusão aos *adoradores do fogo*. Esse é o nome de três personagens do Antigo Testamento:

1. Nome de um filho de Joctã, dado também a seus descendentes, uma das tribos árabes (ver Gên. 10:27 e I Crô. 1:21). Viveu antes de 2000 A.C.

2. Um filho de Toú, rei de Hamate, que foi congratular a Davi, por sua vitória sobre Hadadezer (I Crô. 18:10), em cerca de 984 A.C. A passagem paralela de II Samuel 8:10 diz «Jorão». Mas muitos especialistas pensam que isso envolve um erro textual, embora outros pensem que Jorão é apenas uma contração de Hadorão.

3. Nome de um homem que foi um dos oficiais de Davi, Salomão e Reobão (II Crô. 10:18). Seu nome, em I Reis 4:6, aparece com a forma de *Adonirão*; e, em II Sam. 20:24, aparece com a forma de *Adorão*. Josefo, ao referir-se a esse homem, também grafa o seu nome com essa forma, *Adorão*. Nos dias do rei Reobão, ele encabeçava o departamento de trabalhadores forçados. Por causa disso, tornou-se tão odiado pelo povo de Israel, que acabou sendo apedrejado até à morte (ver II Crô. 10:18).

HADRAQUE

No hebraico, é uma palavra de sentido incerto, embora alguns eruditos arrisquem o significado de «volta periódica». Em Zacarias 9:1, aparece como um território. Muitos eruditos pensam que se trata de uma região da Síria, que também ocorre em monumentos assírios posteriores, com a forma de *Hatarrika*. Seria uma região localizada às margens do rio Orontes, ao sul de Hamate e ao norte de Damasco. A referência do livro de Zacarias faz o lugar aparecer juntamente com os nomes de Damasco, Hamate, Tiro e Sidom.

Se está em foco uma cidade, então ficava na porção noroeste do Líbano, pelo que a referência em Zacarias não seria a um território da Síria. A cidade com esse nome ficava cerca de vinte e seis quilômetros de Alepo, para o sul.

HAECKEL — HAGAR

HAECKEL, ERNST

Suas datas foram 1834—1919. Ele foi biólogo e filósofo alemão. Nasceu em Potsdam. Educou-se em Wurzburgo, Berlim e Viena, esta última na Áustria. Tornou-se professor em Jena. Sua grande paixão era examinar a teoria da evolução, especulando quanto à natureza da mesma. Seu interesse nesse campo fez dele um cientista filósofo. Ele chegou a pensar que a evolução é a chave da verdade filosófica. Era um pensador naturalista, monista e panteísta.

Idéias:

1. Ele via a necessidade de ampliar a teoria da evolução até abranger o nível da matéria inorgânica. É difícil explicar a seleção natural dentro desse nível. Ele postulava duas idéias ou entidades, a fim de explicar como a evolução atuaria sobre o que não tem vida. Segundo ele, as *moneras* teriam surgido da matéria inorgânica mediante geração espontânea. Ele as identificava como entidades primitivas, protoplasmáticas. As *gastrae*, por sua vez, seriam supostas entidades vivas, que preencheriam o hiato entre os protozoários unicelulares e os metozoários multicelulares. Mas, embora esses conceitos fossem tratados com respeito nos dias de Haeckel, finalmente foram rejeitados, como meras invenções *ad hoc*.

2. Ele acreditava que toda matéria possui sensibilidade e vontade, posto que em graus mínimos, o que, naturalmente, reflete um conceito hilozoísta ou pampsiquista (vide). Através desse conceito, ele adotou o ponto de vista naturalista acerca da natureza. A evolução, conforme ele dizia, poderia ter início até na chamada matéria inorgânica, se, de fato, a matéria reveste-se de certa forma de vida, sensibilidade e vontade, posto que imperceptíveis para nós.

3. Em consonância com essas teorias gerais, ele propunha que a consciência do homem é uma função do organismo humano (ver sobre o *epifenomenalismo*). Ver também sobre o *Problema Corpo-Mente*.

4. Ele defendia um conceito religioso monista, tendo adotado o panteísmo como a sua concepção pessoal do mundo.

Obras. General Morphology of Organisms; The History of Creation; On the Origin and Genealogical Tree of the Human Species; Anthropogenie, the Evolution of Man; Monism as a Bond Between Science and Religion; The Riddle of the Universe, além de alguns poucos outros livros menos notáveis. (AM EP P)

HA-ELEFE

Ver sobre **Elefe.**

HAFARAIM

No hebraico, «poço duplo». Esse era o nome de uma cidade do território de Issacar. Ocorre somente em Jos. 19:19. Eusébio informa-nos de que havia um lugar com esse nome, a dez quilômetros de Legio. Ali há, atualmente, uma aldeia chamada el-Afuleh, cerca de dez quilômetros a nordeste de Lejun, o que talvez identifique as antigas localidades. Sisaque, rei do Egito, mencionou a cidade original em uma lista de localidades por ele conquistadas, em cerca de 918 A.C. Outros estudiosos, porém, identificam-na com a moderna Khirbet el-Farrihye, que fica ligeiramente ao sul do Carmelo. E também há quem pense em et-Taiyibeh, como a localização mais correta. Essa última fica cerca de dezesseis quilômetros a noroeste de Belém.

HAFTARAH

No hebraico, «conclusão». Esse é o nome da seção profética com que termina a lição bíblica, lida nas sinagogas, aos sábados e durante os cultos festivos.

HAGABA

No hebraico, «gafanhoto». Outros estudiosos pensam no sentido *torto*. Esse era o nome do chefe de uma família de servos do templo que retornaram a Jerusalém em companhia de Zorobabel. Seu nome figura em Esd. 2:45 e Nee. 7:48. Também ocorre no livro Apócrifo de I Esdras 5:30. Ele viveu por volta de 536 A.C.

HAGABE

No hebraico, «torto». Os filhos de Hagabe estavam entre os netinins, ou servos do templo, que voltaram para Jerusalém, em companhia de Zorobabel. Esse nome ocorre exclusivamente em Esd. 2:45. Ver também sobre *Hagaba*, nome que aparece nesse mesmo versículo. Ele também viveu na época daquele, cerca de 536 A.C.

HAGADA

Esse termo é aplicado à porção não legal da literatura rabínica. Essa palavra significa «afirmação». Esse também é o título do texto recitado por ocasião da refeição ritual, o *seder* (vide), que é celebrada nas duas primeiras noites da *páscoa* (vide). A contraparte da Hagada é a *Halakah*, que diz respeito à interpretação da lei mosaica, conforme aparece na *Mishnah* (vide).

A *Hagada* consiste em discursos didáticos, com vistas, principalmente, à edificação dos leitores. Encontra-se, acima de tudo, na exegese homilética. Os discursos são ali, usualmente, introduzidos mediante a fórmula «conforme foi dito», ou «segundo está escrito». A literatura de Midrash também pertence a essa categoria de Hagada, no sentido que consiste em exegese homilética reforçada por mitos, lendas, fábulas, parábolas e outros artifícios didáticos. Alguns estudiosos supõem que a Hagada não tem autoridade obrigatória, mas outros especialistas contradizem essa opinião.

Significados Específicos:

1. As narrativas fixas tradicionais da páscoa, o *seder*, alicerçadas sobre a narrativa do livro de Êxodo.

2. As porções homiléticas e didáticas do Talmude, em distinção ao código que regulamenta os atos exigidos.

3. A exposição homilética das Escrituras, que veio a fazer parte integrante da *Midrashim*: ensinamentos morais, edificação, etc. (AM E STRAC)

HAGAR

Consideremos estes pontos a seu respeito:

1. *Nome hebraico*. No hebraico temos uma palavra de sentido incerto, que talvez signifique «estrangeira», ainda que outros estudiosos prefiram o sentido de «fugir» (ver Gên. 21:4,10).

2. *Identificação*. Hagar era nativa do Egito, serva e então concubina de Abraão. Se o nome dela significa «estrangeira», provavelmente tal nome lhe foi dado quando ela foi recebida no clã de Abraão. Alguns supõem que ela foi uma escrava dada a Abraão por Faraó, durante sua visita ao Egito (ver Gên. 12:6). Entretanto, alguns preferem pensar que a derivação do nome vem do verbo «fugir», e isso se referiria à sua

HAGAR — HAGIÓGRAFA

fuga final (ver Gên. 16:6).

3. *Hagar como concubina de Abraão.* (2050 A.C.). Sara continuava estéril, e Abraão precisava ter um herdeiro. Por esse motivo, Hagar foi dada a Abraão como concubina, o que era uma prática oriental comum. Hagar tornou-se mãe por procuração, uma prática que atualmente vai-se tornando mais e mais comum, através da inseminação artificial. O orgulho e o ciúme tomaram conta dos corações. Sara teve ciúmes da nova situação de mãe, de Hagar. E Hagar encheu-se de orgulho e senso de superioridade sobre Sara, por causa disso. Nas sociedades polígamas orientais, a primeira e principal esposa mantinha ascendência sobre as demais esposas. Em vista disso, as queixas de Sara contra Hagar foram atendidas por Abraão (ver Gên. 21:9 ss). Mas tudo estava sendo dirigido pelo Senhor, cujo pacto teria continuação com Isaque, filho de Abraão e Sara. Os descendentes de Ismael sempre foram duros adversários dos descendentes de Isaque. Esses dois irmãos também ilustram a doutrina da eleição divina, segundo Paulo esclarece em Gálatas 4:21-31.

4. *Fuga de Hagar.* A fuga forçada de Hagar levou-a em direção à sua própria terra, o Egito. Sua rota conduziu-a a Sur, através da região arenosa e desabitada, a oeste da Arábia Pétrea, com 240 km de extensão, entre a Palestina e o Egito. Era uma rota comumente seguida, pelo que ela não se perdeu. O anjo do Senhor encontrou-a próxima a uma fonte, recomendando que retornasse à sua senhora e se mostrasse submissa, acrescentando a promessa de que seu filho, Ismael, teria inúmeros descendentes.

5. *A volta.* O lugar onde Hagar recebeu sua visão passou a ser chamado de Beer-lahai-roi, «fonte do Deus visível». Partindo dali, ela voltou a Sara e foi recebida de volta. O filho de Hagar, Ismael, recebeu um nome que significa «Deus ouvirá». Isaque nasceu somente catorze anos mais tarde. Quando Isaque tinha dois ou três anos de idade, Ismael ofendeu grandemente a Sara, zombando do menino. Por esse motivo, Hagar foi definitivamente expulsa de casa por Sara, e Ismael acompanhou sua mãe (ver Gên. 21:9 ss).

Abraão, apesar de muito condoer-se de Hagar e Ismael, anuiu ante a decisão de Sara. Longe de casa, Ismael adoeceu, e Hagar ficou esperando pela morte do rapazinho. Porém, o anjo do Senhor interveio novamente, orientando-a na direção de uma fonte. Nada mais somos informados na Bíblia acerca de Hagar, exceto o que diz respeito a Ismael, — que se estabeleceu no deserto de Parã, nas circunvizinhanças do Sinai, onde terminou casando-se com uma mulher egípcia (ver Gên. 21:1-21). Ismael tornou-se um dos progenitores das tribos árabes, especialmente aquelas mais ao sul da Arábia, as quais curiosamente, têm uma ascendência hebraico-egípcia. Ver o artigo sobre *Ismael.*

6. *Metáfora de Paulo,* em Gálatas 4:21-31. Como já dissemos, Paulo aplica alegoricamente o relato sobre Hagar para indicar que aquela escrava e seu filho representavam o antigo pacto com Israel, ao passo que Sara e Isaque retratam o caminho da graça e da liberdade que caracteriza o novo pacto, firmado com todos os crentes de qualquer raça. Essa aplicação do relato deve ter sido repelente para os judeus, os quais não podiam ver como *eles* poderiam ser considerados descendentes de Ismael. Fisicamente não o são, mas apenas espiritualmente, enquanto se mantêm na incredulidade. (Ver o NTI, sobre Gálatas 4:21 ss , onde são dadas notas expositivas completas a esse respeito). (TH UN Z)

HAGARENOS

Ao que parece, esse vocábulo aponta para os descendentes de Hagar (vide). Esse nome figura apenas por três vezes, no Antigo Testamento: I Crô. 5:10,19,20. Eles eram uma tribo árabe ou araméia, que vivia na região leste de Gileade. Nos dias de Saul, Israel derrotou por duas vezes essas tribos, tendo-as saqueado, conforme era costume na época; e, finalmente, conquistou totalmente as terras deles (I Crô. 5:10,19,22). Jaziz, o hagareno, foi nomeado por Davi para cuidar dos rebanhos do rei. O trecho de Salmos 83:6 refere-se a essa gente, agrupando-os juntamente com Moabe, Edom e os ismaelitas. Eles eram inimigos de Israel, e viviam na Transjordânia. Uma inscrição de Tiglate-Pileser III (745—727 A.C.) menciona os hagarenos. Os estudiosos não conseguem afirmar com certeza se eles descendiam mesmo de Hagar. E, em caso negativo, qual a origem desse vocábulo?

HAGERSTROM, AXEL

Nasceu em 1869 e faleceu em 1939. Ele foi um filósofo sueco que promovia o que ele mesmo denominava de «materialismo iluminado». Juntamente com os positivistas lógicos, ele afirmava que as declarações de natureza metafísica não têm sentido, e muito se esforçou por retirá-las do vocabulário filosófico. Também assevera que os julgamentos de valor e aqueles relacionados a obrigações, não têm peso como verdades, mas apenas como expressões emocionais. Ele é conhecido como o fundador da Escola Suppa de filosofia. Seus escritos mais bem divulgados foram (com títulos em inglês): *The Principle of Science; Inquiries into the Nature of Law and Morals; Philosophy and Science.*

HAGI

No hebraico, «festivo». Esse era o nome do segundo filho de Gade (Gên. 46:16 e Núm. 26:15). Foi o fundador de uma família que se tornou conhecida pelo nome de «hagritas» (ver I Crô. 11:38), embora nossa versão portuguesa diga ali apenas «Mibar, filho de Hagri». Ele viveu por volta de 1670 A.C.

HAGIÓGRAFA

Esse vocábulo vem do grego **ágios,** «sagrado» e **grapho,** «escrever», pelo que significa «escritos sagrados». Essa designação é de origem cristã, referindo-se à terceira divisão do cânon hebraico das Escrituras do Antigo Testamento. Essas divisões são as seguintes:

1. *A Lei,* também conhecida por Pentateuco, compõe-se dos cinco primeiros livros do Antigo Testamento. Esses são os livros de Moisés.

2. *Os Profetas.* Essa divisão subdivide-se em *profetas anteriores,* começando com Josué e terminando com I e II Reis; e *profetas posteriores,* de Isaías a Malaquias.

3. *Os Escritos* (Hagiógrafa) são os seguintes livros: Salmos, Provérbios, Jó, Cantares de Salomão, Rute, Lamentações, Eclesiastes, Ester, Daniel, Esdras, Neemias, I e II Crônicas — treze livros ao todo. No Talmude, o livro de Rute aparece em primeiro lugar, nessa lista.

Essa divisão parece ter sido criada nos meados do século II A.C., mas o nome *Hagiógrafa* é de invenção cristã. Josefo (*Ápion* 1.38-41) segue a grosso modo essa divisão, mas inclui apenas quatro livros nessa

HAGIOGRAFIA — HALI

terceira seção. É significante a observação de que o livro de Daniel, de acordo com esse arranjo, não aparece entre os livros proféticos. Mas, de acordo com a terceira seção restrita, de Josefo, é possível que Daniel tivesse sido posto entre os livros proféticos. Os quatro livros incluídos por Josefo, nos *escritos*, foram: Salmos, Cantares de Salomão, Provérbios e Eclesiastes. Jesus dividia o Antigo Testamento em três partes: a Lei, os Profetas e os Salmos (ver Luc. 24:44). É possível que o termo «Salmos», dentro dessa passagem, designe a *Hagiógrafa* inteira, embora isso seja apenas uma conjetura.

HAGIOGRAFIA

Essa palavra vem do grego **ágios**, **«santo», e grapho**, «escrever». Esse termo designa os escritos que narram a história de santos e homens piedosos, em suas vidas, ensinamentos e bom exemplo. Esses escritos honram tais pessoas e contam suas histórias com o propósito de prover bons exemplos a serem seguidos por aqueles de menores realizações espirituais. Os mártires são ali alistados, e a celebração de seus aniversários é recomendada em alguns desses escritos. Os escritores mais bem conhecidos desse tipo de material, nos tempos modernos, foram os Bollandistas.

Poderíamos citar exemplos desse tipo de obra escrita, como os *Atos dos Mártires Sicilianos; Paixão das Santas Perpétua e Felicidade; O Martírio de Policarpo; A Vida de Antônio.*

Houve um grande florescimento de hagiografias gregas, a começar pelo século VIII D.C., o que prosseguiu até o século XI D.C. Os centros dessa atividade foram Constantinopla, a Ásia Menor, o monte Atos, a Palestina e a Calábria, no sul da Itália. No Ocidente havia a tradição de Atanásio, que Jerônimo levou à frente. Ele produziu pessoalmente escritos sobre os três santos monges, Paulo de Tebas, Malco e Hilário. Também houve a *Vida de Martinho* (bispo de Tours), escrita por Sulpício Seveu (faleceu em cerca de 410 D.C.). Gregório de Tours produziu o *Livro dos Milagres*; e o papa Gregório I (pontificou entre 590 e 604 D.C.) escreveu os seus *Diálogos* os quais determinaram o curso da hagiografia da Idade Média.

Eusébio, o historiador eclesiástico, foi também o primeiro a escrever hagiografias profissionais. Ele produziu um livro intitulado *Mártires da Palestina.*

Também há hagiografias modernas. Lourenço Surius compilou um livro historiando as vidas dos santos, intitulado *De Probatis Sanctorum Historiis* (1570 — 1575). João Bolland compilou uma obra similar, arranjando as vidas dos santos, e designando os dias dos meses em que festas feitas em sua honra deveriam ser celebradas. Os bollandistas, um grupo de eruditos jesuítas, levaram avante essa atividade. (AM E)

HAGITE

No hebraico, «nascida em dia festivo». Esse era o nome de uma das muitas esposas de Davi. Ela era mãe de Adonias, que nasceu em Hebrom, onde Davi havia estabelecido a sua capital. O nome dela é mencionado por cinco vezes ao todo: II Sam. 3:4; I Reis 1:5,11; 2:13 e I Crô. 3:2. Ela viveu por volta de 1053 A.C.

HAGRI

No hebraico, «perambulador», «excursionista». Seu nome ocorre somente em I Crô. 11:38. Ele foi pai de

Mibar (vide), um dos trinta poderosos guerreiros de Davi. Muitos estudiosos pensam que esse nome era uma forma corrompida de Bani, o gadita, que aparece no trecho paralelo de II Sam. 23:36. Ele viveu por volta de 1040 A.C.

HAHN, HANS

Ver sobre o **Círculo Vienense dos Positivistas Lógicos.**

HALA

No hebraico, um nome próprio de sentido incerto. Tal palavra, porém, designa um distrito ou uma cidade da Média, às margens do rio Cabur, provavelmente perto de Gozã. Foi para ali, entre vários outros lugares, que os assírios deportaram a muitos dos filhos de Israel (ver sobre o *Cativeiro Assírio*). Os trechos bíblicos que mencionam esse nome são II Reis 17:16; 18:11 e I Crô. 5:26.

Os arqueólogos e os historiadores não têm sido capazes de identificar com certeza essa região ou cidade. Vários lugares têm sido propostos, como Hilacu (na Cilícia), Halacu (perto de Quircuque), Calcítia (referida por Ptolomeu, perto de Gozã), e Calá (esta última de fama bíblica; vide). Neste último lugar, têm sido encontrados nomes tipicamente hebreus; mas é difícil ver como Hala poderia ter provindo de Calá.

HALACÁ

No hebraico, «comportamento», «maneira de andar». Esse é o termo que designa todas as leis, ordenanças e deliberações legais dos rabinos, que governavam a maneira judaica de viver. Alguns fariseus tolamente imaginavam que o próprio Deus havia dado a Moisés essa literatura, no monte Sinai, e não apenas os dez mandamentos e o Pentateuco. Essa massa de material tradicional veio a ser perpetuada no *Talmude* (vide). Esse material interpretava as Escrituras e representava uma crescente tradição, como obra de vários rabinos. Alguns judeus encaravam tais tradições como se elas protegessem a lei e as Escrituras; mas outros judeus consideravam tais tradições inteiramente desnecessárias, além de corromperem, pelo menos em parte, os documentos originais, inspirados pelo Espírito de Deus. Seja como for, cada pequeno detalhe da vida e da prática dos judeus acabou sendo incluído ali. Jesus denunciou os exageros e distorções dessa forma de atividade (Mar. 7:6-13).

HALAQUE, MONTE

No hebraico, «desnudo». Indica uma montanha destituída de vegetação, localizada na fronteira sul das conquistas militares de Josué (ver Jos. 11:17 e 12:7). Esse monte tem sido identificado com o Jebel Halaq, no lado noroeste do wadi Marra, e a oeste da subida de Acrabim (vide; Núm. 34:4; Jos. 15:3).

HALI

No hebraico, «jóia» ou «colar». Esse era o nome de uma cidade existente na Fenícia, e que mais tarde ficou fazendo parte do território de Aser (Jos. 19:25). Essa cidade é mencionada juntamente com Elcate, Beten e Acsafe. Desconhece-se, entretanto, o local moderno dessa cidade.

••• ••• •••

HALICARNASSO — HALUL

HALICARNASSO

Essa era uma antiga cidade que ficava nas praias do norte do golfo Cerâmico, na Cária. Nesse mesmo local há hoje a cidade moderna de Bodrum, na parte sudoeste da Turquia. As tradições antigas informam-nos de que, originalmente, o local era ocupado pelos cários, e que os gregos vieram estabelecer-se no local, já no século XI A.C. Remanescentes posteriores da era miceniana têm sido descobertos ali pelos arqueólogos.

Halicarnasso foi fundada por colonos dórios, mas ficou excluída da confederação dos estados cários, por causa de alguma antiga disputa, que manteve aqueles povos em estado de turbulência (Herodoto, *Hist.* 1:144). Os persas, com o tempo, dominaram a região, mas permitiram que seus habitantes desfrutassem de um bom grau de autonomia. No século V A.C., a cidade tornou-se parte da liga de Delos. E, pelo século IV A.C., ela já era essencialmente independente, embora nominalmente controlada por uma satrapia. O mais poderoso e famoso de seus governantes, Mausolo, mudou sua capital de Milasa para Halicarnasso, em cerca de 362 A.C. Ele foi sepultado em um magnificente túmulo, chamado em grego *Mausoleion*, erigido pela rainha Artemísia, em cerca de 350 A.C., o qual veio a tornar-se uma das sete maravilhas do mundo antigo. Daí é que se deriva nossa moderna palavra «mausoléu», que indica qualquer sepulcro grande e imponente.

Alexandre, o Grande, lançou cerco à cidade, a qual resistiu por muito tempo, antes de render-se e os seus habitantes sofreram grandemente durante o cerco. Irado ante a resistência, Alexandre incendiou a cidade, o que foi um desserviço à humanidade e à história. Em seguida, a cidade foi governada pelos Ptolomeus (vide), até o ano de 197 A.C. Nesse ano ela se tornou independente, por algum tempo, antes de sucumbir diante do poder romano; mas, quando isso sucedeu, ela era cidade de pouca importância.

Há duas referências bíblicas à cidade de Halicarnasso, posto que indiretas. Halicarnasso foi uma das cidades independentes para onde os romanos enviaram missivas, em 139 A.C., declarando a amizade de Roma aos judeus do lugar, defendendo os direitos deles (I Macabeus 15:23). I Josefo (*Anti.* 14:10,23) refere-se à ordem passada na cidade, permitindo que os judeus construíssem lugares de oração à beira-mar, conforme era costume deles, a fim de que pudessem observar apropriadamente o sábado e cumprir outros seus deveres religiosos.

HALLAJ

Hallaj foi um místico islamita que foi executado sob a acusação de blasfêmia, em 922 D.C. Ele havia clamado em Bagdá: «Eu sou a realidade». Essa terminologia só podia ser aplicada a Deus, de acordo com os islamitas. No islamismo, a grande blasfêmia imperdoável é quando alguém se faz de Deus ou de divino em qualquer sentido, ou quando ensina que qualquer ser pode ser divino, exceto Alá. No entanto, Hallaj ensinava que o homem é um ser essencialmente divino, por haver sido criado à imagem de Deus. Também ensinava que Deus encarna-se em cada ser humano, e não o fez meramente em Adão e em Jesus. Ele era membro dos *sifis* (vide), os quais repudiaram a sua doutrina.

HALLEL

Essa palavra hebraica significa «louvor». Serve de subtítulo dos Salmos 113—118, os quais, na liturgia judaica, eram usados durante a lua nova e as festas dos Tabernáculos, do Chanukah, de Pentecoste e da Páscoa. A expressão «Grande Hallel» aplica-se ao Salmo 136 (ou aos Salmos 120 — 136), onde há vinte e seis reiterações da palavra «louvor». Por sua vez, os Salmos 113—118 são denominados de Hallel Egípcio ou Hallel Comum.

Enquanto o templo de Jerusalém continuava de pé, esse Hallel era repetido por dezoito dias a cada ano; mas era entoado à noite somente durante o período da páscoa. Nessa ocasião, era dividido em partes. Os Salmos 113 e 114 eram entoados antes da refeição, imediatamente antes de ser ingerido o segundo cálice; os Salmos 115 a 118 eram entoados após ser cheio o quarto cálice. A isso é que se refere o trecho de Mat. 26:30 (repetido em Mar. 14:26): «E, tendo cantado um hino, saíram para o Monte das Oliveiras». É provável que esteja em vista a última porção desse Hallel, embora alguns eruditos suponham que esteja em pauta o Grande Hallel, ou seja, o Salmo 136.

HALLEVI, YEHUDAH (Judá)

Seu nome próprio também se grafa como Ha-Levi. Ele foi um filósofo e teólogo judeu, nascido em Tudela, na Espanha. Suas datas foram 1075 - 1141. Visitou muitos lugares em suas viagens, tendo residido em lugares como Córdoba, Granada, Cairo, e talvez, Jerusalém. Ele defendia o judaísmo tradicional como superior tanto ao cristianismo quanto ao islamismo. Ele escrevia em árabe, e sua obra melhor conhecida intitula-se *Livro de Argumentos e Provas em Defesa da Fé Desprezada*. Essa obra também é conhecida apenas como *O Khazar*, por causa de Bulã, rei de Khazar, que se converteu ao judaísmo, em cerca de 740 D.C. Hallevi também se declarava favorável à filosofia, mas rejeitava o seu primado sobre a religião. Nisso, a sua atitude assemelha-se à de al-Ghazali (vide).

Hallevi respeitava muito as lições que derivamos da história, acima mesmo dos ditames da razão. Ele muito se utilizava do papel da nação judaica no desenrolar da história; e, nessa história, via provas para a sua doutrina. Os sionistas modernos muito respeitam suas idéias e prezam os seus escritos.

Idéias. Ele defendia o judaísmo como a verdadeira revelação, degradando tanto o cristianismo quanto o islamismo. Atacava a noção aristotélica da eternidade da matéria; defendia um livre-arbítrio humano limitado; ensinava a existência de causas intermediárias, pois não admitia que Deus fosse a única causa de todos os acontecimentos; promovia a crença em revelações diretas; defendia o conceito da imortalidade da alma como algo essencial à fé religiosa; e, finalmente, conferia à filosofia o seu lugar, embora a considerasse inadequada, se considerada isoladamente.

HALOÉS

No hebraico, «sussurrador», «encantador». Era o nome do pai de Salum. Este último ajudou a reparar as muralhas de Jerusalém (Nee. 3:12). Seu pai esteve entre aqueles que assinaram o pacto estabelecido com Esdras (Nee. 10:24). Haloés viveu por volta de 445 A.C.

HALUL

No hebraico, «esburacada». Uma cidade existente na região montanhosa de Judá, mencionada apenas em Jos. 15:58. Até hoje existe essa cidade, cerca de seis quilômetros e meio ao norte de Hebrom.

HAMÃ — HAMATE

HAMÃ

No hebraico, «célebre», «magnificente». Nas adições apócrifas ao livro de Ester, o seu nome aparece com a forma de Amã, de acordo com a Septuaginta (Est. 12:6; 16:10,17). Também era nome aplicado antigamente ao planeta Mercúrio. Hamã era um dos oficiais favoritos do rei da Pérsia, Xerxes, atuando como seu primeiro ministro. Na Bíblia, é mencionado somente no livro de Ester (vide). Era filho de Hamedata, o agagita.

Tornou-se Hamã um figadal adversário de Mordecai, primo da rainha Ester. E isso porque, sendo judeu, Mordecai recusava-se a prostrar-se diante do rei ou de qualquer de seus oficiais, o que parecia um profundo desrespeito para Hamã. Por ser um agagita (Agague era uma espécie de título dos reis amalequitas), é bem possível que ele pertencesse a uma linhagem real. É provável que seus antepassados tivessem chegado à Pérsia como cativos. Mas, sendo homem inteligente e astuto, Hamã subiu a um elevado posto no governo. Provavelmente, Mordecai era por ele considerado como um competidor pelo poder, ou como um dos favoritos do monarca persa. O ciúme e a inveja transmutaram-se na ira assassina, e Mordecai foi assinalado por Hamã para ser morto. Hamã estava resolvido a livrar-se de Mordecai; mas seu plano ambicioso tinha por intuito produzir a matança de toda a comunidade judaica do império persa (uma antiga manifestação de genocídio, do que Hitler é um exemplo mais recente). Hamã preparou uma forca (vide), ou talvez uma estaca de empalação (vide), onde Mordecai seria executado. Em seguida, Hamã cuidaria em desfazer-se de todos os judeus.

Mordecai recebeu notícias dos planos homicidas de Hamã e utilizou-se de Ester, sua prima, que se tornara a rainha de Xerxes, para que ela intercedesse em favor dele mesmo e em favor dos judeus em geral. Ester atuou por meio do esquema de dois banquetes. No primeiro banquete, ela conseguiu fazer Xerxes conferir muitas honrarias a Mordecai, por serviços prestados antes à coroa, e que ainda não haviam sido recompensados. No segundo banquete, ela informou o rei acerca dos planos de Hamã. Tomando conhecimento do plano traiçoeiro, Xerxes reagiu com violência, e ordenou que Hamã fosse executado na mesma forca que havia sido preparada para Mordecai. Algumas vezes, conforme diz um ditado popular, «o feitiço vira contra o feiticeiro», punindo àqueles que se voltam contra os inocentes. Como medida de segurança, Xerxes mandou ou permitiu a execução dos dez filhos de Hamã. Essa era uma maneira comum de proceder, por parte dos monarcas antigos.

A festa de Purim, celebrada pelos judeus, relembra esses acontecimentos, trazendo à memória do povo de Israel um exemplo de como a providência de Deus atua em favor deles. O relato sobre Hamã aparece nos capítulos terceiro e nono do livro de Ester. Posteriormente, a festa de *Purim* causou dificuldades entre os cristãos e os judeus, porque estes últimos tinham o mau gosto de pendurar uma efígie representando Hamã em uma estrutura parecida com uma cruz. Os cristãos consideravam isso uma blasfêmia, pensando que os judeus tinham uma segunda intenção ao usarem para isso uma cruz. O imperador Teodósio II (*Cod. Theod.* 16:8,18) proibiu qualquer prática dessa natureza. Ver o artigo geral sobre *Festas (Festividades) Judaicas.*

HAMALEQUE

Em nossa versão portuguesa há considerável confusão sobre esse vocábulo. Em outras versões e traduções o nome aparece por duas vezes, em Jer. 36:26 e em Jer. 38:6. Entretanto, em nossa versão portuguesa ocorre somente em Jer. 36:26, como se fosse um nome próprio.

Os estudiosos preferem pensar que se trata apenas do termo hebraico comum que significa «o rei» (o prefixo *ha* é o artigo definido). Nesse caso, haveria a menção, respectivamente, a Jeoiaquim e, no segundo caso, a Zedequias, nunca tendo existido qualquer homem com o nome de Hameleque. De fato, essa é a interpretação, em nossa versão portuguesa, em Jer. 38:6, mas não em Jer. 36:26. Os revisores devem ter deixado escapar este último versículo na revisão, e assim ficou retido o erro no mesmo.

HAMANN, HOHANN GEORG

Suas datas foram 1730—1788. Foi um filósofo e teólogo protestante alemão, alcunhado *Magus des Nordens* (Sábio do Norte). Ele nasceu em Konigsberg, na Prússia, e faleceu em Munster, na Westfália. Exerceu poderosa influência sobre o pensamento alemão, por meio do classicismo e do realismo religioso. Herder, Jacobi, Goethe, e Hegel tiraram proveito de seus pensamentos, os quais mostram a sua grande estatura como pensador.

Hamann enfatizava a vida em sua inteireza, em contraste com as abstrações, divisões e artifícios em que muitas pessoas se envolvem. Ele era dotado de um profundo senso do divino, encontrando em Deus a raiz de toda a realidade. Ele acreditava que a revelação de Deus é ampla, podendo ser vista na natureza, na linguagem, na história e até nas instituições sociais. Procurava demonstrar que todas essas coisas compartilham dos mesmos elementos estruturais, referindo-se à mesma Mente Divina, como procedentes dela.

Ele não se contentava em amoldar-se a sistemas, pelo que também se recusava a prover as idéias do Iluminismo (vide) de sua época. Antes, ele adotava uma postura de personalismo religioso e literário, que ensinava o respeito às crenças e estilos individuais. Ele atacava tanto o Iluminismo quanto Emanuel Kant de haverem esvaziado a razão, a linguagem, a tradição e a história de seus elementos vitais. Por outra parte, elogiava a Sócrates e a Hume, por causa da independência do espírito deles, e porque inquiriam pessoalmente pela verdade. Encarava a realidade como um sacramento divino, e a linguagem como um meio de nossa entrada ao significado da realidade. Se ele fora apelidado de «Sábio do Norte», alterou isso para «Verme do Norte», em atitude de autodepreciação.

HAMATE

No hebraico, «fortaleza», «murada». Era uma cidade da Síria, cerca de duzentos quilômetros ao norte de Damasco. Na qualidade de cidade-estado, algumas vezes foi chamada de *pequeno reino da Síria*. Zobá ficava mais para o leste; Reobe, mais para o sul. Esse lugar foi conquistado pelos israelitas, e veio a ser a fronteira norte da Terra Prometida (Núm. 13:21). Cercada de colinas, tinha um clima quente e úmido.

A arqueologia tem mostrado que foi fundada ainda no período neolítico, tendo sido destruída em cerca de 1750 A.C., provavelmente pelos hicsos, embora não contemos com provas diretas para essa especulação. Todavia, sabe-se que Tutmés III (1502-1448 A.C.) tomou a cidade e a área geral em redor, quando o Egito controlava a Síria. Em cerca de 900 A.C.,

HAMATE — HAMILTON

tornou-se a capital dos hititas, bem como o centro de um pequeno reino. Os arqueólogos têm descoberto muitas evidências acerca desse período.

Os assírios invadiram essa área sob Salmaneser III (cerca de 860 — 825 A.C.). Ele encontrara a resistência de uma federação de quinze reis, entre os quais estavam os monarcas de Damasco, de Israel e de Hamate. Uma feroz batalha, ocorrida em 854 A.C., deixou as questões longe de serem resolvidas. Três anos mais tarde, Salmaneser III foi novamente repelido pela liga. — No entanto, ele se mostrou ser um atacante incansável, e foi capaz de destruir e saquear várias cidades da área. Finalmente, derrotou a liga de quinze reis. Tiglate-Pileser III, da Assíria (745 — 727 A.C.), obrigou Hamate a pagar tributos. Sargão II destruiu a cidade, em 720 A.C., tendo levado muitos dali para o cativeiro. Ele colocou alguns israelitas em Hamate, a fim de repovoar o lugar (Isa. 11:11). O Antigo Testamento contém várias referências à conquista de Hamate pelos assírios. Ver II Reis 18:34; 19:13; Isa. 10:9; 36:19; 37:13; Amós 6:2. A referência em Amós 6:2; que chama a cidade de Hamate de «grande», indica algo de sua antiga importância.

Os babilônios, por seu turno, chegaram a controlar a cidade. Ver Jer. 49:23; Zac. 9:2. Ezequiel profetizou que as fronteiras do norte do território de Israel algum dia estender-se-iam até Hamate (Eze. 47:6 e 48:1).

As conquistas de Alexandre, o Grande, fizeram todo o território em redor de Hamate tornar-se parte do império dele. Após a sua morte, a dinastia dos Selêucidas passou a dominar a área. Antíoco IV Epifânio rebatizou a cidade com o nome de *Epifania* (ver Josefo, *Anti.* 1:6,2). Quando os Macabeus guerrearam contra os Selêucidas, Jônatas enfrentou o exército de Demétrio perto de Hamate. Juntamente com o resto da Palestina, essa região acabou nas mãos dos romanos, antes da época de Cristo; e essa era a sua situação, nos dias do Novo Testamento.

No local, há uma cidade moderna, construída em redor do cômoro da antiga cidade. Chama-se Hama e tem uma população de cerca de sessenta e cinco mil habitantes. Escavações arqueológicas efetuadas ali têm desenterrado nada menos de doze níveis de ocupação, a começar pelo período neolítico.

Hamate de Naftali. Em nossa versão portuguesa, há uma outra cidade, cujo nome é grafado do mesmo modo, embora com diferenças no original hebraico. No original, pois, seu nome significa «fontes termais». Essa outra cidade é referida na Bíblia somente por uma vez, em Jos. 19:35. Ficava localizada próxima da moderna Hamman Tabarihye, famosa por seus banhos termais, cerca de três quilômetros ao sul de Tiberíades, nas praias ocidentais do mar da Galiléia. Alguns estudiosos identificam-na com Hamom (I Crô. 6:76), com Hamote-Dor (Jos. 21:32) ou com Emaús, mencionada por Josefo (*Anti.* 18:2,3; *Guerras* 4:1,3). As referências a essa cidade, no Talmude, situam-na cerca de um quilôm. e meio de Tiberíades. Eles a chamavam de *Chammath*, «banhos termais». Atualmente existem três *humann*, ou fontes de águas aquecidas, naquela região, cujas águas sulfurosas correm todas para um mesmo lugar, cerca de quase dois quilômetros ao sul da cidade moderna. O trecho de Jos. 21:32 chama o lugar de Hamote-Dorte; mas, em I Crô. 6:76 lemos apenas Hamom.

HAMATE (PESSOA)

O nome desse homem figura exclusivamente em I Crô. 2:55. A única informação que possuímos dele é

que ele foi o pai da casa de Recabe, e que ele era um dos queneus (vide).

HAMATE, ENTRADA DE

Essa era a área na fronteira sul do território controlada pela cidade de Hamate (vide). Essa era a fronteira norte ideal, profetizada, de Israel. Mas, somente nos tempos de Davi, de Salomão e de Jeroboão II, a fronteira norte de Israel chegou, realmente, até ali. Ver Núm. 13:21; 34:8; Jos. 13:5; Juí. 3:3; I Reis 8:65; II Reis 14:25; I Crô. 13:5; II Crô. 7:8; Amós 6:14. Ezequiel previu o tempo em que a fronteira norte de Israel estender-se-ia até aquele ponto (Eze. 47:16,20). É impossível, entretanto, determinar exatamente qual o ponto geográfico referido, embora saibamos que ficava em algum lugar entre as montanhas do Líbano e do Antilíbano, provavelmente na porção mais baixa do vale do On. Uma estrada que conduzia a Hamate atravessava a região. O trecho de Núm. 13:21 situa a entrada de Hamate, juntamente com Reobe, perto do território de Dã. Alguns eruditos dizem que está em pauta o vale do Orontes, entre Antioquia e a Selêucia, que fazia parte da Coele-Síria, no território de Ribla.

HAMATE-ZOBÁ

Essa era uma cidade conquistada por Salomão. Ficava localizada perto de Tadmor (II Crô. 8:3; sua única ocorrência em toda a Bíblia). Alguns estudiosos a têm identificado com *Hamate* (vide), mas há outros que pensam que o sufixo Zobá mostra que era uma cidade distinta daquela. Poderia ser, portanto, uma cidade existente no território de Zobá, um reino arameu, registrado nos anais assírios, e que se estendia até às margens do Eufrates, no século X A.C., servindo de ameaça para o império assírio. Mas, visto que o sufixo Zobá significa «fortaleza», há também aqueles eruditos que pensam que temos aí apenas uma referência a Hamate. Na verdade, os estudiosos não têm conseguido chegar a uma opinião unânime a respeito.

HAMATEUS

Esse é o patronímico de certos descendentes de Canaã, que residiam no extremo norte da Palestina. Por esse motivo, é possível que a menção envolva os habitantes de Hamate (vide). Essa palavra, *hamateus*, ocorre no Antigo Testamento por duas vezes: Gên. 10:18 e I Crô. 1:16, onde também são mencionados os naturais de outros lugares.

HAMEDATA

No hebraico, «dado por Hom». Seu nome aparece somente no livro de Ester, por cinco vezes: Est. 3:1,10; 8:5; 9:10,24. Ele foi o pai de Hamã, o agagita, que era um dos cortesãos do rei da Pérsia (Assuero ou Xerxes?). Hamedata deve ter vivido por volta de 550 A.C.

O nome «agagita», dado tanto a Hamedata quanto a seu filho, talvez indicando que sua família pertencia à corte real dos amalequitas, visto que *Agague* era um título real entre eles, tal como *Faraó* o era entre os egípcios. O que se sabe sobre Hamã aparece no artigo sobre ele. Mas, quanto a Hamedata, só possuímos essas informações.

HAMILTON, SIR WILLIAM

Suas datas foram 1788—1856. Ele foi um filósofo

HAMOLEQUETE — HAMUL

escocês, que atuou como professor, em Edimburgo. Tornou-se melhor conhecido, no campo da filosofia, por causa de sua teoria sobre a consciência e por causa de certas idéias sobre a epistemologia. Ele acreditava que todo conhecimento humano é relativo, limitado às experiências humanas. Portanto, também cria que o *infinito* não pode ser conhecido (posição do *agnosticismo;* vide). Entretanto, ele também ensinava que o Ser Infinito pode ser experimentado através da certeza moral oferecida pela fé. Isso posto, apesar de nosso conhecimento estar alicerçado sobre a *fenomenologia* empírica (vide), a fé poderia transcender essa limitação, conduzindo-nos até ao *Não-condicionado*. A razão requer esse transporte ou extrapolação até ao **não-condicionado**, embora seja incapaz de concebê-lo. A fé é capaz de experimentá-lo, embora não possa oferecer descrições racionais, conferindo-nos fórmulas adequadas a respeito.

HAMOLEQUETE

No hebraico, «a rainha». Essa palavra aparece somente em I Crô. 7:18. Nossa versão portuguesa grafa o nome com «H» maiúsculo, como se fosse um nome próprio feminino; mas os Targuns dizem «que reinou». Portanto, se, realmente, está em foco um nome próprio, então a alusão é à filha de Maquir e irmã de Gileade. Mas, se os Targuns estão certos, então o texto meramente diz que a irmã de Gileade reinou, sem especificar o nome dela. As tradições judaicas afirmam que ela governou toda a região de Gileade, e que por causa desse fato, a linhagem dela foi preservada nas genealogias. Ela viveu em algum tempo entre 1874 e 1658 A.C. Entre seus três filhos estava Abiezer, de cuja família proveio o grande juiz, Gideão (vide).

HAMOM

No hebraico, «quente», «ensolarado», e, talvez «incandescente». Esse era o nome de duas cidades, mencionadas nas páginas do Antigo Testamento:

1. Uma cidade levítica da tribo de Naftali, outorgada aos gersonitas (I Crô. 6:70). Tem sido identificada pelos estudiosos com Hamate (vide), aludida em Jos. 19:35, e, talvez, seja a mesma Hamote-Dor, de Jos. 21:32.

2. Uma cidade do território de Aser (Jos. 19:28). Aparentemente, ficava localizada a meio caminho entre o território de Naftali e a cidade de Sidon. Alguns eruditos têm-na identificado com *'Ain Hamul*, cerca de dezesseis quilômetros ao sul de Tiro; mas não há certeza quanto a isso. Outros sugerem *Umm El 'Awamid*, perto de Ras en-Naqurah, mas essa identificação também é incerta. Renan (*Mission de Phenice*, págs. 708 *ss*) encontrou duas inscrições fenícias em honra a *Baal Hamom*, em Khirbet Ummel-'amud, que fica perto da costa marítima, imediatamente ao norte da Escada de Tiro (vide).

HAMONA

No hebraico, «multidão». O trecho de Eze. 39:16 prediz que o sepultamento de Gogue e seu exército ocorrerá nesse lugar. Os estudiosos desconhecem qualquer cidade na Palestina com esse nome. Talvez se trate de um uso metafórico do termo. Visto que haverá uma tremenda matança, qualquer lugar onde isso venha a suceder poderá ser chamado de *Multidão*. Alguns lêem o texto que aí existe como se fosse «e todas as suas multidões», em Eze. 39:11. A nossa versão portuguesa prefere interpretar esse nome como

«Vale das Forças de Gogue». Outros estudiosos opinam que está em foco a cidade de Bete-Seã, e que Hamona é uma interpolação. Parece melhor entender Hamona simplesmente como nome figurado do lugar onde aqueles adversários de Israel, dos tempos do fim, serão sepultados, sem qualquer tentativa de identificar alguma cidade com esse nome.

HAMOR

No hebraico, «asno». Era o nome de um príncipe de Siquém. Ele foi o pai de Siquém, que desvirginou Diná (vide). Ela era a filha caçula de Jacó (Gên. 34:2). Em Atos 7:16, Estêvão asseverou que «nossos pais» foram sepultados em um túmulo que Abraão comprara dos filhos de Hamor, em Siquém. Porém, Abraão adquiriu um túmulo em Macpela, e não em Siquém (Gên. 23:17 *ss*), e Jacó foi sepultado ali. As soluções que têm sido propostas para essa discrepância são expostas nas notas expositivas do NTI, em Atos. 7:16. Quanto à história geral que envolveu Diná, ver o artigo acerca dela.

HAMOTE-DOR

No hebraico, «fontes termais». O nome dessa cidade aparece somente em Jos. 21:32. Era uma cidade levítica, no território de Naftali, entregue à família de Gérson. Provavelmente deve ser identificada com Hamate (vide), a menos que houvesse duas cidades com o mesmo nome, que, atualmente, não podem ser distinguidas uma da outra. Provavelmente é a moderna cidade de Hamman Tabariyeh, um pouco mais ao sul de Tiberíades.

HAMPSHIRE, STUART NEWTON

Ele nasceu em 1914. Trata-se de um filósofo inglês que ensinou no Colégio da Universidade da Filosofia da Mente e da Lógica, em Londres. Também ensinou no Colégio Warden of Wadham, em Oxford. Seu pensamento é esboçado no seu livro *Thought and Action* (Pensamento e Ação). Ele rejeitava a noção cética de que o mundo só pode ser analisado em termos das impressões dos sentidos. E supunha que a própria linguagem pressupõe seres identificáveis, persistentes, e que a autoconsciência é um dos modos como uma pessoa se situa no mundo. A personalidade seria mais do que mero intelecto contemplativo. Ela também incluiria a vontade e os atos da pessoa. A liberdade do indivíduo é demonstrada quando alguém, mediante a vontade, pode derrotar as intenções. Apesar de termos de continuar tentando definir a *bondade*, esse conceito, em si mesmo, é indispensável como uma base da ética.

HAMUEL

No hebraico, «calor de Deus», ou «ira de Deus». Também há quem pense na interpretação «sol de Deus». Esse era o nome do filho de Misma e pai de Zacur. Ele era da tribo de Simeão (I Crô. 4:26). Deve ter vivido por volta de 1200 A.C.

HAMUL

No hebraico, «compadecido», «poupado». Era um dos filhos de Perez (Gên. 46:12; I Crô. 2:5), cabeça de uma família que tinha o seu nome (Núm. 26:21). Viveu por volta de 1870 A.C. Neste último versículo eles são chamados de «hamulitas».

••• ••• •••

HAMURABI — HAMURABI, CÓDIGO DE

HAMURABI

Essa palavra significa «Amu é grande». Amu era uma divindade dos amorreus e dos cananeus orientais. Ver o artigo geral sobre a *Babilônia*. Ver também sobre *Hamurabi, Código de*.

Hamurabi foi um rei da primeira dinastia da Babilônia. Governou de 1792 a 1750 A.C., com uma margem de erro de sessenta anos para mais ou para menos. A ele se credita o feito de haver unificado a Babilônia. Tornou-se famoso, acima de tudo, por sua contribuição como legislador, através da coletânea de leis conhecida como *Código de Hamurabi*, sobre o qual expomos um artigo separado.

Hamurabi foi o sexto rei da dinastia dos amorreus da Babilônia. Os eruditos informam-nos de que a forma mais correta de grafar o seu nome é *Hamurapi*. Essa dinastia descendia de xeques do deserto ocidental, em relação à Babilônia. O seu nome é tipicamente semita ocidental, e não babilônico. Quando Hamurabi ascendeu ao trono, por ocasião da morte de seu pai, Sin-Mubalite, a dinastia de que ele fazia parte já estava governando fazia cerca de cem anos. Evidentemente, essa dinastia governou durante um período de paz externa, e sem conflitos intensos, mas também não desempenhou qualquer parte ativa na confusa política mesopotâmica. Quando Hamurabi começou a reinar, a Mesopotâmia e a Síria estavam divididas em um quadro de xadrez de pequenos estados, engajados em constantes conflitos uns contra os outros. Hamurabi, pois, iniciou várias campanhas militares e construiu templos e edifícios para uso civil. Porém, somente quando já estava reinando fazia trinta anos é que suas atividades levaram-no a tornar-se cabeça dos estados mesopotâmicos, com o que se conseguiu uma unidade geral. Quando ele derrotou o seu grande rival e vizinho do sul, Rin-Sin, de Larsa, subitamente viu-se guindado à posição de maior autoridade da área. Naturalmente, houve outros eventos significativos que levaram até a esse ponto, e essa aparência de ter acontecido subitamente mostra-nos apenas a nossa falta de conhecimentos sobre a história dessa época.

Sabemos que os reinos de Mari e de Esnuna eram aliados de Hamurabi, quando ele encetou sua campanha militar contra Larsa. No entanto, dois anos mais tarde, Hamurabi conquistou Mari, e, mais cinco anos, era a vez de Esnuna. Portanto, há detalhes desse período confuso, de consolidação, sobre o que nada sabemos. Seja como for, as vitórias de Hamurabi sobre Larsa, Mari e Esnuna tornaram-no o dono do território desde o golfo Pérsico até à Assíria. Não se sabe dizer se ele combateu contra os assírios; mas, se houve choques armados com a Assíria, nada de importante resultou disso. Seu reino estendia-se desde os sopés das colinas do Zapros até o curso médio do rio Eufrates. Seu território, contudo, era menor do que aquele governado por Narã-Sin, de Acade, ou pelo outro, governado por Ur-Namu, de Ur, de tempos anteriores. Além disso, seu reino não perdurou por muito tempo. Seu reino relativamente pequeno ficava mais ou menos no centro da Babilônia.

As Cartas de Mari são a mais rica fonte de informação sobre Hamurabi. Elas o apresentam como um benfeitor e hábil administrador. Ele dava atenção até à questões secundárias, em vez de delegar tais coisas a subordinados. Ele ajudava àqueles que sofriam por causa de calamidades e construiu grandes sistemas de irrigação. A arqueologia não nos tem conseguido prestar muitas informações sobre os tempos dele. O nível de águas subterrâneas tem subido muito, na Babilônia, desde os tempos de Hamurabi, e a cidade que ele conheceu e embelezou não é acessível para o trabalho dos arqueólogos.

A fama de Hamurabi não repousa tanto sobre suas conquistas e realizações, conforme mostramos acima, mas sobre sua obra como compilador de leis, organizador e benfeitor. Isso é descrito no artigo sobre *Hamurabi, Código de*.

HAMURABI, CÓDIGO DE

Esboço:
I. Descoberta
II. Códigos Mais Antigos
III. Natureza Geral do Código de Hamurabi
IV. Algumas Leis Específicas
V. Funções do Código de Hamurabi
VI. O Código de Hamurabi e a Lei Mosaica

I. Descoberta

Ver o artigo separado sobre **Hamurabi**. Em 1901 e 1902, uma escavação feita por arqueólogos franceses em Susã, numa região que atualmente faz parte do Irã, descobriu uma estela de diorito negro, com cerca de 2,10 m de altura. Figuras esculpidas na parte superior da mesma mostram um rei mesopotâmico recebendo as insígnias de sua autoridade, por parte de uma divindade. O texto gravado nessa estela foi feito em escrita cuneiforme acádica. O texto elogia a piedade e a justiça de Hamurabi, rei da Babilônia, que governou no século XVIII A.C. Contém um código de leis.

Essa foi uma descoberta sensacional, porquanto trata-se do primeiro código legal a ser descoberto, de antes dos textos bíblicos. Atualmente, códigos mais antigos ainda já foram descobertos, mas esse continua sendo o mais extenso e o mais bem preservado de todos os códigos encontrados no Oriente Médio. A estela, originalmente, foi posta em alguma cidade da Babilônia, talvez na própria cidade da Babilônia, ou em Sipar. Fora levada para Susã como parte dos despojos tomados por algum monarca elamita do século XII A.C. Têm sido encontrados outros códigos legais babilônicos, que lançam luz e acrescentam detalhes aos escritos da estela de Hamurabi. Mas esse código de Hamurabi continuou muito popular e generalizado **durante mais de dez séculos**, o que é comprovado pelo fato de que os arqueólogos têm descoberto muitas porções do mesmo, pertencentes a tempos posteriores.

É curioso e significativo que essa estela afirma que um deus babilônico foi o criador do código. Ali é dito que esse código *foi dado* a Hamurabi. A maioria dos povos, naturalmente, tem pensado que suas leis e seus costumes têm sido divinamente inspirados. No caso do código de Hamurabi, quem teria dado o mesmo a ele foi o deus babilônico da justiça, Samás.

II. Códigos Mais Antigos

Sabe-se que houve três coleções de leis, na língua suméria, antes do aparecimento do código de Hamurabi, a saber:

1. Várias leis e reformas foram promovidas por Urucagina, rei de Lagás, na Suméria, em cerca de 2400 A.C.

2. Namu, fundador da terceira dinastia de Ur (cerca de 2100 A.C.) também tinha a sua própria coleção de leis.

3. Lipite-Istar, rei de Ísis (cerca de 1800 A.C.), também tinha sua coleção de leis.

4. O único código de leis que, segundo se sabe, antecede ao de Hamurabi, e de origem acádica, é o de um rei desconhecido de Esnuna, a nordeste da

HAMURABI, CÓDIGO DE

Babilônia. Porém, não era muito mais antigo que o de Hamurabi. O código de Hamurabi, sem dúvida, não se desenvolveu no vácuo. Pelo contrário, desenvolveu-se durante um longo período de tempo, a começar, pelo menos, desde 2100 A.C.

III. Natureza Geral do Código de Hamurabi

Esse código tem 282 parágrafos que tratam sobre questões civis, criminais e comerciais. Essas leis abrangiam todas as atividades comuns das pessoas. Ali aparece a lista de crimes, com suas devidas punições, conforme se vê em todos os códigos legais. A omissão de leis sobre o homicídio é surpreendente. As punições requeridas para outros crimes são as mesmas que se conhecem em todos os períodos da história. A punição capital era requerida para vários tipos de crimes, devendo ser executada mediante a morte na fogueira, a empalação ou o afogamento. Mas também havia punições menores, como a de açoites, a de mutilações diversas e a de pagamento de multas. Além disso, aprisionamento ou exílio eram exigidos no caso de certos crimes. As mulheres tinham muitos direitos, mas não eram consideradas iguais aos homens, perante a lei.

Há um prólogo elaborado, como também um epílogo, nesse código, o que ocupa cerca de uma quinta parte do volume total escrito. O prólogo elogia Hamurabi por sua sabedoria e justiça, por sua preocupação com o bem-estar do povo, e com a sua promoção do culto aos deuses, em várias cidades da Mesopotâmia. O epílogo prossegue nesses elogios ao rei, por sua piedade pessoal, e recomenda as suas estipulações legais à posteridade. Finalmente, há uma maldição invocada sobre quem quer que altere aquelas leis ou apague o que está escrito na estela.

IV. Algumas Leis Específicas

1. *Categorias Amplas*: 1 — 5: Ofensas contra a administração da justiça e falsa acusação. 6 — 25: Ofensas contra a propriedade, como furto, roubo e ocultamento de escravos fugitivos. **26 e ss**: trechos apagados aqui, foram preenchidos com base em outras fontes: leis sobre a terra, casas, direito de posse do governo, danos às propriedades, aluguéis, etc. Outros trechos apagados e preenchidos — 126: Muitas leis comerciais, regulamentação de dívidas, depósitos, etc., 127 — 194: Leis concernente ao matrimônio, à posição da família, à propriedade, à legitimação, à adoção, à herança e às ofensas sexuais. 195 — 214: Assaltos. 215 — 240: Regulamentação de profissões como a de médicos, barbeiros, construtores, construtores de embarcações, embarcadiços, agricultores, pastores e sobre o abuso de implementos agrícolas e de suprimentos. 268 — 277: Salários e taxas livres para uso de animais, trabalhadores, artesãos e embarcações. 278 — 282: Leis que regulam o tráfico de escravos.

2. *Ofensas e Punições Específicas*. Falso testemunho e bruxaria eram estritamente proibidos, merecendo severas penas, embora não a **punição capital**. Porém, a pena de morte era imposta para casos de furto e receptação de propriedades roubadas, se estas tivessem sido levadas de um templo ou palácio. Em outros casos, era imposta uma restituição dez vezes maior. Isso pode ser contrastado com as estipulações de Êxo. 22:1 e Lev. 6:2, onde se requer uma dupla restituição. A pena de morte, contudo, podia ser imposta ao furto, mesmo que não estivesse envolvido algum palácio ou templo. Um ladrão podia ser vendido como escravo, a fim de pagar a dívida incorrida por seu furto. O seqüestro era punido com a morte, o que também se vê em Êxo. 21:16 e Deu. 24:7. Por igual modo, o furto de escravos e o saque

eram punidos com a morte. O adultério com uma mulher casada envolvia a morte tanto para o homem quanto para a mulher, como em Deu. 22:22. Os estupradores eram executados, tal como em Deu. 22:25. Uma concubina era protegida por lei contra o divórcio ou a redução à servidão, a menos que ela viesse a cometer ofensas contra a esposa legítima. Nesse caso, uma concubina poderia ser severamente punida. O incesto era punido com severidade. Um hebreu podia divorciar-se de uma esposa enferma (ver Deu. 24:1); mas, na Babilônia, um homem não podia fazer isso, pois, se o fizesse, estaria sujeito a castigo. Qualquer tipo de assalto era severamente castigado. Dentro dessa categoria ficava o erro de um cirurgião que prejudicasse a um seu cliente, ou algum erro de fabricação, como na construção de uma embarcação, que terminasse causando danos a seu proprietário. Se um filho desobediente cometesse alguma violência contra um de seus pais, perdia o membro com que o tivesse atacado.

3. *Outras Leis e Provisões*. No artigo sobre a *Babilônia* (5.f), oferecemos uma discussão sobre as práticas morais e éticas dos babilônios. Naquele material, várias leis que governavam a sociedade babilônica foram mencionadas, incluindo aquelas de Hamurabi, mas indo mais além que essas suas leis. O código de Hamurabi se encerrava com leis que controlavam o comércio de escravos, o que provia um labor barato, e era uma das principais instituições das nações da antiguidade.

V. Funções do Código de Hamurabi

No artigo sobre a **Babilônia** (5.f), último parágrafo, oferecemos um comentário sobre o fato de que os babilônios, tal como todos os povos, tinham leis que eles não cumpriam à risca. A história e a arqueologia demonstram que eles não viviam à altura da nobreza de suas próprias leis. Naturalmente, outro tanto sucedia entre os israelitas, circunstância essa que tem servido de temas para incontáveis sermões. A perversão da natureza humana garante esse resultado. A função das leis, na antiga Babilônia, continua sendo um assunto controvertido entre os historiadores. Sabemos também que situações específicas, não cobertas pelas leis escritas, eram resolvidas pelos juízes. Podemos supor que os juízes punham em vigor os conceitos gerais do código de Hamurabi. Em caso contrário, seria impossível explicar como esse código continuou vigorando por tanto tempo, naquela sociedade. A estela que contém essas leis era uma espécie de memorial da vitória da lei e da prática justa; e, a menos que as leis estivessem sendo postas em prática, — nada teria havido para celebrar. A *compilação* do código, na estela, ocorreu somente alguns poucos anos após a morte de Hamurabi, mas durante dez séculos, essas leis continuaram governando a sociedade babilônica.

VI. O Código de Hamurabi e a Lei Mosaica

Há um número suficiente de paralelos, entre esses dois códigos, para que sejamos levados a crer que ambos tiveram um pano de fundo comum. Alguns estudiosos têm pensado que a lei mosaica foi tomada por empréstimo e adaptada com base em fontes babilônicas; porém, uma declaração mais acurada a respeito seria que tanto uma quanto a outra repousavam sobre uma lei tradicional comum, que caracterizava os povos semitas daquela porção do mundo antigo, incluindo, finalmente, aqueles que se estabeleceram na Palestina. Naturalmente, um e outro desses códigos tinham seus pontos distintivos, visto que as leis, tal como a cultura, são coisas que se desenvolvem. Além disso, devemos pensar na iluminação espiritual, que faz a lei transcender a

HAMUTAL — HANANIAS

formas comuns de legislação, assumindo aspectos mais espirituais. Tanto a lei mosaica quanto o código de Hamurabi são extremamente severos, de acordo com os padrões modernos, impondo a sentença de morte para crimes que atualmente são considerados sem gravidade. (AM BOH DM ND Z)

HAMUTAL

No hebraico, «parente do orvalho». Esse era o nome de uma filha de Jeremias, de Libna, que veio a tornar-se esposa de Josias, o rei, e mãe de Jeoacaz e de Zedequias, ambos reis de Judá. Ver II Reis 23:31; 24:18; Jer. 5:2. Viveu por volta de 632 ou 619 A.C.

HANÃ

No hebraico, «misericordioso», nome de nove homens, referidos nas páginas do Antigo Testamento, a saber:

1. Um dos chefes da tribo de Benjamim (I Crô. 8:23), que viveu em cerca de 1500 A.C. Mas os eruditos diferem muito quanto à cronologia de sua época.

2. O sexto filho de Azel, descendente de Saul (I Crô. 8:38 e 9:44), e que viveu por volta de 588 A.C.

3. Um filho de Jigdalias (Jer. 35:4), que viveu por volta de 600 A.C. Seus filhos viviam em uma das câmaras do templo de Jerusalém. Presume-se que eles se ocupavam de serviços no templo.

4. O filho de Maaca. Ele foi um dos trinta poderosos guerreiros de Davi (I Crô. 11:43). Viveu por volta do ano 1000 A.C.

5. Os filhos de Hanã retornaram entre os netinins ou servos do templo, depois do cativeiro babilônico (vide), em companhia de Zorobabel. Ver Esd. 2:46 e Nee. 7:49. O tempo foi cerca de 536 A.C.

6. Um levita que ajudou Esdras a instruir o povo quanto à lei mosaica, após o cativeiro babilônico (Nee. 8:7). Uma pessoa com o mesmo nome, em Nee. 10:10, conforme a maior parte dos eruditos, seria o mesmo indivíduo. Ele viveu por volta de 410 A.C.

7. Um dos chefes do povo, que assinou o pacto com Neemias, terminado o cativeiro babilônico (Nee. 10:26). Viveu por volta de 410 A.C.

8. Um dos filhos de Zacar. Seu trabalho consistia em cuidar dos fundos provenientes dos dízimos, sob o poder de Neemias (Nee. 13:13). Viveu por volta de 410 A.C.

9. Ainda um outro homem que assinou o pacto com Neemias (Nee. 10:22). Viveu por volta de 410 A.C.

HANAMEL

No hebraico, «Deus é gracioso», embora também possa significar «Deus deu». Esse era o nome de um dos filhos de Salum, e tio de Jeremias. Ele vendeu um campo a Jeremias, antes do cerco de Jerusalém pelos babilônios. Esse foi um ato simbólico, mostrando a fé de que os negócios finalmente voltariam ao normal, em tempos normais. Jeremias, o comprador, a despeito das calamidades do momento, tornou-se assim o proprietário daquelas terras, que havia adquirido. Ver Jer. 32:6-15. Hanamel, como levita que era, não podia vender terras pertencentes à casta sacerdotal; ou então, nesse tempo, o preceito de Lev. 25:34 havia caído em desuso. Porém, é possível que aquelas terras pertencessem ao lado materno de sua família; e, nesse caso, tais terras podiam ser vendidas.

••• ••• •••

HANANEEL

No hebraico, «Deus favoreceu». Esse foi um israelita que emprestou seu nome a uma das torres de Jerusalém (ver Nee. 3:1; 12:39; Jer. 31:38; Zac. 14:10).

HANANEEL, TORRE DE

Essa torre fazia parte das muralhas de Jerusalém (Nee. 3:1 e 12:39). Ficava localizada perto da esquina nordeste da cidade, não muito distante da Porta das Ovelhas. Esse portão ia desde esse ponto até à torre. Não se sabe dizer por que motivo a torre tinha esse nome. Sabe-se, porém, que a Torre de Antônia (vide), finalmente, substituiu a torre de Hananeel.

HANANI

No hebraico, «gracioso». Esse foi o nome de vários homens que figuram nas páginas do Antigo Testamento:

1. O filho de Hemã, um profeta que ajudou Davi. Ele era o cabeça do décimo oitavo turno de sacerdotes que serviam no templo de Jerusalém (I Crô. 25:4). Ele viveu em cerca de 1014 A.C.

2. Um profeta que atuou na época do rei Asa, de Judá. O rei mandou detê-lo e lançá-lo na prisão. Isso foi ocasionado pela declaração do profeta de que o monarca perdera a oportunidade de dominar os sírios inimigos. Ver II Crô. 16:7. Alguns eruditos supõem que esse mesmo homem era pai de um outro profeta, de nome Jeú (I Reis 16:7); mas, as circunstâncias e a cronologia parecem contrárias a essa suposição.

3. Um sacerdote do tempo de Esdras, que se casara com uma mulher estrangeira (Esd. 10:20), e viu-se obrigado a divorciar-se dela. Viveu em cerca de 459 A.C. Ver também I Esdras 9:21.

4. Nome de um irmão de Neemias. Ele trouxe notícias de Jerusalém a Susã, a respeito da miserável condição dos judeus que haviam retornado do cativeiro babilônico. Ver Nee. 1:2. Posteriormente, foi nomeado governador de Jerusalém (Nee. 7:2). Viveu por volta de 455 A.C.

5. Um sacerdote, um músico que oficiou na cerimônia da purificação das muralhas de Jerusalém, que haviam sido reconstruídas ainda bem recentemente (Nee. 12:36). Viveu por volta de 445 A.C.

HANANIAS

No hebraico, «a bondade de Yahweh». Esse é o nome de nada menos de catorze homens, referidos nas páginas do Antigo Testamento:

1. Um dos filhos de Zorobabel, e pai de Pelatias e Jesaías (I Crô. 3:19,21). Sua época foi em torno de 536 A.C. Ele figura na genealogia de Jesus.

2. Um benjamita, filho de Sasaque (I Crô. 8:24). Tornou-se cabeça de um dos clãs da tribo de Benjamim. Viveu por volta de 605 A.C.

3. Um dos filhos de Hemã. Era músico e profeta; cabeça do sexto dos vinte e quatro turnos de sacerdotes que serviam no templo de Jerusalém (I Crô. 25:4,23). Viveu em cerca de 1014 A.C.

4. Um comandante militar sob o rei Uzias (II Crô. 26:11). Viveu em cerca de 803 A.C.

5. Um filho de Azur, gibeonita. Foi um falso profeta que fez oposição a Jeremias. Ele provocou uma rebelião entre o povo de Israel, e a sentença divina de morte foi proferida contra ele. Ele profetizava entusiásticas profecias de imediata restauração e volta do cativeiro babilônico para Israel, e assim insuflava falsas esperanças em Israel. Ver Jer.

HANANIAS — HAN FEI TZU

28. Sua época foi por volta de 596 A.C.

6. O pai de Zedequias, um príncipe de Judá, da época de Jeoaquim (Jer. 36:12). Viveu em cerca de 605 A.C.

7. O avô de Jerias, capitão da guarda que deteve o profeta Jeremias, sob a falsa acusação de que ele tencionava desertar para os babilônios (Jer. 37:13-15). Viveu por volta de 589 A.C.

8. Um dos companheiros de Davi, cujo nome foi alterado para Sadraque (vide), pelos babilônios (Dan. 1:6,7; I Macabeus 2:59). Viveu em cerca de 550 A.C.

9. Um levita, filho de Bebai, que se casara com uma mulher estrangeira, durante o exílio babilônico, mas teve de divorciar-se dela após retornar a Jerusalém (Esd. 10:28; I Esdras 9:29). Viveu em cerca de 459 A.C.

10. Um sacerdote que tinha por encargo preparar os perfumes e ungüentos (Êxo. 30:22-38; I Crô. 9:30). Ele reparou uma parte das muralhas de Jerusalém, sob a liderança de Neemias (Nee. 3:8). Sua época foi cerca de 446 A.C.

11. Um homem que ajudou a reconstruir as muralhas de Jerusalém, sob a orientação de Neemias. A parte que lhe coube ficava acima da Porta Oriental (Nee. 3:30). Alguns eruditos identificam-no com o mesmo Hananias anterior (sob o número dez, acima).

12. Um governador das fortalezas ou portões de Jerusalém, que esteve associado a Neemias após o cativeiro babilônico. Há comentários sobre a sua piedade pessoal. Ver Nee. 7:2. Ele era fiel e temia a Deus mais do que muitos (Nee. 7:2). Viveu por volta de 446 A.C.

13. Um líder dos judeus, que assinou o pacto com Neemias, terminado o cativeiro babilônico (Nee. 10:23). Viveu por volta de 446 A.C.

14. Um sacerdote que esteve presente à dedicação das muralhas de Jerusalém, depois que elas tinham sido refeitas, terminado o cativeiro babilônico (Nee. 12:12,41). Ele era chefe de um dos vinte e quatro turnos sacerdotais que serviam ao templo. Viveu por volta de 446 A.C.

HANATOM

No hebraico, «dedicada à graça» ou «favorecida». Esse era o nome de um lugar ou cidade, na fronteira norte da tribo de Zebulom (Jos. 19:14), cerca de meio caminho entre o mar da Galiléia e o vale de Jifitael. Os tabletes de Tell el-Amarna (do século XIV A.C.) dão duas referências a esse lugar. Os anais de Tiglate-Pileser III (747-727 A.C.) também mencionam esse lugar por uma vez. Tem sido, tentativamente, identificado com o moderno Tell el-Badeiwiyeh, um lugar ligeiramente ao norte de Nazaré, embora a localização exata seja desconhecida.

HANBAL, IBN

Faleceu em 885 D.C. Ele foi o fundador de uma das quatro escolas ortodoxas da lei islâmica, que foi a escola dominante na Mesopotâmia e na Síria. Finalmente, a escola hanifita a ultrapassou em importância.

HANDEL, GEORGE FREDERIC

1685-1759 foram suas datas. Ele foi um compositor anglo-germânico que, — juntamente com seu contemporâneo, Johann Sebastian Bach, é reconhecido como um dos dois maiores compositores dos fins do período barroco. Diferentemente de Bach, ele foi uma figura pública a maior parte de sua vida adulta, e não foi esquecido por ocasião de sua morte. Fez importantes contribuições a todos os campos da música, mas tornou-se melhor conhecido por seu *oratório* em inglês. A mais famosa de suas peças é seu imortal Messias, que tem sido muito usado em programas musicais desde que foi composto. Ele afirmava tê-lo composto por inspiração divina. Escreveu-o em tão pouco tempo que a maioria dos músicos nem ao menos seria capaz de copiar a peça tão rapidamente, quanto menos compô-la. Estritamente falando, os oratórios não são músicas sacras. Antes, seu intuito é serem apresentados em teatros, com o acompanhamento de orquestra e coro. Um oratório podia ser um ensaio musical, sobre um tema moral ou outro tema elevado; e o estilo dos oratórios prestava-se para servir de música sacra.

Handel nasceu em Halle, uma cidade no sudoeste da Alemanha Oriental. Naturalizou-se cidadão inglês em 1727. Era filho de um cirurgião barbeiro, que queria que ele fosse advogado. Porém, em 1702, Handel ingressou na Universidade de Halle e foi nomeado organista da catedral de Halle. Dali, ele mudou-se para Hamburgo, onde tocava o violino e a espineta na orquestra da ópera. Sua primeira ópera, *Almira,* foi produzida e levada ao palco ali, em 1705, dando início à sua carreira musical de maneira irrevogável. Handel escreveu **muitas óperas e obras-primas da música** em outros estilos musicais. O seu *Messias* foi levado a efeito, pela primeira vez, em Dublin, na Irlanda, em 1742. Ele escreveu outras notáveis peças de música sacra, algumas das quais oratórios.

Após uma brilhante e variegada carreira, Handel faleceu em Londres, na Inglaterra, a 14 de abril de 1759, tendo sido sepultado na abadia de Westminster.

HANES

Alguns estudiosos pensam que esse nome significa «Mercúrio». Era uma cidade do Egito, nas vizinhanças de Zoã (Tânis), mencionada na Bíblia somente em Isa. 30:4. Outros identificam-na com Heracleópolis Magna, capital da parte norte do Alto Egito, cerca de oitenta quilômetros ao sul de Mênfis, um pouco ao sul de Fayyum. Durante as dinastias XXV e XXVI era uma cidade importante (cerca de 715 — 600 A.C.). Outros eruditos identificam-na com Heracleópolis Parva, na porção oriental do Delta do Nilo. Ainda outros estudiosos pensam que era outro nome de Tapanes, uma cidade fortificada na fronteira oriental do Egito. A paráfrase aramaica da passagem nos transmite essa idéia. Entretanto, é possível que a palavra *Hanes* não indique qualquer lugar ou cidade, mas, antes, seja uma transliteração do vocábulo egípcio *hwtnsw,* que significa «mansão do rei». Nesse caso, tudo quanto temos no texto é o fato de que o rei do Egito contava com um palácio para sua conveniência em Zoã (Tânis).

HAN FEI TZU

Filósofo chinês do século III A.C. Era príncipe de Han e sistematizador da Escola Legalista (vide) de Filosofia. Em 233 A.C., cometeu suicídio, aparentemente porque não foi aceito pelo rei da China como um serviçal do governo.

Idéias:

1. Apesar de louváveis, a virtude e a gentileza não são suficientes para pôr fim às desordens. Em qualquer Estado, torna-se mister um poder que inspire respeito e temor. Existe tal coisa como homens

HANIEL — HAN YUZ

bons, mas essa não é a norma da humanidade. O governante de um Estado precisa tratar com todos os tipos de homens, incluindo aqueles que são inerentemente maus. Portanto, eles devem treinar a severidade e a flexibilidade, usando tanto a punição como a bondade, como suas duas principais maneiras de agir.

2. O confucionismo e o moísmo tinham um ponto de vista exageradamente otimista da natureza humana. Louvavam a humanidade e a retidão, mas olvidavam-se da depravação essencial do homem. Ademais, os reis bem-sucedidos são aqueles que sabem como usar a sua autoridade; e aqueles que são sábios e humanitários não são muito comuns. Aqueles que se mostram tais não obtêm sucesso necessário, ao tentarem governar homens maus e imprevisíveis.

3. Tao (ver sobre o *Taoísmo*) é um princípio que operaria no mundo, controlando todas as coisas. Utiliza-se de forças materiais para alcançar os seus propósitos. Todo governante sábio tenta empregar o princípio do *tao*, no seu exercício do poder.

HANIEL

No hebraico, «graça de Deus». Esse é o nome de dois homens, mencionados nas páginas do Antigo Testamento:

1. Nome de um filho de Éfode, que era um dos líderes da tribo de Manassés (Núm. 34:23). Ele foi nomeado para ser superintendente da distribuição das terras que ficavam a oeste do rio Jordão. Ele viveu por volta de 1618 A.C.

2. Um dos filhos de Ula. Foi guerreiro e príncipe da tribo de Aser. É mencionado somente em I Crô. 7:39. Viveu por volta de 720 A.C.

HANOQUE

No hebraico, «iniciado». Foi nome de duas personagens referidas no Antigo Testamento:

1. O terceiro filho de Midiã, neto de Abraão e Quetura (Gên. 25:4). Tornou-se cabeça de um dos clãs midianitas. No trecho paralelo de I Crô. 1:33, seu nome aparece com a forma de Enoque. Viveu por volta de 1800 A.C.

2. O filho mais velho de Rúben (Gên. 46:9; Êxo. 6:14; I Crô. 5:3). Foi o fundador do clã dos hanoquitas, sobre quem se lê em Núm. 26:5. Viveu por volta de 1700 A.C.

HANRÃO

No hebraico, «vermelho». Ele era o filho mais velho de Disom (I Crô. 1:41). Em Gên. 36:26, seu nome aparece com a forma de Hendam, «agradável». Ele era bisneto de Seir, o horeu. Viveu por volta de 1700 A.C.

HANUKKAH

No hebraico, «dedicação», «consagração». Esse é o nome de uma festividade judaica que durava oito dias, comemorando a rededicação do templo de Jerusalém, em 165 A.C., depois que os Macabeus haviam derrotado os exércitos siro-gregos, na guerra de libertação dos judeus. As principais personagens nessa guerra foram Antíoco IV Epifânio e Judas Macabeu, sobre quem damos artigos separados nesta enciclopédia. Essas comemorações começam no vigésimo quinto dia do mês de quisleu, durante o inverno (João 10:22). Os Macabeus purificaram o templo, depois que o mesmo foi contaminado, como se fosse uma espécie de purificação do helenismo que ali se instalou, e não meramente uma purificação do próprio templo. Essa festa também é chamada de Festa das Luzes. Isso se originou da lenda de que um pequeno receptáculo de azeite não contaminado supriu o combustível para acender as lâmpadas durante os oito dias da festa original. Desde então, luzes, como tochas, lâmpadas e velas, têm sido uma característica proeminente nessa celebração. Ver comentários adicionais sobre essa festa, no artigo geral intitulado *Festas (Festivais) Judaicas*. Ver especialmente o ponto III.2 do mesmo.

HANUM

No hebraico, «gracioso» ou «favorecido». Há três homens com esse nome, nas páginas do Antigo Testamento:

1. Nome do filho do sucessor de Naás, rei dos amonitas. Algumas vezes, as boas intenções são mal-interpretadas, e daí seguem-se desgraças. Naás, pai de Hanum, mostrara-se amigável para com Davi. E assim, quando Hanum subiu ao trono de Amom, por ocasião do falecimento de seu pai, Davi lhe enviou uma embaixada, a fim de congratulá-lo e de oferecer condolências, por causa da morte de seu pai. Hanum, porém, deve ter lido perversas intenções da parte de Davi, e, dessa forma, ofendeu grosseiramente aos embaixadores judeus. Suas barbas foram cortadas pela metade e suas vestes foram cortadas de modo a deixar as nádegas aparecendo. Ora, a barba era muito respeitada pelos antigos hebreus (ver sobre a *Barba*), pelo que danificá-la era um dos piores insultos. Hanum, porém, sem dúvida, sabia que Davi não aceitaria essas coisas pacificamente. Talvez ele até estivesse querendo provocar uma guerra e, se assim foi, Davi não o decepcionou.

Hanum conseguiu o apoio de outros reis sírios, mas a aliança foi derrotada em duas batalhas principais. Seguiu-se uma tremenda matança, o que era apenas usual, e os amonitas perderam a independência. Os seus cidadãos foram reduzidos a trabalhos forçados. Davi obteve um rico despojo, incluindo uma magnífica coroa de ouro, cravejada de pedras preciosas. Assim, a vida continuava como sempre tivera sido, nos dias de Davi. Sobi, irmão de Hanum, ficou sendo o governante de Moabe, vassalo de Davi. O nome de Hanum aparece nos trechos de II Sam. 10:1-4; II Crô. 19:2-4,6. Hanum deve ter vivido por volta de 1037 A.C.

2. Em Neemias 3:13 há menção a um certo Hanum que, juntamente com pessoas de Zanoa, reparou a Porta do Vale, nas muralhas de Jerusalém. Ele viveu por volta de 445 A.C.

3. Em Neemias 3:30 há menção a um certo Hanum, o sexto filho de Zalafe, que reparou as muralhas de Jerusalém, uma porção acima da Porta dos Cavalos. Os estudiosos estão divididos quanto às suas opiniões se esse terceiro capítulo de Neemias fala apenas sobre um homem ou sobre dois homens com esse nome. Seja como for, eles eram contemporâneos (ver o ponto «2», acima).

HAN YUZ

Suas datas foram 768 — 824 D.C. Ele foi um filósofo chinês neoconfuciano que, juntamente com Li Ao (vide), emprestou orientação e caráter à filosofia neoconfuciana. Eles restauraram a ênfase histórica sobre a natureza humana e impediram o aniquilamento do sistema, ameaçado pelo taoísmo e pelo budismo. As mais importantes obras literárias de Han

HAPIZEZ — HARÃ

Yu chamam-se *Uma Inquirição na Natureza Humana* e *Uma Inquirição sobre o Tao*.

HAPIZEZ

No hebraico, «dispersão». Era o nome de um sacerdote, descendente de Aarão. Sua família constituía o décimo oitavo turno dentre os vinte e quatro turnos de sacerdotes que serviam aos ritos religiosos instituídos por Davi (I Crô. 24:15). Viveu por volta de 1030 A.C.

HAQUILÁ

No hebraico, «trevas» ou «escuro». Esse era o nome de um monte cerca de dezesseis quilômetros ao sul de Jericó, onde Davi se ocultou de Saul, quando este o perseguia, com o intuito de matá-lo (I Sam. 23:19 e 26:3). Saul acampou nesse monte. Ficava próximo do deserto de Zife, o moderno Tell ez-Zif, ao sul de Hebrom. Porém, o local específico, mencionado na Bíblia, nunca foi identificado. Jônatas Macabeu construiu ali a fortaleza de Massada (vide), famosa na história judaica.

HARA

No caldaico, «montanha». A Vulgata Latina diz *Ara*, ao passo que a Septuaginta omite o nome. Para esse e outros lugares (Hala, Habor e o rio Gozã), Tiglate-Pileser III, da Assíria, levou as tribos de Rúben, Gade e a meia-tribo de Manassés. Ver sobre o *Cativeiro Assírio*. Isso ocorreu entre 734 e 732 A.C. O nome dessa cidade ocorre somente em I Crô. 5:36 em toda a Bíblia. Visto que aqueles outros nomes locativos designavam lugares ou acidentes geográficos da Mesopotâmia, na parte norte da mesma, sabe-se que ali também deveria ficar Hara. Todavia, no trecho paralelo de II Reis 17:6 e 18:11, Hara não é mencionada.

O texto hebraico diz «cidades dos medos», mas a Septuaginta diz «montanhas dos medos». Alguns estudiosos supõem que o texto, em I Crô. 5:26, sofreu alguma forma de alteração. É possível que as palavras «dos medos» tenham sido apagadas, e que a palavra «montanhas» tenha sido acrescentada. Se essa conjectura é correta, então o nome *Hara* designa uma região montanhosa a leste do vale do rio Tigre. Unger, um erudito moderno, comentando sobre o lugar, chama-o de uma *província* da Assíria. Seja como for, ficava localizada na parte ocidental da Assíria, entre os rios Tigre e Eufrates.

HARÃ (LUGAR)

No hebraico, «ressecado». Se transliterássemos o nome para o português teríamos *Charan*. O texto grego da Septuaginta diz *Charran* (ver também Atos 7:4), e a Vulgata Latina, *Charrae*.

Essa localidade ficava localizada cerca de trinta e dois quilômetros a suleste de Urfa (Edessa), às margens do rio Bali. Ficava na estrada principal que partia de Nínive até às margens do rio Eufrates e era um centro comercial importante, que mantinha contacto com portos comerciais, tal como Tiro. (Ver Eze. 27:23). Há escavações que mostram que vinha sendo habitada pelo menos desde 3000 A.C. A princípio foi dominada pelos assírios, e por longo tempo foi uma capital provincial assíria (chamada Tartã). Posteriormente tornou-se capital dos assírios, até que foi capturada pelos babilônios, em 609 A.C. As ruínas dessa localidade, até hoje existentes,

pertencem, em sua maioria, ao período da dominação romana, no qual o local da cidade ficava nas proximidades de Harã, perto do lugar onde os partos derrotaram Crasso (53. A.C.). E outra parte dessas ruínas pertence a ocupações posteriores, por parte de governantes sabeus e islamitas, quando esse lugar recebeu o nome de Carrae. Por isso é que, no texto da versão da Septuaginta, essa localidade recebe um nome similar, isto é *Charran*. (Ver o artigo sobre «Abraão»). Ele é mencionado aqui como o progenitor da nação judaica; e isso nos mostra que Estêvão (Atos 7:4) começou a sua narrativa acompanhando a história da nação desde o seu ponto mais remoto.

Esse era o nome de uma cidade da Mesopotâmia, situada c. de trinta e dois quilômetros a suleste de Urfa (Edessa), às margens do rio Balique, um tributário do grande Eufrates. Ficava na porção noroeste da Mesopotâmia. Alguns estudiosos pensam que o nome dessa cidade deriva-se de Harã, pai de Ló. Porém, essa conjectura não tem qualquer base histórica. Abraão, depois de haver sido chamado por Deus, de Ur dos Caldeus, ficou em Harã durante algum tempo, até que seu pai, Terá, faleceu. Então, Abraão prosseguiu até à terra de Canaã (Gên. 11:31,38; Atos 7:4). Parte da família, entretanto, permaneceu em Harã. Foi isso que armou o palco para visitas posteriores ao lugar, como quando o servo de Abraão foi enviado até ali, a fim de obter esposa para Isaque (ver Gên. 24), ou como quando Jacó fugiu para evitar a ira de seu irmão, Esaú, a quem havia enganado (ver Gên. 28:10). O trecho de Ezequiel 27:23 refere-se aos negociantes de Harã, que negociavam com os tírios. Foi perto de Harã que o exército romano foi derrotado pelos partas, quando foi morto o triúnviro Crasso.

Nos tempos antigos, Harã ficava localizada em uma importante rota comercial, que vinculava a Babilônia às margens do mar Mediterrâneo, fazendo-a prosperar. Escavações arqueológicas têm descoberto evidências de habitação, naquela localidade, até o terceiro milênio A.C. Salmaneser I, no século XIII A.C., conquistou-a. Uma inscrição de Tiglate-Pileser I (cerca de 1115 A.C.), também menciona o lugar. Durante muito tempo, Harã foi uma capital provincial assíria, mas acabou destruída, por causa de sua rebeldia. Todavia, foi restaurada por ordem de Sargão II.

Assur-Urbalite, o último rei da Assíria, tornou Harã a sua capital, em 612 A.C., depois que Nínive foi destruída pelos babilônios. Foi nessa ocasião que os assírios tentaram impor-se, pela última vez. Porém, os assírios não foram bem-sucedidos, e o império assírio chegou a um final súbito. Assur-Urbalite teve de abandonar Harã em 610 A.C. Isso deixou os babilônios no firme controle de vastos territórios. Harã foi sucessivamente governada, depois disso, por zoroastrianos, cristãos nestorianos, islamitas e cruzados. Atualmente, uma pequena aldeia árabe assinala o local antigo.

HARÃ (PESSOAS)

Há três homens com esse nome, nas páginas da Bíblia, a saber:

1. Um filho de Terá, irmão de Abraão e Naor. Ele era o pai de Ló, e tinha duas filhas chamadas Milca e Iscá. Ver Gên. 11:27-31. Faleceu antes de seu pai, Terá, o que parece ter sido um caso raro, porquanto é mencionado. Muitos estudiosos têm pensado que esse nome significa ou «forte» ou «iluminado». Ele viveu por volta de 1990 A.C. Interessante é observar que Iscá, filha de Harã, é considerada por alguns antigos

HARADA — HARÉM

como a mesma Sara, esposa de Abraão. Entre esses poderíamos citar Josefo. Contudo, não se sabe qual a base para essa opinião.

2. Um levita gersonita, da família de Simei, que viveu nos dias de Davi (I Crô. 23:9). Viveu por volta de 1014 A.C.

3. Um filho de Calebe e sua concubina, Efá, tinha esse nome (I Crô. 2:46). Ele viveu por volta de 1618 A.C.

HARADA

No hebraico, «lugar de terror». Esse era o nome da vigésima quinta estação ou ponto de parada dos israelitas, quando vagueavam pelo deserto do Sinai. O local é mencionado somente em Núm. 33:24. Ficava em algum ponto entre o monte Sefer e Maquelote, embora se desconheça o local preciso.

HARAÍAS

No hebraico, «Yahweh protege». Esse era o nome do pai de Uziel. Ele foi um ourives que ajudou a reparar as muralhas de Jerusalém, sob a direção de Zorobabel, depois que os israelitas retornaram do cativeiro babilônico (ver Nee. 3:8). Viveu por volta de 445 A.C.

HARAKIRI

Palavra japonesa que significa, literalmente, «golpe no ventre». Esse é o nome vulgar de uma forma de suicídio, mediante perfuração dos intestinos e outros órgãos do ventre. Um nome mais nobre, em japonês, é *seppuku*. Essa forma de suicídio vem sendo praticada no Japão desde tempos antigos. Era praticado principalmente por guerreiros conscientes, que não queriam ser capturados pelo inimigo. Durante os últimos anos do período Ashikaga (1338 — 1573), o harakiri ficou restringido à classe dos *samurai*, os guerreiros. Em tempos pacíficos, era praticado por guerreiros condenados à execução, e que preferiam executá-la pessoalmente, peasando ser isso mais honroso. Também tornou-se uma forma de protesto contra atos governamentais, tidos como desonrosos à nação.

O ato chegou a tornar-se uma cerimônia, acompanhada por todo um ritual. A cerimônia do *seppuku* chegava ao seu clímax quando o guerreiro cravava uma lâmina curta à altura do umbigo, da esquerda para a direita. O golpe de misericórdia era dado por um auxiliar, o *kaishaku*, ou «segundo», que decapitava a vítima com uma pesada espada de cabo duplo. Com freqüência, o ritual era testemunhado por outras pessoas. Em tempos de guerra, como durante a Segunda Guerra Mundial, os soldados japoneses fizeram ataques suicidas — os famosos kamikazes — que podem. ser considerados um harakiri muito honroso. Nem com isso, porém, eles ganharam a guerra.

A questão do suicídio. A filosofia e a teologia desde há muito têm investigado as implicações morais desse ato. Ver o artigo separado sobre o *Suicídio*.

HARARITA

Esse termo refere-se a três homens, ligados de alguma forma aos trinta poderosos guerreiros de Davi. Foram Samá, filho de Agé, o hararita (II Sam. 23:11), Sama, o hararita, e Aião, filho de Sarar, ararita (II Sam. 23:33). Ver, igualmente, I Crô. 11:35. Desconhece-se o nome *hararita* fora das

páginas da Bíblia. O mais provável é que se refira a alguma cidade ou território. Entretanto, outros estudiosos supõem que a palavra significa apenas ·«montanhês», como palavra derivada do termo hebraico *har*, «montanha».

HARÁS

No hebraico, «pobreza». Esse é o nome de dois homens, que figuram nas páginas do Antigo Testamento; ou de livros apócrifos do mesmo:

1. Nome do avô de Salum. Ele era marido de Hulda, uma profetisa que viveu nos dias de Josias (II Reis 22:14 e II Crô. 34:22). Em algumas versões, seu nome aparece com a forma de Hasrás, em II Reis 22:14.

2. O cabeça de um clã que atuava como servos do templo restaurado de Jerusalém, após terem voltado do cativeiro babilônico em companhia de Zorobabel (I Esdras 5:31). Esse nome não aparece nas listas paralelas dos livros de Esdras e Neemias.

HARBONA

No hebraico, «guia de asnos». Esse era o nome de um dos eunucos de Assuero ou Xerxes, mencionado no livro de Ester. Seu nome é mencionado apenas por duas vezes na Bíblia, em Ester 1:10 e 7:9. Ele agia como camareiro-mór. Foi ele quem, por ordem do rei persa, trouxe a rainha Vasti à sua presença (Est. 1:10). E também foi ele quem sugeriu a Hamã que preparasse uma forca para a execução do judeu Mordecai (Est. 7:9).

HARE, RICHARD M.

Nasceu em 1919. Um filósofo inglês, educado em Oxford. Ensinou em Oxford. Era, essencialmente, um filósofo moral, que fazia oposição ao naturalismo (vide), argumentando que os juízos morais não são descritivos, mas imperativos, visto que exercem funções orientadoras das ações. Ele dava grande atenção ao complexo comportamento lógico das palavras, como uma chave para a compreensão do comportamento ético. Acreditava que os termos éticos possuem sentidos tanto descritivos quanto avaliadores.

HARÉM

Esse vocábulo vem do árabe, **harim**, isto é algo proibido ou sagrado. Deriva-se da raiz verbal **harama**, «proibir». Essa palavra é usada entre os islamitas para indicar os *aposentos* reservados às mulheres, como também para as esposas e concubinas que ocupam tais aposentos, e para os lugares santos reservados exclusivamente aos fiéis. A idéia envolvida em um harém é a noção de reclusão. A reclusão das mulheres era um antigo costume dos semitas, visto que aquelas sociedades eram sempre polígamas. As muitas mulheres de um homem eram abrigadas em lugares de acesso difícil, excetuando para pessoas autorizadas. O islamismo não inventou tais práticas; tãosomente sancionou-as, incorporando-as na vida privada e religiosa dos seus adeptos.

O que nos admira mais, porém, é a poligamia que havia entre os hebreus. Ver o artigo separado sobre esse assunto. Quanto a uma ilustração, ver o gráfico onde estão alistadas as esposas e concubinas do rei Davi. De forma um tanto frívola, muitas mulheres são assim mencionadas, mas sem que seu nomes sejam revelados, porque ou o autor sagrado não tinha a informação, ou porque pensava ser muito tedioso

HARIFE — HARMONIA

entrar em tais detalhes. Naturalmente, um dos filhos de Davi, Salomão, foi o campeão dos proprietários de harém em Israel, pois o seu harém tinha mil mulheres, entre esposas e concubinas!

Não nos devemos olvidar, entretanto, que os antigos monarcas orientais tinham haréns numerosos, muitas vezes por razões políticas, ou então para obterem maior prestígio entre seus súditos. É bem possível que muitas mulheres, nesses haréns, nunca tivessem contacto sexual com seus proprietários. Por outra parte, o sexo era considerado muito livre para os homens, mas muito limitado para as mulheres, o que, em si mesmo, envolve uma contradição difícil de reconciliar. O Senhor Jesus ensinava o ideal de uma mulher para um homem, embora esse ideal dificilmente se tenha cumprido na sociedade judaica.

De todos os haréns do islamismo, os haréns dos sultões otomanos eram os mais renomados e glamourosos. Essa prática teve começo no *serralho* (palácio) de Constantinopla (atual Istambul). A coisa acabou se desenvolvendo em uma instituição, abrigando, sob um mesmo teto, esposas, concubinas, parentas, escravas e eunucos. Era a mãe do rei quem dirigia essa sociedade em miniatura. Os eunucos, quase todos eles negros, agiam como guardas de segurança. E, visto que elas não tinham muitas coisas para fazer, as esposas e concubinas, nesses haréns, tornaram-se famosas por seus conluios em busca de poder político, especialmente aquele relacionado à sucessão no trono. Muitos assassinatos políticos e muitos dramas estranhos ocorreram, em conivência com as intrigas iniciadas nos haréns.

Mediante a influência da civilização ocidental, a começar pelo século XIX, foi entrando em declínio a instituição do harém no Oriente Próximo e Médio. Mas a prática nunca desapareceu de todo. Em 1926, a poligamia foi declarada ilegal na Turquia. E foi isso que eliminou totalmente o sistema naquele país. Ver os artigos separados sobre *Monogamia* e sobre *Matrimônio*.

HARIFE

No hebraico, **outonal**, palavra usada em referência às estações do ano, como também ao regime de chuvas daquela época, ou a pessoas nascidas naquela estação.

Esse era o nome de um israelita cujos descendentes voltaram para Jerusalém terminado o cativeiro babilônico (vide). Eles totalizavam cerca de cento e doze pessoas. Talvez Harife seja o mesmo Jora, referido em Esd. 2:18. Ver também Nee. 7:24. Toda essa gente assinou o pacto com Neemias e Esdras. Tal nome aplicava-se tanto ao cabeça do clã como ao próprio clã.

HARIM

No hebraico, «consagrado», embora outros estudiosos pensem em «nariz chato». Esse era o nome de duas famílias e de um indivíduo, a saber:

1. Uma família que retornou do cativeiro babilônico (vide), em companhia de Zorobabel. Os homens dessa família tinham-se casado com mulheres estrangeiras, e tiveram de divorciar-se delas, a fim de que Israel pudesse ter um novo começo como nação. Eles assinaram o pacto com Neemias. Ver Esd. 2:32 e Nee. 7:35. Eles não faziam parte de uma família sacerdotal.

2. Nome de uma família sacerdotal que retornou a Jerusalém após o cativeiro babilônico, em companhia de Zorobabel. Eles tinham-se casado com mulheres

estrangeiras, e tiveram de se separar delas. Firmaram o pacto com Neemias (Esd. 10:21 e Nee. 10:5). O trecho de I Crô. 24:8 mostra que havia uma família com esse nome que pertencia ao terceiro turno dos sacerdotes, o que pode ter tido conexões com essa gente, mencionada depois do cativeiro babilônico.

3. Nome do pai de Malquias, o qual, juntamente com Hassube, filho de Paate-Moabe, ajudou a reparar parte das muralhas de Jerusalém, após o cativeiro babilônico. Ele pertencia a uma ou outra das duas famílias mencionadas acima, embora não haja certeza a respeito de qual delas. Ver Nee. 3:11.

HAR-MAGEDOM

Ver sobre **Armagedom**.

HARMOM

Esse é o nome de um dos lugares para onde o povo de Samaria haveria de ser exilado. Essa localidade é mencionada exclusivamente em Amós 4:3. Porém, não se conhece qualquer lugar com esse nome, nem na história e nem na arqueologia. Muitas correções do texto têm sido propostas, por causa desse nome desconhecido, mas nenhuma das sugestões tem sido satisfatória. Algumas traduções dizem ali Armom. O Targum desse texto diz «montes da Armênia». Outras traduções dizem «Armom Mona», e isso, por sua vez, tem sido identificado com o reino de Mini (vide), mencionado juntamente com o monte Ararate (um monte da Armênia), mencionado no trecho de Jer. 51:27.

HARMONIA

Esboço:

  I. A Palavra
  II. Na Filosofia
  III. Na Teologia

I. A Palavra

Esse vocábulo vem do grego **harmos**, que significa «junção». A idéia básica é a unidade onde há a cooperação dos elementos que formam essa unidade. *Sinônimos:* acordo, unidade, combinação, amizade, conformidade, unanimidade, união. Os *antônimos* são: discórdia, desunião, conflito, facção, partido.

II. Na Filosofia

a. **Dentro da antiga doutrina chinesa do meio-***termo*, a harmonia refere-se ao estado em que são conseguidos sentimentos de prazer, com a exclusão da ira e da tristeza. A harmonia produz alegria. Isso resulta de um equilíbrio de forças ou influências. Se houver elementos discordantes, como a ira e o conflito, então seus efeitos prejudiciais são anulados, e o equilíbrio geral é restabelecido.

b. Nos escritos de *Pitágoras*, esse termo tem uma aplicação cósmica. A astronomia estuda a harmonia dos corpos celestes. Dentro desse sistema, a harmonia também é considerada uma necessidade para a boa saúde do corpo humano.

c. Nos escritos de *Tomás de Aquino*, a harmonia ou *consonantia* (palavra latina) é um fator essencial na experiência humana e na estética, explicando por que motivo vemos a beleza em alguma coisa.

d. Nos estudos de *Leibniz*, harmonia aparece dentro de um arcabouço cósmico, referindo-se à ordem que há no Universo. Então, no **problema corpo-mente** (vide), ele propôs que a mente e o corpo não têm uma verdadeira interação, embora assim pareça ser, por causa de uma harmonia divinamente pré-estabeleci-

HARMONIA

da. O corpo e a mente agiriam simultaneamente, e em acordo, mas somente porque ambos foram programados para fazê-lo, e não por causa de alguma interação genuína, de causa e efeito.

III. Na Teologia

1. No relacionamento entre os irmãos. Lemos em Salmos 133:1,2 que é bom que os irmãos vivam em harmonia. Existem sete coisas que Deus abomina, entre elas o indivíduo que semeia a contenda entre irmãos (Pro. 6:19).

2. Também há aquela *unidade* do Espírito, que vincula entre si a todos os crentes verdadeiros. Isso contribui para a paz e a harmonia, bem como para o **bem-estar metafísico dos** envolvidos. Ver os artigos separados sobre a *Unidade em Cristo* e sobre *Unidades: As Sete Unidades Espirituais*.

3. O propósito do mistério da vontade de Deus é levar todas as coisas a terem unidade em torno de Cristo. Quando essa harmonia for alcançada, então a existência será, verdadeiramente, feliz. Ver o trecho de Efésios 1:9,10: «...desvendando-nos o mistério da sua vontade, segundo o seu beneplácito que propusera em Cristo, de fazer convergir nele, na dispensação da plenitude dos tempos, todas as cousas, tanto as do céu como as da terra...» Ver também o artigo sobre a *Restauração*.

HARMONIA CO-ESTABELECIDA

Está em pauta uma teoria de Swedenborg (que vide), segundo a qual ele supunha que o corpo e a alma existem em uma harmonia mútua, através do poder divino. A alma existiria em estados vegetativos racionais e espirituais em graus variegados. A queda no pecado privou o homem de todo o conhecimento, separando o aspecto espiritual da alma (a *anima*) da razão (*mens rationalis*). Por causa dessa separação, o conhecimento continua conosco, mas, normalmente, não nos é disponível. Ver o artigo que versa sobre o *Problema do Corpo-Mente*. (P)

HARMONIA DOS EVANGELHOS

Esboço:

I. Inspiração e Natureza Dessa Atividade
II. Seus Exageros
III. Várias Obras Harmonizadoras

I. Inspiração e Natureza Dessa Atividade

É bom que os homens estudem e aprendam. Era apenas natural que os estudiosos, vendo as diferenças existentes entre os quatro evangelhos, tivessem procurado obter uma harmonia entre eles. A mente humana não se sente à vontade diante de problemas não resolvidos e de pontas soltas. Portanto, aqueles estudiosos, com cuidado meticuloso, prepararam colunas paralelas, procurando mostrar-nos exatamente como se foi desenrolando a vida de Jesus, e como cada acontecimento seguiu-se aos demais. Eles têm tentado conseguir aquilo que os próprios autores sagrados do evangelho não tentaram. Eles tentaram o que não pode ser obtido com precisão. No entanto, a tentativa feita por eles é legítima, se não chega a incluir afirmações ridículas, distorcendo os fatos a fim de obter harmonia a qualquer preço.

A natureza das harmonias. Uma harmonia dos evangelhos é um arranjo tal do conteúdo dos mesmos que faça as passagens aparecerem em colunas paralelas. As harmonias mais antigas dos evangelhos procuravam entretecer *todos* os informes a respeito da vida e dos ensinamentos de Cristo, em todos os quatro evangelhos, apresentando ao leitor uma síntese. Mas as modernas harmonias procuram apresentar o conteúdo dos evangelhos em paralelo, para que o leitor possa fazer comparações e descobrir relações mútuas entre os relatos sagrados. Dentro da moderna erudição, o *Problema Sinóptico* (vide) tem atraído grande atenção, visto que é fato reconhecido que os três evangelhos de Mateus, Marcos e Lucas «vêem juntos» a vida e os ensinamentos de Cristo. Paralelamente a isso, reconhece-se que o evangelho de João é algo diferente dos outros três, pelo que não tem sido incluído nas harmonias mais recentes dos evangelhos. Na verdade, o evangelho de João contém apenas cerca de dez por cento do material que aparece nos evangelhos sinópticos.

II. Seus Exageros

Nenhum harmonista na terra é capaz de fazer o evangelho de João encaixar-se dentro dos evangelhos sinópticos, pois só contém dez por cento do material que se encontra neles, consistindo em noventa por cento de material inédito. As narrativas do evangelho de João concentram-se quase todas em torno de Jerusalém, ao passo que os relatos dos evangelhos sinópticos giram quase inteiramente em torno da Galiléia. Mateus é um evangelho que expõe cinco grandes discursos de Jesus. Esses discursos sumariam seus ensinamentos e, portanto, reúnem declarações que foram ditas em várias ocasiões, formando um bloco de material. Em certo sentido, pois, o evangelho de Mateus é um evangelho *tópico*, e não cronológico. E então os acontecimentos narrados giram em torno desses cinco discursos, sem qualquer atenção especial a uma cronologia exata. Portanto, em contraste com o de Mateus, os evangelhos de Marcos e de Lucas são bem diferentes quanto à arrumação de seu conteúdo. O artigo sobre o *Problema Sinóptico* ilustra bem essa circunstância. Lucas utilizou-se do arcabouço histórico de Marcos; e, em contraste com Mateus, ele seguiu bem de perto esse arcabouço histórico de Marcos. Entretanto, se Mateus não estava preocupado com uma estrita cronologia, é perfeitamente possível que Marcos também não o estivesse, e que a ordem dos acontecimentos, segundo ele, não apresente a verdadeira ordem cronológica dos fatos. Simplesmente temos de confessar que os autores originais dos evangelhos não eram harmonistas e que, mui provavelmente, teriam pensado ser estranha e desnecessária a exigência dos harmonistas modernos. O método de apresentação deles, por outro lado, nada tem a ver contra a verdade ou a fé. Meramente não levava em conta certas coisas que os harmonistas modernos julgam ser imprescindíveis. A despeito disso, a tentativa de obter uma harmonia dos evangelhos é uma atividade honrosa e proveitosa, contanto que não caiam no ridículo, em suas reivindicações de sucesso. Acima de tudo, o que os homens dizem acerca da harmonia dos evangelhos não pode servir de teste da crença ortodoxa.

III. Várias Obras Harmonizadoras dos Evangelhos

A mais antiga harmonia dos evangelhos de que se tem notícia é o *Diatéssaron* de Taciano, um apologista cristão de origem assíria, que residia em Roma em meados do segundo século D.C., mas que, em cerca de 172 D.C., voltou ao Oriente. A palavra grega *diatéssaron* significa «através dos quatro», ou «por meio dos quatro». Como é óbvio, foi uma tentativa de harmonizar os quatro evangelhos. Temos apresentado um artigo separado sobre essa antiga obra.

Uma outra antiga harmonia dos evangelhos foi de Amônio, um alexandrino que viveu no século III D.C. Essa obra só chegou até nós por meio de citações feitas por Eusébio, o grande historiador da antiga Igreja cristã.

Diatessaron de Taciano, Dura Pergaminho 24, Século III, — Cortesia de Yale University

Harmonia antiga dos Evangelhos

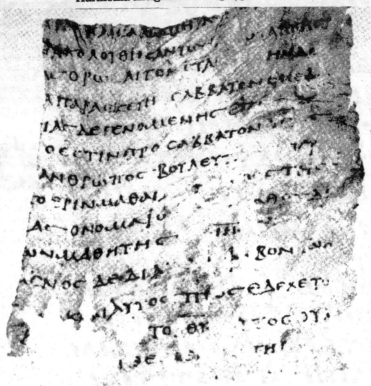

Composição

1	Ζεβεδαίου	καὶ Σαλώμη	καὶ γυναῖκες	Mt xxvii 56	Mk xv 40	Lk xxiii 49b
2	αἱ συνακολουθοῦσαι αὐτῷ ἀπὸ τῆς	
3	Γαλιλαίας ὁρῶσαι ταῦτα	καὶ	Lk xxiii 54
4	ἡμέρα ἦν παρασκευῆς καὶ σάββατον ἐπέφω-	
5	σκεν	ὀψίας δὲ γενομένης	ἐπεὶ ἦν παρασκ-	Mt xxvii 57	Mk xv 42
6	ευή, ὅ ἐστι προσάββατον		
7	ἦλθεν ἄνθρωπος πλούσιος	βουλευτὴς ὑπάρχων	Mt xxvii 57	Lk xxiii 50
8	ἀπὸ Ἀριμαθαίας	πόλεως τῶν	[Mt xxvii 57]	Lk xxiii 51
9	Ἰουδαίων	τοὔνομα Ἰωσήφ	ἀνὴρ ἀγαθὸς καὶ δί-	Mt xxvii 57	Lk xxiii 50
10	καιος	ὢν μαθητὴς τοῦ Ἰησοῦ κε-	Jn xix 38
11	κρυμμένος δὲ διὰ τὸν φόβον τῶν	
12	Ἰουδαίων	καὶ αὐτὸς	προσεδέχετο	Mt xxvii 57	Lk xxiii 51b
13	τὴν βασιλείαν τοῦ θεοῦ,	οὗτος οὐκ	Lk xxiii 51a
14	ἦν συνκατατεθειμένος τῇ βουλῇ	

Códex Pi, Século IX, Mat. 5:40 ss, — Cortesia, Public Library, Leningrad

HARMONIA — HARPA

Agostinho usava um texto que tinha os quatro evangelhos em harmonia com uma obra sua, intitulada *De consensu evangelistarum libri quattuor*. Isso aconteceu por volta do ano 400 D.C.

Durante a Idade Média e a Renascença, não houve quaisquer novas harmonias dos evangelhos a serem publicadas, que tivessem chegado até nós. Um estudioso suíço, *J. Clericus* (Le Clerc) produziu uma obra chamada *Harmonia Evangélica* (em cerca de 1700). Esse vocábulo, «harmonia», usado para aludir a tais obras, foi aplicado pela primeira vez em cerca de 1537, através de A. Osiander, um teólogo alemão.

A primeira das harmonias modernas foi produzida por J.J. Griesbach. A obra dele intitulava-se *Synopsis evangeliorum*, e foi publicada em 1776. Seguiram outras obras dessa natureza, no século XIX, como as de G.M. de Wette (1818), de J.H. Friedlieb (1847), a de C. von Thischendorf (1851), e a de A. Huck (1892).

Várias harmonias dos evangelhos foram produzidas no século XX. Entre elas destacamos a de A.T. Robertson, impressa pela primeira vez em 1922. Também foi publicada uma harmonia dos evangelhos, de autoria de W.O.H. Garman, no começo da década de 1950. Ele foi um dos professores deste autor, no seminário teológico.

HARMONIA PREESTABELECIDA

Um dos problemas mais difíceis da filosofia é o problema corpo-mente, isto é, se existe um espírito que é o homem essencial, que habita, de alguma maneira, no corpo físico, como é que esses dois elementos se interagem. Uma solução proposta por Leibniz (vide) é que, na realidade, não existe uma interação. No lugar disto, existe uma harmonia pre-estabelecida pela mente divina. O corpo e a mente assim têm histórias paralelas, mas separadas, e a interação entre os dois é apenas aparente. Ver a doutrina da mônada de Leibniz e o artigo detalhado sobre *Problema Corpo-Mente*.

HARNACK, ADOLF VON

Suas datas foram 1851—1930. Ele foi um autor e historiador luterano. Ensinou em várias universidades alemãs, incluindo a de Berlim. Foi presidente do *Kaiser Wilhelm Gessellschaft zur Forderung der Wissenschaften* e bibliotecário da *Preussische Staatsbibliothek*. Foi o fundador e primeiro presidente do *Congresso do Evangelho Social*.

Ele foi um dos professores de Karl Barth; mas, anos depois, fez oposição ao mesmo. Os alunos de Harnack estabeleceram o *Die Christliche Welt*, que foi suprimido por Adolfo Hitler. Harnack foi um autor prolífico, tendo publicado centenas de livros e monógrafos. Foi um dos maiores historiadores eclesiásticos de sua época. A sua *História do Dogma*, em três volumes, foi muito aclamada e teve larga distribuição. Seu tratado, intitulado *Das Wesen des Christentums* (Que é o *Cristianismo*) foi traduzido para quinze idiomas, tendo sido reimpresso por diversas vezes. Talvez sua grande obra isolada tenha sido *Márciom*. Uma outra notável, de sua autoria, foi o seu tratado sobre o *Credo dos Apóstolos* (vide).

HARODE

No hebraico, «tremor» ou «terror». Nas páginas do Antigo Testamento, esse é o nome de um ribeiro e de uma localidade, a saber:

1. No caso do riacho, é possível que esse nome se tenha derivado da maneira rápida como o mesmo fluia. Gideão e seus homens acamparam às margens do mesmo, quando se preparavam para lutar contra os midianitas. Ver Juí. 7:1. Alguns estudiosos têm sugerido que o *terror* da guerra é que deu nome a esse ribeiro; mas essa sugestão não é tão provável quanto a outra. O teste da maneira de beber água teve lugar às margens desse ribeiro. Alguns eruditos também supõem que Saul acampou perto desse riacho, pouco antes da fatal batalha contra os filisteus, durante a qual morreu (ver I Sam. 29:1).

2. Também havia uma localidade com esse nome, talvez porque ficava próxima desse ribeiro. Era a cidade natal de dois dos trinta poderosos guerreiros de Davi, a saber, Samá (II Sam. 23:25) e Elica (mesmo versículo). Nesse versículo, ambos são chamados «haroditas».

HARODITA

Dois dos heróis de Davi eram chamados assim, a saber, Samá e Elica (II Sam. 23:25). Em I Crô. 11:27, Elica não é mencionado, e «harodita» é alterado para a forma «harorita». Esse locativo deriva-se de *Harode* (vide).

HAROÉ

No hebraico, «o profeta». Esse nome encontra-se nas listas genealógicas de Judá, onde Haroé é mencionado como um dos filhos de Sobal (I Crô. 2:52). Pensa-se que ele é o mesmo homem chamado Reaías (vide), em I Crônicas 4:2. Ele deve ter vivido por volta de 1450 A.C.

HAROSETE-HAGOIM

No hebraico, «floresta dos gentios». Acredita-se que esse nome indicava uma cidade, mencionada por três vezes no quarto capítulo do livro de Juízes (vs. 2, 13 e 16). Todavia, pensa-se que ali havia uma «floresta» realmente, com base na circunstância de que a área perto dessa cidade cananéia era densamente arborizada nos tempos antigos. Ficava localizada ao norte da Palestina e era a cidade natal de Sísera (ver Juí. 4:2). Foi a partir dali que ele avançou contra as forças comandadas por Baraque (vs. 13), mas para onde ele fugiu, depois que foi derrotado (vs. 16). Se era uma cidade cananéia, então não admira que tivesse sido chamada de «Hagoim», ou seja, «dos gentios». Várias tentativas de identificação têm sido propostas, como Tell 'Amr e Tell el-Harbaj. Outros estudiosos identificam esse lugar com a Muhrashti das cartas de Tell el-Amarna, o que o situaria na planície de Sarom.

HARPA

Ver sobre **Música e Instrumentos Musicais**.

Tendo cada um deles uma harpa, Apo. 5:6. O termo grego *kithara* não indicava um instrumento semelhante à nossa «harpa», mas antes, se assemelhava mais a um violão ou guitarra. De fato, pode-se notar que a palavra «guitarra» está etimologicamente vinculada ao vocábulo grego «kithara». Originalmente, tinha formato triangular, com sete cordas. Mais tarde, o número de cordas foi aumentado para onze. Josefo menciona modelos dotados de dez cordas, as quais eram tangidas com um «plectrum» ou pequena peça de marfim. O cântico dos cento e quarenta e quatro mil será acompanhado por essas «guitarras» (ver Apo. 14:2 e *ss*), tal como no caso do cântico de Moisés, entoado por aqueles que obtiveram a vitória

HARPER — HARTMANN

sobre o anticristo (ver Apo. 15:2 e *ss*). A própria guitarra talvez não tenha qualquer simbolismo especial, exceto que é o «instrumento» dos louvores celestiais; pelo que também supomos que as palavras e as vidas dos seres celestiais que servem de glória para Deus, estão aqui simbolizadas ou, pelo menos, salientadas. Esse louvor prestado com a vida e com as palavras soa como se fosse uma música celestial, cheia de harmonia, graça e agradabilidade. Antigamente, o louvor a Deus era acompanhado com harpas, conforme se vê em Sal. 33:2. O louvor é similar à música, porquanto se trata de uma entidade intricada, com sua harmonia inerente, que é agradável até aos ouvidos de Deus.

HARPER, W.R.

Suas datas foram 1856—1906. Ele foi um educador batista de grande intelecto,· — que, aos catorze anos de idade já havia adquirido o seu grau de Bacharel em Artes e aos dezenove anos, o seu título de Doutor em Filosofia. Foi professor de línguas semíticas em Yale e também o primeiro presidente da Universidade de Chicago. Ali, ele estabeleceu o sistema de quatro trimestres de estudos, para incluir o verão nos estudos regulares, uma regra que, posteriormente, foi seguida por muitas outras universidades **norte-americanas**. Ele **permitia** que os estudantes obtivessem créditos por correspondência, e fundou várias escolas de jornalismo. Teologicamente, ele tornou-se conhecido por defender e usar a abordagem histórica da interpretação da Bíblia.

HARPIAS

Essa palavra vem do grego **harpuiai**, com base no verbo *harpadzo*, «arrebatar». Esse era o nome dado a pássaros fabulosos que a filosofia grega apresentava como tempestades que chegam e arrebatam as pessoas, ou como aves de rapina, dotadas de rostos femininos. Eram imaginados como arrebatadores das almas. É possível que os fantasmas dos mortos tivessem sugerido essa figura mitológica.

HARSA

No hebraico, «encantador». Esse era o nome de um clã, um dos grupos de netinins, cujos descendentes se encontravam entre aqueles que retornaram, em ·companhia de Zorobabel, da Babilônia para Jerusalém, após o exílio babilônico (Esd. 2:52 e Nee. 7:54). Isso ocorreu por volta de 536 A.C. No trecho de I Esdras 5:32, eles são chamados Careá. Nos tempos de Neemias, esse clã contribuiu para aqueles que serviam no templo de Jerusalém.

HARTMANN, EDUARD VON

Suas datas foram 1842—1906. Um filósofo alemão que nasceu em Berlim. Seguiu a carreira militar durante alguns anos, mas teve de desistir por haver-se ferido gravemente em um joelho. A partir de então dedicou-se à música, à pintura e à filosofia. Seu trabalho filosófico resultou na publicação do livro *Filosofia do Inconsciente*. E, em outras obras, intituladas *Fenomenologia da Consciência Moral; A Religião do Espírito; Teoria das Categorias* e *História da Metafísica*, ele explorou muitas questões metafísicas de ordem moral e religiosa. Em seguida, ele publicou uma obra, em oito volumes, intitulada *Sistema de Filosofia*, onde sumariou quase todos os seus pontos de vista.

Idéias:

1. **Ele combinava a vontade cega, postulada por** Schopenhauer, com a mente racional, postulada por Hegel. Portanto, toda busca e desenvolvimento, no nível individual e no nível do cosmos, compõe-se de dois elementos: esforço inconsciente e cumprimento consciente. Por um lado, juntamente com Schopenhauer, teríamos a dor e o pessimismo. Por outro lado, juntamente com vários outros pensadores, teríamos a salvação. As idéias de Freud foram influenciadas sobre essa declaração de Hartmann a respeito da vontade inconsciente.

2. Antes da descoberta dos princípios morais, há uma fenomenologia da consciência moral, que é uma espécie de inventário de fatos empíricos e da consciência moral.

3. Antecipando Freud e Jung, ele buscava evidências científicas em favor da mente inconsciente, em estado de evolução. Quanto a isso ele misturou as idéias de Schopenhauer quanto à vontade, de Hegel quanto às noções racionais e de Schelling quanto à identificação da idéia-vontade dentro da realidade divina. A *base final* de tudo seria a *inconsciência absoluta*, de onde o mundo teria emergido mediante o puro acaso primevo, e para o que tudo haverá de retornar, quando a vida, finalmente, cessar.

4. O imperativo moral é uma espécie de salvação, atingida quando nos libertamos tanto do absoluto quanto de nós mesmos, o que nos livra das misérias da vida, dirigindo a nossa cultura a uma crescente união com o inabalável inconsciente do absoluto. A religião consistiria em buscar a identidade total com o absoluto, acima de quaisquer outras atividades.

5. Quanto à teoria dos valores, ele foi o primeiro filósofo a empregar o termo *axiologia* para indicar o estudo de todas as formas de valor.

Hartmann opunha-se a todas as religiões formalizadas, acusando-as de manterem uma crença sem profundas convicções e grande superficialidade, em vez de uma verdadeira espiritualidade. Seu pessimismo, contudo, torna-se menos destacado em seu pensamento religioso do que em seu pensamento filosófico. Ele ensinava uma espécie de evolução otimista, liderada por uma agressiva participação no processo cultural. O *deus* dele era cego, mas seria um poder impulsionador que se revela em e através do processo inteiro da evolução do cosmos. Ele exortava aos homens para serem soldados de Deus, cooperando com essa evolução.

HARTMANN, NICOLAI

Suas datas foram 1882—1950. Ele foi um filósofo nascido em Riga, na Lituânia, e que veio a preferir a cidadania alemã. Educou-se em São Petersburgo, Dorpat e Marburgo. Ensinou em Marburgo, Colônia, Berlim e Gottingen. Era treinado na escola neokantiana, embora tivesse incorporado, em seu sistema, várias diretrizes tipicamente hegelianas.

Idéias:

1. Seu principal interesse girava em torno da ética. Ele acreditava que os valores são independentes, possuidores de uma hierarquia toda própria. A consciência humana não seria a criadora dessa hierarquia, embora lhe seja mister entendê-la.

2. A análise fenomenológica era muito importante em seu sistema. O dilema do sujeito-objeto foi por ele resolvido, segundo ele pensava, vendo cada uma dessas coisas como uma manifestação parcial do *Ser*. O contraste entre a epistemologia e a ontologia levaria à inclusão da primeira nesta última. Isso dá margem a uma ontologia realista, onde as categorias básicas de

HARTSHORNE — HASABIAS

explicação revestem-se de posição ontológica.

3. Ele desenvolveu uma filosofia do espírito onde a liberdade e a individualidade humanas são elementos importantes. Todavia, isso seria uma força impessoal. Ele distinguia duas esferas primárias do ser: o *real*, que seria capaz de ser localizado dentro do espaço e do tempo; e o *ideal*, que denota os universais que seriam, essencialmente, objetos matemáticos, ou objetos de valor. Vários níveis de realidade seriam conhecidos de diversas maneiras. A matéria seria percebida; a vida seria intuída; a consciência seria apreendida; o espírito seria compreendido. Todos os níveis de realidade obedeceriam a duas leis categóricas: a dependência e a autonomia.

4. Ele concebia a espiritualidade como residente nas pessoas, e não em algum Deus pessoal. Rejeitava o princípio da teleologia, como uma lei normativa da existência. Ver sobre a *Teleologia*.

5. Os valores existiriam por si mesmos, não sendo produtos da imaginação ou do trabalho humano. A vida virtuosa seria o resultado de uma devida atenção, dada a esses valores. Quando correspondemos aos mesmos, de maneira livre, cumprindo os deveres que esses valores nos impõem, então completamos a nossa personalidade, o que seria o supremo bem que todos os homens deveriam buscar.

HARTSHORNE, CHARLES

Nasceu em 1897. Foi um filósofo norte-americano, que nasceu em Kittanning, no estado da Pennsylvania. Educou-se no Haverford College e na Universidade de Harvard. Ensinou nas Universidades de Chicago, Emory e Texas.

Idéias:

1. O universo seria pampsíquico por sua própria natureza, desde Deus até à menor fagulha da experiência.

2. O conhecimento surgiria a partir de nossas sensações, que seriam sensações de sensações. A natureza qualitativa de nossa experiência teria uma natureza psíquica.

3. Ele rejeitava aquilo que pensava ser um conceito unipolar de Deus, segundo o qual Deus aparece como o Absoluto, e todas as coisas aparecem relacionadas a ele, ao mesmo tempo em que ele não se relaciona a outras coisas de qualquer maneira significativa. Por isso, ele propunha um conceito bipolar de Deus. Esse conceito salienta tanto o princípio absoluto quanto o princípio relativo. Deus seria, ao mesmo tempo, eterno e temporal, absoluto e relativo, um ser consciente que conhece o mundo e que é conhecido pelo mundo, mas que não é separado do mesmo, por fazer parte da tessitura do mundo. Esses princípios ele reduzia à sigla ETCSI, isto é: E = eterno; T = temporal; C = (ser) consciente; S = sabedor; I = incluso no contexto do mundo. Quanto a nós, poderíamos ser considerados como as células do divino organismo vivo de Deus. Isso, naturalmente, reflete noções do *panteísmo* (vide). Tudo está em Deus, mas Deus e o mundo não formam uma só entidade. Porém, essa identidade só é evitada mediante a análise e a descrição, e não mediante algum conceito ontológico básico.

4. Hartshorne acreditava que todos os tradicionais argumentos em prol da existência de Deus (ver sobre os *Cinco Argumentos de Tomás de Aquino* e sobre o *Argumento Ontológico*) têm valor, e deveriam ser levados em conta como um todo. Para ele, o argumento ontológico mostra ou que a idéia de Deus não tem sentido, ou então que, de fato, Deus existe,

razão pela qual todos seríamos um conceito do divino.

5. Ele aplicava esse conceito de bipolaridade à natureza de Deus. Isso posto, Deus era por ele concebido como absoluto e relativo; como necessário e contingente; e o mundo, para ele, participaria, necessariamente, dessa bipolaridade. O futuro do mundo seria contingente, repousando sobre os fatos do passado e do presente.

HARUFITA

Essa é uma designação dada a Sefatias, que viera ajudar a Davi, em Ziclague (I Crô. 12:5). Ele foi um guerreiro benjamita. O texto hebraico varia quanto à grafia dessa palavra, entre *harufita* e *harifita*. Alguns estudiosos supõem que há a conexão desse nome com Harefe, que aparece em I Crô. 2:51, ou então com a família de Harife, que ocorre em Nee. 7:24 e 10:19. Se exceutarmos essas possibilidades, o nome permanece obscuro, embora todos os estudiosos reconheçam que deve se referir a algum clã em Israel.

HARUM

No hebraico, «exaltado». Nome de um indivíduo obscuro, dentro da genealogia de Judá (ver I Crô. 4:8), acerca de quem nada se conhece, além de seu nome.

HARUMAFE

No hebraico, «nariz rachado». Esse era o nome do pai de Jedaías. Harumafe ajudou a reparar as brechas da muralha de Jerusalém, depois que os israelitas voltaram do cativeiro babilônico (vide). Seu nome ocorre somente em Nee. 3:10. Ele viveu por volta de 446 A.C.

HARUZ

No hebraico, «industrioso». Foi o pai de Mesulemete, a esposa do rei Manassés e mãe de Amom, rei de Judá (II Reis 21:19). Ele viveu por volta de 698 A.C.

HASABIAS

No hebraico, «Yahweh deu atenção». Esse é o nome de vários homens, aludidos nas páginas do Antigo Testamento, a saber:

1. Dois levitas meraritas (I Crô. 6:45 e 9:14).

2. Um filho de Jedutum (I Crô. 25:3,19), chefe de um grupo de músicos (o décimo segundo), nomeados para os cultos no templo de Jerusalém.

3. Um levita coatita de Hebrom, a quem Davi nomeou como seu representante, para cuidar das coisas na porção ocidental do rio Jordão (I Crô. 26:30).

4. Um filho de Quemuel, que serviu como chefe levita, nos dias de Davi (I Crô. 27:17).

5. Um dos chefes levitas, da época do reinado de Josias. Notabilizou-se por ter dado ofertas liberais para os sacrifícios (II Crô. 35:9 e I Esdras 1:9). As variantes desse nome são Assabias e Sabias.

6. Um levita que retornou do cativeiro babilônico juntamente com Esdras (Esd. 8:19; I Esdras 8:48). As variantes do nome desse homem são Asebia e Asebias.

7. Um sacerdote que ficou encarregado dos tesouros do templo de Jerusalém, que foram trazidos para esta cidade, terminado o cativeiro babilônico (Esd. 8:24; I Esdras 8:54). Uma variação desse nome é Assanias.

HASABNÁ — HASMONEANOS

8. Um chefe que ajudou a reparar as muralhas de Jerusalém, depois do cativeiro babilônico, e que governava metade do distrito de Queila (Nee. 3:17). Ele também assinou o pacto com Neemias (Nee. 10:11; 12:24).

9. Um sacerdote da época do reinado de Jeoiaquim, que serviu como sumo sacerdote. Ele foi cabeça de um clã de Hilquias (Nee. 12:21). O trecho de Esd. 10:25 traz a variante Malquias, mas a Septuaginta diz Asabia, o que concorda com o trecho de I Esdras 9:26, onde o grego diz *Asibias*.

HASABNÁ

Provavelmente, essa é uma forma variante de Hasabias (vide). Era o nome de um chefe do povo, que selou o pacto com Neemias, terminado o cativeiro babilônico (ver Nee. 10:25).

HASABNÉIAS

No hebraico, «pensamento de Yahweh» ou «Yahweh considera». Esse é o nome de duas personagens do Antigo Testamento:

1. O pai de Hatus, que ajudou a reparar as muralhas de Jerusalém, após o cativeiro babilônico (Nee. 3:10). Viveu por volta de 445 A.C.

2. Um levita que ajudou na questão do grande jejum, efetuado sob a liderança de Esdras e Neemias, quando o pacto foi selado e votos foram renovados, para o novo começo da nação de Israel, após o cativeiro babilônico (Nee. 9:5). Ele viveu por volta de 410 A.C. Tem sido identificado com o mesmo Hasabias de Esd. 8:19,24 e de Nee. 10:11; 11:22; 12:34.

HASADIAS

No hebraico, «Yahweh ama». Esse foi o nome de um descendente da linha real de Judá. Aparentemente, ele era um dos filhos de Zorobabel (I Crô. 3:20). Parece haver nascido depois que o povo judeu voltou do cativeiro babilônico, em cerca de 536 A.C.

HASBADANA

No hebraico, «inteligência para julgar». Ele era um líder do povo, que ajudou na leitura da lei aos ouvidos do povo que retornara do cativeiro babilônico (Nee. 8:4). Ele viveu por volta de 410 A.C. Provavelmente, ele foi um levita, conforme se pode depreender do trabalho que lhe foi dado para fazer. O trecho paralelo de I Esdras 9:44 tem a forma Nabarias.

HASE, KARL AUGUST VON

Suas datas foram 1800—1890. Foi um teólogo alemão, nascido em Steinbach, na Saxônia. Serviu como professor particular em Tubingen e em Leipzig. Foi professor de história eclesiástica em Jena. Foi um notável pensador e teólogo, e também um escritor prolífico. Tornou-se conhecido por seu elevado idealismo, pela sua cultura muito abrangente, e pela universalidade de seus interesses. Em suas obras escritas, exibia um excelente talento artístico, e não meramente erudição. Quanto às suas idéias, foi influenciado pelos escritos de Shelling e de Schleiermacher (ver os artigos sobre eles), mantendo uma posição que ficava a meia distância entre o liberalismo racionalista e a ortodoxia. Ele reinterpretou o luteranismo, no século XVII, através do idealismo alemão. Dava grande valor ao aspecto estético da religião. Todavia, envolveu-se em vários conflitos políticos e eclesiásticos, incluindo aquele contra o ultramontanismo da Igreja Católica Romana. Ver sobre o *Ultramontanismo*. Também fez muitas viagens a Roma, onde exercia influência. Por causa de seu envolvimento na política, foi aprisionado por um período de dois anos. Uma parte de seus escritos envolvia a história eclesiástica. Ele tornou-se conhecido pela elevada qualidade de seus esboços biográficos. A totalidade de seus escritos foi publicada em uma coleção de doze volumes; no entanto, houve ali uma seleção de material, incorporando apenas metade de suas produções totais escritas, embora bem representativas.

HASIDIM

Ver o artigo sobre o **Assidismo**.

HASMONA

No hebraico, «gordura». Esse era o nome de um dos locais de descanso, onde os israelitas acamparam durante suas vagueações pelo deserto, após terem saído do Egito. A próxima parada deles foi Moserote (Núm. 33:30), que ficava nas proximidades do monte Hor (comparar Deu. 10:6 com Núm. 33:30). Em Deu. 10:6, esse lugar é chamado Moserá (vide).

HASMONEANOS (MACABEUS)

Esboço:

I. Caracterização Geral
II. Gráfico da Família dos Hasmoneanos
III. Descrições dos Diversos Reis-Sacerdotes
IV. Intervenção Romana
V. Significado do Período dos Hasmoneanos (Macabeus)

I. Caracterização Geral

A família judaica chamada Hasmom distinguiu-se na história do povo judeu. — Ela tornou-se proeminente, particularmente, em 167 A.C., quando foi o instrumento da restauração da independência de Israel, ao derrotar os governantes sírios, que a dominavam. Ver sobre *Seleuco* e *Antíoco*. O termo *Hasmom* parece ter-se derivado de Chasmom, que foi o bisavô de Matatias, um proeminente membro da família. Ver o gráfico, que demonstra a ascendência dessa família, em sua segunda seção. Essa família também era conhecida como os Macabeus. Porém, é mais acertado dizer que os Macabeus eram uma parte da família Hasmom. Macabeus é um nome que se deriva de Judas, que também atendia pelo sobrenome de Macabeu. Há incerteza sobre os significados de ambos esses nomes. Alguns eruditos supõem que o hebraico por detrás de Macabeus vem das letras iniciais da frase, em hebraico, que se encontra em Êxodo 15:11: «Ó Senhor, quem é como tu entre os deuses?» Diz-se que essa sentença estava escrita sobre as bandeiras daqueles patriotas. Mas provavelmente, o termo Macabeus simplesmente deriva-se do vocábulo hebraico que significa «martelo», isto é, *makkabah*, com pequena variação. Nomes próprios modernos também se têm derivado do martelo, por ser esse um instrumento muito útil de trabalho em todos os tempos. Assim, em inglês, Hammer («martelo», em português), é um nome próprio. E outro tanto se dá com o nome próprio *Martel*, derivado de uma raiz latina com esse mesmo sentido.

Matatias, um sacerdote judeu de profundo patriotismo e de grande coragem, ficou furioso diante

HASMONEANOS

da tentativa de Antíoco IV Epifânio (vide) de destruir os judeus e a fé religiosa e as instituições judaicas. Reuniu então um exército de judeus leais, que compartilhavam de seus sentimentos, e instigou uma revolta contra os governantes sírios. Matatias tinha cinco heróicos e corajosos irmãos, cujos nomes eram Judas, Jônatas, Simão, João e Eleazar. Quando Matatias faleceu, em 166 A.C., o herdeiro da causa foi seu irmão, Judas, um guerreiro de considerável gênio militar. Ele ganhou muitas batalhas, contra adversários incrivelmente mais poderosos e, em 165 A.C., reconquistou Jerusalém e purificou e rededicou o templo, o que foi a origem da festa da Dedicação. Ver sobre *Festas (Festividades) Judaicas*. Judas enfeixou em si mesmo a autoridade civil e a autoridade religiosa e, dessa forma, estabeleceu a linhagem hasmoneana dos governantes sacerdotes, os quais, durante os cem anos seguintes, haveriam de governar uma Judéia independente. Os Macabeus envolvidos no governo desse período foram Matatias (167 — 166 A.C.), Judas (166 — 161 A.C.), Jônatas (161 — 144 A.C.), Simão (144 — 135 A.C.), João Hircano (135 — 106 A.C.; este filho de Jônatas). Em seguida, vieram Aristóbulo e seus filhos (106 — 63 A.C.), os quais já representavam uma degeneração da família e de seu governo.

De conformidade com alguns estudiosos, **a dinastia** hasmoneana começou com Simão, irmão de Judas Macabeu, que se tornou rei em 142 A.C. Essa dinastia terminou com *Antígono*, que foi executado por Marco Antônio, em 37 A.C. Herodes, o Grande, um idumeu, tornou-se rei após Antígono, tendo fortalecido suas reivindicações ao trono da Judéia ao casar-se com Mariamne, a última das princesas hasmoneanas.

Os livros apócrifos (chamados «deuterocanônicos», pela Igreja Católica Romana) dos *Macabeus* contam a história com pormenores. Ver os artigos *Livros Apócrifos* e *Macabeus, Livros dos*.

II. A FAMÍLIA DOS HASMONEANOS
(MACABEUS)

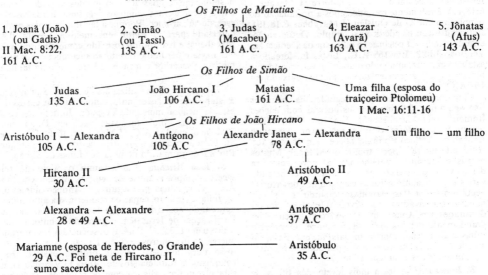

Herodes, o Grande
Governou por delegação romana. Quando Pompeu conquistou a Palestina, isso pôs fim ao governo dinástico dos Macabeus.

HASMONEANOS

III. Descrições dos Diversos Reis-Sacerdotes

1. Matatias. Ele foi um sacerdote do turno de Jeoiaribe, o primeiro dos vinte e quatro turnos sacerdotais (I Crô. 24:7; I Macabeus 2:1). Viveu na época dos esforços helenizadores dos governantes selêucidas, da Síria, que dominavam a Judéia, mas recusou-se a oferecer os sacrifícios pagãos determinados pelo monarca selêucida. Ver o artigo separado sobre *Antíoco IV Epifânio*. Em seu zelo para interromper o processo helenizador, Matatias tirou a vida de um judeu que estava prestes a oferecer um sacrifício pagão. Ato contínuo, convocou outros judeus a acompanhá-lo na revolta. Fugiu com seus filhos e então veio reunir-se a ele um considerável número de patriotas judeus. Já era homem idoso quando isso começou e, por isso mesmo, não demorou muito a falecer (166 A.C.), e foi sepultado no túmulo de seu pai, em Modin.

2. Judas. Antes de morrer, Matatias nomeou-o líder da revolta (ver I Macabeus 2:66). Judas foi apelidado de Macabeu e, por causa dessa circunstância, os hasmoneanos também começaram a ser chamados de os Macabeus. Os rebeldes passaram a residir na região montanhosa em torno da Judéia, e foi dali que desfecharam a sua guerra de guerrilhas (II Macabeus 8:6,7). Ele conseguiu algumas grandes batalhas campais, tendo derrotado Apolônio (I Macabeus 3:10-12) e Serom (vs. 13:24), em Bete-Horom. Durante esse período, Antíoco esteve ocupado com grandes guerras, contra os partos, não podendo atender às questões que estavam ocorrendo na Palestina. Portanto, deixou o governo da Palestina nas mãos de Lísias. Porém, Judas foi capaz de derrotar as forças desse homem, em Emaús, em 166 A.C. (I Macabeus 3:46-53). No ano seguinte, as forças de Lísias, estando ele presente, foram derrotadas em Bete-Sura. Em vista disso, Judas foi capaz de ocupar Jerusalém, excetuando apenas a torre (I Macabeus 6:18,19). Exatamente três anos após a profanação do templo, no dia 25 de Quisleu (I Macabeus 6.18,19), Judas purificou e rededicou o templo. Desde então, essa data marca a celebração da Festa da Dedicação. Ver João 10:22. Em 165 A.C., Lísias foi forçado a estabelecer a paz, anulando o abominável decreto que tentara paganizar e helenizar aos judeus, baixado em 167 A.C.

Uma grande vitória fora conseguida, mas nem por isso veio a paz. Continuaram as guerras com nações fronteiriças (I Macabeus 5). Em 163 A.C., Lísias tentou fazer a sorte virar a seu favor, atacando Jerusalém. Antíoco Epifânio faleceu em 164 ou 163 A.C., e Demétrio I Soter tomou o seu lugar. Muitos judeus chegaram a dar-lhe apoio, porquanto era descendente de Aarão; porém, acabou cometendo vários atos ultrajantes. Judas castigou aos desertores. Seguiram-se muitas batalhas, quando os sírios, novamente, invadiram a terra. Os sírios foram derrotados em Adasa, mas o exército judeu ficou grandemente debilitado, e dispersou-se. O próprio Judas acabou sendo morto em batalha, em Elasa, no ano de 161 A.C. Seu corpo foi sepultado em Modim, no sepulcro de seus antepassados.

3. Jônatas. Esse foi o mais jovem dos filhos de Matatias. Ele precisou reorganizar os remanescentes do exército judeu. Retirou-se então para as terras baixas do Jordão (ver I Macabeus 9:22), onde obteve algumas vitórias militares sobre Baquides (161 A.C.). A sorte da guerra bafejava ora um ora outro dos lados contendores, e as matanças eram ferozes. Finalmente, porém, Jônatas conseguiu prevalecer. Dessa maneira, chegou a ser o governante da Judéia; e aqueles que também competiam, como rivais do trono selêucida, queriam obter o seu apoio. Um desses governantes nomeou Jônatas sumo sacerdote, em 153 A.C., e governador civil e militar, em 150 A.C. Ver I Macabeus 10:21 ss. A Judéia ainda estava longe de estar livre, e Jônatas sentiu ser necessário aliar-se a Antíoco VI, a fim de conservar o seu poder. Mas, tendo vivido pela espada, acabou morrendo à espada, tendo sido vitimado pelo traiçoeiro Trífom, que se fingia seu aliado, em 144 A.C. Ver I Macabeus 11.8 — 12:4.

4. Simão. Ele era o último dos cinco filhos de Matatias, que ainda continuava vivo. Já havia mostrado que era um guerreiro habilidoso (ver I Macabeus 5.17-23), tendo participado em campanhas militares encabeçadas por Jônatas (I Macabeus 11.59). Trífom, após ter exibido Jônatas como prisioneiro, acabou por executá-lo. Também assassinou a Antíoco IV e dessa maneira, passou a governar a Síria. Porém, a própria Síria estava dividida em dois partidos: o partido de Demétrio II opunha-se ao partido de Trífom. Ele foi o primeiro rei sírio (selêucida) que não devia a sua autoridade a Seleuco, general de Alexandre, o Grande, que fundara a dinastia. Simão, jogando de forma política e ameaçando com forças militares, deu seu apoio a Demétrio, como o rei sírio legítimo, e simplesmente ignorou Trífom. Houve um reconhecimento recíproco, por parte de Demétrio, porquanto este permitiu que Simão permanecesse em paz e governasse a Judéia, isento de impostos estrangeiros, de tal maneira que, em um sentido bem verdadeiro, «foi tirado o jugo dos pagãos» (I Macabeus 13:41). A Judéia foi engrandecida, mas os demais territórios de Israel sofreram. Entretanto, Simão conquistou várias outras cidades do território de Israel, como Jopa, Bete-Zur e Gaza.

Houve a questão da legitimidade do sacerdócio hasmoneano. Os hasidim, ou «piedosos» (vide), eram então reconhecidos como os legítimos herdeiros do sacerdócio aarônico. Porém, a família de Onias havia desertado para o Egito, em meio à revolta dos Macabeus; e isso foi interpretado como sinal de que eles haviam perdido o direito ao sacerdócio. Por esse motivo, o sacerdócio tornou-se hereditário na família de Simão.

Grandes foram as realizações de Simão, e a paz veio a estabelecer-se. No entanto, tendo vivido às custas da espada, acabou morrendo à espada. Juntamente com dois de seus filhos, foi assassinado pelo Doque por Ptolomeu, em 135 A.C. (I Macabeus 16.11-16). Esse ato tornou-se ainda mais atroz devido ao fato de que Ptolomeu era marido de uma das filhas de Simão.

5. João Hircano. Ele assumiu o ofício de rei-sacerdote, à morte de seu pai, Simão, em 135 A.C. As batalhas prosseguiram. Antíoco Sidetes o oprimia; e ele só foi capaz de manter a sua autoridade agradando aos sírios, o que fez desmantelando as fortificações de Jerusalém e pagando tributo, o que ocorreu em 133 A.C. Porém, os selêucidas declararam guerra contra outros, e João Hircano aproveitou-se disso para fortalecer a sua própria posição. Ele conquistou a Iduméia (Josefo, *Anti.* 13.9, seção 1), e estabeleceu uma aliança com os romanos. Também derrotou Samaria, a odiada rival de Jerusalém, em cerca de 109 A.C. Todavia, internamente, a corrupção estava aumentando, e as divisões partidárias entre os próprios judeus maculavam o seu governo, conforme nos é dito por Josefo (ver *Anti.* 12.10,5,6). Acordos com a Síria, que envolviam transigências, consolidaram, entretanto, o seu poder. Ele precisou perder algumas cidades costeiras para os sírios. Mas conseguiu reter Jafa como seu porto de

HASMONEANOS

mar. Os sírios, como sua parte na barganha, prometeram deixar Judá em paz, abandonando, definitivamente, os seus planos de helenização da Judéia. Portanto, essa ameaça helenizadora cessou; mas os romanos não estavam distantes, preparados para intervir a qualquer instante.

Durante o tempo de Hircano, os partidos políticos se realinharam. Os *hasidim* (vide) vieram a tornar-se os fariseus, os «separatistas», conforme o nome deles o indica. Parece que os essênios originaram-se nesse período. Os fariseus e os essênios continuaram pondo em vigor os ideais e as normas dos hasidim. Naquele tempo, surgiram e desenvolveram-se, igualmente, os saduceus. Em um certo sentido, foram os saduceus que vieram a substituir os helenizadores, que tinham sido expelidos. Os saduceus afirmavam-se descendentes do sacerdote Sadoque (vide). Eles acabaram se tornando uma seita aristocrática; e, nos tempos de Jesus, formavam a seita judaica de maior poder. João Hircano, que começou favorecendo os fariseus, acabou favorecendo aos saduceus, impelidos por tendências mais seculares e pró-helenistas.

João Hircano garantiu a unidade do Estado hasmoneano; mas Roma, dentro de bem pouco tempo, haveria de torná-lo uma coisa inteiramente inútil. Embora João Hircano também tivesse vivido pela espada, foi o único dos hasmoneanos, mencionados até este ponto da exposição, a ter tido uma morte natural (104 A.C.). Governou de modo supremo por cerca de trinta anos.

6. Aristóbulo. Ele era um dos filhos de João Hircano. Só conseguiu subir ao poder entrando em luta competitiva com os outros quatro filhos de João Hircano. Atingindo o mando, lançou na prisão sua própria mãe e três de seus irmãos. Os historiadores acreditam que dois desses irmãos, e sua mãe, morreram de inanição, no cárcere. Antígono, um outro seu irmão, foi assassinado no palácio. Isso posto, a linhagem hasmoneana caiu em total decadência moral. Aristóbulo expandiu o território que herdou de seu pai. Reinou apenas por um ano; mas nesse breve período, ele conquistou a Galiléia judaizada e anexou a área perto das montanhas do Líbano. Ele é considerado alguém que dava pouco valor à Grécia e ao que vinha da cultura grega. Os fariseus lutavam contra ele. Sua morte prematura foi provocada por alcoolismo, enfermidades, temor de rebeliões e, segundo alguns têm afirmado, remorso pelo que praticou contra a sua própria mãe. Contudo, Aristóbulo foi o primeiro dos hasmoneanos a declarar-se *rei* e a usar esse título, ainda que, na realidade, outros membros da família tivessem sido tais. E tal uso continuou, até que os romanos puseram fim à dinastia.

7. Alexandre Janeu. Salomé Alexandra, a viúva de Aristóbulo, tirou da prisão a Alexandre (irmão mais jovem de Aristóbulo), casou-se com ele e elevou-o ao trono. Logo rebentaram guerras contra o Egito, com batalhas ganhas e perdidas, como é usual. Foi capaz, esse rei, de ampliar os seus territórios, que chegaram a tornar-se mais ou menos equivalentes aos territórios governados por Davi e Salomão, pois incorporava a Palestina inteira e mais áreas adjacentes desde as fronteiras com o Egito até o lago Hulé, isto é, de sul a norte. A Peréia e a Transjordânia foram incluídas, além de muitas cidades filistéias, excetuando Ascalom. Ele também obteve um bom poder marítimo, e o comércio da Judéia intensificou-se. Territórios que desde há muito tinham estado sob o poder pagão, agora estavam sendo judaizados, incluindo Edom e a Galiléia. Somente a Samaria resistia a esse movimento. Os fariseus, entretanto, opunham-se às atitudes

universalistas de Alexandre Janeu. Por esse motivo, ele precisou usar mercenários estrangeiros a fim de manter os fariseus sob seu controle. E aliou-se aos saduceus, no esforço de consolidar o seu poder, visto que não era apreciado pelas massas populares.

Alexandre Janeu não foi grande diplomata. Durante a festa dos Tabernáculos, ao oficiar no templo de Jerusalém, **como rei-sacerdote**, somente para zombar dos estritos e piedosos fariseus, em vez de derramar a libação sobre o altar, conforme a lei requeria, derramou-a sobre os seus próprios pés. Isso provocou um levante, que começou no interior do próprio templo, e Janeu só conseguiu escapar com vida por um golpe de sorte. Soldados tiveram de socorrê-lo, e seis mil pessoas perderam a vida, conforme Josefo nos informa. Ver *Anti.* 13.13,5.

Esse ato provocador de Janeu, juntamente com seu comportamento em geral, atiçou uma guerra civil que se prolongou por seis anos. Os fariseus alistaram a ajuda de Demétrio III, rei da Síria. Eles forçaram Alexandre a ocultar-se nas colinas da Judéia. Porém, os fariseus exageraram e foram além do que era devido, porquanto agora as odiadas tropas sírias estavam acampadas no território judeu. Por causa dessa circunstância, seis mil fariseus bandearam-se para o partido de Alexandre Janeu. Isso produziu o estranho resultado de que ele reconquistou a sua autoridade, e os sírios abandonaram o país. Janeu, arrogante como era, perseguiu àqueles que haviam instigado a revolta, e mandou executá-los. Oitocentos fariseus foram crucificados, na presença dos convidados a um grande banquete, que Janeu havia preparado para celebrar a sua vitória. Assim, Janeu tornou-se um tirano da pior espécie. Os saduceus, agora, é que mandavam. Há uma tradição que sugere que ele se arrependeu em seu leito de morte, tendo chegado a ver as coisas sob uma melhor luz. Por causa disso, presumivelmente, ele instruiu sua esposa, Alexandra, a livrar-se de seus conselheiros saduceus, reinando com a ajuda dos fariseus. Alexandre Janeu faleceu em 78 A.C.

8. Alexandra. Salomé Alexandra fora, sucessivamente, viúva de Aristóbulo e de Alexandre Janeu. Ela estava perto dos setenta anos de idade, quando lhe coube ocupar o poder. Reinou durante sete anos. Ela nomeou seu filho mais velho, Hircano II, para ser o sumo sacerdote. E o irmão dele, Aristóbulo II, tornou-se o comandante militar. O irmão de Salomé, Simão ben Setaque, era elemento ativo do partido dos fariseus, tendo-se tornado um grande líder nessa ocupação. Por causa dele, além de outros fatores, os fariseus tornaram-se elementos influentes nos campos da educação, da religião e da política. O Sinédrio, pois, requereu que todos os jovens judeus do sexo masculino recebessem alguma educação formal. Essa educação girava, primariamente, em torno da Tora, a lei mosaica. Assim, foi-se desenvolvendo um sistema abrangente de educação elementar em Israel.

Todavia, os conflitos entre os fariseus e os saduceus não terminaram. Os fariseus vingaram-se do massacre de seus líderes, por ordens de Alexandre Janeu. Os saduceus, por sua vez, solicitaram a ajuda de Aristóbulo II, o filho caçula de Janeu e Alexandra.

9. Hircano II. Já tendo sido sumo sacerdote, por ocasião da morte de Alexandra, Hircano II tornou-se rei. No entanto, logo em seguida precisou enfrentar o desafio constituído por Aristóbulo II e seus aliados saduceus. Aristóbulo obteve uma grande vitória em Jericó, e então marchou contra Jerusalém. Hircano II e os fariseus não tinham meios de resistir a essa força armada, e Aristóbulo II ocupou o poder. E Hircano

HASMONEANOS — HASUFA

II acabou declarando que, afinal de contas, nunca quisera reinar em Israel.

10. Aristóbulo II. Aristóbulo II era agora o rei. Mas ele e Hircano II não mais viam qualquer razão pela qual eles não pudessem ser bons amigos. O filho mais velho de Aristóbulo, também chamado Alexandre, casou-se com a filha única de Hircano, a qual também se chamava Alexandra. Porém, embora aqueles dois irmãos tivessem jurado uma eterna amizade, não demorou muito para os conflitos explodirem. E assim, Hircano precisou fugir para o rei Aretas, rei dos árabes nabateus. Antípater, idumeu de nascimento, pai de Herodes, o Grande, tirou vantagem da confusão a fim de apossar-se do poder político na Judéia. Prometeu a Hircano que o restauraria ao seu trono. O ataque de Antípater apanhou Aristóbulo de surpresa, do que resultou uma prolongada batalha em torno de Jerusalém.

IV. Intervenção Romana

As lutas entre Aristóbulo II e Hircano II deram aos romanos a justificativa de que eles precisavam para invadir a Palestina. Após várias vicissitudes, Jerusalém foi capturada por Pompeu, general romano, em 63 A.C. Ele fez Hircano II voltar a sentar-se no trono, embora um monarca delegado e controlado pelos romanos. A Judéia tornou-se sujeita à província romana da Síria. Aristóbulo, com seus dois filhos, Alexandre e Antígono (além de duas filhas), foram levados cativos para Roma. Antígono foi executado em 37 A.C. Antes disso, porém, como súditos de Pompeu, os hasmoneanos continuaram a governar. Porém, a invasão romana, encabeçada por Pompeu, para todos os efeitos práticos, havia posto fim à dinastia dos hasmoneanos. A execução de Antígono foi o ponto final formal dessa dinastia.

V. Significado do Período dos Hasmoneanos (Macabeus)

Há várias coisas que se destacam, com base no período do governo dos hasmoneanos, a saber:

1. O amor dos judeus à liberdade, e seu ódio pela dominação ou mesmo intrusão estrangeira.

2. O desejo dos judeus de preservarem sua antiga fé, mesmo contra forças imensamente superiores, de países estrangeiros.

3. O trecho de Daniel 11:34 indica que a revolta dos Macabeus foi apenas uma *pequena ajuda* ao povo de Deus. Finalmente, a continuação da história fez com que os cem anos de dominação dos Macabeus, fosse apenas uma nota de rodapé na história geral da Palestina.

4. O desenvolvimento das principais seitas judaicas, como os fariseus, os saduceus e os essênios (ver os artigos a respeito), ocorreu através das lutas e vicissitudes desse período.

5. Uma mudança (para pior, pois instalou-se a corrupção) nos antigos costumes sacerdotais, visto que os Macabeus, embora de uma linhagem sacerdotal, não pertenciam à linhagem sumo sacerdotal de Aarão.

6. Muito antes do fim daqueles cem anos de governo, os hasmoneanos já haviam caído em várias corrupções comuns, como a tirania, a contaminação religiosa, etc., que sempre se instalam quando a política torna-se o interesse principal. Na verdade, quando os romanos se apossaram da Palestina, o país nada perdeu com isso.

7. Os Macabeus estabeleceram o padrão e o ideal para o nacionalismo judaico, como também para a luta pela independência política e religiosa. Nesse contexto, pois, desenvolveu-se o conceito messiânico, o que é refletido em várias das obras pseudepígrafas

de antes do período neotestamentário. Também não se pode duvidar que as revoltas político-militares dos anos 70 e 132 D.C., foram inspiradas pelo exemplo dado pelos Macabeus. A Igreja cristã, por sua vez, nasceu dentro desse tempo de confusão e conflitos. O partido dos zelotes preservava o ideal dos Macabeus. Não obstante, a Igreja cristã introduziu um novo e universal ideal, o qual, pelo menos durante algum tempo, soube separar um do outro, os ideais políticos e religiosos, visto que a Igreja não representava alguma nação isolada, mas visava o benefício de todas as nações, extraindo seus membros de todas as nações. (AM FOE ND RU S TC Z)

HASSELÁ, AÇUDE DE

No hebraico, «poço do aqueduto». Há várias opiniões a respeito de sua identificação. Era um reservatório próximo da Porta da Fonte (Nee. 3:15). Alguns estudiosos opinam que é a mesma coisa que o «açude do rei» (Nee. 2:14); outros pensam no «açude inferior» (Isa. 22:9). Apesar de que muitos o identificam com o Poço de Siloé, o mais provável é que se trata de um reservatório separado, que fazia parte do complexo sistema de fornecimento de água de Jerusalém, alimentado pela fonte de Giom (ver II Crô. 32:30).

HASSENAÁ

No hebraico, «espinhoso». Esse era o nome do chefe de um clã cujos membros reconstruiram a Porta do Peixe, que havia nas muralhas de Jerusalém, terminado o exílio babilônico. Ver Nee. 3:3. Esse clã pertencia à tribo de Benjamim. Ver I Crô. 9:7. Talvez o nome Senaá seja o mesmo que Hassenaá. Ver Esd. 2:35 e Nee. 7:38. Ver o artigo sobre *Senaá*.

HASSIDEANOS

Ver sobre os **Assideanos.**

HASSUBE

No hebraico, «inteligente», «cheio de consideração». Com grafias variantes, pessoas com esse nome são mencionadas em I Crô. 9:14 e Nee. 3:11,23. Alguns estudiosos pensam que devemos pensar em mulheres, com nomes quase idênticos. Ajudaram a reconstruir as muralhas de Jerusalém, após o cativeiro babilônico, sem importar se eram homens ou mulheres.

Um desses dois assinou o pacto com Esdras, comprometendo-se a dar apoio às antigas tradições judaicas (Nee. 10:23).

Também houve o chefe de um clã de Merari, da tribo de Levi. Era pai de um homem chamado Semaías, que se estabeleceu em Jerusalém, depois do cativeiro babilônico (I Crô. 9:14 e Nee. 11:15).

HASUBÁ

No hebraico, «consideração». Nome de um dos filhos de Zorobabel (I Crô. 3:20).

HASUFA

No hebraico, «consideração». Nome de um dos clã que fazia parte dos netinins ou servos do templo, que retornaram do cativeiro babilônico em companhia de Zorobabel (Esd. 2:43). Isso aconteceu em cerca de 536 A.C. Em Jerusalém, serviam no templo.

••• ••• •••

HASUM — HAUCK

HASUM

No hebraico, «rico», «distinto». Esse é o nome de dois homens, que figuram nas páginas do Antigo Testamento:

1. Nome de um dos príncipes dos levitas, que estava presente quando Esdras leu a lei diante do povo, terminado o exílio na Babilônia. Ver Nee. 10:18. Ele viveu por volta de 536 A.C.

2. Os filhos de Hasum, totalizando duzentos e vinte e três, retornaram a Jerusalém em companhia de Zorobabel, após o cativeiro babilônico (Esd. 2:19 e Nee. 7:22). Sete deles tinham-se casado com mulheres estrangeiras, e foram obrigados a divorciarem-se delas (Esd. 10:33). O chefe desse clã assinou o pacto com Neemias (Nee. 10:18). Isso aconteceu por volta de 536 A.C.

HATÃ

No hebraico, «veracidade». Esse era o nome de um eunuco que vivia no palácio de Xerxes (Assuero), e que servia a Ester. Foi através dele que Ester ficou sabendo do plano de Hamã para matar Mordecai e destruir os judeus (ver Est. 4:5,6,9,10). Ele viveu por volta de 478 A.C.

HATATE

No hebraico, «terror». Ele era filho de Otniel, e neto de Quenaz, da tribo de Judá. Seu nome aparece somente em I Crô. 4:13. Isso faz dele neto-sobrinho de Calebe (I Crô. 4:13 deve ser comparado com Juí. 1:13). Ele viveu por volta de 1170 A.C.

HATCH, EDWIN

Suas datas foram 1835—1889. Teólogo e historiador inglês, cuja obra sobre a história da Igreja primitiva chamou muita atenção. Suas obras mais importantes foram (títulos em inglês): *The Organization of the Early Christian Churches* e *The Influence of Greek Ideas and Usages upon the Christian Church*. A última dessas duas obras foi publicada postumamente. Sua tese é deveras interessante. Ele supunha que o pensamento grego deixara uma desastrosa herança para a Igreja cristã. Ele concebia a Igreja primitiva como uma organização simples, que salientava os valores e as práticas morais, sem se preocupar com questões metafísicas. Mas o elemento grego, segundo ele presumia, fez a Igreja enfatizar as questões metafísicas e o dogma, em lugar da prática, o que foi um erro sério, na opinião desse escritor. Todavia, essa idéia é fraca, porquanto se olvida do fato de que o judaísmo transmitiu um enorme peso de dogma, que os cristãos primitivos, naturalmente, tomaram por empréstimo. Quanto a essa questão do dogma, os antigos cristãos não precisavam da ajuda dos gregos, visto que já contavam com esse elemento, proveniente do judaísmo. Apesar disso, o trabalho de Hatch trouxe à tona muito material útil. Na opinião deste autor, algumas definições gregas foram muito úteis ao cristianismo primitivo. O pensamento dos gregos sobre a alma ultrapassava a qualquer coisa que o judaísmo jamais ensinou; e a metafísica de Platão serviu de um meio benéfico de se entender certos aspectos da metafísica, úteis para o pensamento cristão.

HATHA YOGA

Esse é o nome de um dos quatro tipos de ioga, que salienta a disciplina do corpo como um meio de liberação. Ver o artigo geral sobre a *Yoga*, quinto ponto.

HATIFA

No hebraico, «ladrão». Ele era chefe de um clã que fazia parte dos netinins ou servos do templo, os quais retornaram do cativeiro babilônico em companhia de Zorobabel (Esd. 2:54; Nee. 7:56), em cerca de 536 A.C.

HATIL

No hebraico, «ondeado». Esse era o nome de um homem, chefe de um clã (e, portanto, do próprio clã), alguns dos quais retornaram com Zorobabel do cativeiro babilônico (Esd. 2:57; Nee. 7:59), em cerca de 536 A.C. Eles descendiam dos servos de Salomão. O trecho de I Esdras 5:34 dá o nome desse clã como *Hagia*.

HATITA

No hebraico, «exploração». Nome do chefe de um clã (e, portanto, nome do próprio clã), cujos descendentes retornaram do cativeiro babilônico no tempo de Zorobabel (Esd. 2:42; Nee. 7:45). Eles serviam como porteiros dos portões da cidade. Eles viveram por volta de 536 A.C.

HATOR

Essa é a transliteração de uma palavra egípcia que indica a deusa-vaca do antigo Alto Egito. Havia entre os egípcios a estranha doutrina de uma deusa-vaca do céu, que deu nascimento ao sol. O céu era imaginado como uma vaca gigantesca, cujas pernas firmavam-se sobre os quatro cantos da terra, os quais, por sua vez, eram sustentados por outros deuses. Era apenas natural que os homens, devido às suas tendências idólatras, tivessem inventado várias formas de adoração ao touro e à vaca, visto que esses animais eram e continuam sendo vitais à agricultura, além de servir para os sistemas de sacrifícios religiosos. Ver os artigos separados sobre *Ápis* e sobre *Boi Selvagem*.

HATUS

Alguns estudiosos pensam que esse nome significa «contencioso». Outros opinam que o sentido desse nome é desconhecido. Esse foi o nome de três pessoas que figuram nas páginas do Antigo Testamento.

1. Um descendente do rei Davi, que retornou em companhia de Esdras, do cativeiro babilônico (I Crô. 3:22; Esd. 8:2; I Esdras 8:29). Há variantes desse nome, como Letus e Atus. Ele viveu por volta de 446 A.C.

2. Um filho de Hasabnéias, que ajudou a Neemias na reconstrução das muralhas de Jerusalém (Nee. 3:10), em cerca de 446 A.C.

3. Um homem que assinou o pacto da renovação dos costumes e da religião judaicos, juntamente com Neemias (Nee. 10:4; 12:2). Esse Hatus era sacerdote. Ele viveu por volta de 445 A.C. Alguns estudiosos identificam-no com um dos dois outros homens desse nome. Assim, essa lista pode aumentar até cinco pessoas, ou então pode ser limitada a somente três.

HAUCK, ALBERT

Suas datas foram 1845—1918. Ele foi um teólogo protestante alemão, além de ter sido historiador e

HAUGE — HAVILÃ

editor de uma enciclopédia, para a qual também contribuiu como autor. Ele ensinou história eclesiástica em Erlangen e em Leipzig. As suas pesquisas lançaram o alicerce de uma exploração sistemática das fontes informativas da história da Igreja alemã, durante a Idade Média. Ele contribuiu para uma melhor compreensão das tendências políticas que influíram sobre a história daquele período. Foi co-editor, juntamente com J.J. Herzog, do último volume da segunda edição da *Protestantische Realenzyklopadie*, e editor único da terceira edição dessa mesma obra.

HAUGE, HANS NIELSEN

Nasceu em 1771 e faleceu em 1824. Foi um pregador leigo norueguês, o qual promovia um cristianismo vivo, em contraste com as formas racionalistas e formais que prevaleciam em seus dias. O próprio pietismo havia assumido uma forma superficial. Hauge foi perseguido sob as leis convencionais; porém, seus escritos e sua pregação serviram de instrumento na revitalização de grandes segmentos da Igreja cristã, nos países escandinavos.

Hauge também contribuiu para a regeneração social da Noruega, por meio de seus interesses na promoção dos métodos científicos, aplicados à agricultura e à indústria.

HAURÃ

No hebraico, «oco» ou «terra negra de rocha basáltica». A referência específica é a um planalto vulcânico extinto, coalhado de cômoros, a leste do lago da Galiléia e ao sul de Damasco e do monte Hermom. Portanto, o nome aplica-se também à região geral que equivale, a grosso modo à Basã, referida no Antigo Testamento. A região tem cerca de cento e trinta quilômetros quadrados, com uma elevação de cerca de seiscentos metros. A região começou sendo chamada Basã, nos dias do Antigo Testamento, depois, Haurã; e, finalmente, Auranites, já no período greco-romano. Mas, em tempos modernos, começou a ser chamada outra vez pelo nome de Haurã. No Antigo Testamento, a palavra «Haurã» aparece somente em Ezequiel 47:16,18, que menciona a região como uma fronteira ideal (ou profética) da terra de Canaã. Esse nome encontra-se também em textos egípcios pertencentes à Dinastia XIX, bem como em antigas inscrições assírias.

Sabe-se, surpreendentemente, pouco sobre a história dessa região, até o século I A.C. Sabemos que os homens da tribo de Manassés estabeleceram-se nessa região; mas, em tempos posteriores, poucos israelitas podiam ser ali encontrados. Salomão impôs tributo à região; mas, raramente, Israel conseguiu controlá-la. — Essa área ficava essencialmente a leste do mar da Galiléia, embora também se estendesse para o norte e para o sul desse lago. Distava das margens do mesmo apenas entre sessenta e quatro e oitenta quilômetros; mas, nos tempos antigos, isso representava muito território hostil.

Alexandre Janeu (que foi um dos Macabeus; ver sobre os *Hasmoneanos*) obteve controle sobre o Haurã, mas os nabateus não cessavam de agitar as coisas ali. Herodes, o Grande, governou uma boa fatia dessa área; e quando faleceu, seu filho, Filipe, governou-a como uma tetrarquia distinta (ver Lucas 3:1), ainda que, na época, não fosse, realmente, uma área pertencente aos judeus. O imperador Calígula, após a morte de Filipe, deixou essa região nas mãos de Herodes Agripa II. Quando este morreu, o imperador

Trajano anexou-a à província romana da Síria. O cristianismo estabeleceu-se nessa região até cerca de 632 D.C., quando hordas islâmicas, provenientes da Arábia, conquistaram-na, o que fez a Igreja cristã desaparecer dali.

A região de Haurã era conhecida por sua atividade vulcânica e pela fertilidade de seu solo, o que fazia da mesma uma importante área agrícola. Ali se produzia cereal para Damasco e para a Palestina. Em nossos dias, a área é bastante estéril, sem qualquer árvore, de qualquer espécie. Ver o artigo separado sobre *Basã*.

HAUSTAFEL

Palavra alemã que significa «mesa doméstica». O termo é usado para designar qualquer código de moralidade doméstica. O historiador Weidinger, em seu livro, *Die Haustafeln* (1928), escreveu acerca de antigos códigos domésticos que existiam, lado a lado, com códigos públicos. Esses códigos surgiram com base em antigas práticas, codificadas, a princípio, apenas oralmente, mas que, ali e acolá, recebiam expressões escritas nas religiões antigas e nas obras filosóficas. A base do *haustafel* é o código de deveres que governa a vida doméstica, incluindo questões como deveres diante dos deuses, obrigações mútuas entre marido e mulher, membros da família, escravos, etc. Escritores que escreveram em grego, como Epicteto, Sêneca, Diógenes Lércio, Filo e o pseudo-Fociclides, reduziram tais deveres e costumes a declarações registradas por escrito. É provável que passagens bíblicas e extrabíblicas como Colossenses 3:18 — 4:1; Efésios 5:20 — 6:9; I Pedro 2:13 — 3:9; Tito 2:1-10 (no Novo Testamento), e também I Clemente 21.6-9; Barnabé 5.1,2; Policarpo 4.1 — 6.3 e Inácio a Policarpo 5.1,2 (entre os primeiros escritos cristãos) sejam reflexos desses antigos *haustafel* (especialmente no caso do estoicismo). Essas declarações, naturalmente, têm suas distintivas adições e adaptações cristãs. Uma das utilidades das pesquisas que têm sido feitas nesse campo é que lança luz sobre as origens da moralidade cristã, sobretudo naquilo que não está baseado sobre o Antigo Testamento.

HAVILÃ

No hebraico, «circular». — É nome de duas pessoas e de duas regiões geográficas, nas páginas do Antigo Testamento.

1. O segundo filho de Cuxe tinha esse nome, embora nada saibamos acerca dele, além de seu nome (Gên. 10:17 e I Crô. 1:9).

2. Um filho de Joctã, descendente de Sem (Gên. 10:29 e I Crô. 1:23), também era chamado assim. Esse nome veio a indicar clãs ou povos; e alguns estudiosos supõem que os homens de números «1» e «2» seriam ancestrais de clãs, e talvez nunca tivessem existido como indivíduos. Os nomes associados a eles indicam uma possível área de ocupação ao sul da Arábia e daí até o Babe el-Mandebe, na África. Também é possível que uma tribo mais forte tivesse absorvido uma tribo menor, do mesmo nome.

3. Uma região nas vizinhanças do Éden tinha esse nome. O rio Pisom corria através desse território, e ali havia ouro, bdélio e a pedra de ônix (Gên. 2:11, 12). Não há como localizar essa área, visto que as descrições geográficas dadas na Bíblia, quanto ao presumível local do Éden, não se ajustam a quaisquer características geográficas atuais, naquela área em geral. Aqueles que aceitam que a narrativa é de

HAVOTE-JAIR — HAZAEL

natureza metafórica ou poética, em relação ao jardim do Éden, supõem que é inútil tentar identificar quaisquer localizações geográficas dentro do relato bíblico.

4. O nome de um distrito que, aparentemente, ficava ao norte de Sabá, na Arábia, localizado entre Ofir e Hazarmavete. Ismaelitas nômades (ver Gên. 25:18) habitavam na região. Os amalequitas (I Sam. 15:7) também estavam associados a essa região. Suas fronteiras parecem ter sido modificadas de tempos em tempos, embora a área ficasse na área geral da península do Sinai e na porção noroeste da Arábia. Saul guerreou ali, contra os amalequitas. Alguns estudiosos supõem que a Havilá referida em I Samuel 15:7, na verdade, seja uma palavra mal grafada, que deveria aparecer com a forma de *Haquilá*, uma colina que havia naquela área (I Sam. 23:19; 26:1,3). A identificação dessa região com o jardim do Éden, parece ser fantasiosa. Seja como for, nenhuma localização exata de qualquer dos dois lugares, chamados na Bíblia de «Havilá», tem sido feita.

HAVOTE-JAIR

No hebraico, «cabanas de Jair». — Pertenciam aos árabes. Um grupo de cabanas tornava-se uma vila ou aldeia. Um distrito chamado por esse nome é mencionado em Núm. 32:41 e Deu. 3:14. Ficava do outro lado do rio Jordão, na terra de Gileade. Tornou-se possessão da meia-tribo de Manassés. Ver Jos. 13:30; I Crô. 2:22,23; I Reis 4:13; Juí. 10:4. Alguns estudiosos pensam que a área fazia parte de Basã, antigo território pertencente ao rei Ogue (Deu. 3:14). Jair figura como o conquistador de toda aquela região (Deu. 3:14; I Crô. 2:23 *ss*). Não há que duvidar que, com base nessa circunstância, a região, com suas cabanas, veio a ter o nome de Jair (Núm. 32:41). A passagem de Jos. 13:29,30 menciona sessenta localidades ocupadas, que devem ter sido minúsculos povoados. Em I Reis 4:13, essas localidades são mencionadas como parte do distrito de Ben-Geder. Ele era um dos homens do pessoal administrativo de Salomão, em Ramote-Gileade. Porém, não há certeza se a alusão a sessenta grandes cidades, com muralhas e ferrolhos de bronze, localizadas em Argobe (parte de Basã), tem qualquer alusão às originais aldeias de Jair. O trecho de I Crô. 2:22,23 menciona vinte e três cidades na terra de Gileade. Portanto, haveria dois grupos de sessenta aldeias, e um grupo de vinte e três aldeias, na terra de Gileade. Se há qualquer relação entre essas aldeias (se elas devem ser consideradas idênticas, ou não), continua sendo uma questão debatida entre os eruditos. Jair, gileadita, juiz em Israel, governou esse povo por vinte e dois anos. Seus trinta filhos montavam em trinta jumentos, e tinham trinta cidades de nome Havote-Jair. Entretanto, esse Jair é um homem diferente do Jair mencionado em Núm. 32:41, por causa de quem as aldeias originais da área receberam o nome.

HAZAEL

Esboço:
I. O Nome
II. Relação com os Reis de Israel e de Judá
III. A Entrevista com Eliseu
IV. Hazael Mata a Ben-Hadade
V. Hazael e as Guerras
VI. As Inscrições em Escrita Cuneiforme

I. O Nome
Hazael é um nome próprio hebraico que significa «El vê» ou «aquele a quem Deus contempla». O nome divino hebraico, *El* aparece em combinação com outras palavras, em muitos nomes pessoais. *El* tem o significado básico de «forte», sendo utilizado em várias línguas semitas, e não meramente em hebraico. Ver o artigo geral sobre *Deus, Nomes Bíblicos de*. O nome *El* é discutido na terceira seção desse artigo.

O nome *Hazael* ocorre em inscrições cuneiformes assírias, onde aparece como um dos oponentes de Salmaneser III. Esses textos mostram-nos que os assírios sabiam que Hazael era um usurpador (tendo-o chamado de «filho de ninguém»), e que o seu antecessor fora eliminado à traição.

II. Relação com os Reis de Israel e de Judá
Hazael foi um dos mais poderosos reis da Síria, tendo-a governado de 843 a c. de 796 A.C. Foi contemporâneo de Jeorão, em seus últimos poucos anos de reinado, e então de Jeú e Jeoacaz, de Israel, e também de Jeorão, Acazias, Atalia e Joás, reis de Judá. Seu nome figura no Velho Testamento pela primeira vez em I Reis 19:15-17. Deus mandou Eliseu ungir Hazael como próximo rei da Síria. Isso foi feito no monte Horebe. Quando ocorreu a unção, Hazael era um alto oficial da corte de Ben-Hadade II, rei da Síria (II Reis 8:7-9). O motivo desse encontro com Eliseu, foi que Hazael havia sido enviado ao profeta a fim de consultá-lo quanto às possibilidades de recuperação da saúde de Ben-Hadade.

III. A Entrevista com Eliseu
Eliseu já havia predito a sua ascensão ao trono da Síria, tendo-o ungido para tal ofício (ver I Reis 19:15). O rei Ben-Hadade adoeceu. Preocupado com a sua condição, enviou Hazael para consultar o profeta, em Damasco. Uma grande caravana de camelos, com quarenta animais, acompanhava a delegação real, o que mostra o grande prestígio de Eliseu como homem santo e profeta. A pergunta feita por Hazael, sobre a saúde do rei, Eliseu respondeu que a enfermidade não o mataria, mas que o rei morreria, de qualquer maneira. A entrevista entre Hazael e Eliseu foi muito emocional. Olhando para Hazael, Eliseu chorou. Ao lhe ser perguntado por que chorava, Eliseu respondeu que podia perceber os males que Hazael haveria de cometer. O profeta entristeceu-se diante de um homem poderoso, que haveria de usar o seu poder para matar e destruir.

IV. Hazael Mata a Ben-Hadade
Aparentemente, Hazael queria matar o rei de modo que tudo parecesse ter sido uma morte natural. Ele ensopou na água um pano grosso e o pôs sobre o rosto do rei. O rei estava fraco e débil, e não ofereceu qualquer resistência. Desse modo, foi sufocado, sem que qualquer circunstante notasse o que estava sucedendo (II Reis 8:8). Isso ocorreu em cerca de 885 A.C. O profeta do Senhor havia previsto tal coisa, do que Deus era testemunha. Algum dia, Hazael haverá de pagar pela sua traição.

V. Hazael e as Guerras
Durante cerca de quarenta anos, Hazael esteve cumprindo as predições de Eliseu. Informes do Antigo Testamento dizem-nos como ele guerreou contra Acazias e Joás, reis de Judá, e também contra Jeorão, Jeú e Jeoacaz, reis de Israel (II Reis 8:28; 9:14; 10:32; 12:17; 13:3; II Crô. 22:5). Usualmente, ele conseguia sair-se vencedor nas batalhas. Devastou assim as fronteiras de Israel e de Judá. Lançou cerco a Jerusalém, e só se retirou quando os tesouros do templo e do palácio lhe haviam sido entregues. Tão poderosas eram as suas forças que somente após a sua morte Israel foi capaz de estabilizar-se. Seu filho, Ben-Hadade III, substituiu-o no trono, depois de seu falecimento, em cerca de 815 A.C. Contudo, Jeoás, de

HAZAEL — HAZELELPONI

Israel, foi capaz de derrotá-lo por três vezes (ver II Reis 13:24,25). A reputação de Hazael como destruidor, perdurou por muito tempo na memória dos hebreus. Cerca de um século mais tarde, Amós relembrou seu nome como símbolo do ponto culminante do poder sírio, e previu o julgamento dos sírios, por causa das maldades que haviam cometido (Amós 1:4).

VI. As Inscrições em Escrita Cuneiforme

As inscrições assírias, em escrita cuneiforme, revelam-nos quão maligno foi Hazael. Ele desempenhou um importante papel em algumas das campanhas de Salmaneser III. Uma dessas inscrições, achadas em uma laje de pavimento, em Calá, relembra como Salmaneser, em 842 A.C., guerreou contra Hazael, a quem derrotou, tendo-lhe abatido seis mil soldados e quatrocentos e setenta de seus cavaleiros. E também tomou um grande despojo; incluindo muitos carros de combate. No entanto, não foi capaz de capturar Damasco. Assolou Haurã (vide), bem como um grande território em derredor, tendo destruído a muitas cidades da região. Jeú é mencionado como alguém que pagava tributos a Hazael. Uma outra inscrição refere-se a Hazael como «filho de ninguém», o que, provavelmente, significa que ele havia usurpado o trono, não pertencendo à linhagem real. Entre os itens que os assírios levaram como despojo estavam os objetos de marfim que haviam feito parte da armação lateral de uma cama. Entre esses objetos havia um inscrição com os dizeres «Bar Ama a nosso Senhor Hazael, no ano de...» Outra peça de marfim, talvez do mesmo leito, tinha um relevo mostrando um deus ou rei, segundo o estilo fenício arameu. Alguns estudiosos supõem que ali podia estar uma efígie do próprio Hazael.

HAZAÍAS

No hebraico, «Yahweh vê». Esse era o nome de um homem de Judá, descendente de Selá (Nee. 11:5), que viveu por volta de 536 A.C. Ele veio residir em Jerusalém, depois da volta de um remanescente do cativeiro babilônico.

HAZAR-ADAR

No hebraico, «vila de Adar». Ora, Adar significa «eira», ou então «lugar aberto». Hazar-Adar era o nome de uma localidade no deserto ao sul da Palestina, entre Cades-Barnéia e Amom (Núm. 34:4). Alguns identificam-na com a Hezrom, mencionada em Jos. 15:4. Também pode ser a Adar, mencionada nesse mesmo versículo de Josué, embora alguns estudiosos duvidem dessa identificação. Seja como for, ficava na fronteira sul de Judá. Talvez a moderna Khirbet el-Qudeirat corresponda ao antigo local.

HAZAR-ENÃ

No Hebraico «vila das fontes». Esse era o nome de uma aldeia que assinalava a fronteira de Israel (Núm. 34:9; Eze. 47:17; 48:1). Provavelmente, a sua posição ficava a nordeste de Damasco. Tem sido identificada com a Kiryatein, na estrada para Palmira. Ficava na fronteira entre a Palestina e Hamate. Alguns eruditos identificam-na com a moderna Hadr, que fica ao pé do monte Hermom.

HAZAR-GADA

No hebraico, «aldeia da fortuna», uma cidade mencionada somente em Jos. 15:27, que ficava no extremo sul do território de Judá. Ficava entre Moladá e Hesmom. Desconhece-se o local moderno dessa aldeia.

HAZAR-SUAL

No hebraico, «aldeia de chacais». Esse era o nome de uma cidade que ficava ao sul do território de Judá, situada entre Hazar-Gada e Berseba (Jos. 15:28; 19:3; I Crô. 4:28). O trecho de Neemias 11:27 menciona o lugar, após o cativeiro babilônico, visto que foi repovoado. O lugar começou como possessão de Judá, mas acabou fazendo parte do território de Simeão. Desconhece-se o local moderno.

HAZAR-SUSIM

No hebraico, «aldeia de cavalos». Nome de uma cidade no sul do território de Judá, que veio a fazer parte das possessões de Simeão (I Crô. 4:31; Jos. 19:5). Salomão criava cavalos ali, vendendo-os então aos heteus e aos sírios (I Reis 4:26; 9:19; 10:29). O local tem sido tentativamente identificado com a moderna Shalat Abu Susein, que fica a leste do wadi Far'ah.

HAZARMAVÊ

No hebraico, «aldeia da morte». Esse era o nome de um dos filhos de Joctã (Gên. 10:26; I Crô. 1:20). Esse homem e seus filhos estabeleceram-se na parte sul da Arábia, no wadi Hadramaute, a cujo lugar deram o nome dele. Os historiadores têm identificado essa localidade com os chatramotitai dos gregos, uma das quatro principais tribos do sul da Arábia, descritas por Estrabão (16:4,2). Eles tornaram-se célebres por seu comércio com incenso. A moderna Hadramaute é um vale muito frutífero, que corre paralelamente às costas marítimas da Arábia, por cerca de trezentos e vinte quilômetros. Os dias de glória dessa região foram do século V A.C. até o século I ou II D.C., quando abrigou uma grande civilização. Sua capital era Shabwa.

HAZAZOM-TAMAR

No hebraico, «poda das palmeiras». Esse era o antigo nome de En-Gedi, aludida em Gên. 14:7. Em II Crô. 20:2, a cidade é chamada de Hazazom-Tamar. Essa era uma antiqüíssima cidade da Síria, tão antiga como qualquer outra da área, contemporânea de Sodoma e de Gomorra. Já existia quando Hebrom foi fundada. Era ocupada pelos amorreus e pelos amalequitas. Foi conquistada por Quedorlaomer e pelos seus reis aliados. Sua identificação com En-Gedi revela-nos a sua antiga localização. Ficava no lado ocidental do mar Morto, embora o local exato ainda não tenha sido descoberto, embora seja certo que não ficava muito longe de Sodoma e de Gomorra. Talvez fosse a mesma Tamar que foi fortificada por Salomão (I Reis 9:18). Ezequiel nos diz que a cidade ficava na extremidade suleste de Israel (Eze. 47:19 e 48:28). O wadi Hasasa, a noroeste de 'Ain-jidi, preserva ainda o antigo nome.

HAZELELPONI

No hebraico, «sombra». Esse é o nome de uma mulher judia, mencionada em I Crô. 4:3, irmã de Jezreel, descendente de Judá. Mas, visto que a palavra hebraica é antecedida pelo artigo definido, alguns supõem que deveríamos traduzi-la por «as irmãs» dos filhos de Etã.

HAZER-HATICOM — HAZOR

HAZER-HATICOM

No hebraico, «aldeia do meio». Nome de um lugar que figura em uma profecia de Ezequiel (47:16), que ficava nas fronteiras da região de *Haurã* (vide). Esse nome era profético e ideal, e não necessariamente que o local existisse na época daquele profeta. No entanto, alguns eruditos pensam que a palavra é um erro escribal para Hazar-Enã (vide).

HAZEROTE

No hebraico, «aldeias». Esse era o nome da terceira parada ou acampamento dos israelitas, depois que eles partiram do Sinai, em suas andanças pelo deserto. Ficava a quatro ou cinco dias de marcha daquele monte. Foi ali que Miriã e Aarão murmuraram contra Moisés (Núm. 11:35; 12:16). A murmuração dizia respeito a seu casamento com uma mulher cuxita, bem como à idéia de que Deus falava somente por meio de Moisés. É possível que 'ain Khadra assinale o local antigo. Ficava cerca de quarenta e oito quilômetros a nordeste do Jebel Musa, a caminho da Áqabah. Dali, Israel partiu para o deserto de Parã.

HAZIEL

No hebraico, «visão de Deus» ou «Deus vê». Nome de um filho de Simei, um levita gersonita (I Crô. 23:9). Ele era um chefe tribal da família de Ladã. Viveu por volta de 960 A.C.

HAZO

No hebraico, «vidente». Foi um dos filhos de Naor e Milca (Gên. 22:22). O nome veio a designar um dos clãs naoritas. Uma inscrição de Esar-Hadom tem o nome *Hazu*, o que faz os estudiosos pensarem que, provavelmente, aponta para essa mesma gente. Talvez Hazo tenha vivido em Ur da Caldéia, ou em algum lugar próximo, em cerca de 2100 A.C.

HAZOR

No hebraico, «aldeia» ou «ambiente cercado». Várias cidades e um distrito eram chamados por esse nome, nos dias do Antigo Testamento, a saber:

1. Uma das principais cidades do norte da Palestina era chamada assim (Jos. 11:10). Ficava perto do lago Merom (ou Hulé), e era a capital de Jabim, um poderoso rei cananeu. Ele pediu aos reis vizinhos para ajudá-lo contra os israelitas invasores, comandados por Josué. Ele e seus aliados foram derrotados, e ele foi morto (Jos. 10:1,10-13; Josefo, *Anti.* 5:5,1). Na época de Débora e Baraque, os cananeus recuperaram uma parte do território que haviam perdido, e reconstruíram Hazor. Jabim era o rei que governava o lugar, nesse tempo. Tornou-se, pois, um instrumento para castigar a Israel, por causa de suas transgressões, e o número dos israelitas foi grandemente reduzido. Mas, Débora e Baraque livraram o povo de Israel das opressões de Jabim, e Hazor voltou à posse de Israel, tornando-se parte da herança de Naftali (Jos. 19:36; Juí. 4:2).

Hazor foi reconstruída e melhorada por Salomão, juntamente com outras cidades da área (I Reis 19:15). Era uma das cidades fortificadas da Galiléia, que os assírios, nos dias de Tiglate-Pileser, tomaram, quando invadiram a Palestina pelo norte (II Reis 15:29), o que finalmente, resultou no cativeiro assírio. Nesse tempo, Hazor foi novamente destruída.

Hazor tem a distinção de haver sido a maior cidade do período. Em seu pico, tinha cerca de quarenta mil habitantes. Sua data recua até cerca de 2700 A.C., embora seu tempo mais florescente tivesse sido no segundo milênio A.C. Era um centro comercial, político e militar, por encontrar-se em uma localização estratégica. Ficava ao norte do mar da Galiléia, cerca de vinte e quatro quilômetros de suas margens, e ao sul de Kadeish, cerca de dezesseis quilômetros. O lago Merom (ou Hulé) (vide), ficava entre essas duas localidades. Após ter sido destruída pelos assírios, a cidade foi reconstruída por mais de uma vez; mas nunca mais recuperou a sua antiga importância.

Escavações em Hazor e Referências Literárias à Mesma. Hazor é mencionada nas cartas de Tell el-Amarna (vide) (227.3a e 228.23 *ss*), do século XIV A.C. O local foi identificado, em 1926, com o Tell el-Qedah, a oito quilômetros ao sul do lago Hulé (Merom), na Galiléia. Escavações maiores, porém, só começaram ali em 1955. Essas foram continuadas em 1958, por uma expedição israelense. Tem sido demonstrado o cômoro principal foi fundado no terceiro milênio A.C. A porção mais baixa da ocupação foi posteriormente adicionada, na primeira porção do segundo milênio A.C., provavelmente pelos hicsos. A porção mais baixa da cidade era mais do que um recinto fechado para guardar cavalos e carruagens (conforme alguns têm pensado). Os restos descobertos demonstram que uma grande cidade, talvez com quarenta mil habitantes, ocupava o local. A mais antiga inscrição em língua acádica foi achada em uma jarra de cerâmica, nesse lugar. Tinha o nome de *Is-me-ilam*, o qual, provavelmente, era o nome de um negociante da Mesopotâmia. A parte mais baixa da cidade perdurou por cerca de quinhentos anos; e então foi destruída, presumivelmente por Josué. Um templo cananeu e um pequeno santuário foram encontrados ali. A porção mais baixa da cidade foi deixada desabitada; mas as evidências colhidas mostram que tanto cananeus quanto israelitas habitaram no lugar. O portão de uma cidade e parte de uma muralha foram desenterrados, provavelmente da época de Salomão. Um edifício público sobre pilastras foi escavado. Provavelmente pertencia à época de Acabe. É claro que havia uma fortaleza no local, naquele tempo; mas também há indícios de destruição e incêndio, na mesma época. Supõe-se que isso sucedeu quando da invasão dirigida por Tiglate-Pileser III, que destruiu a cidade em cerca de 732 A.C. (ver II Reis 15:29).

Outras referências extrabíblicas a *Hazor* aparecem nos textos de execração egípcios, do século XIX A.C. Hazor era uma cidade cananéia que chegou a ameaçar a posição do império egípcio. Ela aparece como *ha-su-ra*, nos arquivos de Mari, da primeira porção do segundo milênio A.C. Os textos babilônicos mencionam-na como um importante centro político na rota entre a Mesopotâmia e o Egito. Fontes egípcias alistam essa cidade sob o controle de vários reis do Egito, isto é, Tutmés III, Amenhotepe II e Seti I, nos séculos XV e XIV A.C. As cartas de Tell el-Amarna, do século XIV A.C., mencionam-na. Seu rei é ali chamado de *sar hazura*. Ela também é mencionada em um papiro egípcio (Anatasi I), dentro de um contexto militar. A arqueologia tem demonstrado abundantemente que a importância dada ao lugar, nas Escrituras Sagradas, é historicamente correta.

2. Uma cidade da Judéia, no Neguebe, também tinha esse nome (Jos. 15:23). Entretanto, até hoje essa localidade não foi identificada pelos arqueólogos.

3. A Nova Hazor, ou Hazor-Hadata (Jos. 15:25), era um lugar no sul do território de Judá. Mas ainda não foi identificado. Ver o artigo a seu respeito.

HAZOR-HADATA — HEBRAICO

4. Queriote-Hezrom, também chamada Hazor (ver Jos. 15:25), era uma localidade na porção sul do território de Judá, que os estudiosos ainda não identificaram.

5. Uma cidade pertencente à tribo de Benjamim (Nee. 11:33), talvez seja a mesma que a moderna Khirbet Hazzur.

6. Uma área localizada em algum ponto do deserto da Arábia, a leste da Palestina. Foi ali que o profeta Jeremias entregou um de seus oráculos contra um povo árabe seminômade ou transumante (ver Jer. 49:28,30,33). Eles tornaram-se vítimas de Nabucodonosor, rei da Babilônia.

HAZOR-HADATA

Essa combinação de palavras hebraicas significa «Nova Hazor». Hazor significa «lugar fechado» ou «aldeia». O nome designa uma localidade mencionada em Jos. 15:25, como uma das cidades pertencentes à tribo de Judá. Algumas traduções separam os dois nomes, como se Hazor e Hadata fossem duas cidades distintas. Seja como for, desconhece-se a localização exata do lugar, embora seja sabido que ficava entre o mar Morto e o golfo da Áqaba. A Septuaginta omite o nome. Alguns estudiosos identificam o lugar com el-Hadeira, a suleste de Tuwani.

HE

A quinta letra do alfabeto hebraico. Corresponde ao nosso *h* e é classificada como um fonema fricativo laríngeo. Aparece na quinta seção de Salmos 119, onde cada verso começa com essa letra, no texto hebraico. Essa letra tem um formato bastante parecido com as letras hebraicas *alefe* e *tau*, e isso tem provocado alguns erros de grafia, e também identificações equivocadas.

HÉBER

No hebraico, «sócio». Esse é o nome de várias pessoas referidas nas páginas do Antigo Testamento:

1. Um filho de Berias, que era da tribo de Aser (Gên. 46:17; Núm. 26:45; I Crô. 7:31 *ss*). O nome tribal, *heberitas*, deriva-se desse nome. Aparece em Núm. 26:45. Ele deve ter vivido por volta de 1640 A.C.

2. Um descendente de Hobabe, filho de Jetro e irmão da esposa de Moisés. Foi a esposa dele quem matou a Sísera, em cerca de 1410 A.C. Ele também é chamado de *queneu* (vide), em Juí. 4:11,17; 5:24, o que parece ter sido um nome que designava o povo particular a que ele pertencia (Juí. 1:16). Parece que ele acabou se separando de sua própria gente e estabelecendo-se perto de Quedes, a oeste do mar da Galiléia (Juí. 4:11). Viveu por volta de 1360 A.C.

3. Um chefe de um dos clãs de Judá também era chamado assim. Ele era filho de Merede e pai de Socó (I Crô. 4:18). Viveu por volta de 1400 A.C.

4. Um dos filhos de Elpaal, chefe de um dos clãs da tribo de Benjamin (I Crô. 8:17). Viveu por volta de 1400 A.C.

5. Um dos sete chefes dos gaditas de Basã (I Crô. 5:13). Entretanto, ele e o homem que aparece como número «seis», abaixo, tinham um nome grafado de maneira diferente em hebraico, que significa «produção» ou «broto».

6. Um dos filhos de Sasaque, da tribo de Benjamim (I Crô. 8:22). Embora o nome dele apareça em português também como *Héber*, a forma hebraica é levemente diferente dos quatro primeiros homens com

esse nome nesta lista, e significa «produção» ou «broto». Ver também o quinto homem com esse nome.

HEBRAICO

Esboço:
1. Algumas Características
2. Origem das Palavras Semíticas e Hebraicas
3. O Alfabeto Hebraico
4. Uso do Hebraico na Palestina
5. Maneira de Escrever
6. Cuidados na Escrita
7. Sumário dos Fatos Históricos

1. Algumas Características

O hebraico é uma antiga língua semítica, que pertence ao ramo norte-ocidental dessa família de línguas. Era uma língua que se escrevia com um alfabeto não-pictográfico desde o princípio, embora fosse um desenvolvimento de outras formas escritas semíticas. Ver o artigo geral intitulado *Alfabeto*. O hebraico antigo, quanto à sua escrita, foi transformado e usado na literatura rabínica; e foi revivido pelo movimento sionista, já nos tempos modernos. Caracteriza-se pela estabilidade de seus fonemas consonantais. Consiste em uma raiz de três fonemas consonantais, que forma a base da construção da língua. O vocabulário, como um todo, alicerça-se sobre raízes com três fonemas, com o auxílio de vogais interpoladas, com a adição de prefixos e sufixos, e a duplicação de raízes consonantais, de conformidade com regras bem regulares.

O hebraico é bastante diferente, em sua estrutura, em relação às línguas indo-européias. Tem menos tempos verbais, não tem particípio, e não tem formas separadas para indicar os modos condicional, subjuntivo e optativo. Contudo, mediante vários modos, o hebraico evoluiu um elaborado sistema de vozes. Há três vozes ativas, três vozes passivas e uma voz reflexiva, todas com as mesmas formações de tempos verbais básicos. A sintaxe do hebraico é extremamente simples. Caracteriza-se por uma maneira de expressão não abstrata, concisa e incisiva, que servia de excelente instrumento para a poesia épica e lírica. O hebraico usado no Antigo Testamento envolve um pequeno vocabulário, pobre em adjetivos descritivos e em substantivos abstratos. Tanto na antiguidade quanto hodiernamente, o hebraico era escrito da direita para a esquerda, o oposto da nossa maneira de escrever, que é da esquerda para a direita.

2. Origem das Palavras Semíticas e Hebraicas

A palavra **semítico** deriva-se de Sem, o filho mais velho de Noé. O hebraico estava intimamente ligado ao idioma antigo de Ugarite, capital de um pequeno reino da costa norte da Síria, atualmente chamada Ras Shamra; e também estava vinculado ao idioma dos fenícios e dos moabitas. Nas páginas do Antigo Testamento, o hebraico é chamado de «língua de Canaã» (ver Isa. 19:18 e Nee. 13:24). Portanto, embora os hebreus sejam um povo semita, seu idioma é tipicamente cananeu. Ao que parece, vários povos semitas absorveram línguas cananéias (e, portanto, camitas), talvez por miscigenação. Isso se vê facilmente entre os hebreus. O termo *hebraico* foi usado pela primeira vez para designar esse idioma, nos escritos de Ben-Siraque, em cerca de 130 A.C. Ver também o artigo *Hebreus*, quanto às várias teorias sobre a origem e os usos da palavra *hebreu*.

3. O Alfabeto Hebraico

O hebraico tem vinte e duas letras consoantes, embora, posteriormente, a letra *s* tivesse adquirido

HEBRAICO

duas formas; pelo que se poderia dizer que contava com vinte e três letras consoantes. Essas letras, tal como se dava com as letras gregas, também representavam números.

O Alfabeto Hebraico

Letra Hebraica	Nome	Equivalente Português	Valor Numérico
א	Alefe	—	1
ב	Bete	B ou V	2
ג	Gimel	G	3
ד	Dalete	D	4
ה	He	H	5
ו	Vave	V	6
ז	Zain	Z	7
ח	Quete	Kh	8
ט	Tete	T	9
י	Iode	I ou Y	10
כ	Cafe	Kh	20
ל	Lâmede	L	30
מ	Mem	M	40
נ	Num	N	50
ס	Sameque	S	60
ע	Ain	—	70
פ	Pê	P ou F	80
צ	Tsadê	TS	90
ק	Cufe	K	100
ר	Rês	R	200
ש	Sin	Sh ou S	300
ת	Tav	T ou Th	400

4. Uso do Hebraico na Palestina

O hebraico foi adaptado pelos israelitas que faiavam o aramaico (após o cativeiro babilônico), com pesadas misturas com o aramaico, além de outras línguas indígenas da Palestina. Palavras derivadas de outros idiomas, como os dialetos aramaicos, o acádico, o árabe, o persa e o grego também foram acrescentadas, tudo o que serviu para enriquecer o anterior pequeno vocabulário hebraico. Tal como sucede a todos os idiomas, o hebraico foi-se modificando de um período histórico para outro (ver o ponto «sete», abaixo). O hebraico bíblico (clássico) difere do hebraico empregado na Mishnah, e é muito diferente do hebraico moderno. Já desde bem antes da época de Jesus (século III A.C.), o hebraico bíblico deixara de ser falado pelo povo judeu. E uma língua irmã, o aramaico, havia tomado o lugar do hebraico. As referências neotestamentárias ao *hebraico* não aludem ao hebraico clássico, e, sim, ao aramaico. Ver João 5:2; 19:13,17,20; Atos 21:40; 22:2, etc. Ocorrem algumas palavras e mesmo frases em aramaico, no Novo Testamento grego, como *talitha cumi* (Mar. 5:41), *Eloi, Eloi, lama sabachthani* (Mar. 15:34) e *maranata* (I Cor. 16:22), o que é explicado na exposição (*in loc.*), do NTI.

O hebraico clássico continuou sendo usado na liturgia das sinagogas, da mesma forma que a Igreja cristã ocidental reteve o latim, com propósitos litúrgicos. Algumas poucas cartas foram encontradas entre os materiais encontrados nos manuscritos do Mar Morto, escritas em hebraico, o que significa que o idioma hebraico não morrera inteiramente. Três fragmentos de orações de agradecimento foram encontrados em Dura-Europus (com data de meados do século III D.C.), o que demonstra que alguns cristãos hebreus continuaram a usar, embora de forma limitada, o hebraico clássico, em sua adoração.

5. Maneira de Escrever

O idioma hebraico era escrito somente com consoantes, sem vogais. Mas, por volta do século V A.C., começaram a aparecer ajudas para a leitura, que vários eruditos atualmente chamam de *matres lectionis*. Três letras semivocálicas eram ocasionalmente inseridas, indicando os fonemas *a*, *e* ou *i*, ou então *o* ou *u*. Porém, um completo sistema de vocalização, empregando sinais para indicar as vogais, só apareceu no século VI D.C. Três sistemas diferentes desenvolveram-se. Na Babilônia e na Palestina, sinais vocálicos eram postos acima das consoantes (as vogais *supralineares*). No sistema tiberiano, os sinais vocálicos eram postos por baixo das consoantes (as vogais *infralineares*). Esses sinais vocálicos têm a aparência de grupos de pontos ou traços. Esse modo infralinear foi adotado para o hebraico impresso. Pontuação e **entonação extra-alfa**béticas também vieram a ser adotadas. Modernamente, a pronúncia que se ensina aos alunos de hebraico é a pronúncia sefardita (judeus espanhóis).

••• ••• •••

43

HEBRAICO — HEBREUS (EPÍSTOLA)

6. Cuidados na Escrita

Os piedosos escribas judeus tinham o maior cuidado quando copiavam manuscritos, preservando as letras consoantes do hebraico. Faziam-no tão meticulosamente, que até os erros de cópia foram sendo preservados. Os manuscritos do Mar Morto (vide) têm provado que importantes variantes têm ocorrido, e que, em alguns trechos, a Septuaginta tem preservado um texto mais antigo que aquele que transparece no chamado texto massorético (vide). Porém, é óbvio que os manuscritos hebraicos eram copiados com muito maior cuidado do que o foram os manuscritos gregos do Novo Testamento. Os escribas anotavam variantes e correções à margem dos manuscritos, e também explicavam ou substituíam vocábulos obsoletos. Também faziam a tentativa para identificar erros no texto, com notas à margem; mas deixavam intacto ao próprio texto. O texto sagrado é chamado *ketib* (o escrito), ao passo que as notas marginais eram o *gere* (o que deve ser lido).

7. Sumário dos Fatos Históricos

As origens absolutas dos idiomas do mundo estão inteiramente perdidas para nós. Alguns teólogos supõem que os idiomas sejam um dom de Deus, e não o desenvolvimento gradual de um longo período de tempo. Os evolucionistas opinam que os povos selvagens precisaram de milênios para desenvolver a linguagem. Porém, é muito difícil imaginar que meros selvagens pudessem ter desenvolvido as grandes complexidades dos idiomas antigos, meramente dando nomes aos objetos, para em seguida dar nomes às ações. Na verdade, o que sabemos a respeito do mistério das origens dos idiomas é zero.

Quando Abraão entrou na Palestina, ele trouxe consigo um idioma semítico; mas esse não era o mesmo que o hebraico bíblico posterior. Se Abraão e Moisés pudessem ter-se encontrado, só poderiam ter conseguido comunicar-se com imensa dificuldade. Quando Moisés e os filhos de Israel entraram na Palestina, depois de terem passado quatrocentos anos no Egito, trouxeram consigo um idioma semítico; mas esse era muito diferente, em várias coisas, do idioma que, finalmente, foi usado para ser escrito o Antigo Testamento. Todavia, eruditos modernos têm procurado desenterrar evidências arqueológicas, na tentativa de mostrar que a língua falada por Moisés era essencialmente aquela do Pentateuco bíblico. Porém, estudiosos mais liberais crêem que há provas de que o hebraico da Bíblia foi um idioma adotado pelos hebreus. Em outras palavras, Israel adotou o idioma de Canaã, que já se falava ali, antes deles chegarem à região.

«Estudos comparativos modernos de lingüística têm demonstrado que o hebraico faz parte do grupo noroeste de uma família de línguas semíticas. Falado na terra de Canaã, foi adotado pelos hebreus, quando se estabeleceram na região» (AM). Provavelmente, se aceitarmos um meio-termo nessa controvérsia, chegaremos mais perto ainda da verdade dos fatos. Nenhum povo simplesmente abandona a sua própria língua, para adotar outra, embora falada na região para onde aquele povo se mudou. Os hebreus trouxeram consigo um idioma semítico, e encontraram um idioma semito-cananeu; e, gradualmente, amalgamaram os dois. Assim sendo, em um certo sentido, podemos falar sobre a *adoção* de uma língua, nesse caso, visto que o idioma de Canaã foi uma fonte e uma influência importante. A mistura de dois idiomas parecidos produziu um terceiro, e esse terceiro é justamente o hebraico bíblico.

Uma ilustração mais recente. Tribos germânicas invadiram as ilhas britânicas, no século V D.C. Ali elas encontraram uma língua celta. Elas não adotaram o celta; mas não demorou muito para que o **anglo-saxão** que essas tribos trouxeram se tornasse no inglês; e isso em um período comparativamente curto. Ora, o inglês é bastante diferente do alemão, embora seja ainda mais distante do celta das primitivas tribos que ali residiam. Por semelhante modo, a língua semítica que o povo de Israel trouxe consigo do Egito, misturou-se com o idioma que já era falado na Palestina, do que resultou um idioma distinto. Nos casos em que as pessoas são essencialmente analfabetas, e onde a literatura não é generalizada, as mudanças que ocorrem em um idioma qualquer são muito rápidas.

Seja como for, o fato é que o idioma resultante, o hebraico bíblico, estava bem relacionado aos idiomas da antiga Ugarite, dos fenícios e dos moabitas. Sua versão escrita descendia do semítico do norte, ou escrita fenícia.

Com as únicas exceções dos capítulos dois a sexto de Daniel e dos capítulos quarto a sétimo de Esdras, o Antigo Testamento inteiro foi escrito em hebraico clássico. Naturalmente, podemos encontrar naqueles trinta e nove livros vários níveis de expressão histórica do mesmo idioma. O primeiro capítulo de Gênesis, por exemplo, reflete uma versão antiqüíssima do hebraico, mas já no segundo capítulo do mesmo livro temos uma versão bem mais recente da mesma língua. Isso quer dizer que o primeiro capítulo de Gênesis preserva registros escritos bem antigos.

As narrativas do Antigo Testamento que descrevem os contactos entre os hebreus e outros povos que habitavam em Canaã, demonstram que eles se comunicavam uns com os outros com facilidade. Isso significa que os vários ramos dessa língua deviam estar bem espalhados, e que eram bem relacionados entre si, mais ou menos como no caso do espanhol e do português. (AM DU DV GES GOR ND UN Z)

HEBREUS (EPÍSTOLA)

Esboço:
  I. Autoria
 II. Confirmação e Disputas Antigas
III. Data, Proveniência e Destinatários
 IV. Propósitos do Tratado e Natureza da Apostasia Combatida
  V. Forma Literária e Integridade
 VI. Idéias Religiosas e Filosóficas
VII. Conteúdo
VIII. Bibliografia

Apesar de que poucos escritos do Novo Testamento sejam mais impressivos em sua eloqüência, beleza e força de expressão, nenhum livro dessa coleção apresenta maior número de problemas sem solução do que a epístola aos Hebreus. Até o seu próprio título tem sido criticado, porquanto não se trata de uma epístola e, sim, de um excelente tratado, dirigido aos crentes de todas as regiões, e não apenas a algum isolado grupo de hebreus convertidos ao cristianismo. «É chamada de epístola, e realmente o é, mas de tipo todo peculiar. De fato, conforme alguém já disse, começa como um tratado, procede como um sermão, e termina como uma epístola». (Robertson, *in loc.*).

Seu valor se baseia, essencialmente, no quadro ousado que apresenta a respeito de Cristo.

Cristo é o Filho de Deus, superior aos profetas, verdadeira deidade, criador, objeto de exaltação por todo o universo, superior aos anjos (ver o primeiro capítulo desta epístola). Cristo é o grande Sumo Sacerdote que transcende a todos os sacerdócios (ver

HEBREUS

Heb. 4:14—12:3). O tema central deste tratado é o «sacerdócio de Cristo», pelo que também W.P. Du Bose intitulou esta composição de «Alto Sacerdócio e Sacrifício».

Cristo é o Sumo Sacerdote que trouxe à fruição tudo quanto era meramente prefigurado nas formas anteriores de adoração. Essas formas anteriores eram sujeitas a modificações, e, de fato, sofreram mudanças; mas, por detrás delas, há uma realidade imutável, encontrada na pessoa de Cristo—tal como diz a explicação platônica do mundo: por detrás de todas as formas visíveis e temporárias da existência, há um mundo invisível, mas bem real, imutável e perfeito, que age como modelo da criação e que, ao mesmo tempo é o alvo de tudo—aquilo na direção do que tudo se esforça, a fim de que suas perfeições e sua eternidade sejam compartilhadas. Na revelação cristã, esse mundo eterno é exposto perante os homens mais claramente do que jamais o foi no passado. Nessa revelação se vê que, na pessoa de Cristo, são exibidas as grandes verdades e realidades religiosas. Esta epístola, pois, consiste essencialmente na revelação da elevada dignidade e do imenso valor de Cristo, e, como tal, assume lugar ao lado do evangelho de João, e das epístolas aos Colossenses e aos Efésios, como as mais claras revelações sobre o Filho de Deus e sobre o que isso significa para os homens.

Essa elevada revelação do Filho eterno de Deus, tão eloqüentemente retratada, tem mais do que mera motivação dogmática: o autor sagrado interessa-se por certos cristãos que, sob a influência de conceitos religiosos legalistas e pagãos, hesitavam em sua fé, correndo o perigo de abandonar o grande avanço na inquirição espiritual que é apresentado na revelação cristã. Essa é a razão pela qual Cristo é retratado em termos tão vívidos e absolutos. Se alguém abandona a Cristo, não haverá mais lugar para onde se possa ir, porquanto a verdade de Deus está centralizada nele. Ele é o alvo final e absoluto de toda a existência. Outras religiões têm tido o seu valor, mas podem ser reputadas apenas cópias e imitações, algumas mais desajeitadas e outras mais perfeitas, daquilo que Deus, finalmente, trouxe aos homens na pessoa de Cristo.

Deus falou: Nisso devemos crer, e disso devemos fazer o impulso de nossa inquirição espiritual. Mas, falou Deus realmente? Deus falou em Cristo—esse é o âmago da resposta muito elaborada. Olhemos para Cristo, pois, e vejamos o que Deus disse para nós; tendo percebido isso, não hesitemos, mas antes, mantenhamo-nos firmes até o fim, e haveremos de compartilhar da própria natureza e das perfeições do Filho, na qualidade de filhos que estão sendo conduzidos à glória.

I. Autoria

A despeito de intermináveis disputas e escritos, nada nos levou a um veredicto mais certo, acerca da autoria desse tratado, do que o de Orígenes, que disse (segundo foi citado por Eusébio): «Quem escreveu esta epístola, só Deus o sabe». Porém, que não se trata de uma das obras de Paulo, esse é o juízo quase unânime dos eruditos modernos. É extremamente difícil alguém imitar o estilo, a maneira de escrever, a escolha do vocabulário e o uso dos elementos conectivos adverbiais (isto é, «entretanto», «não obstante», «pois», etc.), além de outros artifícios lingüísticos, que se tornam como que as «impressões digitais» do escritor. Ainda que um escritor se lance a produzir uma forma diferente de composição, como, por exemplo, um «tratado», em vez de uma «epístola», as suas peculiaridades e predileções

lingüísticas não podem ser escondidas. Assim, apesar dele poder obter uma apresentação mais «suave», ou de outra forma vir a modificar algumas de suas peculiaridades estilísticas normais, certamente, usará suas partículas adverbiais e conexões, suas palavras e frases favoritas, enfatizando suas crenças afagadas de maneira bem típica de seu desenvolvimento cerebral específico. Ainda que um trabalho venha a ser traduzido para outro idioma, e mesmo que se cuide em ocultar que uma tradução esteja envolvida (uma tarefa quase impossível), o estilo original do autor se refletirá na tradução. Assim sendo, até mesmo de luvas, as impressões digitais do autor transparecem.

O estilo de Paulo é caracterizado por freqüentes irregularidades, anacolutos, **parênteses** extensos, alguns dos quais nunca retornam ao tema original, metáforas misturadas, explosões súbitas de eloqüência, com base em sentenças que expressam algo de maneira bastante prosaica, quando alguma idéia é indiretamente sugerida. A epístola aos Hebreus, em contraste com isso, foi escrita em estilo fluente e simétrico, e até mesmo artístico, evidenciando considerável habilidade literária e bom senso estético. Acrescente-se a isso o fato de que o grego usado é melhor e mais clássico que o bom grego de Paulo, mas que mais geralmente é o comum grego «koiné». Apesar de que um escritor algumas vezes consegue modificar com sucesso o seu estilo, dificilmente poderá usar repentinamente de uma linguagem mais eloqüente e mais erudita. As tentativas por tanto logo são envolvidas numa aura de artificialidade. Por isso é que todo aquele que lê o N.T. grego jamais pode ver em Paulo o autor desta epístola, pois há tanta diversidade entre Xenofonte e Platão, por exemplo. Além disso, é óbvio que, quanto ao método de apresentação e à maneira de pensar, Paulo e quem quer que escreveu esta epístola, são diferentes. Os tópicos e expressões paulinos ficam em segundo plano, ou são inteiramente negligenciados. A justificação pela fé, em conflito com o legalismo, que é típico de Paulo, na epístola aos Hebreus recebe escassa atenção, se é que recebe alguma. A apresentação inteira das relações entre o antigo judaísmo e o cristianismo também difere. Esta epístola assume certo ponto de vista platônico, fazendo com que o antigo pacto pareça inferior por ser apenas uma pobre imitação da autêntica realidade espiritual, ao passo que a própria realidade está para sempre fixa no *eterno Filho de Deus*, o qual é mais perfeitamente revelado na mensagem e na fé cristãs. Assim também, o templo e todo o seu culto, figuram apenas como cópias do «templo celeste», e, por conseguinte, inferior a mais clara revelação das verdades espirituais que recebemos em Jesus Cristo. (Ver Heb. 9:23).

Para Paulo, a debilidade do antigo pacto residia essencialmente no fato de que exigia dos homens algo que eles não podiam cumprir, sobrecarregando-os com a impossibilidade de pô-lo em prática. Paulo apresenta a lei como um justificador hipotético, mas que fracassa devido à fraqueza humana. Já a epístola aos Hebreus apresenta o antigo pacto como mera sombra, como reflexo imperfeito de uma verdade eterna, que agora nos é desvendada no Filho. Esses conceitos, naturalmente, não se contradizem, mas são diferentes. A orientação platônica desta epístola é comumente comentada pelos estudiosos, e muitos apontam para a cidade de Alexandria como o local de sua composição. Pelo menos o neoplatonismo é influência que ali se faz sentir; e o autor sagrado, a exemplo de Justino Mártir, chega a ter uma visão mais clara de Cristo, através das tentativas de Platão por descrever a realidade última. Portanto, se ele

HEBREUS

muito se estriba em formas próprias do A.T., tal como Filo, na realidade, encara essas formas como uma mente platônica.

Outros tópicos e temas enfáticos de Paulo jamais ocorrem nesta epístola, ou então são mencionados apenas de passagem, como o fato da ressurreição, que nos escritos de Paulo tanto brilha. Aqui esse fato é mencionado apenas por duas vezes, uma delas como uma bênção final (Heb. 13:20) e uma vez antes disso, em Heb. 6:2. Até mesmo a menção do tema é artificial, no sentido de que o término deste tratado, segundo se observa, foi propositadamente moldado de forma a parecer-se com uma epístola, e como uma epístola «paulina», ainda que o autor não tivesse intenção alguma de dar a idéia de que Paulo foi quem a escrevera.

Também menciona muito os dois pactos, o antigo e o novo; mas não há qualquer alusão aos gentios, em relação ao novo pacto, um tópico que aparece com freqüência nos escritos de Paulo. A idéia da justificação pela fé se faz ausente. O pecado recebe uma abordagem diferente; não há qualquer alusão à sua origem, e o vocabulário empregado para descrevê-lo é muito mais limitado do que nas epístolas paulinas. A aparente negação da possibilidade de arrependimento, após algum lapso (ver Heb. 5:4-6 e 10:26-29), não é tipicamente paulina. O nome divino freqüentemente utilizado por Paulo, *Senhor*, é comparativamente raro nessa epístola. E a expressão «Jesus Cristo» (que figura por trinta vezes, somente na epístola aos Romanos), é rara em Hebreus. «Salvador», que é vocábulo que aparece em Efésios, em Filipenses e nas epístolas pastorais, não aparece na epístola aos Hebreus. A mui enfatizada «parousia» paulina, que é algo distintivo em seus escritos, figura apenas por uma vez na presente epístola, embora a volta de Cristo, em algum tempo distante, seja reconhecida (ver Heb. 1:6, embora até mesmo esse versículo seja disputado, havendo dúvidas se ele fala mesmo acerca do segundo advento de Cristo). A passagem de Heb. 9:28 fala definidamente sobre esse acontecimento, mas dá a idéia de que se trata de algo ainda distante.

Existem alguns temas similares e importantes, como a preencarnação, a doutrina do Cristo divino, que é o criador e que se tornou verdadeiro homem (ver Heb. 1:1 e ss; 2:14-17; conferir com I Cor. 8:6; II Cor. 4:4; Col. 1:15-17; Fil. 2:7), o fato de que sua morte foi a porção central de sua missão, a qual também nos proporciona a redenção (ver Heb. 9:15 com Rom. 3:24 e I Cor. 1:30), a intercessão de Cristo (ver Heb. 7:25 com Rom. 8:34), a lei que é exibida como neutralizada pela revelação de Cristo (ver Heb. 7:19 e 10:4 com Rom. 3 e Gál. 3), o fato de que a Jerusalém celestial é nossa possessão (ver Heb. 12:12 com Gál. 4:26). Tudo isso, entretanto, prova apenas que ambos os autores escreveram baseados na mesma tradição, devendo-se notar, por igual modo, que até mesmo no manuseio de temas similares, alguns deles são abordados de maneira diferente.

Naturalmente, os principais argumentos contra a autoria paulina são os fatos de que não há «saudação»; aos endereçados não é desejada «graça e paz»; não há nenhuma oração de ação de graças e nem há bênção final no nome de Paulo, a despeito deste *tratado* ser apresentado como uma «epístola». As explicações que procuram convencer-nos de que essas coisas se fazem ausentes são: a. porque a composição não era uma epístola, pelo que lhe faltam as «formas literárias epistolares», e b. porque Paulo ocultou propositadamente a sua identidade, a fim de não se antagonizar com os legalistas. Mas estas são explicações tão fracas que nem merecem a nossa consideração. Pois, em primeiro lugar, os documentos antigos, como até mesmo os tratados, eram comumente identificados quanto a sua autoria, tal como sucedia às epístolas. Além disso seria de estranhar que o mesmo Paulo, que escreveu a epístola aos Gálatas a fim de combater os legalistas, tendo salientado singularmente a sua autoridade apostólica, ao escrever para outros legalistas, ou, pelo menos, acerca deles, escondeu intencionalmente a sua identidade, ficando assim, propositadamente, oculta a sua «autoridade apostólica». Notemos como, por várias vezes, em suas epístolas, Paulo as «autentica», escrevendo alguma pequena porção do próprio punho, a fim de que os seus endereçados soubessem que a epístola era genuinamente de sua autoria, conforme se vê em File. 19; II Tes. 3:17; Col. 4:18; Gál. 6:11 e I Cor. 16:21. Portanto, de acordo com essas explicações, é-nos pedido que acreditemos que se por um lado Paulo com freqüência escreveu de próprio punho alguma pequena porção final de suas epístolas a fim de autenticá-las; ao escrever um tratado tão importante como é o livro aos Hebreus; negligenciou até mesmo identificar-se como seu autor, além de não ter seguido seu costume usual de oferecer alguma evidência clara de sua autoria.

Em favor da autoria *paulina*, tem sido freqüentemente salientado que o décimo terceiro capítulo desta epístola tem um tom «paulino». Entretanto, esse argumento se alicerça somente sobre os fatos de que o terceiro versículo menciona aqueles que estão «encarcerados»; que o décimo nono versículo se assemelha a File. 22, um pedido de Paulo por oração, a fim de que ele logo fosse solto, a fim de poder fazer uma visita; e que o vigésimo terceiro versículo mostra-nos que Timóteo era pessoa conhecida pelo autor, e que ele fora aprisionado, mas agora estava livre. Em alguns manuscritos, o trecho de Heb. 10:34 parece ser uma alusão a Paulo, a mencionar as «minhas cadeias»; porém, os melhores manuscritos dizem, nesse versículo, «vos compadescestes dos encarcerados». Consideremos ainda os três pontos abaixo discriminados; sobre como responder a esses argumentos:

1. Uma das respostas possíveis para essa aparente confirmação de autoria paulina consiste em salientar-se que havia *muitíssimos* prisioneiros, que muitos companheiros e conhecidos de Paulo foram encarcerados, e que muitos deles conheciam Timóteo. Nada há nisso que não possa aplicar-se igualmente a muitas outras personagens conhecidas ou desconhecidas daquela época. O livro de Atos é dominado pela figura de Paulo, e vários de seus aprisionamentos são mencionados ou deixados subentendidos, pelo que também qualquer menção de «encarceramento» naturalmente leva nossas mentes a pensar em Paulo. Mas isso se deve somente a nossa «associação» com outras passagens familiares do N.T., não representando, necessariamente, algum fato.

2. Outra maneira de responder ao *tom paulino* do décimo terceiro capítulo desta epístola consiste em supormos que esse capítulo, em sua inteireza, foi uma epístola adicionada ao tratado, e de modo proposital, para dar a idéia de autoria paulina, a fim de garantir ao tratado sua inclusão no «cânon», ou, pelo menos, para conferir-lhe maior autoridade, visando a sua preservação. Se alguém indagar por que razão o autor sagrado, quem quer que tenha sido ele, não forneceu igualmente uma «saudação», a resposta é que isso arruinaria a seção introdutória altamente artística, tendo sido esse fato percebido pelo interpolador. Quem ousaria alterar o primeiro capítulo, por

HEBREUS

qualquer razão? Porém, *por que* ele não adicionou o *nome de Paulo* ao fim? Isso nada teria arruinado. Se alguém ansiasse por fazer com que esse tratado se assemelhasse a uma obra «paulina», podemos perceber a razão por que não lhe alterou o prefácio, mas hada lhe teria custado se tivesse adicionado o nome de Paulo no fim, posto que já estaria acrescentando um capítulo inteiro, diferente do resto da epístola, e com a finalidade de conferir ao tratado a impressão de que se tratava de uma obra paulina. Outrossim, contra essa idéia se ergue a fato de que nenhum manuscrito antigo termina no final do décimo segundo capítulo desta epístola, sendo que a idéia de uma «adição», feita ao documento original, não goza de qualquer apoio «objetivo» dentro dos próprios manuscritos.

3. Há uma conjetura mais provável. Não há como negar que o trecho de Heb. 13:18 é similar a File. 22, e que a passagem de Heb. 13:23 se parece com Fil. 2:19,23,24. Se crermos que o autor sagrado criou propositadamente essas similaridades, então isso teria sido mera tentativa de encerrar seu tratado mais ou menos da mesma maneira como Paulo encerrava suas epístolas, e não a fim de fazer-nos acreditar que Paulo foi seu autor. Foi tudo um término conveniente e familiar dos documentos cristãos. Não se duvida que o autor sagrado estava familiarizado com certas das epístolas de Paulo. (Ver Heb. 13:16 em comparação com Fil. 4:18; ver Heb. 13:21 em comparação com Fil. 4:20; ver Heb. 13:24 em comparação com Fil. 4:21; e ver Heb. 13:18 em comparação com II Cor. 1:11,12). Suas palavras, «Os da Itália vos saúdam», podem ser equivalentes às palavras de Fil. 4:22: «Todos os santos vos saúdam, especialmente os da casa de César». Se o autor sagrado tinha qualquer outro motivo para fazer o fim deste tratado parecer familiar a seus leitores (a saber, parecido com uma das epístolas de Paulo), além do motivo da *familiaridade*, não sabemos dizer. Entretanto, essa maneira de encerrar o tratado foi um tanto artificial, o que fica demonstrado pelo fato de que o autor se contradiz nos versículos dezenove e vinte e três. O décimo nono versículo dá a idéia de que ele estava aprisionado e que o tempo de sua «restituição», mediante a soltura, era totalmente duvidoso. Já no vigésimo terceiro versículo, em contraste, parece indicar que o autor estava em liberdade para viajar até onde estavam os seus leitores, contanto que o quisesse fazer. Essa contradição foi criada pelo fato de que ele tomou algo por empréstimo de outras epístolas (Filemom e Filipenses), que contêm declarações diferentes, que expressam situações diferentes, para em seguida, no vigésimo terceiro versículo, ter-se ele afastado, por descuido, da idéia da «incerteza» da situação que se reflete na epístola aos Filipenses. Não se mostrando «autêntico», mas antes, procurando dar um sabor paulino a seu tratado, ele rebaixou a sua forma literária, mais ou menos ao exemplo de pregadores, hoje em dia, que ordinariamente pregam algum mau sermão que tomaram por empréstimo de outrem, pois então entram em linhas de raciocínio e de expressão com os quais não estão familiarizados, ou que não lhes pertencem característicamente.

Seja como for, **a primeira** ou **a terceira** resposta são mais prováveis que a segunda. É possível que o décimo terceiro capítulo desta epístola reflita uma autêntica situação histórica, comum à igreja cristã primitiva, que envolvera Paulo e seus companheiros, mas não exclusivamente a esses. Ou então o próprio autor sagrado, visando questões de familiaridade, ou por outras razões para nós desconhecidas, deu a este tratado um término tipicamente paulino, com base em condições com as quais estava familiarizado. As peculiaridades desse décimo terceiro capítulo, entretanto, não podem ser reputadas como um argumento definitivo ou mesmo significativo em favor da autoria paulina. Isso é «ver demais em tão pouco», e é ignorar o *muito* que obviamente se volta contra a idéia da autoria paulina; e esta última atitude é «ver pouco demais em tanta coisa».

Finalmente, contrariamente à autoria paulina, manifesta-se a própria tradição, pois não foi senão já no fim do século II D.C. que alguém sugeriu que este livro foi escrito por Paulo; e demorou até os tempos de Clemente de Alexandria para que qualquer «escola» aceitasse essa idéia; mas, até mesmo nesse caso, surgiram muitas perguntas, dúvidas e disputas. (Ver a segunda seção deste artigo, acerca de notas expositivas completas sobre como os antigos encaravam a questão). Isto não poderia ter acontecido com qualquer livro genuíno de Paulo.

Há outras conjeturas sobre o autor deste livro: Barnabé, Silas, Timóteo, Áquila, Priscila, Clemente de Roma, Lucas, Apolo ou o diácono Filipe. Entre esses nomes que não passam de conjeturas, pois nenhuma prova pode ser aduzida em favor deles, os dois nomes mais prováveis são o de Apolo e o de Barnabé. Apolo contava com a formação educacional, com o poder da eloqüência, com os dons de ensino e exegese, que poderiam explicar a produção de um tratado como é esta epístola aos Hebreus (ver Atos 18:24-28; I Cor. 1:12 e ss; 3:6 e 16:12). Barnabé era levita (ver Atos 4:36) e tinha o conhecimento necessário sobre as realidades da vida dos hebreus, para ter escrito tal tratado, além do fato de que fora associado íntimo de Paulo. Contudo, suas descrições sobre as maneiras de proceder do legalismo se fundamentam sobre o A.T., e não sobre as práticas contemporâneas em Jerusalém, o que seria de esperar da parte de alguém que era levita. Sem importar que idéia seguimos, terminamos sempre com apenas dois frutos, de toda essa pesquisa, a saber: 1. Paulo certamente não foi o autor desta epístola. 2. Embora não saibamos identificar o seu autor, sabemos que «tipo» de homem ele foi. Era homem bem-educado, totalmente centralizado em Cristo, embora influenciado pelo pensamento platônico de tal modo que esse se tornou um de seus veículos de expressão. Sua elevada linguagem e suas idéias filo-platônicas colocam-no na cidade de Alexandria. (Ver a sexta seção deste artigo, onde essas possibilidades são desdobradas).

II. Confirmação e disputas antigas

Essas questões envolvem tanto a autoria como o lugar deste tratado no «cânon» do N.T. O tratado era conhecido desde tempos tão remotos como os escritos de Paulo, o que se comprova pelas óbvias alusões feitas ao mesmo por Clemente de Roma (95 D.C.). Em uma carta pastoral, enviada por Clemente à igreja de Cristo, em 35:2-5, há várias alusões ao majestático primeiro capítulo desta epístola. Em 36:1 da citada epístola de Clemente vemos algo que parece basear-se em Heb. 2:18 e 3:1. Outros usos extraídos desta epístola aos Hebreus podem ser vistos em 17:1,5; 19:2; 27:2; 43:1 e 56:2-4 dessa epístola de Clemente.

Não há quaisquer referências indiscutíveis a esta epístola nos escritos de Inácio ou de Policarpo, mas a epístola de Barnabé (Alexandria, cerca de 130 D.C.) contém alguns traços da mesma (ver Barnabé 4:9 e ss e 5:5,6, em comparação com Heb. 6:17-19). Na epístola chamada II Clemente (provavelmente não um escrito autêntico de Clemente de Roma, que deve ser datada em cerca de 150 D.C.), encontramos vários elementos tomados por empréstimo. (Comparar 11:6

47

HEBREUS

com Heb. 10:23; 1:6 com Heb. 12:1; 16:4 com Heb. 13:18). Em tempos posteriores, as citações e alusões à epístola aos Hebreus se tornaram comuns. Essas podem ser encontradas nos escritos de Justino Mártir (150 D.C.), de Pinito de Creta (170 D.C.), de Teófilo, bispo de Antioquia (180 D.C.). O fato de que tal livro aos Hebreus já era conhecido e citado desde os tempos mais remotos, não significa, porém, que fosse aceito como escrito paulino. E nem mesmo que já figurasse desde o princípio como parte do «cânon» do N.T., pois nem uma coisa e nem a outra sucederam. Clemente, que lançou mão desse tratado, jamais o mencionou como um dos «escritos de Paulo». O uso que ele fez desse livro, o que se repete nas citações feitas por outros autores, mostra apenas que esta epístola desde o começo foi reputada como parte valiosa da literatura cristã.

A primeira vez que a epístola aos Hebreus foi considerada como de autoria paulina parece ter surgido nos escritos de Pantaeno, predecessor de Clemente de Alexandria (185 D.C.), o qual explica a ausência da usual identificação paulina nesta epístola como algo devido à modéstia de Paulo, ao dirigir-se aos «hebreus», como se fosse apóstolo dos mesmos, e não dos gentios. Mas essa explicação dificilmente merece a nossa consideração. Algumas vezes o próprio Pantaeno demonstrou certa intranqüilidade acerca da autoria paulina desse livro.

Entrementes, — nas igrejas ocidentais, esse livro foi rejeitado tanto como paulino como também parte do «cânon», tendo demorado até que fosse aceito como parte do *cânon* do N.T. Tertuliano (*De Pudicitia*, xx) o atribuía a Barnabé. A primeira «escola» a manifestar-se em favor desse tratado foi a escola de Alexandria; mas até mesmo ali houve muita hesitação e estranhas explicações. Clemente de Alexandria (150-200 D.C.), evidentemente influencia- do por Pantaeno, seu antecessor, pronunciou-se a favor dessa epístola, mas considerou que a princípio fora escrita em hebraico e que «Lucas» a traduziu para o grego. Orígenes menciona alguns elementos que supunham que talvez o próprio Clemente de Roma, ou então Lucas, a tenha escrito ou traduzido, mas também menciona que havia outros anteriores a si mesmo, que consideravam-na uma produção paulina. Orígenes afirmou que «...o estilo verbal da epístola intitulada 'Aos Hebreus' não é rude como a linguagem do apóstolo, o qual se reputava 'falto no falar'. (Conferir II Cor. 11:6). Mas, todo aquele que pode discernir diferenças de fraseologia mostra-se pronto por reconhecer que a sua dicção é vazada em grego mais puro que a do apóstolo dos gentios. Outrossim, os pensamentos existentes nessa epístola são admiráveis, em nada inferiores aos escritos apostólicos bem reconhecidos, conforme o admite qualquer estudioso que examine cuidadosamente os textos apostólicos». (Ch. *Hist*. VI. 14.2,3, Eusébio, citando Orígenes).

Orígenes cria que as *idéias* são paulinas, mas não a própria epístola, deixando em aberto a questão da autoria. Após esse tempo, entretanto, tornou-se comum, no Oriente, aceitar esse livro como de autoria paulina e como epístola canônica. Assim é que Dionísio, bispo de Alexandria (247—264 D.C.) o cita como paulino, sem qualquer qualificativo, tal como o faz Eusébio de Cesaréia (325 D.C.), o qual asseverava que uma epístola original aos Hebreus, de autoria paulina, teria sido traduzida para o grego por Clemente de Roma. Contudo, ao pronunciar-se sobre o «cânon», honestamente ele põe essa epístola entre os «livros disputados».

Após o século III D.C., os segmentos grego e sírio da igreja passaram a aceitar esta epístola, unanime- mente, como de autoria paulina e canônica. Mas alguns poucos, como os arianos, punham em dúvida a questão; e, no Ocidente, a questão continuava na dúvida. Pelo século IV D.C., a tradição alexandrina começou a exercer **influência sobre o Ocidente**, onde, até então, a epístola aos Hebreus, até onde se sabe, não era considerada por ninguém como de autoria paulina. Eusébio informa-nos sobre a escassa aceitação dessa epístola no Ocidente (*História Eclesiástica* III.3-5; 38:1-3). Não obstante, alguns cristãos reputavam-na autoritária ainda que porven- tura não fosse nem apostólica e nem paulina. Sua ausência no Cânon Muratoriano (Roma, 200 D.C.), entretanto, mostra-nos claramente qual era a atitude ocidental a respeito dessa epístola.

No entanto, finalmente a epístola aos Hebreus veio a ser **aceita no Ocidente**, principalmente devido à influência oriental, conforme se vê na citação seguinte de Jerônimo (*Epístola*, pág. 472, citado por M.S. Enslin, *Christian Beginnings*): «Isso serve para mostrar a nossos amigos, que essa epístola que atribuímos 'aos Hebreus', foi recebida não somente **pelas igrejas do Oriente**, mas também por todos os escritores eclesiásticos do idioma grego antes de nossos dias, como pertencente a Paulo, o apóstolo, embora muitos pensem que é de autoria de Barnabé ou de Clemente. Não faz diferença quem for o seu autor, porquanto foi escrita por um eclesiástico, sendo celebrada nas leituras diárias nas igrejas. Se os costumes latinos não a acolheram entre as Escrituras canônicas, também podemos dizer que as igrejas gregas não acolheram de pronto o Apocalipse de João. No entanto, aceitamos ambos esses livros, porquanto, de modo algum seguimos os hábitos modernos, mas antes, a autoridade de escritores antigos, os quais, em sua maioria, citam cada um desses livros, não conforme algumas vezes estavam acostumados a citar os livros apócrifos, e nem como mais raramente ainda usavam de exemplos extraídos de livros profanos, mas como livros canônicos e pertencentes à Igreja».

Depois dessa época, não houve mais nenhuma grande disputa em torno desse livro, durante cerca de mil anos, até o tempo da **Reforma protestante**. O concílio de Trento (1546) declarou-se favorável ao mesmo, alistando-o como uma das epístolas de Paulo. A maioria dos reformadores protestantes também o aceitou como tal, embora alguns o tivessem feito com algumas reservas. Erasmo de Roterdã expressou as suas dúvidas a respeito de sua autoria e canonicidade. Lutero não atribuiu essa epístola a um apóstolo e distinguiu-a dos «livros certos, claramente autentica- dos e principais obras do N.T.». Calvino não o considerava paulino, embora o recebesse como canônico, sem a menor dúvida. Carlstadt colocou a epístola na «terceira» de três classes, dentro de uma classificação de suposta «importância» dos livros do Novo e do Antigo Testamentos.

Existem sete livros do N.T. que foram disputados até o século IV D.C., e até mesmo periodicamente, depois disso, por alguns segmentos da cristandade, a saber: segundo e terceiro João, as epístolas aos Hebreus, de Tiago, segunda epístola de Pedro, Judas e o livro de Apocalipse. (Ver o artigo sobre *Cânon do Novo Testamento*).

As especulações que pensam que esta epístola foi inicialmente escrita em hebraico (ou melhor, aramai- co), a fim de explicar o grego «diferente» (em relação ao grego de Paulo), são inúteis, porquanto não há a menor evidência de que esta epístola seja uma tradução. Alguns eruditos chegam mesmo a supor que o autor sagrado não conhecia o hebraico, o que é

HEBREUS

parcialmente consubstanciado pelo fato de que, do princípio ao fim, as citações extraídas do Antigo Testamento são tiradas da versão da Septuaginta (tradução do original hebraico do Antigo Testamento para o grego, terminada cerca de duzentos anos antes da era Cristã). Assim interpretava Moulton. (Ver *Cambridge Biblical Essays*, pág. 483).

III. Data, Proveniência e Destinatários

Data. Parece quase certo que este tratado foi escrito antes da destruição de Jerusalém, que ocorreu no ano 70 D.C., pois qualquer discussão como a que é exposta neste livro, que trata profundamente das questões judaicas, que faz advertências contra a reversão ao judaísmo, ou contra a reversão a qualquer fé que leve alguém a apostatar do cristianismo, necessariamente mencionaria a destruição dessa capital como prova do juízo de Deus contra a apóstata nação de Israel, ou como um julgamento contra qualquer forma de apostasia. O trecho de Heb. 10:1 e *ss* parece indicar que a adoração no templo de Jerusalém ainda prosseguia. E aqueles que pensam que a epístola foi escrita depois de 70 D.C., respondem que a «apostasia ao judaísmo» não está aqui em foco, e, sim, o retorno ao paganismo e à irreligiosidade, e que a adoração no templo aqui aludida é a adoração no imaginário tabernáculo mosaico, e não aquela adoração no templo de Jerusalém. Porém, mesmo admitindo-se que isso seja assim, parece altamente improvável que tão momentoso acontecimento, como foi a destruição de Jerusalém, que o cristianismo em geral interpretou como um julgamento divino contra a apostasia, não fosse sequer mencionado, em qualquer conexão, em um livro da natureza desta epístola aos Hebreus, a qual foi escrita especificamente com o propósito de resguardar os cristãos da apostasia de qualquer variedade.

Todavia, a quase total desconsideração para com a *parousia* ou segundo advento de Cristo, que era questão tão importante na «era paulina», parece indicar uma data «pós-paulina». Esse tratado também reflete alguns dos usos de Paulo em suas epístolas, conforme fica demonstrado na discussão sobre «autoria» (e isso significaria que, em algum tempo, deve ter havido alguma coleção primitiva de escritos paulinos). Portanto, o fim da década de 60 D.C. é indicado. Westcott situava esta epístola entre 64 e 67 D.C. A alusão a Timóteo, em Heb. 13:23, mostra que ele continuava ativo, mas isso não serve para estabelecer qualquer data anterior, pois ele poderia ter continuado no ministério muito tempo depois do martírio de Paulo.

O trecho de Heb. 2:3 mostra-nos que essa epístola é um tanto tardia, pois não se assevera ser por uma das *testemunhas oculares*, que teria conhecido diretamente a Cristo. O evangelho foi declarado primeiramente pelo Senhor, e isso foi confirmado para nós por aqueles que o tinham ouvido. Isso não precisa indicar alguma «segunda geração»; mas indica uma época em que o entusiasmo inicial do cristianismo começava a enfraquecer, quando vários de seus elementos começavam a retroceder para os seus antigos caminhos, o que explica as muitas advertências aqui existentes contra a apostasia. (Ver Heb. 2:1; 6:1-11; 10:36 e 12:1).

Em caso algum a epístola pode ser de data tão tardia como 90 D.C., ou Clemente de Roma não poderia tê-la citado. (Ver sob «Autoria», quanto ao uso que ele fez deste tratado). Por isso, os eruditos datam esse livro de 65 a 90 D.C., não podendo haver certeza absoluta acerca disso, e nem a questão é de capital importância. As menções a «perseguições», existentes no livro (ver Heb. 12:4 e 10:32-34), talvez nos forneçam alguma indicação sobre a data. Essa perseguição tem sido identificada com a de Nero (especialmente a de Heb. 10:32-34), ou com o período posterior de perseguição, sob Domiciano («...até ao sangue...», diz Heb. 12:4). Se a perseguição sob Nero está em foco, então, presumivelmente, fica indicada uma data não distante de 68 D.C., pois esse foi o ano em que Nero se suicidou. Entretanto, deveríamos fazer uma referência ao período *pouco* depois que aqueles acontecimentos tiveram lugar, ou em algum tempo depois, sendo que nenhuma data pode ser fixada através de tais questões.

Proveniência. O trecho de Heb. 13:24 parece dizer-nos que o autor escreveu de algum lugar na Itália; e, se Paulo foi o seu autor, então teria escrito de algum cárcere romano. Porém, a artificialidade do décimo terceiro capítulo poderia invalidar qualquer informação acerca da proveniência ou destino (sempre que baseada nesse capítulo). Se o autor sagrado acrescentou à sua epístola tais informes como os que aparecem no décimo terceiro versículo, somente para que seu tratado se assemelhasse a uma epístola paulina, então suas palavras, «Os da Itália vos saúdam», só poderia ser um detalhe acrescido com base em Fil. 4:22, que menciona que elementos da casa de César enviavam saudações à igreja em Filipos. Todavia, esse capítulo talvez exponha circunstâncias históricas genuínas, relativas ao próprio autor.

O fato de que o interesse pela epístola, até onde sabemos dizê-lo, começou em redor de *Roma* (notar as citações da mesma por parte de Clemente, e que servem de primeiras confirmações sobre o livro), talvez indique uma origem romana. A ausência total, naqueles primeiros anos, do fato de que esse livro era atribuído a Paulo, talvez indique que o mesmo era conhecido ali (onde se originara), e que se sabia quem fora o seu autor verdadeiro. Se esse nome não era apostólico, não haveria razão alguma para dar o nome do autor; de fato, tal revelação poderia fazer mais dano ao uso e à propagação do livro do que se esse detalhe ficasse sem menção. Em face da ausência de outras evidências, Roma ou alguma área próxima deveria ser aceita como local provável de sua produção, de onde a epístola começou a ser distribuída.

Porém, o grego elevado e as idéias neoplatônicas ali contidos têm levado muitos estudiosos a sugerir uma origem *alexandrina* para esse livro aos Hebreus. Tal origem pode estar por detrás de sua aceitação primeiramente no Oriente, em contraste com a demora de sua aceitação no Ocidente. Não há como solucionar tal problema, contudo.

Destinatários. O título «Aos Hebreus» presumivelmente nos parece dar alguma indicação a esse respeito. Entretanto, os títulos e subtítulos não faziam parte do documento original, sendo possível que esse título tenha sido vinculado ao livro simplesmente devido ao seu conteúdo, que tanto tem a ver com as «coisas dos hebreus». Além disso, leitores e escribas, tal como alguns intérpretes modernos o interpretam, poderiam ter pensado que os muitos escritos contra a apostasia visavam convertidos vindos do judaísmo, que voltavam a suas antigas formas religiosas. Alguns eruditos argumentam, porém, que essa apostasia não é judaica, e, sim, pagã e irreligiosa. Nesse caso, «gentios», e não judeus, teriam sido os endereçados do presente tratado.

Não obstante, o título é antigo, confirmado de modo separado e independente no Oriente, e no Ocidente, como por Panteano e Tertuliano e os seus discípulos e estudantes. Além disso, não dispomos de

49

HEBREUS

qualquer outro testemunho que dê um destino contrário a esse tratado. O próprio termo «aos Hebreus» poderia indicar judeus e crentes judeus, distintos dos judeus (ver II Cor. 11:22 e Fil. 3:5), ou então judeus de fala hebraica, em distinção a judeus que falavam o grego (ver Atos 6:1). Se essa é a verdade, obviamente este livro foi dirigido a cristãos que falavam o aramaico, e não aos judeus em geral, porque se trata de um documento cristão, que adverte contra a apostasia para longe do cristianismo, o que significa que dificilmente serviria para judeus que nunca tivessem sido cristãos.

Alguns têm pensado que a comunidade judaica de Roma foi a endereçada; mas, se esta epístola foi enviada de Roma (ver Heb. 13:24), então isso não é muito provável. Por outro lado, se o décimo terceiro capítulo desta epístola é artificial, então seu destino, e não a sua proveniência, poderia ter sido a cidade de Roma. Isso também explicaria seu uso antigo desta obra, como também explanaria a suposição de que ela foi composta naquela cidade.

Moffatt (International Critical Commentary) argumenta com base no uso da Septuaginta, e com base em outros fatores, que o título «aos Hebreus» não é boa orientação, pois os verdadeiros endereçados teriam sido crentes gentios, o que faria com que o tratado tivesse uma natureza geral. Com isso concorda Morton S. Enslin, em sua obra *Literature of the Christian Movement*. Diz ele: «...pode-se vê-lo como um tratado ou uma homília anônima, por um (crente) desconhecido, dirigido aos crentes de todos os lugares. Seu propósito foi o de despertar os crentes para a sua venerada fé, advertindo-os contra o desvio. Com essa finalidade ele explica o cristianismo como a verdadeira e final religião, gloriosamente eficaz para a salvação, através da glória superlativa da pessoa e da obra de Jesus Cristo» (pág. 316).

Se os endereçados da epístola eram crentes judeus, então não podemos ter uma idéia segura sobre onde viveriam. As palavras «Os da Itália...» poderiam significar «*Os que vieram da Itália...*» Isso significaria que o autor falava sobre — *compatriotas* — dos leitores *judeus*, que estavam em sua companhia e lhes enviavam saudações. Nesse caso, a cidade de Roma seria o destino da epístola. Todavia, há estudiosos que pensam que Jerusalém ou algum outro centro do cristianismo primitivo tenha sido o local do destino. É possível, porém, que ainda que os destinatários fossem crentes judeus, nenhuma comunidade particular estivesse em foco, mas antes, todos os crentes, de todos os lugares, que tentassem apostatar de Cristo. Como tudo quanto diz respeito à controvérsia sobre este livro, bons intérpretes tomam uma ou outra posição sobre essa questão, a qual não pode ser satisfatoriamente resolvida. Seja como for, esse livro é bem útil para nós hoje em dia, para ensinar à igreja cristã inteira.

Porém, o fato de que todo o livro explora a questão das formas e costumes religiosos dos judeus, quase certamente exige o conceito que estão em vista endereçados que eram crentes judeus. Pois que propósito poderia ter tido o autor, dando aos gentios tão vasta quantidade de material acerca do judaísmo? Como tais informes poderiam ser-lhes inteligíveis? Há aqui a idéia de que os leitores sabiam perfeitamente bem tudo quanto estava implícito nesse «material judaico». Os endereçados devem ter tido treinamento e educação tipicamente judaicos—portanto, eram judeus de raça e de religião, e agora se tinham convertido ao cristianismo.

IV. Propósitos do tratado e natureza da apostasia combatida

Este é um dos pontos claríssimos da epístola. O seu propósito central é reiteradamente afirmado. O autor adverte os crentes (sejam eles judeus ou gentios) que cuidassem para não voltar a seus antigos caminhos, de impiedade ou de alguma religião inferior. A clara revelação de Deus já nos foi dada e se encontra em Cristo. Ele é superior aos anjos e aos profetas, sendo ele tanto o poder criador como o poder sustentador. Nele é que é oferecida a salvação de Deus. Portanto, é uma estupidez defender os anjos (como faziam os gnósticos) ou os profetas (como faziam os judeus), como se esses fossem superiores a Cristo. A epístola aos Hebreus, no dizer de Robertson (*in loc.*) é «a primeira grande apologia do cristianismo, e nunca foi ultrapassada».

«Eles tinham professado o cristianismo por algum tempo (ver Heb. 5:12); e a sinceridade de sua profissão de fé era comprovada pelo modo como tinham suportado uma severa perseguição (ver Heb. 10:33,34). Tinham sofrido jubilosamente o despojamento de suas posses; tinham suportado grande conflito de sofrimentos. Mas tinham sentido como mais desgastador do espírito o prolongado conflito contra o pecado (ver Heb. 12:3,4), bem como a derrisão que experimentavam como crentes dia a dia (ver Heb. 13:13), do que a perseguição mais feroz. Conseqüentemente, seus joelhos se tinham afrouxado, na vereda da resistência e da atividade justas; e as suas mãos pendiam inermes, como se fossem homens derrotados (ver Heb. 12:12). Tinham estacado no progresso e corriam o perigo de desviar-se (ver Heb. 6:1-4 e 3:13), permitindo que um mau coração de incredulidade surgisse neles. Não se há de duvidar que essa condição de desatenção, de semicrença, deixara-os abertos para a incursão de ensinamentos diversos e estranhos (ver Heb. 13:9), algo prenhe de perigos» (Marcus Dodds, *in loc.*).

Prossegue o mesmo autor: «Para restaurar neles o frescor da fé, o escritor sagrado, em cada porção da epístola, exorta-os à constância e à perseverança. 'Guardemos firme a confissão da esperança, sem vacilar...' (ver Heb. 10:23). 'Não abandoneis, portanto, a vossa confiança...' (ver Heb. 10:35). 'Se retroceder, nele não se compraz a minha alma' (ver Heb. 10:38). Ou então, aquilo que poderia ser reputado como o lema exortativo da epístola: 'Porque nos temos tornado participantes de Cristo, se de fato guardarmos firme até o fim a confiança que desde o princípio tivemos' (ver Heb. 3:14). A fim de que se encorajassem a tal, o autor mostra as excelentes bases em que poderiam alicerçar sua confiança. Os frutos da fé, em seus antepassados, são recapitulados no eloqüente décimo primeiro capítulo. 'Considerai, pois, atentamente, aquele que suportou tamanha oposição dos pecadores contra si mesmo, para que não vos fatigueis, desmaiando em vossas almas' (ver Hebreus 12:3). A supremacia de Cristo e o fato de que ele é digno de nossa confiança são expostas detalhadamente, sobretudo a eterna suficiência de seu sacrifício e de sua intercessão».

Ao mostrar o seu propósito central, conforme é comentado acima, o autor apresenta muitos propósitos secundários. Assim é que a elevada posição de Cristo pode ser vista e entendida; ele suplantou a anjos, profetas e todas as revelações anteriores (primeiro capítulo). Somente nele podemos realmente confiar; pois ele é superior a Moisés, do mesmo modo que um filho, em uma casa, é maior que um escravo (ver o terceiro capítulo). Portanto, é impossível retornar-se a Moisés e fazer dele objeto da fé, porquanto em Cristo temos superior revelação; a fé é que se reveste de valor, no tocante à prédica do

HEBREUS

evangelho, que as antigas idéias não destruam a nova fé, para que ninguém fique aquém do «descanso» de Deus (ver o quarto capítulo). É verdade que a salvação era mediada pelos sacerdotes judeus; mas agora temos um grande Sumo Sacerdote, e nenhum crente verdadeiro pode retroceder a meras sombras, depois de ter visto a realidade (ver os capítulos quinto e sexto). Precisamos reputar o sacerdócio de Cristo como superior ao arônico, pois Cristo pertence à ordem de sacerdócio de Melquisedeque, que é superior ao arônico, — e ele mesmo é a concretização desse sacerdócio (ver os capítulos sétimo e oitavo). Todas as ordenanças da dispensação judaica, com suas muitas leis e cerimônias, sacrifícios e rituais, eram apenas sombras da verdadeira fé que depositamos em Cristo (ver os capítulos nono e décimo). A fé é a maneira superior de expressão espiritual, e Cristo é seu objeto mais destacado, bem como o seu grande exemplo (ver os capítulos décimo primeiro e décimo segundo). Este livro, pois, tem por finalidade aclarar essas verdades, a fim de que o propósito central, que é o de impedir a apostasia contra Cristo, fosse realizado.

A melhor defesa é um bom ataque, sendo que os crentes são convidados a deixarem de lado a sua preguiça mental e a estagnação na sua experiência espiritual (ver Heb. 6:1-3), para contrabalançar toda a tendência de apostasia da fé. Se um homem cresce diariamente em Cristo, não cairá na tentação de tornar-se frio, ou de abandonar finalmente a sua fé. Essa é uma mensagem urgente para os tempos modernos; pois o que destrói nossas igrejas, a não ser a ausência total de ensinamento vital e pouco interesse pelas evidências do Espírito entre nós? A estagnação é algo destrutivo para a fé. No entanto, em nossos dias, ministros e professores de Escola Dominical vão de ano para ano sem aumentar vitalmente os seus conhecimentos, sem aprimorar a sua didática, e desde há muito já disseram a seus ouvintes tudo quanto sabem. Como é que uma igreja pode manter-se sob tais condições? — Neste mundo moderno, se um homem não avança, em breve vê desaparecerem suas oportunidades de trabalho. No entanto, a igreja cristã pode prosseguir na *estagnação*, o pregador pode continuar sempre o mesmo, sem nada saber de novo ano após ano; e ainda quer que o mundo a considere com seriedade. O Novo Testamento é o maior documento que jamais foi escrito em linguagem humana; mas a ignorância sobre seus ensinamentos é uma falha generalizada na igreja; e o ensino, ali, não está segundo a altura desse elevadíssimo documento sagrado. Ensinamos antes «alguns» conceitos sobre a Bíblia, e não a própria Bíblia.

Qual foi a natureza da apostasia enfrentada?
Consideremos os pontos seguintes:

1. Alguns estudiosos, que são uma minoria, vêem nessa epístola a oposição a um tipo primitivo de gnosticismo, ou uma heresia pré-gnóstica, que mais tarde tomou corpo. Se isso é verdade, então a epístola se alinha ao lado de Colossenses e das epístolas pastorais, bem como das epístolas de João. Essa forma de gnosticismo, com uma aquela forma combatida na epístola aos Colossenses, certamente provinha da influência judaica, o que talvez explique o material tipicamente «judaico» desta epístola. Aqueles que defendem essa posição vêem provas a respeito na forte ênfase sobre a superioridade de Cristo sobre os anjos (ver Heb. 1:4-14) e contra a ênfase dada a supostos intermediários (ver Heb. 1—4), além de práticas ritualistas (ver Heb. 5—10), tudo o que caracterizava o gnosticismo. (Ver o artigo sobre o *gnosticismo*). Apesar dessa posição poder

estar com a verdade, e alguns pensam que gentios crentes foram os endereçados desta epístola, o que indicaria um destino a algum lugar onde a heresia gnóstica atacava, a maioria dos eruditos não aceita bem essa teoria.

2. O ponto de vista mais largamente aceito é o que diz que a epístola foi genuinamente escrita para alguma comunidade, ou comunidades de judeus crentes, ou mesmo aos judeus crentes em geral, avisando-os essencialmente sobre o perigo de retornarem ao judaísmo, ou de reduzirem a pessoa de Cristo a uma posição tão inferior que ele se tornaria apenas outro dentre os «profetas». A ênfase sobre as «coisas judaicas», do princípio ao fim exige quase esse ponto de vista, pois por que razão qualquer outro tipo de erro exigiria tal refutação?

3. Contudo, alguns eruditos pensam que gentios crentes são endereçados nesta epístola e que o aviso é acerca de sua volta ao paganismo ou à irreligiosidade. Porém, se assim realmente é o caso, é difícil perceber **porque** foi necessário que o autor tivesse se preocupado tanto com panos de fundo judaicos, o que, na realidade, ocupa quase a epístola inteira. Que sentido teria isso para crentes gentios? Que ligação direta teria isso com o caso deles? O mais certo é que o autor tê-los-ia advertido sobre a inferioridade das formas religiosas gregas e romanas, sobre as sutilezas da filosofia hedonista, como o ceticismo e o sofisma, ou sobre os perigos da idolatria. Não é provável que o judaísmo de tendências gnósticas tivesse sido suficiente para explicar as pormenorizadas discussões sobre o judaísmo e seus ritos.

A inadequação da lei é declarada de modo breve (ver Heb. 7:19 e 10:4); contudo, a ênfase não recai sobre o ensino contra formas de legalismo, e, sim, sobre a tendência de certos cristãos para a estagnação espiritual, em que estes se tornam desatentos para com a mensagem cristã, esfriam para com a causa cristã, tornando-se inermes e embotados—essas são as falhas atacadas aqui. O autor sagrado via que tais crentes não demorariam a duvidar da eficácia e da natureza ímpar da mensagem cristã, e até mesmo chegariam a duvidar da superioridade de Cristo, pois, para esses, ele já teria cessado de ser superior e sem-igual. Tais pessoas facilmente reverteriam para suas antigas formas religiosas. Nisso consiste a «apostasia» para a qual o autor sagrado não via remédio. Portanto, se o legalismo não era o problema imediato, a reversão à fé judaica estaria em pauta, pois essa é a única maneira de explicar tão abundante material sobre o judaísmo. Por conseguinte, as pessoas advertidas devem ter sido judeus-cristãos. Também é possível que dentro da cultura helenista da época, também mostrassem tendências de reduzir a sua fé a uma espécie de «gnosis», com algumas características próprias do gnosticismo.

V. Forma literária e integridade

Alguns consideram o livro aos Hebreus essencialmente uma epístola; outros preferem pensar nele como um tratado; e ainda outros julgam-no um sermão ou homilia. Começa como um tratado, prossegue como uma epístola, e termina como uma epístola. A maneira exata de classificar esse livro é um dos problemas ainda não solucionados pela pesquisa neotestamentária. O tipo exato de forma literária que o livro apresenta se relaciona ao seu propósito. Se porventura se trata de uma simples epístola, então é provável que tenhamos aqui as comunicações pessoais do autor para alguma comunidade cristã; se porventura se trata de um tratado ou sermão, então seus endereçados poderiam ser um grupo maior de cristãos, uma classe inteira, como, por exemplo, todos

HEBREUS

os judeus-cristãos; ou então o «tratado» pode ter sido dirigido aos cristãos de todos os lugares que fossem tentados a reverter à irreligiosidade.

Examinando o décimo terceiro capítulo, encontramo-nos em «terreno de epístola», isto é, nosso documento tem a natureza de uma epístola. Mas nem mesmo ali é dada alguma assinatura, o que seria de estranhar para um escritor de «epístola». Além disso, o próprio livro não tem as formas introdutórias de uma epístola, mas antes, começa como um tratado. Se temos aqui uma epístola, por que as formas epistolares costumeiras não foram seguidas? A fim de explanar porque o documento começa como um tratado e termina como uma epístola, várias especulações têm surgido. É possível que o documento original tivesse uma introdução apropriada a uma epístola, que foi eliminada por que alguém sugeriu que continha um nome não-apostólico como seu autor; ou então, mais logicamente, o décimo terceiro capítulo não faria parte do tratado original, mas foi acrescentado por algum autor posterior, procurando dar ao todo um *tom paulino*. Essas especulações envolvem-nos em questões sobre a «integridade do documento». Possuímos o mesmo em sua forma original, ou houve modificações, adições ou eliminações? Não fora o conteúdo do décimo terceiro capítulo, e ninguém jamais teria pensado em chamar este documento de «epístola».

Porém, supondo-se que o décimo terceiro capítulo seja autêntico, então poderíamos hesitar em chamar este livro de um «tratado»; e o autor sagrado em toda parte se mostra tão prático em suas admoestações, usando os dons de um pregador e de um exortador, que nos sentimos tentados a chamar a obra inteira de «sermão», — em vez de uma tese cuidadosamente desenvolvida, conforme é a natureza de um tratado. Portanto, no próprio documento o escritor dá a entender que seu livro foi dirigido «de um orador para seus ouvintes», e não «de um escritor para seus leitores». Isso dá ao livro um tom mais de sermão do que de tratado. (Ver Heb. 2:5; 5:11; 6:9; 8:1; 9:5; 11:32; 12:25 e 13:6).

A **única conclusão** possível a que podemos chegar é que esse documento não segue **qualquer** forma literária, sendo uma obra ímpar. Contudo, devido a sua mistura peculiar de estilos, dificilmente podemos dizer que temos uma nova forma literária, conforme foi o caso dos evangelhos, os quais, por serem obras sem-igual, formaram uma nova forma literária. Parece que temos aqui um pregador que se lançou à empresa de escrever um tratado; e, a fim de dar um toque pessoal a seu «sermão-tratado», adicionou algumas questões pessoais que dão ao fim de seu livro a aparência de uma epístola.

Integridade. Essa palavra, aplicada a obras literárias, levanta a questão se este documento chegou até nós na mesma forma em que foi originalmente escrito, ou se houve adições ou eliminações de material, ou ambas as coisas. O primeiro e o último capítulos são postos em dúvida. Alguns, supondo que este documento é uma epístola, crêem que sua forma original tinha uma introdução própria de uma carta. Se tal introdução foi escrita por um não-apóstolo, isso poderia ser prejudicial para a autoridade e a circulação do livro, sendo que todo o conteúdo «semelhante a uma carta», do primeiro capítulo, teve de ser eliminado. Essa idéia se torna muito dúbia quando se nota quão hábil e artisticamente o primeiro capítulo foi escrito, formando um todo compacto que dificilmente poderia admitir qualquer adição ou subtração. Sua beleza estética, e sua força de expressão deixam-nos com a idéia de que chegou até

nós em sua forma original. A história não nos sugere que tenha havido jamais nos tratados uma introdução similar à das epístolas. Além disso, este livro foi **aceito e exaltado no Ocidente** na forma como o temos agora. Outrossim, todos os manuscritos que possuímos sobre esse documento tem o primeiro capítulo conforme o conhecemos hoje.

Contudo, há outros documentos, ordinariamente chamados «epístolas», que não possuem introduções epistolares normais, como a de Barnabé, a de II Clemente e a primeira epístola de João; sendo que se o documento tivesse a intenção de ser uma epístola, ainda assim poderia faltar-lhe esse elemento introdutório.

Deve-se admitir, porém, que o décimo terceiro **capítulo nos toma de surpresa**, pois nada há, nos capítulos um a doze, que nos prepare para a repentina mudança de estilo e conteúdo como encontramos ali. Sua presença nesse documento tem provocado várias conjeturas:

1. A conclusão foi escrita pelo autor original, que tencionava que seu tratado fosse dirigido a um grupo específico e limitado, ao qual saúda no décimo terceiro capítulo. Nesse caso, ele não se preocupou que o estilo e a substância de seu documento tivessem sido subitamente alterado para pior. Preocupou-se apenas em fazer as saudações necessárias. Ao fazer tais saudações pessoais, talvez ele tenha querido dar às mesmas um tom paulino proposital, embora também possa tê-lo feito sem tal intenção. Caso o tenha feito *propositadamente*, então provavelmente fez assim para efeito de «familiaridade». Seus leitores estariam acostumados com as epístolas paulinas, e se sentiriam à vontade ao ler essa forma de conclusão.

2. O autor original poderia ter adicionado a seu tratado uma seção de saudações pessoais, ao enviá-lo para um lugar específico, ao passo que o próprio tratado visava todos os judeus-cristãos, ou mesmo os cristãos de todos os lugares, faltando-lhe os toques pessoais ou a forma epistolar.

3. A conclusão pode ter sido adicionada por uma pessoa diferente, que a fez a fim de fazer com que o documento contivesse saudações aos seus endereçados.

4. Um escriba posterior pode ter adicionado a conclusão com o propósito específico de dar ao tratado um «tom paulino», para que assim fosse aceito como **obra mais autoritária**.

5. Mais remota é a idéia de que o escritor de fato foi Paulo, e que ao seu tratado ele adicionou algumas saudações pessoais.

Todas essas idéias acima estão sujeitas a objeções. Os números abaixo dizem respeito às conjeturas acima:

1. Há certa qualidade «artificial» nesse décimo terceiro capítulo, pois tem paralelos notáveis com certas epístolas paulinas, mas se contradiz consigo mesmo. (Comparar Heb. 13:23 com Fil. 2:19,23,24; 13:16 com Fil. 4:18; 13:21 com Fil. 4:20; 13:24 com Fil. 4:21,22; 13:18,19 com File. 22; 13:18 com II Cor. 1:11,12). Esses notáveis paralelos com escritos paulinos ocorrem somente nesse capítulo, pelo que é legítima a indagação, «por quê?» Note-se também a notável contradição entre os versículos dezenove e vinte e três. O versículo dezenove mostra o autor aprisionado, ao passo que o versículo vinte e três dá a impressão de que ele estava livre. Um segundo autor, que acrescentou toques paulinos, poderia ter, por descuido, criado tal contradição, bem como a situação de que somente aqui é que temos paralelos às cartas paulinas. Mas, por que o *autor original* faria isso? Só podemos conjeturar que ele o fez para dar a

HEBREUS

seu livro certo tom paulino. Não podemos aceitar a idéia de que ele o fez para que seu livro passasse como de autoria paulina, pois, nesse caso, por que ele simplesmente não adicionou o nome de Paulo à conclusão, embora não tivesse querido iniciar seu livro como uma epístola? A pergunta, pois, seria: «Por que ele quis dar ao livro um tom paulino?» Não temos resposta certa para isso. Contudo, a primeira conjetura é que está eivada de menos dificuldades. Todas as cópias que temos do livro aos Hebreus contêm o décimo terceiro capítulo; e, se este tivesse sido adicionado posteriormente, é bem possível que pelo menos algumas cópias tivessem chegado até nós sem tal adição.

2. A segunda conjetura não é muito provável porque não explica o «tom paulino» da conclusão, embora explique «alguma forma» de conclusão.

3. A mesma objeção pode ser feita neste caso. Um escriba posterior, ao adicionar saudações pessoais, no fim, antes de enviar o documento aos crentes que julgou deveriam ler essa mensagem, dificilmente sentiria ser necessário dar ao livro um tom paulino.

4. Se um escriba posterior tentou fazer o livro parecer paulino, para que obtivesse posição canônica, por que não adicionou o nome do próprio Paulo, o que teria sido mais convincente? Assim todos os eruditos aceitariam o livro como paulino, a despeito de quaisquer argumentos em contrário.

5. Este livro não pode pertencer a Paulo, por razões declaradas na primeira seção da introdução, intitulada «Autoria». Se tivesse sido de autoria de Paulo, por que ele não mencionou o próprio nome, como era seu costume?

Dessas cinco conjeturas, pensamos que a primeira é a mais viável, embora tenhamos de admitir que há muitas dificuldades. Este artigo defende a posição que o livro *aos Hebreus*, segundo o temos hoje, representa sua forma original, incluindo seu décimo terceiro capítulo, a despeito das dificuldades que isso cria.

VI. Idéias religiosas e filosóficas

O autor escreveu com base na influência de mais de um pano de fundo, tanto literário como teológico, de onde extraiu suas idéias distintivas. Consideremos os quatro pontos abaixo:

1. É óbvio que o A.T. é a sua grande fonte de informações, o fator formativo desse documento, embora sempre interpretado do ponto de vista cristão. É significativo que ele retrocede ao judaísmo bíblico, mediado pela versão da Septuaginta, — em vez de alicerçar-se em expressões e práticas do judaísmo corrente. Ele via o A.T. como fonte das «sombras simbólicas» de Cristo; e o âmago e o sentido daquele documento se acha na pessoa do Filho eterno. Isso é exposto sob formas platônicas, pois as leis, os ritos e as cerimônias do A.T. são apenas os «particulares» terrenos e temporários em que a «forma eterna» ou «idéia» da autêntica fé religiosa (centralizada em Cristo) se reflete. As formas religiosas do A.T. são «inferiores» porque são temporais, e por serem apenas débeis «apresentações» da verdade e não a própria verdade. O autor desenvolve suas idéias acerca do sacerdócio (o grande tema isolado, que ocupa grande parte de Heb. 4:14—12:29) —de um modo que os leitores de Filo, o grande teólogo-filósofo neoplatônico do judaísmo alexandrino—até 50 D.C.—poderão reconhecer. Pois toma por empréstimo tanto idéias como expressões verbais. Assim, se o A.T. é sua maior fonte, e se as instituições mencionadas são aquelas dos tempos bíblicos, e não as do judaísmo a ele contemporâneo, contudo, o uso do A.T. é mediado pelo pensamento helenista. (Ver as notas abaixo,

sobre a influência de Filo, neste tratado). Apesar disso, em sua maior parte, o autor sagrado não chega aos extremos de Filo de reduzir tudo a alegorias, mas interpreta «historicamente», a maioria dos eventos, vendo ali acontecimentos e lições reais, — e não apenas alegorias.

As alusões ao A.T. ou citações diretamente extraídas do mesmo são numerosas, de tal modo que é supérfluo alistá-las. No N.T. grego de Nestle há quase trezentas instâncias de tais citações.

A grande idéia central que é extraída de tudo isso é que, em Cristo, todas as formas e idéias do A.T. encontram cumprimento. Assim, Cristo é a revelação divina todo-suficiente, todo-autoritária, absoluta e final. É tolice, pois, e até uma fatalidade, depois de o termos conhecido, retornar a formas religiosas anteriores e inferiores, o que explica as muitas advertências contra a apostasia. (Ver o item IV, intitulado «Propósitos do Tratado e Natureza da Apostasia Combatida» quanto a notas expositivas a esse respeito).

2. A influência de Paulo. Não se há de duvidar que o autor estava familiarizado com os escritos paulinos O décimo terceiro capítulo é conclusivo a esse respeito. (Ver o item V deste artigo, o parágrafo que se segue imediatamente à lista das cinco conjeturas sobre a natureza do décimo terceiro capítulo). Porém, se esse capítulo não foi escrito pelo autor original da epístola, temos declarações similares, mas não empréstimos indiscutíveis feitos dos escritos de Paulo. Isso significaria que ambos se aproveitaram de uma fonte informativa comum, e não que o autor deste livro fez algum empréstimo direto de Paulo. Há temas similares, a saber: 1. O Cristo preencarnado, divino e criador (capítulo primeiro com I Cor. 8:6; II Cor. 4:4 e Col. 1:15-17). 2. Mas Cristo se tornou verdadeiro homem (Heb. 2:14-17 com Rom. 8:3; Gál. 4:4 e Fil. 2:7). 3. A morte de Cristo foi o aspecto central de sua missão tendo-nos trazido a redenção (Heb. 9:15 com Rom. 3:24; I Cor. 1:30). 4. A ineficácia da lei (Heb. 7:19 e 10:4 com Rom. 3 e Gál. 3). 5. Cristo é o mediador (Heb. 7:25 com Rom. 8:34). 6. A grande importância da fé (Heb. 11 com Rom. 3—6). 7. Jerusalém celestial é nossa possessão (Heb. 12:22 com Gál. 4:26). Não há razão para crermos que o autor não conhecesse os escritos de Paulo, e não se há de duvidar de que foi influenciado, em sua expressão e desenvolvimento, no tocante a certas idéias; todavia, permaneceu senhor de si, e sua apresentação, até mesmo de certas doutrinas básicas, é diferente da apresentação paulina. Isso é ventilado na primeira seção do artigo, intitulada «Autoria», que aborda mais detalhadamente a questão. Na passagem acima e em várias outras passagens, um fraseado similar é usado por Paulo, em que a palavra *primogênito* se aplica a Cristo (ver Heb. 1:6 com Rom. 8:29); em que se diz que tudo foi sujeito a Cristo (ver Heb. 2:8 com Fil. 2:9-11); em que há ênfase sobre a perseverança (ver Heb. 3:14 com Rom. 11:22); a questão da necessidade de todos prestarmos contas a Deus (ver Heb. 4:13 com II Cor. 5:10 e Rom. 14:12). Mas isso não comprova qualquer empréstimo diretamente feito, mas apenas o uso de fontes informativas comuns, baseadas no cristianismo primitivo, do primeiro século.

3. Primitivas Idéias Cristãs. É óbvio que o autor se baseou em fontes informativas comuns a todos os cristãos primitivos, inclusive Paulo. Ele não escreveu em um vácuo e nem criou um cristianismo diferente do que era corrente em seus dias, apesar de que ele tinha suas próprias idéias, suplementando a tradição cristã. É razoável supormos que temos neste livro, sob

HEBREUS

forma elaborada, aquilo que se ouvia na igreja na forma de expressão mais simples—todos viam em Cristo o cumprimento de tudo quanto era melhor e vital no judaísmo. A epístola aos Hebreus é uma extensa e eloqüente expressão dessa primitiva apologia cristã. Epístolas como aos Romanos e aos Gálatas dão a entender a mesma coisa, e com freqüência citam o A.T., mostrando que Cristo cumpriu o mesmo. O livro de Atos expõe com freqüência essa apologia. Sem dúvida foi esse o fator mais comum da primitiva pregação cristã. A primeira coisa que Paulo fez após sua conversão foi começar a asseverar e a pregar a Jesus como Messias e Filho de Deus (ver Atos 9:20-27). O sermão pentecostal de Pedro se baseou sobre textos do A.T., supostamente cumpridos na dispensação cristã e na vida do próprio Cristo (ver Atos 2:15 e ss). A defesa de Estêvão (sétimo capítulo do livro de Atos) teve o mesmo caráter e a mesma base. (Quanto a notas expositivas completas sobre o testemunho geral do A.T., em que Jesus aparece como o Messias, quanto à igreja primitiva via a questão, ver Atos 3:22 no NTI).

Abaixo damos as «idéias cristãs primitivas» de que participa o presente documento: *a*. a exaltada pessoa de Cristo (primeiro capítulo); *b*. a revelação final de Deus, em Cristo (primeiro capítulo); *c*. o caráter absoluto de Cristo, em contraste com o caráter temporal e parcial do judaísmo (Heb. 13:8); *d*. a humanidade de Cristo (Heb. 2:16 e ss 4:16 e ss); *e*. a revelação da bondade de Deus para com os homens, o seu interesse em satisfazer às necessidades humanas (Heb. 2:16 e ss e 5:7 e ss). Notemos o uso freqüente do simples nome «Jesus», o qual salienta isso: Deus, no homem Jesus, quis satisfazer às necessidades humanas (Heb. 2:9; 3:1; 5:7; 7:22; 10:19; 12:2,24 e 13:12); *f*. a missão de Cristo é enfocada na importância de sua morte expiatória (Heb. 9:1—10:18); *g*. a morte de Cristo foi prefigurada pela lei, sendo necessária para o perdão dos pecados (Heb. 9:1 e ss, 22 e 10:1 e ss); *h*. por causa de sua obediência e missão bem-sucedida, Cristo está assentado nos céus, acima de todos os outros seres (Heb. 1 e 8:1); *i*. dali ele virá pela segunda vez (Heb. 9:28); esse dia se aproxima (Heb. 10:25); *j*. a morte de Cristo assegurou a derrota de Satanás e seus poderes (Heb. 2:14); *l*. a revelação já foi feita, mas os homens precisam corresponder com fé (Heb. 4:2,3; 10:22,38,39; 11:1-40 e 12:2); *m*. a obediência deve acompanhar a vida cristã (Heb. 4:6,11; 12:25); essa obediência inspira-nos a esperança (Heb. 6:18,19 e 11:1); *n*. o amor e as boas obras são centrais para o sucesso na inquirição espiritual (Heb. 10:24; 13:1 e ss); *o*. os falsos ensinamentos são rejeitados (Heb. 13:9); *p*. de acordo com a prática de todos os cristãos primitivos, os argumentos apresentados são escudados nas Escrituras do A.T., reputadas como autoritárias.

4. A Influência platônica, por meio de **Filo**. Filo representa a corrente principal da helenização do judaísmo, e várias idéias helenizadas passaram para o cristianismo, em resultado de suas atividades. Não sabemos dizer se o autor desta epístola conhecia diretamente a Filo, mas é certo que estava familiarizado com suas idéias, através de outras fontes, o que se dava com muitos outros intérpretes rabínicos. Vários outros primitivos pais da igreja, como Justino Mártir, da escola alexandrina, como Pantaeno, Clemente e Orígenes, expressaram a teologia cristã sob termos platônicos, como o fez Agostinho, em data posterior.

A idéia religiosa dominante, entre as nações pagãs, quando do advento do cristianismo, e até mesmo por longo tempo antes disso era o *drama sagrado* da alma,

segundo Platão, em que o espírito do homem não pertenecndo realmente a este mundo, estaria aqui castigado, prisioneiro do corpo, a buscar o mundo superior. O espírito buscaria saída deste mundo através de uma perfeição moral crescente, para que pudesse habitar na esfera superior e espiritual. Tudo quanto está neste mundo seria apenas uma imitação do mundo celeste; e todas as coisas terrenas (chamadas de particulares) teriam seus paralelos no mundo eterno das *idéias*, das realidades espirituais, de natureza «não-material». Portanto, haveria o mundo das «idéias» ou «mundo ideal», uma esfera espiritual onde existem todas as perfeições. As «idéias» seriam perfeitas, eternas, não-materais. Neste mundo vil de pecado os «particulares» seriam apenas imitações das «idéias»; e assim, em certo sentido, são contrárias a estas últimas, isto é, imperfeitas, temporais, e materiais. A esperança a longo prazo é que a alma, tendo-se reencarnado por muitas vezes, e buscando espiritualização através do desenvolvimento moral, com a ajuda de experiências místicas, tornando-se possuidora de espiritualidade bastante para escapar desta esfera terrena, pode ser elevada ao mundo eterno, e, através de maior progresso ainda, finalmente vir a ser absorvida por Deus, a idéia superior chamada Bondade. Desse modo o «ego» perde a sua identidade e se torna parte do «superego».

Essa noção geral era unida à teoria das «emanações», comum ao estoicismo, em que o Sol central (Deus) se emanaria, como que imitando seus raios. Quanto maior for a distância a que um objeto se acha desse sol, menos luz possuiria, até que, finalmente, surgiria a matéria, que habita em trevas totais. E a alma, por ser uma emanação de Deus, buscaria retornar a ele, e seu objetivo seria a reabsorção final.

Nos escritos de Filo, a primeira **emanação de Deus** foi o **Logos Divino**, algumas vezes referido como ser pessoal, e outras vezes aludido como uma força cósmica. Ele seria o poder criativo e sustentador de tudo. Foi natural que o evangelho de João identificasse esse *logos* (que vide) com o Cristo. Nos escritos de Filo, pois, temos a combinação da metafísica platônica com a teologia hebraica. Para o leitor meditativo, torna-se evidente que, na epístola aos Hebreus, a doutrina cristã é *parcialmente* explanada em termos filônicos, e que essa influência é mais do que meramente verbal. Antes, em *algumas* instâncias, vemos o pensamento cristão através dos olhos de Platão, o que lhe confere uma natureza diferente e distintiva do que teria não fora essa perspectiva. Abaixo damos uma ilustração acerca disso.

O problema dos intérpretes consiste no seguinte: quanto da influência de Filo se reflete na epístola aos Hebreus? Essa questão tem sido vista de modo até mesmo radicalmente diferente por vários intérpretes cristãos. Representando um ponto de vista extremo, alguns têm negado qualquer influência de Filo nesse livro. Essa interpretação, porém, se baseia no preconceito emocional e não sobre fatos. Alguns têm a idéia de que a doutrina cristã ocorreu em um vácuo, nada devendo às idéias pagãs em seu conteúdo e em sua expressão. O máximo que eles admitem é que idéias *hebréias*, igualmente inspiradas, formam a base de algumas doutrinas. Essa tese, naturalmente, não resiste nem a um exame superficial. Há certas doutrinas do platonismo e do estoicismo que têm afinidade com alguns conceitos cristãos, e provavelmente, de diversos modos, expressam a mesma verdade. Por exemplo, dentro da doutrina do «Logos»,

HEBREUS

algo que teve começo de desenvolvimento seiscentos anos antes de Cristo, temos alguns elementos sobre os quais coincidem o cristianismo, conforme o conhecemos, e a metafísica platônica e estóica. Dentro da idéia das gradações de anjos, tão peculiar ao pensamento hebreu helenista, temos um empréstimo feito de fontes mais antigas. Em alguns lugares, essas gradações vieram a ser identificadas com a idéia estóica das «emanações» do Logos. Não há motivo para que se negue a realidade das gradações dentro do poder espiritual, — e Paulo não hesita tomar por empréstimo a idéia, na expressão de passagens tais, como os capítulos primeiro e sexto da epístola aos Efésios e o primeiro capítulo da epístola aos Colossenses. Cremos que isso expressa uma verdade, enquanto **não se tornar** uma idéia «panteísta», o que sucedia com algumas interpretações pagãs. Mas o ponto aqui frisado é que essa doutrina não era, originalmente, desenvolvimento cristão e nem hebreu, apesar de que foi aceito e aprovado oficialmente nos documentos cristãos, a despeito de sua origem pagã. É um erro supormos que a verdade se fazia totalmente ausente fora do antigo pensamento hebreu-cristão, ou que algumas verdades encontradas ali não pudessem ter sido transpostas para nossa tradição hebreu-cristã.

Consideremos também, como outra ilustração, a doutrina da imortalidade da alma, tão solidamente aceita na teologia cristã hoje em dia. Essa doutrina não se originou na teologia dos hebreus; de fato, os primeiros documentos hebreus não a contêm, como também não falam sobre a doutrina da ressurreição. Não encontramos nenhuma alusão clara a essa verdade senão já nos Salmos e nos escritos dos profetas. Mas muito antes disso, na cultura grega e em outras, essa doutrina já era claramente pronunciada e defendida. Foi essa uma verdade que não se originou da tradição hebreu-cristã, mas é uma verdade. Dificilmente poderíamos negar sua verdade e seu valor, simplesmente porque nossas tradições não pensaram primeiro sobre ela.

Cambando para outro extremo, alguns intérpretes, ansiosos por reconhecerem o desenvolvimento histórico do cristianismo, com base em «outras fontes», exageram o caso em favor de Filo, com influência na epístola aos Hebreus. O cristianismo, afinal de contas, é uma fé religiosa distinta, não se tendo desenvolvido no vácuo apesar disso. Participa de idéias mais antigas, embora também seja uma revelação especial. Portanto, há certa influência das idéias de Filo no livro aos Hebreus, apesar de sua corrente principal continuar sendo o pensamento hebreu, segundo é interpretado pelo cristianismo, além da enorme adição, feita por revelação, da pessoa e da obra de Cristo, que ultrapassou a tudo quanto foi revelado no judaísmo.

Alguns intérpretes limitam a influência de Filo à **questão «verbal»; mas negam-lhe qualquer influência** quanto ao «conteúdo». Pode-se também provar facilmente que isso está errado, bastando-nos um pouco de investigação. Podem ser vistas as seguintes tentativas para focalizar nossa atenção sobre como as idéias de Filo podem ser vistas na epístola aos Hebreus:

1. A Septuaginta é sempre usada, tal como nos escritos de Filo. O autor emprega argumentos que envolvem palavras singulares (ver Heb. 8:13), bem como a etimologia de nomes próprios em sua interpretação (ver Heb. 7:2), comum em Filo.

2. Assim como Filo levanta sua discussão central em torno da figura do *Logos*, assim também se vê na epístola aos Hebreus, que um tipo de Cristo-Logos é o seu centro. O conceito está no livro, sem o termo

grego, *Logos*.

3. Algumas vezes há desconsideração pelo «fundo histórico», quando o autor visa alguma interpretação *alegórica*. (Ver o sétimo capítulo, acerca de Melquisedeque). Apesar de reconhecer ele a «história» envolvida, sua interpretação ultrapassa a tudo que se podia pensar estar implícito na mera menção e descrição do A.T., sobre os temas abordados. Contudo, nosso autor fica muito aquém da quase total desconsideração de Filo pelo que é «histórico», pois este, com freqüência, exagerava no manuseio da alegoria. Naturalmente, essa forma de interpretação se tornara comum entre os rabinos, e Paulo também apela para o método em alguns de seus escritos (ver Gál. 4:25), quando faz Agar ser equiparada ao Sinai, e então a Jerusalém. (Quanto ao tratamento de Filo acerca da figura de Melquisedeque, ver *de Leg. Alleg.* III.25).

4. Suas idéias são notavelmente filônicas, conforme se vê nos exemplos ilustrativos abaixo, onde se vêem conceitos comuns a Filo, alguns dos quais figuram exclusivamente no livro aos Hebreus, quando comparado a outros documentos do N.T.: *a.* O juramento de Deus «por si mesmo» (Heb. 6:13); *b.* aquilo que é «apropriado» para Deus (2:10); *c.* a alta posição atribuída a Abel (11:4); *d.* a retidão de Noé (11:7); *e.* a fidelidade de Moisés (3:2); *f.* a obediência de Abraão (11:8); *g.* o **caráter sobre-humano** de Melquisedeque (7:1-4); *h.* a peregrinação dos justos, quadro da vida humana neste mundo (11:13-16); *i.* a avaliação sobre o pecado deliberado (10:26); *j.* a impossibilidade de arrependimento em tais casos (12:17); *l.* a ilustração através de vários personagens do A.T. (capítulo onze).

5. Digno de um estudo em separado é o seu «ponto de vista sobre o mundo», que é platônico e, portanto, filônico, conforme se menciona nas notas introdutórias a esta seção. Ele duplica em idéia, posto que não em expressão, o ponto de vista sobre a criação em dois níveis, «idéias-particulares». O nível inferior seria a imitação do superior, em que cada «particular» teria seu paralelo em alguma «idéia» ou «universal»; e o nível superior seria o das «idéias», das realidades espirituais elevadas, eternas, perfeitas e não-materiais. O fato de o Cristo é o «Logos» (sem nunca ser chamado tal em Hebreus), proveniente do mundo eterno, explica a exaltada cristologia do livro. Possuindo a posição de «Logos», naturalmente Cristo é *divino*, possuidor de atributos e perfeições divinos. Os anjos, naturalmente, são inadequados, pois somente o *Logos* pode realmente trazer Deus até os homens, e os homens de volta a Deus. Mas o Logos, na qualidade de Mediador, deve primeiramente entrar neste mundo de «particulares», onde teve de assumir autêntica humanidade (ver Heb. 2:10,17). Em seguida penetrou nos lugares celestiais como «grande Sumo Sacerdote». Podemos aprender algo desse ofício mediante o estudo dos sacerdócios de Arão e de Melquisedeque; mas do princípio ao fim devemos perceber que essas instituições terrenas são apenas «particulares», que «imitam» o «ideal» eterno e perfeito que há em Cristo. O trecho de Heb. 9:23 fala sobre o *modelo* das coisas que há nos céus, as quais são *imitadas* na terra. Posto que a idéia do «eterno sacerdócio» de Cristo é o tema principal do livro (ver capítulos quinto a décimo, com alusões também em outros trechos), o conceito da «idéia-particular», como descrição da natureza da realidade, fica demonstrado como um fator dominante no livro, posto que é isso que nos dá a base principal para a doutrina do sacerdócio.

Além do «sacerdote celestial» temos a «cidade

HEBREUS

celestial» (ver Heb. 11:10,16; 12:22 e 13:14), e o «santuário celestial» (ver Heb. 8:2,5; 9:11,12,23,24), ambas as coisas têm o seu paralelo na terra. Mas, tudo quanto conhecemos aqui são apenas «sombras» das realidades celestiais, que finalmente chegaremos a conhecer (ver Heb. 10:1). A própria fé é uma afirmação da realidade e da importância dessas realidades invisíveis, bem como é uma expressão paciente de santidade, de tal modo que possamos atingir o que é celestial (capítulo décimo primeiro). A fé, pois, é a função da alma que «conhece» a realidade autêntica, que se engrena à mesma. O próprio Cristo, naturalmente, é a figura central dessa realidade. Notas expositivas completas aparecem sobre esse conceito, em Heb. 11:1 no NTI. Ora, esse ponto metafísico é filônico, e não hebreu, e isso de forma marcante.

6. Em qualquer discussão sobre a influência plato-filônica neste livro, devemos observar o trecho de Heb. 1:3. Ali Cristo é chamado de *resplendor da glória*; e isso é próprio da «linguagem das emanações». Deus é o grande Sol central, o «Logos» é a sua primeira emanação. Sendo tal, ele naturalmente está pleno de sua natureza, de sua glória e de seus atributos. Muitos intérpretes, antigos e modernos, têm evitado a explicação da «emanação», em Heb. 1:3, pensando que temos ali a idéia do «reflexo» de Deus, como a lua reflete a luz do sol, ou então como um corpo luminoso, separado do primeiro, mas possuidor da mesma natureza e energia. Porém, certamente essas são interpretações incorretas. Contudo, o autor não queria criar qualquer idéia «panteísta», pois somente Cristo é tal emanação, e não a criação inteira. Portanto, o Criador tem natureza distinta da de sua criação, embora sua natureza se duplique no Filho. O termo grego, traduzido ali como «resplendor» é *apaugasmas*, a mesma palavra que Filo usou para indicar a relação entre o «Logos» e Deus. Em sua encarnação, o Filho poderia ser concebido como «reflexo» de Deus; mas esse versículo fala sobre sua glória preencarnada—portanto, somente a idéia de «resplendor» é correta; Cristo é a *refulgência* de Deus, possuidor de todas as propriedades divinas. Embora se possa conceber que os anjos possuam algumas propriedades divinas, bem como um poder sobre-humano, o *Logos* está acima de todos, sendo ele o único que realmente pode ser reputado divino.

5. Formulações distintivas do livro aos Hebreus.
Nada é realmente ímpar neste livro, pois já temos visto que todas as suas idéias têm base em conceitos anteriores e já formulados. Contudo, esse documento nos dá algo de distintivo:

a. O Sacerdócio é seu tema dominante. Apesar de ser esse um tema do A.T., neste livro assume importância especial, pois agora todas as «sombras» são olvidadas, havendo uma grande «fruição» de todas as *idéias* sobre o sacerdócio de Cristo. O sacerdócio, como parte da cristologia, embora conhecido em outros lugares do N.T., é melhor e mais amplamente explanado neste livro aos Hebreus. Essa é a maior contribuição desse livro ao N.T., em seu pensamento e teologia.

b. Naturalmente, pois, o cristianismo deve ser reputado não apenas como revelação mais ampla do que a revelação anterior, que houve no judaísmo, mas também é a revelação «final». Pelo menos, em Cristo, pode-se entender que toda a revelação nos foi dada, pois agora temos deixado para trás modos inferiores de revelação. Tudo quanto tivermos de saber acerca de Deus e de sua salvação, de algum modo devemos encontrar dentro do conceito de Cristo. É muito duvidoso que o primeiro capítulo deste livro feche a porta para posteriores revelações, conforme alguns estudiosos têm pensado. Antes, parece que o mesmo ensina que todas as revelações devem ter como centro a pessoa de Cristo—ele é o «caminho final» pelo qual Deus se revela. Outros livros do N.T. seguiram-se a este livro, sendo que certamente não podemos pensar que o seu primeiro capítulo encerre as «escrituras canônicas», e nem podemos projetá-lo para o futuro, dizendo que o mesmo defende a estagnação, «uma vez terminado o cânon». Em certo sentido, o cristianismo jamais será superado, pois toda a revelação vem por meio de Cristo, ou através de sua autoridade. Mas isso não quer dizer que Deus não possa falar de novo, do mesmo modo que falou no N.T., honrando o mesmo Cristo. Não sabemos se Deus o fará. Pois certamente não vivemos nem à altura de nossas «antigas revelações», sendo improvável que recebamos nossos escritos autoritários enquanto assim fizermos. Por outro lado, nunca podemos pôr uma cerca ao redor de Deus, dizendo que ele não pode falar novamente. O primeiro capítulo deste livro, porém, assegura-nos que, se ele o fizer, fá-lo-á em Cristo. Esse é o tipo de revelação «final» que este livro nos apresenta.

c. Apesar do Cristo do livro aos Hebreus ser o mesmo «Messias» do A.T., ele vai muito além de qualquer coisa pensada no judaísmo sobre o Messias. No N.T. vemos melhor a glória de Cristo, porque esta resulta da mescla do conceito do «Messias» com o conceito do «Logos», o qual é mais do que Salvador e Juiz; também é divino, o qual conduz os homens a uma participação na sua divindade, o qual nos trouxe não apenas um reino político, que faria de Israel cabeça das nações. Esse Cristo assume uma natureza extremamente semelhante àquela dada à idéia do «Logos», nos escritos de Filo. Filo equiparou Melquisedeque ao «Logos»; e o autor do livro aos Hebreus vê certa lição alegórica acerca da grandeza de Cristo, em Melquisedeque, (ver no NTI as notas expositivas em Heb. 7:1, na sua introdução). O caráter sem-par de Cristo, bem como o seu serviço como «sacerdote», são coisas que Filo também disse a respeito do «Logos». Mas também há diferenças, pois não é provável que Filo fizesse justificação para a concentração, em uma pessoa, da vastidão do «Logos».

d. Além disso, notemos o puro ensinamento sobre a humanidade de Cristo, o que, excetuando o segundo capítulo da epístola aos Filipenses, é o mais claro de todos os documentos *teológicos* do N.T. (Ver Heb. 2:9-18; 4:14 e *ss* e 5:8 e *ss*).

e. A fé é apresentada de maneira distintiva—trata-se de uma outorga da alma, com base no «conhecimento no nível da alma», acerca das «realidades» do mundo eterno, sobretudo de Cristo. (Ver o artigo sobre a *Fé*).

f. Em união com a primeira epístola de Pedro e com o Apocalipse, e em distinção com o resto do N.T., este livro aos Hebreus foi escrito para ajudar os crentes perseguidos. A primeira epístola de Pedro responde ao problema com uma resposta «ética»; basta que se persevere na piedade, e nenhum dano permanente pode sobrevir ao crente. O livro de Apocalipse enfrenta o problema com uma resposta «apocalíptica», grandes julgamentos sobrevirão aos perseguidores, e glória para os fiéis. Esta epístola aos Hebreus enfrenta o problema com um argumento essencialmente «cristológico», — temos Cristo como nosso eterno Sumo Sacerdote; e em sua peregrinação, em sua encarnação, ele sofreu como estais sofrendo agora; mas ele é grande, e entrou nos altos céus; na qualidade de vosso Sumo Sacerdote, ele garante para vós aquele lugar. Portanto, olha para ele e a ele entregai as vossas almas.

HEBREUS — HEBREUS (POVO)

g. *Em seu aspecto ético*, o livro aos Hebreus é o mais severo escrito de todo o N.T. Nesse livro vemos que a apostasia é possível, devendo resguardar-nos cuidadosamente da mesma (ver o sexto capítulo). Os crentes precisam cuidar para não serem desatentos (Heb. 2:1), desobedientes (Heb. 4:11), tardios em ouvir (Heb. 5:11) e negligentes (Heb. 6:12). Também devem ser santos, inculpáveis, sem mácula (Heb. 7:26), dessa maneira copiando àquele que foi tentado em tudo, mas que nunca caiu. Os crentes também precisam combater contra o pecado (Heb. 12:4) e devem entrar em uma erudição mais profunda sobre a revelação cristã, a fim de que a estagnação não os separe de Cristo para a apostasia (ver Heb. 6:1 e *ss*). Se pensarmos que o sexto capítulo desse livro fala em menos do que a apostasia, possível para crentes verdadeiros, ficará derrubado por terra o propósito do autor, introduzindo interpretações desonestas nesse livro, o que só se coaduna com preconceitos teológicos. (Ver um desenvolvimento deste assunto na quarta seção deste artigo).

h. *Religião e adoração*. Os capítulos sétimo a décimo tratam especificamente a esse respeito. A religião é adoração, e isso subentende em sacrifício, o qual, por sua vez, exige um sacerdote. Sem esses elementos não há acesso a Deus. Porém, em Cristo temos o mesmo acesso a Deus Pai de que goza o Filho, nosso Sumo Sacerdote. O pecado deve ser expiado, conforme todo o sistema de sacrifícios cruentos o testifica; mas há certa adoração que vai além disso; o que está envolvido na filiação, porquanto nosso ser está sendo transformado naquilo que o Filho é, já que compartilhamos, em grau cada vez maior, de sua natureza e de sua herança. Nisso consiste o verdadeiro acesso a Deus; desse modo, finalmente, receberemos a totalidade da natureza e das perfeições de Cristo; entramos no Santo dos Santos juntamente com ele (ver Heb. 10:19). Portanto, Cristo, na qualidade de Sumo Sacerdote, entrou no Lugar Santo, através da ascensão (a ressurreição fica subentendida, embora nunca seja diretamente mencionada). Em Cristo, pois, os crentes também desfrutam dessa ascensão, e finalmente o seguirão ao Santo Lugar, porque ele é o Caminho, e, ao mesmo tempo, é o Pioneiro do Caminho.

VII. Conteúdo

I. *Tema Predominante*. A revelação de Deus no Filho é final (1:1,2a)

II. *Desenvolvimento do Tema*. Natureza e perfeições do Filho (1:2b-19:18)

1. Sua dignidade (1:2b-4:13)
   a. Sua posição como revelador (1:2)
   b. Sua posição de herdeiro (1:2)
   c. Sua posição de criador (1:2)
   d. Sua divindade (1:3)
   e. Seu poder sustentador (1:3)
   f. Seu poder de purgar (1:3)
   g. Sua obra terminada (1:3)
   h. Sua superioridade aos anjos (1:4-14)
   i. **Parênteses: advertência** contra a negligência sobre a revelação de Deus em Cristo (2:1-4)
   j. Sua superioridade, como aquele que nos trouxe a salvação (2:5-18)
   k. Sua superioridade a Moisés (3:1-6a)
   l. Advertências resultantes (3:6b-4:13)
      1. Ilustrações do deserto (3:6-19)
      2. O melhor descanso em que entramos (4:1-13)
2. Sua obra foi possibilitada por sua elevada estatura (4:14—10:8)
   a. Divinamente nomeado como Sumo Sacer-

dote, à semelhança de Melquisedeque (4:14—5:10)

b. Ensinamentos e advertências com base nessas considerações (5:11—6:20)
1. Uma lição a ser aprendida por reprimenda (5:11-14)
2. Uma lição a ser aprendida por advertência contra a apostasia (6:1-8)
3. Uma lição a ser aprendida pelo encorajamento (6:9-12)
4. Uma lição a ser aprendida pela certeza (6:13-20)

3. O Sacerdócio de Cristo é superior ao levítico (7:1-28)

4. Seu ministério como Sumo Sacerdote (8:1—10:18)
   a. Ele entra no santuário celeste *ideal*, e não em alguma cópia terrena (8:1-5)
   b. O novo lugar de sacrifício requer novo pacto (8:6-13)
   c. Contraste dos antigos sacrifícios com o novo (9:1-14)
   d. O sacrifício de Cristo cumpre a promessa do novo pacto (9:15—10:18)
      1. É um testamento, selado com seu sangue (9:15-22)
      2. O santuário celeste foi purgado com um melhor sacrifício (9:23-24)
      3. O novo sacrifício é melhor que os muitos antigos sacrifícios (9:25-28)
      4. A falha do antigo pacto e a perfeição do novo pacto (10:1-18)

III. *Aplicações*. A revelação em Cristo é completa e deve ser seguida. — Senão —, o desvio pode ter severo juízo de Deus, a perda da esperança (10:19—12:29)
1. Finalidade do acesso a Deus, mediante Cristo, que exige finalidade de juízo contra os rejeitadores (10:19-31)
2. Os leitores podiam ter confiança, se continuassem no caminho até àquele ponto (10:32-39)
3. **A fé que devemos seguir e que se realiza em nós mesmos, ilustrada nas vidas de grandes homens da fé (11:1-40)**
4. Jesus é o verdadeiro alvo de toda a fé, de cujas perfeições os outros participam apenas parcialmente (12:1-2)
5. O seguir a Cristo exige a disciplina da filiação (12:12-29)
6. **Severa advertência aos desobedientes (12:12-29)**

IV. *Conclusão*. Exortações, saudações pessoais e bênção (13:1-25)
1. A vida social e pessoal do crente (13:1-8)
2. Advertência final e referências pessoais (13:9-24)
3. Bênção (13:25)

VIII. Bibliografia. AM E EN I IB LAN MOF MONTE NE NTI TI TIN VIN VO RO Z

HEBREUS (POVO)

Os eruditos têm proposto várias derivações para a palavra «hebreu», embora não tenham conseguido chegar a uma solução unânime a respeito:

1. Os eruditos mais antigos, seguidos por alguns dos tempos modernos, supunham que a palavra vem de *Éber*, neto de Sem e antepassado de Abraão (Gên. 10:24; 11:16). Essa palavra significa «oposto», «d'além», «do outro lado». Héber deriva-se desse nome, igualmente.

HEBREUS (POVO) - HEBREUS, EVAN.

2. Outros estudiosos, observando o sentido básico de *éber*, supõem que *hebreus* refere-se a povos que vieram «do outro lado», isto é, de algum grande rio, como o Tigre ou o Eufrates. Nesse caso, Abraão, seria alguém que «atravessou» para o outro lado, que emigrou de sua terra, a fim de residir em uma nova terra.

3. Ainda elaborando o sentido de «do outro lado» da palavra *éber*, alguns estudiosos vêem uma referência aos antigos hebreus como um povo nômade, que «atravessou» terras em suas peregrinações.

4. Desde a descoberta dos tabletes de Tell el-Amarna (vide), os hebreus da Bíblia têm sido ligados aos povos chamados *habiru*, presumivelmente de raça semita, um dos ramos dos quais, finalmente, chegou à Palestina. Isso tem sido aceito por muitos estudiosos, posto que alguns deles pensem que *habiru* não seja um nome com conotações raciais.

5. Alguns pensam que a palavra *habiru* descreve uma posição jurídica social, e não um povo. As referências descobertas pela arqueologia, em acádico, têm trazido à luz o fato de que essa palavra pode ser entendida como «mercenários». Os trechos de Êxo. 21:2 *ss*; I Sam. 14:21 e Jer. 34:9-11,14 poderiam conter a palavra a fim de descrever a posição legal de servidão ou *escravidão*, em contraste com a situação de pessoas livres. Nesse caso, o trecho de Jer. 34:14 envolveria o sentido de «o escravo, teu irmão». Alguns pensam que a palavra indica a idéia de «nomadismo», nada tendo a ver com alguma identificação racial.

Os eruditos, pois, continuam debatendo, embora pareça haver uma significativa simpatia para a quarta dessas posições, visto que os israelitas realmente eram peregrinos, provenientes de vários territórios, de onde «atravessaram» para a Terra Prometida. Em outras palavras, os hebreus eram peregrinos. Esse significado tem um delicado sentido metafórico. Os hebreus tipificariam a própria raça humana, — que se encontra em uma peregrinação nesta terra de lágrimas, visto que o lar da alma humana não é neste mundo. O trecho de Hebreus 11:13 refere-se à natureza peregrina de Abraão e dos primeiros patriarcas, quando diz:

«Todos estes morreram na fé, sem ter obtido as promessas, vendo-as, porém, de longe, e saudando-as, e confessando que eram estrangeiros e peregrinos sobre a terra».

E I Pedro 2:11 aplica essa mesma metáfora aos crentes, ao escrever:

«Amados, exorto-vos, como peregrinos e forasteiros que sois, a vos absterdes das paixões carnais que fazem guerra contra a alma».

Seja como for, **os hebreus** eram um **ramo arameu** (de Arã, no sudoeste da Ásia; vide) dos semitas, que desceu para a Palestina, tornando-se o povo de Israel. O termo *judeu* (*yehudim*, proveniente do estado de Judá) não começou a ser usado senão já no tempo do cativeiro babilônico. Contudo, as origens dos hebreus permanecem na obscuridade. Alguns estudiosos supõem que seus antepassados eram nômades do deserto da Arábia, até à primeira porção do segundo milênio A.C., e que, dali, conforme continua essa suposição, eles migraram em massa para o crescente fértil. Um dos clãs, que incluiria a família de Abraão, veio a habitar em Ur dos caldeus. Finalmente, dali eles desceram para a Palestina. Gerações posteriores desceram ao Egito, conforme o Antigo Testamento afirma, ao relatar-nos a história de José. Após algumas centenas de anos, ainda como uma identidade racial, conduzidos por Moisés, eles voltaram à Palestina e reconquistaram aquele território. Após a queda de Jerusalém, já no ano 70 D.C., o *povo judeu* veio à ser um termo genérico para indicar os *hebreus*. Foi assim, finalmente, que «judeus» e «israelitas» tornaram-se sinônimos.

Artigos a serem consultados, acerca dos hebreus:
1. Hebraico
2. Hebreus
3. Hebreus, Literatura dos
4. Antigo Testamento
5. A Ética do Antigo Testamento
6. Israel, História de
7. Israel, Religião de
8. A Filosofia Judaica

HEBREUS DE HEBREUS

Que Devemos Entender Com Essas Palavras?

1. Não significam, especificamente, que Paulo falasse o hebraico (o aramaico, nos dias do apóstolo), em contraste com os judeus helenistas, que falavam o grego ou algum outro idioma. É verdade que os judeus muito se orgulhavam de sua língua, e chegavam a imaginar tolamente que Deus falasse esse idioma. Talvez Paulo se jactasse do fato de que falava essa língua; mas essa não é a referência aqui.

2. Paulo não estava dizendo que era um «judeu palestino», em contraste com os «judeus helenistas», de menor prestígio. Na verdade, Paulo era judeu helenista, pois era natural da cidade de Tarso. Contudo, fora educado em Jerusalém; e, assim sendo, era palestino. Mas não é isso o que se deve entender que ele quis dizer aqui.

3. Sua declaração também não significa, especificamente, que ele era «um judeu proeminente entre os judeus», embora sem dúvida, isso também fosse uma verdade (ver Gál. 1:14). Ele destaca esse aspecto na questão do item seguinte: ele fora fariseu! Portanto, pertencera à elite judaica.

4. O mais provável é que essas palavras simplesmente signifiquem que ele era filho de pais puramente judeus. Não era apenas um «meio-judeu». Pertencia à pura raça judaica.

5. Talvez tenha querido dar a entender que podia traçar sua genealogia por muitas gerações para trás; e assim fazendo, por todo o caminho, podia mostrar que seus ancestrais eram judeus puros. Nesse caso, quão grande seria essa vantagem, pois o próprio Jesus tinha alguns elementos gentios em sua genealogia (ver Mat. 1:5).

••• ••• •••

HEBREUS, ÉTICA DOS
Ver sobre **Ética Judaica.**

HEBREUS, EVANGELHO SEGUNDO AOS
Esboço:
I. Antigas Confirmações
II. Problemas Específicos
III. O Impulso para Escrever Evangelhos

I. Antigas Confirmações
O chamado **Evangelho Segundo aos Hebreus** foi uma obra que mereceu o respeito e a atenção de alguns dos pais da Igreja (vide). As alusões à mesma, mediante diferentes títulos, podem significar que

HEBREUS, EVANGELHO

houve mais de um livro envolvido, ou então que essa obra era conhecida por diversos títulos. Naturalmente, há também a possibilidade de que os pais da Igreja simplesmente não foram cuidadosos quanto ao uso de títulos exatos, o que quer dizer que essa variedade de nomes não se reveste de nenhuma significação especial.

Clemente de Alexandria citou algumas poucas afirmações dessa obra, algumas das quais teriam paralelos nos alegados ditos de Jesus, constantes do *Oxyrhynchus Logia*. Ver o artigo intitulado *Declarações de Oxyrhynchus de Jesus*. Declarações similares, atribuídas a Jesus, acham-se também no Evangelho de Tomé, escrito em cóptico. Com base nisso, alguns especialistas têm pensado que ambas essas obras fizeram empréstimos do evangelho aos Hebreus. Porém, nada de certo pode ser dito a esse respeito, pois não dispomos de evidências comprobatórias.

Orígenes citou uma declaração, desse evangelho, que descreve como o Espírito Santo tomou a Jesus, por um de seus cabelos, e o transportou para o monte Tabor, no contexto da narrativa sobre a tentação (ver Mat. 4), o que representa uma versão variante desse relato. Essa citação particular serve para mostrar a natureza apócrifa do chamado Evangelho aos Hebreus.

Eusébio informa-nos de que muitos elementos judaicos, na Igreja cristã, apreciavam muito esse evangelho (ver Hist. 3:25,5). Aparentemente havia uma versão da *pericope adulterae*, de João 7:53 *ss*, que não faz parte autêntica do evangelho de João, embora possa ter sido um pedaço flutuante de tradição, com alguma base histórica genuína. Quanto a **plenas informações sobre a história da mulher** surpreendida em adultério, evidências textuais a respeito, etc., ver as notas expositivas no NTI, *in loc.* Através dessa mesma informação ficamos sabendo de Hegesipo (vide), também lançou mão do evangelho dos Hebreus (*Hist*. 4:22,8).

Os ebionitas. Ver o artigo sobre *Ebionismo, Ebionitas*. Esse vocábulo significa «homens pobres», indicando várias seitas de judeus-cristãos dos primeiros séculos do cristianismo, alguns dos quais simpatizavam com o ramo gentílico da Igreja, e outros que não simpatizavam com os cristãos gentios. *Epifânio* (falecido em 403 D.C.), mencionou um evangelho aos Ebionitas, o qual tem sido identificado como o mesmo evangelho aos Hebreus. O pequeno trecho que ele citou desse evangelho frisa o vegetarianismo nas narrativas acerca de João Batista e de Jesus. *Eusébio* (ver *Hist*. 3:27,4), por sua vez, indicou que o respeito que os ebionitas tinham por esse evangelho era tão grande que eles o usavam quase com exclusividade, dando pouco valor aos outros evangelhos. Porém, não sabemos dizer até que ponto isso se aplicava às várias seitas que atendiam pelo nome de ebionitas. *Eusébio* (ver *Hist*. 5:10,3) também diz que esse evangelho supostamente foi levado pelo apóstolo Bartolomeu até à Índia. Mas isso soa como uma emenda apócrifa. Os autores desse tipo de material ansiavam por obter autoridade apostólica para os seus escritos, de qualquer maneira. Em sua *Teofania*, Eusébio cita um certo evangelho que era usado entre os judeus, escrito em hebraico; porém, não sabemos dizer se está em pauta a mesma obra.

Epifânio refere-se ao evangelho de Mateus que teria sido escrito completamente em hebraico, e que era usado pelos nazarenos (*Pan*. 29:9,4). Alguns têm ligado esse evangelho de Mateus ao evangelho dos Hebreus, supondo que os dois nomes, «de Mateus» e «dos Hebreus» eram apenas dois títulos do mesmo documento. Todavia, as citações existentes mostram

que não estamos tratando com o evangelho canônico de Mateus, embora o evangelho aos Hebreus pudesse ter alguma forma de afinidade com o evangelho canônico de Mateus. Em *Pan* 30:3,7, Epifânio assevera especificamente que havia um documento que tinha dois nomes: evangelho de Mateus e evangelho aos Hebreus. Porém, as evidências de que dispomos mostram-se contrárias a isso, sendo provável que ele estivesse apenas conjecturando. Por outro lado, é perfeitamente possível que um evangelho de Mateus em hebraico (aramaico) também circulasse. Mas, embora isso seja possível, não há, em absoluto, qualquer evidência de que isso tenha acontecido. A maneira dúbia de Epifânio abordar essas questões evidencia-se ainda mais pelo fato de que ele também chamou o *Diatessaron* de Taciano (vide) de evangelho segundo os Hebreus.

Jerônimo apenas aumentou ainda mais a confusão. Ele refere-se a uma obra (ou obras?) por diferentes nomes: evangelho segundo aos Hebreus (por sete vezes); evangelho dos Hebreus (sete vezes); evangelho Hebreu (três vezes); evangelho Hebreu segundo Mateus (duas vezes). Também afirmou que os nazarenos e os ebionitas usavam esse título, e que eles o traduziram para o grego e para o latim. No entanto, as citações mostram que não estava em foco, em nenhum desses casos, o evangelho canônico de Mateus. Os estudiosos modernos opinam que Jerônimo confundiu o *Evangelho Segundo aos Hebreus* com o *Evangelho aos Nazarenos*, escrito em aramaico. Mas, naturalmente, nenhuma dessas obras era o mesmo evangelho de Mateus, que faz parte do Novo Testamento, apesar de que possa ter havido algumas afinidades com o mesmo.

II. Problemas Específicos

1. Quantos evangelhos foram escritos?
2. Qual a relação entre eles e o evangelho de Mateus?
3. Qual era o conteúdo desses outros evangelhos?

Desdobremos agora esses três pontos:

1. Alguns especialistas modernos, como Vielhauer, têm argumentado em prol da existência de três evangelhos: a. um evangelho grego dos Hebreus, a obra que Clemente e Orígenes conheciam. b. um evangelho dos Nazarenos, escrito em aramaico, conhecido por Hegesipo, Eusébio, Epifânio e Jerônimo. c. um evangelho dos Ebionitas, escrito em grego, conhecido somente através de citações feitas por Epifânio. Outro erudito, James, reduziu isso somente a dois documentos, a saber: a. o evangelho dos Hebreus; e b. o evangelho dos Ebionitas. Através de uma diferente distribuição de citações, ele eliminou o evangelho dos Nazarenos. Porém, se não forem feitas novas descobertas esclarecedoras a respeito da questão, não se pode ter certeza quanto a esses problemas.

2. Os eruditos supõem que todos os três documentos (ou dois, ou mesmo um só deles) tinham alguma relação com o evangelho canônico de Mateus; porém, as citações demonstram que não pode estar em pauta o evangelho canônico de Mateus. O menos herético desses três evangelhos (isto é, o que apresentava menos elementos tendenciosos do gnosticismo) era o evangelho dos Hebreus, que chegou a ser respeitado por alguns notáveis pais da Igreja. Talvez fosse um evangelho usado pelos judeus cristãos do Egito, devendo ser distinguido daquele outro evangelho de inclinações gnósticas ainda mais acentuadas, o Evangelho dos Egípcios. Ver o artigo geral sobre os *Livros Apócrifos do Novo Testamento*.

3. Pouquíssimo se sabe acerca do conteúdo do

HEBREUS — HEBREUS, LITERATURA

documento ou documentos discutidos acima. E isso quer dizer que qualquer valor que eles tenham tido para melhor compreendermos a vida e as declarações de Jesus, isso se perdeu. As citações indicam que tais documentos podem ter-se revestido de um valor independente (à parte dos empréstimos feitos do evangelho canônico de Mateus), embora pequeno. Algumas citações indicam um caráter apócrifo bem definido, enquanto que outras mostram a influência do gnosticismo (vide). Obtemos ali apenas alguns pequenos detalhes adicionais, como aquele que diz que o homem da mão mirrada (ver Mat. 12:9 ss) seguia a profissão de pedreiro. Porém, um homem de mão aleijada teria escolhido uma profissão em que seria muito difícil trabalhar apenas com uma mão saudável? Jerônimo, baseado no evangelho dos Hebreus que ele conhecia, declarou que o véu do templo, por ocasião da crucificação de Jesus, não se rasgou de alto a baixo. O que teria acontecido é que o reposteiro em que estava pendurado, desprendeu-se (talvez em resultado do terremoto que houve). Não sabemos dizer qualquer coisa sobre a origem de tal informação, e nem quão autêntica pode ela ter sido. Ambas as coisas podem ter ocorrido. Se não aceitarmos o testemunho dos evangélicos canônicos, não há como comprovar a questão, sem novas descobertas arqueológicas, que envolvam referências literárias.

III. O Impulso Para Escrever Evangelhos

Pelo menos uma mensagem torna-se clara, no tocante a esse tipo de literatura e à atividade geral de escrita de evangelhos, durante os primeiros séculos do cristianismo. Essa mensagem é que a vida e as declarações de Jesus mereciam muita atenção. Isso reflete a óbvia grandiosidade dos acontecimentos que cercaram ao Senhor Jesus, e da Nova Mensagem que sua vida, morte e ressurreição produziram. Gênios criativos sempre provocam esse tipo de agitação entre os homens. Suas criações ou realizações precisam ser rejeitadas ou acolhidas. Mas não passam sem provocar significativas reações. Os evangelhos canônicos do Novo Testamento afirmam que a razão de tudo isso foi que o Logos encarnou-se e veio viver entre os homens. Não há melhor explicação para justificar os acontecimentos em volta do Senhor Jesus.

HEBREUS, FILOSOFIA DOS
Ver sobre **Filosofia Judaica.**

HEBREUS, HISTÓRIA DOS
Ver sobre **Israel, História de**

HEBREUS, LITERATURA DOS

Desde a antiguidade, Israel tem sido uma nação que se distingue por sua literatura. Suas duas grandes contribuições à humanidade têm sido a sua religião e a sua literatura. Todavia, nos campos da ciência e da filosofia, não devemos pesquisar entre os hebreus. O idioma hebraico e suas aplicações literárias têm tido uma longa e mui complexa história.

Esboço:
I. O Antigo Testamento
II. Literatura Pós-Antigo Testamento
III. Escritos Interpretativos
IV. A Literatura Medieval dos Hebreus
V. A Cabala: o Poder do Misticismo
VI. A Renascença e a Reforma Protestante
VII. O Despertamento do Nacionalismo
VIII. Desde a Primeira Guerra Mundial Para Cá

I. O Antigo Testamento

O Antigo Testamento é uma coletânea de livros que preserva cerca de mil anos de atividade literária em Israel (de 1200 a 200 A.C.). As referências, dentro do próprio Antigo Testamento, mostram-nos que houve muitos outros livros produzidos pelos hebreus, mas que não foram incluídos, finalmente, no cânon do Antigo Testamento. A Bíblia hebraica está dividida em três seções principais, a saber: 1. ¹os livros de Moisés, o Pentateuco; 2. os Profetas; 3. as Hagiógrafas, ou Escritos Santos.

O *Pentateuco* começa com a narrativa da criação; narra a história da queda do homem; o surgimento de Abraão, o nascimento de uma nova nação; Israel, a servidão sofrida no Egito; a outorga da lei mosaica, após a saída do Egito; e a conquista da Terra de Canaã (Palestina).

Os Profetas estão divididos em *profetas anteriores*: Josué, Juízes, I e II Samuel, I e II Reis; e em *profetas posteriores*: Isaías, Jeremias, Ezequiel e os doze, ou seja, os profetas chamados «menores», porque seus livros eram menos volumosos que os daqueles três primeiros, e não porque estes livros fossem menos importantes ou seus autores fossem mais baixos, conforme alguns têm pensado.

As *Hagiógrafas*, ou Escritos Santos, incluem: Salmos, Provérbios, Jó, Cantares, Lamentações, Eclesiastes, Ester, Daniel, Esdras, Neemias e I e II Crônicas.

Na Bíblia há uma grande variedade de estilos literários, incluindo obras de cunho devocional, histórico, profético, poético e filosófico. Oferecemos um artigo separado sobre o *Antigo Testamento*, onde fornecemos uma detalhada descrição sobre esses estilos literários diversos.

II. Literatura Pós-Antigo Testamento

As obras chamadas «apócrifas» são intituladas «deuterocanônicas» pela Igreja Católica Romana, desde que o concílio de Trento (vide), declarou-se em favor da canonicidade das mesmas. Os protestantes e evangélicos, porém, preferem reter o termo *apócrifos* para indicar aqueles livros que nunca foram incluídos no cânon do Antigo Testamento pelos judeus. Entretanto, a Igreja da Inglaterra assume uma espécie de posição intermediária entre esses dois extremos, quanto a esses livros, dando-lhes mais atenção e usando-os mais do que fazem outros grupos protestantes, embora não lhes dando idêntica posição de livros inspirados, juntamente com os livros que, verdadeiramente, fazem parte do cânon veterotestamentário. Ver o artigo separado sobre os *Livros Apócrifos.*

As obras intituladas «pseudepígrafas» formam uma outra atividade literária do antigo povo judeu, no período que fica entre o Antigo e o Novo Testamentos. Esses livros são essencialmente desconhecidos pelos evangélicos de hoje, excetuando o caso dos eruditos; porém, é preciso admitir que neles há muita coisa que influenciou idéias constantes no Novo Testamento. Quanto a isso, ver especialmente os artigos sobre I e II Enoque. Ver também o artigo separado sobre as *Pseudepígrafas.*

III. Escritos Interpretativos

O Antigo Testamento veio a ser encarado como literatura sagrada, tendo havido um selecionamento de livros, no decurso de vários séculos, para determinar o cânon dessa literatura sacra, isto é, quais livros deveriam ser inclusos na coletânea. Ver o artigo sobre o Cânon. Antes mesmo desse processo completar-se, surgiu a necessidade de interpretar os escritos sagrados. A interpretação, quando assume o

HEBREUS, LITERATURA DOS

aspecto de autoridade, torna-se um meio de proteger os Livros Sagrados. Quase todos os hebreus perceberam a necessidade disso, apesar dos inevitáveis abusos. Entretanto, no judaísmo, periodicamente, surgiram movimentos «de volta às Escrituras», que deploravam os comentários e as teologias forçados. O clamor que diz «as Escrituras somente» não foi uma característica exclusiva do período da Reforma Protestante.

Esse lema parece conter uma verdade de que precisamos; mas, sob investigação, topa com dois problemas principais: 1. Se não houver uma interpretação eclesiástica que sirva de padrão, para testar as idéias e determinar os significados, inevitavelmente surgem interpretações particulares e denominacionais, que se tornam autoritárias para indivíduos ou grupos. Pergunto: A interpretação de indivíduos ou de denominações será, realmente, melhor que a dos concílios? Visto que as Escrituras, através da interpretação, podem ser distorcidas para terem muitos sentidos, às vezes até no tocante a doutrinas capitais, naturalmente surgiu toda essa plêiade de denominações e seitas. 2. Isso significa, como é óbvio, que a ausência de alguma autoridade central, resulta em *fragmentação*, conforme se vê no número interminável de grupos protestantes e evangélicos. Assim, apesar de indivíduos e grupos clamarem em altas vozes: «As Escrituras somente!», essa declaração contém (ocultamente!) a idéia de como eu ou a minha denominação interpreta as Escrituras. O abuso que se faz, do outro lado da cerca, é que há o absurdo de concílios que, supostamente, não podem incorrer em erro, o que não passa de um dogma, nada tendo a ver com a verdade dos fatos.

Muitos teólogos também proclamam ousadamente que a interpretação não é o único problema envolvido, visto que as próprias Escrituras não estão inteiramente isentas de erro. Sempre será a tendência da mente religiosa (em contraste com a mentalidade científica) inventar o mito da inerrância. Isso sucede para efeito de conforto mental. Deveríamos salientar que essa doutrina é uma tradição ou um dogma, e não um ensino das próprias Escrituras. Na realidade, todos os cristãos já anularam esse ensino, quer tenham consciência disso, quer não. Pois todos os cristãos aceitam a natureza geralmente inferior da revelação veterotestamentária, em comparação com a revelação neotestamentária. E, como é lógico, aquilo que é inferior está em erro, mesmo que seja por insuficiência de informação.

Os hebreus estavam errados, quando supunham que sua revelação bíblica era perfeita e final. O sistema sacrificial deles era uma forma religiosa primitiva, que já foi ultrapassada há muito. Suas idéias de justificação pelas obras foram deixadas para trás pelo apóstolo Paulo. A visão de Deus, no Novo Testamento, é superior àquela retratada em grande parte do Antigo Testamento. A doutrina da imortalidade da alma não emergiu claramente no Antigo Testamento, apesar de ser uma das principais preocupações da humanidade inteira. E, por que haveríamos de pensar que o próprio Novo Testamento seja homogêneo? Paulo nos mostrou que não é assim. Cada vez que ele falou sobre um — *mistério* —, introduziu um avanço que deixou obsoletas as idéias anteriores, mesmo quando essas idéias já estavam contidas em outros livros do Novo Testamento. A verdade é progressiva; a revelação é progressiva; a iluminação espiritual é progressiva. As idéias, porém, deixam tudo isso estagnado; e há muito que é apenas tradicional, tanto nos círculos protestantes

quanto nos círculos católicos romanos. Tudo isso, pois, mostra a necessidade de interpretação, e até mesmo da revisão da interpretação. Consideramos os pontos abaixo:

1. *A Halakah e a Haggadah*. O Antigo Testamento foi sujeitado a um exame meticuloso até o fanatismo. Isso criou dois corpos de conhecimento. O primeiro chama-se *Halakah*, ou «curso». Essa foi a atividade que desenvolveu credos e regras de ação — o que se deve o que não se deve fazer. O segundo desses corpos de conhecimento, a *Haggadah*, que significa «narrativa», incorpora muitos ensinamentos, da mais diversa natureza, derivados das narrativas bíblicas, das orações, dos provérbios e de todos os escritos que não eram usados especificamente para formar a *Halakah*. Uma clara linha demarcatória foi traçada entre as Escrituras, propriamente ditas, e essa atividade interpretativa. Havia desacordos quanto a muitas questões, a despeito do que, foi crescendo um corpo de interpretações autoritárias.

2. *A Mishnah*. Esse é o nome da redução, à forma escrita, da atividade interpretativa que acabamos de descrever. O rabino Akiba foi o responsável pela redução original a esse respeito. Seus discípulos, especialmente o patriarca, o príncipe rabino Judá (também conhecido por Judá ha-Nasi), continuaram e consolidaram os esforços de Akiba. Essa atividade ocorreu entre 135 e 220 D.C., mas muitas coisas ali contidas tinham raízes antigas, tanto nas tradições escritas quanto nas tradições orais. Ver o artigo separado sobre a *Mishnah*.

3. *O Talmude*, a *Mishnah e a Gemara*. Historicamente falando, a literatura talmúdica desenvolveu-se em duas camadas. A primeira delas, e também a mais antiga, era a Mishnah. A segunda era a Gemara. Esta segunda camada de interpretações e ensinamentos, desenvolveu-se depois da Mishnah. A palavra *Gemara* significa «ensino», embora alguns pensem que significa «completar». Há um artigo separado sobre a *Gemara*, nesta enciclopédia. Trata-se, essencialmente, de um comentário sobre a Mishnah. Está alicerçada essa obra sobre as discussões acadêmicas dos estudiosos judeus da Palestina e da Babilônia. A matéria ali constante foi desenvolvida principalmente por duas escolas, a saber: a. a escola palestina, essencialmente o trabalho feito pelos tiberianos, nos séculos III e IV D.C.; e b. a escola babilônica, um trabalho efetuado em Sura, Neardea, Siporis e Pumbedita, desde o século III até os fins do século V D.C. Ver o artigo separado sobre o *Talmude*.

4. *A Midrash*. A base desse vocábulo é a palavra hebraica *dorash*, que significa «sondagem». De modo geral, a palavra significa «explicação». Essa atividade produziu tratados exegéticos sobre o Antigo Testamento, desde o século IV até o século XII D.C., que ficou fazendo parte específica do Haggadah. Ver o artigo separado sobre a *Midrash*. Além de comentários, anotações e iluminações gerais do Antigo Testamento, também há homilias (sermões), sobre versículos ou passagens do Antigo Testamento. Essa literatura foi bastante extensa, e parte da mesma chegou até os nossos dias.

IV. A Literatura Medieval dos Hebreus

Na Idade Média, a literatura dos hebreus foi mais diversificada do que nas épocas anteriores da história deles. Continuaram a ser produzidos comentários bíblicos, embora também houvesse obras sobre gramática, lexicografia, exegese, poesia, filosofia e ciências. Parte dessa literatura foi escrita em árabe e em grego. Durante a Idade Média, surgiram novos comentários sobre a Bíblia, entre os judeus. De fato,

HEBREUS, LITERATURA DOS

esse trabalho prossegue entre eles até os nossos dias. Para citar exemplos dessa atividade, encontramos o comentário da maior parte do Antigo Testamento e sobre o Talmude, por Solomon ben Isaac (Rashi), um judeu francês do século XI. Entre os séculos XII e XIV D.C., várias figuras de menor importância trabalharam sobre os escritos de Rashi, fazendo adições e modificações. No norte da África e na Espanha, sob Migash, mas, principalmente, sob Moses ben Maimon (1135 — 1204 D.C.), continuaram sendo preparados comentários sobre o Antigo Testamento e sobre o Talmude. Maimonides ou Maimon, além dessa obra de comentário, produziu uma completa codificação das leis judaicas. Jacó ben Asher foi um famoso estudioso do século XIII D.C. Ele compilou o *Turim*, um código legal em quatro volumes, que abordava todos os aspectos da vida judaica. No século XVI apareceu a obra de José Caro, *Shulhan Arukh* (A Mesa Posta). Essa obra tornou-se uma espécie de código padronizado das leis e tradições do povo judeu.

A Influência Grega. Quando viviam debaixo da dominação islâmica, visto que os árabes eram fortemente influenciados pelas idéias gregas, especialmente as de Aristóteles, os próprios judeus, a partir do século X D.C., foram impelidos a tentar coisas novas. Disso resultaram tratados científicos, sobre medicina, matemática e filosofia. Quase todas essas obras foram escritas em árabe, com alguma mistura com caracteres hebraicos. O *humanismo* também tornou-se um dos temas explorados pelos judeus. Gramáticas, dicionários e obras teológicas em hebraico vieram à tona. O racionalismo tornou-se um dos instrumentos interpretativos favoritos, mediante o que as visões dos profetas foram interpretadas como visões em estado desperto. Aos milagres também foi dada uma interpretação racionalista.

A Filosofia. Temos provido um artigo separado, intitulado a *Filosofia Judaica*, que oferece um estudo geral, incluindo a parte histórica, dessa atividade, entre os judeus.

V. A Cabala: o Poder do Misticismo

Começando desde o século II A.C., houve um forte elemento místico no seio do judaísmo. Isso atingiu sua expressão mais madura na Cabala. Damos um artigo separado sobre esse assunto. O texto fundamental dessa atividade foi o de Zohar, — que escreveu em um aramaico mais ou menos artificial, em cerca de 1280 D.C. A Cabala tornou-se uma espécie de sistema teosófico (ver sobre a *Teosofia*) para tentar explicar Deus, o homem e o universo. O movimento produziu um enorme acúmulo de literatura, que foi sendo produzido por vários séculos. Até hoje, muitos milhões de pessoas perpetuam esse movimento, em vários lugares do mundo.

VI. A Renascença e a Reforma Protestante

A Renascença, nos finais do século XV, reavivou o interesse pelos clássicos, o que influenciou os escritores judeus a retornarem à Bíblia, escrevendo novamente comentários bíblicos. Pico della Mirandola colecionou manuscritos em hebraico. Johannes von Reuchlin compilou uma gramática moderna, para o estudo do hebraico. Esse hebraísta alemão promoveu o estudo do Antigo Testamento, dos Targuns e da história e das tradições judaicas. Moses Hayyim Luzzatto (1707 — 1747) foi um místico, poeta e dramaturgo judeu, o qual participou da renascença italiana.

O período da **Reforma Protestante** amorteceu os estudos judaicos específicos. Muitos judeus tornaram-se ricos, nesse tempo, e interessavam-se mais em

explorar a idéia de como viver bem entre os gentios. Porém, a *Haskalah*, um período de iluminação, abrilhantou um tanto esse quadro. Entre aqueles que promoveram o movimento, destaca-se Moses Mendelssohn (1729 — 1786). Apareceram livros e periódicos, promovendo a causa. Obras sobre ciência, ética e muitos outros assuntos formavam a base de uma nova literatura dos hebreus. Naphtali Wessely escreveu uma obra épica sobre Moisés e o êxodo. Menahem Lefin traduziu para o hebraico, tipo Mishnah, a obra de Maimonides, *Guia para os Perplexos*. Isaac Erter escreveu peças satíricas contra uma ortodoxia estagnada. Solomon Rapoort foi um importante estudioso da história. Nachman Krochmal foi um filósofo da história judaica.

Na Rússia, no século XIX, os judeus produziram uma importante literatura, do ponto de vista do movimento da Haskalah. O poeta Abraham Lebensohn foi um escritor prolífico. Seu filho, Micah Joseph, também foi um poeta muito dotado. Abraham Mapu produziu uma novela em hebraico. Peretz Smolenskin escreveu diversas novelas nesse idioma.

VII. O Despertamento do Nacionalismo

Os judeus, durante muitos séculos espalhados entre as culturas gentílicas, começaram a voltar seus pensamentos para Israel. Os fins da década de 1880 podem ser considerados como um tempo quando essas idéias andaram no auge. Para exemplificar, Hayim Nachman Bialik expressou o seu amor pela humanidade, mas também exibiu seu grande apego às antigas tradições judaicas. Seus poemas impeliram os judeus da Rússia à autodefesa, em uma renovada atitude judaica. Saul Tschernikhoviski exortava os judeus a voltarem aos antigos valores de sua herança cultural. Davi Shimoni identificava-se com aqueles que tinham começado a falar sobre uma Nova Palestina. Ensaios em prosa também refletiam um renovado interesse por Israel e pelas coisas judaicas.

VIII. Desde a Primeira Guerra Mundial Para Cá

O desastre econômico e civil imperou na Europa depois da Primeira Grande Guerra (1914 — 1918). A reconstrução de uma pátria judaica na Palestina, tornou-se uma das principais preocupações para muitos judeus. Muitos judeus imigraram para a Palestina, entre eles, muitos autores que haviam produzido grande variedade de obras literárias. Entre os importantes poetas da época destaca-se Isaac Lamdan, cujo poema épico, *Massada*, inspirou nos judeus um antigo nacionalismo e heroísmo. Desse modo, o sionismo (vide) ia ganhando terreno. Novelistas promoviam o tema. Até recentemente, tal tipo de literatura era produzido por homens nascidos na Europa, que haviam migrado para Israel e que escreviam para os judeus que viviam pelo mundo inteiro. Em 1966, S.Y. Agnon obteve o prêmio Nobel de literatura. Ele foi o primeiro judeu a conquistar essa honraria. Havia migrado para Israel em 1910. Autores como Mosheh Smilansky e Hayyim Hazaz pintaram a vida em Israel.

Desde a Segunda Guerra Mundial, a literatura assumiu as formas mais diversas possíveis. Considerando as minúsculas dimensões do moderno estado de Israel e sua pequena população (cerca de quatro milhões em 1970, incluindo os árabes das regiões ocupadas), naquele país tem aparecido uma literatura pujante. Em 1960, foram publicados mil trezentos e setenta e um títulos naquele país. Três quartas partes eram escritos originais, e uma quarta parte consistia em traduções de outras línguas para o hebraico. A taxa de produção literária, em comparação com o

HEBREUS, RELIGIÃO — HEBROM

número de habitantes de Israel, permanece uma das mais elevadas do mundo. (AM E WAX)

HEBREUS, RELIGIÃO DOS
Ver sobre **Israel, Religião de**.

HEBROM
Esboço:
I. O Nome
II. Localização e Geografia
III. Esboço da História e das Descobertas Arqueológicas
IV. A Moderna Hebrom

I. O Nome
Esse nome, no hebraico, significa «comunidade», «confederação», «aliança». O nome mais antigo do lugar era Quiriate-Arba, «tetrápolis». O nome árabe da localidade é *El Khalil*, «amigo de Deus». Não se sabe dizer que aliança fez o lugar reunir quatro cidades (e nem quais quatro cidades foram envolvidas). Porém, deduz-se pela história que, usualmente, essas alianças tinham natureza militar.

II. Localização e Geografia
Essa cidade ficava situada no sul da Palestina, no território de Judá, cerca de vinte e nove quilômetros ao sul de Jerusalém, a 31º, 32', 30'' de latitude norte e a 35º, 8' e 20'' de longitude leste. É a cidade da Palestina que está em maior altitude, isto é, a 972 m acima do nível do mar Mediterrâneo. Está situada entre duas serras montanhosas, com um vale entre as duas serras. Em 1966, sua população era de quarenta mil habitantes. Muitas fontes e poços podem ser encontrados na área em geral.

III. Esboço da História e das Descobertas Arqueológicas
Hebrom é mencionada por cerca de cinqüenta vezes no Antigo Testamento. Por cinco dessas vezes, ela é mencionada por seu antigo nome, Quiriate-Arba (Tetrápolis). Sabemos que ela foi construída ou reconstruída sete anos antes de Zoã (no grego, Tânis), no Egito (Núm. 13:22), o que ocorreu em cerca de 1728 A.C., durante o período dos hicsos. Porém, há evidências arqueológicas de ocupação humana desde tão cedo quanto 3300 A.C. Desde então, vem sendo ocupada continuamente. Escavações feitas ali, entre 1964 e 1966, têm revelado que a história de Hebrom é deveras antiga. Uma muralha com cerca de nove metros de espessura foi desenterrada, pertencente ao período do Bronze Médio II. Muitas outras porções de edificações foram encontradas, na mesma ocasião. Há evidências de ocupação humana no período calcolítico (cerca de 3000 A.C.), e também no período do Bronze Primitivo I. Foi desenterrada uma casa do período da monarquia hebréia (séculos XI e X A.C.). Também encontraram-se indícios das invasões de Senaqueribe e da destruição do lugar pelas tropas de Nabucodonosor. A arqueologia também tem confirmado sinais do período helenista, com a descoberta de fornos e de peças de cerâmica daquela época. Um sistema de armazenamento de água também data desse período. Também foi encontrado um extenso cemitério, onde havia muitos artefatos. Nessa mesma área, foi desenterrado um palácio residencial islâmico, e, por baixo de seu pátio havia restos de ocupação do tempo dos romanos. Naturalmente, os arqueólogos têm encontrado ali todos os períodos da ocupação islâmica, até os nossos próprios dias.

Informes Bíblicos. A princípio, Hebrom era chamada Quiriate-Arba (Tetrápolis) (Gên. 23:2; Jos. 14:15; 15:13); e também *Manre*, nome derivado de um nome amorreu semelhante (Gên. 13:18). Também sabemos que ali habitavam cananeus e anaquins (Gên. 23:2; Jos. 14:15; 15:13). Nos tempos de Abraão (Gên. 13:18), de Isaque e de Jacó (Gên. 35:27), eles passaram algum tempo em Hebrom. Nos dias de Abraão, os residentes eram os filhos de Hete (ou hititas). Foi deles que Abraão comprou o campo de Macpela, com sua caverna, que passou a ser usada como sepulcro da família (Gên. 23). Foi ali que Sara, Abraão, Isaque, Rebeca, Jacó e Lia foram sepultados (Gên. 49:31; 50:13). Josefo afirma (*Anti.* 2:8,2) que os filhos de Jacó, com a exceção de José, também foram sepultados ali. O local tradicional desse cemitério jaz dentro da Haram el-Halil, «Cerca do Amigo», que é uma referência a Abraão como «o amigo de Deus» (Isa. 41:8).

Quando o povo de Israel estava prestes a entrar na Terra Prometida, doze espias foram enviados ali, para obter informações. Eles exploraram a região de Hebrom, tendo descoberto que, na ocasião, ela era povoada pelos filhos de Anaque, ou anaquins (Núm. 13:22,28,33). Os israelitas, encabeçados por Josué, invadiram aquela área. Embora tivessem enfrentado uma coligação de várias tribos, que se aliaram para enfrentá-los, os israelitas conquistaram a cidade. A região foi entregue a Calebe, que expulsou os anaquins de seus territórios (Jos. 10:36, 37; 14:6-15; 15:13,14; Juí. 1:20). Tornou-se, então, uma das cidades de refúgio, tendo sido alocada aos sacerdotes e levitas (Jos. 20:7; 21:11,13). Quando Davi tornou-se rei de Judá, fez de Hebrom sua primeira capital e residência real. E ali ele reinou pelo espaço de sete anos e meio, onde nasceram quase todos os seus filhos. Também foi ungido rei de Israel em Hebrom (I Sam. 2:1-4,11; I Reis 2:11; II Sam. 5:1,3). Foi depois disso que Davi transferiu sua capital para Jerusalém. Talvez essa mudança e a conseqüente perda de prestígio tenha sido um fator que levou os habitantes de Hebrom a apoiarem Absalão, em sua revolta contra seu pai, Davi (II Reis 15:9,10).

Hebrom, bem mais tarde, foi fortificada por Reoboão (II Crô. 11:10). Após o cativeiro babilônico, tornou a ser ocupada (Nee. 11:25, onde Quiriate-Arba aponta para Hebrom). Posteriormente, os idumeus apossaram-se da área, mas Judas Macabeu tomou deles a cidade (I Macabeus 5:65). Durante a revolta dos judeus contra os romanos (66 — 70 D.C.), a cidade foi ocupada por Simão bar-Giora; mas, finalmente, foi atacada e incendiada pelos romanos (Josefo, *Guerras* 4.9,7,9). Josefo também informa-nos que, em seus dias, os túmulos dos patriarcas continuavam conhecidos. Eusébio e Jerônimo mencionaram Hebrom em seus escritos, referindo-se a essa cidade como o lugar dos sepulcros dos patriarcas hebreus.

Dominação Islâmica. Saladino capturou Jerusalém em 1187 D.C., quando Hebrom também caiu em seu poder. Então a cidade de Hebrom teve seu nome alterado, pelos islamitas, para El-Khalil, «o amigo de Deus». Além de ser considerado um local sagrado, por ser o local tradicional de sepultamento dos patriarcas, as tradições árabes dizem que Maomé passou por ali, em sua viagem noturna para o céu. Em 1168 D.C., Hebrom tornou-se a sede de um bispado cristão; mas, posteriormente, voltou ao controle dos árabes.

IV. A Moderna Hebrom
A principal porção residencial da cidade moderna fica nos sopés das colinas que correm na direção leste

HEBROM — HEDONISMO

e norte, com uma expansão na direção da serra para sudoeste, e até às fraldas do nordeste, do Gebel er-Rumeida, que é o local do cômoro da antiga cidade de Hebrom. A cidade estende-se para as extremidades norte e ocidental do vale, para ambos os lados de uma ampla avenida, que faz parte da estrada que conduzia a Jerusalém. Esse vale continua até à extremidade inferior do wadi Tuffa, o vale das Maçãs. Na área há muitas fontes e mananciais. A agricultura da região produz maçãs, ameixas, figos, romãs, abricós, castanhas de várias espécies, melões e muitos legumes. Seu principal marco territorial é o *Haram el-Kahalil*, o local identificado como o sepulcro do patriarca Abraão, a antiga caverna de Macpela, e o *Deir el-Arba'in*, o local tradicional do sepultamento de Rute e de Jessé. Os estudiosos parecem concordar que essas identificações são autênticas. Somente com grandes dificuldades quaisquer cristãos são admitidos naquelas áreas, consideradas sagradas.

HEBROM (Pessoas)

Há dois homens com esse nome, nas páginas do Antigo Testamento, a saber:

1. O terceiro filho de Maressa, o qual, ao que tudo indica, foi avô de Calebe, descendente de Judá (I Crô. 2:42,43). Ele viveu por volta de 1400 A.C.

2. O terceiro filho de Coate, neto de Levi, e irmão mais novo de Anrão, que foi o pai de Moisés e de Aarão (Êxo. 6:18; Núm. 3:19; I Crô. 6:2,18; 23:12,19). Seus descendentes são chamados hebronitas, em Núm. 3:27, e em outras referências bíblicas. Ele viveu por volta de 1600 A.C.

HECTICIDADE

Vem do latim **haecceitas**, que significa «qualidade do isto». Duns Scoto (vide) usou esse termo a fim de aludir ao princípio da *individualização*, ao tratar sobre o problema dos *universais* (vide). Esse princípio é considerado como uma alternativa da matéria, como um meio que nos ajuda a compreender o passo que se deve dar da *infima species* (a menor espécie) até às coisas individualizadas.

HEDONISMO

Ver o artigo geral sobre a *Ética*, especialmente seu quarto ponto, *Os Movimentos Éticos*, entre os quais há o hedonismo. Ver também o artigo *Escolas Éticas do Novo Testamento*.

Esboço:
  I. Definição
  II. Hedonismo Histórico dos Gregos
  III. O Hedonismo na História da Filosofia
  IV. Crítica

I. Definição

Essa palavra vem do grego, **hedone**, «prazer», «deleite», «aprazimento». O hedonismo assevera que o principal ou mesmo único alvo da vida humana é a obtenção do prazer, paralelamente à tentativa de evitar a dor ou o sofrimento. Alguns hedonistas, como os filósofos gregos Aristipo e os cirenaicos, afirmavam que o prazer é o único bem que realmente existe. No campo da ética, o hedonismo, com freqüência, é associado a uma **grosseira auto-indulgência** e aos interesses próprios, de modo extremamente egoísta. Porém, há manipulações da definição do hedonismo que o fazem indicar coisas que a linguagem comum não antecipa. Por exemplo, um homem que não quer matar ninguém, é chamado para ser um soldado. Ele vai à guerra, e ali mata alguém, porquanto a desgraça de não servir à sua pátria seria ainda pior do que não matar. Disso, alguns hedonistas tiram a conclusão de que ir à guerra e matar é uma espécie de *prazer*, visto que evita a dor de cair em opróbrio. O indivíduo que fica convencido da filosofia hedonista, através de tais manipulações, pode chamar de «prazer» a qualquer ato humano que vise à busca do prazer. Para exemplificar, poderíamos dizer que procurar cumprir o próprio dever é um prazer, mesmo que os atos envolvidos, por definição humana ordinária, sejam desagradáveis. Mas, ao assim asseverar, já estamos usando o vocábulo «prazer» em um sentido incomum. A *felicidade* também tem sido definida em termos da obtenção do prazer.

II. Hedonismo Histórico dos Gregos

Para evitar repetições desnecessárias, solicito que o leitor examine o artigo geral sobre a Ética, em seu quarto ponto, *Os Movimentos Éticos*; e também em seu segundo ponto, *O Hedonismo*. Ali exponho uma discussão sobre *Aristipo* e sobre os *cirenaicos*. Há vários tipos de hedonismo, conforme se vê abaixo:

O *hedonismo positivo*, que preconiza a busca aberta e franca pelo prazer, de acordo com a *sabedoria*, algumas vezes definido como *auto-interesse*. A inteligência nos serviria de guia na busca pelo prazer, ao mesmo tempo que nos ajuda a evitar a dor. Os melhores prazeres são assim selecionados, e devemos pagar o preço necessário para consegui-los. Também há o *hedonismo astucioso*: o homem bom aprende a conseguir o que lhe dá prazer, escapando do castigo que seus atos mereçam. Assim, um crime só seria crime se fosse descoberto. Também há o *hedonismo negativo*: apesar do prazer ser o único valor levado em conta, trata-se de um valor falso, visto que o cumprimento do prazer somente leva a um ciclo vicioso, já que a busca pelos prazeres termina, finalmente, em frustração. Destarte, o pessimismo mistura-se com o hedonismo. Ver também sobre a *Ética*, iv.3, onde se discute sobre o *Epicurismo*. O epicurismo é uma forma suavizada, intelectual de hedonismo, que busca eliminar, principalmente, os desejos, em vez de procurar satisfazê-los, além de enfatizar o aspecto mental, e não os prazeres físicos. O artigo intitulado *Escolas Éticas do Novo Testamento*, fornece comentários bastante pormenorizados sobre o *Epicurismo*.

III. O Hedonismo na História da Filosofia

Além da variedade clássica do hedonismo, devemos considerar os pontos abaixo, porquanto nos são interessantes:

1. *O hedonismo cristão*. O cristianismo muito tem a dizer sobre o *prazer*, apresentando-o como um dos principais alvos da existência humana. O próprio céu é descrito em termos de prazer e de ausência de sofrimento e dor. Ver Apo. 21:2-4. Ver também sobre *Vala*. Erasmo (vide) cristianizou Epicuro, referindo-se ao princípio do prazer, que ele postulava, em termos cristãos. Ao princípio do prazer, o cristianismo adiciona certas virtudes típicas, como a fé, a esperança e o amor. A felicidade eterna é definida em termos da obtenção do prazer espiritual. A imortalidade também foi descrita por Erasmo em termos de coisas que valorizamos nesta vida. E a vida cristã, desde agora mesmo, oferece-nos muitos prazeres, porquanto o maior de todos os prazeres é o bem-estar espiritual. Essa discussão, como é natural, reveste-se de seus devidos valores; mas torna-se ridícula quando assume um ar totalmente hedonista, como se o único bem fosse alguma forma de prazer, e como se evitar a dor e o sofrimento sempre fosse alguma virtude.

HEDONISMO — HEGAI

2. *Thomas More* (vide) ensinava um epicurismo utópico, onde todos os prazeres poderiam ser abundantemente cumpridos, ao mesmo tempo em que toda a dor poderia ser evitada. Para ele, o *summum bonum* da vida humana, na verdade, seria o *prazer*. Ele advogava um comunismo platônico (embora com a preservação da unidade da família), como a melhor maneira de se chegar à sua utopia. Ele apresentava diante dos homens os prazeres naturais da vida como alvos a serem atingidos, ao mesmo tempo em que se deveriam evitar os prazeres desnaturais, como a busca desenfreada pelas riquezas e a elevada posição social. Além disso, ele pensava em prazeres eternos, que fazem parte da existência da alma imortal. Os homens que atingissem esses prazeres, segundo ele, seriam felizes.

3. *Hobbes* (vide) promovia um hedonismo materialista, onde todos os prazeres e sofrimentos deveriam ser interpretados em termos deste mundo físico e do homem mortal, que vive dentro desse mundo.

4. Os *utilitaristas*, como Jeremy Bentham (vide) e John Stuart Mill (vide), ensinavam que o alvo da existência humana é o maior benefício e prazer, para o maior número de pessoas, pelo tempo mais longo possível. Para eles, o prazer conduz à felicidade. Mais tarde, na vida, Bentham teve de acrescentar a simpatia ou amor ao seu sistema, como um poderoso fator motivador, visto ter percebido que seu utilitarismo não é adequado para o homem, em todos os seus complexos aspectos.

5. A *psicologia behaviorista* é um tipo materialista de hedonismo, segundo o qual o homem é ensinado a buscar aquelas coisas que visam o auto-interesse, de conformidade com o princípio do prazer, ao mesmo tempo em que toda a dor deveria ser evitada.

6. O *hedonismo psicológico* assevera que o homem, na realidade, tem apenas um motivo e um alvo: ele sempre age e deve agir de acordo com o seu desejo de obter prazeres.

7. O *hedonismo ético egoísta* ensina que os homens sempre agirão impulsionados por seus interesses pessoais, motivados pelo princípio do prazer.

8. O *hedonismo altruísta* requer que os atos individuais levem em consideração o prazer do grupo inteiro, e não apenas o de algum indivíduo isolado. O hedonismo ético universal apega-se a esse princípio altruísta, tal como o faz o sistema do utilitarismo (vide). Cada indivíduo deveria agir de tal maneira que trouxesse o máximo de prazer ao maior número possível de pessoas, pelo tempo mais longo possível. A felicidade residiria no verdadeiro prazer.

IV. Crítica

1. A própria definição ampla que alguns hedonistas dão ao hedonismo, fazendo-o abranger todas as eventualidades, e assim definindo qualquer motivação legítima do homem como se fosse parte do princípio do prazer, é um uso incomum e falso do vocábulo «hedonismo».

2. O princípio do prazer, na realidade, faz parte da inquirição espiritual e da promessa da imortalidade. Mas isso não pode ser interpretado em termos materialistas crassos. Além disso, jamais pode permanecer como a única diretriz para os homens seguirem. Devemos levar em conta, igualmente, o amor, o qual, com freqüência, leva a algum sacrifício desagradável, e não ao prazer. Nem sempre o dever importa em prazer. Dizer-se que uma coisa pode ser prazeirosa, quando comparada com outra coisa, que ainda é mais desagradável, é distorcer o uso comum da linguagem.

3. As formas mais crassas de hedonismo, todas elas materialistas, devem ser totalmente rejeitadas como coisas típicas de uma baixa mentalidade espiritual. As descobertas do misticismo (vide), bem como da fé religiosa, conforme ela aparece na revelação bíblica, militam contra a redução do homem a um nível animalesco.

4. A felicidade envolve mais fatores do que apenas o prazer. O cumprimento da lei do amor, o cumprimento dos deveres, o progresso espiritual, até mesmo em meio à adversidade, bem como o desenvolvimento espiritual, mesmo que através do julgamento, também são fatores que contribuem para a felicidade final do homem. A própria dor é boa, quando resulta no bem; e o bem não é, necessariamente, um *prazer*. (E EP F H P)

HEFELE, KARL JOSEPH VON

Suas datas foram 1809—1893. Foi bispo de Rustemburgo e também um historiador notável. Nasceu em Unterkocen, Wurtemberg e faleceu em Rustemburgo. Ensinou história eclesiástica em Tubingen e foi instrumento na introdução de um curso de Arqueologia Cristã, naquela escola. Fez parte do Concílio do Vaticano (1870), e tomou parte na decisão acerca da infalibilidade papal. A princípio ele votou *non placet* (vide), isto é, negativamente. Mas mudou seu voto para um apoio ao dogma, quando o mesmo foi definido. Escreveu uma obra sobre a história dos concílios, em sete volumes, o que tem sido a sua mais duradoura contribuição à história.

HÉFER

No hebraico, «poço» ou «fonte». Esse era o nome de três personagens, referidos no Antigo Testamento, e também de uma cidade, a saber:

1. O filho caçula de Gileade (Núm. 26:32), e cabeça de um clã que ficou conhecido pelo seu nome. Ele viveu por volta de 1618 A.C. Ver também Jos. 17:2,3. Esse clã pertencia à tribo de Manassés.

2. Um filho de Naará, que era uma das esposas de Assur (I Crô. 4:6). Ele viveu por volta de 1612 A.C.

3. Um dos trinta poderosos guerreiros de Davi (I Crô. 11:36). Ali ele é cognominado de mequeratita.

4. Uma cidade de Canaã, que foi conquistada por Josué (Jos. 12:17). O local moderno da cidade é desconhecido.

Além disso, em I Reis 4:10, há menção à «terra de Héfer», que ali aparece como o terceiro distrito administrativo, criado por Salomão. Ben-Hesede (vide), é que estava encarregado desse distrito. O local ainda não foi identificado pelos estudiosos modernos.

HEFZIBÁ

No hebraico, «meu deleite está nela». Nas páginas do Novo Testamento, esse nome é aplicado tanto a uma rainha quanto à cidade de Jerusalém, como um futuro nome que lhe será dado, a saber:

1. A esposa do rei Ezequias e mãe do rei Manassés (II Reis 21:1). Ela viveu por volta de 690 A.C.

2. Um nome que, segundo a profecia de Isaías (62:4), finalmente será aplicado à cidade de Jerusalém.

HEGAI

No hebraico, «eunuco». Esse era o nome de um dos camareiros de Assuero (ou Xerxes). Ele cuidava das mulheres do harém real (Est. 2:8,15). Viveu por volta

HEGEL

de 479 A.C. Recebeu a tarefa de ajudar na escolha de uma nova rainha da Pérsia, em substituição a Vasti. Sabe-se que entre as virgens disponíveis, Ester foi a escolhida.

HEGEL, GEORG WILHELM FRIEDRICH

Esboço:
I. Caracterização Geral
II. Idéias Específicas
III. O Sistema de Tríadas
IV. Influência e Crítica

I. Caracterização Geral

Georg Wilhelm Friedrich Hegel nasceu em Stuttgart, na Alemanha, em 1770, e faleceu em 1831, vítima da cólera. Antes de se tornar filósofo, interessou-se profundamente pela fé cristã, e estudou formalmente a teologia, na Universidade de Tubingen, em companhia de outros vultos que se tornariam ilustres, como Schelling e Holderlin. Também esteve associado a Schelling na Universidade de Jena, onde, juntos, publicaram um jornal filosófico. Foi reitor do **ginásio de Heidelberg** e entao da Universidade de Berlim.

As principais influências filosóficas que moldaram o seu pensamento foram o racionalismo de Spinoza e de Emanuel Kant, bem como o idealismo de Fichte e de Schelling. Não devemos nos olvidar de que seu apaixonado interesse pela fé cristã foi um dos fatores mais fundamentais em suas formulações. Contudo, ele sentia que a teologia cristã de sua época (uma espécie de escolasticismo protestante) era árida, e, por isso, procurava uma experiência espiritual mais profunda. Alguns intérpretes acreditam que a vida e a filosofia de Hegel demonstram que o desenvolvimento de sua filosofia estava firmemente alicerçado sobre suas próprias experiências religiosas, e não meramente sobre noções que ele aprendera na escola. Essa teoria também afiança que ele passou por uma poderosa experiência mística acerca da realidade das coisas. Em vez de procurar expressar isso em termos teológicos, conforme faz a maioria dos místicos, ele procurou exprimir a sua experiência em termos filosóficos, mediante suas descrições sobre o Espírito Absoluto. Como é óbvio, isso só pode ser verdadeiro em parte; porquanto não é difícil delinear suas idéias básicas, de acordo com as influências filosóficas que ele sofreu,. conforme dissemos acima. Seja como for, os eruditos têm salientado, com toda a razão, a natureza mística de seu pensamento básico, onde a diversidade é, finalmente, reduzida à *unidade* no Espírito Absoluto. Na verdade, os místicos falam nesses termos.

Hegel recebeu seu doutorado em teologia em Tubingen, em 1791; e, em 1801, ele aliou-se a Schelling na Universidade de Jena, onde começou a lecionar sobre filosofia. Sua posição filosófica, a princípio, era uma espécie de refutação a certos aspectos das idéias de Kant. Se o seu método dialético pode ser traçado de volta à dialética transcendental de Kant (em sua obra *Crítica da Razão Pura*), contudo, sua filosofia final opunha-se a todos os aspectos importantes do pensamento kantiano. Hegel negava completamente a limitação da razão, conforme fazia Kant, e pensava que a razão é a base das operações do Absoluto, em todas as coisas. Ele não deixava margem para mistérios insondáveis, em algum mundo mental, que só pudesse ser perscrutado por *postulados* racionais intuitivos, conforme Kant fazia. Para ele, a *Razão* permeia a tudo e delineia todas as coisas, em todos os lugares, o que é um exagero, segundo os gostos da maioria dos filósofos.

Enquanto residiu em Heidelberg, Hegel publicou a sua *Enciclopédia das Ciências Filosóficas* (1817), um esboço sistematizado de seuŝ conceitos. Posteriormente, ensinou em Berlim, com grande sucesso e popularidade, embora impressionasse mais do que cativasse. A última obra por ele publicada foi sua *Filosofia do Direito e da Lei* (1820). Faleceu em Berlim, a 14 de novembro de 1831, de uma praga de cólera, tendo sofrido apenas por um dia.

Tal como os filósofos realmente grandes, ele tinha interesses bem amplos, no campo da filosofia e fora dele. E seu sistema procurava tratar de forma geral e harmônica todo o conhecimento e toda a realização humanos. A sua influência foi enorme, o que ilustramos no artigo separado sobre o *Hegelianismo*.

Após sua morte, suas obras e preleções foram publicadas por um grupo de alunos seus, que alguns têm chamado de «amigos do imortalizado». Assim, algumas de suas obras mais influentes foram publicadas postumamente, com base nas anotações feitas por alunos seus, em sala de aula. Essas obras são (com títulos em alemão): *Vorlesugen uber die Geschichte der Philosophie; Vorlesungen uber die Philosophie der Religion; Vorlesungen uber die Philosophie der Weltgeschichte* e *Vorlesungen uber die Aesthetik*. Todas essas obras existem em edição em inglês. Os respectivos títulos, em inglês, são: *Philosophy of Religion; History of Philosophy* (dois volumes); *Philosophy of Fine Arts* (dois volumes) e *Philosophy of History*.

Obras publicadas antes de sua morte: *System of Science*, parte I, *The Phenomenology of Mind; Science of Logic; The Objective Logic* (dois volumes); *The Subjective Logic; Encyclopedia of the Philosophical Sciences in Outline; Philosophy of Right*.

II. Idéias Específicas

1. *O Propósito da Filosofia.* A filosofia deveria procurar conhecer a natureza, o real, o mundo inteiro da experiência e do ser. Deveria tentar compreender a essência eterna, a harmonia e as leis do conhecimento e da realidade.

2. *A Fé Básica.* A existência, para ele, é uma ordem racional, imbuída com significado. Essa racionalidade sɔ́ pode ser reconhecida através do pensamento, a função racional inerente ao homem. A função da filosofia consiste em entender as leis mediante as quais a razão opera. A tríada dialética básica de *tese*, *antítese* e *síntese* seria a maneira do Espírito Absoluto operar; a compreensão de tal fato, pois, é a chave para a investigação em que a filosofia nos encaminha, fazendo-nos sondar a natureza de todas as coisas.

3. *O Espírito Absoluto* (*Geist*). O espírito era visto por Hegel como uma força real e concreta. Essa força é personificada em certo número de suas manifestações, como o *espírito do mundo* (Weltgeist). Opera mediante o espírito coletivo, nas nações, embora também opere nos indivíduos. Hegel criou uma anedota que ilustra esse ponto. Ele falava como se tivesse visto Napoleão (talvez o tenha visto, realmente), em seu cavalo branco, após a batalha de Jena (1806). Então ele declarava: «Vi o *Weltgeist* sobre um cavalo branco». Ele também se referia a certas figuras mundiais como a *alma do mundo* (*Weltseele*). Seja como for, temos aí o conceito de uma alma do mundo a manifestar-se em espíritos individuais, operando para cumprir os mesmos desígnios, em consonância com os ditames da Mente Absoluta. Tudo seria mente ou idéia. Ver o artigo sobre o *Idealismo*. A Idéia Absoluta (Espírito) seria a consciência toda-inclusiva, completamente coerente e eterna, de cada estágio da dialética. A Idéia Absoluta é o Universal final e todo-

HEGEL

inclusivo que garante a unidade de todas as coisas, e onde residem todas as coisas. Também é divino, o que significa que temos aí uma espécie de panteísmo.

4. *A Espiritualidade da Existência*. A filosofia de Hegel nega, de forma absoluta, que a matéria seja o componente básico do ser. Antes, a própria experiência seria aquele aspecto na vida do *espírito* mediante o qual o espírito torna-se *cônscio* de si mesmo. A essência de todo ser é Deus, o Espírito Absoluto, e a revelação de Deus é a ordem mundial. Deus é o alvo de todo o conhecimento. E Deus revela-se a si mesmo em três estágios: razão, espírito e religião.

O Deus de Hegel é panteísta; e, aos olhos da doutrina cristã, isso é uma forma de ateísmo. Porém, dizermos só isso seria nos mostrar superficiais. Em muitas passagens, o Antigo Testamento reflete um crasso antropomorfismo; e sabemos que o antropomorfismo representa mui imperfeitamente a espiritualidade de Deus. Não dispomos mesmo de meios bons para descrever a pessoa de Deus, embora saibamos descrever melhor as suas obras. Assim sendo, quando estamos abordando o caso de um filósofo como Hegel, fazemos bem em notar quais são os discernimentos dele, não rejeitando a sua filosofia com títulos negativos. A filosofia de Hegel é um idealismo absoluto. Ver sobre o *Idealismo*. A idéia, para ele, é a base de toda a realidade, isto é, uma realidade não-material. E a matéria é um epifenômeno do espírito.

5. *O Princípio da Unidade*. A unidade, naturalmente, é uma das categorias místicas fundamentais. Os místicos do Ocidente e do Oriente testificam a esse respeito. Esse também é um conceito básico do mistério da vontade de Deus, aludido em Efésios 1:9,10. Todas as coisas, finalmente, terão de encontrar o seu centro no *Logos*. Todas as coisas procedem Dele, e todas as coisas terão de voltar a ele (Col. 1:16). Escreveu Hegel: «O nexo interior de todas as diferentes configurações do espírito: deve-se afirmar que somente *um* espírito, um princípio expressa-se no estado político, tanto quanto na religião, na arte, na ética, nas maneiras, no comércio e na indústria. Essas coisas são meros ramos de um tronco principal... o espírito que é um só». Na seção III deste artigo, intitulada *O Sistema de Tríadas*, isso é ilustrado, e suas operações são demonstradas.

6. *O Processo Dialético*. O conceito básico por detrás desse processo é: **ser, não-ser**, tornar-se. Aquilo que existe opõe-se àquilo que ainda não existe, embora esteja em processo de vir à existência. A tensão entre as duas coisas, produz o seu oposto. Então a tensão entre os dois opostos, finalmente, produz uma síntese. Daí resulta o processo dialético de Hegel, que consistia em TESE, ANTÍTESE e SÍNTESE. Cada síntese, por sua vez, torna-se uma nova tese. Sem importar quão perfeita ou poderosa seja uma *tese*, é impossível evitar que ela se torne uma negação de si mesma (chamada *não-ser*). Esse é um constante *poder de negação*, que existe em todas as entidades, instituições e conceitos. Esse princípio é o gerador de novos pensamentos e de novas entidades, operando interminavelmente. Nenhuma síntese pode manter a si mesma meramente como uma nova tese. **O não-ser** e o poder da negação, não demora a criar uma nova antítese. Emerge daí uma nova síntese, em um processo que prossegue indefinidamente. Uma síntese é ímpar somente por algum tempo. Pois é engolida no contínuo processo de mutações, o fluxo de Heráclito, um princípio básico do próprio ser.

A dialética de Hegel surgiu, pelo menos em parte,

devido à influência de Kant. A sua tendência era classificar as coisas em tríadas. Suas categorias servem de demonstração disso. Fichte também tinha trabalhado sobre esse princípio (influenciado por Kant), quando se referiu a como o «ego» postula o mundo (oposto do «ego»). Antes desse postulado, temos o Ego Absoluto, a fonte de todo ser. Portanto, foi Fichte, e não Hegel, quem primeiro apresentou o processo dialético, consistente em tese, antítese e síntese. A atividade da razão humana requer a postulação, a contrapostulação e a síntese. Ver o artigo sobre *Fichte*.

Naturalmente, o estudo feito por **Hegel** a respeito foi muito mais elaborado, razão pela qual lembramo-nos de seu nome em conexão com esse princípio. Nos escritos de Hegel, o Espírito Absoluto, e não meramente o «ego» (o homem), é que faz a postulação, o que significa que temos uma dialética cósmica que tem prosseguimento. Ver uma demonstração das tríadas de Hegel, na terceira seção.

7. *Categorias*. O trabalho de Hegel, quanto a esse particular, é altamente complexo, visto que as suas categorias são as próprias tríadas, em suas muitas manipulações. Cada tese, antítese e síntese é uma categoria por si mesma. Outrossim, cada uma é uma idéia universal. As idéias de razão e de noções são, ao mesmo tempo, universais, particulares e singulares. Elas são *concretas universais* (usando os termos mesmos de Hegel), e têm carreiras próprias. (Ver o artigo geral sobre os *Universais*). O *ser* é a categoria básica e universal. Atravessa mais de duzentas e setenta categorias, antes que Hegel sinta que ele já deu uma boa descrição de seu fluxo e desenvolvimento. É dessas mais de duzentas e setenta categorias que emerge a essência da filosofia de Hegel.

8. *Evolução*. A realidade, para Hegel, é um processo lógico de evolução, em que o Espírito Absoluto ter-se-ia evoluído em toda a entidade, conceito, realidade, realidade potencial imaginável, sendo ele mesmo, seu próprio contrário e a sua síntese, em inúmeras categorias e maneiras. Nisso combinam-se os discernimentos do fluxo de Heráclito e a unidade de Parmênides. Não seriam realidades contraditórias, mas apenas estágios de uma única existência.

9. *A Lógica e a Metafísica*. Na filosofia, segundo Hegel, há cinco tipos diferentes de lógica, a saber: a. dedutiva; b. indutiva; c. simbólica (matemática); d. experimental (vide sobre Dewey); e. metafísica (Hegel). Essa lógica metafísica é precisamente o conceito por detrás das tríadas, uma descrição de como elas operam. Um pensamento segue-se, necessariamente, de outro; e provoca um pensamento contraditório. E, desse processo, surge a síntese, ainda um novo pensamento. A dialética de Hegel é o desdobramento lógico do seu pensamento. A própria realidade seria um processo evolutivo lógico, um processo espiritual. Seria um processo inerente em todas as coisas, sendo **também auto-expressivo e não** algo que os homens inventam em suas experiências. Essa lógica precisa ser obedecida, visto que segue a sua tese, antítese e síntese de maneira inexorável. Por conseguinte, a lógica seria a base de toda ciência. O real e o eterno que existem no universo resultariam do pensamento de Deus, o Espírito Absoluto, como, de fato, se dá com todas as outras coisas (portanto, temos aí o *Idealismo*; vide). A idéia, pois seria a base de toda a existência, e não só da matéria.

10. *Filosofia da Natureza*. Estudar a natureza é estudar o Absoluto, em suas manifestações neste mundo. **A natureza é a auto-objetificação** do Absoluto.

HEGEL

A natureza está envolvida nas manifestações do Espírito, por meio da qual ele cresce.

11. *Filosofia da Mente*. A filosofia da mente mostra como a razão vence a natureza objetiva, retorna a si mesma, ou então evolui para tornar-se o autoconsciente. A mente (ou o espírito) passa pelos estágios dialéticos da evolução, revelando-se primeiramente, como mente subjetiva, então como mente objetiva e, finalmente, como mente absoluta. Nesse ponto, Hegel torna-se verdadeiramente complexo, pelo que tentarei simplificar as coisas, descrevendo os três tipos de mentalidade:

a. *A mente subjetiva*: ela se expressa como *alma*, isto é, como mente que depende da natureza; e como *espírito*, isto é, como mente reconciliada com a natureza, mediante o conhecimento. As disciplinas da antropologia, da fenomenologia e da psicologia correspondem a esses estágios das operações mentais. A mente atinge a autoconsciência naquilo que ela cria. Os elementos da mente são a realidade do pensamento puro, que opera inteiramente à parte da matéria; a inteligência, que se imerge no seu objeto, e assim atinge a autoconsciência (em outras palavras, o «ego» vê-se a si mesmo no «não-ego»); o pensamento puro resulta no conhecimento; a razão unifica os elementos constitutivos de qualquer conceito; a memória, a imaginação e a associação de idéias são estágios do raciocínio; o intelecto age como um juiz dos diversos elementos distintos de um conceito.

b. *A mente objetiva*: essa se exprime através da natureza, de indivíduos, de instituições, da história, do direito ou das leis, da moralidade e da ética, dos costumes, etc. Nessas instituições e entidade, e na própria história, a razão realiza-se e torna-se real. A mente objetiva é o postulado da mente subjetiva. É tudo quanto conhecemos «fora» de nós mesmos. As várias ciências dependem dessa atividade.

c. *A mente absoluta*: a mente absoluta só encontra liberdade na vida mais profunda do espírito. Para além do Estado, da política e das ciências, descobrimos a arte, a filosofia e a religião, em níveis cada vez mais profundos. Nessas atividades, pois, o homem vê a si mesmo em sua própria luz, isto é, como um espírito puro.

Na Arte: o princípio da idéia, como a unidade básica da realidade, em lugar da matéria, é parcialmente atingido na arte. Na *arquitetura*, idéia e forma continuam distintas. Na *escultura*, há um menor dualismo, e um certo grau de espiritualização. A *música* nos apresenta uma interpretação simbólica penetrante da realidade. A *poesia* subordina o que é material à idéia. A *religião* identifica o pensamento e o objeto; mas, à semelhança da arte, não é inteiramente capaz de incorporar a Idéia Absoluta.

Algumas idéias religiosas: na religião grega, temos **uma fé altamente individualizada, segundo a qual o** homem tende por ser o objeto final da adoração. Nas religiões orientais, encontramos a unidade abstrata de todas as coisas, de tal modo que a comunidade torna-se ali o fator dominante. No cristianismo encontramos a síntese dessas duas formas de religião, e Deus já se encontra na consciência humana. Os dogmas do cristianismo seriam apenas sinais postos ao longo do caminho, não sendo absolutos por si mesmos; antes, são sínteses que geram o processo dialético, chegando a novas conclusões, em novas sínteses. Para Hegel, o cristianismo é uma espécie de religião absoluta, mas da qual resultarão estágios ainda mais elevados, de maneira inevitável. Conforme pode ser visto na discussão anterior, a filosofia inteira de Hegel é uma espécie de filosofia da religião, visto que o Espírito Absoluto, por ele postulado, é um conceito divino. Ele tinha uma doutrina da unidade de todo o conhecimento, e Deus é a explicação final de todas as coisas. Hegel foi o primeiro a escrever uma filosofia sistemática da religião, intitulada, especificamente, por esse nome.

12. *A Ética, a Lei e a Sociedade*. A verdadeira base da conduta não se acha nas experiências empíricas dos homens. Antes, faz parte da revelação progressiva e da realização da vida do homem na natureza. É a operação da Mente Absoluta no terreno da conduta humana.

O homem é um ser dotado de **liberdade.** Ele tem *direitos* concretos na sociedade, por causa de sua *dignidade* como uma pessoa, como um agente do Absoluto. A vontade, no homem, é a vontade objetivada do Absoluto, pelo que é capaz de tomar decisões apropriadas. Porém, existem *autocontradições* na vontade do homem, de onde se originam injustiças, atos maléficos e crimes. Todas essas coisas residem na vontade humana, não sendo meras vicissitudes da vida empírica do homem, dentro de seu meio ambiente. O homem dispõe de uma *moralidade subjetiva*, isto é, uma moralidade que faz parte inerente do seu ser. Isso é transferido para o mundo objetivo, exterior. As instituições humanas têm por finalidade produzir iluminação, controle e definição para os atos humanos. Os terrenos de aplicação são o indivíduo, a família, a sociedade e o Estado; mas, uma mesma vontade permeia a todos esses terrenos. Os deveres corretamente cumpridos resultam na liberdade.

A *família* é mais do que uma agência de propagação da espécie humana. Antes, é o primeiro estágio do mundo ético, onde os valores humanos são criados.

A *sociedade* é o segundo estágio do mundo ético, funcionando como uma agência que restringe as atividades egoístas, que pervertem a vontade. A liberdade individual precisa desaparecer dentro da sociedade, e os interesses pessoais precisam mesclar-se aos interesses da comunidade, de maneira harmônica com os mesmos.

O *Estado* é o terceiro estágio do mundo ético. Essa seria a verdadeira finalidade do homem, e não apenas um meio para se chegar a um fim. O Estado reconcilia entre si os interesses individuais e os interesses públicos, servindo tanto à comunidade quanto aos objetivos da Mente Absoluta. Alicerça-se sobre a submissão dos direitos individuais aos deveres da sociedade, como um grupo. As tradições do Estado são a revelação progressiva da Vontade Universal. Hegel pensava que a mais elevada forma de governo, na direção da qual se move a tríada política, é a monarquia constitucional, o tipo de governo que a Alemanha tinha, nos dias dele.

13. *Filosofia da História*. Ao tentar descobrir o que o Absoluto tem feito por meio da história, isto é, como ele tem operado, Hegel procurou descobrir o gênio de cada grande poder mundial. Ele descobriu os seguintes princípios:

a. A história é o progresso da consciência da liberdade racional. É a natureza posta em obediência a um princípio universal.

b. As leis e a verdadeira moralidade são princípios eternos e fixos; mas o homem só descobre empiricamente esses princípios.

c. Os governos existem a fim de impor aos homens as idéias e as ações, pois eles, de outro modo, reverteriam a perversões autocontraditórias da vontade.

d. A religião e o Estado não deveriam alienar-se um

HEGEL

do outro, e nem estar separados. A constituição de um Estado qualquer, portanto, deveria ser uma teocracia.

e. A própria história é uma espécie de paralelo comunal do desenvolvimento de cada indivíduo. Teve a sua *infância* na Ásia; teve a sua *adolescência* na Grécia, tendo crescido um pouco mais em Roma. Porém, teria atingido a maturidade, segundo Hegel, no Estado alemão de seus próprios dias. Se prosseguirmos desenvolvendo a idéia de Hegel, devemos estar agora cada vez mais senis, historicamente falando. Talvez a caduquice atinja seu ponto culminante quando surgir em cena o anticristo, com toda a destruição da civilização, que exigirá a intervenção divina, com a volta do Senhor Jesus para pôr as coisas em ordem.

A liberdade se concretiza na história humana. O espírito encontra a sua realização nesse processo. A história é a justificação de Deus, em suas operações através das tríadas.

III. O Sistema de Tríadas

Tudo quanto foi dito antes, tão-somente descreve como as tríadas de *tese, antítese* e *síntese* funcionam. Daqui por diante, apresentamos algumas ilustrações sobre essa dialética.

1. **O SER** é a categoria ou **universal básico**. A tríada básica é **ser, não-ser** e **ir-se tornando**. Essa é a base de todas as duzentas e setenta e duas categorias de Hegel.

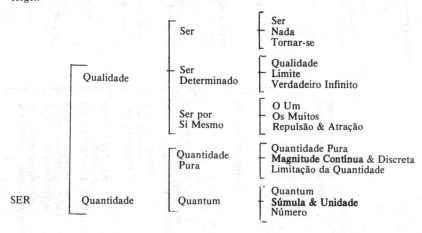

2. **A Tríada do Espírito:**

3. **As Tríadas do Espírito Objetivo e Absoluto**

Encontramos aqui as atividades do Espírito Absoluto, conforme ele se expressa na ética, na arte, na religião e na filosofia.

VER O GRÁFICO QUE SEGUE

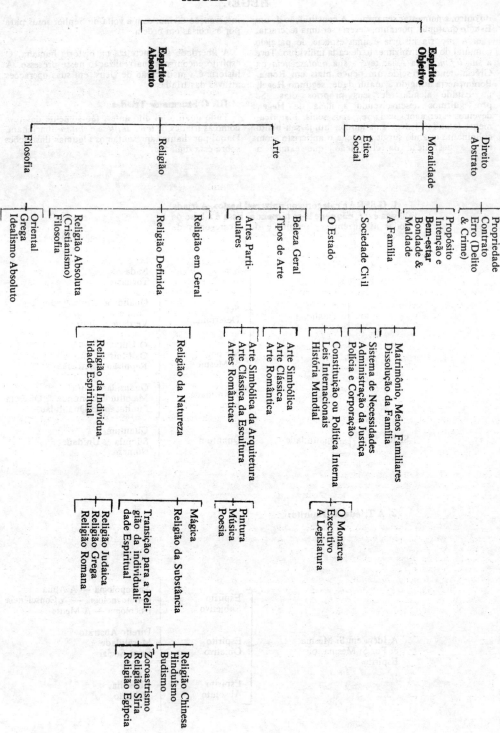

HEGEL

IV. Influência e Crítica
1. Influência

a. O *Comunismo* (vide) é uma aplicação negativa e materialista das tríades espirituais de Hegel. De acordo com o comunismo, o poder básico que controla a vida humana não é o espírito, mas antes, fatores econômicos, que dependem de uma luta de classes na sociedade. Quando um sistema qualquer reduz o homem a mero dinheiro e ao que é material, tal sistema torna-se, automaticamente, parcial e destrutivo. O comunismo inventou a sua própria forma de tríades, para escravizar a humanidade à sua suposta utopia comunista.

O selvagem nobre (ser)
homem livre
criado (antítese) *na servidão* (não-ser)

A *escravidão* tornou-se uma nova tese. Os homens, achando isso inaceitável, criaram a antítese do *feudalismo*. O feudalismo, por sua vez, criou a antítese do *capitalismo*, um avanço em sua própria natureza. E o capitalismo, finalmente, criou sua antítese no *socialismo*. É com base nisso que, segundo o comunismo, chegamos à tríade final:

Antítese: *Socialismo*
Tese: *Capitalismo*   Síntese: *Comunismo*

Hegel ensinava que cada nova síntese torna-se uma nova tese. A nova tese, automaticamente, gera uma nova antítese. Se cremos de alguma maneira no esquema hegeliano, então também devemos ter o bom senso de supor que o próprio comunismo, em algum ponto de sua evolução, venha a tornar-se uma síntese de instituições políticas, e que isso, automaticamente, tornar-se-á o começo de uma nova tríade, e não o ponto final de todas as tríades políticas. A própria história demonstra que nenhum sistema é permanente. Os limites e as finalidades inventadas pelos homens são sempre as limitações impostas por suas próprias mentes, e não verdadeiras limitações. Não existe tal coisa como ponto final. Cada finalidade torna-se um novo começo.

A tradição profética informa-nos de que as coisas não chegarão a um clímax segundo o comunismo supõe. Antes, haverá um tremendo conflito entre o comunismo e uma futura aliança de potências ocidentais (o império do anticristo), o que talvez resulte em não apenas uma, mas duas guerras mundiais futuras. Isso deixará em cinzas o poder das nações gentílicas, quando então Israel será erguida como chefe das nações. Então o milênio será inaugurado por Cristo, uma autêntica e universal teocracia. Segundo a Bíblia, essa será a realidade futura, muito distante da fruição postulada por uma dialética materialista. Ver o artigo sobre o *Comunismo*, quanto a uma exposição completa a respeito. Ver também o artigo intitulado *Profecia: A Tradição Profética e a Nossa Época*.

b. *Influência exercida pelas escolas hegelianas e anti-hegelianas*. Obviamente, a influência de Hegel no pensamento filosófico e no pensamento religioso (excluindo o pensamento político, conforme foi dado acima), tem sido enorme. Por esse motivo, dedicamos um artigo separado a esse assunto. Ver sobre o *Hegelianismo*, em sua terceira seção.

2. Crítica

Os filósofos sempre suspeitam dos sistemas que nos dizem, de modo tão bem arrumado, o que é a verdade e os criticam. Apesar de ser óbvio de que opera algo parecido com o princípio da tese, antítese e síntese, neste mundo, também é verdade óbvia que não podemos reduzir qualquer ação e reação a uma tríada bem arrumada. Pois pode haver muitas teses ao mesmo tempo, em um complexo inter-relacionamento, o que, por sua vez, produz muitas antíteses e meias antíteses. Mui raramente resulta uma síntese bem ordenada, com base em qualquer tensão. O mais provável é que daí resultem várias sínteses e meias sínteses. As coisas simplesmente se recusam a obedecer ao rígido raciocínio que Hegel impôs a elas. Além disso, muitas coisas surgem espontaneamente em cena, inteiramente à parte do princípio de tese, antítese e síntese. Assim é, porque esse não é o único princípio que atua na vida. Uma simples insatisfação pode produzir um novo culto religioso da noite para o dia. Uma visão, falsa ou verdadeira, pode dar começo a um novo movimento religioso, inteiramente desvinculado do princípio de conflito e solução. Conflito de poderes e a cobiça podem produzir novos sistemas econômicos, sem que quaisquer forças importantes produzam antíteses e sínteses. A intervenção divina — mediante o retorno de Cristo a este mundo — conforme esperamos que ocorra no fim da atual dispensação, haverá de alterar completamente o curso da história, sem qualquer envolvimento do princípio de tríades hegelianas. A manifestação do Logos, na pessoa de Cristo, foi uma intervenção divina; e, no entanto, não resultou de qualquer tríade que estivesse em operação. Afinal, por que teríamos de pensar em uma tríade? As coisas podem ocorrer isoladas, em duplas, em quatro aspectos, em cinco, em dez, etc.

Quando, aparentemente, Hegel fez do Estado alemão — na sua época uma monarquia constitucional — a síntese de uma tríada política, ele exibiu uma imensa miopia, quanto ao seu entendimento das coisas. Mostram-nos os seus biógrafos que ele era homem de rosto encarquilhado, de tanto pensar e meditar. Mas isso não impediu que ele se deixasse prender tanto, pelo seu próprio sistema, impedindo que tivesse uma visão ampla das coisas. O comunismo exibe a mesma espécie de visão limitada. Por que motivo teríamos de falar em finalidades, e exatamente aquelas que cumprem aquilo que esperamos que *deveria* acontecer?

John Dewey demonstrou maior sabedoria, com a sua doutrina do **instrumentalismo** (vide). De acordo com essa teoria, não há coisa como um *ponto final*, como uma finalidade. Antes, cada finalidade é apenas o instrumento de um novo começo, de um novo nascimento, de uma nova realidade que surge. Isso equivale a dizer que Deus jamais fica estagnado em suas obras; e que também não podem estagnar aquelas coisas que dependem dele para existir, isto é, tudo. O *espírito* da filosofia hegeliana aponta nessa direção, e conjecturo que todas as suas sínteses finais eram apenas tentativas, esperando por novas idéias, acerca de onde o processo teria reinício, a partir dessas sínteses. Provavelmente, Hegel não queria chegar a uma declaração final com as suas sínteses; tão-somente desejava mostrar até onde as coisas haviam progredido, em seus próprios dias, e até onde lhe era possível interpretar as coisas, até aquele momento.

Talvez o erro mais absurdo de Hegel tenha sido a sua suposição de que a filosofia encontra a sua síntese em seu próprio sistema (idealismo absoluto alemão). Às vezes, levamo-nos por demais a sério. Contudo, também é possível que ele pensasse que a filosofia somente havia feito uma pausa, para, depois dele, chegar a uma nova antítese. Seja como for, ele disse demais — entrando em contradição consigo mesmo. Não obstante, podemos perdoá-lo, em vista das muitas contribuições que fez ao pensamento filosófico.

(AM BE E EP F MM P)

HEGELIANISMO

HEGELIANISMO

Esse termo refere-se, primariamente, à filosofia de Hegel (vide), bem como à sua escola de pensamento, isto é, o *idealismo absoluto*, com a sua ênfase especial sobre a interpretação realista da realidade, sobre a filosofia da história, sobre a filosofia da religião, e sobre a dialética da *tese, antítese* e *síntese*. O artigo sobre *Hegel* apresenta uma completa descrição sobre essas questões. Abaixo damos alguns poucos pontos principais. Em segundo lugar, o hegelianismo refere-se às diversas escolas que se desenvolveram a fim de promover as suas idéias, com algumas modificações.

Esboço:

I. Princípios Importantes do Hegelianismo

II. A Influência de Hegel

I. Princípios Importantes do Hegelianismo

1. A verdade de qualquer coisa requer uma compreensão adequada da totalidade dessa coisa, e não meramente de suas partes constitutivas. Daí a ênfase de Hegel sobre a história, sobre a lógica metafísica e sobre a evolução metafísica.

2. A *experiência* é a fonte de todo conhecimento; mas essa experiência é mais psíquica do que empírica. Há uma larga experiência com o Espírito Absoluto, que se torna evidente em todas as coisas. Hegel foi o «empírico de consciente», no dizer de Haering.

3. O «real é o racional», dizia ele. O *pensamento coerente* deveria ser aplicado à experiência, visto que ninguém pode confiar nas meras aparências externas. O pensamento racional e crítico sobre a realidade produz o conhecimento da realidade. Hegel opunha-se à ênfase de Schleiermacher sobre os sentimentos.

4. O *processo dialético* de tese, antítese e síntese. Oferecemos uma completa descrição a respeito, no artigo sobre *Hegel* (II.6), ilustrando a questão com várias tríadas, na terceira seção.

5. O *princípio da negatividade*. Uma tese jamais pode ficar estagnada. Automaticamente, ela importa em si mesma, em seu oposto (que é a antítese, ou não-ser). O princípio da negatividade cria o movimento dialético, que traz à existência a antítese. Somente a totalidade de alguma coisa pode ser a verdade adequada, pelo que também a verdade está continuamente em formação, exceto no caso do Espírito Absoluto, que abrange todas as coisas ao mesmo tempo. Uma tese jamais pode ser compreendida por um simples juízo correto, acompanhado de uma descrição (conforme pensava, erroneamente, Aristóteles). Pois também precisa incluir a não-tese, aquilo ao que ela vai sendo empurrada, e com o que acaba se combinando, para formar uma síntese.

6. A *idéia absoluta*, ou Espírito, é a consciência todo-inclusiva, eterna e completamente coerente, de cada estágio da dialética. A idéia absoluta é o ponto terminal e todo-inclusivo universal, que garante a unidade de todas as coisas, e onde todas as coisas subsistem. Visto que essa idéia, para Hegel, é divina, temos aí uma espécie de panteísmo.

7. A *evolução*. Um princípio de mutações inteligentes e dotadas de propósito abarca a todas as coisas. Essa evolução não é darwiniana, não é uma evolução materialista. Antes, é uma evolução cósmica e metafísica, por ser, especificamente, um ato da Idéia Absoluta sobre toda a existência. Nenhum estágio dessa evolução é final. Uma tese sempre haverá de gerar uma antítese, e daí passar para uma síntese; mas uma síntese sempre tornar-se-á novamente em uma tese, que criará sua antítese e

resultará, em combinação com esta, uma nova síntese, *ad infinitum*. A filosofia é capaz de interpretar os estágios pelos quais essa evolução tem passado, mas é incapaz de predizer o futuro.

8. *A filosofia da religião*. Foi Hegel quem expôs o primeiro estudo completo sobre a religião, por meio da filosofia; e também foi o primeiro a empregar a expressão «filosofia da religião», para referir-se à sua obra. Deus, e Deus somente com verdade, servia de base ao seu pensamento. A religião seria o relacionamento do homem com Deus, em sua experiência humana. O que é finito está relacionado ao Infinito. Dizia ele: «A religião é o autoconhecimento do divino Espírito, mediante a meditação da parte de um espírito finito». Dessa forma, ficam solucionados «todos os quebra-cabeças do mundo», especialmente através da experiência da liberdade e da bem-aventurança. As religiões dizem-nos como o Espírito divino tem evoluído nas sensibilidades e entendimentos religiosos de indivíduos e de grupos humanos. A religião absoluta, para Hegel, era o cristianismo, com sua tríada de Pai (tese), Filho (antítese) e Espírito Santo (síntese).

II. A Influência de Hegel

1. As Escolas Hegelianas

a. *A Ala Direitista*. Aqueles que interpretavam Hegel de maneira ortodoxa e sobrenatural constituíam essa ala direita, como Gabler, Heinrichs e Goschel. Esse grupo também tem sido chamado de os conservadores.

b. *A Ala Esquerdista*. Esses eram os filósofos radicais, heterodoxos, especialmente aqueles que pendiam para um panteísmo totalmente impessoal. Nesse modo de interpretar Hegel envolveram-se D.F. Strauss (*Leben Jesus*, 1835) e Bruno Bauer, da escola de Tubingen (vide). Interpretações materialistas foram apresentadas por L. Feuerbach e Karl Marx (ver os artigos sobre eles).

c. *Os Centristas*. Aqueles que seguiam as idéias hegelianas, mas evitando interpretações extremadas, foram Rosenkranz (biógrafo de Hegel), Erdmann (crítico do Antigo Testamento), Vatke e várias outras pessoas que editaram e publicaram as obras de Hegel.

d. *Influências Estrangeiras*. Os filósofos que têm empregado idéias hegelianas, fora da Alemanha, são: Stirling T.H. Green, J. Caird e Bradley (na Inglaterra); e então Taylor, Royce, Calkins, Basanquet e Creighton (na América do Norte).

2. No Campo da Política

Já tivemos oportunidade de discutir sobre isso na quarta seção, intitulada *Influência e Crítica*. 1. Influência; a. Comunismo, no artigo sobre Hegel.

3. Sobre Várias Disciplinas

A obra de Hegel influenciou o estudo da história e a filosofia da história, a jurisprudência, a política e todas as ciências naturais. Nenhum outro filósofo tem influenciado tanto o pensamento dos sécs. XIX e XX quanto Hegel. Ele expôs um tratamento filosófico sistemático da filosofia da história e da filosofia da religião. Foi o primeiro filósofo a apreender a história mundial como uma evolução orgânica que envolve todas as nações e indivíduos. Suas idéias têm-se mostrado largamente influentes na filosofia da educação e na sociologia. Infelizmente, ele glorificava a guerra como um nobre sacrifício do indivíduo em favor do Estado. Dentro do pensamento cristão, ele foi o principal fundador do *modernismo* e do *liberalismo*. Ele combatia absolutamente o humanismo antimetafísico, mas fez soar as notas-chaves da evolução, na religião e em outros campos do saber. (AM BE E EP F MM P)

Hegel

George Wilhelm Friedrich Hegel — 1770-1831
cujo intricado conceito de tríades, — tese,
antítese e síntese, para explicar as operações
da *Mente Absoluta*, captou a imaginação
dos filósofos e influenciou diversas filosofias
que se seguiram.

••• ••• •••

Prof. Dr. Leonidas Hegenberg, o filósofo brasileiro que contribuiu, em obras originais e traduções, a maior quantidade de literatura filosófica na língua portuguesa, de todos os tempos. Ver a homenagem ao Prof. Leonidas ao fim do artigo sobre *Filosofia* (última fotografia).

•••

HEGEMONIDES — HEIDEGGER

HEGEMONIDES

O rei Antíoco, da Síria, nomeou esse homem como governador civil do distrito que ia de Ptolemaida a Gerar, quando foi forçado a retornar a Antioquia, a fim de enfrentar uma revolta encabeçada por Filipe, em 162 A.C. Ver II Macabeus 13:24. Algumas traduções dos livros apócrifos, em vez de darem um nome próprio, Hegemonides, dizem ali «governador principal».

HEGENBERG, LEONIDAS

Ver ao fim do artigo sobre **Filosofia**.

HEGESIAS

Ele foi um filósofo grego do século III A.C. Era líder da escola cirenaica (ver sobre o *Cirenaicismo*), que promovia o prazer como o grande alvo da existência humana. Ver o artigo detalhado sobre o *Hedonismo*. Hegesias acreditava que não há outra coisa pela qual valha a pena viver, além dos prazeres; e também ensinava que é importante evitar o prazer a qualquer custo. Isso posto, a inteligência humana deveria ser empregada de tal modo que viesse a obter o máximo de prazer, embora sempre o fazendo de forma a evitar a dor, o sofrimento. Quando a dor intensifica-se, então é melhor modificar o prazer que a esteja causando. A sua avaliação da vida humana era pessimista, e ele mostrava-se sensível diante do sofrimento humano. Por essas razões, ele sentia que a principal tarefa de um filósofo é ensinar os homens sobre como se deve evitar a dor. O seu método, quanto a isso, era cultivar a indiferença para com a própria vida e para com as suas condições. Ele ensinava de modo tão brilhante que alguns de seus alunos começaram a cometer suicídio. Chegou a ser chamado de *advogado da morte*. Esse abuso só cessou com medidas políticas de governantes. Ptolomeu I proibiu que ele continuasse a fazer preleções.

HEGESIPO

Esse homem escreveu uma espécie de História Eclesiástica, chamada *Memórias* (em cerca de 180 D.C.), que foi a única obra dessa natureza, até esse tempo, depois do livro canônico de Atos dos Apóstolos. Pelo menos até onde vai o nosso conhecimento, isso corresponde à realidade dos fatos. Infelizmente, a obra de Hegesipo perdeu-se, embora fragmentos da mesma tenham sido preservados por outros autores, como Eusébio (vide). Em outras palavras, Eusébio, o grande historiador cristão da Igreja antiga, utilizou-se dos informes históricos dados por Hegesipo.

HEGIRA

No árabe, «fuga». Essa palavra indica a fuga de Maomé, de **Meca para Medina**, em 622 D.C. Após a sua morte, o calendário islâmico assinalou o ano de 622 D.C. como o 1º ano. De acordo com esse sistema, as datas são indicadas com A.H. (ano da hegira).

HEGLAM   Ver sobre **Gera**.

HEIDEGGER, MARTIN

Suas datas foram 1889—1976. Ele foi um filósofo alemão, um dos principais exponentes do *existencialismo* (vide), embora não se considerasse um existencialista. Nasceu em Messkirch, Baden; estudou com Husserl e tornou-se reitor da Universidade de Freiburgo em 1933. Sua obra principal foi *O Ser e o Tempo*. Sua exposição sobre a condição humana, como um meio de revelação da relação entre o homem e o *Ser*, atraiu para ele muitos seguidores pelo mundo inteiro. Quando o nazismo dominou a Alemanha, ele rompeu o seu relacionamento com Husserl, que era judeu. Em Freiburgo, ele fez um discurso que vinculava intimamente a vida acadêmica ao movimento nazista. Entretanto, posteriormente ficou desiludido com o nazismo, e resignou de seu posto de reitor da Universidade de Freiburgo, em 1934. Não obstante, ele continuou escrevendo, e também ensinava ocasionalmente, até que se retirou definitivamente da vida ativa, em 1957. Quando ainda cooperava com Husserl, era considerado um fenomenologista. Ver o artigo sobre a *Fenomenologia*. Seus últimos anos de vida ele os passou em quase total solidão. Vivia nas colinas perto de Freiburgo, e somente em raras ocasiões descia para lecionar em alguma universidade.

Idéias:

1. **O ser humano** e o seu lugar dentro do tempo. Em seu livro, *O Ser e o Tempo*, Heidegger exorta os homens a refletirem sobre o seu próprio ser. Ele acreditava que o homem é aquele ser que é capaz de fazer indagações sobre o *sentido* da sua própria existência, em contraste com os animais irracionais. O homem deseja saber por que razão «está ali» (daí o termo que ele usava, *Dasein*, «estar ali»). Essa palavra indica, ao mesmo tempo, o *onde* e o *é* da condição humana, levantando perguntas acerca do mistério e aparente arbitrariedade da existência humana.

2. *Seu método de inquirição*. Como pode alguém elevar-se acima da superficialidade da existência diária e aprender algo de significativo sobre os mistérios da vida? Heidegger empregava três artifícios nessa busca:

a. O homem não deve continuar aplicando a atitude **não-crítica**, mediante a qual ele supõe que a natureza e a sociedade são apenas instrumentos de sua existência. Mas deve chegar a entender que há uma interdependência em toda a vida e natureza. Quando ocorre um desastre natural, por exemplo, o homem percebe que não controla a sua sorte.

b. O emprego das artes pode ser uma ajuda na compreensão da situação universal do homem, o que o afasta de sua existência egocêntrica, dentro da qual supõe que as outras coisas são meros instrumentos do **seu bem-estar**.

c. Ele cria que a capacidade analítica do homem, quando devidamente utilizada, pode livrá-lo do que «alguém diz», para que possa pensar com independência, o que pode levá-lo para além das tradições e permitir-lhe atingir a verdade. Nesse ponto, ele modificou a filosofia pessimista de Kierkegaard sobre como o homem enfrenta a morte, em todo o seu desespero e temor, a fim de verificar qual o valor de tais avaliações. Heidegger chegou à conclusão de que o homem só pode apreender o sentido do Ser através de seu medo constante e da morte iminente.

3. *Na direção de um conceito do ser*. Heidegger atirou-se à tarefa de reexaminar a metafísica. Para tanto, ele apelou para a filosofia grega, analisando o que Sócrates queria dizer com termos como natureza, sorte, logos e arte. Foi então que ele escreveu o livro *A Doutrina Platônica da Verdade*. Além de examinar os escritos clássicos, ele descobriu que influências como os poemas Holderlin, as idéias de Kant sobre *coisa* e *juízo*, o conceito hegeliano da *experiência* e aspectos da doutrina de Nietzsche de que *Deus está morto*, lhe eram úteis. Em seus estudos, ele tratou o homem como guardião e intérprete do Ser, e definiu a função do pensamento como um «deixar o Ser ser, para que

HEIDEGGER — HEIDELBERG

nos diga o que tem a dizer». Ele exaltava a linguagem como se fosse um tesouro onde podemos encontrar os segredos do ser. Quanto a isso, parece que ele reverteu sua anterior convicção de que o tempo esconde o ser. Não obstante, a sua filosofia, quanto a esse particular, é um tanto vaga, não podendo ser usada com precisão para que determinemos os valores humanos.

4. *Uma vida diária autêntica.* Viver com autenticidade é descobrir como o próprio ser se relaciona às coisas que existem. Isso requer uma compreensão genuína e um pensamento original, com a rejeição das pressões das tradições humanas falsas, parciais e enganadoras. Parte dessa vida diária autêntica consiste em perceber que a primeira responsabilidade de um homem é consigo mesmo, e não diante das pressões de outras pessoas sobre ele, como indivíduos ou como instituições. Uma outra parte consistiria naquilo que ele chamava de atitude de «interesse». Uma pessoa aprende, realmente, a interessar-se, quando lança o seu ser no abismo da *angst* (angústia). É na angústia que o homem descobre sua precária situação na existência, bem como sua nulidade essencial. Então é que aprende que é um ser que se encaminha para a morte. Assim, o homem aprende a interessar-se, desenvolvendo uma autêntica consciência, independente de influências superficiais. Um outro elemento seria o que ele chamava de *ek-sistenz*, isto é, aprender e refletir a natureza da própria finitude essencial. Para que o homem viva de modo autêntico, é mister que apreenda o sentido do tempo e de todas as precariedades da existência. O indivíduo aprende a arbitrariedade de haver sido lançado em um mundo caracterizado pela culpa, pela vergonha, pela incerteza e por obrigações de toda a espécie. O indivíduo torna-se cônscio de sua nulidade, inicialmente, por seu temor de deixar de existir (o não-ser). Ao nada é emprestada uma espécie de posição ontológica. Por que existe alguma coisa, em vez do nada? Essa é uma das principais questões indagadas pela filosofia. O homem projeta-se no nada, e ali descobre o *Ser*. A constante necessidade de fazer escolhas, e o exercício disso, faz parte do viver diário autêntico.

5. *A tarefa da ontologia.* Essa tarefa consiste em descobrir a natureza real da existência, ou seja, sua finitude e sua dependência do Ser, o qual também está envolvido no abraço do nada.

6. A *palavra* (logos) opera através do uso disciplinar da linguagem, por parte do homem. A palavra, pois, é reveladora. A linguagem é poética, e não calculadora. O pensador manifesta-se sobre o ser; o poeta fala sobre o que é santo. As duas ações estão vinculadas uma à outra e são interdependentes.

A leitura do artigo sobre o *existencialismo* haverá de ajudar o leitor a apreender vários conceitos aludidos acima. O existencialismo frisa o que é negativo, pessimista, a absoluta liberdade humana, que faz o indivíduo ser o que é, a ansiedade humana sobre o não-ser. O pensamento teísta aponta para a depravação humana, bem como para a sua dependência, mas oferece uma salvação final, por parte de uma Força Superior. Algumas formas de existencialismo deixam o homem em meio à tempestade.

Sabemos, com base em estudos psicológicos, que o homem conta com esses motivos básicos incrustados em sua própria alma, razão pela qual os filósofos são capazes de descobri-los, e até mesmo descrevê-los, mesmo que parcialmente. O homem tem, como parte de sua estrutura básica, as noções do não-ser e do temor. Porém, para além da tempestade, resplandece um Novo Dia, quando o homem haverá de emergir do

não-ser para uma nova vida. As experiências perto da morte algumas vezes fazem um homem passar pelo temor do não-ser, mas também levam-no até perto da vida do novo dia futuro. Alguns existencialistas não têm podido ver que parte dos arquétipos da psique humana básica inclui essas questões, preferindo demorar-se interminavelmente nos aspectos negativos do ser humano. Um desses existencialistas pessimistas foi *Sartre* (vide).

Desafortunadamente, alguns sistemas teológicos também preferem salientar os arquétipos negativos da psique humana. Com base nisso, têm criado uma doutrina do julgamento que não acena com a mínima esperança, o que é a mais profunda causa de medo que os homens têm podido inventar. Há versículos no Novo Testamento que infundem o medo nos homens, por falar em terror e em nulidade, isto é, na total destruição. No entanto, outras porções do mesmo Novo Testamento ultrapassam essa idéia, mostrando-nos que a vontade de Deus, finalmente, fará todos os seres humanos livrarem-se disso. Estamos falando sobre o mistério da vontade de Deus, referido em Efésios 1:9,10, onde transparece uma final unidade, **harmonia e bem-estar** para todas as coisas, que encontrarão a sua unidade em torno do Logos, Jesus Cristo. Ver o artigo sobre a *Restauração,* quanto a esse ensino bíblico.

Obras de Heidegger (títulos em inglês): *The Theory of Categories and Meaning in Duns Scotus; Being and Time; What is Metaphysics; Kant and the Problem of Metaphysics; Essence of Truth; Plato's Theory of Truth; Collection of Lectures; On the Question of Being; What is Philosophy; The Question Concerning the Thing; Phenomenology and Theology.* (AM E EP F P)

HEIDELBERG, CATECISMO DE

Esse é o nome de um catecismo reformado (calvinista), compilado por dois professores de Heidelberg, Ursino e Oleviano, em 1562 D.C., a pedido do eleitor do Palatinado, Frederico III (1559-1576). Esse homem estava interessado em passar-se, com seus territórios, do luteranismo para o calvinismo. O citado catecismo também tinha o propósito de pacificar e unificar as várias ideologias protestantes em conflito. Frederico III, embora fosse professor luterano, tendo permanecido tal por toda a sua vida (o calvinismo foi declarado ilegal dentro do Santo Império Romano), na verdade era um calvinista. Mas esse catecismo é calvinista apenas moderadamente. A faculdade de Heidelberg também esteve envolvida em sua produção; porém, a base desse novo documento foi o livro de Ursino, *Catequese Menor,* de 1561. O resultado foi o mais ecumênico de todos os catecismos protestantes. Continua sendo usado pelas igrejas reformadas da Holanda e da Alemanha.

Essa confissão é tendente à conciliação (exceto quando se refere à missa católica romana). É evitada a doutrina calvinista da predestinação. Seu ensino sobre a Ceia do Senhor tenta aproximar-se da doutrina luterana, com propósitos conciliadores. A questão da descida de Cristo ao hades é ali interpretada como a angústia que ele sofreu antes da crucificação e já na cruz, o que é uma das perversões tipicamente ocidentais do texto de I Pedro 3:18 — 4:6. Essa doutrina bíblica causa embaraço para certos credos cristãos, pois visto que Cristo fez algo em favor dos perdidos, no hades, isso requer que tal ensino seja reconciliado com certas doutrinas rígidas acerca da natureza do juízo divino. No entanto, esse item só foi

HEIDELBERG — HELÃ

incluído no catecismo porque as igrejas luterana e reformada estavam discutindo sobre a questão.

Historicamente, o lançamento desse catecismo completou a separação entre o Palatinado (o palácio imperial e seus oficiais) e a Igreja luterana. Esse catecismo foi traduzido para o inglês e publicado em Oxford, na Inglaterra, em 1828. Ursino escreveu um comentário sobre esse catecismo, — que também foi traduzido para o inglês.

Conteúdo em Esboço:
Primeira parte. Sobre a miséria humana; *segunda parte:* sobre a redenção humana; *terceira parte:* sobre as ações de graças. É na primeira parte que quase todas as questões controvertidas e doutrinas são manuseadas. Esse catecismo foi adaptado para sermões e lições, pelo que foi dividido em cinqüenta e dois capítulos, cada capítulo correspondente a um domingo do ano. Além das igrejas reformadas alemãs, também foi usado pelas igrejas reformadas da Hungria, da Polônia, da Suíça e da Escócia, quando foi impresso em inglês. (AM C E)

HEIDELBERG, ESCOLA DE

Essa foi uma das escolas filosóficas neokantianas, que atuou na última porção do século XIX, bem como no começo do século XX. Estava localizada na Universidade de Heidelberg (daí o seu nome). Essa escola aproximava-se da filosofia de Emanuel Kant, do ponto de vista axiológico, asseverando que o valor é a chave mestra da epistemologia. Ver o artigo separado sobre o *Neokantianismo*, especialmente no seu quarto item.

HEILSGESCHICHTE

1. No alemão, «história da salvação». Essa era uma espécie de filosofia piedosa da história, de acordo com a qual a obra mais importante de Deus é a salvação dos eleitos. O termo foi cunhado no século XVIII, tendo sido empregado no século XIX, por diversos teólogos, a fim de rebater a tentativa de Schleirmacher para fazer a teologia alicerçar-se sobre meros sentimentos religiosos. Esse ensino enfatizava certas passagens e pontos de vista bíblicos, conferindo ao todo uma espécie de tom agostiniano e calvinista. O propósito da história seria o chamamento dos eleitos, em um processo de desenvolvimento gradual, onde o agente seria o Espírito Santo e Cristo seria o alvo. O reino de Deus, de acordo com essa escola, seria estabelecido por meio da guerra, contra os poderes malignos. J.A. Bengel (vide) era advogado dessa posição, rejeitando o dispensacionalismo mecânico de Coccejus e de Vitringa. Sua idéia de crescimento orgânico impedia o naturalismo ao afirmar que o Espírito Santo seria o agente do mesmo.

2. Karl Barth e seus seguidores modificaram radicalmente certos pontos de vista dessa doutrina, ao pensarem que os eventos importantes da história sagrada, como a encarnação, a redenção em geral, etc., teriam tido lugar em uma esfera supra-histórica, inacessível às pesquisas dos historiadores seculares, e reconhecidos apenas por meio da fé. Isso posto, a historicidade é diminuída em sua importância, o que provê uma via de escape dos ataques da alta crítica, nessa área. Entretanto, os críticos consideram as idéias de Barth como um moderno docetismo (vide).

3. Oscar Cullmann e outros teólogos concordam mais com o primeiro desses pontos de vista, insistindo na existência de uma conexão entre a teologia e os eventos históricos reais, de acordo com o que Cristo realmente se encarnou e realmente voltará a este mundo, em sua *parousia* (vide). Essa posição salienta os atos de Deus na história. No entanto, segundo ela, a fé cristã não depende das vissicitudes da pesquisa histórica. A fé em Cristo é que empresta sentido aos registros bíblicos e ao seu conteúdo histórico. Essa posição postula uma historicidade essencial, embora não estrita.

HEIM, KARL

Teólogo sistemático alemão, nascido em 1874. A princípio ele ensinou em Munster e mais tarde, em Tubingen. Suas idéias estão alicerçadas sobre o pietismo da Suábia. Sua fé em Cristo não conhecia transigências; porém, ele também procurou interpretar a fé cristã à luz da ciência moderna. De modo geral, ele compartilhava da neo-ortodoxia de Karl Barth (vide), mas também era um filósofo de inclinações evangélicas, que defendia uma escatologia realista, em contraste com a platonização de Barth. Tinha uma posição teocêntrica, que requeria uma nova compreensão sobre todos os pressupostos filosóficos fundamentais. Acreditava na existência de um diabo pessoal. Preocupava-se em emprestar à fé uma natureza mais concreta e vital; e a sua teologia é uma impressionante tentativa de fazer o poder da fé tornar-se mais vivo e real neste mundo hostil.

HEISENBURG, WERNER

Físico alemão, nascido em 1901 em Wurzburgo. Educou-se em Munique. Ensinou em Gottingen, Copenhagen e Berlim. Recebeu o prêmio Nobel de física, em 1932. Serviu como diretor do Instituto Max Planck de Física. Participou do desenvolvimento da *mecânica quantum* (vide). Isso conduziu-o ao seu conceito de *relações incertas,* o ponto de vista de que no nível microcósmico da existência, não se pode contar com as medidas quantitativas por meio de coordenadas de espaço e tempo. Assim, a posição e o impulso de um eléctron não podem ser determinados simultaneamente, e um aumento no cálculo de uma dessas coisas faz decrescer a exatidão na outra. Isso também é conhecido como o *princípio da indeterminação* de Heseinberg. Duas grandes modificações surgiram, com base nas pesquisas de Heisenburg. Assim, foi desfechado um novo golpe sobre a física clássica, pelo que essa ciência continuará a evoluir, na tentativa de explicar os fenômenos observáveis. Em segundo lugar, levanta-se a antiga questão da liberdade, e de que maneira ela se relaciona ao determinismo, com alguma ênfase maior ao lado da liberdade. Ver os artigos sobre o *Determinismo*, sobre a *Predestinação* e sobre o *Livre-Arbítrio*.

HELÃ

No hebraico, «ferrugem». Esse era o nome de uma das esposas de Assur, antepassado dos homens de Tecoa (I Crô. 4:5). Eles pertenciam à tribo de Judá. Ela viveu por volta de 1612 A.C.

HELÃ

No hebraico, «abundância». Esse era o nome de uma localidade onde Davi obteve uma notável vitória militar sobre os sírios. Ele tomou muitos despojos, incluindo cavalos e carros de combate (II Sam. 10:16,17). Aparentemente, o local não ficava muito longe do rio Eufrates. O trecho de Ezequiel 47:16, na Septuaginta, parece situar o local ao norte de Damasco, para quem vai para Hamate. Alguns

HELBA — HELENISMO

estudiosos, porém, identificam-no com a moderna 'Alma (antiga Alema), mencionada em I Macabeus 5:26. Os textos de execração egípcios (de cerca de 1850 A.C.), dizem que o local ficava ao sul de Damasco, em Hurã (vide), o que concorda com sua identificação com a moderna 'Alma.

HELBA

Esse lugar também era conhecido como **Quelba**. O significado dessa palavra é *gordura*, provavelmente uma referência à grande fertilidade da região em redor. Esse era o nome de uma das cidades do território de Aser (Juí. 1:31). Os israelitas não obtiveram êxito na tentativa de expulsar dali os cananeus. Alguns estudiosos identificam essa cidade ou com Alabe (Juí. 1:31; vide), ou com Helbade (não mencionada na Bíblia), em Khirbet el-Mahalib, a oito quilômetros ao norte de Tiro, já nas costas mediterrâneas.

HELBOM

No hebraico, «gorda». Esse nome acha-se somente em Eze. 27:18, onde é mencionado o vinho produzido nesse lugar, dentre os vários produtos trazidos para venda no mercado de Tiro. Tem sido identificada com a Halbun que fica cerca de vinte e um quilômetros ao norte de Damasco. Fica situada em um estreito vale entre escarpas nuas e muito íngremes. Essa área é famosa por seus vinhos, desde a antiguidade. Estrabão (15.735) nos informa que era um vinho muito procurado pelos assírios, babilônios e persas.

HELCAI

No hebraico, «nomeado», «apontado». Esse era o nome de um sacerdote dos dias de Jeoiaquim, o sumo sacerdote (Nee. 12:15). Helcai viveu por volta de 556 A.C. Esse nome deve ser entendido como forma abreviada de Helquias, que significa «Yahweh é a minha porção». Ele era cabeça da casa sacerdotal de Meraiote. Retornou a Jerusalém, em companhia de Zorobabel, terminado o cativeiro babilônico.

HELCATE

No hebraico, «suavidade», «liso». Nome de uma cidade existente nas fronteiras da tribo de Aser (Jos. 19:25). Foi dada como parte das possessões dos levitas gersonitas (Jos. 21:31), sendo uma das quatro cidades que couberam a essa tribo (ver I Crô. 6:75, onde uma forma variante desse nome é Hucoque). Alguns eruditos têm identificado o antigo lugar com a moderna Khirbert el-Harbaj, que fica cerca de vinte e um quilômetros ao sul de Aco e cerca de quarenta e cinco quilômetros a oeste do extremo sul do mar da Galiléia.

HELCATE-AZURIM (CAMPO DAS ESPADAS)

No hebraico, «campo dos fios da espada». Outros estudiosos preferem a tradução simples de «campos dos fios». Nossa tradução portuguesa prefere «Campo das Espadas». Talvez haja uma alusão a formações rochosas muito agrestes. Está em foco uma região perto do poço de Gibeom (ver II Sam. 2:16). O mais provável é que esse nome foi dado com base na circunstância de um duelo sangrento, que teria tido lugar ali. Naquele lugar, doze homens de Joabe combateram contra doze homens das forças de Abner, até à morte. A Septuaginta traduz esse nome como *campo das emboscadas*, como se houvesse derivação do verbo hebraico *emboscar*, em vez do termo hebraico que significa «pederneira» ou «fio de espada».

HELDAI (HELEDE)

No hebraico, «mundanismo». Nome de duas pessoas, mencionadas no Antigo Testamento:

1. Um netofatita, descendente de Otniel, encarregado de um dos turnos sacerdotais, que operavam no templo de Jerusalém (I Crô. 17:15). Viveu por volta de 1014 A.C. Foi um dos famosos trinta guerreiros de Davi, tendo sido nomeado capitão de vinte e quatro mil homens. Servia no décimo segundo mês. Muitos estudiosos pensam que o Helede de I Crô. 11:30 seria o mesmo homem. Mas o Helebe de II Sam. 23:29, provavelmente é um erro de transcrição.

2. Nome de um homem que fez parte de um grupo de judeus, que trouxe ouro e prata da Babilônia, a fim de ajudar aos exilados que haviam retornado do cativeiro babilônico (vide), juntamente com Zorobabel (Zac. 6:10). Com essas doações, foi feita uma coroa para o sumo sacerdote chamado Josué (Zac. 6:10,14). Nesse décimo quarto versículo, porém, ele é chamado Helem, o que pode ser um apelido, ou então houve ali um erro de transcrição escribal.

HELEBE

Provavelmene é um erro de transcrição em lugar de Helede. Ver o artigo intitulado Heldai (Helede), no primeiro ponto.

HELEFE

Uma cidade que assinalava a fronteira sul do território de Naftali, a nordeste do monte Tabor (Jos. 19:33). A localização moderna é Khirbet 'Arbathah.

HELEM

No hebraico, «sonho». Nome de duas personagens do Antigo Testamento.

1. Bisneto de Aser e irmão de Samer (I Crô. 7:35), talvez o mesmo homem chamado Hotão, no versículo trinta e dois do mesmo capítulo. Ele viveu por volta de 1440 A.C.

2. Um ajudante de Zacarias (Zac. 6:14). Esse nome, mui provavelmente, envolve um erro escribal em lugar de Helede, que aparece no versículo trinta e dois desse mesmo capítulo.

HELENISMO

Ver os artigos separados: *Período Intertestamental; Filosofia Helenista* e *Escolas Filosóficas do Novo Testamento*.

Esboço:

I. Definição
II. O Helenismo e o Idioma Grego
III. Esboço de Eventos Históricos
IV. Vários Elementos da Cultura Helenista
V. Indicações de Helenização no Novo Testamento

I. Definição

O historiador alemão, J.G. Droysen, no século XIX, inventou a expressão *era helenista*. Era usada para designar o período durante o qual a cultura greco-macedônica propagou-se dos Bálcãs para as terras que margeiam a bacia do mar Mediterrâneo, após a morte de Alexandre, o Grande, em 323 A.C.

HELENISMO

Entretanto, a *filosofia helenista* prosseguiu por um longo tempo após a sua morte política. Somente em 529 D.C., quando o imperador Justiniano tornou legítimas as antigas religiões e as antigas filosofias, é que chegou ao fim essa era helenista. Portanto, do ponto de vista da filosofia, esse período perdurou por cerca de setecentos anos. Durante esse período, até cerca de 30 A.C., a liderança política era grega, que sobrepujava a muitas outras instituições na Ásia Menor, na Síria, na Mesopotâmia e no Egito, com bases na civilização macedônica.

II. O Helenismo e o Idioma Grego

Ver o artigo separado sobre **Língua do Novo Testamento**. Os historiadores admiram-se diante da expansão da língua grega, que lançou raízes por grande parcela do mundo conhecido, após a morte de Alexandre, o Grande. As conquistas de Alexandre levaram o grego à maioria dos centros de civilização da época. O resultado foi que os antigos dialetos gregos desapareceram, tendo surgido um idioma grego unificado e harmônico, chamado *koiné*, ou «comum». Um dos resultados disso foi que o Novo Testamento foi escrito em grego, visto que a Igreja era, essencialmente, uma entidade gentílica, e o grego era o melhor veículo para propagar uma mensagem universal. Os gregos deram ao cristianismo o seu idioma, e os romanos contribuíram com suas excelentes estradas, facilitando assim a propagação da mensagem cristã. Aquele idioma comum, em todo o império romano, facilitou em muito a propagação da cultura helenista. Os gregos tendiam por dar maior apreço àqueles que falavam o grego, e compartilhavam de sua cultura com eles.

III. Esboço de Eventos Históricos

1. Após a morte de Alexandre, que ocorreu em 323 A.C., durante cinqüenta anos houve uma feroz disputa pelo poder, onde vários de seus ex-generais competiam por ficar com fatias de seu império. Esse período tem sido chamado de era dos *diadochoi*, ou seja, dos «sucessores» de Alexandre. O regente de Alexandre, Antipater, que governava a Macedônia, conseguiu manter intacto o império de Alexandre. Porém, quando Antipater morreu, em 319 A.C., as disputas pelo poder dividiram o império de Alexandre.

2. *Divisões que se seguiram*:

a. A maior parte da Ásia Menor, a Síria e a Mesopotâmia (quanto à área, era essa a maior fatia em que o império de Alexandre foi dividido) ficaram sob o controle de Antígono I e seu filho, Demétrio I (também chamado Poliorcetes).

b. O Egito ficou sob o controle de Ptolomeu I, de onde proveio a dinastia dos ptolomeus. Seguiram-se treze sucessores ao Ptolomeu original. Ver o artigo separado sobre *Ptolomeu*.

c. A Babilônia e o Irã foram tomados por Seleuco I. Os *seleúcidas* (Seleuco I e seus sucessores) controlavam também a Síria e a Mesopotâmia. O território deles veio a se tornar o maior e o mais populoso dos estados helenistas. Antioquia era a capital ocidental da Seleúcia. Ficava às margens orientais do rio Tigre. Em contraste com os ptolomeus, os seleúcidas iniciaram uma política de expansão territorial, tendo estabelecido muitas colônias. Além disso, a exemplo dos ptolomeus, eles helenizavam a civilização na porção que controlavam. Antíoco III, cognominado o Grande, foi o maior dos monarcas da dinastia seleúcida; e Antíoco IV Epifânio foi aquele que tentou helenizar os judeus, pelo que obteve uma pútrida reputação. Ver os artigos separados sobre *Seleuco* e sobre *Antíoco IV Epifânio*.

d. A Trácia ficou sendo governada por Lisímaco.

e. A Macedônia e a Grécia ficaram nas mãos de Cassandro.

3. Esses líderes assumiram o título de *reis*, governando reinos separados, mas caracterizados todos por duas coisas comuns: a atitude helenística na vida e o idioma grego como veículo de expressão.

4. Várias vicissitudes eliminaram alguns sucessores desses reis, da forma mais violenta. Três potências maiores surgiram daí: a Macedônia, o Egito (dos ptolomeus) e a Síria (dos seleúcidas).

5. Poderes menores centralizavam-se em torno de algumas poucas cidades principais. Essas cidades eram Pérgamo, Rodes, a Liga Etólia e a Liga Acaense. Estas duas ligas terminaram por ser a força política dominante na Grécia: a Etólia a noroeste, com capital em Termum; e a Acaense, no Peloponeso, composta de cidades, tradicionalmente, adversárias de Esparta. Atenas foi controlada, entre 316 e 306 A.C., pelo tirano Demétrio de Falerum. Mas, depois desse período, tornou-se independente, embora lhe faltasse qualquer poder político e militar verdadeiro. Contudo, Atenas tornou-se um centro cultural, devido às suas antiguidades e às suas escolas filosóficas.

6. *A Intervenção Romana*. Em cerca de 204 A.C., o Egito estava em estado de decadência geral. Foi com grande facilidade que os romanos conseguiram dominar o Egito. Em seguida, derrotaram a Macedônia, por meio de quatro guerras sucessivas. A terceira dessas guerras pôs fim à monarquia grega, e a quarta fez da Macedônia uma província romana, em 148 A.C. Os romanos combateram contra Antíoco III e Antíoco IV (163 A.C.). Em 64 A.C., a área foi anexada a Roma, como uma província, por Pompeu. O Egito estava debilitado e não servia de ameaça aos romanos, pelo que lhe foi permitido uma grande dose de liberdade. Mas, quando Cleópatra VII envolveu-se com César, e então com Antônio, as coisas se alteraram. Após a derrota de Antônio e Cleópatra, em Ácio, em 31 A.C., Otávio anexou o Egito como uma província romana.

IV. Vários Elementos da Cultura Helenista

1. *A Filosofia*. Temos apresentado um artigo separado sobre a *Filosofia Helenista*.

2. Quanto a uma *pesquisa geral*, que inclui o aspecto histórico, ver o artigo separado sobre o *Período Intertestamental; Acontecimentos e Condições do Mundo ao Tempo de Jesus*.

3. *Literatura*. O Antigo Testamento foi traduzido para o grego, em uma famosa versão conhecida como Septuaginta ou LXX. Ver o artigo separado sobre esse assunto. Em certo sentido, a fé dos hebreus foi helenizada assim, visto que essa versão permitiu que muitos povos tivessem acesso direto ao pensamento hebreu, com uma resultante amálgama de maneiras de pensar. Os judeus helenistas também absorveram idéias gregas. A interpretação alegórica do Antigo Testamento veio a ser uma atividade comum em Alexandria.

Independentemente disso, a literatura desse período, que sobreviveu até nós, consiste, virtualmente, de poesias, excetuando as histórias escritas por Políbio de Megalópolis e os monógrafos de tipos humanos e de assuntos científicos, escritos por Teofrasto. Políbio (203? — 120 A.C.) aparece como um dos grandes historiadores da antiguidade. Outros historiadores, como Lívio, Apiano, Plutarco e Diodoro usaram as suas obras (em quarenta volumes), como fontes informativas. Ele registrou o surgimento do domínio romano sobre o mundo civilizado da época.

O termo *alexandrina* é empregado para falar sobre

HELENISMO

a poesia alegórica e alusiva da época, especialmente a poesia de Calímaco de Cirene (cerca de 310 — 240 A.C.). Ele especializou-se na composição de poemas curtos (*epyllia*). Apolônio de Rodes, do século III A.C., produziu um grande poema épico, a *Argonáutica*. Teócrito de Siracusa escreveu poemas pastoris. Herodas de Cós escreveu peças humorísticas e poesias. Esses poetas muito influenciaram os poetas latinos que se seguiram.

4. *Ciência*. Houve alguns notáveis avanços científicos durante o período helenista. O maior cientista geral do período helenista foi Eratóstenes, o qual dominou muitos assuntos, alguns científicos e outros não. Ele era historiador e estabeleceu uma cronologia científica para datar eventos da história da Grécia. Sendo poeta, era grande conhecedor da comédia ática. — Também era lingüista e geógrafo, sabia que a terra é redonda, e foi capaz de fazer um cálculo bem aproximado das dimensões do globo terrestre. Tornou-se chefe do museu de Alexandria. Seus contemporâneos apelidaram-no de Eratóstenes *Beta*, indicando com isso que, apesar de não ser o primeiro em qualquer assunto que dominava, era *segundo* em todos eles.

Teofrasto, por sua vez, distinguiu-se na botânica. Euclides e Arquimedes, na matemática. Aristarco, na astronomia.

5. *Religião*. Para os estudiosos da Bíblia, o lance mais importante foi a tentativa de Antíoco IV Epifânio, e de outros monarcas selêucidas, de helenizar os judeus, o que resultou na sangrenta guerra dos Macabeus. Com grande perda de vidas, Israel resistiu a esse esforço, tendo conseguido um período de independência política. Mas esse período não perdurou por muito tempo — menos de cem anos — antes que os romanos chegassem à região.

Esse período viu o testemunho dos cultos religiosos gregos tradicionais, de mistura com religiões orientais. Essas eram, realmente, religiões orientais, com uma capa de helenismo. Eueremo (século IV A.C.) ajudou nesse processo de debilitamento salientando a qualidade antropomórfica da antiga religião grega, onde os deuses eram pouco mais do que heróis. Os cultos orientais ofereciam uma abordagem mais teísta, de acordo com a qual era possível os adoradores se aproximarem mais de Deus. No Egito, Ptolomeu I, com a ajuda de Demétrio de Falerum, do ateniense Timóteo e do egípcio Maneto, procurou introduzir a adoração a *Sarapis*. Um templo gigantesco foi construído, para promover esse culto, chamado *Sarapeum*. Essa religião era uma espécie de mistura do culto a Zeus com o culto a Asclépio, juntamente com a deusa Ísis, nativa do Egito, e seu consorte, Osíris. Gradualmente, Ísis veio a obter maior prestígio do que Sarapis.

Além disso, havia o culto à deusa-mãe. Cibele, uma divindade da Ásia Menor. O culto de Mitra foi-se espalhando, desde seu centro, no Irã, e já se tornara muito importante, no tempo das conquistas romanas. Esses cultos foram rivais do cristianismo nos seus primeiros passos, após a intervenção romana. Um fato curioso desenvolveu-se durante o período helenista: a civilização greco-macedônia dominava a cena política, mas as formas religiosas da Ásia e do Egito é que predominavam sobre a cena religiosa. Apesar de haver o sincretismo de idéias religiosas, essa circunstância era uma espécie de revolta contra a helenização total de terras não tradicionalmente gregas.

V. Indicações de Helenização no Novo Testamento
Em primeiro lugar, temos a considerar o idioma em que foi escrito o Novo Testamento, o grego. Também devemos pensar nas idéias gregas, refletidas no Novo Testamento, que modificaram a fé dos hebreus, mãe do cristianismo. A doutrina do *Logos* é um notável exemplo disso. Além disso, no pensamento hebreu chegamos a encontrar o mundo em dois níveis, da concepção platônica, que Plotino (e o neoplatonismo) promovia. Juntamente com isso, havia a idéia de que a porção inferior da esfera do mundo era uma espécie de duplicação da porção superior dessa esfera. O judaísmo helenizado, naturalmente, já havia adotado essa idéia, imaginando que Moisés transmitira a lei com base na lei já estabelecida no céu, e levantara o tabernáculo com base em modelos celestes que lhe haviam sido mostrados no monte Sinai. O trecho de Hebreus 8:5 reflete essa crença. Ver também Heb. 9:23. No artigo sobre a epístola aos *Hebreus*, seção VI 1, damos uma completa descrição sobre a influência filo-platônica sobre esse livro do Novo Testamento.

Talvez a maior influência que aparece no Novo Testamento, que reflete idéias que não pertenciam aos hebreus, seja a idéia da imortalidade da alma. Essa doutrina só surgiu bem mais tarde no judaísmo; e, quase certamente, foi tomada por empréstimo de outras religiões (orientais) e filosofias, sobretudo das noções de Platão e dos estóicos. No Novo Testamento, porém, os conceitos da imortalidade da alma e da ressurreição do corpo já aparecem combinados. A explicação dada por Paulo, no décimo quinto capítulo de I Coríntios tem deixado intranqüilos a muitos estudiosos. Para exemplificar, o trecho de I Cor. 15:18 parece dizer que o indivíduo *perece*, a menos que ressuscite; mas Fil. 1:23 *ss*, mostra que a alma sobrevive, inteiramente desvinculada do corpo físico. Desse modo, a ressurreição aparece como o revestimento de um novo corpo, espiritual, que dará à alma remida o seu veículo de expressão nos lugares celestiais, o que, sem dúvida, acontece. No entanto, não era assim que os hebreus compreendiam originalmente a questão, pois eles pensavam que o corpo físico seria absolutamente necessário à vida. A antiga noção dos hebreus era semelhante àquela que os Adventistas do Sétimo dia mantêm hoje em dia, porquanto eles ignoram a vida separada da alma, ensinada e prometida nas páginas do Novo Testamento.

Paulo adaptou várias de suas explicações teológicas segundo moldes helenistas. Para exemplificar, consideremos os seus *mistérios*. A finalidade desses mistérios era contradizer idéias pagãs, sobretudo, gnósticas; porém, a idéia geral de uma religião repleta de *mistérios* certamente era grega e helenista. Ver o artigo geral sobre *Mistério*. A interpretação alegórica, conforme se vê em Gál. 4:21 *ss*, foi tomada por empréstimo dos judeus alexandrinos, que mesclavam a fé dos hebreus e as idéias platônicas.

A passagem de Atos 6:1 refere-se à disputa entre os hebreus e os helenistas. E por essa última palavra, *helenistas*, provavelmente deveríamos entender judeus que falavam o grego, nascidos no estrangeiro, e não pagãos convertidos ao judaísmo. O contexto do trecho de Atos 1 — 5, que nos fornece o pano de fundo daquele versículo, aborda a propagação da Igreja cristã entre os judeus; mas, como os gentios chegaram a entrar no cristianismo só aparece no capítulo décimo daquele livro. Paulo disputava com judeus helenistas, em Atos 9:29, e não com gentios. Atos 11:20, mui provavelmente, é outra alusão a judeus que falavam o grego, pois ali também se acha o termo «helenistas».

Bibliografia: AM BOT E GC TAR TON Z
••• ••• •••

HELEQUE — HELIÓPOLIS

HELEQUE

No hebraico, «porção». Nome de um descendente de Gileade, fundador de uma família que tinha o seu nome (Núm. 26:30). Vários de seus descendentes foram pessoas influentes (Jos. 17:2). Ele viveu por volta de 1612 A.C. A linhagem de Heleque retrocede até José, pai de Manassés.

HELEZ

No hebraico, «força». Nome de dois indivíduos e de uma tribo:

1. Um dos trinta poderosos guerreiros de Davi (II Sam. 23:26; I Crô. 11:27). Nesta última passagem, ele é chamado de efraimita. Aparece como capitão do sétimo turno de sacerdotes, que serviam no templo de Jerusalém (I Crô. 27:10). Viveu por volta de 1014 A.C.

2. Um filho de Azarias, da tribo de Judá (I Crô. 2:39), descendente de Jerameel. Viveu antes de 1017 A.C.

3. Nome de um clã do qual o homem de número «2» era o cabeça. Esse clã também era conhecido pelo nome de os jerameelitas.

HELIOCÊNTRICA, TEORIA

Essa teoria envolve o conflito, entre os religiosos e os cientistas pioneiros, acerca de uma «ortodoxia» científica que indagava se o sol é ou não o centro do sistema solar. A antiga noção aristotélica ptolemaica fazia da terra o centro do Universo, como um corpo imóvel, fixo no espaço. Aristarco de Samos (310 — 230 A.C.) propunha que a terra e os planetas giram em torno do sol, o qual permaneceria fixo, ao passo que a terra giraria em torno de seu próprio eixo e também em sua órbita ao redor do sol. Esse conceito foi renovado por Copérnico (vide), que refutava assim os princípios da astronomia ptolemaica; e, mais tarde, esse conceito foi reforçado por Galileu (vide). Houve tanta oposição por parte da Igreja Católica Romana, contra eles, quanto havia tido a Aristarco de Samos, na época dele, pelos tradicionalistas. De acordo com certas idéias filosóficas antigas, mas equivocadas, o movimento seria a causa mesma da decadência; mas, conforme todos pensavam, a criação de Deus não é decadente e, assim sendo, a terra teria de ser imóvel. O que eles esqueciam é que isso queria dizer que só a terra não seria decadente, e que o resto do Universo, visto que giraria em torno da terra, seria decadente! Além disso, conforme eles pensavam, nosso bom senso nos diz que a terra é o centro de tudo. Podemos ver o sol, a lua e as estrelas se moverem em redor da terra. Em face de todas essas impressões, foram necessários muitos séculos de acúmulos de evidências científicas para que as idéias populares se modificassem. Entrementes, aqueles que declaravam, com toda a razão, que o sol é o centro do nosso sistema, referindo-se a movimentos (pois, na verdade, o próprio sol gira em torno de seu eixo), eram perseguidos, detidos e lançados na prisão. A lição moral envolvida em tudo isso é perfeitamente clara: precisamos ter tolerância com as novas idéias, pois, com grande freqüência, a longo prazo, elas mostram estar ao lado da verdade. A verdade, por sua vez, deveria ser o nosso maior interesse, e não uma ortodoxia que consiste somente na retenção de antigas idéias, que terminam por tornar-se obsoletas, diante do descobrimento de novos fatos. Nem sempre, pois, verdade e ortodoxia são sinônimos perfeitos. Há casos em que, para estarmos ao lado da verdade, precisamos passar por não-ortodoxos, pois assim os outros nos consideram!

HELIODORO

No grego, «presente de Hélios». Hélios era o deus-sol dos gregos. Heliodoro foi o primeiro ministro do rei Seleuco IV Filopator, o qual reinou de 188 a 175 A.C. Ver o artigo geral sobre os *hasmoneanos*, quanto ao pano de fundo histórico. Heliodoro tentou, mas sem sucesso, pilhar os tesouros do templo de Jerusalém (II Macabeus 3). Isso foi ocasionado por um judeu, que entrou em desavença com o sumo sacerdote Onias, e que estava procurando vingar-se. Ele resolveu que a melhor coisa a fazer, para tanto, era informar as potências estrangeiras acerca dos tesouros do templo, na esperança de que ficariam suficientemente interessadas em tentar se apossar de tais riquezas. Seleuco, rei da Síria, na ocasião estava encarregado do governo da Palestina, pelo que apossar-se desses tesouros parecia uma empreitada fácil. O citado indivíduo judeu também informou Apolônio, governador da Fenícia, sobre aquelas riquezas prontas a serem pilhadas e, em seguida, informou ao rei. Heliodoro, pois, foi nomeado para obter o dinheiro.

Uma narrativa fantástica tem surgido em torno da questão, embora seja difícil avaliar quanto de verdade há na mesma. Heliodoro foi informado pelos judeus, no templo, de que o dinheiro ali guardado pertencia, principalmente, a viúvas e órfãos, que o haviam ali deixado em depósito. Tocar em tal dinheiro, por conseguinte, seria um sacrilégio. Porém, dificilmente os ladrões ficam impressionados diante de tais argumentos. Assim, Heliodoro adentrou o templo com um grupo de homens. Porém, imediatamente saiu-lhe ao encontro um cavaleiro, em um magnífico cavalo, com um grupo de jovens soldados, esplendidamente fardados, em uma aparição. O cavalo deu um coice em Heliodoro e os jovens soldados o espancaram. Então ele rogou ao sumo sacerdote, para que lhe fosse poupada a vida. Ele então foi salvo, e o sumo sacerdote orou, pedindo a recuperação de sua saúde. Humilhado, Heliodoro fez os sacrifícios exigidos e partiu. Uma outra versão da mesma história, que aparece no quarto livro dos Macabeus, faz de Apolônio o ladrão em potencial.

Heliodoro foi um típico político da antiguidade. Embora tivesse sido criado juntamente com Seleuco, acabou por assassiná-lo, em 175 A.C., na tentativa de obter o poder. No entanto, foi posto em fuga por Eumenes, de Pérgamo, e o irmão deste, Atalo. Foi então que subiu ao trono da Síria o infame Antíoco IV Epifânio. Era irmão de Seleuco. Os artigos separados sobre esses dois homens contam a história das negociações entre Israel e os *seleucidas*, governantes da Síria.

HELIÓPOLIS

No grego, «cidade do sol». O nome dado a essa cidade, em Jeremias 43:13, é Bete-Semes (vide), que significa «Casa do Sol». Todavia, outras cidades também eram conhecidas pelo nome de Bete-Semes, conforme aquele artigo nos mostra. Ver Gên. 41:45,50; 46:20. O deus-sol era chamado Rá, pelos egípcios. Heliópolis ficava cerca de dezesseis quilômetros a nordeste do Cairo, no Egito. Era a cidade onde se faziam os maiores estudos científicos do Egito. Outras cidades, como Roma e Constantinopla, furtaram seus adornos, a fim de embelezarem a si mesmas. Dois magníficos obeliscos de granito vermelho de Siena, que Faraó Tutmés III (em cerca de 1490 — 1450 A.C.) havia posto diante do templo

HELIÓPOLIS — HEMÃ

do deus Rá, atualmente podem ser vistos às margens do rio Tâmisa, em Londres, e no Central Park, de Nova Iorque. Um único obelisco permanece no antigo lugar, em Heliópolis. Esse obelisco foi levantado por Senworsrete I, em cerca de 2000 A.C., em honra a Rá-Horus do Horizonte. Tal obelisco data do tempo da cidade bíblica de Om (vide). É na moderna Heliópolis que fica o mais importante aeroporto do Egito. Conforme poder-se-ia supor com base em tal nome, a antiga cidade tornou-se famosa por seus elaborados ritos, em honra ao deus-sol.· De fato, era esse o mais importante centro religioso do antigo Egito.

A partir da V Dinastia egípcia (que começou em cerca de 2500 A.C.), cada Faraó recebia o título de «filho de Rá». Os sacerdotes de Heliópolis brandiam uma grande autoridade, e não meramente uma posição religiosa forte. Heliópolis também foi um grande centro de erudição antiga. A história nos informa que o estadista grego, Sólon, bem como os filósofos gregos Tales, Platão e Eudoxo passaram ali algum tempo, estudando. Na época de Heródoto (cerca de 450 A.C.), a cidade já havia entrado em um período de declínio, o que se acentuou ante a fundação da biblioteca de Alexandria (vide sobre *Alexandria, Biblioteca de*), o que transferiu o centro da erudição antiga para aquele lugar (cerca de 305 A.C.). ·Quando o historiador e geógrafo grego, Estrabão, visitou Heliópolis, em 24 A.C., descobriu que as escolas dali estavam quase desertas. Atualmente, pouco resta da antiga cidade. Seus templos foram todos destruídos, e as pedras dos mesmos foram empregadas em outras edificações. O único monumento restante é o obelisco de granito vermelho, a que já nos reportamos. Tem a altura de vinte metros, e traz estampado o nome de Sesostris I (— que reinou de 1971 a 1928 A.C.). Esse obelisco assinalava, originalmente, o local onde havia um grande recinto fechado e um complexo de estruturas, utilizado na adoração e culto a Rá (Rá Atom), durante a XII Dinastia.

O livro de Gênesis informa-nos de que José, filho de Jacó, casou-se com uma filha do sacerdote do templo de *Om* (Heliópolis). As tradições extrabíblicas (geralmente lendárias e, portanto, indignas de confiança) asseveram que José e Maria descansaram em Heliópolis, quando levaram o infante Jesus ao Egito, para escapar da sanha homicida de Herodes.

HELIÓPOLIS (BAALBEQUE)

Os gregos também chamavam a cidade de Baalbeque, na antiga Síria, de *Heliópolis*, «cidade do sol». Ver o artigo separado sobre *Baalbeque*.

HELMHOLTZ, HERMANN VON

Suas datas foram 1821—1894. Foi um cientista e filósofo alemão. Nasceu em Potsdam. Foi professor de fisiologia em Konigsberg, Bonn e Heidelberg. Ensinou física em Berlim. Contribuiu para várias ciências, como a física, a fisiologia, a biologia, a química, a psicologia e a matemática. No campo da filosofia, ele seguia a linha kantiana, concordando, por exemplo, que a nossa noção de espaço é algo intuitivo. De modo geral, ele aceitava o conceito kantiano da natureza *a priori* da intelecção, que nos ajuda a manipular os fenômenos. O alvo da ciência seria descobrir causas com base em forças simples.

Obras. Seus escritos incluem os títulos: *On the Sensations of Tone; Inductions and Deductions; Number and Mass; Papers on the Theory of Knowledge*.

HELOM

No hebraico, «forte». Nome do pai de Eliabe, chefe da tribo de Zebulom (Núm. 1:9; 2:7; 7:23,29; 10:16). Ele viveu por volta de 1658 A.C.

HELQUIAS

Ver sobre **Hilquias**.

HELVETIUS, CLAUDE ADRIEN

Suas datas foram 1715—1771. Foi um filósofo hedonista francês. Nasceu em Paris. Ocupou posições de responsabilidade no governo francês. Escreveu um famoso livro infame, com título em francês *De l'esprit*. Esse livro foi condenado na Sorbonne. Foi queimado publicamente, mas não demorou a ser traduzido para vários outros idiomas europeus. Além desse livro, ele escreveu *Sobre o Homem, suas Faculdades Intelectuais e sua Educação*. Suas idéias ajudaram a moldar a escola do *utilitarismo* (vide). Ver também o artigo sobre *Jeremy Bentham*.

Idéias:

1. O homem vive somente para o **prazer**, ao mesmo tempo em que procura evitar a dor. Até mesmo os mais nobres atos de **auto-sacrifício**, quando devidamente examinados, podem ser interpretados sobre essa luz.

2. Todas as idéias morais que há entre os homens podem ser atribuídas a meros costumes, e não a Deus. O bem público nada mais é do que o máximo de prazer para o maior número de pessoas. Os interesses individuais e os interesses públicos deveriam ser amalgamados entre si.

3. Uma das principais tarefas do estado é mesclar o desejo pelo prazer do indivíduo e do público, harmonizando esses dois desejos.

4. Os preconceitos religiosos, geralmente, são contrários aos desejos naturais dos homens, na busca pelo prazer e deveriam ser regulamentados pelo Estado, — que faria bem em combater tais preconceitos.

5. Ele pensava que todos os homens são iguais quanto aos poderes intelectuais, imaginando que suas diferenças residiriam em questões como motivação e educação.

6. A natureza humana seria, essencialmente, passiva e poderia ser manipulada. Ele negava o livre-arbítrio, como também duvidava de qualquer natureza espiritual existente no homem.

Helvetius foi forçado a se retratar, tendo perdido sua posição, por ordem do governo. Não obstante, ele viveu uma boa vida, tendo viajado muito e tendo sido honrado por poderosas figuras mundiais.

HEM

No hebraico, «graça», «favor». Nome de um dos filhos de Sofonias (Zac. 6:14). Alguns estudiosos identificam-no com o Josias de Zac. 6:10. Porém, outros tradutores não compreenderam a palavra hebraica *hem* como um nome próprio, e assim traduzem o versículo como «em favor do filho de Sofonias». Assim diz também a Septuaginta. Ele foi mencionado entre aqueles que depositaram suas coroas no templo de Jerusalém. Viveu por volta de 519 A.C.

HEMÃ

A forma portuguesa reflete dois nomes diferentes

Colunas do templo de Júpiter, Baalbeque — Cortesia, John F. Walvoord

Altar de Rocha, Baalbeque — Cortesia, John F. Walvoord

Ruínas do Tiro Antigo
Foto de Alistair Duncan

HEMORRAGIA — HENADAS

no hebraico, a saber:

1. Um filho de Lotã, filho mais velho de Seir (Gên. 36:22). Todavia, a nossa versão portuguesa diz ali *Homã*, em vez de Hemã. Isso se repete em I Crô. 1:39. Muitos estudiosos pensam que Homã é a forma correta do nome. No hebraico, o nome significa «violento», «furioso». Viveu por volta de 1800 A.C.

2. Um filho de Zera, filho de Jacó e Tamar, sua nora. Seu nome ocorre em I Reis 4:31 e I Crô. 2:6. No hebraico, esse nome significa *fiel*. Viveu por volta de 1640 A.C.

3. Há um outro Hemã (no hebraico, «fiel»), filho de Joel e neto do profeta Samuel, descendente de Coate. Seu nome ocorre por catorze vezes no Antigo Testamento: I Crô. 6:33; 15:17,19; 16:41,42; 25:1, 4-6; II Crô. 5:12; 29:14; 35:15 e Sal. 88 (no título, «Hemã, ezraíta»). Viveu por volta de 1060 A.C. Ele é chamado de um dos «cantores», em I Crô. 15:19. Ele foi o primeiro dos três principais levitas a quem foi dada a incumbência de dirigir a música vocal e instrumental do santuário, na época de Davi.

HEMORRAGIA

Ver o artigo geral sobre as **Enfermidades da Bíblia**. Uma hemorragia é uma perda ou fluxo de sangue, devido ao rompimento de algum vaso sangüíneo de qualquer dimensão, devido a alguma injúria ou devido à fragilidade do próprio vaso sangüíneo, o que o leva a romper-se espontaneamente, ou então, em resultado de alguma pressão externa. O trecho de Lucas 8:43,44, que descreve um dos notáveis milagres de Jesus, refere-se a uma mulher que vinha sofrendo de uma hemorragia pelo espaço de doze anos, mas que foi instantaneamente curada. Os médicos supõem que essa condição, no caso dela, foi provocada por uma disfunção de seu fluxo menstrual, devido a algum tumor fibroso em seu útero. Atualmente, tal condição é tratada cirurgicamente.

Sabemos que os curadores psíquicos têm podido curar condições assim, porque existe tal coisa como a cirurgia psíquica. Na vida de Jesus, poderes extraordinários de cura eram exibidos, não havendo como duvidar da autenticidade de tais curas. A ciência moderna ainda não atingiu o ponto em que possa pronunciar-se a respeito do poder do espírito.

HEMPEL, CARL GUSTAV

Nasceu em 1905. Foi um filósofo e cientista empírico alemão. Nasceu em Oranienburg. Estudou em Gottingen, Heidelberg e Berlim. Ensinou em Yale e em Princeton, nos Estados Unidos da América do Norte. Os principais filósofos que exerceram influência sobre ele foram Reichenbach, Schlick e Carnap. Hempel fez importantes contribuições para a filosofia da ciência.

1. Ele enfatizava a importância da linguagem, o que é comum na filosofia da ciência. Ele falava sobre o princípio da *traducionabilidade*, o que, para ele, indicava que o significado existente em uma sentença pode ser traduzido para a linguagem empírica.

2. «No tocante tanto à explicação dedutiva nomológica quanto à explicação científica, como 'modelos de acordo com a lei', ele argumentava que as diferenças entre as leis invocadas afetam o caráter lógico da inferência que liga a declaração sobre o fenômeno à informação explicativa. O primeiro tipo invocaria leis universais; mas, no segundo tipo, pelo menos algumas das leis não seriam estritamente universais, mas antes, seriam estatísticas em sua natureza. Em ambos os casos, entretanto, o fenômeno

pode ser deduzido das leis envolvidas, ou por necessidade ou com base em algum grau de probabilidade».

Ver o artigo separado sobre o *Positivismo Lógico*. Esses filósofos perderam de vista o fato de que o conhecimento pode ser genuinamente adquirido por outros meios além do meio empírico, como a razão, a intuição e as experiências místicas. Em outras palavras, o positivismo (e a filosofia da ciência) tem utilidade quanto às atividades empíricas importantes para o homem, embora mostre-se de utilidade secundária quanto à *gnosiologia*. Ver sobre o *Misticismo*, importante no caso do conhecimento religioso.

HENA (CIDADE)

No hebraico «terra baixa», mas outros estudiosos preferem pensar em um sentido desconhecido. Era uma das seis cidades cujos deuses não teriam sido capazes de salvá-las dos exércitos atacantes de Senaqueribe, conforme Rabsaqué (vs. 28) salientou. O nome dessa cidade ocorre por três vezes no Antigo Testamento: II Reis 18:34; 19:13 e Isa. 37:13.

Provavelmente, essa cidade ficava localizada na Mesopotâmia, em conexão com Hamate, Arpade e outras, que foram derrubadas por Senaqueribe, antes de suas tropas virem a invadir a Judéia. Alguns estudiosos identificam-na com a cidade de *Ana*, às margens do rio Eufrates. A menção sobre a derrota dessas cidades, que Rabsaqué proclamou em altas vozes, tinha por intuito intimidar ao rei Ezequias, enfraquecendo a sua fé em Deus, quando os exércitos de Senaqueribe estavam acampados em redor de Jerusalém.

HENA (PLANTA)

Algumas traduções dizem «cânfora», em lugar de hena, nos trechos de Can. 1:14 e 4:13. A espécie vegetal em foco é a *Lawsonia inermis*, um arbusto de cor rósea, e que tem um odor similar ao da rosa. É largamente cultivada no Oriente, devido ao corante que a mesma produz. Suas folhas são reduzidas a pó e então em uma pasta, usada na cosmetologia. Moffatt traduz o trecho de Cantares 1:14 como: «Meu querido é meu ramo de flores de hena», o que se assemelha muito à tradução que aparece em nossa versão portuguesa: «Como um racimo de flores de hena... é para mim o meu amado».

A substância produzida com base nessa planta era usada para dar colorido às unhas das mãos e dos pés, às pontas dos dedos, e até mesmo às barbas dos homens e às crinas dos cavalos. Algumas jovens chegavam a colorir as solas de seus pés com essa tintura. Curiosamente, na África, no Zaire, até hoje prevalece uma prática similar.

HENADADE

No hebraico, «favor de Hadade». Esse era o nome de um levita que ajudou a reconstruir as muralhas de Jerusalém, depois do cativeiro babilônico. Seu nome figura em Esd. 3:9. Ele era cabeça de uma casa de sacerdotes que retornaram em companhia de Zorobabel. Ele se encontrava entre aqueles que selaram o pacto estabelecido com Esdras (ver Nee. 10:9). Viveu por volta de 535 A.C.

HENADAS, DOUTRINA DAS

Ver o artigo sobre **Proclo**, segundo ponto.

HENDÃ

No hebraico, «agradável». Era filho mais velho de Disã, um dos filhos de Seir. Em I Crô. 1:41, ele é chamado Hanrão. Com a forma de Hendã, o nome aparece somente em Gên. 36:26. Ele viveu por volta de 1700 A.C.

HENGSTENBERG, ERNST WILHELM

Suas datas foram 1802—1869. Foi um teólogo e escritor de comentário bíblico alemão. Foi professor da Bíblia e de teologia sistemática em Berlim, durante quarenta anos. Foi fundador de um influente jornal religioso. Publicou muitos comentários bíblicos e uma *Cristologia do Antigo Testamento*, em três volumes. Foi um dos principais opositores do racionalismo, e também defensor da ortodoxia luterana.

HENKE, HEINRICH PHILIPP KONRAD

Suas datas foram 1752—1809. Foi diretor do seminário teológico de Helmstedt. Era racionalista e deísta. Ele opunha-se àquilo que pensava ser expressões várias de idolatria, no seio da Igreja cristã, como a cristolatria, a bibliolatria (vide) e a onomatolatria (isto é, a adoração a nomes, doutrinas, coisas, pessoas, etc.). Como deísta que era, não tinha muito respeito pela revelação sobrenatural, e não distinguia entre a história da Igreja e a história do dogma.

HENOTEÍSMO

Ver o artigo geral sobre *Deus*, III. *Conceitos de Deus*, sob 2. *Enoteísmo*. O Henoteísmo (enoteísmo) deriva seu nome dos termos gregos *henós*, «um», e *théos*, «deus». A idéia é que só existe um único Deus. Porém, no uso comum que se faz da palavra a idéia transmitida é que existe uma divindade suprema, que tem contacto com um certo mundo ou com certo grupo de seres, ao mesmo tempo em que podem existir outros deuses com outros campos de atividade. Pelo menos em algumas culturas, como na dos hebreus, o henoteísmo pode ser um passo intermediário entre o politeísmo (vide) e o monoteísmo (vide).

HENRIQUE DE GHENT

Suas datas aproximadas foram 1217—1293. Ele foi um filósofo escolástico e teólogo francês. Nasceu em Ghent ou em Tournai. Ensinou em Paris. Participou da comissão que condenou o averroísmo (vide). Era frade agostiniano, influenciado por Aristóteles e por Avicena. Foi contemporâneo de Tomás de Aquino e Boaventura, e influenciou as idéias de Duns Scoto. Ver os artigos separados sobre essas personagens. Algumas de suas idéias foram combatidas por Pedro, o Venerável, e por Bernardo de Clairvaus (vide). Tornou-se cânone de Tournai, em 1267, e arquidiácono em 1278. Fez conferências na Universidade de Paris. Faleceu em Tournai, a 29 de junho de 1293.

Henrique de Ghent era um agostiniano conservador, e reagia fortemente contra o racionalismo dos aristotelianos, como Tomás de Aquino. Os historiadores supõem que ele tomou parte na produção da famosa «Condenação de 1277», através da qual o bispo de Paris condenou, indiretamente, algumas das idéias de Tomás de Aquino. Ele defendia certa forma de *voluntarismo* (vide), asseverando a supremacia da vontade sobre o intelecto. Baseava a sua gnosiologia sobre a iluminação divina e, em conseqüência, sobre o

misticismo (vide), em vez da observação empírica, com o apoio da razão. Escreveu duas obras notáveis, com títulos em latim: *Summa Theologica* e *Quodlibeta*.

HENRIQUE DE LANGENSTEIN

Suas datas foram 1340—1397. Foi professor na Universidade de Paris e reitor da Universidade de Viena, na Áustria. Tornou-se conhecido devido aos seus esforços em prol da reforma e da unidade da Igreja, o que ele promoveu em sua obra *Epistola Concilii Pacis*.

HENRIQUE VIII

Nasceu em 1491 e faleceu em 1547. Foi um rei da Inglaterra, cuja vida pessoal ficou entretecida com a história da Igreja Anglicana. Seu divórcio não foi a causa real da Reforma Protestante na Inglaterra, embora tenha agido como um dos fatores que apressou o processo. Ele aboliu a jurisdição papal na Inglaterra e reduziu os privilégios e as propriedades dos clérigos. Também proclamou a supremacia do rei sobre a Igreja. Apesar de que muitos não aprovavam as suas táticas e as suas aventuras românticas, ele foi largamente aprovado diante de suas atitudes para com Roma, e por causa de certos atos que ele promoveu. Era um homem sem escrúpulos, mas dotado de grandes dotes práticos e de uma percepção política incomum.

Em 1521, Henrique escreveu (sem dúvida, com a ajuda de um ou dois teólogos) a sua obra *Assertio Septem Sacramentorum*, na qual ele defendia os pontos de vista tradicionais católicos sobre os sacramentos, uma defesa que tinha por finalidade contradizer a posição de Lutero. Por causa disso, foi recompensado pelo papa Leão X com o título de *Defensor da Fé* (vide). Até hoje a coroa inglesa ostenta esse título.

No entanto, não muito depois disso (de 1527 a 1533), Henrique estava envolvido em uma amarga disputa por que queria que seu casamento com Catarina fosse declarado nulo, a fim de que pudesse contrair matrimônio com Ana Bolena, a última de suas amantes, — que estava resolvida a não ser somente isso. É verdade que a questão suscitou muitos choques, mas também havia um crescente nacionalismo na Inglaterra, e muitos ingleses ansiavam por libertar-se de Roma. Mas, o direito de se divorciar não foi conferido por Roma, e a situação se agravou. Em 1533, Henrique VIII se casou com Ana Bolena, sem que o papa o tivesse liberado dos laços matrimoniais anteriores. Porém, em 1536, Henrique mandou executar Ana Bolena, por motivo de adultério. Antes mesmo disso, o parlamento inglês declarou Henrique VIII cabeça suprema da Igreja da Inglaterra, e todos os ingleses tiveram de prestar juramento, desligando-se de Roma.

Entre 1536 e 1540, estabeleceram-se várias casas religiosas inglesas. Com base nelas, vários ramos protestantes fizeram grandes progressos na Inglaterra. Porém, prosseguiam negociações visando a uma aliança doutrinária e política entre os grupos protestantes do continente europeu e os protestantes ingleses, o que recebia o apoio de altos escalões do governo. Entre os que apoiavam tal aliança estava o arcebispo Cranmer, homem muito respeitado por Henrique VIII. Naturalmente, havia também opositores. Um dos principais adversários era Sir Thomas More, homem de notável erudição e que também ocupava elevados ofícios políticos. E também havia

HENRY, MATTHEW — HERÁCLIDES

John Fisher, o único bispo que resistiu a Henrique VIII até à morte. Henrique mandou decapitá-lo, em 1535.

Houve ameaças de reavivamentos católicos romanos, além de outros problemas, incluindo mais casamentos e divórcios por parte de Henrique VIII. Ao todo, ele casou-se por seis vezes, e ordenou a execução de duas de suas esposas. A despeito disso, encontrou tempo para declarar guerra contra a França e a Escócia; e estava pesadamente envolvido nesses conflitos quando faleceu, a 28 de janeiro de 1547. O trono ficou com seu filho, Eduardo VI, de nove anos de idade, com sua terceira esposa, Jane Seymour.

Os historiadores reconhecem suas grandes habilidades, apesar de seu espírito sangüinário e de seus métodos e atos tirânicos. Henrique conferiu à monarquia britânica um novo poder, um novo prestígio. Deixou atrás de si uma Igreja nacional. Eliminou o monasticismo na Inglaterra. Durante os seus dias veio à existência a Bíblia traduzida para o inglês, e o protestantismo lançou raízes na Inglaterra. Para vergonha dele, em seu zelo por dissolver a vida monástica, Henrique VIII também destruiu e dilapidou muitos tesouros sob a forma de livros, edificações, santuários, vitrais, etc. E, em vez de usar o dinheiro que obtivera com a liquidação dessas instituições e outras coisas, a fim de construir escolas e hospitais, ele malbaratou os fundos públicos com guerras infrutíferas e insensatas.

HENRY, MATTHEW

Nasceu em 1662 e faleceu em 1714. A ele credita-se a preparação de um comentário sobre a Bíblia inteira. Porém, faleceu quando chegou à epístola aos Romanos, e o resto do Novo Testamento foi completado por associados seus, que procuraram preservar suas idéias e seu espírito. Alguns também têm dito que ele foi o autor do primeiro comentário bíblico completo em inglês; mas essa distinção cabe, na realidade, a John Gill (vide), o qual escreveu o primeiro comentário versículo por versículo sobre a Bíblia inglesa inteira.

O comentário de Matthew Henry foi dividido em parágrafos. Ele foi um homem piedoso que escreveu comentários incisivos, sãos e sugestivos. Seu comentário vem sendo usado desde que foi publicado, tendo vendido um número incalculável de cópias. Naturalmente, seu trabalho acha-se obsoleto, quanto a muitos campos da erudição bíblica. Até mesmo no tocante aos seus dias, ele era, essencialmente, ignorante quanto às maneiras e os costumes do Oriente e da Terra Santa e, naturalmente, em sua época, pouco se sabia acerca de crítica textual e de arqueologia. Portanto, seu comentário é, essencialmente, devocional, e não erudito; mas contém muito material útil para o ensino geral e para a compreensão do texto da Bíblia. Em meu comentário sobre o Novo Testamento (*O Novo Testamento Interpretado*), procurei transmitir aos leitores o que há de mais significativo nos comentários de Matthew Henry. Há excelente material homilético na obra de Matthew Henry, se o leitor estiver disposto a ler seus comentários do começo ao fim, porquanto ele não forneceu esboços e nem auxílios formais, para ajudar o leitor a acompanhar a sua exposição. Ver o artigo geral sobre os *Comentários*.

••• ••• •••

HEORTOLOGIA

Essa palavra vem do grego **heorte**, «festa», e **logia**, «conhecimento». Esse é o estudo dos calendários sagrados, especialmente aqueles relacionados ao ano eclesiástico.

HEPATOSCOPIA

Literalmente, «observação do fígado». Trata-se de uma forma de adivinhação praticada desde tempos remotos pelos babilônios, hititas, etruscos e outros povos. Alicerça-se sobre a suposição de que a vida tem sua sede no fígado, e que a estrutura do mundo do futuro e da sorte dos indivíduos podem ser descobertos mediante as marcas existentes nos fígados das ovelhas. Os sacerdotes que lançavam mão dessa forma de adivinhação, primeiramente rogavam aos deuses e aos espíritos que lhes respondessem perguntas diversas. Em seguida, a ovelha era sacrificada. Ato contínuo, eram examinadas as marcas do fígado do animal abatido. E os sacerdotes julgavam-se capazes de discernir, com base nessas marcas, as respostas para suas perguntas. Ver o artigo geral sobre *Adivinhação*.

HERA

Esse era o nome da rainha dos deuses, irmã e esposa de Zeus (vide). Ela e Zeus eram adorados nos cumes dos montes, na antiga Grécia. Ela também é chamada de mãe de Ares, e era honrada nos cultos antigos mediante jogos de guerra. As mulheres consideravam-na a deusa do casamento. Grandes templos foram construídos em sua honra, em Olímpia, Argos e Samos.

Ela seria a filha mais velha de Cronos e de Rea, simbolizando os aspectos femininos das forças naturais, ao passo que Zeus simbolizava os aspectos masculinos dessas mesmas forças. Homero apresentou-a como a mais majestática das divindades femininas. Nas obras de arte, ela aparece sentada em um trono, vestida do pescoço aos pés. Sobre a cabeça ela exibia um diadema, ou então um véu. Sua expressão fisionômica era severa e os olhos graúdos e bem abertos. Homero deu-lhe o título de *os olhos de boi*, sem dúvida por causa dessa característica. Políclito fez uma estátua de ouro e de marfim, representando Hera, que foi posta no seu templo, em Argos. Os romanos identificavam-na com a deusa Juno.

HERÁCLIDES DO PONTO

Suas datas aproximadas foram 388—315 A.C. Foi um filósofo e astrônomo grego. Nasceu em Heracléia, no Ponto, atualmente Eregli, na Turquia. Estudou em Atenas, com Platão e com Eseusipo. Ele declarou sua crença de que a terra gira diariamente sobre seu eixo, o que explica o aparecimento e desaparecimento do sol, no horizonte, o que também sucede à lua e às estrelas. Também ensinou que os planetas Mercúrio e Vênus giram em torno do sol. Copérnico (vide), exprimiu a sua dívida para com Heráclides, em várias questões que envolvem idéias astronômicas.

No campo da filosofia, ele defendia a doutrina do atomismo, e também promoveu certas idéias de Pitágoras. Sua ontologia girava em torno dos conceitos de átomos em movimento, no espaço vazio. Para ele, os átomos diferiam tanto qualitativa quanto quantitativamente. Pensava que a terra ficava no centro do Universo, parada no espaço, embora ele não soubesse dizer de que maneira.

HERÁCLITO — HERANÇA

HERÁCLITO

Suas datas foram 540—475 A.C. Foi um filósofo grego, nascido em Éfeso, pertencente a uma família distinta. Foi um dos mais brilhantes filósofos pré-socráticos. Recebeu muitas alcunhas, como «o filósofo chorão», «o filósofo obscuro», etc. Opunha-se à religião popular de seus dias. — Ridicularizava as pretenções da democracia e chegou a criticar a Homero e a Hesíodo, que o povo tinha em alta estima. Aquilo que se conhece sobre o seu pensamento chegou até nós sob a forma de uma boa quantidade de fragmentos de seus escritos ou de citações feitas por outros filósofos. Suas idéias influenciaram diretamente, mais por aversão, a Sócrates, Platão e Aristóteles. Os cento e trinta e cinco fragmentos existentes de seus escritos mostram-se enigmáticos e oraculares quanto ao estilo. Para exemplificar: «O deus de Delfos nem revela e nem oculta, mas deixa entendido». Essa serve de boa observação sobre a natureza de nosso conhecimento que nos vem do alto.

Idéias:

1. *Panta Rei*. Tudo está em estado de fluxo. Ninguém pisa no mesmo rio por duas vezes. Esse conceito tornou-se fundamental para alguns sistemas, tendo provocado muitas disputas. Platão atribuía esse princípio ao mundo dos particulares (o nosso mundo físico), como parte de sua natureza transitória; mas preservava a imutabilidade no mundo das *idéias*. Na mente filosófica, o fluxo acabou associado à degradação e à decadência.

2. As *mudanças* ocorrem por causa de tensões entre pontos opostos, de conformidade com a idéia de tese, antítese, síntese, de Hegel, embora Heráclito não tivesse empregado essas palavras. Grandes alterações na vida também têm essa natureza, como, por exemplo, o bem e o mal, o nascimento e a morte, bem como todos os padrões na vida que envolvem ciclos e modificações. O único princípio imutável é que as coisas estão em constante fluxo.

3. *Quanto à Reencarnação*. Os vivos são os mortos, e os mortos são os vivos. «É a mesma coisa em nós que está viva e está morta, que está desperta e que está dormindo, que é jovem e que é velha. Pois quem é jovem fica velho, e quem é velho torna-se novamente jovem».

4. *O Logos*. Esse é o princípio divino que controlaria o fluxo em todas as coisas. Haveria uma *sabedoria atuante* em todas as coisas, que causa e controla todas as modificações e tudo quanto essas modificações produzem. A doutrina do Logos, tanto dos estóicos quanto do Novo Testamento, teve suas origens ali. O Logos garante uma unidade subjacente de todas as coisas. As diferenças são apenas aparentes e circunstanciais. «O caminho para cima e o caminho para baixo são uma mesma coisa». O Logos é o princípio que permite a conduta de todas as coisas.

5. O *fogo* é a unidade básica ou aquilo de que é feito o nosso mundo físico; e, através de várias transformações, transforma-se em todas as coisas. Contudo, ao que se presumia, o fogo seria apenas uma maneira de agir do Logos, como sua manifestação básica neste mundo físico.

6. O *valor* seria gerado por meio de conflito. «A guerra é a mãe de todas as coisas». Heráclito identificava a paz com a degeneração!

7. *Os Elementos Básicos*. A terra se liquefaria, transformando-se no mar; o mar se transformaria nas nuvens tempestuosas, em vapor e em fogo.

8. *Idéias Astronômicas*. O sol seria uma taça, no céu, que dirigiria a sua superfície côncava na direção da terra. Vapores de fogo, que sobem da terra, reunir-se-iam nessa taça e se incendiariam. Os eclipses seriam causados por alguma inclinação dessa taça do sol. Heráclito explicava da mesma maneira as fases da lua. O mundo, ao mover-se para cima, chegaria ao verão; ao mover-se para baixo, chegaria ao inverno.

9. Heráclito atacava a religião popular, sobretudo em seu aspecto idólatra. Orar diante de um ídolo, para ele, era como conversar com a casa de um homem, estando ele ausente. Ele pensava que deuses que podem morrer e ser lamentados, não são deuses coisa alguma.

10. *Os Grandes Ciclos*. As modificações ocorridas na terra fazem parte de vastos ciclos, os quais, em si mesmos, são modificações de ordem cósmica. Cada ciclo consistiria em trezentas e sessenta gerações, ao que ele chamava de «ano do mundo». Se calcularmos cada geração como trinta anos, isso daria dez mil e oitocentos anos. Passado esse período, todas as coisas voltariam ao seu estado original, e então começaria um novo ano do mundo.

11. *A Razão Universal*. Essa razão foi posta à disposição do homem, o que lhe confere um imenso tesouro de conhecimentos. Sócrates aceitava esse conceito e buscava respostas para as questões éticas na Mente Cósmica. Esse é um dos aspectos da doutrina do Logos. Os estóicos, os neoplatônicos e a teologia cristã desenvolveram ainda mais a doutrina do Logos.

HERANÇA

Ver também sobre **Herdeiro**.

I. Discussão Preliminar
II. Uma Herança Indescritível
III. Co-herdeiros com Cristo
IV. Uma Condição
V. Elementos Principais: Sumário

Rom. 8:17: *e, se filhos também herdeiros, herdeiros de Deus e co-herdeiros de Cristo; se é certo que com ele padecemos, para que também com ele sejamos glorificados.*

I. Discussão preliminar

Temos aqui uma das mais notáveis declarações paulinas, que esclarece a natureza do evangelho por ele pregado, e que mais adiante é elaborada, no restante deste capítulo, o qual é apenas um desdobramento dos conceitos emitidos no presente versículo. Pois os filhos da casa são, mui naturalmente, *herdeiros* das riquezas do Pai. Os «filhos adotivos», que são os crentes, não são inferiorizados, nessa herança, em relação ao Filho de Deus. Jesus Cristo, porquanto são **co-herdeiros** da mesma glória. Outrossim, este texto deixa claro que a «adoção» é apenas uma forma alegórica que Paulo empregou a fim de ajudar-nos a compreender a dignidade envolvida no fato de ser algum filho de Deus. Na realidade, somos mais do que «filhos adotados», pois somos filhos «por nascimento», conforme fica subentendido neste e no versículo anterior, implícito no vocábulo «tekna», e abertamente asseverado em João 1:12.

A primeira coisa que nos convém considerar, portanto, é que os «filhos» são *participantes reais* da natureza divina (ver II Ped. 1:4).

II. Uma herança indescritível

1. Rejeitamos peremptoriamente a noção de uma herança segundo um ponto de vista materialista. Em outras palavras, não consideremos que a herança consistirá de «magníficas mansões» ou de «riquezas e confortos do outro mundo», ou de «moradias no alto de alguma colina», ou coisas similares que se dizem

HERANÇA

popularmente nas igrejas. Naturalmente, possuiremos todas essas coisas; mas quão maior que isso será habitar nas dimensões celestiais, nas regiões da glória celeste! (Ver as notas em Efé. 1:3 no NTI). Tudo isso, entretanto, será apenas o meio ambiente de nossa herança, e não a parte essencial da mesma. Pensemos nisto!». **Encontrarmos-nos lá e diremos: «Aqui é o céu».** Todavia, nossa herança envolve muitíssimo mais do que isso.

2. A herança é tudo quanto está envolvido na *Filiação* (que vide). Os filhos de Deus são a herança do Pai; e a filiação é a herança dos filhos de Deus.

3. Os filhos serão a plenitude do Filho (ver Efé. 1:23), e eles participarão de sua glória (ver Heb. 2:10). Assim sendo, eles serão o principal instrumento do Filho para suas realizações nos mundos eternos. Parte da tarefa deles será tornar Cristo tudo para todos, conforme poderia ser parafraseado o versículo mencionado.

4. A herança envolve as *Coroas* (que vide), isto é, a natureza espiritual e seus benefícios e atributos. Ver II Tim. 4:8.

5. Podemos observar, com tristeza, como alguns comentadores evangélicos têm reduzido esse grande conceito do apóstolo Paulo, e o Drama Sagrado da Alma, a termos os mais simples e ínfimos. Por exemplo, Sanday e Headlam, *Epistle to the Romans*, (pág. 204) explicam que a herança do crente se resume no seguinte: «Originalmente significava i. a simples possessão da Terra Santa; ii. mas então veio a significar sua possessão permanente e assegurada (ver Sal. 24; 25:13; 36; 37:9-11, etc.); iii. especialmente a posse confirmada e conquistada pelo *Messias* (ver Isa. 60:21; 61:7); iv. e assim ela veio a tornar-se um símbolo das bênçãos messiânicas (ver Mat. 5:5; 19:29; 25:34, etc.)».

Essa forma de interpretação, transcrita acima, reduz a majestosa doutrina paulina da «salvação» ao nível da baixa categoria do reino messiânico segundo as opiniões do judaísmo. Porém, a leitura atenta do restante do oitavo capítulo da epístola aos Romanos, bem como do primeiro capítulo da epístola aos Efésios, contradiz essas interpretações terrenas, materialistas, quase que políticas.

6. Paulo falava antes sobre a imensidade dos lugares celestiais, sobre a imensidade dos *seres celestiais*, e não se referia, sob hipótese alguma, a algum reino messiânico salientado nas profecias do A.T. Portanto, essas interpretações chãs, de alguns comentadores evangélicos, perdem inteiramente de vista o profundo significado dos conceitos da «igreja», da «noiva de Cristo», dos «filhos de Deus conduzidos à glória».

Newell (*in loc.*) chega ainda um pouco mais perto da verdade, quando comenta: «Ora, se um homem é realmente filho de Deus, por geração e nascimento, torna-se, indissoluvelmente, herdeiro de Deus! Esse é um fato de magnitude tão impressionante que nossos pobres corações quase não podem apreendê-lo. Não é dito acerca dos anjos, dos querubins ou dos serafins que eles são herdeiros de Deus. Crente, se ao menos refletires sobre isso, se meditares profundamente acerca dessa verdade, 'nasci de Deus, e sou um de seus herdeiros', então as coisas terrenas se reduzirão a nada...herdeiros de Deus e co-herdeiros de Cristo—eu não poderia ter a presunção de escrever essas palavras, se não estivessem no Livro santo de Deus. Que um culpado, perdido e miserável do primeiro Adão tenha escrito isso, um *co-herdeiro de Cristo*, que é o criador eterno de todas as coisas, o bem-amado de Deus Pai, o Justo, o Príncipe da vida, o Deus único, mostra-nos que somente o Deus de toda a graça

poderia preparar tal destino para tal criatura!»

III. Co-herdeiro com Cristo

Essas palavras indicam a natureza e a extensão da herança. A lei judaica, no tocante à herança, costumava determinar dupla porção para o irmão mais velho da família. Já as leis romanas e gregas (na Ática) davam igual porção a todos os filhos. E embora Paulo talvez não esteja aludindo a qualquer tipo terreno específico de herança, na alusão que nos faz aqui, apesar de tudo é instrutivo observarmos que a nossa herança é caracterizada, no tocante a sua grandeza, como igual à herança de Cristo, estando nós em posição idêntica ao Filho, compartilhando de sua glória, de sua glorificação.

A presença e a influência do Espírito Santo é algo considerado como a garantia de nossa herança. (Ver II Cor. 1:22; 5:5 e Efé. 1:14). O Espírito Santo, por igual modo, é aquele agente que dá testemunho, no homem interior do crente, acerca da magnificência da herança, conforme lemos em I Cor. 2:9 e *ss*, dando-lhe consciência da maneira grandiosa como Deus trata os *remidos*, como parte daquilo que transforma os crentes em santos. Ora, é essa bondade divina que nos leva ao arrependimento, segundo o conceito expresso pelo apóstolo Paulo, em Rom. 2:4. Lemos que Cristo é o *herdeiro de todas as coisas*, em Heb. 1:2 e Apo. 3:21, e que seu trono está acima de tudo. Essas são tantas outras indicações do caráter da herança do crente, porquanto assim como a cabeça está identificada com o corpo, de tal modo que os dois, naturalmente, formam um único organismo, assim também é íntima a ligação que há entre Cristo e os remidos.

IV. Uma condição

Se com ele sofrermos. Essas palavras explicam, para o crente, o *Problema do Mal* (que vide). Aqueles que são assim identificados com o sofrimento de Cristo também compartilharão de sua glória. O sofrimento, pois, de certo modo, é reputado como *a mãe* dos filhos. Deus não poderia levar um remido à conformidade com a imagem de Cristo, a menos que tal remido se aliasse à *luta contra o reino das trevas*, chegando assim a reconhecer a profunda malignidade do mal. Somente um ser **dotado de livre-arbítrio,** que possa verdadeiramente escolher entre o bem e o mal, poderia vir a reconhecer o mal em sua grande malignidade. Assim, através do conflito secular, caracterizado por um combate agonizante contra a maldade, que leva os seus participantes à beira da morte, é que o caráter cristão pode ser profundamente formado, duplicando o caráter de Cristo nos crentes.

É por essa razão que estamos envolvidos no mesmo sofrimento experimentado por Cristo, na mesma luta contra o reino das trevas, em seus resultados universais. Existem muitas baixas nesse intenso sofrimento; e ao nosso derredor vemos o horror dos resultados do mal, na desumanidade do homem contra o homem, nas desordens da natureza, como os incêndios, os dilúvios e as catástrofes naturais, e ainda como a enfermidade e a morte. Todavia, se sofrermos é porque estamos identificados com Jesus Cristo, e não meramente porque somos filhos dos homens, o que nos torna naturalmente sujeitos ao caos produzido pelos efeitos do pecado no mundo, então podemos aceitar os próprios sofrimentos por que passamos como uma *garantia* da glória do porvir.

A Vida

Feliz aquele que em modesta lida,
Isento da ambição e da miséria
No regaço do amor e da virtude
A vida passa. Mais feliz ainda

HERANÇA — HERBART

Se, das turbas ruidosas afastado,
À sombra do carvalho, entre os que adora,
Sente a existência deslizar tranqüila,
Como as águas serenas do ribeiro;
Mas, que digo! Nem esse, infindos males,
Comuns a todos, seu viver não poupam.
(Soares de Passos, Portugal)

V. *Elementos principais: sumário*
1. A própria salvação consiste de filiação; — portanto a herança é um aspecto da salvação. (Ver o artigo sobre a *Salvação*).
2. A herança espiritual faz parte de uma antiga promessa (ver Sal. 61:5), mas só poderia ter cumprimento em Cristo, o qual está conduzindo muitos filhos de Deus à glória (ver Heb. 2:10).
3. A nossa herança vem pela graça divina (ver Atos 26:18), tal como sucede à própria salvação (Efé. 2:8).
4. A herança significa um lar na pátria celeste (ver Col. 1:12), mas significa especialmente que nos tornaremos semelhantes a Cristo, em sua natureza moral e metafísica (ver as notas a esse respeito em Rom. 8:29 no NTI).
5. O fato de que podemos ser chamados de co-herdeiros indica a vastidão de nossa herança, pois a herança de Cristo também é nossa.
6. Porquanto os filhos pertencem ao Pai, ele os guia pelo seu poder (ver Isa. 63:12).
7. Durante sua peregrinação terrena, os eventos das vidas dos filhos de Deus foram adredemente determinados (ver Pro. 16:33 e Atos 1:26); por conseguinte, nada pode suceder-lhes, que já não tenha sido previsto e aprovado de antemão. Portanto, os santos não podem ser derrotados, mas finalmente entrarão na posse de sua herança (ver Pro. 21:31).
8. O crente é chamado para confiar nessa graça divina (ver Mat. 6:33,34; 10:9,29-31).
9. Há certa unidade entre o antigo e o novo pactos; o antigo é perfeitamente inútil, sem o novo. Há continuidade dos propósitos espirituais de Deus, e o processo histórico acompanha o ato redentor.

HERANÇA FÍSICA

Ver o artigo sobre a **Genética**.

HERANÇA SOCIAL E CULTURAL

Cada pessoa chega ao mundo equipada com uma herança física pessoal, a qual não somente lhe confere suas características físicas, mas que também lhe proporciona suas atitudes mentais, seus ideais, seus padrões morais, seu temperamento e sua capacidade mental. De que modo exato isso se relaciona à alma é um mistério. A alma, delegada por Deus, prepara o seu próprio veículo físico? Ou tudo isso acontece meramente ao acaso? Pode uma pessoa nascer dotada de elevados padrões morais, e outra, não; e isso depender do código genético de cada uma? Nesse caso, qual é a relação entre isso e o espírito do indivíduo? Pode o espírito determinar as características do código genético? Ver o artigo sobre *Genética*, especialmente em seus pontos quinto e sexto, nesta enciclopédia.

Além da herança pessoal, biológica, há também a herança social e cultural. Assim, uma pessoa nasce em certo país, já sob a influência de certa religião, ou então, isenta dessa influência, dependendo da família em que nascer. Herda o idioma, os costumes sociais, a posição social, as tradições, as leis, as técnicas econômicas, a dieta, a organização social, a situação política, etc. Como é óbvio, todas essas coisas

exercem efeito sobre o tipo de pessoa que tal indivíduo vem a ser, e qual a potencialidade que terá na vida. O comportamento humano resulta, pelo menos em parte, da herança genética, com influências da herança social e cultural e, naturalmente, das decisões da própria pessoa. E onde é que a espiritualidade entra, em tudo isso? Poderia o espírito (ou alma) determinar onde a pessoa nascerá, a fim de cumprir uma missão específica? Tal princípio aplicar-se-ia a todas as almas? Ou somente às almas melhor desenvolvidas? As almas são simplesmente soltas a boiar nas vicissitudes da vida, com pouco propósito envolvido nisso?

A doutrina cristã ensina que Deus tem um propósito para todas as almas humanas. Esse propósito opera através de um longo período de tempo e, sem dúvida, envolve os estados não-físicos da vida, e *talvez*, mais de uma existência física. Ver o artigo detalhado sobre a *Reencarnação*, quanto às minhas especulações acerca desse assunto.

Deve-se supor que tanto a herança física quanto a herança social fazem parte do grande plano de Deus para os indivíduos e para os grupos humanos, incluindo famílias, clãs, estados e nações. Acresça-se a isso que há um destino na direção do qual todos os homens, como um todo, se estão encaminhando, a saber, a união de todas as coisas em torno de Cristo (o Logos), como Cabeça (ver Efé. 1:9,10). Ver também sobre o *Mistério da Vontade de Deus*.

Paulo, em Romanos 8:20, admitiu o *caos*, mas pensou que o mesmo é usado nas mãos de Deus com um certo propósito, ou seja, o de dirigir as mentes dos homens na direção do princípio espiritual. Quanto caos está envolvido na existência humana é algo dificílimo de determinar. Porém, o que podemos admitir, apesar dessa dificuldade, é o triunfo final do espírito, bem como o presente interesse divino por todos os homens, o que nos provê um desígnio para a nossa existência. Podemos supor, com toda a segurança, que quanto mais espiritualizados ficarmos, maior será o desígnio operante, a fim de nos conferir o senso de cumprimento, para o nosso próprio bem, como indivíduos e como grupos humanos.

HERBART, JOHANN FRIEDRICH

Suas datas foram 1776—1841. Foi um filósofo alemão, nascido em Oldenburg. Estudou com Fichte (vide), em Jena. Ocupou a cadeira antes pertencente a Emanuel Kant, em Konigsberg (1809 a 1833). Depois disso, ensinou em Gottingen. Foi expositor de um realismo metafísico analítico.

Idéias:
1. A filosofia poderia ser dividida em lógica, metafísica e estética. Cada uma dessas áreas teria a tarefa de examinar, de reverbalizar e de aperfeiçoar os conceitos.
2. Reverbalizar um conceito seria dar-lhe maior precisão e clareza, mediante palavras bem escolhidas.
3. A metafísica teria a tarefa de reorganizar o conhecimento. A metafísica poderia ser dividida em metodologia, ontologia, sinequiologia e eidologia.

Definição das Divisões de Metafísica:

a. *Metodologia*: seria a atividade segundo a qual atributos e idéias em oposição seriam unificados ou esclarecidos. Tais coisas poderiam envolver apenas diferentes relações, e não verdadeiras contradições.

b. *Ontologia*: esse é o estudo sobre o ser. O ser é, inerentemente, não-contraditório. Antes, envolve um *realismo pluralista*. A realidade compõe-se de muitas

HERBART — HERBERTO

coisas *reais*, as quais existem por seu próprio direito, embora haja muitas conexões inter-relacionadoras entre elas.

c. *Sinequiologia*: essa é a função mediante a qual dada uma fundamentação natural à filosofia. Mostra como alguém pode chegar ao mundo do espaço-tempo, a começar pelas coisas reais da ontologia. Somente as *coisas reais da ontologia* nos apresentam a verdadeira realidade. Porém, por meio de conceitos, como o da continuidade, o indivíduo é capaz de gerar outros conceitos, de que precise para completar o seu sistema. Por exemplo, falamos sobre espaço e matéria inteligíveis. Porém, essas são construções meramente intelectuais, e não coisas reais em si mesmas. A experiência e a autoconsciência não nos revelam o caráter das coisas em si mesmas, aquilo que coincide com a verdadeira natureza das coisas. O nosso *conhecimento*, portanto, não se assemelha ao que é real; mas, para todos os propósitos práticos, representa-o. Pode dar a entender algumas coisas relativas às coisas reais, conforme elas existem, em sua pluralidade, com certas semelhanças e dissemelhanças, mantendo determinadas relações. Porém, quantas coisas reais existem, quais são as suas diferenças, e questões dessa natureza, não podem ser esclarecidas pela experiência.

d. *Eidologia*: isso é o que Herbart chamava de *epistemologia*. Trata-se do estudo das relações conceptuais e da percepção. Envolve o exame, a conjunção e a distinção entre as coisas reais. A filosofia natural deriva-se da *sinequiologia*. E a psicologia deriva-se da *eidologia*. O *ego* é uma das coisas reais simples, que entra em contacto com outras coisas reais; e, nesses contactos, encontramos apresentações, prazeres, dores, idéias e tempo, este último com o seu passado, o seu presente e o seu futuro. Embora não possamos descobrir a natureza das coisas em si mesmas, podemos criar um sistema operante, que nos permita atuar neste mundo. As idéias gerais e abstratas não têm qualquer significação metafísica; mas são apenas abreviações que envolvem grupos de informes dos sentidos. Nem elas e nem as experiências de onde elas se derivam revelam-nos qualquer coisa sobre a natureza verdadeira do Real.

4. *A Estética*. Essa atividade é a avaliação daqueles tipos de experiência que nos trazem prazer ou dor. A estética deriva-se da atividade eidológica. A ética é uma divisão da estética, de acordo com Herbart. A ética tem como uma de suas bases a operação da vontade do indivíduo, e de outros indivíduos. Há cinco relações básicas, nas quais a vontade opera, a saber: a. *a liberdade interna*, que requer a harmonia dentro da vontade do próprio indivíduo; b. *a perfeição* de uma vontade harmônica produz a intensidade dos sentimentos e do poder; c. *a benevolência* ocorre quando a nossa vontade é levada à harmonia com a vontade de outras pessoas; d. *a lei* é a concordância das vontades das pessoas que desejam as mesmas coisas; e. *a eqüidade* é a correção do desequilíbrio que pode ocorrer entre duas vontades em conflito. Existem regras éticas válidas. Porém, precisamos examinar cada caso, a fim de não nos envolvermos com meras generalidades rigidamente aplicadas a todos os casos. Sempre terá de haver uma certa transigência entre o que é ideal e o que é real, entre o que é utópico e o que é prático.

5. *A Educação*. Seu sistema de educação se alicerçava sobre seus conceitos éticos e psicológicos. Atuariam ali a liberdade interior e as virtudes morais. O nosso método educacional deve produzir idéias, idéias relacionadas a outras idéias. Associações ilusórias devem ser eliminadas; as idéias mais relevantes, salientadas; as informações recolhidas sempre poderão ser aplicadas a novas situações, à medida que forem surgindo. Ele não concordava com a filosofia de Rousseau, que defendia a noção de que se deve permitir à criança desenvolver-se à sua própria maneira. Antes, a criança deve ser submetida à disciplina. Uma personalidade multifacetada é o alvo a ser atingido. As tendências radicais deveriam ser evitadas. O caráter moral deveria ser o principal alvo da educação.

6. *A Religião*. A principal função da religião, conforme Herbart, seria a de reforçar as idéias e as práticas éticas. Deus seria o respaldo cósmico das nossas idéias éticas, e a crença teísta facilitaria a boa conduta. Todavia, ele opinava que está fora dos limites da filosofia argumentar em favor da divindade. Porém, poderíamos supor, com base naquilo que experimentamos e sabemos, que pode haver muitas coisas reais, e, dentre elas, o *real divino*, o qual governaria as nossas tão mutáveis relações (ver sobre a *teleologia*). O filósofo, pois, pode examinar esses conceitos e chegar às suas inferências; mas de nada lhe adiantará tentar validar o *real divino*. Ele mantinha uma espécie de crença deísta em Deus com alicerces sobre pontos de vista teleológicos e estéticos sobre a natureza. Ver o artigo sobre o *Deísmo*.

Escritos: *General Theory of Education; Main Points of Metaphysics; General Practical Philosophy; Introduction to Philosophy; Compendium of Psychology; Psychology as Science; General Metaphysics; Psychological Investigations.* (AM E EP MM P)

HERBERTO DE CHERBURY

Suas datas foram 1583—1648. Foi um filósofo inglês que nasceu em Eyton, Shropshire. Educou-se em Oxford. Foi feito cavaleiro por Tiago I. Era associado íntimo das realezas européias. Foi feito barão de Cherbury. Tornou-se conhecido como o fundador do *deísmo* (vide). Escrevia em latim.

Idéias:

1. *Os Cinco Pilares do Deísmo*. a. Existe um ser supremo; b. ele deve ser adorado; c. relacionamo-nos com ele através da piedade e das virtudes; d. o pecado é expiado por meio do arrependimento; e. a justiça requer punição pelos erros cometidos, após a morte física. Essas idéias seriam inatas, universais, dadas por Deus, não afetando em nada a diferença entre o deísmo e o teísmo. O deísmo divorcia de Deus a criação, supondo que Deus abandonou a sua criação e deixou-a ao encargo das leis naturais. O teísmo, por sua vez, ensina que Deus não somente criou, mas também continua interessado em sua criação, intervindo na mesma, recompensando ou castigando aos homens.

Herberto não era um deísta absoluto, no sentido em que essa palavra é usada atualmente, pois ele cria que a revelação não é impossível, embora, de maneira geral, ele defendesse a religião natural. De fato, lê-se que, de certa feita, ele pediu um sinal do céu, para saber se deveria publicar ou não um livro. E a resposta ter-lhe-ia sido dada por meio de uma voz forte, mas gentil. Isso significa que ele afirmava ter passado por experiências místicas, que é a base da religião teísta, nada tendo ver com o deísmo, e sendo mesmo contrário a ele. — No tocante à revelação cristã, ele afirmava que ela é melhor quando adere aos cinco pontos da fé, que ele formulara. Contudo, opunha-se à rígida bibliolatria de grupos como o dos puritanos. E também exortava aos pregadores que abandonassem a sua ênfase sobre os mistérios,

HÉRCULES — HERDEIRO

profecias e milagres como meio de dar apoio às suas crenças; e nisso vemos claramente o *deísmo*, segundo sua moderna definição.

2. Ele negava a *fé implícita* (vide), a idéia de uma Igreja infalível e a autoridade sagrada dos «padres» e dos pregadores em geral. Ele submetia a religião a teste, aceitando ou rejeitando cada uma delas, com base em seus cinco princípios.

3. No tocante à relação entre a fé e a razão, ele argumenta que cada um de nós deveria começar pela razão, e então, com base na mesma, ser produzida a fé. Ele acreditava que uma fé verdadeira deveria ser clara e evidente a toda a humanidade, isenta do peso de intermináveis dogmas.

4. *Os Poderes da Mente* (noções de gnosiologia). Esses poderes seriam quatro, a saber: a. os instintos naturais, onde haveria *notitiae communes*, isto é, idéias inatas e indisputáveis de origem divina. Essas idéias teriam os sinais da universalidade, da certeza, da necessidade e da presença imediata. Seriam como as categorias concebidas por Kant, aquelas coisas que a mente impõe ao mundo. E seriam a base de toda a experiência humana significativa, como as que envolvem a religião, a lei e a ética. b. O *sensus internus*, ou seja, o senso interior. As qualidades humanas do amor, do ódio, do temor e do livre-arbítrio encontrar-se-iam ali. O homem possuiria essas qualidades como um atributo natural. c. O *sensus externus*, ou seja, o senso exterior, coisas que nos são mediadas através da percepção de nossos sentidos. d. O *discursis*, ou seja, o raciocínio, que seria a categoria menos segura dentre as quatro. Ela pode operar de forma bem ordenada, passando de um item para outro, com a ajuda das outras três. A razão seria a fonte da maioria dos erros humanos. Porém, haveria o poder corretivo dos instintos naturais, capazes de corrigir esses erros.

Locke atacou o seu conceito das idéias inatas, argumentando que mesmo que essas idéias existissem, isso não garantiria que elas sempre refletissem a verdade. A mente religiosa quase sempre defende alguma forma de idéias inatas. Ver o artigo separado sobre as *Idéias Inatas*.

HÉRCULES

Essa é a forma latinizada do nome grego Hérakles. Ele era o deus da vitória e das vagueações. Em várias cidades gregas, desde a antiguidade, havia altares dedicados a ele; e, posteriormente, também em Roma, como no Fórum Boarium, o mercado do gado. Seu nome significa «famoso por meio de Hera». Ver o artigo sobre *Hera*. Ele teria nascido em Tebas, conforme dizia a lenda, filho de Zeus e de Alcmene. Ela era a esposa de Antífrion. Mas, visto que esse homem estava sempre guerreando, Zeus assumiu a sua forma externa, a fim de poder seduzir a esposa dele, e o resultado foi Hércules. Os famosos doze trabalhos de Hércules têm dado origem à expressão popular que fala sobre alguma tarefa difícil como «uma tarefa para Hércules». Esses trabalhos incluíram a batalha e a matança de vários monstros, o trazer de volta uma cinta que estava na possessão de Hipólita, rainha das Amazonas, para a filha de Euristeso. Um interessante labor foi limpar o estrume de três mil cabeças de gado da fazenda de Augeas, rei de Elis. Isso ele precisou fazer em um único dia. Hércules nem se lembrou de usar uma pá. E, além disso, se tivesse utilizado uma pá, não teria realizado a tarefa em um único dia. Assim sendo, fez o rio Alfeu desviar-se para a fazenda, permitindo que o rio fizesse o trabalho de limpeza em seu lugar. A tarefa mais difícil de todas foi trazer o cão Cérbero, desde o hades. Estando ali, Hércules libertou Teseu, e trouxe do abismo o cão (tendo-o de fazer mediante a força bruta, e não com o uso dos braços). Em outra ocasião, também socorreu a Alcestis, esposa de Admeto, retirando-a do hades. Alcestis era filha de Pelias. Ela tornou-se conhecida por seu terno e profundo amor por seu marido, Admeto. Quando as circunstâncias decretaram que ele morreria, também foi dito que alguém poderia morrer em seu lugar. Os próprios pais dele não quiseram ser seu substituto; mas a fiel Alcestis tomou o lugar dele. Hércules, entretanto, reverteu a tragédia, trazendo do hades a alma dela, o que permitiu que ela vivesse novamente. Naturalmente, temos aí uma das muitas histórias antigas de descidas de deuses, heróis, etc., ao hades, a fim de realizarem alguma tarefa. A missão de Hércules era uma missão misericordiosa que reverteu a tragédia. A descida de Cristo ao hades fez por toda a humanidade o que Hércules fez por Alcestis e seu marido. Ver o artigo sobre a *Descida de Cristo ao Hades*.

O deus Hércules foi honrado durante o período selêucida. Quando os reis daquela dinastia, principalmente Antíoco IV Epifânio, **tentaram helenizar os judeus, obteram um sucesso parcial, pelo menos no começo.** Jason (que helenizou assim o seu nome, que no hebraico era Josué) tornou-se sumo sacerdote em 175 A.C. Ele estabeleceu em Jerusalém um ginásio, esperando poder debilitar a tradicional forma de viver dos judeus, mediante a introdução de hábitos gregos. De cinco em cinco anos eram efetuados jogos esportivos em Tiro, na Fenícia, em honra ao deus Hércules. Jason, pois, enviou delegados e prata, a fim de ajudar na promoção e na participação desse culto. Mas, aqueles que transportavam o dinheiro, resolveram que aquela não era uma maneira correta de usar o dinheiro enviado de Jerusalém, pelo que investiram esses fundos na construção de navios. Ver II Macabeus 4.18-20. Os judeus, pois, continuavam pensando como judeus.

HERDEIRO   Ver também **Herança**.

Esboço:
1. Palavras Envolvidas
2. Textos do Antigo Testamento
3. Leis e Costumes
4. Usos Metafóricos

1. Palavras Envolvidas

No hebraico há um vocábulo envolvido e, no grego, três, intimamente ligados entre si, a saber:

1. *Yarash*, «herdeiro». Essa palavra hebraica ocorre por quase quarenta vezes com esse sentido, que não é o único. Por exemplo: Gên. 15:3,4; 21:10; II Sam. 14:7; Pro. 30:23; Jer. 49:1,2; Miq. 1:15.

2. *Kleronómos*, «herdeiro». Substantivo grego que é usado por quinze vezes: Mat. 21:38; Mar. 12:7; Luc. 20:4; Rom. 4:13,14; 8:17; Gál. 3:29; 4:1,7, Tito 3:7; Heb. 1:2; 6:17; 11:7 e Tia. 2:5.

3. *Kleronomia*, «herança». Substantivo grego empregado por catorze vezes: Mat. 21:38; Mar. 12:7; Luc. 12:13; 20:14; Atos 7:5; 20:32; Gál. 3:18; Efé. 1:14,18; 5:5; Col. 3:24; Heb. 9:15; 11:8 e I Ped. 1:4.

4. *Kleroneméo*, «herdar», um verbo grego que aparece por dezoito vezes: Mat. 5:5; 19:29; 25:34; Mar. 10:17; Luc. 10:25; 18:18; I Cor. 6:9,10; 15:50; Gál. 4:30 (citando Gên. 21:10); 5:21; Heb. 1:4,14; 6:12; 12:17; I Ped. 3:9; Apo. 21:7.

A forma reforçada, *sugkleronómos*, «herdeiro juntamente com», aparece por quatro vezes: Rom. 8:17; Efé. 3:6; Heb. 11:9 e I Ped. 3:7.

HERDEIRO — HERDER

Ver o artigo paralelo sobre *Herança*, que aborda longamente o uso metafórico dessa palavra, além de dar detalhes sobre as leis e as práticas envolvidas com a questão, nos tempos antigos.

2. Textos do Antigo Testamento. Números 27:1-11 e Deuteronômio 21:15-17 são as passagens veterotestamentárias que abordam especificamente a questão das heranças. A moderna prática de se fazer um testamento escrito, deixando bens a outrem, não era conhecida na nação de Israel, nos dias antigos. Aquele que deixava uma herança a outrem, fazia-o por meio de instruções orais, embora suas provisões devessem ajustar-se às leis vigentes.

3. Leis e Costumes

a. O filho mais velho tornava-se o cabeça da família, quando seu pai falecia; e uma dupla porção da herança paterna cabia a ele, ou seja, recebia duas vezes mais que seus outros irmãos. Ver Deu. 21:17.

b. Era possível a um herdeiro vender a sua herança, por sua livre vontade (Gên. 25:29-34), ou então perdê-la, por motivo de delito sério (como no caso de Rúben; Gên. 35:22). Porém, a lei não permitia que um pai desse, como herança, a um filho mais novo, mais do que a seus outros irmãos, por motivo de favoritismo (Deu. 21:15-17).

c. No começo da história de Israel, o filhos das concubinas não recebiam qualquer herança (Gên. 21:10); mas a história mostra-nos que essa lei foi modificada, com a passagem do tempo.

d. As filhas não obtinham qualquer herança, a menos que um homem não tivesse herdeiros homens.

e. Se um homem morresse sem qualquer filho, então a herança precisava ser outorgada a alguma outra pessoa, de acordo com a seguinte escala de preferência: 1. uma filha; 2. um irmão ou irmãos; 3. um tio ou tios; 4. depois disso, quem fosse o parente masculino mais próximo (Núm. 27:1-11).

f. Uma viúva não podia tornar-se herdeira, pois, se o fosse, a propriedade herdada sairia da posse da família proprietária, o que era estritamente proibido. Se uma viúva não tivesse filhos, ela poderia permanecer como membro da família de seu marido, se se casasse com algum irmão solteiro de seu marido, ou então, poderia retornar à família de seu pai (Gên. 38:11; Lev. 22:13).

g. Entretanto, uma viúva podia conservar consigo aquilo com que contribuíra para o casamento, bem como quaisquer presentes que seu marido lhe tivesse dado. Se seus filhos já fossem adultos, estavam na obrigação de cuidar dela.

h. Se uma filha viesse a herdar qualquer coisa (no caso de não haver nenhum herdeiro do sexo masculino), então ela teria de permanecer dentro da família de seu pai, a fim de que nenhuma propriedade fosse perdida por essa família (Núm. 36:6-9). Mas, se ela insistisse em se casar com um homem que não pertencesse à sua tribo, então perderia sua herança, passando-a para a próxima pessoa a quem a herança coubesse por direito. Parece que esse preceito, entretanto, nem sempre era observado (I Crô. 2:34-36).

4. Usos Metafóricos

Aqueles que recebem a salvação de Deus, em Jesus Cristo, são herdeiros de Deus Pai e co-herdeiros com Jesus Cristo, o Filho. Ver Rom. 4:14; Gál. 3:29; Efé. 3:6. Oferecemos mais detalhes sobre os usos espirituais e metafóricos sobre a idéia de *herança* no artigo com esse título.

••• ••• •••

HERDER, JOHANN GOTTFIRED VON

Suas datas foram 1744—1803. Ele foi um filósofo alemão. Nasceu em Mohrungen, na parte oriental da Prússia. Estudou em Konigsberg, sob Emanuel Kant e J.G. Hamann. Trabalhou como tutor e pastor evangélico. Tornou-se pregador da corte em Weimar, em 1776, através da influência de Goethe. Ali ficou residindo até o fim de seus dias. Era amigo e discípulo de Lessing e, juntamente com Goethe, tornou-se um dos líderes do *Movimento Sturm e Drang* (vide). Dedicava-se muito às pesquisas e à escrita, apesar de suas pesadas responsabilidades domésticas. Nos seus últimos anos de vida, rejeitou algumas das idéias de Kant, o que o fez entrar em muitas controvérsias. Por exemplo, ele negava que as proposições matemáticas são juízos sintéticos *à priori*. Antes, proclamou a natureza tautológica da matemática. Atacou o Iluminismo (*Aufklarung*), quanto a quatro pontos: a. sua teoria da linguagem; b. seu conceito da mente e da personalidade humanas; c. sua atitude para com a poesia e as artes; d. sua abordagem da história e do desenvolvimento histórico.

Idéias:

1. A **cultura** de qualquer povo repousa sobre fatores, distintamente, intelectuais e emocionais. Esses fatores geralmente são herdados geneticamente, embora também sofram a influência do meio ambiente. Ele cria que cada cultura deve ser julgada por seus próprios méritos, e não por algum exame comparativo entre elas. «Shakespeare não era nenhum Sófocles, Mílton não era Homero, e Bolingbroke não era Péricles» (*Ideen*, livro 13, cap. 7). A ciência, atualmente, está descobrindo coisas admiráveis sobre a herança genética que estão levantando questões de ordem espiritual e moral, mostrando que o meio ambiente desempenha um papel muito menos importante, sobre a vida humana, do que antes se pensava. Ver o artigo sobre a *Genética*. Herder, pois, fundou o método genético de análise histórica.

2. Como conseqüência prática dessa crença, ele advogava a idéia de que os poetas, escritores, etc., deveriam evitar imitar outras culturas, dando lugar à espontaneidade, como força controladora de seus esforços. Por que motivo os poetas contemporâneos imitariam os poetas clássicos, por exemplo?

3. A *linguagem* é um dos principais meios para o desenvolvimento de qualquer cultura. Em primeiro lugar, segundo ele supunha, a linguagem desenvolveu-se da cultura, imitando os sons e ruídos da natureza. Naturalmente, essa declaração simplista em nada contribui para solucionar o mistério de como o homem obteve a linguagem, e por que motivo os idiomas antigos são muito mais complexos do que os modernos.

4. A *religião*, segundo ele sentia, também é produto da natureza e da cultura, especificamente do impulso do homem para explorar a natureza. As primeiras religiões, por isso mesmo, assemelham-se muito aos mitos e à poesia das antigas culturas. As religiões são uma forma de mito e poesia, uma tentativa do homem para entender os mistérios que ele encontra na natureza. O cristianismo deve o seu poder superior ao seu elemento de excelência moral.

5. *Psicologia*. Herder objetava à divisão da mente em vários segmentos, intitulados razão, vontade, desejo, etc.; a cada um deles se atribui alguma função específica. Ele cria que o raciocínio, a percepção, os sentimentos, a vontade e todos os fatores mentais são uma só unidade, e não atribuíveis a diferentes áreas da mente. Ele declarava que o homem interior, com

HERDER — HERESIA

todas as suas forças negativas, estímulos e impulsos, é *apenas um*. Ele objetava ao dualismo radical, no tratamento dos **problemas corpo-mente**, e preferia uma espécie de teoria do duplo aspecto, onde a mente e o corpo físico formam uma unidade, como aspectos de uma única realidade. Ver sobre o *Problema Corpo-Mente*. Ele tem sido acusado de haver antecipado o *behaviorismo* (vide), mas as suas idéias eram mais próximas do *vitalismo* (vide), conforme demonstra a sua doutrina do *kraft*. Ele concebia o *kraft* como uma espécie de força vital básica, **não-humana**, que não admite qualquer definição em termos humanos, mas que seria um elemento básico à vida inteira, em todos os seus aspectos.

6. *Filosofia da História*. Ele aplicava a isso a mesma idéia que aplicava às artes. Cada raça humana tem a sua própria história, influenciada pelas suas próprias condições, hereditariedade e meio ambiente; e os padrões de uma raça ou povo não podem ser aplicados a outra raça ou povo. Apesar disso envolver uma certa verdade, devemo-nos lembrar, por outro lado, que aquilo que *existe* não é necessariamente *certo*. Um povo ou indivíduo pode ter defeitos, erros, e até mesmo cometer crimes. A religião e a filosofia existem a fim de ajudar a corrigir esses erros, e não meramente para reconhecer que eles existem. A história da humanidade é um processo de evolução que leva na direção do ideal da humanidade.

7. *Herder, Fundador de Disciplinas*. Ele vivia, por assim dizer, obcecado pelas idéias de crescimento e desenvolvimento, razão pela qual é considerado um dos fundadores das religiões comparadas, da mitologia comparada e da filologia comparada.

HEREGE

Ver sobre **Heresia**.

HERES

No hebraico, «monte do sol». Esse é o nome de uma pessoa e de vários acidentes geográficos, mencionados nas páginas do Antigo Testamento:

1. Nome de um levita que voltou, em companhia de Zorobabel, terminado o cativeiro babilônico (I Crô. 9:15). Seu nome não se acha na lista paralela de Nee. 11:15,16. Seu trabalho era cuidar do tabernáculo. Viveu por volta de 536 A.C.

2. Nome de um monte perto de Aijalom, na fronteira dos territórios de Judá e de Dã. A região fora habitada pelos amorreus, antes de Israel ter conquistado a Terra Santa (Juí. 1:35). Aijalom e Saalbim são mencionadas em conexão com esse lugar. Uma cidade ali localizada chamava-se Ir-Semes, ou seja, Bete-Semes, conforme se pode deduzir mediante uma comparação de Juí. 1:34,35 com Jos. 19:41,42. A história registra que Israel não foi capaz de expelir os amorreus daquela região.

3. Em Juízes 8:13 lemos sobre a «subida de Heres», que se refere a um lugar a leste do rio Jordão, de onde Gideão voltou, após ter derrotado os reis Zobá e Zalmuna. Contudo, o texto envolve problemas. Algumas versões dizem «antes do sol surgir», como se houvesse um modificador adverbial, e não um nome geográfico. E a própria questão topográfica também envolve dúvidas.

4. Em Isaías 19:18 há menção à «Cidade do Sol», mais literalmente, «cidade de Heres». Está em foco a mesma cidade que, em outros lugares aparece com o nome de *Heliópolis* (vide). O profeta predisse que ela seria uma das cinco cidades do Egito que falariam o idioma de Canaã e que se mostrariam leais a Yahweh.

HERESIA

Esboço:
I. A Palavra
II. No que Consiste a Heresia?
III. Usos Bíblicos dos Termos Traduzidos por *Heresia*
IV. Segundo o Catolicismo Romano
V. Segundo os Grupos Protestantes
VI. O Papel Positivo das Heresias
VII. Como Tratar com os Hereges

I. A Palavra

Esse vocábulo vem do grego **hairesis**, que significa *escolha*, «tomar para si mesmo». Quando se refere a um grupo de pessoas, que aceitaram uma má doutrina, aponta para alguma *seita*. A raiz verbal é *aireomai*, «escolher». O uso dessa palavra não é necessariamente negativo. Pode indicar qualquer *escolha* ou *seita*. O uso neotestamentário inicial indica a idéia de *facciosidade*; mas, com a passagem do tempo, o vocábulo foi adquirindo o sentido moderno de ponto de vista doutrinário que não concorda com o que é considerado ortodoxo, ou seja, correto. Um *herege* é alguém que acredita ou promove alguma opinião contrária àquilo que o grupo, seita ou igreja acredita.

II. No que Consiste a Heresia?

Antes de definirmos uma *heresia*, teremos de definir o que é a *ortodoxia*. Isso nos envolve no problema da *autoridade* (vide). Cada denominação cristã representa toda uma história de desenvolvimento de dogma e práticas. E cada uma delas é tão arrogante ao ponto de pensar que seu próprio desenvolvimento é melhor, representando mais corretamente os ensinamentos da Bíblia e, mais particularmente, do Novo Testamento. Intermináveis controvérsias circundam essa questão; e, no entanto, indivíduos e denominações permanecem confiantes de que a sua maneira de pensar é a única correta. Os liberais, por sua vez, pensam que toda a questão é ridícula, pois eles não acreditam que a Bíblia seja um perfeito guia à verdade e, certamente, não o único roteiro. Nesse caso, torna-se extremamente difícil determinar no que consiste a verdadeira ortodoxia. O resultado é uma série de *ortodoxias* convencionais, manufaturadas pelo homem, cada uma afirmando-se superior, se não mesmo a única digna do nome. A história da religião prova isso a sobejo.

Jesus, embora chamado de **Deus-homem** por todos os cristãos ortodoxos, foi o maior exemplo de heresia, para os judeus. E Paulo, embora quase adorado como um herói, por muitos cristãos, por outros (para nada dizermos acerca dos judeus) era reputado um destruidor da **fé judaica**, e Moisés, um corruptor da boa moral. E as religiões **não-cristãs** estão convencidas da veracidade de várias doutrinas que contradizem os ensinamentos do cristianismo. Para o islamismo, o maior de todos os pecados, que nem tem perdão, é o de chamar qualquer homem de Deus, pois isso parece-lhes furtar Alá da glória que só a ele é devida. Isso posto, para os muçulmanos, a pior de todas as heresias é a doutrina da plena divindade de Jesus. E entre os próprios cristãos tem-se feito objeção à *cristologia* como uma teologia má.

Dentro das várias denominações cristãs há pontos de vista largamente diferentes sobre algumas questões. De fato, algumas dessas doutrinas em choque, umas com as outras, podem ser defendidas com base no Novo Testamento — mediante a manipulação de textos bíblicos — e não só por meio da teologia posterior. Para exemplificar, podemos extrair do

HERESIA

Novo Testamento uma doutrina do inferno sem nenhuma mitigação misericordiosa, como um julgamento do fogo eterno. Porém, também podemos mostrar que a descida de Cristo ao hades (ver I Ped. 3:18 — 4:6) requer que se faça uma revisão dessa idéia, que se deriva, essencialmente, dos livros pseudepígrafos do período intertestamentário. Ver o artigo sobre o *Inferno*, onde isso é melhor explicado. Também sabemos que o próprio Novo Testamento não é tão homogêneo como indivíduos e denominações evangélicas gostariam de crer. Certamente Tiago representa o legalismo (vide) na Igreja primitiva, o que com dificuldade pode ser reconciliado com as doutrinas paulinas da fé e da graça, embora tanto os escritos paulinos quanto a epístola de Tiago façam parte integrante do Novo Testamento.

Além dessas coisas, há aqueles mistérios que não admitem uma perfeita, harmônica e satisfatória definição, como o mistério da vontade de Deus. Ver Efé. 1:9,10. Esse mistério promete a unidade final de todos os homens e de todas as coisas em torno do Logos, o que ultrapassa em muito a mensagem anunciada pelo resto do Novo Testamento. Também poderíamos mencionar o mistério da pessoa do Logos, encarnado em Jesus Cristo. É impossível explicar como uma pessoa pode ser, ao mesmo tempo, verdadeiro Deus e verdadeiro homem. Os liberais negam a divindade de Jesus (pelo que são chamados hereges). Os docéticos negam a humanidade de Jesus (pelo que também são chamados hereges). Mas a Bíblia ensina a realidade do Deus-homem. Os crentes ortodoxos têm gasto séculos na tentativa de definir a cristologia (vide). E a doutrina cristã do Deus-homem é considerada a pior heresia que já houve, na opinião dos judeus e dos islamitas, os quais pensam que esse ensino é contrário ao monoteísmo. E, por causa de ensinos como a predestinação, a eleição, a expiação limitada, etc., os arminianos reputam os calvinistas heréticos; e os calvinistas pensam que os arminianos é que são hereges.

Tenho escrito essas coisas para mostrar que a questão envolvida é muito mais uma questão de definição da verdade. E, em nosso presente estado de conhecimento, essa tarefa dificilmente será resolvida de modo satisfatório. De fato, somente Deus conhece a teologia a fundo; todos nós continuaremos apenas buscando, tateando. Em conseqüência, cabe-nos ser cuidadosos sobre como falamos acerca de outras pessoas. Uma pitada de humildade muito pode ajudar, nessa questão.

III. Usos Bíblicos dos Termos Traduzidos por Heresia

1. Na Septuaginta, em Lev. 22:18, a palavra grega *hairesis* tem o seu sentido básico de «escolha», «preferência», referindo-se às ofertas voluntárias dadas pelo povo de Israel.

2. *Opiniões escolhidas*, consideradas destrutivas, estão em foco no trecho de II Ped. 2:1.

3. *Seitas ou partidos* que, naturalmente, tinham suas opiniões distintivas, estão em foco em Atos 5:17 e 15:5 (os fariseus e os saduceus como *seitas*), ou então, em Atos 24:14 e 28:22 (onde os cristãos é que aparecem como uma *seita*). Em Atos 24:14, Paulo substituiu a palavra *seita* pelo vocábulo «caminho», provavelmente, porque aquela palavra poderia ser entendida em um sentido adverso. Apesar disso, em Eusébio (*Hist*. 10:5,21-22) encontramos uma referência à Igreja cristã como uma *sagradíssima heresia*, ou seja, uma posição doutrinária que alguns tomavam como a sua opção.

4. Em I Cor. 11:19 e Gál. 5:20, está em pauta o sentido de *facção*, ou seja, um *cisma* criado entre os cristãos. Nesses casos, o que está em mira não é alguma doutrina errada e, sim, um espírito faccioso, que chega a dividir os crentes uns dos outros.

O uso da palavra *heresia*, que predominou na história posterior da Igreja, é aquele sentido que aparece em II Ped. 2:1 (número «2», acima). Essas são heresias destrutivas; por causa delas os homens chegam a negar ao Mestre e ao seu caminho de salvação. Os promotores dessas heresias atraem os discípulos após si e, finalmente, formam grupos e denominações separados. A história da Igreja antiga refere-se ao gnosticismo (contra o que já se encontra oposição no Novo Testamento, como em Colossenses e nas epístolas de João), ao montanismo, ao monarquianismo e ao arianismo (ver os artigos separados sobre cada uma dessas heresias).

IV. Segundo o Catolicismo Romano

1. *Heresias Formais*. Isso ocorre quando alguém que diz que é cristão rejeita, deliberada e teimosamente, contradizendo ou duvidando, a algum dogma estabelecido pelas autoridades eclesiásticas da Igreja Católica Romana. Os grupos protestantes, de acordo com essa definição, são *heréticos*. Todavia, a Igreja Católica Romana distingue entre heresia e *cisma* (vide). A Igreja Ortodoxa Oriental separou-se da porção ocidental da Igreja Católica em 1054, o que constituiu um *cisma*, mas os sacramentos da Igreja Ortodoxa Oriental são considerados válidos pela Igreja ocidental. Portanto, os ortodoxos orientais são considerados cismáticos, mas não heréticos. Eles têm ferido o amor e a unidade, mas não chegaram a incorrer na gravidade dos erros protestantes, do ponto de vista do catolicismo romano.

2. *As Heresias Formais e os Católicos Romanos*. Para que alguém seja um autêntico herege, é mister que a pessoa tenha feito parte da Igreja Católica Romana e tenha sido batizada. O verdadeiro herege também deve sê-lo voluntariamente, além de mostrar-se obstinado, e não inocente nesse erro. Esses termos, pois, aplicam-se a ex-católicos romanos. Nesse caso, um protestante é um irmão errado, e não um verdadeiro herege. Porém, no uso da Igreja e da história comum, os protestantes também aparecem como heréticos.

3. *As Heresias Materiais*. Esses são aqueles erros que, embora heréticos, estão baseados sobre a ignorância ou a falta de oportunidade; ou então porque o indivíduo nasceu dentro de um sistema que ensina doutrina contrária à da Igreja Católica Romana. De acordo com essa definição, os protestantes são hereges materiais, e não hereges formais.

4. *A Apostasia*. Ver o artigo separado sobre esse assunto. Um apóstata é pior do que um herege, porquanto chegou a negar, completamente, a fé cristã, separando-se da Igreja-mãe, ou literalmente (por haver-se unido a alguma seita não-cristã), ou por haver interrompido sua associação com cristãos, no seio da Igreja. Nem todos os apóstatas estão fora do redil da Igreja, mas todos abandonaram a fé cristã, no próprio coração. Um apóstata, embora antes fosse parte da Igreja, rejeita o cristianismo ortodoxo. Os hereges erraram, mas não abandonaram a Igreja Católica Romana.

V. Segundo os Grupos Protestantes

Quase todos os protestantes que falam em heresia e em hereges são do tipo que se apega às Escrituras Sagradas como seu único guia de doutrina e prática, mas que encontram cristãos que diferem de suas opiniões religiosas. Por sua vez, os protestantes liberais não vivem ansiosos à cata de hereges. Mas, os

91

HERESIA

protestantes conservadores descobrem hereges até mesmo entre outros protestantes conservadores, por causa, às vezes, de pequenas diferenças de opinião sobre as mais variadas crenças. Para exemplificar, os protestantes arminianos não hesitam em chamar de hereges aos calvinistas rígidos, por que estes defendem uma expiação limitada, paralelamente a um exagerado determinismo (vide). Por muitas vezes, as acusações de heresia devem-se apenas à ignorância acerca da teologia comparada. Exemplifiquemos. Quase todos os primeiros pais da Igreja, do Oriente e do Ocidente, interpretavam o trecho de I Pedro 3:18 — 4:6, que fala sobre a descida de Cristo ao hades, como passagem que ensina que Cristo ofereceu plena salvação aos perdidos confinados naquele lugar, possibilitando assim a salvação para além-túmulo. Isso significa que Cristo teve três missões: aquela na terra; aquela no hades; e aquela nos céus. Mediante essa tríplice missão, o poder e o alcance de Cristo atingem todo o Universo. Gradualmente, contudo, a Igreja ocidental veio a rejeitar esse ponto de vista, limitando a oportunidade de salvação até antes da morte biológica do indivíduo, usando o trecho de Hebreus 9:27 como seu texto de prova. Pessoalmente, aceito a posição da Igreja oriental quanto a essa doutrina; e alguns me têm chamado de herege, por esse motivo. Não obstante, essa posição tem bases bíblicas firmes, e é muito bem representada na interpretação da Igreja cristã histórica.

A **ignorância leva** as pessoas a muitas armadilhas. Uma dessas armadilhas consiste em querer classificar outras pessoas como hereges; outra armadilha é a arrogância; e ainda uma outra é o falso orgulho na própria tradição ou denominação, às expensas de outras pessoas. Os jovens radicais tornam-se ainda muito mais radicais por causa de certos mestres, nas escolas teológicas, que vivem intoxicados pelo orgulho denominacional, e que promovem teologias provinciais. Nesses círculos, é fácil as pessoas pensarem em outras pessoas em termos negativos, tachando-as de hereges por causa de pequenas diferenças de opinião. Tal atividade é encorajada pela ausência de estudo quanto à teologia comparada.

Quase todos os protestantes conservadores proclamam a Bíblia como a única autoridade em questões de fé e prática. Na realidade, porém, essa regra transmuta-se em: «As Escrituras, conforme eu e minha denominação as interpretamos». As interpretações dos **concílios da Igreja não são consideradas autoritárias por eles; mas as interpretações de suas** respectivas denominações o são. Embora aqueles que defendem a Bíblia como a única regra de fé e prática nunca admitam esse fato, assim, realmente, sucede.

É admirável como tão grande número de denominações, com pontos de vista tão **variegados quando a** certas questões, conseguem dar apoio a seus respectivos sistemas, todos igualmente dizendo-se baseadas na Bíblia. Mas, uma coisa que poucos reconhecem é o fato de que mais de um sistema doutrinário pode **derivar-se da própria Bíblia.** Muitas das divisões cristãs começaram ali, e não na teologia cristã posterior. Já mencionei como as Igrejas ocidental e oriental dividiram-se quanto à importante doutrina da descida de Cristo ao hades. Além disso, poderíamos mencionar conflitos como o determinismo versus livre-arbítrio. Essas duas posições podem ser demonstradas por meio de textos de prova no próprio Novo Testamento. Por igual modo, mais de uma forma de governo eclesiástico pode **ser defendida** com base no Novo Testamento. Se ficarmos somente com a epístola de Tiago, poderemos até mesmo derivar o *legalismo* (vide) das páginas do Novo Testamento. E, além disso, —também dispomos de todo o volume do Antigo Testamento em defesa dessa posição legalista! No entanto, o legalismo é considerado heresia, em nossos dias! De fato, existem denominações cristãs de tendências legalistas que se utilizam da epístola de Tiago em apoio à sua posição. Deveríamos chamá-las de heréticas? Nesse caso, então teremos de proclamar, a exemplo do que fez Lutero, a inferioridade da epístola de Tiago, não a considerando autoritária.

Tenho mostrado, neste artigo, que a questão da heresia não é tão fácil como poderia parecer à primeira vista, e que muito daquilo que é considerado heresia é apenas variedade de interpretação, dentro de diferentes denominações cristãs. Naturalmente, há aqueles que negam a Cristo, ao evangelho da graça e a outros aspectos importantes da doutrina cristã. Portanto, quando encontramos tais casos, então, com cuidado, podemos usar a palavra «heresia».

VI. O Papel Positivo das Heresias

Jesus Cristo, na opinião de muitos, foi um grande herege, tendo sido crucificado por suas supostas blasfêmias. As autoridades religiosas dos judeus é que determinaram o julgamento. Mas, o que era então uma heresia, tornou-se a nova ortodoxa. Considero um homem completamente louco, se ele não percebe a diferença fundamental entre a posição doutrinária do Antigo Testamento e a posição doutrinária do Novo Testamento. Uma dessas grandes diferenças é a definição metafísica do Messias. Um Deus-homem é uma teologia inconcebível na mente de qualquer judeu ortodoxo. A pergunta que se deve fazer é: Essa doutrina é *verdadeira*, ou não? O cristianismo conservador alicerça todo o seu sistema sobre a verdade dessa doutrina. É importante observar como, em certos casos, um ponto considerado herético pode vir a ser uma nova ortodoxia. Não há pontos finais. O que parece um ponto final, torna-se apenas um novo começo. Isso sempre aconteceu na história da fé religiosa. Os teólogos, entretanto, gostam muito de encontrar pontos finais. Nunca surge uma síntese que não venha a tornar-se em uma nova tese, com sua conseqüente antítese, de onde surge uma nova síntese, e assim sucessivamente, *ad infinitum*. Se assim não fora, Deus teria estagnado. Somente Deus conhece, realmente, a teologia. Em caso contrário, seríamos tão espertos e perspicazes quanto o próprio Deus. A nossa compreensão, porém, é muito limitada; a nossa sabedoria demonstra grande ignorância; o nosso fundo de conhecimento é muito insuficiente. Por todas essas razões, é inevitável que a teologia seja tão difícil. Além disso, devemos pensar nos mistérios, sobre os quais bem pouco conhecemos. Serão necessárias novas revelações, como também um novo desenvolvimento espiritual se tivermos de esclarecer não apenas algumas, mas *muitas* questões teológicas. E, durante esse processo de iluminação, muita gente será apodada de herege, embora elas tenham obtido novos discernimentos quanto à verdade.

A verdade, esmagada até à terra, tornará a
   levantar-se;
   Os anos eternos de Deus lhe pertencem;
Mas o erro, ferido, estremece de dor,
   E morre entre os seus adoradores.
      (Lord Bryon)

«O menor átomo de verdade representa a labuta amarga e a agonia de algum homem; para cada fagulha ponderável da verdade há o sepulcro de um corajoso pesquisador da verdade, em algum solitário montículo de cinzas e uma alma que torra no inferno» (H.L. Mencken).

HERESIA — HERESIOLOGISTA

Paulo foi um herege criativo. Suas doutrinas da fé e da graça contradizem frontalmente a ortodoxia judaica. Por causa disso, foi perseguido como um animal, visto que era *diferente* das outras pessoas. No entanto, hoje em dia, ele é um de nossos heróis. Sua heresia tornou-se uma ortodoxia nova. Não obstante, os judeus costumavam proclamar, em altas vozes, que Deus chegara ao ápice da revelação divina com eles, no sistema religioso judaico.

«Se a verdade fere-nos de tal modo que não a queremos ouvir proclamada, fere ainda mais severamente àqueles que ousam proclamá-la. A verdade é uma espada de dois gumes, com freqüência, mortalmente perigosa para quem faz uso dela».

(Juiz Ben Lindsey)

O teólogo Karl Rahner frisou o papel positivo da heresia na história eclesiástica. É um meio de lançar luz sobre a posição doutrinária da Igreja. Vou além: toda heresia é um meio de destacar e trazer à luz novas verdades. De nada adianta pensarmos que isso só poderia suceder na Igreja primitiva. Já sucedeu e continuará sucedendo por muitas vezes. Porém, é importante reconhecermos as distorções da fé, que são heresias autênticas. Eis por que os teólogos estudam e os escritores publicam livros. Contudo, os teólogos deveriam estudar e os escritores deveriam escrever em espírito de humildade, sem se julgarem, necessariamente, corretos em suas interpretações.

VII. Como Tratar com os Hereges

A primeira epístola aos Coríntios, em seus capítulos terceiro a décimo quinto, mostra que Paulo preferia ensinar a fim de promover a *unidade* cristã, do que dividir a Igreja, por causa de diferenças doutrinárias. Dispôs-se até mesmo a tolerar os filósofos, que não viam sentido na ressurreição do corpo físico. O apóstolo não exigiu a expulsão deles, embora, atualmente, como é óbvio, negar a realidade da ressurreição sem dúvida é uma heresia. Paulo estava disposto até mesmo a tolerar a sabedoria grega, embora sempre esperançoso em poder levá-la a reconhecer a sabedoria superior de Cristo. No trecho de Tito 3:10, naturalmente, encontramos uma instrução acerca do que deveríamos fazer no caso dos hereges: «Evita o homem faccioso, depois de admoestá-lo primeira e segunda vez». Essa versão compreende esse trecho em que o grego é entendido em seu sentido mais primitivo, dando a idéia de facciosidade. Quantos conflitos entre os fundamentalistas, cujas doutrinas são aprovadas, poderiam ser evitados, se ao menos seguissem esse versículo! O espírito *faccioso* é uma *heresia*, nos termos do Novo Testamento!

É possível que nesse trecho de Tito 3:10 esteja em foco alguma forma de gnosticismo, estando em pauta questões doutrinárias, e não apenas o espírito contencioso, daqueles que perturbam a Igreja com controvérsias inúteis. E, naturalmente, a introdução de doutrinas estranhas é uma maneira de causar divisões, pelo que ambas as idéias estão em mira. Referências bíblicas como II Tim. 2:23 e 3:1 *ss* parecem pôr as epístolas pastorais bem no centro da luta contra o gnosticismo. Em outras palavras, os falsos mestres combatidos pertenciam a essa seita. Nesse caso, as controvérsias e as atividades facciosas eram as dos mestres gnósticos. A passagem de I Cor. 11:19 refere-se aos facciosos, aqueles que seguiam líderes humanos como heróis, e assim provocavam divisões na Igreja, certamente uma heresia prática, mesmo que não teórica. O trecho de II Tim. 3:5 também ensina a separação que deve haver entre os crentes e essa gente. Sem dúvida, isso envolve alguma forma de *exclusão* (vide). O texto de II Tim. 2:24,25 demonstra que os crentes devem exercer grande paciência em seu ensino, em todos os casos em que haja elementos de espírito polêmico na Igreja. I Coríntios 5:11 é um trecho bíblico que nos ordena a nos separar de várias formas de pecadores contumazes, no seio das Igrejas locais, como os alcoólatras, os imorais, etc.; e, por extensão, alguns têm alistado as heresias doutrinárias dentro dessa categoria. O crente nem ao menos deveria comer em companhia de tais pessoas, embora seja duvidoso que possamos dizer que esse versículo envolve alguma heresia.

O trecho de II Pedro 2:1 refere-se àqueles que introduziam doutrinas destruidoras. Sem dúvida estão ali em foco os *falsos mestres*. Os gnósticos certamente são destacados nessa passagem, apesar do que ela é aplicada de modo geral a qualquer tipo de erro doutrinário. Judas (vs. 4-16) encerra uma longa diatribe contra os gnósticos, versículos esses que também têm sido largamente aplicados a todas as formas de posição heterodoxa.

Nas páginas da *história eclesiástica*, o principal método de cuidar do problema dos hereges consistia em excluí-los ou excomungá-los. Imperadores romanos, como Teodósio e Justiniano fizeram da heresia um crime civil (e não meramente religioso), e daí, algumas vezes, resultou a execução dos condenados. A Igreja Católica Romana, durante a Idade Média, instituiu a *inquisição* (vide), a qual decretou muitos encarceramentos, banimentos e execuções. João Calvino, em Genebra, na Suíça, aplicou os mesmos métodos, e ordenou a execução de quase sessenta pessoas, no decurso de poucos anos. Mas também baniu e encarcerou a um grande número de pessoas! Em Genebra, o crime religioso da heresia também era tratado como uma ofensa civil, porquanto, no tipo de teocracia que ali foi instituído, não havia separação entre a Igreja e o Estado. Mas a Igreja Anglicana, com sua maneira usual ampla de ver as coisas, quase tornou ilegais os julgamentos por motivo de heresia. E aqueles julgamentos que têm ocorrido ultimamente, como o do bispo Pike (na década de 1970), têm sido reduzidos a nada, estabelecendo um precedente para esse tipo de ação judiciária. Todavia, nos grupos protestantes mais conservadores, ocasionalmente, ainda há julgamentos formais por motivo de heresia; **mas geralmente**, contudo, aqueles que dissentem simplesmente se afastam, por não se sentirem bem acolhidos. Os liberais têm-se oposto firmemente aos julgamentos por heresia, e os críticos das instituições religiosas por várias vezes têm louvado os hereges, antigos e modernos, como heróis religiosos, em meio a uma Igreja ignorante e hostil. (AM B C NTI R Z)

HERESÍMACO

Essa palavra vem do grego, **haeresis**, «heresia», e **machesthae**, «lutar contra». Esse é o nome que se dá a alguém que, habitualmente, e usualmente com zelo, luta contra o que ele considera ser alguma heresia. Trata-se de um caçador de hereges. Essa atividade sempre é acompanhada por preconceitos, disposição em prejudicar, crueldade e hipocrisia. Devemos combater o erro, mostrando a verdade; mas sem espírito de perseguição contra as pessoas. Foi falhando nisso que, por exemplo, o catolicismo romano instituiu a Inquisição (vide).

HERESIOLOGISTA

Esse vocábulo vem do grego, **haeresis**, «heresia», e **logia**, «estudo de». Essa palavra refere-se a algum cronista ou escritor sobre heresias. É comumente

HERETE — HERMAS

usada para indicar alguém que escreve contra as heresias. Entre os primeiros heresiologistas importantes da Igreja antiga podemos citar Irineu, Tertuliano, Hipólito, Dionísio de Alexandria e Epifânio, acerca de quem oferecemos artigos separados. Alguns desses homens, entretanto, foram considerados hereges por outros.

HERETE

Nome de um bosque ou floresta que ficava no território de Judá, localizado entre Adulão e Giló. O termo hebraico significa «moita». Foi ali que Davi se ocultou, depois que partiu de Moabe (I Sam. 22:5). Algumas versões trazem a grafia variante *Harete*. Alguns estudiosos supõem que a moderna aldeia chamada Khirbete Qila assinala a antiga localização.

HERMÁGORAS

Ver o artigo sobre a **Retórica**, em seu quinto ponto.

HERMARCO

Ele foi o primeiro sucessor de Epicuro. Ver os artigos sobre *Epicurismo*; *Epicuro e Escolas Filosóficas do Novo Testamento*. Ver também sobre o *Hedonismo*.

HERMAS

Um cristão primitivo, a quem Paulo saúda, em Rom. 16:14. O nome era bastante comum nos dias de Paulo. Porém, não dispomos de qualquer informação sobre essa pessoa. Orígenes conjecturava que ele teria sido o autor do livro apócrifo *Pastor de Hermas* (vide). Porém, os eruditos pensam que ele estava equivocado.

HERMAS, PASTOR DE

Esboço:
I. Caracterização Geral
II. Autor
III. Data e Origem
IV. Esboço do Conteúdo
V. Teologia e Ética Desse Livro
VI. Texto e Cânon

I. Caracterização Geral

Esse é o mais longo dentre aqueles escritos classificados como dos *pais apostólicos*. É mais volumoso do que qualquer livro isolado do Novo Testamento. O testemunho dos antigos dá ao livro uma data de cerca de 140 D.C.; mas outros, até com certas provas convincentes, falam em uma data mais antiga do que isso. O autor é chamado *Hermas*, um cristão romano. Sua obra divide-se em três seções gerais: a. visões (das quais há cinco); b. preceitos (são doze); e c. símiles (ou parábolas, das quais há dez). Presumivelmente, a mensagem que ele entregou foi-lhe dada pelo próprio Cristo, o qual lhe apareceu como se fora um Pastor, o que explica o título da obra, Pastor de Hermas.

O objetivo principal dessa obra é o de garantir uma segunda chance de arrependimento para os que pecassem após o batismo em água. Tal como a maioria das obras apocalípticas, essa também não é homogênea em seu estilo e em sua estrutura. O autor parece que reagia contra pontos de vista radicais sobre o arrependimento, que não permitiam o perdão para aqueles crentes batizados que caíssem em pecados graves. Certos trechos dessa obra soam como

se fossem escritos essênios, das cavernas de Qumran. Ver o artigo sobre *Mar Morto, Manuscritos do*.

Alguns cristãos antigos consideravam que essa obra era canônica e autoritária, embora a grande maioria deles não concordasse com essa opinião, por vários motivos óbvios, como sua evidente visão distorcida do arrependimento e a data posterior de sua composição. De fato, uma de minhas fontes informativas a respeito faz a seguinte avaliação: «Não é de grande valor literário ou religioso».

II. Autor

O autor chama a si mesmo de Hermas. Não sabemos dizer se esse era o seu nome real, ou se o escolheu por alguma razão desconhecida, para fazer parte do título do seu livro. Seja como for, o seu estilo e o conhecimento que ele reflete no livro parecem identificá-lo como um homem de origem judaica. Aparentemente era romano, tendo nascido como escravo. Não foi criado por seus pais. Casou-se com uma mulher que falava com grande leviandade (visão 2:2,3); tinha filhos indisciplinados. Era agricultor por profissão, e não era homem de talentos especiais, nem mesmo literários.

III. Data e Origem

Roma está identificada com esse livro, pelo menos em parte. As primeiras visões teriam ocorrido na estrada para Cumae, uma antiga cidade grega cerca de dezenove quilômetros a oeste de Nápoles. Ele fora instruído a entregar uma cópia de sua obra a Clemente, presumivelmente, o autor da Primeira Epístola de Clemente, e uma outra cópia a Grapte, uma personagem desconhecida para nós (visão 2:4,3). Clemente (bispo de Roma?) viveu em Roma entre 88 e 97 D.C., sendo possível que a primeira porção dessa obra tenha sido escrita nessa época. Contudo, o chamado *Cânon Muratoriano* (de cerca de 200 D.C.), declara que, «recentemente, em nossos próprios tempos», Hermas escreveu aquele livro, identificando-o como irmão de Pio, bispo de Roma. De fato, Pio foi bispo em cerca de 140 D.C. É possível que a primeira parte dessa obra tenha sido, realmente, escrita na época de Clemente de Roma; mas o livro só foi terminado e publicado cerca de cinqüenta anos mais tarde. Mas, nesse caso, é difícil ver como Hermas cumpriu o seu desejo de entregar uma cópia da obra a Clemente, a menos que, posteriormente, ele tenha expandido uma obra menor, dando-lhe uma nova edição. Nesse caso, a cópia dada a Clemente seria apenas uma parte da obra que atualmente conhecemos.

IV. Esboço do Conteúdo

Esse livro foi provocado, essencialmente, pelo ponto de vista sobre o pecado que era largamente defendido em muitos lugares, no século II D.C. Alguns cristãos haviam chegado à tola conclusão de que o crente, após ser batizado em água, não incorre mais em pecado, ou, pelo menos, não comete mais nenhum pecado grave. Contudo, Hermas notou que, simplesmente, isso não acontece na prática. E assim surgiu a dúvida se há perdão para esses pecados. A resposta de Hermas é dúbia e incompleta; mas, pelo menos, é melhor do que a má teologia que a criara. Ele sentia que, na época em que estava escrevendo, era possível receber perdão pelos pecados cometidos após o batismo; mas também previa a época em que essa oportunidade seria cortada. Por que motivo os homens gostam de pôr ponto final às coisas? Talvez ele quisesse dar a entender que o crente pode desgastar a graça de Deus de tal maneira que o perdão só lhe pode ser dado até certo ponto. Isso também reflete uma péssima teologia, que dá margem

HERMAS — HERMENÊUTICA

a uma piedade falsa, porquanto homens que continuam pecadores, acabam pensando que não o são. Muitas pessoas reduzem o escopo do pecado, para que possam pensar que não são pecadoras; mas, ao assim fazerem estão apenas criando uma teologia truncada e distorcida.

As três seções do livro são: cinco visões, doze preceitos e dez símiles.

1. Cinco Visões

Essas visões falam sobre a Igreja. Ela é apresentada como uma torre em construção. Uma idosa mulher, Roda (a proprietária de Hermas, quando ele era escravo), aparece e fala com ele. Então surge outra idosa matrona, que representa a Igreja. Essa explica que a torre consiste em pedras que são pessoas, como os apóstolos, os bispos, os diáconos, etc. Essas pedras se ajustam facilmente à edificação, o que também sucederia aos mártires e aos justos. Porém, os incrédulos e os apóstatas são rejeitados, não sendo aceitos na construção. Algumas mulheres postam-se de pé, em redor da torre, simbolizando as virtudes da fé, da continência, da simplicidade, do conhecimento, da inocência, da reverência e do amor. A idosa mulher que representa a Igreja vai remoçando, até tornar-se uma linda jovem, ao mesmo tempo em que a fé de Hermas se robustecia. A quarta visão é apocalíptica, referindo-se a uma grande fera que perseguirá e semeará a destruição, engolfando a terra na miséria. Na quinta visão, aparece o Pastor (que representa Cristo ou um ser angelical). Ele é intitulado de Anjo do arrependimento, e apresenta o resto do livro, que consiste nos preceitos ou mandamentos e nas símiles ou parábolas.

2. Os Preceitos ou Mandamentos

O material que faz parte dessa seção não é bem organizado, embora ali apareçam idéias básicas, como a unidade de Deus, que serve de alicerce de todas as considerações morais; o temor a Deus; advertências contra ofender ao Espírito; a ênfase sobre as virtudes básicas da simplicidade, da reverência, da inocência, da paciência, da alegria e da veracidade; a rejeição ao ânimo nobre; a resistência contra os maus desejos; a rejeição ao adultério e à fornicação; a moderação a ser observada em todas as coisas. No fim dessa seção há um aviso no sentido de que a salvação não é possível, a menos que esses princípios éticos e espirituais sejam observados.

3. As Símiles ou Parábolas

Aparecem algumas estórias completas, que são parábolas; mas, em sua maior parte, nessa seção há apenas exortações com símiles e metáforas, e a seleção das mesmas não é brilhante. Coisas específicas ali expostas são a comparação entre as cidades celestial e terrestre; o rico como uma vinha, que precisa do apoio dos pobres que se assemelham a um carvalho; as árvores em florescência ilustram as vidas dos justos; os ímpios, porém, são como árvores ressecadas; o salgueiro ilustra a lei de Deus, com seus muitos ramos; há um pastor do luxo, e também um outro, do castigo. A parábola mais longa fala sobre doze montes na Arcádia, que diferem quanto à forma, à formação, à vegetação, etc., representando todas as variedades de seres humanos, bons e maus.

V. Teologia e Ética Desse Livro

Já vimos como os mandamentos devem ser guardados, sob pena de perda da salvação. Isso reflete uma forte posição arminiana. O tom ético geral é o do *ascetismo* (vide). Há uma acentuada ênfase sobre as virtudes cristãs básicas, representadas pelas mulheres. Um homem poderia casar-se de novo, se viesse a enviuvar, mas isso seria menos virtuoso do que

permanecer na viuvez. Hermas não era um teólogo, pelo que há fragmentos de conceitos teológicos dispersos por toda a parte, e não a exposição de qualquer sistema. Há menção ao Pai, ao Filho e ao Espírito Santo, mas nenhuma declaração formal que nos ensine o trinitarianismo. É dito que o Espírito habita na carne humana, fazendo-o por pura compaixão. O batismo figura como um rito necessário à salvação.

VI. Texto e Cânon

O livro **Pastor de Hermas** foi escrito em grego. Mas, atualmente, não há nenhuma cópia completa dessa obra. O manuscrito *Aleph*, do Novo Testamento, contém esse livro até o preceito 4 (3,6). Há um manuscrito do século XV, no mosteiro do monte Atos, que contém quase todo o restante desse livro. Naquele mosteiro, igualmente, há textos incompletos desse livro, escritos em papiro ou em pergaminho. Existem duas traduções latinas e uma etíope, como também alguns poucos fragmentos de traduções em cóptico e em persa. Alguns poucos pais da Igreja aceitaram esse livro como canônico, a saber; Irineu, Orígenes e Tertuliano (em seus primeiros escritos), mas a Igreja universal nunca aceitou tal obra como canônica. Ver o artigo geral sobre o *Cânon*. (AM E GR Z)

HERMENÊUTICA

Esboço:

   I. A Palavra e seus Usos
   II. Caracterização Geral
   III. A Hermenêutica como um Modo de Interpretar — Princípios de Interpretação da Bíblia

I. A Palavra e seus Usos

Esse termo vem do grego, **hermeneutikós**, que significa «interpretação», ou «arte de interpretar». O vocábulo grego *hermeneutes* significa «intérprete». Essa palavra deriva-se do nome de *Hermes*, que era tido como o mensageiro divino e intérprete dos deuses, e que também era o deus da eloqüência, que os romanos chamavam de Mercúrio.

Usos:

1. O uso comum dessa palavra alude à interpretação de textos escritos, especialmente bíblicos, embora também de natureza filosófica, legal, etc.

2. As atividades da filosofia das ciências sociais são consideradas, por muitos especialistas, como mais aparentadas à hermenêutica do que às ciências exatas, as quais já usam métodos de laboratório em suas pesquisas. Spranger (vide) referia-se à psicologia como uma «hermenêutica do espírito».

3. A filosofia, dentro daquilo em que ela opera em uma cultura qualquer, envolve a hermenêutica.

II. Caracterização Geral

A hermenêutica é a ciência das leis e princípios de interpretação e explanação. Em relação aos estudos bíblicos e teológicos, o principal aspecto desse estudo diz respeito à compreensão das Escrituras Sagradas, e por que meios essa compreensão deve ser atingida. A hermenêutica deve ser estudada, logicamente, antes da *exegese* (vide), a qual vale-se dos princípios hermenêuticos em suas investigações e conclusões. A hermenêutica bíblica requer um bom conhecimento das línguas originais usadas na Bíblia, além dos significados originais desses escritos sagrados, vistos do ângulo dos seus escritores originais, do seu pano de fundo histórico, de seu meio ambiente literário, da história do pensamento religioso, dos pontos de vista científicos dos tempos antigos, etc. A terceira seção deste artigo elabora essas questões.

HERMENÊUTICA

O *método crítico histórico* de investigação bíblica, que surgiu no século XIX, salienta a necessidade de compreendermos o que os próprios autores bíblicos entendiam com aquilo que diziam, considerando-se a posição deles dentro da história. Esse método de investigação salienta que eles viveram em uma época em que a ciência era deficiente e muito limitada; que eles haviam herdado idéias primitivas sobre a natureza; seus pontos de vista sobre Deus eram bastante antropomórficos; que eles tinham pouca noção sobre crítica textual, e que, virtualmente, desconheciam totalmente a arqueologia. Assim, cresceu a ênfase acerca do descobrimento do que esses autores sagrados tinham querido ensinar, e uma preocupação menor com o conteúdo das *verdades* que eles ensinavam. Aos teólogos dogmáticos foi entregue a tarefa de investigar esse conteúdo.

A Nova Hermenêutica. A renovação do interesse pela hermenêutica bíblica tem sido estimulada por teólogos existencialistas, como Rudolf Bultmann e seus seguidores. Nomes associados a isso são Gerhard Ebeling, Ernest Fuchs e Martin Heidegger. Esses homens seguiam as idéias de Bultmann, embora as tivessem levado a extremos que ele não teria aprovado. Heidegger enfatizava a importância da linguagem como algo anterior à humanidade, como um poder que teria moldado a compreensão dos homens. A própria existência humana seria definida lingüisticamente; e, através da linguagem, chegaríamos a entender o ser humano. A existência humana torna-se autêntica quando tem permissão de desempenhar o seu papel; e então chegamos a uma compreensão apropriada da mensagem que ela tenta comunicar. Isso posto, a linguagem seria Hermes, o mensageiro dos deuses. Por meio da ciência da hermenêutica, procuramos recapturar os eventos proferidos pelos profetas, extraindo dali o sentido que convém. Isso envolve mais do que entender o que um profeta qualquer tem a dizer, no contexto de sua própria época. Antes, devemos procurar penetrar no seu sentido, naquilo que significa hoje em dia, pois a verdade reveste-se de uma universalidade que é comunicada por meio da linguagem. Jesus proferiu palavras imortais, aplicáveis em qualquer época. Não precisamos nos preocupar com toda a forma de questão cultural e histórica, a fim de entendermos a mensagem universal da alma, mas precisamos entrar na linguagem do coração, para que tenhamos uma perfeita compreensão das coisas. E também há uma linguagem da fé, que devemos esforçar-nos por entender. Verdadeiramente, *parece que esses filósofos*-teólogos acreditam que a linguagem reveste-se de alguma qualidade mística, dotada de tesouros ocultos. A demitização pode ser uma tarefa infrutífera. A verdadeira hermenêutica tem a tarefa de compreender de que modo o evangelho de Cristo aplica-se ao homem moderno. Há nisso uma fé de que o evangelho, verdadeiramente, dirige aos homens uma mensagem universal, mensagem essa que pode ser determinada.

A nova hermenêutica não ignora a erudição histórica e crítica dos eruditos do século XIX. Porém, aponta para uma tarefa idêntica à do pregador. Há uma mensagem a ser comunicada que é mais importante do que o manuseio crítico de um texto qualquer. A erudição, quando muito, leva-nos somente ao limiar da interpretação. A partir desse ponto, o Espírito, que fala através da linguagem, deve receber a permissão de levar-nos a profundezas maiores. A mensagem pode ficar aprisionada em um texto; e precisa ser liberada. A tarefa da hermenêutica e da pregação, portanto, é a liberação. Uma vez liberada, a mensagem pode nos transformar. Dentro dessa interpretação, encontramos o casamento entre a interpretação e o dogma; e o dogma torna-se uma verdade viva que nos transforma, não se limitando a ser apenas uma crença credal. A erudição histórico-crítica, pois, torna-se uma serva da hermenêutica, e não a própria substância da mesma.

III. A Hermenêutica como um Modo de Interpretar — Princípios de Interpretação da Bíblia

a. *As línguas originais* devem ser lidas e compreendidas, ou então, o estudioso precisa ter acesso a textos fidedignos, que transmitam fielmente o sentido do texto original. O estudioso também deveria consultar não apenas uma, mas muitas traduções, para então julgar os seus méritos comparativos, quanto a casos específicos. Deveria ter cuidado para evitar envolvimento na manipulação sofista de vocábulos ou expressões hebraicas e gregas. Quase qualquer coisa pode ser ensinada, através da manipulação indevida dos textos. As próprias traduções oficiais, algumas vezes, envolvem-se nesse tipo de atividade. Consideremos os muitos sermões que têm sido pregados com base nas supostas diferenças entre *agapáo* e *philéo* (palavras essas que são meros sinônimos), na tentativa de explicar o trecho de João 21:15 *ss*.

b. *O Tipo de Literatura a ser Examinado*. O estudioso precisa examinar prosa, poesia, alegoria, trechos literais e trechos simbólicos. Consideremos os apocalipses, com seus fantásticos símbolos. Atualmente, muitos pregadores supõem que sempre devemos entender literalmente um texto, a menos que haja razões especiais para interpretarmos o mesmo simbolicamente. Mas, no caso dos apocalipses (incluindo o Apocalipse de João), a interpretação literal desvia para longe da verdade, em vez de conduzir à verdade. Uma *estrela que cai*, por exemplo, é o símbolo apocalíptico de um anjo, e não uma alusão a alguma catástrofe cósmica, a algum acontecimento astronômico. As pragas de insetos e animais grotescos não apontam para pragas incomuns. Antes, falam sobre as atividades demoníacas. Se quisermos compreender o Apocalipse de João, em nosso Novo Testamento, teremos de familiarizar-nos com os livros pseudepígrafos, onde os símbolos se assemelham muito com os do Apocalipse. Em meu comentário sobre o Apocalipse, no NTI, procurei apresentar ao leitor aquilo que os próprios autores sagrados pensavam acerca dos símbolos que empregaram; e isso, necessariamente, nos conduz ao fundo da linguagem simbólica empregada nos livros pseudepígrafos.

c. *Pano de Fundo Histórico*. Precisamos entender um livro dentro do contexto histórico no qual foi escrito. Quando o Apocalipse fala sobre *Roma*, indica a Roma do tempo do paganismo, e não a Igreja Católica Romana, e nem os protestantes cismáticos. Infelizmente, o livro de Apocalipse tem servido de campo de batalha entre as denominações cristãs. Entretanto, João estava atacando Roma. É um erro tentar modernizar o que os profetas disseram. Isso não significa que eles não falaram sobre coisas do fim de nossa dispensação. Mas significa que muitas de suas predições diziam respeito à sua própria época, a curto prazo, e não a longo prazo.

Consideremos, além disso, a história da criação. Precisamos entender que o autor sagrado não tinha consciência da imensa antiguidade do globo terrestre. Ele falou sobre a raça adâmica, mas não sabia acerca da imensa expansão da história astronômica e geológica da humanidade, que antecede à história *recente* da raça adâmica. Isso posto, é impossível

HERMENÊUTICA

extrair do livro de Gênesis alguma declaração dogmática sobre a idade da terra. Além disso, devemos entender que ele se referiu a um certo aspecto da história antiga, e não à totalidade dessa história, que está perdida nas brumas do tempo. Quando o autor sagrado falou sobre o dilúvio, referiu-se a um relato genuíno. Porém, não tinha consciência do fato de que já tinham ocorrido outras catástrofes universais similares. Heródoto diz-nos que os egípcios sabiam que tinha havido mais de um dilúvio, chamando os gregos de crianças, porque só sabiam de um desses dilúvios. Não deveríamos fazer com que registros parciais da história tomem o lugar da história total. A ciência e outras referências literárias podem aumentar o nosso conhecimento sobre essas coisas.

No tocante ao pano de fundo histórico, precisamos ter um conhecimento funcional da história narrada na Bíblia, bem como as histórias dos povos envolvidos no relato bíblico. Em caso contrário, não seremos capazes de determinar o significado de muitos textos. Quando lemos sobre Abraão, precisamos conhecer os costumes matrimoniais de sua época, como também costumes sobre heranças, sobre leis pré-mosaicas, etc., sob pena de muitas passagens da Bíblia permanecerem obscuras para nós. Quando Abraão mentiu, dizendo que Sara era sua irmã, pensamos que ele cometeu um grande mal. De certa feita ouvi uma mensagem, dada em uma escola dominical, por um professor que se mostrava muito perturbado diante do fato de Abraão não haver *protegido* Sara, ao pespegar uma mentira sobre ela. No entanto, a verdade é justamente o oposto. Naqueles tempos, os chefes tribais (denominados *reis*, nas páginas da Bíblia), nos dias do Antigo Testamento, podiam fazer o que bem entendessem com as mulheres que passassem por seus territórios, fossem elas solteiras ou casadas! Facilmente, Sara poderia ter-se tornado parte do harém de um daqueles chefes; e ninguém pode agora dizer que Abraão estava disposto a sacrificar a virtude de Sara para salvar a própria pele. Talvez somente assim estivesse salvando a vida dela também. Apesar disso parecer revoltante para a moderna mentalidade evangélica, essa era a dura realidade nos dias de Abraão.

d. *Condições Geográficas e Meteorológicas*. Os povos antigos viviam limitados por sua geografia local, pelo clima em que viviam e pela fertilidade das terras que ocupavam. O temor da fome, entre outras coisas, produziu a adoração às forças da natureza, o sacrifício de crianças a certos deuses, cujos favores buscavam, além de outras coisas desse jaez. Para os cananeus, Baal era o deus da chuva, que cuidaria das terras e as tornaria férteis. Os poderes do relâmpago e do trovão, além de outras forças naturais, não eram entendidos. Esses poderes eram atribuídos a seres divinos, bons ou maus. Isso originou todo o desenvolvimento de uma teologia primitiva, completa com deuses de todas as espécies, que controlariam todas as facetas das atividades humanas. Ver o artigo sobre os *Deuses Falsos*.

e. *Diferenças Culturais*. Precisamos saber algo sobre os próprios hebreus, além de entender porque acreditavam em certas coisas e faziam certas coisas. Ao estudarmos a história de um povo qualquer, temos de compreender o meio ambiente em que eles viviam, bem como toda a sua formação. Ficamos perplexos diante das intermináveis guerras de Israel, diante da imensa crueldade, das matanças sem sentido, ao mesmo tempo em que supunham que estavam agindo por orientação divina. Orígenes, por isso mesmo, queixou-se do ponto de vista primitivo sobre Deus, em

muitos trechos do Antigo Testamento, tendo procurado eliminar essa dificuldade mediante uma interpretação alegórica, onde o aspecto histórico não era devidamente enfatizado. Além disso, ele buscava um conhecimento maior na mensagem mística de alguma passagem, inteiramente à parte da história ali narrada. Ver os artigos intitulados *Alegoria* e *Interpretação Alegórica*.

f. *Revelações Preliminares*. Dentro da interpretação do Antigo Testamento, nunca nos devemos olvidar do fato de que estamos tratando de revelações anteriores e inferiores àquelas que nos são feitas no Novo Testamento. Isso posto, devemos usar de cautela para não transformarmos em dogmas alguma teologia antiga, que corresponda a algum nível anterior da revelação divina. Poderíamos destacar o conceito de Deus como uma questão básica quanto a isso. O Novo Testamento nos presenteia uma visão superior sobre o Ser divino. Para ilustrar, no Pentateuco não há qualquer ensino sobre a alma, não há qualquer promessa de recompensa aos que praticarem o bem, *depois* desta vida, e nem há qualquer ameaça àqueles que agirem mal, *depois* desta vida. Além disso, no Antigo Testamento encontramos um sistema legalista, baseado sobre as obras humanas, que Paulo ultrapassou. Isso não significa, entretanto, que não encontremos ali uma mensagem rica, de onde podemos extrair muitas lições valiosas. Porém, não podemos ficar dependentes da mensagem do Antigo Testamento, quando se trata de formular a nossa teologia.

Alguns Problemas Especiais

a. *Procurando solucionar tudo mediante textos de prova*. Quando buscamos a verdade, não basta encontrarmos algum texto de prova para alguma assertiva nossa, como se isso resolvesse todos os problemas envolvidos. Pois alguma outra pessoa, que tenha uma opinião contrária à nossa, — será capaz de encontrar algum texto de prova que pareça dizer precisamente o contrário. Consideremos, por exemplo, a controvérsia acerca da regeneração batismal. Se ficarmos somente com o que Paulo escreveu, não poderemos aceitar essa doutrina, sob hipótese alguma. Porém, se ficarmos somente com versículos como Mar. 16:16 e Atos 2:38, então, poderemos entender que a regeneração batismal tem alguma razão de ser. Citações que chegaram até nós, pertencentes ao século II D.C., mostram-nos que a Igreja, nessa época, já estava dividida sobre a questão. E se pudéssemos ter ido a uma reunião dos apóstolos originais é bem possível que, se esse assunto fosse trazido à baila, veríamos que eles mesmos emitiriam opiniões díspares sobre o assunto. A nossa busca pela verdade deve ultrapassar à mera letra. Faz parte da hermenêutica reconhecer isso. O próprio Novo Testamento pode ser usado como base de mais de uma posição possível, quanto a vários assuntos.

b. Apesar de certos problemas especiais, a hermenêutica pode ser usada para mostrar a unidade básica da bíblia, pelo menos no sentido de que uma revelação progressiva foi-se desdobrando, nesse grupo de sessenta e seis livros. Essa unidade gira, essencialmente, em torno da esperança messiânica. O trecho de II Timóteo 3:15 *ss* encerra essa apologia. As Escrituras são a nossa principal regra de fé e de prática. Alguns falam em «única» regra de fé e prática; mas isso nenhum grupo cristão faz, na realidade, pois todos aceitam outras autoridades, além da Bíblia. Ver o artigo sobre a *Autoridade*. Deus falou de muitas e variegadas maneiras (Heb. 1:1), mas a mensagem do Senhor tornou-se clara, através das revelações bíblicas que nos foram feitas. A Bíblia

HERMENÊUTICA — HERMÓGENES

narra a história dos heróis da fé, como Abraão, Moisés, Cristo e os apóstolos. Por assim dizer, todos faziam parte de uma só equipe, encarregada da transmissão da mensagem espiritual.

c. *Alegorizar ou não?* A escola alexandrina — Clemente, Orígenes e seus sucessores — defendia a alegorização da Bíblia (removendo assim porções dignas de objeção, do Antigo Testamento). Mas a escola de Antioquia sempre se mostrou contrária a essa alegorização. Ver o artigo separado sobre a *Escola Teológica de Antioquia*.

d. *Sentidos do texto:* 1. literal; 2. alegórico, que procura fazer aplicações espirituais; 3. moral, que envolve lições que podem ser deduzidas dos relatos e dos ensinos que têm implicações éticas, ou então exigências e ilustrações éticas; 4. sentidos *analógicos*. Os sentidos espirituais encontram-se em itens de ordem física, como a *água*, que representa a vida espiritual, ou as operações do Espírito. 5. Sentidos *místicos*. Nos textos bíblicos, com freqüência, podemos descobrir sentidos ocultos profundos, que o Espírito comunica acima da mera letra. Devemos supor, quanto a isso, que certa dose de iluminação se faz necessária para que vejamos e compreendamos tais lições. O trecho de Efésios 1:18 refere-se à iluminação como algo de que precisamos para nosso crescimento e compreensão espirituais. O Espírito nos conduz a toda a verdade. Versículos bíblicos podem servir de veículo a essa comunicação.

Ilustração: a água.

1. *Literalmente:* qualquer referência ao mar, a um lago, a um rio, que seja meramente isso, uma referência literal à substância que se chama água.

2. *Alegoricamente:* a água já representa o batismo em água.

3. *Moral ou eticamente:* a água fala sobre a pureza ou a purificação.

4. *Analogicamente:* o mar aponta para as nações ou povos.

5. *Misticamente:* a água refere-se às operações do Espírito de Deus.

Bibliografia. B C DUG E R RB WO

HERMES

Alguns eruditos pensam que essa palavra deriva-se do termo grego *herma*, que significa «pilha de pedras» ou «pedra posta de pé». Tais pedras serviam, na antiguidade, de marcos ou sinais. Supunha-se que os espíritos ou deuses habitavam em tais pedras, ou, pelo menos, manifestavam-se nas mesmas. Seja como for, Hermes era concebido como o deus-guia dos viajantes, parecendo ser essa a fonte original do nome desse deus pagão.

De acordo com a mitologia grega, ele era filho de Zeus e de Maia. Era mensageiro e arauto dos deuses, como também o deus da ciência, da eloqüência e da esperteza; era o patrono dos ladrões e dos viajantes e o deus dos rebanhos e do comércio; era o protetor das fronteiras; e, finalmente, era o guia das almas que estavam a caminho do hades. O equivalente romano era *Mercúrio* (vide).

Referência no Novo Testamento. O livro de Atos (14:12,13) alude a Hermes e a Zeus. Nossa versão portuguesa, porém, dá os nomes romanos desses deuses pagãos, dizendo: «A Barnabé chamavam Júpiter, e a Paulo, Mercúrio...» Isso ocorreu quando os habitantes de Listra, presenciando o milagre de cura realizado por Paulo e Barnabé, tomaram-nos como manifestações de divindades pagãs, e até queriam oferecer sacrifícios pagãos em honra deles.

Mas, logo em seguida, instigados por certos judeus raciais, resolveram apedrejar Paulo, deixando-o como morto. O acontecimento ilustra a superficialidade dos impulsos e da religiosidade das pessoas. Ovídio contou a lenda de como esses dois deuses haviam sido entretidos por seres humanos, sem terem sido reconhecidos, mais ou menos como Abraão acolheu os anjos, sem sabê-lo. As mentes das pessoas eram condicionadas a aceitar a circulação fácil de elevados poderes espirituais entre elas; e as obras clássicas ilustram amplamente o ponto. Nos escritos de Homero, os deuses aparecem e entram em associações as mais diversas com as pessoas, com toda a facilidade e naturalidade. No livro de Gênesis, lê-se que Deus vinha passear no jardim do Éden e conversar com Adão e Eva.

HERMES TRISMEGISTUS

Esse era o nome grego do deus egípcio **Tote** ou **Thoth**, considerado fundador da alquimia e de outras ciências ocultas. Ele era parcialmente identificado com a divindade grega Hermes (vide). *Hermes Trismegistus* (três vezes grande) também refere-se a um corpo filosófico e religioso de literatura que data do século III ou IV D.C., embora alguns estudiosos pensem que esse material ainda é mais antigo do que isso. Envolve um conglomerado de idéias de várias filosofias religiosas, principalmente de origem grega, e fortemente platônicas (ou neoplatônicas), com alguma mistura com elementos da religião egípcia antiga. Nesse material há bem pouca semelhança com as idéias cristãs. Ver também sobre as *Escrituras Herméticas*.

HERMÉTICA, LITERATURA

Ver sobre **Escrituras Herméticas**.

HERMETICISMO

Esse é o nome da tradição de ocultismo com base nos antigos tratados chamados *Corpus Hermeticum*. Ver também sobre as *Escrituras Herméticas*.

HERMÓGENES (NOVO TESTAMENTO)

Esse nome vem do grego e significa «nascido de Hermes». Ver o artigo separado sobre esse assunto. Esse homem era discípulo de Paulo, provavelmente, proveniente da Ásia Menor. Por algum tempo acompanhou ao apóstolo em suas viagens, como um de seus cooperadores. Juntamente com Figelo, «fugitivo», ele *abandonou* a Paulo. Isso pode ter acontecido de maneira doutrinária: ele abandonara a fé cristã. Ou então pode ser compreendido em sentido prático: deixara de ajudar a Paulo e tornara-se um fator adverso à propagação do evangelho. Seja como for, Hermógenes e Figelo abandonaram ao apóstolo Paulo, durante seu segundo período de aprisionamento em Roma, quando ele esperava pelo apoio deles. Talvez tivessem agido assim, por temerem a perseguição, o aprisionamento ou qualquer outro tipo de maltrato por parte das autoridades romanas. Ver II Tim. 1:15. Esses homens, pois, foram mencionados em contraste com o fiel Onesíforo.

No livro apócrifo, *Atos de Paulo e Tecla* (2:1), Demas e Hermógenes aparecem como companheiros de Paulo, mas também como homens extremamente hipócritas. Não é provável que essa obra nos forneça qualquer informação adicional séria sobre Hermógenes; e o que é dito ali alicerça-se sobre meras conjecturas, com base no que diz o Novo Testamento.

HERMÓGENES — HERODES

HERMÓGENES DE TARSO

Ver o artigo sobre a **Retórica**, oitavo ponto.

HERMOM

No hebraico, «pico». Trata-se de um monte na fronteira extrema do norte de Israel, do outro lado do rio Jordão. Os hebreus conquistaram dos amorreus aquela região (Deu. 3:8). O espigão sul da cadeia dos montes do Antilíbano corre paralelo à cadeia do Líbano, mas separado da mesma pelo vale de Bewaa. O monte Hermom fica nesse espigão. Atinge a altitude de cerca de 2.814 metros acima do nível do mar, sendo o monte mais elevado da Síria. Sua altura permite que esse monte possa ser avistado de quase toda a Palestina, desde o mar Morto. A neve recobre esse monte a maior parte do ano, razão pela qual os árabes chamam-no de *monte de cãs*. A neve que se dissolve nessa área serve de principal suprimento de água do rio Jordão, ou seja, a água que, finalmente, chega ao mar Morto. O monte Hermom é calvo, visto que ali não crescem árvores, da linha de onde chega a neve para cima. Existem dois outros picos montanhosos que não são muito menos altos do que o próprio Hermom, pelo que ali há um grupo de três elevados picos montanhosos.

Desde os tempos do Antigo Testamento, esse monte foi respeitado como um lugar santo. Têm sido encontradas as ruínas de vários templos, em suas faldas. Nesse monte habitam muitas espécies de animais, como lobos, leopardos e o famoso urso da Síria. Abaixo da linha onde chega a neve, há grande abundância de árvores, incluindo o pinheiro, o carvalho e o álamo.

Referências Bíblicas. Os amorreus chamavam esse monte de **Senir**. O termo **Siriom** (uma forma variante) ocorre em Sal. 29:6. **Senir** é o nome que aparece em Deu. 3:9; I Crô. 5:23; Can. 4:8; Eze. 27:5. O trecho de Deu. 4:48 diz «Siom, que é Hermom». A passagem de Can. 4:8 fala sobre o «cume de Senir e de Hermom». O Hermom ficava na fronteira norte do reino dos amorreus (Deu. 3:8 e 4:48), fazendo parte do território chamado «reino de Ogue, em Jos. 12:5 e 13:11. Josué levou as suas conquistas militares até ali (Jos. 11:17; 12:1 e 13:5), e o território da tribo de Manassés chegou a ter ali uma de suas fronteiras. O trecho de Jos. 11:3 localiza os hititas como um povo que habitava no sopé do monte Hermom. Baal era uma divindade adorada ali, pelo menos em certo período da história, conforme aprendemos em Juí. 3:3, onde o lugar é chamado de «monte de Baal-Hermom». Os arqueólogos têm encontrado restos de santuários no pico mais elevado desse monte.

Muitos eruditos supõem que o «alto monte», referido em Mat. 17:1 e Mar. 9:2, ou então «monte», em Luc. 9:28, são referências ao monte Hermom. A narrativa da *transfiguração* de Jesus está em pauta nessas referências.

No período romano, um centro sagrado e pequenos santuários foram construídos em suas faldas. O ponto mais elevado era circundado por uma muralha de tijolos, sendo provável que ali também houvesse um altar, embora, atualmente, não se veja qualquer resto do mesmo. Havia uma câmara escavada na própria rocha, no planalto, sem dúvida com algum propósito religioso. Os habitantes de Panéias e do Líbano contavam com um templo, no cume do monte Hermom. No século X D.C., esse monte tornou-se centro da religião dos drusos. Em Hasbeia, nas suas vertentes ocidentais, foram encontrados os livros sagrados de uma seita, por um grupo de arqueólogos franceses, em 1860. Os árabes deram ao monte o nome de *Jebel Esh-Sheikh*, isto é, «monte do chefe». Provavelmente, isso deriva-se da circunstância de que foi ali que o principal líder religioso dos drusos fixou residência.

«Não há que duvidar que um dos picos sulistas do Hermom foi a cena da transfiguração. Nosso Senhor viajou desde Betsaida, nas praias noroestes do mar da Galiléia, até às costas de Cesaréia de Filipe. Partindo dali, ele levou os seus discípulos até a uma elevada montanha, **onde se transfigurou** diante deles. Depois disso, ele retornou a Jerusalém, passando pela Galiléia. Comparar Mar. 8:22-28 com Mar. 9:2-13, 30-33. Durante muitos séculos, uma tradição dos monges atribuiu essa honra ao monte Tabor; mas agora, sabe-se que o verdadeiro monte da transfiguração foi o Hermom» (S, citando Kitto).

HERODES

I. Nome e Caracterização Geral

Esse nome significa «heróico». Não era o prenome de uma pessoa e, sim, um nome de família. Pertencia a todas as gerações da casa ou dinastia dos Herodes. Josefo chamou Herodes Ântipas de Ântipas; mas Lucas mostrou-se correto ao chamá-lo de Herodes ou de Herodes, o tetrarca, ou então de Herodes, o tetrarca da Galiléia. Ver Luc. 3:1,19. Josefo também o chamou de Herodes, o tetrarca e de Herodes, o tetrarca da Galiléia. Em *Anti*. 18:2,3 e 7:1, Josefo chama-o de *Ântipas*. Essas referências ilustram o uso que se fazia do sobrenome Herodes, o qual veio a designar uma dinastia, e não somente o fundador dessa dinastia, Herodes, o Grande.

Josefo fala, primeiramente, sobre a família Herodes, no início de seu décimo quarto livro sobre as antiguidades judaicas. Nesse livro, em 1:3, ele nos informa de que um dos principais, Hircano, o sumo sacerdote, era um idumeu chamado Antípater. Era conhecido como um homem riquíssimo, e também como um homem turbulento e de espírito sedicioso. Josefo também mencionou fontes informativas que diziam que esse homem, Antípater (que veio a tornar-se Herodes, o Grande), descendia de uma das melhores famílias judaicas que haviam retornado após o cativeiro babilônico, tendo fixado residência em Jerusalém. Porém, o próprio Josefo pensava que tudo isso não passava de fabricação, para lisonjear o orgulho de Herodes e promover suas intenções políticas.

Todos os descendentes de Herodes, o Grande, até à quarta geração, que estiveram ligados ao governo da Palestina, e que são mencionados nas páginas do Novo Testamento, chegaram à história secular com o sobrenome de *Herodes*. Foram eles Herodes Arquelau, Herodes Ântipas, Herodes Filipe II, Herodes Agripa I e Herodes Agripa II.

Os Herodes, portanto, formaram uma dinastia que surgiu quando se acabou o poder dos Macabeus. Ver sobre os *Hasmoneanos*. A Síria e a Palestina foram conquistadas pelos romanos. Antípater (Herodes, o Grande), foi nomeado governador da Iduméia. Ver Josefo, *Anti*. 14:1,3, porção 10. O filho dele também se chamava Antípater (Ântipas é uma forma variante), e Josefo considerava-o idumeu de raça. Ver Josefo, *Guerras* 1:6,2, porção 123. Ver também *Anti*. 14:1,3, porção 9. Justino Mártir, em Diálogo com Trifo 52:3 e Eusébio, História 1.6,2 e 7.11, além de referências no Talmude, com Baba Bathra 3b-4a, e Kidusshing 70b, confirmam essa informação.

HERODES

Antípater, pai de Herodes, o Grande, tornou-se figura importante após a morte de Alexandra, a rainha da família dos Macabeus. Seu filho mais velho, Hircano II, assumiu o poder em 67 A.C. Porém, seu irmão mais ambicioso, Aristóbulo, desfez-se dele, após apenas três anos. Ver Josefo, *Anti*. 15.1,2; 4.7; 6.4, porção 180, *Guerras* 1.5,4, porções 117-119. Hircano, seguindo a síndrome das uvas verdes, afirmou que, na realidade, nunca desejara governar; e, ao que parece, os dois irmãos não se hostilizavam. Aristóbulo tornou-se sumo sacerdote, e também rei. E Antípater, observando todas essas manipulações, resolveu que poderia obter o poder controlando Hircano. Assim sendo, persuadiu-o de que havia sido maltratado, e que deveria retaliar. Hircano, pois, requereu ajuda da parte de Aretas, rei da Arábia. Ver Josefo, *Anti*. 14:1,3-4, porções 8 a 18.

Os romanos, observando todas as lutas e a confusão que resultavam desses choques, em busca do poder, simplesmente fizeram intervenção e se apossaram da Palestina. Isso pôs fim à supremacia dos Macabeus sobre a Judéia. Pompeu declarou guerra contra Aristóbulo. Foram-lhe necessários três meses de batalhas para capturar Jerusalém. Contudo, não saqueou o templo e seus tesouros. Ver Josefo, *Anti*. 14.4,4, porções 69 e 72; Lívio 102; Plutarco, *Pompeu* 39; Dio Cássio, 37.15-17. Antes, reinstalou Hircano como sumo sacerdote (Josefo, *Anti*. 14.5,5, porção 73; *Guerras* 1.7,6, porção 153). No entanto, a cidade de Jerusalém ficou sujeita a Roma, sob o governo de Escauro, que se tornara legado romano da província da Síria.

Entrementes, Antípater era usado pelos romanos, após ter ajudado a derrotar os Hasmoneanos. Casou-se com uma ilustre mulher árabe, de nome Cipros, e teve quatro filhos com ela: Fasael, Herodes, Feroras e uma filha, Salomé. Ver Josefo, *Anti*. 14.7,3, porção 121, e *Guerras* 1.8,9, porção 181.

Hircano e Antípater mostraram-se leais ao partido de César, que derrotou a Pompeu. No Egito, Antípater arriscou a vida em defesa da causa de César (48 — 57 A.C.). César honrou Herodes, tornando-o cidadão romano e nomeando-o como procurador da Judéia. Hircano, por sua vez, teve confirmada a sua posição de sumo sacerdote, tendo recebido o título de etnarca dos judeus. Antípater permaneceu leal a Hircano, embora ele é quem brandisse a autoridade real.

Herodes, o Grande, tornou-se governador da Galiléia com apenas vinte e cinco anos de idade. Entrou em lutas pelo poder, contra Hircano, e acabou sendo julgado por este. Sexto César, governador da Síria, ordenou que Hircano declarasse Herodes inocente, e ele o fez com relutância. Herodes desejou vingar-se do insulto; mas, seu pai e seu irmão aconselharam-no a não lançar mão da violência. E isso produziu dividendos, no tempo certo, quando Hircano recomendou a Antônio que nomeasse Herodes como governador. E foi assim que Antônio nomeou Herodes, tetrarca da Judéia. Ver Josefo, *Guerras* 1.12,5, porções 243 e 244; *Anti*. 14.13,1, porções 324 a 326.

II. Gráfico da Família Herodes

A. *Primeira Geração*

Herodes, o Grande, filho de Antípater. Nasceu em 72 A.C. e faleceu em 4 A.C. Foi rei da Judéia entre 37 e 4 A.C. Ver Mat. 2:1-19; Luc. 1:5.

Suas principais esposas:

1. *Dóris*, mãe de Antípater. Herodes mandou executar esse seu filho, poucos dias antes de sua própria morte.

2. *Mariamne*, filha de Alexandre e Alexandra, ambos pertencentes à dinastia dos governantes hasmoneanos. Ela foi mãe de Aristóbulo e de Alexandre. Foi executada a mando de Herodes, o Grande, em 29 A.C.

3. *Mariamne*, uma outra esposa do mesmo nome. Era filha de Simão, o sumo sacerdote, e mãe de Herodes Filipe, que foi deserdado. Ver Mat. 14:3 e Mar. 6:17.

4. *Maltace*, de Samaria. Ela foi mãe de Arquelau e de Herodes Ântipas. Ver Luc. 3:1,19,20; 13:31-33; 23:7-12; Mar. 6:14-29; Mat. 14:1-11.

5. *Cleópatra* de Jerusalém. Ela era a mãe de Herodes Filipe, o tetrarca. Ver Luc. 3:1.

B. *Segunda Geração*

Antípater, filho de Dóris, nunca é mencionado no Novo Testamento.

Aristóbulo, filho de Mariamne. Também nunca é mencionado nas páginas do Novo Testamento. Foi executado em 5 A.C.

Alexandre, filho de Mariamne. Também não é mencionado no Novo Testamento, e também foi executado em 5 A.C.

Herodes Filipe, filho da outra Mariamne, filha de Simão, sumo sacerdote. Ele foi o primeiro marido de Herodias. Ver Mat. 14:3 e Mar. 6:17.

Herodes Ântipas, filho de Maltace. Foi tetrarca da Galiléia, entre 4 A.C. e 39 D.C. Ver Luc. 3:1,19,20; 13:31-33; 23:7-12; Mar. 6:14-29; Mat. 14:1-11.

Arquelau, filho de Maltace. Foi etnarca da Judéia entre 4 A.C. e 6 D.C. Ver Mat. 2:22.

Herodes Filipe, filho de Cleópatra. Foi tetrarca da Ituréia e de Traconites, entre 4 A.C. e 34 D.C. Ver Luc. 3:1.

C. *Terceira Geração*

Herodes de Calcis, filho de Mariamne. Reinou entre 41 e 48 D.C. Casou-se com duas sobrinhas: Berenice, que o abandonou, e Salomé. Nunca é mencionado no Novo Testamento.

Herodes Agripa I, filho de Mariamne. Foi rei da Judéia de 37 a 44 D.C. Ver Atos 12:1-24.

Herodias, esposa de Herodes Ântipas. Ver Mat. 5:17 e 14:3.

D. *Quarta Geração*

Berenice, que se tornou amante de seu próprio cunhado, embora esposa de Herodes de Calcis. Ver Atos 25:13.

Herodes Agripa II, filho de Herodes Agripa I. Foi tetrarca de Calcis e de certos territórios da parte norte de Israel. Governou de 50 a 70 D.C. Ver Atos 25:11 — 26:32.

Drusila, que se casou com Félix, procurador da Judéia. Pereceu, juntamente com seu filho, por ocasião da erupção do vulcão Vesúvio, em 79 D.C. É mencionada em Atos 24:24.

Salomé, filha de Herodias e do primeiro marido dela, Herodes Filipe. Não é especificamente mencionada no Novo Testamento, mas é identificada com a donzela que dançou, em Mar. 6:22 e Mat. 14:6. Casou-se com seu tio avô, Filipe, o tetrarca.

III. Os Herodes do Novo Testamento

Os diversos Herodes do N.T.:

Apresentamos aqui a descrição dos Herodes dos tempos neotestamentários, com alguma abundância de pormenores:

1. Herodes, o Grande. Governante dos judeus de 40 a 4 A.C., nasceu em cerca de 73 A.C. Era idumeu ou edomita, isto é, descendente de Edom, um povo conquistado e levado ao judaísmo por João Hircano,

Moeda de Herodes o Grande

Tiara com estrela e palmas de uma moeda de
Herodes, o Grande — Cortesia,
Baker Book House

Herodes o Grande. Busto encontrado em 1893 pelo Arqueólogo
Archimandrate Antony

Ruínas do Palácio de Verão de Herodes (Samaria-Sebaste). — Cortesia, Dr.
John F. Walvoord

Rockefeller-McCormick Ms 965
A Vinda de João Batista, Mat. 3:1 ss.
Cortesia, University of Chicago

HERODES

em cerca de 130 A.C. Assim sendo, os Herodes, embora não fossem judeus de nascimento, supostamente eram judeus de religião. A religião era usada, portanto, como veículo para fomento do governo secular, isto é, atendendo aos interesses da família dos Herodes.

Herodes, o Grande foi nomeado *procurador* da Judéia em cerca de 47 A.C. A Galiléia pouco mais tarde também ficou debaixo de seu controle. Após o assassínio de César, Herodes desfrutou das graças de Marco Antônio. O título de Herodes, «rei dos judeus», foi-lhe dado por Antônio e Otávio. Opunha-se politicamente aos descententes dos Macabeus, os quais, tendo por nome de família o apelativo Hasmom, eram chamados de Hasmoneanos. Estes controlavam Israel antes da dominação romana, e se ressentiam do governo de Herodes. Todavia, Herodes, o Grande, casou-se com uma mulher pertencente a essa família, Mariamne, neta do antigo sumo sacerdote Hircano II, embora essa medida não tivesse posto fim às suspeitas dos principais Hasmoneanos sobreviventes. Por isso mesmo, Herodes, o Grande, foi assassinando um por um até que se livrou de todos eles, incluindo a própria Mariamne, e até mesmo os filhos que teve com ela. Esse foi apenas um dos episódios de assassínios, entre muitos, cometidos por Herodes, o Grande. Foi esse Herodes que perpetrou a matança dos inocentes, em Belém da Judéia (ver Mat. 2) e antes de seu falecimento ordenou que seu próprio filho, Antípater, fosse morto. Outrossim, providenciou para que, após a sua morte, todos os seus nobres fossem assassinados, para que não houvesse falta de lamentadores por ocasião de sua morte. Morreu de uma enfermidade fatal do estômago e dos intestinos.

Por toda parte se tornou famoso por suas notáveis atividades como edificador. E essas atividades foram realizadas não só em seus próprios domínios, mas até mesmo em cidades estrangeiras (por exemplo, Atenas). Em seus próprios territórios ele reedificou Samaria (dando-lhe o nome de Sebaste, em honra ao imperador). Reparou a torre de Estrato, na costa do mar Mediterrâneo, fez ali um porto artificial e o chamou de Cesaréia. Mas a sua obra de arquitetura mais famosa foi a ereção de um magnificente templo em Jerusalém, construído para ultrapassar o de Salomão, tendo conseguido o seu intento, pelo menos em parte. Esse templo substituiu o templo erigido após o cativeiro, embora os judeus considerassem ambos como um só. Alguns escritores antigos dizem que isso foi feito com o fito de pacificar os judeus, devido às suas traições e matanças, que envolveram muitos líderes, incluindo sacerdotes. Entretanto, os judeus jamais puderam lhe perdoar o desaparecimento da família dos Hasmoneanos.

2. Arquelau, chamado de **Herodes, o etnarca**, em suas moedas. Herodes, o Grande, doou o seu reino a três de seus filhos: A Judéia e a Samaria ficaram com Arquelau (Mat. 2:22), a Galiléia e a Peréia ficaram com Antípas, e os territórios do nordeste couberam a Filipe (ver Luc. 3:1). O imperador Augusto ratificou essas doações. Arquelau era o filho mais velho de Herodes, por sua esposa samaritana, Maltace. Herodes, o Grande, teve o seu programa de edificações continuado por Arquelau, e este parecia resolvido a exceder em crueldade e impiedade ao seu pai. O seu governo tornou-se, finalmente, intolerável, e uma delegação enviada da Judéia e da Samaria conseguiu a remoção de Arquelau. Nessa altura da história, a Judéia tornou-se uma província romana, passando a ser governada por procuradores nomeados pelo imperador.

3. Herodes, o Tetrarca. (Ver Luc. 3:19 e 9:7).

Também era chamado Ântipas. Era filho mais novo de Herodes e Maltace. Os distritos da Galiléia e da Peréia eram os seus territórios. É lembrado nos evangelhos por haver preso, encarcerado e executado João Batista, bem como por causa de seu breve encontro com Jesus, quando do julgamento deste (Luc. 23:7). Também se mostrou notável construtor. Edificou a cidade de Tibério. Divorciou-se de sua esposa (filha do rei dos nabateus, Aretas IV), a fim de casar-se com Herodias, esposa de seu meio-irmão, Herodes Filipe, em vista do que João Batista fez oposição. Essa ação foi, finalmente, a causa de sua queda, porquanto Aretas, usando tal coisa como justificativa (talvez válida, aos olhos dele), declarou guerra e derrotou definitivamente a Herodes, o Tetrarca. Esse Herodes terminou os seus dias no exílio.

4. Herodes Agripa, chamado de rei Herodes, em Atos 12:1. Era filho de Aristóbulo e neto de Herodes, o Grande. Era sobrinho de Herodes, o Tetrarca e irmão de Herodias. Após a execução de seus pais, em 7 A.C., foi levado a Roma e ali criado. Teve de abandonar Roma por causa de pesadas dívidas, e subseqüentemente foi favorecido por Ântipas. Por ter ofendido o imperador Tibério, foi encarcerado, mais tarde, porém, quando esse imperador morreu, foi posto novamente em liberdade. Mais tarde recebeu os territórios do nordeste da Palestina como seus domínios, e quando Ântipas, seu tio, foi banido, também ficou com a Galiléia e a Peréia. O imperador Cláudio aumentou uma vez mais os seus territórios, anexando aos seus domínios a Judéia e a Samaria, de tal modo que, Agripa, finalmente, dominou um reino, para todos os efeitos, equivalente aos domínios de seu avô, Herodes, o Grande. Agripa procurou obter o apoio dos judeus, e aparentemente grande foi a medida do sucesso alcançado. Assediou os apóstolos, provavelmente por essa mesma razão (Atos 12:2—e matou Tiago, irmão de João). Sua morte súbita e horrível é registrada por Lucas em Atos 12:23, sendo ali atribuída ao julgamento divino. Seu filho único, também chamado Agripa, passou a governar alguns dos territórios que haviam pertencido a seu pai. Suas duas filhas, Berenice (Atos 25:13) e Drusila (Atos 24:24) foram outras pessoas sobreviventes de sua família.

5. Agripa, filho de Herodes Agripa (nº 4, acima) chamado Herodes Agripa II. Era jovem demais para assumir a liderança, após o falecimento de seu pai. Mais tarde recebeu o título de rei da parte de Cláudio, e passou a governar o norte e o nordeste da Palestina. Mais tarde Nero aumentou os seus territórios. De 48 a 66 D.C., ele exerceu autoridade de nomear os sumos sacerdotes dos judeus. Procurou, com grande empenho, evitar o conflito entre os judeus e os romanos (66 D.C.), mas fracassou na tentativa. Permaneceu fiel a Roma. Nas páginas do N.T. ele é conhecido devido ao seu encontro com o apóstolo Paulo, segundo está registrado em Atos 25:13-26:32. No trecho de Atos 26:28, lemos: «Por pouco me persuades a me fazer cristão», embora alguns pensem que a verdadeira tradução seria algo como: «Com bem pouca persuasão pensas em fazer-me cristão?» (tradução da ASV); ou então: «Estás apressado a persuadir-me a fazer de mim um cristão!» (como as traduções GD e WM), porquanto Herodes, evidentemente, proferiu essas palavras em tom de muxoxo, e não seriamente. Ele morreu sem filhos, em cerca de 100 D.C.

Os herodianos eram um partido político que favorecia a dinastia dos Herodes, julgando-os preferíveis ao governo romano direto. Ver o artigo

HERODES — HERODIANOS

sobre os *Herodianos*.

Atos 25:13: Passados alguns dias, o rei Agripa e Berenice vieram a Cesaréia em visita de saudação a Festo.

Temos neste versículo Herodes Agripa II. Esse homem era filho do infame Herodes, perseguidor da igreja, assassino do apóstolo Tiago, e que subseqüentemente sofreu horrendo julgamento divino. (Ver o décimo segundo capítulo do livro de Atos quanto a essa história). Quando faleceu o seu genitor, em 44 D.C., Agripa tinha apenas dezessete anos de idade, pelo que também era jovem demais para suceder ao seu pai no trono. Seis anos mais tarde, entretanto, o imperador Cláudio (em 50 D.C.) lhe entregou Calquis, que até então vinha sendo governada por seu tio, que falecera apenas recentemente. Em seguida, dois anos mais tarde, foi transferido para as tetrarquias que anteriormente tinham pertencido aos domínios de Filipe e Lisânia, quando então lhe foi conferido o título de «rei». (Ver Atos 25:13 e 26:2,7). Por conseguinte, Agripa passou a governar territórios que ficavam localizados a nordeste e ao norte da Palestina, isto é, Gaulanitis, Traconites, Auranitis, Bataniéia e Ituréia. No ano de 55 D.C., o imperador Nero acrescentou ao reino de Agripa algumas cidades da Galiléia e da Peréia, tendo igualmente recebido o direito de nomear o sumo sacerdote, direito esse que lhe coube de 48 a 66 D.C. Em vista de todos esses favores imperais, Agripa deu novo nome à capital de seu reino, Cesaréia de Filipe, que passou a chamar-se Nerônias. (Quanto a essa localidade, ver as notas expositivas sobre Atos 10:1 no NTI).

Agripa fez o que lhe estava ao alcance para fazer cessarem as hostilidades entre Israel e Roma, (a famosa *Guerra dos Judeus*), a qual teve início em 66 D.C. Porém, tendo fracassado nestes seus esforços pacificadores, permaneceu leal ao império romano. Após a queda de Jerusalém, ele se retirou para Roma com Berenice, sua irmã. (Ver o artigo sobre *Berenice*). Devido à sua lealdade ao império, a Agripa foi dado ainda um maior território para governar. Agripa faleceu em Roma, em 100 D.C., sem herdeiros, tendo sido o último dos Herodes, tão celebrados na história da Palestina, bem como o seu último monarca.

Esse membro da família dos Herodes, Agripa, só é conhecido nas páginas do N.T. por causa de seus contactos com o apóstolo Paulo, segundo o registro de Atos 25:13—26:29. As ofensas essenciais que Agripa praticou, segundo a opinião dos judeus, foram: a construção de seu palácio em Jerusalém, o que o levou a olvidar-se do templo; as mudanças freqüentes e caprichosas de sumos sacerdotes, conforme era de seu direito nomeá-los; e a sua sólida lealdade a Roma, sem jamais ter hesitado nessa atitude.

Bibliografia. AM BUS ND PER Z.

HERODIANOS

Esses eram os **apoiadores** da dinastia dos Herodes, instituída por motivo de interesses nacionalistas, a fim de impedir o governo romano direto, que era desprezado quase universalmente pelos judeus. Ordinariamente os herodianos reputavam (ou assim diziam) o sucessor dos Herodes como se fora o Messias. Procuravam conservar a política judaica (isso em acordo com os fariseus). Não eram ordinariamente ortodoxos em suas crenças religiosas (e nisso concordavam com os saduceus). Os herodianos são mencionados como inimigos de Jesus, por uma vez, na Galiléia; e por mais uma vez, em Jerusalém. (Ver Mar. 3:6; 12:13 e Mat. 22:16).

Uniam-se aos fariseus no tocante à questão do pagamento de impostos a um governo estrangeiro, pagamento esse que, segundo a mentalidade judaica, era considerado ilegal.

A **identificação** desse partido político com o partido religioso que, na literatura rabínica, é chamado de os *Boethusianos*, isto é, aderentes da família de Boethus, cuja filha, Mariamne, foi uma das esposas de Herodes, o Grande e cujos filhos foram criados por ele visando ao sumo sacerdócio, atualmente não é bem aceita entre os eruditos.

Os Herodianos eram os partidários da dinastia dos Herodes, instituída por motivo de *interesses nacionalistas*, a fim de ser impedido o governo pagão direto, que sempre foi desprezado pelos judeus. Ordinariamente consideravam (ou pelo menos assim diziam) que a sucessão dos Herodes era o Messias. Procuravam manter a política judaica, é, nessa tentativa, concordavam com os pontos de vista dos fariseus. Na realidade não eram um grupo religioso, e usualmente tendiam a não se mostrar ortodoxos quanto a pontos de vista religiosos, e nisso concordavam mais freqüentemente com os saduceus. Davam apoio ao pagamento de tributos aos romanos, ao que os fariseus, como um grupo, se opunham.

A palavra *fariseus* significa *separados*, embora alguns eruditos considerem—que se trata de um vocábulo de origem e de significação incertas. A princípio apareceram como um grupo distinto, pouco depois da revolta dos Macabeus (que livrou os judeus do domínio sírio, em cerca de 140 A.C.). Os fariseus, como agrupamento religioso, ordinariamente procediam do povo comum, em contraste com os saduceus, que usualmente eram elementos provenientes da aristocracia. No começo, o movimento dos fariseus tinha por intuito purificar e defender a crença ortodoxa. Eles eram **porta-vozes** das opiniões das massas populares. Após alguns anos, porém, o farisaísmo foi invadido por grande acúmulo de legalismo ritualista, que obscureceu o propósito original do movimento, embora muitos indivíduos dentre eles se tenham conservado sinceros e honestamente religiosos. Embora continuassem ortodoxos em suas declarações, gradualmente foram perdendo a presença e a aprovação divinas, e nessa condição não souberam reconhecer o seu *Messias*, transformando-se, assim, nos principais oponentes de Jesus. Os fariseus, juntamente com os saduceus, perfaziam o principal corpo autorizado dos judeus, civil e religioso, denominado sinédrio.

A **combinação** desses dois grupos para oferecerem oposição a Jesus é instrutiva, porquanto geralmente se opunham um ao outro quanto à questão do pagamento de impostos às autoridades romanas. Os fariseus se opunham à cobrança de impostos e os herodianos lhe eram favoráveis. Mas, por algum tempo, tendo encontrado um adversário comum, aqueles dois grupos, normalmente inimigos, uniram-se. Não buscavam respostas com sinceridade, mas meramente armavam uma cilada contra Jesus.

Os herodianos, tanto quanto os fariseus, estariam *ansiosos* por se livrarem de Jesus, embora por motivos diferentes. Para eles, ele era um revolucionário político em potencial, que queria perturbar seus planos de restaurar a monarquia judaica. Os falsos líderes não mais buscavam «falsas acusações», mas agora planejavam a morte de Jesus, por meios legais ou ilegais. A opinião antiga de que os herodianos não queriam pagar impostos a Roma, ou se opunham a Jesus porque pensavam que Herodes, o Grande, fosse o Messias, provavelmente é incorreta. Eram simplesmente políticos, que preferiam o governo romano

HERODIÃO — HERODOTAGE

indireto, através da dinastia herodiana, ao governo direto, estando ansiosos por assumir algum poder dessa maneira. Jesus, pois, era obviamente perigoso para os planos deles.

HERODIÃO

Paulo enviou saudações a Herodião, entre outros, conforme o registro de Rom. 16:11. Esse décimo sexto capítulo talvez seja parte genuína da epístola de Paulo aos Romanos, pelo que as pessoas ali saudadas seriam residentes da cidade de Roma. Por outro lado, muitos especialistas crêem que essa lista fazia parte de uma breve epístola enviada à Ásia Menor (Éfeso), que foi anexada à epístola aos Romanos, a fim de ser preservada. Quanto ao problema envolvido, ver o artigo sobre a epístola aos *Romanos*, oitava seção, *Integridade da Epístola*, em seus últimos parágrafos. Seja como for, no tocante ao próprio Herodião nada sabemos, a não ser aquilo que podemos deduzir do próprio texto sagrado. Ali ele é chamado de «meu parente». Essas palavras podem indicar algum grau de parentesco de sangue com Paulo, mas também podem significar apenas que Herodião era judeu, como o apóstolo. Seu nome talvez sugira que era um dos libertos da casa de Herodes, ou que antes ele seria membro da casa de Aristóbulo. Ver Rom. 16:10.

Hipólito informa-nos de que Herodião tornou-se bispo de Tarso; mas outros afirmam que ele foi bispo de Petra. Tradições dessa natureza, usualmente, não se revestem de grande valor, pois somente visam emprestar posições importantes, a pessoas mencionadas no Novo Testamento, com propósitos dramáticos.

HERODIAS

Ver o artigo geral sobre **Herodes**. Herodias era filha de Aristóbulo, um dos filhos de Mariamne e de Herodes, o Grande. Era irmã de Herodes Agripa I. Primeiramente casou-se com seu tio, Herodes Filipe, que era filho de Herodes, o Grande, e de outra esposa, que também se chamava Mariamne. Esse Herodes não deve ser confundido com o tetrarca Filipe. Anos depois, casou-se com seu tio, Herodes Ântipas. Este era o filho caçula de Herodes e de Maltace, o qual chegou a governar a Galiléia e a Peréia. Esse foi o Herodes que mandou executar João Batista.

De seu primeiro casamento, ela teve uma filha, de nome Salomé. Essa filha casou-se com seu tio-avô, Filipe, o tetrarca. É comum os estudiosos identificarem Salomé com a jovem que dançou, conforme se vê em Mar. 6:22 *ss*; mas isso continua sendo debatido pelos eruditos. Ântipas foi exilado em 39 D.C. Herodias preferiu acompanhá-lo, em vez de aceitar o favor de Gaio, que lhe permitira permanecer e iniciar uma nova vida, o que ele estava disposto a conceder, por ser amigo de Herodes Agripa (o Herodes do décimo segundo capítulo do livro de Atos). Ele era filho de Aristóbulo e neto de Herodes, o Grande, e irmão de Herodias.

Herodias tornou-se perenemente infame, por causa do papel que desempenhou no caso da execução de João Batista. Herodias e seu marido, Herodes Filipe, residiam em Roma. Estando ela hospedada na casa de Herodes Ântipas, ela e Ântipas se apaixonaram um pelo outro, e ele acabou persuadindo-a a se casar com ele. Para isso, ele precisou divorciar-se de sua primeira esposa, uma princesa nabatéia, a fim de poder casar-se com Herodias. João Batista denunciou publicamente o casamento de Herodias com Ântipas, e acabou aprisionado na fortaleza de Maquero. O ódio de Herodias contra João Batista atingiu um ponto sem controle, e o resultado foi o pedido que ela fez para que Ântipas mandasse executar o profeta, o que sucedeu. Herodias causou a queda e o exílio de Ântipas, ao encorajá-lo a buscar exagerado poder político. Quanto à narrativa inteira a respeito, ver o artigo sobre *Herodes Ântipas*, e também sobre *Herodes*, terceiro ponto.

HERODIUM

Dois palácios-fortalezas foram construídos por Herodes, o Grande, e receberam esse mesmo nome. Ambos tinham por intuito imortalizar o nome dele. Uma dessas edificações ficava na fronteira entre a Judéia e a Iduméia, em um lugar que, atualmente, não se sabe determinar. A outra ficava cerca de onze quilômetros ao sul de Jerusalém. Uma colina, ali existente, foi aterrada, tornando-se artificialmente ainda mais elevada; e então a fortaleza foi construída no topo da mesma. Várias cidades pequenas foram construídas, com base nesse mesmo esquema arquitetônico, como Alexandrium, Hirânia, Massada, Maquero, Cesaréia e Jericó. A fortaleza chamada *Herodium*, próxima de Jerusalém, foi erigida a fim de comemorar uma vitória de Herodes sobre os partas e os judeus, naquele local (ver Josefo, *Guerras*, 1.13,8). Herodes começou essa construção em 24 A.C., e terminou em 15 A.C.

O Herodium era uma magnífica combinação de estruturas. Havia um grupo de torres que o circundavam. Duzentos degraus de mármore polido levavam até o cimo; apartamentos reais proviam espaço para guardas e visitantes. Palácios foram edificados no sopé da colina. E também havia outros palácios, tanques e terraços. Um aqueduto trazia água para ali, de longa distância. Ver Josefo, *Anti.* 15:9,4; *Guerras* 1:21,10.

Ali ocorreram eventos significativos. Simão, um líder dos judeus rebelados, enviou Eleazar a fim de exigir a rendição do Herodium; mas os defensores não aceitaram a ordem. Ver Josefo, *Guerras* 4:9,5. Além disso, o Herodium foi um dos três últimos refúgios dos judeus, quando os romanos avançaram a fim de abafar a rebelião, cujo resultado foi a ruína da cidade de Jerusalém, em 70 D.C. O próprio Herodium foi destruído em 72 D.C. Ver Josefo, *Guerras* 4:9,10.

Os arqueólogos começaram a escavar o local em 1962. Essas escavações demonstraram que o lugar tornou a ser ocupado no século V D.C. Muitos objetos interessantes foram ali encontrados, incluindo máquinas romanas de cerco, ostraca com escrita em grego e em hebraico; pontas de flechas, decorações de parede em gesso e sistemas de banho romanos. Informes registrados em rolos de papiro, relacionados a Bar-Cochba, mostram-nos que ele se utilizou do Herodium para armazenar cereais para as suas tropas. Presume-se que Herodes foi ali sepultado; mas até agora, seu túmulo ainda não foi encontrado.

HERODOTAGE

Essa palavra refere-se à literatura antropológica que aborda os hábitos, os costumes, as crenças e as culturas humanas, comparando-os uns com os outros. O vocábulo começou a ser usado em alusão a Heródoto (vide), o qual proveu esse tipo de material em seus relatos históricos. Por exemplo, ele proveu narrativas comparativas detalhadas acerca de costumes de sepultamento. Alguns povos antigos cremavam os seus mortos; outros, comiam-nos; e outros, sepultavam-nos. E assim por diante. Ver sobre Heródoto, *História* 3.37,38.

HERÓDOTO — HESÍODO

HERÓDOTO

Ele foi um historiador grego, cognominado de «o pai da história». Nasceu em 484 e faleceu em 424 A.C. É mais famoso por causa de suas *Histórias*, uma coleção de nove livros que abordam vários aspectos da história do império persa, e suas guerras contra a Macedônia.

Heródoto nasceu em Halicarnasso, na Ásia Menor. Foi testemunha da ocupação da Grécia jônica pelos persas. Foi expulso de sua casa por razões políticas, e começou a viajar extensamente pelo mundo antigo. Finalmente, se estabeleceu em Turi, na Itália, onde acabou falecendo. Desde há muito os estudiosos vêm debatendo o valor dos registros *históricos* que ele deixou. Sabemos que ele inventava diálogos, pois era mais um novelista do que mesmo um historiador. Também narrou muitos relatos pessoais interessantes, incluindo até mesmo lendas em sua obra. Não obstante, a arqueologia tem demonstrado a autenticidade de muito de sua história, pelo que, apesar dele ter sido um historiador novelista, pode ser classificado, com razão, como um dos grandes historiadores da humanidade.

Heródoto alicerça-se sobre um tema moral subjacente, em sua história **sobre as guerras greco-persas.** Ele supunha que o orgulho desperta a ira dos deuses, e que essa teria sido a razão principal pela qual os gregos foram capazes de derrotar os persas, muito superiores em número. Os estudiosos da Bíblia extraem muitas informações dos escritos de Heródoto no tocante a questões abordadas no Antigo Testamento, sobretudo no que diz respeito a características culturais especiais dos gregos e dos persas. Qualquer comentário ou enciclopédia bíblica, naturalmente, deve incluir um bom número de referências a Heródoto.

HESBOM

No hebraico, «prestação de contas». Alguns estudiosos também pensam no significado «inteligência», para esse nome. Hesbom era uma cidade na porção sul do território dos hebreus, do outro lado do rio Jordão. Ficava cerca de vinte e nove quilômetros a leste do rio Jordão, cerca de oitenta quilômetros a leste de Jerusalém, e catorze quilômetros e meio ao norte de Madaba, localizada entre os riachos Jaboque e Arnom. O trecho de Núm. 21:25-30 informa-nos de que, originalmente, a cidade pertencia aos moabitas. Seom, rei dos amorreus, conquistou a cidade, fazendo dela a sua capital. Posteriormente, os israelitas apossaram-se da cidade, quando estavam a caminho de Canaã. Depois que o povo de Israel estabeleceu-se na Terra Santa, Hesbom ficou na fronteira dos territórios das tribos de Rúben e de Gade, embora conferida à tribo de Rúben (Núm. 32:37). Eles a reconstruíram. Tempos depois, os homens da tribo de Gade tomaram conta dela, entregando-a a levitas meraritas como sua possessão (Jos. 21:39; I Crô. 6:81). Passado algum tempo, os moabitas tornaram a conquistar a cidade, fato esse mencionado nas denúncias de dois profetas (Isa. 15:4; 16:8,9; Jer. 48:2,34,45 e 49:3).

A moderna aldeia de Hesban assinala o local antigo. Os arqueólogos têm encontrado ruínas ali, principalmente da época da ocupação romana. Essas ruínas cobrem os lados de uma colina, de onde se enxerga um largo território, e de onde ruínas de outras antigas cidades também podem ser vistas. Um reservatório de água, em ruínas, talvez esteja associado às «piscinas de Hesbom», mencionadas em Can. 7:4. Antigos condutos de água têm sido encontrados ali. Sem dúvida, faziam parte do sistema incorporado àquelas piscinas. Esses condutos ficam no wadi Hesban, que flui perto da cidade, quando caem chuvas.

HESÍODO

Poeta grego do século VIII A.C. Nasceu em Ascra, na Boetia, porção leste central da Grécia, capital de Levadia, onde houve uma antiga república. Aparentemente, ele trabalhou como pastor e sua poesia falava sobre o seu trabalho. Posteriormente, ele resolveu falar sobre os deuses. Geralmente, pensa-se que ele viveu na geração seguinte à de Homero. As obras de Homero representavam um ponto culminante na técnica das composições orais dos cantores, com uma excelente poesia, acompanhada pela música da harpa. Hesíodo, porém, já representa uma época em que os cantores estavam sendo substituídos, pouco a pouco, **por meros recitadores.** Registros escritos também estavam tomando o lugar da preservação oral da recitação. O trabalho de Hesíodo era, artificialmente, inferior ao de Homero; mas Hesíodo introduziu novos estilos de composição escrita. Suas duas obras principais são a *Teogonia* (Origem dos Deuses) *Obras e Dias*. Também é bem possível que *O Catálogo das Heroínas* tenha sido de sua autoria.

Termos, Idéias e Filosofia de Hesíodo:

1. Hesíodo fazia o contraste entre a *Ordem* e o *Caos*, dizendo que a *Ordem* procedera do *Caos* mediante o poder do deus *Eros*. Nisso achamos uma espécie de controle *teísta* das coisas, com o **predomínio do princípio do amor, de modo geral, o que resultaria, afinal, na boa ordem de todas as coisas.**

2. O passado era glorificado por Hesíodo, como se tivesse sido a *era áurea*. Depois disso, segundo ele pensava, teria havido a deterioração da cultura, fazendo a era áurea ceder lugar à era argentina (de *prata*), daí para a era do *bronze*, e, finalmente, para a era do *ferro*. Naturalmente, o presente (que coincidia com os seus próprios dias) seria a pior de todas as épocas. Entretanto, as predições bíblicas fazem-nos entender que a era *áurea* ainda jaz no futuro, quando houver a intervenção divina, mediante a segunda vinda de Cristo à terra.

3. Em sua *Teogonia*, Hesíodo traçou uma antiga teologia, que incluía inúmeras lendas, mitos e especulações. Essa obra consta de cerca de mil linhas em versos de estilo hesâmetro dactílico. Esse poema teria sido dado por *inspiração* divina (uma visita das musas teria provido tal inspiração). Essa obra procura sincretizar os muitos cultos e mitos gregos conflitantes, os muitos elementos que fazem parte das culturas micena, anatólia e mesopotâmica. A *conclusão* do poema celebra o triunfo dos deuses do Olimpo, encabeçados por Zeus, que é ali descrito como o *supremo deus da justiça*. Ele se tornara o deus principal ao triunfar sobre Urano e Cronos, seus injustos antecessores. Ao derrotar as terríveis forças dos titãs e de Tifom, que ameaçavam a ordem universal, Zeus tornou-se um governante supremo universal e justo. Nisso vemos um esforço para purificar a fé religiosa, retirando dela as coisas horríveis que o povo atribuía às divindades. A despeito disso, coisas horríveis continuaram sendo ditas acerca de Zeus, de tal maneira que os leitores das obras clássicas não podem descobrir em que sentido ele era superior aos seus antecessores, exceto, talvez, que teria mais poder do que eles. Portanto, força era o direito. Hesíodo, porém, abordou o *problema do mal* (vide). Isso transparece em seu

HESMOM — HEVEUS

mito *Prometeu-Pandora*. Muitos teólogos cristãos vêem, no Novo Testamento, uma purificação do conceito de Deus em comparação com o Antigo Testamento. A necessidade de tal purificação foi uma das forças que atuaram por detrás do desenvolvimento da chamada *interpretação alegórica* (vide).

HESMOM

No hebraico, **gordura**. Esse era o nome de uma cidade do território de Judá mencionada em Jos. 15:27. Ficava na porção sudeste de Judá, perto de Bete-Pelete. Alguns estudiosos pensam que esse seria o lugar do nascimento dos *hasmoneanos* (vide). Nesse caso, ou eles teriam recebido o nome de família com base nessa cidade, ou então, muito menos provavelmente, a cidade teria adquirido seu nome por causa deles. Josefo usou o termo *hasmoneano* a fim de referir-se à família dos *Macabeus* (*Anti.* 12.6,1).

HÉSTIA

Esse era o nome da imaginária irmã de Zeus, a deusa virgem da «lareira» (exatamente o que o seu nome significa). Ela veio a ser reputada como uma espécie de protetora do lar e da cidade. Eram-lhe oferecidas libações, que assinalavam o começo e o fim dos sacrifícios dedicados em sua honra. A fim de conseguir as boas graças da deusa, cada colônia local tomava fogo sagrado da fornalha da cidade antiga para a nova cidade, transferindo assim as bênçãos de Héstia para a nova localidade. Ela não estaria interessada na guerra, mas protegeria as famílias e as cidades. Poucas lendas desenvolveram-se em torno dela. *Vesta* era a deusa romana equivalente a Héstia.

HETE

Alguns preferem a **transliteração portuguesa** Quete. Trata-se da oitava letra do alfabeto hebraico. Ver o artigo sobre o *Alfabeto*. Aparece também no começo da oitava seção do Salmo 119. Cada letra dessa seção começa com essa letra, um antigo artifício literário para efeito de memorização.

HETE

No hebraico, «terror», «medo». Esse era o nome do antepassado dos hititas. Ele era o filho mais velho de Canaã, e habitava na parte sul da Terra Prometida, perto de Hebrom (Gên. 10:15; 23:3,7 e 25:10). Efrom, ou Hebrom, era descendente de Hete. Nos dias de Abraão, Hebrom era um lugar habitado pelos descendentes de Hete. Alguns estudiosos têm conjecturado de que havia uma cidade chamada Hete; mas nenhuma evidência tem sido achada para consubstanciar tal suposição. As esposas de Esaú foram chamadas de «filhas de Hete» (Gên. 27:46), embora algumas traduções digam ali «hititas». Esse povo é mencionado por ocasião da compra da caverna de Macpela, por Abraão, para ser usada como sepulcro da família (Gên. 23; 25:10; 49:32). O fato de Rebeca aconselhar Jacó a não se casar com alguma mulher hitita (Gên. 26:46 e 28:1), mostra-nos que os hebreus e os hititas não se ajustavam bem um ao outro.

HETERODOXIA

Essa palavra vem de dois termos gregos, **héteros**, «outro, de espécie diferente», e **doxa**, «opinião». Uma opinião heterodoxa é uma opinião que se opõe a uma opinião ortodoxa. Antes de poder ser definido aquilo que é heterodoxo, é preciso que se tenha um padrão de ortodoxia. Como é óbvio, várias denominações cristãs são acusadas por outras denominações de embalarem opiniões heterodoxas, e vice-versa, o que também ocorre no caso de idéias heréticas. A Bíblia é usada como padrão, mas os defensores de opiniões contraditórias conseguem acusar-se mutuamente. A palavra «heterodoxia», com freqüência, é usada como sinônimo de «heresia»; mas outras vezes, indica apenas um grau secundário de desvio, ou de algum desvio sobre questões de pouca importância, em comparação com o que está envolvido nas heresias. Ver o artigo detalhado sobre *Heresia*.

HETERONOMIA

Um termo usado na ética a fim de designar alguma lei imposta sobre alguém, por alguma força externa. Os termos gregos envolvidos são *héteros*, «outro, de espécie diferente», e *nomos*, «lei». Kant empregava esse vocábulo para referir-se a qualquer princípio que determina ações morais, que não se originem na *vontade* racional do agente. Assim, a conduta torna-se *heterônima* quando se alicerça sobre as emoções, os desejos, os prazeres, os afetos, ou a vontade de outrem. O teólogo Tillich (vide) aplicava o termo a uma forma de raciocínio falaz, alicerçado sobre algum princípio fora de si mesmo.

HETEUS

Ver sobre **Hititas, Heteus**.

HETLOM

No hebraico, «embrulhada». Uma cidade mencionada em Eze. 47:15 e 48:1. Alguns estudiosos pensam que o nome significa «fortificada». Essa cidade marcava a fronteira norte de Israel. No livro de Ezequiel, essa cidade aparece como o marco fronteiriço *ideal*, o que significa que, na verdade, não era assim. O lugar é desconhecido, embora alguns tenham pensado na moderna Heitela, a nordeste de Trípolis.

HEURÍSTICO

Esse termo indica qualquer coisa que tende a indicar ou estipular uma *investigação*. Deriva-se do verbo grego que significa «encontrar». O processo heurístico, com freqüência, envolve uma questão de tentativa e erro, o acúmulo de evidências e a obtenção de conclusões, por esses meios. Dentro da lógica moderna, essa palavra descreve um processo mediante o qual alguém espera encontrar solução para algum problema, embora isso não garanta um sucesso indiscutível.

HEVEUS

No hebraico quer dizer **aldeões**. Um povo que descendia de Canaã (ver Gên. 10:17), e que originalmente ocupava a porção mais ao sul daquele **território da Palestina, paralela à costa do Mediterrâneo, que os filisteus ou caftorinos posteriormente** ocuparam (ver Deu. 2:23). Visto que o território dos heveus é mencionado em Josué 13:3, em adição a cinco estados filisteus, parece que o mesmo não estava incluído no território desses últimos, e que a expulsão dos heveus deveu-se a uma invasão filistéia antes daquela mediante a qual os cinco principados filisteus

105

HEXAPLA — HEXATEUCO

foram fundados. O território deles começava em Gaza e se estendia para o sul, até o rio do Egito (ver Deu. 2:23), formando aquele que se tornou o reino unido dos filisteus de Gerar, na época de Abraão, quando não ouvimos falar sobre uma variedade de estados filisteus. Lemos em Deuteronômio 2:23 que a pátria original dos heveus chamava-se Hazerim, conforme algumas versões. Mas, na Bíblia portuguesa, nesse último trecho citado, o nome deles é grafado *aveus*.

HEXAPLA

Vem de um vocábulo grego que significa «sêxtuplo». Refere-se a uma edição das Sagradas Escrituras que contém seis versões diferentes em colunas paralelas, especialmente uma coletânea de versões hebraicas e gregas do Antigo Testamento, arranjadas desse modo. Orígenes produziu uma hexapla que se tornou famosa, no século III D.C. Ver sobre *Bíblias Poliglotas*.

HEXATEUCO

Essa palavra vem do grego **hex**, «seis», e **teuchos**, «rolo», «livro», «instrumento». A referência é aos cinco primeiros livros da Bíblia, que alguns eruditos vieram a considerar uma unidade natural, da mesma maneira que o Pentateuco refere-se aos cinco primeiros livros da Bíblia. Esses *cinco livros* são tidos como uma unidade natural, visto que a tradição judaica piedosa atribuía todos eles a um único autor, Moisés. Esses cinco livros, pois, vieram a adquirir uma autoridade ímpar, sendo chamados de cinco livros de Moisés ou *Tora*. Esses livros contam a história da origem das coisas e a doação da lei, em que a espiritualidade e os pontos distintivos dos hebreus vieram à existência.

Adição de Um Outro Livro aos Cinco. No século XVII, alguns eruditos começaram a examinar o conteúdo dos cinco livros, à luz de suas promessas ainda não cumpridas, mas que foram cumpridas no livro de Josué. A eles pareceu que o Pentateuco era incompleto, a menos que se adicionasse o livro de Josué. No século XIX, os estudiosos haviam concluído que esses livros haviam sido compostos com base em quatro documentos primitivos, designados pelas letras J.E.D.P.(S.). Isso indica uma característica essencial de cada suposto documento original. Essas letras significam: *J* (aqueles escritos onde Deus é comumente conhecido pelo título Yahweh ou Jeová, o que indicaria um escritor específico ou uma escola específica de escritores, que não estiveram envolvidos nas outras porções que vieram a fazer parte do Pentateuco e do Hexateuco). *E* (aqueles escritos em que o nome divino comum é Elohim, o que, novamente, ao que se presume, teriam sido preparados por outros escritores, que teriam favorecido esse nome divino). *D* (o autor da lei reiterada, a saber, do livro de Deuteronômio). *S* (sacerdotal, que apontaria para o autor ou autores que nos deram os textos que tratam sobre o sacerdócio levítico, suas leis, regulamentos, etc.). Há quatro artigos, nesta enciclopédia, intitulados *J.E.D.P.(S.)*, onde ofereço descrições mais completas sobre os materiais envolvidos em cada um desses supostos documentos. Ver também o artigo intitulado *Código Sacerdotal*, quanto ao material que faria parte do suposto documento S. Ver sobre *J.E.D.P.(S.)*.

Há eruditos que acreditam que Josué também esteve envolvido nessas fontes informativas, pelo que deveriam ser consideradas uma parte natural de uma unidade formada por seis livros. Em anos recentes, a teoria dos documentos J.E.D.P.(S.) tem sido posta em dúvida quanto a muitos pontos. Alguns eruditos pensam que a teoria não ultrapassa o livro de Números. Além disso, *D* não aparece antes de Deuteronômio, mas continua até o fim de II Reis. Por essas razões, outras classificações têm aparecido, como a do Tetrateuco (os quatro primeiros livros da Bíblia considerados como uma unidade), que teria tido uma conclusão que foi perdida, ou então que foi incorporada nos livros de Josué e Juízes. Ademais, a *narrativa deuteronômica* tem sido considerada por alguns como um relato que vai desde o Deuteronômio até II Reis, inclusive, o que significaria que esses livros estariam alicerçados sobre fontes informativas separadas.

Se, antigamente, houve tal coisa como um *hexateuco*, pode-se supor que, posteriormente, Josué foi um livro que recebeu uma posição subordinada, por lhe faltarem a teologia, os ritos e as instituições que distinguiam o judaísmo. Sua história de intermináveis conquistas, de derramamento de sangue e de crueldades, embora muito importante com propósitos históricos, talvez tenha sido reputada fora de sintonia com os livros anteriores, impedindo-o de formar uma unidade literária juntamente com os mesmos. Nesse caso, o *Pentateuco* elevou-se acima de outros escritos sagrados e tornou-se a base do judaísmo inteiro, a *Tora*. Se isso, realmente, sucedeu, então o Hexateuco era a unidade literária original, e o Pentateuco surgiu mais tarde, por razões teológicas.

Os labores dos estudiosos, que têm procurado descobrir vários níveis de fontes informativas, e um certo número de autores para o Hexateuco, sem dúvida, têm produzido alguns resultados positivos, do ponto de vista bíblico e histórico. No entanto, há muitas teorias em conflito umas com as outras, e não podemos pensar que aquilo que eles têm feito é destituído de erro, final. Certo autor descobriu nada menos de dezoito escritores e editores no Hexateuco! Podemos estar certos de que houve pouco mais de dois ou três, e que também houve trabalho de editoração. Porém, mais do que isso já resulta de pura especulação.

Os eruditos que defendem a natureza ímpar do Pentateuco, oferecem para isso as seguintes razões:

1. Josué, naturalmente, é continuação e incorporação de muito material proveniente do Pentateuco; mas, nem os judeus nem os samaritanos lhe deram posição de igual importância aos cinco primeiros livros. Os samaritanos talvez ansiassem por exaltar o livro de Josué, visto que encerra possíveis textos de prova que favorecem o monte Gerizim, acima de Sião, como o centro legítimo da adoração. Há muita coisa no livro de Josué para recomendar o nacionalismo samaritano. O próprio Josué era um herói efraimita, que convocou as doze tribos para se reunirem a ele em Siquém, à sombra do monte Gerizim (Jos. 8:32). Importantes eventos ocorreram ali, conforme está registrado no livro de Josué; e, no entanto, os samaritanos apegaram-se ao Pentateuco como sua autoridade maior.

2. A tradição que apoiava a autoria mosaica do Pentateuco não incorporava o livro de Josué. Sem importar o que pensamos sobre a exatidão dessa tradição, pelo menos ela mostra que ao livro de Josué conferiu-se uma posição inferior, em relação ao Pentateuco. Apesar de todas as suas virtudes, Josué não foi um legislador inspirado, embora tivesse sido um fidelíssimo executor da *Tora*.

••• ••• •••

HEZIOM — HIDASPES

HEZIOM

No hebraico, «visão». Esse era um rei da Síria, pai de Tabrimom (I Reis 15:18). Alguns estudiosos pensam que ele é o mesmo Rezom, filho de Eliada (I Reis 11:23). No texto hebraico original, Heziom e Rezom são nomes extremamente parecidos entre si. Ele viveu em algum tempo, antes de 928 A.C.

HEZIR

No hebraico, «porco». Esse era o nome de duas pessoas, nas páginas do Antigo Testamento:

1. Um sacerdote encarregado do décimo sétimo turno, dentre os vinte e quatro turnos de sacerdotes que cuidavam do templo de Jerusalém. Ele viveu na época da Davi (I Crô. 24:15), ou seja, por volta de 1014 A.C.

2. Nome de um homem cuja família retornou do cativeiro babilônico, e que veio residir em Jerusalém. Ele assinou o pacto com Neemias (Nee. 10:20). Viveu por volta de 410 A.C.

HEZRAI

Ver sobre **Hezro**.

HEZRO

No hebraico, «ambiente cercado», uma forma alternativa de Hezrai, que aparece em I Crô. 11:37. Esta última forma ocorre em II Sam. 23:35. Ele foi um dos trinta poderosos guerreiros de Davi. Era carmelita. Viveu por volta de 1046 A.C.

HEZROM

No hebraico, «cercado» ou «murado». Esse é o nome de duas personagens e de uma localidade, no Antigo Testamento:

1. Um filho de Rúben, filho de Jacó (Gên. 46:9; Êxo. 6:14; I Crô. 4:1; 5:3). Foi o fundador de uma família conhecida por seu nome (Núm. 26:6). Viveu por volta de 1874 A.C.

2. Um filho de Perez e antepassado de Davi (Gên. 46:12; Rute 4:18). Viveu por volta de 1856 A.C.

3. Uma cidade perto da fronteira sul do território de Judá (Josué 15:3). Ficava entre Cades-Barnéia e ·Adar. O trecho de Núm. 34:4 a chama de Hazar-Hadar.

HICSOS

Os hicsos formavam um corpo misto de vários povos, que, vindos da região da Síria, entraram no Egito, no século XVIII A.C. Só foram, finalmente, expulsos da região do delta do Nilo em cerca de 1580 A.C., pelo Faraó Amose I, fundador da XVIII Dinastia egípcia.

«Hicsos» é uma transliteração do egípcio, com o sentido de «governantes de terras estrangeiras». Apesar de misturados, parece que a herança racial principal deles era formada por semitas da região noroeste ocupada pelos descendentes de Sem. Eles governaram o Egito, constituindo as dinastias XV e XVI. Sua capital era em Avaris-Tânis, no delta do rio Nilo. Até onde se sabe, foi Meneto, um historiador egípcio do século III A.C., quem os chamou, pela primeira vez, pelo nome de *hicsos*. Alguns estudiosos interpretam tal nome como «reis pastores». O termo egípcio *shushu* (pastores), tem sido confundido como *shosu* (terras estrangeiras).

As idéias mais antigas sobre esse povo incluíam as noções de que eles teriam sido um povo asiático muito numeroso, etnicamente distinto, muito habilidoso nas artes da guerra sabendo usar carros de combate puxados a cavalo, e que havia entrado no Egito como um furacão. Mas as descobertas feitas por estudiosos recentes mostram-nos que houve apenas uma mudança de governantes em um Egito debilitado, no fim do Reino Médio. Primeiramente, houve um processo de infiltração lenta, antes que houvesse a invasão por um número maior de hicsos, até que o equilíbrio de poder pendeu para o lado dos hicsos, às expensas dos egípcios. Primeiro eles se apossaram do delta do Nilo e dessa cabeça de ponte, finalmente se espalharam por todo o Egito, dominando-o inteiramente. Assim, entraram elementos asiáticos na cultura egípcia, embora mesmo assim prevalecessem as características da cultura egípcia.

Parece que, realmente, foi nessa época que houve a introdução do carro de guerra puxado a cavalo, no Egito. Os hicsos usavam armas de bronze, bem como o arco composto, que trouxeram da Ásia. Mas os egípcios adotaram essas novas armas e, de fato, quando se revoltaram contra os hicsos, séculos depois, se utilizaram desse armamento superior.

Alguns eruditos crêem que o começo da carreira de José, filho de Jacó, no Egito, deve ter coincidido com a XIV Dinastia egípcia e com o começo do período de dominação dos hicsos. As evidências arqueológicas mostram-nos que eles exerceram alguma influência sobre a Palestina. Construíam espaçosos abrigos de barro para os seus cavalos, um tipo de construção que os arqueólogos também têm encontrado em Jericó, em Siquém, em Laquis e em Tell el-Ajjul. Os hicsos também levantaram muitos templos em honra a Baal, e a deusa-mãe também parece haver sido reverenciada por eles. Objetos de adoração dos hicsos, como figurinhas nuas, serpentes e pombas têm sido desenterrados pelos arqueólogos. Os governantes hicsos adotaram o estilo faraônico, chegando mesmo a se chamarem de filhos de Rá, com dois títulos que os Faraós davam a si mesmos. A adoração do grande deus dos hicsos, Baal, não era vista como legítima pelos egípcios. Há antiqüíssimos escaravelhos que indicam que certos estrangeiros galgaram a postos administrativos importantes no Egito; e isso ajusta-se bem ao caso de José, embora tais escaravelhos (vide) nada tenham a ver diretamente com ele. (AM E SET)

HIDAI

Alguns estudiosos pensam que o sentido desse nome é desconhecido; mas outros opinam que significa «poderoso» ou «chefe». Esse era o nome de um dos trinta poderosos guerreiros de Davi (II Sam. 23:30). Ele era efraimita, da área dos bosques de Gaás. No trecho paralelo de I Crô. 11:32, ele é chamado Hurai. É possível que Hidai seja uma forma corrupta de Hurai, embora não se conheçam as razões para tal variante.

HIDASPES

No trecho de Judite 1:6 (um livro apócrifo), há um rio com esse nome, mencionado juntamente com os rios Tigre e Eufrates, associado a Elimais, o que é um indício que nos permite localizar tal rio como próximo do golfo Pérsico. A versão siríaca diz ali Ulai. O trecho canônico de Daniel 8:2 localiza o rio Ulai no Elão. Como é claro, o nome desse rio, Hidaspes, não aparece no cânon palestino do Antigo Testamento.

••• ••• •••

HIDEQUEL — HIERÁPOLIS

HIDEQUEL

Nome de um dos rios que bannavam o jardim do Éden (Gên. 2:14). Aparentemente, era nome equivalente ao Tigre (ou então, era um nome que os hebreus davam a esse rio). Visto que as descrições dadas naquele trecho não se ajustam à topografia atual, qualquer identificação é simplesmente impossível. Os eruditos liberais supõem que a passagem é poética e parcialmente imaginária, pelo que nenhuma localização específica teria de ser determinada. Antes, qualquer tentativa nesse sentido seria fútil.

HIDROPISIA

Ver o artigo sobre **Doenças**.

HIEL

No hebraico, «vida de Deus». Esse era o nome de um homem nativo de Betel, que reconstruiu Jericó, mais de quinhentos anos após a sua destruição, quando Israel conquistou a Terra Prometida. Ele viveu no tempo de Acabe, rei de Israel. Ao reconstruir a cidade, ficou sujeito à maldição que fora proferida contra ela (ver I Reis 16:34). Essa maldição predizia a morte do primogênito do homem que reconstruísse Jericó, e Hiel perdeu dois filhos, enquanto reconstruía a cidade. Um terceiro filho morreu, ao terminar a construção. Isso teve lugar por volta de 915 A.C. Alguns estudiosos supõem que Hiel sacrificou seus filhos em holocaustos, e assim cumpriu pessoalmente a maldição, talvez na esperança de que nada além disso sucederia a ele e ao seu projeto, se assim fizesse. Porém, esses filhos também podem ter morrido de enfermidade, ou por causa de algum acidente. Seja como for, a maldição teve cumprimento. E, além disso, Jericó continuou sendo uma cidade importante por muitos séculos depois disso.

HIENAS

No hebraico, **iyyim**, um vocábulo que aparece somente por três vezes, em Isa. 13:22; 34:14 e Jer. 50:39. As traduções variam muito quanto ao sentido dessa palavra, indo desde o lobo até a alguma ave de rapina. Entretanto, a tradução «hiena», escolhida por nossa versão portuguesa, parece ser a mais acertada, segundo vários estudiosos modernos, embora não haja certeza absoluta quanto a isso.

Em uma outra passagem — Jer. 12:9 — onde aparece o termo hebraico *tsabua*, que nossa versão portuguesa traduz por «ave de rapina», os rabinos, nos escritos talmúdicos, traduziram por «hiena», e isso tem causado considerável confusão entre os eruditos modernos. Em uma outra passagem, I Sam. 13:18, a expressão «vale de Zeboim» poderia ser traduzida por «vale das hienas», visto que a mesma raiz hebraica está em foco.

A hiena é um animal carnívoro, que se alimenta de cadáveres, mais encorpado que o lobo. Tem cabeça grande, queixadas poderosas e as pernas dianteiras são bem mais compridas que as traseiras. A espécie de hiena mais comum, que vive na Palestina, é malhada. Seu habitat vai desde a Índia, passando pelo sudoeste da Ásia e chegando até o leste e o norte da África. Em nossos dias, a população de hienas na Palestina está extremamente reduzida.

A hiena é um animal muito ousado, que caça em bandos pequenos, fazendo como presa até mesmo as zebras, além de muitos outros animais. Além de se alimentar de animais mortos, também causa muitos

estragos na fauna viva. Usualmente tem um a quatro filhotes por ano. Seu período de gestação é de três meses. A hiena pode viver até cerca de vinte e cinco anos.

HIERÁPOLIS (ÁSIA MENOR)

Ver Col. 4:13.

Ficava cerca de dezesseis quilômetros de Colossos, quase na direção norte, ao passo que Laodicéia ficava entre o nordeste e o leste. Hierápolis era cidade da província romana da Ásia, no ocidente do que atualmente é a Turquia. Ficava somente cerca de dez quilômetros ao norte de Laodicéia, no lado oposto do vale do rio Lico. Fora edificada em redor de copiosas fontes termais, famosas por suas propriedades medicinais. Um escapamento subterrâneo de gases venenosos foi tapado pelos cristãos, no século IV D.C. Essas características naturais criaram, em Hierápolis, várias formas de cultos pagãos, desde os tempos mais antigos. Hierápolis não tinha qualquer importância comercial; — dependia de sua vizinha maior, Laodicéia.

Polícrates, bispo de Éfeso em 190 D.C., citou uma tradição que asseverava que o apóstolo Filipe vivera, pregara e fora sepultado ali, mas não há como confirmar tal coisa. Atualmente, há uma pequena aldeia, chamada Ecirlicoi, localizada nas proximidades, no sopé de uma espetacular elevação de pedra calcária, que tem resultado de depósitos feitos pelas fontes termais, através dos milênios.

Este versículo sugere que essas três cidades, que formavam uma tríada geográfica, estavam sob o ataque de perigos comuns, da parte de falsos mestres; e, tendo resultado dos esforços de Epafras, todas elas muito o preocupavam.

A Cidade Sagrada

No grego, «cidade sagrada». Uma cidade da antiga Frígia. Ficava cerca de dezesseis quilômetros a nordeste da moderna cidade de Denizli, no sudoeste da Turquia. A cidade que atualmente ocupa o local chama-se Pamucale. Hierápolis ficava a dez ou onze quilômetros a nordeste de Laodicéia, e cerca de dezesseis quilômetros ao norte de Colossos. O Novo Testamento menciona três cidades do vale do rio Lico: Laodicéia, Colossos e Hierápolis. Ver Col. 1:2 e 4:13. Esse vale era importante para o sistema de comunicações da península, e era a principal rota comercial que partia das margens do mar Egeu ao rio Eufrates, passando por Éfeso, Esmirna, Mileto e subindo até à Síria. Esse caminho corria na direção leste até chegar aos chamados Portões da Frígia. Para além desse ponto, na fronteira entre a Frígia e a Carátia, o vale do rio Meandro dificultava os negócios, pelo que o caminho desviava-se para o vale do rio Lico, como já dissemos. Dessa forma, cidades eram ligadas entre si, e o comércio trazia riquezas materiais e tornava aquelas regiões politicamente importantes. Hierápolis era famosa por suas fontes termais de águas minerais, que formavam depósitos de cascatas petrificadas e um terreno cheio de fendas e fissuras, chamado plutônio ou carônio, que emite o dióxido de carbono. Todavia, essas fissuras, com o tempo desapareceram.

Perdeu-se no nevoeiro do passado qualquer história verdadeiramente antiga de Hierápolis. Porém, supõe-se que uma cidade foi fundada no local, depois de 190 A.C., por ordem do rei Eumenes II, de Pérgamo. Essa cidade foi danificada por um terremoto, em 60 D.C., mas foi reconstruída. Quase todas as ruínas que os

HIERÁPOLIS — HIERARQUIA

arqueólogos têm podido desenterrar datam dos séculos II e III D.C. Um teatro romano bem preservado, banhos amplos e túmulos monumentais têm sido escavados.

A *Igreja cristã* dali, provavelmente, foi fundada por Paulo, quando ele passou vários anos em Éfeso. Sem dúvida, isso teve lugar quando ele percorreu a estrada que levava às cidades dispersas ao longo do caminho. Supomos que Epafras também atuou ali. Policrates era o bispo cristão de Hierápolis, nos fins do século II D.C. As tradições dizem que o evangelista Filipe e o apóstolo João também ministraram ali; e muitos supõem que o apóstolo Filipe foi sepultado naquela cidade.

O filósofo estóico Epicteto (vide), nasceu em Hierápolis, em cerca de 55 D.C. Sabe-se, por meio de uma inscrição existente no lugar, que havia ali uma comunidade judaica ativa, e que guildas comerciais operavam ali com corantes de cor púrpura e com tapetes. Certas inscrições dali também mencionam festividades judaicas, como a dos pães asmos e a de Pentecoste.

Símbolos Neotestamentários. Os laodicenses fabricavam um colírio que era bem conhecido no mundo antigo. A lama altamente emulsificada e quimicamente carregada, conforme se sabe, é comum nas fontes termais; e podemos supor que aquele colírio tinha por base a lama das fontes termais de Hierápolis. O trecho de Apo. 3:18 pode ser uma referência a isso. Além disso, a água morna é uma característica daqueles lugares onde há fontes termais. Essas águas mornas, com suas substâncias químicas, são muito enjoativas ao paladar, o que pode estar em foco em Apo. 3:15,16. No NTI, em Apo. 3:15, ofereço uma longa descrição do símbolo das águas mornas. Ver também o artigo sobre a *Mornidão Espiritual*.

HIERÁPOLIS (SÍRIA)

Essa era uma antiga cidade da Síria, que nunca é mencionada na Bíblia. Ficava a oitenta quilômetros a nordeste de Alepo. Seu nome grego significa «cidade sagrada». Os assírios, porém, chamavam-na de *Mampigi* (ou Nappigi), que significa «fonte». A moderna aldeia de Mambije, que fica perto do local antigo, deriva daí o seu nome.

A Hierápolis da Síria era uma cidade de considerável importância no tempo dos monarcas selêucidas (cerca de 300 A.C.), reis da Síria. Ver sobre *Seleuco*. Essa cidade era um centro comercial na estrada entre Antioquia da Síria e a Mesopotâmia, como também era o santuário da deusa Atargatis e seu consorte, Hadade. Em torno desse santuário formou-se um culto da fertilidade, com suas proverbiais cenas de imoralidade. Luciano, em seu livro *De dea Syria*, descreve o mesmo. Esse culto teve certa importância em lugares greco-romanos, fora de Hierápolis. Os romanos destruíram o templo desse culto, em Hierápolis, em 53 A.C.; mas isso não pôs fim àquele culto. Hierápolis tornou-se capital de uma província romana, depois do ano 200 D.C. Os persas conquistaram a cidade no século IV D.C., e os islamitas, no século V D.C. As cruzadas da Idade Média ocuparam-na por um breve período. Finalmente, foi destruída pelas hordas mongólicas, no século XI D.C. Os arqueólogos têm descoberto e investigado —muitos remanescentes arqueológicos encontrados ali; mas quase todos eles são de data posterior.

HIERARQUIA

Essa palavra vem do grego, *hierós*, «sagrado», e

archein, «governar». Isso posto, a significação original da mesma é o governo divino, executado por diversas ordens ascendentes. No sentido popular ou não-teológico, a palavra alude a qualquer tipo de governo constituído por várias camadas de autoridade, ou então por alguma série de grupos, classes, famílias, gêneros, espécies ou ordens sistematizadas. De acordo com o uso eclesiástico da palavra, oficiais eclesiásticos, em sucessivas ordens, estão em pauta, quando então se deve pensar em uma organização eclesiástica com oficiais superiores e subalternos. É o caso específico da Igreja Católica Romana, cuja hierarquia consiste no papa, nos cardeais, nos arcebispos, nos bispos, nos padres, etc.

De acordo com as ordens ascendentes dos universais (vide), concebidas por Platão — onde a *Bondade* é o elemento mais exaltado e mais poderoso — temos um antigo ensino sobre os poderes hierárquicos. Os sistemas deístas, como o dos gnósticos, separavam Deus da humanidade, através de uma quase infindável ordem de seres ou poderes celestiais ou angelicais, que atuariam como mediadores. Isso servia a diversas funções. A primeira dessas finalidades era permitir que Deus governasse por delegação para não ter de se corromper mediante o contacto pessoal com a matéria (que eles tinham como a sede mesma do mal). Assim, de acordo com a doutrina dos gnósticos, o poder que criou a matéria era um poder subalterno, e não o poder do Ser supremo. Esse poder subalterno, por não ser perfeito, teria criado um mundo imperfeito, o que explica a existência do mal neste mundo. Ver o artigo sobre o *Problema do Mal*. Nos escritos de Platão, o *Demiurgo* seria esse poder criador intermediário. Em alguns sistemas filosóficos, esse poder era idêntico ao Logos (uma idéia filosófica que transparece no Novo Testamento, mormente nos escritos joaninos). Mas, dentro de outros sistemas, o Logos ocupava uma posição superior a de um mero mediador importante. Naturalmente, no Novo Testamento, o Logos (em nossas versões portuguesas, «o Verbo») é a própria manifestação de Deus, considerada do ponto de vista da racionalidade, encarnada na pessoa de Jesus Cristo. Ver João 1:1,14. E também não há uma série de intermediários entre Deus e o homem, mas um só intermediário, o Deus homem, Jesus Cristo. «Porquanto há um só Deus e um só Mediador entre Deus e os homens, Cristo Jesus, homem» (I Tim. 2:5). Portanto, a idéia católica romana da intermediação de «santos» e de anjos deriva-se de idéias filosóficas gnósticas e não do Novo Testamento.

Nas sociedades humanas, por muitas vezes, as ordens religiosas de sacerdotes operam em favor do governo, formando uma espécie de hierarquia de poder, delegada pela realeza. Isso é copiado, pelo menos em parte, pelo sistema hierárquico católico (romano ou ortodoxo), onde os prelados são considerados parte integrante da autoridade constituída. No entanto, o caminho instituído pelo Senhor Jesus determina a separação entre a Igreja e o Estado. «Dai, pois, a César o que é de César, e a Deus o que é de Deus» (Mat. 22:21).

Esses sistemas hierárquicos religiosos são concebidos, algumas vezes, como copiados segundo um modelo celestial, e se recebessem sua autoridade dessas entidades e forças celestiais. Além disso, em alguns desses sistemas, os ofícios eclesiásticos são hereditários, como no caso do sacerdócio aarônico, na antiga nação de Israel. Os reis do Egito e dos astecas também eram considerados monarcas por determinação divina, e os sacerdócios que eles apoiavam, por sua vez promoviam a continuação daqueles governos

HIEROCLES — HILEL

civis.

Usos da Palavra «Hierarquia». O conceito de hierarquia eclesiástica já existia desde antes do alvorecer do cristianismo. Mas, nos meios cristãos, o uso da expressão, evidentemente, foi iniciada pelo pseudo-Dionísio, um autor cristão neoplatônico do século IV ou V D.C. Esse autor comparou as *nove* ordens dos seres angelicais com três grupos de três elementos cada, que existiriam entre os cristãos: dois desses grupos seriam constituídos por leigos, e um deles seria constituído pelas ordens sacras dos bispos, sacerdotes e diáconos. A partir daí, a hierarquia foi-se desdobrando em várias outras ordens, inteiramente à revelia dos ensinamentos neotestamentários, que ensinam a igualdade de todos os crentes. «Vós, porém, não sereis chamados mestres, porque um só é vosso Mestre, e vós todos sois irmãos» (Mat, 23:8).

HIEROCLES DE ALEXANDRIA

Ele viveu por volta de 430 D.C. Foi um filósofo helênico. Era seguidor das idéias de Plutarco. Foi o fundador da escola de Atenas, e membro da escola alexandrina do neoplatonismo (vide). Sua abordagem filosófica era eclética, pois combinava idéias de Platão, de Aristóteles e dos mestres estóicos. Ele procurava reconciliar a idéia grega do destino com a idéia cristã da providência divina. Aceitava a criação *ex nihilo* (vide), negando a idéia usual de emanações divinas do neoplatonismo. Para ele, o demiurgo teria criado o mundo por um ato de sua própria vontade.

HIERÓGLIFOS

Essa palavra vem do grego, *hierós*, «sagrado», e *glúphein*, «esculpir», dando a idéia de gravar símbolos sagrados.

Os hieróglifos eram uma espécie de escrita desenhada, usada pelos sacerdotes egípcios. Esses desenhos representavam animais, homens e mulheres em diferentes posturas; desenhos geométricos e figuras simples como um olho, o sol, duas pernas, um homem comendo, um homem inclinado para a frente, uma ave apanhando um verme, uma serpente, um cajado, etc. Esses símbolos representavam idéias, associações, números, etc., formando um alfabeto primitivo. Essa forma escrita tornou-se na escrita hierática (vide), a qual, por sua vez, deu lugar à escrita demótica (vide).

Os hieróglifos foram decifrados por Champollion, um estudioso francês, em 1822. Ele conseguiu o feito com a ajuda de uma inscrição trilíngüe, a chamada Pedra de Rosetta. Essa pedra foi encontrada por ocasião de uma campanha militar de Napoleão, no norte da África. Já desde o século I A.C., os gregos denominavam os símbolos esculpidos nos templos e nos túmulos egípcios de *hieroglúphika grammata*, ou seja, «letras sagradas esculpidas».

A escrita hieroglífica era usada, principalmente, em inscrições em monumentos, e só podia ser lida pelos sacerdotes egípcios e por outras pessoas altamente instruídas. Outras vezes, as figuras eram pintadas sobre madeira, pedra, cerâmica ou papiro. Interessante é que o termo *hieróglifos* também tem sido empregado para indicar a escrita primitiva, mas similar, de outros povos, como a dos hititas e a dos maias (estes últimos na América Central). Todavia, os verdadeiros hieróglifos eram os egípcios. Tanto os egípcios quanto os sumérios já sabiam escrever desde o terceiro milênio A.C., e os eruditos continuam debatendo sobre qual desses dois povos teria aprendido a escrever primeiro. Os estudiosos datam o desenvolvimento dos hieróglifos entre 3110 e 2880. A.C. Quanto a informações gerais ver o artigo sobre a *Escrita*, seção quarta. Ver também o artigo intitulado *Alfabeto*.

HIERONIMITAS

Nome de uma ordem monástica que, nos séculos XV e XVI, era representada por diversos mosteiros importantes na Espanha. Eles requeriam de seus membros uma vida de grande austeridade, entregando-se ao estudo e à contemplação e ocupando-se em ministérios ativos, o que os fez conquistar considerável influência política em seu país.

HIERONIMOUS

Forma latina do nome próprio Jerônimo. Esse apelativo vem dos termos gregos, *hierós*, «sagrado», e *ónoma*, «nome». Portanto, significa «nome sagrado». Ver o artigo sobre *Jerônimo*.

HILÁRIO

Tornou-se conhecido como Hilário de Poitiers. Suas datas aproximadas foram 300 — 367 D.C. Foi bispo de Poitiers, na França, em cerca de 350 D.C. Tornou-se conhecido pela santidade de sua vida e por sua oposição ao arianismo (vide). Foi exilado pelo imperador Constantino para o Oriente, onde tentou obter a reconciliação entre os semi-arianos (vide) e os católicos. Devolveram-lhe a sua sede em 364 D.C. Foi um dos doutores da Igreja, mas que não se ocupava somente de seus estudos e de suas obras de caridade. Sua oposição a Constantino agitou a sua vida. O imperador tentou manter a união entre a Igreja e o Estado, pois as controvérsias que abalavam a Igreja ameaçavam essa união. Todavia, o imperador só piorou a situação, ao buscar ativamente o apoio galicano para as formulações doutrinárias arianas. Por essa razão é que Hilário foi exilado para a Frígia. Ali ele estudou os escritos dogmáticos dos arianos. Foi ali que Hilário escreveu suas obras *De Trinitate e De Synodis*. Conseguiu produzir alguma unidade de pensamento e de atitudes, e contava com alguns apoiadores arianos, que ajudaram a anular o decreto de seu exílio. Faleceu em Poitiers, a 13 de janeiro de 367 ou 368 D.C.

HILEL

Hilel I, chamado o **Ancião** (no hebraico, **Ha-Za-ken**), foi o mais proeminente mestre e rabino judeu do primeiro século da era cristã. Suas datas foram 70 A.C. a 10 D.C. Foi o fundador de uma influente escola, que tem o seu nome, a escola rabínica de Hilel ou *Bete Hilel* (vide). Foi o ancestral de uma influente família judia, proeminente nos primeiros quatro séculos da era cristã.

As tradições afiançam-nos que ele descendia de Davi, que nasceu na Babilônia e que migrou para a Palestina com quarenta anos de idade. Seus primeiros mestres foram Semaías e Abtalião. *Yoma* 35 b fala sobre a sua pobreza e dificuldades, e também comenta sobre a sua rara diligência, zelo e mente arguta. Tornou-se prontamente um dos grandes mestres da erudição dos hebreus. Quando os Bene Batira resignaram como chefes de um colégio rabínico, Hilel foi nomeado para tomar o lugar deles. Além de ser um grande professor, tornou-se conhecido por haver formulado regras de exposição sistemática da Bíblia. Essas regras eram sete e

HILEL — HILQUIAS

tornaram-se úteis para todos os tempos desde então, até hoje. Os historiadores têm comentado sobre sua santidade pessoal, sua humildade e o profundo amor que devotava a todos os seres humanos.

Era apenas natural que muitas lendas tivessem surgido em torno de seu nome. Uma dessas, bem conhecida entre os estudiosos da Bíblia, envolve um gentio que teria vindo consultar a ele e a Shammai (vide), outro famoso rabino judeu, que era seu oponente. Esse gentio disse que abraçaria o judaísmo, se um deles pudesse dizer-lhe a essência dessa religião, de pé sobre uma perna. Shammai não conseguiu fazê-lo. Mas Hilel, de pé sobre um único pé, disse: «Não faças ao próximo aquilo de que não gostas; essa é a lei inteira, e o resto é apenas comentário». Naturalmente, essa é a mesma Regra Áurea de Jesus, dita em sentido negativo. Ver Mat. 7:12. Jesus chamou esse ato de «a lei e os profetas»; e podemos afirmar que, sob várias formas, isso fazia parte do judaísmo anterior à era cristã. Esse episódio sobre Hilel está registrado em *Shab*. 31 a. Esses aforismos caracterizam a contribuição de Hilel para a literatura e a erudição. Sua fama era tão grande que alguns chegaram a chamá-lo de segundo Esdras, cuja missão era a de reestabelecer um ensino sistemático e eficaz sobre as observâncias da lei mosaica.

Hilel e sua escola defendiam uma interpretação mais liberal da lei. Em contraste com o rígido conservadorismo de Shammai, ele interpretava as Escrituras de maneira suficientemente flexível para enfrentar situações novas, e para deduzir orientações para períodos de transição e mudança. Sabemos, por exemplo, que seus pontos de vista sobre o divórcio eram tão liberais que alguns eruditos da Bíblia não se sentem à vontade com ele. Também sabemos que ele se tornou conhecido por seu *pruzbol*, uma regra relativa ao pagamento de dívidas. O trecho de Deu. 15:2 alude ao cancelamento de todas as dívidas no ano do Jubileu; mas isso só ocorria a cada cinqüenta anos. De acordo com a regra de Hilel, porém, um credor podia escolher um tribunal como seu agente, impondo suas reivindicações antes do ano sabático, a fim de coletar seus ganhos após esse ano sabático. Hilel também encorajava leis que ajudavam tanto ao que emprestava como ao que tomava por empréstimo, dentro do espírito da lei, embora não rigidamente em consonância com a letra da lei. Muitas de suas máximas éticas têm sido preservadas no Talmude. *Pirke Avot* (Ética dos Pais), contém a seguinte máxima, que serve de exemplo: «Quanto mais propriedades, mais ansiedades; quanto mais estudos, maior sabedoria; quanto mais conselhos, maior compreensão; quanto mais retidão, maior paz». Isso é uma boa maneira de encerrar um artigo sobre um dos grandes mestres religiosos do mundo.

HILOMORFISMO

Essa palavra vem do grego hule, «matéria», e *morphe*, «forma». Trata-se de uma doutrina metafísica que afirma que todos os objetos naturais se compõem de matéria e de forma. *Aristóteles* foi o primeiro a definir essa idéia, e então ela foi aproveitada pelo tomismo (vide). A forma seria o princípio da atualidade e da atividade, ao passo que a matéria seria o princípio da potencialidade e da passividade. A forma se encontra em toda matéria, conferindo-lhe o seu desenvolvimento potencial (teleologia). Essa seria uma força ativa na matéria e em todas as coisas compostas de matéria. Ver o artigo sobre *Causa*. Essa matéria torna-se importante nas discussões teológicas sobre a relação entre o corpo e a

alma, bem como na teologia atinente à *eucaristia* (vide).

HILOTEÍSMO

No grego, húle, «matéria» ou «madeira», e theós, «deus». Esse nome indica aquela doutrina que diz que a matéria é divina, ou então, que Deus é feito de substância material. Os mórmons retêm certa variedade dessa doutrina quando afirmam que o espírito é matéria, embora em forma mais refinada, o que remove o dualismo comum, que faz parte das explicações cristãs tradicionais.

HILOZOÍSMO

Esse nome vem de hulê, «matéria», e zoê, «vida». Indica o conceito que diz que a matéria é viva, ou tem propriedades próprias da vida. Quando Tales de Mileto disse: «Todas as coisas estão cheias de deuses», ele estava expressando esse ponto de vista. Alguns supõem que ele estava falando poeticamente; mas tudo quanto ele quis dizer é que a matéria tem alguma espécie de força natural que a faz passar por muitas mudanças, mediante as quais todas as coisas, conforme as conhecemos, foram criadas.

De acordo com essa posição, uma forma básica da matéria, como a água, a terra, o fogo ou o ar, se modifica em todas as outras formas mediante os processos de condensação e de expansão (rarefação). Porém, alguns intérpretes supõem que Tales mostrava-se sério quando falava sobre deuses em todas as coisas, o que significaria que a matéria caracteriza-se por uma verdadeira vida, em algum sentido. Isso faz do hilozoísmo uma forma de pampsiquismo (vide). Em sua variedade naturalista, o hilozoísmo não precisa de qualquer deus ou deuses para imaginar que é assim que as coisas evoluem. Porém, há aquela variedade pampsíquica que pode aliar essa idéia à crença teísta. Se não estabelecermos distinções rígidas entre a matéria e a própria vida, então será fácil percebermos como a vida (conforme a definimos) poderia ter-se originado da chamada matéria inanimada. Nesse caso, a matéria seria a origem mesma das formas de vida, produzidas por determinadas condições favoráveis. Ver também o artigo sobre a *Evolução*.

HILQUIAS

No hebraico, «Yahweh é minha porção». Nos livros apócrifos, seu nome é escrito com formas variantes, como Helquias (Esdras 1.8), Helchias (I Esdras 8.1) e Quelquias (Baruque 1.1,7). Esse foi o nome de vários homens, quase todos eles sacerdotes de Israel, a saber:

1. Um levita merarita, filho de Anzi, descendente de Merari (I Crô. 6:45,46). Foi antepassado de Etã. Viveu em cerca de 1014 A.C.

2. Um outro levita Merarita, filho de Hosa, um contemporâneo de Davi (I Crô. 26:11). Também viveu por volta de 1014 A.C.

3. O pai de Eliaquim, que trabalhava como um oficial da corte do rei Ezequias (II Reis 18:18,26; Isa. 22:20; 36:3). Viveu por volta de 713 A.C.

4. O pai do profeta Jeremias, mencionado em Jer. 1:1, e que muitos estudiosos pensam ter sido descendente de Abiatar, o sumo sacerdote dos dias do rei Davi, a quem Salomão removeu do ofício, quando apoiou a Adonias. Sabe-se que Jeremias era da família sacerdotal de Anatote (I Reis 2:26). Hilquias viveu em cerca de 628 A.C.

111

HIM — HINDUÍSMO

5. O pai de Gemarias, que era contemporâneo de Jeremias (Jer. 29:3). Ele desempenhava as funções de embaixador, representando o rei Zedequias diante de Nabucodonosor, algum tempo antes de 587 A.C.

6. O sumo sacerdote dos dias de Josias, ativo nas reformas religiosas instituídas por esse rei de Judá. Ele encontrou o livro da lei no templo (II Reis 22:4-14; 23:4; I Crô. 6:13; II Crô. 34:9-22). Viveu por volta de 650 A.C.

7. Um chefe entre os sacerdotes que retornou, com Zorobabel, do cativeiro babilônio (Nee. 8:4; 11:11; 12:7,21). Viveu por volta de 445 A.C.

8. Um sacerdote que ajudou a Esdras, quando foi lida a lei diante do povo, como parte das reformas religiosas ocorridas após o cativeiro babilônico (Nee. 8:4). Alguns estudiosos pensam que se trata do mesmo Hilquias de número sete, acima. Viveu por volta de 445 A.C.

9. Um antepassado de Baruque, servo de Jeremias (Baruque 1:1,7).

10. O pai de Susana (Susana 2.29,63).

HIM
Ver sobre **Pesos e Medidas**.

HIMENEU

No grego, «pertinente a **Himen**», o deus do casamento. As únicas referências a esse homem, no Novo Testamento, são I Tim. 1:20 e II Tim. 2:17. Os nomes de deuses pagãos, como é natural, eram usados como nomes próprios de pessoas, nos tempos gregos e romanos, tal como muitos nomes de santos e de famosas figuras religiosas são utilizadas hoje em dia. A única coisa que podemos depreender, quanto à natureza dos ensinamentos desse homem é que ele se ocupava de «falatórios inúteis e profanos» (II Tim. 2:16); e também que ele e Fileto pregavam que a ressurreição já havia ocorrido, pervertendo assim a fé de alguns na ressurreição futura. Podemos supor que esses dois homens eram líderes gnósticos da época. As palavras deles eram malignas, corroendo como um câncer, o que ilustra o poder destrutivo dos falsos ensinos. Portanto, é razoável supormos que várias outras doutrinas distorcidas, atacadas nas chamadas «epístolas pastorais», também eram ensinadas por aqueles homens e pela facção da Igreja que se tornara discípulo deles. Seu nome também é associado ao de Alexandre (vide). Ver o artigo geral sobre o *Gnosticismo*.

Era comum os gnósticos negarem a realidade da ressurreição, visto que esse sistema ensinava a maldade inerente à matéria. Em um sistema assim, seria um absurdo ensinar o retorno à vida do corpo físico. Contudo, devemo-nos lembrar que muitos judeus concebiam em termos literais a ressurreição, supondo que os próprios elementos do corpo morto seriam renovados e transformados em um outro corpo material. Isso também perde de vista a idéia do corpo espiritual, envolvido na ressurreição, que talvez não parecesse ofensiva para os gnósticos. Ver o artigo sobre a *Ressurreição*. Ver I Cor. 15:12 quanto à negação da ressurreição pelos filósofos de Corinto.

O livro apócrifo *Atos de Paulo e Tecla* 2:14 (comparar com Eclesiástico 30:4) mostra-nos que alguns antigos criam que a ressurreição ocorre no nascimento de nossos próprios filhos, e que, por isso mesmo, deveria ser entendida como um ensinamento meramente simbólico. Mui provavelmente, porém, não era esse o erro ensinado por Himeneu. Contudo,

disputa-se, entre os estudiosos, em qual sentido ele ensinava que a ressurreição já é passada. É possível que ele quisesse dizer que a única ressurreição que jamais haveria era de Cristo e daqueles que ressuscitaram juntamente com ele (Mat. 27:52,53); e também, menos provavelmente, que a ressurreição dá-se em nossos próprios filhos que já nasceram (conforme foi dito acima). Contudo, é possível que ele também espiritualizasse a doutrina de alguma outra forma, dizendo, por exemplo, que a conversão ocorre por ocasião da conversão de cada indivíduo. Ou então ele pode haver ensinado que a vinda de Cristo ao mundo fora a ressurreição espiritual do mundo.

O fato é que Paulo assevera que entregara Himeneu a Satanás. Isso constitui para nós um outro pequeno problema. Talvez isso queira dizer que Himeneu haveria de morrer fisicamente, em breve, como no caso registrado em I Cor. 5:5. Ou então, que ele seria vítima de aflições várias, como sucedeu a Jó (Jó 2:6), de natureza financeira ou outra qualquer, ou que seria cercado por uma multidão de desgraças. O que é certo é que não temos aqui nenhuma declaração direta relativa à excomunhão (vide), embora isso possa ter feito parte da questão, sem ser especificamente mencionada.

HINAYANA, BUDISMO
Ver sobre **Budismo Hinayana**.

HINDUÍSMO

Ver o artigo separado sobre a **Filosofia Hindu**, que mostra como a fé hindu é interpretada filosoficamente.

Esboço:

I. Declaração Introdutória e Caracterização Geral
II. Estágios do Desenvolvimento Histórico
III. Crenças, Literatura, Escolas e Suas Características
IV. Os Quatro Caminhos da Religião Hindu
V. Seis Sistemas da Filosofia Hindu
VI. Sumário de Alguns Importantes Conceitos Hindus
  1. Respeito pelas Escrituras Hindus
  2. Filosofia
  3. Cosmologia
  4. Alguns Pontos Teológicos
  5. Renascimento e Libertação
  6. Salvação
  7. Iluminação
  8. Formas de Culto
  9. O Sistema das Castas
  10. Ética

I. Declaração Introdutória e Caracterização Geral

1. O *hinduísmo* é a fé religiosa do povo hindu, a raça ariana da Índia. A palavra *hindu* também tem uma conotação religiosa, indicando alguém que professa o hinduísmo como sua religião. A palavra *hind* é um antigo nome da Índia. O persa antigo tinha uma palavra, *hindu*, que significava «terra dos indianos». O termo sânscrito que serve de base é *sindhu*, que significa «rio». Está em foco o rio *Indo*, que flui através da porção ocidental do Tibete e do noroeste da Índia, por mais de 3.100 km, desaguando na porção noroeste do mar da Arábia. O hinduísmo, como religião, tem cerca de meio bilhão de seguidores, ou seja, cerca de 84 por cento da população da Índia e cerca de onze por cento da população do Paquistão. Em anos recentes, essa fé

HINDUÍSMO

vem sendo propagada por missionários hindus nos países ocidentais, o que tem aumentado ainda mais o número de adeptos, — além de exercer grande influência sobre as idéias de outras religiões. De fato, nossos dias têm visto uma considerável influência de vários conceitos hindus sobre outras fés, mesmo quando o sistema, como um todo, não tem sido aceito.

2. O *hinduísmo*, porém, é mais do que uma religião. Também é um sistema social e legal, um conjunto de noções artísticas e científicas e, naturalmente, é também uma filosofia. Poderíamos afirmar que representa o pulsar do coração de um numerosíssimo povo, e não meramente a fé religiosa que eles professam.

Tal como em qualquer sistema religioso de âmbito nacional ou internacional, o hinduísmo incorpora uma larga gama de crenças religiosas, além de diversos costumes sociais. Em um sentido geral, podemos falar sobre o *alto* hinduísmo, em contraste com o hinduísmo *baixo* ou popular. O hinduísmo alto é o *brahmanismo*, desenvolvido por sábios e profetas. O hinduísmo baixo aparece nas aldeias, incorporando muitas crenças e práticas que vêm de um passado remoto.

3. *Literatura Antiga: os Vedas* (vide). Essa literatura remonta a tradições orais tão antigas quanto 1500 A.C. Essa literatura **pertencia aos indo-arianos, um povo indo-europeu,** que parece haver entrado na Índia vindo do noroeste, algum tempo logo depois dessa data. Os primeiros materiais escritos, chamados *Rig Veda*, datam de cerca de 1000 A.C. Essa é uma compilação que reflete séculos de desenvolvimento. Os textos védicos incorporam assuntos como teologia, filosofia, mitologia, cerimônias religiosas, especulações metafísicas, ética, ordem social, leis, e muitas coisas que dizem respeito às pessoas, de modo geral. A classe privilegiada, intitulada de os brahmas, era a responsável pela formulação desses textos e sua preservação, canonização e disseminação, algo parecido com o que os rabinos têm feito quanto ao judaísmo. Por causa desse envolvimento, o hinduísmo alto também é chamado brahmanismo.

II. Estágios do Desenvolvimento Histórico

1. **O Hinduísmo Védico.** As religiões dessa área foram avassaladas pela invasão da Índia pelos arianos; mas muitos dos elementos das mesmas foram incorporados na nova fé emergente. Esse processo vem desde cerca de 1500 A.C. A religião védica caracterizava-se pelo otimismo, pelo amor à vida, por uma espécie de fé neste mundo, mas com alguma crença acerca da vida vindoura. Os vedas (vide) tornaram-se uma importante fonte de fé para todas as gerações que se seguiram. Os deuses eram as forças da natureza, como Varuna (o firmamento); Intra (a tempestade, a fertilidade e a guerra); Agni (o fogo); Soma (a bebida alcoólica que fazia parte do sistema de sacrifícios, e era considerada um elixir da imortalidade); Vayu (o vento); Ushas (a alvorecer). Além desses, muitos deuses controlavam várias atividades da sociedade. A literatura desse período, os quatro Vedas e o Atharva-Veda (vide), tornou-se nas Escrituras básicas do hinduísmo.

2. **O Hinduísmo Brahmane.** Quando o hinduísmo védico acabou fenecendo, surgiu uma nova literatura, e os sábios desenvolveram essa fé. A literatura que eles compilaram e produziram chama-se os *Brahmanas*. Foi introduzido muito cerimonialismo, bem como especulações e práticas mágicas. Esse elemento mostrou ser tão importante que decresceu a importância dos deuses. Foi durante esse período que

os conceitos da transmigração das almas, com uma resultante dívida kármica (vide), além de outros benefícios, foram concebidos. Ver o artigo separado sobre o *Karma*. Especulações filosóficas acerca da origem e do destino do homem tornaram-se importantes. Foi institucionalizado o sistema de castas.

3. **O Hinduísmo Filosófico.** Ver o artigo separado sobre a **Filosofia Hindu.** Esse período corresponde, a grosso modo, ao período clássico da Grécia, anterior ao cristianismo, onde se desenvolveu a filosofia ocidental. A metafísica tornou-se um elemento importante. Foram feitas investigações concernentes à origem do mundo e do homem, bem como aos deveres e ao destino do homem, em um sentido filosófico. O registro dessas antiquíssimas reflexões ficou preservado nas *Upanishadas* (vide), o grande livro de texto filosófico do hinduísmo. O *karma* continuou sendo um importante conceito e surgiram especulações atinentes à natureza da reencarnação. Fornecemos um artigo detalhado sobre a *Reencarnação*. Passou-se a conceber o *Brahman* como uma espécie de alma do mundo, a mais elevada divindade. Foram abandonados os holocaustos como um meio de salvação; e o conhecimento, operando através do *karma*, veio a substituir esses holocaustos. Foi declarada a natureza ilusória da matéria. A *moksha*, ou «salvação», seria obtida se os homens aprendessem a separar sua espiritualidade das ilusões deste mundo, retornando ao espírito puro. Várias escolas do hinduísmo filosófico intitulam-se Shankara, Ramanuja e Vedanta.

4. **O Hinduísmo Devocional e Sectário.** Alguns reagiram contra a decadência do hinduísmo brahmânico, em razão do que surgiram especulações filosóficas, e o hinduísmo tornou-se *ateu*. Talvez, em vários casos, o hinduísmo fosse mais *deísta* do que mesmo ateu, porquanto a divindade não era negada, mas os deuses foram rejeitados como importantes para os homens, e a existência deles foi mesmo lançada na dúvida. Por causa dessa tendência emergiram, no século VI A.C., o *budismo* e o *jainismo* (vide). Estes tornaram-se religiões distintas, embora alguns eruditos tratem-nas como ramos heréticos do hinduísmo.

5. **O Hinduísmo Reformado.** Alguns incluem nesse ponto o desenvolvimento do budismo e do jainismo. Os inúmeros deuses perderam terreno diante de duas grandes divindades pessoais. Essas eram *Vishnu*, que, originalmente, era um deus-sol secundário, nos Vedas; e *Shiva*, presumivelmente, um deus que, originalmente, havia sido adorado na Índia, antes da invasão da mesma pelos arianos. A princípio ele aparecia vinculado ao Rudra da literatura védica, sendo, essencialmente, um deus da tempestade e da fertilidade.

Para muita gente, a adoração de *Vishnu* tornou-se tão importante que apareceu um virtual monoteísmo. Vishnu, um deus pessoal, tomou o lugar da força divina impessoal dos filósofos. Ele manifestar-se-ia na *encarnação*, em número total de dez, que atingiu seu ponto culminante em Rama e Krishna (vide). Este último é similar ao Cristo dos cristãos, que é a encarnação do Logos. Isso significa que, quanto a esse ponto, há uma identidade de idéias entre o hinduísmo e o cristianismo, embora diferentes nomes e palavras sejam usadas para exprimir a doutrina. Por essa altura, um sistema elaborado de céus e de inferno veio à tona. A alma pode entrar em um ou em outro, mas também podem sair de ambos, enquanto prossegue em seu caminho de evolução espiritual, com suas muitas reencarnações. Acima de todas essas experiên-

HINDUÍSMO

cias (a terrena, a infernal e a celestial) há a *emancipação*, que é o verdadeiro céu dos hindus, e onde a alma é reabsorvida pelo princípio divino e nele desaparece.

No nível popular, o alvo da salvação consiste em obter a comunhão com os deuses, mediante a ajuda graciosa de Krishna e de Rama. Se substituirmos Deus pelos deuses, então teremos aí, essencialmente, o ponto de vista cristão popular, que pode ser ouvido nas igrejas, a cada domingo. O alvo real da fé cristã consiste em compartilhar o indivíduo da natureza e da imagem do Filho de Deus, e destarte, vir a participar da própria natureza divina (ver Rom. 8:29; II Cor. 3:18; Col. 2:10 e II Ped. 1:4). Porém, esse aspecto é quase inteiramente esquecido no cristianismo popular, onde o «chegar ao céu» e desfrutar da bem-aventurança ali dominante, é o alvo mesmo da existência humana.

Há certas similaridades entre o pensamento cristão e essa forma de hinduísmo. Em razão disso, pode-se presumir que haja desenvolvimentos paralelos, que poderiam ter sido inspirados pelo Logos, em sua atividade universal. Ver João 1:9. Assim como o Novo Testamento é o grande documento sagrado dos cristãos, assim também o Bhagavad-Gita é o grande documento da fé religiosa que gira em torno de Krishna. O trecho de Efésios 1:9,10, ao referir-se ao mistério da vontade de Deus, assegura-nos que, a longo prazo, o plano de Deus visa unir todos os seres inteligentes em torno do *Logos* (chamado Cristo, em sua encarnação). E, na história das religiões, podemos perceber alguma percepção preliminar quanto a essa verdade, embora a mesma seja ali expressa mediante um vocabulário diversificado.

Na adoração a Shiva, a obtenção da salvação é, essencialmente, uma questão devocional. A literatura das seitas que adoram Shiva é chamada de as *Puranas*. Porém, a natureza universalista da Bhagavad-Gita tem permitido que essa literatura seja usada por muitas seitas hindus.

Desenvolvimentos Posteriores. A invasão islâmica, de cerca de 1000 D.C., fez o islamismo e o hinduísmo entrarem em choque. Um dos resultados disso foi a fé sincretista dos *sikhs* (vide). Essa fé foi fundada por Nanak (vide), mais ou menos na mesma época em que surgia a Reforma Protestante na Europa. Foi adotado, então, o estrito monoteísmo islâmico e toda a idolatria foi eliminada. Mas, além disso, foi incorporada a militância islâmica, com o seu fanatismo religioso. Isso produziu uma virtual teocracia, que veio a dominar toda a porção noroeste da Índia. Até hoje, o movimento domina somente naquela parte da Índia. Atualmente, é reputada uma religião distinta do hinduísmo.

Também houve a invasão de forças ocidentais, de onde surgiram várias seitas, como a de Brahma-Samaje (fundada em 1828), a Aria-Sama (fundada em 1875), e a Rama-Krishna e os Servos da Índia. Todos esses grupos tomaram por empréstimo, pesadamente, idéias e princípios cristãos, e continuam sendo forças muito ativas na Índia, até hoje.

Elementos Comuns no Hinduísmo. Pode-se notar que aquilo que se poderia classificar historicamente como hinduísmo envolve muitos aspectos diversos, e que várias grandes religiões emergiram dessa fé. Mas, no caso daqueles que continuam a intitular-se hindus, há alguns fatores comuns. Em primeiro lugar, os *Vedas* continuam sendo respeitados e usados, sendo repudiados somente por algumas seitas modernas do hinduísmo. Os princípios da reencarnação e do karma permanecem como princípios universais. O sistema de castas continua firmemente entrincheirado. Os

sanyasi (vide), ou «homens santos» são figuras importantes em todas as variedades do hinduísmo. O princípio da *não ofensa* permeia quase todos os sistemas. Assim, apesar do hinduísmo ser uma espécie de processo antropológico, continua merecendo ser chamado de uma grande religião, apesar de toda a sua diversidade. Contudo, a diversidade que há no hinduísmo é tão grande que certo autor insistiu em uma resposta bem peculiar à pergunta: «O que é um hindu?» Respondeu ele: «Todo aquele que se considera hindu, é hindu».

III. Crenças, Literatura, Escolas e Suas Características

1. *As Escrituras Básicas.* A palavra *veda* significa *conhecimento*. É relacionada à palavra latina *videre* (port. «ver»). Ver é saber. Os Vedas, portanto, representam um fundo de informações religiosas do hinduísmo. Estes documentos existem em três partes: a. Os *Samhitas* («coleções»), que incluem o Rig-Veda, uma coletânea de hinos em louvor aos deuses; os Sama-Veda, que são melodias relacionadas a esses hinos; os Yajur-Veda, que são fórmulas de sacrifício; e os Atharva-Vedas, que são fórmulas mágicas. b. Os *Brahmanas*, que são textos que abordam questões rituais, sacrifícios e sua aplicação à vida religiosa. c. Os *Upanishadas*, que são discursos filosóficos, e que servem de base primária da filosofia hindu.

2. As composições literárias *Ramayana* (vide) e *Mahabharata* (vide), compostas por volta do ano 200 D.C., mas cujo material retrocede até cerca de 1000 A.C., são um tanto equivalentes à *Ilíada* e a *Odisséia*, da tradição grega. São narrativas épicas. O Mahabharata narra os conflitos entre os Kurus e os Pandavas, dois ramos da mesma família; e o Ramayana conta como a esposa do bondoso rei Rama foi seqüestrada pelo rei do Ceilão, e, mais tarde, foi libertada. Essas estórias provêm o arcabouço da ética e da metafísica, e assim tornam-se instrumentos de ensino religioso. O princípio da encarnação divina e da imortalidade da alma é vigorosamente sublinhado no Ramayana, juntamente com um elaborado sistema ético, pessoal e social.

3. *Estágios na Vida a serem Dominados.* A vida passaria por vários estágios, cada um deles com alguma coisa para nos ensinar. Nos escritos hindus, podem ser distinguidos os seguintes estágios:

a. O período da disciplina e da educação, que é um período formativo básico. O conhecimento destaca-se acima de tudo, durante essa fase. Damos explicações mais completas sob o quinto ponto, onde são descritas as principais maneiras de alguém retornar a Deus. Ver 5a.

b. A fase da vida de um homem que está desempenhando o seu papel neste mundo, o dono de casa, ou qualquer outro tipo de trabalhador ativo, que assume a sua responsabilidade, que se casa, que constitui família e que passa pelos conflitos morais próprios desta vida. Cabe aqui, também, o serviço que devemos prestar em favor de nossos semelhantes, a vida segundo a lei do amor, o aprendizado da ética pessoal e social.

c. Um período de retiro e reflexão, quando os poderes físicos e mentais do indivíduo começam a se enfraquecer. Esse é um período de digestão daquilo que tem sido aprendido.

d. A vida dos eremitas. Essa seria a mais radical manifestação do que começamos a descrever sob o ponto anterior, «c». Cabe nessa fase a *renúncia*, através da qual se rompe o liame que o mundo mantém sobre o indivíduo. E é assim que a pessoa obtém a liberdade e o senso de realização.

HINDUÍSMO

4. *O Sistema de Castas*. Na literatura hindu há muitos textos que mostram a existência de classes sociais, uma das razões do poder desse sistema filosófico religioso. As castas são as seguintes: a. os *brâmanes*, que são os sacerdotes e os líderes religiosos. b. os *kshatriya*, que são os reis e os guerreiros. c. os *vaisya*, que são aqueles que se dedicam ao comércio e às profissões. d. os *sudra*, que são os agricultores e as classes operárias. Os seguidores da vereda do amor e da devoção (ver o ponto 5.b), tendem por ser contrários a essa divisão social em castas.

IV. Os Quatro Caminhos da Religião Hindu
••• •••

As diferentes personalidades entre os homens operam melhor se seguirem as suas tendências naturais, quer se trate da escolha de uma profissão, quer se trate de todas as outras coisas envolvidas nas situações e conflitos da vida. O progresso do espírito é ajudado pelas maneiras específicas de viver que adotamos. Porém, algumas almas são latas o bastante para não se limitarem a uma única maneira de viver. Não obstante, os seguintes caminhos são sugestivos acerca de como variegados tipos de personalidades podem avançar melhor em sua inquirição espiritual.

Os *quatro caminhos* da religião hindu ensinam-nos como retirar as camadas de egoísmo que nos embaraçam. Esses quatro caminhos ensinam como o espírito pode ser libertado, e assim voltar para o *infinito*. Em outras palavras, podemos liberar por meio de vários modos de atividade e expressão, cada um contribuindo para a formação de tipos ou personalidades específicos.

1. O Caminho do Conhecimento: Jnana Ioga. Ioga = jugo, o que indica um caminho de disciplina pessoal e dever. Esse é o caminho que faz o homem obter conhecimento, transcendendo ao seu estado normal, elevando sua mente e seu espírito acima das idéias e atividades egoístas, que o cativam. As *Upanishadas* têm muito a dizer sobre isso. Nessa obra, encontramos especificadas algumas das coisas que um homem precisa saber quanto ao conhecimento sobre questões éticas, metafísicas e religiosas. O Ser supremo é *Brahman*, do qual uma manifestação pessoal é *Atman*. Os ciclos da reencarnação (vide) têm, como seu propósito, produzir a *identidade* entre Brahman e Atman, por meio da iluminação. O sofrimento e a ignorância servem de obstáculos para que Atman não se aproxime de Brahman. O conhecimento que se mescla com a iluminação remove a ignorância, e isso possibilita a identificação entre Atman e Brahman. Fica entendido que somente as castas superiores terão o tempo e o luxo para buscar o conhecimento, pelo que é raríssimo que pessoas das castas inferiores, como os operários e os agricultores, enveredem por esse caminho de volta a Deus. Todo o conhecimento faz parte do conhecimento de Deus, pelo que toda a busca intelectual faz parte dessa vereda, mas, sobretudo, o conhecimento religioso e espiritual, que facilita a iluminação.

2. O Caminho do Amor: Bhakti Ioga. A lei do amor é o sol do céu ético, devendo dominar a tudo. Sem esse sol, não há vida. A bhakti ioga inclui a devoção religiosa, e também as obras caridosas. O caminho de Cristo é reconhecido na religião hindu como, essencialmente, um caminho *de amor*, por causa da devoção que Cristo inspira nos seus seguidores. Esse *caminho*, em seu começo, foi uma reação contra o sistema de castas, porquanto a lei do amor é sempre universal em seu alcance e expressão. O amor une. No começo, por causa de sua natureza

contrária às castas, esse caminho foi ignorado pelos brâmanes; mas, quando esse elemento anticasta tornou-se menos importante, eles o aceitaram. A tendência desse *caminho* é desprezar a porção ritual e formal da religião. Essa porção é substituída pelo calor das emoções humanas. Deus torna-se pessoal dessa maneira, substituindo a força cósmica da religião dos brâmanes. Nesse sistema, temos o desenvolvimento da *avatar*, «conceito», o líder espiritual que é uma encarnação de Deus, ou um líder especial, que ultrapassa o tipo usual de líder religioso. Esse é um tipo messiânico de conceito; Vishnu e Shiva são divindades importantes desse caminho. As encarnações incluem Krishna, Rama e Buddha e no hinduísmo de nossos dias, Cristo é aceito por muitos como uma dessas encarnações.

No norte da Índia, tem-se desenvolvido uma expressão mística desse caminho. É produto da mistura de conceitos bhakti e dos sufis islâmicos. Encontramos ali a notável declaração: «Oh, Deus, sem importar se és Alá ou Rama, vivo pelo teu Nome».

No estudo das religiões comparadas, com freqüência, descobrimos que crenças e compromissos *comuns* ocultam-se sob um vocabulário diferente. O ramo bhakti desenvolveu-se a partir do século XII D.C. Ramanda (1370 — 1440) deu a esse movimento composto o seu primeiro impulso. Ele pregava a necessidade de inspiração direta, o que significa que emprestava à fé religiosa uma abordagem mística. Ver sobre o *Misticismo*. Kabir foi o mais importante dos seus discípulos. Nanak, o fundador da seita sikh, foi influenciado por ele. Dadu, um influente seguidor de Kabir, expressou bem o sentimento básico dessa fé, quando declarou: «Quem pode conhecer-Te, ó invisível, inabordável e insondável? Dadu não tem o desejo de conhecer; fica satisfeito em deixar ser arrebatado por toda essa Tua beleza, regozijando-se em Ti». Esse caminho atraía as classes mais baixas, do que resultou um corpo popular de literatura religiosa. O hindu vernáculo foi usado como veículo de expressão nesses escritos, em lugar do augusto sânscrito dos grandes mestres. A simplicidade é um princípio importante; a comunhão direta com Deus, sem qualquer ritual, é o ponto central. Não é enfatizada a organização religiosa, visto que o próprio homem torna-se o templo de Deus, segundo essa fé.

A lei do amor, em sua aplicação, significa o uso das nossas energias e recursos **para promover o bem-estar** dos outros. Uma parte importante desse caminho é a devoção a Deus. Deus é o primeiro objeto do nosso amor. Somente então aparecem as outras pessoas, que são consideradas nossos irmãos e irmãs.

3. O Caminho do Trabalho: Karma Ioga. Esse é o caminho da realização, do serviço, da dedicação a alguma profissão secular ou religiosa. Algumas pessoas gostam tanto do trabalho que o preferem à comunhão com o próprio Senhor. O trabalho nos provê a oportunidade de transcendermos ao nosso estado normal, dedicando-nos assim àquelas coisas que nos separam do egoísmo. Isso leva as nossas almas a se aproximarem de Deus.

4. O Caminho do Desenvolvimento Psíquico: Raja Ioga. Encontramos aqui o toque místico na vida, tão importante para o crescimento espiritual. A base de toda e qualquer fé religiosa é a experiência mística do profeta, que recebe as suas informações através da revelação. A revelação é um aspecto do misticismo (vide). Porém, acima da experiência dos profetas, todos os indivíduos precisam desfrutar pessoalmente, de comunhão com Deus, através do Espírito. É somente assim que encontramos comunhão com Deus.

115

HINDUÍSMO

V. Seis Sistemas da Filosofia Hindu

Esses sistemas já estavam bem formados em cerca de 200 D.C. As similaridades internas, entre eles, permitem-nos falar em *três pares* de sistemas.

a. *A Nyaya-Vaiseshika*. Quanto a informações sobre as idéias filosóficas desse par, ver o artigo separado intitulado *Nyaya*. O ponto de vista em apreço foi exposto por Gautama (não o Buda), no século III A.C. Mais ou menos nessa mesma época, *Kanada* (vide), produziu a Vaiseshika Sutra.

b. *A Sankhya-Ioga*. Quanto a informações sobre esse par, ver o artigo separado sobre *Sankhya*.

c. *A Purva-Mimamsa-Vedanta*. Ver sobre *Purva Mimamsa*. Ver também sobre *Vedanta*. A filosofia Vedanta tem sido a mais influente desses pares de sistemas.

VI. Sumário de Alguns Importantes Conceitos Hindus

No hinduísmo há uma larga gama de crenças, juntamente com muitas escolas, que promovem diferentes idéias. Não há credo formal e nem formas padronizadas de adoração. No nível inferior, inclui os mais primitivos tipos de animismo. Em sua expressão mais sofisticada, surge o monismo. Assim, uma caracterização geral deve ser uma descrição bem ampla dos muitos elementos que formam o chamado *hinduísmo*. Esperamos dar aqui somente alguns conceitos básicos, que encontram larga aceitação entre os hindus.

1. Respeito pelas Escrituras Hindus. Embora o hinduísmo não disponha de coisa alguma parecida com o *cânon* do Antigo e do Novo Testamentos, há um conjunto básico de documentos, que todos os hindus honram. Esses documentos são sete:

a. Os *Vedas* (vide), que contêm as fontes gerais da fé hindu.

b. Os dois grandes épicos escritos em sânscrito: O *Mahabharata* (vide), que contém o Bhagavad-Gita; e o *Ramayana* (vide). Esses são fontes informativas de teologia e de mitologia.

c. O *Mahatmya*, que congrega obras mais recentes, escritas em sânscrito, e que reflete pontos de vista e desenvolvimentos locais.

d. As *Puranas* (ver sobre Shastras, terceiro ponto), que provêem idéias sobre cosmologia.

e. As *Sutras* (vide), uma espécie de sumário dos Vedas, onde há muitas leis antigas.

f. As *Shastras* (vide), uma palavra sânscrita que significa *livros sagrados*, aludindo às quatro classes de escrituras hindus: Sruti, smriti, purana e tantra.

g. As *Upanishadas*, que apareceram, a princípio, como apêndices das Brahmanas, e representam a filosofia Rig Védica. Ver sobre Vidas, quarto ponto. Também são conhecidas como as *Vedanta*, ou seja, «fim dos Vedas».

2. Filosofia. Quanto aos tipos de filosofias existentes no hinduísmo, ver o artigo intitulado *Filosofia Hindu*.

3. Cosmologia. Há uma grande variedade de opiniões sobre essa questão. Porém, se tivéssemos de designar uma idéia predominante, poderíamos dizer que a idéia das *Puranas* foi a que mais conquistou a imaginação dos hindus. Essa obra ensina que haverá a dissolução de todas as coisas (chamada *pralaya*), seguida pela recriação (chamada *pratisarga*). Os elementos do Universo constituem a matéria (*prakrti*), que consiste em três qualidades: bondade, paixão e trevas. Em contraposição à matéria há o espírito (*purusa*). O Brahma **auto-existente** manifesta-se através desses dois princípios, e dele é que evoluíram

todos os deuses e todos os seres vivos, como também a terra, o céu e o inferno. A tendência do hinduísmo é falar sobre o mundo material como uma *ilusão*, porque somente Brahma teria existência *real*.

4. Alguns Pontos Teológicos. A cosmologia faz parte integrante da teologia, pelo que o que é dito sobre a cosmologia também se aplica à teologia. A teologia hindu mais antiga era francamente politeísta. Distintos grupos favoreciam distintas divindades, uma ou mais delas. Porém, formas variadas de monoteísmo desenvolveram-se quando um único deus tornou-se mais importante do que os outros, como na adoração a Shiva e a Vishnu. Dentro da fé Vishnu, encontramos os *avatares*, ou seja, encarnações da divindade. Ali Krishna torna-se uma espécie de messias hindu, o que significa que há certos paralelos com as crenças cristãs. O politeísmo do hinduísmo acompanha o politeísmo de outras culturas, onde as forças da natureza, as forças geradoras, os elementos dos cosmos, como o sol, a lua e as estrelas, recebem adoração. Em suas formas mais crassas, há um grande número de deuses e deusas da vegetação e da fertilidade, espíritos ancestrais que são adorados e animais que recebem atenção toda especial, como o macaco, o pavão, a cobra, o tigre e o cavalo. Lugares geográficos naturais são considerados sagrados, e há também uma elaborada astrologia, como o uso de presságios, como o temor do mau olhado, etc.

5. Renascimento e Libertação. O conceito de renascimento não se encontra na maior parte dos Vedas antigos; mas aparece no começo da fé hindu, sendo uma constante em quase todos os sistemas. A forma mais sofisticada de renascimento, no hinduísmo, promove uma evolução cósmica de acordo com a qual a alma atravessa todos os estágios da existência, começando pelo estado mineral, passando por todas as formas animais e entrando, finalmente, no que é puramente espiritual. Essa doutrina propõe que a alma humana, portanto, tem acompanhado vários estágios da existência, e não meramente a existência humana, e que a sua evolução ultrapassa ao que é material, chegando à comunhão com Deus e à participação na natureza divina. O *karma* (vide) seria o princípio normativo em tudo isso. Esse vocábulo significa «trabalho», e a idéia por ele retratada é que opera a lei da colheita segundo a semeadura, de acordo com o que todos os seres humanos progridem ou regridem, determinando o destino de cada um. A falta de permanência e a mudança são condições inevitáveis de toda a existência e, portanto, até da libertação. Isso tende por fazer a vida parecer miserável, enquanto o homem se acha distante de Deus. Por outro lado, alguns hindus falam sobre todas as coisas como uma grande *piada* cósmica. Deus e os homens estariam se divertindo muito, em todo esse ir e vir, em todo esse cair e levantar-se, e até mesmo as ocorrências mais sérias e trágicas seriam engraçadas, a longo prazo.

6. Salvação. Essa consistiria na libertação dos ciclos da reencarnação. Mas, para além dessa libertação, haveria a participação na natureza divina, com a reabsorção pela mesma — e seria então que Atman tornar-se-ia Brahman. Atman é a alma humana, a manifestação da alma divina. A salvação, pois, consistiria no retorno da alma humana ao ser divino, o que produz uma participação finita na divindade. Isso encontra paralelo no pensamento cristão, conforme se vê, por exemplo, em II Ped. 1:4. Nos escritos de Paulo, isso é definido como a obtenção da natureza e dos atributos do Filho (o *Logos*), segundo se vê em Rom. 8:29 e II Cor. 3:18; ou, então, é definido como a participação na plenitude de Deus

HINDUÍSMO

(ver Efé. 3:19). Na opinião de alguns pensadores hindus, a liberação na salvação aponta para o fim do dualismo e a absorção do Atman por Brahman, pondo fim à existência individual. — Para outros pensadores hindus, porém, a *intuição*, por parte da alma, que participa na essência divina, é a plena entrada no aprazimento desse estado.

7. Iluminação. Essa exerce um efeito espiritualizador, e o seu alvo final é identificar Atman com Brahman. A iluminação seria conseguida por meio do conhecimento, usualmente com a ajuda da *meditação* (vide). O adorador exibe devoção ou amor (bhakti) ao seu deus; e isso ajuda no processo da iluminação, porquanto Deus age em favor do homem que busca a espiritualidade com seriedade. Para alguns, o *ascetismo* (vide) também é uma grande ajuda nesse processo. Além disso, a ajuda prestada por um *guru* é um fator importante. O indivíduo precisa da ajuda de um líder espiritual que já tenha atingido um alto grau de desenvolvimento espiritual, e que possa guiar a outros. A relação entre o professor e o aluno não pode ser ignorada. Os grandes gurus são os *avatares* que atingiram um elevado grau de perfeição, e que podem ser considerados encarnações da divindade. Esses facilitam avanços universais, e não meramente a ajuda, para alguns indivíduos particulares.

8. Formas de Culto. Todos os tipos de elementos formadores são encontrados entre essas formas. Havia santuários à beira do caminho, dedicados a uma ou outra divindade. Certas cidades eram consideradas sagradas. O uso de imagens, como ajuda à adoração, é um elemento comum até hoje, excetuando-se nas formas mais sofisticadas do hinduísmo monoteísta. No caso do hinduísmo não sofisticado, a idolatria é abertamente usada. No caso dos mais eruditos, uma imagem serve apenas de lembrete ou símbolo da divindade adorada. Muitas formas de ofertas foram incorporadas ao hinduísmo. Há ofertas de flores, de frutos, de cereais, de dinheiro e, em alguns casos, de animais sacrificados. Um sacerdote é sempre utilizado como intermediário. Há cânticos religiosos que são usados na adoração. Templos muito elaborados são usados pelos adoradores. As formas de culto mais eruditas citam as escrituras em sânscrito. Mas os sacerdotes das aldeias que desconhecem o sânscrito, usam os dialetos locais. Os brâmanes, ou seja, a hierarquia sacerdotal, constituem as principais autoridades religiosas. Eles oficiam em todas as variedades de cerimônias religiosas, nos templos, nos lares e nos palácios públicos. Quase todos eles conhecem a astrologia, fazem horóscopos e interpretam-nos para as pessoas interessadas.

9. O Sistema das Castas. As divisões sociais são hereditárias. A palavra **casta** significa «puro», refletindo a idéia de «raça pura» ou de «linhagem pura». O termo hindu correspondente é *jati*, que significa «grupo por nascimento». As castas determinam os limites permissíveis ao matrimônio, as condições, as situações e as profissões. Ninguém passa de uma casta para a outra, e nem um estrangeiro pode tornar-se membro de alguma casta hindu. Há cinco castas distintas; conforme já dissemos. Os membros da última casta, os *pachanas*, são os mais deploráveis quanto à sua condição. Em português, eles são chamados de párias ou intocáveis. Esses são os pobres e destituídos de tudo, embora Gandhi os chamasse de «povo de Deus». Os últimos desses grupos não contam com cerimônias religiosas e nem mesmo ritos de iniciação. No hinduísmo acredita-se que, por ocasião da reencarnação, o estado de uma pessoa pode mudar, se ela vier a merecer uma melhor posição. Em favor do hinduísmo em geral pode-se afirmar que

muitos hindus opõem-se a esse sistema, embora ninguém tenha podido acabar com o sistema de castas entre os seguidores do hinduísmo. Quanto a esse particular, o hinduísmo ainda não veio a entender o grande princípio cristão da unidade, porquanto, em Cristo, não há distinções raciais, sociais ou sexuais (ver Gál. 3:28).

10. Ética. No campo da ética, o conceito de dever (**dharma**) ocupa lugar de destaque. Os principais deveres são: a. o cumprimento das funções das castas; b. as honrarias apropriadas aos deuses, incluída a realização de cerimônias e ritos religiosos; c. a prática da lei do amor, mediante obras caridosas; d. a doação de esmolas; e. o preparo e realização de votos e peregrinações; f. a reverência aos sacerdotes e demais autoridades religiosas; g. o seguir dos quatro caminhos que já descrevi sob o ponto III.5; h. a passagem pelos estágios ideais da vida humana, conforme descrevemos sob o ponto III.3. Tudo isso inclui uma grande devoção à fé religiosa, como um fator norteador. Para alguns, a fase itinerante, ascética, em que a pessoa pede esmolas, é a fase culminante, embora tal parecer esteja cada vez mais desaparecendo no hinduísmo. Além desses, ainda temos o seguinte sagrado dever: o princípio da não injúria (*ahinsa*), que é importantíssimo, por ser o princípio mais basilar da conduta entre os hindus. Gandhi chamou esse princípio de *não violência*, visto que, para ele, prejudicar qualquer criatura viva, em qualquer sentido, era uma violência. Esse princípio é exemplificado na proteção dos bovinos, o que se tem tornado um motivo de piadas e chacotas, entre os que não são hindus, mas que é uma questão séria para eles. Assim, em inglês, a expressão *holy cow!*, «vaca santa»!, durante muitos decênios foi uma expressão mais equivalente à expressão brasileira «Nossa!» Nessa regra está envolvido o conceito hindu da santidade de *todas* as formas de vida, e não somente da vida humana. Os não-hindus têm pensado que o princípio da transmigração de almas está à base dessa questão, mas esse é apenas um fator dentre vários. Portanto, é uma piada grosseira, dizer-se: «Não faça mal a uma vaca porque pode ser a sua avó que voltou à vida!» Isso perde de vista toda a questão do respeito dos hindus à vida, *em si mesma*, à parte da questão da reencarnação.

A violação de deveres é um pecado, o que, para os hindus, pode ser absolvido mediante o pagamento de alguma pena, ou através de ritos expiatórios.

Para nós, o sistema de castas é uma violação dos direitos humanos; mas, para os *hindus*, é uma maneira de alguém desincumbir-se devidamente dos seus deveres, em consonância com o que a evolução espiritual de uma pessoa fez à alma. Interromper o sistema de castas seria interromper o *karma*. O conceito do *dever*, no hinduísmo, é mais importante do que aquilo que nós consideramos como os direitos humanos.

Liberação. A ética, como é óbvio, é importante no campo da liberação, visto que, no hinduísmo, tudo depende do *karma*. No sistema ioga de Patanjali, há oito passos conducentes à liberação. Os dois primeiros passos são éticos. O primeiro deles inclui cinco restrições: o indivíduo não deve danificar a vida (princípio da não injúria); a mentira fica eliminada; o furto é proibido; as paixões desenfreadas são prejudiciais; e o indivíduo não deve ser ganancioso nem ao ponto de aceitar presentes desnecessários. O segundo desses passos incorpora cinco observâncias: a purificação do corpo mediante a lavagem; ensinos para impedir as paixões excessivas; o contentamento com a própria sorte; o ascetismo; o estudo dos

HINO (HINOLOGIA)

documentos religiosos; a devoção a Deus. Sem a preparação de uma vida *moral* bem ordenada, a meditação é considerada *inútil*. (AM E FARQ H HUS P)

HINO (HINOLOGIA)

Ver os artigos separados sobre *Música* e sobre *Música e Instrumentos Musicais*.

Esboço:

I. A Palavra e Seus Usos
II. Pano de Fundo no Antigo Testamento
III. Música Cristã Primitiva: As Distinções em Colossenses 3:16
IV. O Poder da Música
V. Informes Históricos

I. A Palavra e Seus Usos

A palavra grega *humnós* era usada, nos tempos clássicos, para aludir a qualquer ôde ou cântico escrito em louvor aos deuses ou aos heróis. Ver Ésquilo, *Cho.* 475; Platão, *Leg.* 7, par. 801 d; *Repúb.* 10 par. 607A. A Septuaginta usava essa palavra para denotar o louvor prestado a Deus, como em Sal. 40:3; 55:1; Isa. 42:10. No Novo Testamento, a palavra ocorre apenas em Efé. 5:19 e Col. 3:16. A forma verbal ocorre em Mat. 26:30 e Mar. 14:26, onde está em vista a segunda parte do *Hallel* (vide), referente aos Salmos 115 — 118. Além disso, em Atos 16:25 temos a forma verbal, onde encontramos Paulo e Silas louvando ao Senhor na prisão. A forma verbal, *umneo*, significa «cantar um hino», «cantar louvores». Essa é, igualmente, uma palavra clássica, encontrada em vários autores, como Xenofonte (século VI A.C.). Josefo a emprega em *Antiq.* 7.80 e 11.80.

«...cantar-te-ei louvores no meio da congregação» (Heb. 2:12).

II. Pano de Fundo no Antigo Testamento

Sabemos que muitas culturas antigas tinham seus próprios hinos, que faziam parte do seu culto religioso. Esses hinos eram cantados tanto formalmente, nos templos, quanto informalmente, isto é, em particular. Neste artigo, porém, interessamo-nos pelo pano de fundo dos hinos cristãos. Nesse contexto, é correto asseverarmos que até onde diz respeito à música formal, os salmos do Antigo Testamento foram a inspiração dos primeiros hinos cristãos. Sabemos que alguns desses hinos foram usados nos tempos do Antigo Testamento, na adoração formal, e que Davi, que era um músico perito, desenvolveu a música no culto de Israel ao ponto da mesma tornar-se um aspecto importante desse culto. Os títulos de vários de seus salmos contêm alguma introdução como «ao mestre de canto». As concordâncias alistam nada menos de cinquenta e cinco salmos introduzidos desse modo. Ver alguns poucos exemplos: Sal. 4,5,6,8,9,11,12,13,14,18,19,20.

O uso da música, formal e informal, no Antigo Testamento, é mencionado em I Sam. 18:6; I Crô. 15:16; II Crô. 5:13; 7:6; 23:13; 34:12; Ecl. 12:4; Lam. 3:63; 5:14; Dan. 3:5,7,20; 6:18 e Amós 6:5. O trecho de I Crô. 15:16 afirma especificamente que Davi nomeou músicos, dentre os levitas, para desenvolverem a música como parte da adoração divina. Daí desenvolveu-se a classe dos músicos em Israel, o que, conforme sucedia quanto a outras atividades, perpetuava-se em famílias.

«Os cânticos de Maria e de Zacarias foram os genitores e os modelos de uma multidão de cânticos santos. Nos salmos das Escrituras, a igreja neotestamentária encontrou um instrumento de grande amplitude. Podemos imaginar o deleite com que os crentes gentílicos se utilizavam do saltério, extraindo dali uma ou outra pérola, recitando-as em suas reuniões e adaptando-as para suas formas nativas de cântico. Depois de algum tempo, começaram a misturá-las com os cânticos de louvor de Israel, formando novas modalidades de *hinos*, para a glória de Cristo e do Pai, faltando-lhe pequeno retoque para que se tornasse um autêntico poema, ou como aqueles que dão começo às tremendas visões do livro de Apocalipse. E a isso poderíamos acrescentar os *cânticos espirituais*, de caráter mais pessoal e incidental, como o *Nunc dimitis*, de Simeão, ou o cântico do cisne de Paulo, em sua última epístola a Timóteo» (Findlay, sobre Col. 1:16).

III. Música Cristã Primitiva: As Distinções em Colossenses 3:16

Com base em Mat. 26:30, sabemos que certas porções do Antigo Testamento, sobretudo os salmos, eram usadas como hinos cristãos. O mais antigo hino cristão de que há registro é o *Phos Hilaron*, um hino grego traduzido como *Salve, Luz Rejubilante*, por John Keble, ou como *Ó Alegre Luz*, por Robert Bridges. Ao que parece, estava ligado à cerimônia do acender das lâmpadas, e provavelmente, foi composto nos fins do século III D.C. Porém, no próprio Novo Testamento encontramos vestígios de antigos hinos. As passagens abaixo são possibilidades:

1. O prefácio do evangelho de João (vss 1 a 5).
2. Efé. 5:14, um fragmento de um cântico espiritual.
3. I Tim. 3:16.
4. II Tim. 2:11-13.
5. Tia. 1:16.
6. Pelo menos certas porções de I Cor. 13.
7. Apo. 5:13,14.

Uma vez que o cristianismo se tornou uma religião tolerada (de 310 D.C. em diante), floresceu a hinologia cristã. Ambrósio compôs certo número de hinos com temas ascéticos, além de outros que atacavam posições doutrinárias heréticas de vários grupos. O poeta cristão latino, Prudêncio, também contribuiu com alguns hinos.

Distinções na Música Religiosa do Período Neo-testamentário:

O trecho de Col. 3:16 fornece-nos algumas idéias sobre a música na Igreja apostólica, mencionando três classes (que talvez se justapusessem): salmos, hinos e cânticos espirituais.

1. *Salmos.* Essa palavra pode ser comparada ao que se lê em I Cor. 14:15. O termo grego *psalmos* corresponde ao cognato *psallein*, que significa «tanger», é uma alusão ao tanger das harpas e outros instrumentos de corda, visto que as composições religiosas e os salmos do Antigo Testamento eram assim acompanhados. Sem dúvida, há ali alusão aos salmos do Antigo Testamento, que foram adaptados ao acompanhamento musical, o que se prolongou até o tempo das sinagogas e da Igreja cristã primitiva. As *Constituições Apostólicas* mencionam seu uso nas Igrejas locais (2.57,5). O *hino* que foi entoado por Jesus e seus discípulos, por ocasião da última ceia (Mat. 26:30), mui provavelmente, foi um dos salmos de Davi, talvez a segunda metade do *hallel*, isto é, Salmos 115 — 118. Ver os comentários sobre o *hallel*, *in loc.*, no NTI.

2. *Hinos.* Originalmente, esse termo referia-se aos cânticos de louvor em honra a algum deus ou herói. Na Igreja cristã foram compostos *hinos*, normalmente por cristãos, em louvor a Deus Pai ou a Jesus Cristo.

HINO (HINOLOGIA)

Sua forma verbal significa «cantar», «louvar», «narrar repetidamente». Os textos do Novo Testamento, dados acima, talvez reflitam antigos hinos usados pelos cristãos.

3. *Cânticos Espirituais*. No grego temos o termo *odē*, palavra geral que significa «cântico». Originalmente, também era usado para indicar o louvor prestado a deuses ou heróis, embora, mais tarde, tenha recebido aplicação mais ampla. Não há como distinguir precisamente entre os hinos e os cânticos. Na verdade, ambas as palavras apontavam para cânticos de composição cristã, em contraste com *salmos* mais formais do Antigo Testamento. Alguns eruditos pensam que os cânticos seriam *poemas* sagrados, adaptados à música, embora não haja como comprovar essa opinião. O vocábulo pode indicar todas as formas de cântico, acompanhadas ou não por instrumentos musicais. O trecho de I Cor. 14:14 demonstra que alguns cânticos eram entoados em línguas, por inspiração do Espírito Santo. É possível que alguns deles tenham sido traduzidos e preservados.

Plínio, ao narrar os resultados de suas investigações quanto aos costumes dos cristãos primitivos (em cerca de 112 D.C.), diz-nos que eles estavam «acostumados a se reunirem, em um dia determinado, antes do irromper do dia, a fim de cantarem um hino, como uma antífona, a Cristo, como se este fosse uma divindade» (*Cartas* 10:96).

IV. O Poder da Música

Temos provido um artigo separado sobre a **Música**, onde procuramos mostrar o notável poder que a música pode ter. Por causa desse poder, urge que a música evangélica não tome ritmos emprestados das formas de música sensual do mundo, como o *jazz* e o *rock and roll*, porquanto é óbvio que essas variedades provocam certas emoções fortes específicas. A música, para nós, deveria ser uma expressão espiritual, e de forma alguma pode assumir aquelas formas usadas no mundo que são sensuais. Essas formas de música excitam a natureza carnal, não exercendo qualquer poder benéfico sobre o espírito. Bem pelo contrário, ofendem aos nossos sentimentos espirituais. Aquele artigo sobre a *Música* provê ao leitor o que mais temos a dizer sobre o assunto.

V. Informes Históricos

1. Já lemos sobre as formas musicais usadas na Igreja primitiva e nos primeiros séculos do cristianismo, na seção III, acima.

2. *Hinologia Latina na Idade Média*. Os principais contribuidores para essa hinologia foram as ordens monásticas. Os hinos eram compostos para acompanhar o progresso das estações da Igreja e suas expressões doutrinárias. Esses hinos eram chamados hinos *oficiais*, copiando o estilo de Ambrósio. Eram escritos com métrica, primeiramente com oito sílabas (a métrica longa); e então, mais tarde (já no tempo do papa Gregório I), com a chamada métrica sáfica, de estâncias de quatro linhas, as três primeiras com onze sílabas cada, e a última, com cinco sílabas. Melodias simples eram preparadas para esses hinos. Os monges entoavam-nos diária e regularmente, como parte de seu *ofício* ou práticas religiosas (o que explica o nome desses hinos), em contraste com os hinos usados por ocasião da missa.

Um certo magistrado espanhol, Aurélio Prudêncio Clemente (348 — 412 D.C.), compôs muitos poemas que foram adaptados como hinos. Benedito (em cerca de 530 D.C.) determinou que um hino fosse entoado em cada ofício (o culto diário de orações, que, juntamente com a eucaristia, constituiriam a maneira da Igreja adorar a Deus). Ver o artigo separado sobre o *Ofício Divino*, quanto a detalhes. Os hinos de Venâncio Fortunato (530 — 609 D.C.), bispo de Poitiers, assinalaram o começo da maneira de pensar medieval. Esses hinos são ricos em seu simbolismo romântico, honrando os principais símbolos religiosos, como a *cruz*. Um irlandês, Sechnall, escreveu um hino de comunhão em cerca de 690 D.C. E um poeta carolíngio, Teowulfo, em cerca de 821 D.C., compôs um hino para a procissão do Domingo de Ramos. Fortunato compôs o famoso *Pange Lingua Gloriosa*, que continua sendo utilizado até os nossos próprios dias.

Uma outra forma de hino que veio à existência desde tão cedo quanto o século IX D.C., foi aquela chamada *seqüência*, que primeiramente provia palavras para as elaboradas fases litúrgicas do *Aleluia*, o que lhe explica o nome. Esse *Aleluia* era entoado em dias festivos. No começo, essa música tinha forma de prosa, mas, posteriormente, assumiu métrica. Quiçá a mais bem conhecida dessas composições é o *Dies Irae*, de Tomás de Celano (falecido em cerca de 1255). O papa Inocente III, e também Estêvão Langton, arcebispo de Canterbury, exploraram esse tipo de composição musical.

Outrossim, havia poemas devocionais escritos em latim, que foram musicados. Muitos deles foram traduzidos para o inglês, a começar pelo século XIX. John M. Neal tornou famosos a alguns desses hinos. Pois quem já não ouviu os hinos: *Jerusalem the Golden* e *Jesus, The Very Thought of Thee*.

Hinos em vários idiomas (em contraste com aqueles escritos em latim) apareceram bem antes da Reforma Protestante. Cânticos alegres levaram a música sacra ao povo, em seus próprios idiomas vernáculos, e melodias populares musicavam as composições escritas. Algumas vezes, o latim era misturado com outras línguas. Francisco de Assis, no século XIII, fez o cântico de hinos tornar-se popular por toda a Europa. Vieram à existência grandes hinos como *Laudi Spirituali*, *Alta Trinita Beata* e *Divinum Mysterium* (em italiano); *Cantus Mariales*, *Tantum Ergo* (adaptados para o espanhol); *Noel* (francês); *Piae Cantiones* (adaptado para o alemão); e *Ravenshaw* (dos grupos separatistas boêmios de João Huss).

3. *Hinologia Grega*. A Igreja Oriental produziu uma hinologia mais elaborada do que a da Igreja Ocidental. Havia o *kontakion* e o *kanon*, originalmente associados à história da Paixão de Cristo, entoados por coros monásticos. Neale traduziu o magnífico hino *Dia da Ressurreição*, que procede da tradição oriental. Ele e João Brownlie traduziram e adaptaram outros antigos hinos para os cristãos de língua inglesa. Também desenvolveram-se peças teatrais sobre milagres, partindo de elaborados hinos da páscoa, compostos no Oriente; e foi daí que se desenvolveu o moderno drama teatral. Esse fenômeno foi comum tanto no Oriente quanto no Ocidente.

4. *A Reforma*. Um novo ímpeto foi emprestado a hinos compostos em línguas faladas, com o advento da Reforma. Foi a partir de então que surgiu o cântico da parte da congregação inteira. De fato, foi através da influência de Lutero, o qual também compôs hinos, que essa prática ficou bem firmada. O seu hino mais conhecido é o imortal *Ein' fest Burg* («Castelo Forte», nº 323 do Cantor Cristão). Paulo Gerhardt, que produziu um Coral da Paixão, só perdia em importância, como compositor de hinos em alemão, para Lutero. Zinzendorf, líder de um movimento separatista, trouxe para a América do Norte os corais alemães, que eram entoados em colônias morávias.

HINO (HINOLOGIA) — HINOM, VALE DE

João Sebastião Bach (1685 — 1750) escreveu hinos imortais, fazendo dos cânticos alegres o centro de sua grandiosa arte. Ver o artigo separado sobre ele.

5. *O Movimento Huguenote* (vide) produziu Clemente Morot, que traduziu os salmos para o francês, transformando-os em hinos com métrica. Em Genebra, ele conheceu um seguidor de Calvino, Teodoro Beza (vide), o qual completou a versificação do saltério para o francês. E Luís Bourgeois musicou essa obra. O calvinismo restringia a expressão musical, exigindo que todos os hinos tivessem uma base bíblica, o que indicava, essencialmente, o emprego dos salmos do Antigo Testamento.

6. *A Igreja Anglicana*. Em 1539, Miles Coverdale publicou trinta e seis hinos, traduzidos do alemão para o inglês. A Igreja Anglicana levantou o embargo calvinista contra hinos não bíblicos, permitindo uma composição mais livre das palavras. Tomás Sternohold traduziu trinta e sete salmos que foram adaptados como hinos. Seguiram-se muitos outros hinos, como poemas musicados. A partir do século XVII apareceram vários hinários. Em Charleston, no estado norte-americano da Carolina do Sul, em 1737, João Wesley publicou uma *Coletânea de Salmos e Hinos*, que foi o primeiro verdadeiro hinário anglicano. Continha 70 hinos. Todavia, algumas igrejas evangélicas não o usavam porque continha hinos que não tinham sido diretamente extraídos da Bíblia. Além disso, é óbvio, foi dessa época, igualmente, a produção dos hinos de João e Carlos Wesley. É curioso observar que João Wesley rejeitou alguns dos hinos de seu irmão, por serem por demais sentimentais. Os batistas e outros grupos independentes engrossaram o número daqueles que produziram hinos. Muitos nomes famosos, que não são de interesse especial para os leitores brasileiros e outros de língua portuguesa, apareceram. Entretanto, muitos hinos ingleses (juntamente com aqueles que tinham sido traduzidos do latim e do alemão para o inglês) entraram nos hinários em português, com o resultado de que o elemento «estrangeiro» é realmente importante nesse campo, ao que alguns têm feito objeção.

É verdade que a música dos hinos tem seguido tradicionalmente a música popular da época em que foram compostos, excetuando no caso das composições mais formais, que tendem a conservar expressões musicais mais clássicas. Isso tem produzido o perigo de incorporar ritmos e variedades musicais que refletem a decadência da sociedade em geral. É lamentável que a grande decadência destes finais do século XX também esteja influenciando nossos hinos. O ritmo do *rock and roll* tem penetrado nas igrejas, destruindo, em muitos lugares, o espírito da adoração. Nem tudo quanto é novidade é necessariamente correto. Hume fez-nos lembrar que a falácia natural é, realmente, uma falácia. Aquilo que *existe* não precisa ser, necessariamente, equiparado àquilo que *deveria ser*. Ver o artigo separado sobre *Hume, Lei de*. Ver também o artigo intitulado *Hinos Hebraicos e Judaicos*. (AM E FRO ROUT)

HINO ANGELICAL

O hino **Glória in excelsis**, assim chamado porque sua porção anterior é formada pelas palavras do anjo ao anunciar o nascimento de Jesus (ver Luc. 2:14). Em várias liturgias orientais, é usado no começo do culto. Também tem sido usado no culto, antes da leitura da epístola ou evangelho, ou quase no final, como cântico de ação de graças após a comunhão.

••• ••• •••

HINOS HEBRAICOS E JUDAICOS

1. **Sabemos que havia uma música religiosa formal** na antiga nação de Israel, antes da época de Davi; mas ele, como músico habilidoso que era, e escritor de muitos salmos, deu à música uma posição importante e institucionalizada no culto dos hebreus. Temos descrito isso com detalhes no artigo *Hino (Hinologia)*, seção I, *Pano de Fundo do Antigo Testamento*.

2. Os salmos e cânticos sacros, baseados na Bíblia, formam o tesouro de hinos da congregação judaica.

3. Poemas pós-talmúdicos receberam o título de *piyyut* (do termo grego *poiesis*, «poesia»). A princípio, essas composições, que não se derivavam diretamente das Escrituras, eram escritas por autores que hoje desconhecemos.

4. Do século VII D.C. em diante, nomes de compositores de hinos tornaram-se conhecidos por nós, como Jose ben Jose, Hannai e Eleazar Kalir. Saadia Gaon (falecido em 942 D.C.) produziu *piyyut* devocionais. A escola hispano-árabe produziu os hinos de Salomão ibn Gabirol, Moisés e Abraão ibn Esdras, e também Jeudá Halevi. E também houve os *piyyut didáticos* de Yannai e Kalir, bem como seus discípulos dos ritos romano-germânicos. A tendência da época era versificar e musicar homilias rabínicas; e assim certos hinos vieram a ser vinculados a ocasiões específicas, como festividades e eventos importantes da vida religiosa.

5. Algumas das composições *piyyut* entraram na liturgia da congregação judaica, embora em face de inflexível oposição, da parte de muitas pessoas. As objeções aludidas estavam baseadas sobre estes pontos: a. muitas delas não estavam alicerçadas sobre a *Bíblia;* b. algumas continham problemas doutrinários; c. algumas tendiam por perturbar a liturgia e os costumes aceitos; d. algumas eram obscuras ou crípticas em sua linguagem. Não obstante, algumas das mais inspiradas dentre essas composições foram retidas, e tornaram-se tradicionais.

6. O judaísmo reformado introduziu hinos em línguas e liturgias modernas. A primeira coletânea de hinos foi publicada, em 1810, por Israel Jacobsen. Também houve o *Hinário de Hamburgo*, de 1845, que foi largamente usado na Alemanha e nos Estados Unidos da América. Seguiram-se outros hinários como o *Hinário da Escola Sabática*, de Isaque S. Moses, de 1920; o *Livro de Cânticos Judaicos*, de A.Z. Idelsohn, de 1929; e o *Hinário União*, publicado por rabinos norte-americanos. A fim de mostrar a extensão dos hinos hebreus, foi lançada a obra de I. Davidson, *Coletânea de Poesias Hebréias Medievais* (4 volumes, 1924 — 1933), com cerca de trinta e cinco mil verbetes, embora algumas dessas poesias sejam seculares. Em seguida, poderíamos mencionar a *Coletânea de Melodias Hebréias Orientais* (10 volumes, 1914 — 1933), com diversos milhares de textos com músicas e orações. Essa seleção é universal, refletindo hinos que têm aparecido dentre a comunidade judaica internacional.

HINOM, VALE DE

Esse vale circunda Jerusalém na parte sul, abaixo do monte Sião. Na Bíblia, esse vale é freqüentemente mencionado em conexão com os cruéis ritos a Moloque, que foram imitados pelos reis e pelo povo de Israel (Jos. 15:8; 18:16; Nee. 11:30; Jer. 7:31; 19:2). Quando Josias derrotou essa idolatria, ele profanou o vale de Hinom, lançando no mesmo ossos de mortos, a pior de todas as poluções, entre os hebreus. Desde então, o lugar tornou-se uma espécie de monturo, onde sempre havia algum lixo queimando e lançando

HIPAPO — HIPNOTISMO

fumaça. Foi por causa dessa circunstância que apareceu a ilustração da *Geena* (em heb., «vale de Hinom») (ver Mat. 5:22,23; Mar. 9:43; João 3:6). De fato, a certa altura das tradições dos hebreus, pensava-se que aquele lugar seria a própria entrada para o inferno, pois, na antiga cosmogonia, julgava-se que o lugar dos mortos seria no interior do globo terrestre.

Esse vale formava parte da fronteira entre os territórios de Judá e de Benjamim. Ficava situado entre o lado sul, pertencente aos jebuseus, isto é, Jerusalém, e En-Rogel (ver Jos. 15:7 *ss*). Em En-Rogel fica a atual fonte da Virgem. O vale de Hinom é o mesmo vale do Cedrom, que corre ao sul de Jerusalém, de leste para suleste. Porém, se era o que atualmente se chama Bir Eyyub, então há duas outras possibilidades: ou era o vale Tiropoeano, que parte do centro de Jerusalém para o suleste, ou então era o vale que circunda a cidade nos lados oeste e sul, o qual, em nossos dias, chama-se wadi al-Rababi. Todos esses três vales, em sua extremidade suleste, terminam perto do poço de Siloé. E muitos eruditos pensam que esse wadi é a identificação geográfica correta do antigo vale de Hinom. Seja como for, o vale tinha má reputação, pois, além de ser um monturo, onde eram cremados corpos de criminosos e queimado o lixo da cidade, etc., segundo certas predições, seria o lugar de uma futura grande destruição, por juízo divino. Ver Jer. 7:31-34, onde é chamado de «vale da Matança».

HIPAPO DE METAPONTO

Ele viveu nos séculos VI e V A.C. Foi um filósofo grego, reputado como um dos primeiros discípulos de Pitágoras. Em seus conceitos, porém, aproximava-se mais de Heráclito. Ele considerava o fogo como o elemento básico, e que a alma compõe-se desse elemento. Ver o artigo sobre *Filosofia Grega*, I. *Esboço da Filosofia Pré-Socrática*.

HÍPIAS DE ELIS

Viveu no século V A.C. Foi um filósofo grego, sofista famoso e contemporâneo de Pitágoras. Platão mencionou-o em vários de seus diálogos, com *Hippias Major*, *Hippias Minor* e *Protágoras*. Ele teria dominado todo o conhecimento de sua época, pelo que teria um saber enciclopédico. Contribuiu à matemática. É lembrado por ter feito uma distinção entre as leis criadas pelo homem e as leis naturais, revestidas de uma eterna validade. O poder das leis naturais é especialmente prezado na história da filosofia, tendo servido de base para muita legislação, sobretudo no tocante aos direitos humanos, os quais, ao que se presume, seriam promovidos pela própria natureza. Paulo fala sobre a lei natural, no primeiro capítulo da epístola aos Romanos, onde declara que o conhecimento de Deus e o direito que o mesmo envolve, pois está alicerçado, naturalmente, sobre o Criador e a sua vontade. Ver o artigo geral sobre os *Sofistas*.

HIPNOTISMO

Esboço:

I. Na História Antiga
II. Franz Mesmer
III. Técnicas Clássicas
IV. Usos
V. Abusos

Esse é um título que merece figurar em uma enciclopédia como esta, visto que aborda uma questão de conhecimento daquilo que o homem é (antropologia). Outrossim, a ética está envolvida nessa questão.

Hipnose é um vocábulo que vem do grego *húpnos*, «dormir», porquanto os antigos pensavam que as pessoas hipnotizadas estavam apenas dormindo. Agora, porém, sabe-se que o sono nada tem a ver com esse estado. Antes, parece ser uma condição de elevada concentração mental, que chega ao estado de transe ou de consciência alterada. Trata-se de um fenômeno complexo, que desafia qualquer definição precisa. As próprias descrições do hipnotismo são muita variegadas e até conflitantes.

I. Na História Antiga

Sabe-se pouquíssimo sobre o hipnotismo até que surgiu o trabalho de Franz Anton Mesmer, o qual, nos fins do século XVIII, falava sobre o seu magnetismo animal, usando-o como um instrumento de terapia. Antes disso, supõe-se, contudo, que o estado já era reconhecido, mas como se fosse um mero transe ou como estados religiosos de êxtase. Mesmo assim, a literatura da antiguidade fala pouquíssimo, sobre o assunto.

II. Franz Mesmer

Ele foi um médico europeu do século XVIII. Acreditava na existência de um fluido rarefeito que ele chamava de magnetismo animal; e supunha que, quando as pessoas eram deixadas em estado de transe, ele era capaz de controlar esse fluido, influenciando a saúde delas para melhor. Ele pensava estar usando alguma força magnética para controlar o fluido, corrigindo assim os desequilíbrios no fluxo desse fluido dos seres humanos. Outros estudiosos franceses rejeitavam a idéia do magnetismo, embora reconhecendo que Mesmer obtinha sucesso na cura de certos pacientes. Começaram, então, as investigações científicas sobre esse estado, que se chamou, no começo, de *mesmerismo*. Foi James Braid, um médico inglês, quem cunhou o termo *hipnose*, que usamos atualmente. Todavia, o interesse pela questão foi-se desvanecendo lentamente. Foi preservado somente pelos curiosos e pelos entretenedores. Porém, não houve qualquer avanço científico verdadeiro sobre a questão, até à década de 1950, quando então associações médicas inglesas e norte-americanas aprovaram, formalmente, o uso do hipnotismo.

III. Técnicas Clássicas

O indivíduo a ser hipnotizado é convidado a concentrar a atenção sobre algum objeto. Enquanto faz isso, é-lhe dito que está ficando com sono, que seus olhos estão pesados. Então vem a ordem para a pessoa fechar os olhos. Mediante esse modo de concentração, o indivíduo entra no transe hipnótico. Se a pessoa não conseguir abrir os olhos, quando lhe é dito que não pode fazê-lo, e então lhe é dito que tente, então o transe é genuíno. Todavia, há transes hipnóticos mais profundos e mais superficiais, que produzem variegados resultados. Uma pessoa cega pode ser hipnotizada mediante um diferente modo de concentração, e os surdos podem ser hipnotizados imitando atos repetitivos que o hipnotizador os ajude a realizar. A auto-hipnose é possível, especialmente depois que o indivíduo é primeiramente hipnotizado por outrem, e então, por auto-sugestão, repete o ato, sem ajuda externa. Alguns hipnotizadores têm um poder especial; e até mesmo mediante o som de sua voz, com seus vários comandos, parecem ser capazes de hipnotizar, sem a necessidade de qualquer técnica de concentração. No caso de certos hipnotizadores, sem dúvida, trata-se de algum poder psíquico e não apenas o som da voz. Em outras palavras, a mente do hipnotizador tem a capacidade de controlar as mentes

HIPNOTISMO

alheias.

IV. Usos

O simples fato de que as associações médicas britânicas e norte-americanas aprovaram o uso controlado da hipnose, como uma terapia, durante a década de 1950, demonstra que o hipnotismo se reveste de algum valor terapêutico. Ocasionalmente, ouve-se falar sobre a cura de alguma condição doutra sorte impossível de ser curada, como, por exemplo, alguma afecção cutânea de causa desconhecida. Um certo pesquisador foi capaz de curar uma condição assim, através da sugestão hipnótica. Mas a coisa estranha é que foi capaz de fazer a condição desaparecer somente em um dos braços, mas não no outro, e repetidos esforços para curar a afecção no outro braço foram baldados. Consideremos os seis pontos abaixo:

1. *Os Principais Objetivos Terapêuticos*

a. Fazer diminuir a intensidade da dor, reduzindo ou mesmo eliminando a necessidade de analgésicos.

b. Anestesiar, com ausência total de dor, na prática médica ou dentária.

c. Fazer diminuir os estados de ansiedade.

d. Reprimir sintomas vários de diversas enfermidades.

e. Curar doenças de origem psicossomática.

f. Curar pacientes afetados não por razões psicossomáticas, mas talvez pela agitação do próprio sistema imunológico natural. Aqui, porém, já estamos abordando mistérios. Pois é possível que certas curas se processem através de poderes mentais (à parte de qualquer sistema imunológico), que ainda não foram devidamente compreendidos, mas que fazem parte das curas psíquica e espiritual.

2. *Melhorias Psicológicas*

a. Remover ansiedades e instilar confiança e otimismo, para que as pessoas vivam e se sintam melhor.

b. Interromper o poder dos vícios.

c. Melhorar a capacidade de aprender.

d. *Psicoterapia geral.* Durante algum tempo, Freud se utilizou do hipnotismo, antes de começar a usar a psicanálise. Ele descobriu que certos pacientes tendem por fantasiar, desenterrando no passado acontecimentos imaginários, que estariam-lhes servindo de obstáculos. O fenômeno da fantasia, no caso da hipnose, é notável; mas, a despeito disso, há casos de psicoterapia bem-sucedida, através do hipnotismo. Algumas vezes, o hipnotismo pode desvendar, em curto tempo, dificuldades que a psicanálise levaria meses, ou mesmo anos, para descobrir.

3. *Terapia Através da Descoberta de Problemas em Vidas Passadas*

Um número crescente de psiquiatras está convencido de que há enfermidades que resultam de condições existentes nas vidas passadas dos pacientes. A teoria é que o descobrimento desses problemas pode produzir curas imediatas, pois somente então a causa real de certas enfermidades é trazida à tona. De fato, alguns psiquiatras estão usando a hipnose para desvendar esses alegados problemas, não por acreditarem que a causa real foi assim descoberta, mas porque o processo realmente funciona. Em suas mentes, o que ocorre é uma *fantasia* inventada pelos pacientes envolvidos, atribuindo alguma causa a alguma má condição física. Essa fantasia declara, por exemplo, que as constantes dores de cabeça de certo indivíduo se devem a uma severa injúria craniana que a pessoa sofreu há duzentos e cinqüenta anos atrás, e da qual

ela ainda se lembra, embora não de maneira consciente.

Uma vez que o indivíduo pensa que descobriu a causa de sua condição, então fica aliviado de suas dores de cabeça. E aqueles que acreditam na reencarnação, supõem que a causa real foi descoberta. Em caso contrário, as pessoas supõem alguma fantasia, e o hipnotizador pensa que, a despeito disso, ainda assim a terapia dá certo, e é nisso que ele está interessado. As pesquisas quanto a esse campo deveriam prosseguir, porquanto não há que duvidar que curas realmente admiráveis estão sendo realizadas desse modo. Temos provido um artigo separado sobre a *reencarnação*, com esse nome, onde há uma discussão detalhada sobre a questão, tanto a favor como contra essa teoria.

4. *Diagnóstico das Enfermidades*

Em alguns casos notáveis, hipnotizadores têm sido capazes de dar diagnósticos precisos, sobre enfermidades, quanto a pessoas que estão sob o transe hipnótico. Edgar Cayce pode servir de modelo quanto à questão. Há muitos casos bem documentados de como ele diagnosticou enfermidades, e também de como prescreveu os medicamentos certos. Questões assim precisam continuar a ser investigadas, em vez de serem ignoradas ou ridicularizadas. O que hoje é difícil de entender, amanhã será entendido até pelas crianças.

5. *O Conhecimento dos Fenômenos Psíquicos*

A hipnose facilita a produção de fenômenos psíquicos, fenômenos esses que têm a capacidade de ampliar o fundo de conhecimentos que uma pessoa pode ter. Quanto a isso, estamos tratando com mistérios. Há coisas deveras admiráveis que estão sendo feitas. Conheci, pessoalmente, a certo homem que, ao hipnotizar um seu filho, podia fazê-lo descrever acontecimentos em uma cidade distante. Por exemplo, ele podia «enviá-lo» a certo quarto, na residência de um amigo. Então o filho daquele homem descrevia o que via ali. O jovem era capaz de fazer descrições muito exatas. Como é óbvio, temos aí um nítido caso de clarividência. Alguns têm sido capazes de «ver através» de paredes, descrevendo coisas que estão acontecendo do outro lado. Outras pessoas possuem notórios poderes telepáticos, quando estão sob hipnose. Essas experiências precisam continuar a ser feitas, sob condições controladas, porque é legítimo termos conhecimentos sobre os poderes da mente, que, afinal de contas, é mais importante para a pessoa real do que o mero corpo físico. A ciência do futuro talvez pense que tudo aquilo sobre o que falamos é muito simples, embora para nós, no presente estágio de conhecimento, tais coisas nos pareçam misteriosas. Porém, a ignorância não tem qualquer valor. Nenhuma ciência jamais se desenvolveu sem primeiro passar por um período de tentativas e erros, enquanto muitos circunstantes somente escarneciam.

6. *O Desenvolvimento Psíquico e Espiritual*

O transe hipnótico pode ser substituído pelo transe místico e, através disso, um indivíduo pode tentar melhorar suas capacidades psíquicas, aprimorando os seus conhecimentos, os seus meios de obter mais conhecimentos, bem como a confiança geral com que dirige a sua vida. E o conhecimento adquirido por meio desse tipo de transe, quando abrange questões filosóficas e religiosas, é tido por muitos como benéfico. Contudo, fica em aberto o quanto do conhecimento assim adquirido é genuíno. Pois a hipnose é bem conhecida quanto à sua tendência de causar fantasias. Algumas vezes, essas fantasias são

HIPNOTISMO — HIPÓCRATES

muito coloridas e convincentes; pois as investigações subseqüentes nada descobrem. O Dr. Ian Stevenson, da Universidade do estado **norte-americano** de Virgínia, que tem feito muitos estudos sobre o problema da reencarnação, quando iniciou os seus estudos empregava a hipnose para recuperar alegadas vidas passadas das pessoas. Porém, as investigações que então eram feitas, quando isso se tornava possível, produziam bem pouco de positivo. Pois, na verdade, a hipnose estava provocando um maior número de problemas do que aqueles que estava resolvendo. Por essa razão, Stevenson abandonou esse método. Mas outros pesquisadores têm continuado a usar o método, tendo publicado resultados em várias profundidades. Dizem esses que um transe profundo pode produzir memórias genuínas de existências passadas do indivíduo. E que os transes superficiais é que produzem fantasias. Seja como for, as investigações nesse campo deveriam continuar. A ignorância nada vale. As investigações poderiam provar que as memórias de vidas passadas são genuínas ou são falsas; mas precisamos saber qual a resposta.

No caso de serem genuínas as vidas passadas, então é óbvio que tais coisas exerceriam seu efeito sobre nossa atual espiritualidade e sobre nossas inquirições espirituais. As instruções recebidas sobre questões morais e espirituais, poderiam ser de grande valia. Alguns pesquisadores opinam que a questão reveste-se de certo valor, quanto a esse terreno. Mas a questão ainda se encontra um tanto confusa na mente dos estudiosos.

Seja como for, nossa pesquisa espiritual deveria ir muito mais fundo do que o transe hipnótico. O *transe místico* tem produzido revelações e conhecimentos; e isso é demonstrado tanto no Novo Testamento como em todas as demais fés religiosas sérias, que contam com visões e com experiências místicas dos profetas. Ver o artigo sobre o *Misticismo*, quanto a detalhes sobre a questão. Quanto a mim, não recomendo o uso do hipnotismo, com qualquer propósito, a menos que manuseado por técnicos habilitados, que reconhecem tanto as potencialidades quanto os riscos envolvidos nessa técnica. Também não espero que dessa prática emirja muita coisa de valor espiritual, embora a medicina possa tirar grande proveito da mesma. As verdadeiras experiências místicas, dirigidas pelo Espírito de Deus, realmente transformam aqueles que passam por elas. Mas, não há a mínima evidência de que o mesmo ocorre no caso do transe hipnótico.

V. Abusos

1. **Uma causa de crimes?** Tem sido disputado se alguém pode ser forçado a fazer algo, sob o transe hipnótico, que não faria em seu estado normal. Pode ser verdade, estritamente falando, que um indivíduo, por exemplo, não queira assassinar a outro, meramente porque isso lhe foi sugerido pelo seu hipnotizador. Por outro lado, um hipnotizador habilidoso pode apresentar uma sugestão que se torne moralmente aceitável para a pessoa hipnotizada. Por exemplo, certo psiquiatra foi capaz de seduzir a muitas mulheres, meramente dizendo-lhes que a pessoa com quem estavam prestes a fazer sexo era o marido delas. Além disso, tendências latentes para o erro, mas que não emergem à superfície sobre circunstâncias normais, podem ser agitadas mediante a sugestão hipnótica. Por conseguinte, o suposto fator de segurança, que seria o código moral do próprio indivíduo hipnotizado, pode ser ultrapassado mediante sugestões, ou pode ser debilitado, e isso com resultados desastrosos.

2. Nos casos de crimes diversos, não são admissíveis como evidências judiciais as confissões obtidas através da hipnose. Não obstante, muitas coisas valiosas têm sido obtidas por meio dessa prática, que tem ajudado a resolver casos difíceis. Para evitar abusos, entretanto, é mister muito cuidado. Há casos, entretánto, em que alegados crimes, que teriam sido cometidos e confessados, por parte de pessoas hipnotizadas, na verdade nunca ocorreram. A fantasia explica tudo.

3. Algumas vezes, a hipnose é como um tiro pela culatra. Tomei conhecimento de um caso em que um psiquiatra julgava estar melhorando sensivelmente as condições de certo paciente, aliviando eventos traumáticos de sua vida passada. Com freqüência, isso produz bons efeitos de *catarse*, porquanto os estados psicológicos anormais do indivíduo podem diminuir ou mesmo desaparecer. Nesse caso particular, entretanto, o contrário foi o que ocorreu. E o paciente cometeu suicídio. Não foi capaz de suportar o que lhe foi desvendado, e sentiu-se forçado a obter alívio através dessa grande fuga. Ora, se coisas assim sucedem quando profissionais estão controlando os procedimentos, quanto mais isso pode acontecer quando meros amadores se aventuram nesse campo.

4. *Paranóia*. Algumas pessoas, simplesmente, nunca deveriam ser hipnotizadas. Já têm sido noticiados casos de paranóia, que a hipnose aparentemente iniciou ou exacerbou. O uso da hipnose, com motivos de entretenimento, provavelmente, envolve pouco ou nenhum risco para a maioria das pessoas, mas talvez um grande risco para algumas poucas pessoas.

5. Para mim, o uso da hipnose com o fito de desenvolver a espiritualidade é um abuso e uma burla. Promete resultados dúbios, em vez de concentrar a atenção sobre aquilo que é vital — o verdadeiro contacto do espírito com o Espírito de Deus, mediante Jesus Cristo.

A hipnose já é considerada como um auxílio poderoso, pela medicina moderna. Isso poderia aumentar dramaticamente, mediante pesquisas devidamente orientadas. A hipnose promete ter valor para o desenvolvimento dos poderes psíquicos, os quais, quando devidamente estudados e dirigidos, poderiam revestir-se de considerável valor final. Porém, a hipnose praticada em busca da espiritualidade parece-me um substitutivo barato para os estados autênticos de misticismo. É praticamente certo que *uma parte* daquilo que ocorre dentro do *movimento carismático* (vide) deve-se a possíveis transes hipnóticos, e não a estados místicos genuínos.

HIPÓCRATES, JURAMENTO DE

Ver o artigo separado sobre **Medicina, Ética da**.

O *juramento de Hipócrates* é atribuído ao célebre médico grego, Hipócrates. Ele era nativo da ilha de Cós, tendo vivido em cerca de 460 — 357 A.C. Alguns supõem que esse juramento deriva-se dos ritos ainda mais antigos dos pitagoreanos. Tal juramento tornou-se a base da prática ética médica do Ocidente, tendo sido traduzido para muitos idiomas. Inúmeros formandos de medicina têm feito esse juramento, até os nossos próprios dias. Qualquer código, antigo ou moderno, mostra-se inadequado, por causa de problemas inerentes e de hiatos, que se derivam de pontos de vista em mutação, sobre alguns assuntos. No entanto, esse juramento tem demonstrado seu valor, atravessando os séculos, até hoje.

Cito aqui o código inteiro de Hipócrates, traduzido para o português de uma tradução feita por W.H.S. Jones, em seu livro, *Hipócrates*, existente na Biblioteca Clássica Loeb, vol. I, págs. 298-301, em

HIPOCRISIA

Cambridge, Imprensa da Universidade de Harvard (1952-1958): «Juro pelo médico Apolo, por Asclépio, pela Saúde, pela Cura Tudo e pelos deuses e deusas como testemunha, de que levarei avante, de acordo com minha habilidade e bom juízo, este juramento e este compromisso:

«Considerar meu mestre nesta arte como igual a meus pais; torná-lo sócio em meus proventos e quando ele estiver precisando de dinheiro, comparti-lhar do meu dinheiro com ele; considerar seus descendentes iguais a meus irmãos; ensinar-lhes esta arte, se precisarem aprendê-la, sem qualquer cobrança ou taxa; e conferir instrução oral e por preceitos, bem como todo outro conhecimento, a meus filhos e aos filhos de meu mestre, e aos alunos que tiverem assinado este compromisso e jurado obediência à lei dos médicos, mas não a outros.

«Usarei meus tratamentos para ajudar aos doentes, segundo minha capacidade e bom juízo, mas nunca usá-los-ei para prejudicar a outrem.

«Nunca darei veneno a alguém, mesmo que seja solicitado a isso, e nem sugerirei tal plano. Por igual modo, nunca darei um instrumento a uma mulher, para provocar-lhe o aborto. Mas, em pureza e santidade, guardarei minha vida e minha arte.

«Não usarei meu bisturi nos que sofrerem de pedras, mas darei lugar aos especialistas nesse ramo.

«Em qualquer casa em que eu entrar, fá-lo-ei para ajudar aos enfermos, resguardando-me de toda intenção de malefício e dano, especialmente de atos de fornicação com homem ou mulher, com livres ou escravos.

«Tudo quanto, no curso de minha prática, eu vir ou ouvir (ou mesmo fora da prática de meus contactos sociais), que nunca devam ser publicados, não divulgarei, pois considerarei tais coisas como segredos santos.

«Se eu não quebrar este juramento, mas antes, se eu observá-lo, que possa desfrutar de honra em minha vida e em minha arte, entre todos os homens de todos os tempos; mas, se eu transgredir e perjurar, que o oposto me aconteça».

HIPOCRISIA

Esboço:

I. A Palavra e Suas Definições
II. Referências e Idéias Bíblicas
III. Exemplos Bíblicos de Hipocrisia
IV. Um Emprego Filosófico Útil
V. Todos os Religiosos são Hipócritas

I. A Palavra e Suas Definições

Essa palavra vem do verbo grego que significa «replicar». O substantivo era usado para indicar «aquele que replica» e no uso e desenvolvimento desse vocábulo, veio a assumir o significado de *ator*, partindo da idéia de que os atores replicam uns aos outros. Finalmente, o termo passou a significar «ator» quanto a coisas sérias, até adquirir o sentido moderno de «hipócrita». Essa palavra é usada por vinte vezes no Novo Testamento (sempre nos evangelhos sinópticos), sempre em mau sentido. Lucas usou a forma verbal por uma vez (Luc. 20:20), com o sentido de «fingir». As autoridades religiosas profanavam a prática religiosa, transmutando-a em uma peça de teatro, chegando ao cúmulo de atrair as multidões, que aplaudiam o espetáculo que davam. E a recompensa delas era o aplauso que recebiam.

No Antigo Testamento encontramos o termo hebraico *hanep*, que significa «poluído», «ímpio». A raiz dessa palavra, *hnp*, indica aquilo que é antagônico ao que é sagrado. Em algumas ocorrências dessa palavra, a Septuaginta traduz por *hipócrita* (como em Jó 34:20; 36:13), mas essa é apenas uma das traduções possíveis, não sendo o seu uso básico. Em Isaías 32:6, segundo a nossa versão portuguesa, o vocábulo hebraico *khoneph* é traduzido por «usar de impiedade». A raiz hebraica, acima mencionada, aparece em trechos como Jó 13:16; 15:34; 17:8; 20:5; 27:8; 34:30; 36:13; Pro. 11:9 e Isa. 9:17. A idéia básica é a de alguém que usa de duplicidade, mostrando-se assim ímpio e insincero, culpado de levar uma vida fingida, hipócrita.

A *hipocrisia* consiste em fingir alguém ser aquilo que ele não é, como se estivesse representando ser melhor do que, na realidade, é. Essa é a base do falso orgulho. Alguém gostaria de ser algo significativo. Não sendo isso, o indivíduo apresenta ao público uma fachada de bondade que é falsa ou exagerada. Os sinônimos são a dissimulação, o farisaísmo, o fingimento e a falsa pretenção. O ludíbrio sempre faz parte da vida ou dos atos hipócritas.

«A hipocrisia é o ato de simular qualidades de personalidade, de caráter moral e de convicções religiosas ou outras crenças que, na verdade, não estão presentes no indivíduo, o qual assume uma aparência falsa. Se o termo *hipocrisia* é aplicado, no uso comum, à dissimulação deliberada ou à insinceridade intencional, não deveria ser limitada somente à idéia de um ludíbrio consciente. Pois esse termo pode também aludir de modo coerente, embora nem sempre bem aceito, às *distorções inconscientes* de algum ideal professado, às discrepâncias ou incoerências não reconhecidas que prevalecem entre aquilo que os homens dizem defender, na teoria, e a qualidade de personalidade que eles demonstram na prática diária». (E)

II. Referências e Idéias Bíblicas

Oferecemos uma completa revisão sobre as referências veterotestamentárias e seu uso, na seção I. No Novo Testamento, o termo grego *upókrisis*, «hipocrisia», aparece somente por sete vezes: Mat. 23:28; Mar. 12:15; Luc. 12:1; Gál. 2:13; I Tim. 4:2; Tia. 5:12; I Ped. 2:1. O adjetivo *upokritês*, «hipócrita», figura por vinte vezes: Mat. 6:2,5,16; 7:5; 15:7; 16:3; 22:18; 23:13-15,23,25,27,29; 24:51; Mar. 7:6; Luc. 6:42; 11:44; 12:56; e 13:15. Todos esses usos ocorrem nos evangelhos sinópticos, envolvendo, essencialmente, a denúncia de Jesus contra os líderes religiosos cuja espiritualidade não correspondia à ostentação deles em público.

Idéias Bíblicas:

Deus reconhece e detecta os hipócritas (Isa. 29:15,16); Cristo reconhecia-os e detectava-os (Mat. 22:18); Deus não encontra prazer algum na hipocrisia (Isa. 9:17); um hipócrita não pode apresentar-se diante de Deus, esperando o seu favor (Jó 13:16); os hipócritas são cegos por sua própria vontade (Mat. 23:17,19); os hipócritas são justos aos seus próprios olhos (Luc. 18:11); e também apreciam a ostentação (Mat. 6:2,5); e, além disso, são censuradores, condenando ao próximo (Mat. 7:3-5; Luc. 13:14,15); promovendo as tradições humanas, em vez da verdade divina (Mat. 15:1-3); e requerem muitas práticas religiosas triviais, às quais emprestam um exagerado valor (Mat. 23:23,24). Além disso, se exibem uma forma externa de piedade, não possuem a verdadeira espiritualidade (II Tim. 3:5); professam a fé religiosa, mas não a praticam (Eze. 33:31,32: Mat. 23:3; Rom. 2:17-23); falam sobre coisas grandiosas, mas seus atos não correspondem àquilo que dizem

HIPOCRISIA — HIPÓSTASE

(Isa. 29:13; Mat. 15:8). Gloriam-se nas meras aparências (II Cor. 5:12); insistem em ter privilégios especiais (Jer. 7:4; Mat. 3:9). Outrossim, oprimem aos incapazes (Mat. 23:14); apreciam ocupar lugares proeminentes (Mat. 23:6,7); a adoração deles não é aceita por Deus (Isa. 1:11-15); procuram destruir outras pessoas com as suas calúnias (Pro. 11:9). A hipocrisia está ligada à apostasia (I Tim. 4:2); impede o crescimento na graça divina (I Ped. 2:1). Há um «ai» pronunciado contra os líderes religiosos hipócritas (Mat. 23:12); o castigo divino aguarda por esses (Jos. 25:34; Isa. 10:6; Mat. 24:51).

III. Exemplos Bíblicos de Hipocrisia

Caim (Gên. 4:3); Absalão (II Sam. 15:7,8); os judeus, em tempos de desvio e apostasia (Jer. 3:10); os fariseus (Mat. 16:3); Judas Iscariotes (Mat. 26:49); os herodianos (Mar. 12:13,15); Ananias (Atos 5:1-8); Simão (Atos 8:13-23); até mesmo Pedro e Barnabé caíram em pecado de hipocrisia, no tocante ao tratamento que deveria ser dado aos crentes gentílicos, no começo da dispensação do evangelho, conforme nos informa Paulo, em Gál. 2:13.

IV. Um Emprego Filosófico Útil

Os filósofos existenciais fornecem-nos um certo discernimento sobre a questão da hipocrisia. Eles se referem à hipocrisia com o nome de *existência não-autêntica*. Quando alguém se amolda à opinião e às expectativas públicas, em vez de seguir os ditames de sua própria consciência, então está levando uma existência não-autêntica. A busca pela *autenticidade* é uma das principais preocupações do homem verdadeiramente justo. A Bíblia insiste em que devemos ser autênticos em nossas palavras e em nossas ações.

V. Todos os Religiosos são Hipócritas

É fácil chamarmos outras pessoas de hipócritas; e é ainda mais fácil sermos tão arrogantes que nos consideramos autênticos, enquanto todas as outras pessoas seriam destituídas de autenticidade. A verdade é que todas as pessoas religiosas, incluindo até mesmo as sinceras, e até mesmo aqueles que buscam diligentemente pela autenticidade, em certo grau, são hipócritas. Isso é verdade porque o ideal está sempre acima de nossa capacidade de *realização*. Além disso, a nossa tendência é tentar apresentar diante dos outros a idéia de que temos atingido melhor os ideais de sinceridade e autenticidade do que na realidade o fizemos. E não somente isso, mas também conseguimos enganar a nós mesmos, pensando que somos melhores do que, na realidade, o somos. Portanto, não somente somos hipócritas diante de nossos semelhantes, mas até mesmo diante de nós. Todavia, isso *não anula* qualquer genuína espiritualidade. Devemos continuar subindo na direção do ideal. A hipocrisia tem muitos níveis. Parte da inquirição espiritual consiste em ir eliminando a hipocrisia, juntamente com muitos outros defeitos de caráter, debilidades e vícios. A *humildade* é uma virtude, e nos ajuda a anular a hipocrisia. Ver o artigo sobre esse assunto.

HIPÓLITO

Viveu entre c. de 160 e 236 D.C. Foi um apologista erudito e autor cristão romano. Era discípulo de Irineu, e continuou os escritos de seu mestre contra o *gnosticismo* (vide). Ele descreveu o seu sistema como uma mistura de filosofia grega e de religião astral. Escreveu várias obras importantes. Ele também era cabeça de um grupo cismático local, e sua influência e valor foram tais que ele foi canonizado após o martírio.

Opôs-se ao papa Calisto, que havia relaxado a disciplina penitencial, acusando-o de heresia e de inovação. Nisso foi apoiado por uma facção, tornando-se uma espécie de antipapa (ou antibispo de Roma), em 217 D.C. Alguns historiadores reputam-no o primeiro antipapa. Ao que parece, posteriormente, reconciliou-se com a Igreja oficial. Durante a perseguição movida pelo imperador Maximino, ele e o papa Pontano foram banidos para a ilha de Sárdenha. Ambos faleceram ali, mas quando o papa Fabiano (falecido em 250 D.C.) subiu ao trono papal, ordenou que seus ossos fossem trazidos de volta a Roma, e ambos foram honrados como mártires. Foi descoberta uma estátua em honra a Hipólito, em 1551, com uma lista de suas obras escritas; e os arqueólogos crêem que essa obra foi erigida pelos partidários de Hipólito. Suas obras incluíam vários escritos contra grupos heréticos; uma crônica que abrangia desde a criação até o ano de 234 D.C.; obras doutrinárias, incluindo um tratado sobre o *anticristo*. O seu comentário sobre o livro de Daniel é a mais antiga obra exegética existente, proveniente da Igreja antiga. Sua obra mais famosa intitulava-se *Tradição Apostólica*, com muitos discernimentos significativos quanto à liturgia romana. A festa religiosa em sua honra é celebrada a 3 de agosto.

HIPOPÓTAMO

Ver sobre **Beemote**.

HIPÓSTASE

Essa palavra vem do grego *upóstasis*, que vem de *upó*, «sob» e *istasthai*, «ficar». Essa palavra tem recebido várias definições, de acordo com o uso, tornando-se uma parte importante da explicação da *Trindade* (vide) e da *Cristologia* (vide).

1. *Usos Sugestivos*. A palavra é usada para designar uma estátua, um acampamento ou os sedimentos que se depositam no fundo de um barril de vinho. Pode apontar para qualquer coisa que se deposita no fundo de líquidos ou qualquer tipo de suporte, que apóia a outra coisa. Metaforicamente, significava *alicerce*, ou a *base* da esperança, ou a *razão* de alguma expectação. Também chegou a significar a essência ou substância de qualquer coisa, ou sua natureza essencial. Foi esse último sentido que a teologia tomou por empréstimo.

2. *Na Filosofia*. De modo geral, essa palavra indica alguma substância individual distinta, ou então, alguma substância lógica. Aristóteles empregou a palavra para denotar alguma substância individual, na perfeição de sua realidade.

3. *Usos Teológicos*. A princípio, durante as discussões trinitarianas e cristológicas, a palavra era usada como sinônimo de *ousia*, «ser», «essência». Ver o artigo separado sobre *Ousia*. Em seguida, veio a ser usada para indicar a substância divina, em seus três modos pessoais. Assim, os membros da trindade vieram a ser chamados hipóstases, como distinções eternas dentro da *ousia* ou essência divina. Na *hipóstase* encontramos as distinções de pessoas; e, na *ousia*, a eterna unidade da natureza. Porém, esse é apenas um dos desenvolvimentos do uso dessa palavra, e não a totalidade de seus usos possíveis.

a. Orígenes não distinguia entre *upóstasis* e *ousia*, usando a primeira de maneiras que, mais tarde, requereriam *ousia*.

b. Anátemas antiarianos se vincularam ao credo niceno, atacando aqueles que diziam que o Filho é de

HIPÓSTASE — HIPÓTESE

uma *ousia* ou de uma *upóstasis* diferente da do Pai.

c. Pela época do Concílio de Sárdica (343 D.C.), pelo menos em alguns lugares, essas duas palavras estavam sendo usadas de diferentes maneiras. Esse concílio falou sobre a única *upóstasis* do Pai, do Filho e do Espírito (apontando assim para a única natureza deles e para a unidade deles nessa natureza), e acusou os hereges de chamarem isso de *ousia*.

d. Os pais capadócios da Igreja (ver sobre *Capadócios, os Três*), esclareceram o pensamento trinitariano usando as duas palavras de modo a diferenciá-las uma da outra. Para eles, *ousia* era usada para indicar a substância divina, sem qualquer distinção interior. Para eles, pois, havia *mia ousia*, «uma substância», mas *treis upóstaseis*, «três manifestações». Isso foi traduzido para o latim mediante o uso das palavras correspondentes a «uma substância» e «três pessoas», a terminologia empregada pela maioria dos teólogos, até hoje. Muitos gregos não se sentiram satisfeitos diante dessa tradução, pois, para eles, isso criava uma cristologia tipo sabeliana. Ver o artigo sobre *Sabélio*. Esse homem, que viveu no século III D.C., explicava que a divindade é de uma substância ou essência, embora operando mediante três manifestações temporárias e sucessivas: como criador e legislador, em Deus Pai; como redentor, no Filho; e como doador da vida, no Espírito Santo. Ver sobre o *Modalismo* e o *Monarquianismo*.

e. O Concílio de Alexandria (362 D.C.) procurou resolver o conflito ao definir a palavra *upóstasis* pela palavra *pessoa*; mas foram poucos os que aceitaram tal tradução.

f. O termo *upóstasis*, no tocante ao Filho, veio a indicar a unidade de sua natureza divina e de sua natureza humana.

g. Em harmonia com os esforços do Concílio de Alexandria, a teologia ortodoxa procurou se resguardar contra uma interpretação da palavra *pessoa* que lhe desse qualquer idéia de mera maneira ou tipo de manifestação. Apesar desses esforços, vários teólogos, incluindo Karl Barth, nos tempos modernos, asseveram não gostar da palavra «pessoa», quando se refere à substância divina. Ver o artigo intitulado *Unidade Hipostática*.

h. Existem aqueles teólogos que, seguindo as sugestões do neoplatonismo, chamam Deus de *uperoūsios*, isto é, «acima de substância». Em outras palavras, quando falamos sobre Deus, então fracassam todos os nossos melhores argumentos, porquanto Deus está acima de qualquer coisa que poderíamos chamar de «substância». De fato, a natureza de Deus está acima de nossas categorias de intelecção; e, quando começamos a fazer pequenas distinções, considerando-nos ortodoxos, e os outros hereges, na verdade não estamos dizendo muito acerca de Deus. O leitor deveria consultar o artigo sobre *Cristologia*, para ver até que ponto os teólogos têm ido em suas tentativas de definir aquilo que, simplesmente, não pode ser definido. Os homens gostam de reduzir os *mistérios* de Deus a categorias intelectuais, mas Deus é o *Tremendum Mysterium*.

i. *Ário* (vide), em certo estágio de sua teologia, deu uma interpretação triteísta à questão, ao falar sobre as distintas hipóstases do Pai, do Filho e do Espírito Santo. O mormonismo aproveitou esse tipo triteísta de explicação.

j. A posição ortodoxa tem insistido sobre a *homoousios* (uma substância) de Deus, que se manifesta a nós de três maneiras ou em três pessoas (hipóstase). Mas, depois de havermos dito isso, não teremos feito muito para descrever a natureza de Deus. (B C E P R)

HIPÓTESE

Essa palavra vem do grego **upó**, «**sob**» e **tithenai**, «**pôr**». O termo indica uma suposição. Todavia, a palavra tem adquirido um grande número de significados, dentro da filosofia, a saber:

1. Uma explicação provisória, que precisa de evidências para que se torne uma teoria ou lei. Usualmente, essa palavra envolve alguma idéia de especulação e, talvez, de arbitrariedade.

2. Dentro da hierarquia de declarações sobre a verdade, de acordo com Platão, a hipótese aparece em terceiro lugar. Ele a aplicava às fórmulas matemáticas, que nos chegam através da razão. Essas declarações são incapazes de uma demonstração direta, mas concordam com os ditames da mente. As proposições que podem ser demonstradas se baseiam sobre uma hipótese.

3. Aristóteles pensava que uma hipótese pode ser demonstrada, embora usada sem a apresentação de provas. Uma hipótese pode postular fatos sobre uma entidade; e o exame desses postulados pode nos fornecer a demonstração da realidade da questão.

4. Descartes empregava o termo para referir-se a declarações que não sabemos distinguir claramente como verazes ou falsas, mas que servem de pontos de partida para alguma discussão.

5. Newton objetava a isso, afirmando que ele não criava hipóteses. Para ele, a ciência não tem por escopo inventar hipóteses e, sim, descobrir e descrever as leis que regem o Universo. Em relação à questão ele dizia: *Hypotheses non fingo*, ou seja, «não crio hipóteses».

6. Lotze asseverava que precisamos de hipóteses para preencher os hiatos entre os postulados necessários e a experiência.

7. Para Comte e outros, uma hipótese é uma asserção que precisa ser sujeita à comprovação, mediante a experiência. Por isso é que ele usava a expressão *hipóteses experimentais*. Essa idéia faz contraste com as hipóteses *ad hoc*. Ver o décimo ponto, abaixo.

8. Peirce pensava que podemos formar uma hipótese mediante o processo de abdução, que significa que a mente passa de um fenômeno para uma condição capaz de ter produzido tal fenômeno. Essa condição torna-se uma hipótese sobre aquele fenômeno.

9. Poincaré tinha uma hierarquiá de hipóteses, dependendo do potencial de seus valores de verdade. Primeiramente viriam as *generalizações gerais*, que repousariam sobre a experiência; em segundo lugar viriam *generalizações de segunda ordem*, mais fracas, embora também sujeitas à experiências; e, finalmente, viriam *questões indiferentes*. Essas seriam hipóteses sobre coisas, mas que, por enquanto, não podem ainda ser comprovadas, embora permaneçam dentro do terreno da especulação. Ele punha a teoria atômica dentro dessa categoria.

10. A *hipótese preditiva* anteciparia uma verdade, talvez dependendo da intuição sobre a verdade, à parte de qualquer experiência que lhe sirva de base. As hipóteses *ad hoc* são aquelas que repousam, de modo absoluto, sobre fenômenos conhecidos e, se chegam a predizer, isso se deve à inferência, e não à intuição.

11. O *método hipotético-dedutivo* aponta para o modo de proceder através do qual os conceitos (hipóteses) são esclarecidos mediante uma completa dedução, que examine toda uma série de premissas. Então uma hipótese torna-se parte do processo inteiro, e as deduções feitas poderão provar ou não a

HIPÓTESES — HIRCANO

mesma. Esse método, normalmente, está associado aos modos de proceder da matemática e da física.

12. A hipótese corresponde à cláusula que diz «se então», em uma sentença. A cláusula que se segue é a que dá a conclusão. A conclusão está condicionada ao valor da verdade do «se» que foi levantado.

HIPÓTESES NON FINGO

Ver sobre **Hipótese**, quinto ponto.

HIRA

No hebraico, «esplendor». Esse era o nome de um adulamita amigo de Judá, segundo se vê em Gên. 38:1,12. A Septuaginta diz «seu pastor», em lugar de «seu amigo», e as palavras hebraicas envolvidas podem ser assim interpretadas. Todavia, preferimos pensar que a tradução «amigo» é que está correta.

HIRANYAGARBHA

Essa é a palavra sânscrita que significa «germe dourado». De acordo com a filosofia e a religião dos hindus (*Rig Veda* 10.121), esse poder, considerado como a *inteligência cósmica*, ocupa um lugar similar àquele dado ao Logos, no pensamento grego e cristão. Essa força estaria relacionada ao Universo, tal como a alma de um homem estaria ligada ao seu corpo. Em outras palavras: a alma do mundo. A esse poder é atribuída a criação do mundo; mas, nas Upanishadas Svetasvatara, esse poder teria sido criado por Rudra. Isso se afasta da doutrina do Logos, que atribui eternidade a esse poder.

HIRÃO

No hebraico, «nascido nobre». Nome de três personagens ligadas à narrativa bíblica de alguma maneira, a saber:

1. Hirão, rei de Tiro, que teve negociações com Davi e Salomão, enviando carpinteiros, pedreiros e madeireiros a Davi, ajudando-o a construir seu palácio (II Sam. 5:11). Depois, negociou com Salomão, após a morte de Davi, entrando em aliança com ele, de natureza mais íntima, em relação a qualquer outro período da história de Israel. Alguns estudiosos distinguem entre o Hirão que negociou com Davi e o Hirão que entrou em aliança com Salomão, pensando que este último seria neto do primeiro. Quase todas as minhas fontes informativas pensam, porém, que se trata de um único indivíduo. Seja como for, o Hirão que tratou com Davi mostrou ter-lhe muito respeito. Então Salomão subiu ao trono de Israel, e Hirão estabeleceu com ele um pacto (seria ou não seu neto?), suprindo-lhe madeira e operários especializados, para a construção do templo de Jerusalém.

O nome *Hirão* parece ser de derivação fenícia. A forma fenícia desse nome era Hirom (ver I Reis 5:10,18; mas nossa versão portuguesa diz ali, igualmente, «Hirão»). Isso seria uma abreviação de *Airão* (ver Núm. 26:38), que significa «meu irmão é o (deus) exaltado». Seja como for, as descobertas arqueológicas mostram que o plano do templo judeu seguia um modelo comum aos templos fenícios. Isso significa que a influência estrangeira era grande, e o labor de estrangeiros possibilitou a ereção da estrutura. Salomão pagou parte da dívida assumida mediante o comércio, especialmente com trigo e azeite de oliveira (I Reis 5:2-11). E, naturalmente, os operários foram pagos por Salomão. Esses operários eram especializados nos mais variegados misteres.

Entre eles havia até bordadores e entalhadores (II Crô. 2:3-7).

Após a ereção do templo, as relações entre judeus e fenícios continuaram cordiais e vitais. Salomão deu a Hirão vinte aldeias na Galiléia e em troca, recebeu cento e vinte talentos de ouro (I Reis 9:10-14). Isso fez parte de um acordo sobre questões fronteiriças, com vantagens econômicas para ambos os lados. Todavia, Hirão devolveu as aldeias, julgando-as dotadas de pouco valor. Salomão e Hirão também cooperaram no comércio marítimo. Suas duas frotas importavam ouro, prata e artigos raros, como macacos, pavões, marfim e outros itens do comércio (I Reis 10:22; II Crô. 9:21). Hirão supria marinheiros experientes, segundo se vê em I Reis 9:26-28 e II Crô. 8:17, visto que os israelitas nunca foram bons marinheiros.

Josefo (Apion I.17,18) diz-nos que o pai de Hirão era Abibalo, que fora rei de Tiro antes dele, e que Hirão e Salomão trocaram intensa correspondência, consultando-se entre si sobre vários problemas e idéias. Salomão compartilhou sua sabedoria com esse rei de Tiro. Morreu com a idade de cinqüenta e três anos, após um próspero reinado de trinta e quatro anos. Josefo também o mencionou, em Anti. 8:2,6,7. Ele tomou por empréstimo informes dos historiadores Menandro e Dio. A história também nos informa que Hirão guerreou contra Chipre, a fim de obrigar o pagamento de tributos, além de ter fortificado a ilha de Tiro, onde edificou templos a Astarte-Melquarte (mais tarde chamada Hércules). Também adornou outros templos. Clemente de Alexandria e Taciano asseveraram que uma filha de Hirão casou-se com Salomão, o que parece ser correto. Sabemos, com base em I Reis 11:1,2, que havia mulheres sidônias entre suas esposas.

2. Hirão era filho de uma viúva da tribo de Dã, e seu pai era um homem de Tiro. Ele foi enviado pelo rei do mesmo nome a fim de executar as principais obras do interior do templo de Jerusalém, provendo os vários utensílios necessários para os ritos sacros (I Reis 7:13,14,40). É possível que o fato de que ele era meio israelita tenha servido de fator que facilitou sua seleção para a tarefa. Em II Crô. 2:13 e 4:11,16, ele é chamado Hurão (em nossa versão portuguesa, «Hirão-Abi»). Viveu por volta de 1000 A.C.

3. Um outro Hirão, rei de Tiro, é mencionado nos anais reais do grande conquistador assírio, Tiglate-Pileser III (744—727 A.C.), acerca de quem nada se sabe, e que nem ao menos desempenha qualquer papel no relato bíblico.

HIRCANO

Entre os líderes **hasmoneanos** (vide) houve dois com o mesmo nome de Hircano, a saber: João Hircano e Hircano II. Ver, respectivamente, a seção III.5, sobre o primeiro, e III.9, sobre o segundo.

Todavia, um terceiro Hircano é mencionado em II Macabeus. Ele era filho de Tobias, um homem importante que havia guardado grande soma em dinheiro no templo. O governante sírio, Seleuco IV, cobiçou o dinheiro e enviou um representante, de nome Heliodoro, a fim de confiscá-lo. Porém, saiu-lhe ao encontro uma aparição, que resistiu às suas intenções. Assim foram anuladas todas as idéias que ele tinha de pôr as mãos sobre o dinheiro. Ver o relato em II Macabeus 3.24-29.

Hircano é um nome derivado de *Hircânia*, uma região ao sul do mar Cáspio, para onde foram muitos judeus, por ocasião da deportação do cativeiro babilônico.

••• ••• •••

HISSOPO — HISTÓRIA

HISSOPO

A planta que, atualmente, tem esse nome é a *Hyssopus officinalis*, uma erva medicinal arbustiva, da família da menta, que chega até cerca de sessenta centímetros de altura, com pequenos cachos de flores azuis. Todavia, os estudiosos não se têm sentido capazes de identificar a planta bíblica desse nome, havendo muitas opiniões a respeito. Na Bíblia há onze referências a essa planta, nove no Antigo Testamento e duas no Novo Testamento: Êxo. 12:22; Lev. 14:4,6,49,51,52; Núm. 19:6,18; I Reis 4:33; Sal. 51:7; João 19:29 e Heb. 9:19. A menção mais notável é a do evangelho de João, posto que foi mediante essa planta que um pouco de vinagre, embebido em uma esponja, foi levado até os lábios do Senhor Jesus.

Essa referência tem sido motivo de debates, visto que alguns eruditos pensam que o hissopo não era uma planta de ramos suficientemente longos para poder ser usada com essa finalidade. Há uma variante textual que dá o termo latino correspondente a *lança*, supondo que um soldado ergueu a esponja, embebida em vinagre, na ponta de sua lança. Dou amplas explicações a respeito, *in loc.*, no NTI. De fato, algumas traduções têm adotado *lança* como o verdadeiro texto, apesar do fato de que essa variante conta com menos evidências textuais nos manuscritos antigos. Quanto ao comprimento do ramo de hissopo, devemo-nos lembrar que, em contraste com as idéias dos artistas sobre a crucificação, os executados não ficavam tão distantes do solo como se vê nas gravuras, pelo que não seria necessário o uso de qualquer planta de ramos longos. Certas espécies de hissopo, sem dúvida, poderiam ter realizado o trabalho.

A referência em Hebreus 9:19,20 diz que Moisés usou hissopo a fim de aspergir o sangue dos animais sobre todo o povo e sobre *o livro*. De fato, os informes históricos nos mostram que o livro, propriamente dito, não foi aspergido com sangue. E esse aparente equívoco do autor da epístola aos Hebreus tem feito os céticos se regozijarem, e os harmonizadores fanáticos - chorarem e buscarem toda forma de explicação distorcida. Esse tipo de atividade é ridículo, porquanto coisas triviais como essas são, completamente destituídas de importância para a fé, nada tendo a ver com a *autoridade* das Escrituras. — Além disso, como é natural, não foi a multidão inteira que foi salpicada de sangue, mas apenas alguns representantes, que estariam mais próximos de Moisés na ocasião, outra questão sem importância.

Aparecem instruções dadas a Moisés, em Êxodo 12:22. Ele deveria tomar um ramo de hissopo e mergulhá-lo no sangue do cordeiro, na bacia. Então o sangue seria aplicado à verga e às ombreiras da porta de entrada das casas dos israelitas, como um meio de protegê-los do anjo da morte. Esse foi o começo da páscoa; e, daí por diante, tornou-se costumeiro observar algum memorial a respeito. O hissopo também era usado nos ritos de purificação dos leprosos (Lev. 14:4,6), nos casos de pragas (Lev. 14:49-52) e por ocasião do sacrifício da novilha vermelha (Núm. 19:2-6; Heb. 19:19). Outrossim, o trecho de Sal. 51:7 usa o termo em alusão à purificação espiritual, como metáfora que indica que Deus nos purifica do pecado.

As identificações do hissopo incluem as seguintes espécies vegetais: 1. o orégano sírio, chamado cientificamente de *Origanum maru L.*; 2. o orégano egípcio, cujo nome científico é *O. aegypticum l.*; 3. o *hissopo* mencionado em I Reis 4:33 pode ter sido uma samambaia (a *Capparis sicula*) que crescia em paredes, visto que era diferente daquela usada nos ritos da páscoa; 4. e o «*hissopo*» usado por ocasião da crucificação do Senhor Jesus pode ter sido a *Sorghum vulgare*, uma erva do tipo milho, que podia atingir a altura de 1,80 m.

A planta moderna, *hyssopus officinalis*, não medrava nem na Palestina e nem no Egito, pelo que dificilmente pode ter sido a planta em questão. Provavelmente, estão em pauta várias plantas, nas diversas referências bíblicas, o que pode ter incluído algumas das plantas mencionadas acima.

HISTÓRIA

Esboço:
  I. O Termo
  II. Historiografia Bíblica
  III. Definições Filosóficas da História
  IV. A História Bíblica Cronológica
  V. A Filosofia da História
  VI. A Bíblia e a História: Significados

I. O Termo

O termo português **história** vem do grego, **istoria**, que significa «informação», «inquirição», «narração». A forma verbal, *istoréo*, significa «narrar», «aprender por inquirição».

Tal como todas as palavras importantes, é impossível definir a história, o que significa que terminamos com uma descrição ou conjunto de idéias. Para alguns, a história é apenas a narração de eventos, em ordem cronológica, sem qualquer tentativa de encontrar algum sentido. Para outros, a história resulta de uma força viva, inteligente e teleológica, que vincula tudo a algum plano piloto. Qualquer artigo sobre a história, naturalmente, envolve-se nas teorias sobre o significado da história.

A história, como uma *disciplina*, é um ramo do conhecimento humano, cuja matéria é o passado e seus eventos importantes. A história é a experiência passada da humanidade, preservada no registro dos documentos escritos, nos artefatos e nas evidências descobertas pela arqueologia, e também nos registros geológicos. A história abarca todas as instituições, os movimentos sociais, as guerras, os avanços tecnológicos, a antropologia, as ciências em geral e os desenvolvimentos culturais e governamentais da humanidade. E, naturalmente, a história da religião é parte inseparável da história. A história envolve a humanidade; mas também é divina, sendo, por isso mesmo, teleológica, ou seja, prossegue para alguma finalidade. Do ponto de vista da Bíblia é o avanço das operações de Deus entre os homens, com finalidades específicas.

A *história*, nas escolas, usualmente é estudada como parte das *humanidades*. Porém, envolve-nos em todas as ciências, e os métodos científicos têm sido necessariamente usados para nos dar toda a precisão que se tem feito mister.

II. Historiografia Bíblica

Temos provido um artigo separado com esse título. Este artigo acompanha a origem dos escritos históricos, e também examina a questão de Israel, no tocante à história, comentando sobre os *pontos culminantes da história*.

III. Definições Filosóficas da História

1. *Aristóteles*. Ele distinguia entre a história, por um lado, e a poesia e a filosofia, por outro. Para ele, a história consistia no que realmente sucedeu. A poesia e a filosofia envolveriam o que poderia acontecer, potencialmente.

HISTÓRIA

2. *Francisco Bacon*. Para ele, a história é aquela disciplina que nos diz aquilo que é circunscrito pelo tempo e pelo espaço. A memória seria o principal instrumento na descrição dessas questões. Ele dividia a história em natural, civil, eclesiástica e literária, que seriam as principais divisões da história.

3. *Vico*. Ele afirmava que a história é o estudo mais importante do homem, como aspecto da erudição humana. O homem tem feito a história, pelo que, para entendermos o homem, primeiramente, teríamos de entender a história.

4. *Herder*. Ele supunha que cada época e cultura são individualistas, devendo ser explicadas segundo seus próprios termos, e não mediante comparações com outras épocas e culturas. Assim, ele fundou o que se chama de método *genético* de análise histórica.

5. *Hegel*. A razão divina é que faria a história, controlando totalmente o processo e seus resultados, mediante o arranjo da tríade composta de tese, antítese e síntese.

6. *Schelling*. Ele via três estágios nos movimentos históricos: 1. o estágio primitivo, caracterizado pela predominância da sorte; 2. a era dos romanos, caracterizada pela reação dos aspectos ativos e voluntários dos homens; 3. o estágio futuro, que produzirá a síntese dos dois estágios anteriores, formando um ideal bem equilibrado, que se tornará uma realidade.

7. *Carlyle*. A história seria determinada por grandes homens, que criam e orientam.

8. *Dilthey*. Os historiadores são limitados, e até cegos, pelas perspectivas da época em que vivem. Assim, seria impossível atingir uma história objetiva. Ver o artigo sobre o *Historicismo*.

9. *Ritschl* e *Troeltsch*. Para eles, a religião reveste-se de grande importância na história. A religião e a história não poderiam ser separadas, e cada uma delas seria produto e criadora da outra. Contudo, o cristianismo emergiu da história, embora independente da mesma.

10. *Windelband*. A história é uma das ciências da cultura humana.

11. *Max Weber* e *Edward Spranger*. Seria possível extrair idéias da história, que se tornam a base do estudo das ciências sociais.

12. *Rudolf Otto*. Seu interesse pela história originava-se em sua tentativa de definir certos aspectos da filosofia da religião. Ele obteve vários conceitos religiosos compreendendo o seu pano de fundo histórico.

13. *Croce*. Ele dizia que a filosofia e a história são elementos inseparáveis no desenvolvimento da vida do espírito. Ele via o desenvolvimento da filosofia segundo termos históricos.

14. *Collingwood*. Cada disciplina estudada pelo homem contém alguma verdade, mas, acima de todas, brilha a história. Essa é a mais importante disciplina da inquirição humana.

O leitor deveria distinguir o que digo aqui da *Filosofia da História* (seção V), cuja substância aparece em um artigo separado, com esse título.

IV. A História Bíblica Cronológica

A história da Bíblia, em sua inteireza, é apresentada sob forma cronológica em dois artigos separados, intitulados *Cronologia do Antigo Testamento* e *Cronologia do Novo Testamento*.

V. Filosofia da História

Temos apresentado um artigo separado com esse título. Ali são descritas as várias definições filosóficas sobre o sentido e a natureza da história.

VI. A Bíblia e a História: Significados

O artigo sobre a **Filosofia da História** apresenta três seções relacionadas ao ponto de vista bíblico da história, a saber: 1. a cultura judaica (sua filosofia da história); 4. a filosofia da história de Agostinho; e 12. o dispensacionalismo, uma importante visão cristã da natureza da história.

Pontos de Vista Bíblicos Sobre a História:

1. *A história começou* com o ato criativo de Deus, pelo que é impossível isolar a história humana da vontade divina, conforme Marx, erroneamente, fez. Os capítulos um e dois de Gênesis ilustram isso.

2. *O poder de Deus*, através do seu *Logos*, está sempre controlando e sustentando o processo histórico (ver Col. 1:16). A consumação da história estará ligada a um ato de intervenção divina (II Ped. 3).

3. *A Intervenção Divina*. A história dos profetas bem como as vindas de Cristo (a primeira e a segunda) são intervenções divinas na história, que guiam o seu curso e garantem a concretização dos desígnios de Deus. Assim, a história é um processo teleológico, guiado pela mente divina (João 1:14,18) e pela mensagem inteira do evangelho. O trecho de Efésios 1:9,10 mostra-nos que a *unidade* de todas as coisas, em torno do Logos, é o alvo final do processo histórico. Ver o artigo sobre a *Restauração*. Ver também o artigo *Mistério da Vontade de Deus*.

4. *A Escrita da História*. Geralmente reconhece-se que a história registrada pelos hebreus, a começar por volta do ano 1000 A.C., é bastante exata, e que os hebreus foram os primeiros e melhores historiadores. O interesse pela história teve prosseguimento na fé cristã. Lucas foi o grande historiador da Igreja primitiva. No prólogo de seu evangelho, ele salienta a importância da história que registrou, e como investigou tudo acuradamente. Desse modo, a fé cristã foi vinculada aos eventos históricos reais, não podendo ser interpretada apenas poética ou metaforicamente. Como é óbvio, qualquer fé autêntica transcende à mera história. E muitas das verdades da fé independem da história, como, por exemplo, a realidade da ressurreição de Cristo (I Cor. 15). Além disso, os eventos históricos fornecem-nos muitas lições morais e espirituais importantes. Ver Heb. 11; I Cor. 10:6,11 e II Ped. 2:16. Paulo afirma, em Rom. 15:4; que a história escrita tem uma função espiritual positiva.

5. *Fator Controlador: a Soberania Divina*. A história não é destituída de significado (conforme dizem os existencialistas); e nem é controlada por alguma força cósmica e impessoal (conforme dizia Hegel); e nem é controlada pelo determinismo econômico (conforme Marx dizia); e nem, finalmente, é algo misterioso (conforme afirmam os evolucionistas). Antes, a providência divina cuida de todos os detalhes. Deus mostra-se soberano na história. Essa é uma indicação bíblica geral, e a profecia bíblica repousa sobre essa realidade. Paulo afirmou tal coisa em Rom. 11:36 e Efé. 4:6. Deus é um Ser transcendental, embora também seja imanente em toda a sua criação. As instituições humanas, como a família (Gên. 1:28; 2:20), o governo humano (Gên. 9:5,6; Rom. 13:1-7), e o aparecimento e desaparecimento das nações (Atos 17) são atribuídas à vontade e ao controle divinos. A história da Igreja também está sob o controle de Deus (I Cor. 10:32). Daniel vinculou os seres celestes aos acontecimentos históricos, como o surgimento, o caráter e a queda das nações (Dan. 10:13,21 e 12:1). Quanto a declarações similares ver Deu. 32:8; Isa. 40:15,28; Jer. 46:28; Dan. 2:21,37.

HISTÓRIA

Fatores controladores atuaram durante toda a história do povo de Israel, sendo essa a nação messiânica, pois o Messias é o Logos encarnado.

6. O Significado e o Destino na História

A vida física oferece-nos a oportunidade de aprender, pois através dela aprendemos o valor das coisas espirituais e correspondemos a elas. Trata-se de um lugar onde a santificação e a transformação preliminares, à imagem de Cristo, podem tornar-se realidades (I Tes. 4:3; Rom. 8:29). A vida física tem um propósito em conjunção com a vida futura, do após-túmulo, embora também se revista de um importante propósito atual. Aquilo que fazemos é muito importante, tendo em vista a nossa missão neste mundo e o bem da humanidade. Deveríamos pensar em termos de uma missão pessoal dupla. Uma dessas missões é essencialmente física, terrena. A própria terra tem um destino, como um dos segmentos da criação divina. Este mundo não é apenas um lugar em que nos preparamos para a vida espiritual futura, — nos mundos celestes. O trabalhador que cumpre bem a sua tarefa está cumprindo um importante papel, posto que secundário. Ele está contribuindo para o bem-estar deste mundo, e para o seu propósito geral. Esse destino secundário envolve elementos que também se inter-relacionam, contribuindo para a existência nos céus. Algumas pessoas, desde agora mesmo, têm uma missão espiritual a cumprir, relacionada especificamente à ética e aos valores e alvos espirituais. No entanto, a grande maioria das pessoas não tem nenhuma missão assim.

Algumas pessoas estão convencidas de que o destino terreno — inteiramente à parte da questão de pagar dívidas e de obter o bem que alguém, porventura, semeou — requer várias vidas terrenas, a fim desse destino ser apropriadamente cumprido. Henry Ford afirmava que ele precisava de mais de uma vida na terra para realizar as suas idéias, aceitando a noção da reencarnação em relação a esse senso de cumprimento. A Bíblia, de fato, admite o conceito de casos especiais de reencarnação. Assim, Elias retornaria à terra. Jesus foi concebido, embora erroneamente, como reencarnação de algum profeta. Acerca do anticristo espera-se que ele suba dos hades, para cumprir uma outra missão satânica neste mundo (Apo. 17:8). Além desses, as duas testemunhas do capítulo onze do Apocalipse já teriam vivido como dois antigos profetas, mas que retornariam a fim de cumprir uma outra missão celeste. Fazia parte da teologia judaica comum a idéia de que os antigos profetas teriam mais de uma vida na terra; e sabemos que os fariseus e os essênios acreditavam na reencarnação generalizada. Esse assunto permanece um dos enigmas da existência, e há evidências inconclusivas em favor e contra o mesmo. Ver o artigo sobre a Reencarnação quanto aos argumentos, contra e a favor desse conceito. O trecho de Apo. 3:17 (a pedra branca e a doutrina do novo nome) assevera a importância e o valor ímpar de cada indivíduo. Essa individualidade relaciona-se tanto a esta vida como aos futuros ciclos da eternidade.

A Restauração da Comunidade. O propósito divino envolve todos os homens, e não meramente os eleitos. Isso fica claro em Efé. 1:9,10, onde é prometida uma restauração geral de todas as coisas, formando a unidade de tudo em torno do Logos. Ver o artigo sobre a Restauração. Mas, para além da restauração, temos a considerar a participação na natureza divina, mediante a nossa transformação segundo a imagem do Filho, que é o destino dos remidos. Ver sobre Eleição e sobre Redenção. Essa participação na natureza divina é a essência mesma da salvação (vide). Ver II Ped. 1:4; II Cor. 3:18 e Col. 2:10. Os remidos virão a participar de toda a plenitude de Deus, isto é, de sua natureza e de seus atributos. Isso é ensinado em Efé. 3:19, o mais elevado conceito espiritual de que dispomos na Bíblia. Ver o artigo chamado Divindade, Participação na, Pelos Homens. Essa participação é finita, mas nunca cessará de se ampliar. Nunca atingiremos a estatura do Pai, mas estaremos sempre crescendo nessa direção. Não se pode pôr o oceano em uma xícara, mas pode-se encher uma xícara com o oceano. Visto que há uma infinitude com que teremos de ser cheios, também deverá haver um infinito enchimento.

7. A História é Linear ou é Cíclica? Finalidades Instrumentais

Se seguirmos alguns informes bíblicos e isolá-los, então teremos de concluir que a história teve um começo, move-se de um acontecimento e condição para outro acontecimento e condição, e atinge um alvo ou finalidade. No entanto, há razões para crermos que esse modo linear de operação move-se dentro de um ciclo. Quando a Bíblia fala sobre a eternidade como uma sucessão de eras, obtemos ali a idéia de ciclos, porquanto cada era é um ciclo. Ademais, devemos tomar consciência do fato de que não há tal coisa como ponto final. Todas as finalidades são instrumentais. Em outras palavras, os pontos finais tornam-se novos começos. Daí, todos os fins, na verdade são novos começos. Não há tal coisa como uma síntese final. A síntese torna-se, inevitavelmente, tese sua antítese. Dali emergem uma nova tese e antítese, e a anterior síntese expressa-se mediante seus opostos. Da nova tese e sua antítese, emerge uma nova síntese; e as obras de Deus requerem que esse processo nunca termine. Com base nesse pensamento, alguns teólogos, como Orígenes, especularam que haverá muitas quedas e restaurações, e que aquilo que agora conhecemos é apenas uma das muitas ocorrências e processos. Essa é uma especulação que talvez tenha algum valor, embora esteja fora de nosso alcance afirmarmos ou negarmos tal idéia. Seja como for, a astronomia sugere que cerca de dezesseis bilhões de anos no passado, ou mesmo mais, houve um começo no «big bang», ou seja, uma tremenda explosão que espalhou a matéria pelo Universo, conforme a vemos agora. Os estudiosos afiançam que essa propagação da matéria, devido à força daquela explosão, ainda não terminou. Quando a extensão máxima for atingida, então haverá um retorno ao centro, pela força gravitacional. Se isso vier a suceder, então a matéria, tremendamente condensada, poderá vir a explodir novamente. E isso originaria um novo começo cósmico. O começo da terra, a criação conforme a conhecemos, seria apenas um episódio dentro de um tremendo drama cósmico. Se essa teoria está com a razão, então devem ter ocorrido inúmeros «big bangs», ou seja, inúmeros ciclos cósmicos.

Em consonância com isso, parece lógico afirmarmos que pode ter havido inúmeros ciclos semelhantes ao da terra, embora não envolvendo o globo terrestre segundo o conhecemos atualmente. Isso poderia ter envolvido almas humanas (talvez incluindo todas aquelas que atualmente existem, além de muitíssimas outras), de tal maneira que a humanidade (no nível do ser espiritual, sugerido por essa palavra) pode ter envolvido muitos ciclos cósmicos. Tudo isso, naturalmente, é pura especulação; mas o conceito geral envolvido faz sentido, contando com algumas evidências, posto que inconclusivas.

As evidências astronômicas contrárias a uma criação jovem (que inclua o globo terrestre) são

130

HISTÓRIA — HISTORICIDADE

esmagadoras; e essas mesmas evidências sugerem grandes ciclos cósmicos. As religiões e filosofias orientais sugerem que a alma humana, sendo preexistente, antiqüíssima, tem visto os grandes ciclos cósmicos. Os pais alexandrinos da Igreja, influenciados por Platão, que ensinava idéias dessa ordem, pensavam que a alma é preexistente; e quase todos os pais gregos, além de muitos prelados da Igreja Oriental Ortodoxa, têm aceito essa posição sobre a alma, em contraste com o que diz a Igreja ocidental. Minha opinião pessoal é que os pais gregos, quanto a esse ponto, mostravam ter mais sabedoria do que os pais ocidentais da Igreja. Contudo, estamos lidando aqui com muitos mistérios. A especulação pode enriquecer a teologia, e não deve ser sumariamente rejeitada. Todavia, deveríamos rotulá-la de tentativas, não nos mostrando dogmáticos. Naturalmente, as especulações entram em toda espécie de raciocínio sobre as origens e sobre os destinos finais, coisas sobre as quais, confessamos, pouquíssimo sabemos. Ver os artigos separados sobre a *Astronomia* e os *Antediluvianos*, quanto a outras informações. (AM E EP R Z)

HISTÓRIA ÁRABE DO CARPINTEIRO JOSÉ

Presumivelmente, Jesus teria narrado a vida de José aos Seus discípulos, e o resultado foi esse livro. Este pode ter sido originalmente escrito em grego, mas só existe em cóptico (completo no boairico e apenas fragmentos no saídico). Mas a princípio era conhecido somente em árabe, o que explica o seu título.

Fontes informativas. A primeira parte está alicerçada sobre o Proto-evangelho de Tiago (ver o artigo a respeito); e a segunda parte sobre a religião egípcia. Provavelmente data do século IV D.C. Ali é declarado que Maria teve o mesmo fim físico que quaisquer outros seres mortais, o que demonstra que deve ter sido produzido antes do século V D.C., quando começou a prevalecer a doutrina da assunção de Maria.

Ali é dito que José tinha avançada idade quando foi encarregado de cuidar de Maria. Presumivelmente, José já teria quatro filhos e duas filhas, de um casamento anterior, que seriam os *irmãos* de Jesus, nos evangelhos canônicos, note-se bem! (Ver Mat. 12:47 e a exposição desse versículo no *NTI*, sobre essa questão). (CH HEN JAM Z)

HISTÓRIA DO ANTIGO TESTAMENTO

Ver os seguintes artigos: *História:* seção II, Historiografia Bíblica; IV, História Bíblica Cronológica; VI, A Bíblia e a História, Significados. *Cronologia do Antigo Testamento* e *Antigo Testamento.* Ver especialmente sobre *Israel, História de.*

HISTORICIDADE DOS EVANGELHOS

Esboço:
I. Ceticismo
II. Meios de Conhecimento
III. Problema do Interesse Histórico
IV. A Compelidora Realidade de Jesus
V. Testemunhos de Marcos e Pedro
VI. Testemunho de Lucas
VII. Testemunho de Mateus
VIII. Testemunho de Paulo
IX. Testemunho da Igreja Primitiva
X. Testemunho dos Livros Apócrifos e Outros Primitivos Escritos Cristãos

XI. Influência Divina dos Evangelhos
XII. O que não Significa a Historicidade
XIII. Bibliografia

Podemos aceitar com confiança a informação que os evangelhos nos apresentam acerca da identificação, da vida e dos ensinamentos de Jesus Cristo? Para os crentes sinceros, essa pergunta é crítica. Queremos saber quem ele foi, que fez e que ensinou. Queremos saber que significado têm para nós os registros dos *Evangelhos..* Por essa causa, poucas perguntas se revestem de maior importância do que a que aborda a *validade histórica* dos Evangelhos.

Temível é o caso,
Lágrimas há no mero relato;
Inevitavelmente chegou o tempo
Quando ninguém podia dizer,
    «Eu vi».
Jubiloso é o caso,
Alegria há no mero relato;
É chegado o tempo
Quando eu posso dizer, «Eu sei»,
Porquanto «eles viram».
    Russell Champlin

I. Ceticismo

Até mesmo as mentes mais brilhantes são potencialmente sujeitas ao *ceticismo exagerado*, mesmo em face das evidências mais convincentes. A comunidade científica, por longo tempo, recusou-se a reconhecer a realidade dos meteoritos, devido ao raciocínio *a priori*, que «qualquer tolo sabe que pedras não podem cair do céu». Somente uns poucos ousavam fazer coleções de «pedras caídas do céu», ao passo que homens de grande inteligência e realização zombavam. Quando, finalmente, as evidências em favor dessas pedras se tornaram esmagadoras, a comunidade científica foi forçada a refazer as «teorias cósmicas», a fim de incluir a queda de pedras vindas do espaço. O ceticismo exagerado penetrou na igreja juntamente com a ênfase sobre o método científico, próprio de nossa época, paralelamente à desconfiança em todas as reivindicações e autoridades eclesiásticas.

Hoje em dia, o espírito de ceticismo anda tão generalizado que, para alguns, qualquer idéia contrária às realidades espirituais, embora totalmente destituída da verdade, merece mais atenção que alguma *declaração de fé*, sem importar as provas que pareçam justificar a mesma.

Infelizmente, o ceticismo tornou-se popular hoje em dia no seio da igreja, e os homens se deleitam em despedaçar as antigas tradições e os objetos sagrados. David Strauss, de certa escola alemã de teologia, em seu livro, *Vida de Jesus* (1836), chegou a duvidar seriamente da própria existência de Jesus, referindo-se ao «mito histórico de Jesus». Desde então popularizou-se a busca pelo «Jesus histórico», com a confiança de que o Jesus dos evangelhos na realidade é uma figura mitológica, uma invenção da igreja primitiva, distorção de entusiastas fanáticos. Um certo Arthur Drews, em seu livro *O Mito de Cristo*, asseverou um culto pré-cristão ao salvador, do qual teria sido emprestada a história de Cristo. Outros têm dito essencialmente a mesma coisa, com base em evidências supostamente alicerçadas sobre os Manuscritos do Mar Morto, que mencionam um líder religioso intitulado *Mestre da Justiça*. E a fim de achar um *arquétipo* do Jesus dos evangelhos, têm tido que inventar muitas coisas fantasiosas. Rudolf Bultman e seus discípulos, embora aceitando Jesus como personagem histórico, têm dito que circunda a tua pessoa um tão denso nevoeiro de mitos que se tornou necessário abordarmos os primitivos documentos

HISTORICIDADE DOS EVANGELHOS

cristãos com uma pronunciada atitude de «desmitologização».

Este artigo busca dar algumas razões simples por que tal atividade, talvez efetuada por homens no espírito da investigação honesta, tende por prejudicar, em vez de promover a fé cristã. Outrossim, a posição deste artigo é que tais idéias representam posições extremas, que tendem por impedir o conhecimento da «verdade de Jesus», — em vez de ajudar-nos nessa busca. Este artigo, pois, procura salientar que temos bons motivos para confiar nos registros evangélicos como relatos exatos do que Jesus foi, fez e disse.

Ceticismo, cegueira da alma: Meus amigos, considereis o que declarou o grande Agostinho: «Creio, para que possa entender». Agostinho disse isso com base na convicção acerca das realidades metafísicas de que «a crença é a base do conhecimento», ao passo que o «ceticismo» é a «base da ignorância». Permita-me explicar, em termos mais simples, o que isso quer dizer. Existe a realidade das forças antiespirituais. Essas forças podem cativar as mentes dos homens. O ceticismo é um terreno fértil onde as forças antiespirituais medram à vontade. O ceticismo pode até mesmo resultar da atividade de seres tenebrosos, que invadem a atmosfera da consciência dos homens. Portanto, há um «reino do ceticismo», — que é o reino das trevas espirituais. Todo o cético é naturalmente privado de luz espiritual, porque habita nas trevas. Por outro lado, há o reino da «luz espiritual». A *crença* ajuda-nos a entrar nesse reino. Uma vez que entramos nesse reino, — nossas almas se tornam «sujeitas à iluminação espiritual». É somente então que chegamos a «entender» as verdades espirituais, pois tornamo-nos passíveis de sua revelação. Portanto, é pura verdade aquilo que Agostinho disse: «Creio, para que possa entender». O que ele quis dizer foi: «Tenho uma fé simples o bastante para conservar abertos os canais de iluminação espiritual. Evito o ceticismo, que é o reino das trevas, que entope esses canais».

Destaca-se, pois, aquela verdade que diz que é *melhor crer demais* que crer de menos. Isso, naturalmente, não nos isenta da investigação honesta, pois Deus nos livre dos dogmas mortos! Investigamos, devemos investigar; mas devemos fazê-lo com um espírito de acolhimento espiritual, e não com ódio nos corações pelo que é antigo e tradicional.

Evitemos o extremo oposto. Tenho falado do ceticismo, tachando-o conforme ele é, ou seja, «o campo das trevas espirituais, que apaga a verdade potencialmente aprendida». Porém, há um outro perigo, a saber, o do *ódio sagrado*, falsamente assim chamado, porque nada do que é *sagrado* permite ódio ao próximo. Pensemos nos ataques da «literatura do ódio», que tem sido produzida por homens que a si mesmos se reputam religiosos. Na «defesa da verdade», alguns indivíduos se têm tornado *agentes do ódio*. Meus amigos, isso faz parte do «reino das trevas», tanto quanto o ceticismo.

II. Meios de Conhecimento

Consideremos como chegamos a saber das coisas:

1. *Através dos cinco sentidos*. Esse é o meio de conhecimento de «todos os dias». Os filósofos reconhecem a debilidade desse método, pois os sentidos podem ser inexatos, e até mesmo ilusórios. A ciência ensina-nos que as realidades profundas da vida não estão sujeitas aos meros sentidos. Contudo, nosso **conhecimento «prático»** nos chega através dos sentidos. Mediante esse conhecimento criamos medicamentos e máquinas que nos ajudam a obter uma vida física mais abastada. Porém, as verdades morais e espirituais requerem um tipo mais apurado e poderoso de «conhecimento», do que aquele alcançado pelos meros sentidos.

2. *Através da razão*. A mente humana é constituída de tal modo que a «razão disciplinada» pode chegar a certas verdades, sem a ajuda da experiência dos sentidos. Entre elas citamos as verdades «morais» ou «éticas». Cremos que a mente humana está sujeita à comunicação com o ser divino e que, se fizer uma busca honesta por certas verdades, poderá obtê-las. Rejeitamos a tese de que a verdade ética depende somente do —meio ambiente—, dependendo dos tempos e condições em mutação. A razão pode transcender a tudo isso.

3. *Através da intuição*. Esse é o «conhecimento imediato», que não precisa ser mediado através dos «sentidos», ou da «razão». O indivíduo, no «nível da alma», é capaz de certos «discernimentos» que podem transmitir-lhe a verdade. A «fonte» da intuição pode ser desconhecida, ou pode provir da alma ou de Deus, ou de alguma outra força espiritual, como o ministério dos anjos. Certamente a intuição pode ensinar-nos a «verdade moral», podendo até transcender à mesma, conferindo-nos determinados discernimentos acerca da realidade metafísica superior.

4. *Através do conhecimento místico*. Este pode assumir duas formas, «objetiva» e «subjetiva». O conhecimento místico objetivo envolve «visões», «sonhos» e «revelações», que procedem de uma fonte espiritual superior. Por exemplo, há revelações que foram dadas aos profetas, das quais resultaram as «Escrituras». Esse «conhecimento» é um «dom de Deus», transcendendo os sentidos, a razão e a intuição. Também há o Espírito que se revela à alma, que nos ensina internamente, o que é o «caminho subjetivo».

Em termos simples, pois, temos descrito «como sabemos das coisas». Cremos que a experiência cristã envolve *todos* esses meios de conhecimento. Cremos que aquilo que os evangelhos narram é «historicamente fidedigno», e isso foi conhecido mediante a «percepção dos sentidos». Eles «viram», portanto, nós «cremos». Tal conhecimento, entretanto, pode ser confirmado por minha «razão» ou por minha «intuição». Percebo o poder da vida de Jesus. Minha razão diz-me que a verdade «deve estar por detrás do registro que conta sobre essa vida inigualável de Jesus. Posso também receber discernimentos intuitivos que me digam a mesma coisa, ou que confirmem para mim certas doutrinas ou realidades espirituais da mensagem de Cristo». Mediante a comunhão mística com o Espírito, o *Jesus histórico* torna-se o «Cristo que em nós vem habitar». Portanto, posso aproximar-me dos evangelhos com mais do que mera «curiosidade histórica». Desejo saber o que essas coisas significam para a minha alma, e não apenas para minha mente interrogativa. Confio no Jesus histórico, mas também desejo que em mim opere o Cristo eterno. Desejo ver confirmada a realidade de suas obras históricas, mas estou igualmente interessado na realidade presente de suas operações espirituais.

Sendo esse o caso, evitarei «cortar e queimar» aqueles que discordarem de mim, para que evite o campo de trevas espirituais que isso representa. Assim ajo porque meu interesse em Jesus é mais profundo do que obter mera «confirmação histórica». Também quero ter uma presente «confirmação espiritual», para que minha alma regrida na transformação segundo a sua imagem (ver Rom. 8:29; II Ped. 1:4 e Col. 2:10). Creio que se pode apresentar uma *defesa adequada* da natureza fidedigna dos evangelhos; mas também

HISTORICIDADE DOS EVANGELHOS

acredito que «Cristo na vida» é ainda mais importante; pois apesar de que Cristo pode nascer em Belém por mil vezes, se não tiver nascido em mim, minha alma continua desamparada. Se creio que é historicamente exato que Cristo foi crucificado, e se minhas investigações podem confirmar isso para mim, de que me adiantará tal coisa se eu mesmo não for «crucificado com Cristo»? Sim, até onde me diz respeito, em caso contrário ele continuará no sepulcro, sem importar minhas asseverações históricas, se eu, por causa de quem ele ressuscitou, continuo escravizado pelo pecado.

Assim, pois, há vários—meios de conhecimento, como também há diversos objetos desse conhecimento. Aceito a «realidade histórica» de Jesus, e creio que os evangelhos são narrativas fidedignas acerca dele. Porém, minha alma anela por conhecer ao Cristo eterno. Se esse desejo não for concretizado em nós, de que valerão todas as nossas defesas intelectuais e a pompa acadêmica?

III. Problema do Interesse Histórico

A questão crítica sobre a qual deve basear-se qualquer investigação sobre a *historicidade* parece ser o *interesse histórico* dos escritores dos evangelhos. É verdade que uma verdade espiritual pode ser comunicada até mesmo através de um mito. Em minha literatura sagrada talvez haja o mito de um monstro de seis cabeças, que é o destruidor de todo o bem. Talvez nem exista tal monstro, mas pode ser símbolo vivo de uma verdade bem real. Alguns crentes se consolam nessa circunstância da «verdade simbolicamente mediada», e pensam que a questão da natureza histórica fidedigna dos documentos cristãos é bastante destituída de importância. Apesar de percebermos que a verdade pode transcender à história, não exigindo de modo absoluto «acontecimentos» históricos sobre os quais se alicerce, acreditamos que há boas razões para supormos que determinados eventos históricos trazem em si mesmos a manifestação da verdade. Por conseguinte, é importante que o homem chamado *Jesus* seja encarnação do ser divino, apesar de ser igualmente verdadeiro homem. É importante que ele realmente tenha realizado os atos que lhe são atribuídos, através do poder do Espírito, pois através desses relatos documentados posso ver como Deus é capaz de operar entre os homens, visando o bem dos mesmos, e como ele é capaz de manifestar-se ao homem. É importante saber que, «historicamente» falando, Jesus ressuscitou dentre os mortos, pois assim vejo como o impulso da vida divina, operando no homem, pode fazer qualquer coisa, chegando mesmo a elevá-lo a um nível superior da existência, livrando-o do que é mundano, profano e físico.

Tem sido negado por alguns que os evangelistas tivessem tido qualquer autêntico interesse histórico; ou então, se o tiveram, que esse foi assoberbado por relatos exagerados e fanáticos como nas lendas.

1. O exame feito nesses documentos revela um **interesse histórico**, e bastante intenso. Quem pode ler o prefácio de Lucas e duvidar disso? «Visto que muitos houve que empreenderam uma narração coordenada dos fatos que entre nós se realizaram, conforme nos transmitiram os que desde o princípio foram deles testemunhas oculares, e ministros da palavra, igualmente a mim me pareceu bem, depois de acurada investigação de tudo desde sua origem, dar-te por escrito, excelentíssimo Teófilo, uma exposição em ordem». Vários fatores importantes nos são apresentados de imediato:

a. Lucas afirmava que seus relatos se alicerçavam sobre narrativas de *testemunhas oculares*. Sob o ponto V, intitulado «Testemunho de Marcos e Pedro» abordamos essa questão, não sem evidências históricas.

b. Lucas afirmava que certas pessoas, ainda vivas, tinham *visto* as coisas sobre as quais ele escrevia, e que aquilo que Jesus fizera e dissera era «crido com máxima firmeza».

c. Lucas afirmava ter feito *cuidadosa investigação*, tendo descoberto evidências significativas e confirmações do que estava prestes a relatar.

d. Lucas usou o evangelho de Marcos como seu principal esboço histórico, pelo que deve ter ficado *satisfeito*, mediante suas investigações, de que o que ali estava contido, refletia fatos históricos objetivos.

e. Lucas, por ser médico (Col. 4:12), provavelmente ter-se-ia mostrado sóbrio e *cuidadoso*, não se deixando arrastar por relatos de «entusiastas fanáticos».

f. Lucas estava em posição *imensamente melhor* para conhecer a situação «histórica» do cristianismo primitivo, do que qualquer crítico moderno, o qual, apesar de todos os seus protestos, têm que se basear essencialmente sobre «sentimentos *a priori*» no tocante ao que «provavelmente sucedeu», mas que não conta com qualquer meio palpável de comprovar os seus sentimentos.

2. A investigação feita nesses documentos sagrados revela muito quanto a detalhes e descrições minuciosas, que convence, a qualquer estudioso das Escrituras, versículo por versículo (conforme tenho feito por muitos anos, utilizando-me de diversas fontes), que o «testemunho ocular» é o responsável por aquilo que foi escrito. Tomemos, por exemplo, o único *pão* de Mar. 8:14, que aparece na descrição preliminar da multiplicação dos pães para os quatro mil. Alguém no barco relembrou o fato de que os discípulos não tinham cuidado em trazer alimentos, e trouxeram somente aquela parca merenda, e sobre essa lembrança se baseou a história. Notemos, em Mar. 8:19,20, em confronto com Mat. 15:37, por sua vez comparado com Mar. 6:43 e Mat. 14:20 (multiplicação dos pães para os cinco mil), como são usados constantemente os termos que significam *cestas*, em que uma indica uma cesta grande e outra pequena. E em cada caso os evangelhos preservam a mesma palavra nas narrativas paralelas, em distinção ao vocábulo usado na outra multiplicação de pães. Os trechos de Mar. 6:43 e Mat. 14:20 (trechos paralelos) trazem apenas um termo; os trechos de Mar. 8:19,20 e Mateus 15:37 (os trechos paralelos da outra narrativa de multiplicação) trazem uma palavra diferente. Alguém vira os tipos de cestas usados em cada incidente, e teve suficiente interesse histórico para relatar esse particular.

Notemos como Lucas, em 3:1 *ss*, baseia sua narrativa sobre circunstâncias históricas contemporâneas. Isso é outra ilustração do interesse «histórico» que alguns críticos supõem estar ausente nesses documentos, a fim de abrir caminho para a suposta nuvem de mitos que presumivelmente circundaria a vida de Jesus.

3. Há um fato psicológico por detrás da hipótese do mito. Consideremos frontalmente a psicologia por detrás da atividade da desmitologização. Por que certos homens sentem um impulso íntimo de se ocuparem de tal atividade? Respondendo francamente, **não será porque** *não podem engolir* as narrativas conforme elas estão? Não pensam eles que «todos esses milagres fabulosos certamente indicam invenção»? Em outras palavras, a «imensidade» do que Jesus fez ofusca a mente deles, e então, ao rejeitarem essa imensidade, naturalmente sentem ser mister

133

HISTORICIDADE DOS EVANGELHOS

rejeitar a—historicidade—das narrativas sagradas. Crêem que somente nos contos mitológicos uma pessoa pode fazer o que os evangelhos dizem que Jesus fez. Para começar, essa atitude se deriva da falta de compreensão do potencial da personalidade humana para ofuscar a mente, inteiramente à parte da «operação divina no ser humano». Atualmente estão tendo lugar milagres fantásticos, especialmente no campo das curas, que não respeitam limites e dogmas religiosos. Curas instantâneas ocorrem mediante a imposição de mãos. A fotografia Kirliana (um tipo de radiografia) mostra a transferência de uma forma de energia ainda desconhecida, quando das curas espirituais. Pelos estudos atuais, sabe-se que a mente humana é capaz de feitos gigantescos, que envolvem até mesmo o «conhecimento prévio», para nada dizermos da simples telepatia e de «meios estranhos de conhecimento». Portanto, se o que Jesus fazia está sendo feito, ainda, que ninguém o faça com tanta profundidade e constância quanto ele, em nossos próprios dias, por pessoas que reconhecemos como *meros homens*, como se poderia duvidar que o grande Jesus fez tudo quanto se diz que ele fez? Meu irmão, missionário no Suriname, andou sobre o fogo e vidro quebrado, com os pés descalços, sem sofrer qualquer dano, ante o desafio de um feiticeiro local. Sei que isso é um fato. Sei de outros que curam qualquer enfermidade. Como, pois, pode-se duvidar que Jesus podia fazer tudo isso e mais ainda, já que o Espírito estava com ele, conforme ainda não aprendemos a fazê-lo estar conosco? Se Deus é um Deus do impossível, e entrou no mundo na encarnação, então qualquer coisa era possível em Jesus. O conceito básico do *teísmo*, em contraste com o *deísmo*, exige que aceitemos, sem quaisquer tentativas de explicação, a possibilidade da realidade histórica dos evangelhos, incluindo até mesmo suas reivindicações mais fantásticas. O «teísmo» assevera que Deus está conosco, mostrando-se ativo nos negócios humanos; já o «deísmo» diz que Deus está divorciado da vida humana, tendo deixado em seu lugar, em operação, meras «leis naturais». Não será possível que o combate contra a historicidade dos evangelhos se fundamente sobre o pensamento «deísta», ao passo que o cristianismo autêntico é normalmente teísta em alto grau?

IV. A Compelidora Realidade de Jesus

Para nosso próprio bem, entremos em outra avenida de pensamento. Pensemos nos mais de cem livros (sobre os quais temos conhecimento, podendo haver muito mais) que têm resultado da vida e da influência de Jesus. *Um gênio criativo*, bom ou mau, requer a reação humana, e sempre provoca a escrita de abundante literatura. A imensidade da pessoa de Jesus é evidenciada nos resultados prodigiosos de sua influência, vistos nos muitos grupos religiosos que têm crescido em torno dele (vinte grupos distintos antes do fim do século II D.C.), e mais de cem documentos. Considerando-se o poder de sua pessoa, como se pode pensar que «aqueles que viram» poderiam ter olvidado o que viram? Há certos acontecimentos de nossas vidas que nunca esquecemos, sem importar os eventos intermediários. Qual cidadão norte-americano já esqueceu o que estava fazendo, quando ouviu a notícia de que o presidente John Kennedy foi assassinado? Foi um acontecimento que marcou a consciência dos norte-americanos. A memória tornou-se eterna quanto àquele evento. Outro tanto deve ter sucedido sobre Jesus e seus seguidores. Muito se tem explorado a possibilidade de «lapsos de memória», e pouquíssimo acerca de *lembranças indelevelmente fixas*, por causa da grandeza de Jesus. Ouso dizer que

aqueles que viram meu irmão andar de pés descalços sobre fogo e vidro quebrado, na atmosfera emocionalmente carregada que deve ter havido, quando ele foi desafiado pelo feiticeiro a fazê-lo, fixaram para sempre, em sua memória, aquele acontecimento. Como, pois, no caso de Jesus, cujas obras foram magnificentes além de toda a comparação, poderia ter sido diferente? Mesmo que cem anos se tivessem passado, desde o acontecimento até ter sido registrado em forma escrita, as vívidas narrativas orais das testemunhas oculares teriam preservado um conhecimento exato dos acontecimentos. Aquilo que porventura teria sido adicionado ou retirado não poderia afetar, de qualquer modo crítico, a natureza fidedigna desses relatos.

Consideremos o caso de Tucídides. Os historiadores clássicos reputam suas narrativas como fidedignas, embora se admita que ele tenha inventado alguns discursos, conversas e detalhes, em suas histórias, a fim de emprestar à sua obra estilo e continuidade. Contudo, poucos (ou mesmo ninguém) acreditam que ele tenha narrado erroneamente suas histórias, de qualquer *modo crítico*. Muitos até respeitam a dose de pesquisas que ele incluiu em seus escritos. Os eventos registrados foram importantes para os gregos e marcaram profundamente as mentes gregas, pelo que foram registrados acuradamente. Mas por que se pensaria que Lucas, por exemplo, foi menor historiador do que Tucídides? Lucas tinha muitas vantagens acima daquele, principalmente porque ele podia consultar facilmente, e assim o fez, a testemunhas oculares sobre a maior parte das coisas sobre as quais escreveu. Se os «eventos gregos» impressionaram bastante a Tucídides, levando-o a escrever uma narrativa respeitavelmente exata, por qual razão os «eventos palestinos» não teriam impressionado suficientemente os discípulos de Jesus, levando-os a se tornarem fontes fidedignas de narrativas históricas? Qual é o preconceito que faz alguns homens chegarem a outra conclusão? Tem isso algo a ver com a psicologia envolvida no caso, conforme se supõe sob a seção III, ponto 3? Certamente a compelidora realidade de Jesus teria causado alguns de seus seguidores a serem historiadores respeitáveis, não menos que a compelidora realidade de certas guerras gregas, que inspiraram Tucídides no registro cuidadoso dos eventos.

É somente quando se crê através de *sentimentos a priori* que Jesus não poderia ter feito o que os evangelistas disseram que ele fez, ou não poderia ter sido o que disseram que ele foi, que se sente forçado a duvidar da historicidade essencial de suas narrativas. Isso é a mesma coisa que dizer que o «ceticismo» está postado diante do timão do barco que procura desacreditar às mesmas, mas esse barco sem dúvida, naufragará nos escolhos.

V. Testemunhos de Marcos e Pedro

1. *Papias* identificou o evangelho de Marcos com as *memórias* de Pedro. Alguns eruditos dizem que «Papias estava apenas conjecturando». Podemos dizer corretamente, sem temor de contradição, que esses eruditos estão apenas conjecturando que Papias conjecturava. Seja como for, estava ele em melhor posição de conjecturar do que nós, hoje em dia. (Ver o artigo sobre o evangelho de Marcos, sob «Autoria», onde há plena discussão a respeito). Naturalmente, não é vital para a questão da exatidão histórica do evangelho de Marcos a suposição de que João Marcos foi seu autor. Na realidade, essa é uma questão lateral. O que nos interessa, antes de tudo, é a *memória indelével* devido à natureza prodigiosa dos próprios acontecimentos, e, em segundo lugar, se são

134

HISTORICIDADE DOS EVANGELHOS

narrativas ou não de testemunhas oculares. A primeira coisa não é menos significativa do que a segunda. É perfeitamente possível que um evangelho poderia ter sido escrito até mesmo cem anos após os acontecimentos narrados, mas que preservasse descrições essencialmente exatas, se os próprios acontecimentos fossem suficientemente impressionantes para criar uma espécie de tradição oral vital.

2. *Marcos preservou narrativas* de testemunhas oculares. Um erudito católico romano, papirologista, José O'Callaghan, descobriu entre o material dos Manuscritos do Mar Morto, um fragmento de 17 letras que corta verticalmente cinco linhas do texto, e que ele identificou como Marc. 6:52,53. Seu trabalho sobre isso foi relatado na publicação do Instituto Bíblico Pontifício de Roma, intitulada *Bíblica*. Além desse fragmento, O'Callaghan vinculou um fragmento de cinco letras a Mar. 4:48, além de um fragmento de sete letras a Tia. 1:23,24. Outras identificações «prováveis» incluem Atos 27:38; Mar. 12:17 e Rom. 5:11,12. Identificações possíveis incluem II Ped. 1:15 e Mar. 6:48. Esses fragmentos foram escritos no tipo de escrita grega «zierstil», a qual, conforme dizem os paleógrafos, era usada mais ou menos entre 50 A.C. e 50 D.C. Isso significaria que o evangelho de Marcos poderia ter sido escrito *antes* do ano 50 de nossa era, o que certamente indicaria que se alicerçou sobre narrativas de «testemunhas oculares». Naturalmente, alguns eruditos duvidam da validade dessas identificações. Com ou sem esses fragmentos, e apesar de bom hiato de tempo entre os próprios eventos e suas descrições «escritas», há toda a razão para supormos que os próprios acontecimentos foram bastante impressionantes para assegurar um registro essencialmente acurado.

3. *Interesse teológico.* Se Pedro e/ou qualquer outro apóstolo, serviu de base das narrativas históricas do evangelho de Marcos, é difícil imaginar que qualquer «interesse teológico» tenha podido colorir seus relatos, furtando-lhes a sua historicidade essencial. Poderiam homens que acompanharam a Jesus em suas viagens e que o ouviram diretamente, ter o desejo de distorcer o que sabiam ser a verdade, a fim de servir a algum interesse teológico? É muito mais provável que a *própria teologia* tenha sido um desenvolvimento natural da natureza momentosa da história ocorrida. A negação da historicidade dos evangelhos, por si mesma, resulta do «interesse teológico» dos críticos modernos, mais do que de qualquer outra coisa.

4. *Preservação do Evangelho de Marcos.* Esse é o evangelho que contém poucas das declarações de Jesus, que não registra o Sermão da Montanha e nem a narrativa do nascimento de Jesus. É o chamado «evangelho escasso». Não obstante, foi preservado. Sua própria preservação serve de forte indicação de que o seu *conteúdo histórico* foi altamente valorizado e confiado por escritores sagrados posteriores. Foi considerado uma história digna de figurar lado a lado com evangelhos mais elaborados, porque tinha uma mui significativa contribuição a fazer: narrava essencialmente e de forma exata, a vida e as obras de Jesus.

5. *Sua utilização por Lucas*, que definidamente tinha forte interesse histórico (ver Luc. 1:1 *ss* e 3:1 *ss*), não pode ser desconsiderada como confirmação da sua exatidão histórica. Lembremo-nos que se o próprio Lucas não foi testemunha ocular, entrou em contacto com aqueles que o foram, e deles extraiu o seu material. O trecho de Luc. 1:2 afirma que os informantes de Lucas foram testemunhas oculares. Não pode haver qualquer dúvida de que o evangelho de Marcos foi um dos documentos empregados por Lucas e sua preocupação para utilizar-se de narrativas de TESTEMUNHAS OCULARES quase certamente significa que ele reputou o evangelho de Marcos exatamente como tal.

6. *O Evangelho de Mateus* é anônimo. Sem importar quem possa ter sido o seu autor, é óbvio que ele compilou cuidadosamente a sua obra, motivo por que se tornou uma de nossas principais fontes sobre as declarações de Jesus. Ele deve ter-se preocupado sobre o que *incluir* em sua obra. O fato de que ele escolheu a Marcos como base de seu esboço histórico serve de evidência convincente de que aquele documento tinha grande prestígio, considerado digno de confiança.

7. *Os maiores dentre os ensinamentos.* Os ensinamentos contidos no evangelho de Marcos e nos demais trazem em si a sua própria autenticação. Quem mais, senão Jesus, poderia ter feito ensinamentos tão poderosos que cativaram a mente dos homens e alteraram as almas humanas para melhor? Julgamos que as declarações que possuímos de Jesus são declarações históricas fidedignas. De outro modo, quem foi o *gênio* por detrás delas? Quem foi aquele que agora é uma força invisível por detrás desses documentos?

8. *Os milagres fabulosos.* Neste ponto temos uma das questões que talvez seja a mais crítica, no tocante à historicidade. Alguns simplesmente não conseguem crer que Jesus ou qualquer outro poderia ter feito o que os evangelhos dizem que ele realizou. Na realidade, porém, a questão é bem outra. Em comparação com a *grandeza de Jesus*, os milagres são bastante insignificantes. Sua grandeza transcende a meros milagres. Sob o ponto IV temos desenvolvido essa linha de pensamento. O avanço do conhecimento, conforme se tem feito através da parapsicologia, tornou totalmente obsoleta a dúvida sobre a historicidade dos evangelhos, por causa dos muitos e grandes milagres que eles relatam.

9. *A deteriorização da fé* devido aos séculos que se têm passado desde que aconteceram os eventos registrados nos evangelhos, infelizmente caracteriza a muitos, e não a «fé». Muito diferente foi o caso dos apóstolos. Pedro foi capaz de dizer: «Eu vi». Pedro disse a Jesus: «...*tens as palavras da vida eterna*» (João 6:68). Teria sido extremamente difícil fazer de Pedro um cético. Os escritores dos evangelhos conheciam pessoalmente a Pedro e a outros apóstolos. Porventura poderiam ter produzido obras que distorcessem o que Pedro e outros viram? Pedro como que dizia: «Eu vi, por isso creio». Mas muitos dizem hoje em dia: «Não vi, pelo que não acredito». Que tragédia que a ausência de fotógrafos seja o pai da incredulidade. Bem-aventurados são aqueles que, embora não tenham visto, contudo, crêem.

VI. Testemunho de Lucas

Grande parte da discussão acima abordou esse aspecto, pelo que aqui expomos um esboço, e não uma discussão:

1. Lucas asseverava que obteve seu material de *testemunhas oculares* (ver Luc. 1:2).

2. Asseverava que seus informantes «ainda viviam», pelo que podiam ainda ser consultados (ver Luc. 1:2,3).

3. Asseverava ter feito «cuidadosa investigação», subentendendo que colhera o melhor material possível, das fontes mais fidedignas.

4. Empregou o evangelho de Marcos (como seu esboço histórico), assim apondo sua chancela de «aprovação àquela fonte».

HISTORICIDADE DOS EVANGELHOS

5. Acrescentou muitas «afirmativas de Jesus», nas quais mostra o gênio do Mestre, e não o seu próprio. Essas declarações são auto-autenticadoras.

6. Lucas estava em posição «imensamente melhor» que historiadores antigos, que são respeitados pelos eruditos e cujas obras são reputadas essencialmente exatas, o que lhe permitiu conferir-nos relatos acurados.

7. Lucas, sendo médico e homem educado, dificilmente ter-se-ia deixado arrastar por narrativas de entusiastas fanáticos. Mais provavelmente, como homem aberto para testemunho veraz, estava convicto, além de qualquer dúvida que registrava para nós o que realmente sucedeu e o que Jesus realmente foi.

8. A arqueologia tem tendido por *confirmar as declarações históricas* de Lucas, em vez de pô-las em dúvida. Os arqueólogos levam Lucas a sério como historiador.

9. Confiadamente, Lucas aceitou o «valor da verdade» do que escreveu, e isso refletia uma solene crença. Estava tão convicto disso que ardentemente procurou convencer a outros. Cria no seu produto (ver Luc. 1:1,4). Achava-se em posição histórica de onde podia fazer uma avaliação inteligente, o que não sucede no caso dos seus críticos modernos.

10. Se for declarado, conforme pouquíssimos o fazem, que o evangelho de Lucas não foi escrito por Lucas, isso é questão lateral. O prefácio do evangelho mostra-nos que estamos em «território de testemunhas oculares», e que todas as declarações acima, exceto a sétima, se ajustam ao caso, pelo que pouco importa quem realmente escreveu o livro, pois isso em nada fere sua historicidade. Mas, de fato, até mesmo o sétimo item se ajusta ao caso, pois a qualidade literária do evangelho de Lucas demonstra convincentemente que estamos tratando com um homem educado, que dificilmente se deixaria arrastar pela fraude.

VII. O Testemunho de Mateus

Já que o evangelho de Mateus na verdade é anônimo, o que cremos sobre sua autoria dependerá muito de nossa aceitação da tradição, e como interpretamos as tradições que circundam esse evangelho. Devido a certas declarações de Papias, acerca dos *logoi* de Jesus, «escritos em aramaico» por Mateus, esse evangelho veio a ser conhecido como o de Mateus. Mas é provável que esses «logoi» não fossem este evangelho. A identificação foi natural, mas errônea. Porém, é bem possível que esses *logoi* possam ser identificados com o documento «Q», ou estejam de algum modo relacionados ao mesmo. Nesse caso, muitos dos ensinamentos deste evangelho repousam sobre autoridade apostólica, e isso não é uma consideração pequena no tocante à «historicidade» do evangelho. O autor deste evangelho mostrou ter confiança no esboço histórico de Marcos, porquanto utilizou-se do mesmo, com poucas modificações, em suas narrativas históricas. Esse autor foi muito mais que mero compilador, porquanto exibe evidências de elevada inteligência. *Podemos estar certos* de que ele foi cuidadoso acerca de suas fontes informativas, e que deve tê-las considerado dignas de confiança. Algumas das testemunhas oculares continuavam vivas, mesmo que este evangelho tenha sido escrito tão tarde quanto na década de 80 ou 90 D.C., conforme alguns estudiosos supõem. É certo, por conseguinte, que ainda que ele não tenha sido uma testemunha ocular, estava em contacto com as tais, e que tanto confirmou o que recebera da parte de fontes escritas, como adicionou alguns poucos elementos, provenientes de testemunho oral separado.

(Ver o artigo sobre o evangelho de Mateus, quanto a questões de «autoria» e «data»).

VIII. Testemunho de Paulo

Não há provas de que Paulo tenha usado qualquer evangelho em seus escritos, e suas citações das declarações de Jesus, vindas de qualquer fonte, são *surpreendentemente* poucas. É verdade que Paulo não estava demasiadamente preocupado com a história da vida de Jesus, porquanto já conhecera ao Cristo eterno. Mas também não contradiz ao Cristo histórico com este último, conforme fazem alguns críticos modernos, como se houvesse alguma contradição entre os dois. Ele não mostrou estar cônscio de qualquer contradição entre o Jesus *histórico* e o *teológico*. As relações de Paulo à historicidade dos evangelhos residem na questão do «interesse teológico». É verdade que Paulo, e outros como ele, modificaram o Jesus original para uma personagem celestial, ficando assim corrompidos os próprios evangelhos, por terem recebido forçosamente um sabor teológico? Nesse caso, esse sabor teológico poderia justificar as histórias miraculosas, pois agora Jesus seria uma personagem celestial, que saiu a fazer feitos miraculosos, ao passo que o Jesus original teria sido apenas um mestre maravilhoso. Porém, essa teoria perde a força quando lemos, no primeiro capítulo da epístola aos Gálatas, um dos mais antigos, ou mesmo o mais antigo dos livros do N.T. (ver o artigo sobre Gálatas, sob «data»), onde se entende que o evangelho de Paulo não diferia do dos demais apóstolos, que tinham conhecido a Jesus na carne. É impossível imaginarmos que a força da personalidade de Paulo tenha forçado aos outros apóstolos a ensinarem um «Jesus teológico», em substituição ao Jesus «histórico», o qual eles tinham conhecido tão bem. Se o Jesus de Paulo era idêntico ao deles, e se sua mensagem era a mesma, então o Jesus histórico também deve ser o Jesus teológico.

Deve-se admitir que houve o desenvolvimento doutrinário, o **surgimento** do dogma cristão; mas isso começou antes mesmo de Paulo, isto é, nos próprios evangelhos. Contudo, parece inequívoco que a imensidade do que Jesus era e fez foi a causa desse desenvolvimento teológico; esse crescimento não foi a causa pela qual os evangelhos obtiveram o elemento miraculoso. A grandeza da vida de Jesus e seus ensinamentos, em seu meio ambiente, *deram origem*, e com razão, à doutrina de que não foi mero normal, mas a encarnação de Deus no homem. Em sua pessoa achamos o alto ideal do que um homem pode e deve ser. No processo da transformação em sua imagem, Deus se encarna em nós, como fizera em Jesus Cristo. (Ver Rom. 8:29; Col. 2:10 e II Ped. 1:4, onde essa doutrina é explicada).

Outrossim, Paulo teve um *interesse histórico* no tocante ao evangelho, segundo nos revela claramente o trecho de I Cor. 15. Ele apelou para as 500 testemunhas oculares da ressurreição, a maioria das quais, disse ele, ainda vivia quando escreveu aquela epístola. Ele não divorciou o Jesus literalmente ressurrecto do Jesus que ascendeu aos céus. Um resultou do outro, e os dois eram o mesmo. E eram o mesmo porque os «acontecimentos terrenos» resultaram na feitura do Cristo celestial. Paulo fala sobre as aparições do Cristo ressurrecto, e assegura-nos de que ele foi um daqueles para quem Jesus apareceu. É somente quando cremos que os céus não podem descer à terra, que o Infinito não pode vir até o finito, que Deus não pode e nem mesmo intervém na história humana, que achamos difícil acreditar na experiência e nas palavras de Paulo. É fato sobejamente conhecido que Paulo era homem altamente educado,

HISTORICIDADE DOS EVANGELHOS

dotado de considerável inteligência, bem como de uma experiência espiritual superlativa. Rejeitar o seu testemunho, a fim de aceitar as hipóteses dos céticos modernos é algo parecido com o suicídio espiritual.

IX. Testemunho da Igreja Primitiva

Chegou o tempo quando ninguém mais vivia para dizer: *Eu vi*. Contudo, a igreja primitiva, confiando no que as testemunhas originais tinham visto, dizia: *Eu creio*. A vitalidade espiritual da igreja primitiva, que a fez espalhar-se rapidamente e por toda a parte (ver Col. 1:6), evidencia que não somente «criam» devido a um testemunho indireto, mas também devido ao fato de que se cumpria a promessa de Jesus de que enviaria o seu Espírito, o seu *alter ego*. Portanto, em certo sentido, Jesus, em seu aspecto histórico ou em seu aspecto teológico, nunca se foi embora. A igreja mais antiga, as 500 testemunhas da ressurreição, e outros, como aqueles aludidos em II Cor. 5:16, que conheceram a Cristo pessoalmente, formavam o núcleo da igreja universal. Eles, tal como os apóstolos, não precisavam depender de testemunhos secundários. Tinham conhecido a Jesus, tinham-no visto realizando seus prodígios e tinham ouvido seus inigualáveis ensinamentos. Teria sido extremamente difícil fazer deles uns céticos, embora hoje em dia, no seio da própria igreja, pareça que céticos estão sendo formados, à esquerda e à direita, com uma facilidade que aterroriza.

Nas suas primeiras pregações, Pedro aludiu *franca* e *naturalmente* aos muitos milagres feitos por Jesus (ver Atos 2:22,32). Falou disso como algo bem sabido. Jesus contava com testemunho abundante, através da auto-autenticação de sua vida poderosa. Porventura a falta de fotografias poderia destruir agora a fé?

X. Testemunho dos Livros Apócrifos e Outros Primitivos Escritos Cristãos

Pode parecer estranho conclamar os livros apócrifos do N.T. para que nos ajudem na defesa da autenticidade dos registros históricos dos evangelhos. Todavia, consideremos os pontos seguintes:

1. *Os livros apócrifos* reconhecem a *vida prodigiosa* de Jesus. Ele foi um gênio criador que requeria reação da parte dos homens. Esses escritos, embora essencialmente lendários, pelo menos reagem a ele. Orçam em pelo menos cem (evangelhos, atos, epístolas e apocalipses). (Ver o artigo sobre os *Livros Apócrifos*). Provavelmente contêm pequena quantidade de material «extracanônico» que é válida.

2. Os evangelhos apócrifos *prestam testemunho*, talvez não bem acolhido, à validade dos evangelhos canônicos, porquanto repetem, como que validando muitos trechos dos mesmos.

3. Acima de tudo, os evangelhos apócrifos representam uma *explosão literária*, como sempre se segue a qualquer vida extraordinariamente grande. Jesus não era do tipo de pessoa que se possa ignorar. O impulso literário foi extraordinariamente agitado por ele, o que significa que ele deve ter sido pessoa incomum. A sua vida inspirou muitos escritos; e até hoje continua a inspirar muitos escritos. Não está distante dessa observação a admissão de que ele realmente foi o que os evangelhos asseveram que ele foi, e que realmente realizou aquilo que afirmam que ele fez.

O que foi dito acerca dos escritos apócrifos, também é verdade quanto aos escritos dos primeiros pais da igreja, as cartas de Policarpo, Clemente e outros. A influência de Jesus continuou com eles. Poder-se-ia esperar que um aldeão galileu logo viesse a ser esquecido, sem importar qualquer fama local que tivesse obtido. Mas isso não sucedeu no caso de Jesus.

Os pais da igreja, muitos deles homens de grande valor pessoal, cujos nomes reverenciamos até hoje, sentiram ser mister trazer sua sabedoria e grandeza, expressas em suas vidas e escritos, aos pés de Jesus. Quando admitimos a força dessa observação, não estamos longe de admitir que Cristo foi o que os evangelhos dizem que ele foi, e fez o que dizem que ele fez.

XI. Influência Divina dos Evangelhos

J.B. Phillips, tradutor do N.T., declarou que seu trabalho de tradução o levará à convicção firme da *inspiração divina* desse documento. Consideremos a vasta influência transformadora que o N.T. tem exercido através dos séculos. O N.T. é o príncipe de todos os escritos gregos, numa esfera onde não é fácil ser príncipe. Esse é o documento que tem provocado as maiores vidas que jamais viveram. Esse é o documento que reflete:

> **a glória do Seu seio
> transfigura a ti e a mim.**

Se Jesus tivesse sido um homem ordinário, se tivesse vivido uma vida ordinária, e os evangelhos o tivessem representado com exageros, não é provável que isso tivesse sucedido.• Outrossim, o Livro que nos fala sobre ele traz «o tom da verdade». Tem uma verdade e um poder inerentes que modifica a nós e às nossas opiniões e ideais. Poderia ser, portanto, que esse *livro* fosse apenas um produto humano? Não, isso não parece possível. Sentimo-nos confiantes, pois, que Deus pôs suas mãos sobre os evangelhos. E, sendo essa a verdade, é difícil ver que, a despeito do elemento humano que certamente contém, que suas «histórias» e «ensinamentos» sejam uma representação falsa do que Jesus foi e fez. A influência divina dos evangelhos é sinal seguro de sua «origem divina»; e sua «origem divina» é a segurança de sua exatidão essencial.

XII. O que Não Significa a Historicidade

Os céticos são bem conscientes de certos problemas no Novo Testamento e é aconselhável que os crentes saibam a natureza destes problemas. A historicidade dos evangelhos é perfeitamente segura no meio das pequenas e triviais dificuldades que podem ser apresentadas. Nos parágrafos seguintes, examinamos os tipos de coisas que, para algumas pessoas, lançam dúvidas sobre a historicidade dos evangelhos.

É um estudo superficial e talvez uma imaturidade espiritual, exigir que o Novo Testamento não tenha problema nenhum. Se examinarmos o texto, versículo por versículo, certamente, acharemos vestígios obviamente humanos. Pois que diferença pode fazer à minha fé se Marcos escreveu «ele fiz» no lugar de «ele fez»? Que diferença pode fazer para minha fé se o evangelho de João situa a «unção em Betânia» antes da entrada triunfal, ao passo que Mateus e Marcos a situam depois da mesma? Que diferença pode fazer à minha fé se o escriba que veio indagar a Jesus o «maior mandamento» é encarado como um inquiridor honesto em Marcos, mas como um fraudulento intencional em Mateus e Lucas? E que diferença pode fazer à minha fé se observo que Mateus alterou a ordem de certos eventos históricos, associando aos mesmos ensinamentos diferentes do que o fazem Marcos e Lucas, ou, em outras palavras, tem «deslocações» de material, que são requeridas pelo desígnio de seu livro? Historicidade não é a mesma coisa que «sem problemas». É preciso uma pesquisa desonesta, uma defesa puramente dogmática, sem qualquer investigação, para que alguém afirme que historicidade tenha esse significado. Consideremos, por amor à honestidade, os pontos abaixo:

HISTORICIDADE DOS EVANGELHOS

1. Oração do Pai Nosso:

Em Mateus 6:9—13
Nosso Pai que estás nos céus
Santificado seja o teu nome
Venha o teu reino,
Seja feita a tua vontade,
Na terra como nos céus
Dá-nos hoje o pão diário
E perdoa-nos as nossas dívidas
Segundo perdoamos aos nossos
devedores
E não nos leves à tentação,
Mas livra-nos do mal.

Em Lucas 11:1—4
Pai,
Santificado seja o teu nome,
Venha o teu reino,
(omitidas por Lucas)

Dá-nos dia a dia o pão diário
E perdoa-nos nossos pecados
pois também perdoamos a todo
o que nos deve,
E não nos leves à tentação
(o resto é omitido nos *mss* mais
antigos, embora adicionado por
escribas posteriores, em harmonia
com Mateus).

Pode-se fazer uma pergunta. *Qual dessas duas* versões representa o que Jesus proferiu? Provavelmente, a mais simples, a de Lucas, que foi um tanto

ornada por Mateus ou pela fonte informativa que ele usou. Mas o fato de que houve algum adorno literário nos evangelhos não impede a historicidade essencial dos evangelhos e nem prejudica a minha fé.

As diferenças são confirmações de historicidade, e não agentes contrários à mesma. Se os evangelhos fossem produtos de fraude calculada, ou mesmo de «harmonização fixa», não haveria senão harmonia total, sem qualquer discrepância. Mas, visto que neles não há essas condições, sabemos que os evangelhos não foram sujeitados a essa forma de atividade; e, por causa disso, mais ainda podemos confiar neles.

2. O título posto à cruz:

Mateus: «Este é Jesus, o Rei dos Judeus» (27:37)
Marcos: «O Rei dos Judeus» (15:26)
Lucas: «Este é o Rei dos Judeus» (23:38)
João: «Jesus de Nazaré, o Rei dos Judeus» (19:19)

Qual desses representa o título original? É extremamente engenhoso supor que cada autor sagrado registrou «apenas parte» do título original, e que a «combinação» de todos nos leva a obter o título integral. Isso é harmonia a *qualquer preço*, até mesmo ao preço da honestidade. Não podemos ter absoluta certeza sobre o título exato, se é que algum dos quatro evangelistas o registrou com precisão absoluta. Porém, em que isso pode me ser prejudicial à fé, ou à minha confiança na natureza fidedigna essencial dos registros sagrados? A fé será realmente fraca, e o dogma forte, quando se tem por necessário achar «reconciliações» e «harmonias» para diferenças como essas.

3. Deslocações de material e de acontecimentos, em relação aos ensinamentos acompanhantes, nos evangelhos:

Lucas 11:	Mateus:
1:4	6:9—13
5—8(somente Lucas)	
9,10	7:7,8
11—13	7:9-11
14—23	12:23-37
24—28	12:43—45 (c/vss. 27,28 de Lucas, só em Lucas)
29—32	12:39-42 (c/alguma reversão da ordem das declarações).
33	Vários paralelos: Mat. 5:15,16 e Mar. 4:21,22
34,35	6:22,23
36 (leve expansão editorial em Lucas, não em Mateus)	
37,38 (editorial em Lucas, não em Mateus)	
39,40	23:25,26
41 (Lucas somente)	
42	23:23
43	23:5-7
44	23:27,28
45 (editorial só em Lucas)	
46	23:4
47—48	23:29-32
49—51	23:34-46
52	23:13 (com pequenas variações)
53,54 (só Lucas)	

O leitor cuidadoso pode observar aqui que o material manuseado por Lucas está espalhado em quatro capítulos diferentes em Mateus, pois as conexões históricas (os eventos que acompanham as

declarações) e a *ordem cronológica* da seqüência de eventos são diferentes. Aprendemos claramente que os próprios evangelistas não se preocupavam com harmonia exata, conforme exigem alguns intérpretes

138

HISTORICIDADE DOS EVANGELHOS

modernos. Com freqüência há *deslocações* de eventos, especialmente em Mateus, de modo que os mesmos acontecimentos aparecem em períodos diversos do ministério de Jesus, o que não sucede em Marcos e Lucas. Lucas usualmente segue de perto o esboço de Marcos. Mas Mateus não hesita em afastar-se do mesmo. Pois o evangelho de Mateus é «tópico», e não «cronológico». Ele constituiu 5 grandes blocos de ensinamentos de Jesus, cada qual sendo uma «coletânea» de declarações similares, em torno das quais, ele construiu seu evangelho. Mas esses *blocos* são interrompidos em Lucas, quando aparecem paralelos, e as declarações são dispersas em muitos eventos históricos diversos, em confronto com Mateus. Mateus ignorou a *cronologia* em muitos

lugares, algo que as harmonias lamentam profundamente. Seu desígnio, porém, não foi fornecer um evangelho dotado de harmonia perfeita com as fontes informativas que ele usou. Assim sendo, deslocou material, dando seqüências diferentes de eventos e declarações, em comparação ao que fizeram Marcos e Lucas. Poderíamos indagar: Qual narrativa representa as coisas exatamente como elas sucederam? É verdade que, em tais casos, não podem estar certos tanto Mateus quanto Lucas, ao mesmo tempo. Mas a questão não tem importância, pois a harmonia estrita não é necessária para termos fé em sua historicidade. Aqueles que exigem tal coisa ficarão terrivelmente desapontados.

Consideremos o quadro seguinte, que deixa os harmonistas perplexos:

Mateus	*Marcos*	*Lucas*
1. O leproso (8:1-4)	1. A sogra de Pedro (1:29-31)	1. A sogra de Pedro (4:38-39)
2. O servo do centurião (8:5-13)	2. O leproso (1:40-45)	2. O leproso (5:12-15)
3. A sogra de Pedro (8:14,15)	3. Tempestade acalmada (4:35-41)	3. O servo do centurião (7:1-10)
4. Desculpas de dois discípulos (8:18-22)	4. O endemoninhado gadareno (5:1-20)	4. Tempestade acalmada (8:22-25)
5. Tempestade acalmada (7:23-27)		5. Endemoninhado gadareno (8:26-39)
6. Endemoninhados gadarenos (8:19-22)		6. Desculpas de dois discípulos (9:57-56)

4. Erros gramaticais:

Amigos, não há autor do N.T. que ocasionalmente não quebre alguma regra da gramática grega. Os piores ofensores são *Marcos* e o *Apocalipse*. O grego desses livros tem sido descrito como *bárbaro* pelos gramáticos do grego. Com freqüência não satisfaz nem os modos helenistas, quanto menos os padrões clássicos. Os leitores sérios do N.T. grego sabem disso, e qualquer comentário comum, versículo por versículo, frisa algum erro gramatical no texto original. Diz-se acerca do grande evangelista *Dwight L. Moody*, que ele não era «gramatical» em seus sermões. O mesmo pode ser dito do evangelista Marcos e do revelador João. Mas, apesar de sua gramática deficiente, eles produziram documentos poderosíssimos, dos quais muito se pode aprender. Historicidade não tem nada a ver com «gramática perfeita» ou «nenhum erro de linguagem». Os hábitos lingüísticos dos autores sagrados se evidenciam patentemente em seus livros, e o Espírito Santo não corrigiu essas deficiências. Para satisfazer à curiosidade do leitor, damos aqui uma lista de erros gramaticais do Livro de Apocalipse, e quem souber ler o grego, poderá fazer suas próprias investigações: Apo. 1:4,5,10,15; 2:20; 3:12; 4:1,7,8; 5:6,11,12,13; 7:4; 9:5,13,14; 11:4,15; 12:5; 13:14; 14:3; 15:12; 17:16; 19:14,20; 20:2; 21:9. Essa lista, sob hipótese alguma, é exaustiva ou completa.

5. Diferentes ordens cronológicas dos mesmos eventos:

Consideremos a questão da *unção em Betânia*:
Em Mateus, figura após a entrada triunfal (26:6 *ss*).
Em Marcos, após a entrada triunfal (14:3 *ss*).
Em João, antes da entrada triunfal (12:3).
Em Lucas, em período totalmente diverso do ministério de Jesus, motivo por que os harmonistas negam tratar-se do mesmo evento (7:37 *ss*).
Papias, a autoridade que temos de que Marcos foi o autor do evangelho que agora traz seu nome, diz-nos

que Marcos não registrou os eventos da vida de Jesus *necessariamente* na ordem em que tiveram lugar. Não admira, pois, por essa e outras razões, que os evangelistas originais não se preocuparam acerca dessa área, conforme fazem alguns harmonistas modernos.

6. Diferentes interpretações aos mesmos eventos:

Mateus e Lucas interpretam a visita de um certo escriba, que veio indagar de Jesus qual o *maior mandamento*, como um ato desonesto e capcioso de sua parte, a fim de «tentar» a Jesus, para que ficasse desacreditado entre o povo. Trata-se de uma das narrativas de «controvérsia», que mostra como Jesus foi derrubado pelas hipócritas autoridades religiosas. (Ver Mat. 22:35 *ss* e Luc. 10:25 *ss*, em um período diferente do ministério de Jesus). Isso deve ser confrontado com Mar. 12:28 *ss*, onde esse escriba é apresentado como um inquiridor honesto, que chegou até receber elogios da parte de Jesus.

Os exemplos aqui dados *podem ser* multiplicados por muitas vezes, conforme sabem os estudiosos do N.T., versículo por versículo. O fato de que os evangelhos não concordam perfeitamente entre si, e que há erros humanos aqui e acolá, na realidade são fatores que *favorecem* a historicidade deles, e não fatores contrários. Se esses documentos tivessem sido forjados ou corrigidos pelos cristãos primitivos, certamente teriam sido postos em harmonia uns com os outros, ficando ainda eliminados os erros gramaticais, sendo niveladas todas as dificuldades. Mas o fato de que isso não sucedeu leva-nos—apesar de pequenos problemas, que nunca podem prejudicar a fé—a confiar em sua natureza essencialmente fidedigna.

Os evangelhos e o Cristo por eles apresentado se alçam três metros acima das contradições dos céticos. São uma torre para a fé e uma vereda para a alma. Contam-nos com exatidão quem era Jesus e o que ele realizou. E de que mais precisamos além disso?

HISTORICIDADE

Sumário:

Quanto aos problemas apresentados, devemos considerar os seguintes fatos:

1. Lucas e Mateus utilizando os materiais e esboço de Marcos (para incluir a cronologia de eventos), poderiam ter copiado tudo com precisão, produzindo cópias exatas. Neste caso, uma harmonia perfeita poderia ter sido realizada. Lucas e Mateus, todavia, obviamente, não se sentiam constrangidos em seguir este método de utilização dos materiais de Marcos, e, portanto, não copiaram Marcos servilmente. As diferenças foram produzidas *propositadamente*, em muitos casos, por causa do desígnio literário dos autores, ou às vezes, foram produzidas indiferentemente, isto é, sem qualquer coerção íntima que exigiu que os materiais de Marcos não pudessem ser alterados.

2. Lucas e Mateus, usando, em comum, materiais **não-marcanos**, como o suposto documento «Q», uma fonte dos ensinos de Jesus, que Marcos não possuía, não os reproduziram servilmente. Portanto, Mateus produziu uma versão da oração do Senhor, levemente diferente daquela de Lucas. A mesma coisa aconteceu no caso de um bom número dos discursos e ditados de Jesus. Provavelmente, o próprio Jesus, em ocasiões diferentes falou as mesmas coisas, numa variedade de modos verbais. Uma variedade de expressões dificilmente pode ser considerada um fenômeno que enfraquece a realidade da historicidade dos Evangelhos.

3. A igreja primitiva, com os Evangelhos nas mãos, antes de qualquer larga distribuição, podia ter alterado todos os trechos que apresentavam dificuldades triviais, para produzir uma perfeita harmonia nos discursos de Jesus, bem como na ordem cronológica dos acontecimentos. O fato de que a igreja, com plena oportunidade, não agia assim, é uma prova de que uma harmonia exata nos Evangelhos não foi considerada importante quanto à historicidade dos mesmos.

4. Todos os documentos do N.T., pela própria preservação e uso deles, através dos séculos, por muitas pessoas de todas as camadas da humanidade, devem ser considerados escrituras de alto valor e poder. Os autores, então, devem ser considerados pessoas de capacidade literária considerável. É certo que cada um deles estava bem consciente de qualquer fraqueza que possuía, quanto ao uso da gramática grega, e capacidade de manipular esta linguagem. Marcos, por exemplo, devia ter sabido que sua gramática grega não era igual em qualidade àquela de Apolo ou Paulo. Ele devia saber que usava, comumente, expressões que teriam doído nos ouvidos dos eruditos de Alexandria. Se ele tivesse considerado o assunto de importância, ele podia ter tido seu Evangelho revisado, com a maior tranqüilidade, até no próprio círculo apostólico. Ou, sendo que ele escreveu seu Evangelho em Roma, facilmente, ele poderia tê-lo colocado nas mãos de alguém que tivesse um conhecimento gramático adequado para eliminar qualquer uso cru, duvidoso, ou erro gramatical. O fato de que Marcos não se interessava em fazer isto, mostra que ele não achava que um erro gramatical aqui e lá, prejudicaria a precisão histórica do trabalho dele. De fato, sua expressão e poder como autor não foram prejudicados por esta falta de revisão. Lucas, embora um homem literário bastante superior a Marcos, não hesitou em usar os materiais de Marcos. Ele não teria feito isto se ele não tivesse confiado na exatidão dos dados da história marcana. Se Lucas, um companheiro dos apóstolos confiava em Marcos como historiador, é difícil ver porque nós não podemos ter

uma confiança igualmente firme.

Os tipos de erros que temos descrito são triviais. Somente os céticos mais cegos vão considerar tais coisas como obstáculos à historicidade.

Ver o artigo sobre *Satya Sai Baba*, um homem que está duplicando os milagres de Jesus, e cuja vida é significante dentro do contexto do problema da *historicidade*.

XIII. Bibliografia:

Ver as «*apologias*» recentes:

Kuyper, Abraham, *Principles of Sacred Theology*
Carnell; E.J. *Introduction to Christian Apologetics*
Ramm, Bernard, *Types of Apologetic Systems*
Til, C. Van, *The Defense of the Faith*

Ver também:

Encyclopedia of Religion, ed. Vergilius Ferm, artigo sobre *Autoridade*: Littlefield Adams & Co., 1964.

The Expositor's Greek Testamento, artigo no 1º vol., *Concerning the Three Gospels*, seção II, *Historicity*: Erdmans, Grand Rapids, 1956.

The New Testament as Literature, Gospels and Acts, *Historical Accuracy*, págs. 9 *ss*, Buckner, B. Trawick; Barnes & Noble, Nova Iorque, 1964.

The Ring of Truth, J.B. Phillips; Macmillan and Co., Nova Iorque, 1967.

HISTORICIDADE DOS SERMÕES DE ATOS

Concorda-se de forma quase universal que o autor sagrado desta narrativa histórica começou a acompanhar o apóstolo Paulo desde a altura dos eventos narrados no décimo sexto capítulo da mesma; e é muito provável que a maior parte daquilo que foi escrito depois desse capítulo, resultou de narrativas ditadas pelo testemunho ocular do próprio autor. Antes de chegar a essa altura do relato, o autor sagrado se viu forçado a depender do que diziam outras testemunhas oculares, declarações essas contidas tanto na forma oral como na forma escrita. Por conseguinte, várias idéias têm surgido sobre a exatidão e o conteúdo dos vários sermões do livro de Atos, feitos pelos líderes cristãos mais destacados dos tempos primitivos, como Pedro, Estêvão, Paulo e outros, como o caso de oficiais do governo romano, os quais são apresentados a dirigir-se em forma de discurso a algum ajuntamento público. Abaixo damos uma nota sobre o caráter desses discursos, bem como sobre as idéias que os intérpretes têm vinculado aos mesmos, no que tange à sua exatidão histórica. De modo geral, *essas interpretações são como segue*:

1. O autor sagrado teria **fabricado** tais sermões ou discursos, imaginando o que deve ter sido dito, segundo as exigências das circunstâncias envolvidas. Esses intérpretes salientam uma famosa declaração de Tucídides, sobre a questão dos discursos que ele registrou em sua história. (Ver *De bello*, par. 1:22). «No tocante às falas de diferentes indivíduos, quer quando estava para começar a guerra, quer quando a mesma já havia começado, tem sido dificílimo lembrar, com estrita exatidão, quais as palavras que realmente foram proferidas, tanto quanto a mim, acerca daquilo que eu mesmo ouvi, como acerca daquelas várias fontes que me trouxeram os seus relatos. Portanto, os discursos aparecem na linguagem que, segundo me pareceu, os diversos oradores devem ter expresso, sobre o assunto em consideração, os sentimentos mais apropriados à ocasião, embora, ao mesmo tempo, eu tenha aderido o mais firmemente possível ao sentido geral do que realmente foi dito».

HISTORICIDADE

Deve-se observar, no entanto, que nem mesmo essa citação de Tucídides dá apoio à idéia de uma total fabricação de discursos no livro de Atos, conforme alguns eruditos liberais querem fazer-nos crer ter sido a ação de Lucas.

2. Há, por semelhante modo, um ponto de vista modificado sobre a idéia da «fabricação», que é exatamente aquele expresso por Tucídides. Tucídides fez o melhor que estava ao seu alcance, com o material de que dispunha—e quando precisava de um *bom diálogo*, para o qual não havia qualquer base histórica, por não ter ele obtido qualquer informação, então adicionava, com base em sua imaginação, aquilo que era mister, a fim de compor uma narrativa informativa e atrativa. Desse modo, o material apresentado seria mais ou menos exato, dependendo da existência e do caráter fidedigno ou não das fontes informativas, bem como de quanto o autor acrescentara de memória, ou de quanto meramente criara, e quão exatas eram as suas opiniões sobre o que deve ter sido dito nesta ou naquela circunstância. Ao aplicarmos essa idéia à obra de Lucas, podemos dizer somente que Lucas pode ser favoravelmente confrontado com outros historiadores sérios: ele fez o melhor que pôde, com o material histórico que tinha à mão, e acrescentou o que era necessário, para que a sua narrativa fosse suave e informativa. Alguns eruditos têm procurado consubstanciar essa idéia, supondo que a caracterização de Paulo, por Lucas, por exemplo, não é a mesma que transparece nas epístolas desse apóstolo. Esses mesmos estudiosos adicionam outros argumentos, tal como aquele que diz que Tiago fez uma citação da versão Septuaginta das Escrituras do A.T., o que dificilmente ele faria, como judeu galileu que era. (Ver Atos 15:7). Alguns intérpretes pensam que esse sentimento é mesmo contrário ao que se poderia esperar da parte de Tiago, conforme subentende o trecho de Gál. 2:11. (Quanto a uma defesa dessa interpretação sobre os discursos historiados no livro de Atos, ver a obra de Morton Scott Enslin, *The Literature of the Christian Movement*, parte III, em «Christian Beginnings», págs. 420-423).

3. Duas outras posições gerais sobre o assunto podem ser mencionadas. Dentre as quatro posições assim apresentadas também pode haver diversas misturas e subcategorias. No extremo oposto da primeira posição (a teoria da *fabricação*) teríamos a teoria que proclama que os discursos e sermões do livro de Atos são duplicações exatas, palavra por palavra, daquilo que foi dito, sem qualquer alteração, omissão, adição ou coisa parecida, por parte do autor sagrado. Naturalmente essa teoria depende do controle absoluto do Espírito Santo sobre o autor sagrado, quando este escreveu, a fim de que nenhum elemento humano, deliberado ou não, pudesse entrar no resultado escrito. Essa posição extrema, embora popular entre alguns intérpretes, especialmente aqueles que não conhecem os idiomas originais das Escrituras, e que defendem acirradamente uma *tradição* sobre as Escrituras, em vez de defenderem as próprias Escrituras, não pode ser defendida com êxito.

Em todos os discursos e citações diretas de Jesus e dos apóstolos, bem como de outros, como Estêvão, os quais são apresentados para apresentar sermões ou discursos, *muitos níveis de grego* podem ser demonstrados, alguns dos quais são excelentes (como nos escritos de Lucas), ao passo que outros são bastante inadequados (como no evangelho de Marcos). Ora, isso nos forçaria a crer que o Espírito Santo não conhecia muito bem o idioma grego. Além disso, nos evangelhos, quanto material histórico

semelhante é oposto, tal como no caso das duas versões sobre a oração do Pai Nosso (ver Mat. 6:9-15 e Luc. 11:1-4), esse material difere entre os diversos relatos. No caso da oração do Pai Nosso, a versão do evangelho de Mateus é mais longa que a versão do evangelho de Lucas, ou, segundo poderíamos também dizer, a versão de Lucas é mais abreviada. Mas isso nos forçaria a acreditar que o Espírito Santo esqueceu-se de parte do que o Senhor Jesus orou, ao inspirar Lucas, tendo-se lembrado de maior porção da oração do Filho de Deus, quando inspirou Mateus.

O *que é dito* no parágrafo acima, também se aplica, em grande extensão, às declarações do Senhor Jesus, conforme são registradas nos evangelhos, quando é óbvio que o mesmo material histórico foi historiado por diferentes escritores sagrados. O Sermão do Monte, conforme o evangelho de Mateus (caps. 5—7) aparece sob forma fragmentar, disperso por todo o evangelho de Lucas, associado a muitas circunstâncias históricas as mais variadas, ao passo que, naquele evangelho, o sermão inteiro é associado a apenas uma ocasião, como se fora um único sermão. A verdade em torno da questão é que Mateus mui provavelmente reuniu em um *bloco* declarações diversas do Senhor Jesus expondo-as todas num único lugar. Mas, afinal de contas, outro tanto se pode dizer com respeito à totalidade do evangelho de Mateus, que na realidade se constitui de *cinco blocos* separados de declarações do Senhor, em torno dos quais foi erigido o evangelho, porquanto as narrativas históricas aparecem arrumadas em torno dos ensinamentos centrais de Cristo, de forma harmônica e contínua. Mas isso não nos autoriza de forma alguma a pensar que Jesus proferiu *apenas* cinco sermões suficientemente dignos e valiosos para serem registrados permanentemente. Por conseguinte, fica transparente, em todas as citações de discursos e sermões, como também em todas as questões abordadas pelos evangelhos e pelo livro de Atos, o elemento humano, o **desígnio** e os propósitos dos autores sagrados envolvidos

4. Essas observações conduzem-nos à declaração da natureza desses sermões e discursos. A primeira e a segunda dessas interpretações podem ser eliminadas resolutamente, até mesmo com base no fato histórico de que a associação íntima de Lucas com os discípulos mais primitivos de Cristo e o seu conhecimento familiar com os apóstolos garantiram-lhe *uma vantagem* muito superior sobre os historiadores antigos, no que diz respeito à facilidade de narrar a sua história. Ele não precisou depender *apenas* de relatórios escritos ou orais de testemunhas oculares, embora isso já fosse um elemento suficiente para assegurar a exatidão geral de sua narrativa. Pois a verdade é que, na maioria dos casos, ele pôde *consultar* os próprios **indivíduos** que discursaram. Ora, isso significa que ele tenha registrado cada palavra daquilo que fora originalmente dito, mas, conforme é evidentemente mais importante, que ele registrou para nós não meramente os pontos essenciais de tais discursos, mas também grande parte *do modo* como tais sermões foram proferidos.

Não há razão alguma para pensarmos que os discursos e sermões que encontramos no livro de Atos *não sejam condensações* do que foi originalmente dito. Por exemplo, a seleção do indivíduo que substituiria a Judas Iscariote provavelmente foi longamente discutida. Pedro, entretanto, tendo sido **o informante sobre a ocorrência**, expôs o *sumário* do que fora debatido; e isso significa que aquilo que ficou registrado no livro de Atos é o âmago mesmo do incidente, o que também sucede no caso de outros sermões ou discursos.

HISTORICISMO — HISTORIOGRAFIA

Inspiração verbal? A filosofia analítica nos tem ensinado que os pensamentos humanos se expressam através da linguagem. Aceitamos esta conclusão de modo geral. Certamente, a mente humana é capaz de funcionar sem formas verbais, mas normalmente o pensamento é verbal. Todavia, a inspiração pode transcender meras palavras, ou pode utilizá-las. Neste caso, a inspiração é «verbal». — Às vezes, as expressões exatas e todas as palavras foram escolhidas diretamente pelo Espírito. Mas normalmente o elemento humano entra nos documentos do N.T., como a gramática, escolha de palavras, estilo literário, liberdade de arranjo, condensação, elaboração, comentários, etc.

HISTORICISMO

Essa palavra vem do termo alemão **historismus**, uma palavra usada para se aplicar a uma ênfase exagerada sobre a história. O termo foi cunhado por Mannheim e Troeltsch, da escola neokantiana. Ver os artigos separados sobre essas duas personagens. Vico (vide) afirmava que «tudo é história»; e Dilthey (vide) argumentava que todos os historiadores escrevem como cativos de sua era e circunstâncias particulares. Isso significaria que é muito difícil chegar-se a uma história pura, se estivermos olhando para os sentidos envolvidos no processo histórico. Certamente, Hegel e Marx podem ser criticados desse modo. Hegel, porque via a síntese histórica cumprida na monarquia constitucional do governo alemão, que vigorava em seus dias, em sua pátria; e Marx, por haver pensado, tolamente, que o comunismo (vide), poria fim ao processo histórico, por ser uma síntese final. A verdade da questão é que não pode haver síntese que não se torne, por sua vez, em antítese, do que, finalmente, resultará uma outra síntese, *ad infinitum*. Todos os pontos finais são apenas instrumentais. Isso quer dizer que eles se tornam instrumentos de novos começos.

O termo *historicismo* também é usado em um sentido negativo, como sinônimo de *falácia genética* (vide). Esta consiste em explicar de outro modo (mediante falsificação) a natureza de algum fenômeno, mediante uma alusão à sua origem. Para exemplificar: O termo português *Deus* vem do latim, *deus*, relacionado a *Zeus*. Obviamente, o termo tem uma origem e um uso pagãos, pelo que qualquer fé religiosa, hoje em dia, que use o termo *Deus* deve ter caráter pagão.

HISTORIOGRAFIA BÍBLICA

O historiador E. Meyer observou que «uma literatura histórica independente, no verdadeiro sentido das palavras, apareceu somente entre os israelitas e os gregos». A história, conforme é compreendida pela nossa cultura, origina-se de dois pontos: 1. do século V A.C., na Grécia, com Heródoto e Tucídides. 2. Cinco séculos antes, com o redator do livro de Gênesis ou Jeovista, conforme alguns estudiosos o têm chamado. Em seguida, temos o autor que narrou a história da sucessão de Davi a Salomão (II Samuel 9-20 e I Reis 1 e 2). Nesses exemplos, encontramos os primórdios de esforços propositais para registrar a história. Naturalmente, os registros arqueológicos mostram que tal tipo de atividade era generalizada entre as culturas antigas, sobretudo no que tange às vidas e aos atos dos reis. Mas, no que concerne à nossa cultura, devemos levar em conta as duas fontes acima mencionadas. Heródoto fez o cotejo entre o mundo fabuloso do Oriente e o novo mundo grego; e Tucídides investigou as causas e o curso da guerra do Peloponeso.

1. *A História no Antigo Oriente*. De 2.000 A.C. em diante há inscrições reais, arquivos de tabletes e alguns outros documentos escritos; mas, antes disso, o material que pode ser aproveitado pela história é escasso. Esses documentos fornecem aos estudiosos modernos muitos informes, permitindo-nos chegar a uma espécie de esboço histórico do Egito, da Suméria, de Acade, da Assíria, da Babilônia e dos hititas. Ver os artigos relativos a essas nações e povos, quanto a maiores detalhes. Nesse material, entretanto, não encontramos unidade real, continuidade intrínseca ou profundidade humana que nos capacite ter uma visão da sociedade humana inteira, em sua marcha através dos séculos. Esse material simplesmente alista feitos memoráveis de reis, conflitos armados, expedições de caça, conquistas políticas, realizações arquiteturais, crimes, vícios, virtudes, mas não verdadeira história como tal. Os reis figuram ali como se fossem os únicos que merecessem ser mencionados, e outras personagens aparecem apenas incidentalmente. Aprendemos ali acerca de idéias religiosas, tradições antigas e outros itens frustrantes para os historiadores. Em algum material proveniente dos hititas (inscrições de cerca de 1300 A.C.), aprendemos acerca de sucessões de reis, manobras diplomáticas, etc.; mas sempre é algum rei, ou algum príncipe, que ocupa o primeiro plano, e nada se pode saber acerca das sociedades como um todo. A arqueologia tem procurado prencher alguns hiatos, sobretudo quando são descobertas cidades inteiras, e não apenas palácios ou templos.

2. *Israel e a História*. Todos os eruditos concordam que a história do Antigo Testamento, a começar pelo rei Davi, e daí por diante, é extremamente acurada. Mas, os estudiosos mais liberais supõem que, antes dessa época, prevaleciam mais as crônicas lendárias e místicas, de mistura com alguma informação verdadeiramente histórica. Parece que uma autêntica atitude histórica fazia parte das tendências raciais dos judeus. E isso porque ali não obtemos somente crônicas sobre os feitos dos monarcas, que continuam ocupando posição central, mas também informações atinentes às instituições essenciais do povo de Israel. Isso se dá, sobretudo, no tocante às instituições religiosas, o que, afinal, ocupava o foco de todas as atenções. Além dos reis, obtemos ali crônicas sobre outras bem conhecidas personagens, principalmente profetas, sacerdotes e figuras religiosas. Em meio à narrativa histórica, também topamos ali com uma filosofia da história. Contudo, essa filosofia é linear, porquanto passa de um evento para o próximo, de um ponto de partida a um ponto final, sem qualquer mistura com especulações filosóficas sobre ciclos, etc. E também se trata de um processo divinamente orientado. Os historiadores sagrados tinham consciência do propósito e da orientação divinos, e também de que os homens não estão sozinhos, e nem são independentes. Na história de Israel há fatores extra-humanos, bem como um destino divinamente determinado. A partir dos patriarcas, nota-se um propósito definido. A invasão da terra de Canaã é considerada como parte integrante desse propósito. A esperança messiânica aparece ali como um ponto culminante do propósito nacional. A nação de Israel é encarada como um instrumento divino para a instrução de todos os povos quanto ao caminho de Deus, o que já é um discernimento expresso pelos profetas posteriores.

3. *Israel e a História do Mundo*. Já desde o trecho de Gênesis 12:3, dentro do pacto abraâmico, achamos

HISTORIOGRAFIA — HITITAS

o conceito de que, de alguma maneira, *todas as famílias* da terra estão envolvidas na transação divina. Esse conceito expande-se e é aperfeiçoado nos escritos dos profetas posteriores. O reino do Messias é visto como a culminação dos impérios mundiais (Daniel 7). Todos os povos, nações e homens de todas as línguas estarão envolvidos no vindouro reino de Deus (Dan. 7:14,27). O segundo capítulo de Daniel encerra a mesma mensagem geral, incorporando o conceito da «pedra», cortada sem ajuda humana, que porá ponto final nos reinos terrenos, a fim de abrir espaço para o reino celestial. Também foi prometido que chegará o tempo em que os homens não terão de convidar outros a conhecerem ao Senhor, pois «...porque todos me conhecerão, desde o menor até o maior deles, diz o Senhor» (Jer. 31:34). E Isaías 43:18 anuncia: «Eis que faço cousa nova, que está saindo à luz...»

4. *O Ponto Culminante da História.* Jesus inicia o Novo Testamento com a Esperança Messiânica, assim vinculando o Antigo ao Novo Testamento. Porém, a doutrina que gira em torno de Cristo fala sobre a vontade de Deus relativa ao tempo e à eternidade, embora essa seja apresentada como um mistério (Efé. 1:10). Esse mistério promete a restauração de todas as coisas (ver o artigo sobre o assunto). Nessa restauração, os remidos chegarão a participar da natureza divina (II Ped. 1:4), segundo a imagem do Filho (Rom. 8:29), quando então o homem passa da história para a eternidade. Tudo isso faz parte da filosofia da história do Novo Testamento. Começa na história humana que gira em torno do Messias, nos evangelhos sinópticos, mas termina na crônica divina, já fora da história.

Ver os artigos separados que acrescentam detalhes de interesse em relação à história, sua natureza e seus significados: 1. *História;* 2. *Filosofia da História;* 3. *Cronologia do Antigo* e *Novo Testamento.*

HITITAS, HETEUS

Esboço:
  I. O Termo
  II. Caracterização Geral
  III. Esboço Histórico
  IV. Referências Bíblicas aos Heteus
  V. Religião dos Heteus
  VI. Língua e Literatura dos Heteus

I. O Termo

O termo heteu ou hitita (esta última é a forma que lhe dão os estudiosos seculares) deriva-se de *chittiy,* que designa os descendentes de *Cheth,* de onde se deriva o termo português «heteu». Essa palavra, *cheth,* significa «terror». Só podemos pensar que essa palavra referia-se ao terror que tribos selvagens impunham sobre os seus vizinhos, embora a razão para tal nome nos seja desconhecida.

Usos Eruditos Desse Termo:
1. O nome dos habitantes aborígenes do planalto central da Ásia Menor. O nome mais exato desses povos é *hatianos.*
2. Imigrantes indo-europeus que se estabeleceram na Anatólia central, em cerca de 2000 A.C. Eles chamavam seu idioma de nesita (nesumnili).
3. Um povo que fundou várias cidades-estado no norte da Síria, durante o primeiro milênio A.C. Esses povos eram estados vassalos dos hititas da Anatólia, e os historiadores conhecem-nos como neoitas.
4. Os assírios e os hebreus do primeiro milênio A.C. usavam esse termo para designar todos os habitantes do antigo império hitita e suas dependências sírias,

sem importar seu idioma ou suas afiliações étnicas originais. Isso significa que o termo incluía certa variedade de grupos étnicos, os verdadeiros hititas e aqueles que não eram tais.

II. Caracterização Geral

Os hititas foram um antigo povo que fundou um poderoso império na Ásia Menor e no norte da Síria, em cerca de 2000 — 1200 A.C. Conhecemos o idioma falado por eles por meio de inscrições hieroglíficas e textos cuneiformes sobre tabletes de argila. Entre 1906 e 1910 foram descobertos alguns de seus arquivos em escrita cuneiforme, em milhares de tabletes de argila, em Boghar-Keui, na Turquia (o país moderno onde aquele antigo povo residia, na Ásia Menor). Esses textos datam de cerca de 1400 A.C. O idioma deles tinha conexões bem definidas com as línguas indo-européias, embora algumas diferenças sejam tão grandes que a natureza exata desse idioma e de sua raça, permanece um mistério. Havia ali alguma mistura antiga de povos e de línguas, que não podemos mais acompanhar. Supõe-se que o império hitita da Síria foi fundado em cerca de 1800 A.C., por alguma raça indo-européia (com misturas), que se estabeleceu na Ásia Menor cerca de duzentos a quatrocentos anos antes disso. A capital deles, na Ásia Menor, era Hatusas, que ficava na Anatólia central, perto da atual aldeia turca de Bogazkoy. Supõe-se que antes deles terem ocupado aquela parte da Ásia Menor, eles teriam vivido na península balcânica, desde cerca de 2500 A.C. Dali, talvez possamos ligá-los com a cultura Kurgan, que fazia suas sepulturas em poços, nas estepes eurasianas, no quarto milênio A.C. Quando chegaram negociantes assírios à Anatólia central, algum tempo antes de 1900 A.C., já encontraram os hititas naquele lugar. Essa gente se havia misturado com os hatianos indígenas, formando várias cidades-estado.

III. Esboço Histórico

A história mais antiga desses povos aparece na seção II, Caracterização Geral (acima).

1. *O Reino Antigo.* Em cerca de 1650 A.C., a posição dominante entre várias cidades-estado, que pertenceram aos antigos hititas, foi conquistada por Hatusilis I, que estabeleceu sua capital em Hatusas. Isso marcou a fundação formal do que se conhece como império hitita. Os primeiros cento e cinqüenta anos desse reino são conhecidos pelos historiadores como *Reino Antigo.* Esse período foi assinalado por guerras e conflitos por motivos econômicos e comerciais. Um ativo comércio com os assírios foi interrompido quando os hurrianos cercaram os territórios dos hititas. O poder dos hititas moveu-se na direção do Eufrates e do norte da Síria, onde o comércio era mais próspero. Hatusilis tentou conquistar a extremidade norte da rota comercial com o Eufrates, que partia de Alepo, na Síria, mas fracassou. Porém, seu sucessor, Mursilis I, obteve êxito, e não somente conquistou Alepo, mas também avançou pelo Eufrates abaixo e capturou a cidade de Babilônia, em 1595 A.C. Todavia, isso não perdurou por muito tempo. Ele havia espalhado demais as suas forças. Teve de recuar e foi assassinado no caminho de volta. Seguiu-se então um período de anarquia.

2. *O Reino Médio.* O império hitita estava em declínio, embora Telepino tenha conseguido um reavivamento parcial. Os hurrianos aumentavam cada vez mais o seu poder, e conquistaram o norte da Síria, até então em poder dos hititas, estabelecendo assim o reino de Mitani. Os egípcios exerciam fortíssima influência sobre as costas orientais do mar Mediterrâneo. O reino médio dos hititas perdurou

143

HITITAS

entre 1500 e 1450 A.C.

3. *O Novo Reino*. Tudalias I foi um poderoso governante que fez o poder dos hititas atingir seu ponto culminante em cerca de 1450 A.C. Territórios perdidos foram reconquistados, além de novos territórios; e as riquezas aumentaram. O norte da Síria foi retomado, e as porções oeste e noroeste da Anatólia passaram a ser controladas, como também Isuwa, a leste, que é uma região em redor da moderna Elezigue, onde havia e continua havendo ricas minas de cobre.

Seguiu-se a isso um novo período de declínio, quando o rei de Arzawa (um reino que havia na porção ocidental da Anatólia) atacou. Buscou-se então um aliança com o Egito, por meio de casamentos entre as famílias reais. O poder dos hititas ressurgiu com Supiluliumas, em cerca de 1380 A.C. Ele recuperou territórios perdidos, incluindo Isuwa, destruiu Mitani e reorganizou o norte da' Síria. Chegou mesmo a estender a influência hitita até dentro do Egito. A viúva de Faraó Tutancamom desejava estabelecer a paz e formar uma aliança com os hititas, casando-se com um filho de Supiluliumas; mas o plano falhou quando o príncipe, que foi enviado para se casar com essa mulher, foi assassinado.

Prosseguiram vicissitudes boas e más. Mursilis II conquistou a porção oeste da Anatólia. Ele reinou de 1345 a 1310 A.C. Arzawa tornou-se um reino vassalo dos hititas. Várias cidades-estado formaram um tampão contra inimigos em potencial.

Os egípcios, novamente, vieram a exercer a sua influência. Durante o reinado de Muwatalis (cerca de 1310 — 1294 A.C.), chocaram-se os egípcios contra os hititas, em Cades, sobre o rio Orontes. Os egípcios tiveram de se retirar, mas os hititas sofreram pesadíssimas baixas. Entrementes, o poder dos assírios ia aumentando.

Desde o tempo do rei Hatusilis III (cerca de 1287 — 1265 A.C.), o poder hitita entrou em rápido declínio. Arzawa e outras cidades-estado vassalas, mais para o oeste, romperam o juro, e reduziram tanto as dimensões territoriais quanto a capacidade militar dos hititas. Hatusilis III, a fim de preservar o que ainda lhe restava, teve de entrar em aliança com os egípcios. Os assírios ocuparam as minas de cobre de Isuwa. O rei Supiluliumas III (1225 — 1200 A.C.) produziu alguma mudança temporária para melhor, mas não o bastante para salvar do desastre o império hitita.

O golpe final não foi desfechado pelos assírios, mas veio do noroeste. Os historiadores não sabem dizer que elementos compunham essa força atacante; mas o fato é que acabou com o império hitita. Alguns historiadores supõem que a força principal compunha-se de acaeanos (gregos), da época da guerra de Tróia (cerca de 1230 — 1210 A.C.). Ondas de «povos marítimos» deram fim aos hititas; e, juntamente com eles, acabou-se também a cidade-estado de Ugarite. Marca-se o fim do império hitita em cerca de 1190 A.C. Os historiadores reputam os hititas como o terceiro mais influente poder do Oriente Médio, da época em que foram proeminentes, rivalizando com o Egito e com a Mesopotâmia.

IV. Referências Bíblicas aos Heteus

Há quatro alusões diretas na Bíblia aos hititas (que a Bíblia chama de heteus), além de catorze outras referências a esse povo, como descendentes de Hete (ver Gên. 10:15). Nos dias de Abraão, uma tribo de hititas localizava-se perto de Hebrom (Gên. 23:1-20). Foi dos heteus que Abraão comprou um terreno com uma caverna, que passou a servir de cemitério da família. Esaú casou-se com esposas hetéias (Gên. 26:34,35; 36:2). Os espias que Moisés enviou encontraram hititas localizados na região montanhosa (Núm. 13:29). Um ramo do povo heteu movera-se para a Palestina, conforme essas referências bíblicas deixam claro; e, ao tempo da conquista da Terra Prometida, eles formaram uma força que se opunha ao avanço de Israel (Jos. 9:1,2; 11:3). Os habitantes de Luz formaram uma nova comunidade em território heteu, segundo vemos em Juí. 1:26. Quando Israel apossou-se da terra, os heteus foram ou aniquilados ou expulsos, mas outros permaneceram, misturando-se por casamento com os conquistadores. Foi assim que havia heteus entre os seguidores e heróis guerreiros de Davi (I Sam. 26:6). Urias, marido de Bate-Seba, a quem esse rei de Israel matou, para ficar com sua viúva, era um heteu (II Sam. 11:3). Salomão contava com mulheres hetéias em seu harém (I Reis 11:1). A última menção dos hititas cananeus, na Bíblia, aparece já na época de Salomão (II Crô. 8:7). Depois disso, os heteus desapareceram como uma raça distinta, pois o que restara deles casara-se com a população hebréia em geral.

V. Religião dos Heteus

Os hititas ou heteus eram um povo extremamente politeísta, que misturava as suas próprias divindades com os deuses do Egito e da Babilônia. Eles tinham, em seu panteão, *mil deuses*. E, apesar de não dispormos de uma lista completa dos mesmos, o número de divindades mencionadas é impressionante. Encontramos nomes que representam um grande número de culturas, revelando a natureza sincretista da teologia deles. Esses nomes refletem as seguintes culturas: a hática, a luwiana, a palaiana, a hurriana, a mestita, a sumeriana, a acádica e a cananéia. Esses povos não eram exclusivistas, mas procuravam harmonizar entre si elementos estrangeiros. O chefe masculino do grande panteão heteu era o deus das tempestades; e a divindade feminina suprema era uma divindade solar. Cada rei contava com seu próprio deus protetor. Os hititas ocupavam lugares que, posteriormente, se tornaram centros cristãos, como Tarso, Icônio, Listra e cidades que nos são familiares no livro de Atos e nas epístolas paulinas. É possível que a Diana dos efésios estivesse vinculada à Ártemis dos heteus. Estes retiveram a adoração da antiga deusa-mãe da Anatólia, uma divindade solar chamada Arina. A ansiedade dos heteus, por adotarem deuses locais dos lugares por onde se espalhavam, provavelmente devia-se ao desejo que tinham de promover, por toda a parte, os seus favores, em causa própria. O rei era responsável pela manutenção da adoração e dos ritos. Desastres eram preditos por adivinhações, e mágicas eram usadas para afastar os infortúnios.

VI. Língua e Literatura dos Heteus

Os milhares de tabletes de argila, encontrados em Boghar-Keui, na Turquia, entre 1906 e 1910, refletem sete idiomas distintos: o *hático* (língua dos aborígenes); o *nesita* (língua dos indo-europeus que tinham invadido o reino de Hatusas); o *luwiano* e o *palaico*, ambos dialetos indo-europeus, relacionados ao nesita; o *sumério* e o *acádico*. Porém, a vasta maioria desses tabletes está escrita em nesita. Palavras que indicam uma derivação indo-européia incluem: *mekki*, «muito»; *pada*, «pé»; *watar*, «água»; *kard*, «coração»; *genu*, «joelho»; *pahhur*, «fogo». As inflexões gramaticais também são definidamente indo-européias. O hitita é uma antiga forma de língua indo-européia' que muito tem servido para encontrarmos a significação

HIZQUI — HOBBES

de palavras antigas. A escrita hieroglífica hitita aproxima-se mais do luwiano do que do nesita. Há algumas diferenças em relação às línguas indo-européias, partindo-se do nesita, levando os eruditos a suporem que houve alguma antiga mistura com alguma língua não-européia.

Essa literatura está ligada a rituais religiosos, mas também contém um considerável número de relatos mitológicos. Material estrangeiro, vindo de composições épicas em hurriano, cananeu e babilônico encontraram seu caminho até o material escrito dos hititas. Também podemos pensar nos anais dos reis hititas, que nos provêm vívidas narrativas históricas. Nesse material encontramos a análise de causas e efeitos, nos negócios do império hitita. A história serve para guiar-nos nas pesquisas futuras. (AM BRU (1948) E EIS UN Z)

HIZQUI

No hebraico, «Yahweh é força». Ele era um dos filhos de Elpaal, descendente de Benjamim (I Crô. 8:17). Viveu em cerca de 1400 A.C.

HOÃO

No hebraico, «aquele a quem Yahweh incita». Ele foi um dos reis de Hebrom, um dos cinco reis dos amorreus que assediou Gibeom, juntamente com Adonizedeque. Ambos foram enforcados por ordens de Josué (Jos. 10:3). Isso ocorreu em cerca de 1612 A.C.

HOBÁ

No hebraico, «oculta». Esse era o nome de uma localidade (talvez um lugar vazio entre os montes, conforme o nome parece indicar), que ficava ao norte de Damasco. Abraão chegou àquele lugar quando perseguia os reis que haviam saqueado Sodoma. Ver Gên. 14:15. Tem sido identificada com a moderna Hoba, que fica cerca de oitenta quilômetros ao norte de Damasco; na estrada para Palmira.

HOBABE

No hebraico, «amado». Esse nome acha-se apenas por duas vezes em toda a Bíblia, em Núm. 10:29 e Juí. 4:11. Ele foi o sogro de Moisés, de acordo com a primeira dessas passagens; mas a segunda delas pode ser interpretada como se ele fosse cunhado de Moisés. Uma outra complicação é que a primeira dessas passagens diz que ele era um midianita, mas, na segunda delas, lemos que ele era queneu. A Septuaginta diz *Hobabe, o queneu*. E, a fim de complicar ainda mais as coisas, os trechos de Êxo. 3:1; 4:18 e 18:1 dizem que *Jetro* era o sogro de Moisés. Além disso, o trecho de Êxo. 2:18 faz Reuel ser o sogro de Moisés, onde se lê que ele era um sacerdote midianita. As tradições islâmicas dizem que Hobabe era outro nome de Jetro, embora não tenhamos como provar essa assertiva. Outros estudiosos identificam Reuel com Jetro, e essa poderia ser uma interpretação possível, que emergiria da comparação entre Êxo. 2:18,21 e Êxo. 3:1. Ou então, poderíamos supor que uma ou mais corrupções entrou nos textos sagrados a respeito. Qualquer que seja a verdade da questão, Hobabe entra no relato bíblico porque Moisés lhe pediu para servir de guia de Israel, no deserto. O relato bíblico não nos diz qual foi a resposta dele, mas o silêncio parece indicar que ele anuiu diante do desejo de Moisés. O trecho de Juízes 4:11 menciona os seus descendentes.

HOBBES, THOMAS

Suas datas foram 1588—1679. Foi um filósofo inglês. Nasceu em Westport, filho de um clérigo. Educou-se em Oxford. Serviu como tutor na família Cavendish, uma posição que ocupou durante toda a sua vida adulta. Ben Johnson, Francisco Bacon e Herbert de Cherbury eram seus amigos pessoais. Conheceu Galileu em Florença, na Itália, e entrou em contacto com muitos outros cientistas e filósofos, que estavam interessados na promoção do método científico. Mantinha idéias políticas contrárias às da coroa da Inglaterra, pelo que passou onze anos exilado espontaneamente em Paris, como medida de segurança. Nesse tempo, escreveu objeções às Meditações, de Descartes, ao mesmo tempo em que ia aperfeiçoando sua filosofia materialista. Tornou-se o tutor do exilado príncipe Charles de Gales (1646 a 1648). Foi então que escreveu a obra *Leviatã*. Esse livro caracteriza-se por um secularismo bem pronunciado que o deixou em posição desfavorável diante da realeza francesa e inglesa.

Retornou à Inglaterra e foi aceito como cidadão, pelo governo revolucionário que ali obtivera o controle. Consolidou sua amizade com o rei Charles, de quem fora tutor em Paris, quando esse monarca ainda era príncipe, e ele recebeu uma pensão vitalícia. Após o grande incêndio de Londres, de 1666, a Casa dos Comuns passou uma lei contra o ateísmo, mencionando Hobbes por nome. Desde então, seus escritos não mais foram publicados na Inglaterra. Em seus últimos anos de vida, ele se mostrou menos tendente às controvérsias. Escreveu uma autobiografia em latim e traduziu a *Ilíada* e a *Odisséia* em versos rimados, em inglês. Deixou Londres e passou o resto de sua vida em Chatsworth e em Hardwick. Faleceu em Hardwick, a 4 de dezembro de 1679, com a idade de noventa e um anos e foi sepultado em uma igreja paroquial daquela cidade.

Hobbes era homem polêmico, promovendo idéias que outros sentiam ser detestáveis. Ele geralmente exagerava as questões que defendia, mas fez boas contribuições para a filosofia da ciência. Ele tem a duvidosa distinção de ser o pai do moderno materialismo metafísico. Seus amigos deixaram-nos notícias de que era um homem vigoroso, alto e simpático, geralmente bem equilibrado, embora se deixasse alcoolizar uma vez por ano. Nunca se casou, mas deixou provisões materiais suficientes para uma filha natural que tivera. Era homem enérgico, espirituoso, honesto, um bom amigo, absolutamente dedicado à causa da evolução da ciência, além de mostrar-se muito metódico em seu trabalho. Atribuía a sua boa saúde e a sua longa vida ao fato de que era um esportista (continuava jogando tênis aos setenta e cinco anos de idade), bem como ao seu costume de cantar na cama.

Idéias:

1. Ele defendia um estrito **materialismo** (vide), afirmando que todos os corpos são corpóreos e controlados por leis rígidas. A causalidade seria a transmissão de movimento de um corpo para outro. O mais tênue de todos os corpos seria o éter. Ele acreditava que qualquer idéia de *espírito* é absurda. Se nos limitarmos a esse conceito, então isso seria uma declaração lógica, porquanto falar em espírito nos leva a falar em matéria imaterial.

2. Quanto ao *método científico*, ele pensava que devemos reduzir qualquer todo às suas partes componentes; e, através do exame dessas partes, chegamos a entender o todo. Ele dava um relógio como ilustração. Ninguém pode saber muito acerca de

HOBBES

um relógio, se somente ficar olhando para o produto terminado. É mister desmantelar um relógio, para ser compreendida cada parte e sua função. Somente então poderíamos falar, de modo inteligente, sobre um relógio.

3. *O determinismo* (vide). Ele tinha grande fé nas causas e seus efeitos, e pensava que todas as coisas estão envolvidas nisso, desde a mais minúscula partícula, até o próprio homem. As pessoas deixar-se-iam governar por seus apetites, paixões, imaginações e emoções, havendo causas físicas para todas essas coisas, mesmo quando elas são pouco entendidas. O homem tem uma liberdade *aparente*. Para ilustrar isso, ele usava a circunstância de como toda a água, de muitas maneiras, flui até os oceanos. A água corre livremente (segundo as aparências), mas o seu destino é seguro e previamente determinado. O homem aparentemente vive em liberdade, mas suas ações são previamente determinadas. Declarações como essa, que deixam de lado a possibilidade da *criatividade* humana, esquecem-se de que, através da mesma, as coisas podem ser modificadas.

4. *A percepção*. Essa seria a base de todo o conhecimento que temos. A percepção nos é dada através da observação dos movimentos. A matéria em movimento torna-se visível para o homem. Esse movimento torna-se luz, figura, cor, som, odor, sabor, calor, frio, dureza, suavidade — enfim, todas as coisas que conhecemos e descrevemos. Depois que um objeto observado é removido, o cérebro retém imagens sobre o mesmo. A memória e a imaginação trazem de volta o objeto que nos foi posto dentro do alcance de nossa percepção; mas essas coisas tornam-se apenas *sensações decadentes*, fantasmas que dançam em torno do cérebro e, gradualmente, vão desaparecendo. Nossos pensamentos são formados por estofo dessa ordem.

5. *A linguagem* nos provê a possibilidade de associar e organizar as nossas percepções, para que se tornem em conhecimento. A qualidade disso varia, pois, algumas vezes, os fantasmas são controlados e, ontras vezes, não.

6. *O ser* no presente. O passado é apenas um fantasma contido na memória, e o futuro ainda nem existe.

7. *O nominalismo*. A verdade consiste na correta ordenação das palavras ou dos nomes que usamos para fazer afirmações sobre os objetos físicos. Os pensamentos só podem surgir dos objetos que são percebidos. Não há universais além das nossas palavras, que existem por si mesmas, em algum tipo de nebuloso mundo imaterial (conforme Platão imaginava). Quando os pensamentos estão arraigados na ciência, então os chamamos de *sapientia*. Quando eles estão arraigados somente na experiência, sem a disciplina emprestada pela ciência, então nós os chamamos de *prudentia*. Daí é que se originam os atos individuais.

8. *A Ética*. Nada mais importa, para os homens, do que o auto-interesse. De fato, a vida é uma espécie de guerra de cada homem contra cada homem. Há somente uma lei universal: o auto-interesse. A vida humana é apenas uma longa e demorada exibição de auto-amor. Quase todos os homens medem o seu sucesso mediante o auto-interesse que estão conseguindo, através da quantidade de prazer que estão obtendo no processo, ao mesmo tempo em que evitam a dor. A real motivação dos homens é o desejo, e esse é sempre egocêntrico. Todos os atos aparentemente altruístas podem ser explicados como uma demonstração de egoísmo, após a devida investigação. As principais características dos homens são o orgulho, a

avareza, a ambição e o temor da morte. Portanto, os homens levam vidas solitárias, pobres, maldosas, brutais e breves. Essas descrições são transferidas para as atividades políticas.

9. *A Religião*. Não existe a alma, mas talvez haja a ressurreição. O soberano de um Estado tem o direito de estabelecer e pôr em vigor uma religião oficial. O impulso religioso é baseado no temor humano pelo desconhecido. Hobbes concordava, com Epicuro e Lucrécio, de que o homem deriva as suas religiões do terror e da superstição. Ele se opunha vigorosamente às pretensões das autoridades religiosas, como as do papado, quando pensava que uma fé cega e desarrazoada lançara raízes. Ele atacava as crenças religiosas, não com base se as Escrituras contêm ou não essas crenças (como é costumeiro dizerem as pessoas religiosas), mas mediante o exame direto de alguma idéia, para ver se a mesma continha ou não alguma verdade. Para ele, a religião não era nem a teologia e nem a filosofia, mas antes, a lei. Se um soberano chegar a pôr uma religião em vigor, então essa deve ser obedecida, como no caso de qualquer outra lei. Embora fosse um materialista, Hobbes tinha uma espécie de conceito de Deus em que ele era visto como uma força cósmica que controla o Universo, como fonte de todos os movimentos existentes na matéria.

10. *A Política*. Hobbes viveu no tempo dos conflitos entre os Tudors e os Stuarts, na Inglaterra, o que acabou provocando uma guerra civil. Ele tinha um ponto de vista pessimista sobre a sociedade, transferindo para ela tudo de mal que ele costumava dizer sobre o homem individual, o modelo do egoísmo. Ele argumentava que somente um Estado forte, como uma monarquia, pode controlar uma criatura maligna como o homem. Também argumentava que o Estado existe para benefício do homem, e que, tal como a natureza, faz aquilo que é direito, provendo uma base natural para a monarquia absoluta. A vontade do Estado seria suprema: poder é direito. O que o Estado ordena, precisa ser obedecido. Um Estado tem o direito de fazer guerra, a fim de preservar os seus interesses. O homem acha intolerável a falta de lei, por essa razão entra em acordos dos quais resultam os governos. Isso elimina a falta de lei. Um Estado forte é necessário para impedir a perturbada heterogeneidade que há na sociedade, que é a fonte do desregramento e dos conflitos. Por essa razão, a *monarquia* é a forma preferível de governo. O monarca baixa as leis e os seus súditos obedecem, e isso institui certa medida de paz. Todas as virtudes morais derivam-se do desejo humano pela paz. Há uma lei natural que é absorvida nos contratos sociais dos governos. Esses contratos requerem a subordinação dos direitos individuais aos direitos comunitários. É desejável estabelecer um contrato com um monarca absoluto. As leis devem ser reputadas supremas, e não podem ser desobedecidas. O único direito natural do homem é o direito de viver. Portanto, o homem tem o direito de defender sua própria vida, mesmo que para isso tenha de recorrer à força. O bem, na política, é determinado por aquilo que o Estado requer. Isso é um *voluntarismo* político. Ver o artigo sobre o *Voluntarismo*.

11. *Escritos*. Suas principais obras foram: *Elementa philosophica de cive; De corpore; De homine; Leviathan* (discussão sobre a matéria, a forma, o poder da comunidade), que é considerada a sua obra-prima. Essa obra contém suas principais idéias religiosas, morais e políticas. Os capítulos finais dessa obra são fortemente anticatólicos. Ele ataca ali certas doutrinas, não como sem fundamento bíblico, mas

HODAVIAS — HOFFDING

como absurdas e incoerentes. Outras obras são: *Elementos da Lei, Natural e Política; Liberdade e Necessidade.* (AM BE E EP F)

HODAVIAS

No hebraico, «louvor de Yahweh». Esse é o nome de quatro personagens que aparecem nas páginas do Antigo Testamento, a saber:

1. O chefe de um clã da meia-tribo de Manassés que viveu no lado oriental do rio Jordão (I Crô. 5:24). Ele viveu por volta de 720 A.C.

2. Um filho de Hassenua, que era um benjamita (I Crô. 9:7). Ele viveu por volta de 588 A.C.

3. Um levita que deu seu nome a uma numerosa família (Esd. 2:40). Membros dessa família retornaram a Jerusalém, com Zorobabel, terminado o cativeiro babilônico. O trecho de Neem. 7:43 chama-o de Hodeva. Foi também o fundador da família dos Bene-Hodavias. Viveu por volta de 638 A.C.

4. Um descendente do rei Davi (I Crô. 3:24), que deve ter vivido por volta de 445 A.C.

HODE

No hebraico, «majestade», «esplendor» ou «ornamento». Esse era o nome de um dos filhos de Zofa, descendente de Aser (I Crô. 7:37). Ele viveu em algum tempo antes de 1017 A.C.

HODES

No hebraico, «lua nova». Esse era o nome de uma dàs esposas de Saaraim, — que aparece nas genealogias de Benjamim. Ver I Crô. 8:9. Viveu por volta de 1400 A.C.

HODEVA

Ver sobre Hodavias, número três.

HODGE, CHARLES

Suas datas foram 1797—1878. Foi um eminente teólogo norte-americano, a figura principal da chamada Escola de Princeton, e melhor conhecido por sua *Teologia Sistemática*, em três volumes. Formou-se no colégio e seminário de Princeton. Estudou na Alemanha com Tholuck, Hengstenberg e Neander. Passou toda a sua vida ensinando na Universidade de Princeton. Suas especialidades eram literatura oriental e bíblica, e teologia. Ele era um calvinista estrito e interpretava a Bíblia mui literalmente. Ele distinguia entre a revelação e a inspiração, pois a primeira seria a «vinda do lado de fora», de novos conhecimentos, fora do controle da vontade humana, embora conscientemente recebida; mas a última operaria de maneira contínua e plenária, sem que o recebedor humano estivesse cônscio disso. No caso dos autores bíblicos, ele achava que ambas essas forças atuaram. Ele pensava que a inspiração guiou os autores bíblicos a toda a verdade, incluindo a verdade moral, religiosa, científica, geográfica e histórica. Essa posição radical, naturalmente, levou-o a ser um arquiinimigo da alta crítica da Bíblia. Ver o artigo sobre a *Crítica da Bíblia*.

Quando lhe eram mostrados erros na Bíblia, ele os atribuía aos copistas, ao mesmo tempo em que insistia que o texto original devia ter sido correto, embora nenhum manuscrito existente prove que assim sucedeu. Contudo, é um erro supormos que a fé religiosa é ajudada pela obsessão acerca da inerrância. A fé pode subsistir muito bem, sem a necessidade de conforto mental para os homens.

Os *métodos* de Hodge sempre foram bíblicos. Toda verdade derivar-se-ia da Bíblia, da mesma maneira que os cientistas fazem derivar da natureza todas as verdades que descobrem. Embora ele aceitasse, de maneira geral, a Confissão de Westminster, ele se deixava influenciar fortemente pelo calvinismo do século XVII.

Hodge exerceu grande influência sobre os círculos teológicos nos Estados Unidos da América do Norte, em seus dias, e publicava os seus pontos de vista na *Biblical Repertory and Princeton Review*, que ele originara em 1825.

Tornou-se o mais bem conhecido e influente dos teólogos calvinistas de nível internacional e nos Estados Unidos da América do Norte, desde os dias de Jonathan Edwards.

HODGSON, SHADWORTH

Suas datas foram 1832—1912. Foi um filósofo inglês. Nasceu em Boston, na Inglaterra. Foi fundador da Sociedade Aristoteliana, tendo presidido a mesma por catorze anos. Tentou reformular a filosofia kantiana, obtendo maior rigor ainda. Reteve as categorias de Kant, mas moveu a sua ética mais na direção do idealismo metafísico. Ele ensinava uma forma de livre-arbítrio baseado em condições neurocerebrais, acompanhadas pela consciência. Ele pensava que, desse modo, poderia reconciliar a liberdade com o determinismo. A consciência sempre acompanha, mas nunca determina. De fato, ele pensava que, desse modo, há uma espécie de *Epifenomenalismo* (vide).

Além das publicações da Sociedade Aristoteliana, para as quais ele contribuiu, também publicou obras como *Time and Space; The Theory of Practice; The Philosophy of Reflection;* *The Metaphysics of Experience.*

HODIAS

No hebraico, «esplendor de Yahweh». Esse é o nome de cinco pessoas, mencionadas no Antigo Testamento, a saber:

1. O cunhado de Naã, da tribo de Judá (I Crô. 4:19). Ele viveu em torno de 1400 A.C.

2. Um levita que ajudou Esdras na leitura e interpretação da lei, quando o povo judeu foi instruído, após haver retornado do cativeiro babilônico (Nee. 8:7). Ver também Esd. 9:45. Algumas traduções trazem a forma alternativa de *Auteas*. Ele viveu por volta de 445 A.C. Ver também Nee. 9:5; 10:10,13.

3. Dois levitas do mesmo nome, que assinaram o pacto com Neemias (ver Nee. 10:10,13). Há eruditos, porém, que pensam estar em foco somente um indivíduo.

4. Um dos líderes de Israel que assinou o pacto com Neemias (Nee. 10:18). Conforme se vê no fim do segundo ponto, há considerável confusão quanto a esses nomes, se seriam mesmo cinco pessoas, ou não, ao todo.

HOFFDING, HAROLD

Suas datas foram 1843—1931. Foi um filósofo neokantiano dinamarquês. Educou-se em Copenhagen, onde ensinou, anos depois. Defendia uma espécie de positivismo científico, mas nem por isso iegou os valores religiosos. — Cria que a ciência não consegue (por falta de capacidade) prover uma

HOFFMANN — HOLBACH

explicação final e abrangente para toda a realidade, não podendo também explicar os valores humanos. Os sistemas metafísicos não podem ser invalidados pelas situações relativistas e inadequadas em que esses sistemas se desenvolvèram. A religião, mediante eus dogmas, cultos e mitos, seria capaz de descobrir conservar *valores* importantes para os homens, úteis para seu conhecimento, capazes de promover a sua ida moral, pelo que contribuiriam para o desenvolvimento de sua personalidade. A religião, pois, seria importante, essencialmente por causa dos valores que preserva.

Os mais importantes escritos de Hoffding incluem títulos como: *Outline of a Psychology Based in Experience; Ethics; History of Modern Philosophy; Rousseau; Philosophy of Religion; Human Thought; Bergson; Totality of Category; Relation of Category; The Idea of Analogy.*

HOFFMANN, JOHANN CHRISTIAN VON

Suas datas foram 1810—1877. Foi um líder eclesiástico e um teólogo luterano. Nasceu em Nuremberg, na Alemanha. Foi residente privado em Erlangen e professor em Rostock e Erlangen. Foi o principal representante do biblicismo luterano, em oposição aos confessionalistas, como Stahl e Hengstenberg (vide). Ele concebia a religião como uma história divina, dando grande atenção às profecias e ao cumprimento das mesmas. Para ele, a base principal da Bíblia era a sua substância histórica, e não tanto a inspiração de seus autores, porquanto Deus revelar-se-ia e operaria através da história. Os propósitos de Deus desdobram-se em sucessivos estágios através da história, conduzindo ao Messias, ou Cristo, na sua primeira e na sua futura segunda vindas. Ele foi um bom pensador exegético e teológico, e também um bom escritor. Rejeitava a abordagem subjetiva de Schleiermacher (vide) à fé religiosa, dependendo sempre da mensagem histórica da Bíblia como o elemento central. Os pactos de Deus, a sua Igreja e as suas atividades em Cristo são realidades históricas que nos dão respaldo para a fé.

HOFMANN, MELCHIOR

Suas datas aproximadas foram 1498-1544. Foi um incansável pregador anabatista (vide), que visitou e trabalhou em muitos centros europeus. A princípio manteve relações amistosas com Lutero; mas, finalmente, separou-se dele quanto a pontos de vista doutrinários. Negava a abordagem luterana sacramental da fé. Suas doutrinas anabatistas tornavam-no uma figura perseguida de cidade em cidade.

HOFNI E FINÉIAS

Hofni é um vocábulo que significa «lutador», «pugilista». **Finéias** quer dizer, em hebraico, «boca de serpente». Recentemente, recebi uma carta de um homem que desde há muito está interessado em minha obra literária, apoiando-a com doações em dinheiro. Ele e sua esposa criaram um certo número de filhos. Ele dizia que, do ponto de vista social e econômico, eles estão bem, «mas não diante do Senhor; e isso nos entristece». Os pais que tentam criar seus filhos, para que se interessem pelas coisas espirituais, nem sempre são bem-sucedidos. Esse foi o caso de Eli, o sumo sacerdote, e seus dois filhos, Hofni e Finéias.

Hofni e Finéias tinham deveres sacerdotais, que cumpriam em Silo; mas não eram sacerdotes do Senhor, em seus corações. Combinavam a sensualidade com a ganância, o que somente se intensificava com a passagem dos anos. A conduta errônea deles deixava os habitantes de Israel indignados, até que a ruína despencou sobre a família de Eli (ver I Sam. 2:12-17). A primeira comunicação divina acerca disso foi feita através do menino Samuel (I Sam. 2). Ironicamente, Hofni e Finéias foram ambos mortos no mesmo dia, durante a batalha em que a arca da aliança foi tomada pelos filisteus (I Sam. 4:11), em cerca de 1141 A.C. Ver o artigo separado sobre *Eli*.

Nem sempre é verdade que se treinarmos uma criança no caminho em que ela deve andar, não se afastará do mesmo quando envelhecer (ver Pro. 22:6). Estudos recentes, no campo da genética, mostram que as pessoas herdam de seus genitores tanto a personalidade quanto as qualidades morais. Sem importar se a alma exerce controle ou não sobre isso, podendo assim influenciar a vida do indivíduo para melhor ou para pior (no veículo físico que está prestes a ocupar), essa é uma questão que os teólogos e outros pesquisadores estão estudando. Seja como for, a mensagem parece ser que os pais deveriam receber menor crédito pelos filhos que se saem bem, mas também deveriam não aceitar tanto senso de culpa por causa dos filhos que se desviam. Como é óbvio, os pendores para o mal são herdados, mas podem ser contrabalançados pela espiritualidade. Contudo, nem sempre é o que sucede. Por igual modo, as tendências para o bem são herdadas, embora essas tendências possam ser anuladas pelas tentações e pelos lapsos. O treinamento, sem dúvida, é importante, como também o é o meio ambiente; mas existe um desconcertante poder naquilo que foi geneticamente herdado. Ao assim afir rmos, contudo, não queremos desculpar os pais por não se terem esforçado mais; mas, ao mesmo tempo, os pais podem derivar algum conforto do fato de que cada indivíduo, afinal de contas, tem o seu próprio relacionamento com Deus; e cada alma, em um sentido bem amplo, é o capitão de seu próprio destino. As influências que exercemos fazem parte do quadro; mas aquilo que o indivíduo faz de si mesmo é o fator mais importante.

HOFRA (FARAÓ)

Ver o artigo geral sobre **Faraó**, seção III, onde os vários Faraós referidos na Bíblia são alistados. Esse é o décimo quarto Faraó daquela lista.

HOGLA

No hebraico, talvez, «pardoca». Esse era o nome da terceira das quatro filhas de Zelofeade, por causa de quem a lei mosaica foi alterada de tal modo que uma filha tornou-se capaz de herdar as propriedades de seu pai, se ela não tivesse nenhum irmão. Ver Núm. 26:33; 27:1; 36:11; Jos. 17:3. Ela pertencia à tribo de Manassés. Embora essa alteração tivesse trazido mudanças que pareciam radicais, foi minimizada em seu alcance pela disposição de que ela precisava casar-se com algum membro da tribo de seu pai, a fim de que nenhuma porção da herança da família passasse para alguma outra tribo.

HOLBACH, APUL HENRI D' (BARÃO)

Suas datas foram 1723—1789. Foi um filósofo francês. Nasceu em Edesheim, na Alemanha. Educou-se em Leiden. Residiu em Paris desde bem jovem. Esteve intimamente ligado à *Encyclopédie*, para a qual contribuiu. Foi amigo de D'Alembert,

HOLBACH — HOLISMO

Diderot, Condillac, Helvetius, Hyme, Rousseau e outras figuras notáveis. Desenvolveu uma noção de metafísica materialista sistemática, onde nem Deus e nem o caos são vistos como fatores controladores. Acreditava em leis imutáveis e necessárias, mas não as derivava da mente divina. Obteve fama por causa de suas negativas, ou seja, pela variedade de coisas que rejeitava, vigorosa e eloqüentemente.

Idéias:

1. **O homem é apenas uma máquina, e o mundo é** uma máquina ainda maior. Contudo, ilogicamente, não haveria necessidade de qualquer fabricante ou criador dessas máquinas.

2. O mundo consiste em um sistema de partículas materiais que operam de acordo com leis fixas, como que por alguma magnificente programação, embora sem a atuação de qualquer programador. O **livre-arbítrio**, de conformidade com esse sistema, é uma *ilusão*. Os mundos apareceriam e desapareceriam em ciclos fixos, e a súmula total da existência permaneceria imutável, embora em constante estado de fluxo.

3. No campo da *ética*. **O auto-interesse seria a maior** motivação humana. A felicidade consistiria no prazer (ver sobre o *Hedonismo*). A dor precisa ser evitada.

4. No campo da *educação*. O alvo principal da educação seria promover a virtude particular e pública. Atingir essas virtudes é algo vantajoso ao próprio indivíduo. O Estado precisa promover o sistema educacional, e também deve mostrar aos indivíduos como é vantajoso para eles desenvolverem as virtudes apropriadas, que também beneficiam a comunidade.

5. No campo do *conhecimento*. Encontramos aqui o empirismo crasso. Todo conhecimento vem através da percepção dos sentidos. A ciência é a nossa fonte de conhecimento, e a religião não envolve conhecimento certo.

6. No campo da *religião*. O cristianismo, de acordo com ele, é uma superstição promovida pelos sacerdotes e ministros, que auferem vantagens pessoais no domínio que exercem sobre outras pessoas. O sistema ético do cristianismo alicerçar-se-ia sobre falsos pressupostos. Essa fé pede que amemos aos outros acima de nós mesmos; mas isso é contrário à natureza humana, voltada para os próprios interesses, como sua motivação fundamental. Ele combatia a idéia de Deus em qualquer de suas formas — teísta, deísta ou politeísta. Ele simplesmente negava que haja qualquer tipo de Ser, força ou substância divina. Mas ensinava que os sacerdotes inventam os deuses, e que a religião corrompe o povo em vez de ser uma salvadora.

Obras Principais: Christianity Unveiled; The System of Nature; Common Sense or Natural Ideas Opposed to Supernatural Ideas; Natural Politics; Universal Morality.

HOLISMO

Esboço:

1. Definição Básica
2. Nas Ciências Sociais e na História
3. Na Política
4. Na Evolução
5. Na Medicina
6. Na Antropologia Filosófica

1. *Definição Básica*

O holismo é a contenção de que há alguns todos que são mais do que a soma de suas porções componentes. Uma das aplicações desse princípio aplica-se ao chamado *organicismo*, o qual assevera que alguns sistemas que não são organismos literais são, não obstante, muito similares a organismos, cujas porções constitutivas só podem ser entendidas em relação às suas funções, dentro do todo completo. Se falarmos sobre o holismo na natureza, então o termo *holismo* significará que a natureza tende por sintetizar unidades para que formem todos organizados.

2. *Nas Ciências Sociais e na História*

A posição do holismo, em relação a essa disciplina é que a sociedade pode ou mesmo deve ser estudada em termos de todos sociais, porquanto informes sobre indivíduos e atos individualizados não nos dão compreensão exata sobre a sociedade e a história humanas. Devemos compreender como largos blocos e movimentos de pessoas agem, a fim de obterem pontos de vista exatos.

3. *Na Política*

Alguns sistemas, como aqueles de Platão e de Marx, permitem bem pouca margem de atividades para o indivíduo, enfatizando somente os movimentos das massas. O holismo, por causa disso, também é chamado *coletivismo*. Essa teoria também é cêntrica dentro das teorias do Estado, como no caso da doutrina hegeliana de tese, antítese e síntese, no tocante às ações individuais e sociais. Jan Smut (vide) publicou uma importante obra sobre como o holismo opera na história, em seu livro *Holism and Evolution* (1926).

4. *Na Evolução*

As forças que produzem a evolução das espécies animais necessariamente sintetizam unidades em todos organizados, visto que, sem isso, a vida, conforme a conhecemos, não poderia existir. Platão diria que as formas, idéias ou *universais* (vide) formam o poder por detrás dessa operação. Em outras palavras, os todos têm campos organizadores. São programados.

5. *Na Medicina*

Algumas pessoas têm adotado esse termo, no campo da medicina, em alusão à necessidade de incorporar, no processo de cura, a manutenção da saúde, o princípio que devemos nos preocupar com o homem em sua *inteireza*, e não somente com a sua porção física. O homem não é apenas um organismo biológico. A sua mente exerce grande influência sobre o seu corpo, tanto para melhor como para pior. O **bem-estar do corpo** deve incluir uma mente saudável, vista como uma forma separada de energia, e, por muitos estudiosos, vista como imaterial. Contudo, a mente faz parte do todo, devendo ser levada em consideração em qualquer processo médico. Esse quadro é complicado mais ainda em face do fato do homem ser um ente muito completo, com mais de um nível de energias, ou seja, mais do que o nível físico e o nível mental. Ver os comentários abaixo, sob o sexto ponto.

6. *Na Antropologia Filosófica*

Quanto a este ponto, fazemos a indagação: «Qual é a verdadeira natureza do homem?» E também: «Que partes compõem a totalidade da natureza humana, e qual é a natureza desse todo?» A fragmentação filosófica tem lugar quando asseveramos que o homem compõe-se exclusivamente de seu corpo físico. Isso é como dizer que uma serpente é feita somente de sua pele. Para compreendermos o homem, teremos de aprender sobre a sua natureza espiritual, e não meramente sobre a sua natureza biológica. O homem é um todo que incorpora vários níveis de energias, como a energia física (o corpo), a vitalidade (a mente), a energia da alma (a alma), a energia espiritual (o

HOLOCAUSTO — HOMEM CARNAL

super «eu»). Ver os artigos separados sobre a *Natureza Humana*, sobre a *Imortalidade* e sobre a *Alma*.

HOLOCAUSTO

Essa palavra vem do grego **holos**, «inteiro», e **kaustos**, «queimar». A Septuaginta usa essa palavra para traduzir o termo hebraico *olah*, que significa «trazido a Deus». Um sinônimo, *kalil*, significa «queima completa», referindo-se ao consumo dos sacrifícios em sua totalidade, incluindo os órgãos internos, a gordura e tudo o mais, até tudo tornar-se em cinzas. A *olah* era oferecida como expiação pelo pecado. Outros sacrifícios expiavam pelos pecados particulares, mas a *olah* visava a uma *expiação* geral (vide). Os *holocaustos*, no decorrer da sua história, eram efetuados privada e publicamente. Posteriormente transformaram-se na *tamid* diária, o grande sacrifício nacional, em favor de toda a nação de Israel. Essa cerimônia é que deu origem à oração judaica diária, que prevalece no judaísmo moderno.

Em um sentido secundário, o termo é usado para indicar qualquer grande e terrível destruição, como a destruição de seis milhões de judeus, por determinação de Adolf Hitler, durante a Segunda Guerra Mundial. Qualquer grande destruição, sem importar a sua causa, pode ser assim denominada.

HOLOFERNES

Esse nome não figura no cânon palestino do Antigo Testamento, mas aparece em Judite 2:4, ou seja, nos livros apócrifos ou deuterocanônicos. Ali Holofernes é mencionado como o general em chefe do exército de Nabucodonosor, rei da Assíria (!), que só perdia em autoridade para o próprio monarca. A batalha principal teria ocorrido em Betúlia, onde estava concentrada a maior parte do exército de Israel. Mas então houve uma intervenção. Uma bela viúva israelita pediu permissão para sair e conversar com Holofernes. Isso lhe foi concedido. Ela lhe disse que sabia que a cidade estava condenada; mas que ela sabia como isso poderia ser feito de maneira mais fácil. Holofernes, sendo homem, ficou, naturalmente, tão enfeitiçado pela beleza da viúva que acreditou em tudo quanto ela lhe disse. Na quarta noite após o encontro deles, ele ofereceu um grande banquete, e a viúva foi convidada.

Durante o banquete, todos beberam e ficaram tontos. Subitamente, a bela viúva arrancou a espada da cinta de Holofernes e decepou a cabeça dele. Ela pôs a cabeça do general assírio em uma sacola e a levou aos líderes de Israel. Quando os assírios (embora, historicamente, na verdade, fossem babilônios) viram que seu comandante em chefe estava morto, fugiram, tomados de pânico. E isso pôs fim à ameaça, pelo menos temporariamente. Essa narrativa tem todos os sinais de ser apócrifa e romântica, em vez de ser uma história séria.

HOLOM

No hebraico, «arenosa». Esse foi o nome de duas cidades em Israel:

1. Uma cidade que havia na região montanhosa de Judá, mencionada em Jos. 15:51, que foi dada aos sacerdotes (Jos. 21:15). No trecho de I Crô. 6:58, essa cidade aparece com o nome de Hilém. Alguns estudiosos têm-na identificado com Khirbet 'Alin, a noroeste de Hebrom.

2. Uma cidade das planícies de Moabe, contra a qual o profeta Jeremias proferiu julgamento (Jer.

48:21). Ela é mencionada em conexão com Jaaza e Dibom, mas sua localização exata permanece desconhecida.

HOMEM

Ver o artigo sobre a *Natureza Humana*. Ver também os artigos sobre *Imortalidade* e sobre *Alma*.

HOMEM (NATUREZA HUMANA)

Ver o artigo intitulado *Humanidade* (*Natureza Humana*).

HOMEM CARNAL

Paulo divide em três claras distinções os tipos de homens: 1. o *homem carnal* (I Cor. 3:1); 2. o *homem espiritual* (I Cor. 3:1); e 3. o *homem natural* (I Cor. 2:14). Apresento artigos separados sobre cada um desses tipos, pelo que neste artigo, não entro em detalhes, exceto no caso do *homem carnal*, que é o assunto que tenho em mãos. O homem natural, por sua vez, é o homem que ainda não foi regenerado. Esse é o homem que pertence à antiga natureza terrena. Ele é natural, e não espiritual. É o que permanece em seu estado natural, antes das operações do Espírito. O *homem espiritual* é aquele que já foi regenerado e que está vivendo de acordo com os princípios ditados pelo Espírito, ou seja, vitorioso sobre os antigos impulsos carnais. Ele obedece à mente do Espírito e anda em novidade de vida.

O *homem carnal* é uma espécie de **meio-termo** entre os dois primeiros. Realmente, converteu-se, pelo que entrou nos primeiros estágios da regeneração; mas continua sendo derrotado por seus próprios antigos impulsos. Esse é o homem que se encontra em estado de tensão e conflito espirituais, conforme se vê no sétimo capítulo de Romanos. Faz coisas que, realmente, não aprova; mas não possui a energia espiritual necessária para obter a vitória sobre suas debilidades e vícios. Portanto, tal crente mostra uma contradição, pois aprova e é afetado pelas realidades espirituais, mas é incapaz de subir acima do nível da carnalidade.

Em I Cor. 3:1, Paulo chamou os crentes de Corinto de *carnais*, ou seja, homens *da carne*, crentes controlados pela carne. É possível interpretar que esse adjetivo significa que as pessoas assim qualificadas são inteiramente destituídas do Espírito de Deus (se considerarmos **tão-somente** o sentido verbal), mas o contexto geral não nos permite tirar essa conclusão. Mui facilmente, entretanto, Paulo poderia estar querendo dar a entender que toda a sua suposta e apregoada espiritualidade, no exercício dos dons espirituais (que os crentes coríntios exibiam), era algo falso, fraudulento; porquanto, não dispor das qualidades morais de Cristo, e ao mesmo tempo, ser supostamente residência do Espírito de Deus, ao ponto de realizar feitos miraculosos, é uma aberrante contradição, é uma impossibilidade moral.

Elementos da Carnalidade:

1. Embora certas pessoas se apresentem como espirituais, na verdade andam vendidas ao pecado, sendo escravas do princípio do pecado (Rom. 7:14).

2. Tal pessoa é dotada de uma mente carnal, que está em conflito com Deus (Rom. 8:7).

3. O homem carnal vive como se não fosse regenerado (I Cor. 3:3).

4. O homem carnal é faccioso (I Cor. 3:4).

5. O homem carnal tem vícios na sua vida, e ignora

HOMEM — HOMEM NATURAL

o cultivo das virtudes espirituais (Gál. 5:19 ss).
Ver também o artigo separado intitulado *Carnal*.

HOMEM DA INIQUIDADE (DO PECADO)

Ver o artigo sobre o **Anticristo**. Esse nome do futuro anticristo aparece em II Tes. 2:3. Na expressão «homem da iniquidade» encontramos um hebraísmo que fala daquilo que caracterizará esse homem, em sua natureza fundamental. Nessa expressão, contudo, a palavra «homem» tomou o lugar da palavra «filho». Tal uso, contudo, não se restringe ao idioma hebraico, pois outras línguas também contam com expressões similares. Em muitas conexões, tal expressão é bastante freqüente nas páginas do Novo Testamento: filhos da desobediência (Efé. 2:2); filhos da ira (Efé. 2:3); filhos da luz (I Tes. 5:5). O anticristo poderia ter sido intitulado de *filho do pecado*, mas a expressão selecionada pelo Espírito e por Paulo foi mesmo «homem do pecado». O anticristo haverá de conduzir a humanidade à mais formidável e universal apostasia e rebelião contra o Senhor, porque ele é o próprio arquipecador, impelido pelo próprio arqui-inimigo, Satanás.

HOMEM DE DUAS PALAVRAS

Somente em I Timóteo 3:8 encontramos a expressão «de uma só palavra». Isso reflete as palavras grega «mé dilágous», ou seja, «não de duas palavras». Isso refere-se à insinceridade ou duplicidade no falar. Em *Pollux* 2,118, esse vocábulo grego tem o sentido de «repetir», mas isto é com esse sentido que a palavra é usada no Novo Testamento. O contexto desse trecho de I Timóteo são as qualificações para o diaconato. Um diácono não pode ser homem que diz uma coisa, mas quer dizer outra. Também não pode ser quem diz uma coisa para alguém, e outra coisa para outrem. O termo latino *bilinguis* tem a idéia de «hipócrita», e essa é a essência do sentido do termo grego *dílogos*, quando usado no Novo Testamento.

HOMEM ESPIRITUAL

Ver o artigo separado sobre *Homem Novo*, que é outra maneira de falar acerca do homem espiritual. Ver também os artigos intitulados *Homem Carnal* e *Homem Natural*. Encontramos aqui uma tríplice classificação: homem natural; homem espiritual e homem carnal. Damos artigos com todos esses três títulos.

Segundo o uso paulino, o *homem espiritual* é aquele que é experiente e aprovado na vida espiritual, sendo pessoa espiritualmente madura, embora não impecável; mas sua vida é vitoriosa sobre o pecado, e ele não é praticante de vícios. Pelo contrário, tal crente cultiva as virtudes espirituais, as quais se manifestam claramente em sua vida (Gál. 5:22 ss). Ele também possui a mente do Espírito, ou mente de Cristo, sendo governado por essa mentalidade (II Cor. 2:16). E também anda de acordo com a lei do Espírito (Rom. 8:2,4). É dotado de compreensão e sabedoria espirituais (Col. 1:9). Ele se utiliza dos meios espirituais de desenvolvimento, como o estudo dos documentos espirituais, a oração, a meditação, a prática da lei do amor e a realização de boas obras. É um homem santificado, visto que a santificação é o solo onde cresce o desenvolvimento espiritual. Também há o toque místico em sua vida, mediante a *iluminação* (vide) e o uso dos dons espirituais. Ver o artigo geral sobre a *Espiritualidade*. Esse artigo fornece muitos detalhes quanto as qualidades próprias de um crente verdadeiramente espiritual.

HOMEM INTERIOR

No grego, **eso anthropon**, «homem interior». Essa expressão está ligada a várias significações. A *alma* pode estar em vista, com base na idéia de que ela reside no corpo físico. E isso a contrasta com o corpo que lhe serve de capa externa, sendo o verdadeiro indivíduo, o homem real. Mesmo sem usar a expressão, Paulo diz algo parecido, em II Cor. 5. *Nós* estamos no tabernáculo do corpo; e esse «nós» é equivalente ao homem interior. O trecho de Ma. 23:27 ss envolve uma alusão moral. Há aquelas pessoas que, pelo lado externo, parecem atrativas, como os túmulos caiados. Porém, internamente, estão repletas de corrupção, parecendo-se com lobos vorazes, disfarçados, contudo, em pele de ovelha.

Quando Davi foi escolhido para ser ungido por Samuel como futuro rei de Israel, ele foi qualificado, em contraste com outros, porque Deus examinou o seu coração e viu ali qualidades que agradavam ao Senhor. Ver I Sam. 16:7.

Em Efésios 3:16, o *homem interior* é a pessoa real, a entidade espiritual que é fortalecida com poder, por meio do Espírito Santo. Nessa referência também está incluída a *mente*, o intelecto, o que faz desse versículo um paralelo parcial com Rom. 12:2, onde se lê que deveríamos ser transformados mediante a renovação de nossa mente. O homem interior também é o homem *moral* essencial, ou seja, a natureza moral que precisa ser transformada pelo poder do Espírito, segundo se vê em Mat. 5:48; Rom. 7:22 e Gál. 5:22,23. O homem interior também corresponde à natureza *emotiva* de cada pessoa, que deveria ser controlada pelos princípios espirituais, conforme se aprende em Col. 3:2.

As naturezas interna e externa do homem (II Cor. 4:16) se referem ao corpo físico (a natureza externa) e ao espírito (a natureza interna).

HOMEM NATURAL

I Cor. 2:14: *Ora, o homem natural não aceita as coisas do Espírito de Deus, porque para ele são loucura; e não pode entendê-las, porque elas se discernem espiritualmente.*

A palavra aqui traduzida por «natural», se fosse mais literalmente traduzida seria «psíquico», isto é, controlado pela «alma». Paulo se utiliza aqui da forma adjetivada da palavra grega «psuche», que usualmente é usada nas páginas do N.T. para indicar a porção «imaterial» do ser humano, e que foi o vocábulo usualmente empregado por Platão. Essa palavra grega, todavia, não precisa significar necessariamente isso; pois também pode ter certa variedade de significados, conforme se vê abaixo:

1. Pode significar o princípio vital da existência, sem qualquer alusão à porção imaterial do homem.

2. Pode significar a «vida terrena», sem qualquer tentativa de descrever a natureza metafísica do homem. (Ver Mat. 6:25; Luc. 12:22 e ss; Atos 20:24,27).

3. Pode significar a alma imortal do homem. (Ver Luciano, Dial. Mort., 17.2; Josefo, *Antiq.* 6.332; Atos 2:27; Sal. 16:10). Dessa maneira é que Platão usualmente empregava esse termo grego. (Ver Platão, *Edon*, 28p, 80a).

4. Pode significar a sede ou centro da vida interior do homem, incluindo os seus desejos, as suas emoções, etc., mas sem qualquer tentativa de descrever metafisicamente o homem. (Ver Bar. 2:18b; Apo. 18:14; Heb. 12:3 e Isa. 58:3,5).

HOMEM NATURAL — HOMERO

Em sua forma adjetivada, sobretudo quando esse termo é contrastado com o vocábulo «espiritual», que é o caso aqui encontrado, pode significar simplesmente aquilo que é «físico», que é «não espiritual», que é *natural*. Em I Cor. 15:44a há uma referência ao «corpo físico», em contraste com o corpo espiritual. Também se pode examinar I Cor. 15:46. E, no trecho de Jud. 19 essa palavra é usada como sinônimo de «mundano».

Por igual modo, poder-se-ia conceber que essa palavra indique os crentes «carnais», aqueles a quem Paulo aqui repreendia, os membros do «partido intelectual», que dava excessiva importância à sabedoria humana. Esse sentido pode ser percebido se levarmos em conta apenas o mundo, e não o contraste com os crentes «espirituais». Porém, isso não é muito provável quando consideramos que no primeiro versículo do terceiro capítulo, da primeira epístola aos Coríntios, encontramos outro vocábulo para indicar esses irmãos na fé, a saber, a palavra «carnais», que é tradução do termo grego «sarkikoi». Também precisamos notar que esse mesmo versículo exige que falemos de um homem natural, e não meramente de um homem carnal. Portanto, encontramos aqui a menção de três classes de indivíduos:

1. O homem «natural» (no grego, *psuchixos*), que é o indivíduo em estado natural, sem o Espírito de Deus, o homem ainda não regenerado.

2. O homem «espiritual» (no grego, *pneumatikos*), que é o homem regenerado. Paulo não fazia distinção, no décimo quarto versículo, entre esses e os «experimentados» ou espiritualmente maduros.

3. Então, em I Cor. 3:1, aparece o homem «carnal» (no grego, *sarkinos*), que é o crente que ainda não é maduro, espiritualmente falando.

Devemos observar que o homem «natural» não é aqui equivalente ao homem «carnal»; e Paulo também não estava identificando esses homens não-regenerados com aqueles envolvidos em várias modalidades de pecados e corrupções. Dizia simplesmente que eles, os «naturais», não têm o Espírito de Deus, não conheceram ainda a «regeneração», e, portanto, desconhecem a iluminação espiritual que tem sido salientada nesta passagem, como propriedade dos remidos. Tais homens pensam que as realidades do Espírito de Deus são «...loucura...» ou insensatez. E, com essa descrição, Paulo retorna às descrições que fazia de tais pessoas, conforme se lê em I Cor. 1:18,19,23 e 2:6. O homem «natural» é descrito como alguém que não é «capaz» de discernir as realidades do Espírito Santo. Já quanto ao crente «carnal» precisamos dizer que embora sua visão espiritual talvez esteja obscurecida, não podemos dizer que ele «não pode» compreender as realidades espirituais. Portanto, está aqui em foco o homem «natural», e não o crente «carnal».

HOMEM NOVO

O «novo homem», referido em Efé. 4:24, é o homem regenerado, moldado segundo a imagem moral e metafísica do Filho de Deus, o que significa que ele está se tornando participante da natureza divina (ver II Ped. 1:4), de acordo com a imagem do Filho de Deus (Rom. 8:29). Isso é produzido pela atuação do Espírito Santo, que passa de um estágio de glória para outro, em um processo interminável (II Cor. 3:18). Dessa forma, chegaremos a participar da plenitude do Pai (em sua natureza e atributos, segundo se vê em Efé. 3:19), e conforme ela transparece desde agora no Filho (Col. 2:10). A Igreja, coletivamente falando, é o *novo homem*. O novo homem, no caso de cada crente

individual, é produzido mediante a *regeneração* (vide), embora isso não seja um ato realizado de uma vez por todas. Tem começo na conversão, mas atingirá uma fase interminável e crescente por ocasião da glorificação (vide).

Em Col. 3:10 encontramos a metáfora de nos *revestirmos* do novo homem como se o mesmo fosse uma roupa nova, que transforma aquela pessoa, substituindo a antiga roupa corrupta, da carnalidade. Ver também Efé. 4:24. Em I Cor. 5:17 é declarado que aqueles que estão em Cristo são uma nova criação, o que expressa a mesma doutrina, posto que através de palavras diferentes. E o trecho de Gál. 6:15 exprime quão inadequados para isso são os ritos e as cerimônias. O que é essencial é que alguém seja uma *nova criatura*, renascida, regenerada, que passou pela renovação espiritual. Coletivamente falando, os judeus e os gentios são um *novo homem* em Cristo.

A doutrina do *novo homem* afirma que há necessidade de uma absoluta e completa transformação espiritual no ser humano. Nisso, a alma passa de seu antigo estado de degradação e passa a fazer parte da família de Deus, chegando a compartilhar da própria natureza e dos atributos de Deus. Como é óbvio, essa é uma operação divina, pelo que requer a atuação da graça de Deus, embora só se torne eficaz mediante a cooperação da vontade humana. Ver Fil. 2:12,13.

HOMENS A PÉ

No hebraico, **regli**, «homem de infantaria», palavra que ocorre por dez vezes: Núm. 11:21; I Sam. 4:10; 15:4; II Sam. 10:6; I Reis 20:29; II Reis 13:7; Jer. 12:5; Juí. 20:2; II Sam. 8:4; I Crô. 18:4. Uma outra palavra hebraica é *ruts*, «correr», que aparece em I Sam. 22:17, mas que a nossa versão portuguesa traduz por «aos da guarda». O exame desses trechos mostra que a palavra **hebraica** *regli* é usada em quatro sentidos principais: a. um infante (termo militar); b. um corredor; c. um guarda; d. um mensageiro. O primeiro desses sentidos é o mais constantemente empregado. A distinção entre um *infante* e um outro soldado qualquer é que o infante combatia a pé, ao passo que os outros montavam a cavalo ou iam em carros de guerra. Em Êxodo 12:37, a palavra simplesmente indica homens que seguem a pé, em suas andanças.

HOMENS VALENTES (PODEROSOS)

Nossa versão portuguesa diz «homens valentes», ajuntando que eles eram homens de «renome». Isso aparece no trecho de Gên. 6:4 onde também somos informados de que os «gigantes» eram uma prole das filhas dos homens e dos filhos de Deus, que foram homens poderosos (no hebaico, *geborim*).

Husai chamou Davi e seus homens de *geborim*, o que, em nossa versão portuguesa, corresponde a «valentes» (II Sam. 23:8-39). Esse título também era dado aos poderosos trinta guerreiros que atuavam como guarda pessoal desse monarca.

Os homens têm a tendência de glorificar a fortaleza física, a violência e a matança. Os homens habilidosos nessas violências, e que são capazes de dominar outros homens, são os «heróis». As verdadeiras qualidades espirituais não são muito valorizadas neste mundo.

HOMERO

Todos concordam que a literatura homérica — a

Caim assassina Abel

••• ••• •••

Oh, Deus, que carne e sangue fossem
    tão baratos,
Que os homens odiassem e matassem,
que os homens silvassem e cortassem a outros,
Com línguas de vileza ...por causa de...
«teologia».
                    (Russell Norman Champlin)

•••

Senhor, disse eu,
    Jamais eu poderia matar um meu semelhante;
    Crime de tal grandeza cabe a um
    selvagem somente,
    É o crescimento venenoso de
    mente maligna,
    Ato alienado do mais indigno.
Senhor, disse eu,
    Jamais eu poderia matar um meu semelhante;
    Um ato horrível de raiva sem misericórdia,
    Apunhalada irreversível de
    inclinações perversas,
    Ato não imaginável de plano ímpio.
Disse o Senhor a mim,
    Uma palavra sem afeto lançada contra
    vítima que odeias,
    É um dardo abrindo feridas de cores cruéis.
    Bisbilhotice corta o homem pelas costas,
    Um ato covarde que não podes retirar.
    Ódio no teu coração, ou inveja levantando
    sua horrível cabeça,
    É um desejo secreto de ver alguém morto.
                    (Russell Norman Champlin)

••• ••• •••

HOMERO — HOMICÍDIO

Ilíada e *Odisséia* — é uma grandiosa composição literária. Porém, nem todos concordam que seu autor, Homero, foi uma única pessoa. Talvez tivesse havido, realmente, um único autor, mas ampliado por algum editor ou editores. Seja como for, *Homero* é o nome dado ao autor dos dois grandes poemas gregos épicos, mencionados, e que abordam, respectivamente a querela entre os gregos e os troianos, durante a guerra de Tróia, e então, depois da guerra de Tróia, o retorno de Odisseu à sua rainha, Penélope, quando ele tornou a ocupar o trono de seu reino, na ilha de Ítaca. Esses poemas épicos são a literatura mais notável da Grécia antiga, servindo de uma espécie de Bíblia, para os gregos.

As tradições antigas afirmam que Homero foi autor de ambos aqueles poemas. Segundo elas, ele teria vivido no século IX A.C., na Jônia, que atualmente faz parte das costas ocidentais da Turquia. Porém, nada de definitivo se sabe acerca desse homem e de suas datas. As antigas *Vidas*, escritas por vários autores, não nos prestam ajuda alguma quanto a essas questões, com os seus mitos. A única fonte informativa real é aquela que se deriva dos próprios épicos, os quais, na opinião da maioria dos eruditos, pertencem à última metade do século VIII A.C.

Outras obras também são atribuídas a Homero, que, de algum modo, estão ligadas à guerra de Tróia, como os poemas intitulados *Margitas*, *A Batalha das Rãs e dos Camundongos* e vários hinos homéricos. Os estudiosos modernos rejeitam, entretanto, a autoria homérica dessas obras. E até mesmo a divisão da *Ilíada* e da *Odisséia*, em vinte e quatro livros, seguindo as letras do alfabeto grego, mui provavelmente, foi obra de editores helenistas.

As enciclopédias clássicas abordam os problemas homéricos com abundância de detalhes. Nesta enciclopédia, a questão se reveste de interesse porque essas obras antigas nos permitem dar uma boa olhada para a religião grega primitiva. Os poemas em apreço provêem uma visão abrangente do panteão dos deuses gregos, cujos principais membros eram Zeus, Apolo, Poseidon, Ares, Hera, Atena, Afrodite, Hélio e Hermes. Essas divindades manter-se-iam distantes e indiferentes, em sua majestade, no Olimpo; mas, ocasionalmente, resolviam descer e intervir nas atividades humanas. Eram temidos e amados ao mesmo tempo, e orações e sacrifícios eram feitos a esses deuses, por grande variedade de razões. O conceito de *moira* ou *destino* é muito destacado nos escritos de Homero, onde há uma versão primitiva do *determinismo* (vide). Algumas vezes, o destino ou sorte opera segundo a vontade dos deuses, nos escritos homéricos; mas, ocasionalmente, seu poder é tão grande que até os deuses estão sujeitos ao mesmo. Em Homero, de maneira informal, temos um sistema ético, algumas vezes muito corrupto, que Heráclito (vide) e Xenófanes (vide) criticaram acerbamente. Como é óbvio, Homero foi muito citado por escritores gregos posteriores, incluindo os filósofos. Suas obras eram uma espécie de Bíblia popular dos gregos, embora nem sempre aceitas como tal pelos intelectuais.

HOMICÍDIO

Esboço:
   I. A Palavra e suas Definições
   II. Homicídio Justificado
   III. Homicídio Não Justificado
   IV. Idéias Bíblicas sobre o Homicídio
   V. Punição Capital

Podemos falar em termos de homicídio justificado e de homicídio não justificado. Mas esse fato, por si mesmo, mostra o baixo nível espiritual em que se acham os homens. Em qualquer estado espiritual elevado, não existe tal coisa como matar a outro ser.

I. A Palavra e suas Definições

Esse vocábulo vem do latim *homo*, «homem», e *caedere*, «matar» ou «cortar». Em latim, um assassino é um *homicida*, tal como em português. Apesar de que, estritamente falando, a morte de um homem, provocada por um animal, poderia ser chamada de um *homicídio*, o termo refere-se sempre à morte de um ser humano provocada por outro ser humano. Universalmente, os homicídios são divididos em justificáveis e criminosos (ou não justificáveis). O homicídio justificado, por sua vez, é classificado sob diferentes títulos, conforme mostramos nos parágrafos abaixo. Algumas autoridades categorizam o *suicídio* (vide) com base nas definições acima, embora, como é óbvio, o suicídio seja uma categoria (do ponto de vista moral) do homicídio.

II. Homicídio Justificado

Poderíamos estar justificados por tirar a vida a outrem? A Bíblia e as leis civis, de modo geral, respondem com um «sim». Abaixo damos as formas justificáveis de homicídio:

1. Segundo se vê no Antigo Testamento, a *execução religiosa*, por causa de crimes morais ou religiosos, e não meramente por causa de crimes civis, ocorreu com freqüência. Nos países árabes, por seguirem o *Alcorão* (vide), até hoje há execuções religiosas ocasionais; mas, nos países ocidentais, esse tipo de execução não é mais considerado justificável.

2. Por motivo de defesa própria.

3. O ato de matar que resulta da tomada da defesa de alguém que esteja correndo perigo ou esteja sendo ameaçado ou assaltado de alguma maneira grave. A pessoa defendida não precisa pertencer à família do defensor.

4. Uma pessoa pode matar a outrem, de modo justificável, a fim de impedir um crime de qualquer tipo, mesmo que tal crime não ameace a vida daquele contra quem isso é feito. Por exemplo, um guarda, em um banco, pode tirar a vida a um assaltante do banco. Ou um homem pode matar a um estuprador em potencial, que ameace executar a sua ação.

5. Execuções determinadas pelo Estado. Os criminosos que tiverem cometido crimes graves, usualmente, quando tiraram a vida de alguém, em muitos países do mundo são, por sua vez, executados com a pena capital.

6. Em tempos de guerra, os soldados não somente são solicitados a matar, mas também são tidos por heróis quando matam a muitos. Audey Murphy, um famoso soldado do exército norte-americano, de certa feita, estando sozinho, matou mais de duzentos soldados alemães, destruiu vários tanques e equipamento pesado, e as pessoas nunca deixaram de admirar-se de seus feitos, não só nessa, mas também em outras ocasiões. Ele era uma máquina de matar, e tornou-se um herói nacional por causa de sua incrível habilidade. Na Bíblia, os trinta heróis guerreiros de Davi ficaram com seus nomes gloriosamente registrados, por haverem morto a muitos homens.

7. *Homicídios Acidentais*. Temos aí um caso de *homicídio desculpável*, e não tanto de homicídio justificável, porquanto esses homicídios acidentais resultam da falta de cuidado, de estados de alcoolismo, etc. A lei é que decide quais punições devem ser aplicadas, como breves períodos de encarceramento ou de detenção doméstica, etc.

HOMICÍDIO — HOMILÉTICA

Acidentes puros e inevitáveis, quando alguém mata, por exemplo, uma criança que passa correndo, atravessando o trajeto de um veículo, não são castigados segundo a lei. Os homicídios desculpáveis, com freqüência, são denominados «homicídios não premeditados», uma classe de matança sem culpa, diante dos quais a justiça não se manifesta senão a fim de inocentar.

III. Homicídio Não Justificado

A expressão «homicídios premeditados» é usada para distinguir tais casos dos homicídios justificáveis. Além disso, esses homicídios premeditados são divididos em homicídios de primeiro grau e homicídios de segundo grau. Os homicídios de primeiro grau incluem casos não somente em que houve malícia, mas também premeditação, com o propósito voluntário e planejamento deliberado de destruir a vida alheia. A condição mental que leva a essa classe de homicídios, geralmente, chama-se «premeditação maliciosa». E, se alguém termina por matar a uma pessoa a quem não queria matar, por causa de alguma vicissitude das circunstâncias, embora o tenha feito com aquela atitude mental, isso é considerado como um homicídio premeditado com «transferência de intenção». Exemplifiquemos a situação com a ilustração de um homem que ataca a outro, o qual é defendido por uma terceira pessoa. Essa terceira pessoa é morta, mas não a vítima tencionada. Isso ainda envolve um homicídio premeditado de primeiro grau. Esses homicídios de primeiro grau também incluem casos como a morte provocada durante um assalto ou outro crime semelhante. Todos os indivíduos envolvidos em casos de incêndio culposo, furto, estupro e roubo que resultem em mortes, embora estas não tenham sido planejadas, são culpados de homicídio de primeiro grau. Além disso, em alguns países, matar um policial ou outro oficial do governo é considerado, automaticamente, um homicídio de primeiro grau.

Homicídio de segundo grau. Esse caso também não é justificável, embora considerado menos culpado que os homicídios de primeiro grau. Por exemplo, os crimes que envolvem paixão, quando um homem mata a um amante ou sedutor de sua esposa. Ou então, os crimes cometidos durante discussões ou brigas, embora não houvesse malícia e premeditação anteriores.

Os *homicídios não justificáveis* podem assumir a forma de um acidente, provocado pelo descuido com que alguém agia, sendo um acidente que poderia ter sido evitado. Um homem que se alcoolize e mate a outrem em um acidente, em resultado de estar embriagado, não pode justificar o seu crime. Porém, casos assim não envolvem homicídio de primeiro ou de segundo grau. Esses casos são rotulados como *homicídio culposo*. Mas, se uma morte foi causada por puro acidente, então trata-se de *homicídio involuntário*. Dentro dessa categoria cabem aqueles casos em que, por exemplo, os pais não cuidam apropriadamente de seus filhos, no tocante à saúde e à alimentação, e eles chegam a morrer por causa disso.

IV. Idéias Bíblicas Sobre o Homicídio

O sexto mandamento da lei mosaica condena todo homicídio ilegal (ver Êxo. 20:13). A lei do amor, ensinada por Cristo, engloba a condenação do homicídio (ver Mat. 22:29). O assassínio é tratado como um dos crimes humanos mais horrendos, nas Escrituras Sagradas, devendo ser punido com a morte do culpado (Núm. 35:31). Caim foi o primeiro homicida do mundo (Gên. 4:8). No entanto, recebeu o

equivalente a uma sentença perpétua. Casos de homicídio justificável, como nas execuções de criminosos, são ilustrados em trechos bíblicos como Gên. 9:6 e Núm. 31:7,8. Jesus defendeu a mulher apanhada em flagrante adultério, e impediu a sua execução, ainda que, de acordo com as normas veterotestamentárias, ela devesse ser, sumariamente, executada. Ver João 8:7. Porém, o Novo Testamento concorda com o Antigo Testamento, em defesa da lei (ver I Ped. 2:13,14); e se as leis requerem punição capital para os casos de homicídio não justificável, podemos encontrar textos de prova neotestamentários que aprovam isso. Ver o décimo terceiro capítulo de Romanos, quanto a uma declaração mais extensa do princípio envolvido.

V. Punição Capital

Ver o artigo separado com esse título. Ver também sobre *Crimes e Castigos*.

HOMILÉTICA (HOMILIA)

Essa palavra portuguesa vem do grego, *omiletikós*, «sociável». O verbo *omileein*, significa «estar em companhia de»; e o substantivo *omilos* significa «assembléia». Visto que a sociabilidade está, intimamente, associada à linguagem, esse título, *homilética*, veio a se referir àquele ramo da retórica que trata da composição e entrega de sermões. Em outras palavras, a homilética é a arte de compor e entregar sermões. Uma *homilia*, por sua vez, é um discurso ou sermão. As homilias originais, dos pais da Igreja, eram comentários sobre as Escrituras, envolvendo também os trechos bíblicos que eram lidos durante os cultos religiosos.

De acordo com uma definição do Concílio Vaticano II, uma verdadeira homilia deve ser considerada parte da liturgia eclesiástica. Mas, em um sentido secundário, mesmo dentro da Igreja Católica Romana, uma homilia é um sermão. Seja como for, torna-se óbvio, nas páginas da história, que o sermão, tanto na sinagoga como nas Igrejas cristãs, sempre ocupou um papel de destaque. Paulo salientou o poder e a utilidade da pregação (ver I Cor. 1:18 *ss*).

As homilias mais antigas que ficaram preservadas até nós são as de Orígenes. As homilias cristãs ocorriam após a leitura de algum texto bíblico, porquanto eram os comentários feitos com base nesse texto, de modo formal ou informal. Podemos supor que tais comentários eram preparados de antemão, e que não eram apenas extemporâneos. O *sermão* (em grego, *logos*; em latim, *oratio*) parece ter sido um tanto mais formal, pois necessariamente estava vinculado à leitura de algum texto bíblico. Essa palavra portuguesa, «sermão», vem do latim, *sermo*, que significa «fala». Coletâneas muito antigas e da era medieval, de homilias, tornaram-se bastante numerosas. A Igreja Anglicana imprimiu um *Livro de Homilias*, para garantir a substância no ensino e na pregação, em suas Igrejas, e para impedir as deficiências e os erros de pregadores despreparados, de quem não se poderia esperar que pregassem sermões convincentes.

Como uma disciplina, a homilética é aquele ramo da teologia prática e das habilidades ministeriais que trata das regras relativas à preparação e entrega de sermões. O assunto tem sido seriamente considerado pelas igrejas e pelos seminários bíblicos. A obra de A. Vinet, *Homiletics* ou *The Theory of Preaching*, publicada em 1853, tinha quase quinhentas páginas.

As regras homiléticas ajudam o pregador, mas todo pregador bem dotado parece receber uma capacidade que lhe é dada pelo Espírito, e ele segue essas regras

154

HOMILÉTICA — HOMOEOUSIANOS

quase naturalmente. Talvez a primeira regra da boa pregação consista em abordar questões importantes, sentindo a importância das mesmas para as almas. Quando essa condição prevalece, a expressão verbal é muito mais eloqüente e convincente do que em caso contrário. Uma outra regra fundamental é a do *conhecimento*. Alguns pregadores são capazes de esconder sua superficialidade, mediante o uso de observações espirituosas e de algumas poucas boas ilustrações. Porém, os melhores pregadores são aqueles que realmente têm alguma coisa para dizer. Bradar em altas vozes não substitui a substância do sermão. Um eloqüente pregador do passado, Henrique Ward Beecher, dizia que ele gritava mais quando menos tinha para dizer.

A maior parte dos cursos teológicos inclui, pelo menos, um curso de homilética. Segundo minhas próprias observações, visto que fiz dois cursos de homilética, quando me preparava para o pastorado e o trabalho missionário no estrangeiro, é que tais aulas são úteis, embora também possam servir de empecilho para certos alunos. Lembro-me de certo estudante que, na primeira vez em que falou perante os colegas, entregou uma mensagem inspiradora. Mas, quando foi forçado a pensar em regras, esboços, gestos apropriados, etc., sentia-se muito tolhido e se tornou um pregador muito menos capaz. Por outro lado, minha primeira familiaridade real com os *comentários* (que têm sido meus inseparáveis companheiros desde então) surgiu devido ao meu desejo de dizer coisas eruditas, interessantes e bem pensadas, perante meus colegas de seminário. Quando me formei teologicamente, já havia ganho a reputação de ser um pregador «profundo». Mas quero agora confessar que essa profundeza era copiada dos mestres do passado, cujos escritos eu sempre consultava, mas que os outros alunos não se importavam em examinar. Um incidente cômico ocorreu certo dia em classe, quando uma nova aluna fez alguma declaração que parecia autoritária, e o professor da classe indagou de quem ela havia citado. E ela replicou: «Champlin disse isso». Alguns alunos acharam muita graça e riram abertamente. Mas, em outra ocasião, entreguei um bom sermão, com minhas próprias observações (tomadas por empréstimo dos mestres do passado). Certo aluno, ao fazer sua crítica do meu sermão, comparou-me com o Dr. M.R. De Hann, e isso contrabalançou pelos risos daquela ocasião anterior.

A homilética cada vez mais é considerada uma disciplina importante nos seminários e institutos bíblicos. Uma boa e volumosa literatura se tem formado a respeito. Alguns princípios homiléticos ensinados são os seguintes:

1. *Conhecimento*. O pregador deve ter algo a dizer, bem alicerçado sobre o conhecimento bíblico.

2. *Tipos de Sermão*. Há sermões textuais, tópicos e expositivos, ou então, combinações desses tipos.

3. *Métodos de Organização de Material*. Paralelamente, devemos pensar nas ilustrações apropriadas.

4. *Uso de Gestos Apropriados*. (Nunca fui bom quanto a esse particular).

5. *História da Prédica*. Isso deve incluir o estudo dos sermões de pregadores eloqüentes bem conhecidos.

6. Devem ser convidados bons pregadores, que demonstrem a sua arte. Em certas ocasiões, isso não funciona. Certo estudante, após ter ouvido um grande pregador, tentou imitá-lo, quando surgiu a primeira oportunidade. Mas, a única coisa que ele foi capaz de imitar foi um certo gesto nervoso do pregador. Um outro aluno resolveu que imitaria Billy Graham.

Também só conseguiu imitar um certo gesto intempestivo desse pregador; mas não soava como ele, de forma alguma. Algumas vezes, a despeito dos mais concentrados esforços dos mestres e dos alunos, nada de especial acontece. Um certo colega observou, após um sermão que ele mesmo pregara: «Puxa, que mensagem enfadonha»

7. *Crítica dos Sermões*. Geralmente feitos ou pelo professor de homilética ou pelos colegas de classe.

Um pregador *habilidoso* pode dizer coisas boas, mesmo que não seja um *bom* pregador. Durante algum tempo, recebi os sermões impressos de um antigo amigo meu, que era pastor de uma Igreja evangélica. Ele se tornara um notável pregador, que passava horas intermináveis preparando os seus sermões, que, uma vez impressos, pareciam mais documentos de pesquisas do que mesmo sermões. Certa ocasião, ele perguntou qual a opinião daqueles a quem enviava os seus sermões impressos. Enviei-lhe uma carta dizendo que via uma real dificuldade nos seus sermões. «Eles são tão bons que se algum pregador preguiçoso se apossar deles, nem mais terá de estudar».

HOMILIA

Ver sobre **Homilética (Homilia)**.

HOMILIÁRIO

Ver o artigo separado sobre **Homilética (Homilia)**. Os *homiliários* eram coletâneas de sermões, compilados para benefício dos pregadores das paróquias e congregações, ou para serem lidos pelo clero em certas ocasiões especiais ou para sua ilustração pessoal. O primeiro dos chamados pais da Igreja a compilar homilias foi Orígenes. Essa prática tornou-se popular em Alexandria, de onde veio a propagar-se, tornando-se muito generalizada desde os primeiros séculos do cristianismo. No período medieval, os homiliários eram populares e muito usados.

Homo Mensura Ver depois de **Homologoumena**.

HOMOIANOS

Esse era um termo usado pelos arianos, quando tentaram criar sua própria doutrina cristológica (ver o artigo sobre *Cristologia*), com a qual todos eles pudessem concordar. Eles afirmavam que o Filho é homoios (*parecido com* o Pai). Esse conceito foi adotado em uma série de fórmulas, durante os anos de 359 e 360 D.C., adotadas como as normas eclesiásticas oficiais do imperador Constâncio. Todavia, a fórmula não satisfez àqueles que acreditavam que o Filho é possuidor de idêntica natureza com o **Pai. Ver os artigos intitulados** *Trindade* **e** *Homoiousianos*.

HOMOIOUSIANOS

Esse é o nome dado àqueles que tomavam posição intermediária entre as crenças dos arianos conciliadores (ver sobre os *Homoianos*) e aqueles que se apegavam estritamente ao credo niceno. Eles também eram chamados de *semiarianos* ou de *seminicenos*. Seu principal líder foi Basílio de Ancira.

O termo que eles usavam, *homoiousios* é a palavra grega que significa «de substância similar». Eles afirmavam que o Filho é dotado de uma substância essencial *parecida com* o do Pai. Naturalmente, isso não satisfazia àqueles que exigiam que não se fizesse qualquer distinção entre a substância do Pai e a substância do Filho, conforme é requerido pela

HOMO — HOMOSSEXUALISMO

doutrina trinitariana. O lema deles aparece nessas duas palavras gregas, *homoi* e *ousios*. Essa gente se opunha ao lema contrário, expresso pelas palavras gregas *homo ousios* (vide), empregado pelos defensores do credo ortodoxo, conforme o mesmo se desenvolvera no século IV D.C. Eles diziam que a *ousia* não é um termo bíblico, e que o Novo Testamento não ensina qualquer coisa que possa ser **expressa pelo lema homo ousios**. Tudo isso por sentirem que o trinitarianismo destrói o **monoteísmo** (vide).

HOMO MENSURA

Essa expressão latina significa «o homem é a medida». Descreve a doutrina do filósofo sofista grego, *Protágoras* (vide). Ele asseverava que «o homem é a medida ou padrão de todas as coisas». Isso reflete uma interpretação humanista da ética, da política e da metafísica. Foi assim que se chegou a um relativismo humanista. De acordo com este, todas as questões seriam determinadas pelo auto-interesse humano, e não por algum padrão que nos é imposto de fora, por alguma força divina, por Deus, por Escrituras Sagradas ou por coisas semelhantes. O artigo sobre Protágoras entra em detalhes sobre a questão.

HOMOOUSIOS

Essa palavra grega, que pode ser analisada por suas constituintes — *homo* e *ousia* — significa «consubstancial», isto é, «da mesma natureza». Atanásio (293 — 372 D.C.) foi o campeão desse conceito, o qual serviu de base do conceito adotado pelo concílio de Nicéia (vide), de 325 D.C. A expressão quer dizer que Deus Pai e Deus Filho compartilham exatamente da mesma substância ou natureza. O Pai e o Filho possuem uma única substância, são numericamente idênticos um ao outro e são indivisíveis, tudo o que contrasta com várias idéias arianas, que distinguiam a natureza do Pai da natureza do Filho, como se o Filho fosse diferente e inferior ao Pai, em algum sentido.

Os arianos extremados eram chamados *an-omoianos*. A posição deles frisava não somente as supostas diferenças essenciais entre o Pai e o Filho, mas também enfatizava as *dissemelhanças* entre eles, em vez de tentar diminuir a idéia de que, de alguma maneira, o Pai e o Filho são semelhantes, conforme diziam os arianos moderados. A sílaba *an*, dentro da palavra «anomoianos», funciona como partícula negativa. Por meio de muitas contorsões, a Igreja antiga estava procurando explicar um mistério inexplicável, e os termos que eram usados ilustram essa circunstância. O artigo geral, *Cristologia*, conta a história inteira.

Por ocasião do concílio de Nicéia, foram derrotadas as diversas posições **arianas e semi-arianas**, tendo sido adotado o conceito expresso pelo lema do *homo ousios*. Ver também o artigo sobre o *Arianismo*.

HOMOSSEXUALISMO

Esboço:

I. Definição
II. Causas Alegadas do Homossexualismo
III. Tratamento e Prevenção do Homossexualismo
IV. Pontos de Vista Bíblicos
V. Estatísticas

I. Definição

Esse termo combina o grego *homo*, «mesmo», com o latim, *sexus*, «sexo». O latim já havia tomado por empréstimo a palavra grega *homo*, a qual aparecia em algumas palavras latinas compostas. Assim sendo, o termo *homossexual* pode ser considerado secundariamente derivado do latim.

Um indivíduo *homossexual* (homem ou mulher) é uma pessoa que se deixa atrair sexualmente por indivíduos do mesmo sexo, ou como mero desejo sexual, ou mediante contactos sexuais reais. O termo *lesbianismo* indica essa atração homossexual entre mulheres. *Lesbos* era o nome de uma ilha grega, onde as mulheres relacionavam-se amorosamente a outras mulheres. Especificamente, Safo e suas seguidoras, que moravam na ilha de Lesbos, eram lésbicas. Essa ilha fica ao largo das costas noroestes da Turquia. Também se chamava Mitilene.

Os homossexuais do sexo masculino também são conhecidos como *sodomitas*, com base nas informações bíblicas acerca dos costumes sexuais da cidade de Sodoma. Ver o artigo separado sobre a *Sodomia*, bem como os trechos bíblicos de Gên. 19:1-14; I Reis 14:24; II Reis 23:7 e Rom. 1:26 *ss*. Esse vocábulo também pode indicar relações sexuais com animais irracionais, embora, mais precisamente, deva ser empregado o termo bestialidade, sobre o que também apresentamos um artigo separado nesta enciclopédia.

Além desses, existem também os *bissexuais*, que praticam o sexo com pessoas de ambos os sexos. Finalmente, embora a palavra *heterossexualidade* seja reservada para indicar pessoas que, normalmente têm relações sexuais com pessoas do sexo oposto, ela não indica que os que assim fazem não tenham quaisquer aberrações em seus costumes sexuais, como, por exemplo, o sadismo, o masoquismo ou o voyeurismo.

Quase todos os animais irracionais têm períodos específicos de reprodução, ou «cio». Fora desses períodos, não parecem se importar muito com as atividades sexuais. As leis civis, morais e religiosas tendem por forçar o homem moderno a aceitar a *monogamia* (vide). Alguém já comentou, em tom de piada, que, a fim de compensar por isso, o homem recebeu um período reprodutivo o ano inteiro. Seja como for, o ser humano do sexo masculino é o mais sexual de todos os animais. E até mesmo a mulher se mostra mais intensamente sexual do que a maioria dos animais irracionais. Se, além disso, injetarmos a psicologia e a genética pervertidas, obteremos uma cena realmente selvagem entre nós.

II. Causas Alegadas do Homossexualismo

Os homossexuais praticam o sexo da maneira que preferem, chegando a pensar que ela é superior à maneira normal, heterossexual. Porém, as confissões obtidas pela psicanálise revelam que muitos (mas não todos) homossexuais, realmente, gostariam de se livrar de seu vício, que importa em sério estigma e empecilho social e econômico, para nada falarmos sobre as implicações morais e espirituais do homossexualismo. Isso tem levado a psiquiatria e a medicina a tentar achar as causas e as terapias relativas a essa aberrante condição.

Causas Possíveis:

1. Muitas pessoas religiosas não demonstram a menor paciência com os homossexuais. Elas supõem que o problema tem um único aspecto — a perversão moral. É verdade que assim sucede, em muitos casos de homossexualismo. Mas a idéia de que todos os casos de homossexualismo só têm essa causa, parece ser exagerada. Por igual modo, muitas pessoas religiosas opinam que o homossexualismo é de

HOMOSSEXUALISMO

inspiração demoníaca, sendo uma atividade pecaminosa, especialmente degradante, porquanto perverte, simbolicamente, a fonte mesma da continuação da vida biológica.

2. Outras pessoas, que crêem na *reencarnação* (vide), insistem que muitos casos de homossexualidade existem porque as pessoas envolvidas pertencem a um determinado sexo; mas, por ocasião da reencarnação, nasceram com o sexo oposto. Tais almas, pois, não teriam conseguido adaptar-se à nova situação. Ian Stevenson, chefe do Departamento de Parapsicologia da Universidade de Virgínia, nos Estados Unidos da América do Norte, investigou mais de dois mil casos de alegada reencarnação. Entre esses, ele descobriu alguns notáveis exemplos de suposta transferência de sexo, que resultaram em homossexualismo. A teoria envolvida é que a alma, normalmente, manifesta-se através de corpos físicos de um único sexo. Assim, para exemplificar, uma certa alma preferiu manifestar-se sempre como mulher, fazendo isto constantemente em todas as suas reencarnações. Mas, se tal alma reencarnar-se como homem, em uma específica reencarnação, então, tal alma poderia perder o controle da questão, daí resultando o homossexualismo. Acredito que as investigações a respeito deveriam prosseguir, como parte da investigação geral sobre a própria reencarnação. As evidências obtidas poderiam confirmar ou não essas teorias; mas seria ridículo interromper as investigações científicas. É possível que alguns casos de homossexualismo sejam causados por alguma circunstância assim. Ver o artigo sobre a *Reencarnação*, no tocante ao que essa questão pode dizer contra ou a favor dessa teoria.

3. *Homossexualismo Forçado*. Os encarcerados, confinados por longos períodos, incapazes de qualquer contacto heterossexual, algumas vezes voltam-se para a sodomia ou para o lesbianismo, em busca de satisfação sexual. Mas também há aqueles que apelam para essas práticas em troca de dinheiro, tornando-se servos dos autênticos homossexuais. Existem razões sociais e econômicas que nada têm a ver com as inclinações naturais dos indivíduos, quanto às questões sexuais.

4. *Bissexualismo Básico com Seleção Final*. Sigmund Freud afirmava que todas as pessoas têm aspectos masculinos e femininos em sua formação psíquica, e que todas as pessoas atravessam um período de *homoerotismo*, isto é, de atração por indivíduos do mesmo sexo. Essa teoria também afiança que as condições ambientais levam o indivíduo, finalmente, a escolher entre o heterossexualismo e o homossexualismo. Os heterossexuais (pelo menos muitos deles), presumivelmente, retêm tendências homossexuais latentes, podendo reverter ao homossexualismo, mais tarde na vida. Como é óbvio, essa teoria de Freud tem exercido poderosa influência sobre a maneira como os psiquiatras têm enfrentado a questão.

5. *Neutralidade Básica*. Muitos estudiosos supõem que é mais acurado falarmos sobre neutralidade básica, em vez de bissexualismo básico. Nesse caso, ainda estaríamos falando sobre condicionamento ambiental como fator preponderante na homossexualidade. Os envolvidos, pois, começaram com uma psique sexualmente neutra, em vez de se inclinarem como machos ou fêmeas.

6. *Condições que Favorecem o Homossexualismo*. Coisa alguma se sabe com certeza, quanto a essas condições. Mas muitos pensam que a mãe é uma das principais causas do homossexualismo de um rapaz, embora também encontrem problemas com o pai.

Assim, ao que se presume, o homossexual médio (com muitas exceções) é alguém cuja mãe mostrava-se, exageradamente, íntima, possessiva e dominadora e cujo pai era indiferente e hostil, e geralmente desprezado pela mãe. Sob tais circunstâncias, o rapaz acaba, exageradamente, apegado à sua mãe, muito dependente dela, ao mesmo tempo em que teme e mesmo odeia o seu pai. Um outro fator importante é simplesmente o *medo* diante do sexo oposto, o que leva a pessoa a encontrar um relacionamento mais livre e, finalmente, mais íntimo, com pessoas de seu próprio sexo.

No caso das *lésbicas*, parece que suas mães tendem por mostrar-se hostis e competitivas com elas. Interferem com os relacionamentos normais que suas filhas tentam estabelecer com homens, incluindo as relações amistosas com seus genitores. Tanto os rapazes quanto as moças tendem por sentir-se solitários, isolados e perturbados em sua capacidade de estabelecer relacionamentos normais com outras pessoas. Como adolescentes, raramente marcam um encontro com algum membro do sexo oposto. E, desde tenra idade, antes mesmo dos dezesseis anos, já se sentem como homossexuais. Em alguns casos, já se sentem tais desde os dez anos de idade. Todavia, há estudos que mostram que meninos bem pequenos sentem prazer por estar com outros meninos, embora se sintam muito avessos à presença de meninas. As confissões de tais pessoas por muitas vezes apóiam o que aqui digo sobre esse condicionamento psicológico, embora nem sempre. Algumas dessas pessoas, aparentemente, desde a mais tenra idade, simplesmente sentiam-se atraídas por pessoas do mesmo sexo, não tentando lançar a culpa sobre quem quer que seja.

7. *Homossexualismo Genético*. Outras fontes informativas sobre o assunto, geralmente, negam qualquer conexão genética; mas há quem acredite que existe tal coisa como o homossexualismo por imposição genética. Estudos sobre as condições hormonais, genéticas e cromossômicas do corpo, durante muito tempo não revelaram qualquer diferença entre pessoas heterossexuais e pessoas homossexuais. Mas, atualmente, há algumas evidências de que, realmente, existem certas diferenças daquela natureza, entre tais pessoas, principalmente, envolvendo os cromossomos. Estudos genéticos demonstram que há uma maior incidência de homossexualismo entre os gêmeos idênticos do que entre os gêmeos não-idênticos. Na verdade, porém, estamos tratando de uma ciência ainda jovem e imprecisa; mas o poder da genética, usualmente, tem sido subestimado pelos ambientalistas. Haveria casos de homossexualidade que seriam meros acidentes genéticos.

8. *A Genética e a Espiritualidade*. Se a genética é capaz de criar casos de homossexualismo, poderíamos dizer que um homossexual dessa categoria é *culpado?* Quando ainda era apenas um ente espiritual, teria podido exercer qualquer controle sobre suas futuras inclinações sexuais? Aqueles que crêem na teoria genética materialista, naturalmente, respondem com um «não». Mas, se supormos que a *alma*, a pessoa essencial, pode exercer controle sobre o seu código genético, para melhor ou para pior, então poderíamos dizer, ao menos como especulação, que um homossexual, utilizando-se do seu código genético, chegou a ser tal por causa de sua própria natureza moralmente degenerada. Entretanto, todas essas são meras teorias, e não fatos comprovados. Todavia, algum dia o nosso conhecimento sobre a natureza humana talvez aumente até o ponto em que mistérios como esses

HOMOSSEXUALISMO

venham a ser adequadamente explicados. Seja como for, não nos devemos olvidar que a pessoa é um espírito, e não um corpo; e que esse espírito pode exercer toda espécie de efeito sobre o corpo físico. E, embora nosso conhecimento, até o momento não possa demonstrar francamente isso, pelo menos permite-nos postular essa idéia como uma teoria viável. Se a alma é preexistente e está se encarnando pela primeira vez, ou então, talvez, por uma outra vez (se a reencarnação é uma realidade), então a alma seria capaz de causar toda forma de condição, boa e má, para caracterizar seu veículo físico, expressando-se de determinadas maneiras.

9. *Causas Múltiplas.* Usualmente, as questões complexas precisam de explicações múltiplas, e não simples. Sabemos que alguns indivíduos homossexuais tornam-se tais devido a condições externas, conforme se destacou no terceiro ponto, acima. Também sabemos que algumas pessoas têm tendências homossexuais latentes, que nunca chegam a tornar-se uma realidade. E sabemos que alguns homossexuais, aparentemente, foram tais desde a mais tenra idade, sem quaisquer condições especiais adversas, que os tenha obrigado a enveredar por tal caminho. Casos variegados parecem indicar a existência de certa variedade de causas.

III. Tratamento e Prevenção do Homossexualismo

Visto que as causas do homossexualismo são, evidentemente, múltiplas, terapias adequadas precisam incluir uma abordagem complexa. Se o problema envolve a perversão moral (conforme se dá em muitos casos), então o problema básico jaz na baixa espiritualidade. Quando um homossexual assim é espiritualmente reorientado, mormente através da conversão a Cristo, e então por meio do poder santificador do Espírito Santo, ele é capaz de vencer seu homossexualismo, da mesma maneira que se dá com qualquer outro pecado comum à humanidade. Nesses casos, o aconselhamento cristão mostra-se muito útil.

Mas, nos casos de homossexualismo com causa genética (o que parece ser o que acontece, pelo menos em alguns casos), todas as terapias tenderão por fracassar, por mais diligentes e bem intencionadas que sejam. Um ponto importante, no tocante a essa questão, é a falta de interesse que os homossexuais demonstram por tornarem-se heterossexuais. Eles gostam de sua condição, apesar das consternações que provocam entre seus familiares e na sociedade em geral. Além disso, ocorre uma tremenda promiscuidade entre os homossexuais, ultrapassando em muito aos impulsos sexuais dos heterossexuais. Isso parece refletir a mera perversão moral, que se manifesta mediante a intensificação frenética das tendências pecaminosas dessas pessoas.

A experiência tem mostrado que o desejo de mudar, juntamente com sentimentos de culpa, têm ajudado os homossexuais a abandonarem o seu desvio. Por outro lado, se algum indivíduo homossexual não se sente motivado a mudar, e nem sente qualquer culpa, então seu caso é deveras difícil.

O aconselhamento psiquiátrico é um método de terapia comum. O psiquiatra procura desvendar a causa ou causas da condição e, por meio disso, tenta reverter o comportamento. Interessante é observar que quase todos os psiquiatras pensam que o homossexualismo envolve uma condição *psicopática*, desnatural, mesmo quando relutam em falar em termos de pecado e de arrependimento. E passam a procurar a cura para a condição, como fariam no caso de qualquer outro psicopata. Em qualquer psicotera-

pia, *o desejo de mudar* é algo fundamental. As estatísticas têm demonstrado que entre 25 e 50 por cento dos homossexuais do sexo masculino, motivados a mudar, têm sido capazes de fazê-lo, através do aconselhamento e da psicoterapia. Podemos supor que essa porcentagem pode ser melhorada, se houver a inclusão de aconselhamento espiritual, sobretudo nos casos de autêntica conversão, quando então a taxa de mudança aumenta para cem por cento.

Estímulos externos, como a propaganda bem dirigida, têm sido aplicados com sucesso, em alguns casos. Uma das experiências emprega gravuras de mulheres nuas, com o acompanhamento de estímulos agradáveis, ao mesmo tempo em que gravuras de homens nus são acompanhadas por choques elétricos. O tratamento por meio de drogas e hormônios não tem produzido os resultados positivos que eram esperados. Naturalmente, a maioria dos homossexuais nem busca qualquer tipo de ajuda, pelo que, quando muito, estamos falando em termos de um sucesso extremamente limitado.

IV. Pontos de Vista Bíblicos

A Bíblia é um documento que aborda o problema da homossexualidade do ângulo moral e espiritual. As Escrituras não levam em conta possíveis causas genéticas e outras de natureza não-espiritual. O Antigo Testamento mostra-se extremamente severo quanto ao assunto, requerendo a pena de morte para os homossexuais, indicando que o homossexualismo está alicerçado sobre uma profunda perversão moral. Ver Lev. 18:22,29; 20:13, quanto à pena de morte imposta aos casos de homossexualismo.

Em Romanos 1:26 *ss*, Paulo mostra sua consternação diante do homossexualismo. Ele atribui essa condição à apostasia geral em que os homens caíram, afastando-se de Deus. Especificamente por terem reduzido a verdade de Deus em mentira, isto é, em crassa idolatria (ver Rom. 1:25), Deus os entregou «a paixões infames». Portanto, quando alguém se afasta de Deus pode sofrer muitas conseqüências temíveis; uma delas a perturbação da natureza moral, passando a pessoa a amar os atos mais errados e desgraçados. Parte dessa desgraça, de acordo com Paulo, é o homossexualismo. Naturalmente, ele não leva em conta, naquela passagem, outras causas, que certamente também atuam. Porém, até onde ele vai, não temos dúvidas de que nos disse a verdade. Precisamos considerar com seriedade as condições e os valores morais, reconhecendo que a alma humana pode envolver-se em toda espécie de perversão prejudicial e repelente.

Não obstante, nós, que não somos homossexuais, não podemos olvidar-nos de uma coisa, e nem nos podemos orgulhar: existem muitos outros pecados morais, além do homossexualismo. Os heterossexuais também pervertem o código moral de Deus. Também tornamo-nos culpados dos pecados do paganismo e da idolatria. O fato de que não somos homossexuais não nos torna santos. Faz parte da responsabilidade de todas as almas buscarem a perfeição moral e metafísica. Todos nós, seres humanos, temos defeitos crassos, que necessitam atenção e mudança. Adicionemos a isso o elemento do amor e da misericórdia cristãos. Os homossexuais precisam ser tratados de modo misericordioso. Precisamos ajudá-los desinteressadamente, como faríamos no caso de qualquer outro tipo de pecador, aos quais o evangelho de Cristo foi enviado.

V. Estatísticas

Experiências homossexuais, usualmente com

HONESTIDADE — HONRA

alguns poucos contactos, são extremamente comuns entre meninos e entre meninas; mas isso envolve mera curiosidade, e não verdadeira homossexualidade. Há estudos que indicam que, após a adolescência, cerca de quatro a cinco por cento dos rapazes tornam-se verdadeiros homossexuais, confinando seus contactos sexuais somente a pessoas do sexo masculino. O que realmente espanta é a elevada proporção de bissexuais (entre dez e vinte por cento), que tem contactos sexuais regulares com pessoas de ambos os sexos. São esses dez a vinte por cento que estão propagando, diretamente ou mediante as prostitutas, a AIDS, entre a população heterossexual. A questão é de gravidade tal que, dentro de alguns poucos anos, ou seja, no começo da década de 1990, essa enfermidade poderá ser a doença social mais grave e mais devastadora, no mundo inteiro. Alguém já disse que a *aids* tem contribuído mais para modificar as práticas sexuais dos seres humanos do que a religião e a filosofia têm conseguido fazer em todos os séculos da história da humanidade. E outra pessoa qualquer declarou: «Nunca mais o sexo será a mesma coisa». Essa declaração, como é óbvio, contém um exagero, embora exprima uma verdade, pelo menos durante mais alguns anos futuros. É óbvio que as coisas não são mais como eram, porquanto chegou a hora de pessoas informadas abandonarem definitivamente a promiscuidade, tanto por razões de saúde quanto por razões espirituais. (H KIN MAR)

HONESTIDADE Ver também **Honra.**

Esboço:
I. Definições e Palavras Bíblicas Empregadas
II. A Honestidade como Qualidade Ética
III. Tipos de Honestidade

I. Definições e Palavras Bíblicas Empregadas

Honestidade vem do latim **honos** ou **honor**, que significa «honra», «honroso», «distinção». A forma adjetiva, *honestus*, significa «honroso», «de boa reputação», «glorioso», «excelente», «digno de ser honrado». A palavra hebraica mais comum, traduzida por «honra», nas traduções, é *kabed*, que envolve o sentido básico de «pesado», «rico», «honorável». O Novo Testamento grego tem *kalós*, «bom», mas que é traduzido por «honesto» em trechos como Luc. 8:15; Rom. 12:7; I Cor. 8:21; 13:7 e I Ped. 2:12. Esse vocábulo grego significa «livre de defeitos», «belo», «nobre». Aquele que é honesto possui um bom e nobre caráter, isento dos defeitos que enfeiariam o seu caráter.

Um homem *honesto* é aquele que é justo, cândido, veraz, eqüitativo, digno de confiança, não fraudulento. Caracteriza-se pela franqueza, pelo respeito ao próximo, pela sua veracidade. As pessoas desonestas são enganadoras, falsas, infiéis, desleais, fraudulentas, hipócritas, mentirosas e sem escrúpulos.

Um outro termo grego traduzido por «honesto», nas páginas do Novo Testamento, é *semnotes*, «grave», «venerável». Ver I Tim. 2:2; 3:4 e Tito 2:7, onde figuram suas únicas três ocorrências.

II. A Honestidade como Qualidade Ética

Uma sociedade na qual os valores e as verdades estejam sob constante ataque, subitamente descobrirá que carece muito dos valores que tanto degrada. Sem a honestidade, não há base para mais nada. Se não houver a verdade, também não haverá a honestidade. Se não houver a honestidade, não haverá a integridade, e nem personalidades bem formadas.

«Um homem honesto é a obra mais nobre de Deus» (Alexandre Pope).

«A honestidade é a melhor norma» (Cervantes).

«Torna-te um homem honesto, e terás a certeza de que haverá um safado a menos no mundo» (Thomas Carlyle).

«...pois o que nos preocupa é procedermos honestamente, não só perante o Senhor, como também diante dos homens» (II Cor. 8:21).

Honestidade. Esse é um termo geral que indica uma virtude salientada em todos os seus códigos éticos. Denota a disposição e a prática da eqüidade, da veracidade e da franqueza, no trato com nossos semelhantes. Em particular, aponta para a atenção do indivíduo aos direitos e às propriedades alheias, respeitando os princípios de conduta de outras pessoas, mantendo-se leal aos acordos assumidos, e procurando manter-se isento de toda fraude e impostura» (E)

III. Tipos de Honestidade

1. *Honestidade Intelectual.* Os pesquisadores devem chegar a conclusões que condigam com as descobertas que se podem fazer com base nas evidências colhidas. O mesmo se aplica no caso da pesquisa bíblica. Coisa alguma deve ser forçada para ajustar-se àquilo que queremos ver. Não podemos manipular os fatos.

2. *A Ética da Honestidade.* A psiquiatria tem provado os efeitos prejudicais, emocionais e físicos, da desonestidade moral. No tocante ao bem-estar físico e mental do indivíduo, na verdade, «a honestidade é a melhor norma».

3. *Honestidade Espiritual.* Todas as modalidades de hipocrisia foram condenadas pelo Senhor Jesus (ver Mar. 6:14; 23:25-28). Assim sendo, o filósofo estava certo, quando declarou: «Precisamos de pessoas que estejam resolvidas a falar diretamente, sem qualquer engano, que permaneçam fiéis ao que dizem» (Camus). A honestidade, no sentido espiritual, envolve mais do que aquilo que dizemos. Antes de tudo, relaciona-se àquilo que somos. Uma pessoa espiritualmente sã, livre de defeitos morais, haverá de querer falar e agir com honestidade.

HONRA

Ver o artigo geral sobre a *Honestidade.*
Esboço:
I. A Palavra e Seus Sentidos Básicos
II. Objetos que Devemos Honrar
III. Descrições de Honra

I. A Palavra e Seus Sentidos Básicos

Ver sobre **Honestidade**, seção I. **Honra** é a consideração que o indivíduo merece receber, na forma de dinheiro, de título, de recompensa de qualquer tipo, em forma verbal, material ou espiritual. A honra envolve o respeito que é devido, que pode ser expresso de muitos modos. No artigo referido acima, damos as definições verbais básicas das palavras latinas, hebraicas e gregas envolvidas. Além dessas, há certas palavras que não foram levadas em conta ali, mas que precisam ser consideradas agora, a saber:

1. *Doksa*, «glória», «honra». Palavra usada por cento e cinqüenta e sete vezes, conforme se vê, por exemplo, em João 5:41,44; 8:54; II Cor. 6:8; Apo. 19:7.

2. *Timē*, «honra». Palavra que aparece por trinta e duas vezes com esse significado, conforme se vê, por exemplo, em João 4:44; Atos 28:10; Rom. 2:7,10; 9:21; 12:10; 13:7; Col. 2:23; I Tes. 4:4; Heb. 2:7,9; 3:3; 5:4; I Ped. 1:7; II Ped. 1:17; Apo. 4:9,11;

HONRA — HORA

5:12,13; 19:1 e 21:24,26.

Honra envolve *estima* e *recompensa*. Pode ser prestada por meio de palavras ou de ações. Somos convidados a honrar a Deus com nossas possessões materiais (Pro. 3:9). Honramos ao próximo, e assim cumprimos a lei do amor e honramos ao Pai de todas as almas, o qual se preocupa como o bem-estar de todos. Nossa maior possessão é o dom da vida, que deve ser utilizado no serviço e na adoração ao Senhor.

II. Objetos que Devemos Honrar

Deus deve ser honrado (Sal. 104:1; Apo. 4:9,11; 5:12). Nossos pais devem ser honrados (Êxo. 21:15; Lev. 20:9). O Filho de Deus deve ser honrado (João 5:23). O sábado deve ser honrado (Isa. 58:13 *ss*) e, por extensão, todo o nosso tempo disponível deve ser honrado, incluindo dias santos e dias comuns (Rom. 14:5 *ss*). O nome de Jesus deve ser honrado (Tia. 2:7). O casamento deve ser honrado, fazendo contraste com a prostituição (Heb. 13:4). Israel também é nação honrada (Deu. 26:19). Os apóstolos devem ser honrados (Atos 5:13), como também os sábios (Pro. 3:35). Marido e mulher devem honrar-se mutuamente (Gên. 30:20; Est. 1:20). Os líderes da Igreja devem ser honrados (I Tim. 5:17). Cristo, em seus ofícios salvatício e medianeiro, deve ser honrado (Heb. 2:7,9). Todos os homens devem ser honrados, especialmente a irmandade dos crentes, — que também devem ser amados (I Ped. 2:17). Os governantes terrenos precisam ser honrados (Rom. 13:7), destacando-se o rei (I Ped. 2:17). Devem os crentes honrar-se mutuamente (Rom. 12:10). O Cristo exaltado deve ser honrado (Apo. 19:1,7), como também a Nova Jerusalém (Apo. 21:24,26).

III. Descrições de Honra

1. Elevadas recompensas e estima prestadas, por motivo de alguma grande realização ou por causa de um caráter moral e espiritual bem formado.

2. Títulos são conferidos, reconhecendo a erudição, as realizações ou os serviços prestados por alguém.

3. É importantíssimo que o indivíduo aprove-se a si mesmo, em vista de suas qualidades morais e espirituais.

4. Dentro da ética cristã, honramos a Deus por ser o Juiz de todos os homens, envolvendo o conceito inteiro das *recompensas* e das *coroas*, sobre o que apresentamos artigos separados. Deus lê os nossos corações, pesa as qualidades espirituais e galardoa de acordo com a honra que cada um merece. Essa honra (no grego, *doksa*), que vem de Deus, é perfeita (João 8:54).

5. A honra conferida por Deus a alguém é distinta do louvor humano, podendo ser obtida mesmo em meio à adversidade (João 5:44).

«Minha honra é minha vida; ambas reduzem-se
   a uma só coisa;
Tirai-me minha honra, e minha vida será destruída».

(Shakespeare em *Richard* II 1.1,182).

HOOKER, RICHARD

Suas datas foram 1554—1600. Teólogo e autor inglês. Ele é melhor conhecido por seu tratado intitulado *Of the Laws of Eclesiastical Polity*. Ele apresentou uma defesa clássica da Igreja Anglicana, como uma espécie de *via média* entre o que ele chamava de extremos de Roma e de Genebra. Em outras palavras, ele pensava haver encontrado uma posição intermediária entre o catolicismo e o protestantismo.

Hooker era homem de profunda erudição, dotado de uma qualidade sobre a qual poucos conheciam alguma coisa, na época da Reforma protestante, ou desde então, a saber: tolerância e equilíbrio. Devemos ajuntar que essas qualidades têm sido uma das grandes características da comunidade anglicana, em comparação com outras denominações cristãs. Hooker serve de notável exemplo histórico disso.

Sua obra, mencionada acima, promovia as seguintes idéias básicas:

1. Ele distinguia entre a lei eterna e a lei natural e positiva (ver sobre *Lei Natural*), asseverando que a razão pode descobrir as provisões das leis naturais a que todos os homens estão obrigados a obedecer.

2. Todo governo, civil ou eclesiástico, repousa sobre a aprovação pública, sem importar se diretamente, se indiretamente, ou através dos antepassados. O consentimento, ou o não consentimento, devem ocorrer por consenso universal.

3. A Igreja e o Estado, para ele, eram aspectos de um único governo. Na Inglaterra, ele favorecia o poder real sobre questões religiosas, e não apenas civis. Como é óbvio, ele promovia a união entre a Igreja e o Estado.

HOPKINS, SAMUEL

Suas datas foram 1721—1803. Ele foi um teólogo norte-americano, seguidor de Jonathan Edwards e professor que promoveu o calvinismo radical de Edwards (vide). Seus ensinos podem ser encontrados na obra *System of Doctrines*. A santidade autêntica é definida nessa obra como benevolência desinteressada. O amor próprio é condenado tão radicalmente que Hopkins asseverou que ninguém pode ser salvo se não se libertar do amor próprio. Ele exagerou o ponto ao dar a entender que os eleitos serão amorosos e cheios de benevolência desinteressada, um grande ideal, verdadeiramente, mas raramente exemplificado nos seres humanos. E ele tornou a exagerar quando disse que o auto-amor deve ser tão radicalmente repelido que o indivíduo se disponha, se necessário, a «ser condenado com vistas à glória de Deus». Declarações dessa ordem lançam dúvidas sobre o âmago mesmo do evangelho, que anuncia o amor universal de Deus por todos os homens (ver João 3:16), oferecendo oportunidade de salvação a todos (I Tim. 2:4), até mesmo no lugar de juízo temporário (I Ped. 3:18 — 4:6).

Dificilmente honramos a Deus amando-nos menos do que ele nos ama. Outrossim, o padrão de como amamos aos outros é o modo como amamos a nós mesmos (Mat. 19:19). O amor próprio é perfeitamente legítimo e, de fato, necessário. É um erro quando é exagerado, e assim anula o amor ao próximo. Todos os tipos de problemas psicológicos e espirituais são criados quando as pessoas não têm amor e nem respeito por si mesmas. Portanto, afirmo com confiança que Hopkins, seguindo diretrizes calvinistas radicais, que reduzem os homens a vermes e autômatos, exagerou em sua doutrina sobre o amor próprio. Embora Hopkins tivesse dito que não devemos ter amor próprio, isso constitui um erro.

Hor, Monte Ver depois de **Hormisdas (Papa)**.

HORA

No Antigo Testamento:

Ver o artigo geral sobre *Tempo*. A palavra hebraica assim traduzida é *sa'a*, e a palavra grega é *ora*. No Antigo Testamento, essa palavra nunca é usada para designar um vinte quatro avos do dia, visto que os

HORA — HOREUS

hebreus não dividiam um dia em vinte e quatro partes iguais. A divisão mais primitiva do dia, na sociedade hebréia era: manhã, meio-dia e tarde (Gên. 1:5; 43:15). A noite era dividida em vigílias: a primeira, a média e o amanhecer (Êxo. 14:24; Juí. 7:9; Lam. 2:19). Ao que parece, os babilônios foram os primeiros, ou estiveram entre os primeiros, a dividir o dia em doze partes iguais; e Heródoto afirma (*História*, 2.109) que os gregos derivaram esse costume dos babilônios. O relógio de sol de Acaz (II Reis 20:11; Isa. 38:8), provavelmente também era de origem babilônica. Ver o artigo geral sobre *Vigília*.

No Novo Testamento:

1. Uma hora pode indicar um **breve período de tempo** (Mat. 26:40).

2. Há referências gerais ao tempo, como terceira, sexta e nona horas, o que corresponde às nossas 9:00 horas, 12:00 horas e 15:00 horas. A adoração era regularmente observada no templo de Jerusalém nas horas terceira e nona (Atos 2:15; 3:1), quando ocorriam os holocaustos matinais e vespertinos.

3. Um doze avos de um dia é um período indicado somente em João 11:9, em todo o Novo Testamento. Contudo, há alusões, em outras passagens, que mostram que, naquele tempo, já existia a noção de que o dia tem doze horas. Assim, encontramos menção à segunda hora (Atos 19:34), à sétima hora (João 4:52) e à décima hora (João 1:39).

4. Uma *hora* pode indicar um ponto específico no tempo, um momento, um instante. Ver Mat. 8:13; 9:22 e 15:28.

5. Um tempo determinado, como uma intervenção divina nas atividades humanas (Mat. 24:36,44,50; 25:13; Mar. 13:32; Apo. 3:3,10; 9:15; 14:7,15; 18:10).

6. Os principais eventos, ou tempos, quando certas coisas deveriam acontecer como, por exemplo, na vida de Jesus. Cada uma dessas horas fora estabelecida pelo desígnio de Deus Pai. Ver João 2:4; 12:23,27; 13:1; 17:1; Mat. 26:45; Mar. 14:35; Luc. 22:53. Isso refere-se à providência divina, que determina os eventos e as ocasiões em que tais acontecimentos devem ter lugar. O artigo sobre *Tempo, Divisões do* fornece-nos mais detalhes, com a ajuda de um gráfico.

HORÃO

No hebraico, «elevado», «exaltado». Um rei de Gezer tinha esse nome. Ele saiu em socorro de Laquis, quando Josué cercava essa cidade; mas foi derrotado e morto. Ver Jos. 10:33

HORAS CANÔNICAS

Chama-se assim o sistema de orações que são proferidas em horas específicas, durante o dia ou durante a noite. Essas orações e seus horários designados têm várias origens. Pelo menos em parte, originaram-se da vigília primitiva (as vésperais, as matinas e as laudes; ver os artigos a respeito); e também em parte dos momentos devocionais (as terças, as sextas e as nonas, chamadas de pequenas horas de oração; ver o artigo sobre *Pequenas Horas de Oração*). Mas também em parte da vida monástica (as primas e as completas; ver os artigos a respeito). Todo o clero da Igreja Católica Romana observa essas oito diferentes horas canônicas (com leves variações). Consideradas como um todo, intitulam-se o *Divino Ofício*. O âmago desse ofício chama-se saltério.

••• ••• •••

HOREBE

Ver o artigo geral sobre o monte **Sinai**. Horebe significa «deserto», «sequidão». Ver Êxo. 3:1; 17:6; 36:6; Deu. 1:2,6; I Reis 8:9; II Crô. 5:10; Sal. 106:19 e Mal. 4:4. Alguns supõem que Horebe era o nome do pico menor do monte Sinai, de onde alguém poderia descer na direção sul; mas outros estudiosos supõem que esse nome designa a cadeia inteira da qual o Sinai era apenas um cume específico. A dificuldade de identificação surge do fato de que, nos livros de Levítico e Números, lemos que o Sinai foi o lugar onde a lei mosaica foi dada. Porém, no livro de Deuteronômio, Horebe é que aparece, nessa conexão. Nos Salmos, entretanto, os dois nomes parecem ser usados intercambiavelmente.

O monte Sinai e o deserto que o circunda são distinguidos como o palco onde tiveram lugar os eventos historiados quanto ao distrito de Horebe. A totalidade do Horebe é chamada de «o monte de Deus», em Êxo. 3:1,13; 4:27 e 17:6. Todavia, o Sinai aparece isolado, em trechos como Êxo. 19:11,19,23. Além disso, com freqüência, o Horebe é mencionado sozinho, e os mesmos eventos que teriam tido lugar em Horebe também teriam tido lugar no Sinai (ver Deu. 1:2,6,19; 4:10; 5:2 e 9:8). Escritores posteriores não parecem ter feito distinção entre esses dois nomes, pelo que Horebe é usado em I Reis 8:9; II Crô. 5:10; Sal. 106:19; mas Sinai ocorre em Juí. 4:5; Sal. 68:8,17. No Novo Testamento, sempre é mencionado o monte Sinai (ver Atos 7:30,38; Gál. 4:24,25). Não sabemos em que sentido esses nomes parecem indicar diferentes localizações geográficas, e se ao menos fazem essa distinção.

HORÉM

No hebraico, «devoto». Esse era o nome de uma cidade fortificada do território de Naftali (Jos. 19:38). Ficava ao norte da Galiléia, embora não se saiba, hoje em dia, qual a sua localização exata.

HORESA

No hebraico, «floresta». Esse era o nome de um lugar onde Davi se refugiou quando fugia de Saul. Esse local ficava no deserto de Zife. Ali Davi e Jônatas firmaram um pacto (I Sam. 23:15-19). Khirbet Khoreisa tem sido sugerida como o local da antiga localidade. Fica cerca de dez quilômetros ao sul de Hebrom.

HOREUS

Esboço:

I. O Nome e sua Identificação

II. Referências Bíblicas

III. Os Hurrianos

I. O Nome e sua Identificação

Nomes alternativos, que aparecem nas traduções, são *hori* e *horins*. Os horeus têm sido identificados com certos «habitantes das cavernas» (em nossa versão portuguesa, «enlaçados em cavernas»; ver Isa. 42:22). Talvez haja nisso uma alusão a mineiros. Outros estudiosos, entretanto, pensam que esse nome está ligado ao termo egípcio *hurru*, uma designação de povos da região da Síria-Palestina. Esses povos, juntamente com Israel, figuram na estela de Meremptá, com data por volta de 1220 A.C. Essa palavra egípcia aponta para os hurrianos, um povo não-semita, que fazia parte da população indígena da Síria, no século XVIII A.C., e que também havia

HOREUS — HORMISDAS

ocupado a área chamada Suburu, ou seja, a região do Eufrates: Habur-Tigre.

Sob a liderança do reino de Mitani, eles chegaram a ocupar uma posição dominante na Síria, no sul da Turquia e no leste da Assíria, desde cerca de 1550 A.C., até que os assírios conseguiram subjugá-los, em cerca de 1150 A.C. Essa gente aparece êm tabletes em escrita cuneiforme, de Tell Taanach e de Siquém, bem como nas cartas de Tell el-Amarna, especificamente na carta de Arade-Hepa, de Jerusalém, e na carta hurriana de Tushrata a Amenhotepe IV, do Egito. Todavia, alguns eruditos afirmam que as várias referências veterotestamentárias existentes não se ajustam a esse povo. Por exemplo, os nomes pessoais dos *horeus*, conforme se vê em Gên. 36:20-30, não se ajustam aos padrões hurrianos, mas antes, parecem ser nomes tipicamente semitas. Ora, os hurrianos não eram um povo semita. E os predecessores dos idumeus, aparentemente, não foram hurrianos.

O nome *horeus* aparece em Gên. 34:2 e Jos. 9:7; e a Septuaginta retém ali esse nome. Quanto ao trecho de Isa. 17:9, tanto o texto massorético quanto a Septuaginta substituem o nome por outras formas. Por essas razões, alguns eruditos supõem que ali há menção aos horeus ocidentais e aos horeus orientais, sabendo-se que estes últimos foram os antecessores dos idumeus, na região. Nesse caso, os horeus ocidentais não eram semitas; mas os horeus orientais o eram. Aqueles do ocidente eram aparentados dos hurrianos, que aparecem nos textos extrabíblicos do segundo milênio A.C. Adicionemos a isso que a palavra, quando se refere aos horeus orientais, significa «habitantes das cavernas», ao passo que a etimologia do nome dos horeus ocidentais é obscura, aparentemente, não relacionada ao outro nome, embora similar ao mesmo.

II. Referências Bíblicas

Os horeus foram derrotados por Quedorlaomer e pelo exército mesopotâmico invasor (Gên. 14:6). Eles eram governados por chefes locais (Gên. 36:29,30; em nossa versão portuguesa, «príncipes»). Entretanto, os descendentes de Esaú praticamente exterminaram-nos (Deu. 2:2,22). O nome deles está relacionado ao termo hebraico «hor», que significa «monte» ou «caverna». Se eles não eram mineiros, então, eram uma população primitiva que realmente residia em cavernas. Essa gente parece não estar relacionada em coisa alguma aos hurrianos; mas também não existem evidências arqueológicas que iluminem a cultura deles.

III. Os Hurrianos

Temos procurado mostrar que, provavelmente, houve dois povos diferentes, que foram confundidos um com o outro, devido à similaridade entre seus nomes. No entanto, um desses povos era de origem semita, e o outro, não. Ver o artigo separado sobre os *Hurrianos*.

HOR-GIDGADE

Ver também sobre **Gudgodá**. Esse nome significa «buraco no monte». Foi o trigésimo terceiro lugar onde Israel acampou, — durante suas marchas pelo deserto (ver Núm 33:32,33). O nome *Gudgodá* (Deu. 10:7), evidentemente, é um nome alternativo. Alguns têm identificado esse lugar com o wadi Ghagaghed.

HORI

No hebraico, «habitante das cavernas». Há três pontos que precisamos destacar a respeito:

1. Esse era o nome de um dos filhos de Lotã, filho de Seir e irmão de Hemã (Gên. 36:22; I Crô. 1:39), que viveu por volta de 1964 A.C.

2. Também era o nome do pai de Safate, que foi representante da tribo de Simeão, entre os espias enviados para investigar a terra de Canaã, antes da invasão dos israelitas naquele território (Núm. 13:5). Isso teve lugar algum tempo antes de 1657 A.C.

3. Além disso, em Gên. 36:30, no original hebraico, *Hori*, com o artigo definido prefixado, tem o sentido de «o horeu» (em nossa versão portuguesa, «os horeus»), conforme vê, igualmente, em Gên. 36:21, 29.

HORMÁ

No hebraico, «devoção». Esse nome poderia significar «devotado à destruição», ou então, a alusão poderia ser a um antiqüíssimo culto religioso. Esse era o nome de uma cidade que foi tomada dos cananeus pelas tribos de Judá e Simeão (Juí. 1:17; Núm. 21:3; Jos. 19:4; I Crô. 4:30). Seu nome original era Zefate. Era uma importante cidade do rei cananeu do sul da Palestina (Jos. 12:14), estando localizada perto do lugar onde os israelitas foram molestados pelos amalequitas, quando, contra o conselho de Moisés, eles tentaram entrar na terra de Canaã por aquele caminho. Ver Núm. 14:45 e comparar com Núm. 21:1-3 e Deu. 1:44.

Quando Israel conquistou a Terra Prometida, esse lugar foi alocado à tribo de Judá (Jos. 15:30); mas, posteriormente, ficou sob a posse da tribo de Simeão (Jos. 19:4 e I Crô. 4:30). Os trechos de Jos. 15:30 e I Sam. 30:30 indicam que o lugar ficava perto de Ziclague. Albright, nos tempos modernos, identificou-o com Tell es-Seri'ha, cerca de vinte quilômetros a noroeste de Berseba. Nesse lugar houve uma extensa civilização pertencente à era do Bronze posterior, mas que continuou ocupada até dentro da idade do Ferro. Tell es-Seba', cerca de cinco qüilômetros a leste de Berseba, também tem sido sugerida como o local antigo. O passo de es-Sufa, a suleste dali, também tem sido mencionado pelos estudiosos, embora tudo não passe de conjecturas. Qualquer identificação precisa corresponder à área em torno de Ziclague. O trecho de Jos. 12:14 localiza o local entre Geder e Arade. E o trecho de Jos. 15:30 o situa entre Quesil e Ziclague, ao passo que o trecho de Jos. 19:4 localiza-o entre Betel e Ziclague. Por sua vez, a passagem de Jos. 15:30 indica que ficava no extremo sul, já perto da fronteira com Edom.

HORMISDAS (PAPA)

As datas de seu pontificado foram 514—523 D.C. Ele nasceu em Lácio de uma rica família. Fora casado e tivera um filho, que, curiosamente, também veio a tornar-se papa, com o nome de Silvério, o qual pontificou entre 536 e 537 D.C. Hormisdas fora diácono sob o papa Símaco (498—514 D.C.), ao qual substituiu na sé de Roma. Sua primeira obra importante como papa foi pôr fim ao cisma de Laurêncio, um antipapa. O patriarca Acácio (vide), de Constantinopla, foi o responsável por outro rompimento da unidade. E as negociações para sarar o rompimento resultaram na *Formula Hormisdae*, que foi citada por autoridade e concílios posteriores. Em 519 D.C., o cisma, finalmente, terminou. Aquela *Fórmula* requeria que os bispos assinassem uma profissão de fé, reconhecendo as doutrinas exaradas no concílio de Calcedônia e pelo papa Leão.

Por sua orientação, Dionísio Exíguo traduziu o cânon da Igreja grega para o latim. Ele também

HOR, MONTE — HORUS

expediu uma nova edição do cânon de Gelásio. Hormisdas faleceu a 6 de agosto de 523 D.C. Sua festa é observada a 6 de agosto.

HOR, MONTE

No hebraico, essa palavra **hor**, significa «monte». Há dois montes com esse nome, nas páginas da Bíblia, a saber:

1. Um monte na Arábia Petrea, localizado nos confins da Iduméia, que faz parte da cadeia montanhosa de Seir ou Edom. Esse monte ficava na linha fronteiriça do território de Edom (Núm. 20:23). Israel fez uma pausa ali, durante suas peregrinações, depois de ter deixado Cades (Núm. 20:22; 33:37). Dali, os israelitas foram para Zalmona (Núm. 33:41), a caminho do mar Vermelho (Núm. 21:4). E quando estavam acampados em Cades, Aarão morreu, na presença somente de Moisés e de Eleazar, filho de Aarão. Ver Núm. 20:23 ss.

Uma identificação tradicional do lugar é aquele feito por Josefo (*Anti.* 4:4,7), isto é, perto da cidade de Petra, o elevado pico montanhoso Jebel Nebi Harun, que atinge 1465 m de altura, a oeste de Edom. Porém, isso fica longe de Cades, o que contradiz tal informação com o que diz a Bíblia. Um outro monte, Jebel Madurah, perto da extremidade ocidental do wadi Feqreh, um pouco mais para o sudoeste dos passos de es-Sufah e de el-Yemen, parece ajustar-se melhor à narrativa bíblica. Fica na confluência das fronteiras de Edom, de Canaã e do deserto de Zim. Esse monte fica cerca de 24 km a nordeste de Cades, na fronteira nordeste de Edom. Sua proximidade de Cades ajusta-se às descrições bíblicas. Israel começou a se desviar, para circundar o território de Edom, no monte Hor (Núm. 21:4), pelo que foi possível Aarão ser sepultado naquela área (Cades), «...perante os olhos de toda a congregação».

2. Um monte existente ao norte da Palestina, entre o mar Mediterrâneo e a aproximação a Hamate (Núm. 34:7,8), também se chamava monte Hor. Esse monte assinalava a fronteira norte da Terra Prometida. Sem dúvida era um pico proeminente da cadeia do Líbano. As sugestões modernas são o monte Hermom e o Jebel Akkar, este um contraforte do Líbano, embora os estudiosos não estejam certos quanto a essa questão.

HORONAIM

No hebraico, «duas cavernas» ou «dois buracos». Esse era o nome de uma cidade dos moabitas (Isa. 14:5 e Jer. 48:3,5,34). Josefo (*Anti.* 8:23; 14:2) chamou essa cidade, igualmente, de Holón.

O profeta Isaías proferiu oráculos contra Horonaim (Isa. 15:5), tal como o fez Jeremias (Jer. 48:5). Ficava localizada no sopé de uma descida (Jer. 48:5), provavelmente em uma das estradas que levavam do platô dos moabitas até à Arabá, embora sua localização exata nunca tenha sido determinada. Alguns estudiosos identificam-na com a moderna el-'Arak. Alexandre Janeu tomou Horonaim dos árabes; mas João Hircano devolveu-a ao rei Aretas, conforme aquelas referências de Josefo o demonstram. — Aparentemente, o povo de Israel não conseguiu conquistar o lugar, quando invadiu a Terra Prometida.

HORONITA

Não se sabe com certeza de onde esse termo se deriva. Alguns pensam que a sua raiz é Bete-Horom, ao passo que outros sugerem Horonaim. Sendo um adjetivo gentílico, foi usado para indicar Sambalate, em Nee. 2:10,19 e 13:2. Se Bete-Horom é a suposição correta, então Sambalate era samaritano; mas, se devemos pensar em Horonaim, então ele seria um moabita. Josefo o chamou de *quteano*, de onde vieram os samaritanos (*Anti.* 11:7,2). Ver o artigo separado sobre *Sambalate*.

HORÓSCOPO

Ver o artigo separado sobre a **Astrologia**. O termo português *horóscopo* deriva-se do grego *hora*, «tempo» e *skopos*, «observador». Em pauta está a observação do firmamento ou dos corpos celestes, em qualquer dado momento, especialmente por ocasião do instante do nascimento do indivíduo, na suposição de que a posição desses corpos celestes exerce influência sobre os eventos que deverão ocorrer na vida do recém-nascido, durante toda a sua permanência neste mundo. Alguns pensam que isso envolve certa modalidade de *determinismo* (vide), de acordo com o que os corpos celestes, ou mesmo forças naturais, como a da gravidade, exerceriam efeitos sobre os acontecimentos neste mundo. Outros, porém, supõem que não existe qualquer influência direta, mas apenas o que chamam de coincidências significativas, entre as posições dos corpos celestes e os acontecimentos nas vidas dos homens. Temos provido um artigo sobre essa noção, intitulado *Coincidências Significativas*.

Com base nas posições dos planetas e outros corpos celestes, por ocasião do nascimento das pessoas, os astrólogos supõem que são capazes de prever os eventos principais da vida de uma pessoa. Um exemplo dessa atividade é a importância que se dá aos signos do Zodíaco, que surgem no horizonte, no momento do nascimento do indivíduo. O zodíaco (vide) é um arranjo esquemático do circuito do firmamento em doze segmentos, cada segmento com seu sinal ou estrela padrão. As interpretações desses aspectos seguem as regras fixas e costumeiras, estabelecidas pela suposta ciência da astrologia. O que temos a dizer sobre tudo isso está registrado no artigo intitulado *Astrologia*.

HORTELÃ Ver também **Mentha Longifolia**.

No grego, *anethon* (ver Mat. 23:23). Talvez seja a *Pimpinella anisum*, uma erva que floresce. Mas o vocábulo grego, *anethon*, parece significar o aniz (*Anethum graveolins*). Essa planta medrava sem cultivo em Israel. Suas sementes e folhas eram ressecadas para serem usadas. (Ver Mat. 23:23, onde vemos que a planta era artigo sujeito a dízimo. Os gregos e os romanos usavam as plantas com propósitos medicinais. Também era usada como condimento na cozinha). (FA S)

HORUS

Esse era o deus-sol ou deus do firmamento dos egípcios, durante o reino antigo. Era honrado, especialmente, pelos governantes do Baixo Egito, a região do delta do rio Nilo. Dentro do mito de Osíris (vide), Horus era o filho que derrubou Sete (vide), irmão de Osíris. Tendo realizado isso, Horus tornou-se o governante do mundo inferior.

Por ser filho de Osíris e de Ísis, Horus vingou a morte de seu pai e tornou-se rei depois dele. Desse modo ele se tornou o deus pessoal e o protetor dos Faraós egípcios. Era adorado por todo o Egito, embora houvesse centros especiais de culto a ele, em Behdet, Hierakonopolis e Idfu. Ver o artigo sobre o *Egito*, em sua quinta seção, quanto a informações

HOSA — HOSKYNS

sobre as religiões daquele antiqüíssimo país.

HOSA

No hebraico, «esperançoso». Esse é o nome de uma personagem e de uma cidade, nas páginas do Antigo Testamento:

1. Um levita merarita, porteiro do templo. Foi nomeado para tal cargo por Davi (I Crô. 16:38; 26:10,11,16). Antes de ser-lhe conferida essa tarefa, fora feito porteiro da tenda que abrigava a arca da aliança, que fora trazida para Jerusalém (I Crô. 16:38). Ele e seus familiares, depois que começaram a trabalhar no templo, tornaram-se os responsáveis para conseguir seis guardas para o portão ocidental.

2. Hosa também era o nome de uma cidade da tribo de Aser, a qual, em certa altura de sua história, ficava na linha da fronteira, quando esta se voltava na direção de Tiro, já perto de Aczibe (Jos. 19:29). Aparentemente ficava ao sul da cidade de Tiro. Alguns estudiosos modernos têm-na identificado com a aldeia de EL *Ghazieh*, embora o local não seja conhecido com qualquer grau de certeza.

HOSAÍAS

No hebraico, «Yahweh salvou». Esse é o nome de duas personagens bíblicas, ambas do Antigo Testamento:

1. Um homem que conduziu em cortejo os príncipes de Judá, quando da celebração por causa do término da reconstrução das muralhas de Jerusalém, nos dias de Neemias (Nee. 12:32), o que sucedeu por volta de 446 A.C.

2. O pai de Jezanias ou Azarias. Hosaías foi um dos líderes do povo após a queda de Judá, que resultou no cativeiro babilônico. Ele foi se aconselhar com Jeremias, no tocante a ficar ou não em Jerusalém. Ver Jer. 42:1; 43:2 e comparar com II Reis 25:23,24. A questão envolvia um remanescente da tribo de Judá, que não fora deportado. Isso ocorreu por volta de 586 A.C.

HOSAMA

No hebraico, «aquele a quem Yahweh ouve». O trecho de I Crô. 3:18 menciona esse homem como um filho de Jeconias (Jeoaquim), o penúltimo dos reis de Judá. Contudo, os filhos de Jeconias não são mencionados noutra passagem, juntamente com outros membros da família (ver II Reis 24:12,15). Além disso, o trecho de Jer. 22:30 fala de Jeconias como um homem «como se não tivera filhos». Nossa versão portuguesa não diz categoricamente que ele não teve filhos, mas apenas que ficou como se não os tivera tido. Mas, pensando que a passagem diz, realmente, que Jeconias não teve filhos, alguns estudiosos imaginam que houve alguma corrupção na genealogia da família real, no terceiro capítulo de I Crônicas. É possível que esse filho tenha nascido depois que as Escrituras disseram que ele seria sem filhos, o que pode ter acontecido durante o tempo do cativeiro babilônico, do qual Jeconias participou. O tempo foi cerca de 597 A.C.

HOSANA

Essa palavra portuguesa passou pelo grego, derivado do hebraico, *hosha'na*. *Hosha* significa «salvar»; e *na* significa «rogar», «orar». Portanto, temos aí uma exclamação ou invocação, dirigida a Deus: «Ó, salva-nos»; ou então: «Ó, salva agora».

Seria um pedido da assistência divina. Encontra-se em Salmos 118:25. Posteriormente, porém, veio a tornar-se uma jubilosa exclamação, cujo intuito é louvar a Deus. Em Marcos 11:9,10 e seus paralelos, em Lucas e Mateus, é uma exclamação usada dessa maneira. Talvez pudéssemos dizer que o povo de Israel desejava que o Filho de Davi fosse *preservado* e se firmasse em sua missão. Mais provavelmente ainda, seria apenas uma exclamação de júbilo, acolhimento e honra, sem qualquer alusão ao seu sentido original. Ver Jer. 31:7, quanto a esse uso posterior.

Essa exclamação fazia parte da festa dos Tabernáculos. O sétimo dia dessa festividade veio a ser conhecido como o *Grande Hosana*, ou *Dia de Hosana*. Essa festa era celebrada no mês correspondente ao nosso setembro, imediatamente antes do começo do ano civil. O povo levava palmas, murtas, etc. Ver Josefo (*Anti.* 13:13,6; 3:10,4). Eles repetiam os versículos 25 e 26 do Salmo 118, que começam com a palavra *Hosana*. Quando essa palavra era proferida, todos sacudiam os ramos que traziam nas mãos. Foi em face desse detalhe que a festa veio a ser chamada, alternativamente, de Hosana. As mesmas coisas eram observadas na festa de *Encaenia*, ou festa da reconsagração do templo de Jerusalém, instituída por Judas Macabeus (I Macabeus 10:6,7; II Macabeus 13:51; Apo. 7:9). Clamores de Hosana e o sacudir de palmas e ramos também faziam parte dessa festa, como expressão de júbilo.

Para os cristãos, essas palavras são melhor conhecidas por causa de sua associação com a entrada triunfal de Cristo, em Jerusalém. Ver o artigo sobre a *Entrada Triunfal*. As pessoas, estando acostumadas a expressar sua alegria dessa maneira, fácil e naturalmente transferem os mesmos atos quando querem saudar a Jesus, sem qualquer referência àquela festa religiosa. Isso acontecia espontaneamente, nas festas religiosas.

HÓSIUS

Ele foi bispo de Córdova, na Espanha, por volta de 295 D.C. Tornou-se um campeão da ortodoxia, contra os avanços do arianismo (vide). Era um dos conselheiros do imperador Constantino quando teve lugar o conflito com os donatistas (vide). Presidiu o concílio de Nicéia. Atanásio era seu amigo pessoal. Em 351 D.C., sob pressão, ele assinou uma declaração de tendências arianas. Ver o artigo intitulado *Elvira, Sínodo de*. Tentou resistir às pressões do Estado. Após a morte de Constantino, os sucessores deste mandaram chamar Hósius de volta, à residência imperial, em Sirmium e Milão, na tentativa de fazê-lo aceitar as posições religiosas deles.

Atanásio sumariou a posição de Hósius em seu livro *História dos Arianos*. Morreu na Espanha, ou então em Sirmium, por volta de 353 D.C.

HOSKYNS, SIR EDWYN

Seus livros, *Essays Catholic and Critical*, *The Christ of the Synoptic Gospels* e *The Riddle of the New Testament* (em co-autoria com F.N. Davey, um de seus alunos), contrabalançaram os escritos de liberais extremados, que haviam prejudicado profundamente os conceitos da autoridade e da unidade da Bíblia. Hoskyns tentou mostrar que o estudo rigoroso e o exame crítico, longe de separarem os chamados Jesus histórico e o Jesus teológico, na verdade tendem por unir os dois conceitos. Ver meu artigo sobre *Satya Sai Baba*, como demonstração de que esse pode ser o caso. Acontecimentos e reivindicações misteriosas não

Guy Rose.
Não havia lugar para eles na hospedaria.

Hospedaria (Kahn) antiga

Borda decorativa, evangelho de João, Livro de Durrow

HOSPEDARIA — HOSPITAIS

são, necessariamente, invenções mitológicas. Nosso mundo contém muitos fenômenos que a ciência ainda não é capaz de explicar ou de descartar-se dos mesmos. Hoskyns traduziu a obra de Karl Barth, *Romerbrief* (Comentário sobre a Epístola aos Romanos), e assim permitiu que esse conhecimento chegasse aos leitores ingleses. Isso ele juntou, em certa medida, a **certo pensamento dos anglo-católicos** da comunhão anglicana. Sua obra, *Fourth Gospel* (em co-autoria com Davey), foi um estudo vigoroso sobre o evangelho de João.

Hoskyns nasceu em 1884 e faleceu em 1937. Seus escritos e ensinamentos, em Cambridge, têm exercido grande influência quanto à interpretação erudita do Novo Testamento.

HOSPEDARIA

No hebraico temos a considerar uma palavra, e no grego, duas, quanto a este verbete, a saber:

1. *Malon*, «acampamento», «hospedaria». Essa palavra ocorre por oito vezes, conforme se vê em Gên. 42:27; 43:21; Êxo. 4:24; Jos. 4:3,8; II Reis 19:23; Isa. 10:29 e Jer. 9:2. O sentido básico dessa palavra é «permanecer», «demorar-se».

2. *Katáluma*, «descanso», «parada». Esse substantivo também significa *soltura*. Com o sentido de «hospedaria» aparece somente por uma vez, em Luc. 2:7.

3. *Pandocheîon*, «casa de receber», «estalagem». Esse vocábulo também só aparece por uma vez, em Luc. 10:34.

Ver o artigo separado sobre a *Hospitalidade*. As hospedarias eram uma das formas de prover hospitalidade.

Nos comentários rabínicos sobre o trecho de Josué 2:1 (comparar com Josefo, *Anti.* 5:1,2), Raabe é chamada de «estalajadeira». Sabemos que as antigas hospedarias eram covis de ladrões e prostitutas, sendo possível que Raabe tivesse uma dupla ocupação: provia hospitalidade e sexo. Nessa conexão, é curioso que os esquimós das regiões do extremo norte do continente **norte-americano provêm** aos viajantes que por ali passem tanto a hospitalidade comum como uma mulher para ficar com o viajante durante a noite, mulher essa que, com freqüência, é a esposa do hospedeiro! Todavia, essa prática está vinculada a casas particulares, e não a hospedarias. Minhas fontes informativas a esse respeito dizem que as estalajadeiras, com freqüência, eram também prostitutas, nos tempos dos romanos. Condições como essas encorajavam a hospitalidade em residências particulares, para nada dizermos sobre os perigos físicos e econômicos com que se defrontavam os viajantes. Sabemos, pelas páginas da história que, nos tempos pré-romanos, isto é, nos tempos gregos, as hospedarias eram comuns. Por causa dos perigos próprios desses lugares, os ricos mantinham seus próprios postos de parada, que em latim eram chamados *deversoria*, ou «casas de hospedagem». Além das mulheres que se envolviam com as estalagens, lemos que escravos e libertos também se ocupavam na supervisão de tais lugares.

Um dos mais importantes incidentes do nascimento de Jesus foi o fato de que não havia lugar na estalagem, para José e Maria (Luc. 2:7), o que tem sido usado como ilustração da relutância dos homens em receberem o Salvador, em incontáveis sermões, Provavelmente, a estalagem em questão era uma espécie de casa de hóspedes, e não qualquer coisa parecida com um hotel moderno. A palavra grega *katáluma* é usada para referir-se ao *cenáculo*, onde Jesus comeu a páscoa em companhia de seus discípulos (Mar. 14:14).

A hospedaria da história do bom samaritano (Luc. 10:34) é mencionada mediante o uso de uma palavra grega diferente, *pandocheîon*, que significa «toda recebedora» (tradução literal) ou «estalagem». Supõem os estudiosos que há ali menção a uma hospedaria comercial verdadeira, em contraste com o quarto de hóspedes da história de Jesus. Existe atualmente uma hospedaria chamada Khan Hathrur, localizada entre Jerusalém e Jericó, que talvez seja similar àquelas dos tempos antigos. Consiste em um grande edifício com um portal em arcada, que permite a entrada para um pátio, com um poço bem no centro. Os lugares que existem atualmente em rotas de caravanas, assemelham-se muito a isso. Algumas dessas estalagens têm dois pisos, lugares para guardar bagagens e animais, além de salas para os hóspedes dormirem.

Os antigos *khans*, postos de hospedagem para as caravanas, eram lugares onde homens e animais podiam descansar, comer e dessedentar-se, estando localizados perto de riachos, poços ou mananciais (Êxo. 4:24; Gên. 42:37). Sempre havia alguma construção, circundando um pátio aberto, com arcadas em redor e um terraço (Jer. 9:2). Com a passagem do tempo, esses lugares passaram a ser equipados com salas para os viajantes dormirem. Outrossim, havia espaço para os viajantes armarem suas próprias tendas, se quisessem fazê-lo. Assim, embora o sistema começasse bem simples, houve desenvolvimentos interessantes, com a passagem dos séculos. Muitas estalagens modernas (chamadas motéis ou hotéis) são lugares de grande luxo ambiental. Nos Estados Unidos da América do Norte, onde a palavra «motel» está associada a turismo (e não com a prostituição, como no Brasil), as principais estradas dispõem de motéis que são verdadeiras cidades em miniatura, com lojas, postos de gasolina, piscinas, etc.

HOSPITAIS

Há um grande significado ético nessa palavra, visto que um hospital é um local cuja finalidade é a cura de enfermidades que atacam os seres humanos, requerendo a atenção de profissionais, como médicos e enfermeiros, etc.

Os hospitais são instituições bem antigas. Tão cedo quanto 4000 A.C., há evidências de que os sumérios já dirigiam hospitais. Plínio informa-nos de que no Egito, já desde o século XI A.C., havia casas para onde os pobres se retiravam por certos períodos, para tratamento de suas doenças. Podemos supor que os abastados tratavam-se em suas próprias casas, por médicos que atendiam a domicílio. No século III A.C., Asoka, governador da Índia, ordenou que fossem estabelecidos hospitais por todos os seus domínios. Alguns desses hospitais duraram por muitos séculos, servindo de centros para o tratamento de muitas enfermidades. A crença budista de que toda vida é sagrada serviu de inspiração dessas instituições. Hospitais foram estabelecidos não somente para servir seres humanos, mas também para tratamento de animais, e até de insetos. *Esse* tipo de hospital continuava existindo na Índia no século XIX D.C. O que minhas fontes informativas não dizem é como eles conseguiam tratar os insetos!

Antigos templos também eram lugares onde as pessoas buscavam cura, como no caso dos templos dedicados a Asclépio, o deus grego da cura. No século I D.C., em Roma, Lucius Junius Moderatus Columella escreveu sobre enfermarias reservadas aos

HOSPITAIS — HOSPITALIDADE

escravos, e Sêneca diz-nos que até cidadãos romanos freqüentavam tais lugares, em busca de cura para seus males. Médicos particulares contavam com enfermarias, em Roma antiga; e Galeno informa-nos de que, no império romano, havia hospitais mantidos por fundos públicos. Escavações feitas em Pompéia têm encontrado instituições semelhantes a hospitais.

Também havia hospitais para as forças armadas e para os membros da família imperial. Basílio estabeleceu um hospital em 369 D.C., em Cesaréia, na Capadócia. Uma mulher cristã, de nome Fabíola, era a força inspiradora que estabeleceu um hospital ou uma instituição de caridade em Roma, no século IV D.C. Os hospitais, como uma instituição, têm seu passado formativo nos hospitais romanos, criados por influência dos cristãos.

Na Idade Média, floresceu o conceito de hospital. Isso ocorreu tanto no Oriente islâmico quanto no Ocidente cristão. Nos países do Oriente Médio, os governantes eram a força que atuava atrás do estabelecimento de hospitais. A história revela-nos a existência de trinta e quatro hospitais, no mundo islâmico, até o século XIII. A medicina, pois, desenvolveu-se como ciência avançada, e alguns hospitais serviam como escolas de medicina.

No Ocidente, os hospitais eram dirigidos, essencialmente, pela Igreja Católica. Alguns mosteiros tinham um *infirmitorium*, que servia para tratar dos doentes. No século XII, foi fundado em Montepellier o Hospital do Espírito Santo, tendo servido de modelo para muitos outros hospitais na Europa. O papa Inocente III sancionou a ordem do Espírito Santo, em 1198, uma ordem religiosa que estabeleceu e dirigiu muitos hospitais. Guildas de artífices participavam da construção de hospitais, encorajando os ricos a contribuírem para essa causa.

Pelos fins do século XV, a Europa já contava com um sistema hospitalar. Na Inglaterra, por exemplo, havia nada menos de setecentos e cinqüenta hospitais, dos quais duzentos e dezessete beneficiavam aos leprosos. Florença, na Itália, com uma população de cerca de noventa mil habitantes, tinha dez hospitais.

Durante a Renascença, na Europa, os hospitais permaneceram intimamente ligados à Igreja. Quando Henrique VIII dissolveu o sistema de mosteiros, desapareceu o sistema de hospitais, na Inglaterra. Alguns estabelecimentos locais passaram a ser dirigidos por oficiais do governo local; mas muitos desses estabelecimentos não conseguiram sobreviver.

Com o tempo, diminuiu na Europa a dependência à Igreja, e os governos municipais se encarregaram da direção dos hospitais. Os hospitais também começaram a ser centros de estudo da medicina, e não apenas lugares para tratar os enfermos. O ensino à beira dos leitos de enfermos foi estabelecido em Leyden, em 1626, uma tendência que se propagou para outros lugares. Aí pelo século XVIII, tornou-se comum o hospital-escola, e os governos envolveram-se pesadamente na questão, embora, como é óbvio, a Igreja Católica Romana nunca tivesse perdido a sua importância nessa área.

Nas Américas, instituições hospitalares, modeladas segundo aquelas da Europa, foram introduzidas pelos conquistadores espanhóis. Governos e igrejas promoviam a idéia. A maioria dos hospitais, porém, até o começo do século XX, pertencia à Igreja ou a instituições particulares.

Sempre houve uma forte ligação entre as modernas missões cristãs e os hospitais. Os requisitos do amor cristão requerem que o movimento missionário faça mais do que simplesmente pregar. Jesus recomendou que se cuidasse dos enfermos (Mat. 25:36 *ss*), e a cura

era uma parte importante do ministério do Senhor. Era ápenas natural e necessário que as missões cristãs incluíssem e formalizassem instituições para a cura do corpo. O dom de curas foi conferido com a mesma finalidade. Ver os dois artigos separados sobre *Curas* e *Curas Pela Fé*. Não há nenhuma diferença moral entre curar por meios naturais e curar por meios espirituais, exceto nas mentes dos fanáticos.

Provavelmente, o mais antigo hospital existente é o Hotel Dieu, na cidade de Lyons, que data de cerca de 542 D.C. Mas a lei do amor, que promove curas de todas as espécies, tanto para o corpo quanto para a alma, é instituição de Deus.

HOSPITALIDADE

Essa palavra portuguesa deriva-se do termo latino *hospitalis*, que significa «de um hóspede». A hospitalidade, pois, é a cortesia que oferecemos a algum hóspede ou convidado. Consiste na prática de mostrar-se gentil e generoso para com os visitantes e, por extensão, para com qualquer outra pessoa. O Novo Testamento grego, para indicar essa idéia, emprega o vocábulo *philoksenia,* que significa «amor aos estranhos». Na forma nominal, a palavra é usada somente por duas vezes, em todo o Novo Testamento, em Rom. 12:13 e em Heb. 13:2. Em sua forma adjetivada é usada por três vezes (I Tim. 3:2; Tito 1:8 e I Ped. 4:9) com o sentido de «hospitaleiro». As duas primeiras dessas passagens referem-se aos deveres dos anciãos ou diáconos das igrejas; e a última delas recomenda a prática geral da hospitalidade, entre os irmãos.

Esboço:

   I. Declaração Geral
   II. Uma Prática (Hábito)
   III. Uma Virtude Cardinal
   IV. O Valor da Hospitalidade:
      Expressão do Amor
   V. No Antigo e no Novo Testamento
   VI. Implicações Éticas

I. Declaração Geral

Heb. 13:2: *Não vos esqueçais da hospitalidade, porque por ela alguns sem o saberem, hospedaram anjos.*

(Quanto a versículos-chaves sobre a *hospitalidade* uma forma de amor, e onde aparecem notas expositivas detalhadas, ver Rom. 12:13 no NTI; quanto à idéia de «dado à hospitalidade», ver I Tim. 3:3, a mesma expressão usada acerca dos líderes eclesiásticos, como uma das qualidades requeridas da parte deles; ver ainda Tito 1:8, bem como as notas expositivas ali existentes no NTI sobre o tema «amante da hospitalidade». Ver também I Ped. 4:9 e I Tim. 5:10, onde se vê que a hospitalidade é um dos testes do caráter cristão).

A hospitalidade deve ser prestada sobretudo aos estranhos (ver Heb. 13:2), aos pobres (ver Isa. 58:7; Luc. 14:13), e até mesmo aos inimigos (ver II Reis 6:22,23 e Rom. 12:20). (Quanto a vários exemplos de hospitalidade, ver os episódios que envolveram Melquisedeque, em Gên. 14:18; Abraão, em Gên. 18:3-8; Ló, em Gên. 19:23; Labão, em Gên. 24:31; Jetro, em Êxo. 2:20; Manoá, em Juí. 13:15; Samuel, em I Sam. 9:22; Davi, em II Sam. 6:19; Barzilai, em II Sam. 19:32; a mulher sunamita, em II Reis 4:8; Neemias, em Nee. 5:7; Lídia, em Atos 16:15; Jasom, em Atos 17:7; Mnason, em Atos 28:3; Público, em Atos 28:7; Gaio, em III João 5,6).

Nos dias do N.T. era necessário que os cristãos acolhessem irmãos na fé que eram viajantes,

HOSPITALIDADE

porquanto as antigas hospedarias viviam infestadas de assaltantes e prostitutas, e havia poucos lugares públicos onde um crente se sentisse à vontade para passar a noite ou para ali hospedar-se por breve período. (Ver Theophraustus, Char. 6:5). Josefo (ver *Antiq*. vi.1) preserva uma tradição judaica no sentido de que Raabe, a prostituta, era proprietária de uma hospedaria. Podemos mesmo supor que a maioria das hospedarias antigas eram pouco mais do que bordéis.

II. Uma Prática (Hábito)

«...*praticando-a, sem o saber acolheram anjos*...» O autor sagrado vê nisso um incentivo especial à hospitalidade; é que alguns, praticando-a, tiveram o grande privilégio de abrigar, temporariamente ao menos, seres angelicais, os quais, sem dúvida alguma, por algum momentos, se transformavam para que parecessem homens. Naturalmente, alguns dos pais da igreja, como Orígenes, especulavam que os anjos não são diferentes da alma humana, pertencendo ao mesmo «tipo» de ser, exceto que não caíram em pecado, tendo retido, por isso mesmo, os atributos e poderes espirituais que, no homem, foram tremendamente debilitados por causa do pecado. No A.T. temos várias histórias de contacto entre os homens e os anjos, em que homens ofereceram hospedagem a anjos. (Ver o décimo oitavo capítulo de Gênesis, Sara e Abraão; ver o décimo nono capítulo do mesmo livro, Ló; ver o décimo terceiro capítulo do livro de Juízes, Manoá. (Ver também Mar. 14:8; Atos 12:16. E, nos escritos clássicos, ver Aristófanes, *Vespas*, 517; *Heródoto* i.44; *Hom*. il.xii,273). Os gregos entretinham a noção de que qualquer estranho poderia ser um deus disfarçado.

III. Uma Virtude Cardinal

«A hospitalidade era, peculiarmente, uma virtude oriental. No Livro dos Mortos, do Egito, um juízo elogiador era conferido a quem tivesse alimentado os famintos e vestido os nus. O A.T. abunda de ilustrações da prática da hospitalidade; e a hospitalidade dos árabes e beduínos é familiar, através dos escritos de viajantes pelo Oriente. Grande valor era dado a esse dever, por parte dos gregos, conforme aparece constantemente nos escritos de Homero e outros. A hospitalidade, realmente, era considerada um dever religioso. O estranho ficava sob a proteção especial de Zeus, o qual era chamado «o deus do estrangeiro» (no grego, *ZENIOS*). Os romanos reputavam uma impiedade, qualquer violação dos ritos de hospitalidade. Cícero disse: 'Parece-me eminentemente apropriado que os lares de homens distinguidos se abra para hóspedes distintos e é uma honra para a república que aos estrangeiros não falte qualquer tipo de liberalidade em nossa cidade'. (*De Off*. ii.18)». (Vincent, *in loc.*).

Pode-se observar, no trecho de Mat. 25:40, que o próprio Jesus se identificou com os necessitados e desabrigados, considerando que o tratamento dado aos mesmos era tratamento dado à sua pessoa. Essa passagem ensina-nos que o amor a Deus é expresso pelo amor ao próximo. A grande maioria dos homens é incapaz de amar a Deus diretamente, pela ascensão mística da alma. Mas todos os homens podem amar a Deus e ao seu filho, amando aos outros. Isso, espiritualmente falando, é que dá corpo à hospitalidade.

Filo, comentando sobre a narrativa da visita angelical a Abraão, diz «Ninguém se mostra tardio na prática da hospitalidade; mulheres e homens, escravos e livres, igualmente, empenham-se por servir aos estrangeiros».

Os escritores morais entre os judeus alistavam a hospitalidade como uma dentre as seis mais importantes virtudes que um homem pode ter, e que serão galardoadas no mundo vindouro. (Ver Talmude *Bab. Sabbaat*, fol. 127.1).

IV. O Valor da Hospitalidade: Expressão do Amor

Qual é o valor da hospitalidade? A mais importante lição deste versículo, além daquela atinente ao batismo, é o fato óbvio da hospitalidade de Lídia. «...é nos constrangeu a isso...» Ela convenceu àqueles mestres cristãos, que vinham de tão longe, a permanecerem em sua casa, tendo-lhes provido todo o necessário para o seu conforto. Os missionários cristãos eram estrangeiros em uma terra estranha, mas ela fez o que estava ao seu alcance para que se sentissem à vontade. Contraste-se esse tratamento com o que usualmente tinham de enfrentar de perseguições, ódio e desconfiança.

Devemos notar, além dessas sugestões, que a importância da hospitalidade é frisada pelo fato de que se trata de um dos requisitos do caráter daquele que aspira ao pastorado: «É necessário, portanto, que o bispo seja irrepreensível, esposo de uma só mulher, temperante, sóbrio, modesto, *hospitaleiro*, apto para ensinar». (I Tim. 3:2). Essa condição é repetida no trecho de Tito 1:8: «...antes, *hospitaleiro*, amigo do bem, sóbrio, justo, piedoso, que tenha domínio de si...» Por semelhante modo, é uma virtude recomendada no caso de todos os crentes, como uma das características que devem acompanhar a piedade cristã: «...compartilhai as necessidades dos santos; praticai a hospitalidade...» (Rom. 12:13). Pedro também descreve a hospitalidade como uma das virtudes cristãs: «Sede mutuamente hospitaleiros, sem murmuração» (I Ped. 4:9).

A hospitalidade é uma importante virtude porque é uma forma prática de alguém dar *de si mesmo*; e aqueles que mais dão de si mesmo são os que mais se assemelham a Jesus Cristo, que nunca poupou coisa alguma de si mesmo, em seu serviço aos outros. Aqueles que servem aos seus semelhantes, na realidade estão servindo a Deus e a seu Cristo, conforme aprende-se claramente em Mat. 25:35, bem como no contexto geral desse versículo. Quiçá em nossa ansiedade de meditar sobre a verdadeira doutrina e de ensiná-la, tenhamo-nos olvidado da doutrina prática do amor e da simpatia humanos, que obviamente se revestem de tanta importância na totalidade dos ensinamentos do Senhor Jesus. O exame feito no código de ética do Senhor, isto é, nos capítulos quinto a sétimo do evangelho de Mateus, *o Sermão da Montanha*, revela-nos essa verdade claramente. Tiago também expressou esse conceito geral ao escrever: «A religião pura e sem mácula, para com o nosso Deus e Pai, é esta: visitar os órfãos e as viúvas nas suas tribulações, e a si mesmo guardar-se incontaminado do mundo» (Tia. 1:27).

Na vereda que é preciso tomarmos, em nosso retorno a Deus, o amor é o fator isolado mais importante da expressão do caráter. Foi Deus e seu Filho quem amaram supremamente a este mundo perdido e corrupto, e aquele que conhece a Cristo haverá de imitar quase naturalmente essa qualidade. O caminho de volta para Deus torna-se mais curto, a estrada da perfeição é mais breve, quando é liberalmente agraciada pelo amor aos próprios semelhantes. Crescemos até à estatura de Cristo muito mais prontamente quando exercemos esse espírito e somos possuídos por essa atitude, que é o vínculo da perfeição, no dizer do apóstolo Paulo. (Ver Col. 3:14). O amor, entretanto, é um dos aspectos do

HOSPITALIDADE — HOTMAN

fruto do Espírito Santo, segundo lemos no trecho de Gál. 5:22, o que significa que é um produto do desenvolvimento espiritual, e não meramente uma emoção humana. Ver o artigo sobre o *Amor*, como princípio orientador no seio da família de Deus. Ver João 14:21 e 15:10

V. No Antigo e no Novo Testamentos

No mundo bíblico, a hospitalidade era uma virtude altamente valorizada, especialmente entre aqueles que viviam como nômades. Desse modo, um viajante podia evitar as antigas estalagens, sempre tão infestadas de ladrões e prostitutas. Desse modo, ele conseguia abrigo, alimento e descanso. Em alguma outra ocasião, chegaria a sua vez de retribuir à hospitalidade. Ver o artigo separado intitulado *Hospedaria*.

No Antigo Testamento

Exemplos dessa prática podem ser vistos nas vidas de Melquisedeque (Gên. 14:18); de Abraão (Gên. 18:3-8); de Ló (Gên. 19:2,3); de Labão (Gên. 24:31); de Jetro (Êxo. 2:20); de Manoá (Juí. 13:15); de Samuel (I Sam. 9:22); de Davi (II Sam. 6:19); de Barzilai (II Sam. 19:32); da mulher sunamita (II Reis 4:8); de Neemias (Nee. 5:17) e de Jó (Jó 31:17,32).

A mais famosa narrativa sobre hospitalidade, em todo o Antigo Testamento, foi o incidente de como Abraão entreteve, sem saber, três anjos. Isso tornou-se uma espécie de promessa, no sentido de que a hospitalidade poderia ser uma fonte de visitação celestial; e assim um outro motivo veio encorajar essa virtude.

A hospitalidade, entre os povos nômades, foi preservada em Israel, mesmo depois da conquista da Terra Prometida, e que os israelitas deixaram de vaguear. A hospitalidade servia de meio de intercomunicação entre culturas diferentes, como no caso de Salomão, que recebeu muitos estrangeiros, a fim de compartilharem de sua mesa suntuosa (I Reis 4:22 *ss*, 10:4 *ss*). Neemias, o governador de Jerusalém, servia a mesa, diariamente, a cento e cinqüenta seus compatriotas, além de muitos estrangeiros (Nee. 5:17 *ss*).

O costume ditava que um hóspede podia ficar com seu lugar de descanso e alimentação por três dias consecutivos. Quando ele partia, sua segurança era garantida por certa parte do percurso. Naturalmente, havia abusos, como no caso de Ló (Gên. 19:1-8), ou do idoso homem de Gibeá (Juí. 19:16-24).

No Novo Testamento

Os exemplos de hospitalidade, nos dias do novo pacto, são os dos samaritanos (João 4:40); de Lídia (Atos 16:15); de Jasom (Atos 17:7); dos habitantes da ilha de Malta (Atos 28:2); de Públio (Atos 28:7); de Gaio (III João 5,6), e, naturalmente, de Paulo, que ficou no lugar de Filemom, quando isso foi necessário (File. 22).

Havia hospedarias nas cidades principais; mas, por causa dos freqüentes furtos e do assédio constante das meretrizes, muitos viajantes preferiam encontrar lugar de abrigo em casas particulares.

Jesus praticou o espírito da hospitalidade, acolhendo as multidões (Mar. 6:30-44; 8:1-10). Mas ele mesmo tirou vantagem da hospitalidade alheia (Luc. 7:36-50; 14:1-14; 10:38-42; Mat. 26:6-13; Luc. 24:29-32). A hospitalidade ajudava os ministros do evangelho, enquanto viajavam em suas jornadas evangelísticas, como quando Pedro foi recebido por Cornélio, em Cesaréia (Atos 9:43; 10:5; 23-48). Há vários outros exemplos disso, acima. A hospitalidade é ordenada aos crentes em geral (Rom. 12:13 e I Ped. 4:9), é requerida da parte dos ministros de Cristo (I

Tim. 3:2; Tito 1:8), e serve de comprovação do caráter cristão (I Tim. 5:10). Os estrangeiros deveriam receber a hospitalidade dos residentes locais (Heb. 13:2), e até mesmo os inimigos (Rom. 12:20).

VI. Implicações Éticas

1. Aquele que quiser ser servido, também deve servir ao próximo. Ninguém é tão grande que não precise da ajuda alheia. E ninguém é tão humilde que não possa servir a outros.

2. A hospitalidade é um dever (Gên. 18:1-8; 19:1-11; Rom. 12:20; I Tim. 3:2).

3. A hospitalidade deveria ser uma expressão de amor, e não uma medida egoística que é capaz de garantir para o indivíduo, em ocasião futura, a ajuda que esse indivíduo poderá vir a precisar. Por isso mesmo, Jesus falou especificamente contra a hospitalidade que é oferecida com propósitos interesseiros (Luc. 14:12).

4. Deus é um doador sem medidas (João 3:16; Rom. 5:6 *ss*). Isso nos provê o exemplo necessário, para agirmos em consonância com nossa posição de filhos de Deus.

HÓSTIA

Essa palavra vem do latim, **hostia**, que significa «vítima». Essa palavra refere-se ao pão da eucaristia, que a Igreja ocidental pensa que se transforma no corpo, na alma e na divindade de Cristo, quando é oferecido por ocasião da missa (vide) Ver o artigo separado sobre a *Transubstanciação*, e também sobre a *Consubstanciação*. Ver também sobre *Ceia do Senhor*.

HOTÃO

No hebraico, «anel de selar». Esse é o nome de duas personagens, mencionadas no Antigo Testamento:

1. Um membro da tribo de Aser, cujo nome encontra-se nas genealogias, em I Crô. 7:32. Talvez se trate do mesmo Helém do vs. 35 do mesmo capítulo. Viveu por volta de 1640 A.C.

2. Um homem de Aroer era assim chamado. Ele foi pai de dois dos trinta poderosos guerreiros de Davi (I Crô. 11:44). Viveu por volta de 1000 A.C.

HOTIR

No hebraico, «(Deus) deixa», ou seja, «(Deus) torna abundante». Ele era o décimo terceiro filho de Hemã, que, com onze de seus parentes, estava encarregado da vigésima primeira divisão dos cantores levitas (I Crô. 25:4,28). Viveu por volta de 1000 A.C. Os últimos nove nomes daquela lista não se acham em qualquer outra nomenclatura hebraica, pelo que alguns estudiosos têm pensado que seriam sinais introdutórios a salmos. Ou então, conforme outros supõem, os nomes dos filhos de Hemã foram alterados para que fossem códigos de salmos, em razão do que seriam nomes parcialmente artificiais. Mas, pelo menos, sabemos que o autor de I Crônicas pensava que essas palavras envolviam nomes próprios genuínos.

HOTMAN, FRANÇOIS

Suas datas foram 1524—1590. Ele foi um jurista francês huguenote (vide) bem conhecido, que promoveu a independência da França do poder papal. Ele recomendava um tipo formal de governo constitucional, que se declarasse independente da Sé romana. Seu volumoso tratado, *Franco-Gália*, foi

HOUTIN — HSUAN-TSANG

inspirado pelo massacre de São Bartolomeu (vide). Foi nomeado professor de lei romana na Universidade de Genebra, mas, durante algum tempo, viveu em Basiléia, na Suíça, onde acabou falecendo.

HOUTIN, ALBERT

Suas datas foram 1867—1926. Foi líder do movimento católico modernista. Ao abandonar o sacerdócio católico romano, tornou-se o mais completo historiador do movimento. Ver o artigo geral sobre o *Modernismo*.

HOWISON, GEORGE HOLMES

Suas datas foram 1834-1916. Sua família vivia no condado de Montgomery, no estado de Maryland, nos Estados Unidos da América do Norte. Seus pais libertaram seus escravos e mudaram-se para Marietta, no estado de Ohio. Howison formou-se ali em uma faculdade e então no Lane Theological Seminary. Ensinou como professor escolar em Salém, estado de Massachusetts. Mais tarde, ensinou matemática na Universidade Washington de St. Louis. Ali, uniu-se a um clube que tinha o propósito de estudar as filosofias de Kant e Hegel. Logo, começou a fazer preleções na Harvard Divinity School e, mais tarde, na Concord School of Philosophy. Depois, no Massachusetts Institute of Technology. Finalmente, transferiu-se para a Universidade de Michigan e, pouco mais tarde, para a Universidade da Califórnia. Ali tornou-se conhecido como o mais bem-sucedido e inspirado professor dos professores, em toda a história das universidades norte-americanas.

Idéias:

1. Sua filosofia tem sido chamada de **idealismo pessoal**. O mundo seria uma pluralidade espiritual, que se desenvolve teleologicamente, ou seja, com uma finalidade em mira.

2. Deus é tanto a causa quanto o alvo, nesse sistema teleológico. Howison definia Deus como a Pessoa Perfeita.

3. Deus, a Pessoa Perfeita, é o Pai e o centro da república das pessoas.

4. Verdades importantes são a liberdade e a dignidade de cada alma.

HO YEN

Ele viveu no século III D.C. Foi um filósofo chinês dotado de mente brilhante, além de ter sido estadista. Ele era um neotaoísta, que reconhecia em Confúcio (vide) o principal sábio, em lugar de Lao Tzu. Ele escreveu as obras *Tratado sobre Tao* e *Tratado sobre os Sem Nome*. Ele afirmava que o *Tao* (ver sobre o *Taoísmo*) é a realidade final, que está acima de toda descrição. No entanto, essa seria a força cósmica que atua sobre todas as coisas, formando-as. O *sábio* que promove o conhecimento do Tao tem um nome; mas, em relação ao Tao, não tem qualquer nome. Chega a possuir tudo por nada possuir. Confúcio louvava o sábio imperador Yao, dizendo: «O povo não conseguia encontrar um nome para ele». Assim, a grandeza ultrapassa os nomes que poderíamos tentar atrelar a ela.

HSIUNG SHIH-LI

Suas datas foram 1885—1968. Foi um filósofo chinês. Nasceu em Hupei. Educou-se no Instituto Nanking de Budismo. Ensinou em Pequim. Misturava conceitos constantes no *Livro das Mudanças* (vide),

que também se chama *I-Ching*, com elementos da filosofia ocidental. Desse modo, chegou a um tipo de neoconfucionismo racionalista e idealista.

Idéias:

1. A realidade é um grande sistema funcional, com várias aberturas e fechamentos, mediante os quais todas as coisas são transformadas. Essas transformações produzem todas as diferentes substâncias, mediante mesclas. A tendência para manter a identidade de natureza é o aspecto mental da realidade, justamente o seu aspecto mais fundamental.

2. O princípio mental é primário em todas as coisas, ao passo que o princípio material é uma força apenas parcial e defeituosa. A força mental, que é a *principal*, inclui tanto substância quanto função. Esses elementos estão relacionados uns aos outros, mais ou menos como o oceano está relacionado às suas ondas. São uma só e a mesma coisa, embora uma delas seja manifestação da outra.

3. O grande funcionamento de todas as coisas produz as milhares de coisas individuais de que temos consciência. Existem princípios imutáveis, que guiam nesse funcionamento.

4. A humanidade ocupa um lugar especial nessa filosofia. A humanidade seria tanto uma virtude quanto o fundamento de todas as coisas. É a fonte de todas as transformações, bem como a mente original, que é comum a todas as coisas.

HSUAN-TSANG

Suas datas foram 596—664 D.C. Ele foi um peregrino, filósofo e erudito chinês. Foi uma das maiores figuras da história do budismo chinês. Fez uma famosa viagem à Índia, a fim de encontrar as escrituras budistas, para que pudesse desenvolver a sua fé. Nasceu na província de Honan, na China. Ingressou no budismo, como monge, com a idade de treze anos, tornando-se residente da Escola da Terra Pura. Viajava de mosteiro em mosteiro, tendo encontrado doutrinas conflitantes. De fato, essa era a sua motivação, por detrás daquelas viagens. Ele desejava unificar o budismo, na China. Trouxe de volta à China seiscentas e cinqüenta obras escritas, e passou os vinte anos seguintes traduzindo setenta e cinco delas. Atualmente, essas traduções chamam-se *Yogachara*.

Sua viagem à Índia tornou-se uma parte notável da história do budismo, porquanto passou dez anos na Índia realizando a sua tarefa, tendo passado por muitos perigos e dificuldades. Ele foi um homem totalmente dedicado à sua tarefa, e o seu zelo beneficiou o conhecimento em geral sobre a fé religiosa. Escreveu um livro acerca dessa viagem, intitulado *Hsi-yo-chi*, que, até hoje, é considerado como fonte informativa de grande valia para o estudo dos tempos em que Hsuan-Tsang viveu. O título desse livro significa «Registro das Regiões Ocidentais». Talvez seu mais importante escrito teológico tenha sido aquele intitulado *Tratado sobre o Estabelecimento da Doutrina da Consciência Somente*.

Idéias:

1. Os caracteres Dharma, elementos da existência, alguns reais e outros irreais, são o alicerce sobre o qual repousam todas as nossas experiências. Os elementos *reais* seriam o *assim* e o *tal*, que não têm características específicas. Os elementos *irreais* seriam aqueles conjurados pela imaginação, e também aqueles que são provocados por outros elementos. Tais elementos não têm existência própria.

HSUAN-TSANG — HUCOQUE

2. Chegamos a entender a natureza da realidade através do estudo da consciência. Há quatro modos da consciência se manifestar: aquilo que é *visto; ver* o que está sendo visto; *testificando* e *retestificando* acerca do processo de ver o que está sendo visto.

3. A consciência pode ser dissecada em suas oito partes, das quais as quatro mais importantes são: a. os cinco sentidos físicos; b. um senso interior, como a intuição, de onde nascem os conceitos; c. um processo mediante o qual a vontade e a razão têm poder, mas com base no egocentrismo; d. um armazém da consciência. É na consciência que encontramos a memória e o *karma* (vide). Esse armazém permanece em fluxo constante, sendo um dentre vários agentes transformadores que moldam as pessoas e os acontecimentos. A auto-ilusão pode distorcer o conteúdo desse armazém. Outros agentes corruptores são o egoísmo e a presunção. Os nossos cinco sentidos físicos nos enganam, distorcendo a realidade.

4. A existência, conforme a conhecemos através de nossos sentidos e de nossa experiência comum, é uma ilusão. Tanto o próprio «eu» quanto os objetos externos fazem parte dessa ilusão. A consciência interior que é uma realidade; mas apenas a *arhat* de um santo é capaz de perceber e aplicar essa verdade. É aí que se encontra a *consciência somente* como definição da realidade. A consciência múltipla, que envolve o *assim* e o *tal*, é destituída de autêntica realidade. O verdadeiro *assim*, ou perfeita realidade, é um ser tríplice: o não-ser de caráter; o não-ser de auto-existência e o não-ser no sentido mais alto, que não pode ser descrito, mas que é bom e eterno.

Tudo isso se assemelha à doutrina do existencialismo, de acordo com a qual Deus não pode ser descrito ou definido por nossos termos, e a Quem não podemos aplicar nem mesmo a palavra «existência», visto que nada do que podemos dizer escapa ao dilema antropológico. — Os homens usam palavras vãs para descrever coisas que eles conhecem somente por meio da condição humana. Ninguém pode descrever Deus dessa maneira. Ele está acima das categorias humanas de intelecção.

HUAI-NAN TZU

Ele foi um filósofo chinês que viveu no século II A.C. Promoveu o sistema filosófico de Lao Tzu (vide), em uma época em que o confucionismo predominava amplamente. Planejou uma rebelião, que fracassou; e, tomando conhecimento do fracasso, suicidou-se.

Idéias:

1. O *Tao* (ver sobre o *Taoísmo*) seria a base de toda a realidade, responsável por todas as coisas. Viver corretamente é viver em harmonia com os ditames do Tao. Isso leva o indivíduo à vereda da não-ação, chamada *wu-wei*.

2. O *Tao* teria emergido do vácuo, manifestando-se assim no tempo e no espaço. O Universo produziu forças materiais. Essas forças estão envolvidas nos opostos e tensões, chamados *yin* e *yang*. Essas forças tornam-se as quatro estações do ano, as quais produzem a multiplicidade das coisas que conhecemos. Forças quentes, procedentes do yang, produzem o fogo e o sol. As forças frias, que emanam do yin, produzem a água e a lua. O que restou, após terem sido produzidos o sol e a lua, tornou-se as estrelas e os planetas. Essa filosofia encontra notáveis semelhanças com o *hilozoísmo* (vide) da filosofia pré-socrática.

••• ••• •••

HUA-YEN, ESCOLA DE

Essa escola chinesa de variedade budista existiu no século V D.C., com base na chamada Hua-Yen Ching, nome que significa «escritura do esplendor florido». Importantes figuras dessa escola foram Tu-fa-Tsang (557 — 640 D.C.), que é considerado o seu fundador, por parte de alguns, e Fa-Tsang, que foi o real fundador dessa escola. Suas datas foram 643 — 712 A.C.

Idéias:

1. Os *dharmas*. Aparentemente, esses são elementos da existência que surgem das forças imaginadoras da mente humana. De fato, são elementos vazios, sem qualquer caráter real.

2. Porém, os dharmas co-existiriam, refletindo-se mutuamente, inter-relacionando-se Eles compõem o mundo que conhecemos. Cada dharma, pois, é um microcosmo da totalidade.

3. Cada dharma teria muitas características, como as da singularidade, da universalidade, da similaridade e a da diferenciação. Seriam mutuamente dependentes, mas também seriam independentes.

4. Os dharmas teriam características do que é estático, do que está em fluxo, do espaço e da falta de espaço. Os aspectos mental e fenomenal dos dharmas confere-lhes a harmonia que possuem. Isso posto, temos um *mundo-dharma*, o mundo que envolve todas as nossas experiências.

5. Porém, esse mundo-dharma é ilusório. Na *iluminação*, esse mundo desaparece e o *nirvana* (vide) toma o lugar do mesmo. Nesse estado, toda a realidade torna-se mental.

HUBMAIER, BALTHASAR

Suas datas foram 1485 (?) — 1528 Foi um anabatista alemão. Nasceu em Friedeberg, perto de Ausburgo. Foi aluno de Johann Eck. Foi chamado para a catedral de Regensburg, em 1516, mas mudou-se para Waldshut. Tornou-se um dos discípulos de Zwínglio. Mas, encontrando-se em estado de fluxo, não demorou a adotar as crenças anabatistas, passando a condenar o batismo infantil; e foi rebatizado. Esteve envolvido na guerra dos aldeões, e precisou fugir para Zurique, na Suíça.

Em Zurique, Zwínglio procurou matá-lo à traição, e mandou prendê-lo e torturá-lo. Bons cristãos! Em seguida, Hubmaier mudou-se para Nikolsburgo (atualmente Mikulov), na Morávia. Ali escreveu com eloqüência, em favor dos anabatistas. Defendeu a idéia do livre-arbítrio, contra a posição de Lutero. Acabou sendo detido nessa cidade, foi levado para Viena, na Áustria, e ali foi executado na fogueira. Desse modo, cristãos de nomeada eram torturados e assassinados e protestantes como Calvino e Zwínglio estiveram envolvidos em crimes assim (e não somente católicos romanos), quando se lhes deparou a oportunidade. Ele acreditava que a eucaristia e o batismo de adultos convertidos são os únicos sacramentos, e foi precisamente sua recusa em retratar-se, quanto a essas questões, que o levaram à execução na fogueira.

Oh, Deus, que carne e sangue fossem tão baratos,
Que os homens odiassem e matassem
Que os homens silvassem e cortassem a outros,
Com línguas de vileza... por causa de...
«Teologia».

(Russell Champlin)

HUCOQUE

No hebraico, «nomeada». Essa era uma cidade

HUFÃO — HUGUENOTES

perto do monte Tabor, que assinalava a fronteira ocidental do território de Naftali (Jos. 19:34). Tem sido identificada com a moderna Yaquq, que fica a noroeste de Genezaré, na antiga fronteira entre Zebulom e Naftali. Robinson e Van de Velde identificam-na desse modo. Uma outra cidade de Hucoque, em I Crô. 6:75, no território de Åser. E a passagem de Jos. 21:31 apresenta essa cidade com o nome de Helcate (vide), que é apenas uma forma alternativa do mesmo nome.

HUFÃO

No hebraico, «homem da costa (marítima)». Esse foi o nome de um dos filhos de Benjamim. Ele foi o fundador do clã dos hufamitas (ver Núm. 26:39). Em Gên. 46:21 e I Crô. 7:12, seu nome aparece com a forma de *Hupim*.

HUGEL, BARON FRIEDRICH, VON

Suas datas foram 1852—1925. Foi um filósofo católico romano, erudito do Antigo Testamento. Nasceu em Florença, na Itália. Tornou-se diplomata alemão; naturalizou-se cidadão britânico. Trabalhou nas ciências e na filosofia, e foi mestre de considerável influência. Tornou-se uma importante figura da crise modernista, dos primórdios do século XX. Ver o artigo separado sobre o *Modernismo*. Apesar de manifestar muitas tendências que concordavam com seus amigos modernistas, ele continuou profundamente arraigado no ensinamento católico romano. Ele descrevia a sua própria teologia como «pré-reformada, nem protestante e nem antiprotestante». Sua principal preocupação era a liberdade de expressão e pensamento para todos os eruditos.

Sua principal obra escrita foi chamada *O Elemento Místico da Religião*, que talvez tenha recebido mais elogios fora da Igreja Católica Romana do que dentro dela. Trata-se de um dos maiores estudos sobre os fenômenos do misticismo religioso, em todos os tempos. A ênfase recai sobre a realidade transcendental de Deus. As obras que se seguiram, como *Vida Eterna, Ensaios e Discursos Sobre a Filosofia da Religião* e *A Realidade de Deus*, deram prosseguimento a essa ênfase. Outras atividades, que ocuparam seus pensamentos, foram a defesa da autoridade e da liberdade, a condição humana de Cristo, a exegese bíblica, a relação entre o dogma e a história e estudos de religiões comparadas. Faleceu em Londres, a 27 de janeiro de 1925.

HUGO DE SÃO VÍTOR

Suas datas foram 1096—1141. Ele foi clérigo e filósofo escolástico. Nasceu em Hartingam, na Saxônia. Tornou-se membro da abadia de São Vítor, em Marselha, na França; em seguida, da abadia de São Vítor, em Paris, onde se tornou cânone, antes de morrer. Foi o autor da primeira obra sobre dogmática, no Ocidente. Não era dotado de mente estreita e nem era inimigo da razão. Foi um platonista agostiniano piedoso. O misticismo da Escola de São Vítor foi iniciado por ele. Escreveu muitas obras filosóficas, bíblicas e teológicas. Uma das coisas que ele salientava era como devemos separar a filosofia da teologia, porquanto cada uma dessas disciplinas teria sua própria esfera de atividade, posto que suplementares uma à outra.

Idéias:

1. Ele ensinava a possibilidade da ascensão mística da alma até Deus, através dos degraus da cogitação,

da meditação e da contemplação. A contemplação mística seria o ponto culminante tanto do conhecimento quanto da experiência humana.

2. *A hierarquia do conhecimento*. Por um lado teríamos as ciências teóricas, como a teologia, a matemática, a física, a música, a geometria e a astronomia. Por outro lado, teríamos as ciências práticas, como a ética, a mecânica, a ciência do discurso (dialética e retórica). Mas, acima de todas essas disciplinas, como um ramo da teologia, teríamos a contemplação e as experiências místicas.

3. No tocante à controvérsia acerca dos universais (vide), ele mostrava ser um realista moderado, juntamente com Abelardo, cujo pensamento, por sua vez, repousava sobre idéias de Aristóteles. Os universais não existiriam à parte dos particulares.

4. Ele proveu uma análise acerca dos sete sacramentos, que foi aceita por Pedro Lombardo. A partir dessa análise, a abordagem tornou-se padrão para a Igreja Católica Romana.

HUGUENOTES

Esses eram membros da facção política protestante da França, que começou a existir em cerca de 1560. Eles tinham convicções tipicamente protestantes, e defendiam a descentralização e a autonomia local na política, e obviamente, eram contrários à posição papal. Acabaram se opondo ao rei, por causa das perseguições de que se tornaram vítimas. A convicção fundamental deles era que a monarquia é uma forma indesejável de governo.

O termo *huguenote* é de origem incerta. Alguns o relacionam ao portão do Rei Hugo, em Tours, onde havia um lugar onde eles se reuniam secretamente. Mas outros pensam que essa palavra é uma corruptela francesa do termo alemão *Eidgenossen*, que significa «confederação». Em Genebra, na Suíça, uma facção política de fala francesa recebeu esse nome alemão por tentar firmar uma aliança ou confederação com cantões suíços próximos, tanto contra o bispo católico romano de Genebra como contra o duque de Savóia, que era o principal aliado desse bispo.

O protestantismo começou a ser perseguido na França, e os huguenotes acabaram sendo envolvidos. A situação deu margem a oito guerras civis, durante o século XVI, as quais vieram a ser chamadas, coletivamente, *Guerras Religiosas*. Em 1562, como parte de tudo isso, houve o lamentável massacre de São Bartolomeu. As matanças, em ambos os lados do conflito, estavam se tornando intoleráveis, o que forçou os contendores a buscarem um acordo de paz. Esse terminou vindo sob a forma do edito de Nantes (1598), que promoveu o princípio da tolerância religiosa (vide). Ver também o artigo intitulado *intolerância*.

Os huguenotes chegaram a constituir um dos principais partidos políticos da França, quanto à influência, embora talvez não numericamente, no século XVI. Todavia, a importância deles diminuiu muito no século seguinte. Pois se o edito de Nantes afirmava que o catolicismo romano continuava sendo a religião oficial da França, também permitia que os protestantes exercessem livremente a sua fé. Ademais, adquiriram o direito de ocupar postos políticos oficiais e manter forças militares independentes. Entretanto, esses direitos, gradualmente, foram sendo retirados, durante o reinado de Luís XIV, até que foram totalmente abolidos em 1685. Quando o edito de Nantes foi anulado», isso deixou os protestantes como uma religião ilegal. Mais de

HUGUENOTES — HUMANIDADE

quatrocentos mil huguenotes fugiram para a Prússia, para a Holanda, para as ilhas britânicas, para a Suíça e para a América do Norte.

Como partido político, os huguenotes deixaram de existir no século XVIII, embora o protestantismo tivesse continuado a existir na França. As hostilidades entre os católicos romanos e os protestantes reiniciaram-se e continuaram, a partir de 1711. Após o falecimento de Luís XIV, em 1715, gradualmente, os protestantes franceses recuperaram os seus direitos; mas, antes disso ter acontecido, o protestantismo precisou tornar-se um movimento subterrâneo. Em 1787, já às vésperas da Revolução Francesa, um edito de tolerância restaurou os direitos civis e religiosos dos protestantes. Eles participaram na Revolução Francesa. O código de Napoleão, de 1802, garantia plenas igualdades religiosas para todos os grupos.

HUI SHIH

Suas datas aproximadas foram 380—305 A.C. Ele foi um filósofo chinês, nativo de Sung. Foi contemporâneo e amigo de Chuang Tzu (vide). Foi primeiro ministro do rei Jui, de Liang. Tudo quanto sabemos acerca de suas idéias chegou até nós através dos escritos de Chuan Tzu. Ele pensava que todas as coisas, em seu conjunto, formam o *Grande*. Todas as coisas seriam formadas por pequenas unidades, embora essas unidades não fossem qualquer coisa, em si mesmas. Os paradoxos que estão envolvidos em questões como magnitude, altura, direção, tempo, similaridades e diferenças demonstram que essas coisas são ilusórias. Em sua filosofia, Shih criou paradoxos parecidos com aqueles de Zeno de Eléia; e a sua intenção também foi similar: mostrar a natureza ilusória das coisas, a fim de levar os homens a reconhecerem a única realidade do Grande.

HUL

No hebraico, «círculo». Esse era o nome do segundo filho de Arã, que era filho de Sem (Gên. 10:23). A região ocupada por sua família ficou conhecida pelo nome de Hulé, embora não se saiba qual a sua localização. Josefo e Jerônimo situavam esse lugar na Armênia; mas outros preferiam pensar no sul da Mesopotâmia ou Caldéia. Ainda outros preferem pensar no Líbano. Atualmente, há um distrito chamado Huleh, perto do lago Merom, o que pode ser o lugar em foco.

HULDA

No hebraico, «doninha». Esse era o nome da esposa de Salum. Ela era profetisa. Durante o reinado de Josias, ela residia em Jerusalém, no bairro chamado Cidade Baixa. Ver II Reis 22:14-20; II Crô. 34:22-28 e comparar com Sof. 1:10.

Um rolo da lei mosaica fora descoberto naquele lugar, pelo sumo sacerdote Hilquias, em cerca de 623 A.C. Hulda foi consultada no tocante a denúncias contidas no rolo. Em vista disso, ela anunciou julgamento contra Jerusalém, para um futuro não muito distante; mas também afirmou, diante de Josias, que isso sucederia somente depois de sua morte.

Só tomamos conhecimento da existência dessa mulher por acidente, por causa dessa circunstância. Observamos que os profetas Jeremias e Sofonias agiam ativamente como tais, nesse tempo, pelo que é curioso que essa mulher tenha sido consultada pelo próprio rei. Só podemos supor que o ofício de profetisa, embora menos frisado no Antigo Testamento que o de profeta, deve ter sido consideravelmente respeitado, embora talvez menos do que nas culturas pagãs.

Alguns intérpretes encontram um problema na sorte que ela declarou ao rei Josias. Ela disse que ele seria recolhido aos seus pais «em paz». No entanto, Josias morreu em batalha (II Reis 23:29,30). Portanto, ou a profetisa falhou quanto a esse detalhe, conforme muitos intérpretes pensam, ou então, a paz de que ela falou deve ser compreendida como comparativa: Josias não morreu em um período de grande catástrofe nacional.

HUMANIDADE (NATUREZA HUMANA)

O pressuposto básico do Novo Testamento é que o homem é uma criatura de natureza dupla, pois participa da natureza dos animais, através de seu corpo físico, e também da natureza dos espíritos, porquanto tem espírito. Algumas filosofias reduzem o homem à mera natureza humana, negando ou pondo em dúvida a realidade da dimensão espiritual humana. O termo pode falar sobre a natureza básica, conforme acabamos de sugerir, pois também pode envolver uma espécie de sinônimo de «gentileza» e de «bondade», de um tratamento justo e eqüitativo dado a outras pessoas, além de indicar ações feitas de modo humano. Além disso, o termo é um coletivo que fala sobre certo ramo da erudição, em contraste com as ciências naturais e sociais. Esse ramo do conhecimento, as *humanidades*, inclui disciplinas como línguas, literatura, filosofia, teologia, história e as artes em geral.

No tocante à natureza humana, ver os artigos separados sobre *Problema Corpo-Mente; Dicotomia, Tricotomia; Imortalidade; Alma* e *Sobre-ser*.

Esboço:

  I. Pressupostos Teológicos Básicos sobre a Natureza Humana
  II. Sumário das Idéias Bíblicas
  III. Idéias Filosóficas e Teológicas

I. Pressupostos Teológicos Básicos sobre a Natureza Humana

1. O homem é um ser criado, produto da intervenção divina (Gên. 1).

2. *Originalmente*, o homem ocupava um estado superior do que agora ocupa, caracterizado pela inocência e, talvez, pela imortalidade (embora muitos estudiosos duvidem deste último ponto).

3. *Os pais alexandrinos*, além de outros, anteriores e posteriores, como muitos da Igreja Ortodoxa Oriental, supunham que o relato de Gênesis conta apenas a história física do homem. A alma, segundo eles, seria preexistente, talvez tendo tido origem juntamente com os anjos. Essa idéia retrocede até Platão, sendo comum às religiões orientais. Para Platão, a alma participaria dos *universais* (vide), o que faria dela uma parte da eternidade, sem qualquer começo real. Por ocasião da individualização, haveria uma espécie de começo, embora não da substância.

4. *Nas religiões orientais*, a alma é uma entidade simples, dotada de manifestação individualizada. Ali encontramos uma alma que se assemelha mais aos anjos guardiães do cristianismo. Essa alma seria a supervisora de mais de um corpo físico de cada vez, tal como a palma da mão tem cinco dedos; mas a palma (o «eu» superior) unificaria os cinco dedos (manifestações corporais individualizadas), formando uma unidade. Nas religiões orientais, a alma pode

HUMANIDADE (NATUREZA HUMANA)

passar por muitas *reencarnações*. Ver sobre *Sobre-ser*.

5. A maioria das religiões postula uma *queda*, mediante a qual o homem perdeu sua glória e poder original, descendo a um estado inferior do ser. Para algumas delas, a alma preexistente caiu em degradação por motivo de curiosidade, e a peregrinação no corpo (ou nos corpos) físico teria sido o castigo em face da experiência com a materialidade e seus males. Os conceitos hebreu cristãos falam no homem dotado de corpo desde o começo, embora uma porção material do homem apareça como um grande empecilho, a julgar pelo sétimo capítulo de Romanos. A matéria, por si mesma, não é considerada mã (conforme, erroneamente, alguns grupos religiosos têm pensado, incluindo o gnosticismo), embora puxe a alma para trás, como fator prejudicial ao seu progresso, a menos que seja devidamente controlada e utilizada.

6. *No cristianismo*, temos a idéia do *pecado original* do homem, que afetou a raça humana inteira, por infecção espiritual, de tal modo que todos os homens já nascem pecadores. O trecho de Salmos 51:5 é usado como texto de prova. Não há muitos trechos bíblicos em apoio a essa idéia; mas a experiência humana, sem dúvida, favorece a idéia do homem como um ser defeituoso, desde o começo. O meio ambiente explica algumas coisas, mas não certos aspectos da natureza humana básica.

7. *A depravação humana desconhece limites*. Todas as fés religiosas estudam esse problema, como também quase todas as filosofias. A política, naturalmente, fica necessariamente envolvida. Freud fomentou uma psicologia calvinista, tendo afirmado que as crianças são tão culpadas quanto o próprio pecado. Teologicamente, temos a declaração bíblica clássica a respeito no terceiro capítulo de Romanos. As religiões não concordam entre si sobre até que ponto o homem é bom, e até que ponto é mau, e nem como esses dois pontos extremos atuam. Algumas delas têm um ponto de vista otimista, segundo o qual o livre-arbítrio humano prevalece. Ali o homem é descrito como o *poder criativo*, que realmente pode mudar as coisas. Há algumas provas disso. Por outro lado, temos as declarações de algumas teologias que dizem que o homem não passa de um verme. Entra aí o problema do *livre-arbítrio* humano e do *determinismo* divino (vide), para o qual ainda não se encontrou qualquer solução adequada. Temos provido artigos sobre ambas as questões, onde o leitor adquirirá maiores informações. Muitos místicos têm defendido a idéia de uma fagulha divina restante no homem; e isso também exprime uma certa verdade, embora seja difícil de harmonizar com o ensino bíblico da depravação humana. Paulo parte da idéia de que ambos os princípios são verdadeiros, segundo se vê em Filipenses 2:12; mas, mesmo assim, falta-nos uma maneira lógica de explicar como a vontade divina coopera com a vontade humana, sem destruir esta última.

8. *A conversão e a transformação*. Quase todas as religiões supõem que o homem está sujeito a uma mudança radical, através da providência e das operações divinas. Os crentes tendem por crer em conversões instantâneas. As religiões orientais preferem prolongar as coisas, mediante várias reencarnações. Contudo, o alvo é o mesmo: fazer do homem aquilo que ele não é; aumentar suas qualidades espirituais; transformar o homem. No cristianismo, aprende-se que o homem pode ser uma nova criatura em Cristo, que é o Salvador e Transformador da alma. Ver II Cor. 5:17. Ver os artigos sobre assuntos como *Conversão, Santificação, Salvação* e *Glorifica-*

ção.

9. *O Destino do Homem*. Quase todas as religiões prometem que, no futuro, haverá um homem espiritualizado, que habitará em alguma esfera espiritual (uma dimensão que contrasta com a presente, onde o homem é um ser dotado de materialidade, que habita na materialidade).

Segundo muitas religiões orientais, o destino do homem seria participar, finalmente da divindade, embora em sentido *finito*. O cristianismo, segundo mostram certos trechos do Novo Testamento, aceita esse conceito. O trecho de II Pedro 1:4 fala sobre a nossa participação na natureza divina; e Efésios 3:19 refere-se à nossa participação em toda a plenitude de Deus, que não poderia ser real a menos que haja uma genuína participação na essência divina. Por sua vez, Romanos 8:29 promete ao crente a transformação à imagem do Filho, e isso, necessariamente, inclui a participação em sua essência. Ver também Colossénses 2:10. Participamos de sua plenitude. II Cor. 3:18 é trecho que nos mostra que isso ocorrerá mediante muitos estágios de transformação espiritual, operada pelo Espírito de Deus. É isso que aguarda pelos *remidos*, pelos *eleitos*.

Além disso, há a missão **restauradora de Cristo**, que abrangerá todos os homens, em consonância com o mistério da vontade de Deus (ver Efé. 1:9,10). Ver o artigo sobre a *Restauração*, onde damos amplas descrições sobre esse conceito, estabelecendo o contraste entre a redenção e a restauração. Seja como for, antecipo que o homem se desdobrará em várias espécies espirituais, em uma espécie de evolução espiritual. A espécie superior compor-se-á dos remidos, participantes da natureza divina. Outras espécies não participarão da natureza divina, embora o trabalho do restaurador seja, neles, magnificente. O juízo divino será *um* dos meios empregados para produzir esse resultado, e não um meio de torná-lo impossível. Ver o artigo sobre o *Julgamento Divino*. Pessoalmente, não antecipo qualquer estagnação no estado humano, em qualquer fase, em qualquer ponto da eternidade futura; porém, dispomos de pouca informação sobre isso, e temos de entrar no campo das especulações para dizer qualquer coisa a respeito. Quanto a esse ponto temos de nos contentar com crenças pias, e não com dogmas, No entanto, meu ponto de vista é otimista, pois tenho uma ilimitada fé no poder do Redentor-Restaurador para fazer bem, admiravelmente bem, o seu trabalho.

II. Sumário das Idéias Bíblicas

1. Uma criação especial trouxe o homem à existência. A teoria da evolução entrou em choque com essa idéia bíblica. Ver sobre a *Evolução*, quanto a uma discussão sobre esse problema.

2. Os eruditos judeus dizem que a teologia dos hebreus não concebia a criação original do homem como a combinação de um corpo físico e de uma alma imaterial. De fato, no Pentateuco, não há vestígio algum desse ensino. Também devemos levar em conta que apesar da grande ênfase sobre a ética, não há, em parte alguma do Pentateuco algum apelo quanto à vida futura (nem através da imortalidade, e nem mesmo através da ressurreição), como meio de galardoar aos bons e de punir aos maus. É impossível supormos que se a primitiva teologia hebréia tivesse antecipado uma vida futura, que ela teria deixado de lado a idéia de recompensas ou castigos pela conduta de cada indivíduo. E mesmo quando começa a aparecer a idéia da imortalidade da alma, nos salmos e nos profetas, essa noção aparece sem elaborações, não havendo ali qualquer doutrina formada a respeito. Ver o artigo separado sobre a *Imortalidade*.

HUMANIDADE (NATUREZA HUMANA)

3. Pela época em que foi escrito o livro de Daniel, já se desenvolvera uma doutrina da ressurreição, com a promessa de recompensa ou punição, dependendo da vida de cada um, se sábia (reta) ou insensata (injusta). Porém, um inferno de chamas só surgiu na teologia dos hebreus quando da escrita do livro pseudepígrafo de I Enoque (o Enoque etiópico, assim chamado, por haver chegado até nós, essencialmente, em uma tradução para o etiópico). Ver o artigo separado sobre *I Enoque*. Um dos pais da Igreja disse, pitorescamente, que «as chamas do inferno foram acesas em I Enoque».

Informes assim nos dão a entender que as doutrinas passam por um período de desenvolvimento, não podendo ser aquilatadas somente pelo modo como terminaram no Novo Testamento. É curioso notar que onde se desenvolveu a doutrina de um juízo de fogo (em I Enoque e outros livros pseudepígrafos), apareceu também a doutrina da descida ao hades, por parte de homens santos, a fim de aliviar os terrores daquele lugar. Esse tema também reaparece no Novo Testamento, como em I Pedro 3:18 — 4:6. Ver o artigo separado sobre a *Descida de Cristo ao Hades*. Tais idéias estão obviamente ligadas ao destino do homem, conforme comentei sob o ponto I.9. No judaísmo, encontramos grande variedade de idéias, que vão desde o aniquilamento, passando pelo resgate do hades, e daí até à rigidez de sofrimentos eternos, embora isso só tenha ocorrido já no judaísmo posterior. Quanto a uma demonstração disso, ver o artigo sobre o *Inferno*.

4. *O Homem como a Imagem de Deus.* Apesar do homem fazer parte da natureza, tendo sido formado do pó da terra (Gên. 2:7), como participante de muitos aspectos da vida dos animais irracionais (Gên. 18:27; Jó 10:8,9; Sal. 103:14; Ecl. 3:19,20), também foi feito à imagem de Deus (Gên. 1:27). Há teólogos que pensam que isso inclui uma triunidade, semelhante à divina Trindade (o homem seria composto de corpo, alma e espírito); mas isso já é transferir a teologia cristã para o Antigo Testamento. Muitos estudiosos explicam isso em sentido moral. A criatura humana tornou-se capaz de participar de algo das qualidades morais e espirituais de Deus.

5. A posição do Antigo Testamento sobre o homem impõe um moralismo muito estrito. São pesadas as exigências de Deus ao ser humano. Há um rígido código moral a ser seguido. Isso distinguiria os homens, claramente, dos animais. É verdade que a fé dos hebreus, mais que as antigas religiões, enfatizava os requisitos morais de Deus à humanidade, e que grande parcela do Antigo Testamento aborda a questão. Do homem esperava-se que fosse moralmente corajoso. Isso torna-se importante, como uma doutrina metafísica, quando descobrimos que a nossa transformação metafísica, à imagem de Cristo, depende da nossa transformação moral. Outros pontos de vista básicos das Escrituras aparecem na primeira seção deste artigo.

6. O Novo Testamento adotou a doutrina do homem como um ser criado à imagem de Deus, e isso veio a tornar-se parte da doutrina da salvação. Agora a imagem de Deus, conforme ela existe no Filho, pode ser reproduzida nos outros filhos de Deus, de tal modo que, metafisicamente e quanto à essência, eles tornam-se filhos de Deus. Jesus Cristo é a verdadeira imagem de Deus (Col. 1:15; II Cor. 4:4). O homem é transformado segundo a imagem e a semelhança de Deus, de acordo com o grande modelo, Cristo (Rom. 8:29), por atuação do Espírito (II Cor. 3:18). Damos uma declaração mais completa a esse respeito em I.9.

III. Idéias Filosóficas e Teológicas

1. Platão pensava que o homem tanto é uma imitação dos *universais* (vide) quanto se torna partícipe dos mesmos em sua alma eterna. Conforme conhecemos o homem, ele é uma unidade tripartível, composta de mente, vontade e paixões. O destino do homem seria a reabsorção pela divindade.

2. Para Aristóteles, o homem seria uma alma racional, distinto do reino animal. Mas deixou em aberto a questão que indaga se aquilo que é distintivo no homem pode sobreviver ou não à morte biológica.

3. Hsun Tzu pensava no homem como um ser naturalmente maligno, pelo que o homem precisaria de uma constante e dura disciplina.

4. Agostinho reputava o homem como uma união de corpo e alma, caído no pecado, mas motivado a atingir a felicidade eterna, que chegaria à sua mais elevada expressão na *visão beatífica* (vide).

5. Guilherme de Ockham (vide) entendia que o homem é um *suppositum intellectuale*, um ser **racional auto-existente**, semelhante a Deus. Ele combinava o intelecto e a vontade, no homem, como uma única essência, fazendo dessas duas qualidades uma única faculdade.

6. Para La Mettrie (vide), o homem seria apenas uma máquina, um mecanismo destituído de alma.

7. Holbach (vide) supunha que o homem é uma criatura egoísta, cujas motivações são sempre egocêntricas.

8. Unamuno não se deixava impressionar pela racionalidade do homem como a sua característica distintiva, dizendo que o homem é apenas carne e ossos. Como uma criatura assim inferior, contudo, o homem teria fome e sede da imortalidade, gastando grande parte de suas energias nessa busca, de um modo ou de outro.

9. Cassirer (vide) pensava no homem como um ser no qual há muitos símbolos, dizendo que o homem só pode ser conhecido indiretamente, mediante o estudo desses símbolos.

10. Ortega y Gasset (vide) não enfatizava a natureza humana, dizendo que o homem é apenas uma história.

11. O materialismo (vide) supõe que o homem é apenas uma entidade material, dotada de um cérebro capaz de coisas notáveis, embora sem nada de misterioso, como alguma porção imaterial.

12. O comunismo (vide), em sua modalidade materialista, supõe que o homem é apenas um animal envolvido na tese, antítese e síntese dos eventos econômicos.

13. Os filósofos e teólogos cristãos têm defendido diferentes posições sobre o que significa o homem ter sido criado à *imagem* de Deus. Os mórmons, que crêem na materialidade de Deus, supõem que a sua forma material foi reproduzida no homem. A antiga teologia judaica enfatizava o aspecto moral do homem, como a sua participação na imagem de Deus. Os teólogos conservadores supõem que, por ocasião da queda, o homem perdeu as qualidades essenciais da imagem de Deus, as quais só lhe são devolvidas por ocasião da redenção. Muitos crêem que a imagem de Deus foi retida, sobretudo nos poderes racionais do homem. Outros supõem que a *fagulha divina* continua existindo, podendo ser atiçada pelos ensinos morais, filosóficos e religiosos. Agostinho, por sua vez, via a imagem de Deus no homem em sua razão e sua capacidade de buscar e obter conhecimentos sobre a sua própria alma e sobre Deus. A razão do homem ajuda-o a distinguir entre o bem e o mal, algo que, presumivelmente, os animais irracionais não

174

HUMANIDADE DE CRISTO

possuem. O homem, como um ser racional, pode pecar; mas até mesmo essa capacidade de pecar mostra que ele retém algo da imagem de Deus.

Os teólogos da Idade Média supunham que o homem, antes da queda no pecado, além de ter a imagem de Deus, também possuia o *donum superadditum*, isto é, capacidades sobrenaturais. Mas, por ocasião da queda, teria perdido as mesmas, embora tivesse continuado a ter a imagem de Deus, refletida na vontade, na moralidade e no amor. Lutero dizia que o homem perdeu a imagem de Deus por ocasião da queda. Assim, se um homem tiver de usar sua vontade para o bem, se tiver de amar e usar corretamente a sua racionalidade, terá de receber de volta a imagem de Deus, por meio da regeneração. Porém, alguns dos reformadores rejeitaram esse ponto de vista como extremado, referindo-se à imagem de Deus como algo que o homem possuiria em proporções maiores ou menores e, por conseqüência, negando que a tivesse perdido totalmente, para então a mesma lhe ser restaurada. A imagem de Deus no homem teria sido apenas deformada, e não perdida, por ocasião da queda no pecado.

Para Karl Barth, a imagem de Deus não corresponde às qualidades de um homem, porquanto dependeria das relações mantidas por ele. Visto que Deus é um ser trino, mantendo Consigo mesmo um certo relacionamento, outro tanto sucedeu ao homem, quando recebeu a mulher, por exemplo; e, daí por diante, estabeleceram-se relações entre cada homem e seus semelhantes. O homem também seria capaz de estabelecer relações com Deus. Deus prometeu ligar o homem a si mesmo, mediante um pacto. Em Cristo, a imagem tornou-se manifesta quando ele chamou a Igreja para ser sua noiva mística. Isso posto, para que tenhamos a verdadeira imagem de Deus, devemos olhar não para cada indivíduo isolado, mas para Jesus Cristo e sua Noiva (a Igreja); pois somente assim entenderemos algo sobre como Deus é e como ele age.

14. A seriedade do pecado não é apenas um conceito bíblico. Freud ensinava um tipo de psicologia calvinista, segundo o qual as crianças são amedrontadas por toda espécie de monstro, que lhes atormenta as mentes. Os teólogos liberais têm ido longe demais, por verem bondade no homem corrompido; mas os teólogos ultraconservadores também têm exagerado na outra direção, nada encontrando no homem e nem reconhecendo a sua liberdade, capaz de fazer escolhas genuínas e de ser um ente criativo, capaz de realizar coisas estupendas. Os evolucionistas ensinam que o homem vem melhorando gradativamente, em vez de ter piorado, conforme a teologia tem dito. Porém, é inegável que o homem está profundamente corrompido em sua depravação. Duas guerras mundiais muito têm contribuído para destruir o exagerado otimismo dos liberais. Pois isso frisou, uma vez mais, a necessidade que o homem tem de ser regenerado. Barth asseverou que não podemos dizer que o homem se desviou total e completamente de Deus; não porque o homem tenha retido algumas qualidades boas, mas porque Deus, como Pai, não permite que assim aconteça a seus filhos desviados.

Outrossim, em relação ao problema do pecado, temos de considerar o quanto o homem é capaz ou incapaz de aceitar a graça divina. O calvinismo radical afirma a total incapacidade do homem. Mas o liberalismo radical reduz o problema a tão pequenas dimensões que a graça divina torna-se desnecessária para recuperar o homem. Wesley punha-se em posição de meio termo, ao afirmar que apesar da queda ter tirado do homem a sua capacidade de corresponder, contudo, em Cristo, mediante a graça preveniente (vide), ao homem é dada a capacidade e a liberdade que ele precisa para escolher a Cristo e ao seu caminho. Assim, quem quiser, pode vir a Deus. Ver os artigos sobre o *Calvinismo* e sobre o a *Arminianismo*.

HUMANIDADE DE CRISTO

Esboço
  I. Fatos a Considerar
 II. Textos de Prova
III. Fatores Teológicos
 IV. Significado da Humanidade de Cristo em Hebreus 5:7
  V. Pervertendo o Texto

Esse é um tema por demais negligenciado no seio da igreja, até mesmo em sua seção evangélica, a qual, apesar de tudo quanto diz em contrário, enfatiza tão-somente a divindade de Cristo, até mesmo no que tange à natureza da encarnação. Por isso, em muitas igrejas, Cristo é um *Cristo docético*. Explicando, na opinião de tantos cristãos, Cristo é humano apenas na «aparência»; e isso representa uma antiga heresia gnóstica. De acordo com esse ponto de vista, tudo quanto Cristo é visto a fazer, em sua missão terrena, como seus milagres e a sua impecabilidade, é atribuído à sua «natureza divina», de tal modo que não é maravilha que ele tenha feito o que fez, exceto que morreu. Porém, a verdade inteira dessa questão é que o Senhor Jesus cumpriu a sua missão inteira como homem, extraindo do Espírito Santo, que a ele fora conferido sem medida, todo o poder que exerceu. E este o foi transformando como homem, para que pudesse operar obras admiráveis. Poder-se-ia afirmar que Cristo operou os seus prodígios do mesmo modo que podemos operá-los, e maiores ainda (ver João 14:12), tal como um crente pode fazer, conforme vai sendo transformado ou «espiritualizado». Porquanto essa é uma avenida de desenvolvimento espiritual aberta para todos os remidos. Ora, é exatamente esse aspecto que empresta sentido e força à humanidade de Cristo e à sua encarnação—pois declara que tudo quanto ele realizou como homem pode ser realizado também por nós.

I. Fatos a Considerar

1. **Cristo se identificou totalmente conosco, em** nossa natureza humana, a fim de que, finalmente, pudéssemos identificar-nos totalmente com ele, em sua natureza divina. Portanto, a própria salvação consiste na condução de «muitos filhos» à glória (ver Heb. 2:10).

2. Em sua encarnação, ele se autolimitou, e, por isso mesmo, usualmente realizou tudo pelo poder de sua humanidade espiritualizada, mediante a virtude da presença e da capacidade dada pelo Espírito Santo. Talvez, em seus milagres sobre a natureza (como a multiplicação dos pães e a tranquilização da tempestade), Cristo tenha apelado para sua divindade inerente. Contudo, de modo geral, o que ele fez, fez em sua humanidade, demonstrando-nos assim o caminho para o poder divino (ver João 14:12).

3. Embora impecável (ver notas sobre isso em João 8:46 e Heb. 4:15 no NTI), Cristo aprendeu certas coisas por meio daquilo que sofreu, e assim, como homem, foi aperfeiçoado. Isso nos é ensinado em Heb. 5:8,9. Por conseguinte, em tudo isso ele foi aperfeiçoado como simples homem, e não como o Logos eterno. No que tange a este último aspecto, ele foi sempre perfeito. Porém, como homem, ele mostrou aos demais homens qual o caminho do desenvolvimento espiritual, porquanto realmente

175

HUMANIDADE DE CRISTO

atravessou esse caminho.

4. Ele tomou sobre si nosso próprio tipo de natureza humana, debilitada como ela está pelo pecado (ver Rom. 8:3), embora nunca houvesse cometido pecado. Não obstante, em sua humanidade, ele teve de abordar os mesmos problemas e fraquezas que nos afligem. Em Jesus, pois, Deus irrompeu no mundo, e assim permitiu que os homens alcançassem autêntica vitória espiritual.

II. Textos de Prova

«A humanidade de Cristo é claramente ensinada pela Bíblia inteira. Ele seria o *descendente de Abraão* e nele todas as nações seriam abençoadas (ver Gên. 22:18); e esse descendente, conforme Paulo explicou, era exatamente Cristo (ver Gál. 3:16). Além disso, o Messias prometido pertenceria à 'tribo de Judá' (ver Gên. 49:10), e seria da 'linhagem real de Davi' (ver Isa. 11:1,10 e Jer. 23:5). Assim é que Mateus traça a genealogia de Cristo partindo de Abraão, através de Davi (ver Mat. 1:1 e *ss*), ao passo que Lucas traça a genealogia de Cristo para trás, passando por Davi, por Abraão, e chegando até Adão, o primeiro homem (ver Luc. 3:23 e *ss*). De conformidade com a profecia (ver Isa. 7:14), Jesus nasceria miraculosamente de u'a mãe virgem (ver Mat. 1:18 e *ss*; Luc. 1:26 e *ss* e comparar com Gên. 3:15). O Filho encarnado não cessou e nem poderia cessar de ser Deus verdadeiro; porém, ao mesmo tempo, tornou-se verdadeiro homem. E agora ele é, ao mesmo tempo, Filho de Deus e Filho do homem (ver Mat. 16:13,16, etc.). A genuinidade da humanidade de Cristo é ainda confirmada pelo fato de que cresceu desde a infância até à idade adulta (ver Luc. 2:40,52), pelo fato de que experimentou a tentação (ver Mat. 4:1 e *ss*; Luc. 4:2 e *ss*; Mar. 1:12 e *ss*; Heb. 2:18 e 4:15), pelo fato de que padeceu fome (ver Mat. 21:18), sede (ver João 4:6 e 19:28), fadiga (ver João 4:6 e Mar. 4:38), tristeza (ver João 11:35), pelo fato de que não sabia todas as coisas, como homem (ver Mar. 13:32), e pelo fato de que sofreu e sobretudo **pelo fato de que morreu** (ver as narrativas bíblicas de sua agonia e crucificação). Finalmente, é importante observarmos que a humanidade de nosso Senhor foi retida até mesmo após a sua ressurreição dentre os mortos (ver Luc. 24:38-42)». (Philip Hughes, no *Baker's Dictionary of Theology*, pág. 273).

Naturalmente, a humanidade que Cristo reteve, **mesmo após a sua ressurreição, é aquela referida na** passagem de II Ped. 1:4, onde ele aparece como o Deus-homem, de cuja natureza todos os homens podem participar, contanto que se deixem unir a ele mediante a redenção. E isso a despeito do fato de que Cristo permanecerá na posição suprema de Cabeça, ao passo que nós seremos sempre o seu corpo místico. (Ver o trecho de Efé. 1:23 acerca desse conceito). Não obstante, somos a «plenitude» de Jesus Cristo, ao passo que ele preenche a tudo em todos, isto é, ele é tudo para todos nós.

A humanidade de Cristo é comprovada pelas seguintes razões: sua concepção miraculosa (ver Mat. 1:18), seu nascimento (ver Mat. 1:16); sua participação na carne e no sangue (ver João 1:14); sua possessão de alma humana (ver Mat. 26:28 e Atos 2:21); sua circuncisão (ver Luc. 2:21); seu crescimento em estatura e sabedoria (ver Luc. 2:52); seu choro (ver Luc. 19:41); sua fome (ver Mat. 4:2); sua sede (ver João 4:7); seu sono (ver Mat. 8:24); seu cansaço (ver João 4:6). E também por ter sido homem de tristezas (ver Isa. 53:3,4 e Luc. 22:44); por haver sido esbofeteado (ver Mat. 26:67); por haver suportado afrontas (ver Luc. 23:11); por haver sido açoitado (ver Mat. 27:26); por haver sido encravado na cruz (ver Luc. 23:33); por haver morrido (ver João 19:30); por haver sido sepultado (ver Mat. 27:27); por haver sido tentado como nós, embora sem pecado (ver Atos 3:22; Fil. 2:7,8 e Heb. 2:17). A humanidade de Cristo é descrita como parte necessária não apenas de sua missão terrena, mas igualmente de seu ofício de Mediador (ver Rom. 6:15,19; I Cor. 15:21; Gál. 4:4,5; I Tim. 2:5 e Heb. 2:17). Sua natureza humana foi reconhecida pelos homens (ver Mat. 6:3; João 7:27 e Atos 2:22), mas é negada pelo anticristo, pelos hereges, provavelmente da variedade gnóstica (ver I João 4:3 e II João 7).

III. Fatores Teológicos

A humanidade de Jesus Cristo, pois, após examinarmos várias referências bíblicas, mostra ser algo indispensável, pois:

1. Isso era necessário para que cumprisse sua missão terrena em geral, visto que somente como homem poderia redimir aos homens.

2. Havia necessidade dele identificar-se com os homens, a fim de que estes pudessem identificar-se com ele, *na sua glória*.

3. Pois assim é que poderíamos atingir aquela medida e aquela forma de glorificação que pertence a ele, de conformidade com a vontade divina, e a fim de que ele pudesse conferir tal glorificação a todos os remidos.

4. Pois era mister tal para que ele pudesse assumir a posição suprema no universo, como seu Cabeça (ver Efé. 1:10 e *ss*, quanto ao «mistério da vontade de Deus»), na qualidade de unificador e restaurador de todas as coisas, bem como o personagem em torno do qual a harmonia e a unidade universais serão estabelecidas. A exaltação de Cristo ocorreu porque ele cumpriu com pleno êxito a sua missão terrena, e não porque essa exaltação já lhe fosse devida, como Deus, conforme nos informa o décimo versículo do segundo capítulo aos Filipenses, conforme dizem também o primeiro capítulo aos Efésios e o trecho de Heb. 1:9. E é andando pelo caminho que ele mesmo palmilhou que nos tornamos «plenitude» de Cristo, embora ele preencha a tudo em todos, sendo tudo para cada um de nós.

5. Seu presente ofício de Mediador exigia que ele se identificasse conosco, como também isso é requerido pela nossa identificação potencial com ele, em sua glorificação. (Ver Heb. 2:17).

6. A necessidade que há de ser fortalecido e consolado o povo de Deus, na sua peregrinação terrena, depende do fato de ser Cristo um ser humano verdadeiro. (Ver Heb. 2:18).

7. Todas as forças do mal, que produzem a «morte» do homem, foram derrotadas quando da missão terrena do Filho de Deus, porquanto ele «provou a morte em favor de todo o homem», a fim de outorgar-lhes a vida eterna. (Ver Heb. 2:9).

8. Apesar de Cristo ser o Caminho, é ele, por igual modo, o «pioneiro» desse caminho, mostrando-nos, desse modo, — como podemos ter êxito nessa peregrinação deste mundo (ver Heb. 2:10).

9. A ressurreição de Cristo Jesus garante a nossa própria. Mas isso não poderia ocorrer não fora o fato de ter Cristo assumido a nossa humanidade (ver a totalidade do décimo quinto capítulo da primeira epístola aos Coríntios).

10. A ressurreição de Cristo subentende a sua ascensão aos céus e a sua glorificação; e isso também nos está assegurado pelo Salvador, que é o Deus-homem, o Filho de Deus (ver Rom. 8:30).

Esses dez pontos mostram o que está implícito na verdade da humanidade de Jesus Cristo. Portanto,

HUMANIDADE DE CRISTO

quão equivocados estão aqueles que atribuem à divindade de Cristo tudo quanto ele fez de incomum. Bem pelo contrário, ele pôs de lado o poder e os atributos divinos (posto que não a própria natureza divina), a fim de que a encarnação tivesse uma *significação vital* para toda a humanidade. Da mesma maneira que ele se identificou totalmente conosco, a mesma determinação divina que fez com que as coisas fossem assim, nos leva a sermos totalmente identificados com o Filho de Deus, porquanto o Cabeça não pode ter um destino diferente daquele outorgado ao corpo.

Vários dos evangelhos *apócrifos*, como o Evangelho de Tomé, pintam Cristo como um elevadíssimo ser angelical, cuja suposta natureza humana era apenas «aparente». Disso se originou o termo «docético», que indica a posição daqueles que imaginam que todas as obras extraordinárias de Cristo se devem à sua divindade, e nada à sua humanidade. Assim, pois, seus sofrimentos não teriam sido reais, e as suas próprias obras miraculosas eram as de um anjo, e não as de um homem. A igreja cristã dos primeiros séculos de nossa era considerou que tal posição é herética, e a moderna igreja evangélica, que atribui ao poder divino de Cristo, tudo quanto ele realizou, está se aproximando perigosamente dessa antiquíssima heresia, embora suas formulações teológicas falem em outro tom.

IV. Significado da Humanidade de Cristo em Heb. 5:7

O qual nos dias da sua carne, tendo oferecido, com grande clamor e lágrimas, orações e súplicas ao que o podia livrar da morte, e tendo sido ouvido por causa da sua reverência,

«Jesus». A epístola aos Hebreus é o único livro «teologicamente» orientado no N.T. que usa com freqüência o simples nome «Jesus», pois todos os demais usam os títulos mais formais de Cristo Jesus. Jesus Cristo, Senhor Jesus, Senhor Jesus Cristo, etc. (Ver também Heb. 2:9; 6:20; 7:22; 10:19; 12:2,24 e 13:12). Desse modo é salientada a sua missão terrena.

1. O livro aos Hebreus, acima de todos os outros livros teologicamente orientados, é o que melhor descreve a humanidade de Jesus. Sem embargo, igualmente ensina que Cristo é divino (ver as notas a respeito, em Heb. 1:3 no NTI), e nunca tenta reconciliar esse paradoxo. Suas descrições acerca da humanidade de Jesus são vívidas, conforme se pode averiguar em Heb. 5:7.

2. A mensagem da epístola é clara: Jesus veio a participar de nossa humanidade, a fim de que pudéssemos compartilhar da sua natureza divina, na forma de filhos que estão sendo conduzidos à glória (ver Heb. 2:10). Esse é um relacionamento *«ipso facto»*. Em outras palavras, «pelo próprio fato» de que ele compartilhou de nossa natureza, também haveremos de compartilhar da dele. Pelo próprio fato de que ele se humilhou, em sua humanidade, assim também nós, identificados com ele como estamos, deveremos identificar-nos com a sua glória.

3. Não temos a pretensão de poder dizer como um ser poderia ser humano e divino ao mesmo tempo. Entretanto, podemos perceber claramente o que cada uma dessas doutrinas tenciona ensinar-nos, e cada uma delas é um elemento essencial, no que tange à redenção humana. Não podemos rejeitar uma verdade, meramente porque envolve elementos misteriosos. Se assim fizéssemos, teríamos de rejeitar a maioria das verdades, pois pouquíssimo, mesmo no caso das verdades mais básicas, é compreendido com grande clareza, pela atual inteligência humana. Ora,

a verdade divina naturalmente transcende a nós em muito, para dizermos o mínimo.

Declarações deste Versículo

Nos dias da sua carne, isto é, na «encarnação», quando ele tomou sobre si a própria natureza humana. (Ver o artigo sobre a *encarnação*). No presente versículo não há documentação, e nem nos versículos seguintes. O autor sagrado talvez estivesse familiarizado com o evangelho de Marcos, ou talvez com as tradições orais e escritas que foram usadas para a compilação desse citado evangelho. Tinha consciência das passagens que falam sobre os sofrimentos de Cristo, de sua diligente vinda ao mundo e finalmente, de suas agonias no jardim do Getsêmani e na cruz do Calvário. Ele alude aqui, especificamente, ao relato da paixão. (Ver Mat. 26:36-46 quanto ao incidente do Getsêmani, que é o paralelo mais próximo, nos evangelhos, da linguagem aqui empregada).

Forte clamor e lágrimas. A linguagem é bem forte, mais do que em qualquer outra passagem do N.T. Mostra-nos a real agonia *humana* por que passou Jesus. Sua vida humana, nesse ponto, atingiu o ponto do desespero. «Essas palavras, com aquelas que se seguem, sugerem que o autor sagrado não tinha inibição alguma por equiparar a agonia de Jesus com o mais profundo desespero humano» (Purdy, *in loc.*). Infelizmente, tanto nos tempos antigos como nos modernos, os homens têm criado um Jesus «docético», ou seja, alguém que era humano apenas na aparência, mas que na realidade não era tal.

V. Pervertendo o Texto

1. Heb. 5:7 tem sofrido perversões. Alguns intérpretes não têm podido admitir que Jesus (por ser divino) pudesse ter temor e terror em qualquer das experiências de sua vida, conforme Heb. 5:7 assevera que ele teve. A indisposição por admitir que ele pudesse compartilhar dos temores e ansiedades comuns à humanidade, tem levado esses intérpretes a criar um *Jesus docético*. (Ver o artigo sobre *Docetismo*).

2. O *docetismo* foi uma das primeiras heresias a aparecer na igreja cristã. Afirmava que Jesus não era, realmente, um homem, mas fingia sê-lo. Na realidade, ele seria um poder angelical. Outros diziam que Jesus era um homem, mas que o Espírito de Cristo se apossara do homem Jesus por ocasião do batismo, para em seguida abandoná-lo, quando de sua morte, pelo que não haveria a identificação entre essas duas entidades.

3. Na moderna igreja evangélica, há docetistas de nossos dias, que não se dispõem a admitir que aquilo que Jesus realizou e sofreu, fê-lo como homem. Recusam-se a vê-lo segundo o mesmo prisma do autor da epístola aos Hebreus. Conforme os tais, por conseguinte, tudo quanto Jesus fez de poderoso, fê-lo como Deus; mas, quando acabamos de ouvir suas explicações sobre a vida de Cristo, ficamos surpreendidos de que fosse capaz de morrer. De certa feita, em uma aula de Escola Dominical, ouvimos a exposição da idéia de que Jesus foi capaz de sofrer sua morte agonizante por causa de sua natureza divina. De acordo com essa idéia, Jesus nem ao menos morreu como um homem! Antes, o próprio desígnio da encarnação teria sido que ele enfrentasse o mesmo problema que enfrentamos, para que mostrasse aos homens como poderiam triunfar como homens.

••• ••• •••

HUMANISMO

HUMANISMO

Esboço:

I. A Palavra e Suas Definições
II. Alguns Usos Históricos
III. Humanismo Religioso, Não-Teísta
IV. O Novo Humanismo
V. O Humanismo Cristão

I. A Palavra e Suas Definições

No latim, *humanitas (atis)*, «humanidade», natureza humana, sentimentos humanos. Vem do termo latino básico *humanus* «humano», relativo aos seres humanos, à *raça humana*. O termo básico é *homo*, «homem», «ser humano». Essa palavra era usada para fazer contraste com os animais irracionais.

Definições Básicas do Dicionário. A cultura derivada do treinamento nos clássicos; uma erudição bem polida; um sistema de pensamento no qual o homem e os seus interesses e desenvolvimento tornam-se o ponto central. Nesse sentido, algumas vezes a palavra é usada para fazer contraste com o teísmo. De acordo com esse sistema, Deus aparece como cêntrico, como o criador, o guia e o alvo de toda a existência. No humanismo, pois, o homem é o alvo de toda a existência, a medida padrão de todas as coisas. Mas o termo também é usado para fazer contraste com o *absolutismo*, aquelas filosofias que exaltam algum tipo de poder cósmico e abstrato, como a verdadeira realidade, da qual o homem é uma minúscula porção.

II. Alguns Usos Históricos

Protágoras afirmava que o homem é «a medida de todas as coisas», de tal modo que, segundo o humanismo, todas as considerações éticas, metafísicas e práticas dependem do homem, e não de forças cósmicas, dos deuses, etc. Assim, criou-se uma filosofia relativista, sem valores fixos ou absolutos.

Foi assim que foi cunhada a significação clássica do termo, ou aquele tipo de cultura e ênfase promovidos por certos filósofos gregos.

Durante a Renascença (vide), homens como Petrarca e Erasmo de Roterdã retornaram às raízes gregas quanto a muitos valores; e assim foi rejeitado, pelo menos em parte, o modo de pensar que se desenvolvera no escolasticismo, com sua autoridade religiosa centralizada, que também caracterizava a Igreja medieval e a sociedade. Erasmo, naturalmente, como cristão, dava valor à missão de Cristo, tendo adicionado isso à sua clássica maneira de pensar sobre o homem. É em homens do naipe de Erasmo que achamos o chamado *humanismo cristão.* Esse humanismo possibilitou o surgimento da ciência, visto que ajudou o poder autoritário mais fraco. «Desde Petrarca (1304—1374), 'o primeiro homem moderno', até Erasmo (1467—1536), 'o primeiro homem europeu', uma notável sucessão de eruditos recuperou o espírito e os tesouros da cultura antiga, tendo-se desenvolvido, gradualmente, desde então, todo um novo sistema de educação e de livre inquirição. Se, em nossa época de imensa concentração da atenção sobre a ciência e a tecnologia, negligenciarmos a tradição humana e desvalorizarmos o estudo das humanidades, então perderemos as inestimáveis riquezas da nossa herança, incluindo a tradição acadêmica e tornando-nos a população autômata de um Estado totalitário. O humanismo cristão da Idade Média e da Renascença tem mostrado ser o único fundamento da liberdade pessoal e acadêmica da era moderna». (C)

O humanismo moderno, antiteísta. O termo humanismo é usado para fazer contraste com o teísmo. O homem aparece como a base de todos os valores e de toda excelência, bem como o objeto de todas as atividades. Augusto Comte (vide) foi o grande campeão dessa forma de humanismo. Ele fazia da humanidade o único objeto da nossa adoração.

O humanismo contrastado com o absolutismo filosófico. F.C.S. Schiller e William James (ver os, artigos separados a respeito) objetavam as filosofias absolutistas, onde o Absoluto é tudo e o homem é apenas uma fagulha miserável. Eles frisavam o Universo aberto, o pluralismo e a liberdade humana.

O neo-humanismo. Há muitas variedades de humanismo antiteísta, que compartilham de uma atitude **anti-religiosa.** Quase todas essas variedades são ateías embora diferindo quanto às combinações específicas. O *comunismo* é uma combinação estranha de totalitarismo com a reivindicação de que todo o sentido da vida precisa ser definido em termos humanos econômicos. Esse sistema toma por empréstimo o absolutismo de Hegel, com sua tríada de tese, antítese e síntese e, dessa maneira, promove um determinismo que destrói totalmente a liberdade humana. Porém, visto que, coletivamente falando, o homem seria a medida de todas as coisas, então poderíamos chamar esse sistema de humanismo. Ver o artigo separado a respeito do *Comunismo.*

Walter Lippman (vide) introduziu o termo *humanismo científico.* Esse aponta para um sistema de ateísmo dentro do qual a ciência, e aquilo que a ciência tem a oferecer ao homem, tornam-se uma divindade. Jean-Paul Sartre (vide) promoveu uma forma existencial de humanismo, de mistura com ideais tipicamente comunistas. Ele supunha que a última síntese seja o comunismo, que é contrário a tudo quanto a história tem para ensinar. Nenhuma síntese existe sem que, finalmente, haja uma antítese contrária, de onde emerge, finalmente, uma nova síntese. Seja como for, somente o homem, sem qualquer ajuda divina, considerado em sua miséria, é a medida de todas as coisas; e essas coisas todas operariam através de tensões econômicas. C.H. Waddington procurou demonstrar que a ética pode se basear exclusivamente sobre a ciência, pelo que teríamos um humanismo ético. Deve-se admitir que **apesar dos neo-humanistas rejeitarem a fé cristã, muitos deles também rejeitam o nihilismo e a irresponsabilidade moral.**

III. Humanismo Religioso, Não-Teísta

Os fatores que produziram um humanismo religioso, mas **não-teísta.** foram muitos; mas há alguns poucos fatores principais, que poderíamos salientar: a. a *ciência moderna*, com sua ênfase sobre todas as coisas humanas, e suas atitudes céticas sobre questões metafísicas, sobre o teísmo e sobre os valores absolutos; b. o *modernismo* (vide) na fé religiosa que rejeita os conceitos de autoridade absoluta, põe em dúvida a autoridade das Escrituras, dando mais valor à experiência religiosa humana do que à revelação bíblica; c. o *unitarismo* (vide), dentro desse sistema, uma religião formalizada e não-teísta, acabou desenvolvendo-se. John H. Dietrich, um ministro unitário, é chamado de *pai* do humanismo religioso; e a maioria dos líderes do humanismo religioso surgiu dentre a Igreja Unitária. As Igrejas humanistas constituem uma espécie de ala esquerdista do unitarismo. Em maio de 1933, o chamado *Manifesto Humanista* foi publicado por essa Igreja. Cito uma parte desse manifesto:

«O humanismo assevera que a natureza do Universo, pintada pela ciência moderna, torna inaceitável qualquer garantia sobrenatural ou cósmica dos valores humanos... A religião deve formular

178

HUMANISMO — HUME

seus planos e esperanças à luz do espírito e do método científicos».

«A religião consiste naqueles atos, propósitos e experiências que são humanamente significativos. Nenhum interesse humano está desligado da religião. Estão incluídos o labor, as artes, as ciências, a filosofia, as amizades e as recreações; tudo quanto está envolvido expressa uma existência humana satisfatória. A distinção entre o sagrado e o secular não pode continuar sendo mantida».

«O alvo do humanismo é uma sociedade livre e universal, de acordo com a qual as pessoas cooperam voluntária e inteligentemente para o bem comum. Os humanistas exigem uma vida compartilhada e um mundo compartilhado».

Um Contraste Teísta. Alguns humanistas, que se apegam aos princípios gerais, conforme damos acima, nem por isso rejeitam a crença teísta. Eles não são cristãos conservadores, mas também não são ateus. Acreditam que Deus existe e que a sua ajuda, para atingirem alvos humanísticos é algo essencial. Eles não salientam a vida futura, pensando que o homem tem o bastante para ocupar a sua atenção, neste mundo, e que deve procurar apenas melhorar as condições da vida presente. Quanto à vida futura, eles contentam-se em deixar isso aos conselhos de um Deus sábio e bondoso.

IV. O Novo Humanismo

Irving Babitt, Paul Elmer Mote e seus seguidores salientavam a experiência humana, em contraste com a existência dos animais. Eles faziam do ser humano o modelo da natureza ética, afirmando que o livre-arbítrio humano reveste-se da maior importância. A *liberdade final* é definida como livre de todas as restrições externas, embora sujeita a uma lei interior. A escola do novo humanismo tende por enfatizar os valores helenistas; mas alguns de seus membros têm procurado encontrar uma síntese com as chamadas religiões *reveladas*, como o cristianismo.

V. O Humanismo Cristão

Deus foi o grande humanista, quando amou ao mundo inteiro e enviou o seu Filho para salvar as almas humanas (João 3:16; Rom. 8:1 *ss*). Cristo foi um grande humanista quando cumpriu sua missão salvatícia e restauradora (Rom. 5:6 *ss*). Ele ampliou ainda mais o seu humanismo quando realizou sua missão salvadora e restauradora no hades, o lugar mesmo do julgamento (I Ped. 3:18 — 4:6). E ele continua em seu empreendimento humanista mediante sua obra intercessória nos lugares celestiais (Rom. 8:15 *ss*). Porém, a maior manifestação do humanismo de Cristo tornar-se-á evidente quando ele restaurar todas as coisas, conforme é exigido pelo mistério da vontade de Deus (Efé. 1:9,10). Ver os artigos separados quanto a descrições sobre essas doutrinas: *Mistério da Vontade de Deus* e *Restauração*. Ver também sobre os *Pagãos, Destino dos*.

A Igreja Oriental, ao reconhecer as dimensões maiores do amor de Deus e a extensão maior da oportunidade de salvação, inerentes na missão de Cristo, tem-se mostrado mais humanista em suas posições do que a Igreja Ocidental. A Igreja Ocidental declara que os salvos serão poucos, e que os condenados sofrerão agonias eternas no inferno. Isso não reflete um ponto de vista muito humanista, sendo especialmente desagradável diante do fato de que diz que a oportunidade de salvação termina por ocasião da morte biológica de cada pessoa, o que é contrário ao que diz o trecho de I Ped. 4:6. Quase todos os grupos protestantes e denominações evangélicas têm herdado o ponto de vista pessimista da Igreja Ocidental.

Poderíamos definir o *humanismo cristão* como aquela visão da missão de Cristo que declara que sua missão, finalmente, haverá de beneficiar a *todos* os homens e não apenas aos eleitos e que a *oportunidade* de salvação é *ampla*, não podendo limitar-se à vida biológica pela qual passa cada indivíduo. Os artigos acima aludidos fornecem detalhes sobre essa maneira de interpretar o Novo Testamento. (AM C E F H NTI)

HUMANISMO CRISTÃO

Ver sobre *Humanismo*, seção quinta.

HUMANITARISMO

1. **Essa é a doutrina que diz que cada um deve** procurar fomentar o **bem-estar** da humanidade, suavizando as dores, **promovendo o bem-estar** geral e encorajando a prosperidade e o progresso. Isso inclui qualquer tipo de ato, caridade, melhoria industrial, obras científicas, e também as contribuições de todos os campos de estudo e atividade, incluindo o campo religioso.

2. Em um sentido negativo, o humanitarismo é a prática dos ricos que, a fim de aliviarem a própria consciência, dão algo aos pobres, sem importar os meios usados para isso.

3. Na teologia, um humanitário é alguém que nega a natureza divina de Cristo, tomando uma posição antitrinitariana. Ainda, no campo teológico, o termo pode aludir ao conceito de que a raça humana pode viver perfeitamente sem a ajuda divina.

4. Na filosofia, o humanitarismo é a doutrina de Augusto Comte e de outros, que afirma que a humanidade é a realidade final.

Ver também o artigo geral sobre o *Humanismo*.

HUME, DAVID

Suas datas foram 1711—1776. Foi um filósofo escocês. Nasceu em **Edimburgo**, freqüentou a universidade dessa cidade. Além de filósofo em sentido geral, ele se tornou conhecido como grande historiador e como teórico político. Seus contemporâneos alcunharam-no de *Tácito Inglês*. Suas experiências, na Universidade de **Edimburgo**, começaram cedo, pois ingressou na mesma com apenas doze anos de idade. Ficou sob a influência de idéias científicas quando ainda era bem jovem, e sentiu que as ciências sociais e a ética precisavam ser revolucionadas, com base em conceitos científicos. Ele pensava que assim como Newton havia revolucionado a física, assim também ele poderia produzir essa outra revolução. Embora treinado na advocacia, não se dedicava à mesma de todo o coração. As tendências para o ceticismo, na filosofia francesa, bem como nos escritos de vários antigos filósofos gregos, agitaram as cordas de uma mente já por si inquiridora.

Ele foi para a França, em 1734, tendo-se estabelecido na cidade de La Flèche, onde Descartes se educara. Durante três anos laborou com suas idéias, meditando sobre assuntos filosóficos. Disso resultou um tratado, *Sobre a Natureza Humana*, o que, conforme ele mesmo disse, «já saiu morto da impressora». Porém, a influência desse escrito era inevitável, embora reservada para anos mais tarde. Ele publicou dois volumes intitulados *Ensaio*, um trabalho que foi aclamado prontamente pelos críticos.

HUME

Tendo deixado a França, tentou novamente a cadeira de Filosofia Moral, na Universidade de Edemburgo, na Escócia; mas isso se reduziu a nada. Dessa forma, tornou-se tutor e então secretário do general St. Clair. Então reescreveu o seu *Tratado Sobre a Natureza Humana*, tendo publicado a substância do mesmo, que **atualmente se chama** *Inquiry Concerning Human Understanding*. A princípio, essa reedição novamente chamou pouca atenção, mas é a principal obra sobre a qual repousa a sua fama como filósofo.

Em 1751, tentou novamente ensinar em Edemburgo e, novamente, fracassou. Isso posto, tornou-se bibliotecário da Biblioteca do Advogado, em Edemburgo. Ali trabalhou com diligência, produzindo sua monumental *História da Inglaterra*. Em 1763, tornou-se secretário da Embaixada Britânica, em Paris. A sociedade intelectual francesa deu-lhe grande valor, a partir do que sua fama como filósofo foi crescendo. Uma vez mais retornou a Edemburgo, de onde se transferiu para Londres, tendo passado dois anos como subsecretário do general Conway. Em 1769, ele partiu para Edemburgo, uma vez mais, e logo tornou-se a figura central da vida cultural e intelectual daquela cidade. Isso prosseguiu até à sua morte, que ocorreu a 25 de agosto de 1776.

Parte do sucesso de Hume devia-se à sua calorosa personalidade, que os seus adversários não podiam negar. Era chamado afetuosamente, na França, de «le bom David» e, na Escócia, mais lisonjeiramente ainda, de «saint David». Adam Smith teceu o seguinte elogio a ele: «Ele se aproximou até bem perto do ideal de um homem perfeitamente sábio e virtuoso, até onde a fragilidade humana permite tanto». Contudo, foi esse homem que combinou o empirismo inglês com o ceticismo francês, e abalou o mundo filosófico inteiro com as suas idéias. Kant admitiu que boa parte de sua filosofia surgiu como uma tentativa para suavizar o brutal ceticismo de Hume. Seja como for, sem dúvida Hume foi um dos maiores céticos modernos. Ver o artigo separado sobre o *Ceticismo*.

Idéias:

1. **Hume baseava o chamado conhecimento sobre as** *impressões*, ou seja, as informações colhidas por nossos cinco sentidos. Daí é que emergiriam as *idéias*. Então as idéias são fixadas na memória; mas, dessa forma, têm menos força do que aquelas da experiência presente.

2. *As Idéias*. Para ele, as idéias *simples* seriam meras cópias de impressões simples. E as idéias *complexas* resultariam da complexidade das nossas impressões, quando são compostas, multiplicadas e manipuladas.

3. É fácil atribuir as idéias às impressões; mas, quando tentamos acompanhar as impressões de volta à sua fonte, falhamos. Supomos que elas surgem de algum mundo externo, que estaríamos pressentindo; mas tal suposição repousa sobre uma mera *fé animal*, e não sobre experiências válidas. Falamos sobre causas e efeitos; mas aquilo que sabemos é que se trata apenas de duas ocorrências que foram impressas sobre nossas sensações, aparentemente, relacionadas entre si. Para asseverarmos mais do que isso, precisaremos da fé animal. Esses termos podem ser usados para aludir a como nossas mentes ordenam as impressões. Essas impressões seriam: semelhança, contigüidade e causa e efeito. Ligamos eventos em sucessão e supomos que estamos observando causas e seus efeitos; mas isso seria apenas uma expressão do hábito que temos de organizar e agrupar as coisas, e então, ler nos eventos, o que queremos ler nos mesmos. Cremos nas substâncias como a origem das

nossas impressões, e preferimos supor que elas continuam a existir, mesmo quando não as estamos sentindo. Porém, em tudo isso há o envolvimento de uma mera fé animal. A única coisa que realmente sabemos é o grande cortejo de sensações (ou percepções) que atravessa a nossa mente.

4. *Probabilidade*. Mediante a associação de experiências similares, chegamos a crer que situações similares produzem resultados similares; e daí surge o princípio da *indução*, a base do método científico. Porém, tudo isso ultrapassa a experiência.

5. *Identidade Pessoal*. Poderíamos supor que o *mesmo eu* está experimentando o cortejo das nossas impressões. Supomos que a mesma pessoa conglomera as idéias, as emoções, as memórias e as antecipações. A memória nos leva a acreditar na identidade de um «eu» contínuo. Porém, precisamos invocar a fé animal para asseverar a **auto-identidade** e o mesmo também se dá com respeito à realidade dos objetos que percebemos.

6. As afirmações da lógica e da matemática são analíticas, e não sintéticas. Em outras palavras, ali a realidade é apenas tautologia lógica. Elas não nos fornecem qualquer informação sobre o mundo. São verdadeiras apenas logicamente.

7. *Metafísica*. Com base naquilo que sucedeu antes, torna-se evidente que, para Hume, não pode haver sistema de metafísica segundo o qual possamos especular sobre a *realidade*. Assim como Berkeley negava a existência do mundo material, por supor que somente a *Idéia* é real, assim também Hume eliminava tanto o material quanto o que é espiritual, reduzindo todas as coisas a um mero cortejo de sensações. Ele falava sobre o «eu», sobre a alma, sobre o mundo e sobre as substâncias racionais como se tudo fosse apenas uma coletânea de idéias, unidas pela imaginação, e às individualizações das quais daríamos nomes separados. Afirmava ele:«Quando penetro na intimidade daquilo que chamo de «eu mesmo», sempre tropeço em alguma percepção particular, como o calor, o frio, a luz, a sombra, o amor, o ódio, a dor e o prazer. Nunca consigo destacar a mim mesmo, em qualquer oportunidade, sem alguma percepção, e nunca consigo observar *qualquer coisa*, exceto através da *percepção*».

8. *Conhecimento*. Podemos distinguir dois tipos do chamado conhecimento: a. a verdade verbal ou analítica, como as tautologias da matemática e da lógica. b. Então também há o chamado conhecimento real, que são as verdades alicerçadas sobre as impressões. Mas esse conhecimento não é real, no sentido convencional. Hume, pois, negava a validade das verdades universais, — e acreditava somente no cortejo incessante das sensações, em torno das quais vamos formando as nossas idéias.

Aquilo a que chamamos de conhecimento, seja como for, **é empírico**. Está limitado ao mundo dos fenômenos. Não haveria tais coisas como revelação, misticismo, intuição e razão, como fontes separadas do conhecimento; mas esses seriam apenas nomes que damos a certas associações de sensações. Nada sabemos sobre as coisas finais, substâncias, causas, alma, ego ou o Universo. Ora, a posição de Hume reflete o mais puro ceticismo, onde o conhecimento é considerado impossível.

9. *Ética*. Ele declarava que «a razão é e deveria ser apenas escrava das paixões, nunca pretendendo ocupar outro ofício além do de servir e obedecer às paixões». As emoções primárias, os prazeres e a dor tornar-se-iam mais complexos pela associação de idéias, transformando-se em tristeza, alegria, malícia, generosidade, etc. O homem, naturalmente, inclinar-

HUME

se-ia para o prazer, procurando evitar toda dor. Mas Hume também via que no homem há a propensão para a *simpatia*, um outro nome para o amor. Daí desenvolvem-se atos benévolos. Quando o homem começa a fazer alguma coisa por seus semelhantes, então tais atos tornam-se sociais. **O senso de Utilidade** segreda-nos quão bons são os valores, pelo que a utilidade seria o teste principal de um bom ato. O que é útil é aprovado pela sociedade, pelo que a utilidade torna-se um princípio controlador dos atos humanos. Mas, aquilo que não tem utilidade, é rejeitado pela sociedade, e a isso ligamos palavras como, inútil, ruim, pervertido, etc.

Hume mostrou ser o pioneiro que distinguiu entre os «julgamentos de valor» e as declarações de fato. Os primeiros são uma interpretação, podendo estar alicerçados sobre preconceitos pessoais e sociais, pelo que não teriam qualquer valor de verdade. E ele também afirmava que não podemos equiparar «o que deveria ser» com aquilo que «existe». Não seria possível formular a equação *é-deveria ser*. Existem coisas que não são corretas. Costumes sociais estabelecidos desde há muito não são necessariamente corretos, simplesmente porque existem. Outro tanto se aplica, como é óbvio, às crenças em geral.

Ele defendia um ponto de vista utilitarista quando se tratava de julgar os julgamentos de valor. Aquelas coisas que tendem por beneficiar a sociedade são chamadas boas. Em caso contrário, são rejeitadas como más. Hume, pois, tem sido considerado um dos precursores do *utilitarismo* (vide). Nossos *sentimentos morais* aprovam o que é *útil* e rejeitam o que é *inútil*.

10. *Religião*. As idéias religiosas de Hume foram expressas em sua obra chamada *Diálogos Sobre a Religião Natural*. Ele dizia que tanto os céticos quanto os homens de fé asseveram quão incompreensível é a idéia de Deus. Porém, os céticos e os teólogos naturais afirmam a natureza antropomórfica da idéia de Deus, concordando quanto ao fato de que a discussão sobre a existência de Deus é uma questão de probabilidade, e não de necessidade. Ele rejeitava o *argumento ontológico* de Anselmo (vide), com base no fato de que um *ser necessário* não tem significado coerente, e nem podemos ter quaisquer sensações referentes a um ser dessa ordem. O *argumento cosmológico* (vide), por sua vez, confinar-se-ia a especulações sobre coisas que experimentamos neste mundo, pelo que nunca poderá afetar a Deus, que, declaradamente, está fora deste mundo. Quando muito, o argumento teleológico (vide) poderia descrever uma divindade finita e imperfeita, e não uma divindade perfeita e transcendental, como o Deus da fé cristã. O diálogo de Hume, pois, tem o efeito de empurrar tanto os teólogos naturais quanto os homens de fé na direção do ceticismo. Ele afirmava que nenhum argumento contra essa posição tem surgido na linha do horizonte. As pessoas religiosas falam sobre *milagres*; mas os milagres nunca poderiam repousar sobre bases racionais. Supostamente, os milagres são confirmados por pessoas espalhadas dentro do espaço e do tempo, e nunca são sujeitos às sensações das mesmas, sobre as quais repousa o chamado conhecimento. As chamadas leis da natureza são estabelecidas por um fundo de experiências comuns, que vai aumentando constantemente. Porém, os milagres estão acima desse fundo, e são confirmados apenas por indivíduos solitários. Portanto, não há nenhuma evidência em favor dos milagres. Deveríamos considerá-los pertencentes ao terreno das superstições. Naturalmente, essa é uma posição míope e provincial. A evidência total, em favor dos milagres, é bastante impressionante. Ver o artigo

sobre *Satya Sai Baba*, quanto a um operador de milagres moderno, cujos feitos são bem documentados.

11. *Influência Geral*. **As idéias de Hume** influenciaram os revolucionários franceses e outros pensadores políticos. No campo da economia, ele converteu Adam Smith ao liberalismo econômico, embora, nesse caso, o aluno tenha ultrapassado ao mestre. Dentro da filosofia, a sua influência foi imensa. Kant dizia que Hume é que o havia despertado de sua sonolência dogmática. Hume foi um precursor do utilitarismo. Ele foi uma espécie de genitor do positivismo lógico, visto que tal sistema é essencialmente cético. E isso significa que ele exerceu influência sobre a filosofia da ciência, visto que o positivismo lógico é a base dessa filosofia.

12. *Reações*. Hume, Hobbes e Locke foram julgados por muitos como se tivessem levado longe demais as questões que trataram. Ralph Cutworth opunha-se aos ensinos ateus e materialistas de Hobbes, com base no ponto de vista do platonismo cristão, e as suas críticas também se aplicam ao sistema de Hume, embora escritas antes da época deste. Samuel Clarke, em seu *Discourse Concerning the Unalterable Obligations of Natural Religion*, negou alguns dos pressupostos fundamentais de Hume. Thomas Reid, o líder do realismo do bom senso escocês, um movimento filosófico, se opunha ao ceticismo radical de Hume. Leibniz, na Alemanha, também se opunha a muitas das idéias de Hume. A filosofia de Kant incorporava alguns dos raciocínios e conclusões de Hume; mas, a fim de contrabalançar isso, propôs postulados de razão prática, dando novamente valor à metafísica, à fé e à intuição.

13. *Críticas*. Em favor de homens como Hume, devemos dizer que eles fazem as pessoas pensarem. É bom o indivíduo ser despertado de sua sonolência dogmática. Além disso, há um sentido em que o ceticismo é autêntico, ou seja, quanto ao aspecto que todo o nosso conhecimento é apenas *parcial*. Somente Deus sabe todas as coisas, e com precisão. A heresia de hoje é a ortodoxia de amanhã, conforme a história tem demonstrado por tantas vezes. Precisamos manter abertas as nossas mentes. Precisamos continuar pesquisando. A estagnação, com freqüência, equivale à ignorância que busca conforto. Por outro lado, Hume levou as coisas longe demais. Ele não reconheceu que a razão, a intuição e o misticismo são outras tantas vias de obtenção de conhecimento. O empirismo, baseado na percepção dos sentidos, não é a única maneira de se investigar. Então, tal como se dá com todos nós, o conhecimento dele era provincial. Ele não tinha muita experiência religiosa. Ele não era perito nessa linha de pensamento; mas era ousado o bastante para se pronunciar sobre um campo acerca do qual tinha tão pouca experiência. Nunca conheceu qualquer grande mestre espiritual. Se o tivesse conhecido, sem dúvida não teria dito certas coisas que disse. Também não possuía experiências místicas pessoais, e dificilmente era um bom juiz do que estava envolvido nessas experiências. Hume era dotado de uma mente muito arguta. mas as circunstâncias limitavam a sua experiência.É impossível um homem manifestar-se sobre qualquer grande variedade de assuntos, conforme Hume tentou fazer. Não obstante, ele deixou sua marca, e podemos derivar certas coisas benéficas de sua filosofia. «As perguntas que ele fez estão bem vivas, embora as respostas dadas por ele raramente sejam consideradas satisfatórias». (AM)

Escritos. *Treatise on Human Nature; An Inquiry Concerning Human Understanding; Political Discourses; Inquiry Concerning the Principles of Moral;*

HUME — HUMILDADE

History of England; Four Dissertations; The Natural History of Religion; Inquiry Concerning Natural Religion.

Bibliografia. AM BE E EP F MM P

HUME, GARFO DE

Em sua obra, *Inquiry Concerning Human Understanding* (IV.1), Hume deixou clara a distinção entre as declarações analíticas, *a priori*, conforme se vê na matemática e na lógica, e as declarações sintéticas, baseadas sobre fatos que surgem de nosso contacto com as coisas. As primeiras dizem respeito «à relação entre as idéias»; e as segundas referem-se «às questões de fato e da existência real». Leibniz falou mais ou menos da mesma maneira, tendo-se referido às verdades da *razão* pura e às verdades de *fato*, que se originam em nossa percepção. Contra Hume, Kant propôs proposições *a priori*, embora sintéticas, que a nossa mente operaria em categorias e forças, de tal modo que, na realidade, essas proposições seriam lógicas e *a priori*. Contudo, poderíamos investigar essas coisas por meio da experiência, pelo que elas tornar-se-iam sintéticas. O emprego feito por Hume, quanto a essa distinção, pode ser visto claramente na seguinte citação:

«Quando percorremos as bibliotecas, persuadidos quanto a esses princípios, que confusão devemos lançar? Se tomarmos nas mãos qualquer volume — de divindade ou de metafísica escolar, por exemplo, perguntemos: Este volume contém qualquer raciocínio abstrato acerca de quantidade ou número? Não. Contém qualquer raciocínio experimental acerca de questões de fato e da existência? Não. Então joguemo-lo no fogo, pois nada mais contém senão sofismas e ilusões» (12.3).

É aí que encontramos o garfo em operação. Seus dentes separam claramente os campos do conhecimento real do suposto conhecimento. O garfo de Hume precisa ser criticado, entretanto, com base no fato óbvio de que o conhecimento pode ser adquirido genuinamente através da razão, da intuição e do misticismo (que inclui a revelação). Portanto, o conhecimento pode existir sem qualquer experimento científico ou pessoal, sem nenhuma base na percepção dos sentidos. Ver o artigo geral sobre o *Conhecimento e a Fé Religiosa*. Alguns sociólogos, entretanto, preferem depender pesadamente dessa falácia de Hume.

HUME, LEI DE

Hume declarou que a **falácia naturalista** não passa, realmente, de uma falácia. Não poderíamos equiparar o que foi, o que é, o que será ou o que deveria ser. E aquilo que *deveria ser* nem sempre existe, necessariamente. Alguns sociólogos e antropólogos dependem muito dessa falácia. Esses tendem por defender, como boas ou aceitáveis, condições que existiam ou continuam existindo nas culturas, meramente porque elas, de fato, existem ou existiram. Se uma cultura abandona os seus idosos e mata os elementos mais débeis, porque tais pessoas são cargas para a sociedade, isso não significa que tais atos sejam morais, ou que sejam tão bons como seus opostos, em outras sociedades. Simplesmente porque sempre houve guerras, e que, periodicamente, um país envia homens armados contra outros, com o propósito específico de matar, não significa que isso seja bom, ou que seja algo tão bom quanto viver em paz, com a promoção de causas humanitárias. O que *é* nem sempre pode ser equiparado ao que *deveria ser*.

HUMILDADE

Esboço:
  I. Definição
  II. Opiniões Contrárias
  III. Ensinos Bíblicos sobre a Humildade
  IV. Termos Bíblicos

I. Definição

A palavra portuguesa «humildade» vem do termo latino *humilitas* (tatis), que significa «baixeza», «vileza». A humildade, pois, é a qualidade de ser humilde, em contraste com a atitude da arrogância. O conceito incorpora idéias de gentileza e submissão. A pessoa humilde é cortês, e não rude. A humildade é uma atitude de modesta auto-estima. É uma condição na qual o orgulho é rejeitado; é a isenção da arrogância. No cristianismo, supõe-se que a humildade seja uma das virtudes principais, que nos resguarda do orgulho humano, o qual anula, tão facilmente, os propósitos da graça. Também envolve o senso de sermos meras criaturas, débeis e indignas diante de Deus, como também de humildade diante dos homens. Condescende diante de homens de posição inferior. Reconhece a própria dependência à graça e à provisão de Deus. Reconhece em Deus a fonte de todo o bem-estar de todas as realizações. Declarou Paulo, em sua humildade: «Mas, pela graça de Deus, sou o que sou...» (I Cor. 15:10).

II. Opiniões Contrárias

Nem todos os sistemas éticos louvam a humildade. Aristóteles, talvez refletindo uma atitude grega comum, em sua obra, *Nichomachean Ethics*, elogiou a auto-suficiência altiva como uma virtude. No pólo oposto, ele criticou a arrogância como um dos vícios de excesso, embora tivesse degradado a *humildade* como um vício de deficiência. Ver o artigo separado sobre o *Meio-Termo Áureo*, quanto a uma explicação das doze virtudes cardeais de Aristóteles, com seus vícios de excesso ou de deficiência. Os termos empregados por Aristóteles foram: a *virtude* (o termo médio) e a *magnanimidade*.

Nietzche (vide), em sua filosofia sobre o super-homem, onde Deus aparece como morto, não abriu nenhum lugar para a humildade, o que, para ele, seria uma qualidade que os poderosos louvam nos fracos, mas somente com a finalidade de mantê-los em sujeição. Os poderosos diriam: «É uma virtude ser fraco e submisso»; e os débeis seriam estúpidos o suficiente para acreditarem nessa mentira. Para ele, exaltar o servilismo como se fosse uma virtude cardeal, como faz o cristianismo. seria ridículo demais para precisar de refutação. A humildade seria a negação da verdadeira humanidade. Em contraste com isso, Kierkegaard via o homem separado por um infinito abismo, que o afastaria de Deus, e ajoelhado. Portanto, na opinião deste último, a humildade é apropriada para a sua condição natural. Agostinho, por sua vez, pensava que a humildade é necessária para a verdadeira santidade, visto que o indivíduo arrogante não vai muito longe, com Deus, na espiritualidade. Além disso, a humildade seria a base de um serviço altruísta, onde um indivíduo serve verdadeiramente a outrem, e não ao seu próprio «eu», de alguma maneira disfarçada.

III. Ensinos Bíblicos Sobre a Humildade

1. A humildade é necessária para quem quiser servir a Deus (Miq. 6:8).
2. É uma das principais características dos santos (Sal. 34:2).
3. Vem antes da honra (Pro. 15:33).

HUMILDADE — HUMILHAÇÃO

4. Aqueles que são humildes vêem suas orações serem respondidas por Deus (Sal. 9:12; 10:17).

5. Os humildes usufruem da presença de Deus (Isa. 57:15).

6. Deus livra os humildes de seus inimigos (Jó 22:29).

7. A humildade antecede à honra (Pro. 22:4).

8. A humildade é uma excelente virtude (Pro. 16:19).

9. A humildade pode afastar os juízos temporais (II Crô. 7:14; 12:6,7).

10. Os humildes recebem ainda maior graça (Pro. 3:34; Tia. 4:6).

11. Cristo é o exemplo supremo de humildade (Mat. 11:29).

12. Os humildes são os maiores no reino de Cristo (Mat. 18:4; 20:26-28).

13. A humildade deve ser usada como uma veste espiritual (Col. 3:12; I Ped. 5:5).

14. Os santos devem andar na humildade (Efé. 4:1,2).

15. Há uma falsa humildade que precisa ser evitada (Col. 2:18,23).

16. A falta de humildade é condenada (II Crô. 33:23; Dan. 5:22).

17. As aflições produzem a humildade (Deu. 8:3; Lam. 3:20).

18. A humildade é uma bendita virtude (Mat. 5:3).

19. O lava-pés dos discípulos, por Jesus, foi uma ilustração de humildade (João 13:3 ss).

20. Os grandes exemplos bíblicos de humildade foram: Abraão (Gên. 18:27); Jacó (Gên. 32:10); Moisés (Êxo. 3:11; 4:10); Josué (Jos. 7:6); Gideão (Juí. 6:15); Davi (I Crô. 29:14); Ezequias (II Crô. 32:26); Jó (Jó 42:6); João Batista (Mat. 3:14); o centurião romano (Mat. 8:8); a mulher cananéia (Mat. 15:27); Isabel (Luc. 1:43); Pedro (Luc. 5:8); Paulo (Atos 20:19); Jesus (Mat. 11:29; Fil. 2:5-8).

IV. Termos Bíblicos

Há três palavras hebraicas e duas palavras gregas que precisam ser consideradas neste verbete, a saber:

1. *Anah*, «humilde», «aflito». Essa palavra ocorre por cerca de quinze vezes, conforme se vê, por exemplo, em Êxo. 10:3; Deu. 8:2,3,16; 21:14; Juí. 19:24; Sal. 35:13; Eze. 22:10,11. Esse vocábulo tem os sentidos de «olhar para baixo», de «rebaixar-se», de «ser gentil», de ter «um espírito humilde».

2. *Kana*, «humilhar-se» ou «ser humilhado», «ser subjugado». É palavra usada por cerca de trinta e seis vezes, conforme se vê, por exemplo, em I Reis 21:29; II Reis 22:19; II Crô. 7:14; 12:6,7,12; 30:11; 32:26; 33:12,23; 34:27; 36:12.

3. *Shaphel*, «depressão», «afundamento», «humilhação». Esse termo é usado por trinta vezes, conforme se vê, por exemplo, em Pro. 16:19; Jer. 13:18; Jó 5:11; Ecl. 12:4; Eze. 17:6,24; 21:26.

4. *Tapeinoprosúne*, «humildade», «humildade mental». Esse substantivo grego ocorre por sete vezes: Atos 20:19; Efé. 4:2; Fil. 2:3; Col. 2:18,23; 3:12; I Ped. 5:5.

5. *Tapeinós*, «humilde». Esse adjetivo grego ocorre por oito vezes: Mat. 11:29; Luc. 1:52; Rom. 12:16; II Cor. 7:6; 10:1; Tia. 1:9; 4:6 (citando Pro. 3:34); I Ped. 5:5.

HUMILHAÇÃO (HUMILDADE) DE CRISTO

Ver os artigos separados sobre **Encarnação** e a **Humanidade de Cristo**.

Esboço:

I. Discussão Preliminar
II. Importância da Humanidade de Cristo
III. Exposição do Texto Principal Sobre este Assunto (Filipenses 2:7-8)
IV. Em João 14:28: O Pai é Maior do que Eu

I. Discussão Preliminar

Humildade e Encarnação de Cristo (Fil. 2:5-11). A humildade (*humilhação*) de Cristo levou à sua suprema exaltação. Cristo possui natureza humana verdadeira, tendo sido exaltado por haver completado com pleno êxito a sua missão como homem. Esta seção é uma das **obras-primas** de Paulo. Ainda que ele nada mais houvesse escrito, somente essa porção teria feito dele um escritor imortal. Essa passagem é a principal glória da epístola aos Filipenses; nela Paulo se eleva a discernimentos profundíssimos e eloqüentes, sobre os quais a fé cristã se tem alicerçado. Não devemos nos surpreender que esta seção, quanto à qualidade literária, seja diferente do restante da epístola. Dentre a missiva pessoal, que compõe a maior parte da epístola aos Filipenses, levanta-se subitamente, qual pico majestoso, esta grandiosa passagem sobre a humanidade de Cristo, como não há igual em todo o N.T. Esta passagem assume as características de um hino ou poema, e alguns têm pensado que ou a passagem já era isso mesmo, ou que foi composta pelo apóstolo como se fora tal. Existem alguns fragmentos de hinos, preservados nas páginas do N.T., que é comentado no trecho de Efé. 5:19 no NTI. No entanto, sua conexão tão perfeita com seu contexto parece indicar que Paulo compôs esta passagem no instante em que começou a escrevê-la, embora certamente em um momento de inspiração extraordinária. O trecho demonstra os sinais de uma composição cuidadosa, embora a gramática não seja a mais excelente possível, aqui e acolá. Esta passagem é similar à de II Cor. 8:9 «...pois a graça de nosso Senhor Jesus Cristo, que, sendo rico, *se fez pobre* por amor de vós, para que pela sua pobreza vos tornásseis ricos...» Todavia, a presente passagem é uma expansão elaborada e eloqüente dessas idéias básicas. Paulo demonstrou uma capacidade poética de ordem em nada inferior, equilibrando cuidadosamente não apenas cláusulas correspondentes, mas também palavras particulares. Nesta e em algumas outras passagens, como o oitavo capítulo da epístola aos Romanos, o décimo terceiro da epístola aos Efésios, encontramos os escritos mais excelentes de Paulo.

O propósito *prático* imediato destes trechos serve para ilustrar a necessidade de humildade e harmonia, no seio da comunidade cristã; e esta elevadíssima porção da epístola não está fora de harmonia com esse tema, mas antes, ilustra-o. Era comum que Paulo escrevesse sobre elevadas questões doutrinárias usando de verdades práticas, diárias, como ilustração. Sua exposição imortal sobre o amor (ver o décimo terceiro capítulo da primeira epístola aos Coríntios) foi inspirada pelo seu desejo de ver os crentes empregarem os dons espirituais de maneira correta. E sua apresentação de Cristo como o «Noivo» e da igreja como a «noiva», foi inspirada pelo seu interesse por ilustrar o amor mútuo que deveria haver entre marido e mulher, neste mundo. Por outro lado, sua belíssima expressão sobre a carreira do crente (ver o terceiro capítulo de Filipenses) foi inspirada por seu desejo de ilustrar a superioridade do cristianismo sobre o legalismo.

II. Importância da Humanidade de Cristo

No presente texto transparece a grande importância da humanidade de Cristo. Jesus não foi exaltado

HUMILHAÇÃO

porque era divino, de modo a ter sido elevado acima de tudo, até à mão direita de Deus Pai; pelo contrário, foi ele assim exaltado porque completou com todo o sucesso a missão que viera cumprir como homem, a sua missão messiânica. Isso concorda com o trecho de Heb. 1:9, onde vemos que a exaltação de Cristo se alicerça sobre o fato de que ele amou a justiça e odiou a iniqüidade; e essa foi a grande característica de sua missão terrena. Nesse ensinamento nos é relembrado que Cristo se identificou conosco, em nossa humanidade, a fim de que pudéssemos nos identificar com ele, em sua exaltação e em sua natureza divina, vindo assim a compartilhar de sua plenitude e da plenitude de Deus Pai (ver Rom. 8:29; Efé. 1:23; 3:19 e II Ped. 1:4).

O que ocorre ao Cabeça, necessariamente ocorrerá também ao corpo místico, já que nossa identificação com Cristo é completa e eterna. E essa é a profundíssima mensagem do evangelho que vai muito além do perdão dos pecados e da mudança futura de endereço para os céus. (Ver as notas expositivas em Fil. 2:7 no NTI, onde aparece inerente o ensino sobre a importância da humanidade autêntica de Jesus Cristo). Isso nos ensina que Cristo foi *vencedor* e foi *exaltado*; e outro tanto pode acontecer conosco, e isso da mesma maneira e com o mesmo grau que ocorreu com Jesus, porquanto nossa identificação com ele garante isso.

«Cultivai a disposição que houve em Cristo Jesus. Pois ele, embora existisse desde a eternidade, em estado de igualdade com Deus Pai, não considerou que essa condição divina fosse algo a que ele deveria agarrar-se tenazmente; antes, deixou tudo de lado, e assumiu a forma de escravo, tendo sido feito à semelhança dos homens; e, uma vez encontrado na forma de homem, humilhou-se ao tornar-se obediente a Deus de tal sorte que sofreu a morte, sim, a morte ignominiosa da cruz». (Vincent, *in loc.*).

Devemos observar que foi o escravo quem foi supremamente exaltado. Paulo queria que aprendêssemos essa lição, para que pudéssemos receber nossa glorificação no serviço de outros, e não no serviço de nós mesmos.

III. Exposição do Texto Principal Sobre Este Assunto (Fil. 2:7—8)

mas esvaziou-se a si mesmo, tomando a forma de servo, tornando-se semelhante aos homens; e, achado na forma de homem, humilhou-se a si mesmo, tornando-se obediente até a morte, e morte de cruz.

A si mesmo esvaziou. Longe de preferir seus elevados direitos e privilégios, em pé de igualdade com Deus Pai, Cristo se «esvaziou», o que representa tradução literal do verbo grego «Kenoo». Esse verbo também pode significar «tornar sem efeito», «anular», «privar-se de». O que os intérpretes disserem a respeito disso será determinado, não por esse termo grego ou pelo que diz o versículo inteiro, mas pelo que significa tal conceito, teologicamente falando, a saber:

1. Mui provavelmente, Paulo não tencionava estabelecer qualquer declaração teológica exata, firmando distinções neste ponto; antes, de maneira geral e indefinida, meramente salientou o fato de que, em vez de Jesus escolher as glórias celestiais e poderes elevados, preferiu a esfera humilde dos homens, a fim de poder redimir seus eleitos; e assim esvaziou-se de sua expressão de vida nas regiões celestes. Essa expressão, portanto, serve para ilustrar uma atitude, a fim de serem bons seguidores de Cristo, não procurando expressar, em quaisquer termos exatos, as limitações que havia no estado encarnado de Jesus Cristo. Esta expressão, por

conseguinte, é posteriormente definida naquilo que se segue, acerca de sua natureza: Cristo se tornou homem, um escravo, um escravo obediente, ao ponto de haver aceito uma morte ignominiosa, preferindo isso a reter suas glórias celestiais elevadas—e tudo isso porque queria redimir os homens. Qualquer coisa que vá além disso, na tentativa de expressar o sentido do trecho, penetra no campo da teologia especulativa, embora algo mais seja definido em outras porções do N.T.

2. Cristo Jesus jamais poderia ter deixado de ser Deus, pois como pode alguém deixar de ser aquilo que é essencialmente?

3. No entanto, Cristo pôs de lado os seus atributos e poderes divinos, para que pudesse compartilhar plenamente da condição humana, em sua fraqueza e sorte. É isso que empresta à encarnação de Cristo o seu significado para nós. A diferença entre os crentes, quanto às opiniões que embalam sobre essa questão, atinge apenas até que ponto «absoluto» esse esvaziamento é encarado por eles.

«...pois conheceis a graça de nosso Senhor Jesus Cristo, que, sendo rico, se fez pobre por amor de vós, para que, pela sua pobreza, vos tornásseis ricos» (II Cor. 8:9). A graça de Deus, por conseguinte, foi o grande motivo da encarnação de Cristo, e isso como expressão ao amor divino.

Somente o grande e infinito amor
Ao meu precioso Salvador,
Fê-lo sair de seus palácios de marfim,
Para este nosso mundo de lamentações
(Henry Barraclaugh)

Assumindo a forma de servo. Reaparece aqui, tal como em Fil. 2:6, onde é amplamente comentada no NTI, a palavra «forma». Não subentende necessariamente a idéia de «natureza», mas dá a entender alguma espécie de natureza essencial, que se manifesta através de alguma «forma» específica ou caráter de manifestação. Certos atributos, baseados em uma espécie específica de natureza entram em ação. Portanto, as palavras, «Cristo, na forma de Deus», subentendem, ainda que não o afirmem necessariamente, a sua divindade.

Uma Metáfora Notável

a. A humilhação de Jesus chegou ao extremo de haver se tornado um «escravo». Ninguém é inferior a um escravo. O escravo não tem vontade própria, não tem direitos, não tem qualquer proteção perante as leis do estado. Serve de instrumento ao serviço de outros e é forçado a fazer as coisas mais árduas e degradantes. É, essencialmente, um «trabalhador braçal», e não tem direito a descanso. Cristo não era realmente um escravo, mas assumiu a «forma» (aparência) de escravo, em comparação com sua glória anterior.

b. Em sua missão, ele «trabalhava» como instrumento alheio, cumprindo a vontade do Pai. E foi obediente; mostrou-se supremamente dedicado; foi produtivo.

c. É possível que o apóstolo tivesse em mente a passagem de Isa. 52:13, quando escreveu essas palavras. O escravo obterá sucesso e será exaltado. Acabará vencendo. Mas primeiramente teria de trabalhar e sofrer.

Reconhecido em figura humana. «Figura» é tradução do vocábulo grego *omoioma* que significa «cópia», «imagem», «aparência», «formato». Essa palavra pode significar também ou a «real duplicação» da natureza, ou a «semelhança» dessa natureza.

Como Paulo usou esses termos

1. Quando se utilizou das expressões «forma de

HUMILHAÇÃO

Deus» e «semelhança de homens», Paulo não fez qualquer tentativa de descrever especificamente a natureza metafísica de Cristo. Não estava declarando, *diretamente*, que Cristo era Deus e homem, em sua essência.

2. Não obstante, ele deixa isso entendido em sua linguagem. Para que tivesse a «forma» de Deus, era mister que primeiramente possuísse a «natureza» correspondente. Sua natureza divina se expressa de certa maneira visível e compreensível—a isso chamamos de «forma». E sua natureza humana se expressava de certa maneira visível. Daí dizermos «semelhança de homens». Todavia, ser-lhe-ia impossível ter a semelhança, sem ter também a essência da natureza humana.

3. Esse raciocínio deve ser verdadeiro, pois seria absurdo afirmar-se que Cristo não era nem Deus e nem homem, com base na teologia do N.T. Naturalmente, os gnósticos afirmavam exatamente essa aberração, reduzindo Cristo a um ser pertencente à ordem angelical. As expressões usadas no texto, *poderiam*, talvez, subentender essa idéia, pois as palavras são instrumentos plásticos e inexatos. Mas a teologia de Paulo contradiz tal noção. As expressões em foco, pois, enfatizam o «modo de manifestação», embora não afirmem especificamente que Cristo fosse, ao mesmo tempo, Deus e homem.

«A sujeição 'de Cristo' à lei (ver Luc. 2:21 e Gál. 4:4), bem como a seus pais (ver Luc. 2:51); o seu estado aviltado como carpinteiro, como filho reputado do carpinteiro (ver Mat. 13:55 e Mar. 6:3); o fato de que foi traído a troco do preço de um escravo (ver Êxo. 21:32); sua morte similar à de um escravo, a fim de libertar-nos da servidão ao pecado e à morte; e, finalmente, sua dependência a Deus como um escravo, na qualidade de homem, não permitindo que sua divindade se manifestasse externamente (ver Isa. 49:3,7), tudo isso demonstra que ele assumira a 'forma de um escravo'» (Faucett, *in loc.*).

Por isso mesmo é dito nas Escrituras que o Filho do homem veio para servir a muitos (ver Mat. 20:28). E assim também, aquele discípulo do Senhor Jesus que quiser ser grande, que seja o servo de todos (ver Mat. 20:27). Esta é a lição que nos apresenta o texto que ora comentamos, dando a entender, — em vez de declará-lo dogmaticamente, as naturezas divina e humana de Jesus, o Cristo, naturezas essas que se correspondem entre si. A sua força como lição nossa é derivada do grande contraste entre a glória que ele tinha como ser divino, e a humilhação que sofreu como ser humano.

Tornando-se. Essa palavra pode ser contrastada com o termo «subsistindo», que figura em Fil. 2:6. A palavra que ora comentamos assinala a entrada de Cristo no seu novo estado, quando veio compartilhar da natureza humana. (Ver o artigo sobre a doutrina da «encarnação»).

Ó Verbo de Deus encarnado,
Ó Sabedoria vinda do alto,
Ó Verdade imutável, não-modificada,
Ó Luz de nosso escuro firmamento
Louvamos-te pelo teu resplendor,
Que das páginas sacrossantas,
Qual lanterna para nossos pés,
Brilha de século para século.

(William Walsham How, 1867).

Filipenses 2:8

Temos aqui a *humilhação dentro da humilhação* de Cristo, que foi da servidão à obediência absoluta, e esta última expressão era na forma de morte por crucificação, reservada para os escravos e piores criminosos. (A «morte por crucificação» é comentada no trecho de Mat. 27:23 no NTI, juntamente com informações arqueológicas recentemente encontradas na área de Jerusalém).

A si mesmo se humilhou. Notemos que a vontade ativa do Filho de Deus, Jesus Cristo, se mostrou ativa nessa sua humilhação. Ele deixou voluntariamente as riquezas celestiais e toda a sua glória, e se submeteu espontaneamente à sua aviltada condição terrena. Obedeceu e morreu voluntariamente, tendo tido uma morte vergonhosa. No grego original temos o verbo «tapenoo», que significa «humilhar-se», «rebaixar-se», «degradar-se», «aviltar-se».

«O que se deve fazer com um quadro não é tanto analisá-lo, e, sim, deixá-lo falar, conforme Paulo queria que falasse 'o quadro do exemplo de Cristo' àqueles crentes filipenses, que se exaltavam a si mesmos. Isso sugere que Deus, o criador, que se deu eternamente a si mesmo, para que pudéssemos existir, desde toda a eternidade tinha em si mesmo essa disposição mental de dar-se de si mesmo, de transmitir-se a outros; e essa atitude se tornou supremamente visível quando da manifestação de Deus em Cristo, mas que atinge até mesmo crentes individuais, a fim de que cada um deles se desvencilhe de si próprio e entre em uma nova união com a vida altruísta de Deus, para o que também foi criado o espírito de cada um de nós. Uma vez que essa revelação se concretizou (na pessoa de Cristo), nada mais pode ser acrescentado a ela». (Wicks, *in loc.*).

E diz o mesmo autor: «Há dinamite neste quadro sobre o interesse eterno de Deus por cada personalidade humana. Isso espatifou a subida social que mostrara a sua feia cabeça em Filipos. E através de todos os séculos tem servido de âmago de uma contínua revolução».

Morte de cruz. (Ver o artigo sobre **Crucificação**). Essa era a mais patente ilustração possível de humildade que se poderia fazer na sociedade antiga. Na polida sociedade romana era proibido até mesmo mencionar esse gênero de morte, que estava reservado aos piores criminosos e aos escravos. No dizer de Vincent (*in loc.*): «O final da descrição deixa o leitor no ponto mais baixo da humilhação de Cristo, a morte como a de um malfeitor; o tipo de morte ao qual estava vinculada uma maldição, dentro da legislação mosaica. (Ver Deut. 21:23; Gál. 3:13 e Heb. 12:2). Na qualidade de cidadão romano, Paulo estava isento desse opróbrio (mas Jesus, o Cristo, o maior de todos os homens, não o estava)». É interessante que os gregos estavam acostumados a imaginar os seus deuses no maior poder e honrarias que se possa conceber; e para eles um Salvador crucificado era uma insensatez.

Cruz. Jesus desceu do ponto mais alto até a profundeza mais vil.

IV. Em João 14:28: O Pai é maior do que eu

Palavras de tal natureza, mui naturalmente, têm servido de fulcro de grandes controvérsias, centralizadas em torno da natureza da pessoa de Cristo, e têm participado de diversas polêmicas históricas, desde os primórdios da igreja cristã neste mundo, continuando a servir de motivo de debates até os nossos próprios dias.

O antigo partido religioso cristão dos *arianos* considerava essas palavras como um texto de prova de seu sistema religioso herético. Seus mentores aceitavam o fato da preexistência de Cristo, mas não criam que Cristo participasse da verdadeira essência divina, conforme o Pai dela participa; e diziam que embora em sua encarnação, em seu batismo e em sua ressurreição houvesse Cristo obtido certa modalidade

HUMILHAÇÃO — HUMOR

de divindade, não podia ser essa divindade comparada essencialmente com a do Pai. Assim sendo, não acreditavam na existência de uma única essência divina e por conseqüência, não criam que Cristo participasse dela tanto quanto o Pai. E asseveravam que em última análise, embora preexistente e participante em certo sentido da natureza divina, Cristo Jesus não passava de uma criatura, criada em algum tempo remoto pelo Pai, o que impedia que fosse considerado no mesmo nível que o Pai, como uma realidade metafísica.

Outros grupos de expressão *cristã* têm mantido pontos de vista similares, entre os quais poderíamos destacar os docetistas dos tempos primitivos, os quais, em sua cristologia com grande freqüência eram parecidos ou mesmo iguais aos arianos. Não obstante, estes em determinadas ocasiões chegavam a pensar que Cristo pertencesse à ordem dos anjos; alguns imaginavam que ele pertenceria às categorias mais elevadas de anjos, ao passo que outros diziam que embora pertencesse a uma das categorias elevadas, contudo, não pertencia à mais elevada de todas. Juntamente com tais conceitos corria paralela a idéia de que ele é o *deus* deste mundo, mas que existem outros mundos, que mui provavelmente contam com seus próprios deuses e criadores.

Interpretações similares têm sido defendidas pelos *socínios*, unitários e racionalistas, os quais, em sua maior parte, entretanto, negavam qualquer preexistência da parte de Cristo, verdade essa crida pelos arianos e docéticos. Para aqueles outros, pois, Cristo foi exaltado como qualquer homem poderia tê-lo sido, mas que de forma alguma haveria qualquer participação real na natureza divina verdadeira, no caso de Cristo; não haveria unidade de natureza entre Deus e Cristo. E se alguém é declarado como «divino», para aqueles três grupos significa não uma declaração acerca da natureza desse alguém, mas antes, declaração de posição ou recompensa, participação em valores éticos similares, jamais participação na mesma natureza ou essência metafísica. Alguns desses grupos chegaram e até hoje chegam a considerar uma blasfêmia (enfatizando um monoteísmo exagerado) o simples pensar que Cristo é Deus, em qualquer sentido sólido real.

Sumário de idéias (ponto de vista ortodoxo)

1. Em sua missão terrena, o Filho era de menor estatura que o Pai. Assumiu uma missão subordinada, dirigida pelo Pai, dirigida pelo Espírito.

2. O Logos, em sua encarnação, assumiu posição de inferioridade. Ele pôs de lado seus direitos e atributos divinos (embora não a natureza divina). Limitou-se a si mesmo, e a si mesmo se humilhou. Ver Fil. 2:7 e *ss*.

3. Na eternidade futura, o Filho continuará assumindo uma posição de inferioridade, apesar de compartilhar da mesma natureza com o Pai. Na qualidade de Logos, ele sempre foi e sempre será o agente de Deus, o seu meio de revelação. Ele se identifica com a natureza humana redimida, pelo que assume uma posição subordinada. (Quanto a outras escrituras que ensinam a subordinação do Filho ao Pai, ver João 17:5; I Cor. 3:23; 11:3; 15:27,28; Fil. 2:9,11). Fil. 2:6 fala sobre a qualidade inerente ao Pai e ao Filho. Os versículos dados acima demonstram, de vários modos, como o Filho se subordinou ao Pai, e como essa condição se prolonga pelo estado eterno.

4. Essa subordinação quanto à função não milita em nada contra sua natureza divina, nem contra sua perfeita união com o Pai. (Ver João 5:19 e 10:30).

«Não está em foco a distinção quanto à *natureza ou a essência* (João 10:30), e, sim, a distinção quanto à posição na trindade. Não há aqui qualquer arianismo ou unitarismo. A própria explanação que aqui é dada serve de prova da deidade do Filho. (Dods)». (Robertson, *in loc.*).

HUMOR

Esboço:
I. Palavras e Definições
II. Antigas Expressões de Humor
III. O Humor no Novo Testamento
IV. Teorias do Humor e Coisas das Quais Rimos
V. Valor Terapêutico do Humor

I. Palavras e Definições

A palavra portuguesa «humor» vem do latim, **umor**, que significa «vapor» ou «umidade». A raiz verbal latina é *umere*, «umedecer». Essa palavra era empregada, na terminologia da era medieval, para indicar os quatro fluidos cardeais: sangue, flegma, bílis amarela e bílis negra. Ver o artigo separado sobre os *Quatro Líquidos do Corpo*. Acreditava-se então que o devido equilíbrio desses humores seria necessário para produzir a disposição que convém, tanto física quanto mental, em um homem. Em vista disso, tais humores foram associados com a atitude iracunda, **com a atitude fleugmática**, com a atitude feliz, com a melancolia, etc. A palavra «humor», com o sentido de capricho, diversão e leveza de espírito parece só ter entrado no vocabulário europeu já no século XVI. Foi daí que ela passou para o seu uso mais moderno. Atualmente, o humor é definido como aquela atitude mental de sentimentos leves, divertido, com algum senso do cômico, do irônico e do que é ridículo.

II. Antigas Expressões de Humor

Os gregos desenvolveram o humor, transformando-o em uma arte, em suas comédias, que contêm muitas situações cômicas, semelhantes àquelas que achamos engraçadas em nossos próprios dias. Antes mesmo disso, na literatura antiga, achamos alguns exemplares de piadas antigas. Assim, na Mesopotâmia, pertencente cerca de 2150 A.C., há uma instância de humor literário. Essa antiqüíssima piada diz: «Quem era aquela dama que eu vi com você na noite passada?» Resposta: «Aquela não era uma dama; era minha esposa». Naturalmente, essa piada é contada até hoje; mas, quem teria imaginado que ela tem origem tão antiga! Também lemos, na literatura antiga, sobre festins de bebedeira; e isso nos leva a perceber que a mente humana não mudou praticamente nada em quatro mil e tantos anos. Podemos, pois, imaginar, que na antiguidade havia comicidade das mais variadas, desde a imoral até à sofisticada, com comediantes, palhaços e tudo o mais.

Há informes na literatura grega clássica que mostram que pelo menos até uma época tão remota quanto a de Platão e a de Aristóteles, o riso era considerado um bom meio para se corrigir o que é excessivo, ridículo, pesado e burlesco.

No Antigo Testamento encontramos alguns jogos de palavras, embora eles sejam percebidos com mais facilidade no original hebraico. Os eruditos têm identificado não menos de seis mil e quinhentos desses jogos de palavras, no Antigo Testamento. Essa forma de humor chama-se *paronomásia*, um termo que, no grego, significa «alterar o sentido», mediante leve mudança de palavra ou do som das palavras. Assim, para exemplificar, em Gên. 2:7, lemos que o *homem* (no hebraico, *adam*) é declarado como *terreno* (no hebraico, *adamah*), uma caracterização de sua natureza básica, e não apenas um lembrete de que ele fora feito (de acordo com o relato bíblico),

HUMOR

literalmente, «do barro». Alguns eruditos supõem que o relato de que a mulher foi feita de uma *costela* do homem envolve um jogo de palavras, onde a mulher seria como que um *aspecto* da personalidade do homem, o que envolveria a necessidade de entender a palavra hebraica *ish*, «do homem», como se fosse o termo hebraico *sela*, «aspecto». E a torre de *Babel*, relacionada quanto ao nome à *Babilônia*, de acordo com uma etimologia popular, estava ligada ao termo *balal*, «algaravia», por causa da confusão de línguas que envolveu a construção dessa torre. Ver Gên. 11:9. Alguns nomes próprios pessoais, ao que parece, também tinham o intuito de conter certo conteúdo humorístico, como foram os casos de Esaú, «cabeludo», Edom, «vermelho», Manassés, «esquecimento».

Os profetas também se utilizaram de jogos de palavras. Amós 5:5 diz que Gilgal iria para o *exílio* (no hebraico, *gelah*), uma palavra parecida, mas não relacionada a Gilgal. Além disso, o trecho de Oséias 8:7 emprega uma *paronomásia*, quando diz que a «erva» (no hebraico, *qamah*) não daria «farinha» (no hebraico, *qemah*). Além disso, Isa. 5:7 diz que o Senhor esperava da casa de Israel o «juízo» (no hebraico, *mishpat*), mas só encontrou ali «quebrantamento da lei» (no hebraico, *mispah*).

Há uma ácida observação usada em Jó 12:2: «Na verdade, vós sois o povo, e convosco morrerá a sabedoria». Apesar de rabujenta, nessa declaração transparece um certo humor. Além disso, Elias se encheu de sarcasmo, com muito humor, quando zombou dos profetas de Baal: «Clamai em altas vozes, porque ele é deus; pode ser que esteja meditando, ou atendendo às necessidades, ou de viagem, ou a dormir e despertará» (I Reis 18:27). Hamã foi enforcado na própria forca que havia preparado para Mordecai, o que fez parte de uma piada cômica (ver Est. 5:14 — 7:10). A esposa rabujenta continua sendo motivo de piadas, que os comediantes até hoje imitam. Ver Pro. 21:9 e 25:24.

III. O Humor no Novo Testamento

Também ocorrem jogos de palavras nas páginas do Novo Testamento; mas, nem sempre, o intuito dos mesmos é humorístico. Para exemplificar, *Jesus* (no hebraico, *hehoshua*) veio para *salvar* (no hebraico, *yasa*) o seu povo (Mat. 1:21) dos seus pecados, se retrocedermos até o idioma semítico que foi a base oral do Novo Testamento, quanto aos evangelhos. Entretanto, o trecho de Mat. 6:16 poderia ser considerado uma espécie de jogo de palavras sarcástico: «...porque *desfiguram* (no grego, *aphanízousin*) o rosto com o fim de *parecer* (no grego, *phanosin*) aos homens que jejuam». Também encontramos um jogo de palavras em Mat. 16:18, na seção solene que envolve Jesus e Pedro. Assim Jesus seria a *rocha* (grego, *petra*), sobre a qual estaria fundada a igreja, mas Pedro um *fragmento* (grego, *petros*, «pedra»). Trecho paralelo é I Ped. 2:4,5. Apesar disso, é impossível pensarmos que houve nisso o propósito de emprestar ao trecho qualquer sentido. Ver também o artigo intitulado *Pedro, Fundamento da Igreja*, quanto a uma discussão teológica sobre a questão.

Quando lemos, em Luc. 14:20, acerca do homem que não pôde atender a certo convite, para ir a um banquete, porque acabara de contrair matrimônio, imediatamente simpatizamos com o homem e sorrimos; mas, no Oriente, era coisa séria cuidar de uma noiva recém-casada. Homens eram até mesmo dispensados do serviço militar, por esse motivo. Os saduceus devem ter pensado ser um dilema teológico consternador, e talvez até mesmo divertido, aqueles que eles apresentaram a Jesus, e que, sem dúvida, já haviam apresentado aos fariseus, por muitas vezes, acerca da mulher que tivera sete maridos em sucessão, sem jamais ter engravidado, para então, ela mesma vir a morrer. Pois qual dos sete homens haveria de retomá-la como esposa, após a ressurreição? Poderíamos imaginar a cena celestial com um sorriso, enquanto se procurava alguma regra que permitisse a um daqueles ex-maridos a ficar com a mulher. Seja como for, é evidente que os saduceus se divertiam com dilemas como esse. Para eles, isso provava o erro envolvido na idéia da ressurreição. Mas Jesus mostrou onde eles estavam equivocados: «Errais, não conhecendo as Escrituras nem o poder de Deus». Ver Mat. 22:23 ss. Se ri melhor quem ri por último, então Deus haverá de rir-se de todos aqueles que zombam das coisas celestiais, sem as compreenderem. Ver Sal. 2:4,5.

Também é possível que a ilustração do ato dos fariseus, de coarem do vinho um minúsculo mosquito que ali caíra, para, em seguida, engolirem um camelo (o que significa que tinham cuidado com coisas sem importância, mas não vigiavam quanto a questões realmente importantes), contenha um toque de humor. Ver Mat. 23:24. Penso que Paulo deixou escapar um sorriso quando escreveu: «...porque é melhor casar do que viver abrasado» (I Cor. 7:9). E podemos perceber um misto de amargura e de humor sádico em Gálatas 5:12, onde, segundo a nossa versão portuguesa, Paulo escreveu: «Oxalá, até se mutilassem os que vos incitam à rebeldia». É como se ele estivesse dizendo: «Se os judaizantes pensam que o ato de circuncisão (cortar a pele do prepúcio) ajuda a salvar, por que eles não se emasculam de uma vez?»

Modernamente, a sogra sempre é motivo de piadas; mas, nos dias do Novo Testamento, elas eram tratadas com todo o respeito (ver Mar. 1:30,31), pelo que os judeus da época não achavam qualquer graça em piadas sobre sogras.

IV. Teorias do Humor e Coisas das Quais Rimos

Os filósofos e os psicólogos, que procuram saber sobre tudo, naturalmente têm-se esforçado por entender por que a humanidade tem inventado tantas formas de humor. Damos abaixo algumas das teorias a esse respeito:

1. *Há três latas classificações de coisas humorísticas:* a. o humor é usado para exprimir sentimentos (ou pretensões) de superioridade ou de inferioridade. b. Coisas incongruentes são engraçadas, como também situações frustrantes ou de ansiosa expectação. c. O alívio de tensões ou de inibições é expresso mediante atos, gestos ou observações engraçadas.

2. *Platão.* Ele dizia que rimos daquilo que é ridículo ou está fora de lugar ou é despropositual.

3. *Aristóteles.* Rimos do que é ridículo. O ridículo é uma variedade do *feio*.

4. *Quintiliano.* O riso nunca está muito longe da derrisão. Ver Sal. 37:13; 59:8 quanto a essa idéia, no Antigo Testamento.

5. *Francisco Bacon.* Antes de tudo, o humor se baseia sobre a *desformidade*.

6. *Descartes.* O júbilo, tinto pelo ódio, com freqüência, é o que nos faz gargalhar.

7. *Thomas Hobbes.* A *alegria* é a causa essencial do riso. Mas, podemos sentir alegria às custas de outrem, o que é uma forma de triunfo e derrisão. Também devemos pensar no *absurdo*, que é engraçado. Além disso, podemos perceber subitamente, em nós, alguma superioridade, em contraste com a fraqueza de nossos semelhantes, uma descoberta que nos confere alegria, de onde vem o riso e o humor.

HUMOR — HUR

8. *Joseph Addison*. O humor se alicerça sobre nosso triunfo sobre outros, embora também sobre o senso do absurdo, do ridículo. Rimo-nos não somente das pessoas, mas também de instituições e de situações, quando vemos nelas algum absurdo. Assim, um governo qualquer cria o caos econômico em seu país, e então acusa de traição ou de falta de patriotismo a qualquer indivíduo que criticar aqueles desmandos. Ora, isso é absurdo, e achamos graça em tal situação.

9. *Henri Bergson*. Rimos de outras pessoas tanto para humilhá-las quanto para corrigi-las.

10. *Jean Paul Richter*. Este é um mundo cheio de tolos, e realmente achamos engraçado observar as coisas insensatas em que tantas pessoas se envolvem.

11. *Philip Sidney*. É humorístico aquilo que é incongruente.

12. *Arthur Schopenhaeur*. O riso origina-se na súbita percepção da incongruidade de algum pensamento, ato ou coisa. Eis uma boa piada ilustrativa: Os guardas de uma prisão estavam jogando baralho. Um dos prisioneiros pediu para unir-se ao grupo, e os guardas deixaram. Os guardas ficaram muito irados quando apanharam o prisioneiro usando de trapaça, para ganhar o jogo. Por isso, expulsaram-no, a pontapés, da prisão.

13. *Arthur Koestler*. Ele pensava que o humor reside em circunstâncias caracterizadas por bissociação, ou seja, quando as situações combinam associações improváveis, ou elementos incongruentes entre si. Em tais situações, a tensão mental criada no absurdo da situação seria aliviada pela risada. Há uma piada de um professor que concordou em dar nota 10 a uma aluna sua, se ela concordasse em ir com ele a um motel. Mas depois, na hora de dar nota à aluna, o professor deu-lhe a nota 5, a fim de ensinar a ela uma lição moral.

14. *Sigmund Freud*. Quando analisava o humor, ele descobriu que a principal causa é a liberação de energias psíquicas, que até então estavam reprimidas. As forças psíquicas são tolhidas e despertam a agressividade. Achamos graça em alguma coisa quando, alguma circunstância nos leva a liberar as forças psíquicas. Então a agressão transmuta-se em riso. A liberação da repressão é recebida pela mente humana como uma espécie de alívio jubiloso. Assim, uma piada imoral, segundo Freud, seria engraçada por liberar nossa agressividade sexual e a nossa repressão, reduzindo-as a um ato socialmente aceitável, isto é, o *riso*.

15. *John Dewey*. O riso assinala algum ato realizado, bem como o aumento do senso da liberdade. É esse sinal de alívio de que alguma coisa terminou ou foi realizada que nos faz rir. E também é o alívio diante de alguma tensão.

Como sempre, as teorias são apenas janelas que nos permitem entrever a realidade. Dentre as multidões de teorias, extraímos uma descrição. O humor é multifacetado. Pode envolver a agressividade, a derrisão e o senso do absurdo; mas também pode ser demonstração de simpatia e sinal de alívio, como também uma fuga para a liberdade, o alívio de alguma tensão, um toque de esperança. E, finalmente, pode indicar a derrisão ou o desespero. É mesmo significativo que uma das principais formas de humor é aquela que zomba da morte e suas conseqüências. Por que os homens acham que a morte é engraçada? A medicina esforça-se por adiar a morte ao máximo. Os teólogos se esforçam por nos dar esperanças relativas ao outro lado da morte. Achamos a morte engraçada porque essa esperança é *verdadeira*, de acordo com o testemunho de nosso homem interior. Isto posto, aquilo que parece ser uma grande tragédia é reconhecido, intuitivamente, como uma coisa boa. Em conseqüência, somos capazes de rir em face mesmo da morte, o que não é nenhuma pequena realização.

V. Valor Terapêutico do Humor

A medicina psicossomática tem-nos ensinado muitas coisas, em décadas recentes, sobre como as emoções negativas podem nos prejudicar, tanto mental quanto fisicamente. Por outro lado, existem, emoções positivas como o amor, a compaixão, a alegria e o bom humor, que são capazes até de curar. Ainda recentemente, li sobre um homem que foi curado de um sério distúrbio nervoso somente com um medicamento: *o riso*. Foram liberados os seus mecanismos curadores naturais, quando ele começou a praticar, diariamente, a alegria bem-humorada. O humor sadio também é bom para fomentar as qualidades espirituais do indivíduo. O hinduísmo percebe algo disso quando descreve a história, do cosmos e da humanidade, como uma comédia criada pela divindade, onde aparecem intermináveis situações engraçadas. Até mesmo os acontecimentos trágicos, em última análise, podem ser encarados como engraçados, quando percebemos como a mão de Deus faz todas as coisas redundarem em nosso bem.

O bom humor é uma das grandes realidades básicas da vida. O cinema, a televisão, a literatura e a própria vida parecem valer-se de três elementos básicos, pelo menos até onde a *maioria* das pessoas está envolvida: a violência, o sexo e a comédia. Contudo, isso fica aquém de uma definição completa do humor, porquanto, acima de tudo, há um lado espiritual nas coisas. Não obstante, o fato de que os homens se preocupam tanto com esses três elementos mostra-nos o papel importante do humor, para os seres humanos.

Conheci um pregador evangélico que costumava dizer: «Não se leve muito a sério». Para ele, esse era um padrão fundamental de vida diária. Fazemos muitas coisas duvidosas quando começamos a nos levar por demais a sério. Deveríamos ser capazes de ver o lado brilhante das coisas, percebendo nossa própria pequenez, absurdo e ridículo. O resultado primário dessa descoberta é a modéstia, a humildade. Além disso, mostrar-nos-emos mais justos e compassivos no trato com o próximo, que, a despeito de todos os seus erros, não são mais absurdos do que nós o somos. (AM BER FREU(1916) Z)

HUNTA

No hebraico, «fortaleza». Esse era o nome de uma cidade da região montanhosa de Judá (Jos. 15:54). Sua localização nunca foi identificada pelos estudiosos modernos.

HUPÁ

No hebraico, «cobertura», «proteção». Esse foi o nome de um sacerdote que serviu nos dias do reinado de Davi. Ele estava encarregado do décimo terceiro turno dos sacerdotes que serviam no templo de Jerusalém (I Crô. 24:13). Viveu por volta de 1014 A.C. Era descendente de Eleazar e de Itamar, filhos de Arão.

HUR

No hebraico, «buraco» ou «prisão». Suas conexões etimológicas têm sido muito debatidas. Tal nome pode estar relacionado aos *horeus* ou aos *hurrianos* (ver os artigos a respeito deles) e, portanto, a Gên. 14:6. Além disso, o termo acádico *huru* significa «criança do sexo feminino»; e alguns estudiosos

HUR — HURRIANOS

pensam que essa é a base da forma hebraica derivada. Em Nuzi e em outros lugares, o nome Hur era usado para significar «filho de» ou então «menino querido de (alguma divindade)». Ou então, tal nome poderia estar ligado ao nome do deus egípcio *Hor*. Seja como for, há pelo menos cinco homens chamados por esse nome, nas páginas do Antigo Testamento:

1. Um homem de Judá, mencionado em conexão com Moisés e Aarão. Quando Moisés enviou Josué em expedição armada contra os amalequitas, então Moisés, Aarão e Hur subiram juntos a um monte. Enquanto Hur e Aarão (ver Êxo. 17:10) soerguiam as mãos de Moisés, enquanto ele orava, o exército de Israel prevalecia em batalha. Mas, quando Moisés subiu ao monte Sinai para receber a lei, Aarão e Hur ficaram encarregados do acampamento de Israel (Êxo. 24:14).

2. O avô de Bezalel, e pai de Uri. Foi a Bezalel que o Senhor encheu do Espírito de Deus para que pudesse ser o principal encarregado da construção do tabernáculo. De acordo com Josefo, ele teria sido marido de Miriã, irmã de Moisés. Ver *Antiq.* 3:54. Ver Êxo. 31:2; 25:30; 38:22; II Crô. 1:5. Hur teve outros três filhos, além de Uri, os quais foram fundadores de Quiriate-Jearim, de Bel-em e de Bate-Gader. Alguns estudiosos têm identificado esse Hur com o primeiro desse nome. E alguns escritos rabínicos apresentam-no como filho de Miriã, e não como seu marido.

3. Um rei midianita que foi morto juntamente com Balaão e quatro outros governantes. Ele era oficial de Seom, rei dos amorreus. Ver Núm. 31:1-8; Jos. 13:21. Viveu por volta de 1170 A.C.

4. O pai de um dos doze comissários de Salomão (I Reis 4:8). Esse Hur estava encarregado do distrito do monte Efraim. Algumas traduções grafam o seu nome como Ben-Hur (conforme faz a nossa própria versão portuguesa), embora outros especialistas pensem que tal expressão não deveria ser considerada como um nome próprio e, sim, apenas como «filho de Hur». Ele viveu por volta de 960 A.C.

5. Um homem referido como «filho de Hur», de nome *Refaías*, aparece como co-governante juntamente com Neemias. Ele ajudou na reconstrução das muralhas de Jerusalém. Viveu por volta de 445 A.C. Ver Nee. 3:9.

HURÃO

No hebraico, «nascido nobre». Esse foi o nome de três personagens que aparecem no Antigo Testamento:

1. O filho mais velho de Bela, um benjamita, neto de Benjamim (I Crô. 8:5).

2. Essa forma do nome de um dos reis de Tiro, da época de Davi, aparece em II Crô. 2:3,11; 8:2; 9:10. Em outras passagens», seu nome aparece com a forma de Hirão (vide). Esse homem era aliado de Davi e de Salomão.

3. Um artífice, natural de Tiro, que Salomão empregou no trabalho de construção do templo (II Crô. 2:13; 4:11,16). Seu nome aparece como Hirão, em I Reis 7:13,40,45. Em algumas traduções, ele é chamado de *Huramabi*, que significa «Hurão é meu pai». O intercâmbio dos nomes Hurão e Hirão deve-se à similaridade das letras hebraicas *vav* (transliterada como *u* ou como *w*) e *yod* (transliterada como *i* ou *y*). Os escribas, por qualquer descuido, substituíam uma dessas letras pela outra.

••• ••• •••

HURI

No hebraico, «trabalhador em linho». Esse era o nome do pai de Abiail, chefe da tribo de Gade (I Crô. 5:14), que viveu por volta de 781 A.C. Ele residia em Basã ou Gileade.

HURRIANOS

Os estudiosos têm confundido os hurrianos com os horeus; mas, nosso artigo sobre esses povos aborda a questão, fazendo a devida distinção entre esses dois povos. Os horeus eram um povo de origem semita, ao passo que os hurrianos eram indo-europeus.

1. *Localização Geográfica*. Os hurrianos têm sido localizados porque os textos cuneiformes trazem a palavra *hurri*. A língua escrita deles, em várias descobertas, tem sido localizada por todo o antigo Oriente Próximo, desde a antiga Nuzi, a leste dos rios Tigre e Eufrates, até Hatusa, no centro da Ásia Menor, e até mesmo na Palestina. Evidências sobre a existência deles também têm sido achadas no Baixo Egito (porção norte do Egito). Entretanto, o território que eles ocupavam, principalmente, estendia-se por cerca de seiscentos e quarenta quilômetros, na direção suleste-noroeste, o que, em sua porção mais larga, tinha uma quarta parte dessa extensão, localizada para o nordeste, mas fazendo fronteira com o território da antiga Assíria. Em termos modernos, os hurrianos ocupavam as áreas fronteiriças onde a porção noroeste do Irã fica contígua à parte central leste da Turquia.

Diversas fontes informativas antigas chamam esse povo de hurri, incluindo aquelas fontes acádicas de Nuzi, Mari, Hatusa e Alalaque, ou as ugaríticas e egípcias. Com base nessas referências, depreendemos alguma idéia de como esse povo se havia espalhado por um extenso território, ainda que, em termos da geografia moderna, eles não ocupassem grande área territorial.

2. *Idioma*. As evidências relativas à linguagem dessa gente dizem respeito somente à área de Urartu, perto do lago Vã. Têm sido encontradas inscrições que ilustram a linguagem de Urartu, desde 900 até 600 A.C. Os dois idiomas parecem ter sido aparentados entre si, e também às línguas do Cáucaso (antiga Armênia), e isso faz deles antigos indo-europeus, embora não possamos falar em termos mais precisos, porquanto as evidências de que dispomos são escassas.

3. *Informes Históricos*. Os hurrianos já estavam localizados no Oriente Próximo, cerca de meados do terceiro milênio A.C., ou seja, em cerca de 2300 A.C. Nessa ocasião, eles ocupavam a região dos montes Taurus, desde Urkis, a norte de Carquêmis, até o território de Namar, a região em redor do lago Van. Sabe-se que reis daquela região governavam a Assíria, que ficava imediatamente a sudoeste do território deles. Nomes hurrianos estão associados à lista dos reis assírios, entre 2200 e 2000 A.C., pelo que parece ter havido intercâmbio entre povos, que obtinham e perdiam o mando. Além disso, há outros nomes dessa lista que não são nem assírios e nem hurrianos, o que sugere que ainda outros povos estiveram envolvidos nesses eventos.

Sabe-se que os hurrianos andaram perturbando os hititas, em cerca de 1700 A.C. Isso ocorreu durante o reinado do rei hitita Hatussili I. Seu sucessor, o rei Mursili II (cerca de 1595 A.C.), fez seus exércitos atravessarem a Síria, a fim de saquearem Babilônia, mas, no caminho entraram em choque com os hurrianos. Foi entre cerca de 1600 e 1400 A.C. que os

HURRIANOS — HUSS

hurrianos atingiram o clímax de seu poder e influência, que envolvia até a Síria. Os reinos da Cilícia e de Alacá, mais ao sul, parecem ter sido dominados pelos hurrianos. O rei Supiluliuma I, de uma nova dinastia hitita, parece ter sido hurriano. Por essa época, a religião hurriana parece ter incorporado idéias religiosas dos hititas, e muitas novas divindades começaram a ser adoradas. Os hurrianos também estabeleceram o reino de Mitani, cuja capital era Wasucâni, no curso médio do rio Eufrates. Esse reino, em seu auge, dominou toda a área circundante, mas os nomes de alguns dos monarcas envolvidos não eram hurrianos, pelo que deve ter havido uma nova mistura de povos. Por esse tempo (cerca de 1400 A.C.), houve uma intensa correspondência e comércio entre os hurrianos e a XVIII Dinastia egípcia. Várias princesas mitanas tornaram-se esposas de Faraós egípcios. Entre as cartas de Tell el-Amarna encontra-se a carta Mitani, que continua sendo uma das principais fontes informativas sobre a língua dos hurrianos. O rei Supiluliuma I destruiu o reino Mitani em cerca de 1380 A.C. E o que restou dos hurrianos foi muito mais a influência cultural do que o poder político. E essa influência deixou marcas permanentes em várias culturas, inclusive na cultura dos hebreus.

4. *Os Hurrianos e a Cultura Hebréia.* A principal influência exercida pelos hurrianos era sentida no norte da Mesopotâmia, na Ásia Menor e na Síria. Uma área secundária de influência dos hurrianos era o sul da Palestina. Abraão migrou para a Palestina passando por Harã e, naturalmente, deve ter sido influenciado pelos costumes que presenciou, naquele lugar. Alguns costumes mencionados nos registros veterotestamentários sobre os patriarcas hebreus têm sido melhor compreendidos pelo conhecimento que se tem adquirido sobre a Mesopotâmia, onde os hurrianos eram o fator dominante. Tabletes com escrita cuneiforme de Nuzi, uma colônia hurriana, no norte do Iraque, na porção leste do rio Tigre, têm ilustrado vários costumes que aparecem nos relatos do Antigo Testamento. Os tabletes de Tell el-Amarna indicam que um antigo governante de Jerusalém, antes do povo de Israel ter vindo ocupar o lugar, foi chamado de servo da deusa *Hepa*. Essa é a forma abreviada de Hebate ou Hepate, que era a mais importante divindade do panteão dos hurrianos, consorte do deus Tesube. Davi, pois, adquiriu o local para a construção do templo, de um sucessor jebuseu dos servos de Hepa (ver II Sam. 24:18 *ss*). O nome desse rei era Araúna (ou Ornã), e alguns eruditos vêem nesse nome um apelativo tipicamente hurriano. Tabletes de argila, descobertos em Taanaque e em Siquém, na porção central da Palestina, trazem nomes tipicamente hurrianos, o que mostra ter havido 'uma mistura de influências cuja natureza exata' é difícil determinar. Alguns eruditos associam os jebuseus, os horeus e até os heveus com os hurrianos; porém, pelo menos no caso dos horeus, parece que tal identificação não é correta. Os horeus eram semitas, e não da raça indo-européia.

HUSÁ

No hebraico, «pressa». Esse nome aparece nas genealogias de Judá, em I Crô. 4:4 e 27:11, embora não haja certeza se designa um indivíduo ou uma localidade. Poderia ser uma aldeia, na região montanhosa de Judá; ou poderia ser um indivíduo ali residente. Mas também poderia ser o nome de uma família.

••• ••• •••

HUSAI

No hebraico, «apressado». Esse foi o nome de um homem, ou talvez, de dois homens, que figuram nas páginas do Antigo Testamento:

1. Um certo homem é chamado de arquita, amigo íntimo de Davi. Tendo sido informado sobre a rebeldia de Absalão, e de que Davi fugira de Jerusalém, Husai veio ao encontro deste último com a cabeça coberta de pó e suas vestes rasgadas, em sinal de lamentação pelo que acontecera. Husai queria acompanhar a Davi, mas este sentiu ser melhor deixá-lo como espia, que o informasse sobre os movimentos de Absalão. Desse modo, Davi esperava que os planos de Aitofel fossem frustrados (II Sam. 15:32). Husai, de fato, conseguiu frustrar os desígnios de Aitofel (II Sam. 15:32), o que permitiu a Davi tempo para se firmar, antes de ser caçado pelos homens leais a Absalão. Esse foi o fator que provocou o suicídio de Aitofel, bem como a derrota final de Absalão (II Sam. 16:16-18 e 18:5).

2. Em II Reis 4:16 lemos sobre «Baaná, filho de Husai», que vivia em Aser e Bealote. Baaná foi um dos doze oficiais que ajudavam a prover o necessário para a corte de Salomão. Alguns estudiosos têm pensado que esse Husai, pai de Baaná, teria sido o mesmo de número «um», acima. Porém, as condições geográficas tão diferentes, dificultam muito essa identificação.

HUSÃO

No hebraico, «apressadamente». Nome do rei de Edom que foi o sucessor de Joabe (Gên. 36:34,35; I Crô. 1:45,46). A Septuaginta identifica-o com o Husã que aparece no livro de Jó, mas não há certeza quanto a isso. Ele era descendente de Esaú e deve ter vivido por volta de 1500 A.C.

HUSIM

No hebraico, «apressados». Esse foi o nome de várias personagens mencionadas no Antigo Testamento:

1. Um dos filhos de Dã (Gên. 46:23). Em Números 26:42, seu nome aparece com a forma de *Suã*.

2. Um filho de Ir, um benjamita (I Crô. 7:12). Esse nome pode ter sido um sobrenome de família, designando, coletivamente, os filhos de Ir.

3. O nome de uma das duas esposas de Saaraim, que aparece na genealogia de Benjamim (I Crô. 8:8,11). Ela viveu por volta de 1618 A.C.

HUSS, JOÃO

Suas datas foram 1369—1415. Ele foi um líder religioso da Boêmia, parte da moderna Checoslováquia. Nasceu em Hussinecz, educou-se em Praga, onde entrou em contacto com as obras de John Wycliffe (vide), cujas idéias começou a propagar em Praga, chegando mesmo a usar obras escritas por Wycliffe, como textos. Tornou-se deão de filosofia, em 1401, e então reitor da Universidade de Praga, em 1402. Além desse trabalho, também foi um pregador popular em Praga, pelo que tanto nos círculos acadêmicos como nos círculos populares, exercia uma considerável influência naquela cidade. Entretanto, a universidade se dividiu por causa dos ensinos de Wycliffe. A facção alemã rejeitava os mesmos, mas a facção boêmia os aceitava. Foi ordenado padre católico romano em 1402 e nomeado pregador da capela de Belém. Esse lugar, pois, tornou-se o centro do movimento reformador da Checoslováquia, e Huss

HUSS — HUSSERL

era o líder do mesmo.

Em alguns particulares, contudo, Huss diferia de Wycliffe. Por exemplo, este último escrevera explicações duvidosas sobre a presença real do corpo e do sangue de Cristo na Eucaristia, mas Huss aceitava a posição católica romana comum da *transubstanciação* (vide). As dificuldades, realmente, começaram quando a Universidade de Praga, principalmente através da sua facção germânica, condenou quarenta e cinco das distinções ensinadas por Wycliffe, chamando-o de herege. E o arcebispo Zbynek, que havia demonstrado simpatias para com o movimento reformador, acabou defendendo novamente a ortodoxia católica romana, pelo que o seu apoio se perdeu.

Foi por essa época que se deu o grande cisma Ocidental, com três candidatos ao papado, a saber, Gregório XII, em Roma, Benedito XIII, em Avignon, na França, e Alexandre V, eleito pelo concílio de Pisa. O rei Wenceslau IV, da Boêmia, deu seu apoio a Alexandre, bem como ao seu sucessor, na linha de Pisa, que subiu ao papado com o nome de João XXIII. (Não confundir com o João XXIII que foi papa há bem pouco tempo).

Essa divisão dentro da Igreja Católica Romana viria produzir graves efeitos sobre o movimento reformador checo. Esses reformadores se puseram ao lado do seu rei, dando apoio a Alexandre V. A princípio, o arcebispo Zbynek recusou-se a isso, mas, sob pressão governamental, finalmente, também deu seu apoio a Alexandre. Mas foi então que esse papa resolveu fazer oposição ao movimento reformador, atuando através do arcebispo Zbynek, o qual ordenou que Huss interrompesse sua pregação. Quando Huss se recusou a obedecer, foi excomungado.

Mais dificuldades ainda surgiram quando Huss denunciou uma bula de João XXIII, que fora expedida contra o rei Ladislau, de Nápoles. Huss tachou a bula de teologicamente errada, fazendo objeção à venda das indulgências. Portanto, Huss estava mexendo em alta política, e por isso Wenceslau retirou de Huss o seu apoio. Huss foi novamente excomungado em 1412, pelo cardeal Stephaneschi, e a cidade de Praga foi posta sob interdito, que era uma proibição ao clero, para que não cumprisse os seus deveres religiosos, incluindo a administração dos sacramentos. Quando isso sucedeu, a fim de que o interdito fosse retirado, Huss se retirou para o exílio.

Entrementes, prosseguia o cisma papal. Foi efetuado um concílio em Constança, em 1414, sob a presidência do imperador Sigismundo, para procurar resolver a pendência e devolver a unidade organizacional à Igreja de Roma. Huss consentiu fazer-se presente, sob a promessa. feita pelo imperador, de que lhe seria dado salvo-conduto. Todavia, a promessa não se cumpriu. Nem bem ele chegou em Constança quando foi detido e lançado na prisão. Então foi acusado de apoiar e propalar a heresia de Wycliffe. Ele exigiu o direito de se defender perante o concílio, pelo que a velha história se repetiu, a de um «herege» que enfrentou seus acusadores mas perdeu. Pois ali não lhe foi permitido explicar as suas crenças, mas **tão-somente** responder a perguntas que lhe fizeram. Mas, talvez, as duas coisas fossem uma mesma coisa. A lista de acusações, porém, incluía muitas coisas que nada tinham a ver com o seu caso, sendo claras invenções. Mas, apesar de que os trinta artigos representavam distorcidamente os seus pontos de vista, pelo menos ficou claro que, quanto a muitos pontos, segundo os padrões católicos romanos, Huss era um herege. Destarte, foi condenado à morte, à semelhança de Wycliffe, e foi executado na fogueira, em Constança, a 6 de julho de 1415.

Naturalmente, as dificuldades dos reformadores continuaram. O traiçoeiro imperador Sigismundo ameaçou matar por afogamento todos os seguidores de Wycliffe e de Huss. Todavia, rebentou a revolução, além de guerra aberta e uma cruzada contra a Boêmia, o que se prolongou até bem dentro do século XVI. Foi a partir de então que o movimento dos hussitas mesclou-se com o movimento geral da **Reforma Protestante**. Quanto a maiores detalhes sobre os acontecimentos finais que envolveram as dificuldades dos *hussitas*, ver o artigo com esse título. (AM C E P)

HUSSERL, EDMUNDO

Suas datas foram 1859—1938. Foi um filósofo alemão, nascido em Prossnitz. Educou-se na Universidade de Jenna; ensinou nas Universidades de Halle, Gottingen e Freiburgo. Sofreu a influência de Brentanto (seu mestre), de Lotze e da filosofia cartesiana. Foi o fundador da *Fenomenologia* (vide).

O Fenomenalismo. Essa palavra vem do grego, *phainómenon*, «aparência». Esse é o nome que se dá ao ponto de vista que diz que só podemos tomar conhecimento dos fenômenos, das aparências, e não das coisas mesmas (coisas em si), que, aparentemente, os produzem. Qualquer tentativa de falar sobre a verdadeira natureza das coisas é rejeitada, e a natureza dos fenômenos é que é descrita. O que sabemos é somente a experiência dos sentidos, e não a própria essência das coisas. A investigação dos fenômenos, segundo Husserl, trata-se de uma investigação *a priori* acerca das essências dos significados comuns ao pensamento de mentes diferentes, e não de um programa de introspecção psicológica. Por conseguinte, se a palavra é usada em contraste com a *ontologia*, o estudo do ser, parece que a mesma também expressa um sistema que·busca descobrir a essência do ser. Husserl procurava aplicar o método de Descartes da dúvida rigorosa, de maneira a eliminar tudo, exceto os fenômenos, conforme os mesmos impressionam a consciência pura. Toda relação entre os fatos e o mundo exterior, empírico, era por ele identificada. É importante observar que ele dependia da *intuição*, a fim de compreender a essência das coisas, tendo a confiança de que a mente humana é capaz de intuir diretamente a essência das coisas.

Idéias Específicas:

1. Husserl tentava compreender os números em termos das essências dos contos que eles representam. O desejo que ele tinha de ver as essências das coisas o levou ao seu método fenomenológico. (Ele escreveu o livro *Filosofia da Aritmética*, que o envolveu nessa pesquisa.

2. Sua obra, *Investigações na Lógica*, ampliou suas pesquisas, de tal maneira que ele levou em conta as formas lógicas. As formas lógicas foram vistas por ele como essências independentes, exemplificadas em várias matérias de fato e sujeitas à inspeção fenomenológica. A fenomenologia, pois, torna possível apreender a natureza categórica universal dessas formas.

3. O seu segundo volume de *Investigações da Lógica* abrangeu o método para incluir a metafísica. No começo, Husserl contava com uma fenomenologia que era apenas metodológica, em nada diferente da psicologia, pois era uma análise descritiva do processo subjetivo. Mas, à medida que foi escrevendo, nesse segundo volume, a fenomenologia foi-se tornando uma espécie de ciência eidética, ou seja, uma ciência que se ocupa das imagens mentais, onde as essências

HUSSERL

das coisas supostamente poderiam ser descobertas. Os processos subjetivos, assim sendo, ficam envolvidos nas possibilidades ideais.

4. A partir desse ponto, o seu sistema foi-se complicando. Ele falava sobre pontos como:

a. ontologias materiais

b. ontologia formal de seres possíveis

c. ciência eidética universal dos seres deste mundo

Observações:

a. Todas as ontologias materiais teriam sua base sobre a ontologia formal, que trata das essências universais.

b. Estava se desenvolvendo um conceito da natureza da fenomenologia. Husserl chegou a encarar a sua filosofia como se abordasse a fenomenologia transcendental, porquanto seria uma análise das estruturas subjetivas, de onde emergiriam os objetos individuais deste mundo concreto. Desse modo, sua forma de fenomenologia tornou-se, de fato, uma metafísica. A isso Husserl chamava de «idealismo transcendental fenomenológico».

5. *Intencionalidade*. Dentro de qualquer processo pensante, fica claro que além de buscarmos compreender um objeto qualquer, também ficamos envolvidos em nossas próprias intenções — coisas que tencionamos fazer, significados de nossos projetos mentais, coisas que procuramos compreender. Na análise das essências haveria dois pólos: o *noema*, ou pólo objetivo, e a *noesis*, ou pólo subjetivo. Husserl, pois, supunha que é possível desenvolver uma ciência *a priori*, com base na consciência pura, o que proveria o alicerce para todo o conhecimento e para toda a ciência. Quanto a isso, ele entrou no *idealismo* (vide), deixando assim, sem resposta, a posição dos objetos da intuição, em seu relacionamento com o ego transcendental.

Ambos os lados do processo (o *noema* e a *noesis*) seriam intencionais, o que significa que todo significado é intencional. Nossas mentes reconhecem que esses processos estão nos guiando, e que esses processos nos empurram na direção das essências, por meio da intuição e das categorias mentais.

6. Husserl procurava compreender as essências. Para isso, o indivíduo teria de eliminar todas as coisas **não-essenciais**, ou características contingentes, de sua experiência, sem importar se de natureza física ou psicológica. A essência das coisas permanece inalterada, a despeito de suas variegadas manifestações externas. Descobrimos, a essência das coisas pelo processo da *epoché*. Essa é uma palavra grega que significa «parada» ou ponto de tempo. Vem de *epi*, «sobre», e *echeîn*, «ter». É desse termo que nos vem a palavra portuguesa «época», uma espécie de parada dentro do tempo, um ponto dentro do tempo. Para Husserl, pois, a *epoché* começa quando fazemos uma «parada» dentro da existência, quando a questão sobre a essência é suspensa por algum tempo. Daí partimos para uma série de reduções, que incluem os pontos seguintes:

a. A libertação da essência da consciência, que assim se vê livre de suas concretizações factuais.

b. Uma redução eidética que visa à objetividade.

c. A redução fenomenológica, que leva a um sujeito puro, ou um termo subjetivo do ato da consciência. Busca-se aí a subjetividade pura.

d. Reduzir o que é subjetivo ao que é transcendental, por meio do uso do «ego» transcendental, que é um puro fluxo da consciência.

7. Essas diversas reduções seriam apenas ampliações das intencionalidades, segundo se descreveu no quinto ponto, acima. Em sua obra, *Meditações Cartesianas*, Husserl tentou mostrar que a descoberta feita por Descartes não era a do mero «ego» individual, mas a da existência de uma subjetividade transcendental, como o primeiro *dado* de onde procedem todos os informes subseqüentes. Quando fazemos «parar» o «ego», descobrimos o «ego» transcendental. E descobrimos então duas identidades: a objetiva, no «ego» pessoal; e a subjetiva, no «ego» transcendental. O mundo e seus objetos seriam reconhecidos com base em seu lado objetivo. Mas, com base no lado subjetivo, obtemos as idéias acerca da divindade.

8. A interação dos dois lados confere-nos a compreensão sobre o mundo concreto e material, com seus objetos individuais; mas também sobre o mundo subjetivo, que ele chamava de *Umwelt*. Com base no mundo concreto, chegamos a entender a existência de outras mentes, de modo a evitarmos o solipsismo (vide). A intercomunicação das mentes fornece-nos o mundo cultural, que ele denominava de *Kulturwelt*.

9. Quando ele já estava completando seus escritos filosóficos, Husserl distinguiu entre o mundo científico e o mundo em que vivemos. O segundo seria primário, e o primeiro é que seria derivado do mundo em que vivemos. A fenomenologia teria, como sua tarefa principal, o exame do mundo em que vivemos (*Lebenswelt*).

Declarações Úteis para Entendermos Husserl:

I. A palavra **fenomenologia** refere-se a qualquer coisa que existe que se manifesta a qualquer consciência.

a. Porém, não deve ser identificada como *aparências*, como a palavra é usada nas ciências naturais, visto que pode haver fenômenos quando não há coisas reais.

b. Essa palavra indica uma ciência de todos os fenômenos, do que é real e do que é conceptual.

c. Cada objeto tem sua própria estrutura intencional. Assim, quando vemos algum objeto, projetamos sentido ao mesmo, intuitivamente. Isso é tencionar um objeto. Paralelamente a isso, um objeto me tenciona. Há um complicado entrelaçamento de intenções, entre quem vê e o objeto e a própria consciência envolve-se nesse intercâmbio.

d. Termos usados: *noético* = experimentar; *noemático* = ser experimentado; *eidético* = a essência ou forma de qualquer fenômeno, em distinção a seu caráter factual.

II. Quatro Níveis de Interpretação Fenomenológica

a. *Fenomenologia psicológica*. Aí busca-se compreender o universal, o racional *a priori*, a natureza do que é psíquico, o ser da alma. As intenções da vida social surgem desse aspecto da fenomenologia.

b. *Fenomenologia eidética*. Aí busca-se entender a essência de qualquer fenômeno, através da eliminação de todo elemento empírico e psicológico.

c. *Fenomenologia transcendental*. Aí busca-se entender a qualidade da consciência, sendo aquilo que vai além do eidético e chegando até à consciência final, a consciência do superego.

d. *Fenomenologia ontológica*. Aí os problemas racionais e inteligíveis são reduzidos a uma primeira filosofia, onde todas as ciências são combinadas, a fim de formarem uma ciência de toda a existência possível.

III. Aplicações da Fenomenologia

a. M. Scheler aplicava essa filosofia à ética e à teoria dos valores.

HUSSERL — HUSSITAS

b. M. Geiger aplicava-a à estética.

c. Heidigger aplicava-a à ontologia.

d. Jean Hering aplicava-a à filosofia da religião.

IV. Essência da Fenomenologia de Husserl

Husserl tentou seu próprio tipo de epistemologia, em lugar da epistemologia de Emanuel Kant. Ele pensava que a essência dos objetos corresponde a nossos estados mentais. Assim, nenhuma distinção poderia ser feita entre o que é percebido e a percepção do mesmo. A experiência não se limitaria àquilo que os nossos sentidos podem dizer-nos sobre um objeto qualquer. Deve incluir tudo quanto pode ser um objeto do pensamento, como as entidades matemáticas, os estados de ânimo, os desejos e as intuições. Nosso conhecimento deveria depender da intuição, e não de generalizações acerca das nossas experiências. Isso se aplica ao uso que fazemos das palavras, bem como às coisas que são descritas pelas nossas palavras. (AM E EP F MM)

É interessante notar que o Papa João Paulo II fez sua tese doutoral sobre um aspecto da filosofia de Husserl.

HUSSITAS

Esse foi o nome dado ao movimento religioso da Boêmia (uma parte da atual Checoslováquia), que derivou o seu nome de João Huss (vide). Foi executado na fogueira, sob a acusação de ser um herege, em face de acusações que lhe foram feitas no concílio de Constança, em 1415. A princípio, os ideais do movimento reformista foram efetuados por meio da liderança de Estribo, quando o povo lhe deu apoio entusiasmado. Por volta de fevereiro de 1416, as Igrejas de Praga, a capital da Boêmia, estavam nas mãos de João Huss, e o movimento ganhou grande impulso, pelo país inteiro. Naturalmente, os reformadores acabaram lutando pela liderança, entre si mesmos, tendo-se dividido em facções. Isso deu azo ao surgimento de três partidos religiosos principais na Boêmia, cada um afirmando-se descendente espiritual legítimo de Huss. O partido mais radical era o dos *taboritas* (vide). Esses ultrapassaram mesmo às idéias de Huss pois, bem à maneira protestante, eles declaravam as Escrituras como a única regra de fé e prática para os cristãos. O segundo desses grupos era mais moderado. Eram chamados de *calixtinos* ou *utraquistas*. O primeiro desses apelidos vem do termo latino *calix*, «cálice». Isso se deu porque eles insistiam em permitir a participação dos comungantes no pão e no vinho, e não somente no pão. Esses se dá com a regra católica romana. E o termo *utraquistas* deriva-se da expressão latina *sub utraque*, que significa «sob ambas as espécies», o que também aponta para a idéia de que os participantes deveriam tomar tanto o pão quanto o vinho, na celebração da eucaristia. Esses moderados receberam certas medidas reformadoras, por parte do concílio de Basiléia (vide), incluindo sobre a principal contenção deles, sendo-lhes permitida a participação tanto no pão quanto no vinho. Eram tidos como quem continuava na Igreja Católica Romana, apesar de algumas tendências reformistas. Perpetuaram sua existência separada até à batalha do Monte Branco (1620), quando os seus privilégios foram descontinuados, juntamente com os de todos os demais protestantes, visto que, por essa época, o movimento reformador já existia por certo número de décadas. Além desses, havia um terceiro grupo, chamado *Unidade dos Irmãos*. O fundador espiritual deles foi Pedro de Chelcice, e o grande organizador foi o irmão Gregório.

Aqueles que causaram a maior dificuldade, como é óbvio, foram os elementos mais radicais. Em 1417, o papa Martinho V promoveu uma cruzada contra os hereges checos. O rei Wenceslau IV teve de proibir o *utraquismo*, em 1419. Mas isso causou revolta popular. Foi estabelecida uma fortaleza para defender o movimento. Quando o rei Wenceslau morreu, a 13 de agosto de 1419, seu meio-irmão, Sigismundo, rei da Hungria e do Santo Império Romano, aquele que havia enganado a João Huss acerca do salvo conduto, deveria tornar-se rei da Boêmia, mas os boêmios se recusaram a aceitá-lo como seu monarca. Foi iniciada uma revolta liderada por Jan Zizka. Sigismundo invadiu a Morávia, em dezembro de 1419, embora não tenha ousado tomar medidas diretas contra a Boêmia. Porém, em 1420, declarou guerra aos checos, e, naquele ano, foi expedida uma bula papal, promovendo uma cruzada contra os hussitas. Várias facções boêmias se organizaram para enfrentar a invasão.

Essas dificuldades forçaram a união das facções diversas de hussitas, embora o acordo não tivesse sido completo e duradouro. Foi buscada uma base religiosa para a união, mas as facções simplesmente não conseguiam unificar-se e concordar em torno de um credo comum. À moda protestante, seguiram-se novas fragmentações, debilitando cada vez mais o movimento.

Sigismundo lançou contra os hussitas um exército de cem mil homens; mas, apesar disso, as forças reformadas, sob Zizka, conseguiram uma grande vitória militar, em julho de 1420. Mas, embora Sigismundo tivesse sido oficialmente deposto como rei, por uma dieta, levada a efeito em Caslav, ele voltou a atacar. Novamente, porém, Zizka obteve outra vitória decisiva. Todavia, em 1424, Zizka morreu de uma praga, e suas forças dividiram-se em dois grupos separados, chamados de os *taboritas* e os *órfãos*. A despeito disso, os exércitos hussitas invadiram, com sucesso, alguns territórios alemães circundantes.

Tudo isso serviu somente para deixar o papa furioso, que montou uma formidável cruzada, dirigida pelo cardeal Juliano Cesarini. Esse exército tinha noventa mil infantes e quarenta mil cavaleiros. Quando houve o encontro, aconteceu algo de notável. Embora os reformadores tivessem um exército com metade da força de seus opositores, eles começaram a cantar o hino intitulado *Todos Vós, Guerreiros de Deus*; e o grande exército do papa caiu em pânico, fugindo ignominiosamente. Podemos nos lembrar de Gideão.

Seguiram-se negociações, principalmente em Basiléia. Os reformadores fizeram suas exigências, sobretudo quanto a ambas espécies, do pão e do vinho, por ocasião da eucaristia. Essa posição, porém, já havia sido condenada pelo concílio de Constança, em 1415, pelo que não havia muita coisa a debater, visto que, conforme o leitor já deve ter ouvido, a Igreja Católica Romana diz que os concílios não se enganam. Assim, fracassaram as negociações originais; mas, em outras tentativas, em Praga, presumivelmente houve algum progresso. Todavia, estavam sendo feitos acordos secretos, com os nobres. Mas estes não se mostraram leais. Antes de tudo, os nobres só queriam aumentar os seus territórios. Além disso, esperavam que as duas facções dos hussitas — os taboritas e os órfãos — se destruíssem mutuamente. Como isso não sucedia, os nobres reuniram um poderoso exército, que acabou derrotando, definitivamente, o exército combinado dos taboritas e dos órfãos. Isso ocorreu em Lipany, em 1434. O rei

HUSSITAS — HUZABE

Sigismundo, em vista disso, subiu ao poder. Todavia, não demorou muito a ser forçado a desistir, por causa de uma revolução, que estourou em 1437.

De 1458 a 1471, o rei Jorge de Podebrady, que era hussita, governou na Boêmia, quando os utraquistas foram o poder político dominante. Porém, o arcebispo que os representava, João de Rokycany, nunca foi reconhecido pela Igreja Católica Romana. Novos acordos tinham sido firmados (chamados *pactos*), concedendo certos direitos aos reformadores, mas que acabaram sendo anulados pelo papa Pio II, que também excomungou o rei Jorge. Os reformadores checos, com a passagem dos anos, foram sendo gradualmente absorvidos pelo movimento mais amplo da **Reforma Protestante** e, em 1627, todos os elementos **não-romanistas** foram proscritos pela Igreja Católica Romana, na Boêmia. (AM C E P)

HUTCHESON, FRANCIS

Suas datas foram 1694—1746. Ele foi um filósofo irlandês escocês. Nasceu em Ulster. Estudou em Glasgow. Tornou-se chefe da Academia Presbiteriana de Dublin. Sistematizou, mais do que quaisquer outros antes dele, a teoria do senso moral, na ética, postando-se a meio caminho entre as idéias de Locke e a filosofia escocesa do bom senso. Foi um filósofo moral e estético, da tradição empírica.

Idéias:

1. **A base da teoria moral deveria ser empírica, mas** repousa sobre uma percepção natural interior sobre o que é bom e belo. Essa virtude é prazeirosa por si mesma.

2. Tanto os valores éticos quanto os valores estáticos são percebidos dessa maneira. Apesar de que os costumes, a educação, etc., podem refinar os sentidos naturais interiores (as virtudes), deverá haver um poder natural e básico para que, subseqüentemente, haja um refinamento desses sentidos naturais. A beleza é conservada nas coisas, nas idéias, nos princípios morais, nos atos morais, etc.

3. A natureza humana dispõe de mais de cinco sentidos físicos. Ela também dispõe do senso moral. Há um senso moral e também um senso público. Ficamos satisfeitos diante da felicidade de outras pessoas, mesmo quando isso não nos beneficia, e sentimo-nos infelizes diante da miséria alheia, mesmo quando essa não nos afeta. Em outras palavras, o homem, por sua natureza, é possuidor de qualidades altruístas. Não é um ser meramente egocêntrico.

4. A percepção moral é mais forte do que a razão. O verdadeiro prazer depende da benevolência, e não do egoísmo. Atos verdadeiramente virtuosos são aqueles que se originam na benevolência. Os atos virtuosos baseados sobre o **amor-próprio** são moralmente indiferentes, não merecendo nem elogio e nem censura. O prazer é importante, como prova da bondade e da virtude, mas não é a única prova. A prova de um ato correto é a felicidade que infunde sobre outras pessoas.

A principal obra de Hutcheson foi uma inquirição que ele intitulou de *Origem de Nossas Idéias da Beleza e da Virtude.*

HUXLEY, ALDOUS

Ver o ponto nono do artigo chamado **Utopia.**

HUXLEY, THOMAS HENRY

Suas datas foram 1825—1895. Foi um biólogo e filósofo inglês. Nasceu em Ealing. Era autodidata.

Tornou-se conhecido, principalmente, em face de sua hábil defesa e aplicação da evolução aos moldes de Darwin. Ele promovia o sistema mecânico aplicado à vida, de mistura com o epifenomenalismo (vide). Ele acreditava que nosso conhecimento é limitado às nossas experiências físicas, e que a verdadeira natureza do Universo está acima de nossa maneira de tomar conhecimento das coisas. Foi ele quem cunhou o termo «agnóstico» a fim de aludir à crença suspensa, em face da falta de evidência. O *agnosticismo* (vide) era a sua posição teológica. Suas obras incluíam estes títulos: *Evidence of Man's Place in Nature; Lay Sermons, Addresses and Reviews; Science and Morals; Evolution and Ethics.*

HUZABE

Essa palavra não ocorre em nossa versão portuguesa. Em Naum 2:7, corresponde a uma obscura palavra hebraica, que tem sido interpretada de várias maneiras. Visto que alguns pensam que ela parece significar «está fixo» ou «está determinado», nossa versão portuguesa diz «Está decretado». Outros estudiosos têm pensado que está em foco alguma rainha assíria, embora a história não fale sobre nenhuma rainha assíria com esse nome. A versão Revista de Almeida grafa o nome como se fosse um nome próprio. Mas outras versões portuguesas, julgando tratar-se, talvez, de uma cidade, diz «...a cidade-rainha...»

Sem dúvida, são necessários estudos mais profundos para encontrar a solução para essas obscuridades.

1. Formas Antigas

fenício (semítico), 1000 A.C.   grego ocidental, 800 A.C.   latino, 50 D.C.

2. Nos Manuscritos Gregos do Novo Testamento

3. Formas Modernas

I *I* i *i*   I I i i   I *I* i *i*   *I i*

4. História

I é a nona letra do alfabeto português. Historicamente, deriva-se da letra semítica *yod*, «mão», uma letra consoante. O grego adotou essa letra como o seu *iota*, uma vogal, pronunciada com um som longo, como na palavra portuguesa «sim», e com um som breve, como na palavra inglesa «it». No latim, originalmente, essa letra era representada pelo Y. Posteriormente, passou a ser representada pelo Y ou pelo I. O ponto sobre o «i» minúsculo apareceu como forma abreviada de um sinal originalmente usado acima dessa letra, inventado pelos escribas da Idade Média.

5. Usos e Símbolos

No latim, essa letra representa o numero 1. A letra simboliza qualquer coisa pequena e insignificante, como na expressão bíblica que diz que nenhum jota ou til passará da lei, sem que tudo seja cumprido. *I* é usado como símbolo do *Codex Washingtonianus II*, descrito no artigo separado *I*.

Caligrafia de Darrell Steven Champlin

Decoração barroca

I

I

Essa é a letra que designa os manuscritos de Washington das epístolas paulinas. Originalmente continha duzentas e dez folhas, mas sobrevivem somente oitenta e quatro, e mais algumas fragmentadas. Esse manuscrito está atualmente no Freer Museum do Instituto Smithsoniano, em Washington D.C., nos Estados Unidos da América do Norte; razão pela qual o seu nome.

Conteúdo. Todas as epístolas paulinas, exceto Romanos; e também Hebreus (que vem depois de II Tessalonicenses). O texto é um bom representante do tipo de texto alexandrino, embora se alie mais de perto ao manuscrito Aleph do que ao manuscrito B. Data do século V ou VI D.C. Ver o artigo geral intitulado Manuscritos do Novo Testamento.

I Ching Ver depois de **Icabó.**

IAMBLICHUS

Suas datas aproximadas foram 270—330 D.C. Foi um filósofo neoplatonista (ver sobre o Neoplatonismo), nascido em Calcis, na Coele-Síria. Estudou com Anatólio e Porfírio. Foi homem de considerável influência. Era chamado de «o divino», título esse que continuou a ser usado até por volta do século XV.

Idéias:

1. Seu grande sistema de emanações e sistemas hierárquicos diferem do sistema concebido por Plotino (vide) somente por alguns acréscimos adornadores. Ele acrescentou coisas inspiradas pelos pitagoreanos, que diziam que tudo se resume em números.

2. Em Plotino temos as três grandes realidades: o Um, o Nous (a alma) e a Natureza. Mas Iamblichus inseriu emanações entre o Um e o Nous. Além disso, atribuiu ao Nous e às emanações a natureza divina, como se fossem as forças intelectual, supermundana e cósmica. Ele dividia a Nous em duas tríadas. A primeira delas composta por deuses inteligíveis, arquétipos da idéia; a segunda, consistia em deuses que seriam idéias intelectuais. E também dividia a alma em uma tríada de deuses psíquicos. Além disso, ainda, ele dividia a natureza em centenas de deuses, os principais, que seriam os deuses celestiais, mas também os deuses da natureza, os deuses das nações e os deuses dos indivíduos. Isso assemelha-se a uma angelologia bem desenvolvida, com a exceção de que a palavra *deuses* é usada para descrever esses seres.

3. Dentro desse extenso esquema de deuses, temos todas as coisas no céu e na terra debaixo de controle, influenciadas por eles. Outrossim, esse esquema é teísta (fazendo oposição ao deísmo), porquanto esses deuses deveriam ser servidos e deveríamos orar a eles. E espera-se ali que eles respondam e ajudem às pessoas.

4. A alma preexistente, ao descer ao corpo físico, aprende certas lições que precisa saber. Essa descida dá-se por imperiosa necessidade. Porém, uma vez encarnando-se no corpo, a alma adquire livre-arbítrio. À moda platônica, faz parte das responsabilidades da alma retornar ao mundo supersensível (o mundo das idéias ou universais), mediante a vida virtuosa, que transforma a alma e a libera da servidão neste mundo.

5. Uma alma, com grande probabilidade, passaria por várias ou mesmo por muitas encarnações, a fim de solucionar seus problemas e atingir sua liberdade. Cinco tipos de virtudes são descritas em seu sistema: a. política; b. purificadora; c. teórica; d. paradigmá-

tica; e e. sacerdotal.

Escritos. Sobre os Pitagoreanos; Exortação ao Estudo da Filosofia; Sobre a Ciência Geral da Matemática; Sobre a Aritmética de Nicômaco; Princípios Teológicos da Aritmética; Sobre os Mistérios Egípcios.

IARMUQUE, WADI EL

Desconhece-se a forma desse nome no hebraico. No grego temos *Ieronúmikes,* palavra que, de acordo com os especialistas, significa «recinto sagrado». Esse nome grego foi arabizado com a forma de al-Yarmuq. O curso inferior desse wadi chama-se *Shari'at el-Menadireh.*

Esse wadi é mencionado somente nos livros apócrifos do Antigo Testamento (ver I Macabeus). Um wadi é um riacho intermitente, cujos regimes de cheia e vazante dependem das chuvas. Esse «segundo rio» de Canaã drenava, de forma intermitente, o platô de Haurã-Basã, atravessando uma garganta que ia até o vale do rio Jordão.

Embora tivesse sido o palco do triunfo do islamismo, em 636 D.C., e apesar de ser, nos dias modernos, uma das fronteiras de Israel com a Síria e a Jordânia, raramente formava uma linha divisória histórica cultural. Antes, tornou-se famoso, esse wadi, por seus mananciais com propriedades terapêuticas, irrigação e produção de energia elétrica (nos dias do mandato britânico).

IAWEH

Ver o artigo sobre **Yahweh.**

IBAS

Faleceu em cerca de 457 D.C. Tornou-se bispo de Edessa (vide), em lugar de Rábulas. Envolveu-se com o *nestorianismo* (vide) e traduziu para o siríaco (idioma usado pela Igreja persa) vários escritos de Teodoro de Mopsuéstia (vide). Foi deposto pelo concílio de Éfeso, em 449 D.C., mas foi reinstalado pelo concílio de Calcedônia (451 D.C.). Escreveu uma carta ao bispo persa, Maris, que se tornou famosa, mas que foi condenada por Justiniano e pelo quinto concílio ecumênico, de 553 D.C.

IBHAR

No hebraico, «Deus escolhe». Foi um dos filhos de Davi, nascido em Jerusalém (I Crô. 3:6; II Sam. 5:15). Sua mãe era uma das esposas de Davi, e não alguma concubina, embora o seu nome não seja determinado. Nasceu entre Salomão e Elisua. Viveu por volta de 1044 A.C.

IBLEÃ

No hebraico, «povo devorador». Esse era o nome de uma das cidades do território de Issacar, e que mais tarde passou para a posse de Manassés (Jos. 17:11). Porém, os israelitas não foram capazes de expulsar dali os cananeus (Juí. 1:27). Ficava localizada entre Dor e Megido, perto do passo de Gur (II Reis 9:27). Esse nome aparece com a forma de Bileã, em I Crô. 6:70. Nesse trecho aprendemos que a cidade foi dada à família de Coate, como cidade levítica. Guardava um dos quatro ou cinco passos da via Maris, no ponto mais ao sul do vale de Jezreel. O lugar vinha sendo

IBLIS — IBN SINA

ocupado deste a remota antiguidade, e seu nome figura na lista de Tutmés III, no século XV A.C., onde são mencionadas cento e dezenove cidades cananéias. Aparece como a cidade de número quarenta e três nessa lista, com o nome de *Ybr'm*. Em Jos. 17:11, onde nossa versão portuguesa (e outras) dizem «em Issacar e em Aser», a tradução mais correta seria «nas fronteiras de Issacar e nas fronteiras de Aser». O rei Acazias, de Judá, foi morto perto desse lugar (na subida de Gur), por Jeú (II Reis 9:27). Além disso, Salum assassinou Zacarias, rei de Israel, perto dali (II Reis 15:10). Isso torna-se ainda mais claro se, em vez de «diante do povo», for traduzido por «em Ibleã», conforme pensam alguns eruditos.

O local é atualmente ocupado por Khirbet Bil 'ameh, ao norte de Siquém, cerca de dezesseis quilômetros a suleste de Megido.

IBLIS

O termo árabe **iblis** derivou-se do vocábulo grego, **o diábolos**, «diabo». Esse é o nome do príncipe dos anjos caídos. De acordo com os escritos islâmicos, ele foi transformado no diabo quando se recusou a adorar a Adão, quando Deus lhe ordenou que assim fizesse. Ele é o equivalente islâmico de Satanás (vide).

IBN DAUD, ABRAHAM

Suas datas aproximadas foram 1110—1180. Foi o primeiro filósofo aristotélico judeu. Foi discípulo de Avicena (vide). Em sua obra *Al-'Aquida al-Rafia* (A Fé Exaltada), ele procurou demonstrar a unidade essencial entre a Tora (vide) e a filosofia, isto é, a fé revelada com o raciocínio filosófico. Seguia idéias **árabe-aristotélicas** e acabou limitando a onisciência divina a fim de encontrar espaço para o **livre-arbítrio** humano. Ensinava que Deus é tão exaltado que não podemos fazer muitas descrições positivas a seu respeito, pelo que seríamos forçados a conhecê-lo, dizendo aquilo que ele não é. No campo da ética ele combinava as idéias de Platão e de Aristóteles. Não demorou muito para ser postergado a segundo plano, como filósofo, pelo poderoso *Maimônides* (vide). No entanto, a sua outra obra, intitulada *Sefer hak-Kabbalah* (Livro das Tradições), que, pelo menos em parte, era uma defesa contra os ataques do karaísmo (vide), que consistia na rejeição das tradições rabínicas em favor do literalismo bíblico (ele também rejeitava o cristianismo), permanece até hoje como um importante documento histórico para compreendermos os vários ramos do judaísmo naquela época.

IBN EZRA, ABRAHAM BEN MEIER

Suas datas foram 1089-1164. Foi um filósofo judeu-espanhol. Nasceu em Toledo, Espanha. Saiu da Espanha para viver no Norte da África, e dali esteve, sucessivamente, no Egito, na Itália, na França e na Inglaterra. Era erudito, poeta e comentador da Bíblia. Tornou-se mais bem conhecido por seus comentários bíblicos; mas distinguiu-se, sobretudo, nos escritos filosóficos, e também sobre gramática, matemática e astronomia. Traduziu para o hebraico várias obras originalmente publicadas em árabe, que tratavam sobre assuntos filosóficos e filológicos. Sua diligência ao comentar sobre a Bíblia fez dele um dos precursores da moderna crítica bíblica. Ele exprimiu dúvidas filosóficas em seu comentário sobre o Pentateuco e atacou o literalismo bíblico (refutando os karaítas), — que não tinham respeito pelas tradições orais e pelas exposições rabínicas.

Escreveu muitos poemas seculares em hebraico, como também poemas religiosos e místicos, todos eles produzidos com espírito, bom humor e ironia. Sua profunda espiritualidade transparece principalmente em sua poesia. Introduziu o sistema decimal na **ciência-matemática** dos hebreus, e preparou obras técnicas sobre astronomia e matemática.

Seus escritos mostram influências neoplatônicas e pitagoreanas. Ele propunha três mundos: o mais alto, dos anjos; o mundo médio, do sol, da lua e das estrelas; e o mundo da natureza, onde vivemos. Deus é considerado por ele um ser espiritual e incorpóreo, que conheceria as idéias gerais (espécies), mas que não se preocuparia com os indivíduos formadores dessas espécies. O ato criativo de Deus é que trouxe à existência o mundo da natureza; mas, segundo ele, os outros mundos seriam eternos. Isso posto, ele opunha-se à idéia da criação *ex nihilo* (vide). Os anjos seriam os mediadores de Deus neste mundo. O homem seria dotado de **livre-arbítrio** (vide).

Suas principais obras escritas têm os títulos de *Sobre os Nomes de Deus; Sobre as Divisões e Razões dos Mandamentos Bíblicos; Comentários Bíblicos;* e também muitos *poemas* de todas as modalidades.

Acredita-se que ele foi usado como modelo no famoso poema de Robert Browning, *Rabino Ben Esdras*. Faleceu em Roma, a 23 de janeiro de 1167.

IBN GABIROL, SALOMÃO BEN JUDÁ

Suas datas aproximadas foram 1020-1057. Seu pseudônimo era *Avicebron*. É considerado como o primeiro filósofo da Espanha, tendo sido um dos mais importantes poetas hebreus da Idade Média. Nasceu em Málaga, na Espanha. O que sabemos sobre ele deriva-se do que ele mesmo escreveu. Era homem doentio e pobre. Faleceu em Valência, em cerca de 1057. Quase todos os seus escritos em prosa perderam-se; mas temos muito ainda de sua poesia. Seus poemas abordam suas lutas pessoais, o amor, a natureza e elementos de seu meio ambiente judaico. Escreveu muitos poemas religiosos que refletem sua fé pessoal e sua cultura judaica. Sua obra *Keter Malkhut* (Coroa Real) mostra-nos que ele defendia idéias cabalísticas (místicas). Esse poema é uma ode de grande inspiração. Ali, ele descreve os atributos de Deus, concluindo com uma confissão de pecado, a qual tem sido adaptada para uso no dia da Expiação (*Yom Kippur*).

Ele popularizou a filosofia grega, entretecendo-a com a religião judaica. Sua obra filosófica mais famosa chama-se *Mekor Hayim* (Fonte da Vida). Essa obra foi traduzida para o latim com o título de *Fons Vitae*, que revela suas tendências neoplatônicas, tendo sido escrita na forma de um diálogo. Essa obra exerceu grande influência sobre os franciscanos e outros eruditos eclesiásticos católicos romanos; mas Tomás de Aquino a criticou. Vários pequenos trechos de seus escritos ficaram registrados permanentemente na *Cabala* (vide).

Sob o verbete *Avicebron*, o leitor encontrará outros detalhes sobre as *idéias* de Ibn Gabirol. Esse nome é uma forma latinizada da forma hebraica, e lhe servia como uma espécie de pseudônimo.

IBN RUSHD

Ver sobre *Averróis* e o *Averroísmo*.

IBN SINA

Ver sobre **Avicena**.

IBNÉIAS — ICÔNIO

IBNÉIAS

No hebraico, «Deus edifica». Esse era o nome de um benjamita, filho de Jeroboão. Ele voltou do cativeiro babilônico (vide), a fim de residir em Jerusalém (I Crô. 9:8). Ele foi um chefe tribal que viveu por volta de 536 A.C.

IBNIJAS

No hebraico, «Deus edifica» ou «edificação de Yahweh». Ele era benjamita, pai de Reuel. Voltou do cativeiro babilônico e passou a residir em Jerusalém, em cerca de 536 A.C. Ver I Crô. 9:8.

IBRI

No hebraico, «hebreu». Um levita merarita, filho de Jaazias e contemporâneo de Davi. Viveu por volta de 1014 A.C. Ver I Crô. 24:27.

IBSÃO

No hebraico, «fragmento». Nome de um descendente de Issacar, da família de Tola. Ver I Crô. 7:2.

IBZÃ

No hebraico, «brilhante», embora alguns pensem no sentido «rápido» ou «maldoso». Foi o décimo *juiz* de Israel, cuja história é registrada em Juí. 12:8-10. Julgou o povo de Israel por sete anos. Era de Belém, talvez uma cidade com esse nome, no território de Zebulom, e não em Judá, embora os eruditos disputem sobre essa questão. Sua morte, provavelmente, foi pouco depois de 1080 A.C. Tornou-se famoso pelo grande número de filhos. Tinha trinta filhos e trinta filhas. E juntou considerável fortuna por meio de seus casamentos. Cada um de seus filhos também se casou.

Nos tempos dos juízes de Israel, eles brandiam uma autoridade que se aproximava da autoridade de um rei, embora a história subseqüente mostre que os próprios israelitas faziam distinção entre os dois ofícios. Citações extraídas dos textos ugaríticos, bem como os trechos de Isa. 40:23 e Amós 2:3 mostram a natureza real e magisterial do governo dos juízes. Também agiram, com freqüência, como libertadores de opressões estrangeiras e como árbitros (Juí. 2:16; 4:4,5; I Sam. 7:15-17).

Josefo (*Anti.* 5:7,13) refere-se à terra dele como Belém de Judá; mas isso é rejeitado pela maioria dos eruditos. Quase sempre, se não mesmo sempre, esse lugar era especificamente mencionado como «de Judá» ou de «Efrata». O trecho de Jos. 19:15 menciona uma Belém no território de Zebulom, que é a moderna Beit Lahm, a oeste de Nazaré e ao norte de Megido. Por meio de algum tipo de confusão, Ibzã esteve identificada com o Boaz da história de Rute. Ver o Talmude, *Baba Bathra* 91a.

Alguns eruditos procuram mostrar que os juízes Ibzã, Jefté, Elom e Abdom só exerciam autoridade sobre a área da Transjordânia, e essencialmente durante a opressão dos amonitas.

ICABÔ

No hebraico, 'Ikabod, «onde está a glória?», que pode significar «inglória». Originalmente, foi usada para indicar que «a glória do Senhor partiu». Esse é o nome de um filho de Finéias. Sua esposa deu a seu filho esse nome, ao ouvir dizer que os filisteus haviam tomado e levado embora a arca da aliança (I Sam.

4:19-22). Ela estava já sentindo as dores de parto quando ouviu o acontecido. O relato torna-se ainda mais dramático diante do fato de que, ao mesmo tempo, seu marido foi morto em batalha. Outrossim, Eli, avô da criança, juiz de Israel pelo espaço de quarenta anos (ver I Sam. 4:18), ao ouvir as notícias de que a arca fora tomada e de que seus dois filhos, Hofni e Finéias, haviam morrido, caiu de costas, quebrou o pescoço e morreu. Assim, quando o menino estava nascendo, sua mãe não podia ser consolada pelas mulheres que procuravam animá-la, em face do nascimento da criança, a única coisa positiva em meio a diversos acontecimentos consternadores.

I CHING

Ver sobre o **Livro das Mudanças**.

ÍCONE

Vem do grego **eikon**, «imagem», «representação». O termo é usado essencialmente na Igreja Ortodoxa Oriental, aludindo a alguma imagem, pintura, **baixo**-relevo ou mosaico, representando Cristo, a Virgem Maria ou algum santo. Os judeus e os árabes consideram que o uso de tais imagens e representações é uma idolatria. Sensíveis diante de tais acusações, alguns líderes ortodoxos orientais começaram a rejeitar tal uso. Daí originaram-se as controvérsias iconoclastas. Ver sobre o *iconoclasmo*. As controvérsias em torno da veneração de imagens continuou rugindo durante os séculos VIII e IX. Finalmente, o uso dessas coisas foi declarado legítimo pelos ortodoxos orientais, embora a igreja nestoriana continuasse fazendo oposição a tal costume.

ICÔNIO

Essa cidade dos tempos do Novo Testamento é mencionada na Bíblia nos Atos 13:51; 14:1,19,21; 16:2; II Tim. 3:11. Icônio era uma cidade da Ásia Menor, no que atualmente é a Turquia. A moderna cidade de Konya identifica o seu local antigo. Era a última cidade da Frígia pela qual o viajante passava. ao dirigir-se para o Oriente. Nos **tempos greco-romanos**, era considerada a principal cidade da Licaônia, de acordo com algumas fontes informativas, embora outros a localizassem na Frígia. As fronteiras antigas variavam muito, e assim uma cidade fronteiriça ora pertencia a uma região, ora a outra, dependendo da época envolvida. Alguns estudiosos afirmam exatamente isso, dizendo que primeiro ela fazia parte da Frígia e, mais tarde, da Licaônia, e então que chegou a fazer parte do reino da Galácia. Finalmente, tornou-se parte da província romana da Galácia.

O nome dessa cidade vem do termo grego *eikon*, «imagem». Não sabemos dizer por que motivo essa cidade foi assim chamada, embora talvez isso se devesse a alguma prática idólatra que ali era efetuada. Um mito do dilúvio dá também uma razão a esse nome. O rei Nanacos, da Frígia, profetizou uma grande inundação, que ocorreria depois de sua época. E exortou seus ouvintes ao arrependimento, para evitarem o dilúvio. Mas, o dilúvio veio e destruiu os homens. Então os deuses reproduziram o homem, produzindo *imagens*; e daí teria vindo o nome da cidade. Naturalmente, isso não passa de uma curiosidade mitológica.

Aquela região estava sujeita a inundações, o que se poderia esperar um relato mítico daquele tipo. No tempo do imperador romano Adriano, a cidade e a

ICÔNIO — ICONOCLASMO

região em redor tornaram-se uma colônia romana, embora retivesse sua cultura grega predominante. Fizera parte dos domínios dos reis selêucidas (ver sobre *Seleuco*), no século III A.C., quando, então, foi totalmente helenizada. Os reis do Ponto se apossaram da cidade e fizeram dela uma cidade independente, nos dias das guerras de Mitrídates com Roma. Em 39 A.C., Marco Antônio entregou a cidade a Polemom, rei da Cilícia Traquéia; e, três anos mais tarde, a Amintas, que veio a ser rei da Galácia. Quando este morreu, a cidade tornou-se novamente independente, embora incorporando em sua estrutura a província da Galácia. Não obstante, reteve seu idioma grego, bem como seus padrões culturais e de organização política gerais. Era uma região próspera com pouco mais de quinhentos quilômetros quadrados de terras férteis, muita água e abundante vegetação. Ramsay chamou o lugar de Damasco da Ásia Menor, por causa de seu excelente clima e de uma natureza que facilitava a prosperidade.

A cidade que o apóstolo Paulo conheceu era um local ajardinado, localizado entre pomares e fazendas. Entretanto, tudo o mais ao derredor era desértico. Lucas concorda aqui com Xenofonte, ao afirmar que Icônio estava localizada na Frígia, contrariamente a Derbe e Listra, cidades pertencentes à Licaônia. Cícero e Estrabão declararam que Icônio era uma das cidades da Licaônia, mas erradamente. Há um monumento, descoberto em 1910, que esclarece que em Icônio se falava o idioma frígio até os meados do século III D.C. E, juntamente com outras inscrições, isso tem servido para demonstrar que a cidade era ao menos parcialmente pertencente à Frígia, ainda que, administrativamente, pertencesse à *Galácia*. (Ver o artigo sobre este lugar e Atos 14:6). Essas provas têm contribuído para confirmar, em outra instância, a exatidão das referências históricas feitas por Lucas, as quais, em muitas oportunidades, têm sido postas em dúvida.

Icônio era cidade populosa, situada cerca de cento e sessenta quilômetros a suleste de Antioquia *da Pisídia*, em uma fértil planície, ao pé do monte Tauro, quase que circundada pelo mesmo. Lucas, na passagem de Atos 14:6, distingue essa localidade de Listra e Derbe, ambas cidades da Licaônia. (Ver as notas acima sobre esse particular). Em períodos diversos da história foi considerada como cidade de alguma forma vinculada à Pisídia ou à Frígia, bem como à Licaônia; contudo, a sua população era de origem frígia.

Quando a província da Galácia foi dividida, Icônio se tornou capital da Licaônia, e assim ultrapassou em importância a Antioquia da Pisídia. Estritamente falando, quando por ali andaram Paulo e Barnabé, Listra e Derbe eram cidades da Licaônia-Galática, ao passo que Icônio ficava na Frígia-Galática. E todas essas três cidades estavam localizadas na província romana da Galácia. Era em Icônio que se entrecruzavam diversas estradas romanas, localizada, como estava ela, no caminho do oriente para o ocidente. A cidade moderna de Icônio, que ocupa o local da antiga cidade do mesmo nome, conta com uma população de cerca de trinta mil habitantes.

Os versículos de Atos 16:1 e *ss*, revelam-nos que Timóteo era homem bem conhecido, naquele território, por seu zelo e graça cristãs. Paulo conheceu-o em .Listra e, evidentemente, levou-o em sua companhia pelas áreas ao redor dessas cidades, no desempenho de suas atividades missionárias. O que nos deixa admirados e perplexos é que o apóstolo Paulo tenha circuncidado a Timóteo a fim de, segundo todas as aparências indicam, agradar aos «judaizantes» da área, contra quem sempre fez tão veemente oposição, nas epístolas que escreveu às igrejas cristãs do território, que, sem dúvida, foram escritas antes de seu encontro com Timóteo.

Icônio é também a cena da bem conhecida narrativa histórica, mas de natureza apócrifa, de «Paulo e Tecla», contida no livro apócrifo Atos de Paulo. (Ver o artigo sobre *Livros Apócrifos do Novo Testamento*).

ICONOCLASMO (CONTROVÉRSIAS ICONOCLÁSTICAS)

O adjetivo «iconoclástico» vem do termo grego que significa «quebra de imagens». As controvérsias em torno do uso de imagens, pinturas e outras representações de Cristo, da Virgem Maria e dos santos sacudiram a Igreja Oriental Ortodoxa durante o período de 726—843 D.C. Alguns líderes daquela igreja haviam sido influenciados pelas críticas dos judeus e dos islamitas, que afirmavam que tais coisas são uma manifestação da idolatria. Contudo, o povo se acostumara ao uso de tais objetos, em sua veneração, e não se dispunham a abandonar facilmente a prática. Os imperadores Leão III, Constantino V, Leão IV, Leão V, Miguel II e Teófilo haviam perseguido aos cristãos por causa da veneração a imagens santas. A posição ao uso dos ícones originou-se especialmente na Ásia Menor, com o apoio de seus vizinhos judeus e islamitas, e também devido ao combate às imagens, por parte de grupos cristãos que eram considerados heréticos.

O imperador Leão III, o Isáurio, ordenou que as imagens fossem removidas dos templos cristãos e dos edifícios públicos, mas esse decreto foi desobedecido em muitos lugares. Constantino I Coprônimo também se opôs ao uso de toda espécie de imagem, e o sínodo de Hieria, em 754 D.C., apoiou-o quanto a isso. A reverência prestada a qualquer tipo de ídolo foi considerada uma idolatria.

Todavia, havia aqueles que defendiam seu uso, como João Damasceno (cerca de 675—749 D.C.), que escreveu três notáveis discursos contra os iconoclastas. Ele estabeleceu a diferença entre LATRIA («adoração», que pertence somente a Deus) e *dulia* («veneração», que poderia ser prestada a pessoas que tivessem servido bem a Deus). Ele sentia que uma imagem pode ajudar o indivíduo em sua lealdade a Cristo, em Sua encarnação, porquanto a matéria poderia ser útil ao lembrar-nos de certas realidades espirituais. Naturalmente, a matéria, por si mesma, não pode ser considerada má. Porém, sempre foi uma doutrina cristã comum — que qualquer objeto material venerado torna-se um objeto de idolatria.

De acordo com uma teologia *sofisticada*, a imagem seria apenas um memorial de alguma verdade ou pessoa espiritual; e a veneração assim prestada seria dirigida àquela verdade ou pessoa, e não à imagem propriamente dita. Entretanto, no nível *popular*, as pessoas realmente veneram às próprias imagens, e a cuidadosa distinção entre adoração e veneração é forçada ao máximo, para dizermos o mínimo. Na verdade, a veneração de imagens, nas igrejas Ocidental e Oriental, que foi tão vigorosa (e corretamente) repelida pela **Reforma Protestante**, é precisamente aquilo que os judeus e os islamitas diziam — é idolatria. Esse é um dos maiores escândalos da cristandade. O outro seu grande escândalo é o seu vergonhoso registro de perseguições, banimentos, encarceramentos e execuções daqueles que diferem dos grupos oficiais quanto a opiniões e crenças religiosas.

ICONOCLASMO — IDADE

Alguns desses cristãos idólatras têm chegado ao extremo de afirmar que os objetos materiais assemelham-se a entidades dotadas de espírito, capazes de atuar como pontes de ligação entre o que é material e o que é espiritual. Se João Damasceno realmente quis dizer tal coisa, então só nos resta lamentar que um homem tão notável quanto ele tenha se deixado envolver por um erro tão crasso.

O imperador Leão IV (reinou entre 775 e 780 D.C.) relaxou a perseguição contra os que veneravam imagens. A imperatriz Irene (em 787 D.C.), tirou proveito desse relaxamento e convocou o Segundo Concílio Ecumênico de Nicéia, presidido pelo patriarca Tarásio. Nesse concílio foi mantida a distinção entre a adoração e a veneração, afirmando que a honra prestada às imagens, na realidade, é uma honra prestada às pessoas representadas, e não às imagens propriamente ditas. Isso, porém, é apenas uma sofisticada declaração de teólogos, que nunca foi compreendida pela mente popular. A despeito dessa definição (sendo uma vergonha que um concílio ecumênico tenha aprovado tão grande absurdo), a perseguição contra os veneradores de imagens continuou sob os governos dos imperadores Leão V, o Armênio (reinou entre 813 e 820 D.C.), Miguel II (reinou entre 820 e 829 D.C.) e Teófilo (reinou entre 829 e 842 D.C.).

Depois disso, a imperatriz Teodora ordenou que o patriarca Nicéforo convocasse um sínodo (em 843 D.C.), que reafirmou as decisões do Segundo Concílio Ecumênico de Nicéia. Isso pôs fim às controvérsias iconoclásticas, removendo o último estigma de heresia e idolatria da veneração prestada a imagens de escultura. O incrível é que esse evento é comemorado pela Igreja Ortodoxa Oriental no primeiro domingo da quaresma como «a festa do triunfo da ortodoxia». Normalmente, as heresias têm uma maneira de serem transformadas em ortodoxias; algumas vezes, para melhor, mas, geralmente, para pior. Entrementes, na Igreja Ocidental a adoração (ou veneração) de imagens continuou sem qualquer freio, embora também tivesse havido ali alguma oposição a tal prática. Ver informações adicionais no artigo intitulado *Imagens*.

É inevitável que, à proporção que os homens crescem em sua espiritualidade, que sua abordagem à pessoa de Deus torne-se cada vez mais mística (ver sobre o *Misticismo*) e cada vez menos materialista. Os ritos vão perdendo mais e mais a sua importância, e as imagens terminam por ser abertamente rejeitadas. E, quando uma pessoa obtém o contacto direto com o Espírito de Deus, de tal modo que se estabelece uma comunhão viva entre o Espírito de Deus e o espírito humano, então os homens não mais sentem qualquer necessidade de agência intermediária. Que isso ainda não tenha acontecido no caso da maioria dos cristãos, após tantos séculos de existência da Igreja cristã, somente demonstra o fato de que os homens, a despeito de tantas vantagens, não têm progredido muito em sua espiritualidade. (AM C E)

ICONOGRAFIA

Essa palavra deriva-se do grego *eikon*, «imagem», *semelhança*, *retrato*. Esse é um termo eclesiástico clássico que se refere a imagens, mosaicos ou pinturas, usados pelas igrejas cristãs, para efeito de decoração e veneração. Ver os artigos sobre as *Imagens* e sobre *Iconoclasmo* (*Controvérsias Iconoclásticas*).

••• ••• •••

ID

Ver o artigo geral sobre **Freud, Sigmund**, especialmente os pontos 3 a 6. Para Freud, o *id* indicava a base original e mais primitiva da personalidade, o reservatório de impulsos biológicos. Para ele, essa parte do ser humano opera com base no princípio do prazer. Ele pensava que a *libido* (impulsos sexuais e outros impulsos primitivos) constituía a fonte de energia mais importante que atuava sobre o id. O id buscaria satisfação mediante dois processos: o primeiro seriam as ações biológicas reflexas; e o segundo seriam as reações psicológicas, chamadas «processo primário». O processo primário tentaria aliviar o id de suas tensões, formando uma imagem que aliviaria os impulsos. Essas imagens de cumprimento de desejos ocorreriam nos sonhos, nas visões, nas fantasias e nas alucinações. A palavra *id* é um pronome latino, que indica a terceira pessoa do singular, no neutro.

IDADE

Idade avançada. Há várias questões envolvidas, a saber: a. Atingir idade avançada com freqüência é considerado na Bíblia como uma bênção divina, uma recompensa pela piedade (ver Jó 5:36; Gên. 15:15; Efé. 6:3). Isso está ligado a vários atos que prometem especificamente que quem os fizer atingirá avançada idade, como ser obediente aos pais ou devolver ao ninho o passarinho pequeno caído do mesmo. b. Mas a idade avançada traz suas dificuldades, por causa de problemas de saúde e de incapacidade física (ver Sal. 71:9; I Sam. 3:2; Gên. 48:10; II Sam. 19:35; I Reis 1:1-4, e especialmente, Ecl. 12:1-5). c. Deus continua cuidando da pessoa idosa (ver Isa. 46:4), em antecipação à glória futura (ver Sal. 73:24). d. A idade avançada é um tempo de reflexão sobre como Deus guiou a pessoa a cada passo do caminho (ver Sal. 37:35), permanecendo fiel até o fim. O Senhor é retratado não somente como uma criança, mas também como um homem varonil, coroado de cabelos brancos (ver Apo. 1:14), a fim de relembrar-nos que Ele é importante à vida inteira, do começo ao fim. e. A mentalidade oriental respeitava e honrava a idade avançada, e as cãs eram tidas como sinal de honra, e não como um sinal de debilidade (ver Pro. 20:29). Não honrar os idosos traz o mal a qualquer nação (ver Isa. 3:5; Lam. 5:12). f. Contudo, a idade avançada só é honrosa quando coroa uma vida de retidão (Pro. 16:31). g. A experiência é um valioso mestre, pelo que a idade avançada deveria produzir a sabedoria (ver Jó 12:20; 15:10; 32:7). Reoboão caiu no erro fatal de rejeitar o conselho dos mais velhos. h. A Igreja do Novo Testamento deve ser governada por anciãos.

Extensão e idade da responsabilidade.

Até os 13 anos, o menino judeu era considerado menor; e a menina, até os 12 anos, mais um dia, embora fossem necessários mais seis meses para que ela atingisse a idade da plena responsabilidade. A Mishnah Abot 5:21 determina que a idade própria para o casamento é aos dezoito anos; mas outros autores falavam em até doze anos para as mulheres.

Um homem poderia esperar viver até os setenta anos, e se morresse aos oitenta, podia ser considerado idoso (Baba Batra 75a e Sal. 90:10). Chegar à idade avançada era considerado uma bênção espiritual em Israel (Gên. 15:15; Jó 5:26). Cria-se que os anos trazem consigo sabedoria e virtudes espirituais (Jó 12:20; 15:10). Fator de longevidade era o tratamento respeitoso dado aos pais (Efé. 6:3, onde se pode ver notas completas a respeito, no NTI). (E NTI)

IDADE — IDEALISMO

IDADE DA RESPONSABILIDADE

Ver o artigo intitulado, **Infantes, Morte e Salvação dos**.

IDALA

No hebraico, «exaltado» (?). Esse era o nome de uma cidade do território de Zebulom, perto da sua fronteira ocidental (ver Jos. 19:15). É mencionada juntamente com Sinrom e Belém. Os estudiosos têm identificado o antigo local com a moderna Khirbet el-Hawarah, que fica cerca de um quilômetro e meio a sudoeste de Belém.

IDBÁS

No hebraico, «doce de mel». Esse era o nome de um homem de Judá, que aparece como o pai de Etã. Provavelmente, ele descendia do fundador de Etã, uma cidade da tribo de Judá, ou, então, tudo quanto se deve entender é que ele era habitante daquele lugar. Ver I Crô. 4:3.

IDEAL

Vem do termo grego **eidos**, «visão», «contemplação». Consideremos os pontos abaixo:

1. O uso popular dessa palavra refere-se a algum padrão de perfeição ou a algo que aponta para a nobreza, para alguma elevada qualidade, ou seja, para algo que deve ser emulado. O ideal é a forma mais desejável de realização de qualquer coisa.

2. Aquilo que existe somente na imaginação, sem qualquer realidade física.

3. Quando um ideal é pertencente às idéias, então devemos falar em *ideal conceptual*.

4. Nos escritos de Platão, idéia é arquétipa. Ver sobre *Idéia*, **terceiro ponto**. O *mundo ideal* é o mundo **arquétipo** e não material das idéias, das formas ou universais (vide).

5. No pensamento de *Kant*, o ideal da razão pura é a idéia de algo absolutamente necessário, determinado, do princípio ao fim, pela mera idéia. Isso envolve um conceito abrangente da totalidade da realidade, que não é hipostatizado como existente e nem é produto da percepção dos sentidos. A idéia de Deus contém, em si mesma, todas as existências finitas.

6. Na ética, o ideal é sempre a escolha melhor possível de atos ou estados mentais. Dentro da ética cristã, esse ideal é exemplificado na pessoa e nos atos de Cristo (o Logos), —que é o Arquétipo de toda a existência humana. Ver II Cor. 3:18. Por sua vez, Deus é o ideal de Cristo (ver Mat. 5:48; Col. 1:15-19).

IDEALISMO

Esboço:

I. Definição e Caracterização Geral
II. Os Filósofos e Várias Formas de Idealismo
III. Quatro Tipos Históricos de Idealismo
IV. O Idealismo e a Ética
V. Críticas Principais do Idealismo

I. Definição e Caracterização

O termo vem do grego **ideein**, «ver», e de **eidos**, «visão», «contemplação». De acordo com um uso popular, o termo indica um conjunto de padrões daquilo que é mais desejável, com os esforços necessários para atingir tal alvo. Nesse sentido, o idealismo é similar ao perfeccionismo. Um idealista, pois, busca um alto padrão, e, com freqüência, mostra-se avesso ao mero pragmatismo. O idealismo, porém, com freqüência, torna-se impraticável, visto que aquilo que é melhor raramente é exeqüível.

Na filosofia, o termo é bastante amplo, podendo ser bem definido somente no tocante a certos tipos específicos de idealismo, conforme se vê na discussão abaixo. As duas divisões principais do idealismo são: a divisão metafísica e a divisão epistemológica. O *idealismo metafísico* (vide) é a suposição de que a idéia ou substância não-material é real, em contraste com as entidades materiais. Essas entidades são explicadas como epifenômenos da idéia, e não como coisas reais em si mesmas. A idéia é real; a matéria é mera aparência; a natureza do que é real é mental ou espiritual, e não-material. O que é material é ilusório, sendo uma projeção da idéia, e não a essência mesma da realidade. A crença no caráter espiritual da realidade era proeminente nas obras de Platão, bem como em algumas religiões orientais. George Berkeley asseverava que os objetos físicos são, de fato, apenas idéias que os homens, equivocadamente, pensam que têm uma existência separada e uma essência diferente daquilo que é espiritual e mental. O *idealismo epistemológico* (vide) é a idéia de que nada podemos conhecer, exceto as *idéias*. O mundo físico só poderia ser concebido em relação à mente e dependente dela. Assim, se Deus deixasse de pensar, todas as coisas deixariam de existir. A única coisa que me é dado saber é a minha idéia de uma entidade qualquer. Se alguma coisa pode existir ou não à parte da minha idéia, a idéia de Deus, ou da mente em geral, é uma questão debatível. O que é certo, segundo o idealismo epistemológico é que podemos *saber* sobre qualquer coisa que resida na idéia dessa coisa, embora não conhecendo diretamente a coisa propriamente dita. Assim, se eu tropeçar em uma cadeira, poderei dizer: «Essa cadeira é real. Sei disso porque senti dor ao chutá-la». Mas Berkeley respondia a isso dizendo que a única coisa que realmente experimentamos foi o nosso conceito mental de solidariedade e choque, quando nosso pé bateu na cadeira. Na verdade, para ele, tanto a perna da pessoa quanto aquela cadeira seriam apenas categorias da mente. Isso já entra no campo do *idealismo subjetivo* (vide). A materialidade seria uma ilusão, sendo apenas um nome que damos a certos fenômenos mentais.

«*Idealismo*. Na metafísica, a teoria de que a realidade pertence à natureza da mente ou da idéia. Pode ser um idealismo monista (absolutista), pluralista, impessoal ou pessoal. Na epistemologia (ou gnosiologia), o idealismo é a teoria de que um objeto conhecido é um produto do fato de ter sido ele conhecido». (MM)

O idealismo metafísico, algumas vezes, recebe o nome de *pampsiquismo* (vide). Até onde sabemos dizer, Leibniz, no século XVIII, foi o primeiro filósofo a usar o termo *idealismo*. Esse termo veio a designar certa variedade de filosofias que consideram o que é mental ou espiritual como a chave tanto da natureza quanto da compreensão da natureza.

II. Os Filósofos e Várias Formas de Idealismo Tipos Básicos

1. *Schelling* referiu-se ao idealismo de Fichte como um idealismo *subjetivo*. Em outras palavras, o que conheço sobre a realidade é a *minha* idéia. Postulo o mundo através da minha idéia. Isso nos leva ao *solipsismo* (vide). Fichte é considerado o originador do idealismo alemão.

2. *Schelling* falava de sua própria filosofia como um *idealismo objetivo*. O mundo (a criação, a existência) existiria à parte de minha idéia. Reflete uma inteligência que o criou. O mundo seria ideal em sua

IDEALISMO

essência e sem importar se eu tomo conhecimento dele ou não, ele continua existindo.

3. *Hegel* ensinava um *idealismo absoluto*. A Força Cósmica **todo-abrangente** (Deus) é idéia, e não material. É espiritual em sua essência. O idealismo subjetivo, dentro desse sistema, é a *tese*. O idealismo objetivo seria a *antítese*. Essas formas são apenas nomes que damos às operações do Espírito Absoluto, que atua através de seu próprio sistema de tese, antítese e síntese, através do qual dá forma a todas as coisas, bem como seu estado de ser, seus atos e suas realizações. O Espírito Absoluto nunca descansa, e nenhuma síntese Dele é final. Uma nova tese surgirá inevitavelmente de sua antítese, dando origem a uma nova síntese.

4. O idealismo de *Kant* chama-se *idealismo transcendental* ou *crítico*. Um conhecimento real das coisas deve transcender à mera experiência. Isso é conseguido pelas categorias inatas e intuitivas da mente, as quais impõem ao mundo as qualidades que o mundo tem. Isso é o *idealismo subjetivo* (vide). Porém, essas categorias não nos dizem qual a natureza verdadeira das coisas, isto é, a realidade das coisas em si mesmas. Para falarmos sobre isso, teremos necessidade de postulados que transcendam à experiência humana, que são necessários (embora não comprovados) para que se forme um sistema de teologia. Isso posto, postulamos Deus, a alma, a liberdade e outras entidades metafísicas e éticas, a fim de podermos arquitetar um sistema de filosofia que faça sentido. Desse modo, transcendemos à experiência humana. O idealismo transcendental é a teoria kantiana que diz que todo conhecimento se refere aos fenômenos organizados pelas categorias mentais.

5. *Berkeley* defendia o *idealismo epistemológico*. Ver sob I, acima, quanto à descrição dessa posição. Muitos racionalistas lhe dão apoio. Ele ensinava um *idealismo subjetivo* (vide).

6. *Platão* preparou o caminho para um tipo especial de idealismo que tem desfrutado de uma longa e influente história. Para ele, as idéias, formas ou universais, são a verdadeira realidade, **possuídas** de natureza espiritual. A matéria seria menos real e, se admitirmos qualquer realidade, então teremos um *dualismo* (vide), onde o ideal é mais real, e a matéria é menos real, imitativa do real, em seu caráter. Esse é um tipo de idealismo metafísico, que admite certo tipo de dualismo. O cristianismo reteve essa forma de dualismo. O mundo celestial é o mundo espiritual, onde imperam as realidades espirituais; e o mundo inferior é material, e é mera *cópia* do mundo superior, por intermédio do poder do *Logos*. Os trechos de Hebreus 8:5 e 9:23 refletem o dualismo platônico, com uma cópia do arquétipo que vai sendo produzida nos objetos materiais. Essa forma de idealismo metafísico chama-se *realismo metafísico*, dando a entender que a idéia é que é real.

7. *Howison* (vide) falava sobre o *idealismo pessoal*. O artigo sobre ele explica melhor este conceito.

8. *Fouilée* (vide) falava sobre a *força do pensamento*, que ele intitulava de *idealismo voluntarista*.

9. *Ward* (vide) desenvolveu o *idealismo teísta*.

10. *Bowne* (vide) promoveu o idealismo pessoal.

11. *Sorley* (vide) ensinava um *idealismo ético*.

12. *Husserl* (vide, sob o quarto ponto), falava de um *idealismo transcendental fenomenológico*.

13. *Messer* (vide) desenvolveu um *idealismo ético* que influenciou a disciplina da epistemologia.

14. *Gentile* (vide), influenciado por Hegel, criou o *idealismo atual*.

III. Quatro Tipos Históricos de Idealismo

Ignorando a complexidade que aparece na segunda seção, acima, poderíamos falar sobre as quatro principais manifestações históricas do *idealismo*:

1. *O Platônico*. As idéias são reais; são arquétipos copiados pelos objetos materiais. Ver o ponto II, parte 6.

2. *O Berkeleiano*. Toda a realidade pertence à natureza do consciente, consistindo em idéias passivas e inertes, e também em espírito, que é ativo. O Espírito divino daria aos homens as idéias que eles têm sobre as coisas, e todas as coisas são conhecidas através das idéias que fazemos sobre elas. Ver sobre a seção I, quanto a maiores detalhes. Ver sobre o *Idealismo Subjetivo*.

3. *O Hegeliano*. Deve haver coerência em todas as coisas. Tudo é de essência espiritual, e tudo é manifestação da Idéia Absoluta, do Espírito divino. Ver o ponto três da seção II. Isso é uma forma de *panteísmo* (vide).

4. *O Lotzeano*. Lotze pensava que o próprio «eu», ou personalidade, é o fato metafísico final. Tudo seria ou um «eu» ou algum aspecto, processo, parte ou relação de um «eu» ou de vários «eus». É interessante observarmos que essas quatro formas de idealismo também se encontram na religião chinesa e na religião hindu, embora com formas e graus variados.

O tipo de Platão é axiológico e elevadamente ético.

O tipo de Berkeley é mentalista e subjetivo.

O tipo de Hegel é absolutista.

O tipo de Lotze é personalista.

IV. O Idealismo e a Ética

Como é óbvio, os idealistas abordam a ética de vários modos. Porém, podemos afirmar algumas bases comuns deles. Em primeiro lugar, eles negam a ética naturalista e materialista, e muitos deles acham padrões éticos em alguns conceitos de Deus, e não em métodos empíricos. Em segundo lugar, muitos deles envolvem-se na **auto-realização** que segue algum ideal divino, pessoal ou impessoal. Em terceiro lugar, a ética idealista tende por ser rigorosa, absolutista ou formal, e não relativista. Isso significa que certos **padrões** são buscados **em fontes extra-humanas no que** é divino ou cósmico, e não na experiência humana, obtida através da percepção dos sentidos. Isso, usualmente, nos dá regras absolutistas que não se alteram com as vicissitudes da experiência humana.

A **auto-realização**, a liberdade e o dever sempre foram importantes princípios dos sistemas idealistas. Há uma tentativa para escapar ao mecanismo. Há o reconhecimento da imortalidade da alma, com todas as implicações éticas desse conceito. Precisamos de postulados morais baseados sobre Deus, sobre a alma, sobre a liberdade e sobre o dever, pois de outro modo, não poderemos construir qualquer sistema ético razoável (Kant).

As objeções a certos aspectos do idealismo incluem a idéia de que há algo que remove a algo de um Deus pessoal, como no caso do Espírito Absoluto, de Hegel. Fichte, como é óbvio, — não falava sobre Deus como faz o cristianismo, e criticava os cristãos como hedonistas que fazem o que fazem para obter os prazeres celestiais. Além disso, o Deus cristão também é criticado como um Ser hedonista, porquanto tudo faria para seu próprio prazer.

V. Críticas Principais do Idealismo

Bertrand Russell, G.E. Moore e outros criticaram o Idealismo pelas seguintes razões:

1. Seu sistema de conhecimento, especialmente no caso do idealismo subjetivo, epistemológico, está

IDEALISMO — IDEALISMO SUBJETIVO

sujeito a muitas críticas, faltando-lhe qualquer comprovação que seja oferecida pelo **raciocínio lógico**.

2. O idealismo subjetivo, monístico e solipsístico falha, por não satisfazer às descobertas feitas pela experiência humana.

3. O empirismo oferece uma abordagem melhor ao conhecimento do que os sistemas elaborados, mas não comprovados, como o das categorias de Kant.

4. O pensamento *a priori* e seus resultados parecem ser apenas um exercício de inferências lógicas, e não um reflexo da realidade. Essa posição nega as idéias inatas.

5. Sistemas elaborados, como aquele de Hegel, com seu sistema bem organizado de tríadas parece ser um exercício da mente filosófica, e não um reflexo da realidade.

6. Os materialistas atacam a insistência do idealismo de que tudo é espiritual na natureza, que a essência da existência é mente, idéia ou espírito. Eles não encontram evidências adequadas em comprovação disso.

Quanto a um completo estudo sobre o idealismo e como manuseia os ramos tradicionais da filosofia, ver os artigos sobre os filósofos mencionados nas seções I e II. Em adição a isso ver os artigos sobre Bradley, Bosanquet, Creighton, Barrett, Sorley, Royce, Calkins, Munsterbery, Hocking e J.S. Moore. (AM C E EP H MM P)

IDEALISMO ABSOLUTO

Essa é a posição que diz que a essência de todas as coisas é a idéia, e não a matéria, e que todas as coisas unem-se em torno da Idéia Absoluta. Se juntarmos a essa idéia o adjetivo «divino», então chegaremos a uma forma de panteísmo, como nos escritos de Hegel. Ver sobre o *Idealismo*, seção II, terceiro ponto, bem como o artigo sobre *Hegel*, que oferece descrições detalhadas.

IDEALISMO CRÍTICO

Ver o artigo geral sobre o Idealismo. Emanuel Kant chamava sua própria filosofia de idealismo crítico, porquanto seria um idealismo alicerçado sobre os poderes da razão. Ver o artigo geral sobre *Emanuel Kant*.

IDEALISMO EPISTEMOLÓGICO (Gnosiológico)

Ver o artigo geral sobre o *Idealismo*, seção I, quanto a uma declaração a respeito. De acordo com essa teoria, a única coisa que podemos saber sobre alguma coisa é a idéia que fazemos dessa coisa. Sem importar se tal coisa existe mesmo ou não, à parte de ser conhecida, ou qual seja a sua real natureza, não conhecemos qualquer coisa em si mesma, mas apenas formamos uma idéia da mesma.

Formas:

1. A de *Berkeley: idealismo subjetivo*. Nada conheço senão minhas idéias no tocante às coisas. As coisas existem porque são conhecidas pelas mentes; ou, pelo menos, é somente assim que *sabemos* que as coisas existem, e qualquer outra afirmação, que passe disso, é meramente especulativa.

2. A de *Kant: idealismo transcendental*. Sabemos das coisas através das categorias da mente, que pesam sobre o suposto mundo exterior, dando-lhes formas. Quanto a uma declaração plena, ver sobre *Idealismo*, seção II, quarto ponto.

3. A de *Hegel: idealismo absolutista*. Essa forma supõe que tudo quanto existe e pode ser conhecido, finalmente, relaciona-se ao Espírito Absoluto e às suas ações, através da tríada de tese, antítese e síntese. As idéias, em todas as entidades, procedem da Idéia Absoluta. Naturalmente, temos aqui uma modalidade de panteísmo (vide). Todos os objetos são identificados com a idéia, e o ideal do conhecimento é um sistema **todo-abrangente** de idéias.

4. A de *Platão: os universais*. Os universais é que seriam objeto do nosso conhecimento. Os universais (idéias, formas) existem sob a forma de uma hierarquia, e a da bondade (o Deus de Platão) é a maior hierarquia, e a organizadora de todas as outras. O conhecimento não repousa sobre alguma percepção que examine somente os particulares (os objetos deste mundo), que são apenas *imitações* dos universais. A razão fornece-nos algum conhecimento, visto que ela é uma capacidade dada pelos universais, podendo determinar algumas coisas, como princípios éticos. Então vem a *intuição* que nos fornece mais proposições, como uma capacidade *inerente* ao homem. Ver sobre as *Idéias Inatas*. Mediante a contemplação, por meio das experiências místicas, a visão direta dos universais dá-nos o conhecimento mais elevado. Os *universais* (vide) existem separadamente das mentes humanas, pelo que devemos pensar em um idealismo *objetivo*, — não subjetivo. Eles são reais, pelo que temos aí um *realismo* metafísico.

IDEALISMO METAFÍSICO

Temos coberto esse assunto com muitos detalhes no artigo geral intitulado *Idealismo*, em sua seção I. Sob a seção II, damos quatro tipos de idealismo histórico, que fornecem mais informes. O idealismo metafísico, que assevera a natureza espiritual de toda a realidade, faz contraste direto com o materialismo.

IDEALISMO OBJETIVO

Essa é uma forma de idealismo metafísico (vide). Afirma que apesar da essência de todas as coisas ser a *idéia*, há idéias separadas das minhas próprias idéias, ou seja, *idéias objetivas* (realidades espirituais objetivas) que não dependem da minha mente para existirem. Platão e o cristianismo representam um *dualismo* (vide), posto que admitem a realidade da matéria, separada da mente (embora Platão falasse sobre a matéria como *menos real*). Porém, eles apóiam o idealismo objetivo ao postularem um mundo ou mundos de realidade espiritual, onde a matéria não é a base da realidade.

IDEALISMO PRÁTICO

Esse fala sobre a forma popular do idealismo, isto é, como o termo é definido fora de seu uso pelos filósofos. O idealismo prático é a devoção aos *ideais*, ou elevados padrões. Encoraja a busca por esses padrões no âmbito pessoal e no âmbito social. O cristianismo é uma fé de elevados ideais, que apresentam a pessoa e os ensinamentos de Cristo como o mais elevado ideal a ser atingido. A ética, em geral, promove a *conduta ideal*, e cada sistema tenta dizer qual é essa conduta ideal. Essa conduta ideal torna-se o padrão ideal. Portanto, a ética é uma forma de idealismo prático.

IDEALISMO SUBJETIVO

Toda a natureza teria a natureza da consciência. O que eu sei é o que as *minhas* idéias me revelam. De

IDEALISMO — IDÉIA

nada mais sabemos, senão das idéias; e, quando essas idéias são *minhas*, — então existe um idealismo subjetivo. Ver o artigo sobre o *Idealismo*, seção I, com o título, *Idealismo Epistemológico*. Berkeley ensinava um idealismo subjetivo, tal como Kant. Se tudo quanto sabemos é aquilo que as categorias da mente projetam sobre nós e impõem sobre o mundo, então nada sabemos exceto o que a nossa mente projeta. Kant, em seu raciocínio prático, partiu a concha do subjetivismo, mas somente através de *postulados*, e não através de *proposições*. No idealismo subjetivo, não supomos que a minha idéia do mundo represente a natureza *verdadeira* das coisas em si mesmas, isto é, daquilo que elas realmente são. A mente impõe sobre as coisas a natureza *aparente* que têm. Nunca podemos ter absoluta certeza de que os presumíveis objetos da mente têm qualquer existência real. Podem ser meras criações ou projeções de uma idéia. Nesse caso, ficamos envolvidos no *solipsismo* (vide) que diz: «Só eu existo». Mediante uma *fé animal*, podemos aceitar a existência de outras mentes; mas aquilo que sabemos é somente o que está em nossas mentes. O *idealismo subjetivo divino* indica que somente o pensamento de *Deus* é real, e que se Deus parasse de pensar, todas as coisas deixariam de existir. Não haveria qualquer realidade objetiva à parte do pensamento divino. Berkeley afirmava que as nossas idéias derivam-se das idéias divinas, pelo que ele ensinava um idealismo subjetivo divino.

IDEALISMO TRANSCENDENTAL

Ver o artigo geral sobre o **Idealismo** (II.4), quanto à forma kantiana de idealismo transcendental. Ver também sobre *Husserl*. Este último veio a encarar a própria filosofia como uma espécie de fenomenologia transcendental, uma análise das estruturas subjetivas, com base nas quais o mundo individual possa ser formado de modo legítimo e subjetivo. Sua fenomenologia, pois, tornou-se uma espécie de metafísica. Ele mesmo chamou essa abordagem à filosofia de «idealismo transcendental-fenomenológico». Ver também sobre *Transcendência*, pontos três e cinco.

IDÉIA Ver também *Universais (Formas)*.

A raiz grega dessa palavra é **ideein**, «ver». A sua forma nominal é *eidos*. Uma idéia é um conceito ou noção *daquilo* que foi visto, embora uma idéia não dependa exclusivamente dos nossos cinco sentidos. Trata-se de um conceito ou formulação mental sobre algo e, com freqüência, é a representação produzida pelo nosso processo pensante. Portanto, trata-se de uma representação mental ou de algo visualmente percebido ou mentalmente apreendido. Tanto pode fazer parte do processo pensante como ser a conclusão desse processo.

Na **filosofia**, o termo é usado em grande variedade de maneiras, incluindo a designação de entidades elevadas, não-materiais. Abaixo damos exemplos dos diversos usos da palavra:

1. Originalmente, o termo *eidos* era usado no grego a fim de referir-se a alguma visão ou contemplação. Os filósofos, pois, expandiram esse uso simples.

2. Os atomistas materialistas, como Leucipo e Demócrito, falavam sobre as *eidola* a fim de falarem sobre as *imagens dos sentidos*. Epicuro adotou esse uso, que passou a ser comumente usado na filosofia empírica.

3. Porém, Platão usava o termo *idéia* a fim de aludir a elevadas entidades ou **arquétipos espirituais, não-materiais**. A *idéia* da bondade e da beleza

tornaram-se o Deus de Platão. Quando usada desse modo, a *idéia* é sinônimo de *forma* ou de *universal* (vide). O céu concebido por Platão estaria repleto desses arquétipos universais ou idéias, enquanto que a criação física seria mera cópia dos mesmos.

4. Aristóteles e Tomás de Aquino falavam sobre os dados captados pelos sentidos como se produzissem uma noção que, por generalização ou abstração, pudéssemos extrair dali alguma idéia.

5. Nos escritos de Filo e de Agostinho, as idéias residem na mente de Deus. Poderíamos ilustrar isso pensando sobre um artista, que, a fim de crer, deve empregar as suas idéias, tornando-as concretas em seu trabalho de arte. Ver sobre o *Conceptualismo*.

6. Hobbes, seguindo um molde empírico, fazia da idéia apenas o resultado das imagens dos sentidos. Ele falava sobre um fantasma ou aparição, no cérebro, resultante da impressão de algo captado por nossos cinco sentidos.

7. Os racionalistas do século XVIII seguiam a opinião de Platão fazendo a idéia ser algo anterior e maior que os informes dados pelos sentidos, dados esses que nos permitiriam chegar à compreensão das coisas. Partindo daí, a noção de *idéias inatas* tornou-se uma doutrina comum no racionalismo. Ver o artigo sobre este assunto.

8. Descartes (vide) falava sobre três tipos de idéias: a. as *idéias inatas*, que seriam idéias na mente, antes da experiência, existindo como uma herança natural da personalidade humana. Tais idéias seriam conhecidas *intuitivamente*. b. As idéias *adventícias*, que seriam aquelas que chegam até nós por meio dos nossos sentidos físicos. c. As idéias *facciosas*, que seriam derivadas de elementos de idéias acerca da multiplicidade das coisas.

9. Locke falava de uma idéia como objeto do entendimento, produzida no processo do pensamento. Os informes dos sentidos fariam parte das idéias. Ele falava em idéias simples e em idéias complexas: a idéia simples é uma espécie de primeira impressão sobre alguma coisa; mas as idéias complexas incluem modos, substâncias e relações. Essas idéias complexas nos chegam empiricamente, visto que, segundo ele pensava, não existe tal coisa como idéias inatas.

10. Berkeley acreditava em idéias inatas e no primado das idéias. Toda a realidade compor-se-ia de idéias, e não de matéria. Ver sobre o *Idealismo*.

11. Hume supunha que as impressões aparecessem primeiro, e que essas, uma vez organizadas, tornam-se as idéias.

12. *Categorias da Mente*. Essas categorias, que **incluem as idéias**, a priori, forçam, sobre o mundo exterior, as formas que elas têm. Em outras palavras, as categorias fazem o mundo ser o que pensamos que ele é, embora não possamos ter certeza sobre a natureza das coisas propriamente ditas, nem sobre a verdadeira natureza das coisas que percebemos. Existem idéias da razão pura, que vão além do que as experiências empíricas nos podem dizer. Essas idéias incluem noções sobre a alma imaterial, sobre a sistematização dos fenômenos (idéias acerca da natureza do mundo) e sobre as idéias que abordam a questão da unidade de toda a existência, ou seja, Deus. As três idéias básicas da razão prática (postulados, em contraste com proposições) são: Deus, a liberdade e a imortalidade. Esses conceitos ultrapassam às nossas experiências empíricas e são necessários para a construção de um sistema filosófico sensato.

13. Hegel falava sobre a Idéia Absoluta, aquela força que cria a unidade de todas as coisas e é a fonte

IDÉIA — IDENTIDADE

mesma da existência. Essa Idéia Absoluta, por meio de sua tríada de tese, antítese e síntese, teria criado todas as coisas.

14. Husserl pensava ser possível termos uma visão (idéia) direta (intuitiva) da essência das coisas.

15. Ortega y Gasset pensava que as crenças são fundamentais na experiência humana, supondo que dali é que as nossas idéias são geradas. A crença, pois, daria força às idéias.

16. Para o *positivismo lógico* (vide), uma idéia só é válida se tiver sido firmada pela experimentação. Toda verificação residiria na manipulação dos dados colhidos pela percepção dos sentidos, com a ajuda de equipamentos de laboratório. Após tal verificação, a idéia torna-se destituída de sentido. Essa posição extrema tem sido criticada pelos próprios cientistas, e não apenas por filósofos e teólogos. Eles salientam, por exemplo, que podemos falar sobre partículas subatômicas, como os prótons e os eléctrons, embora não possamos senti-los ou vê-los. Há uma inferência matemática e lógica que, geralmente, vai além das evidências, com base em simples dados colhidos pelos sentidos, e muitas dessas inferências têm levado os homens a novas descobertas. A intuição (vide) insiste em que as idéias podem ocorrer sem serem solicitadas e provocadas, com base em fontes conhecidas (como Deus ou a alma), e também com base em fontes totalmente desconhecidas. A experiência parece provar que isso, realmente, acontece.

17. O misticismo (vide) pressupõe que as idéias nos podem ser dadas por Deus como um dom, ou então da parte de forças cósmicas. E também que algumas das idéias que assim recebemos são totalmente transcendentais à experimentação humana. As idéias religiosas básicas repousam sobre esse pressuposto.

IDÉIAS Ver **Idéia**, e **Universais (Formas)**.

IDÉIAS (FORMAS) PLATÔNICAS
Ver **Universais (Formas)**.

IDÉIAS INATAS

Essa é a teoria que diz que a mente humana, desde o nascimento, ou mesmo antes (como no conceito da preexistência da alma), conta com um depósito de idéias. Portanto, há idéias que não se derivam, necessariamente, da experiência humana, com base na percepção dos sentidos. Antes, são idéias que *nascem* juntamente com a pessoa. Esse termo, inato, vem do latim *in* (em) e *natus* (nascido). As idéias existem na mente desde o nascimento. Não são produtos da experiência.

1. *Platão* ensinava a doutrina da *anamnesis* (vide), ou seja, da «recordação». A alma já teria visto os universais (vide), retendo uma memória latente dos mesmos. Assim, de fato, a mente humana seria um armazém de todo o conhecimento; mas a sua união com o corpo oculta esse conhecimento da pessoa. Através de vários exercícios de raciocínio, através da intuição e das experiências místicas podemos extrair informes de nosso fundo de conhecimentos. E, mediante a libertação do corpo físico, após muitas encarnações, retornaríamos ao mundo dos universais (idéias, formas) e, novamente, seríamos capazes de contemplá-los diretamente.

2. O *hinduísmo* (vide), com seu ensino sobre a alma preexistente, pressupõe que um homem não começa a aprender as coisas por ocasião do nascimento. Ele teria visto todo o processo e a evolução da realidade desde o começo, pelo que é cheio de conhecimentos. A contemplação (que consiste em olhar para dentro) possibilita descobrir tudo que é importante para a vida.

3. *Sócrates* pensava que o indivíduo possui todo o conhecimento dentro de si mesmo, e que, através do raciocínio (como nos diálogos), e através da intuição, ele é capaz de extrair esse conhecimento. Por isso ele costumava dizer: «Conhece-te a ti mesmo».

4. Nos escritos de *Aristóteles* e dos *estóicos*, supõe-se que os princípios básicos são intuídos; mas o resto do conhecimento, com base nesses princípios, vem à tona na experiência prática, através do método empírico.

5. *Descartes* defendia as idéias inatas, mas nem por isso negava o desenvolvimento prático de outras idéias, por meio da experiência diária.

6. *Locke*, em sua doutrina da tabula rasa (folha em branco), atacou a noção das idéias inatas, asseverando que o infante enche o seu cérebro com idéias, por meio da experiência, com base na percepção dos sentidos, e que, à parte desse processo, não haveria formação de idéias.

7. Para *Kant*, as idéias tanto são inatas quanto são empíricas. As categorias da mente projetariam sobre o mundo as formas que ele contém. Portanto, os juízos são *a priori*; mas, a partir dali, todo conhecimento e ciência alicerça-se sobre nossas experiências empíricas das idéias. Isso não nos dá, necessariamente, o conhecimento da verdadeira natureza das coisas, mas apenas a praticalidade.

8. As declarações de cientistas como *Edison* e *Einstein* dão apoio ao conceito das idéias inatas. Algumas idéias simplesmente existem e já estão em nossa possessão, ou chegam até nós mediante a intuição ou as experiências místicas. Outras idéias desenvolvem-se por meio de experiência, com base na percepção dos sentidos.

9. De modo geral, os filósofos que apóiam o *racionalismo* (vide), a *intuição* (vide) e o *misticismo* (vide) são favoráveis ao conceito das idéias inatas. Os empiristas, por outro lado, geralmente negam a validade das idéias inatas. Platão, Descartes e Leibniz são os principais nomes da filosofia ligados a esse conceito das idéias inatas.

IDENTIDADE, TEORIA DA

Essa teoria refere-se à idéia materialista de que a consciência, bem como todos os fenômenos mentais, devem ser identificados com os estados neurofisiológicos. Em outras palavras, não haveria tal coisa como a mente separada do cérebro. Usamos termos que exprimem emoções, vontade e estados mentais; mas as definições exatas desses termos teriam de apelar para funções cerebrais. Os conceitos mentais são declarados estados do sistema nervoso central. Ver o artigo geral sobre o *Problema Corpo-Mente*, que oferece uma discussão geral sobre o assunto. A refutação científica do materialismo está tomando cada vez maior vulto. Ver os artigos intitulados *Experiências Perto da Morte, Parapsicologia, Imortalidade* e *Alma*, onde são expostas evidências abundantes que mostram que o corpo físico e seu cérebro não podem explicar os fenômenos mentais e espirituais. Em nosso próprio tempo, o *Dualismo* (vide) está obtendo grandes avanços científicos.

IDENTIDADE, TEORIA DOS UNIVERSAIS
Ver o artigo sobre **Champeaux, Guilherme de.**

IDENTIDADE METAFÍSICA
Ver o artigo sobre a **Identidade Pessoal.**

IDENTIDADE — IDENTIFICAÇÃO

IDENTIDADE PESSOAL

Esse título lança-nos na discussão que revolve em torno de problemas de origem, de permanência e de mudança. Em que sentido pode-se dizer que uma alma preserva sua identidade pessoal? No materialismo, naturalmente, não há tal coisa como uma identidade pessoal contínua, após a morte do corpo físico, porque, de acordo com essa teoria, o corpo *é* a pessoa. Poucos são tentados a chamar aos ossos ou às cinzas que sobraram de *uma pessoa*.

1. Nas obras de *Platão*, a identidade pessoal é preservada na continuação da pessoa essencial, a alma, que retorna ao mundo dos universais (vide), que era o seu equivalente ao céu. Porém, em sua doutrina da reabsorção, torna-se duvidoso que seja preservada a identidade pessoal. Se o «eu» é absorvido pelo superego, então isso pode significar o fim da individualidade. Ou então, pode ser que ele ensinasse que o «eu» assume a consciência do superego, ou universal maior, a bondade (o Deus de Platão).

2. Em *Aristóteles*, a alma é a forma do corpo, embora ele não tivesse certeza se essa alma pode continuar existindo após a morte do corpo, pelo que tomou uma posição agnóstica.

3. *Kant* postulava uma alma que continua após a morte biológica, pelo menos enquanto for justo que assim aconteça. Recompensas e castigos são postulados necessários para garantir qualquer tipo de filosofia razoável, a menos que suponhamos que tudo é apenas *caos*, conforme afirma o pessimismo (vide).

4. *Bergson*, além de outros filósofos, pensava que a memória assegura a identidade. Porém, poderíamos indagar: Se uma pessoa é vitimada pela amnésia total, tal pessoa deixa de existir? Se uma alma passa por muitas reencarnações, mas se entre cada qual há uma total perda da memória, isso significa que tal alma tornou-se **não-existente**, pelo fato de não poder relembrar? A resposta óbvia é «não». Se a existência real prossegue, então a identidade pessoal fica assegurada, com ou sem a memória. A qualidade dessa existência poderia piorar ou melhorar (porquanto certas coisas deveriam ser esquecidas, e não relembradas), mas a existência e a identidade prosseguem.

5. Se o «eu» nada é senão um punhado de impressões (conforme Hume pensava), então não possuímos qualquer identidade pessoal nem mesmo agora, — quanto mais depois que a morte tiver dissolvido esse punhado de impressões.

6. *Whitehead* argumentava que o *tornar-se* elimina a identidade pessoal. Ele dizia que não há tal coisa como a «continuidade do tornar-se», mas apenas o «tornar-se na continuidade». Porém, é difícil perceber por que motivo a evolução, em qualquer forma, eliminaria a identidade, porquanto a forma de vida tem prosseguimento, e isso é o que realmente importa e é essencial. Na essencialidade, pois, prossegue a identidade pessoal.

7. Em algumas religiões orientais, a identidade pessoal é concebida como algo que continua somente até que o «eu» seja absorvido pelo Eu. Então, a individualidade cessa, e Deus torna-se tudo em todos. O *estoicismo* tinha uma noção similar, supondo que a identidade pessoal prossegue através das reencarnações; mas, quando houver a grande conflagração, no fim do ciclo, tudo será absorvido novamente no fogo divino (Deus). Todavia, o «eu» poderá começar novamente, quando um novo ciclo tiver começo, mediante novas emanações do fogo divino.

8. Além disso, temos o conceito da *imortalidade condicional* (vide). Isso significa que algumas almas, que cumpram as condições devidas, ganharão a verdadeira imortalidade, enquanto que as demais almas seriam aniquiladas, fazendo cessar a identidade pessoal delas.

9. Dentro da *fé cristã*, a alma garante a individualidade e a identidade pessoal, mesmo quando transformada segundo a imagem do Logos, de modo a participar da natureza divina. Desse modo, o «eu» assume um conhecimento comunal com todas as almas. A consciência é compartilhada, visto que a alma terá adquirido um conhecimento total. Embora a alma participe de maneira finita e secundária na divindade, ainda assim preserva a sua individualidade e a sua identidade pessoal. Todavia esta ter-se-á tornado comunal e divina, o que dará àquela individualidade um aspecto inteiramente transcendental. A alma chega a participar, desse modo, da forma de vida independente e necessária do próprio Deus; mas, ao assim fazer, continuará sendo uma entidade distinta.

10. *Kant* certamente estava com a razão ao supor que o que é real deve ser buscado para além das vicissitudes da existência empírica. Precisa ser buscado para além da corrente da consciência. Antes, é um «eu» *noumenal*. Ele estava falando acerca da verdadeira imortalidade. No sentido mais estrito, somente Deus é imortal, porquanto somente a sua forma de vida é tanto necessária (não pode deixar de existir) quanto independente (não deriva seu Ser de nenhum outro ser). Na redenção humana, esse tipo de vida será dado aos homens. Ainda assim, entretanto, a identidade pessoal de cada remido não será eliminada, mas antes, será vastamente elevada quanto a uma forma de vida, que é o próprio princípio da vida.

IDENTIFICAÇÃO COM CRISTO

Paulo usa a expressão «em Cristo», por mais de cento e sessenta vezes em suas epístolas. Com isso ele indicava uma união mística com Cristo, em tudo quanto ele é, incluindo tudo em que nos podemos tornar nele. Ver o artigo intitulado *Cristo-Misticismo*. A teoria da identificação provê uma possível explicação sobre a expiação realizada por Cristo, e essa é uma parte da idéia da união mística com ele. Nessa expiação, ele identificou-se com homens pecadores. Nesse ato, ele também identificou os homens com ele mesmo, em sua santidade. Cristo tornou-se pecado por nós, embora não conhecesse pecado, para que pudéssemos tornar-nos justiça de Deus, *em Cristo* (II Cor. 5:21).

Também há uma importante aplicação soteriológica desse princípio. Visto que Cristo compartilha de nossa natureza humana, finalmente, haveremos de compartilhar de sua natureza divina. Esse princípio é ensinado em passagens como Rom. 8:29; II Cor. 3:18; Col. 2:10; Efé. 3:19 e II Ped. 1:4. Um símbolo usado para ilustrar a idéia geral é o do batismo. Somos batizados no Espírito, e isso confere-nos a união essencial com Cristo (I Cor. 12:13; Gál. 3:27). No cenáculo, Jesus anunciou a unidade essencial que ele mantém com o seus discípulos (João 14:20). O trecho de João 15:1-6 ilustra isso com a figura da vinha e seus ramos. Essa ilustração mostra que a união com Cristo é uma comunicação vital, e não apenas verbal, sob a forma de conceitos teológicos. Outrossim, temos a metáfora da Cabeça e do Corpo, que representa pluralidade, mas igualmente, uma *união vital*, e essencial. Ver Efé. 1:22,23; 4:12-16; 5:23-32. Essa figura requer a interpretação que mostra a participação na mesma natureza. A salvação não consiste meramente em se mudar para um bom lugar e contar

IDEOLOGIA — IDOLATRIA

com boas coisas. Consiste muito mais naquilo em que nos tornaremos, pois participaremos da própria natureza divina. Isso, naturalmente, ocorrerá em sentido finito e secundário; mas será uma realidade, e não apenas uma figura. Dentro da figura da Cabeça e do Corpo, também aprendemos a necessidade de nossa obediência ao Cabeça, porquanto é a cabeça que dá ordens ao corpo.

O crente é identificado com Cristo em sua morte (Rom. 6:1-11); em seu sepultamento (Rom. 6:4); em sua ressurreição (Col. 3:1); em sua ascensão (Efé. 2:6); em seu reino (II Tim. 2:12); em sua glória final (Rom. 8:17); e em sua natureza essencial e divina, conforme tem sido explicado acima. Ver o artigo intitulado *União com Deus*. Ver também sobre *Divindade, Participação do Homem na*. Temos provido um artigo detalhado sobre a *Transformação Segundo a Imagem de Cristo*. Isso consistiu a substância mesma da *Redenção* (vide).

IDEOLOGIA

Essa palavra vem do grego, **eidos**, «idéia», e **logos**, «raciocínio». O sentido é o conhecimento sobre as idéias. Consideremos os cinco pontos abaixo:

1. Em sentido positivo, *ideologia* significa qualquer sistema de idéias e normas que orienta a maneira de pensar e de agir das pessoas. Aponta para idéias e maneira de pensar que caracterizam um grupo particular, bem como os ideais que guiam a conduta desse grupo.

2. *Destutt de Tracy* (vide) usava o termo (no francês *idéologiste*) a fim de referir-se àquela filosofia que supõe que todas as idéias podem ser traçadas de volta às impressões captadas pelos sentidos físicos. Em outras palavras, as idéias originar-se-iam do empirismo. Napoleão percebeu que isso poderia prejudicar a fé religiosa, e fez oposição a tal conceito. Por conseguinte, a palavra *idéologue* veio a adquirir um sentido pejorativo. Os seguidores de Tracy, assim sendo, usavam a palavra *idéologie* para se referirem à sua própria filosofia.

3. *Marx* e *Engels* falavam de filosofias que não concordavam com as *ideologias* deles, atribuindo a todas essas filosofias erros e distorções. O termo, pois, foi usado em sentido pejorativo para indicar todos os sistemas, menos o sistema comunista. Em sua arrogância, eles consideravam que o sistema deles não continha erros e nem distorções, pelo que o sistema deles não seria uma ideologia. Os dogmas sempre caem nesse absurdo. Mas, nos escritos posteriores deles, o termo «ideologia» aparece em sentido generalizado, especialmente no tocante a questões metafísicas; e o próprio sistema deles, a partir daí, pode ser intitulado de uma ideologia, que alicerça todas as coisas sobre o materialismo e as suas condições, sobretudo as condições econômicas.

4. *Karl Mannheim* (vide) usava o termo para aludir a algum conjunto de crenças onde aparece uma diferença entre motivos anunciados e motivos subjacentes. Uma ideologia parcial é aquela que tem uma origem psicológica. Uma ideologia total é aquela que tem suas origens nas condições sociais.

5. *Quine* (vide) usava essa palavra como sinônimo de *significação*.

IDO

No hebraico, «oportuno». Esse foi o nome de várias personagens que figuram nas páginas do Antigo Testamento, a saber:

1. O pai de Abinadabe. Este era encarregado de um dos doze distritos criados por Salomão. Ele tinha autoridade sobre Maanaim (I Reis 4:14). Viveu por volta de 995 A.C.

2. Com base em uma raiz hebraica diferente, com o sentido de «belo favorito», esse era o nome de um levita da família de Gérson. Ele também é chamado Adaías, em I Crô. 6:41, embora Ido em I Crô. 6:21. Era filho de Joá e pai de Zerá. Foi um dos antepassados de Asafe (vide).

3. Com base em uma raiz hebraica com o sentido de «amorável», temos o nome de um chefe da meia-tribo de Manassés, que residia do outro lado do Jordão (I Crô. 27:21). Foi nomeado líder por Davi, e era filho de Zacarias.

4. Um homem que, durante o cativeiro babilônico (vide), casou-se com uma mulher estrangeira. Então, ao voltar a Jerusalém, foi forçado a divorciar-se dela, a fim de que a comunidade judaica fosse devidamente restaurada. Seu nome, com essa forma, só ocorre em I Esdras 9:35 (um dos livros apócrifos); mas, em Esd. 10:43 ele recebe o nome de Jadai.

5. Um profeta de Judá, que cuidava dos rolos públicos, durante os reinados de Reoboão e Abias, e que escreveu crônicas que serviram de fontes informativas do cronista de Salomão (II Crô. 9:29), de Reoboão (II Crô. 12:15) e de Abias (II Crô. 13:22). Josefo afirmava que esse homem fora enviado a Jeroboão, em Betel, e que, finalmente, foi morto por um leão, por haver desobedecido suas instruções (I Reis 13). Ver *Anti*. 8.9,1.

6. O chefe de um grupo de levitas de Casifia, que supriu Esdras com levitas e servos do templo, após o retorno do cativeiro babilônico (Esd. 8:17; I Esdras 8:45,46). Trinta e oito levitas e duzentos e cinqüenta servos do templo responderam à sua chamada. Isso talvez indique que Ido era chefe dos servos do templo, e assim descendia daqueles gibeonitas encarregados do trabalho braçal do tabernáculo e do templo. Com base na circunstância de que Judá, embora no cativeiro, gozava de boa margem de liberdade na observação de sua fé religiosa e na preservação da antiga ordem de coisas, é possível que uma coisa estivesse relacionada à outra.

7. Um membro da família sacerdotal que retornou a Jerusalém juntamente com Zorobabel (Nee. 12:4,6,16). O vs. 16 apresenta-o como pai de Zacarias; portanto ele pode ter sido o mesmo homem do número «8», abaixo. Viveu por volta de 536 A.C.

8. Avô do profeta Zacarias (Zac. 1:1,7; Esd. 5:1; 6:14). Disputa-se se esse foi ou não o mesmo homem do número anterior, acima.

IDOLATRIA

Esboço:

I. Definições e Caracterização Geral
II. Os Ídolos e as Imagens
III. Deuses Falsos
IV. Ensinos Bíblicos sobre a Idolatria
V. A Idolatria na Igreja

I. Definições e Caracterização Geral

1. Essa palavra vem do grego, **eidolon**, «ídolo», e **latreuein**, «adorar». Esse termo refere-se à adoração ou veneração a ídolos ou imagens, quando usado em seu sentido primário. Porém, em um sentido mais lato, pode indicar a veneração ou adoração a qualquer objeto, pessoa, instituição, ambição, etc., que tome o lugar de Deus, ou que lhe diminua a honra que lhe devemos. Nesse sentido mais amplo, todos os homens, com bastante freqüência, se não mesmo continua-

IDOLATRIA

Templos de Saturno e Vespasiano

Deus-Sol da Babilônia

Ápis, Deus-Touro do Egito

Auramazda, Deus Persa

Deus Voador da Assíria

IDOLATRIA

Ídolos Babilônicos

Sacrifício a Atena num Casamento

Deusa Fenícia de Amor

Ceres, Deusa Romana da Agricultura

Escaravelho Sagrado dos Egípcios

IDOLATRIA

mente, são idólatras. Naturalmente, essa condição surge em muitos graus; e um dos principais propósitos da fé religiosa e do desenvolvimento espiritual é livrar-nos totalmente de todas as formas de idolatria. Paulo, em Colossenses 3:5, ensina-nos que a cobiça é uma forma de idolatria. Isso posto, qualquer desejo ardente, que faça sombra ao amor a Deus, envolve alguma idolatria.

2. «A *idolatria* consiste na adoração a algum falso deus, ou a prestação de honras divinas ao mesmo. Esse deus falso pode ser representado por algum objeto ou imagem. Esse termo usualmente inclui a idéia da dendrolatria, da litolatria, da necrolatria, da pirolatria e da zoolatria... O estado mental dos idólatras é radicalmente incompatível com a fé monoteísta. A idolatria é má porque seus devotos, em vez de depositarem sua confiança em Deus, depositam-na em algum objeto, de onde não pode provir o bem desejado; e, em vez de se submeterem a Deus, em algum sentido submetem-se às perversões de valor representadas por aquela imagem». (H)

3. Na idolatria há certos elementos da *criação* que usurpam a posição que cabe somente a Deus. Podemos fazer da autoglorificação um ídolo, como também das honrarias, do dinheiro, das altas posições sociais. Praticamente, tudo quanto se torne excessivamente importante em nossa vida pode tornar-se um ídolo para nós. A idolatria não requer a existência de qualquer objeto físico. Se alguém adora a um deus falso, sem transformar em deus a alguma imagem, ainda assim é culpado de idolatria, porquanto fez de um *conceito* uma falsa divindade.

4. *Uma Rua de Mão Dupla de Trânsito*. A antropologia tem mostrado amplamente que as religiões dos povos geralmente começam na idolatria, e então progridem para uma forma de fé mais pura, que finalmente, rejeita os tipos primitivos de conceitos que requeiram a presença de algum ídolo. Quando a fé de um povo vai-se tornando mais intelectual e espiritual, menor se vai tornando a necessidade de crassas representações materiais. Por outro lado, algumas vezes a idolatria resulta da degeneração de uma fé anteriormente superior. Vemos isso no Novo Testamento, em vários lugares, no tocante a Israel, a certas alturas de sua história. É admirável como a crueza domina essa questão. Em muitos lugares do mundo, da Índia à Sibéria, da Melanésia às Américas, simples toras de madeira têm sido erigidas em memória de pessoas amadas ou de heróis já falecidos; e, então, essa tora de madeira ou pedra torna-se um objeto de adoração, porquanto muitos supõem que o espírito da pessoa retorna para residir ali. Um culto religioso então desenvolve-se, quando tal imagem é alvo de preces e oferendas, a fim de aplacar aquele suposto espírito. Na Escandinávia e nos países germânicos, os arqueólogos têm encontrado pedras e toras de madeira escavadas, com propósitos religiosos.

»A tendência de atribuir uma residência material a alguma divindade, ou, geralmente, de prestar culto ao espírito, em termos tangíveis é algo tão comum que quase se torna um sinal universal da cultura humana. A idolatria está presente na grande maioria das religiões do mundo, incluindo o hinduísmo e o budismo. Aparentemente, não é proibida pelo zoroastrismo. Mas é proibida pelo islamismo. O relato bíblico do povo de Israel, que adorou ao bezerro de ouro, ao pé do monte Sinai, é uma prova de idolatria no judaísmo primitivo. Os mandamentos contra a adoração a outros deuses e contra o fabrico de imagens são injunções específicas contra a idolatria» (AM). Esse autor, que acabamos de citar,

deveria ter incluído o fato de que o cristianismo é uma das grandes religiões que, em alguns de seus segmentos, pratica a idolatria. Por que motivo uma imagem de uso cristão seria prova menor de idolatria do que uma imagem venerada no hinduísmo ou no budismo?

5. *A Vasta Extensão da Idolatria*. Nosso artigo chamado *Deuses Falsos* apresenta um sumário do que se sabe acerca dos deuses falsos que têm sido adorados pelos homens; e a lista é tão extensa que chega a admirar. O panteão mesopotâmico compunha-se de mais de mil e quinhentos deuses. Os mais conhecidos dentre eles eram Samás, Marduque, Sin e Istar, a qual era a deusa do amor carnal. Nabu era o patrono da ciência e da erudição. Nergal era o deus da guerra e da caça. Quase todas as atividades e aspirações dos homens têm sido representadas por alguma prática idólatra.

6. *Natureza Corrompida da Idolatria*. Toda idolatria é corrupta. Paulo supunha que os ídolos representam forças demoníacas. Ver I Cor. 10:20. A religião dos cananeus era repleta de corrupções morais, que ameaçavam continuamente a Israel. Havia todos os tipos de abusos sexuais, como a prostituição sagrada, associados aos cultos de fertilidade, nos quais Baal e Astarte eram adorados, sem falarmos em cultos onde havia orgias de bebidas alcoólicas. Também havia o sacrifício de infantes na fogueira. A radicalidade dessa forma de idolatria foi a razão por detrás do mandamento da eliminação de toda forma de idolatria, com a destruição das imagens, colunas e estátuas, e com a destruição dos lugares altos, onde esses ritos eram efetuados. (Ver Deu. 7:1-5; 12:2,3).

II. Os Ídolos e as Imagens

Um ídolo representa alguma divindade, ou então é aceito como se tivesse qualidades divinas por si mesmo. Em qualquer desses casos, aquele objeto recebe adoração. Contudo, é possível haver uma imagem, sem que essa seja adorada, como no caso dos querubins que havia no templo de Jerusalém. Sem dúvida, esses querubins não eram adorados, formando uma exceção acerca da proibição de imagens. Uma imagem também pode ser um amuleto que é concebido como dotado de alguma forma de poder de proteger, de ajudar ou de permitir alguma realização; mas um amuleto não é necessariamente adorado. Isso posto, apesar de representar alguma crença supersticiosa, um amuleto não é obrigatoriamente uma forma de idolatria. E, naturalmente, é possível a posse de uma imagem esculpida ou uma pintura, representando algum santo ou herói religioso, sem que a mesma seja adorada, por ser apenas um lembrete de que se deveria emular as qualidades morais e espirituais de tal santo. Por outro lado, quando tais imagens são «veneradas», então é provável que, na maioria dos casos, esteja sendo praticada a idolatria. As estátuas dos mestres jainistas e confucionistas são comuns; mas nunca são veneradas como deuses ou poderes divinos. Eles são relembrados como grandes mestres, e suas imagens são apenas memoriais desse fato. As divindades da natureza, com freqüência, eram adoradas sem o uso de quaisquer objetos materiais; mas, quando os homens começaram a pensar nos deuses como *espíritos*, e esses habitando nos mais variados objetos, então todo tipo de objeto e representação material passou a ser adorado. Assim, o sol, a lua e as estrelas eram concebidos como lugares de habitação de divindades, como se fossem as próprias divindades, razão pela qual eram adorados diretamente. Algumas vezes, as imagens só são adoradas mediante alguma forma de cerimônia, que,

IDOLATRIA

supostamente, lhes transmitiria vida, ou seja, fazem delas manifestações localizadas de alguma divindade. O esforço por retratar os imaginários poderes de alguns deuses têm criado imagens fantasticamente grotescas. As religiões da Babilônia e do Egito levavam a sério a idéia de que um deus ou espírito divino podia residir em algum objeto material. O hinduísmo e o budismo têm feito intenso uso de ídolos para ajudar o povo comum a adorar. Os elementos mais intelectuais dessas religiões asseveram que as imagens de escultura são meras representações das divindades; mas, ao nível popular, essa delicada distinção inexiste, conforme se vê na Igreja Católica Romana e na Igreja Ortodoxa Oriental. O islamismo destruiu todos os ídolos em Meca, proibindo a feitura de qualquer representação material do ser divino. O zoroastrismo, embora inclua formas de idolatria, nunca representou a divindade com forma humana.

III. Deuses Falsos

Temos dado um artigo separado sobre esse assunto, com esse título, mostrando a natureza muito abrangente da idolatria, juntamente com muita informação de interesse geral para os estudiosos da Bíblia.

IV. Ensinos Bíblicos Sobre a Idolatria

O segundo mandamento da lei de Deus proíbe qualquer forma de idolatria. Ver Êxo. 20:3-5. A idolatria dos hebreus, quando ocorria, não só incluía a adoração a deuses falsos, mediante imagens ou sem elas; mas também a adoração a Yahweh, embora através de símbolos visíveis (Osé. 8:5,6; 10:5). No Novo Testamento, qualquer coisa muito desejada, que suplante a comunhão com Deus ou a impeça, é considerada idolatria (I Cor. 10:14; Gál. 5:20; Col. 3:5). «A teologia moral cristã insiste em que qualquer desejo desordenado, que veja o objeto de tal desejo como a fonte última do bem e a base do bem-estar do indivíduo, é idolatria» (H)

1. *Formas de Idolatria na Bíblia*. A adoração a imagens (Isa. 44:17), o oferecimento de sacrifícios a imagens (Sal. 106:38; Atos 7:41), a adoração a deuses falsos (Deu. 30:17; Sal. 81:9), o serviço prestado a outros deuses (Deu. 7:4), o temor a outros deuses (II Reis 17:35), a adoração ao verdadeiro Deus, mas por meio de alguma imagem (Êxo. 32:46 e Sal. 10:6,18,20), a adoração a demônios (Mat. 4:8,10; I Cor. 10:20), o manter ídolos no próprio coração (Eze. 14:3,4), a adoração aos espíritos dos mortos (Sal. 106:28), a cobiça (Efé. 5:5; Col. 3:5), a sensualidade (Fil. 3:19), a redução da glória de Deus em uma mera imagem (Rom. 1:23), a adoração aos corpos celestes (Deu. 4:19).

2. *Descrições Bíblicas da Idolatria*. Ali a idolatria é uma abominação (Deu. 7:25), é odiosa a Deus (Deu. 16:22), é vã e tola (Sal. 115:4-8), é destituída de proveito (Juí. 10:14; Isa. 46:7), é irracional (Atos 17:29; Rom. 1:21-23), é contaminadora (Eze. 20:7; 36:18).

3. *Adjetivos Aviltadores*. Os ídolos e as imagens de escultura são deuses estranhos (Gên. 35:2), são novos deuses (Deu. 32:17), são deuses fundidos (Êxo. 34:17), são imagens de escultura (Isa. 45:20), são destituídos de sentidos (Sal. 115:5,7), são mudos (Hab. 2:18; I Cor. 12:2), são abomináveis (Isa. 44:19), são pedras de tropeço (Eze. 14:3), não passam de vento e confusão (Isa. 41:29), são como o nada (Isa. 42:24; I Cor. 8:4), são impotentes (Heb. 10:5), são vaidades (Jer. 18:15), são vaidades dos gentios (Jer. 14:22).

4. *Castigos Prometidos aos Idólatras*. A morte judicial (Deu. 17:2-5), o banimento (Jer. 8:3; Osé. 8:5-8), a exclusão do céu (I Cor. 6:9,10; Efé. 5:5; Apo. 22:15), o julgamento da eternidade (Apo. 14:9-11; 21:8).

«Não houve nenhum período da história dos hebreus em que esse povo estivesse isento da atração exercida pelos ídolos. Raquel tomou os *terafins* (deuses domésticos, representados por figurinhas de barro) com ela, quando Jacó e seus familiares fugiram de Labão (Gên. 31:34). Os israelitas adoraram aos ídolos do Egito durante sua jornada ali, e não desistiram deles — nem mesmo quando foram tirados da escravidão por Moisés (Jos. 24:14; Eze. 20:8-18)». (Z) Esse autor continua a fim de mostrar a idolatria através de toda a história de Israel: no Sinai (Êxo. 32), em suas vagueações pelo deserto (Núm. 25:1-3; 31:16), imediatamente antes de entrarem na Terra Prometida (Deu. 4:15-19), no tempo dos juízes de Israel (Juí. 2:11-13; 6:25-32; 8:24-27), no tempo de Salomão, através da influência de suas muitas esposas estrangeiras (I Reis 11:1-8), no tempo de Jeroboão, quando houve a adoração ao bezerro de ouro (I Reis 12:25-33), durante o reinado de Reboão, em Judá (I Reis 14:21-24), sob Acabe, em Israel (I Reis 16:32), o que levou Elias a desafiar tal idolatria (I Reis 14:21-24), nos dias do profeta Amós (Amós 5:26), nos dias de Oséias (Osé. 2:16,17; 8:4-6), nos dias de Isaías (Isa. 2:8; 40:18-20; 41:6; 44:9-20), nos dias de Jeremias (Jer. 2:23-25; 10:2-10; 11:13; 23:13,14). E talvez uma das razões pelas quais aqueles que retornaram do cativeiro babilônico tiveram de desfazer-se de suas esposas estrangeiras, com as quais se tinham casado, eram as práticas idólatras que elas haviam introduzido em suas famílias (Eze. 10:3,19).

No Novo Testamento, Jesus estendeu os pecados até os seus íntimos motivos (Mat. 5:21 ss). Assim, no caso da idolatria, qualquer coisa que ocupe excessivamente o nosso tempo, às expensas da espiritualidade, é uma manifestação de idolatria (Efé. 5:5; Col. 3:5; Fil. 3:19, onde a glutonaria é especificamente menciona-da).

V. A Idolatria na Igreja

O que digo sobre isso aparece no artigo *Iconoclasmo* (*Controvérsias Iconoclásticas*). — Ver também sobre *Imagens* e *Ídolos*. Os intelectuais cristãos, tal como seus colegas budistas, dizem que as imagens de escultura são apenas memórias de qualidades dignas de emulação, de santos ou heróis espirituais, o que, presumivelmente, — ajudaria os religiosos sinceros a copiarem tais virtudes. Entretanto, o povo comum não é sofisticado o bastante para separar a imagem da adoração à divindade ou santo. E nem significa grande coisa a autêntica distinção entre adoração e veneração. O resultado disso é que a idolatria tornou-se muito comum na Igreja cristã, tanto no Oriente quanto no Ocidente. E, apesar dos grupos protestantes e evangélicos terem removido as formas mais crassas de idolatria, de seu culto, ainda assim há muitas formas sutis de idolatria que ali são cultivadas. Quem não se mostra ocasionalmente cobiçoso? Quem não tem desejos desordenados? Quantos escapam da idolatria sob a forma de glutonaria ou sensualidade? Além disso, há variedades religiosas de idolatria, como a *bibliolatria* (vide). Uma forma comum de idolatria consiste em idolatrar o credo denominacional, o que, geralmente, se faz com uma atitude arrogante. O coração humano, fora da Igreja ou dentro dela, no Oriente ou no Ocidente, pende para a idolatria, e uma parte do crescimento espiritual consiste na eliminação

ÍDOLO – ÍDOLOS

gradual de todas as formas de idolatria, até as mais sutis.

ÍDOLO

Ver sobre **Idolatria.**

ÍDOLOS, CARNES OFERECIDAS AOS

A Liberdade Cristã (I Cor. 8:1-11:1).
Declarações Concludentes (10:23—11:1).

Neste ponto, Paulo talvez tenha feito uma pausa por alguns minutos, ou mesmo deixou de lado o seu estudo geral acerca da «liberdade cristã», que vinha considerando por tanto tempo. Mas então, retornando ao tema, começa a sumariar o que já dissera. Ele nos dá aqui uma espécie de reafirmação de princípios gerais e, em suas declarações finais, menciona e refuta os *slogans* usados pelo partido liberal em Corinto. Seu tema geral é prenhe de interesse e preocupação pelos outros, tudo visando regulamentar a conduta da comunidade geral da Igreja, a fim de que houvesse o mais alto benefício espiritual para todos. Neste ponto, Paulo não mostra qualquer preocupação em face do perigo, e nem discute qualquer perigo pessoal, conforme havia feito em I Cor. 9:24-27. Não obstante, percebia grandes perigos, que pairavam sobre a comunidade cristã de Corinto, por causa do abuso da liberdade cristã que ali se praticava.

De modo geral, três tópicos têm sido ventilados e continuam a ser agora discutidos, com declarações conclusivas, a saber:

1. O consumo de alimentos oferecidos como sacrifício, em templos pagãos, é uma atitude idólatra, ou, pelo menos, chega à beira da idolatria, sendo algo absolutamente proibido para os crentes. Ver os versículos catorze a vinte e dois deste capítulo.

2. Mas um crente pode comprar nos mercados carne que sabe ter sido usada em ritos pagãos. Paulo aceitava não haver nisso nenhum perigo, salvo se isso viesse a ocasionar o tropeço de algum irmão *débil na fé*, dotado de fortes escrúpulos contra tal atitude. (Ver o oitavo capítulo desta epístola, como também 10:25,26). Seja como for, nenhuma idolatria está envolvida nessa compra e consumo de alimentos.

3. O *caso intermediário*. Um crente poderia ser convidado a participar de uma refeição na casa de um amigo pagão. Ora, os pagãos muito religiosos faziam com que virtualmente todos os seus atos fossem uma espécie de devoção a seus deuses. Todavia, se nenhuma atenção for focalizada no fato de que a carne a ser comida fora usada em ritos pagãos, então tal alimento podia ser reputado legítimo, e o crente podia participar do mesmo sem receio. Não obstante, se algum irmão «fraco» na fé viesse a tomar conhecimento dessa atividade social, salientando o fato de que tal crente estivera nesse banquete, comendo carnes que haviam sido oferecidas em sacrifício, então é melhor tal crente descontinuar essa prática. Isso ainda não seria idolatria «per se», mas poderia ser um meio de enfraquecimento de outro crente na fé, e nenhum acontecimento social tem tal valor (ver I Cor. 10:27-33).

A liberdade cristã, dentro do contexto da vida moderna. O que expomos nos três pontos acima revela o que Paulo pensava sobre esse aspecto da «liberdade cristã». E várias aplicações para os tempos modernos podem ser determinadas, conforme mostramos abaixo:

1. Em primeiro lugar, em qualquer situação, em qualquer ação planejada, o crente deve primeiramente indagar de si mesmo se há qualquer mandamento «escrito» e contrário ao que ele planeja fazer. Caso tal mandamento exista, então não estará ele abordando alguma questão própria da «liberdade cristã», mas antes, alguma coisa que não é moralmente indiferente. Porém, existem certas coisas acerca das quais não há qualquer mandamento específico «escrito», mas antes, são cobertas por regras de natureza geral. Nesse caso, a atitude certa é a prática da moderação em tudo. Prazeres legítimos, mas imoderadamente praticados, como a gula, como o uso do tempo disponível para coisas não-essenciais, etc., tornam-se pecaminosos, não podendo ser classificados dentro da categoria da «liberdade cristã». As ações e os alimentos que prejudicam o corpo são pecaminosos, porquanto o corpo é o templo do Espírito Santo. Por igual modo, saber fazer o bem, mas recusar-se a praticá-lo, é uma maldade pecaminosa. A inação é um pecado, como também o é a preguiça.

2. Além disso, existem aqueles casos que poderíamos chamar de *marginais*, onde não há qualquer mandamento definido a respeito, embora muitos crentes piedosos pensem que esta ou aquela ação é errada. Aqui caberiam certos prazeres como a dança, o cinema, o fumo, a ingestão moderada de bebidas alcoólicas, as maneiras de vestir, a escolha do tipo de literatura, etc. Em todas essas questões, não cobertas por algum mandamento direto, cabe a «liberdade cristã». Nesses casos, entretanto, o crente procura ser honesto na avaliação do «conteúdo moral» de tais ações. Antes de mais nada, a moderação é novamente a palavra de ordem. Uma vez que a moderação se imponha, fica à disposição da consciência de cada crente decidir o que ele deve e o que não deve fazer. Entretanto, a «liberdade» do crente termina, nesses casos, no momento em que algum irmão se escandalizar em razão de algum ato nosso. E ainda que um irmão se mostre muito escrupuloso e crítico, é aconselhável refrearmos da prática criticada, ainda que seja legítima, a menos, naturalmente, que a crítica se volte contra algum mandamento escrito, em cujo caso o crente não tenha escolha senão continuar obedecendo ao Senhor.

Queremos ilustrar esta segunda possibilidade com um caso definido: Está cientificamente comprovado que o fumo provoca o câncer. Portanto, essa prática é um vício, um erro. Por outro lado, também é possível que fumar seis cigarros ou menos por dia não **prejudique ao corpo** e que tal indulgência não é prejudicial. Nesse caso, fumar poucos cigarros não é mau em si. No entanto, é natural que um crente fumante, ainda que extremamente moderado, seja criticado por outros. Por essa razão, é aconselhável ao crente jamais pôr um cigarro na boca. Outro tanto se poderia dizer acerca da ingestão de bebidas alcoólicas. Também não se pode dizer ser errado procurar entretenimento em certos lugares públicos inocentes. Contudo, a seleção deve ser muito criteriosa, para que se evitem as influências corruptoras do mundo. Essa mesma regra se aplica à vida do lar, no que concerne à literatura que ali é lida, aos programas de rádio e televisão, etc. Porque todas essas coisas *podem ser* forças em favor do bem o do mal. Por essa razão, a «liberdade cristã», em todos esses casos, deve se por a trabalhar em favor da edificação da alma, para que nenhum prejuízo espiritual resulte da mesma, devendo as nossas ações, nesses particulares, serem governadas, até certo ponto, pelos sentimentos e crenças de outras pessoas, que nos observam de perto.

A atitude de Paulo, quanto a isso, era bastante liberal. O trecho de I Cor. 10:30 mostra que ele cria

ÍDOLOS – IFTAEL

que os poderes demoníacos podem estar por detrás das práticas idólatras. Por certo, ele não encorajava os crentes a entrarem nos templos pagãos ou nas festas pagãs, ou a participarem de qualquer outra atividade pagã. Porém, não condenava as refeições privadas onde houvesse carnes que haviam sido usadas na adoração pagã, a menos que isso viesse a escandalizar a outras pessoas.

A liberalidade de Paulo, porém, não era compartilhada por outros líderes cristãos primitivos. Em Apocalipse 2:14,20, por exemplo, temos a proibição direta de se comer carnes oferecidas a ídolos, sem qualquer qualificação. Paulo situava a questão dentro do contexto da liberdade cristã. O Apocalipse não vê a possibilidade de liberdade, em tal caso. A liberalidade sobre práticas dúbias raramente funciona bem. Paulo estava certo em teoria, mas, na prática, naturalmente entram os abusos. Além disso, a mente judaica normal jamais teria concordado com a opinião liberal de Paulo, visto que tudo quanto estivesse ligado a idolatria era abominável para essa mentalidade. No NTI, em Apo. 2:14, ofereço uma longa nota expositiva sobre a questão. Um judeu devoto tinha o cuidado de evitar toda a forma de idolatria, ou qualquer contacto com a mesma, temendo encorajar seus vizinhos pagãos a agir de forma menos séria a respeito. (*Aboth*, 5.18; *Sanhedrin* 7.4,10).

Mediante referências nos escritos clássicos, sabemos quão importantes eram as festas nos templos idólatras. Esses eram movimentos sociais, religiosos e patrióticos. Faziam parte da sociedade pagã, e não eram facilmente abandonados nem mesmo pelos convertidos ao cristianismo. Ver Suetônio (*Cláudio* 33). Ele nos conta que Cláudio, certa ocasião, foi ao fórum, mas sentiu o odor de um banquete que estava sendo efetuado no templo dedicado a Marte. Ele saiu do fórum, e sentou-se à mesa, no templo de Marte.

Uma Progressão. Nessa questão podemos notar certa progressão. O trecho de I Coríntios 8 representa a questão como *indiferente*, salvaguardando aos cristãos somente ao apelar para o seu bom senso, acerca do uso correto da liberdade cristã. O trecho de I Coríntios 10:25 *ss* reforça um pouco mais enfaticamente aquela cautela. O trecho de Romanos 14:19 *ss* fala ainda em termos mais enfáticos, apelando para que o crente não *destrua* a outrem mediante o abuso da liberdade cristã. Atos 15:20, por sua vez, encerra uma proibição absoluta, sem quaisquer qualificações. Esse versículo faz parte dos decretos do concílio ecumênico de Jerusalém, que envolve a questão como algo obrigatório para as igrejas gentílicas. E Apocalipse 2:14,20 mostra que essa proibição continuava válida várias décadas mais tarde.

ÍDOLOS DA MENTE

Francis Bacon, em seu *Novum Organum* (livro I, 39-44) apresentou quatro fontes principais de erros que assediam a mente humana em sua inquirição pela verdade. Essas fontes ele intitulava de *ídolos da mente*. Ver o artigo sobre *Bacon, Francis*, quarto parágrafo.

ÍDOLOS E IMAGENS

Ver sobre **Idolatria**, seção II.

IDUEL

Nome de um dos principais chefes dos judeus nos dias de Esdras. Ele é chamado de Ariel, em Esd. 8:16. A forma alternativa, Iduel, aparece em I Esdras 8:43.

IDUMÉIA

1. *O Nome*. Essa palavra vem de uma forma grega, *Idoumaia*, do termo hebraico para *Edom*. Originalmente, o nome derivava-se de *Edom* (vide), filho de Isaque, que também era conhecido como *Esaú* (vide). Significa «vermelho». Esse nome, ao que parece, derivava-se do fato de sua cor avermelhada, quando ele nasceu (ver Gên. 25:25). Esse nome foi reforçado, em seu sentido, pelo incidente sobre o guisado avermelhado (ver Gên. 25:30).

2. *A Região*. A região que chegou a ser chamada *Edom*, estendia-se para ambos os lados da *Arabá*; e sua porção ocidental chegava a Cades (ver Núm. 20:16). Ficava de ambos os lados dos grandes vales de El Ghor e de El Arabá, entre o mar Morto e o golfo Elanítico do mar Vermelho. Esaú instalou-se nesse distrito, e ali ficou durante o tempo de vida de seu pai, de tal modo que, gradualmente, sua posteridade tomou posse da região. A bênção profética de Isaque mencionava essa terra como pertencente aos descendentes de Esaú (Gên. 27:38,40; Deu. 2:5-12,22). O monte Seir (Gên. 14:6) ficava nessa área, sendo descrita na Bíblia antes da região ser chamada de Edom. A província greco-romana continha um território maior do que o Edom original. As novas fronteiras incluíam os desertos do Negebe e a Sefelá, bem como os locais de Laquis e Hebrom. O trecho de Mar. 3:8 usa a forma grega do nome, em relação ao ministério de Jesus naquele território.

Quanto a uma completa descrição sobre esse lugar, seu território, história, etc., ver o artigo sobre *Edom, Idumeus*.

IE-NAÁS

No hebraico, «cidade da serpente». Era uma cidade de Judá, que alguns supõem ter recebido tal nome devido à abundância de serpentes no local. Mas, também é possível que ali se tivesse praticado a adoração à serpente. Teína é chamado de pai desse lugar, em I Crô. 4:12. Sua localização é desconhecida, mas talvez ficasse perto de Beit Jibrin, onde há um lugar chamado Deir Nahhas, que poderia assinalar o antigo local.

IEZER

Essa é uma forma contraída do nome Abiézer. Essa forma mais curta acha-se em Núm. 26:30. Ver sobre *Abiézer*.

IFDÉIAS

No hebraico, **Yahweh redime**. Ele descendia de Benjamim (I Crô. 8:25), e viveu por volta de 1600 A.C. Era um dos chefes da tribo de Benjamim, e residia em Jerusalém.

IFTÁ

No hebraico, «irrompimento». Esse era o nome de uma cidade na Sefelá de Judá, alistada juntamente com Libna, Eter, Asã, Asná, Nezibe, e outras, em Jos. 15:43. Tem sido tentativamente identificada com a moderna aldeia de Tarqumiya, a leste de Laquis.

IFTAEL

No hebraico, **El (Deus) abre**. Refere-se a um vale na fronteira norte do território de Zebulom, mencionado em Jos. 19:14,26. Entretanto, é desconhecida a sua localização exata.

IGAL — IGNORÂNCIA INVENCÍVEL

IGAL

No hebraico, «que Deus redima». Esse nome figura como apelativo de várias pessoas, nas páginas do Antigo Testamento, a saber:

1. Um filho de José, representante da tribo de Issacar, que foi um dos espias enviados a explorar a Terra Prometida, preparando-a para ser invadida (Núm. 23:7; 14:37). Viveu por volta de 1657 A.C.

2. Um filho de Natã de Zobá, e um dos trinta poderosos guerreiros de Davi (II Sam. 23:36). Viveu por volta de 1040 A.C. O nome aparece com a forma de Joel, em I Crô. 11:38.

3. Um filho de Semaías e descendente de Zorobabel (I Crô. 3:22). Viveu por volta de 406 A.C.

IGBAL, MOHAMMAD

Suas datas foram 1877—1938. Foi um importante filósofo paquistanês, que ensinava uma forma de *panenteísmo* (vide). Educou-se em Cambridge e em Munique. Era obviamente influenciado pelos escritos de Bergson. Falava sobre a realidade última como *duração*. Pensava que o homem é livre, e que podemos considerar seus atos como espontâneos. Deus e o homem se inter-relacionariam em um universo orgânico.

Igbal também foi um importante estadista. Foi o primeiro a projetar o conceito de um estado islâmico na Índia moderna; e, finalmente, isso levou à formação do Paquistão. Além de sua atuação na filosofia, ele era advogado praticante e escreveu poemas e outras obras literárias. Os paquistaneses honram-no como seu pai espiritual.

IGDALIAS

No hebraico, «Deus é grande». Nome do antepassado de alguns homens que contavam com um aposento no templo, nos dias do profeta Jeremias (Jer. 35:4), o que sucedeu por volta de 606 A.C.

IGIGI

Um termo coletivo, na religião babilônica, para indicar os deuses do céu, que se teriam incorporado nas estrelas. Esse termo era usado para indicar os deuses acima do horizonte. Aquelas divindades incorporadas nas estrelas, quando desciam abaixo do horizonte, eram chamadas *anunaqui*.

IGNORÂNCIA

A raiz dessa palavra é latina, **in** «não» e **gno** (de gnoscere), «conhecer». Há muitas formas e níveis de ignorância. Consiste em ser alguém privado de conhecimento, e não ter consciência de alguma coisa; de estar mal informado; **de estar auto-iludido**, de tal maneira que fica bloqueado o verdadeiro conhecimento; e, finalmente, de não ter aprendido, de não possuir habilitações. Um homem, por mais erudito que seja, ainda assim é ignorante quanto a muitas coisas. Dentro do campo espiritual, conhecemos pouquíssimo; e muitas das coisas que pensamos que sabemos, são distorcidas por falsos dogmas e por atitudes hostis.

De acordo com as leis de muitos países, a ignorância não isenta o indivíduo de suas responsabilidades, embora possa atenuar os castigos aplicados. Na ética, Sócrates ensinava que o principal problema do homem é a ignorância, visto que se o homem realmente sabe o que é melhor, então o põe em prática. Como é óbvio, essa posição é exageradamente otimista; mas a ignorância nada vale, e sempre se mostra um entrave. Assim, o conhecimento é uma virtude, e a ignorância é um vício. A ignorância pode ser voluntária ou involuntária. Quando nos recusamos a mudar de rumo, crescer e aprender, então nos tornamos voluntariamente ignorantes. Alguns chegam a pensar que a ignorância voluntária é uma virtude, como se fosse desejável ser ignorante, vivendo sobre a base de uma fé cega. Contudo, as circunstâncias e as limitações naturais forçam a ignorância sobre todas as pessoas, nos mais variegados graus.

Na teologia, a ignorância involuntária e inevitável desculpa a culpa, quando então é chamada de «ignorância invencível». Porém, quando a ignorância é voluntária e, por conseguinte, vencível, então passa a ser pecaminosa. Assim, no primeiro capítulo de Romanos, é ensinado que os pagãos têm responsabilidade. Apesar de estarem na incredulidade, devido à sua ignorância, Deus não deixa as coisas nesse pé, pois, através da mensagem cristã, finalmente remove essa ignorância. Isso, parcialmente, através da missão de Cristo no hades, o que aponta para uma oportunidade universal, embora nem sempre aceita. Ver o artigo sobre a *Descida de Cristo ao Hades*.

A Teologia e a Ignorância:

1. Os pecados cometidos por ignorância são menos graves que aqueles praticados voluntariamente, e podiam ser expiados por meio de holocaustos (Lev. 4:4; Núm. 15:22-29). Paulo recebeu misericórdia, porquanto perseguiu à Igreja por motivo de ignorância (Atos 12:30; Luc. 23:34).

2. Contudo, algumas vezes a ignorância é autoperpetuada. Pode ser vinculada à dureza do coração do indivíduo (Efé. 4:18), e pode ser deliberada (II Ped. 3:5; Rom. 1:18 *ss*).

3. *A ignorância sobre Cristo* é evidenciada por muitas coisas, como segue:

   a. A falta de amor (I João 4:8).

   b. A vida no pecado (Tito 1:16).

   c. O não guardar os mandamentos de Cristo (I João 2:4).

   d. O não tirar proveito da mensagem do evangelho (Atos 17:30).

4. *Resultados da Ignorância Espiritual*:

   a. O erro (Mat. 22:29); b. a idolatria (Isa. 44:19); c. a alienação de Deus (Efé. 4:18); d. incorre em punição (Sal. 79:6; II Tes. 1:8).

5. A ignorância voluntária envolve o desprazer de Deus (Rom. 1:18 *ss*). Ver o artigo intitulado *Pecado Voluntário*.

6. *Exemplos Bíblicos*: Faraó (Êxo. 5:2); os israelitas (Sal. 95:10; Isa. 1:3); os falsos profetas (Isa. 56:10); certos líderes judeus (Luc. 23:34); Nicodemos (João 3:10); os gentios (Gál. 4:8); Paulo, ainda em sua incredulidade (I Tim. 1:13).

7. *O Remédio para a Ignorância Espiritual*. Esse remédio reside na múltipla missão de Cristo: à terra (João 3:16 *ss*); ao hades (I Ped. 3:18—4:6) e nos lugares celestiais (I João 2:1). O mistério da vontade de Deus promete-nos pôr fim à ignorância, acompanhada pela *restauração* geral (ver Efé. 1:9,10). Ver o artigo geral sobre esse assunto.

IGNORÂNCIA INVENCÍVEL

De acordo com a teologia católica romana, além de outras, existe o conceito segundo o qual algumas pessoas teriam uma invencível ignorância a respeito de Cristo e seu evangelho. Isso significa que tais indivíduos não são responsáveis pela sua ignorância,

IGNORATIO — IGREJA

visto que não ouviram, da maneira correta, as reivindicações de Cristo e suas exigências aos homens.

A expressão «**ignorância invencível**» é contrastada com uma outra, «ignorância voluntária», a qual já significa uma ignorância proposital, pois os indivíduos envolvidos não querem mesmo conhecer a verdade. O trecho de Atos 17:30 tem sido usado como texto de prova bíblica dessa idéia. Romanos 3:25 fala a respeito da *tolerância* de Deus acerca daqueles que viveram antes da crucificação de Jesus, a despeito do fato de que, no primeiro capítulo de Romanos, Paulo assevera a justiça de Deus, ao condenar os pagãos ignorantes. É que no terceiro capítulo dessa epístola, Paulo mostra-nos que Deus não executa uma justiça nua (embora isso seja seu direito), mas antes, condiciona seus atos pelo amor e pela compaixão. O relato bíblico da descida de Cristo ao hades, para pregar o evangelho aos perdidos que ali se encontravam (I Ped. 3:18—4:6), justifica o conceito da ignorância invencível. A fim de contrabalançar pela falta de oportunidade, a oportunidade de salvação, oferecida pelo evangelho, não cessaria por ocasião da morte biológica do indivíduo. A Igreja oriental sempre ensinou isso. Assim, o mundo intermediário, entre a morte do indivíduo, e antes da *parousia* (segunda vinda de Cristo), é ali encarado como um tempo possível de preparo para a salvação, sempre com base nas condições inarredáveis do arrependimento e da fé em Cristo. Sem dúvida, ali há juízos intermediários e preliminares, todos com propósitos remediais, mas nenhum juízo final, que impeça toda e qualquer oportunidade de salvação. Segundo alguns teólogos, a segunda vinda de Cristo porá ponto final à oportunidade de salvação. Acredito que não podemos marcar uma data para o fim da oportunidade, e se existir tal data, isto está dentro dos mistérios de Deus que, atualmente, não temos meios para conhecer. Devemos nos lembrar também que além da salvação dos redimidos, existirá uma *restauração* dos **não-redimidos**. Isto também será uma obra magnífica do *Logos*. Ver o artigo sobre *Restauração* para detalhes completos sobre este conceito.

IGNORATIO ELENCHI

Expressão latina que significa «raciocinar com base na ignorância». Indica raciocinar com base em premissas irrelevantes, ou em premissas que, realmente, não resultam **nas conclusões atingidas**. As falácias de relevância são aquelas que se originam de tal atividade. Ver o artigo sobre a *Falácia*, especialmente em seu oitavo ponto.

IGREJA (NO NOVO TESTAMENTO)

Ver o artigo separado sobre *Igreja, Pano de Fundo no Antigo Testamento*. Ver também os artigos sobre *Cristianismo; Cristologia; Novo Testamento e Igreja Apostólica*.

Esboço:
1. Sentido e Usos da Palavra Igreja
2. Conceitos da Igreja Dentro do Cristianismo Histórico
3. A Igreja Primitiva
4. A Natureza da Igreja
5. O Ministério da Igreja
6. O Destino da Igreja
7. Sumário de Características Principais

Efésios 3:10: *para que agora a multiforme*

sabedoria de Deus seja manifestada, por meio da igreja, aos principados e potestades nas regiões celestes,

1. Sentido e usos da palavra igreja

a. O vocábulo grego **ekklesia** significa, basicamente, «os chamados para fora», dando a entender um grupo distinto, selecionado e tirado para fora de algo. É verdade que essa palavra nem sempre se refere a um grupo religioso, pois no grego clássico era empregada para indicar «assembléia», «reunião convocada pelo arauto», «assembléia legislativa». Em Atenas, essas assembléias governantes eram eleitas pelos seus concidadãos por determinado período de tempo. Portanto, a «assembléia» pode ser legislativa, política, social ou religiosa. (Ver Josefo, *Antiq*. 12.164; 19.332 e Atos 19:39).

b. Tal palavra pode significar apenas «reunião», «ajuntamento» (ver I Macabeus 3.13; Atos 19:32,40).

c. Referia-se à congregação judaica, especialmente quando reunida com finalidades religiosas, para observância dos ritos religiosos, (ver Deut. 31:30; Juí. 20:2; Josefo, *Antiq*. 4.309 e Atos 7:38).

d. É usada para indicar a igreja cristã, um culto cristão, mas nunca o mero edifício das reuniões ou templo, (ver I Cor. 11:18; 14:4,9,28,35).

e. A «congregação» considerada como a totalidade dos crentes que vivem em um determinado lugar, uma igreja local, que nos primeiros tempos se reunia em moradias comuns, (ver Mat. 18:17; Atos 5:11; I Cor. 4:17; 16:19; Rom. 16:5).

f. A igreja universal, mística, composta de todos os crentes de todos os tempos e de todos os lugares, os quais aceitam Cristo como cabeça. Essa igreja é considerada como um organismo espiritual que tem Cristo por centro; e a união mística da igreja com Cristo se dá através do seu Espírito, e não devido a alguma organização. Portanto, transcende a denominações evangélicas, que defendem determinadas crenças ou governos eclesiásticos, (ver Mat. 16:18; Atos 9:31; I Cor. 6:4; Efé. 1:22; 3:10,21; 5:23 e *ss*, 5:27,29,32; Col. 1:18,24; Fil. 3:6; I Tim. 5:16). Quando está em foco a «igreja universal», são utilizadas expressões como «a igreja de Deus» ou «a igreja de Cristo», ver I Cor. 1:2; 10:32; 11:16,22; 15:9; II Cor. 1:1; Gál. 1:13 quanto à expressão «igreja de Deus»; e Rom. 16:16 e I Tes. 1:1 quanto à expressão «igreja de Cristo». Outros nomes empregados são «igreja dos santos» (ver I Cor. 14:33); «igreja dos primogênitos» (ver Heb. 12:23); e «igreja primeira e espiritual» (ver II Clemente 14:1). O vocábulo grego figura nas páginas do N.T. por cento e quinze vezes.

2. Conceitos da igreja dentro do cristianismo histórico

A idéia da igreja, dentro do cristianismo histórico, tem sido modificada por considerações que envolvem essencialmente três fatores: a. a natureza e a função da comunidade religiosa; b. a natureza e a função da igreja como instituição; e c. a relação entre a instituição e a comunidade geral:

a. A *natureza e a função da comunidade religiosa*. Na igreja mais primitiva, após a ressurreição de Jesus Cristo, a igreja era reputada como, antes de tudo, um povo escolhido de Deus, uma entidade que viera substituir a posição da apóstata nação de Israel, que havia rejeitado o Messias. Nos territórios judaicos, entretanto, não havia clara linha de demarcação entre a igreja cristã e a sinagoga judaica; por isso mesmo, os primitivos cristãos continuaram a adorar no templo de Jerusalém e a observar os seus ritos, até à destruição de Jerusalém, que ocorreu no ano 70 D.C. Foi esse evento que produziu clara separação entre a

IGREJA DA NATIVIDADE, A MAIS ANTIGA IGREJA DA CRISTANDADE — Cortesia, Matson Photo Service

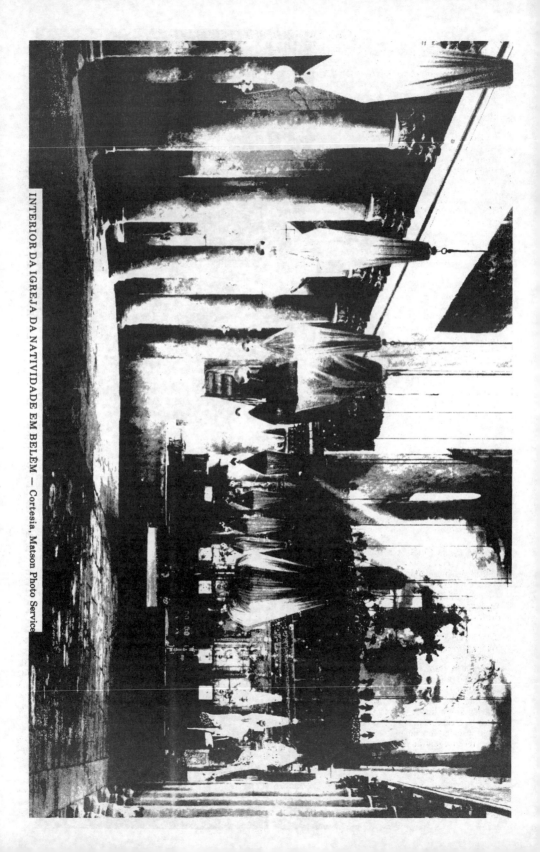

INTERIOR DA IGREJA DA NATIVIDADE EM BELÉM — Cortesia, Matson Photo Service

IGREJA NO NOVO TESTAMENTO

igreja e a instituição religiosa judaica, naqueles territórios, embora tal distinção desde há algum tempo viesse sendo observada nos territórios por onde se espalhara a missão evangelizadora entre os gentios. (Quanto ao caráter judaico da igreja primitiva, ver as notas expositivas sobre Atos 2:46 e 3:1 no NTI). Ninguém se tornava membro da comunidade cristã como algo formal, através da aceitação de um credo ou mediante admissão formal e, sim, através da livre associação com outros crentes, que também se tinham tornado discípulos de Cristo mediante conversão e profissão cristã. A igreja cristã primitiva gradualmente percebeu sua significação universal e até mesmo cósmica, ultrapassando o provincialismo que caracterizava o judaísmo. O conceito da igreja como entidade formada por um povo universal, vinculado mediante a união mística com Cristo, tornou-se especialmente forte pouco mais adiante, no seio de algumas seitas medievais, em algumas ordens monásticas, bem como no período da Reforma Protestante e, mais tarde, entre os anabatistas. Essa foi uma importante ênfase dada pelo maioria dos movimentos reformadores, a começar por Wycliff.

b. *A natureza e a função da igreja como instituição.* O reconhecimento da autoridade dos apóstolos e ministros da Palavra, desde o princípio, deu à igreja uma espécie de caráter institucional frouxo (ver Mat. 16:18 e *ss*). Após a destruição de Jerusalém, a comunidade religiosa cristã procurou substituir a «autoridade» que antes estivera investida no templo e no sumo sacerdote judaicos, além das Escrituras do A.T. Os «apóstolos» gradualmente assumiram essa posição, posto que de maneira mais relaxada; e então se desenvolveu gradualmente o «cânon» do N.T., a seleção de escritos de primitivos cristãos bem conhecidos. Não foi senão já durante a cristianização do império romano, quando do surgimento de um clero formal e oficial, bem como quando do desenvolvimento da importância exagerada conferida a ritos e cerimônias, que a igreja se tornou uma autêntica instituição. Cipriano (258 D.C.) sistematizou esses conceitos e práticas em desenvolvimento. Para ele, a igreja era essencialmente uma instituição salvadora, centralizada em torno da autoridade dos bispos ou pastores, a quem considerava «sucessores» dos apóstolos e «despenseiros de Deus».

Já na Igreja Católica Romana da era medieval, a palavra «igreja» passou a significar, essencialmente, a instituição hierárquica que serve de mediadora da graça e das bênçãos divinas, através dos «sacramentos». A grande fortaleza dessa instituição encontrou seu lugar no desenvolvimento do papado. A Reforma Protestante na realidade não rejeitou esse conceito da igreja, mas meramente desafiou a sua organização sacerdotal, conferindo aos crentes comuns muitas das funções daquela, tendo rejeitado totalmente a autoridade do papa, que os romanistas consideravam suprema. A Reforma Protestante, pois, reenfatizou a função da igreja, que consiste na prédica do evangelho, tendo dado um papel subordinado aos sacramentos, sobretudo no seio das igrejas que ficaram sob a influência de Calvino. Mais tarde, nas áreas protestantes, a igreja passou a ser reputada como «escola para ensinar a correta doutrina», o que obscureceu a missão evangelística, tendo sido a igreja transformada em uma escola. Porém, quando do reavivamento do evangelismo nos séculos XVIII e XIX, o que continuou com maior intensidade no nosso século XX, a ênfase original da Reforma Protestante foi ainda mais fortemente confirmada.

c. *A relação entre a instituição da igreja e a comunidade geral.* A ênfase original nesse sentido, primitivamente, era «No mundo, mas não parte dele». Porém, quando do desenvolvimento eclesiástico da igreja, vários outros pontos de vista foram surgindo. Agostinho subordinava o estado à igreja, fazendo desta mestra do estado, não apenas nas questões religiosas, mas até nas questões políticas. Assim teve início o conflito entre igreja e estado, como uma «doutrina oficial», embora Constantino já tivesse lançado o alicerce para tanto, tornando o cristianismo a religião oficial do império romano.

A Reforma Protestante a princípio rejeitou a idéia da união entre o estado e a igreja, principalmente como meio de escapar à punição das autoridades civis por motivo de crenças religiosas. Calvino foi exceção a essa regra, pois mantinha ele, na forma mais rígida, a combinação dessas duas instituições. A liberalização moderna da doutrina e da prática moral tem tendido por destruir a natureza distintiva da igreja, negando virtualmente que a igreja seja uma comunidade de indivíduos regenerados, transformando-a em apenas mais um lugar onde os homens vão ouvir dissertações morais ou religiosas, mas que não prega e nem busca a conversão moral e espiritual, com a conseqüente salvação da alma. A ênfase dada a «questões sociais», também tem tendido por destruir o caráter original da igreja, como lugar onde os homens pensam acerca do destino de suas almas eternas. Por outro lado, algumas denominações e igrejas locais não possuem qualquer senso de obrigação social e, por causa disso, se têm tornado obsoletas em um mundo que muito necessita de boa influência espiritual. Pois se raciocina, e corretamente, que se uma igreja não tem aplicação social, e nem enfrenta grandes questões sociais, dificilmente pode ter qualquer resposta verdadeira para o homem contemporâneo. A igreja precisa encontrar o meio-termo entre o interesse individual e o interesse social. O fato de que indivíduos estão sendo conduzidos a Cristo não soluciona todos os problemas sociais; e o N.T. não pretende tanto, embora os remidos sejam pessoas melhor equipadas para encontrar soluções sociais do que aquelas ainda dominadas por motivações egoístas. Por exemplo, entre indivíduos verdadeiramente convertidos, — em qualquer raça, não deveria haver quaisquer problemas de ordem racial, mas, bem pelo contrário, o senso de boa vontade e de profundo interesse pelos outros. Dessa maneira, esse problema social particular, tão agudo em nossa época, poderia encontrar no seio da igreja cristã pelo menos uma *disposição* acertada. Com base nessa atitude tais problemas pudessem encontrar uma solução prática.

3. A igreja primitiva

Em sentido literal, Jesus não foi o fundador da igreja, embora sua doutrina e caráter distintivo tenha produzido tal fundação pelas mãos dos apóstolos. Embora já houvesse certa organização incipiente entre o pequeno grupo de discípulos, a doação do Espírito Santo, no dia de Pentecoste, marcou o verdadeiro começo da igreja cristã, ainda que, mesmo naquela oportunidade, nenhuma divisão clara tenha havido entre os crentes primitivos e a instituição da sinagoga judaica. A fundação da igreja, e seu desenvolvimento em uma entidade distinta, foram graduais, não tendo sido assinaladas por qualquer grande acontecimento. Fez parte do processo histórico. Esse processo, todavia, foi quase imediato nos territórios atingidos pela missão evangelizadora entre os gentios, em contraste com o que sucedeu na igreja que ficou em territórios judaicos. E gradualmente foi emergindo o conceito da nova Israel. A

IGREJA NO NOVO TESTAMENTO

igreja primitiva, a despeito de possuir elementos similares àqueles de épocas posteriores, possuía diversas características distintivas, a saber:

a. Sua atitude era de ardor e confiança intensos, e isso inspirado pela «proximidade» da vida terrena de Jesus e sua ressurreição recente. A isso os cristãos primitivos vinculavam a idéia de um retorno imediato de Cristo; alguns termos terrenos e políticos. Não obstante, o «reino de Deus» haveria de tornar-se uma realidade para eles, dentro de pouco tempo, (ver I Cor. 15:51 quanto a essa intensa expectação sobre o segundo advento de Cristo, com suas circunstâncias acompanhantes).

b. Além disso, houve o dom do Espírito Santo. (Ver Atos 2:4). Que um grande número de crentes primitivos exercia um ou mais dos dons do Espírito fazia aquele corpo tornar-se uma entidade distintiva e poderosa.

c. A igreja cristã primitiva tinha profunda *consciência social*, pelo menos no que dizia respeito aos seus próprios membros, que chegava ao ponto de auxílios e esmolas; e essa característica foi tomada de empréstimo da parte dos judeus. Essa atitude intensa levou os crentes à experiência comunitária, segundo se lê em Atos 4:32 e *ss*, que parece ter fracassado e agravado ainda mais os problemas econômicos. Não obstante, essa atitude usualmente se faz ausente nas versões modernas da igreja. (Ver o artigo sobre *Esmolas*).

d. Os padrões de organização «oficial» e de doutrinas «oficiais», não se faziam presentes na igreja primitiva, embora tanto caracterizem a igreja moderna. A primeira epístola aos Coríntios mostra-nos que os crentes muito variavam em suas opiniões doutrinárias, embora nenhuma divisão ou denominação houvesse sido provocada por essa diversidade. Nenhum credo era reputado como pertencente a alguma comunidade cristã, e todos aqueles que consideravam Cristo como cabeça eram recebidos na comunhão. Na igreja de Jerusalém o legalismo se mostrava fortíssimo, e as idéias da salvação pelas obras, como a circuncisão, eram básicas, tendo sido tomadas por empréstimo do judaísmo.(Ver o décimo quinto capítulo do livro de Atos). Os apóstolos tiveram de exercer extrema paciência com os cristãos primitivos para que as revelações superiores do N.T. tivessem a chance de lançar raiz. Havia paciência e atenção pelos crentes, o que se faz notavelmente presente na igreja evangélica moderna, que se mostra sempre pronta a dividir-se em torno das questões insignificantes. — Modernamente se vê «aqueles que não nos seguem» e imediatamente condenam-nos, o que é atitude positivamente contrária àquela do Senhor Jesus. (Ver Mar. 9:38 e *ss*).

e. A igreja primitiva verdadeira, ainda frouxamente organizada, pode ser considerada como *instituição* que perdurou somente até os tempos da perseguição movida pelo rei Agripa (em 42 D.C.). Depois que os cristãos foram expulsos de Jerusalém, ao retornarem, formas governamentais mais fortes foram criadas, e Tiago se tornou uma espécie de bispo de Jerusalém. Os séculos que se seguiram serviram somente para sobrecarregar ainda mais a igreja de formas eclesiásticas externas, estranhas à sua natureza original.

4. A natureza da igreja

Grande parte da natureza espiritual da igreja pode ser percebida através dos seus *títulos*, a saber:

a. A igreja é uma «assembléia de convocados para fora», uma raça nova e selecionada.

b. Ela é o «novo homem» (ver Efé. 2:15).

c. Ela é o «corpo de Cristo» (ver Efé. 1:22).

d. Ela é o templo do Espírito (ver Efé. 2:21,22).

e. Ela se compõe dos eleitos (ver Efé. 1:4), destinados a receber bênçãos celestiais eternas.

f. Ela é a plenitude de Cristo (ver Efé. 1:23), participante de sua própria natureza (ver II Cor. 3:18 e Rom. 8:29), bem como de sua herança e glorificação (ver Rom. 8:17,30).

g. Ela é «de Deus e em Jesus Cristo», o que mostra a íntima relação que a igreja mantém para com ambos, o que significa que ela faz parte da família de Deus (ver I Tes. 2:14 e Efé. 2:19).

h. Ela é, portanto, um feito sobrenatural de Deus, e não apenas uma organização religiosa.

i. Ela é uma noiva celestial que aguarda o noivo celeste (ver Mar. 2:19,20; II Cor. 11:2; Rom. 7:1-6; Efé. 5:26,27 e Apo. 19 — 21).

j. Ela se compõe do conjunto dos remidos que haverão de participar da perfeita santidade de Deus (ver Mat. 5:48), bem como da literal natureza metafísica de Cristo, o Filho de Deus (ver Rom. 8:29), os quais, no momento, estão em processo de transformação com esse propósito (ver II Cor. 3:18).

k. A igreja tem um aspecto local, mas também tem um aspecto universal; pois todos os seres humanos que consideram Cristo como Cabeça, tendo tido um encontro com o Espírito Santo regenerador, são seus membros, sem importar suas associações eclesiásticas e comunitárias. Ver no NTI as notas expositivas sobre os usos da palavra grega «*ekklesia*», o que mostra que a igreja é tanto um corpo local de crentes como também envolve todos os indivíduos levados à união mística com Cristo, através da atuação do Espírito de Deus, sem importar suas conexões terrenas que porventura tenham. Quanto a outras notas acerca da «natureza da igreja», ver Efé. 3:3, sob o título «o mistério da igreja».

5. O ministério da igreja

Esse ministério é ao mesmo tempo interno e externo, cobrindo os campos da auto-edificação e da evangelização daqueles que ainda não vieram a Cristo. Os dons do Espírito Santo (ver I Cor. 12 — 14) têm por finalidade precípua a edificação da igreja; mas os «evangelistas», dados à igreja como dotes, são especialmente preparados pelo Espírito para aumentar o número dos crentes. (Ver Efé. 4:13).

O ministério da igreja é, essencialmente, a continuação do mistério do próprio Cristo Jesus, e isso segundo a inspiração dada por seu alter ego, o Espírito Santo. O Senhor Jesus foi por toda a parte, «fazendo o bem», pois ele sempre se mostrou humanitário, amoroso e gentil. Cristo foi o mestre supremo e o supremo evangelista, como também foi o supremo pastor e o supremo inquiridor pela verdade e por Deus, além de ser o supremo achador de ovelhas perdidas. Cristo nomeou os «subpastores», para que o imitassem. Estes têm o privilégio de fazer suas obras, e maiores ainda, contanto que tenham a fé para tanto (ver João 14:12). Aos subpastores cabe pregar a Cristo como Senhor, e a eles mesmos como servos dos outros, por amor a Cristo (ver II Cor. 4:5). Esse ministério tem um aspecto social e outro individual, tal como se deu no caso do ministério de Cristo; mas a igreja jamais deve olvidar-se da responsabilidade de buscar o eterno bem-estar da alma humana individual. A igreja, em sua unidade composta de judeus e gentios, serve de divina ilustração sobre como Deus haverá de unir finalmente todas as coisas em Jesus Cristo, dentro de uma grandiosa restauração, que é o tema do «mistério da vontade de Deus», tal como se vê em Efé. 1:10. Assim pois, até mesmo ante os mais elevados

IGREJA — IGREJA, INTERPRETAÇÕES

poderes angelicais, a igreja é o teatro de Deus onde ele demonstra como está operando no cosmos; pelo que, de forma indireta, o ministério da igreja envolve até mesmo os poderes super-humanos. Bastaria isso para mostrar-nos a magnitude e a importância do ministério da igreja.

6. O destino da igreja

As idéias essenciais sobre o «destino» da igreja, que em muito ultrapassam as questões de ser alguém perdoado de seus pecados e de ser um dia transferido para os *céus* (por maiores que sejam essas realidades), estão contidas nas notas de sumário no NTI sobre as questões da «vida eterna» (ver João 3:15), da «participação no tipo da vida de Deus — sua vida necessária e independente» (ver João 5:25,26 e 6:57), da «salvação» (Heb. 2:3), da «transformação segundo a imagem de Cristo» (Rom. 8:29), da «participação na santidade do próprio Deus Pai» (ver Rom. 3:21 e Mat. 5:48), da «participação na divindade» (ver II Ped. 1:4), de serem os remidos, coletivamente, a «plenitude de Cristo, que é tudo para todos» (ver Efé. 1:23).

A igreja e todos os seus membros, na qualidade dos «eleitos» (ver Efé. 1:4) de Deus, estão destinados a se elevarem muito mais alto que os próprios anjos, a ponto de virem a participar, no sentido mais literal, da própria natureza de Jesus Cristo, de sua elevadíssima natureza metafísica, tornando-se seres idênticos a ele, participantes de sua divindade, que ele possui na posição de **Deus-homem**. E tais seres participarão das perfeições da natureza de Deus Pai, sendo santos como ele é santo, porquanto receberão as suas perfeições, as suas qualidades morais positivas, por intermédio do Espírito Santo (ver Gál. 5:22,23). Dessa forma, serão os maiores instrumentos nas obras eternas de Deus, em que cada qual desfrutará de um desenvolvimento todo seu, sem igual, passando a ser um instrumento ímpar nas mãos de Deus, sempre funcionando como um membro da família divina. (Ver Apo. 2:17 acerca desse caráter «sem-par» de cada crente. O trecho de Efé. 2:18,19 fala sobre Deus como o Pai deles, e eles como seus filhos. Efé. 2:10 refere-se ao fato de que serão eles instrumentos de ação, agora e para sempre, superiores a qualquer outro ser, por mais exaltado que seja).

Nisso consiste o evangelho paulino, em seus pontos essenciais. Pois os remidos haverão de participar do próprio «tipo de vida» que Deus possui, de sua verdadeira imortalidade, a vida que não pode deixar de existir, a mais elevada forma de vida, a vida necessária e independente. (Ver as notas expositivas sobre João 5:25,26 e 6:57 no NTI). Há muitas formas de vida, a começar pelos animais unicelulares, e daí se elevando para animais mais complexos até chegar ao homem, que possui vida espiritual; desse ponto, subindo-se na escala, chega-se aos anjos; e então se chega ao pináculo mesmo de toda a existência, o próprio Deus, a fonte originária de toda outra forma de vida. Os trechos citados mostram-nos que os remidos, quando já estiverem com seus corpos ressurrectos, que será seu veículo espiritual vinculado à alma, haverão de compartilhar desse «tipo» de vida, não desfrutando tão-somente da existência sem fim. Pois a verdadeira vida eterna é uma «modalidade» de vida, e não meramente existência interminável.

7. Sumário de características principais

a. É a comunidade dos chamados para fora, composta daqueles que crêem e estão sendo transformados segundo a imagem de Cristo (ver Rom. 8:29).

b. São os filhos de Deus, que estão assumindo a natureza do Filho (ver Col. 2:10).

c. Neste caso, é uma assembléia local que dá testemunho perante os perdidos, servindo de centro de edificação para os convertidos (ver Mat. 28:19,20).

d. A igreja pertence a Deus (ver I Tim. 3:15).

e. Ela é o corpo de Cristo (ver Efé. 1:23).

f. Cristo é o cabeça da igreja (ver Efé. 1:22), e também é seu alicerce (ver I Cor. 3:11).

g. Foi comprada pelo sangue de Cristo (ver Heb. 9:12).

h. É o lugar onde Deus exibe a sua sabedoria (ver Efé. 3:10).

i. É o lugar onde o louvor a Deus é magnificado (ver Isa. 60:6).

j. Ela se compõe dos eleitos (ver Efé. 1:4), é gloriosa (ver Efé. 5:27), está revestida de justiça (ver Apo. 19:8).

k. Ela é um corpo espiritualmente batizado (ver I Cor. 12:13).

l. Ela é o templo de Deus (ver Efé. 2:20).

m. A igreja é o teatro de Deus. A vontade de Deus é unir todas as coisas em redor de Cristo, harmoniosamente, e a igreja já mostra para os homens como Deus atua neste propósito. Na igreja, ele une todos os homens, de todas as religiões, raças e culturas. Efé. 1:23 ensina-nos que Deus se utilizará da igreja como um de seus principais instrumentos para realizar tal plano.

n. Na eternidade futura, a igreja estará envolvida no trabalho da grande restauração universal, de todas as coisas, como o corpo que faz a vontade da Cabeça (Cristo, ou *Logos*). Este trabalho durará através de muitos ciclos da eternidade e resultará na Unidade de todas as coisas no Logos. Ver Efé. 1:10,23. Ver o artigo sobre a *Restauração*.

o. Nos membros da igreja, isto é, nos filhos de Deus, o Pai reproduz sua própria natureza divina. Esta reprodução é verdadeira, não-simbólica ou meramente moral, mas é finita. Mesmo assim, sempre estará em evolução, sempre aumentando. Sendo que existe uma **infinidade com a qual a alma** deve ser enchida, deve existir também um enchimento infinito, com o resultado de que o finito sempre se aproxima o infinito, mas nunca o alcança absolutamente. A glorificação (vide) será um processo infinito, não uma realização estagnada da *Parousia* (vide). Ver II Ped. 1:4; Col. 2:10 e II Cor. 3:18. (B C E ID MAR NTI STI W Z)

IGREJA, ADORAÇÃO DA Ver sobre **Adoração.**

IGREJA ANGLICANA

Ver sobre **Comunhão Anglicana e Episcopalismo.**

IGREJA, ÉTICA DA

Ver sobre o **Cristianismo**, ponto 5, E.

IGREJA, HISTÓRIA DA

Ver o artigo sobre o **Cristianismo**, ponto terceiro, Principais Períodos Históricos, e ponto quarto, Principais Divisões Históricas.

IGREJA, INTERPRETAÇÕES E DEFINIÇÕES DA

1. Definições do Novo Testamento e Comuns

a. Um corpo de crentes do evangelho de Cristo, formando uma congregação que crê no senhorio de Cristo. b. Uma congregação local formada por tais crentes. c. O corpo universal e místico, composto de todos os crentes, considerados como uma entidade espiritual, incluindo as almas já nas dimensões

IGREJA — IGREJA, PANO DE FUNDO

espirituais bem como os crentes que ainda estão neste mundo. d. O grupo inteiro dos crentes, de todas as denominações, coletivamente chamados de a Igreja; a atual representação terrena da Igreja. e. Um templo cristão, ou o lugar onde os crentes reúnem-se para cultuar. f. Uma denominação específica, como a Igreja Episcopal. g. A profissão clerical. h. Qualquer organização que esteja relacionada ou realize a obra de um corpo religioso, tal como um grupo missionário pode ser intitulado, frouxamente, de igreja, embora represente uma igreja local ou uma denominação, não sendo, em si mesmo, uma igreja organizada. i. Os cultos religiosos, como na expressão «Fui à igreja», isto é, para ocupar-me da adoração da igreja. Ver o artigo geral sobre *Igreja, Novo Testamento*.

2. Várias Definições de Teólogos e Filósofos

a. *John Huss* (que vide) definia a Igreja como «o corpo dos predestinados».

b. *Sebastian Frank* (que vide) falava em termos da Igreja *universal* à qual ele se mostrava leal, em vez de qualquer igreja ou denominação específica.

c. *Richard Hooker* (que vide) encarava a Igreja e o estado como aspectos de um mesmo governo, com o estado dotado de autoridade sobre a Igreja.

d. *Pufendorf* (que vide) ensinava que ao estado pertence a suprema *jurisdição* sobre as questões religiosas, pelo que não haveria qualquer distinção entre Igreja e estado, no tocante ao poder exercido neste mundo. O poder eclesiástico residiria na Igreja.

e. *Gioberti* (que vide) falava sobre a Igreja como a consumação do *ideal* da perfeição, e, portanto, essencial para o bem-estar do homem na terra.

f. *Os céticos.* Esses opinam que a Igreja consiste naqueles grupos de pessoas religiosas que laboram sob a ilusão de que um deus ou deuses comunicou-lhes algo, aderindo rigidamente a certos ensinos religiosos. É impossível provar se essa opinião está certa ou errada; mas as evidências em prol da validade de tal opinião são reputadas por muitos como dúbias.

g. *Os agnósticos.* Para eles, a Igreja consistiria em grupos ou indivíduos que aceitam a validade da revelação divina e sua importância para a vida humana. Há evidências tanto em favor como contra essa opinião, e somente o tempo poderá dizer qual posição está certa, e com qual grau de verdade.

h. *Os ateus.* Para eles, a Igreja seria composta por indivíduos ou grupos que defendem a posição teísta, supondo os tais que há um deus ou deuses, que comunicariam os seus desejos e demandas. Porém, as evidências relativas a isso são negativas. Portanto, uma igreja seria, essencialmente, um grupo de auto-iludidos, ensinando certas idéias como verdades, usualmente através de textos de prova extraídos de livros santos, mas sem qualquer base nos fatos, por serem apenas produtos da imaginação.

i. *Os comunistas.* Entre eles mantém-se a posição ateísta. Mas eles também acrescentam que a Igreja, como uma organização, sempre se alia aos poderes políticos opressores, a fim de manter o povo escravizado. Geralmente essa opressão ocorre por causa de interesses econômicos ou por motivo de cobiça.

j. *Uma definição universal.* Todas as pessoas religiosas, de qualquer convicção, **cristã ou não-cristã**, que buscam a Deus sob vários nomes e crenças, mas que têm alguma porção da verdade, e cuja busca é válida em graus variados, poderiam ser chamados de *a Igreja*. Dentro dessa definição, algum grupo particular, como os cristãos ou os budistas, etc., pode ser considerado como mais próximo da verdade, como

possuidor de maior verdade, embora os demais grupos, nem por isso, sejam desprezados. Comumente, essa idéia tem por paralelo a noção que a unidade final será o resultado das diversas formas de busca, visto que o mesmo Deus está sendo buscado. Os pensadores cristãos que tomam essa posição asseveram que o *Logos* (ver sobre o *Verbo*) é o poder que atua por detrás das várias fés religiosas, e que ele implanta as suas *sementes* por toda a parte. Entretanto, essa posição não ignora as operações do mal. Ela reconhece a presença de forças malignas no mundo, que podem usar uma máscara de espiritualidade. Porém, apesar de tais aberrações, há fé na bondade geral das pessoas e dos grupos religiosos, bem como na unidade essencial, embora oculta e não-reconhecida, entre essas pessoas e grupos.

IGREJA, PACTO DA (Declarações Doutrinárias)

Muitas escolas denominacionais e igrejas locais requerem de seus membros a aderência a certas doutrinas e práticas, o que se torna em uma espécie de pacto que governa aquela organização. Nos grupos evangélicos mais conservadores, a declaração doutrinária, que faz parte importante do tal pacto, é considerada uma questão importantíssima. Líderes e ministros que tenham opiniões contrárias, sobre qualquer questão considerada importante, segundo espera-se deles, devem resignar. A coisa chegou a um ponto em que algumas igrejas, escolas e denominações requerem que sejam assinadas, anualmente, declarações de fé por parte dos líderes. Em outras organizações, mais liberais, tais declarações de fé são consideradas meros ideais, e não normas absolutas. A base desses pactos é a noção de que tais declarações e práticas são consideradas divinas, porquanto refletem ensinamentos bíblicos, a autoridade final dos grupos evangélicos conservadores.

Os pactos atuam como unificadores e excluentes, em prol da suposta correção e pureza do grupo em questão. Diversas críticas, entretanto, são feitas contra esses pactos, a saber: 1. Inevitavelmente, pelo menos em parte esses pactos interpretam as Escrituras, embora tais interpretações não reflitam, necessariamente, a verdade bíblica. 2. Esses pactos transformam-se em instrumentos de exclusão e perseguição, coisas essas piores, eticamente falando, do que os erros que pretendem combater. 3. Porventura, nesses pactos, já foi incluída a lei do amor, o mais importante dos princípios éticos, e a prova da espiritualidade do crente (I João 4:6 *ss*)?

IGREJA, PAI DA

Ver o artigo sobre a **Patrística**.

IGREJA, Pano de Fundo no Antigo Testamento

Palavras hebraicas. Na Septuaginta, o termo grego *ecclesia* foi usado para traduzir duas palavras hebraicas: *edhah* e *qahal*. A primeira delas é freqüentemente traduzida por *congregação*, nas versões modernas; e a segunda, *assembléia*. *Edhah* vem de uma raiz que significa «nomear», pelo que indica algum grupo ou companhia que se reuniu em virtude de algum arranjo de nomeação. No sentido religioso estrito, foi Yahweh quem convocou, e foi Israel quem se reuniu. Por sua vez, *qahal* vem de uma raiz cujo sentido básico é «chamar». Essa palavra tinha um uso muito geral, pelo que praticamente toda forma de chamamento podia ser expressa por ela. O livro de Deuteronômio usa essa palavra para referir-se àqueles que foram chamados, tendo-se reunido a fim

IGREJA — IGREJA APOSTÓLICA

de ouvir a lei, no monte Horebe. Em I Reis 8:14 *ss*. vemos a mesma palavra ser usada em relação à convocação do povo, que se reuniu por ocasião da dedicação do templo de Jerusalém.

Ecclesia na Septuaginta. Os tradutores do Pentateuco traduziram *ecclesia* para indicar tanto *edhah* quanto *gahal*. Porém, nas porções posteriores do Antigo Testamento, *edhah* foi consistentemente traduzida por *sinagoga*, enquanto que *gahal* foi ali traduzida por *igreja*. No caso de assembléias religiosas, a palavra padrão passou a ser sinagoga. É perfeitamente possível que os primeiros cristãos tenham escolhido propositalmente a palavra *ecclesia* como o nome da assembléia cristã, a fim de evitar a palavra judaica «sinagoga». Até hoje é disputado o quanto da sinagoga judaica foi incorporado na igreja cristã. Alguns eruditos opinam que ofícios eclesiásticos como diáconos e anciãos se derivam não tanto de certos ofícios judaicos, e, sim, de posições seculares; mas outros dizem precisamente o contrário. Seja como for, é óbvio que a doutrina e o espírito do judaísmo foram incorporados pela Igreja cristã, ainda que alguns ofícios eclesiásticos do cristianismo se tivessem derivado, pelo menos em parte, de instituições não-judaicas.

Quanto à natureza da congregação judaica, ver os artigos separados sobre o *Judaísmo*, sobre o *Antigo Testamento* e sobre as *Sinagogas*.

IGREJA ALTA

Essa expressão foi usada pela primeira vez nos tempos da rainha Ana, da Inglaterra. Referia-se àqueles que apoiavam a Igreja Anglicana, quanto às suas medidas e normas mais vigorosas. Mais tarde, porém, passou a significar aqueles que defendiam o aspecto mais sacramental do anglicanismo, ou seja, as idéias do anglo-catolicismo (vide).

A expressão «Igreja alta» é o oposto da expressão «Igreja baixa». — Esta última aponta para os membros de postura mais protestante e evangélica. E também deve ser contrastada com a expressão «Igreja lata», — a qual aponta para aqueles que, apesar de preferirem uma forma episcopal de governo eclesiástico, não pensam que isso fosse necessário para que alguém pertença à genuína Igreja de Cristo. Os eclesiásticos da Igreja lata também favorecem algumas normas e pontos de vista liberais. Os *episcopais reformados* aceitam as idéias da Igreja lata, quanto à forma de governo eclesiástico, mas não aceitam a doutrina da regeneração batismal, recebem membros vindos de outras denominações evangélicas, sem imporem exigências especiais e, de modo geral, são mais evangélicos que os demais grupos anglicanos. Ver também os artigos intitulados *Comunhão Anglicana* e *Episcopalismo*.

IGREJA APOSTÓLICA

Engloba a primitiva comunidade cristã, ou Igreja primitiva, em seus primeiros estágios na Palestina, quando os apóstolos viviam e exerciam autoridade. O momento exato do começo da Igreja é questão controvertida. Alguns afiançam que ela começou quando Jesus chamou Seus primeiros discípulos; outros, quando Jesus entregou a Pedro as chaves do reino; outros, quando os discípulos exerceram fé na realidade da ressurreição de Cristo; outros insistem que a descida do Espírito, no Pentecoste, deu início à Igreja. Essa última é a opinião da maioria dos intérpretes. Foi então que o cristianismo começou a emergir como uma fé separada, assumindo caráter todo-distintivo. Com Paulo e a inauguração da missão entre os gentios, a Igreja passou para uma nova e decisiva fase de sua existência, não demorando a tornar-se uma Igreja gentílica. A destruição do templo de Jerusalém e seu culto (70 D.C.) foi um evento decisivo para o cristianismo. Os cristãos fugiram de Jerusalém para Pella (Eusébio, *Hist. Ecl.* III,5,2), e assim escaparam da tragédia. Simbolicamente, isso foi como deixar a Igreja Mãe, e a Igreja Filha não mais voltou ao lar original. Antes do fim do primeiro século, já prevaleciam na Igreja a organização, a atitude religiosa e a teologia básica dos cristãos helenistas. A Igreja foi diferenciada e enriquecida de muitos modos, por meio dessa circunstância. Havia sido ultrapassado o provincialismo próprio do judaísmo.

Fontes de informação. O livro de Atos é a nossa principal fonte informativa, embora as epístolas de Paulo preencham detalhes não cobertos pelo livro de Atos e posteriores ao mesmo. Além do Novo Testamento, temos como fontes históricas o Didache, as Epístolas de Clemente e Barnabé, com seus elementos litúrgicos, exegéticos e disciplinares, além de refletirem o desenvolvimento da doutrina e do dogma, tudo o que nos permite discernir os primeiros anos da Igreja e a influência dos apóstolos na sua formação e propagação. Os escritos dos primeiros gnósticos e outros hereges alertam-nos para o fato de que havia contracorrentes subterrâneas na Igreja, e que o Novo Testamento historia o avanço da corrente principal. Além disso, vários dos livros do Novo Testamento, como Colossenses, I e II Timóteo, I, II e III João, Judas e porções do Apocalipse, atacam essas contracorrentes. Isso permite-nos perceber que o cristianismo se expandia em muitas direções, algumas das quais não se harmonizavam com a corrente principal.

Algumas características principais. 1. O frescor e o poder da influência de Jesus; 2. a autoridade e energia dos apóstolos; 3. a importância dos dons carismáticos; 4. a propagação da Igreja qual incêndio, pelos países gentílicos, o que implicava no aparecimento de uma nova grande religião mundial; 5. os primórdios do cânon e do dogma, com a cristalização da tradição oral sob a forma de autoridade escrita, no Novo Testamento, a segunda revelação (a primeira, foi a do Antigo Testamento); 6. a expectação do breve retorno de Cristo, a *parousia*, ou «presença», o que emprestava às atividades dos cristãos um senso de urgência e de realização espiritual.

Falsas idealizações da Igreja. Imediatamente após a era dos apóstolos, os escritos da época refletem uma atitude de admiração diante da Igreja, como se ela não pudesse errar. Ela era apresentada como um modelo de unidade, concórdia e amor. Porém, o próprio Novo Testamento mostra-nos que tal noção labora em equívoco, apesar das genuínas e impressionantes realizações da Igreja primitiva. Epístolas como I e II Coríntios e Gálatas mostram de modo claro que havia muitas controvérsias e divisões, muitas facções e conflitos internos. Os livros neotestamentários escritos contra a heresia (formas de gnosticismo e legalismo), mostram que havia vexosas contracorrentes, que se opunham à corrente principal da Igreja. Essa falsa idealização prossegue até os nossos dias, incluindo a prática extremamente duvidosa de «tentar restaurar» a Igreja original.

As denominações evangélicas entrechocam-se, cada qual dizendo-se melhor representante da Igreja original. Aquela que melhor pudesse fazê-lo, segundo muitos supunham, seria a mais espiritualmente avançada, se não mesmo a única Igreja. Essas tentativas de «restauração» e esses esforços de

IGREJA — IGREJA CATÓLICA

«representatividade», olvidam-se que a Igreja primitiva refletia um *começo*, e não uma realização terminada. Portanto, é errado alguém impor qualquer prática a outros, simplesmente porque ela foi adotada pela Igreja primitiva. A verdade sempre será uma busca e uma evolução, e nunca uma questão «estagnada», diante da qual o indivíduo possa dizer: «Achei». É fácil alguém selecionar certos livros ou situações históricas e então dizer: «Eis aí!», limitando a verdade àquele modelo. Tal limitação sempre segue linhas denominacionais, distorcendo ou ignorando trechos bíblicos que não se coadunam ao ideal do momento. Por exemplo, os modernos movimentos carismáticos ufanam-se da alegada restauração por eles produzida quanto aos dons do Espírito, mas quase todos ignoram o ensino paulino sobre a posição das mulheres na igreja. Todavia, talvez essa seja até uma boa medida, pois os ensinos de Paulo eram pesadamente coloridos pela prática e pelos costumes orientais, que dificilmente têm plena aplicação à sociedade moderna. Acresce-se a isso que os movimentos carismáticos cada vez mais caem no subjetivismo, afastando-se da doutrina cristã exarada no Novo Testamento e caindo em desvios como o fanatismo e o ascetismo. Contudo, se a Igreja primitiva é o modelo que devemos seguir à risca, então os ensinos sobre o papel das mulheres na igreja são absolutamente obrigatórios. Por outro lado, os grupos evangélicos tradicionais, não-carismáticos, afirmam-se melhores, pois, alegadamente, parecer-se-iam mais com a Igreja primitiva, embora ignorassem os dons espirituais (que faziam parte integrante e inseparável do cristianismo neotestamentário). E como justificativa, os grupos tradicionais usam textos de prova como I Cor. 13:8, em defesa de sua rejeição dos dons espirituais. A verdade, porém, é que textos como esse nada têm a ver com o término do cânon do Novo Testamento; preliminarmente, referem-se ao tempo da *parousia* (a segunda vinda de Cristo), quando então as antigas formas de expressão da espiritualidade não mais serão necessárias.

Exemplos poderiam ser multiplicados, mostrando que nenhuma denominação evangélica de nossos dias assemelha-se muito à Igreja original. Mas então, indagamos: E essa semelhança é necessária? Não é muito melhor ultrapassar a Igreja primitiva, entrando em nossas áreas da expressão e da organização espiritual, em vez de simplesmente tentar duplicar aqueles *primórdios*? Que a Igreja primitiva seja para nós um ideal quanto a princípios básicos, mas não um molde dentro do qual tenhamos de ser espremidos! Há muitas formas de idolatria e de falsa concepção do cristianismo primitivo. A forma de idolatria aqui denunciada promove muita arrogância humana, com resultantes discórdias e divisões. (R Z)

IGREJA BATISTA

Ver **Batista, Igreja**.

IGREJA BIZANTINA

Ver **Igreja Ortodoxa Oriental**.

IGREJA CATÓLICA

Há vários pontos a serem considerados:

1. A expressão pode ser usada para indicar a original Igreja universal e apostólica. 2. Pode ser um sinônimo de Antiga Igreja Católica, aquele aspecto histórico da Igreja, após a era apostólica, antes do aparecimento da Igreja Católica Romana. 3. Um sinônimo dessa Igreja Católica Romana. 4. Como designação das igrejas ortodoxas orientais, em contraste com outros segmentos da cristandade. 5. A Igreja universal e ortodoxa, em contraste com ramos heréticos da mesma. Esse uso da expressão prevaleceu por dez séculos, até à separação final entre o Oriente e o Ocidente, em 1054 D.C. A partir daí as igrejas orientais adotaram o adjetivo qualificativo ortodoxa, como designação distintiva. Por essa altura dos acontecimentos, a palavra «católica», para muitos tornou-se um sinônimo de católica romana. Os anglicanos continuam falando na Santa Igreja Católica, no terceiro artigo do credo do Livro de Oração Comum; e até mesmo alguns grupos protestantes continuam usando o termo «católico», em um contraste proposital como «católico romano», para designar a verdadeira Igreja, pois entendem que a Igreja é algo distinto dos acréscimos incorporados à Igreja Católica Romana. Além disso, temos o título «Igreja Católica Grega», como sinônimo de Igreja Ortodoxa Oriental.

IGREJA CATÓLICA APOSTÓLICA

Outro título dos irvingitas, uma organização religiosa que, pelo menos em parte, originou-se dos esforços de Edward Irving (que vide), um notável pregador escocês cujas datas foram 1792-1834. Ele ensinava que os dons espirituais de Cristo, conferidos à Igreja apostólica, como profecia, milagres, curas, falar em línguas, etc., visavam a todos os cristãos verdadeiros de todas as épocas. Após o seu falecimento, em 1834, alguns de seus seguidores, que se julgavam *profetas*, estabeleceram uma igreja em Londres, com toda uma hierarquia de apóstolos, profetas, evangelistas e pastores, de acordo com o ensino do quarto capítulo da epístola aos Efésios. Formaram um grupo ritualista, com vestimentas distintivas, velas, azeite santo e crisma. O grupo transferiu um ramo para os Estados Unidos da América, porém nunca cresceu muito. Muitos outros grupos, entretanto, impelidos por idéias similares, têm aparecido em nosso século XX. E alguns desses grupos têm adotado o **termo apostólico** e/ou católico. (AM E)

IGREJA CATÓLICA ROMANA, CATOLICISMO

Esboço:

1. Considerações Gerais
2. Origens
3. Descentralização
4. Conflitos com os Poderes Civis
5. Centralização Renovada
6. Fim do Papado Medieval
7. A Renascença e a Reforma Protestante
8. A Reforma Católica e a Moderna Igreja Católica Romana
9. Teologia e Autoridade
10. Normas Diretivas
11. Os Credos da Igreja Católica Romana
12. Ofícios
13. O Catolicismo e as Estatísticas

1. Considerações Gerais. Ver **Igreja Católica** quanto à história de como essa expressão veio a designar a denominação *Igreja Católica Romana*. Além das idéias ali oferecidas, na opinião de alguns eruditos protestantes, o termo *católica* chegou a incluir os sentidos de sincretismo, envolvimento em sistemas teológicos posteriores e não-cristãos, a invasão do secularismo, corrupção e adulteração de documentos.

IGREJA CATÓLICA ROMANA

Portanto, o termo pode envolver a idéia de muito opróbrio e desfaçatez. Por outro lado, os católicos romanos similarmente empregam a palavra *protestante* para indicar as idéias de facciosismo, abandono da **Igreja-mãe**, doutrinas falsas, etc. Em todas as discussões fazemos bem em demonstrar simpatia para com as idéias e os sentimentos alheios, assumindo a atitude de que podemos aprender algo até mesmo daqueles *sistemas* que não aprovamos. Basta um pouco de exame para mostrar-nos, de pronto, que todos os sistemas têm algumas verdades que outros sistemas negligenciam ou rejeitam, e que nenhuma denominação cristã à face da terra pode afirmar ser *a única* e verdadeira Igreja de Cristo. De fato, as denominações são apenas *seitas* que representam a Igreja cristã sob diferentes ângulos, com sua mistura particular de verdade e erro. Essa é uma verdade combatida em toda a parte e por todos, mas que é verdade, no entanto. Os grupos protestantes ufanam-se em terem abandonado as tradições, aferrando-se exclusivamente às Escrituras como sua autoridade. Porém, suas doutrinas a respeito da Igreja, em sua origem e natureza, a respeito do cânon das Escrituras, e a respeito da questão inteira da autoridade, repousam quadradamente sobre as tradições humanas, e não sobre a Bíblia Sagrada. Os católicos romanos, em contraste com isso, declaram abertamente que sua doutrina consiste em acréscimos aos ensinamentos bíblicos. Por conseguinte, encontramos diferentes idéias e atitudes, e cada grupo cristão representa a verdade em algum de seus aspectos, mostrando-se deficiente quanto a outros, que outros grupos não se esquecem de salientar. Isso não significa, contudo, que todas as denominações cristãs sejam iguais quanto à proporção da verdade que defendem; mas indica que todos faríamos bem em manter uma atitude de amor e paciência (e jamais de arrogância) quando abordamos os vários sistemas que se têm originado na fé cristã primitiva. Na verdade, a mesma atitude deveria ter aplicação quando tratamos sobre as convicções religiosas de qualquer grupo, cristão ou **não-cristão**. O ódio jamais ganha mais do que o ódio, e a verdade dificilmente pensa que vale a pena o tempo perdido quando os debates religiosos empestiam o ambiente com o ar do ódio e da arrogância. Realmente, nunca o homem se mostra tão arrogante como quando defende o seu próprio sistema e ataca os sistemas alheios.

2. Origens. a. De acordo com o ponto de vista católico romano, — a **Igreja Católica Romana**, — em sua forma atual, — representa uma evolução natural, — que tem sido guiada pelo Espírito de Deus. Embora possa ser demonstrado que sua complexa hierarquia foi um desenvolvimento que precisou de séculos, é dito que isso foi uma parte necessária do crescimento da Igreja. O Novo Testamento seria um livro de inícios, e não de finalidades. Portanto, de nada adianta apelar para textos de prova do Novo Testamento, pois esses documentos mostrariam como a Igreja começou, e não como a Igreja deve ser. De fato, a Igreja está sempre em mutação, pelo que outras mudanças devem ser esperadas. Seria um dogma que os ensinamentos do Novo Testamento sejam o tribunal superior e final de apelo, no que concerne ao cristianismo. Isso posto, é legítimo o desenvolvimento de ofícios eclesiásticos não há parecidos com aqueles do Novo Testamento. De acordo com essa posição, a Antiga Igreja Católica (após a era apostólica, mas antes da consolidação do poder do bispo de Roma), bem como a Igreja Católica Romana, são a mesma que a Igreja apostólica, em diversos estágios de

desenvolvimento. Apesar de que a antiga Igreja Católica não contava com uma centralização que se possa comparar àquela que se evidenciou mais tarde na Igreja Católica Romana, centralizada em torno do papado, temos os primórdios necessários ao movimento centralizador na autoridade conferida a Pedro, em Mateus 16, e na autoridade investida no bispo de Roma, que já se tornara óbvia no segundo século da era cristã. Que o bispo de Roma, já no século II D.C., tinha poderes maiores que os de outros bispos, é confirmado nos escritos de Clemente de Roma, Inácio de Antioquia, Tertuliano e Irineu. É possível que a conversão nominal de Constantino, com a legalização da **Igreja cristã** em Roma, em vista **da qual** ela obteve poderes políticos, deva ser considerada como o começo da Igreja Católica Romana, bem como o fim da antiga Igreja Católica. Outros estudiosos pensam que aquele imperador deu início oficial ao catolicismo, e que quando do cisma entre a Igreja oficial ocidental e a Igreja oficial oriental, tiveram início a Igreja Católica Romana e a Igreja Ortodoxa Oriental. Constantino subiu ao trono do império romano em 324 D.C., e, no mesmo ano, expediu um edito de tolerância, dando ao cristianismo os mesmos privilégios que o império conferia ao paganismo romano. Em 325 D.C., Constantino convocou o concílio de Nicéia.

b. De acordo com o ponto de vista protestante, os estágios de desenvolvimento da Igreja Católica Romana, não passam de uma fabricação sem base, na tentativa de justificar seu afastamento cada vez maior do modelo da Igreja apostólica. Os grupos protestantes e evangélicos apelam para o Novo Testamento como a única regra e padrão para essas coisas, e qualquer noção que não faça parte do mesmo deve ser rejeitada como uma criação humana, normalmente contrária à vontade revelada de Deus.

c. Qualquer um desses pontos de vista, entretanto, necessariamente repousa sobre algum dogma. Pois o próprio Novo Testamento não declara ser a única regra de fé e prática, e nem a única autoridade para a organização e desenvolvimento da Igreja cristã. Os homens é que dizem essas coisas. Mas igualmente, através de um dogma, os homens declaram que isso não é verdade. No fim, o que está em jogo é a fé de cada indivíduo, que aceita ou rejeita um ou outro desses pontos de vista. Há uma regra melhor que essa, a saber, a regra do *valor intrínseco*. Precisamos considerar uma idéia ou uma organização, examinando-a quanto ao seu valor intrínseco. Esse valor intrínseco deve ser aquilatado de tal modo que inclua os princípios de espiritualidade, moralidade e veracidade de idéias. Com base no exame desses três fatores, poderíamos julgar o valor intrínseco das idéias ou das organizações religiosas. Essa é uma maneira elaborada de compreender as palavras de Cristo: «Por seus frutos os conhecereis» (Mat. 7:16). Em última análise, em qualquer investigação de veracidade, essa é a melhor regra. Cada indivíduo, ao enfrentar a decisão de associar-se a este ou a aquele grupo, deveria fazê-lo com base no valor intrínseco de cada grupo. Se alguém partir do pressuposto que a valia só pode ser definida com base no Novo Testamento, então isso já é partir de um dogma, e tal pessoa terá de assumir a responsabilidade por isso.

3. Descentralização. Nos dias do império romano dividido, o primado de Roma foi mantido, embora houvesse acontecimentos históricos debilitadores desse primado. Isso deveu-se, ao menos em parte, ao cesaropapismo dos imperadores do segmento oriental do império, bem como à falta de coesão de um idioma comum. No Ocidente, a perseguição dos vândalos à

IGREJA — IGREJA CATÓLICA ROMANA

Igreja africana, e a transferência da capital de Milão para Ravena fortaleceram o poder de Roma. A **conversão dos anglo-saxões**, por meio de missionários enviados por Gregório, o Grande (590-604 D.C.), e a obra de Bonifácio (que vide), na Alemanha e entre os francos, ajudaram a produzir uma maior unidade da **Igreja do Ocidente**. Porém, foram degenerando cada vez mais as relações entre a Igreja do ocidente e a **Igreja do Oriente**, onde era popular a teoria dos cinco patriarcados. O aparecimento do islamismo, com a conseqüente quebra da unidade mediterrânea, acentuou ainda mais a oposição a Roma. O levantamento de Constantinopla, como poderoso centro de cristandade, em oposição a Roma, já havia ajudado nesse processo. A heresia monofisista (que vide) enfraqueceu a influência do cristianismo ortodoxo na Síria e no Egito. O patriarcado de Jerusalém foi debilitado pelo domínio islamita, e isso deixou Constantinopla (que vide), como a única grande rival de Roma, do que resultou a Igreja Ortodoxa Oriental, ligada àquela, e também do que resultou a Igreja Católica Romana, ligada a esta, se não oficialmente, pelo menos virtualmente. É contenção dos católicos romanos que por mais que os gregos se julguem justificados em sua ruptura com Roma, a qual se consumou em 1054, eles estavam em erro ao provocar tal cisma ou divisão, que fez o Oriente opor-se ao Ocidente. Naturalmente, a Igreja Ortodoxa Oriental encontra muitas razões válidas sobre as quais justifica o seu ato. A principal dessas razões, para os ortodoxos orientais, era e continua sendo as reivindicações de superioridade do bispo de Roma acima de todos os demais bispos da cristandade.

4. Conflitos com os Poderes Civis. A Igreja Católica, seguindo a doutrina de Agostinho, julgava-se mestra do estado e superior ao mesmo. Portanto, houve pesado envolvimento político, de mistura com questões religiosas. No entanto, o poder civil, em muitas ocasiões, tolheu e distorceu os propósitos da Igreja Católica. Os imperadores bizantinos, durante os séculos VI a VIII D.C., haviam reivindicado o direito de ratificar as eleições dos papas romanos. Os francos também exerceram um poder similar. Porém, nenhum desses poderes temporais encontrava-se suficientemente próximo de Roma para dominá-la totalmente. O caso foi diferente quando, durante a anarquia feudal, as casas de Teofilacto e dos Crescentii conseguiram dominar o papado. Esse domínio foi interrompido pelos imperadores germânicos, em proveito próprio. Foi contra essa opressão governamental que os papas lutaram, no conflito por causa das investiduras (que vide). Gregório VII (1073-1084) (que vide), e seus sucessores imediatos, libertaram a Igreja Católica Romana do domínio dos governantes civis. Esses papas também deram origem às cruzadas (que vide), podendo-se mesmo afirmar que o papado medieval começou, especificamente, nesse período.

5. Centralização Renovada. Durante o século XII D.C., a centralização da Igreja Católica Romana, que tornou os papas controladores da organização eclesiástica inteira, foi levada avante. Isso alcançou o ponto culminante durante os pontificados de Alexandre III (1159-1181) e Inocente III (1198-1216) (que vide). Nesse tempo, a autoridade da Igreja Católica Romana fazia-se sentir em todos os campos da sociedade ocidental, de tal modo que a própria cultura tornou-se uma dimensão da Igreja.

6. O Fim do Papado Medieval. A supremacia papal, fora da esfera religiosa, não perdurou por longo tempo, embora a educação, durante muitos séculos, essencialmente fosse uma tarefa da Igreja de

Roma. Aumentou a diferença entre a Europa germânica e a Europa romana. A França atingiu seu maior poder quando das lutas entre Filipe, o Belo, e Bonifácio VIII (1294-1303) (que vide), o que terminou com a humilhação desse papa. O papado em Avinhão (que vide), assinalou o fim do papado da era medieval. As nações européias tomaram forma clara, e a despeito da universalidade da cristandade, elas mantiveram-se como unidades separadas. O grande cisma ocidental (que vide), bem como o movimento conciliar (que vide) demonstraram o mesmo tipo de tendência em prol da independência, como algo que havia na própria Igreja Católica Romana. Entrementes, houve um reavivamento da cultura clássica, e a filosofia passou a ser considerada importante, novamente. Os humanistas criaram a ciência histórica, e a ciência natural lhe seguiu de perto as pegadas.

7. A Renascença e a Reforma Protestante. A renascença foi o reavivamento das letras e das artes na Europa, o que marcou a transição da história medieval para história moderna. A renascença começou na Itália, no século XIV, e gradualmente, propagou-se para outros países europeus. O período desse reavivamento cultural—séculos XIV a XVI—produziu toda espécie de modificações, incluindo o surgimento do poder das ciências. A Reforma **Protestante** do século XVI, pelo menos em parte, foi uma expressão do novo senso de liberdade e crescimento. Os protestantes sentiam que a corrupção maculara a Igreja de Roma de tal maneira que somente uma mudança radical poderia injetar vida nova nas instituições religiosas. Doutrinariamente falando, a Reforma (que vide), consistia, essencialmente, no retorno ao **agostinianismo-paulinismo**, em contraste com o tomismo (que vide), que se tornara a expressão religiosa e filosófica comum da Igreja de Roma. Os católicos romanos, apesar de admitirem que a reforma era inadiável, acreditam que foi um erro drástico dos protestantes destruírem as instituições romanas e perturbarem sua unidade essencial. A rejeição do domínio romanista, por parte de tão grande parcela do norte europeu, separou a Europa protestante da unidade católica romana, que agora, mais do que nunca, nem podia ser intitulada «católica», ou universal. A partir de então, temos a Igreja Católica Romana em seu aspecto mais autêntico, em oposição às igrejas ortodoxas orientais e às igrejas protestantes.

8. A Reforma Católica e a Moderna Igreja Católica Romana. O período moderno da Igreja Católica teve início com a Reforma Católica ou Contra-Reforma (que vide). O Concílio de Trento (que vide) reagiu fortemente contra os reformadores protestantes, inaugurando a reforma católica. Missionários católicos romanos levaram o evangelho romanista aos confins da terra, ao passo que os eruditos católicos romanos produziram uma complexa teologia. Todavia, o período da iluminação (que vide) assinalou um marcante declínio do catolicismo, e o jansenismo (que vide), apressou o mesmo. No entanto, o século XIX viu um outro ressurgimento, e o ressurgimento e consagração da monarquia religiosa papal obteve um novo ímpeto por força do decreto da infalibilidade papal, baixado pelo concílio do Vaticano de 1869-1870.

9. Teologia e Autoridade. As bases da doutrina católica romana não se encontram senão nas Sagradas Escrituras, pois incluem as decisões dos concílios, as idéias e interpretações dos grandes teólogos do passado, os pronunciamentos dos pais da Igreja do Ocidente e do Oriente, as explicações e desenvolvimentos do escolasticismo (que vide). Além

IGREJA CATÓLICA ROMANA

disso, essa doutrina reconhece estar endividada ao platonismo, por causa do uso que dele fizeram os primeiros pais da Igreja, bem como para com Aristóteles, através de Tomás de Aquino (que vide). Acrescenta-se a isso os decretos dos papas e o acúmulo de conhecimentos e instruções da lei canônica (que vide).

A filosofia católica romana sobre a *autoridade* (que vide) difere da filosofia protestante a esse respeito. Os protestantes, a fim de simplificarem as coisas, e a fim de removerem contradições, escolheram como autoridade *somente as Escrituras*. Porém, apesar disso parecer uma maneira muito recomendável de solucionar os problemas, na prática a regra passa a ser «como eu interpreto as Escrituras». Assim, entre os grupos protestantes, a regra aplicada assemelha-se bastante ao método católico romano de estabelecer a autoridade. Somente que em vez de pais da Igreja, como intérpretes, os protestantes preferem as interpretações específicas das várias denominações protestantes. Essas interpretações, apesar de diversas e, às vezes, contraditórias, são respeitadas e tornam-se credos. A verdade é que é impossível separar a interpretação da regra das «Escrituras somente». Pois assim que vários grupos interpretam as Escrituras, surgem tantas *autoridades* quantas são as denominações. Isso pode ser demonstrado pela história ou na prática contemporânea. Não fora isso, teríamos apenas *uma* denominação protestante, opondo-se à Igreja Católica Romana. Em vez disso, há *muitas* facções no protestantismo, com suas muitas autoridades interpretativas, cada qual afirmando estar mais próxima do padrão neotestamentário que todas as demais facções. A arrogância, nesse caso, torna-se a ordem do dia.

A posição católica romana sobre a autoridade admite, de saída, que também precisamos de uma autoridade interpretativa, e não meramente de uma autoridade básica. Isso significa que aquilo que cremos sobre as Escrituras deve depender, ao menos em parte, daquilo que a Igreja histórica tem compreendido sobre elas, pois nenhuma interpretação reveste-se de autoridade privada. Mesmo admitindo-se que essa idéia exprime uma verdade, nem por isso aceitamos a complexa base de autoridade católica romana, porquanto há ali, de mistura, elementos espúrios, apesar de entendermos que o problema da autoridade não pode ser resolvido mediante o apelo às *Escrituras somente*. Realmente, é mister que a autoridade seja algo de natureza complexa, se nossa inquirição pela verdade divina tiver de ser séria. Pois nenhuma regra isolada, nenhuma interpretação isolada, nenhuma denominação isolada, nenhuma teologia isolada, e também nenhuma religião isolada, poderá fornecer-nos toda a verdade. Solicito que o leitor considere o que escrevi no artigo sobre a *Autoridade*. Ver também os artigos sobre o *Cânon* e *Os Cânones de Várias Igrejas*, quanto a outras idéias. A verdade jamais admite uma abordagem simples. Os homens que criam abordagens simples buscam apenas conforto mental. Mas a verdade de Deus é mais importante do que o nosso conforto mental.

10. Normas Diretivas. De conformidade com o ensinamento católico romano, a Igreja, por vontade de Cristo, não é apenas uma sociedade sobrenatural, mas é também uma sociedade independente. Cristo teria entregue a autoridade para ensinar, santificar e governar não à comunidade cristã em geral, mas aos apóstolos. Essa autoridade teria sido transferida aos bispos, sucessores dos apóstolos. Ver o artigo sobre a *Sucessão Apostólica*. O sumo pontífice exerceria suprema e total jurisdição sobre a Igreja Universal,

atuando como uma força unificadora. Todas as questões pertinentes à disciplina e ao governo eclesiástico, como também questões de fé, de moral e de prática, dependeriam da interpretação da Igreja, através de seus ministros, supremamente através do papa. Essa autoridade seria episcopal. Não pode haver concílio geral que não seja convocado pelo papa. Os bispos são postos em seus respectivos postos pela lei divina, os quais eles ocupam sob a autoridade do papa, o grande bispo. Os cardeais (que vide) seriam os principais conselheiros ou ministros do papa, e o ajudariam a governar a Igreja, além de elegerem um novo papa, quando isso se torna necessário. As normas eclesiásticas são explicadas com detalhes no *Codex juris canonici* (que vide), publicado em 1917.

11. Os Credos da Igreja Católica Romana. Ver o artigo separado sobre os **Credos**. Os credos considerados autoritários pela Igreja Católica Romana são o credo niceno (325 D.C.), o credo de Toledo (675 D.C.), o credo de Leão IX (1053), a profissão de fé prescrita para os waldenses (1208), o capítulo *Firmiter* do quarto concílio laterano (1215), o decreto dos gregos (1439), o decreto para os jacobitas (1442), a profissão de fé tridentina (1564), a profissão de fé prescrita para os gregos, por Gregório XIII (1575), a profissão de fé prescrita para os orientais ou maronitas (que vide), por Benedito XIV (1743). A isso deve-se acrescentar as solenes definições dos papas, bem como as definições dos concílios ecumênicos. Os concílios reconhecidos como verdadeiramente ecumênicos, dotados de autoridade, são 21: Nicéia (325), Constantinopla (381), Éfeso (431), Calcedônia (451), Constantinopla (553), Constantinopla (680-681), Nicéia (787), Constantinopla (869-870), laterano (1139), laterano (1179), laterano (1215), Lyons (1245), Lyons (1274), Viena (1311-1312), Constância (1414-1418), Florência (1438-1445), laterano (1512-1517), Trento (1545-1563), Vaticano I (1869-1870), e II (1965). Solenes definições papais incluem a condenação dos jansenistas (1653) por Inocente X, bem como o juramento antimodernista de Pio X (1910).

12. Oficios. O primado cabe ao papa, bispo de Roma, vicário ou substituto de Jesus Cristo, sucessor de São Pedro, supremo pontífice da Igreja universal, patriarca do **Ocidente**, primaz da Itália e arcebispo e metropolitano da província romana. Em seguida, há o *colégio dos cardeais*, que é o senado da Igreja Católica Romana, com cerca de setenta membros. Consiste em bispos-cardeais, padres-cardeais e diáconos-cardeais. Os seis bispos-cardeais ocupam as sés suburbanas. Historicamente, os cinqüenta padres-cardeais eram os padres paroquianos de Roma, mas, na realidade, muitos deles eram escolhidos dentre os bispos e arcebispos do mundo católico. Os catorze diáconos-cardeais são padres e membros da cúria papal. Além disso, temos os bispos, os padres e certa variedade de ofícios dos quais até leigos podem participar.

A Igreja Católica compõe-se de igrejas ocidentais e orientais. Em adição ao papa, em 1940, na Igreja **Ocidental**, havia quatro grandes patriarcados, a saber: os patriarcados latinos de Constantinopla, Alexandria, Antioquia e Jerusalém, dentre os quais apenas o último exercia jurisdição. Havia também quatro patriarcados secundários, a saber: em Veneza, Lisboa, Índias Orientais e Índias Ocidentais. Na Igreja Ocidental, um *país* normalmente tem uma ou mais províncias eclesiásticas. Uma província eclesiástica consiste em uma arquidiocese e, usualmente, em uma ou mais dioceses. Uma diocese é um território, incluindo as suas igrejas, sobre o qual um

IGREJA — IGREJA DO NAZARENO

bispo exerce controle. Um arcebispo ou metropolitano é chefe de uma arquidiocese, e, além da jurisdição sobre o seu próprio território, ele tem um certo poder limitado sobre os bispos de sua província que são chamados seus *sufragâneos*. Este último vocábulo também pode indicar algum bispo auxiliar, que ajuda um bispo em sua área, e que, algumas vezes, tem autoridade sobre uma parte dessa área.

13. O Catolicismo e as Estatísticas. Calcula-se que cerca de dezoito por cento da população do mundo consiste em católicos romanos. (AM BR C CE R)

IGREJA CÓPTICA

Essa é a igreja cristã nativa do Egito, derivada das rivalidades político-eclesiásticas entre Alexandria e Constantinopla, e não por causa das controvérsias cristológicas sobre o monofisismo (que vide). Era o nacionalismo egípcio representado pelos nativos e pelos monges, contra o imperialismo bizantino. Quando o concílio de Calcedônia (451 D.C.) decidiu-se contra Eutíquio, os nacionalistas coptas aliaram-se contra os melquitas bizantinos, tornando uma realidade a Igreja Cóptica provincial. Desde 1882, missionários evangélicos ocidentais têm tido acesso ao Egito, e a Igreja Cóptica, no presente, constitui cerca de um doze avos da população, contando com um patriarca, metropolitas e bispos, os quais também têm interesses em Jerusalém, em Jafa, e até mesmo em Khartoum, na África.

IGREJA CRISTÃ (IGREJA DE CRISTO)

Na qualidade de nome de uma **denominação** evangélica, esse título designa a união de três grupos distintos que repudiaram nomes seculares: um movimento liderado por James O'Kelley, metodista; um outro dirigido por Abner Jones e Elias Smith, batistas; e também por Barton W. Stone e outros, presbiterianos. Eles formaram uma união, em 1820. Muitas das igrejas envolvidas subseqüentemente uniram-se aos Discípulos de Cristo, em 1832, mas alguns, finalmente, tornaram-se congregacionais, em 1930, formando uma denominação separada, chamada Igrejas Cristãs e Congregacionais. Os Discípulos de Cristo são comumente chamados de Igrejas Cristãs, ainda que no Brasil, eles tenham tomado o nome de Igreja de Cristo. Ver o artigo sobre os *Discípulos de Cristo*.

De maneira geral e popular, o termo *Igreja Cristã* refere-se a todas as igrejas cristãs, coletivamente, sem importar a denominação. (E)

IGREJA DA ESCÓCIA

Ver os artigos separados sobre **Igreja Presbiteriana; Calvino, João e Calvinismo**. A Igreja da Escócia é uma das igrejas presbiterianas de grande destaque histórico. Naquele país é a igreja oficial. Foi constituída pela ação dos estados escoceses e pela Primeira Assembléia Geral, de 1560. A princípio lutou contra o catolicismo e contra o episcopalianismo, o último dos quais era promovido pela coroa real. Entretanto, em 1688 a vitória do presbiterianismo na Escócia se completou. Desde então, a Igreja Presbiteriana da Escócia tem sofrido cismas causados, principalmente, pela oposição à conexão da mesma com o Estado. Um desses cismas teve lugar em 1733, com a organização do Presbitério Associado, encabeçado por Ebenezer Erskine (vide). O último e maior desses rompimentos foi o da *Disruption*, de 1843. A partir dessa data, têm sido feitos esforços tendentes à unificação. Em 1929, tais esforços

resultaram na unificação da Igreja da Escócia com a Igreja Unida Livre. Esse corpo unificado, porém, reteve o título de *Igreja da Escócia*. Todavia, houve provisões para proteção da liberdade pessoal e espiritual, que permitiu a conexão com o Estado com menos perturbações. O número total de membros atinge mais de um milhão e meio de pessoas.

IGREJA DA INGLATERRA

Ver os artigos sobre *Comunhão Anglicana; Anglo-catolicismo;* e *Episcopalismo*.

IGREJA DE CRISTO

Ver sobre **Campbell, Alexander** e sobre os **Campbellitas**. As Igrejas de Cristo originalmente faziam parte dos Discípulos de Cristo (que vide). Mas tornaram-se um corpo separado em 1906. São congregacionais quanto ao governo eclesiástico e não têm qualquer organização central. Eles têm cerca de vinte mil igrejas, com três milhões de membros. Eles propõem estar restaurando o cristianismo primitivo; evitam a música instrumental na igreja; repudiam as sociedades missionárias; e alguns deles não aprovam a Escola Dominical.

IGREJA DE DEUS

Esse é o nome dado a duzentos grupos religiosos independentes, pelo menos, de tipo pentecostal, e, originalmente, derivados do metodismo. Quanto ao padrão doutrinário geral, eles são fundamentalistas, mas crêem na doutrina da inteira santificação e no batismo do Espírito Santo (que vide). A maioria desses grupos tem um governo eclesiástico tipo congregacional. O maior desses grupos, nos Estados Unidos da América, foi organizado no estado de Arkansas, em 1895, e, hoje em dia conta com aproximadamente um milhão de membros. Outros grandes grupos estão centralizados em Cleveland, estado de Ohio, e em Anderson, estado de Indiana. Esses grupos têm suas representações internacionais, mediante a atividade missionária.

IGREJA DE JESUS CRISTO DOS SANTOS DOS ÚLTIMOS DIAS

Esse título, com pequenas variantes, designa seis grupos religiosos distintos. O artigo geral é dado sob o título **Santos dos Últimos Dias (Mormons)**.

IGREJA DE ROMA

Ver sobre **Igreja Católica Romana** e sobre **Catolicismo**.

IGREJA DO NAZARENO

Excluindo os grandes grupos pentecostais dos Estados Unidos da América, essa é a maior das denominações tipo «holiness». Desenvolveu-se a partir do *National Holiness Movement*, organizado após a Guerra Civil Americana. Em 1908, vários grupos uniram-se sob o título de Igreja do Nazareno. Até cerca de 1919, vários grupos congêneres continuaram a unir-se ao grupo original, quando então esse título tornou-se o nome oficial da denominação. A doutrina deles é fundamentalista, mas também defendem a idéia da inteira santificação; e muitos deles, em nossos dias, também aceitam o batismo do Espírito Santo (que vide). Seu governo eclesiástico usualmente é congregacional, mas as assembléias locais estão

IGREJA E ESTADO

sujeitas ao conselho, ou a um corpo de superintendentes, eleitos pelas assembléias distritais. Há também a Assembléia Geral, composta de igual número de elementos leigos e do ministério, —que supervisiona a denominação. Eles subscrevem a quinze artigos de fé, a maioria deles em comum com outros grupos evangélicos, embora com tendências teológicas wesleyanas-arminianas. Eles dirigem um certo número de colégios bíblicos e de artes liberais, e contam com trabalho missionário em muitos lugares do mundo. Sua casa publicadora, a escola teológica graduada e a sede da denominação, ficam localizadas em Kansas City, Missouri, nos Estados Unidos da América.

IGREJA E ESTADO

Esboço

1. Primórdios do Relacionamento
2. A Igreja sob o Favor Imperial
3. Agostinho e sua *De Civitate Dei*
4. O Papa Gelásio I
5. Carlos Magno, Imperador dos Francos
6. As Doações de Constantino
7. O Papa Gregório VII
8. Inocente III e Bonifácio VIII
9. A Renascença
10. A Reforma Protestante
11. Os Puritanos
12. Os Batistas
13. O Novo Testamento e a Ética
14. A Igreja e as Influências Políticas

1. Primórdios do Relacionamento

O judaísmo, visto que estava disperso por todo o império romano, era aceito como uma religião reconhecida pelo estado romano. Teria sido impossível erradicá-lo. Outras religiões não-romanas, visto que não reconheciam a autoridade dos deuses romanos, que eram tidos como patronos e protetores do estado, eram reputadas traidoras. A revolta dos judeus contra Roma, com a subseqüente destruição de Jerusalém, no ano 70 D.C., complicou as coisas para os cristãos, visto que o cristianismo era reputado um ramo do judaísmo, e os romanos não estabeleciam clara diferença entre o cristianismo e o judaísmo. A narrativa de Lucas-Atos foi escrita, pelo menos parcialmente, por causa da esperança que Lucas tinha de poder mostrar aos romanos que o cristianismo merecia ser reconhecido, não menos do que o judaísmo. A revolta judaica pôs fim a qualquer esperança de reconciliação entre o cristianismo e as autoridades imperiais. Seguiu-se um longo período de perseguições, contra o cristianismo, movidas por dez imperadores romanos, embora não consecutivos. O rumo de tais acontecimentos não se alterou senão por ocasião da conversão nominal de Constantino, em 311 D.C. Nesse primeiro período do conflito entre Roma e o cristianismo, o estado romano mostrou ser o grande adversário da Igreja cristã. Não obstante, os autores do Novo Testamento ensinavam a obediência ao estado, a fim de que a desobediência não viesse a violar a consciência dos cristãos. Ver Romanos 13 e I Pedro 2:13 ss.

2. A Igreja sob o Favor Imperial

Constantino converteu-se ao cristianismo em 311 D.C., quando livrou a cidade de Roma das tropas de Maxêncio, quando da batalha da ponte Mílvia. A caminho de Roma, ele teve uma visão da cruz com as palavras «In hoc signo vinces» («Sob este sinal vencerás»). Em 313 D.C., juntamente com Licínio, Constantino baixou o edito de Tolerância. Isso fez o cristianismo tornar-se uma religião lícita, aos olhos do estado romano. Mas Licínio continuou a perseguir aos

cristãos; e Constantino, objetando a isso, juntamente com outras razões, derrotou-o em batalha, em 324 D.C., e expediu um decreto de tolerância universal no império. Desse modo chegou ao fim a perseguição oficial contra os cristãos, após três séculos de brutal opressão. Em 325 D.C., Constantino convocou e participou do concílio de Nicéia (que vide), o primeiro concílio ecumênico verdadeiro da Igreja, com representação de todos os quadrantes do cristianismo da época. Destarte, o cristianismo entrou em um período em que era visto com favor pelas autoridades do império romano, e começou a ascender a um poder sem precedentes, de tal modo que não demorou a chegar ao próprio trono de Roma. Foi assim reforçada a idéia de muitos cristãos de que o bispo de Roma merecia maior honra que aquela dada aos demais bispos, o que foi o começo histórico do sistema papal, e vastas alterações esperavam a Igreja. Nesse período inicial, a Igreja permaneceu sujeita ao estado; porém, haviam sido soltas forças que haveriam de reverter essa situação.

3. Agostinho e sua *De Civitate Dei*

Agostinho nasceu em 354 e faleceu em 430 D.C. Sua maior obra, intitulada em português, *A Cidade de Deus*, dividiu a humanidade em duas categorias gerais, os súditos da cidade de Deus e os súditos da cidade do homem. A primeira dessas cidades seria a Igreja; e a segunda seria o estado secular. Ambas as cidades teriam sido determinadas por Deus, dotadas de autoridades separadas; mas a cidade de Deus deveria ser guia e mestra da cidade do homem. Isso armou o palco para a doutrina da superioridade da Igreja sobre o estado, conferindo uma base doutrinária para a mescla e interdependência da Igreja e do estado. Passar-se-iam muitos séculos, antes que o princípio da separação entre a Igreja e o estado fosse novamente posto em prática.

4. O Papa Gelásio I

Em 494 D.C., esse papa escreveu uma carta ao imperador bizantino, Anástio I, na qual reafirmou o papel das autoridades da Igreja e do estado, de acordo com o pensamento de Agostinho. Ele comparou essas duas autoridades a duas espadas, a espiritual e a temporal, asseverando que a espada espiritual é a mais importante. Ele argumentou que a Igreja terá de prestar contas diante do Tribunal divino por seus atos, brandindo um poder que se alicerça sobre uma maior responsabilidade.

5. Carlos Magno, Imperador dos Francos

Algo de novo sucedeu quando da coroação de Carlos Magno, no ano 800 D.C. A iniciação desse imperador, ao seu ofício, foi feita sob a bênção do papa. Carlos Magno e seus sucessores provavelmente não consideraram esse ato como um precedente ou uma necessidade para que o estado pudesse governar; entretanto, foi um passo na direção da superioridade papal sobre o governo civil.

6. As Doações de Constantino

Esse foi um documento forjado, que, juntamente com outros documentos de igual natureza, asseveravam a supremacia do papa sobre os reis e imperadores. Tais documentos foram dados a público entre 750 e 800 D.C., servindo de sinal da usurpação o qual estava se configurando cada vez mais.

7. O Papa Gregório VII

Seu pontificado foi entre 1073 e 1085 D.C. Em sua controvérsia com o imperador do Santo Império Romano, fundado por Carlos Magno, Henrique IV, acerca do poder dos estados germânicos sobre a Igreja em seus territórios, esse papa afirmou a supremacia papal em termos muito vigorosos, no documento

IGREJA E ESTADO

Dicatatus Papae. Não sabemos se Gregório redigiu pessoalmente esse documento, mas certamente o mesmo exprimia os seus pontos de vista.

8. Inocente III e Bonifácio VIII

Os pontificados desses dois papas estenderam-se de 1284 a 1303 D.C. Ambos procuraram consolidar e aumentar a autoridade do papado. Entretanto, Filipe IV, da França, apelidado o Belo, resistiu com sucesso a esses esforços papais, reafirmando a autoridade do estado sobre a Igreja. Escritores capazes, como Marsílio de Pádua, contestaram vigorosamente a posição papal, o que deu início a um declínio do poder da Igreja sobre o estado. Filipe, o Belo, impôs impostos ao clero, declarou guerra contra a Inglaterra e recusou-se a estabelecer a paz, conforme o papa determinara. Em face disso, Bonifácio expediu a bula *Unam Sanctam* (que vide), que punia Filipe por causa de seus abusos contra a Igreja. Mas Filipe reagiu enviando tropas que aprisionaram o papa, o qual morreu desgostoso, pouco depois.

9. A Renascença

Grande onda de despertamento intelectual e estético, bem como da cultura *secular*, originou-se na Itália, no século XIV, espraiando-se prontamente por toda a Europa. Fazia séculos que a Igreja de Roma era a protetora e controladora do processo educativo, e continuava a cumprir um papel significativo nesse campo. Mas agora estava surgindo um novo poder, o poder secular. A cultura clássica foi revivida, e as idéias de Platão e Aristóteles, não mais modificadas pelas autoridades eclesiásticas, voltaram a impor-se. É nessa reação contra o escolasticismo que temos o começo da ciência moderna. Até então a Igreja entravara o avanço do conhecimento, afirmando que tudo quanto se podia conhecer já fora descoberto, e que agora o papel dos mestres era não deixar perecer esse conhecimento. O efeito geral da renascença foi diluir e debilitar o poder da Igreja de Roma, que controlara com supremacia toda área da cultura européia. Em muitos lugares, o estado estava assumindo uma posição de superioridade em relação à Igreja, embora Igreja e estado continuassem muito ligados um ao outro.

10. A Reforma Protestante

Em certo sentido religioso a Reforma Protestante, iniciada em cerca de 1517 D.C., foi um retorno à teologia agostiniana (com seu centro na Bíblia), e um afastamento para longe do tomismo (que vide), que consistia na utilização intelectual de Aristóteles para efeito de definição da fé cristã. Tais definições eram parciais e simplistas, mas serviam para estabelecer os pontos necessários.

Em um sentido secular, a Reforma Protestante fez parte da revolta ou reação da Renascença. Os homens começaram a exigir liberdade de pensamento, e começaram a sentir que o liame com a Igreja de Roma representava mais um par de algemas. Os grupos protestantes, sofrendo sob as perseguições que se utilizavam tanto dos poderes eclesiásticos quanto da autoridade civil, perceberam quão vantajoso lhes seria a total separação entre a Igreja e o estado. Por esse motivo, o estado foi declarado responsável pelas questões temporais e materiais, enquanto que a Igreja foi declarada responsável pelas questões religiosas e espirituais. Julgou-se que seria melhor não serem misturadas as atribuições da Igreja e do estado. Naturalmente, temos a considerar o caso excepcional de João Calvino, —que, apesar de ter sido um líder protestante, mantinha a necessidade da união entre a Igreja e o estado, tendo lançado mão do poder civil para perseguir, banir e até mesmo executar os seus opositores. Esse é um dos mais tristes capítulos que a história religiosa cristã tem para contar-nos. É lamentável que quando alguém requer liberdade de pensamento para si mesmo, não estenda tal liberdade aos seus semelhantes, que porventura venham a discordar dele. Não houve teocracia mais poderosa e intolerante, desde os passados dias de Israel, como aquela que Calvino estabeleceu em seu pequeno estado de Genebra, na Suíça. Nessa pequena cidade-estado a doutrina oficial dizia que os hereges estavam sujeitos à punição capital, por meio dos poderes do estado, controlados pelas autoridades eclesiásticas. Ver o artigo sobre *Calvino*, que oferece detalhes sobre essa questão. Noutros lugares, entretanto, surgiram em cena modelos pluralistas, os quais haveriam de tornar-se o padrão para as relações entre a Igreja e o estado, nas nações européias. Na França, as autoridades eclesiásticas tornaram-se sujeitas ao poder civil. De fato, naquele país, a Igreja de Roma tornou-se cativa à monarquia dos Bourbons; e, durante a Revolução Francesa do século XVIII, a Igreja de Roma foi um dos alvos dos ataques, porquanto o povo comum era dominado pela nobreza, em aliança com a Igreja de Roma. Algo similar sucedeu na Rússia czarista, onde a Igreja Ortodoxa Russa foi um dos objetos dos ataques dos revolucionários de 1917 e 1918. Na União Soviética a Igreja é mantida em posição de subserviência ao estado.

11. Os Puritanos

O grande alvo dos puritanos era «purificar» a Igreja da Inglaterra, removendo dela toda a influência romanista. Eles queriam a Bíblia, sem as tradições humanas. Também protestaram contra o erastianismo (que vide), isto é, a teoria concernente à relação entre a Igreja e o estado, conforme a mesma foi desenvolvida por Thomas Luber (1524-1583). Esse homem era apelidado de Erasto; e daí se deriva o nome dado às suas idéias. Apesar de que Erasto se manifestava contrário aos poderes exagerados do estado sobre a Igreja, também pensava que tais poderes deveriam reter a capacidade de disciplinar. Os puritanos, pois, objetavam tanto à indiferença da realeza quanto à objeção às aspirações religiosas. As autoridades da Igreja e do estado, aliadas uma à outra, objetavam ao desejo de Tyndale de traduzir a Bíblia para o inglês, em vista do que ele teve de ir para a Alemanha, a fim de realizar sua obra de tradução.

Entretanto, em suas bases, o puritanismo defendia a idéia das *duas espadas* do papa Gelásio I (ver o quarto ponto, acima), de acordo com tal noção a Igreja é superior ao estado, embora Igreja e estado tenham funções separadas e distintas. Temos nisso o estranho fenômeno de pessoas cristãs de exigirem liberdade, por se sentirem oprimidas por agentes que tentavam tolher suas idéias e seu trabalho, mas que, uma vez em posições de mando, não hesitavam em limitar a liberdade alheia. Em certo sentido, trata-se do mesmo antigo lema: «Poder é direito». O poder é considerado errôneo enquanto não é *meu*. Assim, temos o interessante fenômeno histórico de que, quando os puritanos abandonaram a Inglaterra e dirigiram-se à América do Norte, ali chegando, em nome da liberdade religiosa, estabeleceram o modelo que João Calvino iniciara em Genebra, nas colônias norte-americanas. Ali estabeleceu-se uma nova teocracia, na qual os puritanos eram os novos mandantes. Deve-se observar que os líderes puritanos reconheciam a diferença entre as esferas da religião e do estado; mas também podemos estar certos de que o domingo era dia santo obrigatório, sendo estritamente observado, sob severas penas decretadas contra os

224

IGREJA E ESTADO

violadores. Isso é apenas um exemplo da intolerância humana. As pessoas adaptavam-se porque eram forçadas a fazê-lo. Outrossim, o poder da Igreja era o mesmo poder que ocupava os tribunais civis. Isso sempre dá margem a muitos abusos.

A Revolução Americana pluralizou eficazmente a **sociedade norte-americana**. Ademais, houve movimentos de imigração que trouxeram pessoas de muitos países diferentes, com muitas idéias e costumes diferentes. E isso exigiu que houvesse alguma espécie de acomodação. A Revolução Americana de 1776 também estabeleceu o ideal democrático, com eleições diretas que não falharam nem uma vez sequer, durante mais de duzentos anos. Ali o poder da ética protestante permeia a tudo; mas o estado deixou de punir os ofensores religiosos, embora muitas leis (nunca postas em execução) houvesse nos livros da lei, que teriam permitido esse papel às autoridades civis norte-americanas.

Todavia, a mesma coisa que já havia acontecido na Europa, aconteceu também na América do Norte. Grandes ondas de secularismo e de materialismo têm feito as coisas inclinarem-se para o extremo oposto, onde liberdade quase se torna um sinônimo de abuso. Os poderes civis têm-se oposto a qualquer ensino religioso nas escolas públicas.

12. Os Batistas

Talvez nenhuma denominação evangélica se tenha mostrado mais enfática na defesa da separação entre a Igreja e o estado como os batistas. Esse sempre foi um dos conceitos fundamentais dos grupos batistas, que tem sido defendido quase fanaticamente nessa denominação.

13. O Novo Testamento e a Ética

Não podemos usar aqui o Antigo Testamento como roteiro, pois se já houve mistura entre a religião e o estado, isso ocorreu, acima de tudo, no antigo Israel. Qualquer tentativa que ali se fizesse para separar as duas coisas, teria sido considerada uma blasfêmia e uma traição contra a teocracia. Por isso mesmo, é muito significativo que os argumentos de João Calvino em favor de sua teocracia, mediante os quais justificava as suas práticas de perseguição, banimento e execução capital, estavam baseados no modelo veterotestamentário. Entretanto, Jesus deixou bem claro que o seu reino não é deste mundo. Ver João 18:36. Na verdade, parece que João Batista chegou a ficar desapontado com Jesus devido à ausência de aspirações políticas por parte do Senhor, pois supunha que o Messias seria um monarca dotado de grande poder, que faria todas as coisas virarem de **ponta-cabeça**. Mas também é significativo que quando João Batista enviou um mensageiro a Jesus, para indagar dele se ele era o esperado Messias, Jesus deu uma resposta totalmente espiritual, inteiramente **não-política**. Jesus não respondeu que tinha um grande número de adeptos que seriam capazes de tomar conta do governo, quando chegasse o tempo certo. Jesus respondeu, porém, verdadeiramente, ele era o Messias, visto que os cegos estavam recebendo de volta a visão, os aleijados estavam andando de novo, os leprosos estavam sendo purificados, os surdos estavam ouvindo de novo, e aos pobres estava sendo anunciado o evangelho. E então Jesus acrescentou: «E **bem-aventurado é aquele** que não achar em mim motivo de tropeço» (Mat. 11:6). Isso Jesus disse como que para indicar que João achara nele motivo de tropeço.

No Novo Testamento não há promoção de qualquer governo da Igreja, senão sobre ela mesma. Não há qualquer esforço para impor o poder eclesiástico sobre as autoridades civis. Bem pelo contrário, à Igreja é ordenado que se mantenha em sujeição aos poderes civis, determinados por Deus (Rom. 13; I Ped. 2:13 ss). Apesar de não haver qualquer ensino direto que requeira a separação entre a Igreja e o estado, os princípios éticos do Novo Testamento requerem precisamente isso. É impossível imaginar-mos Jesus perseguindo, banindo ou matando, através das autoridades civis, **mesmo aos piores** blasfemos. Quando João e Tiago desejaram fazer descer fogo do céu, com a ajuda de Jesus, a fim de consumir os habitantes de certa vila de samaritanos que se tinham recusado a recebê-los e ajudá-los, o Senhor os repreendeu em termos nada incertos. Jesus não veio a fim de destruir vidas humanas. Ver Lucas 9:54 ss. Também é impossível imaginarmos Jesus, agitando-se entre os ricos e poderosos, escrevendo cartas e fazendo discursos, a fim de obter uma autoridade maior que a deles. Aquele que nunca aceitou qualquer oferta de poder civil, de forma alguma serve de modelo para a sede de poder. Aquele que se submeteu humildemente à perseguição, embora pudesse ter invocado os poderes sobrenaturais para defendê-lo e vindicar a sua causa (ver Mat. 26:53), dificilmente pode servir de modelo para aqueles que se utilizam da autoridade civil para promoverem desígnios religiosos.

Um dos maiores problemas resultantes da mistura dos papéis da Igreja e do estado reside justamente aí. Uma vez que a Igreja dispõe do estado, para utilizar-se do mesmo, ela é tentada a oprimir os não-conformistas. E a história está repleta de exemplos dessa natureza. Mas os **não-conformistas**, uma vez que obtêm postos de mando, incluindo o poder civil, com freqüência têm achado por bem perseguir os seus opositores. No Novo Testamento, entretanto, não há qualquer precedente para tanto. Até mesmo os mais notórios hereges deveriam simplesmente ser ignorados, e nunca perseguidos (ver Tito 3:10; I Cor. 5:9). O ato de Paulo, que entregou certo indivíduo a Satanás, para a destruição da carne, conforme se vê em I Coríntios 5:5, ou entregou a outrem a algum outro castigo, administrado pelas forças das trevas, segundo se vê em I Timóteo 1:20, não se pareceram nada com o ato de Calvino, que ordenou que Serveto fosse queimado vivo na fogueira, através dos poderes civis que estavam sob as suas ordens. Naqueles trechos do Novo Testamento encontramos puros atos espirituais, com base na autoridade apostólica. Pessoalmente, só conheço um caso semelhante na Igreja evangélica. Certo missionário evangélico, na África, entregou um homem aos poderes sobrenaturais para que fosse eliminado, porquanto tal indivíduo estava promovendo um anel de prostituição na própria igreja, alistando mulheres que eram membros da igreja, para servirem como prostitutas. Assim fez o missionário, e não demorou que aquele homem morresse, diante dos degraus da porta do templo. Todavia, práticas assim não devem ser encorajadas. Doutra sorte, logo a Igreja tornar-se-á um centro de magia negra, e não uma igreja cristã. De fato, tal prática logo faria um grande número de pessoas arrogantes proferirem toda espécie de maldições contra os seus inimigos, embora estes talvez fossem espiritualmente superiores a seus amaldiçoadores. Conheço um missionário que se sentia muito infeliz devido a certa pessoa que estava se opondo a um esforço religioso no qual o missionário estava envolvido. Foi tentado a orar pelo castigo de tal pessoa. Mas, em vez disso, mostrou ser mais sóbrio, e orou pela conversão daquela pessoa. Essa conversão não ocorreu; suas orações não foram respondidas afirmativamente. Mas, pelo menos, o missionário não

IGREJA E O MUNDO

se tornou culpado de um ato impensado e brutal. Além disso, a obra que estava sendo perseguida começou a prosperar, a despeito da perseguição. Uma das razões que levaram aquele missionário a refrear-se foi que ele pensou: «Se eu fosse severamente punido pelos meus erros, há muito tempo que eu teria sido eliminado dentre os vivos». De fato, aqueles que abusam do poder neles investidos e perseguem a outros, com freqüência são espiritualmente inferiores àqueles contra os quais abusam.

14. A Igreja e as Influências Políticas

Ver o artigo separado sobre a **Igreja e o Mundo** no ponto quinto, onde comentamos sobre esse aspecto da questão. (AM H NTI)

IGREJA E O MUNDO

Esboço:
1. A Igreja é Chamada do Mundo
2. O Mundo é Objeto da Atenção da Igreja
3. A Igreja e o Estado
4. A Igreja e a Obediência ao Estado
5. A Igreja e as Influências Políticas
6. A História do Mundo e da Igreja
7. A Igreja e o Destino Físico do Mundo
8. A Influência da Igreja sobre o Mundo
9. A Igreja e o Ideal Mais Elevado

Como é óbvio, a Igreja procede do mundo, pois todos os seus membros são seres humanos, que se identificam com alguma nação, raça ou família. Porém, à Igreja é vedado fazer parte do mundo. Não obstante, o mundo físico e suas instituições e povos têm um destino tanto inteiramente distinto quanto relacionado ao destino espiritual. Por conseguinte, os membros da Igreja, embora envolvidos no destino espiritual, contribuem para fazer o que o mundo é atualmente e no amanhã.

1. A Igreja é Chamada do Mundo. Esse é o ponto central da doutrina bíblica da eleição (que vide). A Bíblia encara o sistema de vida do mundo como contrário aos propósitos do crente (João 15:18 *ss*). Ela também dá a entender que o mundo é um elemento corruptor, que pode destruir o caráter distintivo do crente (I João 2:15-17). Por conseguinte, é um grave equívoco dos crentes quando a Igreja tenta incorporar em seus cultos os entretenimentos mundanos, incluindo a música profana, na tentativa de atrair pessoas. Na verdade, esses artifícios atraem, mas nada há de espiritualmente benéfico nos mesmos. A música tipo *rock and roll* nas igrejas atrai grandes multidões, tal como sucede lá fora; mas isso somente prova que essa gente, que freqüenta certas igrejas, é mundana. É impossível alguém imaginar Jesus atraindo multidões com um conjunto musical que executasse a música que se ouvia na corte de Herodes, como aquela que foi usada quando da dança sensual de Herodias.

2. O Mundo é Objeto da Atenção da Igreja. É nisso que consiste o evangelismo (vide). A Grande Comissão deixou claro que o evangelismo deve abarcar o mundo inteiro, pois todos os homens são passíveis da graça divina e da missão de Cristo (I Tim. 2:4). É um grave erro dizer que só devemos procurar conquistar aqueles que foram eleitos no mundo. Isso nega o fato central do amor de Deus. Deus amou o mundo, e não somente os eleitos do mundo (João 3:16), embora saibamos que só serão salvos aqueles que confiarem em Cristo, conforme se vê no restante desse versículo. Se há a doutrina da eleição, há também a doutrina do livre-arbítrio. Algumas idéias bíblicas não podem ser compreendidas exceto à luz de seu pólo aparentemente oposto. Por detrás do determinismo (que inclui a eleição) e do livre-arbítrio há alguma verdade mais ampla, da qual ambos esses aspectos são expressões. Não chegaremos mais perto da verdade se negarmos qualquer desses dois aspectos. Se o pólo sul é uma realidade, o pólo norte também o é. A compreensão de muitas verdades bíblicas depende de uma noção de polaridade (que vide). Grandes doutrinas aparecem como paradoxos (que vide). Consideremos, para exemplificar, a divindade e a humanidade de Cristo. Não há como explicar logicamente uma pessoa que, ao mesmo tempo, era Deus e homem. — Essas considerações são os pólos da natureza total de Cristo, a qual já constitui um mistério. Não compreenderemos melhor a Cristo se negarmos qualquer desses pólos. Na teologia há pontos que, para nós, são misteriosos; se assim não fora, teríamos uma *humanologia*, e não uma *teologia*. A preocupação de Cristo incluía as massas. A Igreja deve imitá-lo nesse interesse.

3. A Igreja e o Estado. Essa questão já foi amplamente tratada, em um artigo separado (que vide), com treze subtítulos. Uma história da relação entre a Igreja e o Estado é ali apresentada, entre várias considerações.

4. A Igreja e a Obediência ao Estado. Os trechos de Romanos 13 e I Pedro 2:13 *ss*, mostram que essa obediência era requerida da parte dos crentes, exceto nos casos de violação da consciência. Nesses casos, é melhor obedecer a Deus do que ao homem (Atos 5:29).

5. A Igreja e as Influências Políticas. Isso é uma subcategoria da relação entre a Igreja e o estado. Quando o império romano perseguiu a Igreja, era fácil os crentes fingirem prestar lealdade à religião oficial, conservando Cristo nos seus corações. Lemos que foi precisamente isso que muitos cristãos fizeram. Porém, esses não tinham uma lealdade autêntica. A perseguição traça uma linha demarcatória bem nítida. Então sabemos a quem devemos prestar lealdade, e como devemos expressá-la; mas, a fim de salvar a vida física, podemos, em palavras e ações, contradizer uma clara lealdade. Há aqui um problema ainda maior. Estamos falando sobre a *influência* exercida pela política e pelas instituições humanas. Essas influências corrompem, enfraquecem e destroem. Atualmente, por exemplo, a Igreja procura sobreviver nos países comunistas. Ali, é conveniente e seguro falar em termos favoráveis sobre o comunismo (que vide), a fim de manter a tranqüilidade e impedir a detenção ou a perda da vida. Em Cuba, é aconselhável chamar Castro de grande estadista, embora ele tenha fechado todas as escolas religiosas na ilha, forçando todas as crianças a estudarem a doutrina ateía-comunista, com pressões para que os habitantes da ilha se convertam a essa doutrina política. No entanto, ainda recentemente (novembro de 1985), o arcebispo católico romano de Cuba intitulou Castro de grande estadista. O arcebispo tinha um pedido humilde, ou seja, a permissão da existência de escolas *neutras*, onde as crianças cristãs não fossem forçadas a estudar e aceitar o ateísmo. O arcebispo não tinha a mínima esperança que pudessem ser restauradas as escolas da Igreja Católica Romana, e nem perdeu tempo em solicitar isso. Ele nem buscou isso, porque conhece bem o poder e os métodos do comunismo. No entanto, foi forçado a elogiar o homem que destruiu um aspecto tão importante das atividades católicas, e que oprime o que restou.

A Teologia da Libertação. A despeito das evidências do que o comunismo faz com todas as formas de expressão religiosa, no seio das igrejas

IGREJA E O MUNDO

católicas e protestantes, há ministros que procuram promover um entendimento entre o comunismo e a fé religiosa. Esses homens dizem que a Igreja sempre se mostrou aliada das classes ricas e privilegiadas, opressora dos pobres. Isso significa que a Igreja precisa mudar radicalmente, a fim de amoldar-se aos ideais comunistas. Entre eles, a preocupação pela mudança social é tão intensa que eles não têm interesse pelas questões da alma, por seu desenvolvimento espiritual e por sua salvação. Isso distorce totalmente a idéia de *igreja*. E a doutrina de Cristo também é distorcida, porquanto ele é apresentado como o líder de uma revolução política, um mero homem. Tais homens não falam sobre a dimensão espiritual, inerente à natureza divina de Jesus Cristo. Também não se referem ao que Cristo realmente disse e fez, porquanto Jesus teria sido uma personalidade apolítica, com quem João Batista, exatamente por essa razão, ficou desapontado. Do começo ao fim, Jesus estava interessado apenas pela alma e seu destino. Ele preocupava-se com os pobres, mas, muito mais, com a porção imaterial do homem (ver Mat. 10:28). Jesus foi uma pessoa supremamente espiritual, e não uma figura política. E no entanto, agora surge uma chamada *teologia* que ignora tudo isso. Ver o artigo separado sobre a *Teologia da Libertação*.

O Terror do Nazismo. Retrocedendo na história algumas poucas décadas, mencionamos o nazismo, o qual podemos usar como representante das forças malignas que amedrontam a Igreja. Uma Igreja temerosa transige com o mal, mostra-se indiferente diante de grandes injustiças e acima de tudo, com vistas à sua própria proteção, não se opõe ao mal de forma vigorosa. Desse modo, as forças políticas influenciam a ética da Igreja. Quando isso sucede, ela não mais tem a coragem de ser a guardadora de seu irmão.

6. A História do Mundo e da Igreja. Deus opera através do processo histórico. O plano da redenção acompanha os ciclos da história. A mensagem da Igreja busca transformar o material em espiritual. Trata-se de um mui longo processo evolutivo. Os teólogos têm dividido a história do mundo em diversas dispensações, em cada uma das quais Deus estaria agindo de modo particular em relação aos homens. Em Efésios 1:10, Paulo contemplou a eternidade futura, vendo ali ainda outros ciclos, nos quais via em ação os **processos** redentores e restauradores. Ele afirma que serão necessários ainda grandes ciclos futuros para que todas as coisas sejam arrumadas de modo a ter Jesus Cristo como centro; mas ele também assegura que esse é o mistério da vontade de Deus, pelo que sem dúvida terá cumprimento. Ver o artigo sobre a *Restauração*. Muitos cristãos gostam de pensar na restauração apenas como algo que envolverá o tempo, mas o trecho de Efésios mostra-nos que a mesma envolverá longos ciclos da eternidade futura. A passagem de Efésios 1:23 dá a entender que a Igreja, na qualidade de corpo de Cristo, ou seja, os membros que ele usa como expressão da Cabeça, estará envolvida nesse labor de restauração, visto que Cristo terá de tornar-se tudo para todos. O seu corpo místico, a Igreja, é que completa e dá plenitude a Cristo, levando-o a preencher todas as coisas. O seu corpo místico é a sua plenitude, e, por sua vez, ele preencherá tudo em todos. Os processos redentor e restaurador, pois, estão envolvidos em vastos ciclos de tempo, e o próprio mundo será apanhado no vórtice desse drama sagrado.

7. A Igreja e o Destino Físico do Mundo. Dois planos distintos, mas interligados, estão sendo cumpridos. Um deles é físico, o outro, espiritual. Deus está realizando algo de grande valor, em sua criação física, inteiramente à parte da realidade espiritual. Portanto, o mundo tem um certo destino. As nações, e não somente os indivíduos, têm destinos. E a totalidade das nações, em cada época, e coletivamente, como um todo, no fim dos tempos têm um destino a cumprir. O trabalho dos cientistas é importante a seu próprio modo, porquanto promove o destino físico do mundo. Embora inconscientemente, os cientistas estão servindo a Deus, quando servem à humanidade. De acordo com certos místicos contemporâneos, parte do destino físico do mundo é a colonização do espaço. Se isso é verdade, então os programas espaciais fazem parte do plano de Deus quanto ao mundo físico. É perfeitamente possível um homem trabalhar sua vida inteira contribuindo para o destino físico do mundo. E, se a reencarnação (que vide) é uma realidade, ao menos em casos especiais, então várias vidas podem ser usadas em diversos projetos, ou no aperfeiçoamento de algum projeto especial. E tudo isso poderia servir à vontade de Deus, aqui no mundo. O destino espiritual da alma já é outro destino, podendo ter ligações com o destino físico do mundo. Uma alma humana labora em ambas essas áreas, e ambas são importantes. Finalmente, como é natural, a alma entrará em um nível superior da existência, o espiritual, e ali cumprirá um destino. O que o indivíduo tiver feito nesta existência física é importante nesse sentido, como é óbvio; mas o mundo físico tem um valor todo próprio. Os homens servem a Deus de muitas maneiras, se estão atuando com honestidade.

8. A Influência da Igreja Sobre o Mundo. A Igreja está interessada, primariamente, na salvação dos indivíduos, neste mundo. Porém, a Igreja também é uma força no mundo, no tocante ao bem ético, secular e político. A presença da Igreja, inteiramente à parte da salvação do indivíduo, deveria ser um fator que aprimora o bem-estar e a qualidade de vida neste mundo. Muitas leis têm sido decretadas, levando em conta ensinamentos cristãos. Muitas escolas, hospitais e instituições de caridade têm sido organizadas por causa da influência do cristianismo. Sistemas políticos têm sido influenciados naquilo que buscam fazer, por causa da vida e dos ensinamentos de Cristo. O crente individual, se estiver vivendo como deve, terá de aprimorar o meio ambiente no qual vive. A Igreja não mais tem os meios e o conhecimento necessários para dizer aos economistas e aos líderes deste mundo como eles devem agir, em muitas situações. Mas os líderes cristãos, pelo menos, podem anunciar princípios éticos gerais que servem de linhas mestras em muitos casos. Assim, muitos problemas da medicina *também* são problemas espirituais e éticos. Poderíamos exemplificar isso com o aborto e a eutanásia.

A maior influência que a Igreja pode exercer sobre o mundo envolve a maneira de pensar dos homens. A Igreja proclama que o mundo é um ser bidimensional, e não meramente material. Portanto, tudo quanto o homem faz, tem alguma ligação com essa sua dimensão superior. O lado espiritual do homem também empresta a todas as suas ações uma grande importância ética. O lado espiritual do homem requer que pensemos em termos de *responsabilidade* e de *prestação de contas*. Um político é responsável por aquilo que ele faz, mesmo que, nesta esfera terrena, seus atos não sejam julgados.

9. A Igreja e o Ideal Mais Elevado. Em meio às suas necessidades, é fácil os pobres envolverem-se de tal modo no cuidado por suas necessidades básicas que

IGREJA — IGREJA INVISÍVEL

chegam a esquecer-se da dimensão espiritual da vida. Por sua vez, é tão fácil ao homem rico envolver-se no cuidado por suas possessões materiais que ele se esquece de que só existe uma riqueza permanente, a riqueza do espírito. E é possível que os poderosos sintam-se tão atarefados em suas posições que se olvidem de onde está o Poder real. A Igreja, pois, tem a responsabilidade de projetar diante de todos os homens a natureza transitória de todas as coisas mundanas e físicas, não com o intuito de eliminar a importância delas, e nem a fim de reduzir todos os seres humanos à condição de monges e freiras, mas a fim de dar aos homens um bom equilíbrio quanto ao que devem esperar da vida. (NTI R)

IGREJA INDÍGENA

Ver sobre *Indigenização* (*Igreja Indígena*).

IGREJA INVISÍVEL (MÍSTICA); IGREJA VISÍVEL

Esboço:
I. Negação da Realidade da Igreja Mística
II. A Unidade no Espírito
III. A Igreja Mística
IV. Várias Definições
V. Abusos Combatidos

I. Negação da Realidade da Igreja Mística

Alguns congregacionalistas, batistas e nominalistas teológicos radicais rejeitam a idéia de uma Igreja universal ou invisível. Tal rejeição, porém, é tão contra as Escrituras quanto a razão. Se só existem as igrejas visíveis, impõe-se a indagação: os crentes que morrem e passam para o Senhor, não pertencem mais à Igreja, somente porque não são mais visíveis e nem estão organizados em assembléias locais? Outrossim, apesar de ser verdade que Paulo, em suas epístolas, escreveu a comunidades cristãs locais, cujos membros podiam ser determinados com bastante exatidão, também é possível falar genericamente sobre a Igreja que consiste em uma comunidade espiritual, englobando crentes vivos e mortos. Certamente que ao dizer «...para que, pela Igreja, a multiforme sabedoria de Deus se torne conhecida...» (Efé. 3:10), ele não se referia a qualquer igreja local. Outro tanto pode-se dizer quanto a Efésios 1:22,23: «...para ser o cabeça sobre todas as cousas, o deu à Igreja, que é o seu corpo...» Um outro trecho claríssimo, nesse sentido, é o de Atos 9:31: «A igreja, na verdade, tinha paz por toda a Judéia, Galiléia e Samaria...» Ali estão em foco várias comunidades, em três regiões políticas diversas, mas todas elas englobadas sob um título singular: *a Igreja*. Poderíamos ampliar isso, dizendo: «A Igreja, pela face do mundo inteiro». A Igreja universal é o corpo místico de Cristo, no dizer de Efésios 1:23. Sempre será verdade que a verdadeira Igreja não pode ser identificada com um edifício ou com uma congregação local, ou mesmo com qualquer combinação de congregações locais. É mister envolver nela todos os salvos, de todas as épocas, em todos os mundos. Quando uma pessoa se converte, torna-se membro do corpo místico de Cristo, a Igreja, mesmo que não pertença ainda e nem venha a pertencer a qualquer congregação local. Por exemplo, uma pessoa que se converta momentos antes de morrer, e não haja tempo hábil para ela ser batizada. Só porque ela nunca pertenceu a alguma igreja local deixaria de pertencer à Igreja de Cristo? Na verdade, uma pessoa pode ser membro de uma igreja local sem pertencer à Igreja de Cristo (visto que nunca se converteu, mas, erroneamente, foi aceita como membro de alguma congregação local). E isso mostra

que devemos distinguir entre o conceito de Igreja universal e o conceito de igrejas locais.

II. A Unidade no Espírito

No trecho de Efésios 4:4-6 encontramos as sete grandes unidades espirituais. Ver o artigo intitulado: *Unidades: as Sete Unidades Espirituais*. Uma dessas unidades consiste no fato de que existe «...somente um corpo...» Essas palavras aludem à igreja mística, universal, composta de todos quantos realmente têm depositado a sua confiança em Cristo, entregando-lhe a própria alma, tendo entrado em contacto com o Espírito Santo por meio da conversão, o passo inicial da regeneração. Isso não pode ser limitado a alguma igreja local, a alguma denominação, a algum grupo de igrejas, a algum credo, a alguma organização eclesiástica, a alguma raça humana, a alguma nação, e nem mesmo pode ser circunscrito a este mundo, porquanto a maior parte da Igreja universal já se encontra nos lugares celestiais, a sua legítima habitação. Aqueles que têm a Cristo como seu Cabeça (ver Col. 2:19) pertencem à Igreja de Cristo.

Idealmente, as igrejas locais não deveriam contar com membros que também não pertencessem à Igreja mística, invisível e universal. Neste caso, todas as igrejas locais, consideradas em seu conjunto, representariam a Igreja universal militante, isto é, *à face da terra*. Mas, mesmo nesse caso, deve-se confessar que a maior parte da Igreja não se circunscreve às igrejas locais atualmente existentes, conforme se percebe nos parágrafos acima. Quando alguém entra em união vital com Cristo, no Espírito Santo, fica fazendo parte da sua Igreja. E essa união tanto é terrena quanto celestial, tanto é histórica, no presente, quanto é eterna, quando chegar a atingir a glória.

III. A Igreja Mística

Essa expressão, «Igreja mística», envolve três coisas: 1. há uma Igreja de Cristo que não se evidencia diante de nossos sentidos. Portanto, a Igreja consiste em mais do que as igrejas locais, que podem ser percebidas por nossos sentidos. 2. Há uma Igreja cuja existência depende da realidade da *comunhão mística* dos remidos com Cristo. Por mais de cento e sessenta vezes o apóstolo Paulo empregou a expressão «em Cristo», que alude à união mística do crente com ele. Isso é discutido no artigo intitulado *Cristo-Misticismo*. O corpo místico e universal está unido a Cristo, e o poder residente do Espírito Santo torna-o um corpo uno, conforme lemos em I Cor. 12:12. 3. A Igreja mística também está acima da capacidade humana de compreensão e raciocínio, envolvendo uma profunda natureza espiritual que une as almas humanas remidas a Cristo.

«O *corpo* compõe-se da comunidade inteira dos crentes, do corpo místico de Cristo (comparar com Efé. 2:15; Rom. 12:5; I Cor. 10:17; 12:13 e Col. 1:24)» (Salmond comentando sobre Efé. 4:4).

«Um só corpo místico em Cristo, a Igreja ou reino espiritual» (Robertson, em seu comentário sobre Efé. 4:4).

«*Um corpo* designa a totalidade dos crentes, como um corpo místico. Não é a mesma coisa que a Igreja, quando *vista* como um fenômeno *externo*, pois o corpo de Cristo está oculto. Mas, trata-se de uma *realidade*, tal como o conjunto de nervos do corpo humano é uma realidade oculta, que pode ser acompanhada, tornando-se perceptível. Assim também é a Igreja *invisível*, cuja unidade é enfatizada pelo apóstolo, para que se mantenha unida» (Braune, falando sobre Efé. 4:4).

IGREJA — IGREJA PRESBITERIANA

IV. Várias Definições

1. *Orígenes*, em seu universalismo, afirmava que a Igreja, na verdade, é composta misticamente de todos os homens, e que o poder de Cristo (o Logos) é tão imenso que, finalmente, isso se tornará uma realidade. Mas, um trecho como o de João 12:32: «E eu, quando for levantado da terra, atrairei todos a mim mesmo», precisa ser interpretado à luz de declarações condicionadoras, como : «...todos os que se acham nos túmulos ouvirão a sua voz e sairão: os que tiverem feito o bem, para a ressurreição da vida; e os que tiverem praticado o mal, para a ressurreição do juízo» (João 5:28,29).

2. *Agostinho* referia-se à Igreja como *invisível*, porque seus membros são conhecidos somente por Deus. Ele se valia da predestinação como garantia de que o número desses membros se completará, sem faltar nenhum; mas nenhuma congregação local, ou mesmo a combinação de todas elas, pode revelar-nos o número total dos membros da Igreja.

3. A Igreja, enquanto está *na terra*, é militante (ou em peregrinação, conforme dizia Agostinho); e, de acordo com alguns teólogos, enquanto está *no purgatório* é expectante; e, quando já estiver totalmente *no céu*, será triunfante. Foi Agostinho, em sua obra, *A Cidade de Deus*, quem sugeriu essas distinções.

4. A Igreja Católica Romana fala sobre o reino de Deus como se fora a Igreja *visível*, que teria sido posta nas mãos de Pedro, e então nas dos papas, sob a forma das *chaves do reino*. Ver o artigo com esse nome.

5. Nem *Lutero* e nem *Calvino* cederam à tentação de falar somente sobre as igrejas locais visíveis dos fiéis, embora isso servisse para promover seus movimentos separatistas. Lutero também falava sobre uma cristandade *interna*, espiritual, em contraste com a cristandade *formada pelo homem*, que seria aquela que incorpora as adições e tradições. Calvino seguia certas idéias de Agostinho, excetuando o que diz respeito ao chamado «purgatório». A eleição garante a unidade de todos os crentes; mas isso não pode ser identificado com qualquer congregação local ou com qualquer combinação de igrejas locais.

6. *As sete características externas, de Lutero*, mediante as quais poderíamos reconhecer uma comunidade de verdadeiros crentes, em uma igreja local e visível:

a. Ali a Palavra de Deus é pregada, acolhida e obedecida.

b. Há um batismo cristão.

c. As chaves são exercidas no governo e na disciplina da igreja local.

d. A Ceia do Senhor é observada.

e. A cruz evidencia-se nas vidas dos membros: aqueles crentes sofrem por amor a Cristo.

f. Há uma chamada para os ministros trabalharem no evangelho.

g. A adoração e a oração são uma constante nessas igrejas locais.

V. Abusos Combatidos

É possível alguém abusar do ensino sobre a Igreja mística e invisível, reduzindo o valor e a importância das igrejas locais.

1. *Karl Barth* falava sobre o erro da *igreja docética*, que magnífica a Igreja mística e invisível, mas esquece-se da importância da comunhão e da prática cristãs visíveis, que constituem nossa principal atividade neste lado da existência. Mediante uma fé autêntica e esclarecida, percebemos a realidade da Igreja invisível; mas é nas igrejas locais e visíveis que experimentamos praticamente essa realidade. Além disso, a unidade da Igreja deve ser demonstrada de maneira *visível*, e não apenas como um conceito abstrato.

2. Os movimentos congregacionais, como o dos batistas, têm enfatizado a importância da igreja local, e, algumas vezes, ao ponto de negarem a validade da doutrina da Igreja mística, universal e invisível. Apesar de que isso importa em um exagero, a ênfase sobre a igreja local é útil.

3. O movimento ecumênico pensa que a unidade da Igreja deve estar alicerçada sobre as igrejas visíveis, não se contentando com a teologia que diz que a Igreja já está unida em espírito. Mas essa unidade em espírito é uma realidade, segundo se lê em Efésios 4:3: «...esforçando-vos diligentemente por preservar a unidade do Espírito no vínculo da paz». A nós cabe preservar, e não criar essa unidade. No entanto, quase todos os esquemas unionistas partem do pressuposto de que a unidade espiritual básica de todos os cristãos deve assumir uma forma organizacional. Porém, os mais diversos evangélicos, incluindo alguns liberais, têm-se oposto a tais esforços. Tais esquemas são por eles considerados errados e desnecessários, visto que os crentes já são um só em espírito, e que a pluralidade de organizações cristãs é tão inevitável que toda união em torno de alguma organização qualquer não passa de uma utopia. Se a unidade de espírito tiver de ser organizacional, então a Igreja Católica Romana nos dá o maior exemplo de unidade, e todos deveríamos obedecer ao papa.

IGREJA ORTODOXA ORIENTAL
Ver Ortodoxa Oriental, Igreja.

IGREJA PRESBITERIANA

Ver o artigo separado sobre **Igrejas Reformadas**, que supre o pano de fundo histórico sobre as igrejas presbiterianas. Aquele artigo também contém uma lista de confissões que têm estado historicamente associadas àquela igreja. Ver também sobre Calvino, *João*.

Essa denominação protestante chama-se *presbiteriana* devido à sua forma de governo eclesiástico. Essa forma não depende do voto da congregação democrática, mas do voto do corpo de presbíteros ou anciãos. Os tribunais superiores compõem-se de presbíteros, e não de bispos, arcebispos, etc. A Igreja Presbiteriana é *protestante* porquanto teve sua origem na Reforma Protestante (vide). E é *católica* no sentido de que reconhece a Igreja universal de Cristo, que envolve mais do que seu próprio grupo, embora prefira suas próprias tradições, reputando-as superiores às tradições de outras denominações. Finalmente, ela é *evangélica* porque acredita que a graça de Deus, na salvação, é conferida diretamente ao indivíduo que a recebe, por meio da fé. Esse indivíduo é um sacerdote e não precisa de qualquer poder intermediário de sacerdotes profissionais. Os presbiterianos conservadores acreditam no princípio reformado das *Escrituras somente* quanto à sua autoridade, pelo que, apesar de respeitarem os concílios universais da Igreja, nos primeiros séculos cristãos, não pensa neles como autoritários, e, muito menos infalíveis, como interpretações das Escrituras e como diretrizes da prática cristã.

A base doutrinária comum é o *calvinismo* (vide), embora, como é óbvio, muitos presbiterianos modernos, atuando no nível do liberalismo e sendo historicamente independentes, não são rigidamente

229

IGREJA — IGREJA PRIMITIVA

calvinistas em qualquer sentido. Historicamente, a posição calvinista tem sido defendida em uma série de credos: duas confissões helvéticas (1536 e 1566), o Catecismo de Heidelburgo (1563), a Confissão Galicana (1559), a Confissão Belga (1561), as confissões escocesas (1560 e 1581), os Artigos Irlandeses (1615), os Cânones do Sínodo de Dort (1619) e os padrões doutrinários de Westminster (1657). Por causa dessa forte unidade doutrinária com o calvinismo histórico, a Igreja Presbiteriana alinha-se como uma das igrejas reformadas, em contraste com o aspecto luterano de **Reforma Protestante**. Naturalmente, outras igrejas não-presbiterianas também defendem o calvinismo, sem a forma presbiteriana de governo eclesiástico, o que constitui a principal distinção dessa denominação, em contraste com todas as demais denominações.

Conexões Neotestamentárias. Tal como todas as outras denominações, os presbiterianos supõem que sua própria interpretação do Novo Testamento está mais próxima das doutrinas e práticas originais do que as de quaisquer outros grupos; e essa é a razão mesma pela qual eles são presbiterianos. Eles supõem que sua própria forma de governo, apesar de não ser exclusivamente aquela que transparece no Novo Testamento, é a forma proeminente. No entanto, as raízes históricas dessa igreja podem ser traçadas diretamente de volta a João Calvino. Os artigos referidos no primeiro parágrafo dão ao leitor essas informações. Naturalmente, o calvinismo, em sua essência, embora não em todos os seus aspectos, é um retorno à posição de Agostinho, em contraste com o tomismo que veio a tornar-se dominante dentro do pensamento católico romano. Ver os artigos sobre *Agostinho* e *Tomás de Aquino*.

Apesar do presbiterianismo ter começado em Genebra, **na Suíça**, foi na França que se organizou, em 1555, consagrando então os pontos de vista presbiterianos de governo eclesiástico. Ali, o Primeiro Sínodo Nacional (em Paris, 1559) adotou uma constituição que, conforme foi subseqüentemente modificada, proveu uma sessão em cada **congregação**, presbitérios, sínodos provinciais e um sínodo geral — tudo o que trouxe à existência os orgãos distintivos pelos quais aquela denominação protestante é governada.

Essa forma de governo eclesiástico foi adotada como a Igreja nacional da Escócia, em 1560. Entrou em conflito com os episcopais, mas, finalmente, tornou-se a forma favorita de cristianismo naquele país, uma situação que perdura até hoje. Em contraste, o presbiterianismo nunca foi forte na Inglaterra. Espalhou-se para a Irlanda do Norte na primeira metade do século XVII, mas nunca conseguiu atingir milhões de membros ali. O presbiterianismo também penetrou na Alemanha luterana e foi oficialmente reconhecido como um movimento legal por ocasião do Tratado de Westphalia (vide), em 1648. Na Prússia, em virtude de pressões governamentais, os presbiterianos mesclaram-se com os luteranos. O presbiterianismo foi introduzido na Holanda pelo Sínodo de Antuérpia, em 1463. Tornou-se a principal força protestante na luta pela independência dos espanhóis. A colonização trouxe o presbiterianismo para o Novo Mundo, e vários grupos presbiterianos desenvolveram-se nos Estados Unidos da América do Norte. Vários corpos presbiterianos, vindos principalmente da Escócia, e congraçando as colônias **norte-americanos** do sul, foram combinadas formando uma única Igreja Presbiteriana do Canadá, em 1875. Esse tornou-se o segundo maior grupo protestante daquele país, por

volta de 1925. Em seguida, uniu-se aos metodistas a fim de formarem a Igreja Unida. Porém, uma terça parte da Igreja Presbiteriana preferiu manter-se distante dessa união, tendo preservado o seu próprio nome.

Os movimentos missionários dos séculos XIX e XX fizeram o presbiterianismo tornar-se um movimento internacional; mas, como se tem dado com todos os grupos protestantes, a fragmentação em distintas denominações tem sido considerável. Existem cerca de cinqüenta e cinco milhões de presbiterianos espalhados pelo mundo inteiro.

A Igreja Presbiteriana no Brasil. Em nosso país, a primeira manifestação reformada ocorreu em 1557, com a chegada de um grupo de huguenotes. Mas uma igreja presbiteriana só foi organizada em 1859, pelo missionário A.G. Simonton. A Igreja Presbiteriana do Brasil tem cerca de duzentos mil membros, oitocentas igrejas e quinhentos pastores. A Igreja Presbiteriana Independente conta com cerca de quarenta mil membros, quatrocentas igrejas e duzentos e cinqüenta pastores.

IGREJA PRIMITIVA

Uma expressão usada para aludir ao período inicial da história da Igreja cristã, desde que a mesma começou, em cerca de 30 D.C. até que foi reconhecida como religião lítica, já na época do imperador Constantino, por todo o império romano. Foi nessa oportunidade que ocorreram certas transformações, algumas de bom caráter e outras de mau caráter. A partir desse reconhecimento oficial, o cristianismo passou a ser vinculado à história da humanidade de uma maneira diferente do que vinha acontecendo até então, porque foi a partir desse tempo que ele passou a ser reputado uma *força social* e política, mesmo sem levar em conta a sua natureza religiosa, embora também exercesse fortíssima influência religiosa sobre as questões seculares. O período da Igreja primitiva, pois, inclui as eras apostólica, pós-apostólica e patrística. Poderíamos intitular esse período histórico de período da *Igreja primitiva*.

Durante cerca de três séculos da Igreja primitiva, tiveram lugar certos acontecimentos importantes, como a formação do cânon das Escrituras do Novo Testamento. Ver o artigo sobre o *Cânon*. Também foi durante esse período que ocorreram os primeiros passos na direção da formação do dogma, através da interpretação e de adições feitas às Escrituras. Esse período foi um tempo de consolidação da Igreja no mundo, por meio de missões, — que atingiu todos os rincões do império romano. Mas também foi um tempo de intensas perseguições e de amargos sofrimentos. Com Constantino surgiu a Igreja Católica, embora ainda não a Igreja Católica Romana, que já foi um desenvolvimento posterior, embora não deixasse de ter algumas raízes no período da Igreja primitiva.

Calcula-se que no final desse período (começo do século IV D.C.), os cristãos já eram sete milhões, dentre os cinqüenta milhões de habitantes do império romano, a espantosa proporção de quinze por cento. A expansão geográfica incluía a porção central do império, bem como aquelas províncias mais fronteiriças, como a Gália, a Espanha, além de áreas da Alemanha, das ilhas britânicas, e, no Oriente, Edessa. A penetração do cristianismo pelo império romano, em suas porções ocidental e oriental, emprestou à sua teologia uma perspectiva mais ampla, especialmente através da influência do

IGREJA — IGREJAS DE SANTIDADE

neoplatonismo, de tal maneira que, em Alexandria, no Egito, podia-se ver teólogos cristãos explicando a mensagem cristã em termos das idéias de Platão e seus discípulos. Clemente e Orígenes deixaram marcas permanentes sobre o pensamento teológico e sua expressão. Ver o artigo sobre *Alexandria, Teologia de*. Essa linha de pensamento, naquilo que diferia do pensamento ocidental, acabou fazendo parte da teologia cristã oriental e anglicana.

Romanticamente, supomos que a Igreja primitiva representava uma expressão mais pura de espiritualidade cristã do que se verificou nos séculos que se seguiram. Uma idéia paralela é a teoria da desintegração e da apostasia. A Igreja cristã entrou em um declínio gradual onde as doutrinas passaram a ser corrompidas e as práticas morais passaram a ser pervertidas, até que, chegando esse declínio a um ponto extremo, tornou-se necessária a reforma, que se manifestou na Reforma Protestante do século XVI. Nessa afirmação há uma grande simplificação de fatos, que ignora muita coisa boa existente na Igreja cristã imperial. No entanto, Jerônimo elogiou esse período da história eclesiástica, ao falar sobre os seus mártires e suas personagens mais notáveis. Movimentos de reavivamento, durante a Idade Média, falavam sobre o ideal da *ecclesia primitiva*. As pessoas sempre terão saudades do passado, louvando o que foi e criticando o que agora é. A Reforma Protestante dependeu pesadamente desse saudosismo, em seu apelo em favor da reversão de tendências prejudiciais que a Igreja manifestava. Até os nossos próprios dias, gostamos de lembrar a Igreja primitiva, e, mais ainda, a Igreja *apostólica*, quando queremos encontrar um *padrão* mais elevado de cristianismo. É fácil, porém, ignorarmos epístolas como Gálatas e I e II Coríntios, as quais demonstram que havia problemas até mesmo no período apostólico, com lapsos morais e espirituais. Um dos danos produzidos por esse ponto de vista nostálgico de Igreja é que as pessoas passam a pensar que tudo quanto é espiritual precisa passar por uma evolução. Porém, é um erro supor que podemos extrair todas as nossas normas das páginas do Novo Testamento, acerca de como deveria ser a Igreja. E também é um erro pensar que podemos ser uma simples duplicata da Igreja cristã de qualquer século. Os homens gostam de estagnar as coisas, para sentirem um certo conforto mental a respeito do que deveria ser crido e posto em prática. Mas, muitos desenvolvimentos existentes na Igreja, como suas instituições educacionais ou de caridade, são dignos de serem emulados, embora não possamos achar textos de prova de sua existência nos dias do Novo Testamento. Algumas das nossas idéias, alguns elementos da verdade que podemos descobrir, ultrapassam o Novo Testamento e suas doutrinas. Esse documento sagrado nunca teve por intuito ser o *A a Z* da teologia. Os homens, com seus dogmas, é que o têm transformado nisso. Mas, o próprio Novo Testamento não reivindica tal papel para si mesmo. Isso posto, sempre haverá a possibilidade de progresso, em todas as *linhas* de pensamento, pois a verdade é maior do que qualquer livro ou coleção de livros, e a espiritualidade é maior do que qualquer expressão histórica da mesma. Logo, apesar de ser bom olhar para o passado e preservar certas tradições sagradas, que têm resistido ao desgaste do tempo, também é bom vivermos em um crescimento presente e contínuo. É nisso que consiste a espiritualidade.

IGREJA REFORMADA

A Igreja Reformada, ao remover a autoridade central que servira de fator de aglutinação, durante vários séculos de história, naturalmente tendeu à fragmentação. O grande número de grupos protestantes hoje existentes, todos afirmando-se melhores representantes e intérpretes das Sagradas Escrituras, que, para os conservadores, tornaram-se a única regra de fé e prática, são o resultado histórico dessa fragmentação. A *Igreja Reformada*, pois, representa um dos dois grandes ramos das igrejas que provieram imediatamente da Reforma protestante (vide). Surgiu na Suíça, simultaneamente com o movimento luterano, na Alemanha. Seus fundadores foram Huldreich Zwínglio (1481—1531) e João Calvino (1509—1564). Nesta enciclopédia há artigos sobre estas duas personagens. — Lutero e Zwínglio conheceram-se em Marburgo, na tentativa de reconciliarem suas diferenças, e assim apresentarem uma Igreja protestante unificada. Mas a tentativa fracassou, principalmente por causa de desacordos em torno dos sacramentos (vide). Porém, a Igreja Reformada encontrou em João Calvino o seu principal porta- voz doutrinador. Suas *Institutas da Religião Cristã* exerceram tremenda influência, tornando-se uma espécie de declaração autoritária das igrejas reformadas.

Apesar de Calvino acolher refugiados protestantes vindos de outros países, também mandou executar a alguns, banindo e aprisionando um grande número de pessoas, em Genebra, na Suíça, por motivo de diferenças doutrinárias. Ver o artigo sobre a *Tolerância*, e também sobre *Calvino*, quanto a esse lamentável aspecto das igrejas reformadas, em seus verdes anos. Irradiando-se da Suíça, as igrejas reformadas espalharam-se para muitos outros países da Europa. Assim, veio à existência a Igreja Reformada da Holanda, a Igreja Reformada da Alemanha, a Igreja Reformada da França, a Igreja Reformada da Hungria, etc. Na Escócia, a Igreja Reformada, liderada por João Knox (vide), veio a tornar-se conhecida como Igreja Presbiteriana, uma designação que veio à existência por causa de sua forma presbiteriana de governo. Ver sobre a *Igreja Presbiteriana*.

As migrações espalharam para várias outras regiões do mundo essa forma de cristianismo protestante. A Igreja Reformada Holandesa foi estabelecida em **vários estados norte-americanos. — Imigrantes ali** chegados da Alemanha e da Suíça fundaram as Igrejas Reformadas Alemãs, na região mais oriental dos Estados Unidos da América do Norte, perto do **Oceano Atlântico**, e absorveram muitos huguenotes franceses. A Igreja Presbiteriana Escocesa fundou vários ramos na América do Norte. — Apesar dessas igrejas terem-se conservado essencialmente calvinistas quanto à sua postura teológica, também havia variações, dependendo de uma região ou de outra. A maior parte dessas igrejas vem empregando uma forma presbiteriana de governo eclesiástico, embora isso não faça parte essencial do conceito de uma igreja reformada.

Ver os artigos *Confissão Galicana; Confissões da Igreja Histórica; Confissões Helvéticas; Heidelburgo, Catecismo de*.

IGREJA REORGANIZADA DOS SANTOS DOS ÚLTIMOS DIAS

Ver sobre *Santos dos Últimos Dias* (*Mórmons*).

IGREJAS DE SANTIDADE

Esse título refere-se a certas igrejas e denominações evangélicas que enfatizam a possibilidade de uma

IGREJAS — IGREJAS SIRÍACAS

impecável perfeição. Com isso, aqueles grupos querem dar a entender que o crente pode ter uma poderosa experiência, dada pelo Espírito Santo, que lhe confere o poder sobre o pecado, de tal maneira que ele se torna absolutamente livre do princípio dominante do pecado. Esse conceito, todavia, é maculado pela admissão de que é fácil o retorno do crente ao anterior estado pecaminoso.

Essa suposta experiência de perfeita santificação é chamada de *segunda bênção.* Historicamente, antecipou o interesse pelo batismo no Espírito Santo, conforme o mesmo é atualmente promovido pelas igrejas carismáticas. Entretanto, essas duas coisas não são, teologicamente, a mesma coisa, visto que o batismo no Espírito Santo raramente é equiparado à perfeita santificação. Contudo, muitas igrejas carismáticas também têm adotado a teologia da perfeição impecável. A experiência da santificação é intitulada de *segunda bênção* porque segue à primeira bênção, a experiência da conversão e da justificação.

As igrejas de santidade, embora mantendo essa doutrina em comum, diferem largamente umas das outras quanto a outras questões, incluindo questões de governo e norma eclesiástica, não havendo uma única posição denominacional. De fato, essas igrejas estão divididas naquilo que alguns chamam de grupos de *ala esquerda,* os quais insistem sobre vários *charismata* ou dons espirituais, os quais, para eles, servem de prova da experiência da perfeita santificação, e naquilo que chamam de grupos de *ala direita,* que congraça os grupos mais tradicionais desse movimento, os quais repelem essa alegada necessidade. Portanto, podemos dizer que as igrejas pentecostais são igrejas de santidade da ala esquerda.

Embora o conceito de santificação perfeita possa ser encontrado aqui e ali por toda a história da Igreja cristã, o movimento moderno foi diretamente originado por João Wesley e pelo metodismo primitivo (ver os artigos a respeito). Um extremo emocionalismo e várias reivindicações duvidosas, caracterizaram o surgimento e os primeiros tempos desse movimento. Quando lemos sobre alguém que, com a idade de quinze anos, por exemplo, passou por alguma experiência emocional, e agora é um crente impecável, ficamos perguntando aos nossos botões se não estaríamos tratando apenas de algum mero emocionalismo religioso, que pouco ou nada tem a ver com a autêntica santidade, obtida através de muitos anos de luta e de enchimento do Espírito Santo. Mas então ficamos desolados ao ouvir dizer que o mesmo jovem, um mês mais tarde, voltou ao seu estado normal pecaminoso. E isso nos faz indagar se tal experiência trouxe mesmo ao jovem a santidade. Seja como for, um dos princípios do movimento perfeccionista, em seus primórdios, era a tentativa de propalar a experiência, com autêntico zelo missionário, como se a mesma fizesse parte da Grande Comissão.

À medida que os metodistas aumentaram em número, poder, riquezas e influência, o fervor dessa doutrina começou a amainar. Porém, já havia infectado a vários outros grupos, que originalmente se haviam derivado do metodismo. Pouco depois da **Guerra Civil norte-americana**, na segunda metade do século XIX, foi formado um movimento chamado *National Holiness Movement,* incorporando várias denominações além dos próprios metodistas. Reuniões em acampamentos e reavivamentos freqüentes faziam parte constante das atividades desses grupos. Muitas pessoas foram alegadamente salvas, e então aperfeiçoadas, a intervalos regulares, porque nenhuma dessas experiências era tida como necessariamente permanentes. Isso nos faz meditar sobre a

suposta fraqueza do Espírito. Já sabemos muita coisa sobre a real fraqueza humana, e é lamentável que grandes atuações do Espírito possam ser concebidas como tão fracas e indefinidas que a cada ano a obra tem que ser repetida!

Algumas das denominações de santidade têm crescido até atingir grandes números, e muitas delas, dispõem de um poderoso exército de missionários, tendo-se tornado organizações internacionais. Algumas dessas principais organizações chamam-se Christian Missionary Alliance, a Igreja **de Deus**, a Igreja do Nazareno, a Assembléia de Deus e a Conexão Metodista Wesleyana. Nos Estados Unidos da América há mais de uma dúzia de organizações congêneres, de mais modestas proporções. E entre as várias denominações pentecostais, pois, que a doutrina do perfeccionismo tem sido mais intensamente promovida.

Quanto ao seu lado positivo, afirmamos que é correto o crente interessar-se pela santificação, pelo que a idéia fundamental daqueles grupos de santidade é plenamente justificada. Pelo lado negativo, porém, não podemos aceitar uma perfeição que o crente pode perder com tanta facilidade. Além disso, essa perfeição é obtida muito mais através da *redução* do que está envolvido na definição do pecado do que através da obtenção de uma santidade positiva e duradoura. Ver o artigo separado sobre o *Perfeccionismo.* Ver também os artigos intitulados *Santidade* e *Santificação.*

IGREJAS OFICIAIS (ESTABELECIDAS)

Essa designação é dada àqueles corpos eclesiásticos que têm privilégios legais, dotações e reconhecimento oficial da parte de algum estado ou entidade. A Igreja Anglicana é um bom exemplo dessa situação. A Igreja Presbiteriana da Escócia é outro exemplo. Essa filosofia chegou mesmo a ser transferida para certas regiões dos Estados Unidos da América do Norte, como foi o caso do estado de Massachusetts, onde, até 1834, os ministros do evangelho eram pagos com fundos obtidos nos impostos.

IGREJAS REFORMADAS Ver **Igreja Reformada**.

IGREJAS SIRÍACAS

Esse título refere-se a um grupo de igrejas localizadas no Oriente Próximo, incluindo aquelas de províncias dentro e fora das fronteiras que separavam o império romano do território persa. Esse nome deriva-se do uso comum que elas faziam do idioma siríaco, que usavam como língua civil e religiosa. A principal cidade do grupo era Edessa (vide), atualmente chamada Urga. Essa era a capital do reino sírio, semi-independente e que servia de Estado tampão entre Roma e a Pártia, desde 132 A.C., até que se tornou uma província romana, em 244 D.C.

Sob a liderança de Tiago de Nísibis e de seu discípulo, Efraim Siro, que foram delegados junto ao concílio de Nicéia, essas igrejas passaram a seguir a ortodoxia nicena. E, quando irrompeu a heresia nestoriana, o bispo de Edessa, Rábulas (412—435 D.C.), tentou manter a antiga ortodoxia; mas o seu sucessor, Ibas (435—457 D.C.) acolheu o *nestorianismo* (vide), quando então foi estabelecida uma famosa escola nestoriana em Edessa. Posteriormente, muitas igrejas siríacas vieram a favorecer — o *monofisismo* (vide), ao passo que outras continuaram aderindo ao nestorianismo. Vários importantes textos neotestamentários chegaram até nós através dessa igreja, como a versão Siríaca Peshitta e o Diatessaron de Taciano. Esses textos seguem o siríaco antigo, cujos principais manuscritos são o **Siríaco Sinaítico** e o

IGUALDADE — IJMA

Curetoniano. Ver o artigo geral sobre os *Manuscritos do Novo Testamento* e sobre *Bíblia, Versões da*.

IGUALDADE

Abraham Lincoln, um dos maiores presidentes dos Estados Unidos da América do Norte, afirmava que todos os homens nascem *iguais*. Mas muitos estudiosos não encontram muitas evidências em favor desta idéia. Alguns filósofos opinam que a igualdade é o estado natural que deveria existir no caso de todos os homens, porquanto todos deveriam ter direitos iguais diante da lei. Ver o artigo sobre os *Direitos Naturais*. *Helvécio* (que vide) chegou ao extremo absurdo de afirmar que todos os homens têm inteligência igual e que as diferenças originam-se do meio ambiente e das diferentes condições de educação. Rousseau (que vide) pensava que a igualdade é algo *desnatural*. Emerson (que vide) reconhecia as desigualdades entre os homens, mas ensinava a doutrina da *compensação*, mediante a qual ele pensava que quando um homem é deficiente em algum ponto, pode compensar por isso, destacando-se em algum outro ponto.

A *igualdade* consiste em uma relação de valor idêntico, de vantagens e oportunidades de realização iguais. Todavia, as desigualdades entre os homens são inúmeras e intermináveis. Os homens não são iguais aos outros quanto à herança genética, quanto à saúde, quanto às condições sociais de família, quanto às oportunidades, quanto às habilidades inatas e adquiridas, quanto ao caráter moral, à espiritualidade, à ambição, aos propósitos e às realizações. Em alguns países, essas condições têm melhorado. Em contraste com isso, por exemplo, na antiga cidade de Atenas, a maioria da população compunha-se de escravos, o mais poderoso fator econômico da antiga Roma era o trabalho escravo. Ali, as mulheres nunca tiveram quaisquer direitos dignos do nome. Até mesmo já na Renascença (que vide), as pessoas eram separadas em grupos de importância, de acordo com o trabalho ou profissão de cada um e de acordo com a posição da família no âmbito da sociedade. Alguns dizem que a Reforma Protestante promoveu a doutrina da igualdade de todos os homens, do ponto de vista de Deus; porém, qualquer pessoa que leia as obras teológicas da época sabe que isso não exprime uma verdade. Os movimentos democráticos que enfraqueceram as monarquias européias falavam em igualdade de uma maneira utópica; mas foram feitos progressos muito parciais, nesse campo. Vários filósofos, como Milton, Burke, Rousseau, Shelley e Jefferson referiram-se elogiosamente à igualdade entre os homens, mas as suas idéias obtiveram um êxito apenas parcial.

A Igualdade e a Fé Religiosa. A nossa principal preocupação é com a teologia da igualdade. Os calvinistas (ver sobre o *Calvinismo*) admitem que Deus ama o mundo; mas não acreditam que esse amor seja eficaz, de modo significativo, exceto no caso dos eleitos. Portanto, eles põem a desigualdade sobre bases teológicas e bíblicas, porquanto existem textos bíblicos que, manipulados, parecem defender a desigualdade. Os arminianos (ver sobre o *Arminianismo*) ensinam que a *oportunidade* de salvação é potencialmente a mesma para todos os homens; mas, visto que eles crêem que essa oportunidade termina por ocasião da morte biológica de cada pessoa, e visto que a maioria das pessoas nem chega a ouvir o evangelho da salvação, torna-se óbvio que essa igualdade é apenas um ideal, e não uma expectativa autêntica, dentro desse sistema teológico. No entanto, os arminianos encontram textos de prova em favor de sua posição. Os universalistas (ver sobre o *Universalismo*) crêem que tanto a oportunidade quanto a concretização dessa oportunidade estão predestinadas, de tal maneira que, em última análise, todos os homens haverão de participar da mesma salvação, pelo que todos os homens seriam iguais quanto a essa importantíssima questão da salvação da alma. Alguns textos de prova são apresentados em favor desse conceito; mas os textos invocados (como Efésios 1:9,10) são calorosamente disputados por outros. Mas, se defendermos a doutrina de que alguns homens serão remidos (os eleitos), a fim de chegarem a participar da própria natureza divina, enquanto que os demais homens serão apenas restaurados (ver sobre a *Restauração*), alcançando um estado de glória bem menor, então ainda assim, haverá desigualdade, mas uma desigualdade que, pelo menos, não será ultrajante para o homem, em última análise. Somente se os universalistas estiverem com a razão é que poderemos falar em termos de igualdade espiritual; e qualquer teólogo sabe disso.

IGUALITÁRIO

Alguém que acredita em direitos iguais ou luta por esses direitos. Ver o artigo sobre a *Igualdade*.

I H S

Essas são as três primeiras letras da palavra grega *Iesous*, «Jesus». Nessa palavra, o «H» representa uma letra grega maiúscula, *eta*. Essa letra grega, embora seja uma vogal, foi equivocadamente interpretada como se fosse um H maiúsculo, e assim essa abreviação foi interpretada como se quisesse dizer, «Jesus, Salvador dos Homens», onde o «H» aparece na forma latina da frase, *Jesus Hominum Salvator*. Notemos, pois, que a letra «S» veio a representar «Salvador». O fato da questão, porém, é que IHS significa apenas *Jesus*, da mesma maneira que XC é a abreviação de «Cristo», e IXTHUS, que significa «peixe», é a abreviação da frase grega *Jesus Cristo, Deus Filho, Salvador*.

IÍDICHE Ver Yiddish.

IIM

No hebraico, «círculos», ou «montões». Há duas localidades com esse nome, no Antigo Testamento:

1. Uma cidade no extremo sul do território de Judá (Jos. 15:29).

2. Uma forma abreviada para Ijé-Abarim (vide), mencionada em Núm. 33:45. Nossa versão portuguesa, no entanto, também grafa o nome, nesse versículo, como Ijé-Abarim.

IJÉ-ABARIM

No hebraico, «montões do além». Esse era o nome de um lugar onde Israel parou, em suas vagueações pelo deserto. Ficava entre Obote e o vale de Zerede ou Dibom-Gade (Núm. 21:11,12; 33:44,45). Ficava localizado no território de Moabe ou nas proximidades do mesmo, conforme se depreende de Núm. 33:44 e 21:11.

IJMA

No árabe, **iima**, «acordo». Esse termo refere-se a princípios do islamismo que são aceitos como autoritários, quando os eruditos daquela fé concordam acerca de algo. As crenças religiosas, pois, tornam-se artigos de fé, e o conjunto desses artigos

IJOM — ILETRADO, INCULTO

chama-se *ijmaa* (forma plural daquela palavra árabe). Daí é que emerge a tradição ortodoxa islâmica. Disse Maomé: «Meu povo nunca estará unanimemente em erro». Assim, quando eles se mostram unânimes quanto a algum ponto, isso é considerado um reflexo da verdade. Esse é o equivalente islâmico dos concílios da cristandade.

IJOM

No hebraico, «ruína». Esse era o nome de uma cidade da porção norte da Palestina, no território de Naftali. Ficava no vale de Hulé, cerca de catorze quilômetros e meio ao norte de Abel-Bete-Maaca. Esse vale é limitado a oeste pelo rio Litânia, e a leste pelo monte Hermom. Foi capturada por Ben-Hadade, da Síria (I Reis 15:20), e, posteriormente, por Tiglate-Pileser, da Assíria (II Reis 15:29).

Vários textos antigos, extrabíblicos, confirmam a existência do lugar. Foi achada uma figurinha que continha um texto de execração (do século XIX A.C.), onde o nome dessa cidade aparece com a forma de *c'yn*. Tutmés III alista cento e dezenove cidades em Canaã, e Ijom aparece como a de número noventa e cinco. A lista de Tiglate-Pileser III, das cidades daquela região, não a menciona, embora mencione outra cidade, que lhe ficava bem próxima. Os eruditos têm identificado tentativamente o local com o moderno Tell Dibbin, perto de Merj'ayun, que parece preservar o antigo nome. As escavações ali feitas, porém, não têm desenterrado quaisquer peças de cerâmica da Idade do Ferro II (900—600 A.C.), conforme se poderia esperar, com base em referências bíblicas, relativas aos reis que teriam governado a cidade durante aquele período.

ILAI

No hebraico, «supremo». Era um aoíta, um dos trinta poderosos guerreiros de Davi (I Crô. 11:29). Ele é chamado de Zalmom, nas listas paralelas de II Sam. 23:28. Viveu por volta de 1046 A.C.

ILEGITIMIDADE

Definições. Literalmente, essa palavra indica algo *contrário à lei* (a raiz é o termo latino *legis*, «lei»). Dentro do contexto ético, qualquer pecado que transgrida a lei de Deus é um ato ilegítimo. Porém, a conotação normal da palavra é algum ato de nascimento de uma criança, fora do casamento. O Antigo Testamento encerra um lato conceito de ilegitimidade, incluindo até uma criança nascida de ato incestuoso (Gên. 19:30-38), pessoas mestiças (Zac. 9:6), e crianças nascidas de mães solteiras. Para enfatizar a seriedade com que a cultura hebréia via essa questão, os descendentes de uma pessoa nascida na ilegitimidade eram excluídos da assembléia do Senhor, bem como de plena participação no culto religioso durante dez gerações (Deu. 23:2). No Novo Testamento há somente uma referência à questão, envolvendo cristãos que não são disciplinados por Deus, como filhos Dele. Se não recebem a disciplina paterna, então não são filhos legítimos de Deus. Naturalmente, isso envolve um uso metafórico do termo.

Nem todas as culturas humanas condenam o sexo pré-marital, que produz a ilegitimidade. De fato, alguns povos pensam que o sexo antes do casamento faz parte natural do namoro; então, se ocorrer a gravidez, espera-se que o casal contraia matrimônio; e a criança que assim nasce não é tida como ilegítima. Comumente, nas áreas rurais, as mulheres solteiras que engravidam, casam-se com o pai da criança. Mas, nas grandes cidades, nem sempre as coisas ocorrem desse jeito, criando um grave problema social, com a existência de tantas mães solteiras que criam seus filhos, ou então que procuram pessoas que adotem suas crianças como filhos adotivos. As leis atinentes à ilegitimidade gradualmente se vão tornando mais e mais liberais, pois tal prática, com a passagem do tempo, cada vez mais tem perdido o seu estigma social. Porém, as raízes são profundas, e a ilegitimidade ainda é considerada algo muito indesejável. A maioria dos países contém leis que querem que os genitores masculinos assumam a responsabilidade econômica pelos filhos que geram; mas, na prática, isso é ignorado em quase todos os casos. A carga usualmente fica com a mulher, que é forçada a prover o necessário para a criança, sem contar com a estrutura normal de uma família.

Nos Estados Unidos da América, um país com cerca de duzentos e vinte milhões de habitantes, a cada ano ocorrem quatrocentos mil nascimentos de crianças ilegítimas. Em nossos dias, quando o sexo pré-marital é a regra, e não a exceção, essa cifra, embora espantosa, ainda é pequena. Se nascessem filhos ilegítimos de todos os casos de sexo pré-marital, então talvez mais de vinte por cento da população do mundo consistisse em filhos ilegítimos.

O pecado que produz filhos ilegítimos não é nem um pouco diferente do sexo pré-marital e do sexo extramarital, que não resulte em gravidez. O fato de que alguém «foi apanhado» não torna a questão nem mais e nem menos pecaminosa, embora certamente complique os resultados. Além disso, esse «ser apanhado» com freqüência, é sinal de um outro pecado — a falta de responsabilidade, a negligência. Uma das coisas mais ridículas é a recusa de certos casais que, embora pratiquem o sexo pré-marital, não querem usar contraceptivos, por causa de escrúpulos morais contra os mesmos. Certamente isso equivale a coar o mosquito e engolir o camelo.

ILETRADO, INCULTO

Há quatro palavras gregas que precisam ser consideradas neste verbete:

1. *Amathēs*, «não-ensinado», «ignorante». Ocorre somente em II Ped. 3:16. O autor aludia às epístolas de Paulo que apresentavam problemas para os ignorantes, que entendiam distorcidamente o que ele dizia, ou que os falsos mestres pervertiam. Sem dúvida estão em foco os mestres gnósticos.

2. *Apaideutos*, «não-instruídos», «insensatos». Palavra grega achada no Novo Testamento somente em II Tim. 2:23. Ali a palavra fala sobre as tolas controvérsias que servem somente para criar a confusão e a discórdia. Presume-se que estão em mira os problemas causados pela atividade dos falsos mestres, principalmente os mestres gnósticos.

3. *Idiotes*, «leigo», «sem treinamento especial». Aponta esse vocábulo para alguém que não faz parte do grupo, que não compreende os conceitos e a linguagem usada pelo grupo, uma pessoa não iniciada dentro de algum sistema. Essa palavra podia ser traduzida como «leigo», fazendo contraste com «profissional», sem importar em que campo da atividade humana. Esse homem era um *destreinado*. A base da palavra é *ídios*, «privado», «particular», em contraste com «público». Indicava alguém em *sua própria* condição, e não alguém cujos conhecimentos e cultura tivessem sido desenvolvidos. Nossa palavra *idiota* vem desse termo, denotando alguém em sua própria condição inferior, em comparação com indivíduos normais.

234

ILIADUM — ILÍRICO

4. *Agrámmatos*, «iletrado», «analfabeto». Alguém incapaz de ler e escrever. Essa palavra também pode significar «não-educado», não dando a indicar um completo analfabetismo. Supomos que esse segundo sentido é aquele tencionado em Atos 4:13, onde se lê que assim as autoridades religiosas de Jerusalém descreveram aos Pedro e a João. Faltaria a estes uma educação extensa, adquirida nas escolas rabínicas, pois eram apenas humildes pescadores da Galiléia, embora não lhes faltasse inteligência e um correto treinamento aos pés de Cristo. Provavelmente, a descrição tencionada era insultá-los, e não meramente dar informações a respeito deles. Os humildes discípulos de Jesus foram desprezados pelos doutos da época. Tais homens, na opinião daqueles mestres religiosos, seriam incapazes de aprender e compreender a lei, pelo que não estariam qualificados a ensinar religião.

ILIADUM

Talvez esse seja outro nome do homem também chamado Henadade, em Esd. 3:9. Em I Esdras 5:58, aparece o nome *Iliadum*. Foi antepassado de alguns levitas que ajudaram a reconstruir o templo de Jerusalém, terminado o cativeiro babilônico.

ILIMITADO, O

Vem do grego, **apeiron**, que seria o princípio subjacente das mudanças, de natureza não-determinada, dentro da filosofia de Anaximandro (que vide).

ILÍRICO

A única referência, por nome, a esse território, acha-se em Rom. 15:19. O trecho de Rom. 15:23 alude à área em geral. Esse território é bastante montanhoso. Seu nome derivava-se do nome da primeira tribo da área que os gregos encontraram, quando ali chegaram. Acredita-se que os habitantes originais da região, até onde retrocede a história, eram **indo-europeus** que falavam uma linguagem antepassada do albanês. Os romanos entraram em choque com aquele povo desde o século III A.C., mas foi somente no século I A.C. que eles foram, finalmente, dominados. Então, o território deles foi dividido nos principados da Panônia e da Dalmácia (atualmente ocupados pelos países modernos, Iugoslávia e Albânia).

As pesquisas arqueológicas mostram-nos que a área foi ocupada por **povos indo-europeus desde tão cedo** quanto 2000 A.C. Os gregos buscavam ali minérios, e ocuparam certas porções da região no século VI A.C. Os reis macedônios guerrearam contra as tribos ilíricas no século IV A.C., mas a área não foi, realmente, subjugada. Os romanos tiveram duas guerras contra elas, em 229-228 e em 219 A.C. Na época, os ilíricos eram governados por uma rainha de nome Teuta. As vitórias obtidas pelos romanos possibilitaram que a área fosse incorporada ao império romano. Mesmo assim, prosseguiram as dificuldades. A última revolta só foi abafada depois da época de Cristo, quando Tibério efetuou uma campanha militar **bem-sucedida** contra eles, e pacificou o território.

Nos dias das viagens de Paulo, a Ilíria era a fronteira ocidental do mundo oriental. Não sabemos dizer se Paulo penetrou ou não na região; mas o trecho de II Tim. 4:10 quase certamente afirma que ele o fez. Alguns eruditos, porém, duvidam que isso foi, realmente, um fato histórico.

Essa era uma província romana, que se estendia ao longo das costas orientais do mar Adriático, que formava a fronteira norte do Épiro, bem como a fronteira nordestina da Macedônia. O Ilírico ficava entre a Itália, a Alemanha, a Macedônia e a Trácia, sendo limitado pelo mar Adriático e pelo rio Danúbio. No grego, o nome usual dessa região era «Illyris», nome esse que aparece tanto em documentos gregos como latinos. Suas praias contavam com excelentes portos, além de uma região costeira fértil. Nos tempos do império romano, esse nome se espalhou para todos **os distritos circunvizinhos**. Na divisão entre o império romano do Ocidente e do Oriente, a região foi dividida em Ilíria Bárbara, anexada ao império romano ocidental, e a Ilíria Grega, anexada ao império oriental, incluindo a Grécia, o Épiro e a Macedônia. Gradualmente, o apelativo «Ilíria» foi desaparecendo, e o país foi dividido entre os estados da Bósnia, da Croácia, da Sérvia, da Rascia e da Dalmácia (Iugoslávia moderna).

O apóstolo Paulo porventura evangelizou o Ilírico? O fraseado, no original grego, é um tanto ambíguo. Não é definidamente declarado que Paulo realmente tenha labutado naquela região tão ao norte, acima das fronteiras nortistas da Macedônia; mas, por igual modo, com base no texto em foco, não se pode negar que ele o tenha feito. Por essa razão, os intérpretes têm assumido uma ou outra dessas duas possibilidades, como a verdade da questão. É possível, contudo, que Paulo tivesse declarado somente até que ponto, *mais ao norte*, ele chegou em suas viagens missionárias, chegou ao Ilírico, embora não tivesse entrado nesse território.

No livro de Atos não há qualquer alusão de algum trabalho de Paulo nessa área; e embora nada exista de conclusivo contra essa possibilidade, essa ausência de menção pelo menos é um fator contrário. Há estudiosos, todavia, que supõem que tal ministério tenha tido lugar durante a jornada mencionada no trecho de Atos 20:1-3, quando Paulo deixou a Macedônia e esperou que surtisse efeito a mensagem contida na sua segunda epístola aos Coríntios, antes de partir novamente para a cidade de Corinto.

«Estrabão assevera que a Via Inácia passava por ali (pelo Ilírico). A Arábia e o Ilírico, por conseguinte, teriam sido os limites extremos das viagens missionárias de Paulo, até aquela altura dos acontecimentos». (Vincent, *in loc.*).

Porém, sem importar se Paulo evangelizou realmente o Ilírico ou não, — isso em nada afeta sua declaração, que ele faz neste versículo. Tivera Paulo um amplíssimo ministério, tendo evangelizado desde Jerusalém até os limites do extremo norte da Macedônia; e o poder do Espírito Santo o acompanhara em todos esses labores, de forma que muita gente havia aceito a Cristo Jesus como seu Salvador. Alguns eruditos, entretanto, supõem que Paulo não evangelizou realmente a região do Ilírico, embora tenha conquistado vários dos habitantes daquela área, estando ele a trabalhar na Macedônia. Isso é perfeitamente possível, embora não seja um aspecto subentendido em sua declaração aqui, como se esta fosse equivalente a uma afirmativa que ele havia evangelizado indivíduos provenientes dessa região.

Tenho divulgado o evangelho. Essas palavras são equivalentes a «tenho cumprido cabalmente a missão evangelizadora». Paulo sempre pregou «todo o conselho de Deus», a «mensagem evangélica em sua totalidade». Porém, o que aqui é assegurado é que ele havia evangelizado completamente a área delimitada por esses pontos extremos por ele mencionados —

ILLUMINATI — ILUMINAÇÃO

desde Jerusalém até o Ilírico.

O trabalho efetuado por Paulo não era parcial e superficial; seu ministério era pleno e completo em cada área por ele visitada. O sentido dessas palavras, mui provavelmente, é aquilo que Sanday (*in loc.*) indicou: «...parece certo que o que Paulo tencionava dizer é que o evangelho havia sido publicado por 'toda aquela extensão geográfica', não estando em foco o sentido subjetivo no apóstolo, de que ele havia cumprido o seu dever de pregar o evangelho, que lhe fora imposto». Podemos ver como Paulo deixa essa questão ainda mais enfatizada, no vigésimo terceiro versículo deste mesmo capítulo. Outrossim, Paulo não quis dizer que havia pregado o evangelho para cada indivíduo habitante daquela região tão vasta, e nem mesmo que cobrira cada cidade ou povoado, mas antes, que os seus labores haviam sido suficientemente extensos para cobrir a área geral dos países e regiões por ele visitados.

«Que maravilhoso e absolutamente incansável obreiro do amor foi esse homem, Paulo. O Ilírico era a província contígua à Itália». (Newell, *in loc.*).

ILLUMINATI

No latim, «os iluminados». Nome dado a grupos que afirmam ter obtido alguma forma de iluminação espiritual. Sabemos, pela história, que grupos assim estiveram ativos no século XVI. Inácio de Loyola foi avisado a não se aliar a eles. Na França, vários grupos tinham esse nome, embora desligados uns dos outros. Uma sociedade dos fins do século XVIII existia na Alemanha, com esse nome. Era de natureza política e religiosa; mas as perseguições acabaram com eles.

Duas Formas. Em primeiro lugar, há a iluminação da alma pelo Espírito Santo, mediante alguma experiência mística. Também há uma exaltação natural da inteligência humana, que também pode receber tal nome. Portanto, há uma iluminação espiritual e há uma iluminação intelectual.

Os gnósticos do século II D.C., afirmavam-se *iluminados*; mas então, todos os grupos, dentro e fora da Igreja, que reivindicavam ter recebido iluminação, podiam ser assim chamados. Mas, normalmente, o termo tem sido aplicado àqueles grupos fora da corrente principal do cristianismo, geralmente considerados heréticos. Os alumbrados, um grupo místico da Espanha, do século XVI, afirmavam receber iluminação espiritual à parte da Igreja. A Igreja Católica Romana sente-se muito mal à vontade diante de tais reivindicações, porquanto parecem ameaçar a autoridade e a ordem estabelecida do catolicismo romano. Naturalmente, nesses grupos, há doutrinas e práticas duvidosas. Talvez com legitimidade é que eles tenham sido perseguidos.

No século XVIII, os *filósofos*, que se diziam pessoas intelectualmente iluminadas, esperavam poder livrar as pessoas da servidão à Igreja e ao Estado. Surgiram vários grupos com esse propósito na era do Iluminismo (vide). Adão Weishaupt estabeleceu uma sociedade chamada os *Perfectibilisten* (em 1776), que esperava livrar os homens do autoritarismo do Estado e do domínio exercido pela Igreja Católica Romana, para que pudessem recuperar a liberdade humana, que lhes havia sido arrebatada. O governo bávaro e o papa também condenaram o movimento. Também apareceram os *Illuminés* (ou Guérinets) na França, bem como os membros do *Quietismo* (vide). Os rosacrucianos (vide) e os martinistas também têm sido intitulados de *illuminati*.

ILUMINAÇÃO

Esboço:
I. Definição
II. Na Filosofia e na Teologia
III. Alguns Ensinos Bíblicos
IV. Os Olhos da Alma

I. Definição

A base dessa palavra é o termo latino **lumen**, «luz». A raiz verbal significa «iluminar», *illuminare*. A luz é um símbolo comum da verdade e da iluminação espiritual. Jesus foi chamado de a Luz do mundo (João 1:9; 9:5). A Bíblia inclui a metáfora da luz e das trevas, ou seja, da verdade espiritual versus a ignorância causada pelo pecado e pela rebeldia. Ver o artigo detalhado intitulado *Luz, Metáfora da*, onde damos muitas informações relativa à mensagem do presente artigo. Os estudos místicos geralmente são referidos em termos de iluminação. A *experiência perto da morte* (vide) traz até perto da pessoa o Ser de Luz, que a leva a fazer uma revisão de sua vida, para que possa extrair a essência da vida que acabou de viver.

II. Na Filosofia e na Teologia

Tanto na filosofia quanto na teologia, a verdade e Deus são descritos em termos de luz. A luz, por assim dizer, é a verdade de Deus. O homem participa dessa luz através de alguma experiência, mediante a qual Deus se avizinha da alma e a ilumina. Naturalmente, isso envolve experiências místicas (ver sobre o *Misticismo*), ou então a iluminação intelectual, que por muitas vezes tem alguma conotação espiritual.

1. Nos escritos de Platão, temos a imagem da caverna. Ali devemos imaginar uma cena onde homens são mantidos prisioneiros em uma caverna subterrânea. Aqueles homens só podem ver as imagens projetadas nas paredes da caverna, por uma fogueira que crepita *atrás* deles. Vários objetos, entre a fogueira e o lugar onde eles estão sentados, também lançam suas sombras sobre as paredes da caverna. Aqueles homens, vendo as sombras, pensam que elas são as realidades, porquanto as sombras eram as únicas realidades que eles viam. Mas então, um deles escapou da caverna e viu o sol, com sua real iluminação. E reconheceu alguns objetos do mundo real, mediante as sombras projetadas no interior da caverna, sombras essas extremamente imperfeitas e incompletas. Então o homem tornou a descer à caverna, dotado de uma mensagem iluminadora, pois vira a qualidade, que era imitada tão pobremente na caverna. Porém, foi rejeitado como um homem mentiroso. Para Platão, pois, a caverna serve de figura de nosso mundo e da nossa percepção dos sentidos, os quais, quando muito, percebem apenas uma pobre imitação do mundo real, o mundo dos *universais* (vide). É preciso receber uma real iluminação para que se compreenda a verdade.

2. O *estoicismo* ensinava que o homem possui uma fagulha divina, dentro de si, uma partícula do Logos ou Razão Universal. Essa fagulha poderia ser cultivada, mediante o raciocínio e a pesquisa filosóficos. O Logos seria o Fogo Central, a fonte de toda a existência, que se irradiaria ou emanaria para todas as formas de existência.

3. O evangelho de João vincula a luz a Deus, a verdade a Cristo, conforme se demonstra no artigo intitulado *Luz, Metáfora da* (vide).

4. O *neoplatonismo* (vide) dava muita importância à metáfora da luz e à necessidade de iluminação. Encontramos ali um misticismo mediante o qual se espera que um homem obtenha iluminação espiritual.

ILUMINAÇÃO

A vereda da iluminação leva-nos além do que é sensual é racional. Leva-nos até **a presença de Deus**, onde a alma fica enamorada.

5. *Agostinho*, ao adotar a posição bíblica e platônica da iluminação, supôs que a percepção dos sentidos e o mundo da matéria servem de empecilhos à ascensão da alma. Ele falava na mesma hierarquia de fontes de conhecimento. A fonte mais inferior de conhecimentos seria a percepção dos sentidos. Então, viria a razão. Em seguida, a intuição. E, finalmente, as experiências místicas. A experiência mística culminante, que traz uma colossal iluminação à alma, é a *visão beatífica* (vide). Antes disso, a alma do homem é capaz de receber a luz divina, e assim ser transformada.

O evangelho de João faz a ligação entre a vida e a luz: «A vida estava nele, e a vida era a luz dos homens» (João 1:4). Por ocasião da visão beatífica, o indivíduo não é meramente iluminado. Também é transformado, de modo a participar da forma divina da vida, ou seja, da própria divindade. Ver os artigos separados intitulados *Transformação Segundo a Imagem de Cristo* e *Divindade, Participação na, Pelos Homens*. Esse é o propósito final da iluminação.

6. *Boaventura* (vide) supunha que a iluminação divina leva-nos à verdade espiritual, incluindo as normas éticas, embora o seu propósito final seja o de restaurar a alma a Deus.

7. A Igreja Ortodoxa Oriental tem sempre enfatizado a necessidade de iluminação, especialmente através da meditação; e isso também é um elemento constante das religiões orientais em geral.

8. Algumas seitas cristãs, como os anabatistas e os quacres têm enfatizado a sua própria variedade de iluminação.

A iluminação é um aspecto importante do crescimento espiritual. Conforme ficou salientado acima, sua culminação ocorre por ocasião da visão beatífica. Não há como separar a luz espiritual da vida espiritual. A leitura do artigo separado sobre o *Misticismo* dará ao leitor um quadro mais completo sobre a essência da iluminação.

A iluminação é *um* dos meios tradicionais do desenvolvimento espiritual. Esses meios são os seguintes:

1. O *treinamento intelectual* quanto aos documentos sagrados e outros livros, que ajudam a espiritualização das faculdades de raciocínio, e aumentam o nosso conhecimento sobre as realidades espirituais.

2. A *oração* (vide), que procura a comunhão com Deus, pedindo e recebendo. Uma vida de oração bem disciplinada ajuda o indivíduo a crescer espiritualmente, inteiramente à parte do benefício recebido pelo pedir e receber coisas.

3. A *meditação* (vide) é irmã gêmea da oração. É Deus falando conosco. Através da meditação podem ser atingidos estados alterados da consciência, possibilitando a iluminação mística. Esse é um toque místico na vida, extremamente necessário.

4. A *santificação* (vide). De nada adianta meditar, se a vida do indivíduo se caracteriza pelo pecado e pelos vícios. A transformação moral conduz diretamente à transformação espiritual, ou seja, à transformação metafísica, mediante a qual chegamos a participar da natureza divina (ver II Ped. 1:4).

5. *A prática da lei do amor*. Antes de tudo, do amor a Deus; em segundo lugar, do amor ao próximo, mediante as boas obras. Essa é a parte prática da vida cristã, necessária para o nosso crescimento espiritual.

O amor é a grande prova da espiritualidade (I João 4:7 *ss*).

6. *O toque místico*, dentro do ministério do Espírito Santo, incluindo o uso dos dons espirituais. A iluminação fica ao encargo do Espírito de Deus. Ele pode realizar isso de várias maneiras, com ou sem o auxílio da meditação.

III. Alguns Ensinos Bíblicos

A palavra subentende a idéia de trazer luz e de iluminar. É usada para traduzir vocábulos hebraicos e gregos que são usados em sentido literal (como em I Sam. 14:27,29; Jó 33:30; Sal. 97:4); mais usualmente, porém, está em pauta a iluminação moral e espiritual. A palavra hebraica é *ore*, que inclui todos os tipos de iluminação. O termo grego é *photídzo*, que também é usado em sentido bem geral, em todos os contextos associados à idéia de trazer, de produzir luz e de iluminar. Essa palavra também envolve a idéia de «revelar», de esclarecer uma coisa qualquer, a fim de tornar-se melhor compreendida.

Textos Bíblicos. Deus ilumina as trevas do homem (Sal. 18:18). Os mandamentos divinos conferem luz aos olhos espirituais (Sal. 19:8). O próprio Deus, entretanto, não precisa de iluminação (Isa. 40:14). Um importante texto neotestamentário é o de Efésios 1:18. Os *olhos de nosso coração* precisam ser iluminados se tivermos de compreender a natureza e a extensão da nossa herança espiritual em Jesus Cristo. Isso significa que o simples estudo da Bíblia e a oração não são suficientes para nosso crescimento e entendimento espirituais. Também precisamos do ministério direto do Espírito Santo. Há vários meios místicos de iluminação, como a meditação, os dons espirituais, a iluminação espiritual, o discernimento — todas essas qualidades espirituais. Em contraste, existem mentes cegas, que foram embotadas através da agência de forças satânicas (II Cor. 4:4). Esse é o equivalente satânico da iluminação, exatamente seu oposto. Algumas das coisas mais sinistras e más são concebidas por homens **não-regenerados**, que recebem uma espécie de discernimento maligno, como o comunismo, por exemplo. Até mesmo em certos segmentos da cristandade atual o sistema do comunismo está sendo louvado como a vereda iluminada a seguir.

Poderíamos dizer que o zelo religioso resulta da iluminação; mas também pode ser o resultado de uma mente **mal-orientada**, fanatizada. Alguns judeus eram zelosos em favor de Deus, mas não tinham um verdadeiro entendimento quanto à sua vontade (Rom. 10:2).

O trecho de Heb. 6:4-6 é de difícil interpretação para muitos estudiosos. Ali é dito que aqueles que uma vez foram iluminados e provaram do dom celestial, etc., se vierem a cair (cometerem apostasia), não poderão ser renovados para o arrependimento. E muitos intérpretes têm tido imensas dificuldades para ajustar isso aos seus sistemas teológicos, porquanto esse texto diz que essa renovação é *impossível*. Assim, os calvinistas são forçados a dizer que, nesses casos, a iluminação não chegou ao ponto da conversão. E a maioria dos arminianos, apesar de admitirem que deve estar envolvida a conversão, —procura descobrir vários meios para anular a palavra «impossível», transmutando-a em *possível*, como se fosse possível os apóstatas voltarem a Deus. Outros supõem que estão em foco os apóstatas (poucos em número, comparativamente falando) e não os desviados. Mas, o autor da epístola aos Hebreus, estribando-se em certo ensino teológico, de **Números** 15:28 *ss*, que afirma que pode haver expiação pelos pecados de ignorância, mas não

ILUMINAÇÃO

pelos pecados voluntários e de presunção, asseverou enfaticamente que tal indivíduo está definitivamente cortado, conforme diz o texto do Antigo Testamento. E ele retorna ao tema em Hebreus 10:26 *ss*, referindo-se ali, especificamente, ao *pecado voluntário*. Ele descrevia os que apostataram da fé cristã, tendo vindo do judaísmo e advertia a seus leitores de que essa apostasia é um erro fatal, que não tem como ser remediado. Ora, essa teologia não satisfaz nem aos calvinistas e nem aos arminianos; mas essa é a teologia expressa pelo autor desse livro canônico.

No que tange à questão, afirmo que a mensagem cristã em geral, bem como o grau de iluminação que transparece em *outros textos* do Novo Testamento, ultrapassa àquilo que o autor da epístola aos Hebreus disse nesse ponto, anulando aquela antiga interpretação rabínica do livro de Números. Portanto, a renovação dos desviados é possível, porquanto a graça de Deus é suficiente para isso. Que outros intérpretes distorçam isso, escolhendo textos que pareçam dar-lhes apoio. Mas, se reconhecermos que todos os textos bíblicos precisam ser equilibrados mediante a *revelação bíblica progressiva*, disporemos dos meios para solucionar muitos dos problemas aparentemente insolúveis da teologia.

No tocante à *iluminação*, emergem dois importantes elementos no sexto capítulo da epístola aos Hebreus. Em *primeiro lugar*, a própria mensagem cristã é uma iluminação. É uma revelação superior, cujo intuito é iluminar todos os homens acima do ponto onde eles haviam chegado, antes dessa revelação ser conferida. Em *segundo lugar*, essa mensagem é **mediada pelo Espírito Santo**, que ilumina os homens para que possam entendê-la. É óbvio que o ministério do Espírito, em muitas conexões no Novo Testamento, consiste em iluminação espiritual. Portanto, nunca será suficiente simplesmente estudar preceitos e orar. Nosso progresso espiritual depende diretamente do contacto pessoal com o Espírito de Deus, que nos confere compreensão. Isso faz parte do seu ministério.

A iluminação pode ser dada dentro de um sistema que outorga maior **discernimento** quanto à natureza da espiritualidade. Pode ocorrer através de experiências místicas. Pode ser sutil, mas percebida por meio da intuição. Pode ser provocada pelo processo do raciocínio do indivíduo inquiridor. A iluminação é um dos nossos meios de desenvolvimento espiritual.

Deus é a luz do mundo. Ver João 1:3 *ss*. Ver o artigo separado, *Luz, Deus como*.

Cristo é a luz do mundo. Sua luz é salvadora, de tal modo que os homens, através da iluminação dada por ele, chegam a participar da forma de vida de Deus. Ver o artigo separado chamado *Luz do Mundo, Cristo como*. Ver João 1:9 e 9:5.

Cristo trouxe a luz aos homens, por meio do evangelho (João 1:9; II Tim. 1:10). A conversão, para Cristo, é uma experiência iluminadora.

A *inspiração das Escrituras* é uma forma de iluminação divina, para que fosse dada uma importantíssima mensagem. Ver o artigo geral sobre as Escrituras, sobretudo, a segunda seção, que aborda a questão com consideráveis detalhes. A quinta seção desse mesmo artigo descreve *níveis* diversos de inspiração bíblica.

A obra geral do Espírito Santo inclui a iluminação dos homens, para que possam participar da verdade de Deus e, finalmente, de sua própria natureza. Na quarta seção damos explicações sobre Efésios 1:18, «os olhos da alma», e sobre I Coríntios 2:14, onde vemos que a iluminação dada pelo Espírito é

necessária para que o homem natural seja regenerado.

Empecilhos. O homem regenerado pode e deveria subir para estados superiores de iluminação espiritual. Para tanto, ele precisa da santificação e de uma intensa inquirição espiritual, com vigorosa aplicação dos meios de crescimento espiritual, conforme já sugerimos, no começo deste artigo. Ver I Cor. 3:1,2.

IV. Os Olhos da Alma

O homem regenerado precisa que os olhos de sua alma sejam iluminados, para que possa crescer na espiritualidade. Ver Efé. 1:18. E o homem não-regenerado precisa da iluminação do Espírito para converter-se e ser regenerado. Nenhum homem, sem a iluminação, pode atingir a vida eterna.

1. Em Efésios 1:18

Sendo iluminados os olhos do vosso coração, para que saibais qual seja a esperança da sua vocação, e quais as riquezas da glória da sua herança nos santos.

As palavras iniciais de Efé. 1:18 «...iluminados os olhos de vosso coração...», referem-se à iluminação prestada pelo Espírito Santo, no espírito humano. Algum contacto divino, que transcenda sentidos, razão e pesquisas, está aqui em foco. Trata-se de um dom de Deus, o dom da consciência iluminada.

Olhos do vosso coração. Esta expressão significa espiritualmente «discernimento sobre verdades básicas». Esse uso do termo é muito antigo, não estando confinado aos escritores bíblicos. Aristóteles já falava sobre os «olhos da alma». É interessante que, normalmente, os «olhos» eram vinculados à «alma» (*psuche*) ou à «mente» (*nous*), na expressão que aqui temos; mas *coração* fala do íntimo, do homem real, do homem espiritual, da alma ou espírito, e não meramente das disposições íntimas, das emoções. O «coração» pode ser reputado como sede da «vontade» e das «emoções», conforme se verifica na literatura universal e no A.T. (E isso pode ser comparado com o trecho de Sal. 51:10,17, onde os vocábulos «coração» e «espírito» são vinculados em paralelismo poético). Assim também, os «limpos de coração» é que verão a Deus (ver Mat. 5:8); e é com o «coração» que o homem crê para a justiça (ver Rom. 10:10). É evidente, portanto, que «...*a iluminação do coração*, neste caso, não é mera acuidade intelectual e, sim, a invasão de todo o ser íntimo com a luz da verdade divina; é o dom da visão para os espiritualmente cegos; e resulta na apreensão das realidades da graça divina, aplicando-as a nós mesmos». (Beare, *in loc.*).

Paulo quis dar a entender, pois, que a faculdade espiritual do homem, a alma, pode ter olhos, e que esses olhos podem ser iluminados. Trata-se de uma maneira poética de dizer que o homem pode receber a iluminação divina ao nível da alma, mediante o Espírito Santo.

«Esses olhos do coração precisam ser iluminados? Certamente que nada precisa tão urgentemente da luz. A pedagogia científica pode ser inteiramente aturdida por essa tarefa. Às crianças se pode ensinar quase qualquer coisa, se tempo e paciência prevalecerem. Porém, iluminar uma alma obscurecida pelo ódio ou cega por desejos impuros, isso requer a pedagogia divina. Somente Deus pode dar a um homem um novo coração. Por isso é que a Bíblia está repleta de palavras como renascimento, arrependimento, salvação e graça». (Wedel, *in loc.*).

O dom em questão é o dom especial do 'conhecimento' ou discernimento, o que explica a figura simbólica de 'olhos'. Esse é conhecimento 'espiritual', o que justifica o uso da expressão 'olhos

ILUMINAÇÃO

do coração', visto que 'coração', ou seja, 'kardia', significa o 'homem interior'; a sede e o centro da vida mental e espiritual, com alusão especial, ocasionalmente, à faculdade da inteligência, (ver Mat. 13:15; João 12:40; Atos 28:27; Rom. 1:21; II Cor. 4:6; e Heb. 4:12).

Olhos. Esses são a luz do corpo, o instrumento da visão, sem o qual uma pessoa permanece em trevas físicas. É palavra metaforicamente usada no presente texto para falar sobre a capacidade que a alma tem de receber iluminação espiritual. O olho algumas vezes é usado como símbolo da inteligência (ver Eze. 1:18). A alma é a inteligência ou sede da inteligência do indivíduo; a alma pode ser iluminada, recebendo conhecimento intuitivo ou de revelação, porquanto caracteriza-se pela capacidade de receber esse dom divino. Paulo orava para que isso ocorresse com os crentes a quem escrevia esta epístola. No dizer de Robertson (*in loc.*): «Uma bela figura, em que o coração é considerado como dotado de olhos, que se fixam na direção de Cristo».

Com isso se pode comparar a expressão de Platão, «os olhos da alma» (ver Sofista, 254). Olhos do «coração» também aparece nos escritos de Ovídio (ver «Metamorfoses», vv. 62-64). E «olhos do entendimento» aparece nos escritos rabínicos, conforme se vê em Zohar sobre Deut., fol. 119:3; Jetzirah, pars. 22,78. E também nos escritos do rabino Levi ben Gersom, sobre Gênesis, fol. 14:3. Ver igualmente Filo, *De opificio*, Dei, pág. 15.

Saberdes qual é a esperança do seu chamamento. Um dos motivos dessa «iluminação» é que venhamos a conhecer, profunda e espiritualmente, e não apenas intelectualmente ou como conceito, qual seja a esperança de nossa vocação. Levemos em conta os pontos seguintes: 1. Aquilo pelo que esperamos; ou então 2. O «princípio» da esperança, que nos faz continuar a salvação completa, por ser a esperança que o próprio Deus inspira. (Quanto a notas expositivas sobre o «chamamento dos crentes», ver Rom. 8:30 no NTI). Esse chamamento é interno e eficaz, levando nossos olhos a se voltarem para Cristo e para a salvação que há nele. Trata-se de uma operação conquistadora e movimentadora do Espírito Santo nos homens, e que opera de conformidade com o decreto divino da eleição. Ver também o trecho de Rom. 11:29: «...porque os dons e a vocação de Deus são irrevogáveis».

Centro e fusão de todas as distâncias;
Velhice-mãe de todas as infâncias;
E futuro de quanto há de morrer...
Possa a minha alma ver-te, um só segundo,
Presente e em ti, Pretérito do mundo,
Infinito imortal do verbo Ser!
(Augusto Gil. Porto, Portugal, 1873—1929).

2. Em I Coríntios 2:11

Pois, qual dos homens entende as coisas do homem, senão o espírito do homem que nele está? Assim também as coisas de Deus, ninguém as compreendeu, senão o Espírito de Deus.

A primeira menção da palavra *espírito*, deve ser gravada em letra inicial minúscula, embora no original grego não houvesse diferenciação entre letras maiúsculas e minúsculas, porquanto está aqui em vista o espírito humano. A palavra «Espírito», que aparece em seguida, é um artifício moderno de impressão, para indicar o Espírito Santo de Deus. Algumas vezes é simplesmente impossível saber-se com certeza se está em foco, em uma dada passagem neotestamentária, o espírito humano ou o Espírito de Deus. Nem mesmo a presença ou a ausência do artigo

definido, no original grego, serve de grande valia nesse caso. No presente versículo, entretanto, não aparece esse problema, porquanto o espírito do homem é aqui contrastado com o Espírito Santo, pois o qualificativo, «...de Deus...», deixa isso claro, já que isso não pode dar a entender o espírito humano.

O «espírito» é a porção imaterial do homem, a alma, que representa o homem essencial, a verdadeira personalidade do indivíduo. O que Paulo provavelmente desejava dizer é que, mediante o processo intuitivo, através da comunicação com a alma, um homem pode vir a conhecer as profundezas do seu próprio ser. O pleno conhecimento dessa realidade é uma espécie de processo místico, e não um mero funcionamento intelectual. Não obstante, Paulo declara que esse processo é possível, embora não seja usual na experiência da grande maioria dos homens. Seja como for, se um indivíduo tiver de conhecer as profundezas de seu próprio ser, a verdadeira natureza de sua pessoa, isso só poderá ocorrer dentro do nível do «espírito» do ser, e não meramente dentro do nível intelectual ou emocional.

O argumento, pois, é perfeitamente claro, as *profundezas* de Deus só podem ser conhecidas através do Espírito de Deus, porque somente ele é capaz de penetrar no ser de Deus e compreendê-lo. Por conseguinte, o Espírito Santo é o agente da revelação de qualquer coisa que sabemos concernente a Deus, sem importar se pensarmos em sua pessoa, em seus decretos ou em suas obras, pois isso necessariamente inclui tudo quanto é inerente ao plano universal da redenção humana. Se tivermos de compreender a glorificação dos remidos, na pessoa de Cristo, segundo a sua imagem, a participação em tudo quanto ele tem e é, somente o Espírito Santo pode transmitir a nós tal conhecimento. Esse tema tem sido abundantemente comentado nas notas expositivas sobre I Cor. 2:10 no *NTI*. Neste ponto, Paulo tão-somente confirma o que ele disse ali, mediante a adição dos pensamentos que encontramos neste versículo.

Além disso, Paulo havia de mostrar logo em seguida, no décimo segundo versículo deste capítulo, que essas palavras se aplicavam igualmente à sua polêmica contra as divisões provocadas pela busca da sabedoria humana na igreja dos coríntios. Ficamos sabendo o que devemos saber acerca das realidades espirituais mediante essa revelação divina do Espírito Santo, e não mediante o estudo acadêmico, porquanto esse estudo pode ser destrutivo, e não benéfico. Infelizmente, porém, muitos dos crentes de Corinto eram «carnais» (ver I Cor. 3:1), não buscando a verdadeira sabedoria e não estando primariamente interessados —na iluminação— do Espírito; antes, buscavam a sabedoria do mundo, que glorifica ao homem.

Do Espírito Para o Espírito

1. Posto que a iluminação procede do Espírito Santo para o espírito humano, é impossível obtê-la através da sabedoria humana. Paulo prossegue em seu ataque contra o partido intelectualizado de Corinto, que substituíra o evangelho por uma mensagem alicerçada sobre a sabedoria humana, e não sobre a revelação divina.

2. Os filósofos emprestavam excessiva importância à capacidade de raciocinar que o ser humano possui, e pensavam que elevadas verdades podiam ser atingidas por esse meio. Paulo, porém, insistia sobre a necessidade da iluminação através do Espírito Santo, se qualquer sabedoria autêntica tiver de ser alcançada.

ILUMINAÇÃO, A — ILUSÃO

3. Paulo dava apoio às reivindicações dos místicos: Deus existe e pode revelar-se ao homem, em sua sabedoria divina. A definição básica do misticismo é que se trata de um contacto genuíno com o sobrenatural, contacto esse que transcende à percepção dos sentidos, à razão e à intuição, apesar do poder operar através da intuição.

4. Mui naturalmente, o homem é autoconsciente. Através da influência exercida pelo Espírito, pode tomar consciência de Deus. Por meio da iluminação é que chegamos a saber algo a respeito de Deus, de suas obras e de seus desígnios para conosco e o gênero humano.

«Ele (Paulo)... faz uma tremenda reivindicação nesta passagem. Quando da outorga do Espírito Santo, os homens recebem nada menos que a autoconsciência de Deus. Portanto, tornam-se capazes de compreender sua sabedoria secreta». (C.T. Craig, *in loc.*). Ver os artigos sobre *Espírito Santo* e *Trindade*. Ver as notas expositivas sobre a «iluminação conferida por Deus», no NTI em Efé. 1:18. Quanto ao vocábulo grego «pneuma», que designa o espírito humano, ver os trechos de I Cor. 5:5; 7:34; II Cor. 7:1; I Tes. 5:23 e I Ped. 3:19. Ver sobre *Misticismo*.

ILUMINAÇÃO, A

Assim chama-se o período da história que fica entre 1650 e 1780. Esse período de cento e trinta anos foi assim chamado porque então houve a desintegração do ponto de vista sobre o mundo, de acordo com a era medieval, bem como a gradual secularização do pensamento na Europa ocidental. Isso foi acompanhado pelo desenvolvimento da ciência e do método científico, em contraste com o dogmatismo da Igreja Católica Romana e com o racionalismo da filosofia. Esse período também se tornou conhecido como *Era da Razão*. Os pensadores daquele período consideravam-se *iluminados*, como se as coisas, antes deles, estivessem em trevas. A revolução científica newtoniana fez parte desse movimento e, embora ele mesmo fosse um homem religioso, os seus princípios lançaram os alicerces do ponto de vista mecanista do mundo. Esse período também pavimentou o caminho para o *humanismo* (que vide), que foi promovido por David Hume e por Voltaire. Tanto a iluminação quanto o humanismo floresceram em uma atmosfera na qual os homens haviam abandonado os textos bíblicos de prova, como sua orientação e não mais acreditavam na inerrância e autoridade absoluta do Livro Sagrado. Pela primeira vez desde Constantino, a Igreja e a fé cristã sofriam oposição e eram sujeitadas a abuso, abertamente. Kant (que vide), um importante filósofo da época, criou o lema: «Ousa conhecer». A iluminação foi levada à frente pelos *enciclopedistas* (que vide), cujos extensos escritos incorporavam, tentativamente, todo o conhecimento humano do período, exercendo assim vastíssima influência. John Locke (que vide) promovia a filosofia do método científico, o qual se tem aperfeiçoado e desenvolvido ainda mais, desde seus dias até os nossos e que, essencialmente, continua dominando a abordagem científica do conhecimento. A religião de tendências deístas (ver sobre o *deísmo*) foi um efeito natural da Iluminação. A Iluminação do século XIX mostrou-se propícia ao desenvolvimento do *romantismo* (que vide) que floresceu em seguida. Todavia, isso ocorreu de modo negativo. O romantismo opunha-se às idéias básicas da Iluminação, acreditando que a sua abordagem racional e mecânica da verdade era por demais restrita. Encontramos nisso os primórdios do *idealismo alemão* (que vide),

como um sistema que produziu muitas idéias, em oposição a uma perspectiva mecanista do mundo.

Vários Aspectos da Iluminação. Esse movimento penetrou em cada domínio da vida: o religioso, o literário, o artístico, o filosófico e o político.

Na Religião. A desintegração da autoridade da Igreja e seu ponto de vista do mundo, com o desrespeito por seus dogmas e por sua autoridade; o desenvolvimento do deísmo; a fragmentação das organizações religiosas; o surgimento das seitas; a ênfase sobre a religião natural e não sobre a religião sobrenatural. Obras importantes dessa época: *De Veritate*, de Herbert of Cherbury; *The Reasonableness of Christianity*, por John Locke; *Christianity not Mysterious*, por John Toland; *The Deists' Bible*, por Matthew Tindal.

Na Literatura. No caso de alguns autores, houve um retorno a um tipo de ponto de vista clássico do mundo. Quanto a outros autores, eles contemplavam uma visão mais científica e racional do mundo, como no caso de *Diderot* (que vide) e dos enciclopedistas. Apareceram os escritos de homens como Voltaire (que vide).

Na Arte e na Música. Na arte, a Iluminação caracterizou-se pelo domínio do elemento da clareza, da disciplina formal e da restrição impessoal. Atuavam as restrições da razão e da formalidade objetiva. Daí resultaram a magnificência das obras de Rembrandt, Rubens e Atteano. Bach foi o grande músico desse período. A Academia Francesa da Escultura e da Pintura foi uma grande instituição dessa época.

Na Filosofia. Descartes, com o seu «penso, por isso existo», e com sua ênfase sobre o racionalismo; o método científico de John Locke; as metodologias racionais de Spinoza e Leibniz.

Na Ciência. O ponto de vista mundial mecanista de Newton, bem como daqueles que seguiam o seu exemplo. Os seus *Princípios de Matemática* expuseram a nova maneira de considerar o mundo.

Na Economia e na Política. Um sistema racionalmente controlado e arregimentado centralmente acerca do mercantilismo. O conceito do *déspota iluminado* tomou vulto, com freqüência vinculado à noção do direito divino dos reis. Os reis dessa tradição foram Frederico II, o Grande, da Prússia, José II, da Áustria, e Catarina II, da Rússia. O alvo deles era governar mediante a luz da reta razão. Mas, finalmente, o poder da Iluminação foi declinando, em face do peso de seus próprios exageros. Isso é o que sempre acaba sucedendo a todos os movimentos culturais, bons ou maus. (AM C E EP)

ILUSÃO

Essa palavra vem do latim, **illudere**, **«iludir»**, **«enganar»**.

Esboço:

I. Na Filosofia
II. Na Religião

I. Na Filosofia

a. **Parmênides e Zeno (ver os artigos sobre eles)** afirmavam que a *realidade* é diferente daquilo que é captado pelos nossos sentidos. Platão concordava com eles, afirmando que o mundo detectado pela percepção dos sentidos é um mundo que apenas imita a *realidade* (sendo este último o mundo dos *universais;* vide). Os idealistas modernos, como F.H. Bradley, têm ensinado a essência dessa idéia.

b. O movimento do *ceticismo* (vide) tem demonstrado bem a tese de que os nossos sentidos apresentam-

ILUSÃO — IMACULADA CONCEIÇÃO

nos impressões indignas de confiança, envolvendo, realmente, uma ilusão no tocante à *verdade*.

c. O *positivismo lógico*, com seu extremo empirismo, transforma a verdade real em mera ilusão, somente porque nossos sentidos nunca atingem perfeição em sua percepção. — Então, a verdade termina na *praticalidade*; dando a entender que falar sobre uma verdade que ultrapasse disso é uma atividade ilusória.

II. Na Religião

a. A filosofia de Platão era ética e religiosa, visto que seus mais elevados *universais* (a verdadeira realidade) eram de natureza ética e espiritual. Assim, a busca pela verdade é ilusória enquanto não envolve considerações éticas e espirituais. Em sua metáfora da *caverna* ele mostrou que as sombras que os homens divisam no mundo físico são meras sombras ou imitações dos universais, ou seja, expõem diante de nós uma distorção ilusória da realidade.

b. Na filosofia hindu as palavras *maya* (vide) e *avidya* (vide) são usadas como sinônimos, ambas referindo-se à natureza ilusória deste mundo dos fenômenos, das aparências. Somente o mundo espiritual é real, e a inquirição espiritual do homem teria por finalidade fazê-lo retornar a esse mundo, para que o *atman* (a alma humana) possa ser absorvido por *Brahman* (a alma do mundo). Ver os artigos sobre esses dois termos. A alma do mundo seria um espírito imutável e eterno, a única realidade. Essa é uma outra maneira de dizer que Deus é tudo em todos, e que tudo o mais não passa de ilusão.

c. As falsas doutrinas, por mais honradas que sejam (do que todos nós participamos) são aspectos ilusórios da fé religiosa do indivíduo. Também constitui uma ilusão alguém pensar que sua fé e suas crenças estão isentas de ilusões. Pois nenhuma inquirição espiritual já progrediu até o ponto de estar livre de ilusões. Contudo, a pesquisa honesta tende por diminuir tais ilusões.

ILUSÃO, ARGUMENTOS BASEADOS NA

Essa é a expressão que alude a todos os argumentos que lançam dúvidas sobre a capacidade da percepção dos sentidos para transmitir-nos a verdade. O termo «ilusão» pode incluir certa variedade de coisas: 1. A própria percepção dos sentidos, que só toma conhecimento do mundo de modo aparente, mas que na realidade, impõe ao mundo seu tipo de realidade, conforme os homens a conhecem. Por essa razão, alguns têm dito que «Vemos o mundo conforme somos, e não conforme o mundo é». A percepção dos sentidos humanos é bastante limitada. Mais do que isso, é bastante inexata. Mesmo com a ajuda de instrumentos, nunca vemos uma coisa em si mesma, a verdadeira essência da realidade. 2. Também existem as *alucinações*, que impõem sobre aqueles que as têm um mundo falso, embora o tenham como real. Não foi ainda esclarecido até que ponto as alucinações envolvem os processos psicológicos «normais», embora estes envolvam-nas até certo ponto. Sabemos que determinadas drogas fazem as pessoas enxergarem coisas que não estão presentes, e certos estados psicológicos poderiam ter idêntico efeito. 3. Também existem *visões* e *sonhos* no estado desperto. A primeira coisa que os místicos aprendem é a desconfiar de suas visões. A ciência tem demonstrado que certas drogas e estados psicológicos podem produzir visões, e que tais coisas não são, necessariamente, espiritualmente reais ou exatas. Os sonhos são visões durante o sono, e mui provavelmente, estão envolvidos os mesmos estados cérebro-neurológicos,

embora atuem de modo diverso. Algumas pessoas têm experimentado a continuação de imagens de sonhos mesmo quando acordadas, pelo menos durante algum tempo. E essa experiência tende por confirmar a declaração que acabamos de fazer. A simples privação da percepção dos sentidos produz visões no homem. Com freqüência dentro de quarenta e oito horas a partir dessa perda. Experiências feitas na Universidade de Utah (e em outras), nas quais um homem é mergulhado em um tanque com água, dentro de uma cápsula, em trevas totais, onde não lhe chegue qualquer ruído, têm demonstrado que tal homem, assim privado de qualquer percepção dos sentidos, começa a sofrer de alucinações no espaço de dois dias. E o que tal homem vê e experimenta lhe parece tão real que, a menos que se lembre de que está em meio a uma experiência, terminará pensando que o que está vendo é perfeitamente real. Que a mente humana tem uma imensa capacidade para simular a realidade, é óbvio e isto envolve aquilo que chamamos de *ilusões*. 4. *Identificação errônea*. Um homem pode ver uma coisa, ao mesmo tempo em que a identifica erroneamente. Os vestígios deixados por um foguete lançado ao espaço podem ser tomados como discos voadores do espaço exterior, completos com tripulantes de outros mundos, por exemplo. 5. Também há as ilusões inspiradas por demônios ou por espíritos não-humanos.

Todas as coisas acima nomeadas podem distorcer a nossa percepção e o conhecimento que temos da realidade. Portanto, as ilusões podem substituir ou distorcar a verdade. Porém, a *aplicação principal* quanto a isso é aquela que diz respeito à percepção dos sentidos. Platão argumentava que a percepção dos sentidos não pode ser a base da verdade, e nem a origem da verdade, porquanto os nossos sentidos físicos são inexatos e ilusórios. Ele apelava antes para a razão, para a intuição e para as experiências místicas, como fontes mais seguras da verdade, nessa ordem de importância. Uma outra maneira de resolvermos o problema consiste em dizer que existem duas realidades diferentes, uma delas sujeita aos sentidos, e a outra sujeita à razão, à intuição e às experiências místicas. Além disso, poderíamos dizer que a primeira dessas realidades é *menos real*, por ser temporal e estar em estado de fluxo ou mudança. Seja como for, quando buscamos verdades que satisfazem à alma, não dependemos da percepção dos nossos sentidos, como também não dependemos da ciência e de seus aparelhos. Os ângulos retos, vistos a certa distância, expandem-se e não parecem ter 90 graus. Uma vara de aço colocada dentro da água, parece dobrar e oscilar. Os trilhos das ferrovias, à medida que se perdem à distância, parecem que finalmente se tocam, embora continuem paralelos o tempo todo. As ilusões óticas são inúmeras. Portanto, é uma verdade que a percepção dos sentidos representa uma espécie de véu de aparências que oculta a verdade essencial da realidade. (EP F)

IMÃ

Título dado ao sacerdote que está oficiando em uma mesquita islâmica. Essa palavra vem do árabe *amma*, «ir adiante». A forma normal é *imã*. O título também é dado aos líderes islâmicos, tal como os *califas* (vide) e os fundadores de ordens religiosas, etc.

IMACULADA CONCEIÇÃO

Em 1854, o papa Pio IX oficializou essa doutrina (não-criada por ele). Essa teoria diz que a bendita

IMACULADA CONCEIÇÃO

Virgem Maria, por causa de seu privilégio e papel ímpares como mãe de Deus, e por causa dos méritos de Cristo, foi preservada do pecado original desde o momento em que ela foi concebida. Desde há muito tal doutrina **vem sendo** debatida. «Maria foi salva pelos méritos de Jesus. No caso dela, e dela somente, a dívida do pecado foi paga a fim de que ela não incorresse na mesma. A justiça de Maria consistia em santidade, inocência e justiça».

Quando o concílio de Trento (1545 — 1563) pronunciou-se sobre o assunto do pecado original, adicionou: «...não é sua intenção incluir nesse decreto sobre o pecado original a bendita e imaculada Virgem Maria, mãe de Deus...» Como é óbvio, isso deu ao papa Pio IX a autoridade de convocar um concílio, visando à oficialização posterior dessa doutrina. O decreto dele reza: «Declaramos, pronunciamos e definimos: a doutrina que diz que a mui bendita Virgem Maria foi preservada da mancha do pecado original, desde o primeiro instante de sua concepção, por uma graça e um privilégio sem iguais do Deus onipotente, e em consideração aos méritos de Cristo Jesus, o Salvador da raça humana, é uma doutrina revelada por Deus, pelo que deve ser firme e constantemente mantida por todos os fiéis» (na bula *Ineffabilis Deus*, 8 de dezembro de 1854).

Pelo menos desde o século VII D.C., tanto no Oriente quanto no Ocidente, vinha sendo proclamada a perfeita impecabilidade de Maria. Quase todos os escolásticos da Idade Média defendiam alguma *forma* dessa doutrina. Bernardo, Alberto, Boaventura e Tomás de Aquino asseveraram que Maria era isenta do pecado original desde o seu nascimento, mas negavam que ela tivesse sido concebida sem o pecado original, um ponto delicado que não é fácil de ser entendido. – **Parece** que o que eles queriam dizer era que a infusão da alma no elemento físico fora feita de tal modo que nenhum pecado foi capaz de contaminá-la, mas que todos os homens, incluindo Maria, são concebidos em pecado, conforme diz o trecho de Salmos 51:5.

Muitos teólogos têm pensado que o ato sexual, mesmo no matrimônio, sempre é corrupto, porque a concupiscência sempre o acompanharia. Assim, os pais de Maria pecaram por concupiscência ao gerá-la, mas, por um ato de graça divina, a própria Maria teria sido preservada da contaminação. Contudo, Bernardo de Clairvaux e Tomás de Aquino opunham-se a essa teoria, essencialmente porque isso significava que Maria não precisava da redenção. João Duns Scotus tentou solucionar o problema, ao afirmar que ela tivera uma redenção *antecipada*, pelo que tanto fora salva quanto nascera livre da contaminação do pecado, antes mesmo de ser gerada. Idéia tão absurda abriu caminho para a aceitação geral da doutrina da Imaculada Conceição, dentro do romanismo, ajustando-se à idéia geral do batismo, no caso de outras pessoas.

Na verdade, Maria foi salva, conforme todos os pecadores devem sê-lo, pelos méritos de Jesus Cristo, em face de sua missão remidora, visto que meramente ser alguém isento de pecado não salva nenhuma alma. Pois a salvação envolve muito mais do que isso. Muitos eruditos da Bíblia opõem-se a essa doutrina, porquanto ela requer que Maria não precisava de Salvador. No entanto, ela mesma declarou: «...o meu espírito se alegrou em Deus, meu Salvador...» (Luc. 1:47). Porém, uma vez esquecida essa imperiosa verdade, a Igreja Católica Romana universalizou e oficializou a idéia que lentamente se formara por toda a Idade Média, da impecabilidade de Maria.

Uma Interpretação Errônea. Alguns estudiosos têm pensado que a doutrina da Imaculada Conceição ensina que Maria teve um nascimento virginal, tal como Jesus; mas não é isso que tal doutrina quer dizer. O que a doutrina pretende ensinar é que ela recebeu, no momento em que sua alma foi insuflada no corpo, as graças que outras pessoas só receberiam no ato do batismo. Antes de 1854, a Igreja Ortodoxa Oriental, de modo geral, aceitava essa doutrina. Mas, desde aquela data, passou a **rejeitá-la;** sob a alegação de que detrata da impecabilidade real de Maria. Temos aí um outro ponto delicado da doutrina católica romana. Porque significa que Maria, mediante sua superior espiritualidade, conseguiu nunca pecar, na vida dela; e isso sem qualquer ajuda especial de Deus, que lhe desse qualquer privilégio ou posição especial. Todavia, a impecabilidade de Maria é uma doutrina comum na Igreja Ortodoxa Oriental. Alguns anglicanos têm defendido ou a posição oriental ou a posição ocidental sobre a questão. A festa da conceição da bendita Virgem era celebrada no Oriente, desde o século VII D.C. Realmente, foi dali que a prática se propagou para o Ocidente. Tomás de Aquino, que escreveu em 1272, disse que a Igreja de Roma não observava essa festa, mas que a mesma não deveria ser proibida. (Ver *Summa Theologica* 3.27,2,3). Foi formalmente adotada pela Igreja Católica Romana em 1476, e imposta como observância obrigatória a partir de 1708. A palavra *imaculada* foi adicionada às formulações dessa doutrina, quando do pronunciamento feito pelo papa Pio IX, em 1854. Dentro do calendário da Igreja Anglicana, a idéia aparece sem esse adjetivo. Em todos os segmentos da cristandade, a data da observância dessa festa é a mesma, 8 de dezembro.

Para os católicos romanos, essa doutrina é sagrada, e todo ataque contra a mesma é encarado como uma heresia. Faz parte da veneração a Maria, ou então, segundo os grupos protestantes e evangélicos vêem a questão, da *mariolatria* (vide).

Os evangélicos que aceitam somente as Sagradas Escrituras como seu guia da verdade e da prática cristãs, não ficam em nada impressionados com os pronunciamentos dos concílios e das bulas papais, quando criam dogmas que discordam dos ensinamentos bíblicos. Todavia, apesar de precisarmos usar de muita cautela nas adições dogmáticas alicerçadas sobre a razão ou sobre o desenvolvimento de sistemas teológicos, o nosso ponto de vista sobre a *autoridade* (vide) precisa ser mais amplo do que aquele que diz «as Escrituras somente». Outrossim, o que quase todos os protestantes não reconhecem é que a própria assertiva, «as Escrituras somente» é um dogma, visto que as próprias Escrituras não assumem essa posição de autoridade exclusiva. De fato, a criação desse dogma deveu-se ao desejo de *simplificar* a complicada questão da autoridade. A verdade, porém, é que a questão da autoridade está longe de ser simples. Meu artigo sobre esse ponto demonstra claramente a dificuldade. Nada existe de tão *complexo* quanto a inquirição pela verdade. Trata-se de uma verdadeira aventura, e não de algo que nos seja dado como um pequeno pacote, que basta ser aberto para que já saibamos tudo. Ademais, aqueles que clamam «as Escrituras somente», na realidade querem dizer: «as Escrituras somente, conforme *eu* e *minha* denominação particular as interpretamos».

Pode-se fazer a pergunta: quem é mais sábio na interpretação, eu e minha própria denominação, ou os concílios eclesiásticos? Até onde posso determinar, nem os concílios, nem eu e nem a minha denominação e nem somente as Escrituras podem ser tidos como a

IMAGEM — IMAGEM (NA FILOSOFIA)

única base de busca pela verdade. As próprias Escrituras não contêm qualquer afirmação deste tipo, que obviamente, é um dogma, não um ensino da Bíblia. Há muitas portas e janelas que se abrem para o *grande tesouro* da verdade, e precisamos usar *todas* elas, sem temer a complexidade ou a crítica dos outros. A *aventura* da busca pela verdade não deve ser abandonada por causa de suas complicações. Certamente, Deus é um ser muito *complexo*, e sua verdade não cede facilmente à inteligência do homem. A busca da verdade será *eterna*, porquanto somente Deus conhece toda a verdade. Todas as criaturas inteligentes terão de *continuar* buscando. Pessoalmente, não creio na doutrina da *imaculada conceição*; mas creio que muitas verdades precisam de séculos para serem definidas, e todas as muitas portas e janelas de busca deveriam ser respeitadas. Em primeiro lugar, precisamos usar de maior *tolerância* (vide); em segundo lugar, de mais *amor* (vide), em nosso relacionamento com todas as pessoas, especialmente com aquelas que se declaram cristãs, sejam do Oriente, do Ocidente, sejam Católicos, Protestantes, sejam Evangélicos ou Ortodoxos.

IMAGEM (NA BÍBLIA)

Ver os artigos *Idolatria; Imagem de Deus, Cristo como; Imagem de Deus, o Homem como*. Ver também *Imagem* (*na Filosofia*).

Esboço:

I. Quanto a Objetos Materiais
II. Usos Teológicos do Termo
III. Imagem no Novo Testamento

I. Quanto a Objetos Materiais

Esses objetos eram usados para representar deuses ou poderes cósmicos, ou então eram reputados dotados de qualidades divinas, em si mesmos. Vários termos hebraicos foram usados no Antigo Testamento, para indicá-los:

1. *Pesel*, que indicava todo tipo de imagem esculpida em madeira ou pedra. Tais imagens variavam em tamanho, desde figurinhas até maciças estátuas. Algumas vezes, eram feitas formas grotescas, para representar as necessidades básicas e as aspirações do povo, como os ferozes deuses da tempestade, do julgamento, dos castigos, dos órgãos sexuais, além de formas representando estranhas e imaginárias criaturas irracionais. Todas as imagens desse tipo foram proibidas na legislação hebraica, sendo atacadas pelos profetas. Ver Êxo. 20:4; Lev. 21:1; Deu. 5:8; Isa. 41:20; 44:15; Jer. 8:19; Osé. 11:2; Miq. 5:13.

2. *Masseka*. Essa palavra era usada para indicar as imagens fundidas, de cobre, prata ou ouro. O exemplo mais notório é o bezerro de ouro, de Aarão (Êxo. 32:4), bem como a vigorosa idolatria encabeçada por Jeroboão (I Reis 14:9). Essas imagens também foram condenadas pelos autores bíblicos: Êxo. 34:17; Lev. 19:4; Sal. 116:19; Isa. 30:22; Osé. 13:2; Hab. 2:18

3. *Hammanim*, palavra usada para indicar as «imagens do sol» (Lev. 26:30; Isa. 17:8; Eze. 6:4), embora também apontasse para os altares de incenso.

4. *Teraphim*, palavra usada para indicar os deuses domésticos, as figurinhas, as estatuetas, etc. (Gên. 31:19; I Sam. 19:13; Eze. 21:21), equivalentes às imagens e gravuras de santos, em muitos lares da cristandade. Eram usados nas devoções pessoais, como se pudessem proteger e fazer prosperar as famílias. Outrossim, **eram empregados** para efeito de adivinhação.

5. *Selem*. No segundo capítulo de Daniel, a grande figura de metal do sonho de Nabucodonosor, é assim chamada. Era uma imensa imagem de ouro, de prata, de bronze, de ferro e de barro. Tal palavra também chegou a ser aplicada a seres humanos vivos (ver Sal. 73:20 e Eze. 16:17).

II. Usos Teológicos do Termo

1. O homem foi criado à imagem de Deus (Gên. 1:27; 9:6). Oferecemos um artigo separado sobre o assunto, *Imagem de Deus, o Homem como*. Esse artigo é detalhado e fornece ampla explicação sobre a teologia envolvida.

2. Cristo como a imagem de Deus (ver Col. 1:15). Ver o artigo separado *Imagem de Deus, Cristo como*.

III. Imagem no Novo Testamento

1. O homem é chamado de a imagem (no grego, *eikon*) de Deus, em I Cor. 11:7. Ver o artigo acima mencionado.

2. Cristo é chamado de a imagem (no **grego**, *eikon*) de Deus, em Col. 1:15. Ver o artigo mencionado acima.

3. Em Apocalipse 13:14, o termo grego *eikon* é usado para indicar a adoração a ídolos. Em Mat. 22:20, essa mesma palavra refere-se à efígie de César, estampada em uma moeda.

IMAGEM (NA FILOSOFIA)

Essa palavra vem do latim, **imago**, «imitação». Quanto a usos bíblicos do termo, ver o artigo *Imagem* (*na Bíblia*).

1. Em textos em que essa palavra vem do grego, *eidolon*, temos alusão às «imagens» ou «esboços» que os objetos enviam à percepção de nossos sentidos. Demócrito e Epicuro usaram esse termo para aludir a como os objetos são capazes de causar nossas percepções, a fim de reagirem e darem-nos noções diversas sobre as coisas.

2. O vocábulo grego *phantasma* tem sido traduzido tanto por «fantasma» quanto por «imagem». Os objetos físicos enviam-nos imagens (no grego, *phantasmata*). No processo do pensamento, injetamos nessas imagens e extraímos delas a *forma* dos objetos. Ver o artigo separado sobre *Forma*. A matemática representa um elevado nível de abstração.

Seguindo a maneira aristotélica de pensar, *Tomás de Aquino* supunha que o intelecto é capaz de abstrair sentidos universais das imagens formadas na percepção dos sentidos, através de *fantasmas*, que representariam as coisas percebidas. Assim, o intelecto passivo (*intellectus possibilis*) receberia esses fantasmas, ao passo que o intelecto ativo (*intellectus agens*) extrairia deles os sentidos envolvidos.

3. Para os empiristas, como Francisco Bacon, Hobbes, Locke e Condillac, a palavra «imagem» deve ser usada para indicar as noções que nos dão os nossos sentidos, quando ouvimos, tocamos ou, de outra maneira qualquer, percebemos os objetos que nos cercam. Locke usou a expressão *idéias simples*; Hume, *impressões*; e vários outros filósofos usaram a palavra *percepção*, para indicar isso. Essas idéias, impressões, percepções ou imagens nos fornecem o material de que nossas idéias se compõem, mediante associação.

4. Berkeley usou o termo de Locke, *idéia*, a fim de incluir o conceito de *imagem*.

5. Francisco Galton usava o termo *imagem genérica* para exprimir a idéia de uma ponte entre os informes concretos da percepção de nossos sentidos e os conceitos gerais. Isso nos daria a seguinte seqüência: a percepção dos sentidos; b. imagem; c. conceitos

243

IMAGEM — IMAGEM DE DEUS

gerais. A imagem genérica seria uma espécie de fotografia composta, agrupando percepção do mesmo tipo, e daí abstraindo conceitos gerais.

6. No tocante a argumentos em favor e contra a necessidade das *imagens*, na nossa intelecção, ver os artigos sobre H.H. Price (que argumentava em favor dos dados dos sentidos) e sobre Ryle e Austin, que argumentavam contra esse conceito, porque seria inadequado. Para Austin, os informes dos sentidos não *subentendem* meramente algo dos objetos que percebemos; antes, fornecem-nos a natureza daquilo que está sendo percebido. Isso envolve a posição do realismo do bom senso.

IMAGEM, SEMELHANÇA

No hebraico, **tselem**, «imagem». Essa palavra, que tem a mesma forma no aramaico, é usada por trinta e duas vezes: Gên. 1:26,27; 5:3; 9:6; Núm. 33:52; I Sam. 6:5,11; II Reis 11:18; II Crô. 23:17; Sal. 39:6; 73:20; Eze. 7:20; 16:17; 23:14; Amós 5:26; Dan. 2:31,32,34,35; 3:1-3,5,7,10,12,14,15,18,19.

No grego, *eikón*, palavra que aparece por vinte e três vezes no Novo Testamento: Mat. 22:20; Mar. 12:16; Luc. 20:24; Rom. 1:23; 8:29; I Cor. 11:7; 15:49; II Cor. 3:18; 4:4; Col. 1:15; 3:10; Heb. 10:1; Apo. 13:14,15; 14:9,11; 15:2; 16:2; 19:20; 20:4.

Esses dois termos, o hebraico e o grego, vinculamos aqui à idéia de *imagem*, acerca da qual continuaremos a tecer considerações:

Imagem. O homem foi criado à imagem de Deus; e também haverá de receber a imagem de Cristo (Gên. 1:26,27 e Rom. 8:29). As palavras são plásticas, e seria legítimo pressionar a idéia de que a participação na *natureza essencial* está em pauta. Por outra parte, as palavras podem envolver a idéia de *semelhança*, sem a participação na natureza básica. Os teólogos usualmente explicam que o homem participa da natureza moral e espiritual de Deus, embora não de sua divindade essencial. Porém, a mensagem do evangelho é que o homem poderá vir a participar da natureza essencial do Pai e do Filho (II Cor. 3:18; Col. 2:10; II Ped. 1:4). Jesus Cristo aparece como o *eikon* do Pai (II Cor. 4:4); e, uma vez mais, coisa alguma pode ser provada somente pelo apelo ao significado da palavra. Ver o artigo sobre a *Divindade de Cristo*.

Semelhança. Sob esse título devemos estudar três palavras gregas diferentes, cada qual com seu sentido especializado, a saber: *morphê* (forma), *homoíoma* (semelhança) e *schema* (formato). Esses são vocábulos importantes, que desempenham o seu papel no estudo sobre a encarnação de Cristo, e os teólogos buscam entender perfeitamente o seu sentido. Há quem pense que algumas destas palavras indicam uma real participação na divindade, e que outras indicam mais a participação na humanidade, por parte de Cristo, o *Logos*. Novamente, porém, nada pode ser provado meramente mediante o apelo ao sentido das palavras. Apresento uma completa explicação a respeito nas notas expositivas do NTI, em Fil. 2:6-8, onde são usadas essas três palavras. Apresento aqui o sumário daquelas notas expositivas:

1. *Morphê*. Esse vocábulo pode significar mera aparência externa, embora também possa indicar a participação na essência. O fato de que o trecho de Fil. 2:6 salienta que o Filho é igual ao Pai, força-nos a aceitar aqui a interpretação que pensa em identidade de natureza essencial.

2. *Homoíoma*. Quando Cristo tomou a forma (*morphê*) de servo, também assumiu a semelhança (*homoíoma*) de ser humano (Fil. 2:7). Novamente, a

palavra *homoíoma* poderia apontar simplesmente para a idéia de aparência, **mas não de substância idêntica** com a humanidade, em cujo caso a palavra apoiaria as idéias docéticas. Ver sobre o *Docetismo*. No entanto, por si mesma, a palavra também pode indicar a participação na essência, que produz a forma ou semelhança, o que, por sua vez, indicaria a real e essencial participação na natureza humana, por parte de Jesus Cristo. Podemos supor que Cristo não poderia ter tido a semelhança da natureza humana, sem ter também a substância dessa natureza; no entanto, nada podemos prover através do mero apelo ao sentido das palavras empregadas. O exame de um léxico mostrará ao leitor a ambigüidade de que venho falando.

3. *Schema*. Lemos em Filipenses 2:7 que Cristo adquiriu a «figura humana». Isso indica a aparência externa, o formato. O formato externo deste mundo, conforme se aprende em I Cor. 7:31, está passando. Esse termo grego refere-se à aparência externa e não à essência. De fato, se Paulo tivesse empregado somente essa palavra, teríamos de aceitar o docetismo. Uma vez mais, podemos supor que Cristo assumiu a figura humana, mas isso porque participava da verdadeira natureza humana, e não que fosse humano somente na aparência. A descrição paulina sobre a humilhação de Cristo não é teologicamente precisa, e os vocábulos por ele usados não devem ser pressionados. Antes, o ensino geral deve ser extraído de vários textos correlatos. Ver o artigo sobre a *Humilhação de Cristo*, onde oferecemos uma exposição do trecho da epístola aos Filipenses, onde as palavras aqui mencionadas são examinadas.

IMAGEM DE DEUS, CRISTO COMO

Cristo é a imagem do Deus invisível (Col. 1:15). O gr. traduzido por *imagem* é *eikon* e apesar de que com freqüência difere de *homoíoma*, que sempre fala de mera semelhança, a própria palavra não subentende, necessariamente, a participação na mesma natureza, e nem nega tal coisa. É simplesmente impossível fazer com que a própria palavra signifique, obrigatoriamente, uma coisa ou outra. Assim sendo, todo o tempo e espaço gastos nessa tentativa são inúteis. Os exemplos de seu uso não subentendem em similaridade de natureza. Quanto a esse particular, somente o contexto em que o termo é usado é que pode determinar em que devemos crer. O homem é chamado de *imagem de Deus* em I Cor. 11:7, e a mesma idéia se acha em Gên. 1:26,28. No entanto, em seu estado atual, o homem não é a imagem de Deus, no sentido de participar realmente de sua natureza. A mesma passagem ensina a similaridade da natureza de Cristo, tal como em João 1:1 e Heb. 1:3, mas o próprio vocábulo grego não pode ser oferecido como prova disso.

Filo usou a expressão «imagem de Deus» como um dos títulos do «Logos»; e sabemos que na filosofia neoplatônica, da qual isso era um representante, o «Logos», possuiria natureza divina, embora se pensasse que ele ocupa posição e funções inferiores às do Deus Altíssimo, por ser uma emanação e controlador das demais emanações de Deus. Por conseguinte, em sua filosofia e teologia, o termo «imagem» indica, para Filo, entre outros termos, a participação da natureza divina por parte do «Logos». (Ver de *mundi*, op. 8; op. I., pág. 6; *de monarch*, ii.5,II, pág. 255; *de somniis*, I, pág. 565). O contexto da presente passagem nos dá o direito de acreditar que o uso que Paulo fez desse vocábulo se aproxima do uso de Filo; pelo menos o Cristo descrito, a «imagem» de Deus, certamente é um ser divino.

IMAGEM DE DEUS, O HOMEM COMO

Portanto, apesar da própria palavra grega não subentender, necessariamente, uma participação na mesma natureza que a coisa «retratada», o contexto lhe empresta esse significado.

As moedas eram impressas com a *efígie* («imagem», a palavra aqui usada) do imperador (ver Josefo, Guerras dos Judeus 2:169; 194; Antiq. 19, 185 e Mat. 22:20). Essa imagem, pois, é uma «representação». Todavia, o presente contexto ensina-nos que essa «semelhança» ou «representação» contém a natureza veraz daquilo que é representado. Cristo é Deus, e contém a pessoa de Deus tanto quanto homens e anjos podem conhecer. Essa é a idéia envolvida no vocábulo, porque pode-se observar que o próprio Deus é descrito como «invisível», como impossível de ser conhecido por seres inteligentes. O que podemos saber a seu respeito é visto na «imagem» e isso desde toda a eternidade passada, como também agora mesmo, diante dos anjos e dos homens. Assim, pois, vê-se que Cristo não pertence à ordem dos «aeons» ou poderes angelicais. Longe disso, ele é mesmo é tudo quanto se pode saber acerca de Deus. Nenhum mero anjo é a imagem de Deus; antes, todos eles foram criados, e Cristo é o criador dos mesmos (ver Col. 1:16). Portanto, a própria palavra imagem, conforme ela é usada em Col. 1:15, no dizer de Vincent (*in loc.*), «...subentende um protótipo, envolvendo a veracidade essencial de seu protótipo». Ora, isso não é deduzido do próprio vocábulo grego, mas antes, do contexto onde o mesmo é usado. Col. 1:16, por exemplo, faz de Cristo a «esfera» ou «modelo» no qual e segundo o qual tudo foi criado (nele), o agente ou poder que criou (por meio dele), bem como o alvo na direção do qual se movimenta toda a vida (para ele). E Col. 1:17 faz dele aquela força que conserva todas as coisas em ordem e em funcionamento, apresentando-o como «divino», pois nada disso poderia ser dito acerca de qualquer ser que fosse menos que divino. Além disso, o trecho de Col. 2:9 afirma claramente, sem nenhuma linguagem metafórica, que em Cristo habita toda a plenitude da deidade. Portanto, o ser chamado de «imagem» deve ser considerado como quem tem a mesma natureza como o ser que lhe serve de molde, isto é, Deus Pai.

Isso pode ser comparado ao trecho de Rom. 8:29, onde a palavra grega *«eikon»* alude à natureza essencial de Cristo que os crentes haverão de possuir mediante a transformação efetuada pelo Espírito Santo. Por possuírem essa «imagem», chegarão a ter a mesma plenitude que ele tem (ver Efé. 1:23); e, finalmente, possuirão toda a plenitude de Deus (ver Efé. 3:19), ficando cheios da natureza divina, tal e qual o próprio Cristo (ver Col. 2:10), isto é, participarão da própria divindade (ver II Ped. 1:4). Por conseguinte, os crentes virão a possuir a essência veraz do protótipo, — que é Jesus Cristo. Essas são doutrinas elevadíssimas, mas que andam praticamente esquecidas, até mesmo pelas igrejas evangélicas, mas que, na realidade, ocupam o centro do evangelho cristão.

> *Jesus! Ó nome de poder divino*
> *Para todos de celestial nascimento!*
> *Jesus! A mina que jamais falha,*
> *Dos valores mais ricos e doces.*
> (Frederick Whitefield)

IMAGEM DE DEUS, O HOMEM COMO

Ver o artigo separado sobre **Imagem de Deus, Cristo como**. Ao participar da imagem de Cristo (Rom. 8:29; II Cor. 3:18), o homem remido chega a participar da natureza divina. Visto que tanto o homem quanto Cristo compartilham da natureza divina, esse é o *modus operandi* pelo qual Cristo e os remidos compartilham da mesma essência de ser e têm comunhão um com o outro.

Esboço:

I. Referências Bíblicas

II. Problemas Teológicos Envolvidos no Homem como Imagem de Deus

III. O Destino do Homem como Imagem de Deus

I. Referências Bíblicas

É expressamente afirmado, em Gên. 1:26,27, que o homem foi criado à imagem de Deus. Em Gênesis 5:1-3, aprendemos que o homem tem a semelhança de Deus, e que a sua descendência também a tem. A injunção contra o homicídio foi feita com base no fato de que uma criatura que tem a dignidade de possuir a imagem de Deus, não pode ser tratada dessa maneira. O trecho de Salmos 8:5 não usa a palavra «imagem», mas refere-se à mesma verdade, ao enfatizar a dignidade humana. O trecho de I Coríntios 11:7 aceita o fraseado de Gênesis, ao declarar que o homem é «imagem e glória de Deus». Em um sentido muito mais profundo, Cristo é a imagem de Deus, porquanto traz a estampa mesma de sua natureza (Heb. 1:3); mas, ao ser remido, o homem chega a compartilhar da imagem de Deus, dessa maneira (Rom. 8:29; II Cor. 3:18). O trecho de João 17:21 não usa a palavra «imagem», mas ressalta a unidade formada por Deus Pai, Deus Filho e os filhos de Deus. Na regeneração, o homem é revestido de uma nova natureza, criada segundo a semelhança de Deus (Efé. 4:24). Lemos na nossa versão portuguesa: «criado segundo Deus», o que corresponde exatamente ao que diz o texto original grego, onde não aparece o vocábulo específico «imagem», embora a idéia esteja ali contida. Cristo é a perfeita imagem de Deus (Col. 1:15) e, na redenção, o homem passa a participar da imagem do último Adão (Cristo), embora ainda retendo a imagem do primeiro Adão (ver I Cor. 15:45-49). Desnecessário é dizer, os teólogos não concordam quanto ao que está exatamente implicado nessas declarações, o que é discutido na segunda seção abaixo.

II. Problemas Teológicos Envolvidos no Homem como Imagem de Deus

1. Essa imagem é concreta ou espiritual?
2. Qual é a condição metafísica da imagem dada ao homem?
3. Qual é a futura condição metafísica dessa imagem?
4. Até que ponto a queda no pecado maculou (ou apagou) essa imagem?

Essas são as importantes indagações, que têm suscitado muitos debates entre os teólogos e estudiosos, que passaremos a responder:

1. Essa imagem é concreta ou espiritual?

Em primeiro lugar, deveríamos dizer que as discussões sobre os termos hebraicos e gregos envolvidos não nos ajudam muito a entender a questão. As palavras são por demais plásticas e ambíguas para que nos dêem sempre indicações precisas. O termo grego *eikon*, por exemplo (que é o termo grego comum para «imagem»), quando se refere a um *ídolo*, necessariamente significa uma *representação* de acordo com a qual a imagem não participa da natureza da divindade representada. Mas, quando Cristo é chamado de *eikon de Deus* (ver Col. 1:15), é difícil supor que isso não envolva uma participação real na natureza de Deus. Por igual modo, em Rom. 8:29 e II Cor. 3:18, é difícil pensarmos que o

IMAGEM DE DEUS, O HOMEM COMO

texto não requeira a idéia de participação na natureza essencial, em que os remidos assumem a natureza do Filho de Deus. Porém, não podemos provar isso meramente apelando para a palavra grega *eikon*. Chegamos a esse pensamento por meio interpretativos, e não mediante definição de palavras.

Sabemos que o idioma hebraico usava mais termos concretos. No Antigo Testamento há muitas declarações sobre Deus, de natureza antropomórfica. Se as considerarmos literalmente, então obteremos a idéia de um mero super-homem. No entanto, João 4:24 lembra-nos que Deus é «espírito»; e isso permite-nos entender que todas as descrições bíblicas de Deus são simbólicas, não revelando, realmente, a natureza do seu ser. As experiências e as pesquisas têm mostrado a realidade do espírito, em contraste com a matéria; mas, até agora, não se conseguiu qualquer descrição da essência de um espírito. Nem a teologia e nem a ciência conseguiram ainda chegar a esse ponto. Penso que chegamos mais perto da verdade supondo que quando o homem foi criado à imagem de Deus, não devemos pensar em qualquer modalidade de imagem física (de aparência de ser), como se o homem duplicasse, ainda que imperfeitamente, o formato de Deus. Antes, devemos abandonar toda idéia concreta, material, sólida. Apesar do homem fazer parte da natureza, porquanto o seu corpo até foi feito do pó da terra (Gên. 2:7), além do que compartilha de certos aspectos da vida animal (ver Gên. 18:27; Jó 19:8,9; Sal. 103:14; Ecl. 3:19,20), ele também foi criado à imagem de Deus (Gên. 1:27). Porém, o que significa isso?

a. Os *mórmons* supõem que há alguma participação literal em uma suposta natureza *material* de Deus, explicando que o *espírito* é apenas uma forma de matéria superior, mais refinada. Eles pensam, outrossim, que Deus tem um corpo físico, de conformidade com o formato do qual o homem teria sido criado e moldado. Não é mesmo impossível que o autor original do livro de Gênesis, em sua teologia primitiva, expressa em termos fortemente antropomórficos, tivesse concebido algo semelhante a isso. Porém, o trecho de João 4:24 nos leva para longe dessa maneira de pensar. Essa idéia é por demais concreta, por demais crassa para representar Deus, e para representar de que modo o homem participa de sua natureza.

b. Alguns teólogos têm procurado chegar por esse prisma à idéia trinitariana. Visto que Deus é um ser triúno, então o homem, criado segundo a sua imagem, também possui uma natureza triúna, **composta de corpo físico** (a parte material), de alma (propriedades de consciência do mundo, mas não inclinadas para as coisas divinas) e de espírito (natureza espiritual, semelhante à de Deus). Essa idéia contém certo elemento de verdade; mas poucos eruditos supõem que a palavra hebraica *elohim* tenha sido usada para antecipar alguma explicação trinitariana de Deus. Certamente isso seria estranho à teologia dos hebreus. Os teólogos, às vezes, injetam idéias teológicas posteriores (parcialmente baseadas no Novo Testamento) nos ensinos veterotestamentários; mas, ao assim fazerem, erram.

c. Parece melhor entender que o homem foi criado segundo a imagem moral de Deus, incluindo aspectos racionais e espirituais. Isso confere uma interpretação espiritual à questão.

2. Qual é a condição metafísica da imagem dada ao homem?

Quando Deus criou o homem, insuflou nele algo de sua própria natureza, de tal modo que o homem recebeu algo da essência divina? Alguns respondem que sim, e outros, que não. A idéia da *fagulha divina* requer alguma forma de participação na essência divina. O estoicismo, e sua doutrina das emanações do Logos, o Fogo eterno, necessariamente pensava no homem como um real participante na substância ou essência de Deus. Qualquer teoria de emanação (ou panteísta) requer essa idéia. Quase todos os teólogos judeus e cristãos têm relutado em ver qualquer participação real do homem na essência divina, preferindo usar termos como *semelhança*, *aparência*, etc. O homem teria sido criado *parecido com Deus*, embora sem a natureza essencial de Deus, em qualquer sentido real. Essa semelhança, em seguida, é explicada em termos de qualidades ou atributos morais, racionais e espirituais, e nunca em termos de natureza essencial.

3. Qual é a futura condição metafísica dessa imagem?

Prossegue o mesmo debate. Alguns supõem que o fato do homem poder obter a imagem de Cristo (ver Rom. 8:29; II Cor. 3:18), significa apenas um grande avanço na espiritualidade e na forma de vida, embora não uma participação real na essência divina. Porém, os trechos de Efésios 3:19 e Col. 2:9,10 tanto falam sobre a participação na *plenitude de Deus* quanto parecem indicar que participaremos dessa plenitude *da mesma maneira* em que Cristo dela participa. E há trechos que parecem requerer uma real participação na essência divina, como a de II Ped. 1:4, que diz diretamente que os remidos chegarão a receber a natureza divina. Nesse caso, a salvação consiste em chegar a participar da natureza de Deus, posto que em dimensões finitas e secundárias, ainda que *reais*. E esse é o mais elevado conceito espiritual que nos foi revelado na Bíblia. Tornamo-nos, literalmente, filhos de Deus, moldados segundo o modelo do *Filho de Deus*. Jesus Cristo.

4. Até que ponto a queda no pecado maculou (ou apagou) essa imagem?

a. *Muitos eruditos liberais* não levam essa questão a sério. Eles crêem que os homens tateiam em busca de Deus, usando todo o tipo de linguagem e metáfora que, na verdade, não nos transmite a verdade. Eles supõem que argumentos sofisticados sobre essas questões, com suas inevitáveis distorções de palavras e distinções exageradas, não nos dizem muita coisa. Porém, crêem que deveríamos assumir uma atitude otimista. Deus, como Pai amoroso, fonte de toda a vida e existência, é generoso para com o homem. Crêem que o homem, apesar da queda (sem importar o que entendam com isso e sem importar quando tenha tido lugar, originalmente) é dotado de uma natureza moral positiva, que realmente é capaz de buscar e achar a Deus. Quase todos os estudiosos liberais procuram evitar o calvinismo extremado que transforma o homem em um verme que não pode olhar para cima, para Deus, sem assistência especial do Espírito Santo.

b. *Muitos eruditos conservadores*, porém, tomam um ponto de vista pessimista supondo que o homem não tem qualquer capacidade de buscar a Deus sem a ajuda divina. Dentro do calvinismo, essa ajuda é dada para salvar **apenas alguns poucos**.

c. A *fagulha divina* é uma idéia que afirma que a natureza divina está no homem, e que os seus próprios esforços são capazes de atiçar essa fagulha, com a ajuda de estímulos externos, levando o homem a buscar e encontrar Deus, sem a necessidade de qualquer intervenção radical da parte de Deus.

d. O *arminianismo* concorda com a depravação humana; mas seus advogados acreditam que, na cruz do Calvário foi distribuída uma graça geral, com o

246

IMAGEM — IMAGEM DE ESCULTURA

resultado de que todos os homens são agora capazes de buscar a Deus, inteiramente à parte da suposta intervenção divina, que elegeu alguns poucos. A cruz já seria essa intervenção divina. Talvez pudéssemos dizer que a cruz *garantiu* a integridade da imagem de Deus no homem; ou então, talvez a cruz tenha restaurado essa imagem no homem, inteiramente à parte da redenção. Ambas essas idéias são defendidas pelos teólogos.

e. Os *teólogos da Idade Média* supunham que o homem, antes da queda, além de trazer a imagem de Deus, também tinha o *donum superadditum*, isto é, capacidades sobrenaturais. Por ocasião da queda, é de se presumir, o homem perdeu essas capacidades, embora retendo a imagem de Deus. Essa imagem existe no homem, e consiste em sua boa vontade natural, em sua moralidade e em seu amor.

f. *Lutero* acreditava que o homem perdeu a imagem de Deus por ocasião da queda. Portanto, se um homem tem boa vontade, bons impulsos morais e o espírito de amor, isso é porque essas virtudes lhe foram restauradas na regeneração. *Calvino*, naturalmente, concordava com isso.

g. *Alguns reformadores*, porém, pensavam que isso fosse uma idéia extremada. Eles falavam em termos de uma imagem borrada, embora restante em todos os homens em graus diversos. A imagem de Deus, no homem, teria sido deformada, e não perdida. Embora deformada, ainda assim pode inspirar o homem a buscar a Deus, sem a intervenção divina da eleição específica.

h. *Karl Barth* aludia à imagem de Deus em termos de relação do que existe e pode ser criado, e não em termos de qualidades inerentes. Deus, como um ser triúno, tem um relacionamento inerente e essencial com seu próprio ser. Quando ao homem foi dada a mulher, ele aprendeu algo da importância dos relacionamentos pessoais. O homem é capaz de entrar em relação de pacto com Deus. Deus prometeu ligar o homem a si mesmo, nesse pacto. Em Cristo, a *imago* se torna manifesta quando Cristo chama a Noiva (a Igreja) para si mesmo. Logo, para vermos a verdadeira imagem de Deus, devemos olhar não para o indivíduo isolado e, sim, para Jesus Cristo e a sua congregação (imagem), onde encontramos a concretização da imagem de Deus. Assim entendemos algo do que Deus é e do que Ele faz.

i. *Brunner* dizia que Deus tem sua imagem *refletida* no homem, e não em termos de como o homem, como um ser, é possuidor das qualidades divinas. Os discípulos de Cristo deveriam preocupar-se em como refletem a imagem de Deus, pois nisso consistiria o verdadeiro discipulado. Desse modo, Brunner emprestou um sentido essencialmente *moral* ao termo «imagem», evitando assim quaisquer explicações metafísicas.

j. A *teologia católica romana* afirma que foi impossível destruir a imagem de Deus no homem, porquanto isso envolve *o que o homem é*, em sua substância. Se a imagem de Deus tivesse sido destruída na queda, então o próprio homem teria deixado de existir. Assim, a imagem de Deus continua no homem, embora isso precise ser ajudado pelos meios de graça, ministrados através da Igreja (incluindo os sacramentos), para que chegue a fruir sob a forma de redenção. Mas, visto possuir verdadeiramente a imagem de Deus, o homem pode buscar a Deus, sem qualquer intervenção divina. Por essa razão, a teologia natural seria válida, e não somente a teologia sobrenatural, ou revelada. O homem poderia ser levado por Deus ao conhecimento dele, mediante a razão e a natureza.

l. *A teoria da evolução*. Aqueles que crêem na evolução *teísta* pensam que os teólogos têm posto a carroça adiante do burro. Segundo eles pensam, o homem começou como um animal selvagem, e desde então vem evoluindo, e não involuindo. E continua a evoluir, por causa de meios naturais e porque Deus o ajuda a fazê-lo, através de ensinamentos espirituais. Desse modo, a imagem de Deus *está sendo formada* no homem. O homem não a perdeu subitamente, em algum ponto remoto do tempo.

III. O Destino do Homem como Imagem de Deus

Como é patente, a salvação é algo que ultrapassa as condições de perdão dos pecados e da mudança para o céu, algum dia. Envolve mais o que sucede ao indivíduo, em sua evolução espiritual. Também é claro que o Novo Testamento promete aos homens a participação na imagem de Cristo (Rom. 8:29), mediante um processo gradual no qual o Espírito o conduz de um estágio de glória para outro (II Cor. 3:18). Esse processo será eterno. Visto que há uma infinitude com que seremos cheios, também deve haver um enchimento infinito. Chegaremos a compartilhar de toda a plenitude de Deus (Efé. 3:19), tal como o próprio Filho a possui (Col. 2:9,10). Alguns teólogos interpretam metafórica, e não literalmente, esses trechos bíblicos. Eles supõem estar em foco algum elevado e misterioso progresso espiritual, mas negam qualquer participação real na natureza divina. Quanto a nós, autor e co-autor desta enciclopédia, cremos que esses versículos ensinam uma participação real — posto que secundária e finita — na divindade, de tal modo que os filhos de Deus vão adquirindo a própria natureza do Filho de Deus. Quanto a uma completa declaração sobre essa doutrina, ver o artigo intitulado *Transformação Segundo a Imagem de Cristo*. Ver também os artigos, *Divindade, Participação na, pelos Homens* e *Salvação*.

IMAGEM DE ESCULTURA

No hebraico temos uma palavra usada no singular ou no plural, a saber:

1. *Pesel*, «imagem esculpida» ou «imagem cortada». O termo aparece por trinta e uma vezes no Antigo Testamento: Êxo. 20:4; Lev. 26:1; Deu. 4:16,23,25; 5:8; 27:15; Juí. 17:3,4; 18:14,17,18,20,30,31; II Reis 21:7; II Crô. 33:7; Sal. 97:7; Isa. 40:19,20; 42:17; 44:9,10,15,17; 45:20; 48:5; Jer. 10:14; 51:17; Naum 1:14; Hab. 2:18.

2. *Pesilim* (forma plural de *pesel*), empregada por vinte e uma vezes: Deut. 7:5,25; 12:3; II Reis 17:41; II Crô. 33:19; 34:7; Sal. 78:58; Isa. 10:10; 21:9; 30:22; 42:8; Jer. 8:19; 50:38; 51:47,52; Osé. 11:2; Miq. 1:7; 5:13; II Crô. 33:22; 34:3,4.

A raiz dessa palavra hebraica vem de «esculpir». Havia ídolos esculpidos em madeira, em pedra ou em metais. Em contraste com isso, uma imagem de fundição (vide) era moldada em um molde. A lei mosaica contra a idolatria não permitia o fabrico de qualquer imagem esculpida, mesmo que não tivesse finalidades de práticas idólatras (Êxo. 20:4,5; Deu. 5:8), embora os *querubins* do tabernáculo tivessem sido flagrantes exceções. As imagens «fundidas» também foram proibidas pela lei mosaica, conforme se vê, por exemplo, em Êxo. 32:4 e 34:17.

Esse mandamento antiidólatra era bastante abrangente. Não se podia fabricar imagens de qualquer coisa existente nos céus, na terra ou no mar. A tendência humana para a idolatria é quase invencível, pelo que pode fazer imagens dos objetos que menos se prestam para a adoração, contanto que chamem a sua atenção. Quando a Terra Prometida foi conquistada

IMAGEM — IMAGENS EIDÉTICAS

por Israel, formas de idolatria de todos os tipos foram **sistematicamente destruídas** (Deu. 7:5; 12:3). Apesar disso, mesmo em Israel, periodicamente, a adoração de imagens foi adotada (Juí. 17:3,4; II Reis 21:7; Isa. 42:17). A causa parcial disso era a influência errada dos povos vizinhos, que eram todos idólatras; mas o próprio coração humano inclina-se para toda a modalidade de desvio, acerca do que os homens apresentam as desculpas e justificativas mais absurdas.

Essa proibição mosaica contra a idolatria desencorajou o povo de Israel de ocupar-se em artes imitativas, de tal modo que a pintura, a escultura, etc., nunca se desenvolveram em Israel, fazendo contraste com outros povos. Ver o artigo geral sobre a *Arte*. Mas, tanto no tabernáculo do deserto como no templo de Jerusalém havia objetos que requereram as artes da escultura e da gravação, como os dois querubins que havia no Santo dos Santos (Êxo. 25:18), os ornamentos florais do candeeiro de ouro (Êxo. 24:34), as cortinas bordadas do santuário (Êxo. 26), e a serpente de bronze (Núm. 21:8,9). No templo, havia figuras pintadas ou gravadas sobre as paredes, e também havia a grande bacia de bronze que repousava sobre doze bois de bronze. Podemos entender apenas que essas figuras foram permitidas como exceções, não podendo servir de precedentes para tais práticas, fora daqueles centros de adoração. Ver também o artigo geral sobre a *Idolatria*.

IMAGEM DE NABUCODONOSOR, A

O trecho de Dan. 3:1 informa-nos de que o rei Nabucodonosor, da Babilônia, fez uma imagem de ouro que tinha sessenta côvados de altura (cerca de 30 m), e uma largura de seis côvados (cerca de 3 m). Sem dúvida era feita de algum material recoberto com placas de ouro; e até mesmo isso deve ter custado uma fortuna incalculável, em face das dimensões gigantescas da estátua. Supõe-se que a imagem fosse feita de folhas de metal com uma fina cobertura de ouro. Se o objeto inteiro era recoberto de ouro, então era um espetáculo sem igual na história humana. O tabernáculo de Israel tinha móveis recobertos de ouro (Êxo. 38:30; 39:3 *ss*; comparar com Isa. 40:19 *ss*, 41:7 e Jer. 10:3 *ss*). Referências clássicas exibem um uso similar do ouro, como em Heródoto (*Hist*. 1.183); Plínio (Cartas 33:34; 34:9,10). Alusões nos livros apócrifos e pseudepígrafos demonstram a mesma coisa: Bel e o Dragão 7; Epístola de Jeremias 7:54-56. Também é possível que aquela imagem, posta sobre o seu pedestal, tivesse alcançado essa extraordinária altura de cerca de 30 metros. Talvez alguma divindade fosse honrada mediante aquela imensa imagem; mas honra principalmente ao próprio Nabucodonosor e seu império, simbolizando a adoração aos deuses que ele dizia deverem ser adorados, como exibição de total obediência ao monarca. Naturalmente, deixar de anuir era considerado um ato de traição; e isso explica as dificuldades em que Daniel caiu, ao recusar-se a adorar a imagem.

Alguns intérpretes supõem que a adoração a Yahweh, no Antigo Testamento, envolvia alguma forma de idolatria; e até que essa imagem de Nabucodonosor tinha esse propósito, visto que ele já havia reconhecido a supremacia de Yahweh (ver Dan. 2:47,48). Porém, tal idéia é extremamente improvável. Se esse tivesse sido o caso, então é quase certo que uma situação tão peculiar teria levado o autor do livro de Daniel a comentar a questão. Outros estudiosos supõem que a adoração ao bezerro de ouro, que Aarão fundira, também envolvia a adoração idólatra a Yahweh; mas a narrativa bíblica soa muito mais

como um simples lapso em que Israel tornou a adorar ao boi Ápis, egípcio. Seja como for, o fato é que houve ali um autêntico sincretismo, onde a verdade e o erro se misturaram, conforme por tantas vezes tem sucedido, por onde a Igreja cristã se tem propagado o que pode ser tão deletério quanto o paganismo mais franco. Mediante esse sincretismo idólatra a fé não é abandonada de todo, mas é pervertida.

IMAGEM ESCULPIDA (FUNDIDA)

Ver o artigo geral sobre a **Idolatria**.

Era expressamente proibido ao povo de Israel fabricar imagens esculpidas ou fundidas. Ver Êxo. 20:4; Deu. 5:8. Imagens ou representações de deuses imaginários eram feitas em materiais como pedra, madeira, pedras preciosas, argila, mármore, etc. Também eram feitas derramando-se metais fundidos em moldes, quando então eram usados materiais como o ouro, a prata, o ferro, o bronze, etc. Ver Isa. 40:18-20; Lev. 19:4; Deu. 27:15. O bezerro de ouro, preparado por Aarão, foi feito de metal fundido (Êxo. 32:4), como também o foram os bezerros levantados por Jeroboão, em Dã e Betel (I Reis 14:9).

A lei mosaica proibia tal ação (Êxo. 34:17; Lev. 19:4). Os profetas condenaram a prática, juntamente com qualquer forma de idolatria (Isa. 30:22; Osé. 13:2; Hab. 2:18). Essa legislação, como é óbvio, impedia que Israel se tornasse uma nação que cultivasse as artes plásticas, embora, estritamente falando, estas não fossem proibidas por lei. Tais leis não se aplicam às artes enquanto os produtos dessa atividade não forem venerados ou adorados.

IMAGEM GENÉRICA

Ver o artigo sobre **Imagem**, quinto ponto.

IMAGENS EIDÉTICAS

Essas seriam imagens mentais definidas como imagens dotadas da mesma vivacidade dos informes captados pelos sentidos, embora distintas das alucinações. As imagens eidéticas seriam experimentadas como imagens projetadas para o mundo externo. Aqueles que são capazes dessa projeção, usualmente criança, são chamados *eidetikers* (sem correspondentes exato em português). Minha própria experiência, quanto a esse fenômeno, mostrou-me que essas imagens são bi e não tridimensionais, embora eu não possa afirmar que assim acontece com todos quanto projetam essas imagens. Todas as minhas experiências, nesse campo, têm ocorrido imediatamente depois que desperto do sono e as imagens em nada se parecem com sonhos transportados para a vida consciente da pessoa desperta. Quando eu fechava os meus olhos, as imagens permaneciam no nervo óptico, podendo ser vistas tão bem quanto no caso de visões reais, com o sentido da visão, pelo menos durante alguns segundos. Esse fenômeno, aparentemente natural, sempre me deixou perplexo. Seja como for, em meu próprio caso, pelo menos, não parecia haver qualquer significado nessas imagens. Provavelmente trata-se de alguma esquisitice neurológica. De alguma maneira, as imagens são produzidas pela mente ou pelo cérebro e conseguem impressionar o nervo óptico, sem que esteja envolvida qualquer real percepção dos sentidos.

••• ••• •••

IMAGENS — IMANÊNCIA (IMANENTE)

IMAGENS E ÍDOLOS

Ver o artigo geral sobre a *Idolatria*, e, especificamente, a segunda seção, intitulada *Ídolos e Imagens*. Quanto à idolatria na Igreja cristã, ver o artigo chamado *Iconoclasmo* (*Controvérsias Iconoclásticas*). Ver também o artigo chamado *Deuses Falsos*, a fim de entender a notável extensão da idolatria no antigo mundo pagão. O uso neotestamentário da palavra *imagem* aparece em um artigo com esse título.

IMAGINAÇÃO

Esboço:
I. Definições Gerais
II. Usos Filosóficos
III. Usos Bíblicos
IV. Usos Psíquicos

I. Definições Gerais

Essa palavra vem do latim **imago**, base de **imitari**, «imitar», «representar». Daí é que se deriva **imaginari**, «imaginar». Imaginar algo é fazer a representação ou imitação mental de alguma coisa. Trata-se do poder de conceber figuras, que a nossa mente tem, conjurando imagens e analogias. As imagens assim produzidas podem ser de coisas físicas, ou de idéias, conceitos, ideais e aspirações. Uma imaginação pode ser uma fantasia, uma noção ou uma crença; e, por muitas vezes, é alguma representação falsa, distorcida. Também pode envolver uma crença falsa, irracional. Também pode envolver um planejamento. de natureza positiva ou negativa.

II. Usos Filosóficos

a. Uma imaginação pode ser uma forma de atividade mental, distinta dos processos cognitivos e racionais; pode ser uma organização livre e criativa do conteúdo mental. Esse tipo de imaginação não consiste na mera produção de imagens mentais.

b. Para muitos empiristas, o termo *imaginação* fala sobre a reorganização dos materiais dos sentidos, por parte da mente. Hobbes, por exemplo, falava sobre imaginação *simples* e imaginação *composta*. A simples se daria, por exemplo, quando imagino um cavalo, como se o estivesse vendo. A composta (preservando a metáfora) seria a criação mental da combinação de um homem e um cavalo, idealizando assim um centauro.

c. *Kant* falava sobre a imaginação *reprodutiva* e sobre a *imaginação produtiva*. A primeira tomaria a percepção dos sentidos, em suas muitas manifestações e vicissitudes, e então, com base nisso, produziria objetos imaginários. A imaginação produtiva seria o poder mediante o qual as *categorias* da mente impõem ao mundo a ordem que ela por ele tem. Essa unifica a nossa experiência sobre o mundo, tornando possível a compreensão das coisas. Isso posto, a imaginação seria uma condição para todo conhecimento. Na estética, Kant fazia a imaginação referir-se a como a mente, ao agir livremente, cria as condições sob as quais a arte pode existir e ser entendida.

d. *Schelling* enfatizava ainda mais a posição cêntrica da imaginação, afirmando que ela provê acesso ao conhecimento e à verdade, e supondo que a arte reveste-se de um valor supremo.

e. *Coleridge* pensava em duas categorias da imaginação: *fantasia*, que corresponde à imaginação composta de Hobbes; e *imaginação construtiva*, que fala sobre a capacidade da mente moldar detalhes em sua própria unidade, seguindo os seus próprios planos. A imaginação era o que ele chamava de função *esemplástica*, mediante a qual o homem molda as coisas em categorias compreensíveis,

mediante os poderes mentais.

f. *Croce* usava o termo para referir-se ao produto da intuição criativa.

III. Usos Bíblicos

Quase sempre a Bíblia usa essa palavra em sentido negativo. Há cerca de trinta e seis ocorrências em que as traduções usam a palavra «imaginação», a fim de traduzir as palavras hebraicas *yeser*, *serirut* e *mahasaba*. Esses termos são ali empregados para falar de conluios da perversa mente humana, que traça planos contrários ao bom senso e à espiritualidade. Ver Jer. 3:17; 7:24; Osé. 7:15; Gên. 6:5, como exemplos. Em I Crô. 28:9 e 29:18, o senso dos pensamentos e das motivações das pessoas está em vista.

No Novo Testamento temos quatro palavras gregas a considerar: *Dialogismos* (Rom. 1:21); *dianoia* (Luc. 1:51); *logismos* (II Cor. 10:5) e *meletao* (Atos 4:25). A atividade mental, geralmente perversa e maligna, é assim expressa, embora os próprios vocábulos sejam neutros, podendo referir-se a imaginações boas ou más. Quando más, essas imaginações referem-se às atitudes teimosas, persistentes, orgulhosas, astuciosas, que planejam coisas erradas, pecaminosas e destrutivas. Os pagãos, pois, imaginam coisas vãs (Sal. 2:1).

IV. Usos Psíquicos

A imaginação consiste na técnica da **visualização**, mediante a qual o indivíduo que medita procura impressionar sua própria mente (ou então outras mentes, humanas ou não) com imagens de coisas que ele gostaria de realizar, ou que gostaria que outras pessoas realizassem. Presumivelmente, mediante essa técnica, o poder mental pode levar à realização dessas coisas. Esse processo também tem sido usado para curar enfermidades, apresentando diante da mente o processo da cura ou um estado hígido e saudável, que então se reproduz no organismo.

IMAGO DEI

Corresponde ao port. «imagem de Deus». É uma expressão latina. Ver os dois artigos seguintes que abordam a questão: *Imagem de Deus, Cristo como* e *Imagem de Deus, o Homem como*.

IMALCUE

De acordo com Josefo (**Anti.** 13:5,1), Imalcue foi um árabe criado em Antioquia da Síria, filho de Alexandre. Há uma alusão a ele em I Macabeus 11:39, da qual Josefo parece ter dependido, mas onde ele é chamado *Malco*. Seja como for, um dos comandantes do exército de Alexandre (chamado Diodoro ou Trifo) dirigiu-se a Imalcue a fim de avisá-lo sobre as maquinações para derrubar Demétrio e sobre a má vontade dos militares contra ele mesmo. E insistiu que Antíoco fosse feito rei, o que faria dele Antíoco VI. Imalcue hesitou; mas depois verificou que a informação era correta, e acolheu o conselho que lhe fora dado (I Macabeus 11.54). Antíoco, por sua vez, confirmou Jônatas como sumo sacerdote, que se tornou um dos amigos do rei (I Macabeus 11:57).

IMANÊNCIA (IMANENTE)

Essa palavra vem do latim, **immanere**, «habitar». É usada em relação a ações e princípios relativos a Deus (sendo o contrário de *transcendência*), e também relativos a outras entidades espirituais de grande poder.

IMANÊNCIA — IMER

1. *Ação imanente*. No uso escolástico, um ato que permanece **dentro de um ser** que é seu hospedeiro, mas que não modifica seu objeto. Um ato que modifica o objeto é chamado *transitivo*. Para exemplificar, a função de *ver*. Essa ação interior produz efeitos sobre o hospedeiro, de dentro para fora, e não ao contrário, sem modificar as aparências externas.

2. *Spinoza* fez o contraste entre o que ele chamava de *causa immanens* e o que ele chamava de *causa transiens*. Algumas causas vêm de fora da coisa modificada; **mas outras partem de dentro**. Ele falava sobre a causalidade de Deus como *imanente*.

3. *Imanência da experiência*. Kant chamava a experiência que pode ser testada por experimentos (a percepção e suas proposições) de *imanente*. Acima disso, temos os *postulados* que repousam sobre aquilo que, para nós, é transcendental.

4. *A epistemologia e a ética imanentistas*. Incorporando as idéias de Kant, alguns filósofos asseveram que podemos saber coisas dentro de nossas próprias mentes, e de nossa experiência pessoal. É impossível saber-se de qualquer coisa fora do ser conhecedor. Essa atitude tem um tom *agnóstico*, no tocante a qualquer coisa que vem além do indivíduo ou a qualquer coisa transcendental (Deus, o espírito, a alma, a natureza do mundo, etc.). Uma outra aplicação, no campo da gnosiologia, é certa forma de *subjetivismo*. Possuímos uma força interior, *inerente*, que precisamos reconhecer em nós mesmos e aperfeiçoar. A falta de significação do pensamento e das ações poderia ser medida em termos de *auto-realização*. Essa é uma aplicação *ética* do termo.

5. *Deus*. Em relação aos conceitos do Ser Supremo ou *Força Cósmica Universal*, o termo *imanente* fala sobre uma identificação parcial ou completa de Deus com o mundo. Se a identificação for absoluta, então teremos o *panteísmo* (vide) ou o *panenteísmo* (vide). O *teísmo* admite a imanência de Deus, mas não identifica o mundo com Deus. Em outras palavras, a essência de Deus é distinta da essência do mundo. A teologia bíblica admite tanto a imanência quanto a transcendência de Deus, porquanto ambas as coisas são ensinadas na Bíblia. O *gnosticismo* (vide) procurava solucionar o aparente conflito envolvido na questão supondo que o próprio Deus é transcendente, mas através de muitos supostos mediadores, seria imanente por delegação. A filosofia indiana e o misticismo, em geral, afirmam a imanência como um aspecto importante de seus sistemas de pensamento. O *deísmo* (vide) ensina a transcendência. Os teólogos cristãos, por sua vez, explicam que Deus é imanente em suas obras, mas é transcendental quanto à sua *essência*, a qual, para nós, permanece desconhecida. O trecho de Sal. 139 ensina a imanência de Deus. O teísmo bíblico requer essa imanência como um conceito fundamental. Passagens como Rom. 11:33 *ss* e I Tim. 6:16, por outro lado, ensinam a transcendência de Deus.

IMARCESCÍVEL

No grego é um adjetivo, *amarantinon* — hapax legomena em I Ped. 5:4, com base no *amaranto*, uma flor que não se resseca quando cortada da planta. Portanto, ela é símbolo da imortalidade. No mundo vindouro, as flores florescerão e nunca se ressecarão. (A S)

IMATERIALISMO

Berkeley (vide) cunhou esse termo para aludir à sua crença de que não existe tal coisa como substância *material* em contraste com substância *imaterial*. Para ele, tudo consistiria em *idéia*, ou seja, substância espiritual, ao passo que a alegada substância material seria mero epifenômeno disso. O mundo, e todos os objetos nele existentes, seriam a projeção das minhas *idéias*. O *idealismo* (vide) pode ser usado como termo sinônimo disso. Ver sobre o *Materialismo*, quanto à idéia oposta.

IMEDIAÇÃO

Vem do latim, **in medius**, «no meio». Esse é o estado ou qualidade de ser imediato, sem mediação, livre de intervenção de qualquer pessoa ou coisa intermediária. O termo é usado na psicologia e na gnosiologia com alguns sentidos especiais:

1. *Na Psicologia*. A imediação é a condição na qual o objeto de que temos consciência se faz diretamente presente em nossa mente. Esse tipo de condição é contrastado com a interpretação reflexiva, ôu seja, o conhecimento «a respeito» de alguma coisa.

2. *Na Gnosiologia*. O conhecimento sobre a realidade, como na *intuição* (vide), de que uma pessoa tem consciência, sem a mediação da razão ou da percepção dos sentidos, é chamado de conhecimento *imediato*. Certas coisas são auto-evidentes. O *misticismo* (vide) afirma que Deus é gnosiologicamente *imediato*.

IMENSIDADE

Esse é um dos atributos de Deus. Ver sobre *Atributos de Deus*, II.8. Na teologia, esse termo implica tanto na vastidão quanto na onipresença de Deus. Ver também o segundo ponto, sexto parágrafo, *Infinidade*, que está relacionado à imensidade de Deus.

IMER

No hebraico, **cordeiro**. Esse aparece como nome de vários homens que figuram nas páginas do Antigo Testamento:

1. *Um sacerdote*, chefe do décimo sexto turno mensal, dentro das divisões sacerdotais, durante o reinado de Davi (I Crô. 24:14). Viveu por volta de 1014 A.C. Seu nome tornou-se fixo àquele turno sacerdotal por gerações sucessivas. Após o retorno do cativeiro babilônico, o clã de Imer era o segundo mais numeroso na restaurada nação de Israel (Esd. 2:37; Nee. 7:40).

2. *Pasur*, um sacerdote dos dias de Jeremias, pertencia a esse clã (Jer. 20:1). Embora ali chamado filho de Imer, sabemos que, de acordo com o costume judaico, ele era seu *descendente*. Esse homem pertencia ao décimo sexto turno de sacerdotes levíticos. Todavia, não se trata do mesmo *Pasur* mencionado em Jer. 21:1, que já pertencia ao quinto turno, e do qual Malquias era o cabeça ancestral (I Crô. 24:9).

3. *O fundador* de uma família que retornou a Jerusalém, após o cativeiro babilônico. Talvez se trate do mesmo pai de Mesilemote (Nee. 11:13) e de Mesilemite (I Crô. 9:12), cujos descendentes tornaram-se líderes em Israel, após o cativeiro babilônico. Provavelmente, ele foi um daqueles que tiveram de se desfazer de suas esposas estrangeiras (Esd. 10:20), por volta de 536 A.C. Essa pessoa tem sido identificada com os homens de números *um* e *dois*, acima, por alguns estudiosos.

4. *Um homem* que voltou a Jerusalém, terminado o cativeiro babilônico, mas que não foi capaz de provar

IMERSÃO — IMITADOR

sua árvore genealógica (Esd. 2:59; Nee. 7:61).

5. *O pai de Sadoque*, que ajudou a reconstruir as muralhas de Jerusalém, c. 446 A.C. É mencionado em Nee. 3:29. Alguns estudiosos o têm identificado com o terceiro homem desta lista de cinco.

IMERSÃO

Ver o artigo geral sobre o **Batismo** que inclui uma discussão sobre os modos que têm sido empregados no judaísmo e no cristianismo. A *imersão* é o batismo por completa submersão abaixo da superfície da água, em distinção a outros métodos como a *afusão* (vide), que também é chamada *aspersão*. Sabe-se que os judeus imergiam prosélitos convertidos no judaísmo, e as evidências, tanto no Novo Testamento, quanto nos escritos dos primeiros pais da Igreja, mostram que esse método foi aquele normalmente usado na Igreja cristã primitiva. Que outros métodos tenham sido usados a partir do século II D.C., é uma probabilidade bem evidenciada. Além dos batistas, vários corpos religiosos da Igreja Ortodoxa Oriental, além de numerosas denominações cristãs ocidentais, protestantes e **evangélicas**, batizam por imersão. Todavia, a aplicação exata varia. Geralmente, o modo de batizar por imersão é por mergulho simples, de costas. Alguns, porém, preferem inclinar o corpo do batizando para a frente; e, de acordo com a fórmula trinitariana, por mergulho tríplice. Ver sobre *Imersão Trina*. Paulo deixa claro, em Rom. 6:4 *ss*, que o batismo dos convertidos, no cristianismo, dava-se por imersão. Certamente, ele seguiu isto modo como o rabino convertido ao cristianismo. A *muita água*, referida em João 3:23 (sem dúvida João Batista usava o método judaico), é outra evidência bíblica de que os primitivos cristãos batizavam por imersão. A exigência incluia que a água fosse *viva*, isto é, de um riacho ou rio, etc., não de um poço estagnado. Naturalmente, neste caso, a água seria *muita*. Mas sabemos que os judeus batizavam por *imersão dentro* do riacho. Eles não pegaram um pouco de água do riacho para colocar na cabeça da pessoa sendo batizada. Apesar da palavra grega envolvida (*baptidzo*) poder significar outras coisas além de «mergulhar», esse é o seu sentido mais constante; e nada ganhamos manipulando por meio de sofismas de palavras, na tentativa de obscurecer esse fato. A questão que realmente importa não é *como* a Igreja cristã primitiva batizava. Pois a esmagadora maioria dos estudiosos concorda quanto ao fato de que a *imersão* era o modo então observado. Mas a questão é saber *se outros modos* de batizar são *legítimos*. Alguns respondem afirmativamente, ao passo que outros a fazem na negativa. Meu artigo sobre o *Batismo* aborda essa questão e examina o significado do batismo cristão.

IMERSÃO TRINA

De acordo com esse modo de batismo, o candidato é imerso na água por três vezes, sucessivamente, em nome do Pai, e do Filho e do Espírito Santo. Essa idéia alicerça-se sobre Mat. 29:19, por aqueles que entendem que ela requer três mergulhos, e não um só. Sabe-se, pelos escritos patrísticos, que esse método é, realmente, muito antigo. Atualmente, é largamente praticado na Igreja Ortodoxa Oriental, como também por vários grupos ocidentais, como os batistas alemães, ou *dunkers*, além de alguns grupos dos *Irmãos*. Ver os artigos separados sobre *Batismo* e sobre *Imersão*.

••• ••• •••

IMINENTE, VOLTA DE CRISTO

Ver o artigo sobre a **Parousia**, onde a questão é longamente discutida, com argumentos em favor e contra essa idéia. O termo vem do latim, *imminere*, «debruçar-se». Significa que algo está *prestes a acontecer*. No que concerne à segunda vinda de Cristo, afirma que isso pode suceder a qualquer momento, sem nenhum sinal de aviso. Todavia, isso não significa que nenhum sinal *possa ocorrer, mas tão-somente que esses sinais são desnecessários. Aplica-se ao arrebatamento da Igreja, que é distinguido da segunda vinda de Cristo, para julgar ao mundo, pelo menos como uma fase anterior da volta de Cristo. Pois, como todos reconhecem, a volta do Senhor para julgar ao mundo é precedida por sinais. Paulo, à primeira vista, defende a volta iminente de Cristo, em I Tessalonicenses, em seus capítulos quarto e quinto. Mas, quando se examina II Tessalonicenses, nota-se que ele não cria nisso, porquanto certamente ensina que a vinda do anticristo e a apostasia ocorrerão antes do arrebatamento da Igreja. O trecho de II Tes. 2:1 *ss*, sem a menor sombra de dúvida, ensina essa doutrina, a despeito do que alguns intérpretes tentem dizer em contrário. O retorno de Cristo a qualquer momento era uma *esperança* na Igreja primitiva, e nunca um dogma. E a passagem do tempo deixou claro que até mesmo o arrebatamento da Igreja (coincidente com a segunda vinda de Cristo) será precedido por sinais. Essas questões são discutidas no artigo desta enciclopédia, intitulado *Parousia*. Ver, especialmente, as seções II e VI do mesmo.

IMITAÇÃO DE CRISTO

Esse é o título de um dos mais difundidos livros devocionais. Tradicionalmente, tem sido atribuído a Tomás à **Kempis**(vide); porém, as evidências indicam que a maior parte foi escrita por Gerard Groot (vide), que foi o fundador dos Irmãos de Vida Comum, grupo a que **Tomás à Kempis** pertencia. O livro data do século XIV, tendo sido traduzido para mais de cinqüenta idiomas e tendo passado por não menos de seis mil edições. A sua mensagem é bastante fiel ao cristianismo original, excetuando algumas anotações dogmáticas, que ocorrem de maneira bastante incidental no texto. Assevera a absoluta necessidade de *renunciar* ao mundo, através da participação nos sofrimentos de Cristo. Parte da idéia é que somente aqueles que enveredam pela *estrada real da cruz* podem livrar-se das concupiscências deste mundo, espantando assim os defeitos da pecaminosidade e da fraqueza humanas. Se excetuarmos a Bíblia, essa tem sido uma das produções cristãs mais lidas do mundo. Alguns estudiosos supõem que vários membros do grupo dos Irmãos de Vida Comum participaram como co-autores.

Em 1921, foi descoberto o *Diário Espiritual de Gerard Groot*. E então tornou-se evidente que essa obra foi a base principal da *Imitação de Cristo*. Quanto ao princípio espiritual da imitação de Cristo, ver o artigo *Exemplo*.

IMITADOR DA FÉ RELIGIOSA

«Sede meus imitadores, como também eu sou de Cristo» (I Cor. 11:1). Sob o título *Exemplo*, temos oferecido amplo estudo sobre o princípio da imitação dos bons exemplos, com o fito de melhorar a expressão religiosa do indivíduo. Aprender por imitação é um importante fator na formação do caráter, além de ser um preliminar essencial para o desenvolvimento de uma espiritualidade superior.

IMNÃ — IMORTALIDADE

Apesar das crianças imitarem, naturalmente, a fé de seus pais, embora isso tenha pouca substância, enquanto o indivíduo é incapaz de tomar as suas próprias decisões, ainda assim trata-se de um começo bom e necessário. Naturalmente, conforme nos mostra o texto bíblico acima citado, imitar a Cristo é o aspecto mais importante e decisivo da questão. O ministério do Espírito Santo garante que o imitador obtém uma autêntica espiritualidade, mediante a sua transformação moral e metafísica.

IMNÃ (IMNA)

No hebraico, «Deus restrinja», embora haja dúvidas quanto a isso. Esse é o nome de três personagens do Antigo Testamento:

1. O filho mais velho de Aser, fundador de uma família que tinha o seu nome (I Crô. 7:30). Viveu por volta de 1874 A.C.

2. O pai de Coré, o levita que estava encarregado do portão oriental do templo e das ofertas voluntárias, nos tempos do rei Ezequias (II Crô. 31:14). Viveu por volta de 726 A.C.

3. Um filho de Helém, descendente de Aser, e um dos líderes daquela tribo (I Crô. 7:35). Viveu por volta de 1618 A.C.

É curioso que, em nossa versão portuguesa, os dois primeiros têm seu nome grafado como Imná; mas, o terceiro, como Imna.

IMODÉSTIA

Ver os artigos separados sobre **Modéstia; Nudismo e Obscenidade**.

IMOLAÇÃO

A **immolatio**, dos tempos clássicos provém da palavra latina *mola*, «refeição». O costume original era que um animal a ser sacrificado em holocausto era, preliminarmente, aspergido. A partir de algum tempo, o termo veio a designar o próprio sacrifício.

De acordo com o uso cristão, o termo equivalia ao *mactatio*, o sacrifício de Cristo, ou então a eucaristia, que celebrava esse sacrifício. Os protestantes e evangélicos objetam à alegada morte de Cristo, repetida em cada missa, asseverando que a Bíblia ensina uma única morte (ver, por exemplo, Heb. 7:27) sacrificial de Cristo, para nunca mais ocorrer a mesma, em qualquer sentido. «...havendo Cristo ressuscitado dentre os mortos, já não morre: a morte já não tem domínio sobre ele» (Rom. 6:9).

Tomás de Aquino, ilogicamente, afirmava a idéia de sacrifício, embora qualificasse isso dizendo que a missa é uma «espécie de imagem representativa» da paixão de Cristo. A morte de Cristo no Calvário fora a verdadeira *imolação*, enquanto que a missa seria o rito no qual nos tornamos partícipes dos frutos da paixão do Senhor . Ele ilustrava mediante uma observação feita por Agostinho, o que dissera: «Podemos apontar para um quadro de Cícero e dizer: Este é Cícero, quando, na verdade, estamos apenas falando de sua representação». Cristo seria sacrificado em cada celebração eucarística. Mas, na verdade, apenas simbolicamente. Penso que essa explicação satisfaz à maioria dos evangélicos. Mas é evidente que não é isso que a teologia católica compreende acerca da missa, apesar das explanações de Tomás de Aquino (ver *Summa Theologica* 3:8,3,1). Se, realmente, Jesus morresse em cada missa celebrada, teria de ressuscitar em seguida, a fim de poder morrer novamente na missa seguinte!

IMORTALIDADE

Esta enciclopédia oferece um estudo profundo e detalhado sobre a *Imortalidade*. Ver o artigo sobre a *Alma* que fala sobre sua *origem, natureza, destino* e sobre as *provas* de sua existência e sobrevivência. Ver também sobre o *Problema Corpo-Mente*. Em relação aos estudos *científicos* sobre a sobrevivência da alma, ver o artigo intitulado *Experiências Perto da Morte*.

Diversos artigos seguem aqui, apresentando estudos científicos e filosóficos sobre a imortalidade:

1. *Abordagem Científica à Crença na Alma e em Sua Sobrevivência ante a Morte Biológica* (*por* Russell Norman Champlin)

2. *O Mundo Não-Físico do Dr. Gustav Stromberg* (*por* James Crenshaw)

3. *Uma Prova da Imortalidade da Alma* (*por* Jacques Maritain)

4. *Quando os Mortos Voltam!* (*por* Henry L. Pierce)

Ver também os artigos separados intitulados:
Imortalidade, Tipos de
Experiências Perto da Morte
Imortalidade da Alma, Afirmações Teológicas

ARTIGO 1

Imortalidade Continua

ABORDAGEM CIENTÍFICA
À Crença Na Alma e Em Sua Sobrevivência Ante a Morte Biológica
por Russell Norman Champlin

A mim é mais fácil pensar que dois professores ianques mentiriam do que crer que cairiam pedras do céu. (Thomas Jefferson)

Ninguém está imune ao *ceticismo exagerado*, nem mesmo um erudito e ex-Presidente dos Estados Unidos da América. Thomas Jefferson expressou essa vigorosa objeção à possibilidade de haver pedras celestes, no ano de 1807, quando um meteorito precipitou-se no solo perto de Weston, Connecticut, EUA, — e dois professores de Yale College foram recolhê-lo.

Edward J. Olsen, catedrático de mineralogia do Museu Field de História Natural de Chicago, atribui o ceticismo de Jefferson à posição dogmática tomada pela prestigiosa *Academia de Ciências* de Paris. Escrevendo no *Boletim* daquele museu, Olsen aludiu ao fato de que, em 1771, a *Academia de Ciências* de Paris, que então era reputada centro da erudição científica ocidental, «*declarou solenemente* que 'a queda de pedras do firmamento' *é algo fisicamente impossível*», — e que não existiriam meteoritos como tais; antes, estes seriam rochas terrestres, atingidas por relâmpagos.

Esse pronunciamento, diz Olsen, foi assinado, entre outros nomes de renome, pelo brilhantíssimo Antoine Lavoisier, — que é considerado o pai da moderna ciência da química. *O triste resultado* disso é que instituições e indivíduos que possuíam coleções de meteoritos, ficaram embaraçados com suas próprias credulidades e doaram ou jogaram fora essas coleções.

Não precisamos ler muitas páginas da história das descobertas científicas para descobrir evidências abundantes de que a maior parte das idéias novas e revolucionárias tem sido recebida com o mesmo tipo de ceticismo irrefletido, da parte de muitos que pertencem à comunidade científica, mormente pelos

IMORTALIDADE

que labutam em outros campos de estudo e pensamento, incluindo a religião organizada. As novas idéias, sem importar sua veracidade, sempre trazem certo aspecto de *insensatez*, quando proferidas pela primeira vez. Embora meteoritos antigos com freqüência fossem objetos de adoração, nas religiões antigas, tendo sido encontrados em templos com 4 mil anos de antiguidade, e embora por toda a história tenha havido notícias de tais «pedras celestes», a famosa Academia de Paris, aplicando sua própria e especial sabedoria-ignorante, declarou que tais fenômenos são «fisicamente impossíveis». Porém, sempre será verdade que quando os homens negam algo, por estarem envolvidos nas capas da ignorância, isso não merece um momento de atenção de nossa parte; mas o que os homens afirmam, com base em suas experiências, sempre é merecedor de nosso interesse.

Não é de surpreender, pois que a ciência, como comunidade organizada, não anele por aceitar testar reivindicações de capacidades especiais de inteligência nos indivíduos que podem ler os pensamentos alheios, localizar objetos por meios misteriosos de detecção extra-sensória, deixar impressões sobre filmes fotográficos, curar enfermidades e até predizer o futuro. Contudo, deve-se admitir que os pioneiros que estudam esses fenômenos são, em sua maioria, cientistas, e não teólogos ou filósofos. É de estranhar quando se contempla o fato de que os campeões da sobrevivência da alma ante a morte biológica se acham nos laboratórios. Pois se a ciência e a fé religiosa *têm afirmado* a existência e *a sobrevivência* da alma, por tanto tempo quanto os homens podem lembrar, quem, finalmente, apresentará argumentos, baseados no experimento e no teste, que comprovarão a veracidade dessa milenar e grandiosa crença, será o cientista. Quando isso suceder, por toda parte, os homens considerarão com novos olhos a vida que lhes está ao redor. Os homens serão forçados a levar mais a sério a fé religiosa, pois uma crença imensamente importante receberá confirmação experimental. Os prodigiosos avanços que estão sendo efetuados hoje em dia, no campo dos estudos da parapsicologia, principalmente em universidades e hospitais, parecem indicar que esse dia da prova científica da existência da alma não está longe.

O intuito deste artigo é ligar várias descobertas científicas aos principais conceitos filosóficos da alma, no que tange ao corpo. Outros artigos desta seção, sobre a imortalidade, defendem a alma dos pontos de vista teológico e filosófico. Contendemos que, apesar de podermos ter certeza da sobrevivência da alma, pelo método teológico ou filosófico, também podemos chegar a essa certeza, de modo válido, pela ciência.

Apesar de haver modos de investigar a questão da sobrevivência do ponto de vista da experiência ou do experimento proposital, a maneira mais frutífera parece ser o simples exame «do que o homem é». Isto é, se examinarmos os vários *fenômenos* inerentes à personalidade humana, ficaremos convictos de que uma pessoa é muito mais do que o seu corpo. A teoria materialista de que só existe a matéria, e de que tudo quanto sucede é movimento, se esboroa sob o peso das evidências que emergem do estudo das complexidades e admiráveis capacidades da personalidade humana. Este artigo apresenta uma seleção de itens que deveriam expandir nossa visão sobre o que é o homem.

Esboço:

I. Observações Preliminares: (1) As duas grandes áreas filosófico-teológicas de pensamento e crença,

afetadas pelos estudos científicos no campo da parapsicologia; (2) A natureza das qualidades espirituais e/ou psíquicas de saber e ser.

II. A Natureza Humana: o problema corpo-mente

III. Luz Derivada da Ciência

Conclusão: O que fica implícito no que se disse.

I. OBSERVAÇÕES PRELIMINARES

1. *As duas grandes áreas* filosófico-teológicas de pensamento e crença, afetadas pelos estudos científicos no campo da parapsicologia.

a. **Epistemologia (Gnosiologia):**

Como ficamos sabendo das coisas? Quais são os limites de nosso conhecimento? O cientista rígido, não-iluminado por certos aspectos dos estudos modernos, declara que não pode haver conhecimento exceto através dos cinco sentidos físicos (empirismo). E até esse «conhecimento» seria uma «taxa de probabilidade», pelo que não haveria tal coisa como um conhecimento certo e perfeito (=*ceticismo*). O tipo cético de cientista nega a própria existência dos poderes intuitivos e telepáticos no homem, já que tais capacidades não acham lugar de aceitação em sua ciência materialista. O conhecimento intuitivo talvez se relacione à «mente», em contraste com o «cérebro», e esse cientista está certo de que não há mentes, mas apenas cérebros.

Outros supõem que o conhecimento pode ser obtido através da «razão», à parte da percepção dos sentidos (=*racionalismo*). Esses homens, filósofos ou teólogos, supõem que existe «mente» na personalidade humana, e não apenas cérebro, além do que crêem na existência de uma «mente universal», da qual as mentes individuais podem participar, obtendo formas de elevado conhecimento, que transcendem totalmente à «experiência pessoal». Alguns também postulam a «mente divina», tendo a fé de que as mentes humanas têm afinidade com a mente divina, sendo, portanto, passíveis de obter grande lastro de conhecimentos.

Ainda outros estão convencidos de que o real conhecimento é direto e imediato, sendo recebido sem o concurso de qualquer meio, ou o dos sentidos ou o da razão (=*intuição*). De onde viria esse conhecimento intuitivo? Qual seria a sua fonte? Alguns dizem: «*Isso é real*, mas não sabemos qual seja a sua origem». Outros asseveram: «Vem da mente divina como uma dádiva, ou vem da mente cósmica, guardiã de todo o conhecimento». Sócrates afirmava a existência da mente cósmica (mente universal) e pensava que os princípios éticos podem vir a ser conhecidos dessa origem, inteiramente à parte do experimento.

Além da razão e da intuição, há também a revelação. Os poderes mais elevados ou o Poder é que dá conhecimento aos homens como uma «dádiva», mediante sonhos e revelações (=*misticismo*). Isso foi concretizado nas Escrituras ou livros sagrados. Sobre tais livros e, portanto, sobre o misticismo, alicerçam-se quase todas as religiões.

Se um homem pode obter conhecimento à parte de sua aparelhagem física da percepção dos sentidos, então um ou mais dos meios acima mencionados de obter conhecimento estariam em operação. Os estudos da parapsicologia tendem por comprovar exatamente isso.

b. **Ontologia** (estudo do ser). Antropologia, o problema corpo-mente.

A segunda área da qual os estudos da parapsicologia fazem diferença está em nosso entendimento do que é o homem. Temos apenas um cérebro, apenas um corpo, ou ambas essas coisas são veículos de uma entidade espiritual? Os chamados fenômenos psíqui-

253

IMORTALIDADE

cos e espirituais são meras manifestações do que é físico, e não energias separadas? (=*epifenomenalismo*). Ou existe uma mente ou alma no complexo humano de energias, que age juntamente com o corpo? (=*interacionismo*). Ou é o homem uma forma ainda mais complexa de energias, um corpo, uma mente e um espírito (alma) (=*substancialismo*). A essas perguntas retornaremos na II seção.

2. A natureza das qualidades espirituais e/ou psíquicas de saber e ser.

Geralmente usamos os termos «espiritual» e «psíquico» como sinônimos. Ambos aludem às supostas qualidades não-físicas e às manifestações da personalidade humana. Algumas vezes esses termos são distinguidos: «espiritual» indica as qualidades de um homem que tem consciência de Deus, por meio da fé e da experiência religiosa; «psíquico» seria as qualidades não-físicas e manifestações da personalidade humana, mas de natureza puramente «natural», e não de natureza transcendental ou pertencente ao outro mundo.

A filosofia grega, até antes do tempo de Platão, defendia a espiritualidade do ser humano e fazia uma distinção entre o corpo e a mente (ou alma) quanto à essência do ser. Platão considerava o tipo de conhecimento que podemos ter através dos sentidos como «inferior» e até como um «obstáculo» ao verdadeiro conhecimento. Sendo que o real é imaterial, ele deve ser conhecido por meios imateriais como pela razão e pelo misticismo. Para Platão, a realidade de qualquer coisa é espiritual, enquanto a matéria simplesmente torna-se um veículo de espírito. É notável que a mundividência platônica (e certamente, bíblica, nestes particulares) não é muito diferente do que a visão do mundo que um bom número de físicos têm hoje em dia. Não é raro ler um tratado de um físico que é distintamente platônico em tom. Talvez não esteja muito distante o dia em que a ciência e a religião compartilharão de uma mundividência que incorporará a matéria controlada pelo espírito.

a. A base de todo o saber, incluindo o conhecimento dos sentidos, na realidade é o que é espiritual ou psíquico. Alguns têm mantido esse ponto de vista bastante extremo. Há mais de 25 anos, o Dr. R.H. Thouless, um psicólogo e o Dr. B.P. Wiesner, um bioquímico, propuseram uma teoria que deveria ter chamado mais atenção do que o fez. A hipótese deles foi que até a normal percepção dos sentidos se verifica (quando transpira no cérebro) através do meio da função psíquica no homem. Nessa teoria, a função psíquica é primária ao conhecimento e à experiência, e sempre envolvida neles, longe de ser algo «estranho», que ocorre apenas ocasionalmente. Segundo a mesma teoria, tal como o aparelho da percepção dos sentidos recebe os estímulos externos, assim também a percepção interior, ou função psíquica, julga e avalia as percepções externas. Outrossim, o *homem interior*, a «alma», que possui a função psíquica, inicia, mediante a psicocinética (=poder do pensamento para mover a matéria), a atividade motora do corpo, e o corpo, desse modo, obedece à ordem da alma. O sistema nervoso, pois, seria o meio pelo qual os impulsos psíquicos seriam transmitidos. Nos homens, as funções psíquica e espiritual agem de modo simbólico. Assim é que uma visão ou um sonho fala mediante símbolos, alguns deles bizarros, a fim de atrair nossa atenção. Mas, segundo a teoria acima descrita, até mesmo a percepção dos sentidos é traduzida pela função psíquica para a forma de símbolos. Os objetos reais, portanto, não seriam percebidos diretamente, mas apenas como símbolos.

Teríamos nomes para esses símbolos, como «quente», «frio», «doce», «amargo», «vermelho», «aspereza», «solidez». Mas tais vocábulos, apesar de que «normalmente» são tidos como indicações da natureza real dos objetos percebidos, mediante ainda essa teoria são apenas representações «simbólicas» dos objetos. Filosoficamente falando, esse modo de dizer não é diferente do realismo crítico, que supõe a existência de um mundo real, mas que não conhecemos de qualquer modo real, já que nossa maneira de conhecer é errônea e parcial. Além disso, porém, essa teoria assegura-nos que até os símbolos que empregamos para descrever o que sabemos, são manifestações da função psíquica do homem.

Tudo quanto essa teoria quer dizer é que o homem é, primariamente *espírito* ou *alma*, e que até os estímulos físicos chegam a ele pela via das funções da alma, isto é, as percepções internas, que operam simbolicamente. Incorremos em erro ao fazer clara distinção entre o corpo e a alma, quanto ao «saber», pois, na realidade, há uma íntima «interação» entre as duas coisas (=*interacionismo*), sendo que a alma sempre é a mediadora de todo conhecimento, ainda que use dos sentidos físicos em sua operação.

b. O cérebro como filtro. Alguns dizem que o cérebro, apesar de ser notável instrumento, não é o «conhecedor» exclusivo. Longe disso, na realidade é um tipo de *filtro*, isto é, um *limitador*. —Impõe-nos uma visão de «real» que, sem dúvida, está longe de ser uma real visão da realidade. O cérebro só dá atenção ao que é vital para o físico, primariamente, para a «sobrevivência», e então para o trabalho diário, para o prazer, etc. A «mente» ou «alma», de outra parte, estaria envolvida em uma maior participação no que é real, real esse que permanece essencialmente desconhecido para o cérebro. O conhecimento humano pode ser racional, intuitivo ou mesmo místico, e a qualidade espiritual no homem possui tal conhecimento. O cérebro, porém, continua a «filtrar» informações, para benefício da função e da vida do corpo. Alguém poderia indagar: «Se a telepatia é um fenômeno real, por que não temos consciência do mesmo nos acontecimentos da vida diária?» A resposta é que o cérebro filtra esses impulsos, a menos que venham com grande impacto emocional, como quando falece uma pessoa amada. Então, por instantes, uma função psíquica se torna uma realidade na experiência. Visto que isso ocorre raramente, muitos duvidam de que ao menos exista. Dizem eles: «Isso nunca aconteceu comigo, portanto, os que dizem que isso sucede, estão mentindo ou estão equivocados». Outros, que admitem tais fenômenos, dizem: «Acontecem comigo e com outros, mas não com freqüência. Portanto, são reais, mas raros em nossa experiência». Mas a verdade mais provável é que o cérebro, agindo qual filtro, não nos permite experimentar continuamente essas coisas, ou, pelo menos, não reconhecemos a presença delas, porque o cérebro as distorce e nos faz pensar que são coisas «normais», e não **extra-sensoriais.** Assim, quando alguém recebe um impulso telepático, muda isso (por meio do cérebro) para um mero pensamento seu, perdendo de vista a sua origem exterior. Mas, quando alguém dorme, e a função do cérebro se altera (isto é, diferentes ondas cerebrais se tornam predominantes, diversas da do estado desperto) — os impulsos psíquicos se tornam mais freqüentes. Chegam-nos, então, essencialmente, em imagens de sonho, a linguagem do sono, simbólicas e, às vezes, até mesmo místicas. O fenômeno psíquico mais comum é o sonho de conhecimento prévio, a saber, aquele sonho que vislumbra o futuro. Temos até 20 sonhos por noite, e

IMORTALIDADE

nosso futuro imediato é simbolicamente representado nesses sonhos. As técnicas de laboratório, que capturam informes dos sonhos, nos têm conferido esse conhecimento. A auto-sugestão, quando estamos dormindo, pode fazer com que tenhamos consciência (quando acordamos) de alguma informação que os sonhos nos mediaram, através de símbolos. Mas o cérebro, no normal estado desperto, filtra tais informações ou as distorce.

c. **O cérebro como uma ilha.** Prossigamos com outra analogia. Olhando a face do oceano, podemos ver uma série de ilhas. Na realidade estão «separadas», porque, conforme se pode ver claramente, estão separadas por água e estão «isoladas». Essa é uma autêntica visão da realidade. Mas não é a única realidade. Mergulhemos nas águas do oceano. Ali vemos que não existem ilhas, pois, no fundo do mar, todas as ilhas se tornam uma única massa de terra. Assim, pois, o cérebro é como uma ilha. É um separador; divide a minha realidade da do leitor e me dá características pessoais. E o mesmo acontece ao leitor. Mas, em nível subjacente há o «subconsciente», a mente. Ali os homens se tornam unidos, e o fluxo de informações, para lá e para cá, é livre e fácil. No nível da alma, há uma humanidade, em contraste com um indivíduo. As funções da alma se vão tornando mais e mais reais e evidentes, à proporção que nos afastamos da ilha. Um homem é mais que um homem; ele é um elemento de uma unidade, isto é, um rebento da humanidade. A humanidade é uma substância espiritual. Em suas individualizações, manifesta-se em um veículo físico, principalmente dirigido pelo cérebro, um maravilhoso instrumento, mas somente um instrumento da inteligência, e não a própria inteligência.

Teologicamente, em Romanos 5, Paulo vê o homem como mais do que um indivíduo. É ele participante da «humanidade», pelo que recebeu do primeiro homem, Adão, certas características indesejáveis. Mas, de Cristo, o segundo homem, recebe características desejáveis, que lhe garantem a salvação da alma. Seja como for, o homem nunca está só, mas, para o bem ou para o mal, está sempre unido ao que é forçado a ser, por fazer parte da humanidade.

Filosoficamente falando, tal como no conceito platônico do «universal», o indivíduo também não é uma substância para si mesmo, mas faz parte da substância universal da «humanidade». Sua natureza e destino dependem dessa participação, e não meramente do que o torna distinto, seu corpo.

Cientificamente falando, o que é demonstrado pelo *efeito de Backster,* o homem não é um indivíduo isolado, não é uma ilha. No nível «subconsciente», tem 'intercomunicação' com todas as formas de vida. (Quanto a informações sobre esse «efeito de Backster», ver seção III, «Luz Derivada da Ciência»).

Cientificamente falando, na teoria da física avançada, chamada teoria de «campo de força», chegamos bem perto da visão platônica da realidade. Segundo essa teoria, a base não é o átomo, e sim, o átomo é uma concentração de energia psíquica. O *campo de energia* é primário ao desenvolvimento físico, é a «força de vida» que molda o físico, a fim de prover, para si mesmo, um veículo de expressão. Esse conceito também é desenvolvido na seção III, «Forças de vida que moldam o nosso mundo».

A personalidade, pois, é individualidade; mas o real ser humano está envolvido na natureza genérica da total consciência da humanidade, o que é compartilhado coletivamente. As experiências dos místicos têm lugar quando o «filtro» (o cérebro) deles fica inativo—isso é comumente conhecido. Quando isso ocorre, o homem deixa de ser mera ilha. Ele sente unidade com todas as coisas; obtém conhecimento «não-sensorial», através da telepatia, da intuição, de uma visão ou de um sonho. Ele pede emprestado conhecimentos de outras mentes, e até da mente superior. Um homem, deixando de lado a função insular de seu cérebro pode, temporariamente, tornar-se como o fundo do mar. Atinge a cada um e a todos; sente unidade e harmonia.

A ilha pode desaparecer, mas o fundo do mar permanece. Assim também um cérebro, um corpo, pode desaparecer, mas a alma permanece, pois participa da humanidade, é uma substância espiritual. Existe o campo eletromagnético; tem realidade e estrutura, mas não tem corpo, conforme conhecemos os corpos. Assim, por igual modo, a alma é um campo de força, e sobrevive à remoção do corpo, que servirá de veículo de expressão no mundo físico. A alma sobrevive como uma personalidade bem desabrochada, e não como um fantasma sem mente. O homem, enquanto ainda está no corpo, quando aprende o desligar-se do filtro (o cérebro), manifesta qualidades espirituais. Seu conhecimento transcende ao que é apenas sensorial. Pode obter energia de poder, como um taumaturgo. A fotografia kirliana (cuja descrição aparece na seção III), mostra que o poder de curar é real, mesmo que lhe falte ainda qualquer descrição científica. Pode ser fotografado mediante uma espécie de radiografia, e faz sinais em chapas de filmes de raios-X. Também tem certo peso, mas a física, por enquanto, ainda não pode descrevê-la.

3. A realidade e os místicos. Bertrand Russell fez algumas sugestões que manuseamos e ampliamos aqui, quanto à «perspectiva mundial» dos místicos.

a. Os místicos afirmam que há meios válidos e não-sensoriais de acesso à informação acerca da realidade, como a razão, a intuição e a revelação. Porque esses meios se aproximam mais da *verdade universal* do que a percepção dos sentidos. São eles mais válidos do que o conhecimento obtido pelos sentidos.

b. O conceito de *tempo linear* dado pelos sentidos do corpo, é ilusório. Há outros modos válidos de experimentar o tempo.

c. A separação espacial também é uma *ilusão*. De fato, há uma unidade subjacente que liga a tudo, tanto em questões de conhecimento como em questões de ser. A separação espacial é apenas uma maneira de encarar a realidade, mas não é a única maneira e nem a mais verdadeira.

d. O mal é uma ilusão, porque, quando todas as coisas são corretamente entendidas, ou quando se vê o «grande quadro», os elementos «fora de lugar» se ajustam em seus lugares. Essa crença (de alguns) dos místicos, apesar de levar a interessantes avenidas de discussão, está fora do escopo deste artigo, que tenciona apenas demonstrar que a maneira de ver dos místicos tem validade, especificamente, que a ciência tende a confirmar certos pontos de vista deles.

Lawrence Leshan, psicólogo e clínico, tem-se interessado vivamente pela questão da sobrevivência, aplicando à mesma as evidências do «campo de força». Ele trabalhou no Research Facility of Rockland State Hospital e no Instituto de Biologia Aplicada. Portanto, ele traz importantes credenciais para suas investigações sobre a sobrevivência da alma. A tese de Leshan, quando todos os pontos isolados são reunidos, depois de ter ele considerado as teorias da física avançada e as idéias dos místicos, é simplesmente que os físicos teóricos, ao descreverem a realidade em termos de campos e partículas, concordam basicamente com a «perspectiva mundial»

IMORTALIDADE

dos místicos. Einstein dizia a mesma coisa de outro modo: O universo mais parece ser uma imensa idéia do que uma magnífica máquina (= *idealismo*). Ou o espírito é primário, e tudo quanto a ciência tem a dizer, finalmente, será apenas uma descrição das operações do espírito. Por espírito queremos indicar um campo de força mais básico do que a matéria, primordial e não sujeito à dissolução (dizemo-lo pela fé), e, portanto, não limitado pelo tempo e pelo espaço, conforme os conhecemos. Algum dia, talvez a ciência possa comprovar a sobrevivência da alma, mas jamais poderá comprovar sua imortalidade, pois jamais chegará o tempo em que não se possa dizer que a alma, tal como o corpo, antes dela, pode ser reduzida a zero. Quanto à imortalidade necessariamente teremos de recorrer à filosofia e à fé religiosa; recorremos à razão, à intuição e à revelação no tocante a esse tipo de verdade. Mas a ciência bem poderá vir a comprovar a existência e a sobrevivência da alma, ante a morte biológica.

II. A NATUREZA HUMANA
O Problema Corpo-Mente

Incluímos aqui só as idéias principais, recusando-nos a afundar em especulações indignas de nossa atenção. Portanto, discutiremos apenas o «epifenomenalismo», o «interacionismo», o «aspecto duplo» e o «substancialismo».

1. **Epifenomenalismo**. Essa é a idéia que diz que o homem é apenas uma coisa — um corpo físico. O homem seria um monismo, composto de energia atômica. Portanto, todas as chamadas funções «psíquicas» ou «espirituais» poderiam ser explicadas como fraude ou ilusão, ou então como funções do corpo. Essas funções seriam materiais, e não psíquicas. Não haveria *mentes*, mas somente «corpos». Apesar de haver muitos mistérios na função corporal, não haveria mistérios inerentes. A ciência, empregando apenas a teoria atômica, algum dia haverá de poder explicar todos os mistérios, sem apelar para o dualismo. Naturalmente, o epifenomenalismo é materialista. Por exemplo, admitindo a existência de tal coisa como a telepatia, alguns, mas não todos os seus mentores, apelam a que, pela fé, aceitemos que algum dia a teoria materialista explicará tudo. Seria devido, por exemplo, à existência de partículas «subatômicas» que, algum dia, a ciência materialista poderá descrever essas coisas, sem voltar-se para alguma teoria que postule algum tipo de energia não-física.

A psicologia behaviorista tem dependido muito dessa teoria, pregando sua doutrina de *reducionismo*, isto é, todos os chamados fenômenos psíquicos poderiam ser reduzidos a alguma função do corpo. Outrossim, de acordo com o materialismo, todas essas funções deixariam de existir quando da morte do corpo, pois o corpo seria a fonte de todas elas.

Na seção III deste artigo apresentamos evidências suficientes, como cremos, para demonstrar que os fenômenos conhecidos, inerentes à personalidade humana, vão além dos confins da atual teoria materialista, não podendo, de forma alguma, ser explicados por ela. Devemos quebrar as peias do materialismo a fim de obter qualquer tipo de explicação para as maravilhas que compõem um ser humano.

2. **Interacionismo**. Essa teoria é também chamada de teoria **orgânica**. É uma «dicotomia». Em outras palavras, reconhece a existência do corpo e da alma, como substâncias distintas. Dentro dessa teoria, porém, a «alma» não é uma substância transcenden-

tal, mas antes, faz parte «natural» da complexa estrutura humana. O corpo afeta à alma, e a alma ao corpo. Isto é, há «interação», entre eles. Isso é verdade, apesar do fato de que não sabemos o *locus* dessa interação. Talvez seja em cada célula, pois a alma permearia cada célula do corpo. Poderia ser na glândula pineal do cérebro (Descartes). Saber de sua localização, porém, não é importante. Existe a interação, a despeito de nossa falta de conhecimento sobre seu local. Não sabemos como uma substância não-física pode agir sobre uma de natureza física, nem como uma substância física pode atuar sobre outra, não-física, mas isso em nada derrotaria o fato de que isso sucede. Não se pretendia solucionar todos os mistérios, mas somente prover uma teoria mais adequada do que é o ser humano. As evidências implicam em que o homem é um «dualismo», e não um monismo.

William James, o famoso filósofo pragmático, e também Carl Jung, antigo amigo e associado de Freud, fundador da Psicologia Analítica, são bem conhecidos defensores dessa teoria. Entre seus argumentos figura aquele que tenta demonstrar que o epifenomenalismo não pode explicar adequadamente as manifestações psíquicas, como a enfermidade do corpo, ou mesmo a morte, causadas por meios psíquicos, bem como os muitos fenômenos conhecidos de nós por meio da parapsicologia, como a telepatia, a clarividência, a cura psíquica, o conhecimento prévio, etc. Esses pesquisadores afirmam que a existência da alma, e seu poder sobre o corpo, são fatos demonstrados pela psicologia e pelas ciências físicas.

A Alma através da evolução. Alguns interacionistas, frisando a natureza «natural» da alma, supõem que a própria alma é o produto mais elevado e impressionante da evolução. O desejo de sobreviver à morte proveu um meio ao homem para sobreviver à mesma. Alguns ateus têm sido atraídos por essa teoria, e assim têm aceito a existência da alma sem lhe suporem alguma origem divina. Mas a maioria dos interacionistas, apesar de verem a alma como algo «natural», postulam para a mesma, uma fonte divina, ou, pelo menos, uma origem superior àquele tipo de vida em que ela mesma se encontra.

3. **O duplo aspecto**. Esse é um conceito que incorpora, de modo prático, o «interacionismo», mas que permanece monista como teoria. Essa teoria admite a existência da alma, mas insiste em que a «substância» da alma não é essencialmente diferente da do corpo, pois por detrás de ambos haveria uma substância comum. Isso significaria que corpo e alma seriam manifestações de uma única forma de energia. Talvez a ciência dos séculos XXI, XXII ou XXIII tenha algum meio de afirmar ou negar a *veracidade* dessa teoria.

4. **Substancialismo**. Esse conceito concebe uma **tricotomia**. Isto é, o homem seria um complexo formado de corpo-mente-espírito, havendo interação entre os três. Naturalmente, há muitas versões do substancialismo. Contudo, todas supõem que o espírito (ou a alma) é uma substância transcendental, isto é, afinal de contas, não pertence a este mundo, não sendo parte natural do mesmo. Platão, representa esse pensamento; via a alma como pré e pós-existente, no tocante à vida física, além de dizer que, na realidade, ela não pertence a este mundo. Só o pecado teria trazido a alma humana a um lugar vil como a terra. Nesses conceitos, incluindo-se a pré-existência, ele foi seguido pelos pais alexandrinos da Igreja, como Clemente, Orígenes, etc. Alguns diziam que a alma é criada por Deus quando do nascimento ou da concepção (= *criacionismo*), mas destinada a um

IMORTALIDADE

mundo superior, e, portanto, um ser transcendental em potencial. Outros supõem a alma como produto da procriação, tal como é o corpo (= *traducionismo*), embora ainda lhe atribuam um destino mais elevado que o plano terrestre. Outrossim, no que toca à natureza da *mente*, não há consenso geral. Alguns vêem a mente como uma função mental que perece por ocasião da morte; outros a vêem como uma função mental, mas que sobrevive à morte e se une à alma em sua ascensão. Alguns teólogos cristãos chamam a mente de «alma», distinguindo-a do «espírito». Fazem dela a «consciência terrestre» (função mental) ou autoconsciência, ao passo que o espírito seria somente «cônscio de Deus». Outros, baseados em evidências da moderna parapsicologia, fazem da «mente» uma espécie de substância semifísica, vitalidade capaz de sobreviver, uma espécie de entidade fantasma, mas que, finalmente, estaria passível de dissolução, ao passo que o espírito ascenderia para sempre.

Por definição cristã, a alma ou espírito é uma substância pura e simples, não estando sujeita à dissolução, destinada a uma existência superior, à qual realmente pertence. De acordo com a definição aristotélica, a alma é intelecto puro, um «impulsionador primário», um exemplo de «impulsionador primário», transcendental; mas sua sobrevivência poderia ser fato ou não, como «personalidade individual» (= *agnosticismo*). Definida segundo os moldes platônicos, a alma ou espírito é uma substância transcendental, um universal, não passível de dissolução, mas que se encaminha para um encontro final com Deus, sua fonte originária, quando então deixará de ser um indivíduo, pois será absorvida pela Alma Universal (= um aspecto do realismo radical).

III. LUZ DERIVADA DA CIÊNCIA

É surpreendente para algumas pessoas que os estudos científicos tenham muita luz para esclarecer a questão da sobrevivência. As descrições seguintes, de mistura com teorias, tentam mostrar quão inadequado é o materialismo ante a possibilidade da existência e da sobrevivência da alma, face à morte biológica.

Aparelho dos fenômenos psíquicos: Antes de descrever alguns estudos que subentendem a existência da alma, bem como sua sobrevivência, é útil considerarmos como o que é psíquico ou espiritual está relacionado ao «aparelho» que usa para sua manifestação.

1. O Dr. Robert Ornstein, pesquisador do Langley Porter Neuropsychiatric Institute, em São Fancisco, E.U.A., crê, através de seus estudos e de experimentos em laboratórios com vários níveis de ondas cerebrais, que o místico é uma pessoa que usa, principalmente, o hemisfério direito de seu cérebro, ao passo que o pensador analítico, que expõe conhecimento «linear» (informe sobre informe, com uma conclusão), é, essencialmente, alguém que usa o seu «hemisfério esquerdo». O conhecimento ocidental é uma questão de passo a passo, uma busca linear, de natureza analítica. Mas o conhecimento místico, mais favorecido nas religiões e no Oriente, é de abordagem mais santificada, enfatizando a intuição e as experiências místicas. O Dr. Ornstein pesquisou os processos mentais dos dois hemisférios do cérebro, tendo demonstrado a distinção dos tipos de pensar e saber, conforme se disse acima. Tem ensinado seus estudantes a se utilizarem de ambos os hemisférios, empregando exercícios que regulam as ondas cerebrais. (Ver o item 2, abaixo, acerca dos vários

tipos de ondas cerebrais). A onda «alfa», por exemplo, de uma pessoa desperta, mas relaxada, é favorável à atividade psíquica e espiritual. Não é impossível que um psíquico ou místico natural seja, pelo menos em certos casos, alguém que naturalmente emprega o hemisfério direito do seu cérebro, o que o inclina para o conhecimento intuitivo, sem saber o que está fazendo, ou por que recebe o tipo de conhecimento e os modos de obter conhecimento que lhe são próprios. A pesquisa do Dr. Ornstein, juntamente com a de muitos outros, de natureza similar, tem mostrado que o conhecimento intuitivo é possível mediante a manipulação das ondas cerebrais empregadas no estado consciente. (Suas idéias são esboçadas em seu livro, «The Psychology of Consciousness» em 1972).

2. Obra um tanto similar foi preparada pelo Dr. Bernard Green. No momento, ele prepara um livro que dará o relato de suas descobertas, o qual será publicado pela Prentice-Hall. O Dr. Green tem feito conferências em Oxford, na Sorbonne, na Universidade de Roma e em outras universidades, e é psicólogo atuante na cidade de Nova Iorque. Afirma ele que podem ser distinguidos cinco tipos de ondas cerebrais, cada qual típica de certo modo de pensar e de ter conhecimento:

a. *Onda Gama*. É a onda usualmente associada com pessoas que vivem em estado de ilusão, como os paranóicos e esquizofrênicos.

b. *Onda Delta*. É a «onda inconsciente», que emana quando a pessoa está em sono profundo, mas que também está associada a pessoas que sofrem certas neuroses.

c. *Onda Beta*. É a comum «onda racional», que emana quando se está lendo, trabalhando, ou se está atarefado nas atividades comuns da vida.

d. *Onda Alfa*. Essa onda está associada à criatividade, à cognição e à meditação profunda ou contemplação. Abre as portas para os fenômenos psíquicos.

e. *Onda Teta*. Essa onda está associada à experiência psíquica, à telepatia, etc., mas também com as elevadas experiências espirituais. No comprimento «teta» de onda, o indivíduo deixa de depender de seu corpo.

N.B. (Ciclos por segundo: Delta: 1-3: Teta: 4-7; Alfa: 8-12; Beta: 13-22).

O Dr. Green assegura que as pessoas podem aprender a utilizar os vários estados de atividade cerebral, ou seja, de consciência; mas que a experiência espiritual requer, igualmente, a correção de antigos problemas, ódios, temores, erros praticados e sofridos, etc. Se essas reivindicações, bem como outras, são verazes, então, na interação da alma com o corpo, são empregados tipos específicos de ondas. Se, conforme ele diz, no comprimento «teta» de onda, pode-se aprender até a abandonar o corpo, isto é, a alma pode agir sozinha, sem a interferência do corpo (= projeção da psique), então ele conseguiu estabelecer, em laboratório, o fato de que a inteligência pode ser «extracerebral». Isso, uma vez comprovado, será um golpe fatal sobre o materialismo, que afirma que não pode haver intelecção sem um cérebro. Naturalmente, o consciência durante a morte clínica, quando não há mais ondas cerebrais, prova a mesma coisa, e isso é um fenômeno bem documentado. (Ver a discussão que se segue).

3. A Glândula Pineal. Descartes supunha que o «locus» da interação corpo-alma é a glândula pineal. Essa glândula, localizada no cérebro, em alguns animais, tem a forma de um olho, pelo que alguns a têm denominado de *o terceiro olho*. — Alguns

IMORTALIDADE

experimentadores afirmam que certos exercícios desenvolvem o seu uso, e que, através disso, experiências psíquicas e espirituais recebem um veículo de expressão bem disposto. Sem importar se isso é uma verdade ou não, esperamos mais luz para tomar uma decisão. Recentemente, a ciência descobriu uma possível função dessa glândula. Não é, como alguns acharam, um vestígio de um orgão sensório. Esta glândula produz um hormônio que agora se chama melótinom cuja ação é provocada por uma enzima chamada serótonim. Aparentemente, esta enzima está pesadamente envolvida na evolução da espécie. Os primatos e os homens têm muito mais desta substância do que os outros animais. Parece que a glândula aumenta a força mental e intuitiva do homem. Pesquisadores dizem que a árvore (chamada *bó*) — embaixo da qual o Buda meditava, tem uma fruta rica em serótonim. Esta fruta é um tipo de figo chamado *ficus religiosus*, em honra ao Buda. Pode ser que parte da iluminação que ele conseguiu foi devida a enzima e hormônio que temos descrito. Neste caso, suponho que o meio químico encoraja ou facilita a função espiritual, por causa da interação natural entre o corpo e a mente.

4. Ensinando os Cegos a «Ver». Experimentos interessantes têm sido efetuados por Carol Ann Liaros, psicóloga e professora, que envolvem o ato de ensinar cego a «ver» por meios psíquicos. O método usado é aquele que os ensina a distinguir cores, por meio de reações dérmicas, embora, nesse caso, não sejam usadas as mãos diretamente sobre os objetos, motivo por que as variações de calor não podem justificar o fenômeno. Após 20 horas de treinamento, a maior parte de seus estudantes é capaz de distinguir cores, formatos de objetos e a posição dos mesmos, quando próximos. A primeira experiência dela foi efetuada em uma pequena igreja, em Amherst, Nova Iorque, E.U.A., e devido ao seu sucesso inicial nessa atividade, desde então ela tem dirigido muitas classes assim, em várias partes da nação norte-americana. O admirável nos experimentos dela não é meramente que os cegos aprendem a distinguir cores e formatos, mas que há «irrompimentos» nos quais podem, realmente, «visualizar» uma sala, uma pessoa, que trajes e quais cores uma pessoa veste. Típico dessas experiências foi o caso de Lola Reppenhagem, uma cega que participou do programa de Carol, intitulado, «Projeto: Consciência dos Cegos no Exército da Salvação, em Búfalo, Nova Iorque». Essa senhora, ao encontrar-se um dia com sua filha, «viu» que ela estava vestida com calças vermelhas e com uma blusa branca. Tais pessoas, ao lhes perguntarmos como vêem dizem que é um tipo de *conhecer*, em vez de ver, que de algum modo parece estar relacionado à região da testa. Isso pode indicar a ativação da glândula pineal, que poderia mostrar-se ativa na «visão psíquica», que é capaz de substituir a visão sensória de maneira crua. Embora se trate de um «saber», e não de uma visão, a sensação é a de que realmente se vê, a menos que se comecem a fazer análises sobre a questão.

A importância desse tipo de estudo, no que tange ao tema deste artigo, é que parece demonstrar que os fenômenos psíquicos são «naturais», além do fato de que o complexo de energias humanas transcende ao que é meramente sensório, pelo que não pode ser aquela máquina a que é reduzido pelo materialismo. Esses experimentos também tendem a confirmar a tese da «interação», ou seja, que a interação entre alma e corpo é algo comum, um fenômeno natural, de todos os dias.

VÁRIOS EXPERIMENTOS

Cremos que os experimentos descritos aqui esmagam o materialismo e exigem tão grande revisão de sua teoria básica de homem-máquina-conhecimento-através-somente-da-percepção-sensorial, que ela não pode continuar de pé, conforme a conhecemos. Se finalmente for comprovado que as energias envolvidas nos fenômenos psíquicos são totalmente naturais, e —se se puder provar que esse *natural* de alguma maneira é atômico, ainda assim é muito provável que a nova definição deva incluir as antigas idéias do homem como um duplo ou tríplice complexo de energias. Portanto, a nova «ciência atômica» será espiritualizada, tendo de confessar que o homem tem, ou, melhor ainda, «é» uma alma, e que o seu corpo é apenas seu veículo de expressão. Por outro lado, esses estudos podem conduzir-nos a uma nova e totalmente radical perspectiva do homem, isto é, à confissão que «Platão estava com a razão»: o homem é um espírito, envolvido no *drama sagrado da alma*, sendo um ser transcendental: (= *substancialismo*).

1. O campo da parapsicologia muito avançou desde as adivinhações com cartões de J.B. Rhine, efetuadas pela Duke University. Contudo, parece certo o bastante que mesmo esses meios crus têm podido demonstrar que um homem não pode ser apenas «material», conforme esse termo é atualmente definido. Estatisticamente, e às vezes de forma avassaladora, os estudos de Rhine têm demonstrado a existência, nas pessoas, da telepatia, do poder de mover objetos com o pensamento (= *psicocinética*) e até do conhecimento prévio. Um de seus estudantes foi capaz de adivinhar 26 cartões em seguida, isto é, seu desenho, se um círculo, uma estrela, ondas, etc. (havia cinco desenhos diversos, dando uma taxa de probabilidade de um em cinco de ser adivinhado o desenho de cada cartão invisível). Qualquer série envolvia cinco desenhos diferentes, sempre em números iguais, pelo que sem importar quantas adivinhações estivessem envolvidas, a chance era sempre de 5 contra 1 de se *acertar*. Algumas vezes, os estudantes acertavam em bilhões contra um. Mui significativamente, os céticos acertavam «abaixo» da média, mostrando que sua indisposição em crer nas capacidades psíquicas levava sua mente consciente a rejeitar dar ao experimento a satisfação da prova estatística de sua teoria. E também significativamente, muitos desses céticos «deslocavam» suas adivinhações. Em outras palavras, em vez de adivinharem o cartão sob consideração, iam até o «próximo cartão», identificando-o, embora continuasse intocado na pilha. Uma dessas «deslocações», sem dúvida, é tão significativa quanto um acerto direto, revelando bastante sobre como a mente opera em prejuízo próprio. Que a maioria das pessoas demonstraram resultados apenas medianamente significativos é fato que somente confirma que, enquanto o «filtro» ou cérebro está ativo, por estar, provavelmente na onda «beta», é admirável que qualquer habilidade telepática ou outra se tenha evidenciado. O relativo «embotamento» desse modo de experiência levou outros pesquisadores a tentarem métodos mais interessantes e estimuladores. E têm sido recompensados com resultados convincentes.

2. O Dr. Montague Ullman, M.D., Dr. Stanley Krippner, Ph.D., no Maimônides Hospital de Brooklyn, Nova Iorque, têm usado os estudos de sonhos a fim de demonstrarem a telepatia. Esse método consiste na tentativa de uma pessoa, ao contemplar uma pintura famosa, fazer outra pessoa ser influenciada quanto aos seus sonhos. Em um experimento, por exemplo, o «enviador» contemplava

IMORTALIDADE

uma pintura que representava dois corpos de peixes mortos em um prato, com uma vela acesa atrás. O «recebedor», em seu sonho, visualizava cenas de «morte», «água», «natação», «ato de acender uma vela» e com freqüência, mencionava a palavra *veneno* (em inglês, «poison»). Os intérpretes provavelmente estavam corretos ao suporem que isso era uma associação verbal com o vocábulo francês «poisson», que significa «peixe».

Quando a *Última Ceia*, de Leonardo da Vinci, foi usada como estimulador, o recebedor, em seus sonhos, visualizou mágica, doze homens empurrando um bote para a água, estando juntos com um grupo de homens, com a certeza íntima de que um deles era malicioso. Tais resultados têm convencido os pesquisadores de que o «conteúdo dos sonhos» pode ser influenciado pela transmissão telepática do pensamento.

3. Experimentos de Kamensky-Nikolaiev sobre a telepatia

Alguns dos estudos mais convincentes e reveladores no campo da telepatia têm sido efetuados em laboratórios de Moscou e Leningrado. Os dois participantes têm sido Kamensky, em Moscou, e Nikolaiev, em Leningrado, e seu objetivo foi de enviar mensagens telepáticas entre essas duas cidades. Os pesquisadores sabem bem que a distância nem impede e nem enfraquece os impulsos psíquicos envolvidos na telepatia e na clarividência. Os pesquisadores que efetuaram as experiências ficaram convencidos de poder descobrir vários «envolvimentos cerebrais», no processo telepático, não se podendo duvidar de que obtiveram o que buscavam.

Nikolaiev, que agiu como *receptor*, não tinha idéia de onde seriam enviadas as mensagens telepáticas. Para preparar-se para elas, lançou-se ao exercício típico de acalmar-se para entrar na onda cerebral Alfa, o que, conforme tem ficado comprovado em muitas experiências, abre caminho para a telepatia e para outros impulsos psíquicos. As pessoas que têm essas habilidades são capazes de utilizar essa onda cerebral, sem terem consciência de que estão pondo de lado a «onda Beta, de todo dia», para usar a onda «Alfa psíquica-criativa». Apenas sabem, experimentalmente, que disso resulta uma certa atitude de «calma» e «meditação». A maioria das pessoas experimenta a onda Alfa apenas por alguns segundos, mas alguns meditadores são capazes de manter essa condição por longos períodos de tempo. É quase certo que poetas e outros artistas usam, inconscientemente, a onda Alfa em seus momentos de *inspiração*, sem saber o que estão fazendo.

Ficando na onda alfa, Nikolaiev estava pronto a receber as mensagens vindas de Moscou. Foi determinado que após o «enviador» ter começado sua «transmissão», dentro de poucos segundos as ondas Alfa de Nikolaiev seriam subitamente bloqueadas, e então que ele começaria a entender, como que intuitivamente, o conteúdo da mensagem enviada. O admirável é que se a mensagem envolvesse uma «imagem» de qualquer espécie, a ativação cerebral se localizava na região occipital, a porção associada à visão; se a mensagem disesse respeito a *som*, a atividade tinha lugar na área do temporal do receptor, a qual normalmente se ocupa com sons, etc. É admirável contemplar que a imaginação se ocupa com sons, etc. e é significante notar que a imaginação de uma pessoa, envolvendo imagens visuais, sons, etc., pode ser registrada pelo cérebro de outra, ativando as áreas apropriadas. A mesma coisa ocorre durante os sonhos. Se predomina a *vista*, então haverá uma atividade correspondente no cérebro, própria da área

associada com o senso da visão, como também se dá no caso de outras funções sensoriais e suas áreas cerebrais relacionadas.

Em vários testes, no tocante aos experimentos aqui descritos, foram registradas mudanças dramáticas nas ondas cerebrais do enviador e do receptor, durante seu «contacto» telepático. Os dois homens desenvolveram tão poderosa «comunicação intuitiva» que ambos não só entraram na onde Alfa durante a «transmissão», mas também ambos registraram o número exato de ondas por segundo, no alcance de ondas Alfa. Descobriu-se que uma luz de corrente alternada, entrando pelos olhos, pode provocar a correspondente freqüência de onda daquela luz; e esse meio artificial, pois, pode produzir uma ou outra das diversas ondas cerebrais que já descrevemos antes. Pessoas, quando em meditação, também têm podido controlar essas freqüências.

Em uma experiência que envolveu Kamensky e Nikolaiev, luzes de diferentes freqüências foram acesas separadas (mas simultaneamente) nos olhos de Kamensky. Esse duplo estímulo provocou freqüências conflitantes em cada lado do cérebro, e disso resultou uma náusea instantânea. Imediatamente, os mesmos padrões apareceram simultaneamente no cérebro de Nikolaiev, dando-lhe a sensação de enjôo do mar. Nem um nem outro conseguiu efetuar outras experiências naquele dia.

Esses informes *provam*, acima de qualquer dúvida, que o cérebro está envolvido de vários modos nas comunicações telepáticas. Também não há que duvidar que está envolvida alguma forma de energia, embora por enquanto não existam descrições dessa energia. Essa energia será atômica, ou formada de partículas subatômicas, ainda desconhecidas da ciência? Ou tratar-se-á de uma energia que não pode ser classificada como atômica? É regularmente certo que muitos, senão a maioria, dos «eventos psíquicos» ou dessas habilidades, são totalmente naturais, e algum dia serão descritos como tais nos manuais de física. Mas mesmo que os eventos psíquicos sejam—naturais—e que, algum dia, estejam sujeitos a estudo científico comum, isso não significa que não envolvam o que é conhecido como a porção espiritual da natureza humana. O alvo deste artigo é demonstrar quão plausível é a suposição que a própria alma, algum dia, será sujeitada à investigação científica, pela corrente principal da ciência, e não meramente por certos pioneiros das áreas marginais, conforme se vê atualmente. Sem importar que chamemos a alma de *energia* atômica ou extra-atômica isso não fará qualquer diferença quanto à sua realidade. Nos eventos psíquicos, a mente, em cooperação com o cérebro, pode estar envolvida, em cujo caso a mente age como campo de energia distinto da energia envolvida no corpo, embora usando, como seu veículo, o corpo.

4. A Dra. Thelma Moss, em sua tese doutoral, na Universidade da Califórnia, em Los Angeles, deu uma taxa de 1000 para 2, quanto à realidade da telepatia. Seu experimento consistiu em *enviadores* que viam transparências e filmes dramáticos, como o do assassinato de Kennedy, e outras cenas que provocavam emoção. Os *enviadores* tentavam enviar suas impressões aos recebedores, em salas separadas. Psicólogos treinados confirmavam o sucesso da experiência, com base em relatos de «imagens mentais» que chegavam às mentes dos recebedores, estando em estado de calma contemplação, ao mesmo tempo em que se exibiam as transparências e os filmes. Outros participantes eram estudantes, que supostamente receberiam tais imagens mentais, mas

IMORTALIDADE

sem terem «enviadores» correspondentes. Esses estudantes não tiveram imagens mentais significativas durante seus estados de contemplação, e relataram coisas sem qualquer relação com as transparências e filmes que eram exibidos.

5. Consideremos o pletismógrafo. Trata-se de uma luva (ou dedo) de borracha, que registra alterações na pressão do sangue, na mão. Conforme se sabe bem, quando uma pessoa usa seu poder de raciocínio, mais sangue corre para a cabeça deixando uma pressão menor nas mãos. O *pletismógrafo* registra a baixa de pressão na mão. Os pesquisadores têm usado esse instrumento ao mostrar que, na transferência de pensamento, sem importar se a pessoa tem consciência disso ou não, algo sucede no seu cérebro. Um experimento envolveu a tentativa de afetar o cérebro de outros (causando a baixa pressão sangüínea na mão), enviando nomes de diferentes categorias, isto é: 1. nomes conhecidos de enviadores e recebedores; 2. nomes conhecidos apenas pelos enviadores; 3. nomes conhecidos apenas pelos recebedores; 4. nomes desconhecidos de ambos, escolhidos sem qualquer relação, — em uma lista telefônica. Como já era de esperar, os nomes conhecidos por ambos, com freqüência, baixavam a pressão na mão do recebedor; os nomes conhecidos apenas pelos recebedores faziam a mesma coisa, embora com menor freqüência; os nomes conhecidos somente pelos enviadores ocasionalmente tinham esse efeito; os nomes desconhecidos de ambos raramente tinham efeito. O objetivo do experimento era não o de fazer o recebedor saber qual era o nome, mas meramente — o de verificar quais nomes, enviados durante um período específico de segundos, podia baixar a pressão do sangue na mão do recebedor, presumivelmente fazendo o sangue correr para o cérebro. A energia mental que assim entrasse no cérebro, raciocinaram os pesquisadores, teria esse efeito no físico dos recebedores. E suas suposições eram bem fundadas.

6. O efeito de Backster. Passando agora para estudos de natureza mais espantosa, consideremos o trabalho de Cleve Backster, proprietário e operador da Backster School of Lie Detection no centro de Manhattan, Nova Iorque. Ele é considerado um dos maiores técnicos nesse campo, nos EE.UU. Credita-se a ele o planejamento do equipamento polígrafo, em uso atual, sendo o compilador do *Standard Polygraph Examiner Notepack*, o qual é largamente usado pelos examinadores com polígrafo.

Suas descobertas diziam respeito, primariamente, à percepção de plantas e outras formas inferiores de vida, as quais estão registradas em seu relatório de pesquisa, «Evidência de Percepção Primária na Vida Vegetal», que se pode obter escrevendo-se para o Backster Research Foundation, Inc. — 165 W. 46th. Suite 404, New York, N.Y. 10036.

O Sr. Backster suspeitava que formas inferiores de vida tinham percepção, algo que lhe ocorreu por pura intuição. Para suas suspeitas, ele ligou eletrodos de um detetor de mentiras a uma folha de planta. O detetor de mentiras opera enviando uma débil corrente de eletricidade através do objeto em que os fios forem ligados. Se houver qualquer mudança no campo eletromagnético daquele objeto, isso ficará registrado no gráfico. O detetor de mentiras do Sr. Backster primeiro registrou sua ameaça, que fizera por pensamento, de queimar a folha. Um tanto surpreendido e abalado, apesar de sua intuição original, ele continuou o experimento. Em uma série a planta (por meio do gráfico do detetor de mentiras) registrou seu pensamento de queimar uma folha, sua

saída da sala para buscar os fósforos, seu ato de acender o fósforo, e até seu ato de queimar a planta—clara evidência de que a planta estava recebendo sua energia mental. A planta saberia o que ele estava fazendo? Como poderíamos responder a isso? Tal reação poderia ser mecânica, mas o fato de que ele fora capaz de condicionar plantas, como Pavlov fizera com cães, e que as plantas demonstraram ter uma espécie de memória parece indicar algo além de qualquer sugestão anterior sobre a *forma de vida* sofisticada das plantas.

O registro de «pensamentos» também opera à distância. Uma senhora, que também sabia pilotar aviões, mas que se sentia nervosa sempre que voava, deixou uma planta favorita sua no escritório do Sr. Backster. E a qualquer distância, a planta registrava o alívio mental dela, quando ela aterrissava.

Experimentos têm sido igualmente bem-sucedidos com outras formas de vida vegetal, como amebas, lêvedos, sangue, esperma, etc. Este último, por exemplo, quando aproximado de seu dono, identifica-o fazendo o gráfico dar um salto, ao mesmo tempo que nada sucede quando aproximado de outros homens. Nesses casos, a «vida» fica suspensa em líquidos e os eletrodos são fixados a um tubo de ensaio que contém o líquido.

Consideremos um assassino de plantas: seis homens foram enviados ao escritório do Sr. Backster, um dos quais haveria de arrancar uma planta do solo, despedaçando-a, jogando-a no chão e pisoteando-a, em suma, cometendo um herbicídio. O Sr. Backster não sabia quem cometera o crime, e nem estivera presente quando isso fora feito. Mas, fazendo os homens entrarem novamente em seu escritório, pôde identificar o assassino ao fazer os homens passarem defronte da planta, um por um. E, ao chegar a vez do culpado, o detetor de mentiras deu um salto, indicando quem fora o culpado.

O que esse experimento indica? Indica, pelo menos, que há uma espécie de intercomunicação entre todos os seres vivos, que envolve uma forma de energia que ainda não foi descrita pela nossa ciência. A fotografia Kirliana tem mostrado que há uma energia dessa natureza que circunda todas as coisas vivas. É possível que essa energia esteja envolvida na percepção do pensamento humano pelas plantas. Não sabemos, porém, se a planta tem consciência de sua própria percepção. Talvez Anaxágoras, o filósofo pré-socrático, tivesse razão quando disse que as plantas são somente animais fixos no solo. Lembremo-nos de nossa anterior discussão sobre as «ilhas» e o «fundo do mar». O cérebro é uma ilha, mas, sob o nível da água, aquela ilha está *unida* às outras ilhas, não estando mais isolada. À mente consciente normalmente é uma ilha, mas o subconsciente parece estar em contacto com os elementos não físicos de todas as coisas vivas, ou, pelo menos, em potencial. Talvez a ciência do século XXI venha a descobrir a natureza e o *modus operandi* dessa energia. Sem dúvida nossos atuais experimentos e definições são crus. Contudo, por que não seríamos ousados a ponto de pensar que a vida, toda a vida, é mais do que antes supúnhamos? A vida talvez seja espiritual, afinal de contas, e que a forma física seja apenas um veículo, incluindo as plantas e as formas inferiores de vida.

O professor H.H. Price, de Oxford, disse em verdade:

«Não devemos ter medo de estar dizendo asneiras. As gerações futuras provavelmente ficarão perplexas, não porque nossas ousadas teorias são bizarras, mas por serem conservadoras e terem uma natureza tão tímida».

IMORTALIDADE

Para aqueles dotados de mente religiosa, que se inclinariam por chamar todos os fenômenos que lhes são estranhos (como os fenômenos psíquicos), de atividade dos demônios, bem poderíamos indagar por que os demônios se apossariam de plantas, amebas e vestígios de sangue. Esse tipo de «asneira» certamente chocará as gerações futuras, que descreverão os fenômenos psíquicos em termos *naturais*, mais ou menos como agora falamos de coisas como a circulação sangüínea. Isso não quer dizer que não existam coisas como forças espirituais «invisíveis». Essa realidade está além de qualquer dúvida, até onde podemos ver as coisas; mas não explica simples capacidades psíquicas nos homens, ainda que, sem dúvida, forças malignas se possam manifestar nos homens, e isso de maneiras «psíquicas». Mas o homem é um espírito e, naturalmente, possui poderes e manifestações espirituais.

7. Fotografia Psíquica. Ted Serios tem mostrado a capacidade de projetar imagens mentais em filme fotográfico comum. O Dr. Julius Eisenbud, da Universidade de Colorado, escreveu um livro sobre suas experiências com Ted, intitulado «O mundo de Ted Serios», que mostra um grande número de tais fotografias. O Dr. Eisenbud, médico psiquiatra, conta muitas confirmações de colegas professores e de observadores desse fenômeno, que atestam sua validade. Ted pode impressionar filmes com o pensamento, deixando uma fotografia, uma pintura, ou simples impressões. Pode «imitar» objetos conhecidos, ou criar as cenas de uma cidade que nem existe. Parece que ele pode pôr «imagens mentais» de qualquer sorte em um filme, e até mesmo, telepaticamente, reproduzir imagens mentais de outras pessoas. A máquina fotográfica pode ter lente ou não. Isso não faz nenhuma diferença. Outrossim, Ted pode produzir imagens mentais sobre vários filmes, ao mesmo tempo. Sabemos que tipo de energia pode deixar marcas sobre um filme fotográfico. Mas aqui está outra forma de energia que atravessa a gaiola de Faraday, que bloqueia as energias conhecidas, como as de rádio e as de eletricidade. No entanto, provavelmente estamos manuseando uma forma desconhecida de energia, talvez condutora do pensamento, que algum dia quiçá venha a ser descrita pela ciência, não sendo então considerada mais misteriosa do que as «ondas de rádio» o eram originalmente. Outros estudos indicam que o complexo de energias não-físicas, existente no homem, pode operar extracerebralmente, estando relacionado à natureza espiritual do homem. Os itens que se seguem, os «campos de vida», e o retorno da «morte clínica», certamente sugerem isso.

8. Os campos de vida que moldam o nosso mundo: **a fotografia kirliana.**

A humanidade, agora enamorada com o conceito materialista, algum dia poderá reconhecer a dívida imensa que deve a homens como H.S. Burr e E.K. Hunt. O prof. Harold Saxton Burr, Ph.D. e E.K. Hunt, professor de anatomia da Yale University School of Medicine, por muitos anos experimentaram com os campos elétricos que circundam as coisas vivas, tendo noticiado descobertas extraordinárias. Com instrumentos que detectam campos electromagnéticos, esses homens demonstraram que cada espécie tem um campo circundante característico. Foram chamados de *campos-V* ou «Campos de vida». No homem, mostraram que o campo se estende por quatro metros, e em coisas simples, como ovos de rãs, a dez centímetros. Na «aura» assim existente, no caso do ovo, a rã adulta pode ser predita através dos «padrões de luz» e dos «desenhos», podendo-se notar

até a posição das pernas, da cabeça, do sistema nervoso, etc. Em outras palavras, o «campo de vida» é anterior ao desenvolvimento de sua contraparte física, e evidentemente, é o guia ou força inteligente que controla o seu desenvolvimento. No caso da rã, se um experimentador removesse o material do qual normalmente se desenvolveria a cabeça, e o trocasse pelo material de onde surgiriam as pernas (citando apenas um exemplo de troca possível), ainda assim as pernas e cabeça se desenvolveriam nos seus devidos lugares. Isso indica que as células não são especializadas, mas antes, podem desenvolver-se em qualquer coisa, e que o «campo de vida» é a força que determina qual célula se tornará em qualquer parte do elemento físico. O «campo de vida» persiste através do crescimento do embrião, até transformar-se em uma rã adulta. Houve um período no desenvolvimento do girino quando uma perna poderia ser amputada, pois outra perna se desenvolveria. Enquanto isso, o «campo de vida» se mantinha inalterado, apesar de sua contraparte física estar sendo modificada nisto ou naquilo. Outrossim, no homem, se alguém tiver sofrido a perda de um dedo da mão, no «campo de vida» haverá ainda cinco dedos.

9. As experiências de Burr resultaram em um livro chamado «*Blueprint for Immortality, the Electric Patterns of Life*», Neville Spearman, Ltd., Londres, 1972. Burr expressa a crença de que os campos de vida não são resultantes da atividade biológica na massa física, mas antes, são as próprias fontes originárias do desenvolvimento biológico e da formação do corpo físico. Postulou ele, também, que os eletroencefalogramas não são medições da atividade do cérebro (físico), mas antes, alterações refletidas no próprio «campo de vida», o que, por sua vez, alteram as ondas do cérebro físico. Os campos de vida evidentemente, não se assemelham, quanto à forma, à coisa física por eles criada, embora tenham padrões de colorido que pertencem a certos elementos físicos futuros, embora Burr, até onde se pode descobrir, não tenha especificado isso. As formas de vida que tenho visto nas fotografias Kirlianas (uma forma de radiografia), entretanto, têm a forma do objeto físico.

A fotografia kirliana. Trata-se de uma espécie de radiografia que é capaz de capturar **campos de luz** que existem em torno de todos os objetos, animados e inanimados, embora aqueles que circundam os animados sejam consideravelmente diferentes, modificando-se com as emoções e os estados de saúde, ao passo que os que circundam os objetos inanimados permanecem fixos na natureza. Parece que aquilo que Burr detectou mediante instrumentos, a fotografia captura em filmes. A fotografia kirliana recebeu o nome do casal russo, Semyon e Valentina Kirlian. Kirlian, um eletricista, notou, um dia, que se seus dedos tocassem em uma chapa de papel fotográfico, estando em um campo de corrente elétrica de alta freqüência, apareciam impressões de estranhos ziguezagues, manchas e linhas sobre o papel. Impressionado com isso, e querendo melhorar as suas imagens, ele desenvolveu, com extrema dificuldade, uma nova câmera e um método especial de tirar fotos. Uma vez que conseguiu desenvolver sua nova forma de fotografia, relatou: «*Galáxias de fagulhas azuis*, violetas, amarelas e douradas brilharam contra um pano de fundo negro. Algumas piscavam, outras brilhavam com constância, e ainda outras relampejavam a intervalos. Enquanto uma porção dessas fagulhas não tinha movimentos, outra parte percorria labirintos luminosos. Sobre essas fantásticas galáxias de luzes fantasmagóricas, havia lampejos rebrilhantes e multicoloridos e também pequenas nuvens apaga-

IMORTALIDADE

das». Foi assim que se abriu um novo e fantástico mundo, para ser contemplado pelos homens. Logo se descobriu que todas as formas de vida possuem seu próprio e característico campo de luz.

O Dr. Willilam Tiller, metalúrgico, que durante cinco anos foi deão do Materials Science Department of Stanford, e que tem títulos no campo da física e, recentemente, completou um Guggenheim Fellowship, em Oxford, tendo estudado intensamente os campos eletrodinâmicos visíveis na fotografia Kirliana, declarou que o mundo que atualmente a ciência nos apresenta é, pelo menos, «incompleto», se não mesmo falso. Ele acredita que as pessoas, pelo mundo inteiro, estão aprendendo a despertar aqueles sistemas sensorais que nos permitem perceber diferentes dimensões do universo. Além disso, ele especula que há outras formas de energia que não a energia eletromagnética, e que algumas são mais lentas e outras mais rápidas que a luz, quanto à sua velocidade.

O que é o «campo de vida»? Essa pergunta, naturalmente, é extremamente difícil de responder. Mas é mais fácil especular. Conforme alguns supõem, pode ser a emanação de energia do «contracorpo», no homem, ou em qualquer espécie viva sob consideração. Os místicos, quando «fora do corpo» (= *projeção da psique*), afirmam que o espírito tem um outro veículo, semelhante ao corpo, sólido ao toque, enquanto a pessoa está na outra dimensão, ao passo que o outro material é transparente e não-resistente ao toque. Outros, ainda, têm especulado que estamos falando diretamente da alma. Pelo menos, estamos falando de uma forma de realidade que transcende ao veículo físico que chamamos de corpo. Se essa energia é a emanação do contracorpo, então certamente está aliada à alma, a qual continua fora de nossa capacidade de descrição, embora não haja razões para duvidarmos de sua realidade. O campo de vida será a forma de energia que a alma usa, ao desenvolver seu próprio corpo, no caso de formas inferiores de vida, um veículo usado por uma Inteligência Superior para a criação de formas físicas? Ou, na forma de vida, já chegamos à «substância da alma»? Provavelmente, o que se vê na obra de Burr e na fotografia Kirliana são *efeitos* de «causas» ainda desconhecidas. Voltamos ao difícil problema, científico e filosófico, da «causa». Com freqüência podemos medir ou, pelo menos, identificar efeitos, mas temos dificuldades com as causas; mas não é impossível que aquilo que os homens têm chamado de alma esteja, de algum modo, por detrás desses efeitos, direta ou indiretamente. No momento, não podemos falar com grande inteligência sobre a fotografia Kirliana, mas suas implicações são imensas. Entretanto, não desesperemos. Imagine-se a tentativa de explicar o raio-x aos homens comuns e leigos de 150 anos atrás.

Burr afirma que as pessoas, bem como tudo, são literalmente mantidas juntas pelos «campos de vida» que são—organizadores. Sem a inteligência divina que governa as leis por detrás desses campos, o universo inteiro se desintegraria em caos, em milésimos de segundo.

Seus estudos têm adicionado uma nova dimensão ao *argumento teleológico* (= argumento baseado no desígnio), em prol da existência de Deus. Escreve ele, pois:

«É impossível imaginar que o desenvolvimento, passo a passo, do sistema nervoso, sucedeu por acaso e sem orientação. Você e eu, pois, somos produtos de um padrão de organização, ou, dizendo-o de outro modo, somos a conseqüência de um desígnio. É dificílimo pensar em uma peça de aparelho de qualquer espécie—quer se trate de um ferro elétrico ou de um esmagador de átomos—que não seja produto da mente de um planejador. Portanto, já que o universo exibe um plano, não é pulo no espaço supor que seja o produto de um Planejador».

10. Adicionamos, finalmente, à nossa discussão, um pouco de certeza acerca da alma, que nos deriva da experiência humana. Essa experiência recebe um toque do que é científico, já que está sujeita à observação de natureza regulada e sistemática, o que, naturalmente, é uma função básica do método científico. Henry Pierce, editor científico do Pittsburgh Post Gazette, interessou-se especialmente pelo fenômeno do «retorno após a morte clínica». Ele desvendou, em pesquisas em hospitais, entre médicos, enfermeiras e pacientes, a realidade do que acontece quando homens e mulheres retornam da morte física, mesmo após muitas horas, os quais têm narrativas maravilhosas para contar sobre a vida do outro lado. Temos razão para crer que as pessoas podem penetrar nos primeiros estágios da morte, e mesmo assim retornar, até mesmo depois da alma ter-se separado do corpo. Esse é o tipo de história que as pessoas relatam, quando contam suas experiências. Também podem narrar com exatidão o que lhes sucedera durante seu período de morte, quando o coração não mais pulsava e as ondas cerebrais tinham cessado totalmente de existir. Alguns têm «experiências terrenas» durante esse tempo, algumas delas de natureza transcendental. Não desenvolvo detalhadamente o tema aqui sendo que apresento outros artigos que tratam, especificamente, a volta da morte clínica ou experiências perto da morte. Ver a seguir, entre os artigos sobre a *Imortalidade* o artigo de Henry L. Pierce intitulado, *Quando os Mortos Voltam!* Ver também, *Experiências Perto da Morte*.

A Dra. Elizabeth Kuebler-Ross é perita reconhecida em *Tanatologia* (estudo da morte e seu processo). Como médica e psiquiatra, ela já entrou, naturalmente, em contacto com a morte, por muitas vezes. Tem estudado e observado as vidas e mortes de muitos enfermos condenados à morte, tendo efetuado pesquisas psicológicas com essas pessoas. Em resultado, ela escreveu dois bem conhecidos livros sobre a morte. São intitulados *Sobre a Morte e o Morrer* e *Perguntas e Respostas sobre a Morte*. Antes de seus estudos sobre a morte, incorporados nesses livros, a Dra. Kuebler-Ross não cria na «sobrevivência» da personalidade humana ante a morte biológica. Sua própria pesquisa modificou-lhe a mentalidade. A princípio ela pensava que estava descobrindo uma «ciência» contraditória, e ficou embaraçada ante suas descobertas. Finalmente, centenas de casos a convenceram da grande possibilidade da sobrevivência. Mas agora ela teme ser ridicularizada pela «comunidade científica», cujos dogmas ela ousou desafiar.

Alguns dos casos discutidos em seu livro envolvem a «morte clínica». Com surpreendente freqüência, os relatos que as pessoas contam, voltando desse estado, são similares em tudo. A maioria das pessoas «revividas» após a morte clínica, ou seja, cujos corações não mais pulsavam e que não tinham mais ondas cerebrais, dizem que a «morte» é uma sensação indescritivelmente maravilhosa. Essa gente não mais temia a morte, ainda que continuasse a viver diariamente sob o perigo de ser vitimada por ela. A Dra. Kuebler-Ross entrevistou centenas de pacientes que haviam sido declarados clinicamente mortos. Aquela gente invariavelmente dizia que uma

IMORTALIDADE

auto-entidade, se separara do «corpo». Quando isso acontece, diziam elas, sentem-se grandes sentimentos de paz e tranqüilidade. Muitas dessas pessoas testemunham a cena dos médicos revivendo o corpo morto. Muitas tentaram transmitir-lhes que a morte é boa, e que eles deixassem daquelas tentativas. As pessoas que abandonaram o corpo sempre dão boas-vindas àquelas que lhes são queridas. Algumas pessoas especialmente religiosas percebem figuras religiosas importantes que vêm à transição. Um caso típico diz como segue:

«A paciente disse-me que olhara para baixo e ficara surpreendida ante a palidez da face de seu corpo. Então teve consciência da equipe médica que corria para ressuscitar o corpo trazendo aparelhos para o quarto. Embora a mulher, naquele momento, não demonstrasse pulsações, nem pulso, nem ondas cerebrais—mais tarde ela narrou quem entrara no quarto e o que haviam dito. Contou que tentara dizer à equipe de ressurreição que não tivesse tanto trabalho com ela, mas não a podiam ouvir. Após alguns poucos momentos, ela sentiu que desaparecia a sua nova consciência. Naquele instante, os instrumentos começaram a registrar sinais vitais novamente».

O que ficou mostrado com isso é que o homem é mais que seu corpo, e que sua inteligência, apesar de usar o cérebro como um veículo, também pode operar, de modo por enquanto misterioso e desconhecido, sem o cérebro físico. Talvez continue a usar um veículo, a saber, o *contracérebro*, no contracorpo, sobre o que já discutimos. Mas talvez a alma não precise de qualquer instrumento para operar, sendo o princípio mesmo da inteligência, um «intelecto», conforme supusemos na discussão anterior.

Se a inteligência, no momento de entrar nos primeiros estágios da morte, quando o corpo fica clinicamente morto, permanece normal, e, além disso, se não há a perda da «consciência» e a identidade pessoal não é atingida, então isso nos exibe o fato da inteligência «extracerebral». Nesse caso, fica demonstrado que o cérebro é apenas um veículo da inteligência, sob certas circunstâncias, e não a própria inteligência. A inteligência é algo muito mais vasto que qualquer órgão físico, que possa contê-lo temporariamente. Filosoficamente falando, falamos do ser vital como o «intelecto», conforme se via, por exemplo, em Aristóteles. Teologicamente, chamamos esse intelecto de fagulha do Grande Intelecto. O «real», afinal, pode ser conforme foi suposto pelo Idealismo, isto é, um campo de força de energia, não idêntico àquilo que chamamos de *matéria*. Pode ser uma energia não-material, mais básica que a própria matéria como uma forma de vida. Em outras palavras, a matéria pode ser apenas uma manifestação sua. A matéria, portanto, não é a substância da vida, mas tão-somente uma de suas expressões. No ser humano, o campo de força, que sobrevive ante a morte biológica, pode ser chamado de alma ou intelecto. Ou o campo de força, conforme nos foi desvendado pela fotografia e mediante instrumentos, pode ser um outro veículo do «intelecto». Seja como for, as evidências mostram que o homem é muito mais do que o seu corpo, e que «aquilo que ele é» sobrevive à morte física.

Relacionados à experiência da «volta da morte biológica», há aqueles casos em que a morte tem lugar, mas, antes de suceder isso, são dadas informações pelo moribundo que mostram que o *homem real* apenas está saindo da vida física, e não morrendo juntamente com ela. «Visões no leito de morte», e tipos similares de experiência, têm atraído a atenção de ministros, médicos e pesquisadores psíquicos, e há abundante literatura sobre o tema. Essas experiências muito se parecem com aquelas que acabamos de descrever, em diversos aspectos. Por exemplo, é comum que os moribundos digam que viram «visitantes» que vieram vê-los passar pela transição. Algumas vezes, o visitante ou visitantes de fato, está «morto», conforme usamos popularmente o vocábulo, mas esse fato passa despercebido pelos moribundos. Em um volume pequeno, mas monumental, intitulado «Visões do Leito de Morte», Sir William Barrett, notório físico de Dublin, relata a seguinte história:

«Estive presente pouco antes da morte da Sra. B. em companhia de seu marido e de sua mãe. Seu marido estava debruçado por sobre ela, falando com ela, quando, empurrando-o para um lado, ela disse: —Oh, não atrapalhe; é lindo. Então, voltando-se dele para mim, estando eu do outro lado do leito, a Sra. B. disse: Oh, ali está Vida. Ela se referia a uma irmã sua, cuja morte, ocorrida três semanas antes, fora ocultada da Sra. B. Posteriormente, a mãe dela, que estivera presente na ocasião, contou-me, conforme eu já disse, que Vida era o nome da falecida irmã da Sra. B., e de cuja enfermidade e falecimento a Sra. B. estava ignorante, pois tinham impedido cuidadosamente que tal notícia lhe fosse dada, em face da seriedade de sua doença».

Há vários tipos de explicação para esses tipos de experiência:

1. A explicação telepática. A Sra. B. poderia ter percebido telepaticamente que sua irmã morrera, e, como é comum, poderia ter confundido esses pensamentos «exteriores» como se fossem seus próprios. Ela também poderia ter tido uma alucinação, obtendo uma suposta visão «exterior», consolando-se com a ilusão que seu fim real ainda não chegara, mas antes, que a morte é, realmente, uma experiência agradável, incluindo a reunião com entes amados. Apesar de admitir-se que a mente humana é capaz de tais contorsões, essa explanação está sujeita a críticas válidas. Essas experiências têm sido «compartilhadas» com pessoas vivas. Ministros e médicos, por ocasião de casos de morte, bem como familiares presentes ao falecimento de entes queridos, ocasionalmente têm visto as mesmas *visões* que os moribundos. Para explicar esse fenômeno, a suposição de que uma alucinação coletiva, acompanhada por telepatia coletiva, seja capaz de criar tal acontecimento, é tão difícil ou mesmo mais difícil do que aceitar a sobrevivência da alma, — como algo possível aos seres humanos. Os estudos anteriores, que indicam a viabilidade da hipótese da sobrevivência, de um ponto de vista científico, são contrários à idéia da telepatia e da alucinação coletivas.

2. A explicação de fraude. Tais narrativas, segundo alguns supõem, seriam invenções, e não acontecimentos reais. Mas essa explicação não é uma tentativa séria para solucionar o enigma das experiências de leito de morte, pois, apoiando-se em preconceitos, resolve que muitas centenas de tais relatos, por grande e diferente número de pessoas, muitas delas honestas e religiosas, devem «contar uma boa história às custas da verdade». Além disso, esses fenômenos transcendem a todas as barreiras de raça e cultura, e são por demais «numerosos» e *similares* para terem a fraude como sua base. Tachando esses casos de fraudes, brincamos com convicções que se fizeram *sagradas* para muitas pessoas, que tiveram envolvidos seres queridos.

3. A teoria de demônios. Com essa, que é a pior de todas as explicações, em vez de uma manifestação do

IMORTALIDADE

espírito humano, o que haveria seriam espíritos *enganadores* que convenceram os moribundos de que seres queridos tinham vindo para «levá-los para o outro lado». Por que fariam isso? Por que espíritos malignos se empenhariam por «enganar» a um moribundo, a fim de infundir-lhe confiança e esperança nos instantes da morte? Isso não se parece com o que os demônios gostam de fazer, sendo eles maus. Contra essa teoria, além de seu óbvio absurdo, há o fato de que tais visitas sucedem a todos os tipos de pessoas, até às mais religiosas e fiéis, incluindo todos os ramos da igreja cristã. Dar qualquer crédito a tal teoria exige que creiamos que pessoas que não estiveram sujeitas ao poder demoníaco durante suas vidas, mas que, bem pelo contrário, foram exemplos de *vida cristã*, subitamente, em seu leito de morte, se tornam sujeitas a tal poder. Além disso, já que crianças pequenas passam por tais experiências, teríamos de supor que elas também estão sujeitas a poderes demoníacos, embora durante o resto de suas vidas nada disso lhes podia ser atribuído, por serem relativamente inocentes.

4. A teoria de forma de pensamento. O pensamento é uma energia. Um pensamento criado em um moribundo, devido a poderoso desejo de sobrevivência, poderia externalizar uma forma «visível» que seria vista pelo moribundo, bem como pelas pessoas presentes à cena da morte. Essa teoria é uma modificação da primeira teoria, sendo passível da mesma crítica.

5. A teoria que resta, provavelmente, é a verdadeira: A morte é apenas uma transição. O corpo sucumbe, mas o espírito se eleva. A vida é um grande prosseguimento, e o corpo é apenas um veículo de vida em determinada esfera, sujeito a um conjunto especial de circunstâncias.

Consideremos um outro desses casos, o qual envolveu uma menina pequena (conforme o relato no livro de Sir William Barrett).

«Em uma cidade vizinha havia duas meninas pequenas, Jennie e Edite, uma com cerca de oito anos de idade, e a outra um pouco mais velha. Eram colegas de escola e amigas íntimas. Em junho de 1889, ambas adoeceram de difteria. Ao meio-dia de um quarta-feira, Jennie morreu. Então os pais de Edite, como também seus médicos, tiveram extremo cuidado em impedi-la de saber que sua coleguinha falecera. Temiam o efeito de tal conhecimento sobre suas condições de saúde. Para provar que haviam obtido êxito, e que ela de nada soubera, pode-se mencionar que no sábado, a 8 de junho, ao meio-dia, pouco antes dela perder a consciência de tudo quanto sucedia ao seu redor, ela escolheu duas fotografias suas para serem enviadas a Jennie, além de dizer às pessoas que a atendiam, que transmitissem adeus. Ela faleceu meia-hora depois das 18:00 horas do sábado, dia 8 de junho. Ela se animara e se despedira de seus amigos, falava em morrer, e parecia não ter medo. Ela parecia estar vendo um amigo ou outro da família que ela sabia que já tinha falecido. Até esse ponto, tudo parecia similar a outros casos. Mas então, subitamente, e com grande expressão de surpresa, ela se voltou para seu pai e exclamou: «Ora, papai! O senhor não me disse que Jennie estava aqui!» E imediatamente ela estendeu os braços, como que para receber a alguém, e lhe disse: *«Oh, Jennie*, estou tão alegre por que você está aqui!».

Sir Barrett, cujo livro citamos, ficou intrigado ante a enorme quantidade desse material. O clérigo inglês, J.S. Pollock, em seu livro, «Mortos e Desaparecidos», reuniu uma coletânea dessas narrativas, escolhidas dentre 500 casos que ele recolhera em suas pesquisas.

Frank Podmore, um pesquisador inglês, relatou um caso em que três irmãs, estando juntas, viram pairando sobre o leito de morte de uma delas, que estava morrendo, uma luz brilhante, onde apareciam os rostos de dois de seus irmãos mortos.

Nos arquivos do British Society for Psychical Research e da American Society for Psychical Research, há certo número de casos em que o espírito foi realmente visto ao deixar o corpo. Um desses casos foi registrado no Diário da S.P.R. Esse caso foi apresentado por Richard Hodgson, homem que tinha a reputação de ser arguto investigador, no início deste século.

«O Sr. G. abraçado à sua esposa que falecia, viu que se formavam, perto da porta, 'três nuvens estratos separadas e distintas'. Essas nuvens gradualmente se aproximaram do leito e o envolveram. Disse o Sr. G: «Então, olhando através da névoa, contemplei, de pé, perto da cabeça de minha esposa moribunda, a figura de uma mulher'. Ele também viu 'duas pessoas de branco', que 'se ajoelharam ao lado de minha esposa, aparentemente se inclinando na direção dela, além de outras figuras que pairavam por sobre o leito, de forma mais ou menos distinta'. Acima de minha esposa, e ligada com uma corda que saía de sua testa, por sobre seu olho esquerdo, flutuava, em posição horizontal, uma figura despida e branca, aparentemente seu *corpo astral*'. Após observar essa figura por algumas horas, ele contemplou a morte real de sua esposa. 'Com um estertor, minha esposa deixou de respirar... com seu último hálito... quando a alma deixou o corpo, a corda se partiu. Subitamente, desapareceu a figura astral. Todas as outras personagens desapareceram também naquele instante».

Esse caso frisa diversas características interessantes, todas comuns em tais casos, conforme se tem relatado por todo o mundo. Em primeiro lugar, há o «corpo astral», conforme alguns o denominam, que é apenas o «contracorpo» que já mencionamos neste artigo, de onde emana o «campo vital» de energia irradiada. A *aura* humana evidentemente é uma irradiação do contracorpo. Neste artigo já indicamos que essa energia pode ser vista por algumas pessoas, e com ajuda de lentes especiais, e exercícios visuais, a maioria das pessoas interessadas na tentativa, também tem podido vê-la. Se todos pudéssemos fazê-lo, sem ajuda, então seria fácil testificarmos, com olhos naturais, o tipo de coisas relatadas no parágrafo acima. Pensemos na esperança que tomaria conta do homem se ele, somente dentro do *alcance natural* de sua visão, pudesse ver mais. Tudo isso faz-nos lembrar da história bíblica de Eliseu e seu servo. O rei da Síria enviara grande exército contra Israel. O servo de Eliseu, levantando-se cedo pela manhã—viu as hostis sírias. Com grande terror, ele foi despertar seu senhor. Eliseu lhe disse que não tivesse receio, proferindo as palavras famosas: «Não temas, pois aqueles que estão conosco são mais do que os que estão com eles». Então Eliseu orou para que seu servo visse a «realidade» da situação. «Abre os olhos dele», disse ele. E assim o servo teve seus olhos abertos, e eis que a montanha foi vista coalhada de cavalos e carros de fogo, ao redor de Eliseu, (II Reis 6:15). Esta passagem bíblica supõe a existência de *seres invisíveis*. Se a «faixa» da visão natural do homem fosse ampliada, que maravilhas poderíamos contemplar; e talvez a mais comum entre elas fosse a sobrevivência da personalidade por ocasião da morte!

Outra coisa a ser notada aqui é «o fio de prata». Também há referências bíblicas nesse particular: «...antes que se rompa o fio de prata, e se despedace o

IMORTALIDADE

copo de ouro, e se quebre o cântaro junto à fonte, e se desfaça a roda junto ao poço, e o pó volte à terra, como o era, e o espírito volte a Deus, que o deu» (Ecl. 12:6,7). São expressões poéticas acerca da morte física, mas é bem provável que a tradição do *«fio de prata»* tenha entrado na poesia através do fato de que o mesmo tem sido visto, e continua sendo visto por alguns quando a morte se aproxima. O que é esse fio ou corda? Parece ser um elo de ligação entre as energias físicas e não-físicas do complexo humano. Pode ser até mesmo uma espécie de cordão umbilical. É deveras interessante, pois, que a morte seja produzida pelo partir dessa corda, o que dá à pessoa o nascimento em uma vida nova e superior. Não é incomum visões à «beira do leito», nas quais essa corda é partida; e isso usualmente é feito por um dos espíritos que veio auxiliar na morte-nascimento, pelo que se poderia chamá-los de parteiras espirituais. Florence Marryat, a autora da era vitoriana, em diversas ocasiões foi testemunha de mortes, e em algumas ocasiões viu o fio de prata. Ela descreveu o mesmo como uma ligação entre o corpo e o contracorpo, tendo a aparência de *fios de luz*, como «eletricidade».

Um pastor anglicano, G. Maurice Elliott, que durante o seu trabalho ministerial com freqüência acompanhou moribundos, afirmou que em muitas ocasiões testemunhou a saída da alma do corpo. Ele descreve um desses casos, dizendo: «Vimos (sua esposa também observou a visão), bem por cima da cama, uma névoa tênue e branca... Dentro de pouco tempo, ela tomou a forma perfeita da pessoa que sofria... um fio como de prata estava ligado ao corpo físico, e ajudantes o cortaram».

O MÍSTICO INGLÊS, Tudor Pole, apresentou uma descrição similar de uma morte que viu: «Diretamente por cima do moribundo, vi uma forma sombria que pairava em posição horizontal, cerca de sessenta centímetros acima do leito. A forma estava ligada ao corpo físico por dois fios transparentes...a figura cresceu até tornar-se uma contraparte do corpo. Personagens auxiliares cortaram esses fios». Karlis Osis, psicólogo nascido na Letônea, enviou questionários a cinco mil médicos e a cinco mil enfermeiras, para descobrir a freqüência dos tipos de visões à beira do leito que vimos descrevendo. A obra resultante: «Observações à Beira de Leito por Médicos e Enfermeiras», tornou-se um clássico no seu campo. Osis descobriu que raramente as pessoas que morriam sentiam medo e, de fato, com bastante freqüência, achavam-se em estado de exaltação. *Houve o cuidado* de investigar e relatar casos de pacientes que não estavam drogados. Descobriu ele que um número muito maior de «moribundos» tem visões do que as pessoas em vida normal. Essas visões ocorriam, predominantemente, entre uma hora a um dia antes da morte. Geralmente os pacientes têm plena consciência dos fatos, não se podendo pensar em meros sonhos. Curiosamente, nem todas as pessoas vistas nessas visões estão «mortas», embora predomine o número de pessoas falecidas. Isso nos leva à interessante especulação de que as almas de «pessoas vivas» podem ajudar na morte de entes queridos, e de algum modo, desconhecido da ciência, ajudam-nos na transição. Em muitos desses casos, a visão é compartilhada pelo visitante e pelo visitado, ainda que, fisicamente, as pessoas estivessem bem separadas. Nesses casos, os sobreviventes têm alguma história interessante, que coincide com a *narrativa* do moribundo, pouco antes do seu falecimento. Evidências críveis de — sobrevivência — têm sido dadas por indivíduos não-drogados — e nem

marcantemente perturbados, nem por sedativos e nem por delírios. Os visitantes espirituais são reconhecidos invariavelmente como «anjos de misericórdia», que facilitam a transição. São bem acolhidos, pois, pelos moribundos. Usualmente os visitantes são íntimos ou parentes. Algumas vezes, um único espírito acompanha o processo da morte, mas normalmente há diversos.

Duncan MacDougall, um médico da Nova Inglaterra, no começo do século, registrou perdas inesperadas de peso no momento da morte, e até hoje isso não foi explicado. Hipólito Baraduc, na França, *fotografou* a morte de sua esposa, e registrou três nuvens similares às que já descrevemos no caso da Sra. G. cujo marido viu três nuvens separadas e distintas. O engenhoso físico americano, R.A. Watters, em 1934 fotografou o *duplo* de um rato que matou, em uma Câmara de nuvem Wilson. Já mostramos, neste artigo, que «campos de vida» circundam todas as criaturas vivas. Seria demais supor que a vida, toda vida, realmente é *espiritual*, e que todos os corpos são meros veículos?

Similares a esses estudos e observações acerca do retorno após a morte clínica e ao próprio processo de morte, são aqueles que tratam da «projeção da psique». Trata-se da habilidade de alguns de «deixar o corpo» e viajar para obter informações no estado espiritual, impossíveis de serem obtidas pelos meios de percepção normal e parte dessa informação pode transcender o tipo de informação disponível aos sentidos.

O *Dr. Robert Crookall*, um geólogo inglês, dotado de credenciais científicas em outros campos também, dedicou 30 anos ao estudo da projeção da psique. Ele chama atenção para o fato de que a experiência da projeção da psique se parece muito com os casos de «leito de morte», parecendo ser um aspecto temporário daquilo que, na morte, é algo «permanente». Em cerca de 20% dos casos que envolvem a projeção da psique, o «duplo» toma a posição horizontal, pairando por sobre o corpo, e então se torna o veículo da inteligência, bem como o modo de transporte. A mesma coisa ocorre no caso da morte. Em cerca de 20%, igualmente, o fio de prata é visto ligando o corpo flutuante ao corpo físico. Na projeção da psique, a grande diferença é que esse fio não se parte. Parece que a personalidade humana é capaz da «bilocalização», e essa bilocalização é boa previsão do que sucede no processo da morte, não o levando, contudo, a conclusão final.

O *Dr. Charles Tart*, da Universidade de Califórnia, em Davis, estudou esse fenômeno com grande êxito, obtendo certa «respeitabilidade», para o mesmo em alguns círculos inteligentes. Pelo menos, nem todos os psicólogos continuam pensando tratar-se de algo *patológico*. Uma experiência criada por ele é a que envolve trancar uma pessoa que diz ter regularmente a experiência (ou espontaneamente, ou pelo poder da vontade), em uma sala de hospital. Em uma prateleira, bem elevada no quarto, se põe uma mensagem. O objetivo é que a «alma» suba e leia a mensagem, dizendo qual seu conteúdo ao pesquisador. Toma-se o cuidado de não haver meios físicos pelos quais tal coisa possa ser feita. Assim, a mensagem está irremediavelmente «fora de vista», até onde chegam os olhos naturais. Contudo, aqueles que se «projetam» lêem-na com sucesso. Na maioria dos casos, a alma não se interessa muito por tais coisas, e assim sai do quarto, atravessando facilmente as paredes. A entidade pode observar, então, o que ocorre pelo hospital, ou mesmo em alguma cidade distante e o «relato» é subseqüentemente sujeitada à validação por parte do pesquisador. Tudo isso indica

IMORTALIDADE

a realidade da milenar crença na *bilocalização*. Em outras palavras, a personalidade humana, mesmo quando no estado «mortal», é capaz de estar em dois lugares ao mesmo tempo, em um, fisicamente, e em outro, espiritualmente. Várias pessoas, como algumas daquelas que têm sido chamadas de «santos», conhecidas por sua alta espiritualidade, têm tido a capacidade da bilocalização, mas o fenômeno não está limitado a tais pessoas, de modo algum. A reivindicação de «projeção» é tão antiga quanto a própria história, mas só recentemente os pesquisadores, em universidades, se têm disposto a submetê-la a teste, sob condições controladas.

O presente artigo foi traçado para mostrar a fraqueza da teoria materialista. Mostramos que a personalidade humana é dotada de várias «capacidades» que não podem ser explicadas por essa teoria. Mostramos que os «fenômenos observáveis», os que meramente podem ser observados ou os que são sujeitos a controle de laboratório, ultrapassam qualquer «base teórica» que a tese materialista nos oferece. Mostramos que a inteligência pode ser «extracerebral». Nossa discussão tem mostrado que há uma força patente na teoria interacionista, bem como plausibilidade na teoria substancialista. As religiões, pelo mundo todo, favorecem o substancialismo, e muitas mentes universais o têm defendido sem embaraço. A verdadeira defesa do substancialismo, porém, não pode partir da ciência—por enquanto, pelo menos. Essa disciplina, por sua natureza inerente, limita-se ao *aqui* e ao *agora*, àquilo que se pode tocar, ver, ouvir, etc. O *substancialismo* transcende em muito a tudo isso, mas nem por isso é algo irreal ou falso. Mas as coisas que podem ser vistas e ouvidas, ou tocadas, que são estudadas pela ciência têm um significativo valor para a porção espiritual do homem, e o melhor conhecimento delas subentende aspectos de uma realidade superior, pois o físico está perenemente em contacto com o espiritual, e o estudo do que é físico, ou daquilo que se pensa ser meramente físico (embora assim não ocorra, realmente), pode revelar aspectos do não-físico. Portanto, não é impossível que, finalmente, o «defensor» da sobrevivência da alma humana ante a morte biológica, venha a ser a ciência. O que a filosofia racionalista tem especulado, o que a teologia tem afirmado em seus dogmas, poderá vir a ser «provado» pelo que o cientista faz em seu laboratório. Quando aparecer essa «prova», os homens passarão a viver num mundo bem diferente. Tal prova transcenderá, em importância e interesse, a qualquer descoberta da ciência feita até o presente. Se um homem, ao levantar-se da cama pela manhã, puder dizer para si mesmo: *Meu verdadeiro eu jamais morrerá!* isso fará tremenda diferença na maneira como ele passará a agir, no modo como ele passará a viver, no modo como ele pensará sobre si próprio e sobre seus semelhantes, nas suas motivações, nos seus ideais, em todos os seus esforços e em todos os seus sofrimentos.

As majestosas verdades do substancialismo, pelo menos no presente, permanecem fora de alcance para a ciência. Não é provável que, nesta década, alguém possa construir um foguete capaz de entrar na esfera dos universais, de Platão, ou dos lugares celestiais, postulados pelo cristianismo bíblico. Contudo, não é de modo algum impossível que a própria alma seja um foguete poderoso que, liberado do corpo, pode fazer vôos impressionantes até às dimensões da *realidade última*.

••• ••• •••

Edifica para ti mansões mais majestosas,
  Oh, minha alma
Enquanto as estações ligeiras passam!
Deixa teu passado de teto baixo!
Que cada novo templo, mais nobre que o anterior,
Feche-te do céu com uma cúpula mais vasta,
  Até que, por fim, fiques livre,
Abandonando tua pequena concha no mar
  intranqüilo da vida!

  (Oliver Wendell Holmes)

BIBLIOGRAFIA:

Backster, Cleve, *Evidence of Primary Perception in Plant Life*, Backster Foundation, Nova Iorque, N.Y. 1968.

Broad, C.D. *Human Personality and the Possibility of its Survival*, Berkeley: University of California Press, 1955.

Burr, H.S. *Blueprint for Immortality; the Electric Patterns of Life*, Londres: Neville Spearman, Ltda., 1972.

Eisenbud, Jule, *The World of Ted Serios*, Nova Iorque: William Morrow and Co., 1968.

James, William, *Human Immortality*, Boston: Houghton Mifflin, 1893.

Jung, Carl, *Modern Man in Search of a Soul*, Nova Iorque: Harcourt, Brace and Co., 1968.

McTaggart, J.M.E. *Some Dogmas of Religion*, Londres: Arnold, 1906.

Moody, Raymond A., *Life After Life*, Bantam Books, 1977; *Reflections on Life After Life*, Bantam Books 1978.

Murphy, Gardner, *An Outline of Survival Evidence and Difficulties Confronting the Survival Hypothesis*, Journal of American Society for Psychic Research, 1945.

Ornstein, Robert, *The Psychology of Consciousness*, 1972.

Rhine, J.B. *Extra-Sensory Perception*, Boston: Bruce Humphris Publs., 1964.

Sabom, Michael B., *Recollections of Death, A Medical Investigation*, Harper and Row, 1982.

ARTIGO 2

Imortalidade Continua

O MUNDO NÃO-FÍSICO
Do Dr. Stromberg
por James Crenshaw

Uma base fidedigna para a crença na *sobrevivência da alma* e da memória.

SOBRE O AUTOR

Nativo do estado norte-americano de *Oregon*, James Crenshaw se criou na Califórnia, freqüentou o San Diego State College e a UCLA e se formou como bacharel em literatura inglesa. A sua carreira consiste em escrever—como membro do pessoal de jornais e também como *free-lancer*.

No passar dos anos tornou-se hábil na cobertura de casos tribunícios e de questões que envolvem a lei. Em conseqüência disso, já foi homenageado por sete vezes pelo Tribunal Estadual de Califórnia. Também é um dos poucos leigos que tiveram um artigo publicado pelo *Diário da Associação de Tribunais Norte-americanos*.

Gustav Stromberg, que antes de seu falecimento foi um dos mais famosos astrônomos do mundo, cria que a vida inteira e toda a matéria se originam inteiramente de *um mundo não-físico*, conservando

IMORTALIDADE

raízes nesse mundo. Ele imaginava uma espécie de dimensão eterna de onde emergem energia e forma, segundo um plano proposital de padrões ou campos preexistentes, que governariam o mundo percebido pelos nossos cinco sentidos.

O Dr. Stromberg, que por quase **três décadas**, fez parte do pessoal do Observatório de Monte Wilson, no sul do estado norte-americano de Califórnia, dependia de informes científicos e das idéias de seus colegas cientistas na promoção de seus pontos de vista de que um mundo imaterial sustenta e guia tanto o desenvolvimento das formas vivas como a natureza da chamada matéria inanimada. Outrossim, ele chegou à conclusão de que a consciência sobrevive à morte, depois de sua associação com a matéria física, e que a memória é transportada para o mundo não-físico.

Suas teorias estão sendo agora renovadas por outros filósofos cientistas que estão descobrindo novas evidências de que o conceito mecânico e não-teleológico da vida (que não vê propósito nas coisas) «está ultrapassado».

Quando o livro do dr. Stromberg, *The Soul of the Universe* (A Alma do Universo) foi publicado pela primeira vez, em 1940, (David McKay Co., Filadélfia, Pennsylvania, EE.UU), as suas idéias de que os campos organizadores são as forças diretrizes por detrás das formas vivas ainda não haviam sido plenamente corroboradas em laboratório. Subseqüentemente, na Universidade de Yale, o dr. H.S. Burr e os seus associados levaram a efeito uma série de experiências cujo fim era o de testar sua própria teoria «eletrodinâmica» da vida. E as investigações dos mesmos mostraram que todas as plantas e todos os animais vivos são rodeados por campos de energia elétrica, complexos em seu padrão, e que se estendem para bem além dos limites visuais dos organismos vivos. O mais significativo de tudo é que eles descobriram que quando o suprimento de oxigênio, necessário para manter o metabolismo de um organismo, é reduzido, o *campo* que pode ser medido (e observado) e que o envolve e aparentemente o conserva, se contrai, sem haver qualquer modificação em sua estrutura, chegando a desaparecer completamente quando ocorre a morte.

Declarou Burr: «*É muito difícil escaparmos à conclusão de que o padrão elétrico ocupa posição primária, e que, até certo ponto, pelo menos, determina o padrão morfológico*».

Essa é uma *conclusão preliminar* que se reveste da maior importância para os biologistas e cientistas porque, se a mesma é correta, isso significa que a matéria viva é organizada, em todos os estágios de crescimento, por um campo de força elétrica que parece possuir uma certa inteligência toda própria, e que desaparece quando da morte física, deixando que o corpo material se desintegre no pó de sua própria química.

Stromberg postulou que tais campos de força emergem daquilo e voltam para aquilo que ele chamou de *mundo não-físico*, imaginando o mundo de formas físicas como padrões de energia que emergem de um mundo não-físico que possui as suas próprias estruturas imateriais. A matéria viva em particular, afirmava ele, se origina do mundo não-físico e existe por causa do mesmo—tal como os arquétipos postulados por Platão—mundo esse que governaria as formas que a energia assume quando surgem desse reino intangível.

Conforme entendia o dr. Stromberg, a estrutura e a composição dos organismos vivos, seriam determinados por «sistemas imateriais de ondas» ou *campos vivos*, possuidores de propriedades inatas que lhes permitiriam arranjar certos tipos de moléculas nas formas complexas e altamente organizadas das plantas e dos animais vivos. O poder orientador dessa energia organizadora invisível poderia ser observado sobretudo no processo da mitose (divisão celular). Esses processos observáveis têm tornado possível o desenvolvimento de uma teoria científica sobre as relações entre a mente e a matéria, provendo, incidentalmente, uma base fidedigna para a antiga crença na sobrevivência da alma e na preservação de suas memórias após a morte física. Em outras palavras, os padrões de ondas, associados à memória e à personalidade, necessariamente se transfeririam para o mundo não-físico, talvez ressurgindo (reencarnados) fisicamente em período posterior, com modificações dependentes do desenvolvimento consciente por detrás dos padrões emersos.

Embora o dr. Burr e os seus associados da Universidade de Yale estivessem fazendo as suas experiências, enquanto o dr. Stromberg estava formulando a sua teoria sobre o mundo não-físico, este último não tinha consciência das investigações confirmatórias que eram feitas por aqueles, até que seu livro se completou. Nas suas experiências, o dr. Burr colocou medidores de microvolts extremamente sensíveis perto e, em muitos casos, dentro de organismos vivos. Ele e os seus colegas confirmaram o fato já de antemão observado que o potencial elétrico em uma massa fluída viva variava de um ponto para outro, o que indicava, por conseguinte, a existência de um padrão. Com seu refinado equipamento, foram capazes de traçar um mapa dos campos de força organizadores, bem como as modificações havidas nesses campos durante o crescimento normal dos organismos. Também mediram e mapearam as alterações verificadas durante o mais drástico processo de metamorfose—quando, por exemplo, uma larva se transforma em uma borboleta.

Após a publicação de seu lirvo, *The Soul of the Universe*, o dr Stromberg propôs, alicerçado sobre as pesquisas feitas na Universidade de Yale, uma teoria sobre campos vivos *autônomos*. Stromberg acreditava que as origens desses campos elétricos organizadores não poderiam ser localizadas nas partículas eletricamente carregadas de que a matéria, geralmente, se supõe composta. Pelo contrário, ele cria que tais campos deveriam ser considerados como «singularidades» (unidades motivadoras) em campos de força preexistentes, além do espaço e do tempo, não dotados de qualquer propriedade métrica, como, por exemplo, as dimensões. Entretanto, esses campos teriam características topológicas ou morfológicas (formato).

Os campos dessa modalidade poderiam ser imaginados como existentes em uma forma extremamente contraída e dormente em uma célula de ovo ou em uma semente, declarou Stromberg. Se dermos um passo mais, poder-se-ia postular que o campo vivo, quando se encontra em sua forma potencial, não tem qualquer dimensão em absoluto, em cujo caso deveria ser considerado como *uma potencialidade não-física*.

O dr. Stromberg também concluiu que a idéia de fontes vivas, existentes no mundo não-físico, que viriam a tornar-se elementos vivos do mundo físico, está em perfeita consonância com a sua teoria anterior de energia emergente.

«*A vida parece* ter emergido, vinda de 'outro mundo', e não daquele mundo descrito pela ciência da física», comentou Stromberg.

Ele sentiu que essa idéia é paralela à idéia apresentada pelo grupo de Burr, que postulava que os—campos organizadores—são «primariamente,

IMORTALIDADE

propriedades do universo e que, em maior ou menor grau, são modificados pela presença da matéria, estando dependentemente relacionados, por isso mesmo, o campo de força e as partículas». (Essa citação é extraída de uma carta que Burr escreveu a Stromberg).

«A fim de explicarmos as relações existentes entre a mente e a matéria», continuou Stromberg, «precisamos supor a existência de um mundo não-físico». E ele continuava dizendo que muitos tipos de emergência também existem, vindos do mundo não-físico para este mundo limitado pelo espaço-tempo, concluindo ainda que esses dois mundos «por toda a parte são contíguos» — isto é, estão adjacentes um ao outro, ou em contacto.

Ele também imaginava a emergência tanto das qualidades mentais como das qualidades físicas a este mundo físico limitado pelo espaço-tempo, como algo que inclui os sentidos de cor, de urgência, de prazer e de dor, bem como a energia, em todas as suas manifestações. Por conseguinte, visto que a origem das qualidades mentais se encontraria no *mundo não-físico*, seguir-se-ia que uma personalidade que perdeu o seu arcabouço físico poderia continuar a ser infernal ou celestialmente consciente dessas qualidades, ali.

O pensamento do dr. Stromberg, em seus últimos anos de vida (ele faleceu em janeiro de 1962), tem sido reputado como influenciado pelo descobrimento daquilo que tem sido chamado de quinta dimensão, ou «dimensão da eternidade», conforme ela foi chamada por um grupo de matemáticos ingleses, encabeçado por J.B. Bennett. A introdução dessa quinta dimensão, traçada para simplificar e generalizar as leis físicas, tem-se mostrado útil na física teórica, especialmente na formulação da dificílima teoria de campo unificado, uma expressão matemática em uma simples fórmula para explicar todos os fatos conhecidos acerca das forças elétricas, magnéticas e gravitacionais.

Stromberg observou que Albert Einstein foi incapaz de formular tal teoria, embora houvesse feito diversas tentativas para fazê-lo, utilizando-se *somente* de quatro dimensões do espaço e do tempo.

«*A adição da quinta dimensão*, dentro do arcabouço de referências cósmicas, tem possibilitado a inclusão, na descrição do universo, daquelas características que não se alteram com o tempo», afirmou Stromberg. E prosseguiu: «Bennett, portanto, deu à quinta dimensão o expressivo nome de 'eternidade'. A razão principal para a introdução dessa quinta e nova dimensão, em nosso quadro mundial, era a necessidade de um domínio no cosmos em que não houvesse qualquer dissipação de energia».

Depois do aparecimento do livro de Bennett sobre a *quinta dimensão*, o dr. Stromberg percebeu que a dimensão da «eternidade» era praticamente idêntica ao seu próprio conceito de um tempo não-físico no mundo, de onde emergiriam energias e de onde seriam recebidos os padrões das formas vivas. A introdução da dimensão da eternidade, no arcabouço da física teórica, tornou possível conceber um mundo real além do espaço e do tempo físicos.

Stromberg acreditava que «o domínio da eternidade... é a habitação de Deus», bem como a habitação da «alma imortal do homem, depois que este despiu as suas vestes externas de carne». E o dr. Stromberg igualmente cria que o homem pode manter comunicação com esse poder universal.

«A introdução do arcabouço mundial em cinco dimensões nos tem possibilitado explicar certo número de fenômenos psíquicos», declarou o dr.

Stromberg de certa feita.

Por semelhante modo, ele tinha a certeza de que o desenvolvimento espiritual e ético do homem continua naquela «habitação cósmica» que existe além do espaço e do tempo, até que cada indivíduo tenha cumprido a missão para a qual foi criado.

«**Agora faremos uma suposição fundamental**», escreveu ele, pouco antes de sua própria jornada para a eternidade. «No mundo não-físico, além do espaço e do tempo, que aqui tem sido denominado de domínio da eternidade, há a origem final de todas as coisas: a energia, a matéria, a vida, a consciência e a mente. Em suma, todas as características do mundo, tanto físicas como mentais, devemos supor como originadas e 'arraigadas' nesse domínio extrafísico recentemente descoberto. Essa suposição deve ser reputada como 'uma hipótese em funcionamento', e a sua justificação depende do fato de poder ser ela explicada ou não, ou antes, de ajudar-nos a apreender as relações existentes entre os fenômenos físicos e os fenômenos mentais».

Os físicos que de modo geral têm abandonado a antiga noção que partículas finais são a substância mesma da matéria, de agora em diante deveriam descobrir que a idéia da quinta dimensão, ou dimensão da eternidade, está compatível com a natureza ondeante da matéria.

Posto que esses físicos consideram a matéria como uma forma de energia, o dr. Stromberg observou: «As radiações solares podem ser matematicamente descritas como um movimento ondeante, embora não como uma vibração em uma substância material (meio ambiente). As *ondas* representam a modificação da energia que emerge em um lugar particular do mundo físico. O que emerge, a radiação, consiste de pequenas parcelas de energia que os físicos denominam de fótons e corpúsculos. A energia pode ser considerada como algo que surge vindo do mundo não físico para o nosso mundo físico».

As partículas, assim sendo, seriam antes, o *resultado*, e não a *causa* das «pequenas parcelas de energia» que surgiriam neste nosso universo físico.

«**Tem-se descoberto**» escreveu ainda o dr. Stromberg, «que as propriedades de um campo de força não podem ser o efeito de partículas eletricamente carregadas, que se suporiam existentes dentro do átomo. Por exemplo, os eléctrons, diferentemente do que se dizia antes, não se movem em órbitas em volta dos núcleos atômicos e, sim, movem-se como balas de um lugar para outro».

Em um documento publicado em 1946, para o instituto Franklin, acerca da *energia emergente*, escreveu o dr. Stromberg: «Na matéria, é a estrutura de campo que se move, e não os corpúsculos envolvidos. O equívoco que tem surgido em todo o nosso pensamento científico consiste de termos aceito a antiga idéia de uma matéria sólida em movimento contínuo, forçada sobre nós pela crueza de nossos órgãos de percepção, os quais a tudo aplicam uma característica dos elementos da matéria. Quando for abandonada essa idéia de corpúsculos em movimento, então desaparecerão as nossas dificuldades em obter um quadro unificado sobre a natureza corpuscular e sobre a natureza ondeante da matéria e da radiação...»

O dr. Stromberg assumia a posição que, no caso da estrutura atômica, a antiga pergunta sobre o que viria primeiro: a galinha ou o ovo, teria sido respondida. A noção grega de partículas sólidas, como blocos perfazedores da matéria, feneceu inteiramente e, em seu lugar, tem aparecido a idéia de «um campo

IMORTALIDADE

autônomo». Os campos de força, sustentava ainda o dr. Stromberg, seriam as linhas diretrizes de todas as estruturas. Quanto a esse conceito ele tem recebido um apoio generalizado.

«O campo que determina as características dos átomos e a propagação dos eléctrons», disse ainda ele, «consiste de elementos oscilantes, dotado de propriedades similares a um sistema de ondas. E essas ondas determinariam, estatisticamente, onde e quando podemos esperar que apareçam as partículas transportadoras de energia (tais como os eléctrons).

Segue-se disso, igualmente, que os campos que determinam a estrutura e a função de um organismo vivo são autônomos; em outras palavras, não são determinados pela configuração e pelas ações dos átomos, dentro da matéria de que se compõe o organismo.

Por conseguinte, as partículas não seriam as causas motivadoras dos campos de energia, mas antes, o seu resultado. «As partículas em repouso», declarou ele, «possuem energias, massas, movimento angular, e em alguns casos, pelo menos, cargas elétricas de certa intensidade definida, fato esse que indica que possuem propriedades que não podem ser expressas em termos de nosso conceito de um espaço e de um tempo contínuos.

Albert Einstein, que escreveu o preâmbulo do livro do dr. Stromberg, indagou em seu próprio livro de ensaios, *Out of My Later Years*: «Não seria possível explicar a inércia total das partículas electromagneticamente?» E ele mesmo respondeu como segue: «O que me parece certo... é que nos alicerces de qualquer teoria de campo coerente, não pode haver, em adição ao conceito de campo, qualquer conceito concernente a partículas. A teoria inteira deve estar baseada exclusivamente sobre equações diferenciais parciais, e sobre suas soluções singularmente independentes».

Um outro cientista chegou ao extremo de declarar que o átomo sólido tem sido reduzido praticamente a um conceito mental.

A tese de Stromberg, em apoio à possibilidade de energias emergirem de um mundo não-físico neste mundo de matéria (conforme o conhecemos), inclina-se decisivamente sobre a idéia de que as partículas, na realidade, são conjuntos de energia padronizada, que são percebidos pelos nossos sentidos físicos por causa de sua estrutura vibratória.

A existência de *campos diretrizes* é algo mais do que uma mera teoria, desde que se fizeram os estudos pioneiros na Universidade de Yale e em outros centros pesquisadores. Nos anos recentes tem havido intensa pesquisa em conexão com aquilo que se tornou conhecido como «ondas permanentes» e campos elétricos, associados à matéria viva, pesquisa essa que suplementa extraordinariamente os estudos efetuados na Universidade de *Yale*. De fato, a ponte entre a física e a biologia, nessa área de pesquisa, se vai alargando e se firmando, à medida que os anos passam.

Escreveu o dr. Stromberg: «Erwin Schrodinger, fundador da moderna mecânica de ondas, tem aplicado as considerações mecânicas ondeantes a fim de explicar a estabilidade dos campos que regulam a estrutura dos organismos vivos. Ele comparou os genes, os elementos hereditários existentes nos núcleos das células germinativas, que são reproduzidos pelas células do corpo, com cristais líquidos e aperiódicos, que se mostram relativamente estáveis em temperaturas ordinárias.

A estrutura dos genes, nas células germinativas, é duplicada nos genes das células do corpo, e

encontramos um sistema de ondas nos genes, o que serve de centros diretrizes e estabilizadores na formação de um — organismo vivo.

A estrutura fixa de um órgão, por exemplo, deve ser considerada, portanto, como resultante de fatores estabilizadores existentes nos núcleos das células. Esses efeitos estabilizadores são evidentes na cura dos ferimentos e na restauração e regeneração dos órgãos danificados».

O embriologista alemão, *Hans Spemann* (e Stromberg chama-o de «um dos maiores»), já desde o ano de 1921, havia introduzido a idéia de campos organizadores, depois de haver feito experiências que demonstravam que, no blastóspora (a minúscula abertura existente em um embrião, em seu estágio de gástrula), se pode observar uma onda progressiva de organização, em estudos microscópicos, ao mesmo tempo que ocorrem modificações na aparência externa da célula. Significativamente, todas as células parecem ter as mesmas potencialidades latentes, parecendo que é o campo de força que determina quais dessas potencialidades se desenvolverão em cada porção separada do embrião.

O estágio mais facilmente reconhecido é aquele em que as camadas exteriores da célula da blastóspora se transformam na cavidade do embrião, processo esse que tem lugar tanto no homem como, praticamente, em todos os animais. A organização e o desenvolvimento das várias porções corporais e suas funções são, por igual modo, bem dirigidos.

«Poderíamos comparar um campo vivo a *uma melodia*», escreveu Stromberg. «Uma melodia musical é o efeito, sobre nosso órgão de audição, de uma seqüência de freqüências de tempo, e a melodia não se altera se for tocada rápida ou lentamente, forte ou pianíssimo, contanto que as freqüências e a sua ordem permaneçam inalteradas.

Um campo de força é um padrão de freqüências que existe no espaço, como também no tempo. Um campo vivo, por conseguinte, poderia ser descrito como um padrão intricado de freqüência, uma—sinfonia de vida—que retém as suas propriedades quando passa por grandes modificações quanto ao tamanho. As intricadas propriedades físicas indicam a existência de qualidades de um tipo inteiramente diferente daquelas qualidades que são descritas pela ciência da física».

E que poderíamos dizer acerca do papel do chamado *código genético*, nessa sinfonia de vida?

Os defensores da idéia do mecanismo, que rapidamente estão se tornando uma minoria entre aqueles estudiosos que procuram expor um quadro completo das forças da vida, pretendem fazer-nos acreditar que os genes e os cromossomos, juntamente com aquelas misteriosas substâncias genéticas conhecidas como DNA e RNA, produziriam os seus efeitos através de meras reações químicas—não bem compreendidas até o momento, para dizermos a verdade, mas que poderiam talvez ser finalmente esclarecidas em termos de modificações químicas, se as examinássemos bem de perto e por tempo suficiente.

Porém, essa estrutura mecânica depende pessoalmente da aceitação implícita da idéia de partículas «discretas» (individualmente distintas). Assim sendo, os genes e os seus códigos, juntamente com as estranhas substâncias (DNA e RNA), que estariam associadas à transmissão de características hereditárias específicas e agrupadas, deveriam ser pintados como elementos computadorizados em uma máquina programadora fabulosamente complexa e minuciosa.

269

IMORTALIDADE

É **verdade** que os ácidos ribonucléicos e deozyribonucléicos, embora até o momento não tenham sido artificialmente sintetizados, conforme se pode comprovar, produzem resultados genéticos especializados. E isso tende por dar apoio à teoria puramente química da hereditariedade, especialmente devido ao fato de que determinadas combinações de características parecem estar associadas a certa substância, como se fosse uma configuração de características, agrupadas, ao passo que características isoladas não tão definidamente relacionadas parecem seguir com outra substância genética.

Stromberg e aqueles cientistas que concordam com ele, retrucam que visto que não mais nos preocupamos com meras partículas, até onde diz respeito a estruturas físicas, todas essas combinações devem ser consideradas como uma magnificente interação entre campos de força vastamente complexos. Não haveria qualquer coisa como partículas em um sentido sólido; existem tão-somente campos de energia que necessariamente governam a atividade das partículas aparentes, as quais são resultados, e nunca causas. Esses campos de força não somente orientariam a estrutura de um organismo, mas *são a própria estrutura*. Porquanto existem consideráveis evidências de que esses campos de força são «autônomos» — e não dependentes das estruturas que percebemos com os nossos sentidos para existirem — os defensores da idéia mecânica encontram imensa dificuldade para explicarem, exclusivamente através das reações químicas, essas ações orientadoras.

E visto que esses campos diretrizes vão para algum mundo não-físico, por ocasião da morte do organismo (ou então visto que tais campos se contraem a ponto de não mais poderem ser detetados) Stromberg e os seus apoiadores acreditam que originalmente devem ter emergido do mesmo mundo não-físico, de conformidade com um plano infinito, dirigido por aquilo que eles chamam de *alma do universo*.

Ora, o que significa tudo isso para o terreno da pesquisa psíquica e para as especulações sobre o destino final do homem?

Certamente tudo isso empresta um alento novo às especulações acerca da reencarnação do homem no mundo não-físico.

Mas, quais seriam as relações e qual seria a importância do universo não-físico perante o nosso mundo material de todos os dias?

«Todas as nossas memórias estão indelevelmente gravadas em um campo elétrico vivo, arraigado em um mundo não-físico, mas bem real. Após nossa morte, quando a mente não é mais bloqueada pela matéria inerte, provavelmente poderemos relembrar todas essas memórias, até mesmo aquelas das quais nunca tivemos consciência durante a nossa vida orgânica».

O homem que declarou isso foi um dos principais pensadores científicos da nossa época. Muitos crêem que suas conclusões afetarão profundamente as futuras interpretações sobre as descobertas científicas, especialmente aquelas atinentes à biologia e à física, ligadas à natureza da vida e ao destino final do indivíduo.

O falecido dr. Gustaf Stromberg, astrônomo mundialmente renomado, matemático e físico, do pessoal do Observatório do Monte Wilson, na Califórnia durante vinte e oito anos, disse também: «Um novo e eficaz elemento foi ultimamente introduzido em nosso quadro científico global. Na realidade, esse novo elemento é antiqüíssimo, posto que por muitos séculos povos de muitas culturas têm sentido intuitivamente que tal fonte de poder deveria existir. Com base na análise das descobertas científicas em vários campos, penso que tenho podido mostrar que supondo a existência de uma Mente Universal, capaz de atividade proposital, podemos entender melhor o mundo no qual vivemos e do qual fazemos parte. Em linguagem simples, essa *Mente Universal*, pode ser descrita como um SER de poder ilimitado.

E a esse *ser* chamamos *Deus*».

Stromberg baseou sua conclusão em seus estudos científicos. Disse ele igualmente que «um conceito similar ao Deus de muitas religiões é *indispensável* para que se compreenda mais perfeitamente a ciência moderna».

E prosseguiu: «A idéia da existência de Deus é necessária para garantir uma base lógica para as modernas teorias sobre a origem da matéria e da energia. É necessária para que se compreenda a origem dos campos elétricos organizadores e propositais que existem em todos os organismos e células vivos.

A idéia de Deus, na forma de uma Mente Universal, é necessária para explicar a origem de nossa própria mente e de nossa consciência».

Seu amplo ponto de vista universal, se desenvolveu com a passagem dos anos, ao observar ele o firmamento através do grande telescópio de cem polegadas (o maior do mundo, até à ereção do Observatório do Monte Palomar), e ao estudar as descobertas relacionadas à ciência, acerca de outros campos fora da astronomia.

Por volta de 1940, quando ele publicara seu primeiro livro, **The Soul of the Universe**, já havia concluído que por detrás do mundo físico há um todo-importante mundo não-físico, no qual tem raízes tudo quanto percebemos com nossos cinco sentidos. Outrossim, ele cria que toda a vida e crescimento são controlados por energias emergentes de campos vivos que se manifestam fisicamente, mas vindos desse mundo não-físico.

A descoberta e a mediação dos *campos organizadores*, em associação a essa matéria viva, anunciada principalmente na Universidade de Yale, corroborou suas descobertas teóricas. E então, quando o matemático inglês J.G. Bennett e seus associados surgiram com uma adição palpável à quarta dimensão de Einstein, chamada «eternidade», ou quinta dimensão, o dr. Stromberg encontrou maior corroboração para o seu conceito de um grande terreno universal, de forças invisíveis, que se fazem sentir e que motivam diretamente, se é que não governam e controlam, tudo quanto existe no mundo sólido dos nossos sentidos.

«A introdução de uma *dimensão eterna* ao arcabouço da física teórica possibilitou-nos formar um quadro de uma dimensão transcendental ao espaço físico e ao tempo físico», decidiu ele.

Que relação há entre a personalidade, o pensamento e a memória humanos e essa recém-concebida eternidade?

Stromberg muito se alegrou por descobrir que suas conclusões anteriores, concernentes à indestrutibilidade da memória—que subentende a sobrevivência da consciência após a morte física—se adaptavam admiravelmente bem à dimensão eterna de Bennett—uma espécie de plano perpendicular, onde existe um tempo não-físico que não pode ser medido por relógios. (Bennett solucionou matematicamente essa questão, com extrema habilidade).

Stromberg declarou que cria que a dimensão eterna de Bennett é praticamente *idêntica* ao seu já descrito mundo não-físico, onde tempo e espaço não existem

IMORTALIDADE

no sentido terreno.

O dr. Stromberg não endossava as manifestações mediúnicas, nem as práticas dos espíritas. Apesar disto, achava que a comunicação entre este mundo e o mundo espiritual seria metafisicamente possível, e não contrária às leis da natureza. É interessante notar que algumas pessoas místicas falam do mundo espiritual como uma esfera onde não há tempo nos termos terrenos, embora haja seqüência de eventos.

No prefácio de meu próprio livro, *Telephone Between Worlds* (De Vorss & Co., Los Angeles, Califórnia), o dr. Stromberg escreveu acerca de extensos estudos sobre os fenômenos físicos, feitos pela British and American Societies for Psychical Research e pelas universidades de maior nome nos Estados Unidos e na Europa: «*Grande massa* de evidências tem sido coligida que, entre outras coisas, tem comprovado que os fenômenos da telepatia e da clarividência certamente são reais e envolvem uma comunicação direta entre as mentes de diferentes pessoas».

«A razão por que a realidade de tais fenômenos geralmente não tem sido aceita depende (e isso é um interessante comentário sobre a maneira de pensar de nosso mundo moderno) não de qualquer incoerência ou por não serem completas essas evidências e, sim, da ausência de qualquer teoria científica que explique os fatos observados...»

»**Em anos recentes,** algum progresso tem sido feito no desenvolvimento de teorias científicas que explanem os fenômenos físicos em geral. Uma dessas teorias foi desenvolvida, não para explicar fenômenos psíquicos, mas para dar explicação satisfatória sobre o elevado grau de organização no mundo vivo e sobre a inter-relação entre nosso sistema nervoso e nossas atividades mentais».

Naturalmente, Stromberg se referia à sua própria teoria de energias emergentes e de campos organizadores que se originam no mundo não-físico. Também aludia à interdependência entre a memória e a consciência, como entidades não-físicas, e sua manifestação em organismos corpóreos, neste mundo físico.

E Stromberg concluiu que há uma lei de conservação da memória, tal como há uma lei da conservação da energia, do impulso e das cargas elétricas. As memórias seriam preservadas e poderiam ser reproduzidas posteriormente, podendo também servir para identificar uma «alma» particular.

Escreveu ele: «Nossas memórias não podem ser impressas nos átomos de nossos cérebros, posto que nossos átomos são continuamente incorporados no cérebro, ao passo que antigos átomos são removidos como produtos de decomposição, de modo que temos um *novo* cérebro em tempo *relativamente curto*. Portanto, as memórias devem ser impressas em associação com o *campo cerebral;* em outras palavras, o campo não-material de forças que organiza e estabiliza a matéria da qual o cérebro é feito».

O campo do cérebro, como algo distinto dos átomos e das moléculas que perfazem a estrutura física, que age qual modelo matriz, confere ao cérebro a natureza complexa que possui. Esse campo é extremamente estável, disse ele, porquanto as impressões ali feitas (isto é, a memória) podem permanecer inalteráveis durante a vida inteira, não sendo destruídas pela penetrante radiação cósmica a que o cérebro está continuamente exposto. E escreveu ele ainda:

«Nossos corpos estão morrendo continuamente; a cada segundo algumas células do corpo morrem e outras nascem. Esse processo é modificado em nosso cérebro, onde novas células não podem ser formadas por divisões, pelo que devem existir potencialmente, no embrião e no zigoto.

As memórias provavelmente **não podem ser associadas a quaisquer células nervosas particulares.** Tal como os pensamentos não podem ser localizados em qualquer porção isolada do cérebro. Antes, parecem ser associadas ao campo do cérebro como um todo. Quando um homem morre, seu campo cerebral se contrai e seu cérebro se desintegra rapidamente, porquanto sua estrutura não é mais sustentada por seu campo organizador. Esse campo contém todas as memórias de um homem, ou sua alma, se assim quisermos chamá-las.

Para onde vai ela? Tal como os outros campos (associados aos corpos vivos), ela vai para um mundo fora do espaço e do tempo. Vai para o *mesmo mundo* de onde veio originalmente, para o mundo onde a própria vida tem origem. Posto que não mais conta com qualquer estrutura de campo, não podemos mais chamá-la de campo, e o único nome que lhe podemos aplicar é *alma*».

Ao abordar a questão da memória em relação aos fenômenos psíquicos—o que toca em todo o problema da sobrevivência pessoal—o dr. Stromberg aludiu às comunicações espíritas como contactos com «complexos de memória». Esses, disse ele, podem pertencer a uma pessoa falecida recentemente—no sentido biológico — ou falecida desde há muito.

«Visto que os pensamentos pertencem ao domínio eterno do universo», escreveu o dr. Stromberg, «concluímos que as idéias e associações de homens desde há muito falecidos, no sentido biológico, podem continuar existindo em forma eficaz e podem influenciar os pensamentos e as idéias de homens modernos. Se isso é assim, então o homem não somente é onipresente, mas também é permanente».

Entretanto, ele não eliminava inteiramente a possibilidade da reencarnação. Posto que os campos organizadores de matéria viva parecem estar vinculados a alguma força orientadora—finalmente, com algum propósito cósmico—ele pode entender que as memórias subsistentes de uma «alma» podem, por meio de alguma circunstância concebível, ser submergidas e reprojetadas em uma forma de vida física. Isso seria apenas um passo na «roda da necessidade», ou seja, nos ciclos de reencarnação em que as memórias submersas teriam uma profunda influência motivadora sobre a vida externamente manifestada do indivíduo.

Ele defendia especificamente a antiga crença na indestrutibilidade dos «registros akashicos», ou seja, as memórias cósmicas impressas em indivíduos, grupos e mundos—um sistema infinitamente complexo de registros, feitos no éter universal, onde as memórias e as impressões emocionais são permanentemente mantidas.

«Se aceitarmos a teoria da indestrutibilidade das memórias, deveremos esperar que cada acontecimento que foi registrado na consciência de qualquer homem também foi registrado no domínio eterno do universo», afirmou ele. «Desse modo, chegamos à antiga idéia de um indestrutível registro akashico, bem conhecido na filosofia mística, mas que agora assume expressões científicas modernas.

Parece que somos capazes de retirar, do imenso reservatório de memórias cósmicas, aquelas que representam as nossas próprias experiências, com a exclusão de todas as demais memórias. Mas algumas vezes parece que apanhamos memórias que pertencem a uma personalidade inteiramente diferente. Por

IMORTALIDADE

si mesmo, isso não é mais difícil de compreender do que os conhecidos fatos da telepatia».

E também disse: «Embora raramente consideradas entre os fenômenos psíquicos, as memórias conscientes deveriam ser incluídas entre eles. Constituem uma importante manifestação da psique humana; mas estamos tão familiarizados com eles que geralmente esquecemos que a existência da memória requer uma explicação. Creio que se pudéssemos resolver o mistério da memória, isso nos daria uma explicação sobre muitos outros fenômenos psíquicos».

O dr. Stromberg criticou a antiga idéia de que as memórias são representadas pelas circunvoluções ou impressões feitas no cérebro físico. Ele salientou que o cérebro é uma *estrutura fluida*, e que não podemos pensar em impressões complexas e duradouras em um cérebro, do mesmo modo que não podemos escrever a história de uma vida sobre a água ou sobre areias movediças.

Ao chegar às suas conclusões gerais atinentes à sobrevivência da personalidade humana, ele ignorou quase todo o grande acúmulo de literatura sobre pesquisas psíquicas, bem como os dogmas da religião organizada, embora tenha observado que algumas memórias sobreviventes nos atormentarão, ao passo que outras nos abençoarão no mundo não-físico. Nossa consciência, disse ele, fornece-nos leve indício do que se pode esperar, em grau ainda mais intenso, nas dimensões não-físicas.

E acrescentou: «Isso, segundo me parece, é o céu e o inferno, indicados pelas muitas recentes descobertas da ciência moderna».

Stromberg concordava com o filósofo Henri Bergson, que os átomos de nosso cérebro são *obstáculos* que impedem uma avalanche de sentimentos, pensamentos e memórias de descer sobre a mente que tem consciência terrena, tudo ao mesmo tempo.

«Os átomos formam uma tela ou véu», disse Stromberg, «que nos possibilita concentrarmo-nos sobre as exigências imediatas de nossa vida terrena. Mas, quando esse véu desaparece, por ocasião da morte, nossas memórias sobre esta vida e talvez sobre vidas anteriores, acumulam-se sem empecilho, atormentando-nos ou abençoando-nos e, acima de tudo, ensinando-nos qual o sentido real da vida.

Se Bergson está com a razão, e se por vida devemos entender o desenvolvimento mental, e não físico, então, quando sobrevêm a morte, começa de novo a vida real...»

Os homens bons e altamente desenvolvidos, segundo se pode pensar, sentir-se-ão elevadamente felizes no mundo *não-físico*, não sentindo qualquer impulso de visitar novamente um lugar como esta nossa triste terra.

Mas esse sofrimento não pode ser uma finalidade por si mesma; não serviria a qualquer propósito útil se não ensinasse ao indivíduo que sofre uma lição útil para ele, no futuro.

Stromberg acreditava que a consciência é um tesouro de memórias que é *transferido* para o mundo não-físico, o que conferiria ao indivíduo não apenas as recompensas merecidas, ou o que quer que exista na dimensão eterna, mas também a oportunidade de novos desenvolvimentos, melhorias e progresso, tal como muitas religiões têm ensinado através da história.

Naturalmente, há certa dose de conjectura em tudo isso, mas pelo menos podemos dizer que não há conflito entre a ciência moderna e as seculares idéias sobre a vida após a morte física, com recompensas e castigos.

«Homens sábios de todos os séculos têm apreendido intuitivamente essas idéias fundamentais sobre o sentido de nossas vidas. Isso não é surpreendente, posto que o raciocínio é uma característica fundamental do mundo não-físico, e que as nossas idéias estão alicerçadas sobre esse mundo não-físico, de onde todos viemos, e para o qual retornaremos, por ocasião da morte», escreveu ele.

As crenças de Stromberg são apoiadas por declarações similares feitas pelo falecido Sir James Jeans, eminente astrônomo e físico inglês, que baseou suas conclusões sobre seus estudos acerca da natureza da matéria e sua estrutura atômica. Disse ele de certa feita: «Por conjecturas, somos levados a pensar no espaço e no tempo como uma espécie de superfície externa da natureza, como a superfície de uma profunda corrente. Os eventos que afetam nossos sentidos são como as pequenas ondas que surgem à superfície da correnteza; mas suas origens — os objetos materiais — lançam raízes profundas nessa correnteza...»

«...Não temos o *direito* de supor que este mundo externo... por si mesmo limitado dentro dos limites do espaço e do tempo... deve ser removido para algum novo plano de pensamento, antes de podermos perceber que as partículas e as ondas são quadros simbólicos de um só e mesmo universo».

Tal como os religiosos, Stromberg, em todos os seus escritos, deixou claro que ele defendia um ponto de vista teleológico do universo — por detrás de tudo há sentido e propósito.

«Se nossa vontade não estiver em harmonia com a vontade cósmica, por algum tempo podemos retardar nosso próprio desenvolvimento, e reconhecemos o conflito em nossos próprios sofrimentos», disse ele.

Ele não tinha dúvidas de que a humanidade, finalmente, atingirá um elevado nível ético — de acordo com o ponto de vista *total* sempre há avanço.

«Mas sempre teremos de aprender as lições requeridas... a maioria de nossas lições consistem em experiências dolorosas; mas, quando olhamos na direção do alvo, a *felicidade* retorna às nossas almas».

O propósito da vida parecia perfeitamente evidente para Stromberg. Ele acreditava que no domínio da eternidade deve haver inúmeros elementos de vida em sua forma puramente mental, cada qual com sua estrutura *proposital*, capaz de realizar uma função definida, ao emergir neste mundo físico. A alguns desses elementos ele denominava «instrumentos» das atividades mentais; outros representariam as forças motivadoras, no desenvolvimento dos órgãos e das funções corporais. Cada elemento da vida existe sob forma potencial, como uma idéia existente do domínio da eternidade não-física, ou então, conforme adicionava Stromberg, «na mente do Todo-Poderoso».

E continuava ele: «O mundo físico do espaço, do tempo e da energia, e o mundo não-físico, das idéias, encontram-se em contato potencial um com o outro; e quando certos pontos de contato são estimulados ou ativados, um elemento mental emerge como elemento organizador físico eficaz (um *campo de força viva*), neste mundo...

Se as moléculas dos tipos apropriados se fizerem presentes, o campo organizador se expande, e a subseqüente incorporação de matéria o torna fisicamente observável. Dessa maneira podemos entender como uma idéia pura, no domínio eterno, pode tornar-se 'carne'.

Têm sido oferecidas certas razões para a crença que existe um Deus ativo no mundo não-físico, para além do espaço e do tempo, e que podemos manter

IMORTALIDADE

comunicação com esse Poder universal, através de nossa mente. Acredito que o «domínio eterno» é a 'habitação' de Deus, e essa é igualmente a moradia da alma imortal do homem, o que representa o seu *eu* verdadeiro, depois que ele se desvencilha destas 'roupagens de carne'.

Também acredito que nessa habitação cósmica, além do espaço, e do tempo, terá prosseguimento o desenvolvimento espiritual e ético do homem, até que possa ele cumprir a missão para a qual foi criado».

Gustav Stromberg queria dizer que, contrariamente a certa maneira moderna de pensar, Deus está *perfeitamente vivo*, e que somente a forma obsoleta de pensar a respeito dessa realidade é que está morta.

ARTIGO 3

Imortalidade Continua

UMA PROVA DA
Imortalidade da Alma

por Jacques Maritain

Jacques Maritain (nasceu 1882) seja talvez o filósofo tomista contemporâneo mais liderante. Tem trabalhado em todos os ramos da *filosofia*, aplicando os princípios tomistas aos problemas contemporâneos. Deixou ele a sua França nativa em 1940, e desde então tem residido nos Estados Unidos da América do Norte.

Este artigo foi extraído da obra de Jacques Maritain *The Range of Reason* (1952), *The Immortality of the Soul*.

A Existência da Alma

É sobre essa **imortalidade**, e sobre o modo como os escolásticos fundamentaram a sua certeza racional que eu agora gostaria de falar.

Naturalmente que devemos entender que temos uma alma, antes de podermos discutir se a alma é imortal. Como *Tomás de Aquino* procedeu quanto a essa questão?

Antes de tudo ele observou que o homem tem certa atividade, a atividade do intelecto, que por si mesma é imaterial. A atividade do intelecto é imaterial porque o objeto proporcional ou *co-natural* do intelecto humano não é, como os objetos dos sentidos, uma categoria particular e limitada das coisas, ou antes, uma categoria limitada das propriedades qualitativas das coisas. O objeto proporcional ou *co-natural* do intelecto é a natureza das coisas perceptíveis pelos sentidos, consideradas de uma maneira que a tudo abarca, sem importar o sentido como as consideramos. Não consiste apenas—como no caso do sentido da visão—de cores ou de coisas coloridas (que absorvem e refletem tais ou quais raios de luz) e nem como no caso do sentido da audição, de sons ou das fontes originárias dos sons; mas é antes o universo inteiro e a contextura da realidade perceptível pelos sentidos, que pode ser conhecida pelo intelecto, porquanto o intelecto não faz ponto final nas qualidades, mas perscruta mais além, e passa a examinar a essência (aquilo que uma coisa é). Esse próprio fato é uma prova da espiritualidade ou da completa isenção de materialidade de nosso intelecto; pois cada atividade na qual a matéria desempenha um papel intrínseco está limitada a uma determinada categoria de objetos materiais, como é o caso dos sentidos, que percebem apenas aquelas propriedades que são capazes de agir sobre os seus órgãos físicos.

De fato, já há certa imaterialidade no conhecimento dado através dos sentidos; o conhecimento, como tal, é uma atividade imaterial, porquanto quando efetuo o ato de conhecer, torno-me, ou sou, a própria coisa que conheço, outra coisa que não eu, até onde essa coisa é outra que não eu. E como poderei ser ou como poderei tornar-me outra coisa que não eu, senão de forma supra-objetiva ou imaterial? O conhecimento dos sentidos é um tipo muito paupérrimo de conhecimento; até o ponto que é um conhecimento, é imaterial, mas é uma atividade imaterial intrinsecamente condicionada pelo funcionamento material dos órgãos dos sentidos, e dependente desse funcionamento. O conhecimento prestado pelos sentidos é a realização imaterial, a atuação imaterial e o produto de um órgão corporal vivo; e seu objeto é também algo meio material, meio imaterial, ou seja, uma qualidade física *intencional* ou imaterialmente presente, dentro do meio através do qual age nos órgãos dos sentidos (algo comparável à maneira pela qual a idéia de um pintor se faz imaterialmente presente em seu pincel).

No entanto, no campo do conhecimento intelectual, temos de nos haver com uma atividade que em si mesma é completamente imaterial. O intelecto humano é capaz de saber de qualquer coisa que participa do ser e da verdade; o universo inteiro está sujeito ao mesmo; e isso significa que, a fim de ser conhecido, um objeto reconhecido pelo intelecto foi despido de qualquer condição existencial de materialidade. —Esta rosa, que vejo, tem contornos; mas o Ser sobre o qual estou pensando, é mais espaçoso do que o espaço. O objeto do intelecto é universal, como, por exemplo, aquele objeto universal ou desindividualizado que é apreendido na idéia de homem, de animal ou de átomo; o objeto do intelecto é um universal que permanece sendo aquilo que é enquanto estiver sendo identificado com uma infinidade de indivíduos. E isso só é possível porque as coisas, a fim de se tornarem objetos da mente, foram inteiramente separadas de sua existência material. A isso precisamos acrescentar que a operação de nosso intelecto não cessa ante o conhecimento da natureza das coisas perceptíveis pelos sentidos; *vai bem além*; conhece por analogia as naturezas espirituais; estende-se ao terreno das coisas meramente possíveis; o seu campo tem uma magnitude infinita.

Assim sendo, os objetos conhecidos pelo intelecto humano, considerados não como coisas existentes em si mesmas, mas precisamente como objetos que determinam o intelecto e estão unidos ao mesmo, são puramente imateriais.

Outrossim, da mesma forma que a condição do *objeto* é imaterial, assim igualmente a condição do *ato* que diz respeito ao mesmo, é determinado ou especificado pelo mesmo. O objeto do intelecto humano, como tal, é puramente imaterial; o ato do intelecto humano é também puramente imaterial.

Outrossim, se o ato do poder intelectual é puramente imaterial, esse poder mesmo é, por semelhante modo, puramente imaterial. No homem, esse animal pensante, o intelecto é um poder puramente espiritual. Não há que duvidar que isso depende do corpo, isto é, que isso depende das condições do cérebro. Sua atividade pode ser perturbada ou impedida por alguma desordem física, por uma explosão de ira, pela ingestão de álcool ou de algum narcótico. Mas essa dependência é de natureza *extrínseca*. Existe porque a nossa inteligência não pode agir sem a atividade conjunta da memória e da imaginação, dos sentidos internos e dos sentidos externos, todos os quais são capacidades orgânicas que residem em algum órgão material, em alguma porção especial do corpo. No tocante ao próprio intelecto, este não é *intrinsecamente* dependente do

273

IMORTALIDADE

corpo, posto que a sua atividade é imaterial; o intelecto humano não reside em qualquer porção especial do corpo humano. Não está contido pelo corpo, mas antes, o intelecto é que contém o corpo. Utiliza-se do cérebro, porquanto os órgãos dos sentidos internos se encontram arraigados no cérebro; não obstante, o cérebro não é um órgão da inteligência; não existe porção alguma do organismo cujo ato seja uma operação intelectual. O intelecto não tem órgão.

Finalmente, posto que a capacidade intelectual é espiritual, ou puramente imaterial em si mesma, a sua primeira raiz substancial, o princípio subjacente do qual esse poder procede e que age através de sua instrumentalidade, é também espiritual.

Bastam essas considerações acerca da espiritualidade do intelecto. Ora, o pensamento, ou seja, a operação do intelecto, é um ato ou emanação do homem, considerado como uma unidade; e quando penso, não é apenas o meu intelecto que pensa; quem pensa é o *eu*, o meu próprio ser. E o meu próprio ser é um ser dotado de corpo; envolve matéria; não é algo puramente espiritual ou imaterial. O corpo é uma porção essencial do homem. O intelecto não é o homem inteiro.

Por conseguinte, o intelecto, ou antes, a raiz substancial do intelecto, que deve ser tão imaterial quanto o intelecto, é apenas uma parte, apesar de ser uma porção essencial, da substância do homem.

Contudo, o homem não é um agregado, uma justaposição de duas substâncias; antes, o homem é um todo natural, um único ser, uma única substância.

Conseqüentemente, devemos concluir que a essência ou substância do homem é uma única essência singela, embora essa substância única seja um composto, cujos componentes são o corpo e o intelecto espiritual—ou antes, a matéria, da qual o corpo é feito, e o princípio espiritual, onde reside a faculdade do intelecto. A matéria—no sentido aristotélico de matéria prima, ou seja, aquela raiz potencial que é o estofo comum de toda a substância corpórea—sim, a matéria, substancialmente unida ao princípio espiritual do inteleto, é ontologicamente amoldada, isto é, toma a sua forma, desde o íntimo, nas profundezas maiores do ser, mediante esse princípio espiritual, como que se dele recebesse um impulso substancial e vital, a fim de constituir aquele nosso corpo. Nesse sentido, Tomás de Aquino, seguindo *Aristóteles*, afirma que o intelecto é a forma, a forma substancial do corpo humano.

Essa é a noção escolástica da alma humana. A alma humana, que é o princípio arraigador da faculdade intelectual, é o primeiro princípio de vida do corpo humano, bem como a forma substancial, o *entelechia* desse corpo. E a alma humana é não somente uma forma substancial ou *entelechia*, como o são as almas das plantas e dos animais irracionais, de conformidade com a filosofia biológica de Aristóteles; pois a alma humana é igualmente um espírito, uma substância espiritual capaz de existir à parte da matéria, posto que a alma humana é o princípio arraigador do poder espiritual, cujo ato é intrinsecamente independente da matéria. A alma humana é ao mesmo tempo alma e espírito; e é a sua própria substancialidade, a subsistência e a existência, que é transmitida à substância humana inteira, a fim de tornar a substância humana aquilo que ela é, fazendo-a subsistir e existir. Cada elemento do corpo humano é humano, e existe como tal em virtude da existência imaterial da alma humana. Nosso corpo, nossas mãos, nossos olhos, existem em virtude da existência

de nossa alma.

A alma imaterial é a primeira raiz substancial não somente do intelecto, mas também de tudo aquilo que, em nós, é alguma atividade espiritual; e é igualmente a primeira raiz substancial de todas as nossas demais atividades vivas. Seria inconcebível que uma alma não-espiritual, aquele tipo de alma que não é um espírito e não pode existir sem a matéria informante — a saber, as almas das plantas e dos animais irracionais, segundo a biologia aristotélica — viesse a possuir um poder ou faculdade *superior* ao seu próprio grau no ser, isto é, imaterial, ou pudesse agir através de alguma instrumentalidade supramaterial, independente de qualquer órgão corpóreo e estrutura física. Porém, quando se trata da questão de um espírito que é uma alma ou seja, uma *alma espiritual* como é o caso da alma humana, então é perfeitamente concebível que tal alma possua, à parte de quaisquer faculdades imateriais ou espirituais, outros poderes e atividades que sejam orgânicos e materiais, e que, no tocante à união entre a alma e o corpo, pertençam a um nível *inferior* ao nível do espírito.

Espiritualidade da Alma Humana

Assim sendo, o mesmo caminho pelo qual os escolásticos chegaram à conclusão da existência da alma humana também firmou a sua espiritualidade. Da mesma maneira que o intelecto é espiritual, isto é, intrinsecamente independente da matéria, em sua operação e em sua natureza, assim também, e pela mesma razão, a alma humana, a raiz substancial do intelecto, é espiritual, isto é, intrinsecamente independente da matéria, em sua natureza e em sua existência; a alma humana não vive por causa do corpo, mas o corpo vive por causa da alma humana. A alma humana é uma substância espiritual que, devido à sua união substancial com a matéria, empresta existência e formação ao corpo.

Esse é o meu segundo ponto. Conforme já tivemos ocasião de verificar, os escolásticos demonstraram esse ponto através da análise metafísica da operação intelectual, distinguindo cuidadosamente da operação dos sentidos. Naturalmente que os escolásticos postulavam muitas outras evidências em apoio à sua demonstração. Nas suas considerações sobre o intelecto observaram, por exemplo, que este último é capaz de *reflexão perfeita*, ou seja, de dobrar-se inteiramente sobre si mesmo—não à maneira de uma folha de papel, cuja metade pode ser dobrada sobre a outra metade, mas de forma completa, de tal modo que possa apreender a sua operação inteira, penetrando ali o conhecimento; e também pode conter a si mesmo e ao seu próprio princípio, o eu existente, em sua própria atividade de conhecimento, num reflexo perfeito ou autocontido, do que qualquer agente material, existente no espaço e no tempo, é essencialmente incapaz. Neste ponto somos confrontados pelo fenômeno do autoconhecimento, de 'prise de conscience', em que o intelecto toma consciência de si mesmo, o que é um privilégio do espírito, e o que Hegel (seguindo Agostinho) haveria de enfatizar, e o que também desempenha tão tremendo papel na história da humanidade e no desenvolvimento de suas energias espirituais.

Por semelhante modo, é possível demonstrar-se que a vontade humana, que está arraigada no intelecto, e que é capaz de determinar a si mesma, ou de dominar o próprio motivo ou juízo que a determina e se torna eficaz pela própria vontade, é similarmente espiritual, tanto em sua operação como em sua natureza. Cada agente material está sujeito ao determinismo universal. O livre-arbítrio é o privilégio, o glorioso e grande

IMORTALIDADE

privilégio de um agente dotado de poder imaterial.

Somos responsáveis por nós mesmos; decidimos por nós mesmos e damos preferência às nossas próprias finalidades e aos nossos próprios destinos. Somos capazes de um amor espiritual e supra-sensual, bem como de desejos e de uma alegria supra-sensuais, que naturalmente se misturam com nossas emoções orgânicas e sensuais, mas que, por si mesmas, são afeições da vontade espiritual, despertadas através da luz imaterial do discernimento intelectual. Deleitamo-nos com a beleza, desejamos a perfeição e a justiça, amamos a verdade, amamos a Deus, amamos a todos os homens—não somente aos membros de nosso grupo social, família, classe ou nação — e isso porque todos os homens são seres humanos e são filhos de Deus. Os santos, aqueles homens que por toda a parte são chamados de homens espirituais, experimentam certa contemplação que firma as suas almas em uma paz superior e mais forte que o mundo inteiro; e passam por conflitos íntimos, crucificações e mortes que somente uma vida superior e mais poderosa do que a existência biológica pode sofrer e atravessar —e continuar viva. E nós mesmos sabemos que podemos deliberar sobre nós mesmos, julgando as nossas próprias ações, apegando-nos ao que é bom, porque é bom, sem qualquer outra razão. E todos nós sabemos, mais ou menos obscuramente, que somos pessoas, que temos direitos e deveres, que preservamos a dignidade humana dentro de nós mesmos. Cada um de nós pode, em certos momentos de sua existência, descer até às maiores profundezas do *ego*, fazendo ali algum compromisso eterno ou dando ali um presente de si mesmo, ou então enfrentando algum julgamento irrefutável de sua consciência; e cada um de nós, em tais ocasiões, sozinho consigo mesmo, sente que é um universo para si mesmo, imerso no grande universo estelar, mas de forma alguma dominado pelo mesmo.

Através de todas essas formas convergentes podemos perceber, e experimentar, até certo ponto, e de forma concreta, aquela realidade viva de nossas raízes espirituais, ou seja, daquilo que está acima do tempo em nós, e que as provas filosóficas tornam intelectualmente certo, ainda que sob a forma abstrata de um conhecimento científico.

A Imortalidade da Alma Humana

O terceiro ponto se alicerça imediatamente sobre o segundo. A imortalidade da alma humana é um *corolário imediato* de sua espiritualidade. A alma, que é espiritual por si mesma, intrinsecamente independente da matéria, em sua natureza e existência, não pode deixar de existir. Um espírito — isto é, uma «forma» que de nada precisa senão de si mesma (salvo do influxo da Causa Primária) para exercer a sua existência—uma vez que venha existir, não mais pode deixar de existir. Uma alma espiritual não pode corromper-se, visto que não possui matéria; não pode desintegrar-se, visto que não possui partes substanciais nenhumas; não pode perder a sua unidade individual porque é auto-subsistente; e nem pode perder a sua energia interna, porquanto ela contém dentro de si mesma todas as fontes de suas energias. A alma humana não pode morrer. Uma vez que ela exista, não pode desaparecer; existirá necessariamente para sempre, perdurará sem-fim.

Assim sendo, a razão filosófica, posta a funcionar por um grande metafísico como foi Tomás de Aquino, é capaz de provar a imortalidade da alma humana de maneira demonstrativa. Naturalmente que essa demonstração subentende vasta e articulada teia de introspecções, noções e princípios metafísicos (relacionada à essência e à natureza, à substância, ao ato e à potência, à matéria, à forma, à operação, etc.), cuja validade é necessariamente pressuposta. Podemos apreciar amplamente a força da demonstração escolástica somente quando percebemos a significação e a ampla validade das noções metafísicas envolvidas. Se os tempos modernos se sentem perdidos em face do conhecimento metafísico, imagino que não devemos lançar a culpa sobre o conhecimento metafísico e, sim, sobre os tempos modernos e sobre o debilitamento da razão que se tem experimentado nos tempos modernos.

Não é surpreendente, por outro lado, que a demonstração filosófica que acabo de sumariar, seja uma demonstração abstrata e difícil. As grandes e fundamentais verdades que não são espontaneamente apreendidas pelo instinto natural da mente humana, são sempre as verdades mais difíceis de serem estabelecidas pela razão filosófica. No tocante à imortalidade da alma humana, a razão filosófica deve usar o mui refinado e elaborado conceito da imaterialidade, um conceito remoto da compreensão natural; e isso não somente no caso dos homens primitivos, mas igualmente no caso de todos quantos pensam com a sua imaginação, em vez de fazê-lo com o seu intelecto. Certos monges da Ásia Menor, durante os primeiros séculos do cristianismo, não ficaram indignados ante a idéia de que Deus é um Ser imaterial? Eles não usavam nossos idiomas modernos, e no entanto estavam convencidos de que o uso do vocábulo *imaterial* dá a entender algo privado de matéria, ou seja, não ser coisa alguma. Certamente criam na imortalidade da alma, mas é duvidoso se realmente entendiam a força do argumento que temos empregado.

Os homens primitivos não filosofavam; mas a despeito disso, dispunham de uma forma própria, instintiva e não conceitual de acreditar na imortalidade da alma. Era uma crença fundamentada sobre uma experiência obscura do eu, bem como sobre as aspirações naturais do espírito que há em nós e que procura vencer a morte. Não precisamos atirarmo-nos a uma análise dessa crença natural, instintiva e não-filosófica na imortalidade. Eu gostaria meramente de citar uma passagem extraída de um livro escrito pelo extinto cientista Pierre Lecomte du Nouy. Referindo-se ao homem pré-histórico, disse ele: «O homem de Neanderthal, que viveu nos tempos paleolíticos, não somente sepultava os seus mortos, mas também algumas vezes, sepultava-os em terreno comum. Um exemplo disso se encontra na Grotte des Enfants, perto de Mentone. Por causa desse respeito que ele tinha para com os seus mortos, temos chegado a um conhecimento anatômico do homem de Neanderthal mais perfeito do que o conhecimento que possuímos de certas raças que se tornaram extintas somente há pouco tempo, ou de raças ainda existentes, como os tasmanianos. Não se deve mais pensar em questão de instinto. Já estamos pensando juntamente com a aurora do pensamento humano, que se revela em uma espécie de revolta contra a morte. E a revolta contra a morte subentende amor por aqueles que se foram, bem como a esperança que o seu desaparecimento não será final. Vemos essas *idéias*, que talvez foram as primeiras — a se desenvolverem — progressiva e paralelamente aos primeiros sentimentos artísticos. Rochas chatas, na forma de *dolmens*, eram postas de modo a proteger os rostos e cabeças daqueles que eram sepultados. Posteriormente, ornamentos, armas, alimentos e as cores que servem para adornar o corpo, passaram a ser postos também nos túmulos. A idéia de que tudo termina é insuportável. O morto haveria de despertar, teria fome, teria de defender-se, e haveria de querer adornar-se». (L'Avenir de l'Esprit,

IMORTALIDADE

Gallimard, Paris, 1941, pág. 188).

— Esse mesmo autor passa a observar que as noções primordiais, como aquelas do bem e do mal, ou da imortalidade, nasceram espontaneamente nos seres humanos mais primitivos. Essas noções, por essa mesma razão, devem ser examinadas e escrutinizadas como possuidoras de valor absoluto.

Penso que esses pontos de vista, expressos por Lecomte du Nouy, são verdadeiros e nos levam a pensar. *A priori*, é provável que as grandes e básicas idéias, as idéias primárias, que estão contidas nos mitos do homem primitivo, e que têm sido transmitidas através dos séculos pela herança comum da humanidade, são mais hígidas do que ilusórias, e merecem mais respeito do que desprezo. Ao mesmo tempo, somos livres para preferir uma genuína demonstração filosófica.

A Condição e o Destino da Alma Imortal

O que pode esclarecer-nos a filosofia acerca da condição natural da alma imortal, após a morte de seu corpo? Esse é o meu quarto e último ponto. Realmente, a filosofia pode contar-nos pouquíssimo acerca dessa questão. Tentemos sumariar as poucas indicações que existem. Todas as faculdades orgânicas e sensuais da alma humana permanecem dormentes em uma alma separada, pois não podem ser postas a funcionar sem o corpo. *A alma separada*, por si mesma, está engolfada em um sono completo no que diz respeito ao mundo material; os sentidos externos e sua percepção desaparecem; as imagens da memória e da imaginação, os impulsos dos instintos e das paixões também desaparecem. Mas esse sono não se assemelha ao sono que conhecemos —obscuro— e povoado de sonhos; antes, é lúcido, e inteligente, bem — vivo — para as realidades espirituais. Com base no próprio fato de sua separação do corpo, a alma agora se conhece através de si mesma; sua própria substância se tornou transparente para o seu intelecto; ela é intelectualmente penetrada até às suas maiores profundezas. A alma vem assim a conhecer a si mesma de maneira intuitiva; fica ofuscada por sua própria beleza, a beleza de uma substância espiritual, e conhece outras coisas, através de sua própria substância já conhecida, à medida que outras coisas se assemelham a ela. Conhece a Deus através da imagem de Deus que é a própria alma. E de conformidade com seu estado de existência incorpórea, recebe da parte de Deus, que é o sol dos espíritos, certas idéias e inspirações que a iluminam diretamente, e que ajudam a luz natural do intelecto humano, daquele intelecto que, conforme fraseou Tomás de Aquino, é o mais baixo, dentro da hierarquia dos espíritos.

Tomás de Aquino ensina também que tudo quanto pertence ao intelecto e ao espírito e, especialmente à memória intelectual, mantém vivo, na alma separada, o tesouro inteiro do conhecimento, adquirido durante a nossa vida corporal. O conhecimento intelectual, as virtudes intelectuais aqui neste mundo mais vil adquiridas, subsistem na alma separada. Se por um lado as imagens da memória dos sentidos, que tem sua sede no cérebro, desaparecem, aquilo que penetrou na memória intelectual é preservado. Assim, pois, de maneira intelectual e espiritual, a alma separada sempre conhece aqueles a quem amou. E a esses ama de forma espiritual. E é capaz de conversar com outros espíritos, abrindo para os mesmos aquilo que permanece em seus pensamentos íntimos, e que é aproveitado por sua livre vontade.

Podemos imaginar, portanto, que no momento em que a alma abandona o corpo, — ela se sente subitamente imersa em si mesma, como se estivesse em um abismo rebrilhante, onde, tudo quanto estava sepultado em seu interior, tudo quanto ali estava morto, ressuscita para a plena luz, até o ponto em que isso é abarcado pelas profundezas subconscientes ou supraconscientes da vida espiritual de seu intelecto e vontade. Então, tudo quanto é verdadeiro e bom, existente na alma, se torna uma bênção para ela, ao toque de sua luz revelatória e que em tudo penetra; e tudo quanto estiver retorcido e for mau, transforma-se num tormento para a alma, sob o efeito dessa mesma luz.

Não creio que a razão natural possa prosseguir mais ainda em sua compreensão sobre a condição natural da alma separada. De que consistiria a vida e a felicidade das almas, se o seu estado após a morte fosse um estado puramente natural? Seu bem supremo consistiria de sabedoria, de vida espiritual sem empecilhos, de amizade mútua e, antes de tudo, de avançar constantemente no conhecimento natural e no amor de Deus, a quem, entretanto, jamais veriam face a face. Seria felicidade em movimento, mas sem jamais ser absolutamente cumprida—aquilo que Leibniz chamou de *um chemin par des plaisirs*, «um caminho em meio a prazeres espirituais».

Porém, se desejarmos saber mais do que isso, não poderemos ir além de onde chega a filosofia? A própria filosofia, nesse caso, nos confiará à orientação de um conhecimento cujas fontes originárias são superiores às da própria filosofia. Os cristãos autênticos sabem que o homem não vive em um estado de natureza pura. Sabem que o homem foi criado em estado de graça, mas que, após o primeiro pecado ter ferido a nossa raça, o homem vem vivendo em um estado de natureza decaída ou redimida; sabem que o homem foi criado para desfrutar de uma bênção sobrenatural. Em resposta à questão do destino das almas separadas, os sábios escolásticos não falavam como filósofos e, sim, como teólogos, cujo conhecimento repousa sobre os informes da revelação divina.

Até onde o homem participa dos privilégios metafísicos de espírito e de personalidade, tem aspirações que transcendem à natureza humana e às possibilidades, as quais, conseqüentemente, podem ser denominadas de aspirações transnaturais; o anelo por um estado em que viria a conhecer as coisas de forma completa e sem erro, e no qual desfrutaria de perfeita comunhão com os espíritos, e onde seria livre sem o perigo de falhar ou pecar, e onde habitaria em uma pátria de justiça infindável possuidor de conhecimento intuitivo da Causa Primária do ser.

Tal anelo não pode ser cumprido pela natureza. Só pode ser cumprido pela graça. A alma imortal está envolvida e engajada no grande drama da redenção. Se, no momento de sua separação do corpo, no momento em que sua escolha é fixada imutavelmente e para sempre, a alma imortal der preferência à sua própria vontade e ao seu amor próprio, em detrimento da vontade e do dom de Deus, se ela preferir a miséria, juntamente com o orgulho, — em vez das bênçãos da graça, então lhe será concedido aquilo que ela desejar. Haverá de ter seu desejo, e jamais deixará de querê-lo e preferi-lo, porquanto a livre escolha feita na condição de um espírito *puro* é uma escolha eterna. Mas, se a alma abrir-se para a vontade e o dom de Deus, a quem ama mais do que à sua própria existência, então lhe será concedido aquilo que amou, e entrará para sempre na alegria do Ser não-criado. Verá a Deus face a face e conhecerá a ele, tal como por ele é conhecido, isto é, intuitivamente. E assim a alma se tornará Deus por participação, conforme disse São João da Cruz, e através da graça, atingirá

IMORTALIDADE

aquela comunhão na vida divina, aquela bem-aventurança por causa da qual todas as coisas foram criadas. E o grau dessa própria bênção, o grau de sua visão, corresponderá ao grau de seu ímpeto interno, que se projeta para o âmago de Deus, ou, em outras palavras, corresponderá ao grau de amor que tiver atingido em sua vida terrena.

Em última análise, pois devemos dizer juntamente com São João da Cruz que é de conformidade com a nosso amor que seremos julgados. Em seu estado de bem-aventurança, a alma imortal conhecerá a criação no Criador, através daquele tipo de conhecimento que Agostinho intitulou de conhecimento *matutino*, por ser produzido na manhã eterna das idéias criativas; a alma imortal será igual aos anjos, e se comunicará livremente com o reino inteiro dos espíritos; amará a Deus, dali por diante visto claramente, com uma soberana necessidade; e exercerá seu livre-arbítrio no tocante a todas as suas ações concernentes às criaturas, embora esse livre-arbítrio não mais esteja sujeito ao fracasso ou ao pecado; a alma habitará no reino da justiça infindável, isto é, no reino das três Pessoas divinas e dos espíritos abençoados; se apegará e possuirá a essência divina que, de forma infinitamente mais clara e mais inteligível do que quaisquer de nossas idéias, iluminará o intelecto humano interiormente e servirá por si mesma de meio inteligível, de forma atuante através da qual ela será conhecida. De conformidade com uma linha dos Salmos que Tomás de Aquino amava e repetia com freqüência: *Na tua luz vemos a luz.*

Tais foram os ensinamentos de Tomás de Aquino, tanto como filósofo quanto como teólogo, acerca da condição e do destino da alma humana. A *imortalidade* não é uma sobrevivência mais ou menos precária, bem ou mal-sucedida, em outros homens ou em outras ondas ideais do universo. A imortalidade é uma propriedade inalienável e natural da alma humana, na qualidade de substância espiritual. E a graça faz com que a vida eterna se torne possível para todos, tanto para os mais destituídos como para os mais dotados. A vida eterna da alma imortal consiste de sua união transformadora com Deus, bem como da vida íntima de Deus, numa união que é realizada incoativamente neste mundo inferior, através do amor e da contemplação, ainda que venha a sê-lo, de maneira definida e perfeita, após o falecimento do corpo, através da visão beatífica. Pois a vida eterna começa neste mundo, e a alma do homem vive e respira onde ela prefere por amor; e o amor, através de uma fé viva, tem força suficiente para levar a alma do homem a experimentar unidade com Deus — «duas naturezas em um único espírito e amor, «dos naturalezas en un espiritu y amor de Dios».

Não acredito que um filósofo possa discutir acerca da imortalidade da alma sem levar em consideração as noções complementares que o pensamento religioso adiciona às respostas verdadeiras e inadequadas que a razão e a filosofia podem fornecer *por si mesmas.*

ARTIGO 4

Imortalidade Continua
QUANDO OS MORTOS VOLTAM!

por Henry L. Pierce

Esses *mortos redivivos* algumas vezes narram experiências que *desafiam* as leis conhecidas pela ciência.

Henry L. Pierce é um psicologista que desde há muito tem estado semelhantemente interessado pela parapsicologia. Com base em sua própria experiência, como escritor de questões médico-científicas, para a Pittsburgh Post-Gazette, destacou ele esses diversos casos nos quais os pacientes relataram ocorrências *fora do corpo*, após se terem recuperado da morte clínica.

A morte sobreveio repentinamente a um empregado da companhia de energia elétrica de Pittsburgh, no ano passado. Sua idade era de trinta e sete anos; ele foi eletrocutado. Os médicos declaram-no morto. Porém, não perderam as esperanças. Talvez, mediante a administração de oxigênio e através de outras modernas técnicas médicas, pudessem fazê-lo reviver. E conseguiram.

Quando a vítima *recuperou a consciência*, tinha uma história estranha e fascinante para contar. Enquanto estivera morto, esclareceu ele, sentiu que abandonava seu próprio corpo. E insistiu que havia feito uma visita ao seu próprio lar, em estado desencarnado.

Um sonho? *Talvez.*

No entanto, foi capaz de descrever, com pormenores, a visita que um vizinho fizera à sua casa, bem como a conversa que tivera lugar durante essa alegada visita!

Essa história, em traços gerais, tem sido narrada antes, e pode repetir-se indefinidamente nos anos vindouros. O número de casos parecidos já se vai multiplicando. Novas drogas, massagens do coração e cirurgia cardíaca estão trazendo um número crescente de indivíduos de *volta dentre os mortos*; e essas pessoas narram experiências, passadas durante a morte, que parecem desafiar as leis conhecidas pela ciência. Tais experiências poderiam ser sonhos. Porém, tal como aquele trabalhador da companhia de eletricidade, essas pessoas, com freqüência, são capazes de descrever acontecimentos que tiveram lugar a alguma distância — acontecimentos que elas dizem ter visto em primeira mão.

Uma operária em trabalhos de cerâmica, em Montana, chegou a um milímetro da morte, durante uma luta intensa com um ataque de pneumonia. Conta ela a seguinte história:

«Não me lembro de haver perdido a consciência. Disseram-me mais tarde que caí em coma profundo. Mas, repentinamente, fui capaz de ver a mim mesma, deitada sobre o leito. Vi meu marido e o médico, e ouvi tudo quanto disseram. Pensavam que eu não conseguiria resistir até o amanhecer. Conversaram durante pouco tempo, e então entraram na sala de estar. Parecia que eu era capaz de segui-los. Meu marido tomou um livro, que vinha lendo, e leu um parágrafo para o médico, e então ambos debateram um pouco sobre o assunto».

Depois que essa mulher recuperou a consciência, disse a seu esposo tudo quanto havia observado. E ele confirmou cada detalhe.

Um sonho?

Talvez. Ou talvez ela tenha conseguido ouvir o bastante da conversa, em seu estado comatoso, para poder adicionar o restante. Ou talvez, tal como o operário da companhia de eletricidade, ela se tenha aventurado para além da pouco compreendida fronteira da percepção extra-sensorial — o terreno ocupado pela telepatia e pela clarividência.

A maioria desses casos é cuidadosamente suprimida. Larga publicidade é dada ao prodígio médico que algumas vezes consegue fazer reviver os recém-clinicamente mortos. Mas a experiência real da paciente com a morte é criteriosamente evitada. O temor do ridículo é uma das razões disso. Os pacientes se sen-

IMORTALIDADE

tem temerosos — temerosos de que não serão cridos, temerosos de que serão reputados loucos. Isso aconteceu ao empregado da companhia de eletricidade. Isso também sucedeu ao indivíduo que, após ter passado por profundo período de coma, alegou ter avistado e conversado com sua esposa, que pouco tempo antes havia sido morta em um acidente de trânsito.

Os médicos e as enfermeiras não gostam de ver esses casos receberem publicidade. Com grande raridade mencionam-nos em seus relatórios. Os jornalistas raramente são convidados a cobrir as histórias onde o sobrenatural aparentemente está envolvido, sem importar quão dramática tenha sido a subseqüente recuperação do paciente.

Uma mulher da região ocidental do estado norte-americano da Pennsylvania foi declarada morta, depois de um ataque do coração. Depois que a *trouxeram de volta* à vida, graças aos modernos métodos cirúrgicos, aos jornalistas foi prometido que o caso prometia produzir dramático material para suas narrativas. Foram marcadas datas possíveis para entrevistas com a paciente. Repentinamente, porém, o pessoal do hospital mudou diametralmente de parecer. Aos jornalistas foi notificado, sem qualquer outras explicações, que não lhes seria permitido conversar de forma alguma com a paciente. E o pessoal da seção de relações públicas do hospital, que antes havia asseverado a necessidade de ser dada publicidade ao caso, tornou-se inexplicavelmente silencioso. Disseram apenas que a paciente «não parecia estar passando muito bem», e que não se podia confiar nos seus juízos. Os médicos cerraram seus livros firmemente em torno do caso, e a identidade dessa paciente jamais foi revelada.

No entanto, *os próprios médicos* não estão imunes a essas experiências insondáveis. Um médico de sessenta e oito anos de idade, da cidade de Búfalo, estado de Nova Iorque, nos Estados Unidos da América do Norte, jazia moribundo, após sofrer longa enfermidade. Ao aproximar-se a noite, ele caiu em estado de inconsciência. Sua esposa e seu cunhado estavam ao lado de seu leito.

«Cerca das três horas da madrugada — relata o seu cunhado — ele acordou subitamente de uma profunda coma. Parecia perfeitamente racional e na plena posse de suas faculdades. Declarou ter estado em algum outro lugar. Não o descreveu, mas repetia: 'Não estive aqui — estive em algum outro lugar'. Faleceu antes de amanhecer o dia».

Maiores minúcias possuímos em torno do caso de um médico e diplomata britânico, Sir Auckland Geddes. Em um discurso feito ante a Real Sociedade Médica, intitulado «A Voice from the Grandstand» (Uma Voz da Tribuna), Sir Auckland descreveu o que denominou de «a experiência de um homem que atravessou os próprios portais da morte, e foi trazido de volta à vida pelo tratamento médico».

O paciente de Sir Auckland foi aparentemente envenenado. O veneno o atingiu tão violentamente que ele nem ao menos teve tempo para chamar por socorro. Eis a sua descrição:

«Eu quis telefonar pedindo ajuda, mas descobri que não podia fazê-lo; e assim, placidamente, desisti da tentativa. Percebi que estava gravemente enfermo, e revisei de maneira rápida a minha posição econômica. Depois disso, em ocasião alguma pareceu-me que a minha consciência ficava enevoada; mas repentinamente entendi que a minha consciência se separava de outra consciência que também era minha».

Essa segunda consciência, no dizer de Sir Auckland, gradualmente se tornou dominante, à proporção que a condição física do paciente foi piorando. E continuou o paciente em sua descrição:

«**Gradualmente percebi** que podia ver, não somente o meu corpo e o leito em que eu me encontrava, mas tudo quanto havia na casa e no jardim; e então percebi que não estava vendo apenas 'coisas' em minha cidade, mas igualmente em Londres e na Escócia; de fato, por onde quer que a minha atenção fosse dirigida, segundo me pareceu; e a explicação que recebi, sem saber eu qual a origem, mas que eu mesmo me vi chamando de meu 'preceptor', é que eu estava livre em uma dimensão temporal do espaço na qual *agora*, de alguma maneira, era equivalente a 'aqui', no espaço ordinário tridimensional da vida diária».

Como é que uma pessoa pode *ver* em tal estado, se não possui olhos materiais?

Sir Auckland declarou que embora parecesse ter uma visão através de dois olhos, e mais «apreciava» do que realmente «via» as coisas—mais ou menos como se uma forma inteiramente diferente de percepção (extra-sensorial?) houvesse tomado o lugar da percepção normal.

Foi nesse estado, ainda segundo testemunho de Sir Auckland, que o paciente «viu» uma mulher entrar em seu quarto de dormir. E o próprio paciente prosseguiu:

«Percebi que ela tomou um tremendo choque, e a vi correr para o telefone. Vi o meu médico abandonar os seus pacientes e vir apressadamente, e cheguei a ouvi-lo, ou o vi a pensar: 'Ele está quase morto!' Ouvi-o falar bem claramente comigo, sobre a cama; porém, eu não estava mais em contacto com o meu corpo, e não lhe pude responder».

O médico aplicou no paciente uma injeção, e o paciente, segundo Sir Auckland, teve o seguinte a dizer a respeito:

«Quando o coração começou a pulsar com mais vigor, fui atraído de volta, e fiquei imensamente aborrecido, visto que eu estava tão interessado e começava a compreender onde eu estava e o que eu estava *vendo*. Voltei ao corpo realmente irado, por ter sido puxado de volta de onde eu estava; e uma vez que voltei toda a claridade de visão, sobre qualquer coisa e sobre tudo, desapareceu. E fiquei possuído por uma mera réstia de consciência, que era um tanto sufocada pela dor».

Teria Sido um Sonho?

Mas Sir Auckland declarou que a experiência não teve a tendência de ir-se dissipando como um sonho. «O que devemos pensar a respeito disso!» indagou ele. E ajuntou: «De uma coisa podemos estar bem certos. Não foi uma simulação».

Um cirurgião escocês, Sir Alexander Ogston, relatou como estivera bem perto da morte, devido a uma febre tifóide, no hospital Bloemfontein, na África do Sul.

«A mente e o corpo pareciam-me duplos — declarou ele — e até certo ponto estavam separados. Tomei consciência do meu corpo como uma massa inerte e caída perto da porta; pertencia-me, mas não era eu».

Nessa condição, segundo afirmou, teve «a estranha consciência de que podia enxergar através das paredes do edifício, embora estivesse consciente de que elas estavam ali. Tudo parecia transparente para os meus sentidos».

Sir Ogston contou como *vira* um outro médico, noutra porção do hospital, piorar gravemente de sua

IMORTALIDADE

enfermidade, gritar e morrer. Não soubera coisa alguma acerca da existência daquele outro médico, declarou. E acrescentou: «Vi que cobriam o seu cadáver, tendo-o transportado suavemente, estando os pés deles descalços, calma e secretamente».

Mais tarde as enfermeiras confirmaram o acontecido, tal como o paciente em foco havia dito.

Não é preciso que alguém morra ou mesmo que se aproxime da morte para passar por uma experiência similar. Muitas pessoas sabem o que significa alguém procurar despertar no meio de um sono profundo, somente para descobrirem que não podem fazê-lo. Se o leitor já passou, porventura, por essa experiência, então sabe o quão aterrorizante ela pode ser. A gente tem perfeita consciência do ambiente que nos cerca; e tenta gritar — mas não pode emitir um único som. A gente procura beliscar-se, mas percebe que não pode mover os dedos. Por alguns momentos, pelo menos, perde-se o controle sobre o próprio corpo.

Um jovem de vinte anos, da cidade de Búfalo, nos Estados Unidos da América do Norte, passou por essa experiência por duas vezes. Sucede que ele estava então interessado nas questões da percepção extra-sensorial. Portanto, na segunda ocasião em que isso me aconteceu, esqueci o terror por um tempo suficiente para tentar uma experiência.

«Eu queria descobrir se o alcance de minha percepção podia ser estendido, naquele estado — como na telepatia ou clarividência. Portanto, dirigi a minha atenção para as condições atmosféricas, que era uma espécie de passatempo para mim, naqueles tempos. De alguma maneira, que não sei explicar, fui capaz de ver que uma onda de frio se movia em nossa direção, vinda do estado do Colorado. Na manhã seguinte uma predição revisada, enviada pelo serviço de meteorologia, avisava sobre uma onda de frio que se aproximava, vinda do Colorado!»

Pura Coincidência?

Talvez. Pois ondas de frio não são incomuns no mês de dezembro, quando essa experiência teve lugar. Mas, do estado de Colorado? O jovem disse que se soubesse que se aproximava uma onda de frio, tê-la-ia esperado do estado de Montana, Dakota do Sul ou Dakota do Norte — e não do estado de Colorado, que fica mais ao sul.

O que pensa a ciência sobre tudo isso?

A maioria dos médicos se mostra cética. Vêem pacientes que morrem todos os dias. Sabem o que é contemplar um paciente que «se vai». Sabem que alguns pacientes, no momento da morte, parecem *ver* amigos e parentes já falecidos. Não é incomum ver um paciente moribundo abrir bem os olhos, como que surpreendidos, e ouvi-lo proferir o nome de sua esposa ou de algum colega há muito falecido, como que em uma saudação admirada. Porém, a maioria dos médicos acredita que tais pacientes estejam sofrendo de alguma alucinação.

Teriam razão esses médicos? Tais pacientes realmente estariam tão enfermos que não saberiam o que vêem? Estariam de *mente nublada* por causa da febre alta e da enfermidade?

O dr. Karlis Osis, Diretor de Pesquisas da Fundação de Parapsicologia de Nova Iorque, está procurando descobrir isso. Enviou uma lista de perguntas a médicos e enfermeiras de toda a nação norte-americana, perguntando-se já haviam observado pacientes passarem por tais experiências. Solicitava ele informações médicas detalhadas acerca desses pacientes. Haviam eles recebido drogas, antes de falecerem? Estavam atacados de febre muito alta? Deliravam? Havia quaisquer venenos que atuavam sobre os seus corpos? Pareciam ter a mente enevoada ou clara?

Quando todos os relatórios haviam sido enviados de volta, O Dr. Osis contava com um montão de fatos sobre mil trezentos e setenta pacientes moribundos que, segundo disseram os médicos e as enfermeiras, haviam se comportado como quem tivesse *visto* um amigo ou um parente já falecido. E as respostas ao questionário eram realmente surpreendentes.

Os pacientes que aparentemente tinham saudado amigos e parentes já mortos, segundo os relatórios, evidentemente estavam de mente clara, não estavam sob o efeito de drogas, e não estavam atacados por febres altas! Os médicos e as enfermeiras que estiveram presentes à morte desses pacientes disseram que a maioria deles parecia perfeitamente racional, plenamente cônscia de seus respectivos ambientes, até os seus últimos instantes de vida.

Os pacientes que pareciam de mente perturbada eram aqueles que estavam sob o efeito de fortes sedativos, ou que sofriam de febre acima de 41° centígrados. E esses, com grande freqüência, descreveram visões sobre monstros; demônios ou animais espantosos. Muitos desses pacientes confusos também tiveram alucinações com amigos e parentes ainda vivos — algo que jamais aconteceu aos pacientes de mente clara.

Significaria isso que algumas pessoas realmente *vêem o além*, no momento da morte? Haveria uma fronteira, entre a vida e a morte, onde os vivos e os mortos algumas vezes têm permissão de se encontrarem?

Imortalidade Condicional Ver depois de **Imortalidade da Alma**, p. 281.

IMORTALIDADE DA ALMA — Afirmações Teológicas

Um Estudo em Esboço

Esboço:

Introdução
 I. O Pano de Fundo Histórico
 II. Conceitos Gerais
 III. Sobrevivência Mas Não Imortalidade
 IV. Imortalidade Condicional
 V. Imortalidade No Pensamento Cristão
 VI. Ensinos de Algumas Referências Bíblicas

Introdução: Definições do Termo

1. perene; 2. continuidade da vida depois da morte; 3. vida transcendente: um tipo de vida: I Cor. 8:6. Em último sentido, somente Deus vive. Compare este conceito com o universal de Platão. Deus compartilha sua forma de vida.

Equações:

vida / imortalidade / Deus (divindade infinita)
vida / imortalidade / O Universal do Bem
vida / imortalidade / Ser Absoluto (pessoal)
vida / imortalidade / O Absoluto (cósmico, não-pessoal)

O Homem mortal: a matéria + uma partícula de vida

I. Pano de Fundo Histórico (na religião e na filosofia)

Sir G.B. Taylor e Sir James Frazer. Há evidência da crença na imortalidade da alma nas culturas mais antigas das quais temos algum tipo de conhecimento, através de documentos escritos ou sem eles.

IMORTALIDADE

1. *Rig Veda* (quer dizer, «louvor», «conhecimento», mais de 1000 hinos) 1200-1500 A.C., o monumento literário mais velho das raças indo-européias, tem a imortalidade sem a reencarnação. (Índia).

Upanishades, 30 tratados místicos (originais), e mais de 200 posteriores e apócrifos. Começaram cerca de 1000 A.C. e representam a substância própria da religião oriental, especialmente o budismo. Tratam do Ser Supremo, da criação e da relação da imortalidade com a reencarnação.

2. *Religião grega*, cerca de 700 A.C., a imortalidade com a reencarnação. Antes desse período, a religião grega tinha a alma fantasma, uma entidade sem inteligência ou memória.

3. *Religião hebraica*, antes de 1000 A.C., a alma fantasma; primeiro a ressurreição sem alma sobrevivente, mas antes dos tempos helenistas, a ressurreição com a alma sobrevivente. Jó 14:14 pode ser uma exceção, se ligado com 19:25. Alguns supõem que a reencarnação está em vista, outros, a ressurreição. 17:13 e seguinte implicam a idéia da alma fantasma.

4. *Filosofia grega*, 585 A.C., em Pitágoras a imortalidade com a reencarnação (da religião órfica), em Anaxágoras (500 A.C.), *nous* é uma entidade distinta do corpo, mas a referência não é clara. Platão liga o poder interpretativo com o criativo, e a imortalidade (existência eterna da alma) com a reencarnação. Ele influenciou todas as religiões e filosofias ocidentais subseqüentes.

II. Conceitos Gerais

1. A imortalidade é uma dimensão de ser, e não meramente vida sem-fim. Ela é não-física em si mesma desde que não haja vida na própria matéria.

2. A imortalidade é transcendência de vida, e não meramente um livramento de morte. A morte é somente a libertação da vida de seu veículo temporário. O corpo nada tem a ver com a criação e nem com a formação do caráter da vida.

3. Psicologicamente, um desejo. A filosofia e a religião nos asseguram de um fato atrás do desejo. A despeito do obstáculo do corpo, o desejo se expressa fortemente. Sem o corpo, há absoluta segurança e conhecimento inquestionável.

4. Vida — O Grande Continuum. A mortalidade é pontual, um momento particular, passageiro, ou uma expressão específica da vida, por algum tempo.

5. A imortalidade não é algo em que nós entramos pela morte. É algo que somos e que podemos experimentar em diferentes maneiras, inclusive no veículo mortal. Existe antes do nascimento, na vida física e depois da morte biológica, mas não é dependente de tal arranjo.

6. Segundo a visão nos Upanishades:

a. A vida é um único, universal e infalível princípio do Ser Supremo (Brahman) auto-existente e auto-sustentador. Em termos cristãos, ser independente e necessário.

b. A individualidade não é mais do que uma pontualização deste Ser Supremo. Individualidade / Atman.

c. O Ser Supremo é independente da dissolução dos veículos físicos, que, pela natureza própria deles, só podem contê-lo temporária e imperfeitamente.

d. A individualização é repetitiva na esfera terrestre (reencarnação). O *problema moral* está sendo resolvido de acordo com a lei da *colheita* e *semeadura* (karma).

e. Liberdade pode ser obtida (moksha), da corrente que amarra (samsara).

f. Individualidade é solidão, luta, e, essencialmen-

te, uma ilusão.

g. O ser individual (Atman) não é senão uma modalidade do Ser Supremo.

Atman é uma posição espacial e um ponto no tempo de Brahman.

h. O conhecimento é de Brahman, a única realidade, e se realiza na experiência mística, o único meio que possibilita o alcance de Brahman.

i. Nosso destino é o abandono de Atman e a exaltação de Brahman. Esta é a verdadeira imortalidade.

Heródoto nos informa de que vários povos não-gregos apoiaram tais pontos de vista, e que a adoração de Osíris na religião egípcia era similarmente estruturada.

7. *Outros conceitos*

a. O homem é um deus que, temporariamente, experimenta a matéria. Ilustração: o conceito cristão de anjo guardião, se o anjo guardião for considerado como o próprio homem.

b. O homem, um ser mais baixo, torna-se um deus.

c. O homem, uma criatura humilde, obtém um lugar mais alto e melhor, uma esfera sem tristeza, lágrimas, luta ou morte, mas sua glorificação é moderada e o deixa longe da casa do Pai, porque ele não é um filho em sentido metafísico.

III. Sobrevivência mas não Imortalidade

1. **Científica**. A parte mental dura um pouco mais, minutos, horas, ou talvez, dias. Ilustração: Aristóteles acreditava que a alma era separada do corpo, mas dependente dele para vida. Ou epifenomenalismo: a suposta alma é um efeito do corpo.

2. *Estoicismo*. A sobrevivência até a próxima conflagração quando o Logos volta para casa e reúne sua criação vagueante.

3. *Kant*. A alma deve existir e sobreviver até que as contas sejam acertadas, mas poderia ser reduzida a zero, como o corpo é.

4. *Hegel*. A alma deve ser, finalmente, reabsorvida no Espírito Absoluto.

5. *Schopenhauer*. O desejo de viver é uma insanidade. A Vontade Universal (Deus) é louca, e quer viver loucamente. A Redenção ocorreria quando a Vontade Universal pára de querer existir, assim curando a sua insanidade. Esta vontade de existir tem produzido a maior maldade, isto é, a vida *consciente*. A única coisa que podemos esperar é que a Vontade Universal seja curada de sua insanidade.

IV. Imortalidade Condicional

1. **Crisipo** (205 A.C.) e alguns outros estóicos. Os sábios sobrevivem a conflagração geral.

2. Na Igreja, Arnóbius, sexto século D.C. Somente os salvos serão imortais, o resto será aniquilado.

3. Os Adventistas do Sétimo Dia e as Testemunhas de Jeová acreditam numa imortalidade condicional, através da ressurreição, para os fiéis, sem alma qualquer.

V. Imortalidade no Pensamento Cristão

Os conceitos centrais são ligados a Cristo e sua missão — Cristo como Filho, identificado com homens que podem tornar-se filhos. Heb. 2:10; Rom. 8:29.

1. *A base histórica*. A encarnação do Logos (o princípio de filho na Trindade), em Jesus, com a resultante fusão de naturezas: «Reduzir sua divindade ou sua humanidade é sacrificar a própria base de todas as nossas esperanças». (A.E. Taylor). Como o Logos participou da natureza humana, assim a natureza humana, finalmente, deverá participar da

IMORTALIDADE CONDICIONAL

natureza divina, com o resultado de tornar-se um genuíno filho de Deus, metafisicamente.

2. *A base informacional*. Revelação (misticismo)

a. Afirmação moral da verdade da revelação (o problema do bem).

b. Afirmação profética.

c. Afirmação da experiência: felicidade, inspiração para viver, etc.

d. Confirmação de uma literatura imortal: o N.T. traduzido em 1000 línguas.

3. *A base pessoal*. Vidas inspiradoras implicam a necessidade da sobrevivência como uma medida de preservação de valores.

a. Jesus
b. Paulo

4. *A base filosófica*. As melhores idéias do cristianismo correspondem às da filosofia. *Ilustração*: as provas filosóficas da imortalidade, idéias do desígnio e destino.

5. *A base religiosa comparativa*. As grandes verdades são comuns para todas as religiões. Deus, alma, desígnio, moralidade, imortalidade.

6. *A teologia da identificação*. Cristo é o arquétipo e o pioneiro.

a. Com a encarnação: O Logos identifica a si mesmo conosco.

b. Expiação: trata do problema moral.

c. Ressurreição: participação na vida de outra dimensão.

d. Ascensão: arrebatamento da Igreja; transportação para uma nova dimensão de vida.

e. Glorificação: alcance da natureza divina: II Cor. 3:18, João 5:25,26.

f. Restauração: a provisão universal: Efé. 1:10; I Ped. 3:18-4:6.

VI. Ensinos de Algumas Referências Bíblicas

1. *O julgamento*: Eze. 26:20; 32:31; Isa. 14:9,10; Mat. 10:28; Mar. 8:36,37; Luc. 16:19-21; II Cor. 5:1-10; Apoc. 6:9,10; 20:4.

A lei da semeadura e colheita cumprida. As contas são balançadas. O conceito do julgamento implica, necessariamente, a existência da alma.

2. *Libertação do julgamento*: Sal. 86:13; Prov. 15:24.

3. *Esperança no julgamento*: os espíritos também têm oportunidade. A oportunidade é *universal*. I Ped. 3:18—4:6; Efé. 1:10. O julgamento opera *restauração*.

4. *A glória*: um lugar muito melhor; conhecimento inefável; felicidade suprema. Luc. 10:19-21; II Cor. 5:1-10; Atos 7:59; Fil. 1:21-23; Apo. caps. 21-22.

5. *Lugar de perfeição*: Heb. 12:23.

6. *Retorno a Deus*: Ecl. 12:7, retorno a sua fonte: Jó 32:8; retorno para casa: II Cor. 5:1-10.

7. *Imortalidade ligada à ressurreição*: o veículo novo para a alma. II Cor. 5:1-10; I Cor. cap. 15.

8. *A projeção da psique*: II Cor. 12:1-4.

9. *A vida independente e necessária*: João 5:25,26; Rom. 8:29; II Ped. 1:4; II Cor. 3:18. Pai / Filho / filhos. Eles participam finitamente na natureza divina.

Ilustrações: a hierarquia da vida

Todos os membros do corpo têm a mesma natureza

(Filho — cabeça / filhos — membros do corpo)

A imortalidade é mais do que *vida* sem fim. É um tipo de vida; é a vida divina compartilhada.

••• ••• •••

IMORTALIDADE CONDICIONAL

Ver os artigos sobre a **Imortalidade** e sobre a **Alma**. Esta enciclopédia oferece abundante material sobre esses temas, incluindo a abordagem científica ao assunto da existência da alma e sua sobrevivência ante a morte física. Todavia, nem todos aqueles que acreditam na existência real da alma, aceitam a imortalidade como necessária. Para esses, a imortalidade é condicional. Essa idéia pode assumir várias formas, conforme se vê abaixo:

I. Os estóicos pensavam que a alma persiste até à conflagração geral, quando Deus tiver de reverter ao fogo primevo. Então a alma deixaria de existir. A existência da alma, pois, estaria condicionada ao ciclo no qual se encontra. No entanto, de acordo com esse sistema, os grandes ciclos que se seguiriam, trariam a alma de volta à existência, para que vivesse novamente. E isso prosseguiria de forma interminável. Portanto, isso fala de uma espécie de imortalidade intermitente, *condicionada* segundo tal intermitência.

II. Sobrevivência intrinsecamente condicionada Algumas pessoas acreditam na existência da alma, mas supõem que está envolvida em um tempo potencial de existência, tal como sucede ao corpo. Alguns supõem que seu tempo de sobrevivência é curto, dando a entender que a porção mental do homem sobrevive apenas por algumas poucas horas ou dias, após a morte do corpo físico. Outros não pretendem saber por quanto tempo mais a alma sobreviveria ao corpo. Seja como for, o seu período de sobrevivência estaria condicionado à sua própria natureza, da mesma forma que o corpo físico só vive durante certo tempo porque, por sua própria natureza, é mortal. Viver por certo período, mais curto ou mais longo, determinado por fatores intrínsecos, não é próprio da imortalidade. É apenas *sobrevivência*. O termo «imortalidade» subentende existência interminável. Segundo esse termo é usado pelos filósofos e teólogos, também está em pauta uma *modalidade* de vida, distinta da vida física. Platão falava sobre almas humanas passando para a vida eterna, ou *imortalidade*, ao assumirem a natureza divina. Isso reflete certo ensino bíblico muito avançado (ver II Ped. 1:3,4).

III. No campo da teologia. Na Igreja cristã, ao começar por alguns dos pais da Igreja, encontramos a doutrina da imortalidade condicional. A existência pessoal eterna é uma nova forma de vida, que denominamos de imortalidade, não sendo reputada como uma propriedade natural da alma, por esses escritores cristãos antigos. Antes, a imortalidade é por eles considerada um dom de Deus, uma realização a ser obtida mediante a inquirição espiritual. Nesse ponto, cumpre-nos distinguir entre os termos *sobrevivência* e *imortalidade*, visto que, de conformidade com alguns que acreditam na imortalidade condicional, a alma *sobrevive*, mas que, em algum tempo subseqüente, deixa de existir, por não ter cumprido as condições que a levariam à imortalidade. Ainda outros pensam que a alma nem existe, e que, quando o corpo físico morre, a alma também é extinta. Porém, quando da ressurreição, os justos seriam recriados, recebendo a imortalidade. Paralelamente, os injustos seriam ressuscitados, julgados e, imediatamente após, aniquilados.

Argumentos em Favor da Imortalidade Condicional:

1. Alguns trechos bíblicos podem ser interpretados como apoios dessa idéia, como Pro. 12:28; Mat. 10:28; João 3:16; Rom. 2:7; I Tim. 6:16; I João 2:17 e

281

IMORTALIDADE CONDICIONAL

João 5:25,26. Somente Deus é imortal; e, se qualquer outro ser é *imortal*, então é que a imortalidade lhe foi conferida. Acredita-se que essa concessão não é automática, mas precisa ser obtida.

2. Passagens extraídas dos escritos dos pais da Igreja apoiariam a idéia, e, nesse caso, haveria um antigo apoio na interpretação cristã para a mesma. Justino Mártir, *Trypho*, 4—6; Teófilo de Antioquia, *Ad Autolycum*, ii.37; Irineu, *Ad Haereses*, 34; e Arnóbio, *Disputationes Adv. Gentes*, ii.14,16,62.

3. *Com Base na Razão*. O aniquilamento dos ímpios concordaria melhor com a bondade divina do que com uma punição eterna.

4. A alma humana, embora sobreviva à morte biológica, só poderia atingir a imortalidade se fosse possuidora do valor intrínseco necessário para tanto e isso se atinge mediante uma verdadeira espiritualidade, através da transformação operada pelo Espírito Santo, tomando como modelo o Cristo glorificado. Ver II Cor. 3:18.

5. Nessa doutrina, encontramos um tipo de *sobrevivência espiritual dos mais aptos*, o que encontra alguns paralelos no mundo biológico.

6. A imortalidade subentende um tipo diferente de vida, totalmente independente de um corpo físico. Assim, aqueles que insistem em deleitar-se meramente no que é físico e sensual, haverão de perecer nessa ilusão.

Argumentos Contrários à Imortalidade Condicional:

1. Os trechos bíblicos usados em apoio a essa idéia dependem de uma interpretação especial sobre a *morte*. Isso significa que são falsas doutrinas tanto a do aniquilamento da alma quanto da imortalidade condicional. A morte, como segunda morte, é um termo figurado que dá a entender a perdição, o arruinamento dos propósitos da vida humana, podendo ser sinônimo do julgamento divino e do que sucederá quando ocorrer esse julgamento.

2. As citações tiradas dos escritos dos pais da Igreja são tão cuidadosamente selecionadas que se tem a impressão de que eles concordavam com a idéia. Mas, um exame mais cuidadoso revela que somente Arnóbio realmente era um condicionalista. Os outros, ao falarem sobre a punição eterna dos ímpios, não defendiam tal posição, embora algumas passagens, em seus escritos, pareçam dar essa impressão. Ademais, eles poderiam estar empregando a distinção entre o que é eterno e o que é imortal. Uma alma humana pode perdurar para sempre, sem ser imortal, ou seja, sem participar da forma de vida superior que é própria da natureza de Deus.

3. Embora, do ponto de vista humano, o aniquilamento possa ser preferível à punição eterna, a justiça de Deus, conforme se vê em muitas passagens bíblicas, requer a punição eterna, e não o aniquilamento.

4. Há a obtenção da verdadeira *imortalidade*, que é uma realização espiritual. Porém, a simples sobrevivência da alma, conforme vários trechos bíblicos ensinam (os perdidos sofrem com plena consciência de que estão sofrendo), é uma capacidade inata da alma. A alma é imaterial, não estando sujeita à morte biológica. Os trechos bíblicos que falam sobre o sofrimento consciente dos perdidos, como Lucas 16; II Tessalonicenses 1:9 e Apocalipse 14:11, dificilmente prestam-se à interpretação que fala em aniquilamento da alma.

5. A própria doutrina biológica da sobrevivência dos mais aptos pode ser posta em dúvida, sem nada dizermos sobre sua contraparte espiritual.

6. A *imortalidade* é um tipo diferente de vida em relação à vida física, e até mesmo em relação à mera sobrevivência; mas essa observação não afirma a idéia de aniquilamento. Apenas afirma que a salvação é uma evolução espiritual, e que existem muitas formas de sobrevivência, e não apenas uma — a imortalidade — em contraste com o aniquilamento.

IV. Outros Argumentos que Insuflam Esperança

Amigos, devo confessar que não me sinto satisfeito com os argumentos daqueles que atacam e daqueles que defendem essa doutrina. Penso que as próprias Escrituras nos oferecem ensinos que transcendem a ambos esses tipos de argumentos. Faço as seguintes observações:

a. A idéia da imortalidade condicional labora em erro, se o que está em foco é que não há sobrevivência eterna da alma.

b. Pode-se estabelecer uma distinção genuína entre a imortalidade e a sobrevivência da alma; e, nesse sentido, a imortalidade é uma realização espiritual, equivalente à salvação (que vide). A pessoa não-eleita sobrevive eternamente, mas não compartilha da vida imortal de Deus, o único estado de existência que, segundo os termos bíblicos, pode ser chamado de imortalidade. Somente Deus é imortal (I Tim. 6:16); mas, na salvação, os homens chegam a compartilhar da forma de vida e da natureza de Deus, tornando-se verdadeiramente imortais (II Ped. 1:4).

c. *Contudo*, a *sobrevivência* da alma pode envolver formas gloriosas, ainda que as almas não atinjam a verdadeira imortalidade. O trecho de Efésios 1:10 promete uma *restauração* geral (que vide), mediante a qual os homens serão levados à unidade em torno do *Logos*. Essa será uma grande realização divina, que ampliará a missão salvadora do Logos a todos os homens, embora não realizando em favor de todos os mesmos resultados. O trecho de I Pedro 4:6 mostra-nos que o próprio juízo divino será um elemento que produzirá restauração. A narrativa sobre a descida de Cristo ao hades mostra o interesse do Salvador por um ministério verdadeiramente universal, que obterá uma aplicação universal. E a passagem de Efésios 4:9 *ss*, mostra-nos que a descida de Cristo e sua ascensão tiveram o mesmo propósito, cooperando para o mesmo resultado final, a saber, fazer de Cristo tudo para todos, isto é, *preencher todas as coisas*. O julgamento drástico, trágico e terrível dos perdidos, haverá de ser um meio que visa à restauração deles. O julgamento não será apenas uma medida retributiva e punitiva. A idéia de julgamento somente como retribuição é reflexo de uma teologia inferior.

V. Há um grande princípio a ser aprendido.

O contrário da justiça não é a injustiça; é **o amor**. Por detrás do amor de Deus, temos o seu poder predestinador, o que serve de demonstração do mistério de sua vontade (Efé. 1:10). O que fará, *finalmente*, a vontade de Deus? *Restaurará*! Isso é o que o texto que fala sobre o mistério da vontade de Deus claramente requer. Notemos que se trata de um *mistério*, uma verdade que estivera oculta até aquele exato instante em que o apóstolo o revelou. Portanto, todas as teologias sobre o juízo divino, que antecedem essa revelação, precisam sofrer uma revisão, não menos do que o Antigo Testamento foi revisado, para ceder lugar à revelação superior do Novo Testamento.

VI. Uma Breve História do Condicionalismo

Sabemos que os filósofos gregos estóicos defendiam certa forma de condicionalismo, conforme foi explicado no primeiro ponto. Crisipo (282-209 A.C.) ensinava claramente essa idéia, segundo os termos estóicos. Estóicos posteriores estiveram divididos

IMORTALIDADE, TIPOS DE

sobre a questão. O cristão Arnóbio (284-305 D.C.) como é óbvio, defendia o condicionalismo; mas não se pode dizer outro tanto sobre outros pais da Igreja, cujos escritos, aqui e acolá, têm frases que podem ser interpretadas desse modo. Dentro da Igreja cristã, durante doze séculos essa doutrina desapareceu. No entanto, reviveu por obra de Fausto Sozzini, 1539-1604. Foi vigorosamente defendida por Hobbes (1588-1679), por Rousseau (1612-1778), e por H. Dodwell, o qual, em 1706, apresentou uma forma sistematizada da doutrina. No século XIX, foi defendida por Richard Whatley e Edward White. Daí passou para a doutrina dos Adventistas do Sétimo Dia, pelo que uma das grandes denominações cristãs passou a representá-la oficialmente. Vários pensadores do nosso século XX têm tomado a sua defesa, como J.Y. Simpson; W.E. Hocking e E.S. Brightman. Porém, o cristianismo evangélico, em todas as suas formas, continua a rejeitá-la. (BRIG E NTI PETA)

IMORTALIDADE, TIPOS DE

Ver o estudo geral sobre a *Imortalidade*, que se desdobra em vários artigos. Ver também sobre *Alma*.

Esboço:
I. Formas Verdadeiras de Imortalidade
II. Formas Espúrias de Imortalidade

I. Formas Verdadeiras de Imortalidade

Qualquer idéia que diga que o homem essencial é mais que o seu corpo físico, que a perda desse veículo físico não põe fim à sua existência e, acima de tudo, que essa vida continua para sempre, é uma doutrina de imortalidade. Mas, quando não se crê que essa forma de vida prossegue para sempre, então tem-se o que poderia ser chamado de *imortalidade temporária*, que já envolve uma contradição de termos. Nesse caso, a idéia deveria chamar-se *sobrevivência da alma*, que não subentende que tal sobrevivência continuará para sempre.

1. *A Imortalidade Entre os Gregos*. Essa idéia também é comum entre as religiões orientais. Promove uma espécie de dualismo, onde o corpo físico usualmente é considerado de pequena importância, ou mesmo é um empecilho para a alma, o homem essencial. Alguns teólogos cristãos têm criticado essa posição, porquanto promove um dualismo contrário ao ensino neotestamentário, onde é ensinada a redenção do homem inteiro — alma e corpo — mediante a ressurreição do corpo, o qual será, então, um corpo espiritual, um veículo apropriado para a alma. Contudo, a posição bíblica tem sofrido abusos, como quando se diz que a ressurreição será do mesmo corpo posto no sepulcro, em vez de ser uma nova criação — o corpo espiritual. Ora esse tipo de crueza é que era repelida pelos gregos. Seja como for, a crítica contra a imortalidade, aos moldes gregos, não tem cabimento. A fé cristã, como é óbvio, nos dá muito maior compreensão quanto ao *modus operandi* e à natureza da imortalidade; mas isso não anula a descrição geral e boa da imortalidade, provida por filósofos gregos, como Platão. Eles afirmavam a sobrevivência da consciência individual, juntamente com uma forma de vida superior, uma inteligência muito mais lúcida, e grande expressão espiritual.

2. *A preexistência da alma* usualmente aparece ligada à idéia de interminabilidade. Platão dizia que a alma é uma substância eterna, que se individualizou sob a forma de almas humanas. Na qualidade de substância eterna, naturalmente, a alma já existia por muito tempo (em forma já individualizada), antes de experimentar a materialidade. E, visto que nenhuma substância eterna pode sofrer dissolução, embora possa assumir novas formas de expressão, como na idéia da reabsorção pelos *universais* (vide), isto é, Deus, segue-se que a alma sobreviverá por toda a eternidade. A única questão debatível é se a alma de algum ser humano deixará de existir ou não, se for mesmo absorvida pelos universais (conforme é dito em algumas religiões orientais). A perda da individualidade será a perda da imortalidade? Alguns pensadores dizem que sim; outros, que não.

3. *A reencarnação* (vide) geralmente aparece ligada à idéia da preexistência da alma, como uma maneira de dar continuidade de expressão à alma, que não pode perecer. Alguns afirmam que a alma precisa de um corpo para continuar existindo; pelo que a reencarnação precisa ter lugar quase imediatamente após a morte. Porém, essa é a opinião apenas de alguns poucos. De fato, a maioria daqueles que crêem na reencarnação supõe que a união da alma com o corpo é uma situação temporária de aprendizado, algo que a alma ultrapassa logo que atinge o conhecimento e a transformação moral de que ela necessita.

4. *O Monismo Espiritual*. Essa é a posição de certas religiões orientais que dizem que a alma humana, *atman*, finalmente será absorvida por *Brahman* (o Espírito divino, todo-abrangente), o único no qual reside a imortalidade. A existência individualizada, em vários trechos dos Upanishadas e da Vedanta, aparece como uma *ilusão*. Isso posto, se somente Deus é imortal, então a imortalidade que nos é emprestada, facilmente pode chegar ao fim, mediante a reabsorção. Todavia, há dualistas hindus que não acreditam que essa reabsorção representará o fim da imortalidade do indivíduo, porque seria uma grande transformação em sua expressão, que levará o indivíduo a assumir consciência universal. Mas, se crermos em uma reabsorção que anule todos os aspectos da individualidade, então já teremos chegado ao monismo espiritual.

Plotino e quase todos os místicos falam em termos monísticos por enfatizarem o divino; mas, sob exame mais detido, vemos que, pelo menos alguns deles, de alguma maneira incorporam a existência individual no Um. De acordo com o monismo espiritual, em sua forma mais estrita, somente Deus sobreviverá, afinal.

5. *A Primitiva Imortalidade Judaica*. A idéia judaica mais primitiva concebia as almas dos homens como meras sombras, que levariam uma vida muito desmaiada no hades. Isso se parecia muito com as primitivas idéias gregas. Mas, surgiu então a idéia da *ressurreição* (vide). Durante algum tempo acreditou-se que, embora não houvesse continuação da existência da alma, contudo, pelo poder e pela graça de Deus, haveria uma restauração pela *ressurreição*. Os chamados Adventistas do Sétimo Dia continuam mantendo essa crença primitiva. Porém, os judeus não diziam muito sobre a natureza dessa imortalidade, obtida mediante a ressurreição. Todavia, o trecho de Daniel 12:2,3 informa-nos que uma vida gloriosa aguarda aos que ressuscitarem, embora não sejam dados ali maiores detalhes. Lembremos, também, que Daniel já exprime um pensamento judaico posterior.

6. *A Imortalidade no Cristianismo*. A fé cristã busca combinar as idéias da imortalidade grega com as idéias da ressurreição dos hebreus. O décimo quinto capítulo de I Coríntios mostra-nos que Paulo teve algum trabalho para unir esses dois conceitos. Nosso artigo sobre a *Ressurreição* ilustra amplamente a doutrina final dali emergente. A grosso modo, podemos dizer que a posição neotestamentária é a redenção da pessoa inteira, ficando assim eliminado o

IMORTALIDADE TIPOS DE

dualismo dos gregos, que desprezava o corpo físico. Porém, deve ser dito que, no cristianismo, o verdadeiro homem é a alma, e que o corpo ressurrecto continuará sendo apenas um veículo de expressão da alma, o que já ocorre com nosso presente corpo físico. Isso significa que continuará havendo um dualismo essencial no homem, embora o cristianismo nos dê algum discernimento quanto ao *modus operandi* do espírito nos mundos eternos. Os pais gregos da Igreja chegaram a imaginar que, à medida que o indivíduo vier a progredir na eternidade futura, perderá corpos espirituais que se tornem obsoletos e adquirirão outros, tal como perdemos este corpo físico por ocasião da morte. Novos corpos espirituais, pois, seriam adquiridos na transformação da alma, de um estágio de glória para outro, conforme se lê em II Cor. 3:18.

O aspecto mais importante que devemos observar, no tocante à imortalidade aos moldes cristãos, é que, para os remidos, isso significará a participação na forma de vida de Deus (II Ped. 1:4), em sua plenitude (Efé. 3:19), conforme essa plenitude é vista no Filho de Deus (Col. 2:9,10). Isso aponta para uma real participação na natureza divina, embora em sentido finito e secundário. Visto que haverá uma infinitude com que seremos cheios, também haverá um enchimento infinito. Os restaurados, em contraste com os remidos, terão uma forma inferior de imortalidade, porquanto nunca participarão da natureza divina, mas formarão uma espécie de ser espiritual de qualidade inferior. Ver sobre *Restauração*. Os remidos, entretanto, participarão da vida necessária e independente de Deus, sendo esse o nosso mais elevado conceito espiritual. Ver João 5:25,26 e as notas expositivas a respeito, no NTI.

7. *Deus, o Único Ser Imortal*. O trecho de I Tim. 6:16 afirma que somente Deus possui verdadeira imortalidade. Toda outra imortalidade é outorgada e secundária. Esse é um discernimento que já mencionamos no quarto ponto, acima, aceito por algumas religiões orientais. Mas, embora somente Deus seja verdadeiramente imortal, aos remidos será dado *esse tipo* de imortalidade, finalmente. A forma de vida que Deus tem dá origem a si mesma; não tem qualquer causa externa; não teve começo; não pode ter fim; é uma vida necessária, exaltada, inefável.

II. Formas Espúrias de Imortalidade

1. **No pensamento dos antigos judeus e gregos,** a alma humana aparecia como uma espécie de entidade sem sentidos, destituída de inteligência, propósito ou auto-identidade no hades; parecia mais um pássaro desmentalizado a pairar no espaço. Essa noção do após vida, provavelmente, estava baseada em fenômenos que caracterizavam os fantasmas, em contraste com os espíritos. Ver o artigo intitulado *Fantasma*.

2. *Imortalidade Condicional*. Temos provido um artigo com esse título. Alguns pensadores supõem que a imortalidade precisa ser adquirida seguindo-se os conceitos de algum grupo religioso específico. Somente aqueles que passarem por tal teste obteriam a imortalidade. Porém, isso não passa de um ensino espúrio, que limita a glória da *redenção* (vide) e da *restauração* (vide), conferidas por Deus.

3. *Influência Social*. Outros supõem que a única forma de imortalidade que podemos esperar obter é aquela em que nossa influência prosseguirá, após a nossa morte biológica. O indivíduo desapareceu para sempre. Morreu. Mas sua influência sobrevive. Os cientistas dizem que é irracional pensar que a vida prosseguirá para sempre neste planeta. Isso significa

que essa forma social de imortalidade está condenada a ser, finalmente, esquecida. Portanto, não se trata de verdadeira imortalidade. Reflete um baixo conceito acerca do homem.

4. *Continuação Biológica*. Um homem morre, mas seu filho sobrevive. O filho morre, mas o neto do primeiro continua, e assim por diante. Assim, os genes de um homem continuam existindo, desfrutando de uma certa forma de sobrevivência. Porém, quem poderia interessar-se por essa mera forma de imortalidade?

5. *A Eternidade da Verdade e dos Valores*. Apesar de que os homens pereçem, os valores que eles tiverem promovido, e as verdades que tiverem descoberto, continuarão. No entanto, pouquíssimas são as pessoas que têm descoberto verdades e valores, em suas existências na terra, pelo que essa suposta forma de imortalidade destinar-se-ia a uma pequena elite. O resto terá de viver na miséria, morrer na miséria, e desaparecer para sempre. Essa suposta imortalidade não oferece qualquer resposta para nossos mais sérios problemas.

6. *O Monismo Impessoal*. Aristóteles afirmava a imortalidade do intelecto ativo do homem, com o que ele entendia o sistema de ideais intelectuais e as implicações disso, que o homem compartilha com Deus. Porém, isso não subentende a continuação da existência individual consciente. É somente através de uma linguagem forçada que poderíamos pensar que tal idéia corresponde à imortalidade humana.

7. *Uma Vontade Pessimista, Sem Propósito*. De acordo com Schopenhauer, Deus resolveu existir, embora a existência, por si mesma, seja má. As almas individuais existem porque isso é parte da vontade de Deus, e porque elas participam desse insano desejo de continuar vivendo. Para Schopenhauer, a melhor coisa que poderia suceder era Deus (o Espírito Absoluto) deixar de querer existir, passando a não mais existir. Nesse caso, todas as coisas também desapareceriam da existência, incluindo as almas humanas, o que, para esse homem, seria uma excelente coisa!

8. *Meu Trabalho é Eterno*. Se eu chegar a trabalhar muito e realizar algo, então esse trabalho sobreviverá a mim. E, quando eu deixar de existir, meu trabalho continuará sendo *meu*. Isso posto, algo em mim tornar-se-á imortal. Porém, esse «meu» não corresponde a «mim», o que mostra que estamos tratando apenas de uma questão retórica sobre a imortalidade, destituída de qualquer valor. Ademais, poucos seres humanos têm feito algo que prossiga por muito tempo. Isso deixa as massas da humanidade sem qualquer forma de imortalidade, o que não é um conceito muito inspirador.

9. *A Continuação da Substância Física*. Visto que a matéria pode ser destruída, embora possa ser transformada em várias formas, a matéria de que meu corpo físico é *formado* prosseguirá para sempre. Apesar disso envolver uma certa verdade, a continuação de matéria morta dificilmente nos interessaria, se não houver a continuação da consciência. Uma pedra, para mim, seria tão boa quanto isso, mas não constitui uma idéia inspiradora, e nem satisfaz as evidências com que atualmente contamos, conforme é descrito no artigo sobre a *Alma*, além de outras considerações sob o artigo acerca da *Imortalidade*. Ver também *Experiências Perto da Morte*, quanto a coisas significativas que os homens estão aprendendo acerca da morte clínica, coisas essas que nos encorajam a crer que há uma porção imaterial no homem, que é o homem essencial, e que sobrevive ante a morte biológica.

284

IMORTALISTA — IMPECABILIDADE

IMORTALISTA

Esse termo alude à pessoa que crê que o homem não é apenas o seu corpo físico, porquanto a alma eterna, que é o homem essencial, sobrevive à morte biológica e nunca morre. Ver o artigo sobre a *Imortalidade* e também sobre *Alma*.

IMPECABILIDADE DE JESUS

Mas vós negastes o Santo e Justo..., Atos 3:14.

Esboço

I. Os Títulos de Jesus
II. O Paradoxo: Jesus Poderia Cometer Pecado?
III. Outra Consideração
IV. A Beleza Moral de Cristo
V. A Impecabilidade de Jesus e seu Ofício Como Sumo Sacerdote
VI. Outros Textos de Prova

I. Os Títulos de Jesus

Os títulos atribuídos a Jesus Cristo, **Santo e Justo**, em Atos 3:14, parecem ser uma reverberação de Isa. 53:11. O título «Justo» é novamente usado com referência ao Senhor Jesus, em Atos 7:52 e 22:14. É adjetivo usado como título messiânico nos livros apócrifos de Enoque 38:2 e Sabedoria de Salomão (segundo capítulo), que fala sobre as perseguições que os ímpios movem contra o justo. Esse título, juntamente com aquele outro, «Servo» que aparece em Atos 3:13, era título dado primitivamente a Jesus, como o Messias, conforme se verifica em trechos como Mat. 27:19; Luc. 23:47; Tiag. 5:6 e I Ped. 3:18. O Senhor Jesus era possuidor de uma santidade sem-par, conforme o N.T. atesta por todas as suas páginas. Até os demônios sentiam tal qualidade. (Ver Mar. 1:34 e Luc. 4:34). Isso também era pressentido e observado por seus discípulos, pois eles, mais do que quaisquer outras criaturas, foram capazes de testar a natureza autêntica da santidade do Senhor Jesus. (Ver João 6:69). Na passagem de Atos 7:52,56, encontramos o título *Justo* usado por Estêvão (ver Atos 22:14). (Ver os trechos de I Ped. 3:18; I João 2:1 e Apo. 3:7, quanto ao uso dessa expressão, por parte dos apóstolos e dos primitivos cristãos. Quanto a notas expositivas sobre a impecabilidade de Jesus Cristo, são as seguintes: Isa. 53:9; II Cor. 5:21; Heb. 4:15; 7:26; I Ped. 1:19 e 2:22 no NTI).

Cristo Jesus, como alguém que é verdadeiramente impecável, forma a única exceção à regra universal que atinge a humanidade. Isso faz dele um notável milagre moral, no meio de um mundo caído e arruinado pelo pecado. Peter Schaff, comentando acerca desse assunto, com relação ao trecho de João 8:46, diz o seguinte: «A impecabilidade do Senhor Jesus não deve ser confundida com a impecabilidade de Deus; pois o que fica aqui subentendido é a impecabilidade do *homem* Jesus, durante a sua vida terrena, em que havia a possibilidade de pecar, por estar ele sujeito à tentação e à possibilidade de cair ante a mesma, ao passo que a impecabilidade de Deus é um atributo eterno acima do alcance de qualquer conflito... A santidade impecável cresceu juntamente com Jesus e, vencendo com êxito a tentação, em todas as suas formas, isso se tornou absoluta impecabilidade e impossibilidade de pecar. Por isso é que se lê: '...embora sendo Filho, aprendeu a obediência...' (Heb. 5:8)».

II. O Paradoxo: Jesus Poderia Cometer Pecado?

1. As Escrituras declaram que Jesus não cometeu pecado. Mas, poderia ele ter pecado?
2. Se olharmos para o problema segundo o prisma humano (considerando sua natureza humana), diríamos que «sim».

3. Se olharmos para a questão do ponto de vista divino, teríamos de dizer que «não». Alguns vêem a questão de um lado, e outros de outro lado; daí a radicalidade das respostas.

4. Essa doutrina apresenta uma paradoxo, um ensino que parece entrar em contradição consigo mesmo, tal como a divindade e a humanidade de Jesus Cristo representam para nós um paradoxo. Por igual modo, o llivre-arbítrio parece contradizer a predestinação; no entanto, de algum modo, ambas as idéias exprimem a verdade.

III. Outra Consideração

Acredito que existe outra consideração que pode anular o paradoxo descrito sob seção II. Jesus, na sua humanidade, desenvolveu um estado tão alto de poder espiritual que foi além do alcance das tentações. Ele desenvolveu uma humanidade tão grandemente espiritual que não mais tinha problemas deste tipo.

IV. A Beleza Moral de Cristo

1. O mundo preferiu Barrabás, e continua dando preferência à feiúra do pecado, da revolta e do egoísmo. Para essas coisas é que o mundo vive.
2. O maior milagre do primeiro século não foi qualquer dos atos prodigiosos de Jesus em particular, e nem todos eles considerados conjuntamente. Antes, foi o próprio Jesus, em suas qualidades morais e espirituais. Há em seu seio uma glória que transfigura ao leitor e a mim.
3. A beleza moral de Cristo tornou-se para nós um modelo, por ser ele o Pioneiro do caminho do desenvolvimento espiritual, Heb. 2:10. Mas o mundo continua preferindo, perversamente, Barrabás. Esse ladrão e assassino se apresenta como o campeão de muitas causas justas, mas está repleto de putrefações. O que preferimos em lugar de Cristo? Esse será o nosso Barrabás.

V. A Impecabilidade de Jesus e seu Ofício Como Sumo Sacerdote

Heb. 4:14-15: Tendo, portanto, um grande sumo sacerdote, Jesus, Filho de Deus, que penetrou os céus, retenhamos firmemente a nossa confissão. Porque não temos um sumo sacerdote que não possa compadecer-se das nossas fraquezas; porém um que, como nós, em tudo foi tentado, mas sem pecado.

O que é dito aqui é sem-par no N.T., dando-nos uma visão mais clara sobre a natureza humana de Cristo, pelo menos em alguns particulares. Até mesmo a tentação de Cristo, nos evangelhos sinópticos (ver Mat. 4:1-11 e seus paralelos) tem o propósito polêmico de mostrar que nada podia tirar Jesus de seu *propósito messiânico*, o que significa que ele era mais poderoso que o próprio Satanás. Aqui, porém, sua vitória sobre a tentação visa mostrar o que a natureza humana pode fazer e como ela deve ser, quando devidamente impelida pelo Espírito Santo. Suas tentações têm por fito mostrar-nos que ele se identificou totalmente conosco, sem qualquer limitação. Ele era humano tal e qual somos humanos; não possuía nenhuma natureza humana diferente, como a do homem «antes da queda», (ver Rom. 8:3). Ele foi enviado «na semelhança de carne pecaminosa», isto é, compartilhou da mesma natureza dos homens, a qual fora debilitada e degradada pelo pecado, embora ele mesmo não tivesse qualquer pecado pessoal. Contudo, ele compartilhou do «desastre da natureza humana», que resulta do pecado.

Jesus mostrou que a natureza humana não precisa do pecado como um de seus elementos. A verdadeira

IMPECABILIDADE DE JESUS

natureza humana é impecável. A natureza humana pervertida é que peca. Daí resulta a necessidade de redenção.

A impecabilidade de Cristo qualificou-o preeminentemente para o sumo sacerdócio, pois ele, diferentemente de outros, não precisa oferecer sacrifício por si mesmo. Todo seu labor pode ser assim devotado a seus irmãos. Assim, mediante o sacrifício de si mesmo, ele eliminou o pecado para sempre (ver Heb. 9:26), livrando os filhos de Deus de sua manopla e dando-lhes um lugar de acesso a Deus Pai. E da «segunda vez» em que ele aparecer (na *parousia*), não haverá mais necessidade de cuidar da questão do pecado. Portanto, ele aparecerá «à parte do pecado», e isso «para a salvação», com o propósito de levar à fruição a salvação de seus irmãos (ver Heb. 9:28). A impecabilidade de Cristo, pois, deve significar mais do que a rejeição de atos pecaminosos; ele nunca favoreceu a atitude do pecado; não pecou em seus desejos e em seus motivos, muito menos em suas ações. Ele mesmo deixou claro que o pecado reside nos desejos e motivos dos homens, e não apenas em atos pecaminosos (ver Mat. 5:27 e *ss*).

Gloriando-nos nas debilidades. Newell (*in loc.*) relata-nos acerca de um amigo seu que sofria de muitas debilidades físicas que ameaçavam o bem-estar de sua própria alma. Seu senso de fraqueza era tão profundo que o avassalava, de tal modo que sentiu que perdera até mesmo o contacto com Deus. Mas foi encorajado, por meio do trecho de II Cor. 12:9,10, a «gloriar-se» nessas debilidades, para extrair delas alguma forma de glória a Deus, transformando-as em pontos fortes. Isso lhe emprestou uma nova orientação.

VI. Outros Textos de Prova

Outros trechos bíblicos que declaram sua impecabilidade, são: Isa. 52:9; II Cor. 5:21; Heb. 4:15; 7:26; I Ped. 1:19 e 2:22.

IMPECABILIDADE DO HOMEM

Se dissermos que não temos cometido pecado, fazemo-lo mentiroso, e a sua palavra não está em nós. (I João 1:10)

Não temos cometido pecado. No oitavo versículo deste capítulo, encontramos os gnósticos como dizendo: «Não temos qualquer pecado». No presente versículo, vemo-los como dizendo: «Não temos cometido qualquer pecado». (Ver as notas expositivas em I João 1:8 no NTI, acerca de *como* os gnósticos criam que isso pode ser. Ver ali também a discussão a respeito da «perfeição impecável», que alguns cristãos de nossos dias continuam defendendo erroneamente). Evidentemente criam que viviam livres do «estado» de pecado (o que é subentendido, se não diretamente ensinado no oitavo versículo) e também de suas «manifestações» (ver o presente versículo). No oitavo versículo, tal atitude é chamada de *auto-ilusão*. No presente versículo é chamada de blasfêmia, em que Deus é feito mentiroso, quem ensina, nas Escrituras e na consciência que todos os homens são pecadores.

A negação de que alguém não tem pecado serve para negar a verdade através de um argumento sofista; mas é mais ainda do que isso. Biblicamente falando — e até mesmo racionalmente, conforme ousamos dizer — isso envolve chamar a Deus de mentiroso, o qual testifica da pecaminosidade do homem. «Portanto, caso a luz que em ti há sejam trevas, que grandes trevas serão!» (Mat. 6:23b). Tanto a razão como a revelação ensinam-nos que todos os homens são pecadores (ver Sal. 14; capítulos primeiro a terceiro da epístola aos Romanos e, especialmente,

Rom. 3:23). Mas os gnósticos, através de «raciocínios teológicos», que eles reputavam luz de inteligências iluminadas, vieram à conclusão perversa de que não tinham pecado pessoal. Portanto, sua «luz» era, para eles, trevas obscurecedoras, que os tinha enganado, levando-os a blasfemarem de Deus e da razão. Tinham muitas visões falsas, e esse misticismo falso os cegava para sua própria corrupção moral. Por muitas razões, os homens de todas as gerações não têm podido ver facilmente a própria necessidade de purificação, a sua necessidade de um Salvador.

«A vaidade é a mola de todas as atitudes do homem». (Matias Aires).

> *Tanto esforço, perdido em ser perfeito!*
> *Em ser supremo, tanto esforço vão!*
> *Sonho efêmero; acordo e, junto ao leito,*
> *A mesma inércia, a mesma escuridão.*

> *Vejo, através das sombras, um defeito*
> *Em cada cousa, e as cousas todas são,*
> *Para os meus olhos rútilos de eleito,*
> *Prodígios de impureza e imperfeição.*

> (Hermes Fontes, Sergipe)

Fazemo-lo mentiroso. Naturalmente, isso importava em blasfêmia. Os que assim fazem negam o que Deus tem revelado aos homens através dos profetas, das Sagradas Escrituras, o que também se faz evidente em nossa razão e intuição, a menos que estejamos pervertidos por uma falsa «luz».

Sua palavra não está em nós. (Comparar com o oitavo versículo, onde se vê que a sua «verdade» não está em nós). «Palavra», neste caso, é termo paralelo à «verdade», no oitavo versículo. Está em foco a «verdade moral», contida na palavra do evangelho, o imperativo moral cristão que os apóstolos pregavam. Não está aqui em foco nem o Antigo e nem o Novo Testamento, embora essa «verdade» ou «palavra» esteja concretizada nas Escrituras. Assim também Cristo, do mesmo modo que é a «verdade» personificada, é a «palavra» personificada. (Ver João 1:1 e as notas expositivas ali existentes no NTI, sobre essa complicada doutrina). Cristo traz aos homens a mensagem e a revelação divinas; ele é a «imagem» do Deus invisível. Porém, na qualidade de «imagem», ele é o «primogênito» dentre muitos irmãos, podendo eles tornarem-se possuidores da imagem de Deus, semelhantes ao Filho. No processo de transformação segundo a imagem do Filho, a «verdade» e a «palavra» vivem e produzem em nós o seu resultado. Primeiramente, produzem a santidade; em seguida produzem o próprio tipo de vida de Cristo em nós.

Há outra consideração da doutrina gnóstica que devemos notar aqui. Os gnósticos achavam que o espírito humano é puro e que o princípio do mal reside na matéria (no caso do homem, no corpo). Para eles o espírito é como o ouro. O ouro pode ser metido na lama, mas nem por isso, torna-se lama. Assim, o espírito do homem, cativo no princípio da matéria fica sem defeito, enquanto o princípio da matéria continua aborrecendo com suas exigências ruins.

As doutrinas humanas inventam raciocínios (como os gnósticos fizeram) para criar a alusão da impecabilidade humana.

Fraquezas do raciocínio da impecabilidade do homem.

1. Contradiz as Escrituras de I João.

2. Reduz a definição de pecado para permitir que alguns alcancem um estado de perfeição ilusória.

3. Promete uma impecabilidade *temporária*, porque ensina que a pessoa que alcança este estado, pode cair de novo, anulando o que foi ganho. Se isso representa a verdade do caso, então a realização deste

IMPEDIMENTOS — IMPERATIVO

estado não é nada muito significante. Tanto esforço é perdido rapidamente quando uma tentação forte abala a pessoa.

4. Fala em *perfeição* quando uma pessoa, supostamente, obtém a impecabilidade mas a perfeição inclui as virtudes e qualidades espirituais positivas de Deus, não meramente a ausência de pecado.

IMPEDIMENTOS AO CASAMENTO

A lei canônica declara que o matrimônio é uma relação contratual permanente, cujo propósito é a propagação da raça humana, o cultivo do amor cristão e um meio de desenvolvimento espiritual. Os impedimentos ao cumprimento desses ideais podem envolver aspectos físicos, mentais, orais ou espirituais do casamento. A grosso modo, há dois tipos de impedimento: os impedimentos (*impedimentia*) e os prejuízos (*dirimentia*). Os primeiros não permitem que o casamento tenha lugar; e os últimos anulam uma relação *de facto*, que já havia sido concluída.

Em primeiro lugar, há a questão do *consentimento*, necessária para que o casamento exista. Certas condições, porém, tornam isso impossível ou duvidoso. Entre essas condições há uma idade jovem demais para que as pessoas envolvidas tomem decisões legais; a imaturidade é outra das razões; a insanidade, a intoxicação ou condições físicas que não permitam a expressão física normal no casamento são outras condições desfavoráveis.

Em segundo lugar, há razões religiosas, como no caso do clero católico romano. O voto de celibato na ordenação para os quatro graus superiores do sacerdócio católico romano não permite que um padre contraia casamento; e, se ele já é casado, então esse voto requer que rompa o **seu vínculo** matrimonial.

Em terceiro lugar, para os católicos romanos está vedado o casamento com um indivíduo **não-batizado**, ou então batizado de acordo com ritos desaprovados por aquela Igreja.

Em quarto lugar, o adultério é um impedimento, visto que viola o caráter basicamente monógamo da união marital, de tal modo que um casamento pode ser dissolvido por essa razão.

Em quinto lugar, razões físicas, como a impotência masculina, podem anular um casamento; mas a esterilidade não pode ser considerada como uma evidência *prima facie* de impotência.

Em sexto lugar, certas relações de consangüinidade, até o quarto grau de parentesco, — bem como parentescos por afinidade (em razão de casamento), servem de impedimentos. Temos oferecido um artigo separado sobre esse assunto intitulado *Consangüinidade — Impedimento Marital*.

Em sétimo lugar, relações espirituais criadas por **co-participante nos ritos do** batismo e da confirmação criam impedimentos maritais. Essa participação cria laços metafísicos entre as pessoas, o que é uma espécie de parentesco. Assim, os padrinhos de um batismo não podem casar-se um com o outro, a despeito do fato de não haver entre eles qualquer relação de sangue. De acordo com a doutrina católica romana, eles tornaram-se uma espécie de pais espirituais da pessoa batizada, como se tivessem experimentando um novo nascimento por terem participado da cerimônia.

Em oitavo lugar, é proibido o casamento com pessoas que se afastaram da Igreja Católica Romana ou que pertencem a sociedades proscritas. Todavia, na prática, essa estipulação da lei canônica, com freqüência, é ignorada.

Em nono lugar, ninguém pode casar-se com quem já é casado ou cujo divórcio não seja reconhecido pela Igreja, de forma a anular espiritualmente o casamento anterior.

Em décimo lugar, se uma pessoa esteve em relação de noivado com um parente daquele indivíduo com quem agora pretende casar-se, tal matrimônio pode ser impedido pelo princípio da *honestidade pública*.

Ver *Separação do Crente*, III e IV.

IMPERADOR

De acordo com o uso moderno do termo, um *imperador* é um governante que reina sobre mais de um reino. Se apenas um reino estiver envolvido, então esse governante será um *rei* e não um imperador. De acordo com as leis romanas, várias idéias estavam envolvidas no ofício de imperador. Ali, embora os imperadores fossem autênticos *ditadores*, eles também tinham a responsabilidade de exercer o *imperium* (a autoridade delegada em favor do Estado). Em contraste com isso, um rei governava por sua própria autoridade, por direito hereditário ou por direito político adquirido (ou mal adquirido). Formalmente, os exércitos romanos declaravam que algum homem era o *imperador*. Nos tempos medievais e modernos, os imperadores europeus buscavam seguir o precedente romano, como se houvesse alguma herança cultural e espiritual no ofício. Embora a idéia básica da palavra fosse «ordenar» (no latim, *imperare*), a autoridade deles conhecia certas restrições.

No tocante a como os imperadores romanos relacionaram-se ao Novo Testamento, ver o artigo intitulado *Césares*. O relacionamento usual entre os governantes reais e os seus súditos, conforme o mesmo é refletido nas Escrituras Sagradas, era o relacionamento de rei, como nos casos de Ciro e Nabucodonosor (Esd. 1:1 e Dan. 3:9). No entanto, no Novo Testamento, um dos imperadores romanos também é intitulado «rei» (João 19:15). Os usos metafóricos e espirituais, na Bíblia, estão associados ao vocábulo «rei» e não ao termo «imperador». Cristo jamais é chamado «imperador» nas Escrituras, mas somente «rei». Em Apocalipse 19:16, «Rei dos Reis e Senhor dos Senhores». Jesus não é um imperador porque a sua autoridade não lhe foi delegada por nenhum homem ou povo, mas é Rei por direitos legítimos adquiridos, como Criador, Salvador, Sustentador e herdeiro presuntivo do trono vago de Davi.

IMPERATIVO

Na gramática, esse termo denota o modo verbal em que uma ordem é passada. Vem do latim, *imperare*, «mandar». O assunto é de interesse para a filosofia, por causa de suas associações morais e de toda a questão do dever. Ver os artigos intitulados *Dever* e *Dever do Cristão*, que abordam com mais profundidade o assunto.

A lógica tradicional aborda os argumentos cujas premissas e conclusões podem ser verdadeiras ou falsas, ao passo que os imperativos não podem ser nem uma e nem outra coisa. Por causa disso, alguns filósofos têm hesitado em extrair valores morais de imperativos. Um imperativo contém em si mesmo um juízo moral, e somente a investigação pode determinar a validade desse juízo; pelo que não nos deveríamos preocupar muito com a lógica envolvida que nega aos imperativos a sua qualidade de juízo moral. Alguns lógicos tentam mostrar, mediante manipulações verbais, que um imperativo pode conter um juízo moral genuíno. Seja como for, para os crentes, os imperativos da revelação bíblica têm valor

IMPERATIVO — IMPÉRIO ROMANO

moral, porquanto repousam sobre a vontade e o conhecimento de Deus, e não sobre as interpretações e manipulações lingüísticas dos homens. Isso posto, os imperativos são juízos morais genuínos. Ver sobre *Misticismo* e *Revelação*. Ver também sobre o *Imperativo Categórico*, de Emanuel Kant.

IMPERATIVO CATEGÓRICO

Dentro da filosofia moral de Emanuel Kant (que vide), o *imperativo categórico* é a obrigação moral por excelência, que se aplica *a priori* a todas as pessoas e a todas as situações. Compõe-se de três elementos: 1. Agir de acordo com aquela máxima que se poderia desejar para que se tornasse uma *lei universal*, a qual todos os homens teriam de obedecer, sempre. 2. Sempre considerar a si mesmo e às pessoas como finalidades, e não como meios. 3. Agir sempre como se a própria pessoa fosse um reino de finalidades meramente possíveis. Kant supunha que essas três máximas eram essencialmente a mesma coisa, em seu sentido e em suas implicações. A verdadeira moralidade deveria ser considerada uma questão de requisitos objetivos, e não uma questão de caprichos pessoais subjetivos. Tal moralidade não pode ser relativa no tocante a uma pessoa ou situação, porquanto repousa sobre os requisitos *a priori* da mente. A ética de Kant é chamada de *formal* ou *absoluta*, em contraste com o que é indutivo ou relativo.

IMPERATIVO PRÁTICO

Esse é um nome alternativo para o *Imperativo Categórico* de Kant (vide). Referindo-se a essa regra como o *imperativo prático*, disse ele: «Trata cada homem como uma finalidade em si mesmo, e nunca apenas como um meio para um fim». Em outras palavras, nunca deveríamos usar outra pessoa apenas como instrumento para chegarmos àquilo que desejamos, ignorando sua dignidade e individualidade. Ver uma completa explanação sobre a ética kantiana, no artigo acerca dele, quarta parte, bem como no artigo sobre a *Ética*, seção oitava.

IMPÉRIO BIZANTINO

Essa era a porção oriental do Império Romano, após a sua divisão inicial por Constantino, quando ele transferiu a capital para Bizâncio, a cuja cidade deu o nome novo de Constantinopla, e após sua divisão final, em duas partes, pelo imperador Teodósio, em 395 D.C. Essa unidade inicial e a divisão posterior, são admiravelmente retratadas na imensa imagem do sonho de Nabucodonosor, onde o império romano é retratado como as duas pernas e os pés da estátua (ver Dan. 2:33). A fase final e profetizada do império romano é retratada naquele sonho de Nabucodonosor pelos dez artelhos da estátua (ver Dan. 2:40-44; Apo. 17:11-18). Essa fase final do império romano será o reinado do anticristo.

Voltando, porém, ao império bizantino, as porções oriental e ocidental do império romano, formavam, teoricamente, um único império. Porém, por certa variedade de razões, a separação em duas porções tornou-se inevitável. Politicamente, isso foi dado a entender por Carlos Magno (800 D.C.), ao procurar reavivar o império romano do Ocidente (ou império latino), depois que o mesmo sucumbira politicamente diante dos invasores bárbaros, em 476 D.C., quando o imperador dos francos assumiu também o título de imperador do Santo Império Romano. A medida

política de Carlos Magno também tinha seu aspecto religioso, porquanto foi com a chancela e apoio do papa que Carlos Magno organizou esse império. No entanto, o entendimento religioso com o império bizantino prosseguiu até 1054 D.C., quando houve, finalmente, o rompimento, chamado de o Grande Cisma (que vide).

O império bizantino continuou sendo o grande fator dominante, cultural e econômico, da Europa, pelo espaço de mil anos, desde Teodósio em diante. Mas a conquista árabe (século VII D.C.), e finalmente, as conquistas turcas (séculos XI a XV D.C.) produziram a derrocada desse império. Seu último baluarte, a capital, Constantinopla, foi tomado por Maomé II, em 1453. E sua contraparte ocidental, o Santo Império Romano, iniciado por Carlos Magno no ano 800 D.C., chegou ao fim por um golpe de Napoleão, em 1806. Portanto, este também arrastou-se por mil anos.

IMPÉRIO ROMANO

I. O Termo
  1. Sentido Geográfico
  2. Sentido Político
II. A Transição
III. Augusto
IV. Tibério
V. Calígula
VI. Cláudio
VII. Nero
VIII. O Ano dos Quatro Imperadores
IX. Vespasiano
X. Tito
XI. Domiciano
XII. Cinco Bons Imperadores

I. O Termo

A palavra «império» requer definição, porquanto é usada em dois sentidos distintos, o geográfico e o político, e ambos os sentidos são aplicáveis ao império romano.

1. *O Sentido Geográfico*. Um império é um agregado de territórios, sob um único governo absoluto. Até dias comparativamente recentes, a Grã Bretanha constituía um império mundial. No mesmo contexto, Roma governava um anel de territórios em redor do mar Mediterrâneo, uma área que se expandia cada vez mais, adquirida por uma longa evolução histórica, iniciada com as tribos latinas do rio Tibre, que irromperam o cerco interno de colinas possuídas por outras tribos. Essa expansão continuou até que as fronteiras de Roma chegaram às muralhas de Adriano, na distante Northumberlândia, às longas fronteiras formadas pelas margens dos rios Reno e Danúbio, às costas do mar Negro da Ásia Menor, ao deserto de Saara, e às indeterminadas fronteiras oriental e norte, que oscilavam com a política romana em relação aos partas, sem contarmos o deserto da Arábia e sem contarmos com a indefinida fronteira sul, nas costas do mar Vermelho e no vale do rio Nilo.

Essa gigantesca área havia ficado sob o império ou comando romano, mediante um longo processo através do qual primeiramente a república, e então, o principado, foram empurrando suas fronteiras para mais longe, em um processo que não terminou enquanto esse imenso poder não atingiu os seus limites. Esses limites acompanhavam a mais longa fronteira fluvial da Europa, e não eram bem demarcados em redor do arco inteiro das províncias orientais. O império romano foi duramente conquistado, e era uma massa de território de defesa difícil.

Imperadores Romanos dos Tempos Bíblicos

Augusto (31 A.C.-14 D.C.) Imperador dos tempos do nascimento e primeiros anos de Jesus

Tibério (14-37 D.C.), Imperador durante o ministério de Jesus

Vespasiano (69-79 D.C.) desenho de uma moeda

Nero, (54-58) D.C.

Jerusalém desolada por Tito

IMPÉRIO ROMANO

Estava destinado a ser dividido pelo meio e sucumbir, primeiramente no Ocidente, e então, no Oriente, devido às pressões de povos que se achavam nas massas de terra mais remotas da Europa e da Ásia. Dessas incursões tribais, Roma desde muitos séculos procurara se proteger, para preservar a cultura e a civilização em torno do Mediterrâneo. Onde chegava o império romano, chegava também a *pax romana*. Foi dentro dessas fronteiras que a Igreja lançou raízes e cresceu e quando a vasta massa se desintegrou, o cristianismo mostrou ser o elo de ligação que vinculava um mundo que se esboroava ao seu sucessor, isto é, a nova Europa, que surgiu quando o torpor e a confusão da Idade das Trevas passaram.

2. *O Sentido Político*. O termo «império» é usado mais comumente para distinguir a república do reinado, para distinguir o governo do senado do governo dos autocratas constitucionais que, devido ao exercício de comandantes militares supremos, eram chamados «imperadores». Portanto, nesse sentido da palavra, o império romano é aquele período da história romana que começa com a vitória final de Otávio, na última Guerra Civil da República, até o colapso da autoridade romana, primeiramente no Ocidente e, dez séculos mais tarde, no Oriente. Verdade é que esse melancólico fim político não pôs fim à cultura, à civilização. Tanto isso é verdade que, pouco mais de trezentos anos após a queda do império romano do Ocidente, Carlos Magno, imperador dos francos, reativou o mesmo, sob o nome de Santo Império Romano, no ano 800 D.C., cuja forma perdurou até 1806, quando Napoleão deu-lhe fim. Além disso, sobretudo os países que se formaram após o estilhaçamento do império romano do Ocidente, tornaram-se os herdeiros do mesmo: Itália, França, Bélgica, Espanha, Portugal e, (por que não, Grã-Bretanha?), dão hoje continuidade histórica à magnífica civilização romana Ocidental. E foram precisamente esses países, restos do antigo império romano do Ocidente, que encetaram as grandes descobertas, ampliando as fronteiras culturais romanas, e surgiram as Américas do Norte, Central e do Sul, além de muitos outros pontos de civilização na África, na Ásia e na Oceania. O fim do império romano foi político, mas não cultural. Nosso Brasil faz parte dessa imensa evolução histórica.

II. A Transição

Não devemos supor que o povo romano percebeu que, quando da batalha de Ácio, em 31 A.C., houve um momento decisivo na história romana. O acúmulo de poder nas mãos de um só homem, poder constitucionalmente conferido, não era nenhuma novidade naquele último meio século de política tensa e agitada que antecedeu o aparecimento de César Augusto, que impôs a paz e a ordem. Já por várias vezes, a oligarquia dominante havia apelado para a autocracia, em seu esforço para conservar o controle da cidade, da Itália e das províncias ameaçadas. Assim, já por duas vezes o grande Pompeu tomara medidas drásticas para controlar o proletariado urbano, uma sinistra força na confusa situação política de Roma. Se Pompeu não tivesse sido um leal servo do senado, poderia ter-se aproveitado da situação para assumir poderes absolutos e ditatoriais, pois, inclusive, contava com o apoio das forças armadas, e ele teria sido o primeiro «imperador».

Júlio César não era homem tão honrado quanto Pompeu. Doze anos após 62 A.C., quando Pompeu resignou devidamente de seu elevado cargo, Júlio César já se havia tornado o problema que os senadores tinham previsto. Júlio César havia reduzido os gauleses à submissão e demonstrara o poder romano

do outro lado do futuro canal inglês, e agora desafiava a oligarquia em bancarrota, a qual só via defesa em Pompeu, o único soldado capaz de enfrentar o gênio militar de César; isso provocou a Guerra Civil. Esse período, bem documentado historicamente para nós, pode ser seguido de perto, semana após semana, quando a república romana estertorava nas ânsias da morte. Nessa Guerra Civil, César emergiu vitorioso. A batalha decisiva se deu em Farsalo, na planície de Tessalônica, a 9 de agosto de 48 A.C. Com a emergência do primeiro imperador romano, estava pavimentado o caminho para o ministério de Cristo e para a carreira inicial do cristianismo; pois a predição bíblica dizia: «Mas, nos dias destes reis, o Deus do céu suscitará um reino que não será jamais destruído...» (Dan. 2:44).

César Augusto não recebeu o título de «imperador», embora, virtualmente, o tenha sido. O que ele fez foi pacificar o império, restaurando a lei e a ordem. César fez isso com pulso firme. Tornou-se mesmo insubstituível; quando os conspiradores o assassinaram, —em março de 44 A.C., não havia alternativa para a sua ditadura firme e eficiente. A república estava morta, e não havia como ressuscitá-la. Mas, ninguém se havia lembrado do filho adotivo e herdeiro de César, que recebera o nome de Octavianus Caesar, então, um jovem de apenas dezenove anos, e que estava estudando na Grécia. Com incrível audácia, o jovem Otávio reivindicou a sua herança. Ainda precisou enfrentar bolsões de resistência, mas acabou por prevalecer sobre as forças reacionárias remanescentes. Essa vitória ocorreu, finalmente, na batalha de Ácio, a que já nos referimos, em 31 A.C. Após uma falsa «restauração da república», em 27 A.C., Otávio recebeu o título de *Augusto*, e deu a si mesmo o título de *princeps*, «primeiro cidadão», que parecia reivindicar pouca coisa. Mas, visto que controlava todas as forças armadas, ele era o virtual «imperador». Havia absorvido a autoridade e os privilégios dos magistrados plebeus, os «tribunos», e também a autoridade dos «censores». O senado continuava funcionando, mas quem realmente brandia o poder era Augusto, que controlava as forças armadas. E a autoridade foi passando mais e mais para as suas mãos, como que atraída por seu forte magnetismo pessoal.

III. Augusto

Foi assim que entrou para a história o primeiro imperador romano, que ordenou o recenseamento do «*toda* a população do império» (Luc. 2:1). Embaladas pela paz reinante, após tantos e tão exaustivos anos de conflitos sangrentos, as populações nem percebiam que Roma dera uma profunda guinada política. Somente alguns poucos percebiam que o antigo regime estava morto. Augusto promoveu um reavivamento religioso pagão, no império; e isso deve ter sido a semente da «adoração ao imperador» que medrou forte poucas gerações mais tarde, e por causa da qual tantos cristãos vieram a perder a vida, por não quererem desistir de sua estrita lealdade ao verdadeiro Senhor, Jesus Cristo. O título que chegou a ser dado aos imperadores, *Kúrios*, «Senhor», é o mesmo que os cristãos davam a Cristo. Mas, voltando a Augusto, também houve notável reavivamento das letras e, em Mecenas, a literatura latina chegou à sua idade áurea. E todos os habitantes do império se dispuseram a trocar a liberdade pela paz que Augusto sabia impor com incrível habilidade.

Augusto também se esforçou muito por consolidar as fronteiras geográficas de seu império. Seu trabalho, nesse campo, não é bem documentado historicamente, mas sabe-se que houve nada menos

IMPÉRIO ROMANO

de vinte anos de planejamento e de choques armados fronteiriços, cujo alvo não eram novas conquistas, mas a consolidação das fronteiras. Com os buliçosos partas, Augusto preferiu tratar diplomaticamente. A Galácia tornou-se uma província em 25 A.C., a Judéia em 6 D.C., a Espanha foi pacificada e a Gália foi reconhecida. As tribos das áreas ao norte dos Alpes, tanto quanto aquelas da Ásia Menor, foram **dificultosamente trazidas à sujeição.** Ao longo do Danúbio e das fronteiras dos Bálcãs foram criados estados tampões, como Raetia, Noricum, Panônia e Mésia. Só houve um senão quando da desastrosa derrota de Varo, em 9 D.C., quando os romanos perderam três legiões para os germânicos. A fronteira mais segura, do rio Elba, que havia sido escolhida, foi abandonada, em favor da mais próxima e que era também a fronteira do Reno. A despeito disso, não admira que nas recém-formadas e prósperas províncias, o culto ao imperador seguisse a largos passos. (Ver *Adoração ao Imperador*).

IV. Tibério
As datas de seu reinado foram 14—37 D.C. Roma sempre teve de enfrentar dois problemas insolúveis: primeiro, as ambições e o espírito de independência dos comandantes militares e, em que pese as habilidades deles e a necessidade que deles se tinha como protetores das longas e sempre ameaçadas fronteiras do império; e segundo, a sucessão imperial. Augusto não teve dificuldades com o primeiro desses problemas, talvez devido ao forte anelo de paz dos povos que formavam o império. Mas, quanto ao segundo, ninguém teve mais consciência do que o próprio Augusto. As pessoas por ele escolhidas terminaram morrendo prematuramente, como Marcelo, seu sobrinho, Gaio e Lúcio, seus netos, e Druso, seu filho de criação favorito. Tibério, o outro filho de criação, terminou sendo o único sucessor possível, mas somente quando já estava amargurado por haver sido preterido pelo imperador, que parecia não confiar nele. Quando Augusto faleceu, em 14 D.C., Tibério tinha cinqüenta e seis anos de idade. Tibério pertencia à orgulhosa família claudiana por parte de sua mãe, Lívia. E as suspeitas de Augusto se confirmaram, pois Tibério demonstrou clamorosos defeitos, que produziram tanta impopularidade durante os vinte e três anos de seu governo. Tibério via inimigos por toda a parte, e uma opressiva atmosfera de suspeitas cercou o seu governo. Surgiram os *delatores*, que fizeram muitas vítimas inocentes. Tácito, o notável historiador romano do período, foi muito mordaz em seus comentários sobre o governo de Tibério. Lemos que foi no décimo quinto ano do «reinado de Tibério César» (Luc. 3:1), que João Batista deu início a seu ministério, por toda a circunvizinhança do rio Jordão. Visto que logo em seguida teve começo o ministério de Jesus, e que este se prolongou, no máximo, por três anos e meio, isso significa que o Filho de Deus e o seu precursor atuaram ainda durante o reinado do desconfiadíssimo Tibério! Politicamente, a única inovação feita por Tibério foi a organização da Capadócia em província do império. Mas, em seus dias, tornou-se clara o que podia fazer a tirania pessoal de um homem. Essa tirania iria crescendo, cada vez em que um novo imperador se sentasse no trono!

V. Calígula
As datas de seu reinado foram 37—41 D.C. O jovem e lunático sucessor de Tibério, misericordiosamente assassinado antes que pudesse provocar uma revolta dos judeus, confirmou a lição que a história vinha ensinando. A sucessão hereditária, mais cedo

ou mais tarde, produz monarcas incompetentes, insensatos ou pervertidos. Todas essas péssimas qualidades se concentravam na pessoa de Calígula, apelidado de Gaio. Esse apodo, que significa «botinhas», fora-lhe dado pelos soldados das tropas do Reno quando ele, em criança, acompanhava seu pai aos acampamentos militares, devidamente calçado com os borzeguins do exército.

VI. Cláudio
As datas de seu reinado foram 41-54 D.C. Quando Gaio ou Calígula caiu sob a espada de um oficial da Guarda Pretoriana, esse mesmo corpo de elite arrancou da obscuridade a um tio de Gaio, de nome Cláudio, então com cinqüenta anos de idade, que sempre havia sido rejeitado e humilhado. Cláudio sofria de alguma forma de deficiência de irrigação sangüínea no cérebro, o que, ocasionalmente, deixava-o fisicamente repulsivo. Mas, nem por isso deixava ele de ser um homem capaz, tendo sido mesmo o mais erudito de todos os imperadores romanos. Os ex-companheiros de Cláudio eram a ralé e os desocupados, contudo, ele gostava de estudar. Ambas as influências transpareceram durante o seu governo. Alguns dos seus assessores haviam sido escravos, e esses foram culpados de muitos desmandos. No entanto, Cláudio estava destinado a ampliar ainda mais as fronteiras do império. As duas Mauretânias, no norte da África, foram acrescentadas em 42 D.C., a Bretanha e a Lícia em 43 D.C., e a Trácia em 46 D.C. Cláudio foi assassinado por sua maligna esposa, Agripina, que o envenenou. Ela ansiava por entregar o império a Nero, filho dela, mediante um seu casamento anterior. A morte de Cláudio foi ocultada até que Nero, com a imatura idade de dezessete anos, foi feito o novo imperador de Roma. Enquanto isso, a Igreja cristã ia-se espraiando, mormente com as viagens de Paulo e seus companheiros de viagens missionárias.

VII. Nero
As datas de seu reino foram 54-68 D.C. Enquanto que, em seus verdes anos, Nero só se preocupava com os dotes artísticos dos quais se julgava possuidor, Burro e Sêneca governaram o império durante cinco anos. Nero nada havia feito para merecer o trono. Sua mãe, Agripina, preparou-lhe o caminho com homicídio e intrigas políticas. Mas ela acabou sofrendo o efeito de sua própria feitiçaria, quando Nero cometeu matricídio. Nero, negro não só no nome mas também na alma, chegou a um ponto que não mais podia ser controlado pelo equilibrado Sêneca, seu mestre, pois o jovem imperador tornou-se joguete de inescrupulosos. Vendo-se ameaçado, Sêneca acabou se suicidando. Mas, o ponto culminante das atrocidades de Nero ocorreu quando ele se voltou contra os inocentes cristãos. Talvez até maldosamente, alguns historiadores têm dito que Nero mandou incendiar Roma, para que, em meio às chamas, ele encontrasse o palco apropriado para tanger a sua lira e recitar seus versos quebrados. Para ocultar o crime, Nero acusou os cristãos de incendiários e, em sua pantomima de justiça, ordenou que muitos deles servissem de archotes vivos, para iluminar as orgias efetuadas nos jardins imperiais (64 D.C.). Enquanto isso, as fronteiras do império se deterioravam. A longamente ameaçada revolta dos judeus tornou-se uma realidade em 66 D.C. Vindex se rebelou na Gália, e Galba na Espanha. Na própria cidade de Roma, todos odiavam o desmiolado e cruel Nero. Os comentadores só se admiram como ainda tanto da obra de Augusto, e das sábias inovações de Cláudio puderam continuar. Foi durante o desgoverno de Nero que sucumbiram, como

IMPÉRIO ROMANO

mártires, Pedro e Paulo. Enquanto perdurou o império romano, os cristãos foram perseguidos por nada menos de dez imperadores, com breves períodos de tréguas. E o impulso inicial foi dado por esse tragicômico Nero! Quando ele foi declarado inimigo público pelo senado romano, Nero não teve coragem de enfrentar a justiça, mas suicidou-se covardemente. Muitas lendas vieram então cercar sua pessoa extravagante, incluindo aquela que dizia que ele, redivivo, e à frente de forças partas, voltaria para destruir Roma. Não é sem razão que Nero tem sido considerado como uma figura que retrata de antemão a carreira do futuro e satânico anticristo!

VIII. O Ano dos Quatro Imperadores (69 D.C.)

Os cristãos de Roma que sobreviveram ao expurgo neroniano, e que agora eram oficialmente proscritos, devem ter visto os horrores desse ano de anarquia como um juízo divino. O que admirava a todos é que o império romano sobrevivia. As tropas romanas do Reno que esmagaram Vindex da Gália, tentaram estabelecer o comandante dessas tropas, Vergínio Rufo, como imperador. E foi descoberto que «um imperador podia ser feito fora de Roma». Isso jamais foi olvidado. A Guarda Pretoriana se declarou em favor de Galba, Nero fugiu e se suicidou em um subúrbio de Roma.

Seguiu-se um ano de complexa guerra civil. Galba logo morreu, assassinado pelos próprios pretorianos que o tinham exaltado. Oto, um outro governador espanhol, e primeiro marido de Popéia, esposa de Nero, soube como cortejar as simpatias das tropas locais, e foi estabelecido imperador. Mas as legiões do Reno nomearam Vitélio, e marcharam sobre a Itália. É incrível como as tribos germânicas não se aproveitaram da ocasião. Enquanto isso, as províncias orientais proclamaram Vespasiano imperador. Vespasiano era o habilidoso general romano que estava às voltas com a crescente revolta dos judeus. Antes do fim daquele ano, as tropas fiéis a Vitélio estavam derrotadas, e Vespasiano tornou-se, afinal, o único imperador reinante de Roma. Nascia assim a dinastia Flaviana, que perdurou por uma geração. A despeito de tanta turbulência, as fronteiras do império resistiram e a guerra dos judeus continuou.

IX. Vespasiano

As datas de seu reinado foram 69—79 D.C. Durante seu reinado de dez anos, a paz e a prosperidade voltaram às fronteiras, as finanças foram recuperadas, e o caráter essencial do principado foi mantido. Vespasiano, como muitos militares, era um organizador. Foi devido às medidas de Vespasiano, bem como às de Trajano, quase vinte anos depois, que o dilúvio dos povos bárbaros foi impedido de cair durante quase um século. Não obstante, a era de Vespasiano não é bem documentada historicamente.

X. Tito

As datas de seu reinado foram 79—81 D.C. O popular filho de Vespasiano, jovem e hábil soldado, e que pusera fim à guerra dos judeus, governou por menos de três anos, após a morte de seu genitor. Com sua morte prematura, Tito deixou o trono vago para o execrável Domiciano, seu irmão mais novo. A cidade de Pompéia, sepultada sob as lavas e as cinzas do vulcão Vesúvio, em agosto de 79 D.C., serve de tremendo documento da Itália da época de Tito. Mas, se Tito foi chamado de «delícias do gênero humano», Domiciano tornou-se conhecido por seu verdadeiro «reinado de terror».

XI. Domiciano

As datas de seu reinado foram 81—96 D.C. Domiciano tinha trinta anos de idade quando, inesperadamente, viu-se feito imperador. Vespasiano, seu pai, e Tito, seu irmão, ambos soldados capazes, haviam deixado transparecer seu desprezo por Domiciano, muito menos habilidoso; e isso em nada serviu para melhorar a sua personalidade ou para capacitá-lo para o governo. Ele mostrou ser um homem cruel, tirânico e impelido por malignas suspeitas; seu governo foi assinalado pelas perseguições, pelas acusações de traição e por assassinatos políticos. Não somente os cristãos, mas até os senadores romanos sofreram. Tácito, amargurado diante das matanças de sua própria gente, durante quinze longos anos, voltou-se, em seus escritos, contra Tibério, que fornecera a Domiciano tantos precedentes negativos. Outros também se voltaram contra o sangüinário imperador, que morreu mais ou menos na época em que o apóstolo João também faleceu, em 96 D.C.

XII. Cinco Bons Imperadores (96—180 D.C.).

Os próximos oitenta e quatro anos da história de Roma viram o trono do império ser ocupado por cinco bons imperadores em sucessão. Esses imperadores foram: Nerva (96—98 D.C.); Trajano (98—117 D.C.); Adriano (117—138 D.C.); Antonino Pio (138—161 D.C.); e Marco Aurélio (161—180 D.C.). Durante esse tempo, o império romano atingiu o seu período áureo. A urbanização muito progrediu; Trajano ampliou as fronteiras do império às suas mais extensas dimensões; Adriano, o mais viajado de todos os imperadores, consolidou essas fronteiras. A grande muralha que atravessa de leste a oeste as ilhas Britânicas, em sua porção norte, separando os picos indomáveis do resto das ilhas, é um monumento duradouro de sua atuação. No entanto, o filósofo Marco Aurélio encontrou muita dificuldade para fazer retroceder uma incursão teutônica nas províncias romanas de Danúbio. Esse foi um sinal decisivo de uma invasão geral que, cerca de três séculos mais tarde, pôs ponto final à organização política do império romano do Ocidente.

Foi durante o governo de Adriano que ocorreu a segunda revolta dos judeus, o que resultou na virtual destruição de Judá como nação, em 138 D.C. Isso deu início à fase definitiva da dispersão dos judeus. Os judeus só se recuperaram do duro golpe no ano de 1948, quando da formação do Estado de Israel, sob a égide das Nações Unidas.

Aqueles que quiserem acompanhar a história subseqüente do império romano, poderão fazê-lo munindo-se de um bom compêndio da história universal. Então lerão sobre a divisão do império em porções Ocidental e Oriental, por Constantino; a cristianização do império, graças ao evangelismo agressivo dos primeiros cristãos; a criação da Igreja Católica, em seus estágios iniciais, pelo imperador Constantino; a transferência do poder maior para Constantinopla; a queda da porção ocidental do império, em 476 D.C., por pressões insuportáveis dos povos bárbaros; os mil anos pelos quais ainda se arrastou o **império romano do Oriente**; a criação e as vicissitudes do Santo Império Romano, que Carlos Magno fez ressurgir das cinzas do império romano do **Ocidente**, no ano 800 D.C.; o acordo tácito estabelecido por Carlos Magno com o bispo de Roma; os subseqüentes desentendimentos entre os chefes do Santo Império Romano e os papas, havendo episódios tanto de vitórias quanto de derrotas para ambos os lados; o soerguimento do papado até seu ponto culminante, no século XIII, e seu declínio gradual

IMPÉRIO — IMPÉRIO ROMANO, SANTO

desde então; o fim do moribundo Santo Império Romano, em 1806, por parte de Napoleão.

Enquanto houve imperadores romanos no Ocidente, o papado teve de manter-se modesto. A queda do império foi a sua grande chance. O papado atingiu seu zênite no século XIII, quando, realmente era a «grande cidade que domina sobre os reis da terra» (Apo. 17:18). Depois disso, começou um lento declínio. As reivindicações territoriais do papado, cujo ideal, sem dúvida, seria estender seu reinado a todo o orbe, hoje se reduzem a uma praça e a alguns edifícios, encravados na cidade de Roma.

Qual será o *final* de todo esse desdobramento histórico? O leitor deve examinar o décimo sétimo capítulo do Apocalipse. Ali aprendemos que quando a cultura do império romano chegar à fase dos dez artelhos da estátua de Nabucodonosor, símbolos de dez chifres ou dez reis que «ainda não receberam reino», então ressurgirá o império romano, na pessoa de seu último imperador. E todos os habitantes da terra, que não têm seu nome escrito no livro da vida, haverão de se admirar, «vendo a besta que era e não é, mas aparecerá». Ora, uma das primeiras atitudes da fera, ao ressurgir de seu torpor, será derrubar por terra a meretriz, até ali encarapitada em suas costas. O papado, meus amigos, é um poder usurpador, que o anticristo não tolerará.

Todavia, o precedente de crueldades e truculências, deixado pelos antigos imperadores romanos, será seguido fielmente, e com requintes muito maiores de perversidade, pelo anticristo, o último imperador romano. Um detalhe que ele cuidará em revivificar, e que muito nos interessa como estudiosos da Bíblia, será o «culto ao imperador». E o número dos autênticos seguidores de Cristo, os quais não aceitarão adorar ao anticristo, e que, por isso mesmo, perecerá, será imenso, conforme é retratado pelo quinto selo do Apocalipse (6:9-11), e pela grande multidão, «que ninguém podia enumerar, de todas as nações, tribos, povos e línguas» (Apo. 7:9), que são as vítimas da *Grande Tribulação* (vide). Felizmente, acerca do anticristo foi predito um curto reinado. Diz a Bíblia que, quando ele chegar, «tem de durar pouco» (Apo. 17:10). Isso sucederá por pura misericórdia divina: «Não tivessem aqueles dias sido abreviados, e ninguém seria salvo; mas, por causa dos escolhidos, tais dias serão abreviados», explicou o Senhor Jesus (Mat. 24:22).

IMPÉRIO ROMANO, SANTO

Quando Constantino (no começo do século IV D.C.) proclamou Roma como um império cristão, o palco ficou armado para a equação: ser romano é ser cristão, e ser cristão é ser romano, o que veio a tornar-se uma realidade por volta de 395 D.C. O império romano foi cristianizado, pelo que passou a ser apodado de «santo». A história mostra-nos que o *verdadeiro* grau de santidade, assim injetado no império romano, não foi muito grande; mas, pelo menos, o antigo paganismo havia sido derrotado. Desse século até o século VIII D.C., parcialmente devido ao desenvolvimento de grandes centros, como Constantinopla, houve a tendência da cidade de Roma ser ultrapassada como centro de tudo quanto era importante no império romano. Depois disso, houve as invasões dos bárbaros, e sua conversão ao cristianismo. A Igreja ocidental, com capital em Roma, incorporava em si mesma várias populações bárbaras, e seus imperadores concebiam-se como os herdeiros do império romano original. Porém, agora, que as massas populares haviam sido cristianizadas, o

império passou a ser denominado «santo», fazendo contraste com o império romano pagão. Seja como for, o fenômeno era, essencialmente, uma questão ocidental. Em sentido mais restrito, os historiadores aludem ao Santo Império Romano como aquele império estabelecido na Europa ocidental em cerca de 962 D.C., que perdurou até 1806, considerado uma extensão do antigo império romano ocidental e como a forma temporal do domínio do qual o papa era o cabeça espiritual. Nesse sentido restrito, Carlos Magno é considerado, com freqüência, como o seu fundador.

A primeira fase real da história do Santo Império Romano teve lugar quando o poder político de Roma tornou-se o protetor e propagador da Igreja latina. Isso começou com a conversão dos francos (496 D.C.) e suas conquistas territoriais. No século VIII, os sarracenos e os lombardos, devido aos seus ataques, forçaram o papado a apelar para o estado franco. Um importante resultado foi a criação do título de governante por direito divino, uma espécie de avanço da antiga idéia do direito divino dos reis. No ano 800 D.C., Carlos Magno (rei dos francos, que eram tribos germânicas) foi coroado imperador pelo papa Leão III. E, com esse ato formal, que mesclou a Igreja com o Estado, a história do Santo Império Romano começou, realmente.

Então, como um segundo importante estágio histórico, o estado franco se desmoronou, e o poder foi transferido para a Alemanha propriamente dita. Os governantes foram Henrique, o Passarinheiro, (919 — 936) e Oto I (936 — 973). Henrique II (1002 — 1024) esteve envolvido em reformas eclesiásticas, tal como aconteceu a Henrique III. Então começou uma luta pela supremacia entre os papas e os imperadores. Henrique IV (1056 — 1106), Frederico Barbaroxa (1152 — 1189), Frederico II (1212 — 1250), e os papas Gregório VII, Alexandre III, Inocente III e Gregório IX estiveram envolvidos nesse conflito. Usualmente, os papas levavam a melhor nessas lutas. Surgiu a doutrina das *Duas Espadas* (vide). Os países que faziam parte do Santo Império Romano foram a Alemanha, a Hungria, a Polônia, a Dinamarca, a França, a Escandinávia, a Espanha, a Inglaterra, a Irlanda, a Itália (excetuando Veneza), Chipre e a Armênia. O reavivamento do estudo e apreciação das leis romanas data desse período.

A terceira fase do Império Romano foi desde 1254 até 1806, durante cujo tempo foi declinando o poder da Alemanha. Dezoito dos vinte e sete imperadores do Santo Império Romano pertenciam à família dos Hapsburgos, que eram uma antiga família alemã, cujos governantes chegaram a governar a Áustria, a Hungria, a Boêmia, o Santo Império Romano e a Espanha. Essa linhagem terminou em 1740. Uma série de fatores, através de um considerável período de tempo, levou esse império ao fim. Carlos IV (1519 — 1556) uniu a coroa imperial com a coroa de um estado nacional, a Espanha. E isso assinalou o começo do nacionalismo. Isso produziu diversas guerras, particularmente com a França.

A Reforma Protestante, século XVI, lançou em ação várias forças divisivas, especialmente por enfraquecer o predomínio da Igreja Católica Romana por toda a Europa. Um golpe sério foi desfechado contra o Santo Império Romano pela chamada paz de Westfália, que distribuiu direitos religiosos e debilitou monopólios. Ver sobre *Westfália, Pactos de*. Esses tratados foram traçados somente por poder puramente políticos, sem qualquer interferência papal. Em 1806, Napoleão Bonaparte pôs fim ao Santo Império Romano, ao asseverar que agora o império lhe

IMPIGEM BRANCA — IMPOSTOS

pertencia, visto que, de acordo com sua própria descrição, ele era o Carlos Magno do Ocidente.

IMPIGEM BRANCA

No hebraico, **bohaq**. Esse termo ocorre somente por uma vez, em Lev. 13:39, onde diz a nossa versão portuguesa: «...então o sacerdote o examinará; se na pele aparecerem manchas baças, brancas, é impigem branca que brotou na pele; está limpo». Em algumas versões, a idéia é que se trata de uma afecção mais grave, como o pênfigo, o impetigo, a eczema de crostas ou a psoríase. Há outras que falam apenas em sardas. Porém, os especialistas opinam que não se trata de qualquer dessas enfermidades. Contudo, o sacerdote precisava fazer o seu diagnóstico, porquanto a pele esbranquiçada também podia ser um sintoma de lepra, em seus estágios iniciais. O mais provável é que, quando a condição era declarada não contagiosa, era apenas o vitiligo — áreas irregulares de pele, que perderam a pigmentação natural. Essas áreas esbranquiçadas desenvolvem-se de um centro para fora, geralmente começando em torno de um pêlo do corpo. A causa é desconhecida. É uma condição desfiguradora, que causa má impressão visual, mas não é perigosa.

As mulheres egípcias estavam acostumadas com o vitiligo. É corrente que elas readquiriam a coloração normal da pele mascando certas plantas encontradas ao longo das margens do rio Nilo. O tingimento das manchas brancas também era uma medida a que muitas pessoas apelavam antigamente, tal como ocorre em nossos próprios dias.

IMPOSIÇÃO DAS MÃOS

Ver *Mãos, Imposição das*.

IMPOSTO DAS DUAS DRACMAS

A cada ano cobrava-se uma taxa de cada judeu com mais de vinte anos de idade, a qual revertia para o trabalho do templo de Jerusalém. Ver Mat. 17:24 e comparar com Êxo. 30:13,14. O valor desse imposto equivalia a duas dracmas áticas, as quais, nos dias do Novo Testamento, valiam por dois dias de trabalho braçal. Ver o artigo geral sobre o *Dinheiro*.

IMPOSTOS

I. Controvérsia sobre o Imposto, Mat. 22:15-22

Os paralelos desta seção são Mar. 12:13-17 e Luc. 20:20-26. A fonte informativa é o *protomarcos*. Ver notas sobre as fontes informativas dos evangelhos no artigo, o *Problema Sinóptico*.

Esta seção é aquilo que os intérpretes têm chamado de *paradigma* ou «história declaratória», porquanto tem por finalidade «pronunciar» uma verdade ou princípio geral que precisa ser seguido pelos discípulos sérios do reino. Nessas histórias o autor revela a ética de Jesus, os princípios morais que ele ensinou como vantajosos para os seus discípulos seguirem. O principal conceito se encontra no vs. 21. Esse conceito é que, na qualidade de discípulos, temos responsabilidades tanto para com Deus como para com as autoridades civis. No décimo terceiro capítulo da epístola aos *Romanos*, Paulo ensina a mesma verdade, e nesse trecho a obediência às autoridades civis é ordenada principalmente porque essas autoridades são vistas como preservadoras da ordem social, e porque Deus foi aquele que lhes conferiu tal autoridade. Muito tem sido escrito sobre as — implicações — desse assunto, incluindo explicações extremadas para um lado ou para outro. Alguns têm ensinado, à base desse texto, uma «separação absoluta entre Igreja e Estado», e apesar desse ponto de vista ter o seu justo valor e de ter produzido, na prática, grandes benefícios à sociedade, não é provável que Jesus estivesse contemplando o governo humano sob esse prisma. Outros fazem com que a obediência ao governo humano seja tão absoluta que os crentes que vivem em sociedades imorais e ímpias são forçados a ser imorais e ímpios. Nos tempos antigos, os cristãos chegaram a prostrar-se diante de César ou de sua imagem como se fosse um deus e alguns negaram a Cristo a fim de escaparem com vida. Nos tempos modernos, basta-nos lembrar a Alemanha — onde, ao tempo de Hitler, enquanto seis milhões de judeus sofreram agonias inenarráveis e finalmente pereceram, quando seus cadáveres foram usados para o fabrico de produtos comerciais, como a gordura que era transformada em sabão, e a pele que era usada para fabricar abajures, a igreja cristã permaneceu geralmente silenciosa — num silêncio que era uma *blasfêmia* contra Deus. Neste último caso, as igrejas cristãs se ocultaram por detrás de passagens como o décimo terceiro capítulo da epístola aos Romanos, e assim se desculpavam.

Mat. 22:15. *Então os fariseus se retiraram e consultaram entre si como o apanhariam em alguma palavra;*

Mui provavelmente a atitude de Jesus se assemelhava à de muitas das autoridades religiosas dos judeus de seu tempo. O mais certo é que ele sempre tivesse mantido o ponto de vista mais estrito possível sobre a monarquia absoluta de Deus neste mundo, sem jamais ter dividido claramente o mundo em duas partes distintas: uma religiosa (*para Deus*), e outra política (*para César*). Isso teria obrigado os discípulos do reino a viverem uma existência dualista, algumas vezes para Deus e outras vezes para César. Não obstante, é necessário obedecer às autoridades (até mesmo as autoridades romanas), e com isso concorda a corrente principal do ensino rabínico. Muitas autoridades religiosas, dos dias de Jesus, eram pacifistas que não queriam imiscuir-se nas questões políticas. Jesus parece ter compartilhado dessa disposição, pois o fato de que a pergunta sobre o tributo lhe tenha sido apresentada por diversas vezes sugere que os seus pontos de vista políticos não eram bem conhecidos, ou mesmo não eram conhecidos de maneira geral. Mas pode haver exceções acerca dessa obediência, conforme foi expresso por Israel Abrahams: «Pois embora assim preparados a obedecerem a Roma, sendo leais a todos os seus legítimos regulamentos, não poderia haver transigência quando César infringisse a esfera que pertencia exclusivamente a Deus» (*Studies in Pharisaism and the Gospels*, primeiro sermão, pág. 64). Isso se assemelha à atitude que os cristãos primitivos apresentaram: «Então Pedro e os demais apóstolos afirmaram: Antes importa obedecer a Deus do que aos homens» (Atos 5:29).

Tanto para as autoridades religiosas de Israel como para os cristãos primitivos, geralmente era difícil encontrar solução para os problemas da obediência a Deus ou a César, porquanto o governo romano nem sempre se mostrava simpático, provocando muitas dificuldades de consciência. Algumas vezes surgiam mesmo *divisões* de opinião entre as autoridades religiosas, sobre o que se deveria fazer em determinados casos. Os crentes tiveram de enfrentar os mesmos problemas, especialmente durante tempos de perseguição. Não obstante, permanece de pé a

IMPOSTOS — IMPRECAÇÃO

regra geral. Posto que a consciência é o guia em todos os casos, os crentes devem prestar lealdade às autoridades civis. O pagamento de impostos era apenas uma questão, e Jesus se pronunciou de modo definido em favor disso. Esta instância, todavia, é expandida a fim de incluir outros tipos de «obediência», conforme é indicado pela declaração geral do vs. 21: «Daí, pois, a César o que é de César, e a Deus o que é de Deus».

Na história judaica nota-se que muitos **se ressentiam** da necessidade de pagar impostos a Roma, e por mais de uma vez rebentaram revoltas justamente sobre essa questão. Muitos judeus argumentavam que não era necessário nem desejável tal imposto, visto que em realidade viviam sob uma «teocracia». Alguns procuraram pôr Jesus em posições embaraçosas ante as autoridades civis, insistindo que ele lhes desse resposta sobre a questão. Se tivesse respondido que deveriam pagar impostos, ele teria deixado indignada boa parte da população contra ele. E se sua resposta fosse negativa, cairia em dificuldades perante as autoridades civis romanas. Como sempre, Jesus não se esquivou, não retrocedeu e nem deu uma resposta de sentido dúbio. Simplesmente expressou a sua convicção. Sim, deviam ser pagos os tributos. Essa declaração talvez tenha sido um dos fatores que fez as multidões finalmente se voltarem contra ele, tendo-o rejeitado totalmente.

Jesus não tinha simpatia pelo nacionalismo *radical*, e é importante observarmos que ele não considerava isso como questão muito importante. Não queria que o *seu evangelho* estivesse associado ao derramamento de sangue que qualquer espécie de levante armado teria causado. Jesus se interessava, primariamente, e quase inteiramente, pelas correntes íntimas que são impostas pelo pecado. Roma acabou sucumbindo. Deus tem sua maneira de tratar com as nações, e os laços externos e políticos flutuam. Mas essa prisão íntima está sempre bem presente entre os homens. Aquele que é libertado pelo Filho, fica realmente liberto. Ele veio a fim de livrar-nos da servidão interna.

II. Impostos em Rom. Cap. 13

Dai a cada um o que lhe é devido; a quem tributo, tributo; a quem imposto, imposto; a quem temor, temor; a quem honra, honra.

A ênfase paulina sobre as questões monetárias, no tocante às relações entre o crente e o Estado, sugere-nos que esse foi um dos pontos delicados que provocaram a sua atenção especial sobre o assunto. Os cristãos de Roma, que professavam o nome de Cristo e que se mostravam piedosos em sua congregação local, exerciam os dons espirituais, mas, ao mesmo tempo, ignoravam os impostos que deveriam pagar, pagando menos do que lhes era exigido, e isso através de meios escusos e desonestos. Ora, essa atitude não é coerente com a consciência cristã. Os intérpretes bíblicos não têm conseguido harmonia, em seus pontos de vista, acerca das distinções que devem haver entre as palavras usadas pelo apóstolo Paulo, *tributo*, e *imposto*, mas abaixo expomos as idéias principais a respeito:

1. O tributo seria as taxas diretas, que fariam contraste com os impostos, que seriam taxas indiretas.

2. Mas outros pensam que a palavra «tributo» indica o dinheiro cobrado por alguma nação estrangeira dominadora, ao passo que o termo *imposto* indica as taxas ordinariamente cobradas dos cidadãos de um país pelo seu próprio governo.

3. Existem estudiosos que revertem esse sentido. Tributos seriam os impostos cobrados por um governo de seus próprios cidadãos, ao passo que os impostos seriam as cobranças feitas por uma potência estrangeira aos cidadãos de um país dominado.

4. Ainda outros eruditos pensam que o «tributo» seria o «genus», isto é, as taxações em geral, ao passo que os *impostos* indicariam espécies distintivas de taxas.

5. Ainda outros intérpretes pensam que a palavra «tributo» significa as taxas cobradas de indivíduos, sobre suas «pessoas», ao passo que o vocábulo «imposto» indicaria as taxas sobre propriedades; mercadorias, etc.

Na realidade, não há meio para determinarmos exatamente a diferença entre essas duas palavras usadas por Paulo, «tributo» e «imposto», e nem tal distinção realmente se reveste de qualquer significado especial. Paulo estava falando acerca de todas as formas de questões monetárias que afetam os crentes em relação ao governo humano, exigindo o apóstolo que os crentes se mostrem honestos sobre todas essas questões.

«O ideal expresso pelo apóstolo Paulo nem confunde Igreja e Estado e nem os põe em antagonismo um contra o outro; mas antes, coordena-os apropriadamente dentro dos princípios éticos cristãos. O romanismo subordina o Estado à Igreja; o erastianismo (como o fazem atualmente o fascismo e o comunismo) subordina a Igreja ao Estado, usualmente confundindo-os; e o puritanismo também os confunde, embora mais como se se tratasse de um princípio teocrático reconhecido». (Schaff e Riddle).

«Se um homem habituar-se a desrespeitar as 'personagens oficiais', não demorará a sentir-se inclinado a dar pouco respeito ou obediências às próprias leis». (Adam Clarke, *in loc.*).

Respeito. Algumas traduções preferem dizer «temor a quem temor», o que expressa o original grego mais literalmente. Mui provavelmente está em foco um «temor respeitoso», o que seria uma atitude natural para com aqueles que governam, os quais têm o direito de punir, de aprisionar e de impor diversas formas de julgamento contra os malfeitores. Os crentes devem ter esse respeito somente por «temor», mas também por motivo de consciência, conforme diz Paulo no quinto versículo deste capítulo, porquanto a consciência cristã formada é que deve dirigir todas as ações dos crentes no tocante ao Estado.

A quem honra, honra. Aqui a idéia é a de uma atitude de reverência para com os que estão investidos de autoridade. Pedro chega a dizer-nos que devemos honrar a todos (porquanto todos os homens foram feitos à imagem de Deus), e que devemos «amar» à irmandade; mas também diz Simão Pedro que devemos «temer» a Deus e «honrar» aos reis. A atitude cristã deve exigir todas essas atitudes, porquanto todo homem é potencialmente transformável segundo a imagem de Cristo, sendo possuidor de uma alma imortal de valor tremendo. Não obstante, aqueles que são «ministros» de Deus, porquanto fazem a obra de Deus ao nível da sociedade humana, conforme o apóstolo Paulo considerava que são as autoridades civis, merecem nosso respeito somente por essa razão, sem levar em conta qualquer consideração acerca do valor da alma humana.

IMPRECAÇÃO, SALMOS DE

Vários salmos consistem em orações que imploram que Deus derrame a sua ira sobre os inimigos do

IMPRENSA — IMPUTAR, IMPUTAÇÃO

salmista. Ver, especialmente os Salmos 55, 59,69, 79, 109 e 137. Algo similar acha-se em Jeremias 11. Essas declarações contradizem os ensinos de Jesus em Mat. 5:43-48 e as instruções de Paulo, em Rom. 12:17 ss, onde é proibido o espírito de vingança. Quando um profeta profere julgamento contra uma pessoa ou nação, fala em nome de Deus, e isso é muito diferente de um guerreiro, como Davi, que pedia que seus adversários sofressem terrores. Isso não quer dizer que os inimigos de Davi não merecessem a ira de Deus; porém, deveríamos recordar que o próprio Davi ocupou-se em muitas matanças desnecessárias, que não passavam de assassinatos. Assim, era atitude duvidosa que um homicida rogasse para Deus julgar a outros homicidas. Certamente não nos encontramos, nesses trechos, em terreno tipicamente neotestamentário, não havendo manipulação que consiga tal coisa.

Quando Tiago e João apelaram a Jesus, para destruir aos samaritanos (ver Luc. 9:54,55), o Senhor exprimiu um senso moral mais elevado que aquele encontrado nos salmos imprecatórios, e em muitos lugares do Antigo Testamento, se tivermos de interpretá-los literalmente. É um erro supormos que as pessoas, nos tempos do Antigo Testamento, tivessem a mesma iluminação moral e espiritual que vemos no Novo Testamento. Se aceitarmos esse fato, não teremos a necessidade de defender vários atos que, para nós, são contrários à verdadeira natureza de Deus e aos seus requisitos. Devemos notar que Jesus repreendeu a Tiago e João, condenando a *atitude* que eles mostraram possuir. Contudo, sobre bases veterotestamentárias, aqueles autores podem até ser elogiados, visto que exprimiam a sua esperança de que os oponentes da causa de Deus fossem severamente julgados!

IMPRENSA

O trecho de Levítico 19:28 proibia aos judeus que fizessem «marcas» no corpo humano, aquilo que modernamente chamamos de *tatuagem*. Quanto à impressão de páginas impressas mediante tipos móveis, que mais corretamente que as tatuagens chamamos de «imprensa», essa só começou em cerca de 1450 D.C., há cerca de quinhentos e cinqüenta anos atrás. Isso posto, as palavras de Jó 19:23: «Quem me dera fossem agora escritas as minhas palavras! Quem me dera fossem gravadas em livro!» refere-se à escrita sobre algum manuscrito, ou então a palavras esculpidas sobre a rocha, conforme também nos mostra o versículo seguinte. Livros com páginas (chamados *códices*), conforme os conhecemos atualmente, só apareceram a partir do século II D.C. Antes disso eram usados rolos de papiro ou pergaminho.

A imprensa com tipos móveis possibilitou o tremendo avanço do conhecimento, conforme conhecemos atualmente, nas questões seculares e religiosas. Os manuscritos bíblicos eram muito raros (pois eram laboriosamente copiados à mão), e eram guardados nas sinagogas ou nos templos cristãos. Poucos indivíduos possuíam uma cópia completa das Escrituras. Quando tinham alguma cópia, geralmente era de porções breves da Bíblia, e não a coletânea inteira de seus trinta e nove livros (no Antigo Testamento), ou de seus vinte e sete livros (no Novo Testamento).

Os gregos deram ao judaísmo e ao cristianismo o veículo de comunicação universal na época da eclosão do cristianismo, a saber, o idioma grego, em sua variante *koiné* (vide). As conquistas militares de Alexandre, o Grande, propagaram esse idioma para todas as partes do mundo civilizado de então. E os romanos, por sua vez, deram aos cristãos as boas estradas do império, que possibilitaram a rápida propagação da mensagem cristã. Por sua vez, a imprensa conferiu ao cristianismo os modernos meios de comunicação escrita que têm ajudado imensamente o movimento missionário cristão, embora esse veículo também tenha servido para propagar como nunca todas as idéias falsas, filosóficas ou religiosas. A imprensa também contribuiu para estancar o cortejo de variantes textuais, resultantes do trabalho de cópia à mão. Essas variantes textuais chegaram a cerca de vinte mil, embora a esmagadora maioria dessas variantes não se revista de maior importância, porquanto envolvem mais questões de soletração e transposições de pequenos trechos, com certa repetição de material.

IMPRESSÃO

Hume usava esse termo onde outros filósofos falavam em «percepção dos sentidos». Hume dividia as impressões em duas classes: 1. *simples:* as indicações iniciais que a percepção dos sentidos nos oferecem; 2. *complexas:* aquelas indicações que nos permitem formular idéias e teorias.

IMPRIMATUR

No latim, «pode ser publicado». Refere-se à aprovação, dada por algum bispo católico romano, à publicação de algum escrito católico romano, mormente se tratar de assuntos filosóficos ou religiosos, que envolvam questões de fé e de moral. A expressão latina, *nihil obstat,* «nada impede», é equivalente. Mas, se um escritor qualquer não é católico romano, então nenhum bispo terá jurisdição sobre a questão. Mas, dos autores católicos romanos espera-se que eles promovam sua fé, não escrevendo coisas que lancem dúvidas a respeito. Ver sobre *Censor, Censura.*

IMPULSO

Vem do latim, **impulsus,** o particípio passado do verbo **impellere**, «impulsionar», «empurrar». Assim, mediante o uso desse termo aludimos aos impulsos e motivações básicas do ser humano. Um impulso é uma tendência ou força interior que não é controlada pela razão. Produz uma súbita excitação e incitamento, e resulta em atos. As pessoas a quem falta o autocontrole tornam-se escravas de seus impulsos (ver Pro. 13:3). Essas pessoas são precipitadas, apressadas e sujeitas a muitos males (ver Pro. 14:16,17; 21:5). O homem é dotado de uma natureza pecaminosa, o que confere poder e substância a impulsos na maioria das vezes prejudiciais (ver Rom. 7:13-25). As Escrituras advertem-nos contra a impulsividade (Pro. 25:8-10; Ecl. 5:2; Atos 19:36). O autocontrole é um cultivo do Espírito Santo na vida do crente (Gál. 5:22); e o controle que um homem exerce sobre seus impulsos, em vista disso, serve de medida de sua espiritualidade. Uma boa passagem do Novo Testamento sobre essa questão é a de II Cor. 10:5,6, onde é requerido do crente que submeta tudo à obediência a Jesus Cristo.

IMPUTAR, IMPUTAÇÃO

Esboço:
  I. A Palavra
  II. Caracterização Geral
  III. Reforços Teológicos Dessa Doutrina
  IV. A Não-Imputação de Pecado
  V. Negações Teológicas da Imputação

IMPUTAR, IMPUTAÇÃO

VI. O Pecado do Homem Imputado a Cristo
VII. O Pecado de Adão Foi Imputado à Humanidade

I. A Palavra

Imputar vem do latim, **in**, «em», e **putare**, «considerar», resultando no sentido de «pôr na conta de». É o ato de atribuir uma falta, um crime, um pecado, ou, então, um atributo positivo ou condição positiva a alguém. Logo, na teologia, se o pecado é imputado ao culpado, também o é a justiça, sob determinadas condições. Imputar é atribuir vicariamente. As palavras hebraicas envolvidas são *soom* e *seem*. No grego temos *logidzomai*, «prestar contas» ou «lançar algo na conta de alguém». Essa palavra grega é usada por quarenta e uma vezes no Novo Testamento, com os sentidos de «pensar», «imputar» (Rom. 4:6,8,11,22-24), «lançar na conta» (Rom. 4:4,9,10; 6:11; 8:18), «prestar contas», «supor», «raciocinar».

II. Caracterização Geral

Na teologia, a **imputação** consiste na atribuição de culpa ou de mérito a uma pessoa, com base na culpa ou no mérito de outrem. O conceito aplica-se à doutrina do pecado original (vide), à justificação pela fé (vide) e, no sentido original (ver o ponto III), que o pecado *não* era imputado aos homens antes da cruz de Cristo, no aguardo do remédio do ofício salvatício de Cristo.

O conceito teológico da imputação, no Novo Testamento, deriva-se do argumento paulino de que, assim como a fé de Abraão lhe foi considerada como justiça (Gên. 15:6), assim também a fé do crente lhe é imputada como justiça (Rom. 4:3, 6,9,11,22; Gál. 3:6). Portanto, Deus não imputa o pecado ao indivíduo, mas antes, perdoa o seu pecado e o considera justo, por causa de Cristo, como quem possui a retidão de Cristo (Rom. 4:7; II Cor. 5:19). Tudo isso se alicerça sobre a nossa participação na missão salvadora e santificadora de Cristo, bem como em nossa total identificação com Ele. Ver o artigo separado chamado *Identificação com Cristo*.

Lutero defendia o estrito ponto de vista paulino sobre a questão, em oposição à idéia escolástica da justificação pela fé, acompanhada pelo amor. Porém, sabemos que não existe imputação da justiça de Cristo sem a posse e a demonstração de seu amor em nós. Todavia, esse amor não é nosso próprio. É cultivado pelo Espírito de Deus (Gál. 5:22). Também devemo-nos lembrar que se a imputação for real, então a pessoa vai-se tornando diferente do que era, em virtude da graça santificadora. Na verdade, a imputação não envolve apenas um pronunciamento legal, embora comece por aí. Mas também envolve a comunicação do divino poder transformador. As palavras nunca são suficientes em si mesmas. Precisamos das realidades espirituais para as quais as palavras apontam. Fomos aceitos por causa de Cristo, ou seja, do Amado (ver Efé. 1:6); mas isso não vem desacompanhado pela transformação moral e metafísica. Não existe justificação sem santificação!

III. Reforços Teológicos Dessa Doutrina

Paulo ensinava que o pecado entrou no mundo por meio de Adão, e que a morte física e espiritual entrou por meio do pecado (Rom. 5:12). Mas esse apóstolo ajuntava que, no segundo ou último Adão (Cristo), o dom gratuito da retidão de Deus contrabalançou a situação, de tal modo que assim como o pecado nos é imputado em face do primeiro Adão, assim também a retidão nos é imputada (a nós os que cremos) em face do segundo ou último Adão, Cristo (Rom. 5:18). Essa

doutrina permaneceu um tanto vaga e indefinida, na teologia cristã, até que Agostinho a situou em uma posição central, em seu sistema teológico. Agostinho fortaleceu o raciocínio envolvido nesse conceito apelando para o realismo platônico e metafísico. Ele fez de Adão o representante da raça humana, e de sua transgressão o pecado genérico da humanidade. Portanto, em Adão, todos nós pecamos em um sentido metafísico, e não meramente em sentido metafórico. Em conseqüência, a culpa de Adão é vista como uma culpa que foi transferida, considerada como a culpa de todos os homens, da mesma maneira que o universal, nos escritos de Platão pode ser visto em seus particulares. O universal do homem (que seria Adão), portanto, foi foi duplicado em cada ser humano. Porém, do mesmo modo, o Cristo universal, que é a humanidade em sua forma ideal, pode ser duplicado nos homens, mediante a imputação da retidão. Os ensinos de Lutero, pois, fizeram a Igreja voltar aos ensinos de Paulo e de Agostinho. Calvino aceitava essas idéias, mas falava em uma *imputação mediada*, isto é, o pronunciamento da ira de Deus contra a corrupção da natureza humana, e não meramente contra o homem, por haver recebido a culpa de Adão. Na teologia, ter alguém assumido o pecado de Adão, e ser punido por causa disso, chama-se *atribuição imediata*.

IV. A Não-Imputação de Pecado

Diz o trecho de Romanos 3:25: «...Cristo Jesus, a quem Deus propôs, no seu sangue, como propiciação, mediante a fé, para manifestar a sua justiça, por ter Deus, na sua tolerância, deixado impunes os pecados anteriormente cometidos».

Deus não imputava o pecado aos homens, enquanto a missão realizada por Cristo não fez deles seres responsáveis. Não existe justiça crua: o pecado não foi imputado.

1. Os pecados cometidos antes da cruz de Cristo não eram imputados. Em outras palavras, o julgamento que deve cair sobre o pecado foi transferido para o futuro, quando todas as almas humanas tiverem oportunidade de conhecer a Jesus Cristo, tomando uma decisão em favor ou contra as suas exigências. Os juízos preliminares foram suspensos. O próprio hades é apenas um juízo preliminar. O juízo definitivo ocorrerá na geena, ou lago do fogo. Ver Apo. 20:14,15.

2. A descida de Cristo ao hades levou a sua missão e os resultados de sua grandiosa obra até àquele lugar de julgamento parcial. Ver I Ped. 3:18—4:6 e o artigo desta enciclopédia, *Descida de Cristo ao Hades*. O evangelho foi pregado aos mortos (I Ped. 4:6). Isso ofereceu completa oportunidade de salvação aos perdidos, bem como a completa reversão da condição de perdição daqueles que aceitarem esse oferecimento da vida eterna.

3. As fronteiras eternas não são estabelecidas por ocasião da morte biológica do indivíduo. Antes, o hades tornou-se um campo missionário. Deus não imputou os pecados deles; a porta da oportunidade foi deixada aberta, até que pudesse haver a devida aplicação da missão de Cristo às almas.

4. Apesar do primeiro capítulo de Romanos mostrar que Deus poderia ter condenado, com razão, a todos os homens, antes de esperar pelos efeitos da missão terrena de Cristo, ele não o fez. O evangelho transcende a todas essas possibilidades. Não há tal coisa como justiça nua, sem a aplicação do amor e da misericórdia divinos, por meio de Cristo. Jesus teve e tem três missões: a. na terra; b. no hades; c. nos céus. Essa missão em três fases visa ao bem do homem.

IMPUTAR — IMUNDÍCIA

5. Somente quando a tríplice missão de Cristo é aplicada é que um homem pode sofrer o julgamento contra a queda no pecado, embora ocorram juízos preliminares que não estabelecem destinos eternos. Ver Atos 17:30 quanto a uma declaração similar àquela de Rom. 3:25.

6. A expiação de Cristo não se limitou a tempos ou localizações geográficas específicas. Antes, visa a todos os tempos; e chega mesmo ao lugar do julgamento parcial, a fim de realizar uma obra completa. Esse sempre foi o ponto de vista da Igreja Oriental; mas, na Igreja Ocidental (Igreja Católica Romana e muitos grupos protestantes e evangélicos) alguns aspectos da missão de Cristo têm sido reduzidos ao ponto do *pessimismo*.

7. Trechos como Rom. 3:25; Atos 17:30; I Ped. 3:18—4:6 e Efé. 1:9,10 exibem facetas teológicas otimistas, que se fazem muito necessárias em nossa teologia, capazes de anular aquelas impressões pessimistas. Ver também o artigo intitulado *Restauração*.

V. Negações Teológicas da Imputação

Alguns teólogos objetam à imputação, conforme a mesma é geralmente explicada pela Igreja cristã, como uma noção contrária à justiça. O professor Vincent Taylor objetava vigorosamente à imputação, tachando-a de uma ficção ética. «A justiça não pode ser imputada a um pecador, tal como a bravura não pode ser imputada a um covarde, ou a sabedoria a um tolo. Se, através da fé, um homem for considerado justo, isso terá de ser, em um sentido crível do termo, que ele mesmo *é* justo, e não que outro é justo em seu lugar». Até onde podemos perceber as coisas, esse ataque visa somente à imputação verbal ou teórica. Mas, se encararmos a doutrina da imputação segundo ela é ensinada na Bíblia, ou seja, como uma obra do Espírito Santo, e não como mera fórmula verbal, não teremos de enfrentar qualquer problema. Nenhuma operação do Espírito é isolada. Quando ele justifica, também santifica, isto é, transforma o caráter. A retidão de Cristo é formada em nós mediante a comunhão com o Espírito. O nosso pecado é anulado, não somente em teoria, mas também na prática, através do poder santificador do Espírito.

VI. O Pecado do Homem Imputado a Cristo

O trecho de II Coríntios 5:21 assevera: «...Àquele que não conheceu pecado, ele (Deus) o fez pecado por nós; para que nele fôssemos feitos justiça de Deus». A passagem de Gálatas 3:13 afirma que Cristo foi feito maldição por nós. Ele suportou a pena imposta ao pecado humano, e a ira de Deus se descarregou contra o pecado do homem. Lutero disse que Deus tratou com Cristo como se ele fosse o maior dos pecadores. Cristo levou sobre si o pecado do homem, e Deus julgou nele o pecado do homem. — Quanto a explicações completas, ver esses textos explicados nas notas expositivas do NTI.

VII. O Pecado de Adão Imputado à Humanidade

Neste ponto, estamos falando sobre o *pecado original* (vide) e seus efeitos. As bases bíblicas dessa doutrina são Gên. 3; Rom. 5:12-21 e I Cor. 15:21 *ss.* O pecado de Adão foi imputado a toda a sua posteridade, por ter sido ele o cabeça federal da raça humana. Isso ocorreu de forma *imediata*, a direta imputação do pecado de Adão a todos os seus descendentes, fazendo com que o pecado dele fosse o pecado de cada membro da raça. Ou, então, de forma *mediata* um indivíduo é julgado por sua própria natureza corrupta, por seus próprios pecados. Contudo, tudo começou com o pecado de Adão, do

qual, em conseqüência, todos os homens compartilham.

••• ••• •••

IMUNDÍCIA

Ver *Limpo e Imundo*.

Estão envolvidas seis palavras hebraicas e cinco palavras gregas, nesse verbete, a saber:

1. *Tumah*, «imundícia». Palavra hebraica que figura por trinta e três vezes, segundo se vê em Lev. 5:3; 7:20,21; 14:19; Núm. 5:19; Juí. 13:7,14; II Sam. 11:4; Esd. 6:21; Lam. 1:9; Eze. 22:15; 24:11,13; 36:25.

2. *Niddah*, «impureza». Palavra hebraica usada por quatro vezes, com esse sentido: II Crô. 29:5; Esd. 9:11; Lev. 20:21; Zac. 13:1.

3. *Tsoah*, «excremento», «imundícia». Palavra hebraica que aparece por cinco vezes: Pro. 30:12; Isa. 28:8; 4:4; II Reis 18:27 e Isa. 26:12.

4. *Iddim*, «coisas que passam». Palavra hebraica usada somente por uma vez, em Isa. 64:6.

5. *Tso*, «imundícia». Palavra hebraica que aparece por duas vezes: Zac. 3:3,4.

6. *Alach*, «ficar imundo». Vocábulo hebraico empregado por três vezes: Jó 15:16; Sal. 14:3 e 53:3.

7. *Akatharsía*, «imundícia». Palavra grega que ocorre por dez vezes: Mat. 23:27; Rom. 1:24; 6:19; II Cor. 12:21; Gál. 5:19; Efé. 4:19; 5:3; Col. 3:5; I Tes. 2:3; 4:7.

8. *Akáthartos*, «imundo». Adjetivo grego usado por trinta e uma vezes: Mat. 10:1; 12:43; Mar. 1:23,26,27; 8:11,30; 5:2,8,13; 6:6; 6:25; 9:25; Luc. 4:33,36; 6:18; 8:29; 9:42; 11:24; Atos 5:16; 8:7; Rom. 14:28; 11:8; I Cor. 7:14; II Cor. 6:17 (citando Isa. 53:11); Efé. 5:5; Apo. 16:13; 17:4; 18:2.

9. *Rúpos*, «sujeira», «imundícia». Palavra grega usada somente por uma vez, em I Ped. 3:21.

10. *Rupóo*, «agir de modo imundo». Palavra grega usada somente por uma vez, em Apo. 22:11.

11. *Molusmós*, «contaminação». Palavra grega usada apenas por uma vez, em II Cor. 7:1.

As referências bíblicas são à imundícia literal e à imundícia figurada. Qualquer coisa feia, suja ou contaminadora pode estar em pauta. Ver II Crô. 19:5 e Esd. 6:21, quanto a referências literárias, para exemplificar. Em Eze. 22:15 está em pauta a imundícia cerimonial. O termo também é usado para indicar vestes ou móveis ou utensílios imundos, conforme se vê, por exemplo, em Isa. 4:4 e 28:8, mas onde a impureza cerimonial está em pauta.

Usos Figurados. 1. Impureza moral, Eze. 36:25; II Cor. 7:1; Tia. 1:21. 2. Nossa retidão é como trapos de imundícia (Isa. 64:6, onde há alusão à menstruação da mulher, mas que as traduções suavizam, por motivos compreensíveis). 3. Até mesmo os melhores cristãos, como os apóstolos, segundo a estimativa carnal, deste mundo pervertido, seriam como o lixo mais imundo (I Cor. 4:13). 4. As poluções morais e pecaminosas do homem interior, do coração, são comparadas com a imundícia (Isa. 4:4; Eze. 6:21). 5. O dinheiro obtido por meios injustos, ou que substitui coisas mais dignas, é imundo (Tito 1:7,11; I Ped. 5:2). Aos ministros do evangelho é recomendado que evitem tal coisa. 6. O indivíduo que diz o que não deve

IMUNDÍCIA — IMUTABILIDADE

tem uma boca imunda (Col. 3:8). 7. Os pecados que contaminam são chamados imundos (Apo. 22:11); como também a depravação ética (Tia. 1:21). De modo geral, podemos afirmar que esse termo descreve, graficamente, diversas modalidades da depravação humana.

Á Espiritualização do Conceito.

Nos escritos dos profetas do Antigo Testamento já se vê um claro aprofundamento do conceito da imundícia e da purificação. Ali a questão deixa de ser meramente cerimonial, para ser uma questão moral, que envolve contaminação espiritual. Por exemplo, Isaías reconhece essa contaminação em si mesmo, quando clama: «Ai de mim! Estou perdido! porque sou homem de lábios impuros...» (Isa. 6:5). Ou então quando confessa: «Mas todos nós somos como o imundo, e todas as nossas justiças como trapo da imundícia; todos nós murchamos como a folha, e as nossas iniqüidades, como um vento, nos arrebatam» (Isa. 64:6). Similar a isso é a declaração falada por Deus aos homens: «E ali haverá bom caminho, caminho que se chamará o Caminho Santo; o imundo não passará por ele, será somente para o seu povo...» (Isa. 35:8).

Para contaminações meramente cerimoniais eram suficientes ritos e cerimônias. Mas os profetas viram muito bem que, para a poluição moral, só mesmo a expiação feita pelo próprio Senhor. Deixemos novamente Isaías falar pelos profetas, quanto a esse aspecto mais profundo da questão: «Mas ele foi traspassado pelas nossas transgressões, e moído pelas nossas iniqüidades; o castigo que nos traz a paz estava sobre ele, e pelas suas pisaduras fomos sarados. Todos nós andávamos desgarrados como ovelhas; cada um se desviava pelo caminho, mas o Senhor fez cair sobre ele a iniqüidade de nós todos» (Isa. 53:5,6). Naturalmente, o ponto de vista do Novo Testamento olvida inteiramente o aspecto meramente cerimonial da nossa contaminação; o que ali se destaca é a poluição moral e espiritual. Por isso mesmo, a expiação pelo sangue de Cristo ocupa lugar cêntrico, dentro do sistema cristão: «...Cristo, tendo-se oferecido uma vez para sempre para tirar os pecados de muitos, aparecerá segunda vez, sem pecado, aos que o aguardam para a salvação» (Heb. 9:28).

O judaísmo, em qualquer de suas fases históricas, nunca chegou a esse nível de entendimento sobre a questão. Todo judeu que chega lá, naturalmente, já se converteu ao Messias, Jesus Cristo. Em consonância com isso, as decisões da Igreja cristã, tomadas por ocasião do concílio de Jerusalém, reconheceram o primado da purificação espiritual, em relação à mera purificação cerimonial: «...Deus, que conhece os corações, lhes deu testemunho, concedendo o Espírito Santo a eles, como também a nós nos concedera. E não estabeleceu distinção alguma entre nós e eles, *purificando-lhes pela fé os corações*» (Atos 15:8; o itálico é nosso). Para Paulo e para o autor da epístola aos Hebreus, a contaminação é algo de natureza essencialmente espiritual, operado no coração pelo poder do Espírito Santo, e não por qualquer rito externo. «Porque o reino de Deus não é comida, nem bebida, mas justiça, e paz e alegria no Espírito Santo. Aquele que deste modo serve a Cristo, é agradável a Deus e aprovado pelos homens» (Rom. 14:17,18). «...nem haja alguma raiz de amargura que, brotando, vos perturbe e, por meio dela, muitos sejam contaminados» (Heb. 12:15). Por isso mesmo, qualquer rito cristão de purificação (como o batismo em água), é puramente simbólico, retratando de uma maneira externa uma realidade interna. «...para que

a santificasse, tendo-a purificado —por meio da lavagem de água, pela palavra» (Efé. 5:26). E novamente: «...Deus vos escolheu desde o princípio para a salvação, pela santificação do Espírito e fé na verdade, para o que também vos chamou mediante o nosso evangelho, para alcançar a glória de nosso Senhor Jesus Cristo» (II Tes. 2:13,14). Ver também o artigo sobre a *Purificação*.

IMUNDO

Ver o artigo intitulado *Limpo e Imundo*.

IMUNIDADE

Vem do latim, **immunitas**, «livre de obrigações públicas». Dentro do contexto eclesiástico, refere-se à isenção de uma pessoa ou classe (nesse caso, algum ministro) de obrigações sociais ou despesas. As imunidades de corpos religiosos e de indivíduos, nos tempos feudais, eram consideráveis. As propriedades eclesiásticas eram isentas de taxas, e os oficiais da Igreja eram isentos de certas obrigações públicas. Nos tempos modernos, como nos Estados Unidos da América do Norte, os ministros são livres do serviço militar, da participação em casos legais como jurados, e as propriedades eclesiásticas não estão sujeitas a impostos. Essas medidas são criticadas por alguns como antidemocráticas, e também porque dão margem a muitos abusos. Há organizações que se apresentam como religiosas, meramente a fim de escaparem à taxação e receberem outros privilégios.

Jovens têm ingressado em seminários teológicos somente para escaparem ao serviço militar. Em favor das imunidades, alguns argumentam que a Igreja está prestando muitos serviços públicos, como a operação de escolas e de instituições de caridade e, por isso, merecem consideração especial. Além disso, na média, os ministros do evangelho recebem menos dinheiro por seus serviços do que outros de nível educacional equivalente, pelo que qualquer imunidade financeira é uma justa compensação.

IMUTABILIDADE

Vem do latim **in**, «não», e **mutabilitas** «mudança». Logo, significa algo permanente, que não muda, que permanece para a eternidade. No sentido teológico, essa palavra é aplicada a Deus e a Jesus Cristo como seus atributos (ver Heb. 13:8). Ver o artigo sobre os *Atributos de Deus*, II.7. O termo não subentende, porém, que Deus viva estagnado em suas obras e, sim, que a sua *essência* básica não está sujeita a mudanças. Todas as demais coisas são mutáveis, porquanto tudo o mais encontra-se em estado de fluxo, o que produz modificações. Na redenção, os homens passam a participar da vida divina, que é necessária e independente e assim, em um sentido secundário, participam da imutabilidade de Deus.

Essa doutrina é contrária ao conceito de um Deus que evoluiu até tornar-se Deus, como ensina o mormonismo. A Bíblia ensina que não houve deus antes Dele, e nem haverá outro deus depois Dele (ver Isa. 43:10; Deu. 32:39). Deus é o primeiro e o último (Isa. 41:4; 48:2). Ele é imutável em seus propósitos, incluindo aquele de salvar (Sal. 138:8). Ver também I Sam. 15:29 quanto aos seus propósitos imutáveis. A chamada e os dons de Deus não têm arrependimento (Rom. 11:29); Deus completa aquilo que resolveu fazer (Fil. 1:6).

Expressões antropomórficas, especialmente aquelas do Antigo Testamento, podem transmitir a idéia

IMUTABILIDADE — INABILIDADE

de mutabilidade, conforme se vê, por exemplo, em Gên. 6:6; I Sam. 15:11; Jer. 18:8,10; 26:3; Joel 2:13; Amós 7:3; Jonas 3:9. Deus é retratado como quem fica irado, para então pacificar-se novamente (Êxo. 32:10-14; Núm. 11:1); mas essas são figuras usadas pelo autor, que não podem sondar a natureza e os propósitos de Deus. Imutabilidade não é imobilidade; portanto, as obras de Deus permanecem interminavelmente, com muitas variações (João 5:17). O que não muda é a sua natureza e o seu propósito final.

IMUTABILIDADE DE CRISTO

Heb. 13:8: *Jesus Cristo é o mesmo, ontem, e hoje, e eternamente.*

Há várias coisas que ficam subentendidas neste versículo, a saber:

1. Os outros heróis que nos são apresentados como exemplos, da antiguidade e dos tempos modernos, são *transitórios*. Seus exemplos podem ser aplicados somente através da memória. Mas há o exemplo eterno e imutável: Jesus Cristo.

2. Existem valores eternos e fixos na mensagem de Cristo, e fazemos bem em dar-lhes ouvidos. As crenças dos homens acerca de Cristo podem modificar; mas há uma verdade básica e inalterável sobre ele que é importante para a nossa salvação e bem-estar. — É nossa tarefa encontrar e aprender essa verdade. Haverá ocasiões em que nosso entendimento sobre Cristo será parcial e, algumas vezes, até mesmo errôneo; o que pensamos sobre ele pode contradizer a «verdade» de outrem. Porém, isso faz parte do problema do entendimento humano, e não indica haver modificação ou verdade parcial em Cristo.

3. *O Jesus histórico* é igualmente o Jesus a quem adoramos e servimos. Esse Jesus histórico é o Jesus teológico. Naturalmente, podemos ter algumas noções falsas acerca dele, mas há tal identificação de pessoa. Jesus é uma figura cósmica, dotada de importância universal. Não foi meramente um homem bom, um excelente mestre. Ele é também o Senhor da Glória, no sentido mais literal possível.

«Nada é mais provável do que aquele que viveu à face da terra, por alguns poucos anos, seja o mesmo Cristo a quem seus seguidores adoravam como Senhor; nenhum novo Jesus foi criado por algum movimento sincretista do primeiro século cristão. Há certa unidade no mistério insolúvel de sua pessoa, que é, não apenas real, mas também é a causa real que subjaz às diversas interpretações de sua vida e de sua obra; e as experiências posteriores da Igreja subentendem, repetida e continuadamente, que deve haver comunhão com ele, como algo mais profundo que qualquer modificação interna ou externa da fé». (James Moffatt, *Jesus Christ the Same*, pág. 11).

4. Portanto, Cristo é o objeto estável de nossa fé, o qual deve fazer a nossa fé ser estável. Essa é a «polêmica» inerente nas palavras do autor sagrado, proferidas para aqueles que demonstravam a tendência de se afastarem de Cristo.

Na verdade, porém, Cristo continua capitaneando para nós a guerra contra a morte e o pecado; o pendão de seu reino não está dilacerado, mas ainda drapeja triunfalmente sobre o campo; ele não é apenas um grande cavaleiro do passado e, sim, uma força viva em nossas vidas de hoje. Ele é uma força viva, porquanto continua vivendo até hoje, entrando em contacto conosco por meio do seu Santo Espírito.

5. Ademais, há uma afirmação sobre a sua natureza básica; e isso deve incluir a sua divindade: ele é o Verbo eterno. Conta com várias expressões, e até mesmo se encarnou no homem Jesus, ficando assim fundido à humanidade. No entanto, ele é um personagem eterno. Sua pessoa e sua natureza não se modificam.

6. Na qualidade de pessoas que não mudam, a revelação que Cristo trouxe é final (ver Heb. 1:1 e *ss*), não podendo ser a mesma ultrapassada, conforme sucedeu à mensagem dos profetas e de Moisés. Portanto, apostatar de Cristo é uma fatalidade, (ver Heb. 6:4 e *ss*).

7. Alguns intérpretes acreditam que o verdadeiro sentido deste versículo é, Jesus é o Cristo, ontem, hoje e para sempre. Assim sendo, nunca podemos esperar outro Messias, outro Salvador. A inserção da palavra «..é..» é possível no grego, apesar de por muitas vezes ficar apenas subentendida. Essa é uma interpretação possível; porquanto a tentação dos leitores originais da epístola era de voltarem ao judaísmo, ou seja, para sua antiga e não cumprida esperança messiânica, ao mesmo tempo que rejeitavam e até desprezavam o verdadeiro Messias, que já se manifestara. A tentação para abandonarem a Cristo é referida nos versículos que se seguem. Certamente esse é um dos significados da expressão, mas parece ir além disso, falando do Filho «cósmico», que é eterno e imutável.

8. O versículo repreende o que se segue: Não deve haver adições novas à verdade, e nem deve haver o retorno a caminhos antigos e insatisfatórios, como o cerimonialismo, a preocupação com alimentos e ritos, e os sacrifícios de animais. Cristo trouxe consigo uma mensagem superior e imutável, que elimina a necessidade de símbolos e sombras ultrapassados. Cristo jamais poderá ser ultrapassado, e nem mesmo precisa ser suplementado.

9. Cristo era o mesmo ontem: seu propósito e sua natureza estavam fixos. Ele planejou a redenção humana: ele é o «autor» da nossa fé, e devemos olhar exclusivamente para ele (ver Heb. 12:2). Cristo é o mesmo «hoje», isto é, o objeto presente da fé, bem como o poder transformador presente, o qual, através do Espírito Santo, vai formando em nós a si mesmo, à sua própria natureza, (ver II Cor. 3:18). Ele será o mesmo «amanhã». Pois trouxe-nos a revelação final de Deus. Se tiver de haver maiores revelações, será apenas a extensão da revelação de sua pessoa, e não a revelação de uma personagem diferente, de um novo Salvador. Lembremo-nos que ele se «assentou à mão direita de Deus», (ver Heb. 10:12,13). Não precisamos atribuir significações específicas para a palavra «ontem» (como a sua «encarnação», agora já passada, para os leitores; ou como a sua «preexistência»), pois os termos «ontem», «hoje», e «para sempre» são usados em sentido geral. Todo o «tempo passado» contou com um Cristo imutável, com o Verbo eterno. Todo o «tempo presente», enquanto pudermos dizer *agora* exige a nossa lealdade a ele. Todo o *tempo futuro* não haverá de modificar isso em qualquer sentido.

10. Em Cristo se acham todos os tesouros da sabedoria e do conhecimento (Col. 2:3). Portanto, em Cristo temos a nossa finalidade e perfeição.

11. Cristo é o *Mediador* imutável (Heb. 7:25 *ss*). Seu ofício de Mediador não terá fim e nem conhecerá enfraquecimento.

12. Cristo é o Sumo Sacerdote para sempre, sempre o mesmo, e os seus anos jamais terminarão. Ver Heb. 5:6; 7:3,17,21,27 e 9:12 quanto a declarações similares.

INABILIDADE NATURAL

Esse termo refere-se à posição teológica que diz que o homem, por causa da queda no pecado, não tem a

INÁCIO, CARTAS DE

capacidade de cumprir a vontade de Deus. Há indicações bíblicas dessa doutrina (ver Rom. 3:9 ss). Foi descrita por Agostinho e, depois dele, tornou-se um importante aspecto no ensino calvinista sobre a depravação humana. O arminianismo opõe-se a essa idéia em seus aspectos mais absolutos. Ver sobre *Calvinismo* e sobre *Arminianismo*, quanto a discussões a respeito. Ver também *Imagem de Deus, o Homem como*, seção II.4. *Até que ponto a queda no pecado maculou (ou apagou) essa imagem?*

INÁCIO, CARTAS DE

Tradicionalmente, Inácio foi o terceiro bispo de Antioquia, tendo sido levado a Roma, onde foi martirizado. Escreveu sete cartas que se tornaram parte dos escritos dos pais apostólicos da Igreja. K.Lake publicou essas cartas como o primeiro volume de sua obra, intitulada *Os Pais Apostólicos*.

Esboço:
I. Caracterização Geral
II. Data
III. Motivo e Propósitos
IV. Ensinamentos Doutrinários

I. Caracterização Geral

Eusébio (**Hist.** 3.36) diz-nos como Inácio foi levado, sob escolta militar, de Antioquia a Roma. Ao longo do caminho, foi escrevendo sete cartas que trazem o seu nome. Enviou quatro cartas de Esmirna, para as igrejas de Trales, Magnésia (às margens do rio Meandro), Éfeso e Roma (que ele esperava que chegasse lá, antes de sua própria chegada). Essas cartas, excetuando aquela endereçada a Roma, foram escritas à guisa de visita pessoal, contendo exortações, encorajamentos e pontos doutrinários. Então, de Trôade, ele escreveu mais três cartas: para Filadélfia, para Esmirna (onde estivera há pouco) e uma carta pessoal a Policarpo, bispo de Esmirna. A autenticidade dessas cartas é reconhecida de forma geral, embora não sem algumas dúvidas. Dez outras cartas foram escritas em seu nome, embora consideradas espúrias. Nos textos latino e grego, aquelas cartas genuínas sofreram alguns acréscimos. Uma versão condensada, em siríaco, das cartas de Inácio aos Efésios, aos Romanos e a Policarpo, perdura até hoje. Há coisas adicionadas que só aumentam a confusão que cerca as tradições a respeito; mas quase todos os eruditos acreditam que as cartas são autênticas, se tirarmos o material editorial.

Cartas de 1 a 3. As cartas aos Efésios, aos Magnesianos e aos Tralianos registram seu agradecimento pela bondade e simpatia daqueles crentes. Contêm exortações a obedecerem às suas autoridades **eclesiásticas e advertem contra ensinos heréticos.**

Carta 4. Foi escrita em Esmirna e dirigida à igreja em Roma, pedindo que os cristãos daquele lugar intercedessem por ele, porquanto não queria ser privado de algo que muito desejava, isto é, morrer por Cristo. Chegando em Trôade, ele recebeu a notícia de que, pelo menos pelo momento, as perseguições contra a igreja cristã, em Antioquia, haviam cessado, um fato que muito o agradou.

Cartas de 5 a 7. Foram escritas em Trôade, endereçadas aos cristãos de Filadélfia, de Esmirna e uma carta pessoal a Policarpo, o jovem pastor da igreja em Esmirna. Ali ele exorta para que os crentes evitem as contendas e os ensinamentos heréticos, para que seguissem a orientação de seus pastores e procurassem preservar a unidade da fé.

Essas cartas servem de importante testemunho do surgimento do episcopado monárquico e da autorida-de superior que, por essa altura, a igreja em Roma já desfrutava, ou seja, no começo do século II D.C.

II. Data

É fácil determinar uma data aproximada. Essas cartas foram escritas durante o reinado de Trajano (98—117 D.C.). Eusébio, em sua *Crônica*, diz, especificamente, que Inácio morreu no décimo ano do reinado de Trajano, isto é, entre (108 e 109 D.C.); mas muitos estudiosos não crêem na exatidão dessa informação. Seja como for, não há como fixar data mais exata, embora os estudiosos tendam por supor que seu martírio ocorreu já perto do fim do reinado de Trajano, talvez em 115 D.C. Portanto, suas cartas devem ter sido escritas pouco antes disso.

III. Motivo e Propósitos

Inácio gostaria de ter podido visitar as igrejas às quais escreveu. Mas o tempo escoava-se, e o tempo de sua morte era chegado. Estava sob guarda militar, pelo que perdera a liberdade. Assim, fez a única coisa que podia. Escreveu essas sete cartas a fim de comunicar, por assim dizer, seu último testamento espiritual. As perseguições contra os cristãos estavam se intensificando, e ele queria encorajar aos crentes a permanecerem firmes. Além disso, a heresia do *gnosticismo*, com seu docetismo (ver os artigos sobre ambos esses assuntos), estava causando perturbações, e Inácio escreveu para avisar aos cristãos a fim de não acolherem tais doutrinas. Ele também aproveitou o ensejo para agradecer àqueles a quem conhecera e de quem ouvira falar, pelo seu testemunho cristão. Em sua carta a Policarpo, Inácio mostrou que os cristãos deviam obedecer a seus líderes eclesiásticos. Em data tão recuada, pois, já encontramos uma forma episcopal de governo eclesiástico, onde um bispo era tido como autoridade não somente de uma igreja local, mas de toda uma região, com diversas igrejas locais. Inácio, pois anelava para que as autoridades constituídas da Igreja fossem respeitadas. Também preocupava-se para que a unidade da Igreja fosse preservada. Já tinham surgido problemas com os abusos sexuais, e Inácio escreveu acerca disso. Ele favorecia, embora não exigisse, o *celibato* (vide). Em seus dias, os opositores judeus atacavam a Igreja cristã. Ele advertiu contra o retorno à fé judaica, vendo um avanço definitivo no cristianismo. Ele falou com grande vigor, afirmando que «é monstruoso falar sobre Jesus Cristo e praticar o judaísmo». (Aos Magnesianos 8:3).

IV. Ensinamentos Doutrinários

1. Cristo tanto nasceu como não nasceu; ele viveria no tempo e fora do tempo. Inácio opunha-se ao *docetismo* (vide).

2. A Igreja seria o lugar do sacrifício, onde se celebraria a *eucaristia* (vide).

3. Todos os crentes, coletivamente falando, formariam a *Igreja Católica* (vide).

4. *Ordem Eclesiástica*: bispo, anciãos, diáconos. O bispo é comparado com Deus ou com Cristo; os anciãos são comparados aos apóstolos; e os diáconos, aos servos da Igreja. O bispo seria o mestre autorizado da Igreja, o despenseiro dos mistérios de Cristo. Nisso vemos um reflexo do tipo episcopal de governo eclesiástico.

5. O celibato é louvado por Inácio, devendo ser praticado, segundo ele, por todos os capazes; mas isso não é uma regra imposta aos líderes e aos membros da Igreja.

6. A igreja em Roma é reconhecida como dotada de autoridade superior às demais. Podemos dizer que isso reflete uma condição que favoreceu o desenvolvi-

INÁCIO — INALTERÁVEL

mento da Igreja Católica Romana.

7. Inácio ensinava a divindade de Cristo, seu nascimento virginal, seus sofrimentos expiatórios e sua ressurreição. Mediante os sofrimentos de Cristo é que somos salvos, segundo ele. (Ver Esmirna 2:1).

8. Ele ensinava uma união mística com Cristo. Ver o artigo intitulado *Cristo-Misticismo*.

9. O Antigo Testamento contém uma autêntica mensagem profética a respeito de Jesus Cristo.

10. A Igreja, a Noiva de Cristo, não deveria pecar. Mas, se chegasse a fazê-lo, restava-lhe o caminho do arrependimento (Efésios 14:2; Filipenses 8:1).

11. Ele se opunha ao gnosticismo (especialmente ao docetismo), bem como ao judaísmo. Este último estava ultrapassado pela revelação divina através de Cristo. (AM E KL LIG(1890) Z)

INÁCIO DE ANTIOQUIA

De acordo com Eusébio (**Hist. Ecl.** 3.36,2), foi o terceiro bispo de Antioquia da Síria. Teria sido martirizado em Roma, durante o reinado de Trajano. Orígenes considerava-o o segundo bispo daquele lugar. Ver *Hom*. VI, em Luc. par. 1. Segundo ele, teria sido devorado pelas feras, como castigo.

A caminho da Síria, desde a Síria, passando pela Ásia Menor, Inácio escreveu sete cartas a diversas igrejas cristãs. Por meio delas, deduzimos a maior parte do que sabemos sobre ele e suas crenças. Essas cartas estão agora entre os escritos dos chamados pais apostólicos da Igreja. Os títulos indicam os lugares para onde essas missivas foram endereçadas, a saber, aos Efésios, aos Magnesianos, aos Tralianos, aos Romanos, aos Filadelfianos, aos Esmirneanos. Uma delas era uma carta pessoal dirigida a Policarpo. Ver o artigo sobre *Inácio, Cartas de*, onde damos descrições sobre a natureza e o conteúdo dessas cartas.

As tradições dizem-nos que representantes cristãos de Éfeso, de Magnésia e de Trales vieram saudar Inácio, quando ele passava em direção norte, tendo partido da Síria. As cartas numeradas de um a três foram escritas em Esmirna, tendo sido endereçadas aos cristãos de Éfeso, Magnésia e Trales. As cartas de cinco a sete foram escritas em Trôade, tendo sido dirigidas aos cristãos de Filadélfia, de Esmirna, além de uma carta pessoal enviada a Policarpo, o jovem bispo de Esmirna. Essas cartas mostram que Inácio era homem de grande entusiasmo religioso, ansioso por morrer por Cristo, por quem ele tinha profundo amor. Foi um pastor zeloso, preocupado com os cristãos de toda a parte, desejando que fossem fortes em meio às tribulações, sempre progredindo espiritualmente. Em sua carta a Policarpo, exorta-o à coragem, usando duas metáforas: «Que nada te perturbe. Fica firme como a bigorna sob o malho. Um grande lutador é espancado, e mesmo assim vence».

Até onde vai nosso conhecimento, ele foi o primeiro a usar o termo *Igreja Católica*. Ele reconhecia uma posição de superioridade e autoridade da Igreja de Roma, dizendo que tanto Pedro quanto Paulo haviam ministrado naquela cidade. Foi martirizado em Roma, durante o reinado de Trajano (98—117 D.C.).

INÁCIO DE LOYOLA

Suas datas foram 1491—1556. Ele foi um líder religioso espanhol, da Igreja Católica Romana. Foi o fundador da Sociedade de Jesus, também chamados jesuítas. Nasceu em Loyola, em Azpeitia, na região basca da Espanha. Serviu como pajem em diversas igrejas. Tornou-se um homem de extraordinárias habilidades, de liderança e profundamente religioso.

Experiência Espiritual. Com a idade de vinte e cinco anos, serviu nas forças militares do vice-rei de Navarra. Durante o cerco de Pamplona, pelos franceses, foi seriamente ferido. Passou seu tempo de convalescença no castelo de Loyola. E, não tendo outros livros, leu livros acerca de Cristo e dos santos. Esses livros serviram para ele como um farol, e ele foi transformado em seu senso religioso. Fez uma peregrinação a Montserrat, e ali passou uma noite inteira de vigília. O resultado disso é que ele resolveu tornar-se um guerreiro de Cristo. No ano seguinte, estando ainda perto de Montserrat, passou por várias experiências místicas poderosas.

Eventos Posteriores. Inácio mudou-se para a Palestina, na esperança de viver ali. Mas, os turcos não lho permitiram. Retornou à Europa e passou onze anos em estudos diligentes, procurando tornar-se um servo melhor de Cristo. Formou-se como mestre, em Paria. Votou que viveria na pobreza e praticando atos de caridade. Quis fazer outra viagem à Palestina, mas isso lhe foi impossível. E resolveu servir à causa do papado, de forma toda especial.

Ele e vários companheiros puseram-se à disposição do papa Paulo III, tendo fundado o que chamaram de Companheiros de Jesus. A 27 de setembro de 1540, o papa Paulo III aprovou e encorajou a aventura deles, ficando assim formada a Sociedade de Jesus. As ênfases do grupo eram a simplicidade de vida, a caridade, a flexibilidade no serviço da Igreja, a obediência cega ao papa. Não houve a escolha de quaisquer trajes eclesiásticos especiais. Os jesuítas fazem voto de não buscar ofícios eclesiásticos e têm sido muito usados na educação e nas atividades missionárias católicas romanas. Eles se consideram cavaleiros ao serviço de Cristo. algo parecido com a atitude do Exército da Salvação, no protestantismo. Inácio de Loyola, contra sua vontade, foi eleito o primeiro superior geral da ordem dos jesuítas.

Ele permaneceu em Roma, encorajando o crescimento da nova ordem; enviou milhares de cartas, encorajando àqueles que se unissem à cruzada. Por ocasião de sua morte, que ocorreu a 31 de julho de 1556, a Sociedade de Jesus tinha cerca de mil membros, em doze regiões ou províncias da Itália.

O próprio Inácio não se envolveu em atividades antiprotestantes; mas alguns dos membros de sua sociedade assim fizeram. O interesse principal dessa sociedade, durante seus primeiros anos de existência, eram as missões ao estrangeiro. Isso tem continuado até hoje. Dos mais de trinta mil jesuítas existentes na década de 1970, oito mil deles dedicavam-se a vários tipos de trabalho missionário. Ver o artigo separado sobre os *Jesuítas*. Muitos jesuítas mostram-se ativos em instituições educacionais.

A Espiritualidade de Inácio de Loyola. Ele escreveu um livro intitulado *Exercícios Espirituais*. O propósito básico desse livro é o de ajudar o leitor a obter uma visão do que significa servir a Cristo. Inácio foi um místico, mormente em seus primeiros anos de carreira; mas a ênfase daquele livro recai sobre o trabalho e o serviço. Na teologia ele era um trinitário e **cristocêntrico. Sua ênfase era fazer mais (um termo de uso freqüente em seus escritos) em favor de Cristo.** O lema de sua vida era: «Para a maior glória de Deus».

Foi canonizado santo por Gregório XV, em 1622. Sua festa religiosa é celebrada a 31 de julho.

INALTERÁVEL

Ver os seguintes artigos: *Imutabilidade de Cristo; Imutabilidade; Atributos de Deus* (II.7).

INARI — INCENSO

INARI

Palavra japonesa que significa «planta do arroz» (ine) e «crescer» (naru). Esse nome designa o panteão japonês das divindades alimentares e da fertilidade, que consiste em nove principais deuses, que são adorados nos chamados santuários Inari, da religião xintoísta.

INCENSO

Tradicionalmente, esse é o símbolo da oração. (Ver Lev. 16:12,13; Sal. 141:2 e Luc. 1:9). O vidente João transferiu para o templo celestial aquilo que era praticado no templo terreno. Edersheim, ao descrever o oferecimento de incenso no templo, fornece-nos a seguinte descrição: «Quando o presidente baixava a ordem de que 'chegara a hora do incenso', a multidão inteira, do lado de fora, saía do átrio mais interno e se prostrava diante do Senhor, de palmas voltadas para cima, em oração silenciosa. Era aquele o momento mais solene, quando por todos os vastos edifícios do templo, descia profundo silêncio sobre a multidão que adorava, ao passo que, dentro do próprio santuário, o sacerdote punha o incenso sobre o altar de ouro, e as nuvens odoríferas ascendiam diante do Senhor, o que serve de imagem simbólica das coisas celestiais, no Apocalipse (ver Apo. 8:1,3). As orações feitas pelos sacerdotes e pelo povo, nessa porção do culto, foram registradas pela tradição, como segue: 'É verdade que Tu és Yahweh, nosso Deus, o Deus de nossos pais; és nosso Rei e o Rei de nossos pais; és nosso Salvador e a Rocha da nossa salvação; és nosso Ajudador e Libertador. Teu nome vem de toda a eternidade, e não há Deus além de Ti. Aqueles que foram libertados entoam para Ti um novo cântico, como Rei, dizendo: 'Reinará Yahweh, que salva a Israel'. (Isso pode ser comparado ao cântico de Moisés, em Apo. 15:3, e ao «novo cântico» que aparece no nono versículo do oitavo capítulo de Apocalipse).

Esboço:

I. Definições e Palavras Empregadas
II. Caracterização Geral e Uso entre os Hebreus
III. O Altar do Incenso
IV. Uso do Incenso na Igreja Cristã
V. Usos Simbólicos

I. Definições e Palavras Empregadas

A palavra portuguesa *incenso* vem do latim, *incensus*, o particípio passado de *incendere*, «acender». O incenso é feito de uma substância aromática que, quando é queimada, exala um odor agradável. Duas são as palavras hebraicas traduzidas por «incenso», na Bíblia portuguesa, a saber:

1. *Qetoreth*, «incenso», «perfume». Essa palavra, com suas variantes, *qetorah*, *qatar* e *quitter*, todas elas derivadas do verbo que significa «criar odor mediante queima», ocorre por cerca de cento e setenta e oito vezes, conforme se vê, por exemplo, em Êxo. 25:6; 39:38; 40:5,27; Lev. 10:1; 16:12,13; Núm. 4:16; 16:7,17,18,35,40,46,47; I Sam. 2:28; I Crô. 6:49; 28:18; II Crô. 2:4; 13:11; Sal. 66:15; 141:2; Isa. 1:13; Eze. 8:11; 16:18; 23:41; Deu. 33:10; Mal. 1:11; Jer. 44:21.

A forma verbal dessa palavra refere-se não só ao oferecimento do incenso propriamente dito, mas também ao odor do fumo dos sacrifícios, que, na concepção dos hebreus, era agradável a Yahweh (ver Sal. 66:15).

2. *Lebonah*, «olíbano». Essa palavra aparece por vinte e uma vezes no Antigo Testamento. Por exemplo: Êxo. 30:34; Lev. 2:1,15,16; Núm. 5:15; I

Crô. 9:29; Nee. 13:9; Can. 3:6; 4:6,14; Isa. 43:23; 66:3; Jer. 6:20; 41:5. No hebraico, essa palavra vem da mesma raiz que significa «branco».

Todos os eruditos insistem em que o olíbano não é a mesma coisa que o incenso, mas era uma outra substância, também perfumada. É possível que esse nome se derive das florestas do Líbano, porquanto ali era costume crescerem plantas que produziam gomas odoríferas. Há uma nota na *Bíblia Anotada de Scofield* sobre Êxo. 30:34 que afirma que o olíbano não deve ser confundido com o incenso, onde também se lê que o olíbano era *adicionado* ao incenso, embora também pudesse ser usado independentemente. Seja como for, o Antigo Testamento não nos revela do que essa substância era feita, ao passo que há instruções específicas acerca da preparação do incenso.

No Novo Testamento também encontramos duas palavras gregas envolvidas:

1. *Thumíama*, «incenso». Esse termo grego figura por seis vezes. Luc. 1:10,11; Apo. 5:8; 8:3,4; 18:13. Os ingredientes usados para o fabrico do incenso, na cultura hebréia, aparecem em Êxo. 31:34,35. A substância assim composta era, então, partida em pedacinhos, que eram queimados. Visto que a fórmula era conhecida, não havia razão alguma para as classes mais afluentes não produzirem incenso para seu uso particular. Entretanto, isso era estritamente proibido, sob pena de exclusão (Êxo. 30:37,38), pois o incenso só podia ser usado para finalidades sagradas. O verbo, *thumiáo*, aparece em Luc. 1:9.

2. *Líbanos*, «olíbano». Essa palavra ocorre por duas vezes no Novo Testamento: Mat. 2:11 e Apo. 18:13. Corresponde à palavra hebraica *lebonah* (ver acima). Essa substância foi um dos presentes dos magos (vide), ao menino Jesus.

II. Caracterização Geral e Uso Entre os Hebreus

O incenso é uma substância seca, resinosa, aromática, de cor esbranquiçada ou amarelada, de gosto amargo ou pungente. Posto no fogo, o incenso queima durante muito tempo, emitindo uma chama constante e muito odorífera. Várias árvores do gênero *Boswellia*, que crescem na Índia, na África e na Arábia, produzem essa goma através de incisões feitas em sua casca. São bastante comuns as referências a essa substância na literatura antiga. Heródoto, Célsio e a própria Bíblia (ver acima), referem-se ao incenso.

O produto era importante no comércio da antiguidade, que seguia as rotas de caravanas comerciais entre o sul da Arábia e daí até Gaza e Damasco, conforme se percebe em Isa. 50:6. A substância fazia parte da composição do óleo da unção (Êxo. 30:34), sendo queimada, juntamente com outras substâncias, durante a oferta de manjares (Lev. 6:15). Em sua forma pura, o incenso era posto sobre os pães da proposição (Lev. 24:7). Um dos presentes oferecidos pelos magos, ao infante Jesus, foi essa substância (Mat. 2:11). Os intérpretes opinam que esse incenso simbolizava o ministério sacerdotal de Cristo. Seja como for, é verdade que o incenso simboliza o fervor religioso. A palavra grega correspondente, *líbanos*, tal como o vocábulo hebraico, também significa «branco». As árvores do gênero Boswellia estão aparentadas à espécie do terebinto. Elas produzem flores com formato de panículas brancas, verdes e com as pontas róseas.

Entre os hebreus havia um uso não-religioso do incenso. É de se presumir que, nesse caso, a fórmula não fosse a mesma que a do incenso usado nos rituais do tabernáculo e do templo. O incenso era usado como motivo de prazer (Pro. 27:9); pelas prostitutas, em seus festins (Eze. 23:41); nos funerais dos reis (II Crô.

INCENSO — INCESTO

16:14; 21:19; Jer. 34:5); finalmente, era passado em redor, em taças, após algum banquete (ver Mishnah, *Berakoth*, 6:6).

Sabemos que, na adoração pagã, como na de Baal, o incenso era usado, o que foi condenado pelos profetas hebreus (I Reis 11:8). O trecho de Lev. 26:30 menciona altares pagãos para incenso. Incenso era queimado nos santuários dos *lugares altos*, o que também era condenado (I Reis 22:43), provavelmente porque esses lugares estavam vinculados a uma grosseira idolatria. Há trechos, como Isa. 1:13; 66:3 e Jer. 20, onde o incenso é condenado em associação à adoração ao Senhor; mas, provavelmente, isso visava àquela adoração vazia, meramente ritualística. A serpente de metal foi adorada juntamente com incenso, até que Ezequias pôs fim ao costume (II Reis 18:4).

O incenso veio a fazer parte dos ritos do templo, onde era oferecido em incensários especiais, como no dia da expiação, ou para a purificação das ofertas de manjares. O sacerdote oferecia o santo incenso aromático pela manhã e à tardinha, sobre o altar de ouro, diante do véu. Aarão fez isso (Êxo. 30:1-10), como também o fizeram os sacerdotes que eram escolhidos por lançamento de sortes, para servir no templo (ver Mishnah, *Tamid* 2:5; 5:2,4; 6:1-3 e Luc. 1:9). Um interessante ponto a observar é que, no judaísmo moderno, não é mais usado o incenso.

III. O Altar do Incenso
Ver o artigo separado com esse título.

IV. Uso do Incenso na Igreja Cristã
Por motivo de suas conexões com o paganismo, o incenso não foi usado nos meios cristãos até o fim do século IV D.C. Há menções específicas ao incenso, entretanto, em Antioquia da Síria, desde 594 D.C., e em Roma, a partir do século VIII D.C. Entretanto, o oferecimento de incenso, nos templos cristãos, só começou no século XIV. A Igreja Católica Romana, a Igreja Ortodoxa Oriental e a Igreja Alta Anglicana empregam incenso em seus ritos. É queimado ali o incenso em um vaso com tampa, dotado de frestas, chamado *incensário* (vide), nas missas solenes, nas bênçãos, nas vesperais, nos funerais e em outras ocasiões. Na bênção da vela pascal, cinco grãos de incenso representam os *cinco ferimentos* (vide) do Senhor Jesus crucificado e ressuscitado. A fragrância aromática do incenso aponta para a virtude; sua queima simboliza o zelo; c o fumo que sobe refere-se às orações em sua ascensão aos lugares celestiais.

V. Usos Simbólicos
Acabamos de mencionar alguns usos simbólicos do incenso, na Igreja cristã, a saber:

1. Orações que sobem ao trono de Deus são o sentido de Apo. 5:8.

2. Esse mesmo versículo (Apo. 5:8), aludindo especificamente a seres espirituais que manuseiam o incenso, provavelmente indica algum trabalho mediatório em favor dos santos, por delegação de Cristo. Que os anjos eram os mediadores das orações era uma doutrina judaica comum. O trecho de Apo. 8:3,4 menciona, especificamente, o trabalho dos anjos como mediadores nas orações, o que é simbolizado pela fumaça de incenso.

O incenso, com sua agradável fragrância, simbolizava as orações aceitas diante de Deus (Sal. 141:2), tal como a fumaça das ofertas queimadas era tida como agradável para Yahweh. O incenso, oferecido pelos judeus, nos holocaustos da manhã e da tarde, representava as orações feitas na oportunidade (Luc. 1:10).

3. A beleza da sabedoria (Ecl. 24:15).

4. O conhecimento de Cristo (II Cor. 2:14).

5. O fato de que Deus possui e governa o mundo inteiro era simbolizado pelas diversas substâncias componentes do incenso, de acordo com *Filo*, «Quem é o Herdeiro das Coisas Divinas?», e com Josefo (*Guerras* 5.5).

6. O incenso, com suas muitas qualidades (mistura de elementos) e com sua suave fragrância, simboliza as excelências de Cristo.

INCERTEZA, PRINCÍPIO DA
Essa é uma lei da física, proposta pela primeira vez por Werner Heisenberg, em 1929. Essa lei tem afetado profundamente a teoria quantum. Ver sobre a *Mecânica Quantum*. Também influencia a teoria das causas, sendo filosoficamente aplicada à questão do determinismo e do livre-arbítrio.

O princípio da incerteza afirma que a posição e o impulso de uma partícula não podem ser conhecidos sem uma certa dose de incerteza, porquanto o processo para se estabelecer tal posição ou tal impulso afeta ambas as coisas. Um eléctron, ao deslocar-se a uma velocidade conhecida, só pode ter sua posição, em um instante particular, conhecido e expresso em termos de probabilidades. Isso subentende uma incerteza quanto à identidade e ao destino daquele eléctron. Ora, se uma partícula qualquer não pode ser identificada sem certa incerteza, como alguém poderia dizer o que sucederá a ela no futuro? E se a identidade e o destino de uma partícula estão na dúvida, como alguém poderia saber se a lei de causa e efeito está sendo obedecida? Na filosofia e na teologia disputa-se até que ponto tais informes podem ser aplicados ao problema do determinismo versus livre-arbítrio. Isso envolve, antes de mais nada, as questões acerca do espírito, da vontade e do poder de Deus, e não as questões que dizem respeito à matéria. Em segundo lugar, os próprios cientistas não têm certeza quanto ao que está envolvido nessa questão. Eles não sabem se o que é incerto é o nosso conhecimento, ou as ações das partículas subatômicas. Todavia, Einstein tinha a convicção de que Deus não estava jogando dados, pelo que aquele grande cientista rejeitava, pelo menos teoricamente, o princípio da incerteza. Talvez a ciência do futuro consiga solucionar esse dilema.

INCESTO
Esboço:
  I. Definição
  II. Caracterização Geral
  III. O Incesto na Sociedade Hebréia
  IV. Razões do Tabu do Incesto

I. Definição
Incesto é palavra que vem do latim, *incestus*, «não casto». Essa palavra latina é formada por *in*, «não», e *castus*, «casto». Todavia, no seu uso comum, indica certo tipo de imundícia moral, a saber, contactos sexuais entre pessoas aparentadas mui estreitamente, o que as impede de contraírem casamento legal.

II. Caracterização Geral
O incesto é um relacionamento heterossexual proibido pelos costumes da sociedade e pelas leis. Envolve pessoas de parentesco por demais próximo, o que lhes veda o matrimônio legal. Assim, quase todos os povos desaprovam os relacionamentos sexuais entre um pai e sua filha, entre uma mãe e seu filho, e entre

303

INCESTO — INCIRCUNCISÃO

irmão e irmã. Todavia, a história provê notáveis exceções quanto ao caso de irmãos e irmãs. No antigo Egito, entre indígenas do Peru e do Havaí, por exemplo, a união entre irmãos e irmãs não somente era permitida, mas até era requerida, a fim de manter a «pureza» do sangue real.

Em algumas sociedades, a regra do incesto é mais rígida do que em outras. Ali é proibido o casamento entre pessoas com qualquer grau de parentesco, sem importar quão distante seja esse grau. Assim, na China, uma pessoa não contrai matrimônio com outra pessoa que tenha o mesmo nome de família, mesmo que se desconheça o mais remoto grau de parentesco. É, em algumas sociedades primitivas, cada pessoa precisa escolher o cônjuge fora de sua própria tribo. Em outras culturas, como aquelas onde prevalecem várias castas, o oposto se dá: cada indivíduo tem de casar dentro de sua própria tribo, sem qualquer mistura de castas.

III. O Incesto na Sociedade Hebréia

Ver os artigos separados *Matrimônio* e *Crimes e Castigos*.

O décimo oitavo capítulo de Levítico dá as proibições veterotestamentárias relativas ao incesto. Especialmente, ficam vedados casamentos entre um filho e sua mãe; com a madrasta; com uma irmã ou meia-irmã; com uma neta, filha de um filho ou de uma filha; com a filha de uma madrasta; com uma tia, irmã do pai ou da mãe; com a esposa de um tio pelo lado paterno; com uma nora; com uma cunhada; com uma mulher e sua filha, ou com uma mulher e sua neta; com a irmã de uma esposa ainda viva. Exemplos de incesto, encontrados na Bíblia, aparecem em trechos como Gên. 19:30-35; 35:22; 49:4; II Sam. 13:7-14; Eze. 22:10,11 e I Cor. 5:1-5.

As leis levíticas concernentes ao incesto, bem como as penas impostas, figuram em Lev. 20:11-21. A pena usualmente imposta era a sentença de morte. Punição menos severa era aplicada nos casos de alguém que (aparentemente) se casasse com uma tia ou com uma cunhada (presumivelmente, após a morte de seus respectivos cônjuges), que não tivessem ainda tido filhos. Paulo, ao abordar um notório caso de incesto (I Cor. 5:1-5) pediu à igreja de Corinto que orasse para que o culpado fosse entregue a Satanás, a fim de que morresse, o que talvez ocorreria por acidente, enfermidade, ou quem sabe o quê.

IV. Razões do Tabu do Incesto

1. *Razões Religiosas*. Em algumas sociedades, as relações incestuosas eram e continuam sendo proibidas por causa de ensinos contidos em documentos sagrados, que se propõem como revelações divinas sobre a questão. Isso indica que o incesto envolve um erro moral do ponto de vista divino. A ética teísta parte do pressuposto de que as leis éticas fundamentais foram instituídas por Deus.

2. O incesto contribui para a desestabilização da sociedade, porquanto perturba as fronteiras específicas do casamento legítimo.

3. Alianças são estabelecidas entre distintos grupos, mediante trocas de noivas. A fim de garantir o sucesso dessa idéia, as tribos e as famílias que são aparentadas entre si perto demais ficam excluídas nessa troca de noivas.

4. De acordo com as modernas pesquisas genéticas, as leis sobre o incesto também evitam muitos defeitos genéticos, que se acentuariam nos filhos de pessoas aparentadas perto demais entre si.

••• ••• •••

INCHAÇÃO

No hebraico, **seeth**. Esse termo aparece em Lev. 13:2,10,19,28,43; 14:56. Está em foco a intumescência da parte afetada do corpo humano. Com freqüência, essa inchação é causada pela inflamação devida à presença de substâncias nocivas nos tecidos, como um pouco de sangue vertido dos vasos, resultante de algum ferimento ou machucadura, uma ferroada de inseto ou como a picada de alguma serpente venenosa. Ver também sobre *Veneno*. Qualquer dessas coisas é capaz de dissolver células do sangue, causando a retenção de fluidos nas partes afetadas. O entupimento de vasos linfáticos ou de vasos sangüíneos também pode causar inchação. Um dos casos mais horríveis de entupimento dos vasos linfáticos é o da *elefantíase*, doença proveniente da Índia que faz os membros afetados (geralmente as pernas, os antebraços ou os seios femininos) incharem de modo que chegam a ser repulsivos. Visto que a inchação impede a circulação do sangue, a pele começa a morrer, com o aparecimento de nódoas esverdeadas que parecem limo, sobretudo quando ataca os pés. Estes incham tanto que se deformam, parecendo-se então, com as patas de um elefante. Os homens são forçados a usar calças com bocas largas. Toda a porção afetada fica arroxeada e de horrível aspecto. A vítima acaba morrendo de gangrena. Em nosso país, a condição infelizmente tornou-se comum em Belém do Pará. O mosquito é o veículo transmissor da doença.

Certos tumores, como o câncer, também podem produzir incrível inchação. Ver Lev. 13:2; Núm. 5:21 e Atos 28:5. Certos tipos de inchação, segundo vemos no décimo terceiro capítulo de Levítico, eram devidos à lepra. Dizem os entendidos que apesar dos métodos de exame serem primitivos, os diagnósticos, assim feitos, eram seguros.

INCIRCUNCISÃO

Há duas palavras hebraicas a serem consideradas, como também duas palavras gregas, no caso deste verbete, a saber:

1. *Arel*, «incircunciso». Esse termo hebraico aparece por trinta e cinco vezes, conforme se vê, por exemplo, em Gên. 17:14; Êxo. 6:12,30; Lev. 19:23; Jos. 5:7; Juí. 14:3; I Sam. 14:6; 17:26,36; II Sam. 1:20; Isa. 52:1; Jer. 6:10; 9:26; Eze. 28:10; 31:18; 44:7,9.

2. *Orlah*, «incircuncisão». Palavra hebraica que ocorre por uma vez com esse sentido, em Jer. 9:25, embora ocorra por mais treze vezes, com o sentido de «prepúcio».

3. *Akrobustía*, «incircuncisão». Vocábulo grego que é usado por vinte vezes, em Atos 11:3; Rom. 2:25-27; 3:30; 4:9-12; I Cor. 7:18,19; Gál. 2:7; 5:6; 6:15; Efé. 2:11; Col. 2:13; 3:11.

4. *Aperítmetos*, «não-circuncidado». Palavra grega que ocorre somente por uma vez, em Atos 7:51.

Nas Sagradas Escrituras, essa palavra é usada tanto em sentido literal quanto em sentido figurado. Nas páginas do Antigo Testamento, a incircuncisão representava a incredulidade e a desobediência diante da aliança estabelecida entre Deus e o povo de Israel (Jer. 6:10; 8:25). No sentido simbólico, os israelitas rebeldes tinham um *coração incircunciso* e para aqueles que faziam ouvidos moucos para com a verdade, Deus tinha os ouvidos *incircuncisos* (Jer. 6:10).

Quando chegamos ao Novo Testamento, os judeus incrédulos, embora fisicamente circuncidados, eram espiritualmente incircuncisos (ver Rom. 2:28,29).

INCLINAI-VOS — INCONSCIENTE

Mas certos gentios, embora fisicamente incircuncisos, são considerados circuncidados, quando observam a retidão da lei (Rom. 2:25-27). Quando alguém é regenerado, cai por terra a distinção entre os circuncisos e os incircuncisos (I Cor. 7:19; Gál. 5:6; 6:15; Col. 3:11), porquanto a regeneração faz todos os crentes, judeus ou gentios, se unirem em um único corpo de crentes (Efé. 2:11-22). Isso é assim porque a circuncisão nada tem a ver com a justificação. Abraão foi justificado mediante a fé, quando ainda não fora circuncidado, conforme se aprende em Romanos 4:9-12. «Como, pois, lhe foi atribuída (a justiça)? estando ele já circuncidado ou ainda incircunciso? Não há regime da circuncisão e, sim, quando incircunciso» (vs. 10).

INCLINAI-VOS!

No hebraico temos **abrek**, de sentido incerto, mas geralmente tomado como «inclinai a cabeça», «dobrai o joelho» ou «prostrai-vos». É uma exclamação que se acha exclusivamente em Gên. 41:43, relativa à proclamação da autoridade de José. Alguns pensam que essa palavra e a prática da aclamação em público foram trazidas pelos hicsos para o Egito, se é que o vocábulo tem origem assíria, conforme alguns pensam. Mas outros dizem que a palavra é egípcia. Orígenes dizia que o termo significa «um egípcio nato». Nesse caso, a proclamação indicava que José não mais deveria ser considerado um estrangeiro, e sim, um oficial egípcio.

INCONSCIENTE (MENTE)

Definição Geral. A mente inconsciente é aquela extensa área da psique humana que não se acha dentro do campo imediato do consciente, e cujo conteúdo, quando consiste em material reprimido, pode afetar a personalidade por meio de sonhos espantosos, temores mórbidos, impulsos e compulsões irracionais, além de diversas formas de comportamento irregular ou mesmo anormal. A mente inconsciente inclui tanto os processos mentais quanto as memórias que não podem ser relembradas prontamente.

1. *Platão*. A doutrina platônica das lembranças (ver sobre *Anamnésia*) fornece-nos uma base filosófica para essa doutrina. O trauma do nascimento, em cooperação com o processo da reencarnação (vide), bloqueia a memória do indivíduo que torna a nascer, a memória de suas vidas passadas; mas, por meio disso, ele também perde o acesso fácil ao fundo de conhecimento que existe nos *universais* (vide). Portanto, até onde vai o conhecimento vital, um homem voltaria a viver apenas como um fragmento daquilo que ele realmente seria. Mediante a razão (como nos diálogos), a intuição e as experiências místicas (como na contemplação), um homem poderia relembrar-se de parte desse depósito oculto de conhecimentos. E quanto mais espiritual tornar-se um homem, tanto maior seria o alcance do conhecimento posto à sua disposição. Ademais, para Platão, o conhecimento sempre envolveria questões de moralidade. Chegamos a saber mais quando nos tornamos pessoas melhores, visto que a ascensão do conhecimento é ajudado pelo aprimoramento moral.

2. *Leibniz*. De um ângulo diferente, sua filosofia dizia algo similar. Ele acreditava que o corpo, por meio do cérebro, vive recebendo um contínuo fluxo de percepções, embora sejam apenas *pequenas percepções*, informações apagadas e diluídas. Portanto, o homem seria consciente apenas de forma quase desprezível acerca de suas percepções, de tal maneira

que ele não tomaria conhecimento de quase tudo quanto se apercebe.

3. *Schelling*. Ele pensava que a criatividade artística depende do fundo da mente inconsciente, de que o artista é capaz de tirar proveito, assim produzindo algo que está além do homem ordinário e da mente consciente.

4. *Schopenhauer*. Ele falava sobre uma *vontade cega*, que controlaria todas as coisas, como uma essência irracional que faz parte da natureza humana. Esse aspecto da existência está oculto e é misterioso, de tal modo que a mente humana consciente não o compreende muito bem.

5. *Eduardo von Hartmann*. Utilizando-se de idéias básicas de Schopenhauer, Hartmann desenvolveu um elaborado sistema filosófico no tocante à mente inconsciente. Ele cria que a extração de conhecimentos da mente inconsciente seria a chave para o desenvolvimento humano. Ele supunha que existem vários níveis mentais, desde o inconsciente profundo até o consciente desperto. Seu conceito de vários níveis da mente inconsciente foi aceito e desenvolvido por Freud. Contrastamos o *esforço* inconsciente com o *cumprimento* consciente.

6. *Sigmund Freud*. Ele via a mente inconsciente como um depósito que antes contivera material consciente, mas agora reprimido, e, isso posto, oculto da consciência desperta. Mas, embora reprimidas e esquecidas, essas memórias continuam bem ativas, condicionando os nossos atos e pensamentos. Na mente inconsciente agitar-se-iam muitos conflitos, lutas, irracionalidades, temores mórbidos e monstros morais e mentais de toda sorte, até mesmo em crianças pequenas. A psicanálise, contudo, ajudaria a desenterrar essas coisas; e, uma vez relembradas, elas deixariam de perturbar o indivíduo. A explicação de Freud não tinha a espiritualidade do conceito platônico, descobrindo a explicação da mente inconsciente nas experiências humanas terrenas, que vieram a ser suprimidas. Por sua vez, Platão localizava a mente humana na eternidade passada, e não meramente nas vicissitudes de nossa existência terrena presente.

7. *Carl Jung*. Ele falava sobre o inconsciente, pensando tratar-se da mente coletiva da qual todos os homens participariam. O inconsciente conteria toda a experiência humana, desde o começo da raça humana, com suas principais idéias e os seus arquétipos. Poderíamos tomar consciência do conteúdo desse grande depósito (similar ao conceito da *mente universal*; vide) por meio de sonhos, da intuição e das experiências místicas, e também mediante a ajuda da psicanálise. Esse seria o poder por detrás daquilo que fazemos e daquilo em que nos estamos tornando.

8. *Lucano*. Ele pensava que a linguagem usada reflete o conteúdo da mente inconsciente, pelo que, mediante a análise lingüística poderíamos obter certo discernimento quanto à natureza dessa mente.

9. *Lévi-Strauss*. Ele acreditava que o inconsciente contém a estrutura original e ideal. As realidades estruturais estariam acima da realidade empírica, podendo ser discernidas por representações que são transmitidas através de mitos, ritos e crenças religiosas. A imagem ideal da sociedade achar-se-ia na mente inconsciente: porém, os homens distorceriam essa imagem, em seus pensamentos e em seus atos, de tal modo que a sociedade assim produzida pelos homens também seria uma distorção.

O homem essencial é mais do que o seu corpo. Ele é dotado de mente, de alma espiritual; e, em minha

INCONSCIENTE — INCREDULIDADE

opinião, é uma pessoa antiqüíssima. A sua vida no corpo reduz o homem a um fragmento do seu verdadeiro «eu»; e uma parte do seu desenvolvimento espiritual consiste em recuperar as dimensões perdidas do espírito. Há uma grande reserva da mente pessoal e universal (da qual o indivíduo humano participa) que pode ser utilizada em nosso crescimento como entidades espirituais. Esse fundo também está à nossa disposição para a criatividade nos campos artístico, científico e religioso. Há um nível de revelação ou inspiração que está envolvido em tudo isso. A inspiração divina pode usar a mente inconsciente humana; mas faz parte da herança humana ser capaz de utilizar-se da riqueza extraordinária da mente inconsciente, inteiramente à parte de qualquer intervenção divina.

INCONSCIENTE COLETIVO

Carl G. Jung (vide) supunha que todos os membros da humanidade compartilham de uma espécie de depósito psicológico, que contém os *arquétipos*. Esses arquétipos são epítomes simbólicos das principais facetas da experiência e da compreensão humanas. Encontramos esses arquétipos sob a forma da Grande Mãe, o aspecto feminino da natureza; do Grande Pai, que é o seu aspecto masculino; do Profeta, que é o homem interior, inspirado a conhecer a verdade e a transmiti-la; e da Sombra, o lado negligenciado do indivíduo, aquele potencial que ele possui, mas que nunca desenvolveu. Ou então, essa Sombra pode ser o lado pior do indivíduo. Tratar-se-ia da personificação de seus piores impulsos e qualidades. Os arquétipos também poderiam ser representados por animais, como o cão, que seriam os impulsos inferiores; ou, se são positivos, como o cavalo, símbolo das energias psíquicas, ao passo que a serpente representaria a sexualidade, etc. Os arquétipos tornam-se conhecidos por nós na mitologia, nos ideais religiosos, mas, especialmente, nos sonhos, quando a mente põe-se a revisar a vida e o seu significado. Ver o artigo geral sobre *Jung*. (CHE DRE F)

INCREDULIDADE

1. *As Palavras*. A palavra grega *apistia*, «incredulidade», aparece por doze vezes no Novo Testamento: Mat. 13:58; 17:20; Mar. 6:6; 9:24; 16:4; Rom. 3:3; 4:20; 11:20,23; I Tim. 1:13; Heb. 3:12,19. Sua forma verbal, *apistéo*, ocorre por sete vezes: Mar. 16:11,16; Luc. 24:11,41; Atos 28:24; Rom. 3:3 e II Tim. 2:13. O termo *apeitheía* figura por sete vezes: como «incredulidade», em Rom. 11:30,32 e 4:6,11; e como «desobediência», em Efé. 2:2; 5:6; Col. 3:6. Essa palavra grega encerra a idéia de incredulidade proposital, que resulta em revolta. Assim, os gentios receberam misericórdia da parte de Deus em vista da revolta de Israel, que terminou em apostasia (ver Rom. 11:32).

2. *Tipos de Incredulidade na Bíblia*:

a. Simplesmente não crer em alguma coisa, de natureza religiosa ou secular. É perfeitamente possível alguém não crer em certos elementos de algum credo cristão, sem que isso faça desse alguém um incrédulo na pessoa e na missão de Cristo. Os credos, por mais exatos que seus proponentes procurem fazê-los, não são, necessariamente, bons representantes da verdade, pois, no mínimo, pecam por omissão, quando não distorcem alguma faceta da verdade.

b. Pode haver uma negligência proposital da verdade, como no caso dos pagãos que apostatam de

Deus, em sua rebeldia e insensibilidade. Ver Rom. 1:18 *ss*.

c. Pode haver a incredulidade proposital em face de alguma verdade revelada. Ver João 1:11 e 19. Os homens que amam as trevas não se mostram ansiosos por acolher e receber a verdade, porquanto isso requer mudança nas atitudes básicas diante da vida, seus valores e usos, e mudança na conduta.

d. Pode haver uma afronta direta à veracidade divina, conforme se vê no antigo sistema gnóstico, que misturava, em sua forma de cristianismo, idéias cristãs, judaicas e das religiões orientais misteriosas, com toda a mitologia que elas incluíam. Há forte oposição ao gnosticismo em vários dos livros do Novo Testamento, em um sentido ou outro. Ver Colossenses, Efésios, I e II Timóteo, Tito, Judas e as três epístolas joaninas. Além disso, o evangelho de João e o Apocalipse contêm alusões ao sistema gnóstico.

e. Pode haver a falta de fé que resulta na desobediência. Essa é uma forma comum de incredulidade, do tipo que o povo de Israel praticou durante suas vagueações pelo deserto (ver Heb. 3:19; 4:6). A incredulidade expressa-se mediante a desobediência, o fracasso espiritual e a alteração dos desígnios divinos quanto aos incrédulos.

f. A incredulidade evangélica ocorre quando os homens ouvem o evangelho, mas, por alguma razão, acabam-no rejeitando. Isso sempre envolve mais do que apenas descrer de alguma doutrina do sistema cristão. Também envolve a rejeição dos imperativos morais da fé cristã, não querendo o incrédulo submeter-se à vontade do Senhor, tornando-se um discípulo de Cristo, por meio de quem ocorre nossa transformação espiritual. Ver João 3:19 *ss* e Atos 20:21.

3. *A Incredulidade Eclesiástica*. Cada denominação cristã é arrogante o bastante para supor que outras denominações encontram-se, pelo menos em parte, em um estado de incredulidade, porquanto promovem outros sistemas de pensamento e formas de culto religioso. Essa é a incredulidade credal e eclesiástica, de acordo com a qual cada denominação cristã seria culpada, segundo a estimativa de outras denominações.

4. *A Incredulidade do Crente*. Visto que todos os crentes têm defeitos de fé e de prática, todos nós, na realidade, somos culpados de alguma forma de incredulidade, em alguma proporção, alguns mais e outros menos. A vida de fé, de acordo com a qual nos desenvolvemos espiritualmente, tem por finalidade anular, pouco a pouco, esses defeitos. A *heresia* (vide) pode resultar daí. Sem dúvida, um dos resultados dessa incredulidade é a carnalidade. A falta de poder espiritual na vida é outro desses resultados. O fracasso em cumprir a missão pessoal também pode ser um dos seus resultados. Todo crente tem muita razão em clamar: «Eu creio, ajuda-me na minha falta de fé» (Mar. 9:24).

5. *A Vontade de Não Crer*. Não se pode duvidar que os céticos não querem mesmo acreditar, da mesma forma que os crentes exibem a tendência de crer em coisas a qualquer preço, contanto que isso lhes confira conforto mental. Ver o artigo separado intitulado *Vontade de Não Crer*. Ver também sobre o *Ceticismo*.

6. *O Contrário da Incredulidade*. A fé é um dom e uma virtude cultivada em nós pelo Espírito Santo (Efé. 2:8). Também é um dos aspectos do fruto do Espírito (Gál. 5:22). Ver o artigo geral sobre a *Fé*, o oposto e a cura para a incredulidade.

••• ••• •••

INCUBUS — INDEPENDÊNCIA

INCUBUS E SUCCUBUS

Incubus e seu plural, *incubi*, são palavras latinas provenientes de *incubare*, «jazer», «deitar». Na *demonologia* (ver sobre *Demônio, Demonologia*), um *íncubo* era um demônio macho que teria contactos sexuais com mulheres humanas. Já a palavra *succubus*, com seu plural *succubi*, vem do latim, *sub*, «debaixo», e *cubare*, «deitar», «jazer». Desse modo, um súcubo seria um demônio que agiria como fêmea, que buscaria homens humanos para propósitos sexuais. Os atos sexuais, realizados por tais entidades normalmente tomam a forma de alguma ilusão diabólica. Contudo, alguns demonologistas supõem que o ato é absolutamente real, sendo concretizado através de alguma espécie de materialização, por parte do demônio envolvido, íncubo ou súcubo. Ou então, um demônio pode usar um homem ou uma mulher, mediante possessão demoníaca, e desfrutar do sexo mediante o uso da pessoa possuída. Há certas estranhas tradições que dizem que até cadáveres têm sido animados temporariamente com tão horrendo propósito; mas, a maioria dos estudiosos não leva a sério essas fantásticas histórias.

Quase todos os psiquiatras acreditam que as forças envolvidas nessa questão são puramente subjetivas, ou seja, são meras forças pervertidas da mente do próprio indivíduo envolvido, e não manifestações de qualquer tipo de ser espiritual exterior. Mas, ao assim dizerem, nem por isso desconhecem que tais acontecimentos parecem perfeitamente reais para aqueles que por eles passam, embora não passem de alucinações. Usualmente, mais de uma explicação é possível para tais fenômenos. Certas explicações aclaram alguns casos, e outras explicações aclaram outros casos.

Os demônios são temíveis realidades, e não é para admirar que alguns deles sejam pervertidos sexuais. Por outro lado, há distúrbios psicológicos que podem imitar as possessões e as atividades demoníacas; e as pessoas assim afetadas precisam de um psiquiatra, e não de algum exorcista. Ver sobre o *Exorcismo*.

INCULPÁVEL

O trecho de Colossenses 1:22 ensina-nos que a missão de Cristo teve o intuito de tornar o crente «inculpável». A palavra grega envolvida é *ámomos*, «sem mácula». Era uma palavra usada para adjetivar os animais a serem sacrificados, os quais deveriam ser *sem defeito* algum. Mas também foi vocábulo aplicado a Cristo, na qualidade de Cordeiro a ser sacrificado (I Ped. 1:19 e Heb. 9:14). Essa palavra é usada em um sentido moral, apontando para aquele que não pode ser criticado, por estar livre de qualquer motivo de crítica, porquanto não tem defeitos morais, nem vícios em suas práticas, mas antes, por haver obtido a vitória sobre pecados contaminadores.

INDEFECTIBILIDADE

Essa é a qualidade de um ser isento de qualquer falha, decadência, erro ou imperfeição. Essa é uma palavra da teologia usada para descrever a santidade divina, a graça divina, o Filho de Deus, em sua natureza divina, o estado celestial, e até mesmo as Sagradas Escrituras. O papa, em seus pronunciamentos oficiais, também é considerado indefectível pela Igreja Católica Romana; e ela mesma se considera indefectível em sua missão salvatícia e medianeira, o que lhe teria sido dado por delegação divina.

••• ••• •••

INDEPENDÊNCIA DA ALMA

Provavelmente, nosso mais elevado conceito religioso é aquele que assevera que o espírito humano pode assumir a natureza divina, mediante a evolução espiritual, a qual se processa mediante a sua conformação segundo a imagem do Filho de Deus. Ver Rom. 8:29; II Cor. 3:18; Col. 2:9,10 e Efé. 3:19. Ver também os artigos intitulados *Transformação Segundo a Imagem de Cristo* e *Divindade, Participação do Homem na*. Um dos aspectos desse ensino é que a alma assim obtém a mesma forma de vida que aquela possuída por Deus, embora em sentido finito e secundário. Isso dará aos remidos a forma de vida chamada necessária e *independente*. E isso, por usa vez, significa que a verdadeira imortalidade foi outorgada a esses espíritos, a qual só Deus possui (I Tim. 6:16). Essa verdadeira imortalidade é uma forma de vida que não é derivada ou dependente. Ela é *necessária*, ou seja, não pode deixar de existir; e também é *independente*, porquanto é a sua própria causa, não dependendo de qualquer outro ser para que continue. Esse é o imenso dom da vida eterna, que Deus está dando aos homens, através do *Logos*, Jesus Cristo. Em outras palavras, o homem remido dixará de ter uma imortalidade derivada, que depende continuamente do poder divino para que continue. As almas remidas assumirão a mesma forma de vida que Deus possui. Essa vida foi dada ao Filho, quando de sua encarnação; e, através do Filho de Deus, está sendo comunicada aos filhos de Deus (João 5:25,26).

INDEPENDÊNCIA DA IGREJA

No tocante à Igreja, o termo «independência» apareceu durante a revolução dos puritanos. Era então usado para designar a porção que se opunha à Igreja Presbiteriana, vinculada ao Estado, que era a maioria daquela igreja, e que aderia à Confissão de Westminster.

John Cotton escreveu um tratado chamado *A Verdadeira Constituição de Uma Igreja Particular Visível*, em 1642, que era uma apologia da igreja local independente, livre de todas as hierarquias e governada somente por si mesma. Ver o artigo *Congregacionalismo*. A chamada *Narração Apologética*, parcialmente baseada no tratado de Cotton, estabelecia as normas para a Igreja da Nova Inglaterra, nos Estados Unidos da América do Norte. Ali, os oficiais da igreja local são os pastores, os mestres, os anciãos e os diáconos. A disciplina eclesiástica aparece como dever dos anciãos, dentro dos limites de cada congregação local. Todavia, incluía a estranha provisão mediante a qual uma igreja local, após julgamento, poderia ser excluída do grupo pelas igrejas circunvizinhas.

Outro nome importante, ligado à questão que ora discutimos foi o de Robert Browne (1550—1633), cujos ensinamentos vieram a ser conhecidos como o *brownismo*. Posteriormente, ele renunciou à sua posição separatista e se tornou um padre anglicano. Conforme se pode verificar por suas datas, sua época antecedeu a da revolução puritana, e podemos mesmo supor que suas idéias influenciaram aquele movimento. Os batistas fizeram da independência das igrejas locais um de seus princípios básicos. Alguém já disse: «Os batistas são tão independentes quanto porcos no gelo». Só quem vive em países onde a água congela pode perceber a força dessa afirmativa. O gelo é extremamente *escorregadio*. Um porco, sobre o gelo não consegue controlar seus movimentos, da mesma maneira que os batistas desdenham de qualquer

INDEPENDÊNCIA — INDESCULPÁVEL

autoridade externa às suas próprias igrejas. Nesse ponto, já entramos na antiga luta acerca da forma ideal de governo eclesiástico.

É claro que quando os apóstolos ainda viviam, prevalecia uma forma de governo *episcopal*. Já no começo do século II D.C., pelo menos, sabemos que havia bispos que mantinham jurisdição sobre áreas geográficas, e não apenas sobre igrejas locais. Mas a doutrina da independência da igreja local afirma que o governo episcopal original terminou com a morte dos apóstolos, e que o poder episcopal, surgido no século seguinte, foi uma corrupção. Todavia, com base exclusiva no Novo Testamento, não há como se obter uma única forma de governo eclesiástico. Todavia, parece que ali a forma mais favorecida é o governo episcopal. Para que esse tipo tenha prosseguimento, teremos de supor que os oficiais eclesiásticos, após os apóstolos, continuaram no espírito dessa forma de governo. Aceitar ou negar tal coisa é, essencialmente, uma questão de fé. Há versículos no Novo Testamento, como Mat. 18:15 *ss*, que mostram que *algumas coisas*, na Igreja cristã primitiva, como as questões disciplinares, eram efetivadas mediante medidas democráticas. No entanto, o Novo Testamento não nos fornece diretrizes para um governo democrático *generalizado* nas igrejas. Essa é uma criação da história eclesiástica como certas outras formas de governo eclesiástico. Ver os artigos separados sobre *Congregacionalismo*, *Batistas* e *Episcopalismo*. Ver, sobretudo, o artigo *Governo Eclesiástico*, quanto a um completo estudo sobre questões que envolvem o governo eclesiástico.

INDEPENDÊNCIA DE DEUS

Deus é dotado da verdadeira **imortalidade** (I Tim. 6:16). Todas as demais formas de vida são derivadas e dependentes, posto que intermináveis. Sua verdadeira imortalidade: Deus tem uma vida *necessária*, que não pode deixar de existir. Sua vida também é *independente*, ou seja, não tem outra fonte além de si mesma. Essa vida não é derivada de qualquer outro ser ou fonte originária. Deus não recebe idéias de outrem (Isa. 60:13,14); age com independência (Jó 36:23); é independente em sua santidade e em todos os seus atributos (ver sobre os *Atributos de Deus*), porquanto nenhum outro ser pode ao menos aproximar-se dele quanto a essas questões. Deus também é soberano em sua vontade, conforme bem o demonstra o nono capítulo de Romanos. Porém, o termo *independência* se aplica, sobretudo, à sua forma ímpar de vida, a mais elevada forma de vida, originária de todas as outras formas de vida. Toda a vida deriva-se de Deus, pelo que todas as demais formas de vida são dependentes, para sua continuação, da vida de Deus. Na redenção que há em Cristo, os homens chegam a possuir a forma de vida necessária e independente que Deus possui, conforme, também, se discute no artigo chamado *Independência da Alma*.

INDEPENDÊNCIA POLÍTICA

1. *Definição Básica*. A independência política de uma nação é atingida quando a mesma passa a autogovernar-se, sem sofrer pressões econômicas externas. Essa tese assevera que é direito de todas as nações autogovernarem-se e terem a liberdade de escolher suas próprias formas de instituições políticas, econômicas, culturais e religiosas. Em nossos próprios dias vemos o horrendo espetáculo das nações do chamado Terceiro Mundo (do qual faz parte o Brasil) escravizarem-se com imensas dívidas externas e internas. Assim, apesar de serem politicamente independentes, estão longe da independência econômica. Também deparamo-nos com o constrangedor espetáculo de casas bancárias internacionais tomarem vantagem desse estado de coisas para promoverem vários abusos, a fim de se enriquecerem mais ainda. Paralelamente a isso, os governos economicamente escravizados recusam-se a reconhecer a sua própria responsabilidade pelo que tem acontecido, sempre lançando a culpa em governos anteriores ou em outros fatores. O alcoólatra lança a culpa de seu vício ao dono do bar, que lhe vende cachaça. Na verdade, tanto aquele que vende quanto aquele que compra têm participação na tragédia.

2. *História*. Em certo sentido, a história da humanidade não passa de uma crônica de guerras. Nesses inúmeros conflitos armados vemos nações arrebatando a independência de outras nações, como também nações em luta para preservar a sua independência. Há alguma coisa que provoca essa situação, ao menos como um dos fatores da mesma, que deve revestir-se de grande importância na consciência humana.

Historicamente, o conceito da independência política passou a ser frisado, de modo especial, desde os movimentos anticolonialistas do século XVIII. A Revolução Americana e o subseqüente estado democrático **norte-americano serviram** de inspiração para o mundo inteiro. A obra de Adam Smith, *Riqueza das Nações*, com a sua doutrina do *laissez-faire* (vide) e da liberdade do comércio ofereceu uma sanção utilitarista à busca pela independência econômica. Porém, os abusos retrataram diante do povo uma mentalidade própria de utopia mitológica, e o materialismo veio então macular tudo.

O século XX tem visto muitos movimentos de independência, após a Primeira Grande Guerra, na Europa, e após a Segunda Guerra Mundial, na Ásia e África. O presidente Wilson, dos Estados Unidos da América do Norte, proclamou os princípios da autodeterminação nacional e cultural, o que se transformou em grito de guerra para muitos. A independência tem sido um poderoso conceito motivador na África, de umas tantas décadas para cá. De 1947 a 1962, **os estados norte-africanos** tinham obtido sua independência política; estados africanos ocidentais, centrais e orientais iniciaram a sua luta por liberdade, depois que Ghana tornou-se independente, em 1957. Em 1968, vinte e oito novos estados independentes haviam aparecido naquele continente, incluindo três na parte sul da África.

As Nações Unidas, em sua Declaração de Direitos e Deveres dos Estados, declarou que «todo Estado tem o direito de ser independente». Na prática, porém, governos totalitaristas não têm permitido que isso, realmente, se torne uma realidade. As invasões da Checoslováquia e da Hungria, pelos exércitos russos, não muito depois da Segunda Guerra Mundial, serviram para demonstrar isso amplamente.

Paulo, o apóstolo, ensina que Deus determinou os tempos e os limites das nações (Atos 17:36). A preservação de Israel como nação, e sua independência atual, diz algo em favor de como a vontade divina está envolvida nas questões dos povos. A missão de Cristo, em favor dos povos do mundo inteiro (Mat. 28:19) dignifica ainda mais as nações.

INDESCULPÁVEL — O HOMEM

Rom. 1:21: *porquanto, tendo conhecido a Deus, contudo não o glorificaram como Deus, nem lhe deram graças, antes nas suas especulações se*

308

INDESCULPÁVEL — ÍNDIA

desvaneceram, e o seu coração insensato se obscureceu.

Por que estão sem desculpa: a palavra «porquanto» introduz a explicação.

1. Rejeitaram eles a revelação natural existente na mente humana.

2. Existe uma força intuitiva que conduz a Deus, mas eles repeliram essa força (ver Efé. 4:18).

3. A própria natureza revela a Deus, mas eles preferiram adorar ao que foi criado e não ao Criador (ver Rom. 1:20).

4. Os homens, para não conhecerem a Deus, têm de fazê-lo propositalmente, através do exercício de sua vontade distorcida; ou então isso pode acontecer quando alguns se tornam vítimas de outros, que os ensinam a não reconhecerem a Deus, conforme a prática de muitas escolas, universidades, cultos religiosos, etc.

«(Os homens) perderam até mesmo o seu conhecimento imperfeito (de Deus) porque não o elevaram até o conhecimento perfeito, através do labor do coração. Aqui temos *ton theon* (no grego), 'o DEUS', em oposição aos falsos *theoi* (deuses), aos quais os pagãos adoravam». (Philip Schaff, *in loc.*, no Comentário de Lange).

Isso tudo quer dizer que os homens conhecem algo sobre Deus, sobre a sua misericórdia e bondade, sobre o seu poder e a sua qualidade de criador, bem como sobre as suas exigências morais, porém, não se mostram «agradecidos» por essa revelação natural. Não se mostram gratos, e nem louvam a Deus; sua mentalidade é chã, não se elevando às realidades do mundo espiritual, e nem buscam luz adicional; mostram-se brutais e materialistas, e nem têm qualquer ideal espiritual. E é por esse meio que terminam por perder a «idéia divina» de sua consciência.

Tem sido dito, com carradas de razão, que o primeiro passo para baixo e para longe de Deus é a falta do senso de gratidão, conforme lemos em Newell (*in loc.*), que disse: «Todo o ser humano sabe que deveria dedicar o seu ser à adoração e para a glória de seu criador, e que deve mostrar-se continuamente grato até pela própria vida a suas bênçãos materiais; no entanto, os homens se recusam tanto a adorarem a Deus como a se mostrarem gratos para com ele: tornam-se ímpios e ingratos. Contudo, não é com facilidade que podem livrar-se da consciência e de seus terrores, o que explica como surgiu a idolatria. Antes de tudo os homens apelam para as vãs especulações e para os 'raciocínios' inúteis, na sua tentativa de escaparem ao pensamento de Deus e do dever».

O resultado judicial dessa atitude é expresso por Alford (*in loc.*), como segue: «O coração dos homens (o homem interior em sua totalidade, a sede do conhecimento e dos sentimentos) se torna obscurecido (perdendo assim a pouca luz que tinham), e passa a tatear cegamente no quebra-cabeça complicado da insensatez».

Tais homens são por isso indesculpáveis. Rom. 1:20. Esse testemunho é abundante e avassalador, incluindo idéias de ordem, de beleza e de correção. Por essa razão é que o indivíduo é moralmente responsável pelas suas ações, justamente pelo motivo que sente, em seu próprio íntimo, os impulsos e as exigências impostas por corretas ações morais, além do fato de que reconhece a existência do ser supremo a quem chama Deus.

«O apóstolo Paulo não ensina aqui que faz parte do desígnio de Deus revelar-se aos homens a fim de que a

oposição deles se torne indesculpável, mas antes, visto que essa revelação já foi feita, os homens realmente não têm apologia a apresentar como explicação de sua ignorância e negligência sobre Deus. Todavia, embora a revelação de Deus, através de suas obras, seja suficiente para tornar os homens indesculpáveis, não se segue daí que essa revelação seja suficiente para orientá-los, cegos como estão pelo pecado, ao conhecimento salvador de Deus». (Hodge, em Rom 1:20).

A Justiça Nua

Sem dúvida, o primeiro capítulo de Romanos ensina que os homens podem ser justamente condenados ao julgamento eterno, até sem ouvir de Cristo e seu evangelho, porque, moralmente, merecem tal castigo porque rejeitaram a luz que Deus deu na natureza e à razão natural do homem. Mas a própria mensagem do evangelho, e o próprio significado da missão de Cristo nos mostram que, embora *possível*, Deus não vai deixar isto acontecer. Não existe, realmente, uma justiça nua nos planos de Deus, isto é, uma justiça sem a intervenção da missão de Cristo. Parte desta intervenção consiste na *descida de Cristo ao hades* para recuperar as almas perdidas no próprio lugar do julgamento. Ver o artigo sobre a *Descida de Cristo ao Hades*. No terceiro capítulo de Romanos, Paulo começa a descrever a *intervenção* da missão de Cristo que vai salvar homens que não mereciam nada.

INDETERMINISMO

Esse termo é o oposto da idéia do *determinismo* (vide). Refere-se ao *livre-arbítrio* (vide), bem como a um mundo onde as coisas aconteceriam sem serem determinadas por qualquer força divina, cósmica, natural ou humana. Representa a doutrina de que a vontade, apesar de poder ser *influenciada*, não é absolutamente determinada por qualquer força exterior ou interior, nem por motivos psicológicos, nem por influências ambientais, e nem por heranças genéticas. Supõe que o poder da vontade humana é tal que ela pode escolher entre motivos conflitantes. E, em certas ocasiões, pode até dar-se por pura chance ou capricho, sem qualquer motivação. Ver o artigo geral sobre a *Liberdade*.

ÍNDIA (PAÍS)

Na Bíblia, o nome Índia figura somente em Est. 1:1 e 8:9, onde se lê que o rei persa reinava «...desde a Índia até à Etiópia, sobre cento e vinte e sete províncias». Alguns eruditos, contudo, pensam que houve alguma corrupção textual nesse texto. Lutero substituía a Índia pela *Jônia*, uma parte da Grécia. Em I Macabeus 8.8, essa palavra também figura, e onde se lê que esse era um dos países que os romanos tomaram de Antíoco e deram a Eumenes. Naturalmente, isso não corresponde aos fatos históricos, e nem sabemos como tal afirmativa veio a ser registrada naquele livro. É evidente que o país conhecido como Índia, na antiguidade, ampliava-se mais para o Ocidente e não atingia tão para o Oriente, como o moderno país desse nome. Quando lemos, nos documentos antigos, o nome Índia, devemos entender não o Hindustão inteiro, mas, principalmente regiões da parte norte do mesmo, ou seja aquelas entre os rios Indus e Ganges. Não é necessário dizer, conforme têm feito alguns eruditos, que o restante daquela península, particularmente suas costas marítimas ocidentais, era então desconhecida. Foi dali que os persas e os gregos (aos quais devemos as primeiras notícias sobre a Índia) invadiram o país. Por causa

ÍNDIA — INDIFERENÇA

dessas invasões, essa porção da Índia é que se tornou conhecida e foi mencionada nos documentos antigos. As regiões que margeavam o Ganges continuaram envoltas na obscuridade, excetuando o grande reino da Pérsia, que ficava situado perto e ao norte da moderna Bengala. Além disso, as fronteiras do oeste e do norte não eram as mesmas da Índia moderna. Para oeste, a Índia era então limitada pelo rio Indus e sim, por uma cadeia montanhosa que, sob o nome de Có (de onde vem a designação grega, *Cáucaso Indiano*), estendia-se desde a Báctria até Macran, ou Gedrosia, engolfando os reinados de Candaar e Cabul bem como o moderno reino do Afeganistão, ou Pérsia Oriental. Na direção norte, a Índia antiga incluía a totalidade da região montanhosa acima de Casemir, Baldacsan, Belur, as fronteiras ocidentais da Pequena Bucária, ou Pequeno Tibete, e até mesmo o deserto de Gobi, embora não se saiba até onde.

Alguns estudiosos opinam que a Bíblia não alude a qualquer porção da Índia moderna, visto que as referências bíblicas confinam-se a territórios possuídos pelos persas e pelos gregos sírios, territórios esses que não se estendiam para além do rio Indus, o que, desde os dias de Nadir Xá tem sido considerado como a fronteira ocidental da Índia. Parte da Índia tornou-se conhecida, além do rio Indus, através das marchas conquistadoras de Alexandre, o Grande; e mais ainda graças às invasões de Seleuco Nicator, que penetrou até às margens do rio Ganges.

Alguns estudiosos, porém, supõem que o rio Pisom, de Gên. 2:11; que ficaria na terra de Havilá, é uma alusão à Índia. É possível que as mercadorias trazidas de Ofir, como o sândalo (I Reis 10:11; II Crô. 2:8), o marfim e as pedras preciosas fossem trazidas da Índia. Outrossim, os mercadores tírios, mencionados em Eze. 27:15, apontam para a Índia, ao mesmo tempo em que a Etiópia e o etíope, mencionados em Isa. 11:11 e Jer. 13:23, respectivamente, referem-se à Índia.

A Índia nunca é mencionada no Novo Testamento. Porém, obras apócrifas do Antigo e do Novo Testamento a mencionam. Antíoco Eupator empregou elefantes montados por indianos, contra os exércitos dos judeus (I Macabeus 6.38). E nesse livro é dito que, finalmente, ele cedeu a Índia aos romanos, embora isso nunca tivesse acontecido (ver I Macabeus 8:8). Mas, conforme já vimos, muitos estudiosos duvidam que a Índia, conforme a conhecemos atualmente, esteja em vista nesses textos apócrifos. Seja como for, o livro gnóstico *Atos de Tomé* fala sobre a evangelização da Índia por parte daquele apóstolo. Esse documento é uma fantástica invenção; mas alguns eruditos pensam que, pelo menos, a assertiva básica do ministério apostólico de Tomé, na Índia, é historicamente verdadeira. Isso pode corresponder ou não à verdade; e, embora a história fosse largamente crida pelos cristãos indianos, não há como confirmar sua historicidade. O que parece possível é que alguns missionários cristãos estiveram ativos ali, no século II D.C. Pantaeno teria trabalhado como missionário cristão na Índia, algum tempo antes de 180 D.C., e que ali já encontrou cristãos que usavam o evangelho de Mateus como fonte de seus ensinos. Provavelmente, esse evangelho foi deixado ali por Bartolomeu (Eusébio, *Hist.* 5.10), escrito em hebraico. Porém, uma frouxa designação de *Aden*, ou alguma outra porção da Arábia, pode estar em foco, e não a Índia, conforme a conhecemos hoje em dia. Seja como for, a Igreja siríaca do sul da Índia é antiqüíssima, embora não se saiba o tempo exato de sua origem. Apesar da Índia moderna ser tão importante como campo de atividades missionárias

cristãs, a Índia antiga praticamente não ocupa espaço nos documentos bíblicos.

ÍNDIA, FILOSOFIA DA

Ver Filosofia Hindu.

ÍNDIA, RELIGIÕES DA

Ver sobre o *Hinduísmo*.

ÍNDICE

Ver sobre *Censor*, *Censura*. Desde o ano de 1571, a Igreja Católica Romana fundou uma *Congregação do Índice*, que atua como agência de censura. Qualquer livro que não é aprovado para publicação fica «no índice», ou seja, seu uso é proibido para os seus fiéis.

INDIFERENÇA, INDIFERENTISMO

No grego temos **a**, «não», **diáphoros**, «diferente». Esse termo tem sido aplicado a certo número de conceitos e situações filosóficos e teológicos:

1. Os *estóicos*, *cínicos* e *céticos* insistiam em que ninguém poderia deixar de ser indiferente no tocante à virtude e ao vício, embora definissem esses conceitos de diferentes maneiras. Todas as demais coisas podem ser negligenciadas. A *apatia* dos estóicos era uma espécie de indiferença diante de todas as coisas, de tal modo que ninguém podia manter uma mente tranqüila, sobretudo no tocante àquelas coisas que ninguém é capaz de controlar.

2. *Aberlardo de Bate* promovia uma doutrina de indiferença, no tocante aos universais (vide). Ver isso explicado no artigo a respeito dele. A contenção dele era que um objeto da mente torna-se universal ou individual, dependendo da maneira como se vê tal objeto.

3. *Guilherme de Champeaux*, trabalhando sobre o problema dos universais, supunha que os membros de uma espécie não são os mesmos essencialmente, mas apenas indiferentemente. Ver o artigo a respeito dele.

4. Uma doutrina da *liberdade da indiferença* foi defendida pelos associados de João Buridan (vide). Eles asseveravam que a única liberdade verdadeira é aquela da *indiferença*, na qual as ações ou estados alternativos são igualmente desejáveis ou não desejáveis. De acordo com esse conceito, temos a idéia do famoso asno de Buridan. Somos convidados a imaginar um asno que se acha entre dois montículos de feno igualmente desejáveis. O asno olha para um e para outro montículo, incapaz de resolver qual comerá. E passou fome e finalmente morreu entre um e outro montículo. Esse pobre asno ilustra mais o dilema de certas escolhas, mas a situação dele também ilustra a indiferença da liberdade. Ele não era *compelido* a escolher uma coisa ou a outra.

5. *Descartes* falava sobre o tipo de liberdade descrito no ponto anterior, como sua mais baixa expressão. A forma mais nobre de liberdade dá-se quando a escolha entre duas coisas é fácil, porque uma escolha é muito mais vantajosa do que a outra. Deus é assim. Ele nunca se perturba quando tem de escolher algo, porquanto seu conhecimento é perfeito sobre todas as coisas. O homem, ao melhorar a precisão de seu conhecimento, também melhora a qualidade de sua liberdade.

6. Dentro da *teoria das probabilidades*, a indiferença ocorre quando duas alternativas têm cinqüenta por cento de possibilidade de ocorrerem.

INDIFERENÇA ESPIRITUAL

7. Na *teologia*, aquelas doutrinas que não são essenciais ao sistema cristão de fé, que podem ser defendidas ou não, de acordo com o juízo formado por cada indivíduo, são chamadas doutrinas indiferentes. Naturalmente, as definições diferem acerca de quais são essas doutrinas.

8. No campo da *ética*, em um sentido negativo, a indiferença consiste em ter uma atitude que não se importa com questões sérias, incluindo o pecado. Jesus denunciou essa forma de indiferença (Mat. 25:42 *ss*). O trecho de Tiago 2:14 tem algo semelhante para dizer. Vemos as necessidades de outras pessoas, mas mostramo-nos indiferentes. Isso mostra que não conhecemos muito sobre as exigências do amor que é próprio da verdadeira espiritualidade. O amor requer ação (João 14:15). Dentro do reino de Deus, os homens não podem tomar uma posição neutra, evitando todo comprometimento. A indiferença quanto à inquirição espiritual foi abordada com severidade por Jesus (Luc. 14:16-24).

A Liberdade Cristã. Paulo mostra-nos, no décimo quarto capítulo de Romanos, que várias coisas que eram importantes dentro da ética e dos costumes religiosos dos judeus tornaram-se indiferentes dentro da dispensação cristã. Entre essas coisas poderíamos mencionar questões de dieta, observâncias de dias religiosos, além de outras coisas questionáveis, as quais, em si mesmas, não têm qualquer substância. Na aplicação moderna, além desses tipos de aplicação, poderíamos adicionar assuntos como formas de entretenimento, vestuário e coisas dessa ordem. Uma situação ética indiferente é aquela em que se algum ato vier a ser realizado, isso não importará em pecado nenhum; e, se seu contrário for realizado, também não envolverá qualquer pecado. As coisas indiferentes deixam de sê-lo quando um irmão ofende a outro irmão com aquilo que pratica. Então torna-se nossa responsabilidade agir para não ofendermos ao próximo.

9. *A Indiferença e o Controle do Estado*. A união entre a Igreja e o Estado tem sido a causa de muito sofrimento. Quando homens são perseguidos, encarcerados, banidos ou mortos, por motivo de divergências religiosas, e isso feito por parte da Igreja ou do Estado, então há uma tremenda perversão da liberdade. O indiferentismo confessional é o ponto de vista que diz que as opiniões religiosas de um cidadão não estão sob a jurisdição do Estado. Um homem tem a liberdade de prestar lealdade à fé religiosa de sua escolha, ou mesmo de não seguir religião alguma, se essa for a sua preferência.

INDIFERENÇA ESPIRITUAL, Coisas de

Rom. 14:13: *Portanto não nos julguemos mais uns aos outros; antes seja o vosso propósito não pôr tropeço ou escândalo ao vosso irmão.*

Paulo havia condenado francamente o julgamento de um crente por parte de outro, ao mostrar que o Senhor Jesus é quem é, verdadeiramente, o Juiz universal (autoridade essa que ele não divide com nenhum ser humano), pois, finalmente, todos os crentes serão sujeitados ao mesmo julgamento severo e perscrutador. Não obstante, se algum crente deseja mostrar-se escrupuloso, se quer ser exato e sondador no que faz, existe um objeto na direção do qual deve voltar a sua atenção — o cuidado de evitar provocar escândalo para outro irmão, para que este não venha a cair. Todo o crente deve ter aquele cuidado especial de não pôr na frente de um irmão na fé qualquer coisa que possa levá-lo a errar, a desviar-se de Cristo, a negar a sua fé ou a enfraquecer na fé, sendo derrotado por qualquer dentre as muitíssimas tentações inevitáveis para todos os homens justos à face da terra.

Assim, pois, o crente pode dirigir o seu «zelo» na direção certa — na direção do amor cristão, que indica o interesse pelos outros que ele tem no coração. Se o crente verdadeiramente ama à causa de Cristo e aos discípulos do Senhor, mostrar-se-á extremamente consciencioso, não acerca de alimentos e dias de guarda e, sim, acerca de como poderá ser de ajuda para com os outros. Dessa forma, pois, Paulo reitera o seu tema do amor cristão, que deve ser a motivação básica de toda a conduta cristã, e que tem dominado a seção prática inteira da epístola aos Romanos, a começar pelo seu décimo segundo capítulo.

O amor requer *simpatia e altruísmo* sinceros. Não permite que o crente coma coisa alguma que ofenda a um irmão na fé, se porventura tal ação vier a enfraquecê-lo na fé, debilitando-se como discípulo de Cristo. Pelo contrário, o crente que se dirige pelo amor buscará aquelas coisas que são coerentes com a paz, com a harmonia e com a fraternidade, na igreja cristã. Será ele um elemento edificador, e não destrutivo. — Portanto, mesmo que comprar carne em um mercado vier a ofender a um irmão na fé, tal ato deve ser evitado, ainda que saibamos que um ídolo nada significa, e embora saibamos que tal alimento não adquire qualquer mancha espiritual por haver sido oferecida a algum ídolo. Muito mais importante que isso, entretanto, é a preservação da harmonia no seio da igreja.

O pano de Fundo do Problema

1. A teologia judaica não estabelecia distinção entre os aspectos cerimonial e moral da lei mosaica (conforme se faz dentro da moderna teologia evangélica). Pois certos itens da lei cerimonial eram considerados como envolvidos em importante conteúdo moral.

2. Por conseguinte, muitos problemas surgiram no seio da igreja cristã, quando se tentou unir judeus e gentios para formarem um só corpo. Quanta obediência à lei cerimonial deveria ser requerida pela igreja? O concílio de Jerusalém forneceu a resposta a essa indagação (ver Atos 15). Pouquíssimo, comparativamente falando, foi exigido; e nenhuma daquelas coisas foi considerada condição para a salvação, mas tão-somente medidas práticas, que buscavam assegurar a harmonia no seio da igreja.

3. Os gentios convertidos, que haviam aprendido que um ídolo nada significa, continuaram a ingerir da carne que os pagãos usavam em suas oferendas, nos seus templos. Em outras palavras, essa carne era posteriormente vendida nos mercados, depois de haver servido a seu propósito como oferenda, nos templos pagãos.

4. Alguns gentios convertidos mostravam-se suficientemente ousados por entrar nos templos pagãos e participar dos banquetes ali oferecidos, em honra a alguma divindade; porque raciocinavam: «Não existem deuses; portanto, o que faço não envolve nenhum pecado».

5. Era apenas natural que os judeus fizessem extremada objeção a tais práticas. Paulo classificou tais ações como «não-normais», na epístola aos Romanos; e exortou aos crentes gentios que *cedessem* à opinião daqueles outros crentes, para que se abstivessem de qualquer atitude que pudesse causar desunião e contenda.

6. Em sua epístola aos Gálatas, Paulo toma uma posição mais decidida, porquanto ali estava em jogo a

311

INDIFERENÇA ESPIRITUAL

própria natureza cristã da igreja, posto que as igrejas para as quais escrevia, tinham praticamente se transformado em sinagogas judaicas, no que concerne às suas práticas. Isso envolvia total distorção da doutrina paulina da graça; e podemos estar certos de que coisas tais como a circuncisão e a observância da lei mosaica, eram ali consideradas como medidas necessárias à salvação, e não meras partes integrantes do culto.

7. O trecho de Apo. 2:14,20, mostra-nos que, pelo menos em alguns lugares, era vedado aos cristãos terem qualquer contacto com as carnes oferecidas aos ídolos. Podemos supor que, à medida que o tempo foi passando, e que os cristãos não mais foram capazes de usar devidamente a sua liberdade, que regras como essa foram se tornando mais e mais estritas.

8. Pode-se depreender, das notas acima, que as «questões indiferentes» não eram itens limitados às práticas cerimoniais dos judeus. Alguns costumes dos pagãos (que afetavam os membros das igrejas cristãs) também eram moralmente indiferentes, a despeito do que continham elementos perigosos. Esses elementos perigosos são chamados, no presente texto, de «tropeço e escândalo», isto é, coisas que podiam levar os crentes a cair em transgressão.

Aplicações Modernas:

Teoricamente pelo menos, Paulo se categorizou entre os «fortes na fé». Pois sabia que, quanto à correção doutrinária, os «fortes na fé» é que estão com a razão. No entanto, Paulo ensina a esses que não deveriam insistir sobre sua correção doutrinária, quando a mesma envolve questões indiferentes, de importância relativamente secundária. Poderíamos pensar sobre modos de batismo, formas de governo e outras questões igualmente secundárias, que há na moderna igreja cristã, em relação àquilo que Paulo deixa implícito nesta seção de sua epístola aos Romanos? **Penso que sim.** Mas, escutemos os clamores de protesto!

Na verdade, um irmão ensina, com razão que o batismo é por imersão, que as mulheres crentes não devem cortar os cabelos, além de outras práticas recomendadas nas páginas do N.T. E, biblicamente falando, esses irmãos estão com a razão. Contudo, uma igreja ou crente individual pode insistir de tal maneira sobre essas questões que se rompa sua comunhão com outras igrejas ou com outros crentes individuais. Penso que é errôneo recusar a comunhão na igreja local a pessoas que não obedeçam a essas verdades secundárias. Não quero dizer que algumas dessas injunções sejam tão «indiferentes» como a questão dos alimentos limpos ou não. Apesar disso, são *secundárias* e nossa atitude deve ser a de ensinar e convencer, e não a de criticar. Pois as censuras nada produzirão senão a desunião e a discórdia. Podemos andar perfeitamente corretos quanto à nossa maneira de pensar e, contudo, continuar bastante distantes do amor cristão. Paulo queria que primeiramente amássemos, então ensinássemos e, por fim, procurássemos persuadir. Isso não perturba o vínculo de paz e unidade que deve haver na igreja cristã.

Conheci um pregador que, quando jovem, levou uma igreja local a dividir-se, devido à questão da necessidade da mulher crente conservar longos os cabelos. De acordo com a teologia paulina, esse pregador estava com a razão (ver I Cor. 11:15); porém, em um sentido muito mais importante, e igualmente de acordo com os ensinamentos paulinos, ele incorreu em grande erro. Pois, para ele, a questão dos cabelos compridos das mulheres crentes parecia muito mais importante do que a unidade da igreja. Declarou guerra, e a igreja inteira é que saiu

perdedora. A unidade e a harmonia em uma igreja, contudo, é mais importante que os cabelos compridos das mulheres, além de outras questões secundárias.

Rom. 14:21: *Bom é não comer carne, nem beber vinho, nem fazer outra coisa em que teu irmão tropece.*

A Regra é Geral

1. Este versículo apresenta o sumário da seção. Comidas e bebidas, dias especiais, etc., não são questões suficientemente importantes para que se tornem em causas diretas de disputas na igreja cristã.

2. Nas notas sobre Rom. 14:13 no NTI sugerimos algumas aplicações modernas.

3. O que se reveste de real importância? O vs. 17 nos dá a resposta: a promoção do reino de Deus. Essa é a regra divina que deve prevalecer entre nós, quanto às questões básicas, como a santidade, a alegria e a paz.

Além disso, Paulo menciona «*fazer qualquer outra cousa*», a fim de mostrar a seus leitores que não havia tentado apresentar uma lista completa dos diversos «escrúpulos» dos irmãos «débeis na fé», os quais, por enquanto, não compreendiam ainda a nossa «liberdade em Cristo». Este versículo, tal como o vs. 20, foi dirigido aos irmãos *fortes na fé*, a fim de mostrar que aqueles que têm maior entendimento sobre a *liberdade cristã*, têm ainda assim a responsabilidade de se limitarem, não por causa de sua própria consciência, porém, devido à consciência fraca dos irmãos mais débeis na fé. Não há que duvidar que somos os guardadores de nossos irmãos, o que é o sentido bem claro da totalidade do décimo quarto capítulo da epístola aos Romanos. Este vigésimo primeiro versículo, portanto, é uma máxima oferecida aos crentes «fortes na fé», com o intuito de controlar sua liberdade cristã, e a fim de que eles evitem os abusos contra a liberdade cristã.

Assim, a conduta restringida é *boa*, em contraste com a atitude «má» ou «prejudicial» produzida por uma liberdade sem freios, conforme é mencionado no vigésimo versículo.

Abstinência de vinho? Não há razão alguma para pensarmos que não houvesse crentes «vegetarianos» na cidade de Roma, e nem aqueles que se «abstinham totalmente» de vinho. Somente elementos vindos do judaísmo poderiam ser tais membros da igreja cristã de Roma, conforme aparece na exposição relativa a Rom. 14:2 no NTI, e segundo vemos nestas considerações acerca da «abstinência de vinho». Dificilmente Paulo teria mencionado tal questão, a menos que houvesse crentes cujas atitudes se assemelhavam às de João Batista, ou a menos que houvesse em Roma alguma influência dos essênios, que se abstinham totalmente de vinho. Por essa razão é que diz Philip Schaff (*in loc.*, no Comentário de Lange): «O caso em foco não é hipotético; de toda essa passagem podemos inferir também da escrupulosa exigência sobre a abstinência de vinho».

Naturalmente, as injunções paulinas, aqui expostas, não têm natureza absoluta. Paulo não estava baixando regras de conduta para a vida inteira. Certamente ele não estava recomendando que sejamos vegetarianos, ou que devamos seguir de perto os escrúpulos próprios das leis judaicas de cunho cerimonial, sobre a questão das carnes proibidas. Nem estava ele dizendo que o uso moderado de vinho é errado para os crentes. Jesus bebeu vinho tanto quanto todos os seus apóstolos. Jesus não foi um asceta, conforme o foi João Batista. O que Paulo dizia, entretanto, é que em nossos contactos com os nossos irmãos na fé, devemos ter o cuidado de não

INDIFERENÇA — INDIVIDUAL

ofendê-los em sua consciência impressionável. Na casa de um crente, por ocasião da refeição se porventura estiver com ele uma pessoa assim excessivamente escrupulosa, é melhor que o dono da casa se esqueça de vinho, de carne de porco ou de qualquer outra coisa contra o que o seu visitante faça objeção. Pois devemos governar a nossa conduta por meio de restrições; e essas restrições variarão conforme variam as exigências da consciência dos irmãos que nos cercam, conforme variam as nossas associações com os outros.

Em alguns países, entre os crentes, têm surgido certas restrições que se tornaram características de comunidades cristãs inteiras. Por exemplo, nos Estados Unidos da América do Norte, um grande segmento dos crentes dali acredita na abstinência total de qualquer bebida alcoólica. Tais crentes se sentem ofendidos até mesmo à vista de qualquer bebida alcoólica, existente na casa de um outro crente. Outros, dentre eles, procuram bebericar um pouquinho, às furtadelas; mas procuram ocultar essa prática do restante da comunidade cristã local. Já nos países ıropeus a situação é exatamente oposta; pois ali a .naioria dos cidadãos bebe vinho ou cerveja, o que não é considerado pecado algum, por parte dos crentes.

Luz da ciência. As notas dadas acima concordam com as condições que se encontram nas escrituras concernentes às bebidas alcoólicas. Todavia, a ciência tem mostrado que até pequenas quantidades de álcool no sangue matam células cerebrais. Até pode ser calculado quantas células qualquer determinada quantidade de álcool vai matar. Também, a ciência tem demonstrado que o uso até bem moderado de bebidas alcoólicas, em algumas pessoas, causa náusea, má digestão, dores de cabeça e outros problemas físicos. Existe, então somente uma posição moral e cristã que podemos assumir; isto é *abstinência total*. Se Paulo tivesse conhecido estes fatos, ele teria assumido esta posição em relação ao problema.

É interessante notarmos que os crentes que se deixam arrastar por tais escrúpulos são chamados de «débeis» pelo apóstolo Paulo, embora a maioria deles certamente pense que essas formas de «convicção» assinalam-nos como espiritualmente superiores. Ainda não puderam compreender totalmente o que significa a «liberdade cristã». Não nos olvidemos que não há aqui qualquer referência a vinho usado em libações oferecidas a divindades pagãs. Está em vista o ascetismo.

INDIGENIZAÇÃO (IGREJA INDÍGENA)

A raiz dessa palavra é o latim *indigenus*, «nativo». Ela é composta de *indu*, «dentro», e *gignere*, «gerar». A aplicação dessa palavra é «ter nascido em um lugar específico», ou seja, pertencente àquele lugar; vale dizer, *nativo*, e não estrangeiro.

Dentro das missões cristãs, a *indigenização* é a tentativa de dar a uma igreja, iniciada por meio do evangelismo, um caráter totalmente indígena, para que tenha seus próprios líderes, conduza seus próprios negócios e seja completamente autogovernada. Essa é uma posição de bom senso, porque uma igreja não deve ser mera extensão da igreja de outro país, mas antes, deve ser responsável somente a Jesus Cristo. Mas, a tendência dos missionários é forçar sobre as igrejas que eles implantam o caráter e os costumes das igrejas do país de onde vieram. Com exagerada freqüência, a transferência de cultura faz parte da evangelização. Naturalmente, é possível as pessoas incorrerem em toda espécie de erro, dentro desse campo. Uma igreja indígena não é aquela que

pode preservar suas anteriores formas religiosas e sociais, se esses elementos são contrários aos requisitos do evangelho de Cristo. A adaptação de deuses locais aos santos cristãos, a preservação de certas formas de idolatria e uma moralidade frouxa são exemplos de elementos que podem permanecer, e que fazem de uma igreja recém-implantada uma igreja abaixo do ideal. Paulo queixou-se de um evangelho «diferente», em Gál. 1:6, e de um «outro Jesus», em II Cor. 11:4, inventados por pessoas de lugares onde ele havia iniciado igrejas locais. É comum as pessoas promoverem o sincretismo, misturando o antigo com o novo. Na Coréia, Jesus Cristo, por causa de suas qualidades de liberação, chegou a ser confundido com Lee-Doryung, que foi o libertador de sua amante, pouco antes dela quase ser executada. Pior ainda, alguns têm misturado o Cristo do evangelho com Moon-Sun-Myung, fundador do Movimento da Unificação do Mundo Espiritual. Esse indivíduo, em seu livro, *Princípios Divinos*, proclamou ser, ele mesmo, o cumprimento da segunda vinda de Cristo, dotado da tarefa de completar o que Cristo deixara incompleto em sua primeira vinda. Apesar desses serem exemplos extremos, outro tanto é a idolatria, promovida na Igreja cristã, porque as pessoas não tiveram o cuidado de eliminar de vez o paganismo, mas permitiram que misturas de idéias tivessem lugar.

Parece haver três passos pelos quais precisam passar a evangelização e a instrução dos convertidos:

1. *Indigenização*. A Igreja torna-se a igreja do país onde foi fundada sem a interferência da cultura dos missionários que implantaram aquela igreja. Ela passa a governar a si mesma, a sustentar a si própria e a autopropagar-se.

2. *De-indigenização*. A Igreja é purificada de seus elementos e influências locais, que alteram o padrão neotestamentário da Igreja.

3. *Re-indigenização*. A Igreja, uma vez purificada de seus elementos locais corruptos, é então confirmada em seu caráter indígena, livre tanto dos costumes estrangeiros quanto das corrupções locais.

INDIVIDUAL (INDIVIDUALIZAÇÃO)

Essa palavra vem de um termo latino, *individuus*, «indivisível». O termo grego correspondente é *átomon*, «indivisível». Vários significados têm sido vinculados a essa palavra, tanto na lógica quanto na metafísica.

I. Na Filosofia

1. *Na Lógica*. O indivíduo é o sujeito ao qual são adicionados predicados descritivos. Assim, um homem é chamado de *racional*. O homem é o sujeito ou indivíduo, e racional é o predicado, e não ao contrário. Boethius introduziu o termo latino *individuum* na filosofia, para transmitir esse sentido.

2. *Aristóteles* afirmava que a matéria é o princípio da individualização, sendo a forma ou elemento comum que pertence a todos os membros de uma dada classe. Porém, ao falar em matéria, ele não dava a entender meramente os elementos físicos. Assim, falamos sobre *a matéria de um livro*, dando a entender o seu assunto, o seu ensino, os seus propósitos. Portanto, para Sócrates, matéria era tudo aquilo que contribui para fazer algo ser o que é. Foi através desse processo que ele se tornou o grande filósofo de Atenas.

3. *Tomás de Aquino* aceitava essa idéia da individualização, e falava sobre a individualidade de seres não-materiais, em termos de qualquer coisa que os torne em espécies distintas.

313

INDIVIDUAL — INDIVIDUALISMO

4. *Boaventura* dizia que a individualização ocorre através da união da matéria com a forma. Ver o artigo separado sobre *Forma*.

5. *Godofredo de Fontaines* (vide) ensinava que a forma substancial é o princípio da individualização.

6. *Duns Scotus* falava sobre a individualização como a *haecceitas* de alguma coisa, isto é, o fato dessa coisa ser *isso mesmo*, que a distingue de todas as outras coisas.

7. *Leibniz* (vide, em seu terceiro ponto) abordava esse problema em conexão com seu conceito de *indiscerníveis*, e concluiu que há uma diferença essencialmente inteligível entre duas coisas quaisquer no universo; e, através dessa diferenciação é que se tornam indivíduos.

8. *Hegel* ensinava que o indivíduo é a unidade do universal e do particular. O universal, quando atinge sua expressão mais plena, torna-se um ser individual.

9. *Scheleiermacher* (terceiro ponto) referia-se ao indivíduo como aquele que é distinguido de qualquer outro por seu *próprio* ser, o que ele entendia como uma espécie de diferenciação interior, que lhe daria certa *unidade de vida*.

10. *Avicena* foi o filósofo que introduziu na filosofia medieval a frase latina *principium individuationis*, «princípio de individualização». Isso alude ao princípio mediante o qual um filósofo tenta mover-se do *ínfimo* (menor elemento) para o membro individual de uma dada espécie. Tenho mostrado métodos alternativos nos pontos dois a nono.

II. Na Teologia

1. *Em algumas religiões orientais*, o indivíduo é apenas uma espécie de epifenômeno ilusório do absoluto. Atman é apenas um incidente de Brahman, estando destinado a ser reabsorvido por este último.

2. *Em Platão*, o indivíduo (neste mundo físico) é apenas uma imitação imperfeita e temporária do real, e é menos real, embora exista verdadeiramente. O real é o universal. Ver o artigo sobre os *Universais*.

3. Ainda nos escritos de *Platão*, a alma humana é formada por uma substância eterna, embora se tenha individualizado dentro de algum ponto no tempo, de tal maneira que se tornou *esta alma*. Esse ponto no tempo ocorreu no passado remoto, antes do mundo, conforme o conhecemos, ter vindo à existência. Portanto, temos aí a idéia de uma alma eterna, que se tornou uma alma individual e preexistente.

4. *Dentro do pensamento hebreu cristão*, os indivíduos teriam existência mediante um ato divino criativo. Os indivíduos são pessoas dotadas de auto-identidade. O tipo de imortalidade delas garante uma existência individual eterna; mas chegam a tomar a mente divina, pelo que possuiriam uma inteligência comunitária, conhecedores de toda a consciência, a exemplo de Deus.

5. Como um indivíduo, cada alma também é *ímpar*. Isso fica implícito no novo nome e na pedra branca, de que falam as Escrituras. Ver a exposição do NTI quanto a Apo. 2:17. Essa qualidade de ser ímpar opera através do desenvolvimento especial do indivíduo, como um instrumento de Deus, dotado de uma missão sem igual a cumprir, tanto agora quanto no estado eterno. Ver o artigo sobre *Individualismo*.

INDIVIDUALISMO

Dentro de certos contextos, essa palavra exprime o contrário do *coletivismo* (vide).

1. *Definição*. As definições primárias incluem as idéias de que quando existem qualidades capazes de existência separada, isso envolve individualismo. A independência pessoal também é assim chamada. Porém, no presente artigo abordamos a idéia que se encontra na política, na religião e na ética, e que declara a importância do indivíduo, em contraste com o grupo coletivo. Em todas as formas de totalitarismo, tanto de direita quanto de esquerda, como o fascismo, o comunismo e todas as variedades de ditadura, a importância do indivíduo é degradada e, algumas vezes, é violentamente suprimida, tendo em vista o suposto bem da comunidade. Na prática, com freqüência, isso significa que os governantes do totalitarismo estão servindo aos seus próprios interesses. O verdadeiro bem das massas populares não é uma característica muito comum dentro da política, sem importar sua variedade. É difícil ver como os direitos individuais podem ser sujeitos a abusos, mas, ao mesmo tempo, serem respeitados os direitos coletivos. Se eu não tenho o direito de reunir-me, o grupo também não o terá. A supressão de indivíduos é, *ipso facto*, a supressão da comunidade, formada por indivíduos. Naturalmente, o *abuso* do individualismo também se dá por auto-interesse e egoísmo, às custas do grupo coletivo. Esse também é um fenômeno comum e universal.

2. *Caracterização Geral*. O individualismo favorece os direitos, os desejos, as inquirições, as iniciativas e o bem-estar dos indivíduos nos terrenos da política, da religião, da vida econômica e da vida social. Afirma que todas as instituições e organizações sociais existem a fim de promover esses direitos, e não a fim de furtá-las desses direitos.

3. *Base Teológica*. Não se pode duvidar de que o ideal cristão do supremo valor do indivíduo (ver Mar. 8:35-37) tem inspirado todas as formas de individualismo. Secularmente, a Renascença (vide) inspirou esse ideal; mas, religiosamente, a Reforma protestante (vide) fez a mesma coisa. Os reformadores salientaram o sacerdócio de todos os crentes, tendendo por remover a distinção artificial entre o sagrado e o profano, entre o clero e o corpo leigo, fazendo todas as coisas serem sagradas. Um abuso comum desse ideal, porém, é a fragmentação, que se tem mostrado tão repetitiva nos movimentos protestantes e evangélicos.

4. *Na política*, esse ideal é aplicado à exigência de que o Estado promova e proteja os direitos do indivíduo, porquanto o Estado existe para ajudar, e não para subjugar o indivíduo. A *democracia* (vide) resulta precisamente desse ideal. O abuso da democracia, porém, resulta na fragmentação política, no caos e no crime descontrolado, onde os criminosos acabam tendo mais direitos do que as suas vítimas.

5. *Na economia*, o capitalismo e o ideal do *laissez-faire* (vide) resultam desse individualismo.

6. *Na ética*, essa doutrina do individualismo faz o indivíduo tornar-se o dirigente de sua própria vida, de acordo com os ditames de sua própria consciência. Afirma que todos os *valores* começam com o indivíduo. A liberdade pessoal é um subproduto dessa filosofia. O bem da comunidade só pode ser promovido através do bem de cada indivíduo que a forma. Um ramo do individualismo era a idéia do *utilitarismo* (vide) de Jeremias Bentham. Ele, Adam Smith e John Stuart Mill salientaram a importância e a necessidade da liberdade individual. Eles sentiam que o melhor tipo de governo é aquele que menos governa e menos interfere. Isso não favorece em nada o colonialismo. Dentro do movimento de industrialização, as uniões trabalhistas, as cooperativas e organizações similares vieram à existência a fim de

314

INDRA — INDUÇÃO

procurar preservar os direitos dos indivíduos.

7. *Textos de Prova da Bíblia*. O homem foi criado à imagem de Deus (Gên. 1:27). Ver o artigo separado sobre *Imagem de Deus, o Homem como*. Uma alma é imensamente valiosa aos olhos de Deus (Mar. 8:35-37). A missão de Cristo tornou-se uma realidade para salvar indivíduos, e não meramente para formar uma comunidade religiosa remida. A alma individual chegará a participar por completo da natureza divina (ver II Ped. 1:4), assumindo assim a imagem divina, de uma maneira inteiramente nova, exaltada. A doutrina bíblica, no entanto, também inclui a idéia da *redenção* da Igreja (a comunidade espiritual mais elevada), bem como a *restauração* de todas as coisas, coletivamente falando. Portanto, o indivíduo é contrabalançado pela comunidade. Ver os dois artigos separados com esses títulos.

INDRA

Esse é o nome do deus védico da guerra, da tempestade e da fertilidade. Mais de duzentos e cinqüenta (uma quarta parte) dos hinos do Rig-Veda foram dedicados a ele. Indra era considerado um deus benévolo; e até as tempestades por ele iniciadas teriam boas causas. Os elementos destrutivos dos temporais eram atribuídos a um outro deus, *Rudra* (vide). Os homens inventam deuses relativos a certas necessidades básicas, e assim é que têm aparecido incontáveis dessas imaginárias divindades. O homem também cria deuses segundo a sua própria imagem. Ver o artigo intitulado *Deuses Falsos*.

INDUBITÁVEL

Esse termo vem do latim, *in*, «não», e *dubium*, «dúvida». A isso acrescentou-se a terminação *ável*, que também vem do latim, *habilis*, «capaz». O resultado final aponta para alguma coisa que não admite qualquer dúvida razoável, para algo que não pode ser lançado na dúvida sobre bases racionais. Esse vocábulo é usado na gnosiologia das proposições. Uma proposição indubitável não é uma proposição logicamente necessária e, sim, que está acima de qualquer dúvida que se possa comprovar. Até mesmo uma crença justificada invicta pode ser indubitável. Isso quer dizer que existem crenças que, embora não comprovadas, também não podem ser negadas, o que as justifica em face de evidências aparentes. Essas proposições precisam continuar sendo investigadas, conforme reconhecem os pensadores.

INDUÇÃO

Vem do latim, **in**, «em», e **ducere**, «levar». Cícero parece ter sido o primeiro a ter usado esse termo, correspondente ao grego, *epagogē*. A indução é o contrário da dedução. A indução, parte de certa variedade de fatos (ou alegados fatos) para alguma conclusão geral. Já a dedução parte de premissas gerais para conclusões específicas. Uma outra maneira de aclarar a questão é que a indução consiste em inferências prováveis, com base em diversas evidências, ao passo que a dedução é a inferência necessária, alicerçada sobre poucas premissas, aceitas como verdadeiras. Ver também o artigo sobre *Dedução*.

Pontos de Vista sobre a Indução:

1. *Aristóteles* foi o iniciador das ciências da indução e da dedução. Ele postulava, essencialmente, duas formas essenciais de indução: a. indução perfeita: a conclusão é extraída de uma série de evidências, das quais se tem completo conhecimento. A conclusão não especula para além das evidências. Essa forma de indução também se chama «indução por simples enumeração». b. Indução ampliativa: a conclusão repousa sobre várias evidências, mas generaliza com base nas propriedades do exemplo, tornando-as em propriedades de uma *classe* inteira.

2. *Guilherme de Ockham* usava a indução para falar em favor da existência de Deus. Ele frisava que para que a indução opere, é mister a pessoa aceitar a uniformidade ou consistência da natureza. A fim de que haja uniformidade, deve ter havido um uniformizador, que estabeleceu regras naturais fixas. Esse uniformizador, pois, é Deus. A *invariabilidade* da natureza é a base mesma do sucesso em qualquer pesquisa científica. Esse é um fato aceito pelos cientistas, mas a maioria deles pensa ser inútil especular sobre *como* tal coisa pode existir em um universo mecânico. Ver sobre o *Argumento Teleológico*, em prol da crença na existência de Deus.

3. *Francisco Bacon* acreditava que a indução deveria ser o método empregado por toda a ciência, e isso através da análise cuidadosa e do uso de tabelas, através do que se poderia eliminar todo material **não-essencial** e irrelevante. Desse modo, era de se prever, surgiriam conclusões corretas e gerais. À semelhança de Aristóteles, Bacon confiava na enumeração exaustiva dos fatos, para se chegar à verdade. E seriam importantes tanto as instâncias positivas quanto as negativas, porquanto, no dizer de Karl Popper, a indução também deveria basear-se sobre provas ao contrário.

4. *John Stuart Mill* supunha que a indução é a única parte da lógica que, realmente, produz conhecimentos. Ele desenvolveu os cânones da indução, criados por Bacon. Ele correlacionava dados positivos e negativos, e levava em consideração tanto a presença quanto a ausência de evidências. Os cânones de seu método eram intitulados *concordância, diferença, concordância e diferença, variações e resíduos concomitantes*. Generalizações de evidências adequadas obtidas através dos cânones, transformavam-se em leis. O método por ele preconizado reconhecia a uniformidade da natureza, sem o que qualquer pesquisa seria impossível. Essa uniformidade era a sua premissa principal, e o seu método era uma espécie de silogismo indutivo. Contudo, alguns pensadores têm acusado Mill de usar argumentos circulares, visto que a própria uniformidade deve ser apoiada por evidências obtidas por meios indutivos; mas, para mim, parece que tal objeção não procede. A ciência estaria completamente perdida se não houvesse essa *invariabilidade*. Naturalmente, nem tudo que consideramos invariável é, realmente, tal coisa; e, nesses casos, as investigações devem prosseguir.

5. *Whewell* salientava o que ele denominava de *coligação*, com o que queria dar a entender certo tipo de ato mental em que os fatos são vistos como existentes em conjunto, de alguma maneira. Em outras palavras, é mister que o indivíduo use a sua razão para ligar os fatos entre si, percebendo que dali emerge um quadro geral que soluciona o problema em foco. Muitos cientistas começam por aí, e a indução por muitas vezes é empregada para *provar* uma idéia, e não tanto para descobrir algum fato novo. Essa posição de Whewell é apenas um outro nome para as *hipóteses*.

6. *Jevons* declarava que a indução segue o processo inverso utilizado na dedução.

7. *Peirce* empregava três termos para descrever o

INDULGÊNCIA

seu processo indutivo, a saber: a *dedução ampliativa*, isto é, generalizações com base em um exemplo, partindo daí para a qualidade atribuída a uma classe; a *abdução*, que é a construção de uma hipótese capaz de explicar o fenômeno sob investigação; e a *dedução*, que é a extração de fatos de premissas confirmadas.

8. *W.E. Johnson* afirmava que as inferências indutivas repousam sobre a causalidade e são caracterizadas pela *probabilidade*. O *positivismo lógico* (vide) tem feito disso um importante princípio, embora afirmando que todo conhecimento deve ser científico e que existe somente em taxas de probabilidades. O conhecimento certo e imutável não-fixo e seguro.

9. No *século XX*, temos visto o desenvolvimento do *positivismo lógico*. Predomina atualmente a idéia das taxas de probabilidade. *Carnap* falava em grau de confirmação para que se possa desenvolver a teoria das probabilidades. *Karl Popper* insistia sobre a *falsificação*, e não meramente sobre a verificação. Por ser, algumas vezes mais pronta e eficaz como modo de investigar do que meramente o acúmulo de supostos fatos sobre alguma coisa. *Braithwaite* negava que a indução nos envolvia em um círculo vicioso, visto que tudo quanto acontece passa da *crença* para a *crença razoável*. É preciso que creiamos em alguma coisa, pois, doutra sorte, a investigação científica é inútil desde o começo. (EP F MM P)

INDULGÊNCIA

Essa palavra vem do latim, *indulgentia*, «gentileza», «ternura». *Indulgere* é o verbo que significa «conceder», «usar de gentileza».

1. Definição Geral

«A remissão do castigo temporal devido ao pecado, cuja culpa já fora perdoada» (*Enciclopédia Católica* 8, pág. 783). O castigo assim removido pode ser neste mundo ou no purgatório, o que significa que as almas que ali estão podem ainda receber indulgências, pelos bons ofícios da Igreja Católica Romana. O pecado envolve culpa diante de Deus, e merece punição eterna. As indulgências, dentro da teologia católica romana, nada têm a ver com isso, embora, ao nível popular, muitos, sem dúvida, pensem que seus pecados são perdoados mediante indulgências. Antes, de acordo com aquela teologia, o sacramento da *penitência* (vide) é proposto como meio removedor da culpa do pecado, anulando a punição eterna em potencial. O castigo temporal contra o pecado é que é anulado pelas indulgências. Uma plena remissão é chamada plenária, a qual só pode ser concedida pelo papa. Mas remissões parciais, por um dado período de tempo, podem ser conferidas ou autorizadas por um bispo. A condição para tanto é a *contrição* (vide). Usualmente, essa contrição é satisfeita mediante a realização de obras, orações, doação de esmolas, visitas a alguma igreja, a leitura das Escrituras ou qualquer ato que o bispo ou pessoa autorizada pense ser eficaz para levar mais a sério os erros cometidos e a necessidade de melhoria moral e espiritual.

2. História

Na primeira indulgência indisputada de que se tem notícia, o papa Urbano II, em 1095, prometeu a todos quantos fossem a Jerusalém, na primeira cruzada (se isso fosse feito em virtude de autêntica devoção, e não por motivos outros), que essa viagem podia ser contada «em lugar de toda e qualquer penitência». No século XV, indulgências foram conferidas aos mortos que se achassem no purgatório, visto que o castigo que ali haveria destinava-se aos fiéis, podendo ser chamado de *castigo temporal*, em contraste com a

punição eterna dos perdidos, no inferno. A infeliz prática da concessão de indulgências, em troca de dinheiro dado à Igreja, foi um produto da época imediatamente anterior à Reforma protestante. O princípio geral das indulgências, com os seus abusos, foi uma das principais molas mestras do movimento reformador. Porém, em 1562, o concílio de Trento proibiu o pagamento de dinheiro pelas indulgências; ainda que, na prática, essa norma nem sempre tenha sido obedecida.

3. Abusos. Os grupos protestantes e evangélicos crêem que o princípio das indulgências constitui um grande abuso, e não meramente a maneira como essa questão tem sido manipulada. A Igreja possui, deveras, a autoridade para conceder perdão quanto à punição contra o pecado, sem importar se essa punição é eterna ou temporal? Isso não contradiz a lei bíblica da colheita segundo a semeadura, conforme se vê em Gálatas 6:7,8? Os teólogos católicos romanos usam como textos bíblicos de prova as passagens de Mateus 16:19 e João 20:23, mas isso com o apoio das declarações oficiais de papas e concílios, o que, para a Igreja Católica Romana, põe fim a toda questão de autoridade. Os protestantes e evangélicos pensam que toda autoridade que Cristo deu aos apóstolos não foi transferida aos cristãos posteriores, sem importar o ofício ocupado por estes. Isso nos faz envolver na antiga discussão acerca da idéia da *sucessão apostólica* (vide), sem falar no problema geral da *autoridade* (vide).

Os protestantes objetavam ao abuso do princípio das indulgências; pois a venda das indulgências a dinheiro causava uma perigosíssima falsa impressão. Pois apesar da teologia católica romana sofisticada insistir em que as indulgências aliviam somente a punição temporal contra o pecado, no nível popular sempre se pensou que os pecados podiam ser perdoados, até mesmo de antemão, evitando-se assim o julgamento eterno. Muitos, até mesmo dentre as classes nobres e abastadas, viam as indulgências como uma espécie de permissão para pecar e não receber qualquer castigo. Vendiam-se indulgências perdoando de antemão um assassinato, um adultério, um roubo vultoso, etc. Ora, isso fere fundamentalmente o âmago da missão de Cristo, sem falar que remove toda a responsabilidade pessoal. Se alguém tinha dinheiro e se dispunha a pagar pela indulgência correspondente, podia cometer qualquer crime sem ter que prestar satisfação à justiça comum.

Na época da Reforma protestante, pois, a questão das indulgências vendidas veio à tona; e o concílio de Trento (vide), reconhecendo o abuso envolvido, cancelou a venda de indulgências. Hoje, as indulgências são adquiridas mediante pequenos e inocentes atos de devoção, como rezar o terço, dizer três Aves Marias e um Padre Nosso, e coisas desse jaez. Mas já houve época em que se cometeram terríveis crimes, sob o escudo das indulgências vendidas.

Em suas *Teses*, Lutero afirmou que a Igreja tem autoridade de perdoar somente penas eclesiásticas que tenham sido impostas, mas nunca a culpa ou as punições temporais, o que segundo ele e a maioria esmagadora dos protestantes e dos evangélicos, repousam exclusivamente nas mãos de Deus. Ver o artigo separado de nome *Teses, Noventa e Cinco, de Lutero*.

A palavra «indulgência» também tem sido usada para indicar o relaxamento ou não aplicação das leis eclesiásticas contra alguém, por alguma razão especial. Nesse caso, há um sinônimo, *dispensa*.

INDULTO — INFALIBILIDADE

4. Origem da Idéia das Indulgências

A história mostra-nos que, na Igreja cristã antiga, muitas pessoas foram severamente castigadas por motivo de infrações diversas, até o ponto em que isso se tornou um abuso. Gradualmente, foi-se desenvolvendo um sistema de comutação de penalidades, para cuidar de casos complicados. Ao que parece, foi daí que surgiu a teoria das indulgências, uma idéia inteiramente ausente nas Sagradas Escrituras.

5. Condições para o Recebimento das Indulgências

a. A pessoa que recebe uma indulgência deve estar em *estado de graça* (vide); b. a pessoa deve ter a intenção de ganhar a indulgência; c. a pessoa deve cumprir os atos penitenciais prescritos que lhe foram determinados pelo padre ou outra autoridade eclesiástica. (AM B C CD CE E)

INDULTO

Trata-se de um favor que um legislador qualquer concede, por benevolência, por algum período marcado, sem importar se fora da lei ou mesmo contrário à lei. Difere do *privilégio*, que já tem uma natureza perpétua.

INEFÁVEL

Vem do latim, **in**, «não», e **effabilis**, «pronunciável». Aquilo que é inefável não pode ser expresso por meio de palavras, e nem descrito e, por implicação, também não pode ser compreendido. Existem coisas por demais exaltadas para serem expressas por meio da linguagem humana, coisas que a experiência comum não consegue esclarecer. A *inefabilidade* é um dos estados místicos; e as experiências místicas geralmente são inefáveis. Assim, a essência de Deus é inefável, embora possamos falar sobre as suas obras de maneira inteligível. As experiências que o Espírito de Deus concede a uma alma podem ultrapassar a intelecção humana, de tal modo que a linguagem humana é incapaz de descrevê-las. Ver o artigo geral sobre o *Misticismo*.

INERRÂNCIA

Ver sobre *Infalibilidade*.

INEVITABILIDADE

Vem do latim **in**, «não», e **evitare**, «evitar». A palavra é aplicada àquelas coisas que são consideradas lógica ou realmente inevitáveis, que devem existir ou acontecer, sem importar as circunstâncias ou a vontade dos homens. Algo inevitável é algo que não tem fatores contingentes, limitadores. Ver os artigos gerais *Determinismo* e *Predestinação*.

INFALIBILIDADE

Haverá **qualquer coisa** infalível, excetuando o próprio Deus? Se atribuirmos essas qualidades a qualquer outro ser ou coisa, além de Deus, então já estaremos infringindo contra o conceito de Deus, tornando-nos culpados de alguma modalidade de *idolatria*. É perfeitamente natural que os homens adorem àquilo que consideram infalível, porquanto tal coisa ou pessoa exigirá deles um respeito extraordinário e a toda prova. Aquilo que respeitam dessa maneira, acabam venerando, o que fica a apenas um passo da mais desabrida idolatria.

Esboço:

I. Definição

II. Pontos de Vista Católicos Romanos
III. Pontos de Vista Ortodoxos Orientais e Anglicanos
IV. Pontos de Vista Protestantes e Evangélicos
V. Críticas

I. Definição

Essa palavra vem do latim, *in*, «não», e *fallibilis*, «falso». A forma verbal é *fallere*, «enganar». Tudo quanto é infalível, fica entendido, é isento de erro, falácio e incerteza. «Em termos latos, é ser isento de qualquer erro; indica a doutrina que diz que um indivíduo, instituição, sistema doutrinário ou obra literária é inerrante». (E)

II. Pontos de Vista Católicos Romanos

1. Juntamente com todos os grupos cristãos, a Igreja Católica Romana diz que *o próprio Deus* é infalível e a fonte de toda infalibilidade que possa, porventura, ser possuída por pessoas ou coisas. As Escrituras declaram a absoluta santidade de Deus (Êxo. 15:11; Sal. 22:3; Isa. 57:15), bem como sua natureza exaltadíssima e imutável (Tia. 1:17,18; Rom. 11:33 *ss*). Embora o termo infalibilidade seja aplicado a um homem, ainda segundo a opinião católica romana, isso não indica impecabilidade ou santidade perfeita, como quando a palavra é aplicada a Deus. Isso redime um tanto o conceito católico romano, embora não o justifique.

2. *A Igreja*. Deus confiou à Igreja a guarda e a propagação de seus ensinos (Mat. 28:18-20; 16:18; João 14—16; I Tim. 3:14,15; Atos 15:28 *ss*). Isso posto, a Igreja, não como um corpo de pessoas imperfeitas, mas no exercício de seu ministério espiritual, deveria ser idealmente infalível, embora, na prática, ocorram muitos erros. Todavia, os *ensinos* da Igreja são infalíveis, e a correta interpretação dos mesmos é garantida pelos pronunciamentos oficiais dos papas e dos concílios. Esse é o ponto de vista particular da Igreja Católica Romana acerca da questão da *autoridade* (vide).

3. *O Papa*. Como chefe e representante (ou mesmo substituto) especial de Cristo, na terra, o papa, em seus pronunciamentos oficiais, *ex cathedra* (vide) é resguardado de erro, mediante a orientação do Espírito de Deus. Essa autoridade foi inequivocamente conferida ao papa mediante o decreto do concílio do Vaticano, a 18 de julho de 1870. Afirma-se ali que o papa, como cabeça espiritual da Igreja, quando define alguma doutrina ou prática, é divinamente impedido de todo e qualquer erro. Ele é o vigário ou substituto de Cristo, pelo que participa do poder de Cristo, em sua autoridade e infalibilidade. Isso, contudo, não envolve sua pessoa em qualquer sentido, mas somente em seus pronunciamentos oficiais. São usados pelos católicos romanos textos bíblicos de prova como Mateus 16:18 e João 20:23. Ver a exposição desses versículos no NTI. Ver também o artigo intitulado *Fundamento da Igreja, Pedro como*, acerca da controvérsia envolvida na questão da autoridade papal.

4. *Os Concílios*. Se permitíssemos que cada indivíduo interpretasse pessoalmente as Escrituras, terminaríamos na maior fragmentação. A Igreja deve interpretar, e não o indivíduo. O sentido das Escrituras, quando surgem pontos controvertidos, precisam ser definidos pelos concílios ecumênicos da Igreja. Ver o artigo sobre os *Concílios Ecumênicos*. Esses concílios, que funcionam como diretores espirituais da Igreja, supostamente são resguardados de erro, o que também aconteceria com o papa. Todavia, os sínodos têm o direito de interpretar

INFALIBILIDADE — INFANTES

aquelas decisões, a fim de esclarecer pontos duvidosos.

5. *As Escrituras*. Os católicos romanos conservadores referem-se às Escrituras como inerrantes e infalíveis; mas nem por isso supõem que elas sejam a única diretriz dos cristãos quanto à fé e à prática. Ver o artigo sobre a *Autoridade*, que aborda profundamente a questão.

III. Pontos de Vista Ortodoxos Orientais e Anglicanos

Ambos esses grupos repelem a idéia da infalibilidade papal. E a Igreja Ortodoxa Oriental aceita como infalíveis os pronunciamentos dos sete primeiros concílios ecumênicos, isto é, até o ano de 754. Depois disso, os concílios tornaram-se meramente locais. Muitos anglicanos, desde o movimento tractariano de 1833—1844 (vide) têm favorecido oficialmente a infalibilidade desses sete primeiros concílios eclesiásticos. Mas ambos os grupos, novamente, rejeitam as interpretações estritas sobre a infalibilidade da Igreja. Os mais conservadores entre os anglicanos, com freqüência, advogam a infalibilidade das Escrituras.

IV. Pontos de Vista Protestantes e Evangélicos

Esses grupos rejeitam a infalibilidade tanto dos papas, quanto dos concílios e da Igreja. Alguns eruditos protestantes consideram que os verdadeiros concílios ecumênicos estenderam-se somente até o de Calcedônia (451 D.C.), que foi o quarto. Outrossim, crêem que até mesmo esses autênticos concílios ecumênicos estavam sujeitos a erro, e que as suas decisões precisam ser cuidadosamente cotejadas e julgadas por meio das Escrituras Sagradas.

Muitos, embora nem todos, entre os protestantes conservadores, afirmam a inerrância e a infalibilidade das Escrituras. Contudo, à idéia de infalibilidade têm sido dadas várias definições. Para os da extrema direita, isso significa que as Escrituras são absolutamente destituídas de qualquer tipo de erro, se as considerarmos em seus escritos originais, ou autógrafos, os quais, naturalmente, desapareceram. Porém, outros qualificam isso, dizendo que a infalibilidade aplica-se somente à mensagem da redenção, e não a toda e qualquer palavra contida na Bíblia. Assim, a Palavra de Deus atinge infalivelmente os seus propósitos; a missão de Cristo foi sem defeitos; as regras bíblicas de fé e prática são adequadas para todos os propósitos, embora transmitidas através de mera linguagem humana que pode conter erros variados. Nesse caso, busca-se a essência da questão, e não meros detalhes, como pequenas questões de gramática; busca-se a refeição servida pelas Escrituras, e não as tigelas e pratos em que essa refeição é servida. O Espírito Santo, que é o autor da mensagem da Bíblia, é infalível, pelo que a mensagem é inteiramente digna de confiança, embora tenha havido erros no necessário manuseio humano dessa mensagem. Todavia, esses erros humanos em nada detratam da mensagem propriamente dita. Todas essas posições podem ser encontradas entre os eruditos conservadores, protestantes e evangélicos, embora algumas dessas posições sejam acaloradamente combatidas pelos ultraconservadores.

V. Críticas

Os críticos põem em dúvida a filosofia inteira da infalibilidade. De fato, eles dizem que qualquer forma de infalibilidade tende para a idolatria, pois somente Deus é verdadeiramente infalível. Salientam ainda que as próprias Escrituras não reivindicam infalibilidade para si mesmas, e que isso é um dogma que precisou de muito tempo para se desenvolver na Igreja. Eles ajuntam que as idéias católicas romanas sobre a infalibilidade do papa, da Igreja e dos concílios precisaram de muitos séculos para se desenvolverem, e que a infalibilidade pertence a essa mesma classe de idéias. Em outras palavras, trata-se de um dogma, que não pode ser demonstrado pelas próprias Escrituras. E, ainda que houvesse declarações que garantissem que alguns livros são infalíveis, o que parece não haver, dificilmente isso poderia ser aplicado ao cânon inteiro das Escrituras Sagradas. É claro que argumentos assim não ficam sem resposta. O Senhor Jesus parece ter enfeixado a Bíblia inteira (embora ela ainda estivesse em formação, visto que, quando ele falou, nenhum dos livros do Novo Testamento havia sido escrito), quando disse: «...a Escritura não pode falhar» (João 10:35). Portanto, para alguns protestantes e evangélicos, eles acham base bíblica verdadeira para a sua crença na infalibilidade da Bíblia, posto que reconhecem que isso deve ser aplicado ao conteúdo revelatório dela, e não a questões secundárias, como pontos de gramática, de exata concordância histórica, etc.

Consolo Mental. O desejo da infalibilidade, dizem os críticos, na verdade é o desejo de ter consolo mental. A infalibilidade busca um falso senso de segurança, através da dogmatização. Repousa sobre um falso senso de certeza, mas, na realidade, é o temor de enfrentar o mundo conforme ele realmente é, preferindo imaginá-lo como gostaríamos que fosse. O conceito geral da infalibilidade é bastante destituído de sentido, e mesmo indefensável. O melhor que podemos fazer é examinar em separado cada reivindicação, para ver qual o seu mérito. Os protestantes e evangélicos criticam várias formas de idolatria, como imagens e a mariolatria (vide). Em lugar de uma Igreja infalível, alguns colocam uma Bíblia infalível em todos os sentidos, tornando-se culpados de *bibliolatria* (vide). O papa, eles substituem por um papa de papel. Ver os artigos separados sobre a *Autoridade* e sobre as *Escrituras*, especialmente em suas seções segunda, *Inspiração*, e terceira, *Autoridade*. (B C CD CE E NTI)

INFÂMIA

Trata-se da perda da boa reputação, por causa de algum notório erro moral ou por causa de convicção quanto a certos crimes. Aqueles que se tornam infames ficam desqualificados tanto para posições e funções sociais como, especialmente, para ofícios eclesiásticos. A Igreja cristã exclui os infames. Ver sobre *Exclusão*.

INFANTES, MORTE E SALVAÇÃO DOS

Diversas Idéias.

Imaginemos que está sendo efetuada uma corrida com dez lances, para ver qual é a melhor explicação acerca do que acontece àqueles que morrem ainda na infância. Nessa corrida, há oito atletas, que são os seguintes:

1. O limbo
2. O inferno do calvinismo
3. A idade da responsabilidade
4. A não-entrada ou não-criação das almas
5. A contínua oportunidade da Igreja Oriental
6. Os níveis existentes no hades
7. A reencarnação
8. Um corredor desconhecido

1. Limbo

O catolicismo romano, procurando solucionar o

INFANTES, MORTE E SALVAÇÃO DOS

problema da morte dos infantes e da questão da justiça, tem-se mostrado relutante em enviar tais almas para o inferno. Porém, também não se tem disposto a enviá-las para o céu. Visto que tais almas parecem ficar, naturalmente, dentro de uma categoria *indefinida*, por isso mesmo o catolicismo romano criou um lugar especial para essas almas excepcionais. O *limbo* é imaginado como um lugar de felicidade e utilidade, mas não onde se possa ter a visão beatífica de Deus. Contra esse ponto de vista (embora haja uma certa racionalidade a respeito), temos o fato de que tal lugar foi inventado *ad hoc,* com o propósito específico de solucionar um enigma. Naturalmente, as Escrituras Sagradas fazem o mais completo silêncio sobre esse imaginário lugar.

Deveríamos frisar aqui que a doutrina católica romana assevera que os infantes *batizados* pela Igreja, que morrem na infância, estão em segurança, e que as suas almas vão para o céu, e não para o limbo. Somente os infantes não-batizados é que iriam para o limbo. E os adultos que não são responsáveis pelos seus atos, como os mentalmente deficientes, também iriam para o limbo, de acordo com a teologia católica romana.

2. O Inferno do Calvinismo

Os **calvinistas** radicais não encontram qualquer problema diante da morte de infantes. Visto que Deus já escolheu, antes do nascimento de cada pessoa, qual é o destino de cada um (o céu ou o inferno), faz bem pouca diferença quando uma pessoa morre. Se alguém é um **não-eleito**, então automaticamente é enviado para o inferno. Todavia, alguns evangélicos simplesmente não podem aceitar essa crueza. Esses acreditam que, de alguma maneira, o amor de Deus deve salvar àquelas almas, embora sejam pecadores desde o nascimento (de acordo com a doutrina bíblica). Apesar do primeiro capítulo da epístola aos Romanos poder ser empregado como texto de prova do ponto de vista do calvinismo radical, muitos evangélicos têm relutado em apelar para essa passagem da Bíblia. Esse primeiro capítulo de Romanos ensina o que a *nua* justiça de Deus seria, *se* ele a quisesse aplicar. Porém, a começar no terceiro capítulo dessa epístola, Paulo diz-nos que a justiça divina não é nua. O amor e o propósito de Deus, no evangelho, transcendem a uma justiça nua. A verdade da questão é que o oposto da *injustiça* não é a justiça, e, sim, o *amor*. Essa é outra maneira de dizer que a justiça de Deus jamais se manifesta sem estar revestida pelo amor e pela misericórdia divinos. Sua justiça nunca é nua.

3. A Idade da Responsabilidade

Os protestantes e evangélicos de todas as denominações aceitam essa outra invenção: as almas dos infantes que morrem vão para o céu, visto ainda não terem atingido a idade da responsabilidade. Esse é um conceito impossível, e uma criação não menos forjada que o limbo dos católicos romanos. Os teólogos não aceitam a passagem de II Samuel 12:23 como um texto de prova viável para a noção de que a alma do filho infante de Davi foi para o céu. Nenhuma doutrina dessa grande envergadura poderia estar fundamentada em uma declaração como essa, no Antigo Testamento. Se as almas dos infantes que morrem vão para o céu, simplesmente por terem morrido, então há duas maneiras de uma pessoa ser salva. Porém, as *almas*, e não os corpos, é que são pecadoras.

Os pecadores não podem chegar ao céu sem se encontrarem com Cristo e escolherem voluntariamente o seu caminho. Por conseguinte, não pode haver coisa alguma de automático quanto ao transporte de almas para o céu, sem importar a idade em que as pessoas morrem. Além disso, a idéia é uma clara *racionalização ad hoc*, não menos que a idéia do limbo. De fato, esse é o equivalente protestante do limbo. Não há nenhum ensinamento bíblico que favoreça tal conceito. Na verdade, não existe qualquer ensinamento bíblico acerca do problema do que acontece às almas cujos corpos físicos morrem na infância. Em conseqüência disso, infelizmente, no tocante a uma questão tão importante quanto essa, somos forçados a pescar em redor por alguma resposta, e as racionalizações tomam o lugar da teologia séria. Mas, se alguém não quiser investigar a questão, então simplesmente poderá deixá-la aos cuidados da vontade de Deus, confessando a sua ignorância a respeito. Porém, uma das coisas que os teólogos *não* gostam de fazer é confessar a sua ignorância. Como resultado, há um cortejo de racionalizações que invadem a Igreja, mascaradas de verdades. Os católicos romanos, que não dependem exclusivamente das Escrituras Sagradas como sua autoridade, contam com as decisões dos concílios e dos papas para ajudá-los a definir tais questões. E os dogmas deles sobre a questão, para eles fazem parte da teologia. Porém, a «idade da responsabilidade», criada pelos grupos protestantes, não conta com qualquer autoridade que lhe dê validade, ainda posto que muitos evangélicos falem a respeito como se tivessem conseguido extrair a idéia da própria Bíblia.

Uma *alma* não é um infante. Ela é um poder espiritual, moral e intelectual como qualquer outra alma, embora sua permanência em um corpo físico seja extraordinariamente breve. Toda alma precisa tomar suas próprias decisões. Nenhuma alma pode ganhar um transporte gratuito para o céu, meramente porque o seu corpo físico cedeu diante da morte biológica. Isso contradiz duas importantes doutrinas bíblicas: a responsabilidade moral e a necessidade de um encontro com Jesus Cristo e de escolher ou não o seu caminho.

Alguém poderia argumentar que a graça de Deus cuida da questão, forçando *todas* as almas, cujos corpos morrem na infância, a *aceitarem* a oferta de salvação. E se não forem incluídas *todas* as almas, então já terá sido anulado o *espírito* da doutrina da idade da responsabilidade, visto que *algumas* almas, cujos corpos morrem antes do começo da idade da responsabilidade moral, não terminariam chegando ao céu. E seríamos forçados a explicar por que razão *algumas* almas conseguem chegar lá, mas *outras* não. — Porém, a idéia envolvida nessa doutrina é que *todas* essas almas obtêm transporte gratuito até o céu.

Acresça-se a isso a questão da justiça. Poderíamos considerar justo que algumas almas cheguem ao céu meramente porque os seus corpos físicos duraram apenas alguns momentos, enquanto que outras almas tiveram o *infortúnio* de ultrapassar dos sete ou oito anos de idade, tornando-se assim pessoas responsáveis? O meu argumento é que *todas* as almas, sem importar por quanto tempo seus corpos físicos perduram, *são responsáveis*. Por conseguinte, precisam enfrentar a Cristo, às suas reivindicações e ao seu evangelho, para tomarem *a sua própria decisão* acerca do seu próprio destino eterno. Isso também é uma racionalização; mas, pelo menos, um tanto melhor, visto que concorda com as exigências gerais da missão de Cristo.

Se você reler o que escrevi sobre o assunto, haverá de encontrar racionalizações quase a cada linha, no tocante a argumentos favoráveis e a argumentos contrários a esse conceito. Assim sucede, porque a

INFANTES, MORTE E SALVAÇÃO DOS

questão inteira é uma racionalização. Não se pode obter textos de prova extraídos das Escrituras, sobre esse assunto, exceto por meio de inferências. Ora, uma vez que começamos a *inferir*, já estamos racionalizando. Em conseqüência disso, para mim, essa doutrina da idade da responsabilidade não tem a menor autoridade, a menos que se possa demonstrar que ela é uma racionalização de caráter superior, em comparação com outras racionalizações. No entanto, rejeito a sua superioridade.

4. A Não-Entrada ou Não-Criação das Almas

Temos aqui duas idéias, que combino uma com a outra, por se revestirem de uma certa similaridade. *Imaginemos o seguinte caso*: Uma alma que já existe está em vias de encarnar-se em um corpo humano. Mas a alma sabe que aquele corpo morrerá ainda bem jovem. A fim de evitar a consternação de uma breve viagem, a alma simplesmente não entra no corpo. Tal corpo nasce sem alma, vive por alguns dias e morre. Nesse caso de mortalidade infantil, não haveria qualquer problema, porquanto nenhuma alma jamais esteve associada àquele corpo. O corpo foi apenas uma entidade animal, e não um verdadeiro ser humano. Tudo isso, porém, não passa de uma racionalização, sem qualquer valor, até onde posso ver as coisas. Para pior, levanta uma série de problemas. O principal desses problemas é que assim teríamos um bom número de infantes e de crianças (em alguns países, formando uma considerável porcentagem) que não são seres humanos, de acordo com qualquer definição teológica. Em outras palavras, elas não serão seres mortais-imortais, ao mesmo tempo (compostos de corpo e alma), conforme são todos os seres humanos, por definição.

Imaginemos um outro caso: Deus está prestes a criar uma alma para um corpo físico, que deverá nascer (na teologia, essa idéia é chamada *criacionismo*). Porém, Deus sabe que aquele corpo humano não perdurará por muito tempo. Assim sendo, Deus acaba não criando uma alma para aquele corpo. Dessa maneira, obtém-se o mesmo efeito que aquele descrito no primeiro caso, embora provocado por um ato diferente. Neste segundo caso, a decisão é de Deus; no primeiro, a decisão é da própria alma. Tanto um caso quanto o outro estão sujeitos às mesmas objeções seriíssimas.

5. A Contínua Oportunidade da Igreja Oriental

A morte de um infante deveria ser considerada como um incidente relativamente sem importância, visto não exercer qualquer efeito sobre o destino espiritual da alma. — Não diminui e nem acrescenta coisa alguma. Uma alma humana que habitasse um corpo físico débil, simplesmente mudar-se-ia para alguma dimensão espiritual, onde, finalmente, teria a oportunidade de conhecer os fatos sobre Cristo e *aceitar* ou *rejeitar* o seu evangelho. Dessa maneira, seria responsável por seus próprios atos, no mesmo sentido e no mesmo grau que o seria qualquer outra alma humana. Não receberia qualquer privilégio especial, mas também não sofreria qualquer prejuízo por haver-se associado a um corpo físico apenas por um breve tempo. Como texto de prova, poderíamos aplicar a narrativa da descida de Cristo ao hades. Se Jesus anunciou o seu evangelho no hades, então ali deve ter havido muitas almas que poderiam ouvi-lo, para então aceitá-lo ou rejeitá-lo, e que viveram em associação com um corpo físico apenas por um breve período de tempo. A contínua oportunidade, postulada pelas igrejas orientais, por conseguinte, poderia ter lugar em algum lugar diferente do hades, que é apenas um dentre muitos mundos espirituais.

Se aceitarmos esse ponto de vista, teremos evitado o limbo dos católicos romanos, afirmando que o limbo católico romano é permanente, ao passo que um mundo de renovadas oportunidades espirituais, de acordo com as igrejas orientais, não é um lugar dominado pela estagnação. As almas confinadas ao limbo jamais podem avançar para a salvação (vindo a aceitar a Cristo), e nem podem terminar no hades (por terem rejeitado a Cristo). A narrativa da descida de Cristo ao hades pode ser usada como texto de prova dessa idéia; mas, nesse caso, será mister fazê-lo por meio de uma inferência, porquanto não existe qualquer ensinamento bíblico direto sobre a questão. E, visto que tal doutrina nos deixa, novamente, dependentes de uma mera inferência, teremos produzido uma outra racionalização, ou seja, mais um atleta a competir com outros, na pista de corrida.

6. Os Níveis Existentes no Hades

Essa idéia apenas é uma variante da idéia exposta acima. Suponhamos que diferentes gradações de julgamento (uma doutrina que conta com textos de prova no N. Testamento) requeiram a existência de vários níveis de confinamento no hades, ou, talvez, várias *esferas* de julgamento que, coletivamente, sejam chamadas de *o hades*. Ora, visto que as almas são pecadoras, então qualquer alma liberada de seu corpo físico (por haver morrido na infância), necessariamente terá de ir a um lugar de *julgamento*. A justiça requer tal coisa. Até esse ponto concordamos com o segundo dos oito atletas, ou seja, o inferno do calvinismo. Mas, a fim de evitarmos as asperezas da doutrina calvinista, podemos supor que existem níveis de existência, no hades, que não são inteiramente maus, mas onde até mesmo vidas úteis podem ser levadas, embora isso nada tenha a ver com a existência no *céu*.

Agora, as almas estão no hades. Devemos pensar que elas ficarão ali para sempre, estagnadas naquele *nível de rebaixamento?* Ou devemos pensar que elas terão a oportunidade de encontrar-se com Cristo, ou com um de seus missionários no hades, a fim de poderem tomar uma decisão negativa ou positiva? E, se tomarem uma posição positiva, serem preparadas para o céu? A narrativa bíblica da descida de Cristo ao hades confere-nos o direito de afirmar que as almas do hades mesmo ali poderão ser beneficiadas pelo evangelho de Cristo. Todavia, uma alma que esteja no hades, seguindo suas pervertidas inclinações naturais, poderá rejeitar essa oportunidade, afundando para mais severas regiões de julgamento.

Meus sentimentos pessoais acerca desse atleta é que ele projeta uma certa luz sobre toda a questão, embora menos esclarecedora que no caso do quinto atleta. Contudo, isso apenas emite uma opinião acerca de diferentes racionalizações. Não há quaisquer informações *bíblicas* acerca do que acontece às almas que deixaram corpos infantes que morreram.

7. A Reencarnação
A. A Reencarnação no Novo Testamento como uma Crença Popular

É uma tradição antiqüíssima entre os judeus que Elias haveria de voltar ao mundo, antes do aparecimento do Messias, quando teria uma outra missão terrena. O que a maioria das pessoas não sabe é que era uma doutrina sincretista padrão, entre os judeus do período entre o Antigo e o Novo Testamentos, que *muitos* dos profetas do Antigo Testamento teriam mais de uma missão sobre a terra. Esse conceito transparece em Mateus 16:14: Jesus era um grande mestre e uma poderosa figura profética. O que as pessoas de sua época diziam sobre a sua

INFANTES, MORTE E SALVAÇÃO DOS

identidade? Alguns pensavam que ele seria Jeremias, ou algum outro dos profetas do Antigo Testamento. Se acompanharmos essa declaração nos comentários, descobriremos que a maioria desses comentários admite que a reencarnação era uma crença popular entre os judeus da época de Cristo. Por exemplo, muitos rabinos identificavam Jeremias com Moisés. Adam Clarke diz a esse respeito: «A doutrina da metempsicose ou transmigração das almas era bastante generalizada; pois sobre essa base é que eles acreditavam que a alma de João Batista, ou de Elias, de Jeremias ou de algum outro dos profetas, voltara à vida no corpo de Jesus».

John Gill, por sua vez, acompanha essa crença nos escritos rabínicos. Trechos bíblicos, como Provérbios 8:22-31 e Jeremias 1:5 eram interpretados como se ensinassem a preexistência da alma. Josefo (ver *Antiguidades* 18:1,2), informa-nos especificamente que a reencarnação era uma doutrina ensinada tanto pelos essênios quanto pelos fariseus. Ver também Josefo (*Guerras* 2:8,10,11). No nono capítulo do evangelho de João, quando os discípulos indagaram a Jesus por causa do pecado de quem certo homem nascera cego, quando também sugeriram que talvez fosse por causa do pecado do próprio cego, eles estavam aludindo à reencarnação, conforme afirmam quase todos os comentários que tenho consultado. No entanto, seus autores não concordavam com a conclusão sugerida pelos discípulos de Jesus. Naqueles dias, aparentemente devido à influência da doutrina dos fariseus, os apóstolos chegaram a admitir a reencarnação como um acontecimento comum entre os homens. Posteriormente, entretanto, talvez tenham deixado de crer nessa idéia. Pelo menos, é óbvio que eles não incorporaram essa crença em seus escritos.

Alicerçados nessas referências, obtemos a idéia de que o conceito da reencarnação era uma *crença comum* entre os judeus dos tempos de Jesus, uma crença compartilhada por muitos judeus cristãos. Porém, não se trata da mesma coisa que um dogma ou um artigo soteriológico de fé.

B. A Reencarnação no Novo Testamento como um Dogma

Somos informados de que o anticristo voltará do hades e se reencarnará (ver Apocalipse 11:7; 17:10,11). Alguns documentos cristãos muito antigos, designavam Nero como o homem que deveria ser esperado de volta do hades, como o anticristo. William Newell, em sua exposição sobre o livro de *Apocalipse*, aceitava essa idéia. DeHann, por sua vez, afirmava que Judas Iscariotes haveria de reencarnar-se, para ser o anticristo. Além disso, as duas testemunhas mencionadas em Apocalipse 11:3 *ss*, conforme muitos estudiosos, seriam Moisés e Elias, reencarnados. Nesse caso, pelo menos, Moisés poderia ser considerado como uma reencarnação. A tradição de que Elias haveria de voltar era uma antiga tradição judaica, podendo ser incorporada nesse texto, como também em Marcos 9:11. Não quero elaborar muito esse ponto, visto que a maioria dos evangélicos acredita em uma forma limitada de reencarnação, levada a efeito com propósitos especiais. Isso, entretanto, não é a mesma coisa que uma reencarnação generalizada, para todos os seres humanos.

Pode-se usar o Novo Testamento para mostrar que a reencarnação era uma crença popular entre os judeus e os primitivos cristãos. Também podemos usá-lo a fim de mostrar que se espera que em alguns casos especiais, pelo menos, ocorra **e isso sobre bases** dogmáticas. Porém, é tempo perdido tentar provar,

mediante o Novo Testamento, que a reencarnação generalizada seja uma verdade. Se isso tiver de ser provado, terá de sê-lo com base em documentos fora do Novo Testamento. Inteiramente à parte de religiões **não-cristãs,** alguns cientistas pensam que eles estão conseguindo reunir evidências que podem ser interpretadas em favor da noção da reencarnação, como um acontecimento bastante comum. Esse enigma só poderá ser solucionado, negativa ou positivamente, sobre bases *científicas*, e não sobre bases dogmáticas. Não se sabe dizer por quanto tempo será preciso fazer pesquisas, e nem se sabe dizer qual conclusão, finalmente, será obtida.

Continuo às voltas com o problema. *Imaginemos este caso:* — Uma alma entra em um corpo. Esse corpo vive por dois anos, e então morre. Em vez de partir para ficar no céu, no inferno, no limbo ou em alguma outra dimensão espiritual da existência, mediante a vontade de Deus, é determinado que essa alma seja recambiada à terra, para ocupar outro corpo físico. Em outras palavras, aquela alma reencarna-se. Essa resposta envolve certa simplicidade que chega a ser atrativa e que evita todas as contorções e especulações teológicas que caracterizam as idéias anteriores. Entretanto, a simplicidade não é, *necessariamente,* sinal de veracidade, a despeito do que os filósofos têm dito a respeito da navalha de Ockham. Ockham opinava que, na busca de qualquer solução, devemos evitar as complicações e as multiplicações de conceitos ou entidades espirituais, aceitando a forma *mais simples,* entre as possíveis. Porém, nem sempre a verdade é simples. Seja como for, a reencarnação ocupa lugar entre as possíveis racionalizações. Ela não é uma resposta bíblica; mas as outras possibilidades também não o são. Trata-se apenas de mais um atleta na pista. Quando escrevi meu livro sobre as evidências científicas em favor da existência da alma, considerei essa resposta como a mais provável entre as respostas disponíveis. Porém, prossigamos para o oitavo atleta.

8. Um Corredor Desconhecido

Devemos crescer no conhecimento da verdade, e onde não tivermos conclusões certas, poderemos esperar alguma resposta *melhor,* que nunca antes fora considerada. Talvez, até agora, essa resposta esteja completamente fora do alcance de nossa experiência e conhecimento. Porém, em face do crescimento, uma nova resposta aparece, satisfazendo a uma questão que antes envolvera um enigma. Pode haver nessa corrida um atleta desconhecido, capaz de esclarecer a questão. Talvez haja uma resposta, oculta nos conselhos de Deus, que possa preencher o vácuo com que nos defrontam, no que tange a essa questão.

Retornemos à minha metáfora dos oito atletas na pista de corridas. Um deles vencerá na corrida de dez lances, e a sua vitória haverá de nos dizer o que sucede às almas daqueles que morrem ainda durante a infância. Há vários anos passados, quando eu estava estudando esses atletas, percebi que o sétimo deles, a Reencarnação, estava levemente à frente dos demais. Neste momento, quando os examino novamente, os atletas acabaram de completar o sexto lance, e ainda há um grande trajeto a ser percorrido por eles até o fim. Somente o tempo nos revelará quem será o campeão. Contemplando-os em uma curva da pista, percebo que dois deles estão na frente dos demais. Um deles é o corredor de número sete, a Reencarnação. E, ao seu lado, vem o corredor da Contínua Oportunidade, segundo pensam as Igrejas Orientais Ortodoxas. Passam por mim bem próximos um do outro, mas mesmo assim, dá para perceber que o de número sete está ligeiramente à frente, embora

INFANTICÍDIO — INFERNO

dê sinais de cansaço. Ou estarei enganado?
Meus amigos, não conheço *quem* realmente tenha a resposta para esse enigma.

Nossos pequenos sistemas têm sua época,
Têm sua época, mas logo isso passa,
São apenas lamparinas que bruxoleiam,
Ao lado de Tua Luz, ó Senhor.
(Russell Champlin)

INFANTICÍDIO

Ver o artigo sobre **Aborto**.

Muitas culturas, nos tempos antigos, expunham os infantes, a fim de morrerem à míngua, sob condições de clima muito adversas. Se eram suficientemente fortes para resistir, e sobrevivessem, então acreditava-se que era da vontade dos deuses que vivessem. Caso morressem, os deuses obtinham todo o crédito, e aquelas crianças tornavam-se sacrifícios. Além disso, muitas crianças eram simplesmente sacrificadas aos deuses. Uma criança era considerada uma preciosíssima possessão (lembremo-nos da história de Abraão e Isaque!), e sacrificar uma criança era um tipo de sacrifício supremo que, presumivelmente, obtinha o favor dos deuses. Evidências de infanticídio sagrado têm sido encontradas no Egito, na Índia, na Grécia e em Roma. Lev. 18:21; 20:2-5; Deu. 12:31 e 18:10 são trechos que proíbem terminantemente a prática de sacrificar crianças na fogueira, o que, nos dias do Antigo Testamento, era feito pelas tribos cananéias, em honra ao deus Moleque, uma prática que chegou a ser imitada pelo povo de Israel, em certas ocasiões. O fato de que os profetas Jeremias (32—35) e Ezequiel (16:20,21) tiveram de condenar tal prática (o que, no tempo deles, estava associado à adoração a Baal) mostra-nos que até o tempo deles, às vésperas e durante o tempo do cativeiro babilônico (vide), essa prática ainda não havia cessado em Israel. Acaz foi um completo apóstata, o que se demonstra pelo fato de que sacrificou ao seu próprio filho (II Reis 16:3 e 21:6). Há evidências de que os fenícios ajudaram a propagar esse sangüinário costume a Cartago, de onde penetrou no mundo romano.

A Bíblia demonstra grande respeito pela vida humana, e as palavras de Êxo. 13:15 demonstram isso claramente: «...desde o primogênito do homem até o primogênito dos animais: por isso eu sacrifico ao Senhor todos os machos que abrem a madre; porém, a todo primogênito de meus filhos eu resgato». O relato bíblico no qual Abraão quase sacrificou a Isaque, embora inclua elementos que podem ser usados para ilustrar uma total dedicação, só pode ser considerado produto de uma antiga mentalidade que o judaísmo acabou ultrapassando. Tentar desculpar isso, ao mesmo tempo em que o ato é condenado no paganismo, é por demais absurdo para merecer refutação.

Lemos nas páginas da história, o que é confirmado pela arqueologia, que no tempo em que surgiu o cristianismo, a exposição de infantes, para que morressem, era uma prática muito comum. Para alguns, isso era feito por razões *econômicas*, tal como se pratica tanto o aborto em nossos dias. Mas também havia aquele fator ao qual já nos reportamos, de que seria fácil impressionar assim algum elevado poder espiritual, conquistando-lhes os favores, mesmo que um sacrifício assim envolvesse, como é claro, um infanticídio. Os sentimentos religiosos têm uma estranha capacidade de distorcer a mente das pessoas; e de fazer tal distorção parecer uma virtude. Outras vezes, essa exposição à morte era feita para pôr fim a bebês enfermiços, fracos e deformados, quando então

se fazia tudo sob a alegação de ser um ato de misericórdia.

Apesar de ficarmos chocados diante desses antigos costumes, a maioria dos teólogos considera que o aborto é uma forma de infanticídio, ou, pelo menos, de feticídio. Isso é debatido entre os eclesiásticos. O certo é que se trata de um seriíssimo erro moral, mesmo que não importe em assassinato. O artigo sobre o *Aborto*, nesta enciclopédia, aborda o problema.

INFERÊNCIA

Essa palavra vem do latim, **in**, «em», e **feree**, «carregar». Inferir, pois, é derivar do raciocínio, algumas vezes com base em atos conhecidos, mas, outras vezes somente por implicação ou por suposição, certas conclusões. Os atos de uma pessoa, por exemplo, inferem os seus motivos. A ética cristã proíbe-nos de inferir motivos nas pessoas que criticamos, porquanto isso já é um ato de julgamento. De um modo lasso, inferir significa apenas dar a entender.

Na teologia, as inferências são muito usadas no desenvolvimento de idéias e dogmas; e, quando nos ocupamos dessa atividade, devemos proteger com tolerância a todas as pessoas envolvidas. Algumas doutrinas cristãs importantes são baseadas em inferências, como, por exemplo, a salvação de infantes que morrem antes da presumível idade da responsabilidade. Não há ensinos bíblicos diretos sobre a questão; e, no entanto, trata-se de uma questão séria. Os cristãos têm chegado a várias conclusões diferentes a respeito, mediante *inferências*. Para os protestantes, a questão continua alicerçada sobre meras inferências. Mas, para os católicos romanos, as declarações dos pais da Igreja, dos concílios e dos papas dogmatizam as inferências, de tal modo que se torna obrigatório acreditar em pontos de vista assim expressos. Ver o artigo intitulado *Infantes, Morte e Salvação dos*. Esse exemplo mostra-nos a importância das inferências no desenvolvimento dos dogmas. Essa prática é legítima, e até mesmo necessária, a fim de aclarar certos conceitos; mas, sempre que for posta em prática, a tolerância deveria ser o fator controlador, se outras vidas humanas estiverem envolvidas, pois para nós todos é fácil inferir pelo lado pior, enegrecendo o caráter do próximo.

Na lógica, a inferência é a maneira de proceder em que as conclusões alicerçam-se sobre premissas. A inferência *imediata* é tirada quando se chega a uma conclusão com base em uma única premissa. Mas, se uma conclusão baseia-se sobre duas ou mais premissas juntamente, então diz-se que o processo de inferência é *mediato*.

INFERNO

Ver os artigos separados sobre *Hades; Geena; Sheol; Julgamento de Deus dos Homens Perdidos; Descida de Cristo ao Hades; Descida de Cristo ao Hades — Perspectiva Histórica e Citações Significativas; Estado Intermediário; Mortos, Estado dos*. A leitura desses artigos dará ao leitor uma idéia da complexidade da doutrina acerca do julgamento divino, do inferno e da vida após-túmulo. O artigo que ora começamos, em face da existência daqueles outros, não precisa estender-se demasiadamente.

Esboço:
  I. Palavras e Pano de Fundo
  II. O Antigo Testamento e o Inferno

INFERNO

III. Pontos de Vista Intertestamentais
IV. Ensinamentos do Novo Testamento
V. A Igreja Histórica e o Julgamento
VI. A Esperança Maior; as Grandes Dimensões do Amor de Deus

I. Palavras e Pano de Fundo

A palavra portuguesa **inferno** vem do termo latino **infernus**, que significa «o que está abaixo», «inferior», «subterrâneo». De acordo com as mitologias grega e latina, o *hades* e o *infernus* referiam-se a alegadas prisões subterrâneas onde as almas ficariam encerradas, após a morte física. A doutrina do *hades* é complexa. De acordo com o pensamento hebreu e grego, o hades, originalmente, não era um lugar onde habitavam seres conscientes, sofrendo tormentos. As almas eram concebidas muito mais em ter..os da moderna noção dos *fantasmas*, entidades destituídas de mentalidade, que ficariam a flutuar ao léu, mas sem qualquer identidade ou existência real. Gradualmente, porém, às almas do hades foi sendo atribuída a qualidade da consciência e, juntamente com isso, as idéias de recompensas para as almas boas e de castigo para as almas más. O pensamento posterior dos hebreus dividia o *sheol* (equivalente ao hades dos gregos) em compartimentos para os bons e para os maus, além de dar o nome de *paraíso* para o compartimento das almas boas. Uma palavra de sentido mais profundo era *geena*, que se referia a um lugar de chamas; e foi em ligação com essa palavra que a idéia de punição eterna tornou-se proverbial. A geena está vinculada ao vale de Hinom (pois esse é o significado desse nome, «vale de Hinom»), o moderno **Wady Er-rababi** a sudoeste de Jerusalém, e que era usado como lugar onde, no período do governo de certos reis, ofereciam-se sacrifícios humanos (incluindo a consumação de crianças no fogo, em honra ao deus Moloque). Mais tarde, esse lugar foi transformado em uma espécie de monturo da cidade, onde chamas eternas consumiam o lixo ali atirado. Por causa dessa circunstância, finalmente o lugar veio a tornar-se símbolo do juízo divino, o qual era concebido como um castigo mediante a ação das chamas.

A palavra inglesa «hell» (equivalente à palavra portuguesa «inferno»), vem de uma raiz teutônica que significa «ocultar», «encobrir», o que, novamente, reflete a antiga noção de que o inferno era um lugar de julgamento, localizado subterraneamente. É possível que a observação de erupções vulcânicas, com seu poder imenso, tenha levado os homens a associarem o juízo divino com o interior da terra, que misteriosamente requeimava. Em II Pedro 2:4 encontramos, no original grego, o vocábulo *tártarus*, que algumas versões também traduzem por «inferno», embora outras o transliterem por «tártaro». Aquele versículo diz que Deus enviou anjos maus para um lugar do submundo espiritual, chamado Tártaro. O trecho de I Enoque 20:2 também exibe esse termo, como um equivalente geral de «hades». Dentro da literatura judaica apocalíptica do período entre o Antigo e o Novo Testamentos, o *Tártaro* referia-se à porção má do hades, tal como o *Paraíso* seria a porção boa do hades. Ver Enoque 20:2; *Orác. Sib.* 2.302; 4.186. Ver também Josefo, *Contra Ápiom* 2.240.

Não é provável que a referência de II Ped. 2:4 queira distinguir entre o hades e o tártaro e, sim, que ali se faz menção à porção má do hades. De acordo com a mitologia grega, o tártaro era pintado como um profundo abismo, na porção mais inferior do hades. Seria a prisão de Cronos, o deus destronado, e dos titãs. Mais tarde, veio a indicar aquela porção do hades ou do mundo inferior que servia de lugar de

tormentos e castigos, em contraposição aos campos Elísios, o lugar onde os deuses desfrutavam de sua **bem-avénturança e alegria**. Os cem filhos armados de Urano guardariam o tártaro, um lugar de grande melancolia e desespero.

Pano de Fundo Pagão. Torna-se óbvio, de imediato, que o conceito original do inferno foi-se *desenvolvendo*, e isso com base na mitologia pagã dos gregos e dos romanos. O Antigo Testamento, propriamente dito, não desenvolve a doutrina. Mas, durante o período intertestamental (entre o Antigo e o Novo Testamentos), tal doutrina foi injetada na *tradição dos hebreus*, mediante a literatura, nos livros apocalípticos e pseudepígrafos. E foi dali que alguns versículos chegaram até o Novo Testamento (refletindo os escritos pseudepígrafos).

Paralelos a essa doutrina surgiram, sob a forma de várias *descidas* ao hades, por parte de algum deus ou herói, tendo em vista muitos propósitos, incluindo missões misericordiosas. Isso explica a noção da descida ao hades intervindo nos sofrimentos daquele lugar, o que se tornou um motivo universal, um arquétipo da consciência humana. Discutimos amplamente a questão, com diversas evidências, no artigo intitulado *Descida de Cristo ao Hades*.

O Novo Testamento também incorporou esse conceito em suas doutrinas (I Ped. 3:18—4:6 e Efé. 4:7 ss). Em conseqüência disso, há a incorporação, no Novo Testamento, tanto do desespero quanto da esperança, para o caso dos perdidos, com base em fontes mais antigas, no tocante à doutrina do julgamento. O que é incrível é que muitos teólogos, sobretudo da Igreja ocidental (Igreja Católica Romana e suas filhas, as igrejas protestantes e evangélicas — do ponto de vista histórico), têm preferido ensinar o aspecto do desespero, *deixando de lado* o aspecto da esperança. Por outro lado, a Igreja oriental tem ensinado, quase unanimemente, o aspecto da esperança, provido pela descida de Cristo ao hades. No meu artigo sobre a *Descida de Cristo ao Hades*; *Perspectiva Histórica e Citações Significativas*, demonstro como as Igrejas ocidental e oriental estão divididas quanto a essa questão.

O que um indivíduo acredita sobre a natureza do juízo divino depende, em muito, da denominação cristã em que ele foi criado, porquanto a Igreja cristã histórica não dispõe de uma doutrina homogênea a esse respeito, embora sistemas e denominações particulares defendam os seus pontos de vista como reflexos exatos do ensino bíblico. O próprio Novo Testamento evolui quanto a esse ensinamento, pelo que provê textos de prova para mais de uma posição acerca dessa doutrina. O que admira é que as pessoas criadas dentro da tradição ocidental, geralmente, ignoram totalmente o que dizem largos segmentos cristãos sobre o assunto do *inferno*. Tais pessoas deixam as almas sofrendo eternamente no inferno, procurando se convencer de que esse ensino serve à justiça de Deus. Mas, ao assim fazerem, ignoram totalmente aquelas porções do Novo Testamento que fazem brilhar um raio de esperança no próprio hades, ou seja, antes do julgamento final. Mas, o pior é que tais pessoas eliminam totalmente, de sua teologia, um dos aspectos da missão de Cristo. Há três aspectos nessa missão: o aspecto terrestre, o aspecto da descida ao hades e o aspecto celestial. É um erro sério ignorar os aspectos *cósmico e universal* da missão de Cristo, a fim de manter uma doutrina parcial sobre o juízo divino.

Para melhor entendermos o pano de fundo histórico da doutrina do *inferno*, é mister levar em conta o que se aprende nos artigos sobre o *Hades*, o *Sheol* e o

323

INFERNO

Tártaro. A tradução usual do termo hebraico sheol, na Septuaginta (tradução do Antigo Testamento hebraico para o grego, completado em cerca de 200 A.C.), é *hades*. Outros termos neotestamentários que se referem aos conceitos do inferno e do julgamento divino são «fogo inextingüível», «trevas exteriores», «segunda morte», «lago do fogo» e «ira». Há artigos separados sobre cada uma dessas expressões e vocábulos nesta enciclopédia.

II. O Antigo Testamento e o Inferno

Muitas pessoas se surpreendem diante do fato (quando isso é especificamente frisado), que, em toda a lei mosaica, embora ali sejam enfatizados princípios éticos, não há qualquer apelo ao após-vida, boa ou má, como uma razão para os seres humanos observarem a lei. O fato é que os hebreus antigos não dispunham de uma doutrina sobre a vida após-túmulo. Quando a doutrina do hades (ou sheol) ainda estava em suas formas mais primitivas, quando qualquer coisa era dito a respeito das almas, havia apenas um conceito de algum fantasma que tinha uma existência amorfa, sem qualquer intelectualidade verdadeira, que vagueava sem nenhum propósito. Isso encontrava paralelo no pensamento grego do período histórico mais antigo. Nos Salmos e nos Profetas é que começamos a perceber a doutrina de almas inteligentes, que sobrevivem à morte física; e, finalmente, encontramos ali, igualmente, uma doutrina da ressurreição. Mas, apesar desse desenvolvimento gradual, não há qualquer desenvolvimento, no Antigo Testamento, de uma doutrina do castigo ou das recompensas no após-vida, embora haja referências isoladas que deixam isso implícito. Ver Dan. 12:2,3, por exemplo. Muito se aprende, em certos versículos do Antigo Testamento, sobre aquilo que muitos estudiosos pensam ser uma cristianização da teologia dos hebreus, e não uma exegese dessa teologia.

R.H. Charles, em seu livro, *A Critical History of the Doctrine of a Future Life* (1913, págs. 33 ss), informa-nos de que a partir do século VIII A.C., podem ser percebidas duas idéias distintas acerca do após-vida, na cultura hebréia. Para alguns, o *sheol* seria um poder independente de Yahweh, o que significa que, segundo o conceito deles, haveria uma espécie de *dualismo* (vide). Mas outros criam que o poder de Yahweh abrangia também o *sheol*, o que eliminava qualquer forma de dualismo. Isso reflete-se em trechos como Sal. 139:8 e Amós 9:2. Ver também Sal. 88:5 e Isa. 38:8. Acresça-se que uma visão muito estreita do *sheol* era mantida, apesar do fato de que também havia a idéia de que o poder de Deus controlava a situação. A descida das almas ao *sheol* parecia ser uma penalidade imposta contra a iniqüidade (Sal. 40:15; Pro. 9:18). No entanto, não havia qualquer doutrina de uma morte espiritual, através do pecado, que explicasse tal coisa. Pelo menos, pode-se dizer que há ali um mínimo de evidências quanto a essa questão, excetuando a inferência que pode ser extraída da narrativa sobre a queda do homem no pecado. No entanto, faz-se totalmente ausente a doutrina de uma vida após túmulo. Talvez as palavras hebraicas *abaddon*, «destruição» (Jó 31:12; 26:6; 27:22; Sal. 58:11; Pro. 15:11; 27:20) e *shachath*, «corrupção» (o abismo) (Jó 17:14; Sal. 16:19,49) também fossem empregadas para referir-se a um lugar de punição, dentro do *sheol*, a dimensão dos mortos; porém, nenhuma passagem onde aparecem essas palavras precisa ser obrigatoriamente interpretada dessa maneira. Esses vocábulos podem ter sido um simples paralelo para *sheol*, o estado e condição dos mortos, em torno do que uma doutrina estava em formação. Tal doutrina, entretanto, só atingiu sua maturação no período intertestamental. Na literatura judaica posterior, encontramos um *sheol* com duas divisões, uma para os justos e outra para os ímpios. — Nos livros pseudepígrafos (ver I Enoque 22:1-14) a questão aparece muito bem delineada, e outros livros pseudepígrafos mostram a mesma coisa.

O que podemos dizer, sumariando, é que o Antigo Testamento não ensinava sobre um inferno, conforme o encontramos nas páginas do Novo Testamento, e que a definição neotestamentária sobre esse lugar de julgamento está alicerçada sobre os livros pseudepígrafos. Isso é, especialmente assim, no que diz respeito ao inferno como um lugar de chamas eternas e inextingüíveis.

III. Pontos de Vista Intertestamentais

Já vimos que o trecho de I Enoque 22:1-14 pinta o *sheol* como um lugar de bem-aventurança e de castigos conscientes, recompensando ou punindo os homens, de acordo com as vidas que tiverem vivido no corpo físico. O trecho de II Esdras 7:75 (um livro apócrifo para os protestantes e deuterocanônico para os católicos romanos) ensina que imediatamente após a partida desta vida, as almas perdidas têm de enfrentar o castigo, por haverem vivido na iniqüidade e não terem guardado o caminho do Deus Altíssimo. Na literatura apocalíptica judaica do período intermediário, encontramos uma *geena*, descrita como um lugar de castigos severos. Os rabinos judeus continuaram discutindo sobre a natureza de tais coisas; e sabemos que, pelo menos, os fariseus dos dias de Josefo tinham chegado a crer na punição eterna para as almas más. Ver *Guerras* 2.8,14. A crença na reencarnação também era uma crença padrão no judaísmo sincretista, pouco antes e pouco depois da época de Cristo. Sabemos que essa crença falava em condições adversas em uma outra vida terrena, para aqueles que se reencarnassem. Não se pode duvidar de que a visão sobre o *hades*, que achamos em certos trechos do Novo Testamento, tornara-se a doutrina padrão entre muitos dos rabinos judeus. A escola do rabino Shammai dividia os homens em três grupos: 1. os ímpios, que vão imediatamente após a morte para a geena; 2. os justos, que vão para o paraíso; 3. um grupo intermediário de pessoas, que vai para a geena, sofrendo angústias (elas gemem), mas que sai, finalmente, dali. Em outras palavras, no caso de alguns, a geena funcionaria como uma espécie de purgatório (aos moldes católicos romanos). De fato, a teologia romanista encontra um texto de prova da doutrina do purgatório no livro apócrifo de II Macabeus 12:39 ss (livro esse que eles chamam de deuterocanônico). Ver o artigo geral sobre *Purgatório*. Ver também sobre o *Estado Intermediário*. Tanto a Igreja Católica Romana quanto a Igreja Ortodoxa Oriental tem aceitado o purgatório como uma realidade, embora reservando-o para os justos que ainda precisem ser purificados, e não para os ímpios. No entanto, a doutrina ortodoxa padrão do julgamento é que esse poderá redundar até mesmo em salvação para os perdidos (pelo menos esse julgamento seria um dos meios para fazer a perdição redundar em salvação — ver I Ped. 4:6).

A escola judaica de Hillel ensinava que os ímpios são punidos na geena durante o período de um ano, para, em seguida, serem aniquilados. Vários versículos veterotestamentários, dados na segunda seção (acima), sobre o *sheol*, podem ser interpretados como se ensinassem um aniquilamento; e isso era, realmente, a explicação mais comum a respeito, dada

INFERNO

pelo judaísmo antigo. A escola de Hillel ensinava, entretanto, que algumas pessoas especialmente malignas poderiam experimentar um período extraordinariamente longo de castigos no *sheol*, de tal maneira que a diferença de gravidade do castigo dos perdidos poderia ser medida pelo tempo em que seria dado o castigo, antes do aniquilamento.

O *lago do fogo* (vide), aludido no Novo Testamento (ver Apo. 19:20; 20:10,14,15; 21:8), é uma idéia tomada por empréstimo dos livros pseudepígrafos (ver I Enoque 9:6; 21:7-10). II (Eslavônico) Enoque 10 é trecho que encerra um quadro similar, isto é, o de um *rio de fogo*. O *Expositor's Greek Testament* diz, pitorescamente, que «o lago do fogo foi aceso, pela primeira vez, em Enoque» (referindo-se a 1 (Etíope) Enoque). A idéia de um julgamento mediante fogo é criação dos livros apócrifos e pseudepígrafos, o que se evidencia pelo fato de que tal idéia não faz parte do Antigo Testamento, embora seja muito proeminente na literatura do período intertestamentário. Ver I Enoque 21.7-10; 54.1,2; 90.26,27; II Esdras 7.36; II Baruque 85.13; Oráculos Sibilinos 2.196-200,252,253,286; II Enoque 10.2. Essa idéia entrou nos escritos dos rabinos. Ver Mekhilta, sobre Êxo. 14:21; e Hagigah 13.v. Daí passou para os livros apócrifos do Novo Testamento, como, por exemplo, o Apocalipse de Pedro. E, naturalmente, há versículos, nos próprios livros canônicos do Novo Testamento, que preservam essa tradição (ver Mat. 5:22,28,30; Mar. 9:43,45,47, além das menções específicas ao «lago do fogo», no livro de Apocalipse).

Pode-se ver que o período entre os dois Testamentos deu origem a certa variedade de opiniões sobre como, por quanto tempo e de que maneira, os ímpios serão punidos. Não é para admirar, pois, que o próprio Novo Testamento tenha herdado certa variedade de pontos de vista, incluindo o da intervenção divina no hades, mediante a descida de Cristo àquele lugar, a fim de pregar o evangelho aos esobedientes ali encerrados (ver I Ped. 3:18 — 4:6). Essa doutrina era comum na literatura do período intertestamentário. Mas, os grupos denominacionais e seus sistemas teológicos têm tolamente suposto que a doutrina neotestamentária sobre o inferno é homogênea. Mas, para tanto, precisam aceitar certos versículos e rejeitar a outros, para que contem com uma doutrina sobre o julgamento que se coadune com a sua teologia. Em tudo isso, é incrível que a Igreja ocidental tenha-se esquecido daqueles versículos bíblicos que oferecem esperança, concentrando toda a sua atenção sobre os versículos que só oferecem desesperança aos perdidos.

IV. Ensinamentos do Novo Testamento
1. Citações Feitas por Jesus

Podemos afirmar, de modo geral, que Jesus herdou e promoveu o ponto de vista mais severo, dos fariseus, acerca do inferno. O termo hebraico *geena* é usado somente nos evangelhos sinópticos e em Tiago 3:6. E todas as vezes em que essa palavra é usada nos evangelhos sinópticos, ela sai dos lábios de Jesus. Quanto ao leitor que quiser consultar todos os versículos que contêm esse termo, apresentamos a lista completa: Mat. 5:22,29,30; 10:28; 18:9; 23:15, 33; Mar. 9:43,45; Luc. 12:5 e Tiago 3:6 (um total de doze vezes). Nenhum desses versículos assevera que os ímpios requeimarão eternamente na geena, embora os versículos do evangelho de Marcos falem sobre a eternidade das próprias chamas. Contudo, ali o *verme* também é eterno. Mas, devemos pensar ali em uma interpretação figurada, e não literal. Que os ímpios possam ser atormentados para sempre é uma possível

interpretação dos versículos de Marcos. Todavia, a passagem de Mat. 10:28, se considerada isoladamente, poderia ensinar a idéia de aniquilamento dos ímpios, porquanto ali é dito que a alma é potencialmente *destruída*. Também devemos relembrar que a idéia de aniquilamento era uma interpretação rabínica padrão; e as palavras de Jesus poderiam refletir a posição de Hillel, — que pensava que as almas ímpias são primeiramente punidas (por prazos variados, dependendo do grau de iniqüidade de cada uma), e depois aniquiladas. O trecho de Mat. 5:29,30 diz que o corpo e a alma serão lançados na geena; e podemos presumir, embora isso não seja especificamente afirmado, que está em foco o corpo ressurrecto. Mesmo sem usar a palavra *inferno*, o trecho de Mat. 7:19 refere-se a um julgamento de fogo, que alguns tomam em sentido literal, e outros em sentido simbólico. Todavia, é difícil perceber como chamas literais poderiam afetar almas *imateriais*. Seria como alguém jogar uma pedra no sol. A passagem de Mateus 8:12 refere-se à «fornalha de fogo», embora não seja determinado por quanto tempo os ímpios permanecerão ali, e nem se a permanência deles ali resultará em aniquilamento ou em soltura, que também é uma possibilidade, segundo pela antiga teologia rabínica. E o trecho de Mat. 18:8 traz a expressão «fogo eterno», embora sem definir se isso envolverá um sofrimento eterno para os pecadores, ou se essas chamas é que permanecerão eternamente, e se tal fogo aniquilará ou purificará (o que também aparece entre as diversas alternativas rabínicas).

Outras Figuras Simbólicas. O trecho de Mat. 12:13 alude às «trevas exteriores» e a uma angústia que leva ao choro e ao ranger de dentes; porém, coisa alguma é dita sobre o tempo em que isso perdurará. A expressão «trevas exteriores» é usada de novo em Mat. 25:30, juntamente com outras expressões de consternação, no décimo segundo capítulo de Mateus. O fogo eterno foi preparado para Satanás e seus anjos, mas os homens também podem ser encerrados no fogo eterno (Mat. 25:41). O trecho de Mat. 25:46 fala sobre a punição eterna dos perdidos, em contraste com a vida eterna, conferida aos justos. Porém, se levarmos em conta a passagem de Mat. 10:28, essa punição eterna poderia importar em aniquilamento. A palavra grega envolvida é *kólasis*, a qual, originalmente, significava «poda», mas que veio a significar «castigo», na forma de correção de qualquer tipo. Sua forma verbal, *koládzo*, significa «podar». «castigar», «confinar», «corrigir».

Diferentes Graus de Castigo. Os hipócritas receberão uma condenação mais grave (Mat. 12:40), o que mostra que há *graus* de punição no inferno. Alguns receberão um pesado espancamento; outros um leve espancamento (Luc. 12:47,48). Se levarmos esse simbolismo a seu ponto extremo, poderemos chegar à idéia purgatorial de punição, visto que, em qualquer espancamento, uma vez que o condenado receba certo número de chicotadas, fica livre, porquanto já saldou a sua dívida diante da sociedade. Naturalmente, não há qualquer explicação, da parte de Jesus ou do resto do Novo Testamento, sobre a maneira como esse julgamento será mais severo ou mais suave, a menos que consideremos que o relato da descida de Cristo ao hades signifique que uma vez que um homem tenha pago a sua dívida, então será libertado, pela graça de Deus, exatamente aquilo que parece ser ensinado por I Ped. 4:6 (a conclusão daquele relato). Dessa forma, punições mais pesadas e mais leves subitamente tornam-se totalmente inteligíveis. Por certo, diferentes graus de castigo não podem ser explicados com

325

INFERNO

base em quão quente (mais ou menos), o inferno possa ser.

Visão mais Pessimista dos Ensinamentos de Jesus. Poderíamos supor, conforme o têm feito muitos da Igreja ocidental, que Jesus ensinou o seguinte: os ímpios são lançados no inferno e sofrerão uma terrível punição, em estado de consciência, por toda a eternidade, sem qualquer esperança de livramento. Esse castigo pode ser literal, ou então, as chamas podem ser símbolo de um castigo severo, não menos real, somente porque não consiste de chamas literais. Vinculando-se esse ensino com a passagem de Mat. 7:13,14; teríamos de afirmar que poucos seres humanos — os eleitos — escaparão desse terrível destino.

Pessimismo Puro. Se essa é a afirmação final sobre o julgamento, então temos de afirmar, juntamente com Schopenhauer, que a vida humana é, realmente, pessimista, e que a própria existência é um mal, para a vasta maioria das almas humanas. De fato, excetuando para os escolhidos, que são poucos, teria sido melhor se Deus nunca os tivesse criado. O pior crime de um homem é o de ter ele nascido. A história torna-se realmente triste, e até mesmo *absurda*, quando posta em confronto com o evangelho, onde o amor de Deus e o poder da missão de Cristo são vistos como elementos que exercem bem pouco efeito para melhorar essa situação. O famoso amor de Deus, desse modo, cai por terra, e a missão de Cristo fracassa no caso de todos os perdidos, ao passo que Deus amou ao mundo (João 3:16) e quer que todos os homens sejam salvos (I Tim. 4:2), ao mesmo tempo em que Cristo morreu como propiciação pelos pecados de todos os homens (I João 2:2).

O Quadro mais Brilhante de Outras Passagens do Novo Testamento. Sabemos que a revelação bíblica teve seu próprio desenvolvimento. Paulo expôs novos conceitos acerca do julgamento, especialmente no tocante à Igreja, sobre os quais Jesus nunca falou em seu ministério terreno. Jesus, porém, afirmou que o Espírito Santo nos guiaria a uma verdade maior (João 16:13). Posso apenas supor que, para que o evangelho seja retirado do abismo em que fora lançado, pela interpretação pessimista sobre o destino dos homens, é mister que outras porções do Novo Testamento venham em seu socorro. Efetivamente, essas outras porções neotestamentárias lançam a sua luz, alterando completamente aquele quadro destituído de qualquer esperança, a despeito da insistência de alguns, em ficarem com o ponto de vista primitivo, pessimista.

2. Outros Ensinos do Novo Testamento

a. Paulo. Esse apóstolo continuou a descrever a severidade do castigo eterno (Rom. 2:3-9). O trecho de I Tessalonicenses 5:3 exprime um ponto de vista severo sobre o julgamento: «Quando andarem dizendo: Paz e segurança, eis que lhes sobrevirá repentina destruição, como vem a dor do parto à que está para dar à luz; e de nenhum modo escaparão». Sim, haverá uma «repentina destruição», e não conseguirão escapar «de nenhum modo». Também lemos sobre a destruição eterna, mencionada em II Tes. 1:9: «Estes sofrerão penalidade de eterna destruição, banidos da face do Senhor e da glória do seu poder». Essa pena inclui a exclusão dos ímpios da presença do Senhor. Não obstante, Paulo faz rebrilhar um raio de esperança, para dentro dessa situação, ao mencionar a descida de Cristo ao hades (Efé. 4:7 *ss*), o que poderia ser um reflexo de novas revelações por ele recebidas, um item de sua teologia posterior. Porém, a mais dramática de todas as passagens do Novo Testamento, sobre a questão do julgamento é a de Efésios 1:9,10, onde o «mistério da vontade de Deus» promete unidade e harmonia em redor de Cristo, finalmente, para todas as coisas e criaturas do Universo. Considero que está em foco ali a restauração de todas as coisas, incluindo todas as almas, onde a redenção dos eleitos é o ponto mais elevado dessa restauração.

b. O trecho de Hebreus 6:1,2 fala sobre um «julgamento eterno», empregando também a figura simbólica do fogo, em Heb. 10:27. O trecho de Hebreus 9:27 não permite qualquer idéia de reversão no destino dos perdidos: «...assim como aos homens está ordenado morrerem uma só vez e, depois disto, o juízo...»

c. A passagem de II Pedro 2:4-9 fala sobre o julgamento dos anjos no tártaro, e o versículo doze desse mesmo capítulo faz muitos homens compartilharem desse mesmo destino. O versículo dezessete fala sobre a «negridão das trevas». E a passagem de Judas 6 e 7 refere-se a coisas similares, aludindo ao fogo eterno.

d. *O livro de Apocalipse.* O fumo do tormento dos perdidos ascende dali para sempre (Apo. 20:10). Não haverá escape do lago do fogo (Apo. 19:20; 20:10,14,15; 21:8). «E, se alguém não foi achado inscrito no livro da vida, esse foi lançado para dentro do lago do fogo» (Apo. 20:15). O versículo imediatamente anterior fala sobre «a segunda morte, o lago do fogo», mostrando que essas duas expressões, «segunda morte» e «lago do fogo», são apenas sinônimos, referindo-se a uma só coisa.

e. *Pedro.* Esse apóstolo também lançou um raio de esperança no hades, quando descreveu a missão de Cristo naquele lugar espiritual, em benefício dos desobedientes (I Ped. 3:20), mostrando assim que o julgamento no hades é remedial, e não meramente retributivo. De fato, o julgamento terá um resultado final — o de oferecer aos homens vida no Espírito, a fim de que vivam como Deus vive. Ver I Ped. 4:6.

V. A Igreja Histórica e o Julgamento

A interpretação da Igreja histórica reflete precisamente o que ensina o Novo Testamento. A Igreja ocidental (católica romana e os grupos protestantes e evangélicos em geral), tem preferido o ponto de vista mais pessimista do Novo Testamento e tem distorcido aqueles versículos mais esperançosos, extraindo deles todo o laivo de esperança quanto aos perdidos. É difícil entender por que motivo os homens têm agido assim. Eles já tinham o claro exemplo de como o Novo Testamento ultrapassou, em profundidade de revelações, ao Antigo Testamento, e parece que não deveria ter sido difícil para eles entenderem que certas porções do Novo Testamento deixam para trás a outras porções. Cada vez que o apóstolo Paulo falava sobre um *mistério*, ele afirmava que, mediante revelação divina, ele estava expondo uma nova verdade, que não fora antecipada. De outra sorte, tal revelação não teria sido um mistério. Portanto, todos os mistérios de Paulo ultrapassam outras porções do Novo Testamento, como avanços acima do que os demais apóstolos diziam. Sabe-se que somente Paulo expôs doutrina detalhada sobre a Igreja, e nisso ele vai além de todos os demais autores sagrados. Em conseqüência, parece que a Igreja deveria ter reconhecido facilmente que o Novo Testamento não reflete uma única posição acerca do julgamento divino. Há versículos pessimistas que refletem os desenvolvimentos da idéia do julgamento alicerçados sobre os livros pseudepígrafos e sobre os escritos rabínicos do período intermediário. Porém, também há aqueles versículos repletos de esperança para os perdidos, que ultrapassam dessa marca.

INFERNO

A Igreja Oriental Ortodoxa sempre assumiu um ponto de vista mais otimista acerca do julgamento. Muitos representantes desse segmento da Igreja cristã histórica têm dito que a morte biológica não assinala o fim da oportunidade de salvação (ver I Ped. 1:4). Antes, eles têm sentido que as eras da eternidade futura oferecem um meio de levar as almas à salvação, *através do julgamento*. E isso significa que o julgamento é também remedial, e não meramente retributivo. Orígenes afirmava que encarar o julgamento *somente* como retributivo é condescender diante de uma teologia inferior. Quase todos os primeiros pais da Igreja, do Oriente e do Ocidente, viam esperança para os perdidos na história da descida de Cristo ao hades. Em meu artigo, intitulado *Descida de Cristo ao Hades, Perspectiva Histórica e Citações Significativas*, demonstro como o Oriente e o Ocidente se separaram por causa do ensino sobre o julgamento, e como o Oriente tomou uma posição mais otimista sobre a questão. Devemo-nos lembrar, entretanto, que ambos esses grandes segmentos da Igreja cristã dispõem de textos de prova extraídos do próprio Novo Testamento. Isso não se deve meramente ao desenvolvimento de uma teologia posterior. O fato é que a doutrina do julgamento, nas páginas do Novo Testamento, não é tão homogênea quanto alguns têm pensado. Mediante a seleção de versículos (com a conseqüente rejeição de outros versículos), mais de uma posição a respeito pode ser obtida, da mesma maneira que as escolas rabínicas, manuseando versículos veterotestamentários, chegavam a certa variedade de posições. Pode-se mesmo dizer que a variedade de posições, no Novo Testamento, reflete a variedade de posições, possíveis no Antigo Testamento.

VI. A Esperança Maior; as Grandes Dimensões do Amor de Deus

O Novo Testamento oferece muito maior esperança aos perdidos, do que se admite na Igreja ocidental.

1. *O Relato da Descida de Cristo ao Hades*. Esse relato (I Ped. 3:18 — 4:6) ensina que Cristo, após a sua morte, mas antes de sua ressurreição, teve uma missão de misericórdia no hades, durante a qual pregou o evangelho (I Ped. 4:6) aos desobedientes (I Ped. 3:20). O resultado disso foi que o julgamento veio a se tornar um meio de produzir vida. Os homens que são julgados vivem como Deus faz, no espírito. Em outras palavras, podem chegar a ter uma abençoada vida espiritual (I Ped. 4:6). Nesta enciclopédia são oferecidos dois artigos detalhados sob a questão, com os títulos de *Descida de Cristo ao Hades* e *Descida de Cristo ao Hades; Perspectiva Histórica e Citações Significativas*. A missão de Cristo tem três aspectos: o terreno, o do hades e o dos céus. Essa tríplice missão de Cristo lança sobre o julgamento uma luz muito diferente daquela que a Igreja ocidental ensina. A Igreja oriental, pois, tem reconhecido a esperança mais ampla e as dimensões mais vastas do amor de Deus, um amor que abrange a todos os homens.

2. *O Mistério da Vontade de Deus*. O evangelho pessimista foi completamente anulado quando Paulo revelou o mistério da vontade de Deus, que envolve aquilo que Deus tenciona fazer, finalmente. O trecho de Efé. 1:9,10 fala sobre a unidade que Deus realizará em torno de Cristo. Não sabemos dizer o quanto dos ciclos da eternidade futura teremos de avançar para que cheguemos a esse ponto; mas sabemos que a vontade de Deus produzirá a harmonia universal, de todas as coisas, em torno de Cristo. Visto que Deus encerra, em si mesmo, todas as propriedades da bondade, da harmonia e da unidade, isso terá reflexos finalmente, em toda a criação. Minha posição pessoal é que haverá a redenção dos eleitos, alguns poucos, mas a restauração de todos os demais, satisfazendo assim os requisitos da vontade de Deus quanto aos ciclos da eternidade. E o julgamento divino será um meio de conseguir isso. De fato, não há qualquer contradição entre o amor de Deus e a ira de Deus. A ira é apenas um dedo da amorosa mão de Deus, que consegue realizar certas coisas que somente a severidade poderia conseguir. Ofereço dois artigos separados que explicam esses conceitos: *Mistério da Vontade de Deus* e *Restauração*. Os conceitos envolvidos nesses ensinos salvam o evangelho e o amor de Deus daquilo que, de outra maneira, seria uma posição realmente pessimista. Não há como o evangelho e a missão de Cristo realizarem tão pouco da maneira como os mesmos são expostos por alguns segmentos da Igreja, atualmente. O Novo Testamento apresenta um evangelho mais abrangente do que esse, da mesma maneira que também há um evangelho menos abrangente, que pode ser ensinado com base no Novo Testamento. Prefiro o evangelho mais amplo, como mais coerente com aquilo que sabemos acerca destes pontos: 1. o amor de Deus; 2. a tríplice missão de Cristo; e 3. o mistério da vontade de Deus.

3. *Em conseqüência*, embora o julgamento divino possa ser muito severo, mostrando-se mais severo para com aqueles que merecem maior severidade, e menos severo para com aqueles que não merecem tratamento tão duro, embora possa prolongar-se por longo tempo — mais longo para os que disso precisem, e menos longo para os que não precisem de castigo tão severo — ele realizará *alguma coisa*. O julgamento não causará apenas sofrimento. Deus impõe o sofrimento para curar, e não para destruir. A cruz foi um julgamento severo; mas também foi um agente do amor de Deus. E o julgamento final terá idêntico caráter.

4. *A Eternidade do Julgamento Divino*. Faz parte dos direitos de cada alma humana obter a redenção e chegar a participar da natureza do próprio Deus (II Ped. 1:4), mediante a filiação juntamente com o Filho de Deus (Rom. 8:29), por intermédio da transformação gradual pelo poder do Espírito Santo (II Cor. 3:18), por causa do que as almas humanas chegarão a compartilhar da própria plenitude de Deus (Efé. 3:19). Aqueles que não aceitarem a redenção em Cristo, e tiverem de ser finalmente restaurados, não atingirão essas elevadas realidades espirituais. Antes, eles serão subdivididos em várias espécies espirituais inferiores, embora também venham a fazer parte da unidade que será formada em redor de Cristo, o que lhes emprestará propósito à existência e uma certa **medida de bem-aventurança**. Contudo, não tendo os tais chegado à redenção, ficarão sob juízo eterno, visto que o julgamento decretará para eles posições inferiores àquela dos remidos. Somente nesse sentido pode ser dito que o julgamento divino será eterno. Em tudo isso, pois, entramos em muitos mistérios. As espécies criadas por Deus poderão progredir ou retroceder? Aquilo que parece ponto final não é apenas um novo começo, a longo prazo? Respondo com um *sim* tentativo, embora não dogmático, a todas essas perguntas. Mas, nem por isso julgo que esteja solucionando os mistérios de Deus dessa maneira. Por outro lado, não respeito o «não» de outras pessoas, como a palavra final de resposta a essas indagações.

••• ••• •••

INFIDELIDADE — INFINITO

INFIDELIDADE

Vem do latim, **in**, «não» e **fidelis**, «fiel». De maneira lassa, essa palavra refere-se a qualquer forma de falta de fé. Porém, com freqüência assume sentidos específicos, como a infidelidade aos votos conjugais. Nesse caso, torna-se sinônimo de *adultério*. Ver o artigo geral com esse título.

INFIEL

Vem do latim **infidelis**, formado por **in**, «não», e **fidelis**, «fiel». Em sua aplicação, esse termo é usado como sinônimo de ateu, ou seja, alguém que não crê na existência de Deus. Porém, em um sentido frouxo, esse vocábulo refere-se a qualquer pessoa que não faz parte do grupo religioso aceito, que não acredita nas doutrinas daquele sistema religioso. Um católico romano fanático, pois, pode chamar um protestante de infiel; e vice-versa, apesar do fato de que ambos se afirmam cristãos.

INFINITO

Definição:

Essa palavra vem do latim, *in*, «não», e *finis*, «limite», «fim». Portanto, infinito é aquilo que não tem limites e nem fim. Às vezes envolve as idéias de interminavelmente grande, permanente, dotado de indescritível magnitude, sem limites no tempo e no espaço. Dentro do infinito cabem considerações sobre séries infinitas e sobre algum ser infinito. Muitas vezes concebemos o infinito como algo tão grande a ponto de ser incomensurável, sem limites, todo abrangente, perfeito e absoluto. Mas, outras vezes, apenas exageramos na linguagem, por pleonasmo, como quando dizemos: «Ele foi infinitamente paciente sobre a questão». Também podemos pensar no infinitamente numeroso, que não pode ser contado.

Idéias Sobre a Infinitude:

1. Para começar, devemos esclarecer que a filosofia moderna tem mostrado que a *infinitude*, na verdade, é um termo negativo, e não positivo, se insistirmos em exigir sua definição primária como um número infinito, o espaço infinito, um poder infinito, etc. Não temos qualquer experiência com qualquer tipo de infinitude. A mente humana é incapaz de conceber uma série infinita, o espaço infinito, o poder infinito, etc. Portanto, o que realmente queremos dizer com a palavra *infinito* é algo muito grande, muito numeroso, muito extenso, muito poderoso, etc. Em outras palavras, a palavra *infinito*, para nós é apenas um sinônimo de «muito», de «imenso», de uma maneira incalculável para nós. Mas, quando designamos algo de *infinito*, para além dessas especificações, então estamos apenas propondo uma proposição negativa. Por exemplo, quando chamamos Deus de infinito, na realidade não sabemos o que isso significa. Isso posto, ou estamos dizendo que Deus é muito grande, muito poderoso, etc., ou então estamos dizendo que «Deus está acima de minhas categorias de intelecção» o que isso é um conceito negativo. Emprestamos o termo «infinito» a algum objeto sobre o qual não temos coisa alguma de conclusivo para dizer, embora *sintamos* que estamos abordando algo verdadeiramente grande ou extenso.

2. A *infinitude* é um dos atributos tradicionais de Deus. É costumeiro os teólogos falarem sobre os atributos de Deus como se existissem na infinitude, e não como se somente o próprio Deus fosse infinito. Qualquer tentativa para nos referirmos a Deus como absoluto ou infinito nos envolve em conceituações negativas, conforme vimos no primeiro ponto, acima.

Referimo-nos a Deus como alguém que se autolimitou, o que é necessário, se ele tiver de entrar em qualquer relacionamento com este mundo finito. A negação de limites em Deus, ou em qualquer outra coisa, ultrapassa qualquer categoria da mente humana, e o termo torna-se, então, vazio (negativo), ou então um sinônimo de *muito* (ou de alguma outra palavra que exprima grandeza), conforme foi declarado acima. Mas, quando a palavra passa a indicar «ausência de defeitos ou deficiências», então já estamos falando sobre a santidade e as perfeições de Deus. As descrições positivas dessas virtudes envolvem-nos, forçosamente, em descrições limitadas; e qualquer coisa que vá além disso envolve-nos no uso de palavras vãs, por mais que sintamos que estamos dizendo algo de significativo.

Os teólogos pensam que sabem muita coisa sobre a essência de Deus; mas, quando lhes fazemos perguntas que requerem respostas elucidativas, então eles não são capazes de dizer grande coisa. Todavia, podemos descrever com maior sucesso as obras de Deus.

3. *Anaximandro* (vide), um filósofo pré-socrático, ao tentar explicar o elemento do qual todos os demais se derivam, postulou o conceito do *apeiron*, ou seja, *ilimitado*; e assim inventou uma forma de infinitude. Parte de sua doutrina parece ter consistido em especulações sobre o tempo e o espaço infinitos.

4. Outros filósofos pré-socráticos, como Pitágoras, Anaxágoras, Empédocles, Demócrito e Heráclito, referiram-se à interminabilidade do espaço e do tempo. Zeno de Elea procurou mostrar que os conceitos de infinitude colocam-nos em meio a paradoxos e dilemas sem solução.

5. *Platão* falava sobre os *universais* (vide), mais ou menos da mesma maneira que os crentes falam sobre Deus, porquanto chamava-os de infinitos, imutáveis, perfeitos e fora do tempo e do espaço.

6. *Aristóteles* procurou definir o termo «infinito». Ele falava sobre infinitude em potencial, na questão da divisibilidade infinita, bem como sobre infinitude mediante interminada adição. Poderíamos falar sobre uma infinita série de causas, pondo-a no lugar da Primeira Causa. Para nós, na prática, a infinitude consiste meramente em postular algo depois de algo, que já havia sido declarado; e depois, postular algo mais, e assim por diante, interminavelmente. O tempo é uma forma de série infinita, porquanto incorpora uma série sem fim conhecido. O conceito de infinitude **subentende** —um Ser Infinito—, cujas propriedades seriam independência, eternalidade e potencialidades tais que pudessem causar movimentos, pondo todas as demais coisas em atividade. Ele declarou que seu deus, esse Movedor Inabalável, é a causa de todas as coisas. E todas as coisas seriam movidas pelo Movedor Inabalável «sendo amadas por ele». Como é evidente, Aristóteles indicava com isso alguma força cósmica que, poeticamente, ele denominava de «amor».

7. O *neoplatonismo* absorveu os conceitos de infinitude, discutidos por Platão, aplicando-os a Deus, o possuidor da *real infinitude*, ao mesmo tempo em que a matéria teria apenas *infinitude em potencial*. A alma individual voltaria a ser absorvida pelo Infinito.

8. Nos escritos de *Tomás de Aquino* encontramos uma adaptação das idéias de Aristóteles. Em Deus é que residiria toda infinitude, positiva e absoluta. Por ocasião da criação, houve uma infinitude potencial. Deus é chamado de *infinito oceano do Ser*, e todas as criaturas encontram razão de sua existência nele, podendo vir a participar de seu Ser, por meio da

INFINITO — INFUSÃO DA GRAÇA

redenção.

9. *Giordano Bruno* falava de duas maneiras de vermos uma mesma realidade. Essa realidade é o universo realmente infinito e a atualidade do Ser divino. A idéia de Nicolau de Cusa das coincidências dos opostos é similar a essa noção. Nos escritos de Bruno encontramos uma forma de panteísmo.

10. Em *Hobbes*, temos uma compreensão mais moderna do termo «infinito». Afirmou ele que usamos essa palavra meramente para exprimir nossa incapacidade de ver o fim de qualquer tipo de série. Locke e Berkeley falaram mais ou menos da mesma maneira.

11. *Descartes* afirmava que a idéia de *infinitude* pertence à mente humana como uma intuição inata, anterior mesmo aos conceitos de finitude. Ele supunha que uma idéia sobre qualquer coisa alicerça-se sobre a mesma idéia, mas existente em forma ilimitada no Ser divino. Em outras palavras, o finito assume o infinito, onde se originou.

12. *Leibniz* só falava em infinitude como uma propriedade positiva de Deus. Deus é infinitamente grande, e o que é infinitamente pequeno é qualitativo em sua natureza, pois os aspectos quantitativos do mundo derivar-se-iam das relações existentes entre as mônadas.

13. *Emanuel Kant* situava o conceito de infinitude entre suas *antinomias*, ou seja, leis ou pressupostos que são contraditórios e irreconciliáveis. A palavra «antinomia» significa «contra a lei». Duas conclusões opostas, ambas as quais parecem válidas quando vistas independentemente, entram em choque, uma vez postas em confronto. Assim, o determinismo e o livre-arbítrio são antinomias; e a infinitude e a finitude também o são. A palavra antinomia é um vocábulo antigo para aquilo que chamaríamos de *paradoxo* ou contradição. De acordo com Kant, não podemos pensar no mundo empírico como um «dado todo», visto que dessa premissa segue-se, com igual necessidade, a asserção e a negação da infinita divisibilidade do espaço e do tempo. Com igual coerência, poderíamos defender um mundo finito ou um mundo infinito, um Deus finito ou um Deus infinito, um universo causado e um universo sem qualquer causa.

14. Para *Hegel*, o termo *infinito* aplica-se com razão ao Absoluto, à totalidade da existência, ao passo que o termo *finito* aplica-se a qualquer parte do Absoluto ou totalidade da existência. Porém, ele falava em termos de processos. O verdadeiro infinito é a síntese do abstrato e do concreto, do universal e do particular. Isso se dá devido à ação das tríadas e do progresso eterno.

15. *George Cantor* procurou eliminar falsas idéias sobre a infinitude ao mostrar que toda conversa sobre alguma propriedade, substância, etc., finita, pode ser reduzida a uma conversa sobre um número infinito, em que os próprios números seriam considerados como classes. Ele assevera que uma série é infinita quando compartilha de um número cardeal com uma de suas subséries.

16. *Royce* acreditava que qualquer coisa finita subentende no infinito; e, dessa maneira encontrava um argumento em favor da existência de Deus. (AM E EP MM P)

INFORMES RELIGIOSOS

O homem usa de meios complexos para adquirir conhecimentos. Ver o artigo geral intitulado o *Conhecimento e a Fé Religiosa*. Ver também sobre a *Gnosiologia*. A principal maneira religiosa de se tomar conhecimento das coisas é o *misticismo* (vide),

visto que pressupõe que há um Deus que quer se comunicar com suas criaturas, fazendo-o através de visões, revelações e outras experiências místicas que santos, profetas e outros experimentam, e que então são registradas, formando livros sacros. A disponibilidade da presença direta de Deus ou de mensagens outorgadas por Deus, é o pressuposto fundamental de toda fé religiosa. Isso ultrapassa a razão e o conhecimento que obtemos através da percepção dos sentidos. Os informes místicos são reputados por alguns como irracionais, inefáveis e primordiais. São anteriores ao conhecimento conceptual, embora possam ser constituídos conceitos com base nesses informes místicos. A fé religiosa ventila o *Mysterium Tremendum*, que é Deus, sendo mesmo impossível tratar do Grande Mistério, bem como de mistérios secundários, sem a ajuda do Espírito divino e Suas comunicações.

Alguns estudiosos, naturalmente, negam a validade das experiências tipo místico, crendo que são apenas imaginações de atletas mentais. Isso posto, apesar de reais, essas experiências não seriam verdadeiramente transcendentais. Porém, a experiência humana demonstra que estamos tratando de algo muito mais profundo do que mero atletismo mental, embora isso não oculte o fato de que, em muitos casos, haja um misticismo mental, que nada mais é que um atletismo mental e subjetivo. Os artigos sobre *Misticismo* e sobre *Conhecimento* abordam a questão com detalhes. Ver também o artigo *Verificação de Crenças Religiosas*.

INFRALAPSARIANISMO

Essa palavra vem do latim, **infra**, «depois», e **lapsus**, «queda». Esse é o nome da doutrina que afirma que o decreto divino da eleição (vide) e da reprovação (vide) ocorreu depois da queda do homem no pecado, a fim de que aqueles que caíram pudessem ser salvos. Armínio, seus discípulos, e alguns dos calvinistas de tendências mais humanistas tomaram essa posição. O sínodo de Dort (1618—1619), convocado pelos calvinistas holandeses, declarou-se em favor da posição contrária, do *supralapsarianismo* (vide), que afirma que Deus decretou acerca da eleição e da reprovação antes da queda do homem no pecado. O supralapsarianismo não pensa que Deus decretou a queda, mas afirma que ele previu a queda, mas não a impediu.

INFUSÃO DA GRAÇA

A base bíblica dessa doutrina é formada pelos trechos de Rom. 5:5: «...o amor de Deus é derramado em nossos corações pelo Espírito Santo que nos foi outorgado»; e por Atos 2:17,33, que diz como o Espírito Santo, segundo a promessa divina, derramar-se-ia sobre toda a carne.

De modo geral, a expressão refere-se a uma possível experiência mística, na qual o Espírito opera sobre a alma humana. Nesse sentido geral, dificilmente algum conhecedor da Bíblia poderia apresentar qualquer objeção. Ver o artigo sobre o *Misticismo*. Todos es atos transformadores do Espírito, em benefício do homem, são do tipo infusão. Porém, dentro da Igreja Católica Romana, a expressão é usada para indicar um *habitus* divino (essência sobrenatural), que seria administrado por meio do sacramento do batismo, de tal modo que, nesse ato, seria transmitido o poder regenerador do Espírito. Desse modo, o dom da graça de Deus, dado por ocasião da criação, recebe um acréscimo na natureza

INFUSIONISMO — INIBIÇÃO

humana, o que, embora tivesse sido perdido pelo homem por ocasião da queda no pecado, agora lhe é restaurado. Acredita-se ali que essa infusão da graça envolve as virtudes divinas, ultrapassando das meras disposições naturais do indivíduo, embora não destrua e nem substitua os poderes humanos naturais. Destarte, esses poderes naturais receberiam um influxo sobrenatural, e que a obra da graça seria aperfeiçoar a natureza humana. Ver o artigo geral sobre os *Sacramentos*.

INFUSIONISMO

Na teologia e na filosofia, o **infusionismo** assevera que a alma humana emana da substância divina e é infundida no corpo, por ocasião da concepção ou nascimento. É mister distinguir essa idéia do *criacionismo* e do *traducionismo* (ver os artigos a respeito), porquanto está mais associada à idéia da preexistência da alma. Ver o artigo sobre a *Preexistência da Alma*. Ver também sobre *Alma*. As várias **idéias concernentes** à origem da alma são discutidas nesse artigo.

INGENERAR

Essa palavra vem do latim, e significa «sem geração», aquilo que não foi gerado. No latim, temos também o termo *innascibilitas*, com o mesmo sentido. Os gregos usavam seu vocábulo, *agennesia*, «não-geração». A partir do século IV D.C., esse termo passou a ser usado para aludir à natureza distintiva do Pai, em distinção ao Filho, que é *eternamente gerado*, e em distinção ao Espírito Santo, que procede do Pai e do Filho (na opinião ocidental) e somente do Pai (na opinião oriental). Os arianos referiam-se a essa característica como a própria essência do conceito da divindade; e, com base na idéia da ingeneração, rejeitavam a plena divindade tanto do Filho quanto do Espírito.

Os pais capadócios da Igreja fizeram clara distinção entre *agenetos* (não-criado) e *agennetos* (não-gerado). Assim, Cristo foi gerado, mas **não-criado**. Todavia os termos eram usados especificamente a respeito de Deus Pai, o único que seria *agennetos*, em contraste com o Filho e com o Espírito Santo. A deidade universal (da qual participam todos os três membros da Trindade) era chamada *agenetos*, não-criada». Com freqüência, a palavra «paternidade» foi usada como sinônimo de «**não-gerado»; mas Tomás de Aquino usava essa palavra para denotar a *relação* (conforme atualmente se usa comumente) entre o Pai e os demais membros da Trindade, ao mesmo tempo em que a ingeneração denotava a ausência de relacionamento, sendo uma palavra usada para referir-se àquele *conceito* particular.

INGERSOLL, ROBERT GREEN

Suas datas foram 1833—1899. Nasceu em Dresden, estado de Nova Iorque, nos Estados Unidos da América do Norte, a 11 de agosto. Era filho de um ministro presbiteriano. Várias vezes foi açoitado por seu pai, para que não fosse precipitado no inferno. Repelido pela disciplina por demais estrita de seu pai, e pelas idéias rígidas do mesmo e especialmente pelos livros da biblioteca dele, ele acabou apelando para um modo secular de viver. Todavia, encontrou os escritos de Shakespeare, que ele chamava de sua *Bíblia*, e de Robert Burnes, que ele apelidou de seu *hinário*. Posteriormente, familiarizou-se com os livros de Voltaire, de Thomas Paine, de Augusto Comte, de John Draper, de Henry Bucke e de Charles Darwin.

Isso transformou totalmente a Ingersoll, e ele se tornou expositor poderoso do agnosticismo e da incredulidade, e pregava a sua doutrina a numerosas audiências por toda a América do Norte. Tornou-se notório por sua eloqüência, e os seus discursos abalavam os alicerces da ortodoxia. Esteve muito envolvido **na política norte-americana,** tendo servido em altos cargos, embora sua mais elevada ambição política não se tivesse concretizado, provavelmente por causa de sua reputação como um incrédulo. Antes e depois de suas atividades políticas, ele atuava como advogado. Era muito devotado à sua esposa e às duas filhas, às quais ele chamava de «minha santa trindade... a única deidade que adoro». Walt Whitman, ao comentar sobre o poder que ele emanava, asseverou: «...a importância dele não pode ser exagerada... ele era importante como uma força, como uma energia consumidora; como uma chama devoradora em favor das novas virtudes».

Ele era um humanista prático, cujo credo era extremamente simples: «Eu tenho um credo: 1. a felicidade é o único bem; 2. a maneira de alguém ser feliz é tornar felizes os seus semelhantes; 3. o lugar próprio para sermos felizes é neste mundo; 4. o tempo próprio para sermos felizes é agora».

Apesar de lamentarmos a miopia e exigüidade do seu credo, e que a sua eloqüência tenha sido usada para promover a dúvida e a incredulidade, também lamentamos que, algumas vezes, as forças ortodoxas rígidas promovam o ódio, em vez do amor; e, desse modo, afastam as pessoas da crença religiosa e da inquirição espiritual.

INIBIÇÃO

O termo latino por detrás dessa palavra é **in**, «em», e **habere**, «segurar», dando o sentido de «restringir», «reter». Freud usava o termo *repressão* para indicar as inibições psicológicas.

1. *A Inibição Científica*. Na psicologia, a inibição refere-se ao bloqueio de um impulso ou processo mental por outro impulso ou processo mental. Os psicólogos materialistas, naturalmente, pensam que essa inibição é apenas neurológica, e que as inibições são aprendidas mediante processos fisiológicos que não estão alicerçados sobre qualquer coisa espiritual. Como é óbvio, a inibição é um fator importante na formação dos *hábitos* (vide). Na psicologia, com freqüência, o termo «inibição» é usado com certo desprezo, visto que as inibições seriam motivadas por escrúpulos desnecessários, prejudiciais, devido a melindres; além do que, as inibições bloqueariam tendências naturais, espontâneas e benéficas. Também é frisado que, nas inibições neurológicas, uma pessoa pode ser impedida de andar porque o ato requer o esforço coordenado dos músculos, dos nervos e do comando cerebral. Sinais confusos, enviados pelo cérebro, poderiam impedir tal movimentação, em menor ou maior grau, embora sem qualquer defeito físico presente. Esse conceito também é aplicado à conduta do indivíduo, ou, metaforicamente falando, ao seu andar.

Na *psicologia*, a questão da inibição faz parte das discussões sobre a personalidade. Uma inibição seria uma restrição mental cujo intuito seria proteger a pessoa da ansiedade. Se alguém chegar a agir contra esse princípio, sofrerá de ansiedade. A fim de evitar os conflitos mentais, cada personalidade tem uma lista de coisas que pensa que não pode fazer. As inibições podem ser benéficas quando criam ansiedades que protegem a pessoa de vários perigos. As falsas inibições, porém, criam perigos falsos e uma pessoa tímida ou mesmo neurótica. As inibições prejudiciais

INICIAÇÃO — INIMIGO

não permitem que a pessoa raciocine e solucione corretamente os seus problemas de adaptação.

Freud falava sobre a ansiedade que ocorre quando os chamados impulsos *estranhos ao ego* ameaçam a pessoa. Por causa desses impulsos ameaçadores ao ego, são desenvolvidos mecanismos de defesa, conferindo ao indivíduo certa medida de paz; e a *inibição* é um dos mais importantes mecanismos de defesa. As inibições manifestam-se de várias maneiras: como repressão, como esquecimento, como temor, como ansiedade e como comportamento neurótico. Freud estava convencido de que muitas personalidades distorcidas desenvolvem-se por causa de inibições desnecessárias e prejudiciais. Em seu sistema anti-religioso, ele salientou certas inibições aprovadas pelos cristãos, mas que ele considerava falsas.

Teoria do Aprendizado. De acordo com o condicionamento pavloviano (ver sobre **Pavlov**), as inibições desenvolver-se-iam em face de respostas sem recompensas aos estímulos. As não-inibições seriam produzidas por atos recompensadores. As experiências feitas quanto ao aprendizado convencional mostram que um aprendizado anterior malfeito pode inibir um aprendizado posterior; e isso porque toda uma série de maneiras de fazer tem de ser aprendida, e os antigos hábitos têm de ser vencidos, para que se possa fazer qualquer progresso. Além disso, o aprendizado posterior tende a anular o aprendizado anterior, de tal modo que coisas antes aprendidas acabam sendo desaprendidas.

2. *Inibições Morais e Religiosas*. Seria ridículo afirmarmos que todas as inibições são inspiradas pelo Espírito de Deus. Não obstante, pessoas que crêem em Deus e nas Escrituras, supõem que a revelação bíblica nos fornece uma longa lista de coisas que deveríamos rejeitar, e acerca das quais deveríamos ter inibições. Nesse caso, pois, a inibição é relacionada à idéia de rejeição ao pecado, embora erroneamente.

Inibições Eclesiásticas. Dentro dessa questão, uma inibição é uma ordem, dada a algum clérigo ou padre, para que não realize as funções próprias de seu ofício, por alguma grave razão. Faz parte das provisões das leis eclesiásticas.

INICIAÇÃO, RITO DE

As **religiões, os clubes sociais, as escolas e outras** associações geralmente contam com práticas de iniciação, pelas quais tem que passar cada novo membro, para que seja devidamente aceito. Nas culturas simples e primitivas, algum tipo de rito de iniciação assinala a maturidade, quando os membros jovens do grupo passam a ser considerados adultos. Em algumas culturas, por exemplo, a circuncisão parece não ter mais do que um sentido meramente iniciatório. As sociedades religiosas distinguem algum número de pessoas seletas, como membros, através de cerimônias específicas, que, algumas vezes, incluem instruções esotéricas, ou seja, doutrinas secretas que as pessoas de fora não teriam o privilégio de ficar sabendo.

Em várias culturas, por ocasião do nascimento, além da circuncisão é ministrada alguma forma de batismo. Ritos posteriores são reservados ao indivíduo quando, ao chegar à idade adulta, ele passa por uma espécie de segundo nascimento, tornando-se um membro da comunidade com todos os direitos. Nas sociedades mais primitivas, o candidato submete-se a alguma forma de teste, o que, algumas vezes, inclui até mesmo diversos tipos de tortura física. Entre os índios norte-americanos, por exemplo, dos iniciados

requeria-se que passassem por experiências místicas ou espirituais. Essas experiências eram provocadas mediante o jejum e a ingestão de plantas dotadas de qualidades alucinógenas. Esses ritos tinham por intenção levar a pessoa a perceber a importância de sua identidade com o grupo, levando-a a romper com a sua vida passada, a fim de melhor cumprir as suas novas responsabilidades. Além do que já se mencionou, esses ritos incluíam o seguinte: a mudança de comportamento, de acordo com regras específicas; a mudança de vestuário; um período de reclusão total — como em lugares desertos e abandonados ou de reclusão parcial — sem qualquer tipo de contacto com pessoas do sexo feminino. No caso das donzelas, esses testes incluíam o casamento; a tatuagem; testes de resistência à dor; a mutilação, que se tornava um sinal visível e permanente da pessoa iniciada; instruções recebidas; o começo do uso de objetos sagrados e encantamentos; e juramentos e compromissos feitos pela pessoa.

No *hinduísmo* (vide), o começo da educação religiosa, de maneira formal, é um tipo de iniciação. Isso inclui um período de treinamento por certo número de anos. No *budismo* (vide), a iniciação se dá através de dois estágios: 1. treinamento preliminar, que inclui o aprendizado; 2. cerimônias elaboradas, que fazem do indivíduo um novo monge. No *Zoroastrismo* (vide), a criança é banhada; então recebe uma camisa e um cinto sagrados; recita trechos de livros sacros; confessa a sua fé. Esses ritos assinalam o começo de um período de instruções religiosas. A iniciação para os sacerdotes só se dá mais tarde, no caso de alguns poucos.

As iniciações às religiões misteriosas, no antigo mundo mediterrâneo, envolviam coisas como batismo, circuncisão, purificações, a visão de símbolos sagrados, uma refeição de comunhão, que daria certeza da imortalidade, e o começo do aprendizado de doutrinas esotéricas.

O *bar mitzvah* (vide) do judaísmo, também pode ser considerado uma forma de iniciação. Outro tanto poder-se-ia dizer no tocante ao batismo infantil (ou mesmo batismo de adultos), à primeira comunhão, à confirmação ou crisma, e até mesmo no tocante à confissão pública de fé em Cristo, ainda que essas cerimônias e atos não sejam meras iniciações.

INIMIGO

Esboço:

I. A Palavra
II. Usos no Antigo Testamento
III. Usos no Novo Testamento
IV. Ensinos Neotestamentários Superiores sobre os Inimigos
V. A Inimizade e a Teologia do Evangelho Cristão

I. A Palavra

A raiz latina dessa palavra portuguesa é **inimicus**, formada por **in** (não) e **amicus** (amigo), ou seja, alguém que é inamistoso. Usualmente, também estão envolvidas no termo as idéias de ressentimento, oposição, **desígnios** maliciosos e prejudiciais. Os sinônimos são: adversário, antagonista, competidor, oponente e rival. Sentimentos hostis estão envolvidos na *inimizade* (ver o artigo separado sob esse título).

No Antigo Testamento há quatro palavras hebraicas principais, envolvidas:

1. *Oyeb*, «inimigo». Palavra que ocorre por cerca de duzentas e oitenta vezes, desde Gên. 22:17 até Sof. 3:15.

2. *Ar*, «inimigo», «acordado». Palavra hebraica e

INIMIGO — INIMIZADE

aramaica usada por três vezes: I Sam. 28:16; Sal. 139:20; Dan. 4:19 (aramaica).

3. *Tsar*, «adversário», «restringidor», «afligidor». Termo usado por sessenta e oito vezes, desde Gên. 14:20 até Naum 1:2.

4. *Sane*, «aquele que odeia». Palavra usada por cinco vezes com esse sentido: Êxo. 1:10; II Sam. 19:6; II Crô. 1:11; Pro. 25:21; 27:6.

No Novo Testamento encontramos a palavra grega *echthrós*, «inimigo», que figura por trinta e duas vezes: Mat. 5:43,44; 10:36; 12:25,28,39; 22:44 (citando Sal. 110:1); Mar. 12:36; Luc. 1:71,74; 6:27,35; 10:19; 19:27,43; 20:43; Atos 2:35; 13:10; Rom. 5:10; 11:28; Rom. 12:20 (citando Pro. 25:21); I Cor. 15:25,26; Gál. 4:16; Fil. 3:18; Col. 1:21; II Tes. 3:15; Heb. 1:13; 10:13; Tia. 4:4; Apo. 11:5,12.

Essas diversas palavras exprimem idéias como hostilidade ou ódio. Palavras menos freqüentemente usadas têm, no hebraico, os sentidos de desprezo, rivalidade, etc. Usualmente, a inimizade é criada por causa de algum abuso contra a lei do amor. No entanto, há coisas que deveríamos odiar e combater. Há coisas que fazem oposição à verdade e ao evangelho, como também há indivíduos assim contrários.

II. Usos no Antigo Testamento

Os inimigos do povo de Israel eram as nações gentílicas, os seus adversários em períodos de guerra e vários indivíduos que se fizeram inimigos pessoais. Os inimigos de Deus eram os pagãos, os injustos, os ímpios e os adversários do povo de Israel. Mas, dentro do povo de Israel também havia inimigos de Deus (Isa. 1:24 *ss*). Ver também Sal. 6:10 e 54:3 *ss*, nessa conexão. A primeira inimizade que houve no mundo resultou em homicídio (Gên. 4:5-8).

A inimizade é o oposto do amor e, usualmente, não tem bases justas (Lev. 19:18). O povo de Israel foi instruído a amar até mesmo os estrangeiros que habitassem em Israel (Lev. 19:34). Estão ali em foco os estrangeiros *residentes*. Sempre tenho lido que os mandamentos sobre o amor, no Antigo Testamento, diziam respeito somente às relações entre os próprios israelitas, em contraste com o Novo Testamento, que não limita o amor a fatores raciais ou nacionais; mas, esse trecho de Levítico 19:34 sem dúvida mostra que nem sempre era assim. Pelo menos os estrangeiros residentes em Israel deveriam ser estimados, conforme aquele versículo estipula.

Aqueles que fazem oposição aos propósitos de Deus tornam-se seus inimigos e isso podia incluir o próprio povo de Israel (Lam. 2:4; Isa. 1:24,25). Deus haverá de vingar-se dos seus inimigos (Jer. 46:10; Sal. 97:1,3). A vingança era sancionada pela lei levítica, até mesmo nos casos de indivíduos que queriam fazer justiça com as próprias mãos (Lev. 24:19-21). Mas isso era uma extensão das leis civis, governada por restrições. Os tipos de vingança concordavam com a *lex talionis*, ou seja, vingança de acordo com o mesmo tipo e nas mesmas proporções (Êxo. 21:24 *ss*). O ódio aos inimigos nacionais é expresso em termos fortes, nas páginas do Antigo Testamento. Ver Salmos 137:8,9. Fica entendido que os inimigos de Israel também eram inimigos de Deus (Gên. 12:3; Êxo. 23:22). Mas, quando o povo de Deus entregava-se ao pecado, tornava-se inimigo de Deus (Jer. 21:4-6). E, então, Deus levantava inimigos estrangeiros que castigassem Israel (Isa. 9:11). Em seu desespero, os israelitas algumas vezes chegaram a pensar que Deus os entregara às mãos de seus inimigos, sem causas adequadas (Sal. 89:38-45).

••• ••• •••

III. Usos no Novo Testamento

A palavra **echthrós**, usada no Novo Testamento, com o sentido de «inimigo», é usada de modo muito variegado, indicando: inimigos militares (Luc. 19:43); outras nações (Luc. 1:71,74); adversários pessoais (Rom. 12:19-21; Gál. 4:16); os adversários dos cristãos (Mat. 10:36; Rom. 11:28; Apo. 11:5,12); aqueles que fazem oposição a Deus, por meio de suas atitudes e ações (Luc. 19:27; Atos 13:10; Rom. 5:10; Fil. 3:18). A morte e os poderes espirituais da malignidade também são inimigos nossos (I Cor. 15:25 *ss*, Col. 2:15), como é o caso de Satanás (Mat. 13:39; Luc. 10:19; I Ped. 5:8).

IV. Ensinos Neotestamentários Superiores sobre os Inimigos

O trecho de Mateus 5:43 *ss* ensina-nos a amar os nossos inimigos. Não há nenhum paralelo desse ensinamento no Antigo Testamento. No Antigo Testamento, os israelitas eram ensinados a amar a seus compatriotas e aos estrangeiros residentes. Os demais estrangeiros eram objetos de ódio, visto que Israel mantinha-se em conflito contínuo e forçado com os seus vizinhos. Portanto, certas passagens do Antigo Testamento aproximam-se do mandamento que diz, «Amarás o teu próximo, e odiarás o teu inimigo» (Mat. 5:43), fazendo um sumário de trechos do Antigo Testamento, conforme se vê em Deu. 20:16-18. Isso pode ser comparado com os trechos de Sal. 26:5; 31:6; 139:21,22. Paulo reforçou o ensino do Senhor Jesus quanto a essa questão. O trecho clássico sobre essa questão é Romanos 12:19-21. Esse, entretanto, é um ensino que poucas pessoas põem em prática. Geralmente nem mesmo tentam fazê-lo. Viver de acordo com a lei do amor resulta do cultivo dos vários aspectos do fruto do Espírito (Gál. 5:22). E quando alguém é capaz de amar a seus próprios inimigos, então o seu amor está realmente desenvolvido. Por outra parte, a *lex talionis* concorda com a natureza humana, em seu estado natural, não regenerada.

V. A Inimizade e a Teologia do Evangelho Cristão

O pecado leva os homens a tornarem-se inimigos de Deus (Rom. 5:8 *ss*). No entanto, é precisamente nesse estado de inimizade que o evangelho chega até nós, oferecendo-nos reconciliação com Deus (Rom. 5:10). O fato de que podemos reconciliar-nos com Deus quando ainda somos inimigos significa que agora, na qualidade de *filhos*, seremos salvos pela sua vida e que chegaremos a participar em sua forma de vida (Rom. 5:10; II Cor. 3:18). A cruz de Cristo trouxe a paz ao campo cósmico de batalhas. Homens que, em sua mente, têm sido inimigos de Deus, são reconciliados com Deus por meio do evangelho (Col. 1:20,21). Essa esperança deve ser anunciada a todos os homens, de todos os lugares (Col. 1:23). (B H Z)

INIMIZADE

Ver o artigo geral sobre **Inimigo**. A **inimizade** é uma forma de ódio, ou contra o que é bom ou contra o que é mau. Teologicamente, a inimizade foi estabelecida entre o homem e o princípio do mal, com o advento do Messias prometido e seu ministério (Gên. 3:15). Esse texto promete-nos a vitória final do bem. A história, de acordo com certo ângulo, é o desenvolvimento gradual do conflito entre as forças do bem e as forças do mal, bem como da necessidade dos homens aliarem-se a um ou a outro lado desse conflito, sobre bases pessoais e raciais. Portanto, tornar-se amigo do mundo é tornar-se inimigo de Deus, porque ninguém pode manter uma dupla lealdade (Tia. 4:4). A mentalidade carnal é inimizade

INIMIZADE — INOCÊNCIA

contra Deus (Rom. 8:7,8). A lei cerimonial também faz oposição à vontade progressiva de Deus (Efé. 2:15,16). A lei mosaica tornou-se por demais pesada para ser suportada pelos homens e desde o princípio, conforme Paulo esclareceu, não foi uma medida justificadora. Portanto, era um jugo que precisava ser posto de lado, permitindo que o espírito do homem progredisse. Seus princípios espirituais foram incorporados na lei do Espírito (Rom. 8:2,3; 13:8 *ss*); mas o ministério do Espírito Santo implanta no homem um novo espírito de liberdade, bem como um poder por meio do qual a espiritualidade torna-se uma realidade bem definida.

INIMIZADE CONTRA DEUS

O pecado não consiste apenas em desobediência contra alguma lei. Antes é uma revolta contra Deus, o grande Legislador. Deus, como Criador e Sustentador de toda a vida, tem autoridade absoluta sobre tudo quanto participa do princípio da vida. Isso contribui para o bem, e não para o mal. Isso visa o benefício universal e não à destruição universal. Isso favorece a vida e não a morte. Isso contribui para a alegria e não para a tristeza; e também para a harmonia, e não para o caos. Ver o artigo geral sobre a *Restauração*. Visto que todas essas coisas são verdadeiras, Deus deveria ser o centro e o alvo de toda a vida, tal como ele é a fonte originária da mesma. Mas os homens, com suas mentes pervertidas, inclinadas à autodestruição, fazem do próprio «eu» o centro de suas vidas. Disso origina-se a inimizade humana contra Deus.

INJUSTO, INJUSTIÇA

1. *Palavras Envolvidas*. O trecho de Salmos 43:1, ao dizer: «...livra-me do homem fraudulento e injusto», usa o termo hebraico *'eval*, que significa «perverso», «iníquo», «injusto». Assim, o salmista não queria cair sob o poder de indivíduos com essas características, mas o salmo 29:27 encerra o mesmo vocábulo hebraico e refere-se ao homem injusto como uma *abominação* diante de Deus. Sofonias (3:5), ao usar essa palavra, referia-se ao *despudoramento* de tal indivíduo. Utilizando-se da palavra hebraica *aven*, Provérbios 11:7 declara que a esperança dos injustos perecerá. Essa outra palavra hebraica quer dizer «mau», «falso» e «iníquo». Por sua vez, as palavras gregas envolvidas na idéia são: *adikéo*, «fazer injustiça», «ofender»; *adikía*, «injustiça», «ato errado». E a forma adjetivada, *adikós*, significa «injusto», «traiçoeiro», «errado». *Adikéo* é usado por vinte e sete vezes no Novo Testamento. Ver exemplos em Mat. 20:23; Luc. 10:19; Atos 7:26,27; I Cor. 6:8; Gál. 4:12; Col. 3:25,26; Apo. 2:11; 6:6; 7:2; 9:4. *Adikós* aparece por doze vezes, como, por exemplo, em Mat. 5:45; Luc. 16:10; Atos 24:15; Rom. 3:5; Heb. 6:10; I Ped. 3:18; II Ped. 2:9. *Adikía* figura por vinte e cinco vezes. Ver exemplos em Luc. 16:9; João 7:18; Rom. 1:18,29; 2:8; 3:5; 6:13; 9:14; II Tes. 2:10,12; Heb. 8:12; II Ped. 2:13,15; I João 1:9; 5:17. Todas as formas de atitudes injustas e de atos pecaminosos dos homens são enfocados por essa palavra grega.

2. *O Homem Injusto*. Esse homem manifesta muitas formas de pecado em seus vícios. Temos provido um longo artigo sobre os *Vícios*, com sua inpressionante lista. Ver também sobre o *Pecado*. O homem injusto é também o *homem natural* (vide). Ele não experimentou a *regeneração* (vide). Contudo, é objeto do amor de Deus (João 3:16), porquanto Cristo veio para chamar não os justos, mas os pecadores ao arrependimento (Mat. 9:13). A doutrina da Bíblia ensina que o homem, por seus próprios recursos, não é

capaz de alterar sua natureza pecaminosa e injusta. Eis a razão pela qual se impunha a intervenção da missão de Cristo. Ver o artigo sobre a *Missão Universal do Logos (Cristo)*, e também sobre a *Expiação*.

3. *Uma Ampla Provisão Divina*. Deus proveu para os eleitos a *redenção* (vide), e para os demais a *restauração* (vide), providenciando assim uma provisão absolutamente universal para o homem injusto. Nisso fica demonstrado o profundo amor de Deus, que vai desde a mais elevada estrela até o mais profundo inferno.

INLÃ

No hebraico, «Deus cumpre», ou então «plenitude». Esse era o nome do pai do profeta Micaías, que viveu durante o reinado de Acabe (I Reis 22:8,9; II Crô. 18:7,8). Viveu por volta de 930 A.C.

INOCÊNCIA, INOCENTE

Esboço:
I. Definição e Caracterização Geral
II. Ensinos Bíblicos sobre a Inocência
III. Características Éticas da Inocência

I. Definição e Caracterização Geral

Essa palavra vem do latim, **in**, «não», e **nocens**, «nocivo», «prejudicial». Envolve o estado de inculpabilidade, de pureza espiritual, de impecabilidade, de liberdade de qualquer culpa, juntamente com a ausência de qualidades que prejudiquem ou sejam nocivas. Também chega a ser sinônimo de gentileza e de ingenuidade; e também, por outro lado, de falta de conhecimento, de ignorância quanto às maneiras de pensar e de agir de homens mundanos. O vocábulo designa a qualidade de quem é livre de atitudes e ações prejudiciais, de quem não é maculado pela maldade, de alguém inexperiente nas maldades deste mundo.

Adão e Eva aparecem, no começo do relato bíblico, como um casal inocente, visto que ambos eram sem pecado, não sabendo ainda o que era a maldade. As pessoas, muitas vezes, anelam pela inocência, e lamentam quando essa é perdida pelos jovens que vão desabrochando para a vida.

As culturas antigas postulavam uma era quando imperou a inocência, ou no passado distante, ou que ainda se instaurará no futuro. A todas essas propostas eras chamamos de *idades áureas*. Hesíodo tinha algo para dizer a esse respeito; mas os escritos de Homero transportam-nos para uma atmosfera literária onde os próprios deuses já viviam sobrecarregados de maldade e malícia. Essas representações antropomórficas foram combatidas por alguns filósofos, como Xenófanes e Platão, que procuraram elevar o conceito de divindade na cultura grega. O ceticismo e o cinismo lançam dúvidas sobre todos os valores tradicionais da sociedade, e os céticos e cínicos não consideram que a inocência seja um valor a ser cultivado, se é que, em algum tempo, houve tal coisa como inocência.

Na teologia patrística era muito valorizada a instrução de Jesus (Marcos 10:13-16) sobre a necessidade de termos uma atitude própria de criança, se quisermos receber a graça de Deus, que nos leva à salvação. Assim, naqueles escritos, a *innocentia*, também chamada *simplicitas*, aparece como o alicerce da inquirição espiritual, fazendo contraste com a altivez própria do paganismo. O movimento monástico surgiu supostamente a fim de promover o ideal de cultivar a simplicidade e

INOCÊNCIA — INOCENTE I

inocência de vida. Mas, como tudo que é humano, a coisa degenerou a tal ponto que chegou a escandalizar a corte papal, e algumas ordens monásticas tiveram de ser descontinuadas, diante do grito geral da sociedade contra aqueles religiosos. As esposas e as filhas dos cidadãos sérios corriam o constante perigo de perderem a fidelidade e a virgindade, assediadas pelos varões que procuravam a santidade no celibato!

Certos movimentos filosóficos, como elementos do Iluminismo (especialmente Rousseau) e do idealismo alemão (sobretudo Schelling), bem como do transcendentalismo **norte-americano** (conforme é visto em Walden e no Livro da Comunidade Agrícola), têm encorajado às pessoas a tentarem recapturar a simplicidade primitiva, que, segundo eles supunham, seria nativa à natureza humana. Ledo engano! O comunismo, por igual modo, tem postulado inutilmente a teoria de que a humanidade começou em condições de inocente simplicidade, em meio a um feliz comunismo; mas que então, por meio da cobiça pelo lucro capitalista, a sociedade humana veio a tornar-se vítima dos erros da escravatura, do feudalismo e do capitalismo. Parte do retorno aos bons e antigos dias seria atingido se os homens voltassem à inocência original.

A inocência, segundo é ensinado na Bíblia, consiste na restauração do estado adâmico, o que começa no perdão dos nossos pecados, através do dom da graça divina, o que sucede mediante a missão de Cristo, mas que só terminará quando de nossa transformação segundo a imagem de Cristo, por ocasião de seu segundo advento. A inocência ética consiste no esforço do crente manter uma consciência limpa. Quando esse alvo é absoluto, ainda para a atual existência terrena, então temos um mito, e não uma realidade. Contudo, esse mito da perfeição impecável tem sido promovido até por denominações cristãs inteiras, cuja existência gira mesmo em torno de tal ensino. Para mostrar a impraticabilidade disso, basta-nos citar um trecho bíblico claro: «Se dissermos que não temos pecado nenhum, a nós mesmos nos enganamos, e a verdade não está em nós» (I João 1:8).

II. Ensinos Bíblicos Sobre a Inocência

Várias palavras hebraicas e gregas estão envolvidas nesse conceito da «inocência»:

1. *Zaku*, «pureza», palavra aramaica que só ocorre por uma vez, em Dan. 6:22.

2. *Chaph*, «seguro», «coberto». Palavra hebraica que aparece somente por uma vez, em Jó 33:9.

3. *Chinnam*, «gratuito», embora usada com o sentido de «inocente» por uma vez, em I Reis 2:31, onde nossa versão portuguesa traduz por «sem causa».

4. *Naqah*, «inocente», «inocentado», «livre de culpa». Essa palavra hebraica ocorre por trinta e nove vezes, conforme se vê, por exemplo, em Jó 9:28; Sal. 19:13; Pro. 6:29; 28:20; Jer. 2:35.

5. *Naqi*, «inocente», «inocentado», «livre de culpa». Esse termo hebraico aparece por quarenta e duas vezes. Ver, por exemplo, Êxo. 23:7; Deu. 19:10,13; 27:25; I Sam. 19:5; II Reis 21:16; 24:4; Jó 4:7; 9:23; 27:17; Sal. 10:8; 15:5; Pro. 1:11; 6:17; Isa. 59:7; Jer. 2:34; 7:6.

6. *Athôos*, «inocente», «sem culpa». Essa palavra grega figura somente por duas vezes, em Mat. 27:4,24.

Na Septuaginta, essas palavras hebraicas geralmente são traduzidas pelo termo grego *díkaios*, «reto», «justo».

7. *Katharós*, «puro», «limpo». Esse termo grego aparece por vinte e cinco vezes: Mat. 5:8; 23:26; 27:59; Luc. 11:41; João 13:10,11; 15:3; Atos 18:6;

20:26; Rom. 14:20; I Tim. 1:5; 3:9; II Tim. 1:3; 2:22; Heb. 10:22; Tia. 1:27; I Ped. 1:22; Apo. 15:6; 19:8,14; 21:18,21.

A inocência, aos moldes bíblicos, nunca é conseguida mediante observâncias legalistas, mas através das provisões da graça divina e da fé. A questão só se completará por ocasião da parousia (vide). Diz I Tessalonicenses 5:23,24: «...o vosso espírito, alma e corpo sejam conservados íntegros e irrepreensíveis na vinda de nosso Senhor Jesus Cristo. Fiel é o que vos chama, o qual também o fará».

III. Características Éticas da Inocência

1. A doutrina da inocência é abusada quando é reduzida à alegada perfeição impecável. Ver os artigos sobre *Perfeccionismo* e *Igrejas de Santidade*. Ver também sobre *Pecado*, VI. *Perfeição Impecável*, onde damos uma discussão detalhada a respeito. Apesar de ser nosso alvo buscar a inocência, uma consciência clara e aquilo que diz respeito à piedade, uma perfeição ética, utópica, é essencialmente uma distorção da augusta santidade de Deus e da incapacidade do homem, como criatura que ele é, para participar dessa santidade perfeita antes de chegar à glorificação, o que só sucederá por ocasião da *parousia* (vide).

2. O mundo zomba da inocência, mas podemos ter a certeza de que essa zombaria está alicerçada sobre a malignidade, algumas vezes até abertamente diabólica. Há uma malignidade no pecado que os próprios crentes precisam aprender a não dar atenção, ajustando-se um tanto à mentalidade mundana, embora sem nunca aprová-la. Paulo convidou-nos a quebrar os moldes deste mundo, buscando conformidade com a mente divina (ver Rom. 12:1,2).

3. Existem certos sistemas éticos que procuram definir a conduta ideal; e quase todos os sistemas éticos reconhecem o problema do pecado, ainda que, na filosofia, esse termo nunca seja usado com o sentido que lhe é dado na teologia. Ver o artigo geral sobre a *Ética*.

4. A inocência reflete a qualidade mental das crianças, e não apenas a ausência de pecado. Nesse sentido, é o contrário da altivez, da presunção e do dolo. Jesus requer essa qualidade da parte de seus discípulos. «Em verdade vos digo que, se não vos converterdes e não vos tornardes como crianças, de modo algum entrareis no reino dos céus» (Mat. 18:3). Essa atitude inclui uma humildade que promove a devoção a Deus de toda a mente e de todo o coração.

5. O termo «inocente» é usado para indicar as crianças, antes da suposta idade da responsabilidade. Pessoalmente, rejeito essa noção, visto que o pecador é a alma, e a alma não é uma criança, ainda que abrigada em um corpo infantil. A alma, desde o começo, mui provavelmente, em um estado preexistente desde antes de tomar corpo físico, é um ser responsável. Ver o artigo sobre *Infantes, Morte e Salvação dos*, onde expresso minhas opiniões sobre a inocência e o estado espiritual dos infantes.

INOCENTE I

Faleceu em 417 D.C. Seu pontificado foi entre 401 e 417 D.C. Tornou-se papa a 22 de dezembro de 401, no ano em que Alarico, líder dos godos ocidentais, invadiu a Itália pela primeira vez. Procurando contornar a situação, o papa tentou convencer o imperador Honório a conceder terras aos godos; mas a sugestão foi repelida. O avanço dos godos não teve pausa; Roma caiu e foi saqueada. O papa fugiu, só tendo podido retornar ali em 412. Visto que, na época, a Igreja oficial ainda estava unida, Inocente I

INOCENTE II — INOCENTE IV

foi a mais importante figura da Igreja, no Oriente e no Ocidente, durante os anos de seu pontificado. Nesse período, Agostinho e quatro outros bispos africanos opuseram-se aos ensinamentos de Pelágio (que faleceu em cerca de 420 D.C.), e Inocente os aprovou. Também deu seu apoio a João Crisóstomo, de Constantinopla, quando este foi deposto pelo patriarca de Alexandria, em 403 D.C.

Inocente I recomendava, embora não impusesse o celibato ao clero; estabelecer a unção dos enfermos como um sacramento da Igreja. Era conhecido como homem de piedade, e como pessoa enérgica. Faleceu a 12 de março de 417 D.C. e foi sepultado na catacumba de Ponciano. Sua festa é celebrada pela Igreja Católica Romana a 28 de julho.

INOCENTE II

Faleceu em 1143. Seu pontificado foi de 1130 a 1143. Nasceu em Roma, com o nome de Gregório Papareschi. Serviu durante algum tempo como cardeal diácono. Após a morte de Gregório VIII, candidatou-se ao papado, juntamente com Pietro Pierleoni. Oito cardeais favoreceram a Gregório; mas a maioria dos vinte e um cardeais preferiu Pierleoni, que tomou o título de Anacleto II. Disso resultou um cisma. Anacleto II reteve sua autoridade em Roma; mas Inocente contava com o apoio da igreja francesa; e Bernardo de Clairvaux cuidou para que o concílio de Étampes (1130 D.C.) confirmasse a Inocente II no ofício papal. Henrique I, da Inglaterra, também declarou que reconhecia o papado de Inocente II. Anacleto faleceu a 25 de janeiro de 1138, e seu sucessor, Vítor IV, abdicou por ocasião do Segundo Concílio de Latrão (1139 D.C.), e isso pôs fim ao cisma. Inocente faleceu em Roma, a 24 de setembro de 1143.

INOCENTE III

Nasceu com o nome de Lotário Conti, em 1160, de nobre família romana. Estudou em Roma, em Paris e em Bolonha. Ocupou vários cargos eclesiásticos; foi feito cardeal diácono em 1190. Foi eleito papa a 8 de janeiro de 1198, no mesmo dia em que o seu antecessor, Celestino III, faleceu. Governou como papa de 1198 a 1216. Seu pontificado é considerado o ponto culminante do poder da Igreja Católica Romana, durante a era medieval. Nesse tempo o conceito da teocracia papal andou muito cotado, o que foi devido, em grande parte, às habilidades de Inocente III como diplomata e estadista, e não meramente como líder religioso. Ele defendeu os direitos e os privilégios da Igreja católica, diante de várias autoridades civis importantes, com toda a sua energia. Tanto os imperadores germânicos quanto o senado romano haviam usurpado vários direitos e poderes que a Igreja reputava seus, o que fizera o catolicismo cair em graves dificuldades financeiras. Inocente III, pois, resolveu que sua tarefa era reconquistar os direitos dos estados papais, por toda a cristandade e, em seus esforços, obteve notável sucesso. Na qualidade de suposto vigário de Cristo na terra, ele reivindicava e exercia autoridade absoluta e universal sobre a Igreja, além de vasta autoridade no tocante a questões seculares. Desse modo, atos políticos tornaram-se atos morais, e a Igreja e o Estado uniram-se, de acordo com o sonho de Agostinho. Nesse esquema, a parte mais importante era a Igreja, mestra e orientadora do Estado.

Elementos da Filosofia de Inocente III. O papa, como vigário de Cristo, cuida de questões espirituais,

que são mais importantes que as seculares. Ora, se ele cuida das mais importantes, então também deve cuidar das menos importantes. Naturalmente, isso reflete certa idéia do judaísmo, no Antigo Testamento. Assim, o papado não criou uma filosofia nova; mas apenas emulou uma antiga. Assim, de acordo com o papado, apesar de haverem tribunais seculares que funcionem por si mesmos, quando a ocasião requerer tanto, o papa deve intervir, no interesse da estabilidade e da paz na cristandade. E, visto que a Igreja guia os homens a um terreno espiritual mais elevado, também deveria envolver-se em questões secundárias, como a educação, as obras de caridade e as instituições sociais em geral. Inocente III via-se como o guardião das leis morais e, quando a política ficava envolvida em questões morais, ele sentia-se na obrigação de intervir nos negócios do Estado.

Poder Político de Inocente III. Esse papa primeiramente tornou-se o senhor da Itália. Então já brandia suficiente poder internacional para depor monarcas, como os da Alemanha e da Inglaterra. E recebeu como suseranias os reinos da Inglaterra, Portugal, Dinamarca, Aragão e vários outros. Seu ideal era reunir todos os estados europeus em uma comunidade cristã de nações, em que o papa fosse a principal autoridade. Não fora o surgimento do sentimento nacionalista, em diversos lugares, talvez ele tivesse podido concretizar o seu alvo.

Reformas Eclesiásticas. Inocente III combateu as heresias. Dirigia concílios públicos três vezes por semana e cuidava pessoalmente dos mais variegados problemas. Interessava-se muito pelos pobres e suas dificuldades. Regulamentou as finanças, coibindo abusos, e não permitia que o clero cobrasse por seus serviços religiosos mais do que o permitido pela lei canônica. Deu apoio à cruzada contra os albigenses. Fez vigorar as leis atinentes ao matrimônio e interessou-se pelos casamentos e divórcios dos príncipes europeus.

Aceitou os primeiros esforços de Francisco de Assis e de Domingos, com que começaram as ordens franciscana e dominicana. Convocou o quarto concílio de Latrão (1215), no qual foi oficializada a doutrina da *transubstanciação* (vide). Esse concílio também obrigava os cristãos a participarem da confissão auricular e da comunhão ao menos uma vez por ano. Deu apoio a uma nova cruzada contra Jerusalém. E, a caminho para o norte da Itália, onde tencionava promovê-la, acabou morrendo, em Perugia, a 16 de julho de 1216.

INOCENTE IV

Suas datas aproximadas foram 1200—1254. Reinou como papa de 1243 a 1254. Nasceu com o nome de Sinibaldo Fieschi, em Gênova, filho de Hugo, conde de Lavanha. Estudou em Bolonha e distinguiu-se como professor de lei canônica. Ocupou vários ofícios eclesiásticos. Tornou-se cardeal. Foi diplomata e administrador habilidoso. Tornou-se conselheiro de Gregório IX e concordava com a filosofia de supremacia papal, defendida por este. Para sua eterna vergonha, foi esse papa quem autorizou o uso de torturas, para dar maior força à Inquisição. Ver o artigo geral sobre a *Inquisição.*

Certas confusões políticas (os conflitos do papado com o imperador Frederico III, do Santo Império Romano) fizeram com que sua eleição não fosse realizada senão depois de dezoito meses da morte de seu antecessor, Celestino IV. Ele opunha-se ao desejo de Frederico de unir os reinos da Alemanha e da Sicília, porquanto via nisso uma tremenda ameaça

INOCENTE IV — INOCENTE X

para a autonomia e o poder da Igreja. Nesse conflito, entretanto, Frederico mostrou ser mais forte que o papa, e Inocente IV precisou fugir para a França. Ali chegando, convocou o primeiro concílio geral, de Lyon (1245) e renovou a exclusão de Frederico, que havia sido decretada por Gregório IX, declarando-o deposto de sua posição monárquica. Porém, a medida foi nula, pois tudo continuou na mesma, e os filhos de Frederico chegaram a sucedê-lo no trono. Inocente IV morreu a 7 de dezembro de 1254.

INOCENTE V

Ele era apodado de **Bendito**. Suas datas foram cerca de 1225 — 1276. Nasceu com o nome de Pedro de Tarentaise, em Tarentaissen-Forez, na França. Era monge dominicano. Estudou com Alberto Magno e com Tomás de Aquino na Universidade de Paris. Ali chegou a ensinar, em data posterior. Escreveu um comentário sobre o *Livro de Sentenças*, de Pedro Lombardo, que os filósofos da época muito prezavam.

Juntamente com Alberto Magno e Tomás de Aquino, Inocente V traçou os estatutos de estudos feitos pela ordem dominicana. Ocupou ofícios eclesiásticos. Tornou-se cardeal bispo de Óstia, em 1273. Participou do segundo concílio de Lyon, o que resultou em uma união temporária da Igreja Oriental e Ocidental. Discursou por ocasião dos funerais de Boaventura, que havia falecido durante o período daquele concílio. Foi eleito papa para suceder ao papa Gregório X, e governou como pontífice romano por bem pouco tempo, de 21 de janeiro a 22 de junho de 1276. Foi beatificado em 1898.

INOCENTE VI

Faleceu em 1362. Nasceu com o nome de Etienne Aubert, em Mont, perto de Limoges, na França. Ocupou a cadeira papal de 1352 a 1362. Foi professor de direito em Toulousse, na França. Bispo de Noyon, e então de Clermont, chegou a ser cardeal. Foi eleito papa a 18 de dezembro de 1352. Era o papa reinante durante a terrível peste da Morte Negra e durante uma parte da Guerra dos Cem Anos. Preparou as coisas para o retorno de seu sucessor a Roma, para pôr fim ao chamado Cativeiro Babilônico do papado, durante cujos tempos os papas geriram a Igreja Católica Romana na França. Carlos IV privara os papas do direito de confirmarem as eleições imperiais, com a sua *Bula Dourada*. Inocente VI obteve o tratado de paz entre a França e a Inglaterra, chamado Paz de Brétgny, e também restaurou a paz entre Gênova e Veneza. Porém, ocupou-se em várias ambições ilusórias. Não foi capaz de levantar um exército para combater os turcos em uma cruzada, nem conseguiu reunir as Igrejas Oriental e Ocidental, que se tinham separado em 1054. Faleceu em Avignon, na França, a 12 de setembro de 1362.

INOCENTE VII

Suas datas aproximadas foram 1336—1406. Nasceu com o nome de Cosimo de Migliorati, em Sulmona, na Itália. Estudou direito em Bolonha. Ensinou jurisprudência em Perúgia e em Pádua. Serviu ao papa Urbano VI. Tornou-se arcebispo de Ravena, em 1387. Foi nomeado cardeal em 1389. Foi eleito papa a 17 de outubro de 1404, em substituição a Bonifácio IX. Pontificou de 1404 a 1406, tendo começado a governar no vigésimo sexto ano do cisma ocidental. O antipapa correspondente foi Benedito XIII, de Avignon, na França. Tentou curar esse cisma, mas um sobrinho seu assassinou a certos líderes romanos populares em um levante, e Inocente VII foi forçado a retirar-se para Viberto, abandonando a cidade de Roma. Faleceu a 6 de novembro de 1406, deixando planos nunca realizados, um dos quais era a reorganização da Universidade de Roma.

INOCENTE VIII

Suas datas foram 1432—1492. Nasceu com o nome de Giovanni Battista Cibo, em Gênova. Estudou em Pádua e em Roma, e teve dois filhos ilegítimos, antes de tomar as santas ordens. Tornou-se bispo de Savona, em 1469, e então de Molfetta, em 1472. Foi nomeado cardeal, em 1473. Foi eleito papa em 1484, tendo pontificado até 1492. Esse papa tornou-se popular entre o populacho; mas os historiadores religiosos assinalavam sua pouca coragem moral, e como ele não possuía as qualidades de liderança que seu ofício exigia. Quase todos os seus projetos fracassaram em vista disso, além do que, no seu tempo, os tesouros da sé romana ficaram quase esgotados. É incrível, mas é verdade, que ele tentou levantar dinheiro vendendo ofícios eclesiásticos (muitos deles especificamente com esse propósito), para quem mais pagasse pelos mesmos. Esse é o pecado de simonia, de que o papado sempre se fez muito culpado. Teve de enfrentar muitas dificuldades, e não somente os de ordem eclesiástica. O rei Ferrante, de Nápoles, continuamente invadia os estados papais. Uma tentativa sua para iniciar uma cruzada, contra o sultão Baiezide II, de Constantinopla, fracassou. Mas, pelo menos, conseguiu firmar com ele um tratado favorável.

Condenou a bruxaria em sua bula *Summis desiderantes*, de 1484, o que, juntamente com outros fatores, provocou no clero a mania de perseguição às bruxas, o que se prolongou por nada menos de dois séculos. Condenou noventa teses do humanista Pico della Mirandola. Faleceu em Roma, a 25 de julho de 1492.

INOCENTE IX

Suas datas foram 1519—1591. Nasceu com o nome de Giovanni Antonio Facchinetti, a 20 de julho de 1519, em Bolonha, na Itália. Governou como papa de outubro a dezembro de 1591. Recebeu grau de doutor em leis e serviu ao cardeal Farneses, e então ao papa Paulo III. Tornou-se bispo de Nicastro, na Calábria. Tornou-se patriarca titular de Jerusalém, em 1576. Então foi nomeado cardeal, em 1583. A 29 de outubro de 1591, foi eleito papa. Embora tivesse permanecido apenas por dois meses como papa, teve tempo de iniciar algumas reformas no secretariado do Vaticano; restabeleceu a congregação germânica e restaurou o porto de Ancona. Era autoridade quanto às idéias de Platão e Aristóteles, e deixou alguns livros que nunca foram publicados.

INOCENTE X

Suas datas foram 1574—1655. Pontificou de 1644 a 1655. Formou-se em direito. Tornou-se mestre em lei canônica e em leis civis. Foi ordenado padre em 1597. Trabalhou a serviço do papa; foi auditor em Rota. Foi núncio (embaixador do papa) em Nápoles e então na Espanha. Tornou-se cardeal em 1629. Foi eleito papa a 15 de setembro de 1644. Embora já avançado em anos, era homem enérgico, que conseguiu realizar quase tudo quanto tentou fazer. Denunciou a Paz de Westphalia (1648) como injusta para os católicos romanos, pois várias propriedades católicas haviam

INOCENTE XI — INOCENTES

sido usurpadas. Ver o artigo sobre *Westphalia, Pactos de*. Recusou-se a aceitar o conceito da independência de Portugal da Espanha, mas deu apoio à luta dos irlandeses pela tolerância, bem como à luta de Veneza contra os turcos otomanos. Opôs-se ao *jansenismo* (vide), com a sua bula *Cum occasione*, expedida em 1653.

Foi patrono das artes e conhecido por seu espírito de caridade, tendo feito inúmeras e consideráveis contribuições. Infelizmente, deixou-se envolver pelo nepotismo (vide), e dava ouvidos demais à sua cunhada, Donna Olimpia Maidalchini, que lhe dava maus conselhos, usando a influência que tinha visando ao lucro pessoal. Ela era tão gananciosa e egoísta que se recusou a pagar pelo sepultamento de Inocente X, depois da morte dele, que ocorreu em Roma, a 6 de janeiro de 1655.

INOCENTE XI

Suas datas foram 1611—1689. Foi batizado com o nome de Benedicto Odescalchi. Nasceu em Como, na Itália, a 16 de maio de 1611. Foi papa de 1676 a 1689. Foi educado pelos jesuítas, em Como. Fez estudos de direito em Roma e em Nápoles. Serviu a vários postos eclesiásticos. Foi nomeado cardeal em 1645. Tornou-se bispo de Novara, em 1650. Quase foi eleito papa, em 1669, o que conseguiu em segunda candidatura, em 1676. Seu governo foi assinalado por lutas intermináveis com os franceses, em torno do exercício do direito real de receber os rendimentos de sedes eclesiásticas vagas, e de nomear bispos. O monarca francês, Luíz XIV, exercia ilegalmente esses direitos, opondo-se ao papa. Desse modo, violava as determinações do concílio de Lyon e da Concordata de 1516. Inocente XI, por causa disso, excomungo' Luís XIV, mas isso não pôs fim aos problemas do papa. Luís XIV retaliou convocando uma assembléia do clero francês, que compôs os chamados *Quatro Artigos*, que davam aos concílios maior autoridade que ao papa. Inocente anulou os artigos e rejeitou a nomeação de bispos que davam apoio a essas disposições. O papa unificou as forças cristãs que derrotaram um exército turco invasor de Viena, em 1683. Inocente XI morreu em Roma, a 12 de agosto de 1689.

INOCENTE XII

Suas datas foram 1615—1700. Nasceu com o nome de Antonio Pignatelli, perto de Spinazzola, na Itália, a 13 de maio de 1615. Pontificou entre 1691 a 1700. Educou-se no colégio jesuíta de Roma; serviu ao papa Urbano VIII, foi inquisidor-mor em Malta, governador de Viterbo e núncio (embaixador papal) em Florença, na Polônia e em Viena. Foi nomeado cardeal em 1681. E arcebispo de Nápoles algum tempo depois. Foi eleito papa a 12 de julho de 1691.

Instituiu muitas reformas eclesiásticas. Pôs fim ao nepotismo no Vaticano, que vinha de longa data, mediante sua bula *Romanum decet Pontificem*, de 25 de junho de 1692. Procurou resolver os distúrbios do jansenismo, do galicanismo e do quietismo. O galicanismo (vide) asseverava que as tradições episcopais francesas não podiam ser perturbadas pelo poder papal. Os *Quatro Artigos*, mencionados no artigo sobre Inocente XI, servem de exemplo como os franceses tentaram promover o seu nacionalismo, debilitando o poder papal. Inocente XII persuadiu a Luís XIV a retirar esses artigos, o que impediu um cisma. Inocente XII proclamou um Ano de Jubileu, em 1700, a fim de celebrar os tratados de paz de Rijswijk e Carlowitz, bem como a conversão de Frederico Augusto, eleitor da Saxônia, ao catolicismo. Respeitando o jogo de poder na Espanha, ele favoreceu a Filipe de Anjou, membro da família de Bourbond, a fim de ocupar o trono; mas isso deu origem à Guerra da Sucessão Espanhola.

Os historiadores religiosos informam-nos que Inocente XII foi homem piedoso e gentil, que gastava polpudas somas socorrendo aos pobres. Morreu em Roma 27 de setembro de 1700.

INOCENTE XIII

Suas datas foram 1655—1724. Foi batizado com o nome de Michelangelo dei Conti, a 13 de maio de 1655, em Poli, na Itália. Governou como papa de 1721 a 1724. Era membro de uma família nobre, que preferia servir à causa do catolicismo a envolver-se nas atividades próprias dos abastados. Serviu em vários cargos eclesiásticos. Tornou-se arcebispo e então núncio papal em Lucerna e depois em Lisboa. Tornou-se cardeal em 1706. Foi eleito papa a 8 de maio de 1721. Sua experiência como embaixador ajudou-o a acalmar várias controvérsias que abalaram a Igreja Católica Romana durante aquele período. Aprovou o domínio de Carlos IV sobre Nápoles e a Sicília, domínio esse que Carlos IV já tinha, embora sem o reconhecimento da Igreja. Todavia, seus desejos não foram aceitos na Espanha, onde Dom Carlos, filho de Filipe V, da Espanha, sucedera no governo de Parma. Os bispos jansenistas franceses exortaram-no a repelir a bula de Clemente XI contra eles; mas o papa reagiu exigindo sua aceitação universal. Teve muitas dificuldades com os jesuítas, quanto a várias questões. Entre essas dificuldades, ele se opunha ao uso da liturgia nativa chinesa, que os jesuítas estavam empregando na China. Morreu a 7 de março de 1724.

INOCENTES, DIA DOS

Ver sobre *Dia dos Inocentes*.

INOCENTES, MASSACRE DOS

Herodes, o Grande, temendo o surgimento de um governante judeu nacionalista e popular, que ameaçasse o seu domínio, instigou a matança das crianças de dois anos de idade para baixo. Isso visava a eliminar qualquer criança do sexo masculino que cumprisse a profecia concernente ao Rei que pudesse nascer durante seus dias de governo. A narrativa é contada em Mateus 2:16-18. Os magos haviam dito a Herodes como o «rei dos judeus» haveria de nascer em Belém da Judéia. Herodes, pois, ordenou aos magos que voltassem a Jerusalém, depois de encontrarem o menino, para lhe darem informações especiais acerca do paradeiro da criança. Ver Mateus 2:2 *ss*. O propósito de Herodes, naturalmente, era localizar o menino Jesus, a fim de eliminá-lo. Mas os magos foram avisados, em um sonho, a não obedecerem à ordem de Herodes; e, assim sendo, partiram para sua terra nativa sem darem a Herodes qualquer informação.

Quando Herodes descobriu que fora enganado, e que suas ordens não haviam sido cumpridas, encheu-se de furor, e tentou eliminar a Cristo mediante grande matança de meninos de dois anos para baixo. A julgar pela possível população da cidade de Belém, na ocasião, o número de crianças deve ter sido entre vinte e trinta crianças, embora outros estudiosos pensem em um número bem maior. Na verdade, não há como fazer um cálculo mais aproximado.

INQUIRIR — INQUISIÇÃO

Josefo, embora tivesse mencionado muitas das atrocidades cometidas por Herodes, não mencionou essa maldade; mas seus atos de crueldade foram tantos que, facilmente, um a mais ou um a menos não faz qualquer diferença. O incidente, todavia, foi visto por Mateus como cumprimento da predição de Jeremias (ver 31:15), embora Ramá, o lugar tradicional de sepultamento de Raquel ficasse localizado cerca de dezesseis quilômetros ao norte de Jerusalém, e não em Belém. Quanto a isso, comentou A.B. Bruce: «A tradição do massacre fez lembrar a profecia, e levou a mesma a ser citada, embora de maneira um tanto imprópria».

O relato aparece somente no evangelho de Mateus, fazendo parte do material que alguns eruditos chamam de «M», ou seja, aquela porção dos evangelhos sinópticos à qual Mateus teria tido acesso. Ver o artigo intitulado o *Problema Sinóptico*. Seja como for, a história ilustra a desumanidade do homem contra o homem, mas como os propósitos de Deus se cumprem, a despeito de tudo. «Quem nos separará do amor de Cristo...?» (Rom. 8:31-39). Nem mesmo Herodes, com toda a sua autoridade, pôde impedir que os propósitos de Deus fossem frustrados. Um simples sonho impediu seus desígnios. Ver o artigo separado sobre o *Problema do Mal*.

INQUIRIR, INQUIRIÇÃO

1. *Definição*. Essa palavra vem do latim, *in*, «em», e *quaero*, «buscar». O termo significa «pedir informação», «investigar», «buscar». Uma inquirição é uma investigação, pesquisa, questionamento. O termo é usado em sentido comum, mas também reveste-se de sentidos filosóficos e religiosos.

2. *Na Filosofia*. Charles Peirce (vide) pensava que esse processo é necessário às operações do pragmatismo, mediante o qual a «verdade», como a forma de utilidade, é buscada. Ele cria que o processo é autocorretivo, e que a melhor maneira de buscar o conhecimento prático é a maneira pragmática. John Dewey (vide) inquiria o âmago mesmo da atividade filosófica. A inquirição transforma uma situação indeterminada em uma situação definida, mediante uma série de estágios, começando pela localização do problema, e terminando com a solução apropriada. Todas as soluções, porém, para ele eram apenas *instrumentais*, servindo de trampolim para novas inquirições. A inquirição é a filosofia do método científico, a essência mesma do *empirismo* (vide).

3. *Na Bíblia e na Teologia*. A abordagem religiosa da verdade é diferente, via de regra, que a abordagem filosófica e científica. As pessoas vinham a Moisés, o profeta, procurando saber através dele a vontade de Deus (Êxo. 18:15; 33:7-11). Eles supunham que mediante a revelação, a intuição e a inspiração, ele teria algo de importante a dizer. Do sumo sacerdote levítico esperava-se que fosse capaz de determinar a vontade de Deus através das sortes sagradas, chamadas Urim e Tumim. O trabalho dele talvez envolvesse uma espécie de bola de cristal, talvez com o uso de diamantes. Ver Êxo. 28:28-30. Davi apelou para esse método de revelação do Urim e Tumim (usados pelo sumo sacerdote), quando se viu em graves dificuldades com Saul. Ver I Sam. 23:9-12. Saul fez a mesma coisa (I Sam. 14:41). Tendo isso falhado, ele apelou para uma médium espírita (I Sam. 28:6,7). Quanto a teorias sobre a natureza do *Urim e Tumim*, ver o artigo sobre o assunto. Ver também o artigo geral sobre a *Adivinhação*.

A consulta a médiuns, bruxos e o uso de vários meios de adivinhação eram todos proibidos em Israel (Isa. 8:19; Deu. 18:10-12); mas sabemos que Israel praticava suas próprias formas de adivinhação sem qualquer impedimento. Era uma situação como se um judeu dissesse: «Se um pagão praticar a adivinhação, estará errado; mas, se eu praticá-la, não haverá qualquer problema».

Os apóstolos também apelaram para o lançamento de sortes, até mesmo no caso da escolha de um apóstolo, para tomar o lugar deixado vago por Judas Iscariotes conforme se vê em Atos 1:15-26. Porém, o método normal de inquirição, nas páginas do Novo Testamento, é a *oração* (vide). Ver Mat. 26:39; Tia. 1:5; II Cor. 12:7-9. A inquirição religiosa também se dá através das experiências místicas. Ver sobre o *Misticismo*. A revelação é uma subcategoria do misticismo, e a inspiração é uma subcategoria da revelação. Além disso, há inquirições racionais e intuitivas, que podem revestir-se de caráter espiritual, pelo que podem ser empregadas para fins religiosos com toda a propriedade.

A própria vida espiritual é uma forma de inquirição prática e religiosa, mediante a qual buscamos uma espiritualidade mais profunda, com a participação final na própria imagem de Cristo (ver Rom. 8:29).

A mente espiritual não se volta contra a inquirição pragmática e empírica da ciência, aceitando muitas conclusões que são valiosas para a fé religiosa, tiradas pelos homens de ciência, e não somente para o avanço do próprio conhecimento científico. Todavia, há modos de inquirir próprios para a determinação das questões morais e espirituais. O Espírito Santo é aquele que nos guia em nossas inquirições, a fim de que atinjamos os alvos que buscamos. Ver João 16:13.

INQUISIÇÃO

Esboço

I. Definição da Inquisição
II. Caracterização Geral
III. Portugal e Brasil
IV. Propósitos da Inquisição
V. Tentativas de Justificação dos Abusos

I. Definição da Inquisição

É incrível que a Igreja Cristã, que fora vítima de intensa perseguição, primeiramente pelos judeus, e então pelos judeus e romanos juntamente, com a passagem dos séculos, viesse a tornar-se, ela mesma, perseguidora. E isso não somente contra pessoas de fora, mas até mesmo contra pessoas de dentro de suas fileiras. É este último aspecto que é enfocado pela inquisição. A Igreja Católica Romana punia, bania e matava até mesmo seus alegados membros que errassem.

Dois grandes escândalos têm abalado a Igreja cristã, no decurso de sua história. O primeiro é que ela tem perseguido e morto a outras pessoas que se intitulam cristãs. O segundo é a veneração ou adoração de imagens, que ela promove, em vários de seus mais importantes segmentos. Ver sobre *Iconoclasmo* (*Controvérsias Iconoclásticas*). Da mesma maneira que um indivíduo pode exibir um vício que macula a sua espiritualidade, assim também a Igreja cristã, como um todo, tem sustentado esses dois grandes vícios debilitantes.

O termo «inquisição» vem do latim, *inquirere*, «inquirir». Compõe-se de duas outras palavras latinas: *in*, «em», e *quaero*, «buscar». Portanto, a inquisição é uma «busca», uma «investigação». Historicamente falando, o termo refere-se a uma instituição estabelecida no seio da Igreja Católica Romana com o propósito de eliminar a heresia, isto é, toda e qualquer oposição religiosa. Essa atividade mostrou-

INQUISIÇÃO — INRA

se mais ativa e destruidora durante um período de mais de quatrocentos anos, embora, como instituição, tivesse perdurado por muito mais tempo ainda.

II. Caracterização Geral

Em 1163, no concílio de Tours, na França, o papa Alexandre III ordenou que o clero procurasse os hereges com base em *inquéritos*, com a ajuda de testemunhas juramentadas. Durante um período de cerca de cinqüenta anos (de 1163 a 1215), houve processos inquisitoriais em andamento. No século XIII, a inquisição atuava em toda a Europa, excetuando-se na Escandinávia e na Inglaterra. Diferentemente dos casos tratados nos tribunais civis, os acusados nunca eram informados quem eram os seus acusadores. Se as ofensas fossem consideradas leves, penalidades bastante insignificantes eram baixadas, geralmente envolvendo formas de penitência. Mas, os alegados crimes, que usualmente nada mais envolviam senão diferenças de opinião doutrinária, eram pesadamente punidos, com encarceramento, banimento e até a morte, para nada dizermos sobre indescritíveis torturas sofridas pelas vítimas. O mais incrível é que, em 1253, o papa Inocente IV autorizou oficialmente o uso de torturas, no processo dos interrogatórios. Portanto, o suposto vigário ou substituto do humilde Jesus Cristo, que proibia toda sorte de violência, tornou-se pesadamente culpado desse crime de torturar até mesmo *membros de sua própria Igreja*. Ver Luc. 9:34 *ss*.

E os governos civis alegremente davam seu apoio à Igreja, encetando buscas que levaram a excessos notórios de arbitrariedade. Na Espanha, a inquisição mostrava-se altamente organizada, tendo sido eficaz e devastadora, porquanto atuava sob a autoridade direta do rei. E estendeu seus braços maliciosos contra a América Latina, uma vez descobertas e colonizadas as Américas. A inquisição espanhola foi estabelecida em 1480, e só foi abolida em 1834, o Santo Ofício da Inquisição foi estabelecido em Roma, em 1542, tendo prosseguido até 1965, quando foi substituído pela Congregação da Doutrina da Fé, que é uma inquisição que não se utiliza de meios violentos. O Santo Ofício de Roma ordenou que Bruno fosse executado na fogueira, o qual, por isso mesmo, tornou-se um dos mártires da filosofia. Também teve a duvidosa distinção de julgar e condenar Galileu Galilei.

Calcula-se que foram julgados cerca de quarenta mil casos. «Em termos de tortura, Hitler não passava de um aprendiz, comparado aos padres do Santo Ofício» (*O Estado de São Paulo*, 22 de janeiro de 1987).

III. Portugal e Brasil

Os territórios que atualmente constituem Portugal, por causa da proximidade e identidade histórica com a Espanha (onde a inquisição mostrou ser mais deletéria), tornaram-se um terror. Não foi senão em 1821 que o Tribunal da Inquisição foi desativado em Lisboa. No Brasil, milhares de pessoas foram denunciadas e centenas foram condenadas, a partir de 1591, com a chegada de visitadores como Heitor Furtado de Mendonça, que armou uma enorme mesa, nas instalações da Companhia de Jesus da Bahia, para receber as denúncias. Na maioria das vezes, as acusações falavam sobre corrupções de cristãos, por causa da influência do judaísmo, como feitiçarias, sodomia e homossexualismo. Também houve denúncias sobre desvios doutrinários que ·raiavam à blasfêmia. Uma das vítimas brasileiras foi o autor e poeta Antônio José da Silva, que foi executado na fogueira em Lisboa, em 1739, com apenas trinta e

quatro anos de idade. Nasceu no Brasil, mas criou-se em Portugal. Antes de morrer, foi objeto de constantes perseguições. Um outro brasileiro vitimado foi Bento Teixeira, que foi o primeiro poeta a escrever no Brasil, após José de Anchieta. Foi feito prisioneiro em Pernambuco. Morreu na prisão, em cerca de 1600. Anita Novinsky, uma especialista no assunto, lembra que os inquisidores se anteciparam às leis nazi-fascistas com a teoria da *limpeza do sangue*, fazendo com que «o Brasil já nascesse sob a égide do preconceito». Por isso, Hitler não trouxe nenhuma novidade, mas só aperfeiçoou o mal.

IV. Propósitos da Inquisição

1. Inquirir quanto à propagação de doutrinas que se opunham à fé católica romana.

2. Convocar aos tribunais todos os católicos romanos suspeitos de heresias ou de conduta imprópria.

3. Punir a incredulidade, a fim de convencer as pessoas do erro, exortando-as ao arrependimento. Apesar de que havia exceções à regra, a inquisição não tinha por finalidade forçar pessoas não-católicas a aceitarem o catolicismo. Antes tinha por intuito promover o bem-estar espiritual e garantir a salvação dos católicos que precisassem ser disciplinados, até mesmo mediante as torturas e a morte, se isso se tornasse necessário.

Os principais hereges perseguidos pelos inquisidores foram os albigenses, os waldenses e os cátaros (ver os artigos sobre esses três grupos).

V. Tentativas de Justificação dos Abusos

Aqueles que tentam mitigar os horrores impostos pela inquisição, oferecem as seguintes desculpas para ela:

1. A inquisição não teria sido diferente dos tribunais civis, que usavam o mesmo tipo de métodos, pelo que esse tipo de coisa era comum à época. A resposta é que a Igreja cristã deve ser vastamente diferente do mundo, especialmente no que concerne à violência, à crueldade e à brutalidade.

2. Geralmente eram as autoridades civis, e não as autoridades religiosas, que mais dano faziam entre os hereges. A resposta é que o papa Inocente IV autorizou oficialmente as torturas físicas como parte dos processos, além do que é dificílimo distinguir entre as áreas de atuação da Igreja e do Estado, nesses processos. As evidências mostram que a Igreja Católica Romana não precisava de quaisquer lições do Estado para efetuar seus atos desumanos.

3. Os protestantes estiveram envolvidos no mesmo tipo de coisa. Sabe-se que Calvino mandou aprisionar, matar e executar um grande número de pessoas, somente por discordarem dele quanto a questões doutrinárias. Ver o artigo acerca de *Calvino*, em seus últimos parágrafos, quanto a uma demonstração disso. Zwinglio também não teve um registro histórico muito melhor, quanto a essa questão; e até mesmo nas colônias norte-americanas os líderes religiosos foram culpados de idênticos crimes. Isso é verdade; mas dois erros ou mais não corrigem o primeiro deles.

4. Alguns deles dizem apenas: «A inquisição foi um sinal da época». Apesar disso ser verdade, espera-se que a Igreja de Cristo se conduza de uma maneira que seja de muito melhor qualidade do que a de homens ímpios e destituídos de humanidade. (AM E KUP) Ver o artigo geral sobre a *Tolerância*.

INRA

No hebraico, «teimoso». Filho de Zofá, descendente de Aser (I Crô. 7:36), e que foi um dos chefes daquela tribo. Viveu por volta de 1612 A.C.

INRI — INSCRIÇÕES

INRI

No hebraico, «eloqüente». Esse é o nome de duas personagens que aparecem no Antigo Testamento:

1. Um homem da tribo de Judá, filho de Bani, da família de Perez (I Crô. 9:4), que viveu algum tempo antes de 536 A.C. Ele se achava entre os exilados que voltaram do cativeiro babilônico para residir em Jerusalém.

2. O pai de Zacur, que ajudou a reconstruir as muralhas de Jerusalém, nos dias de Neemias (Nee. 3:2). Isso ocorreu algum tempo antes de 446 A.C.

I.N.R.I.

Essa abreviatura corresponderia à suposta inscrição em latim, afixada à cruz de Jesus: *Iesus Nazarenus Rex Iudaeorum*, «Jesus de Nazaré, rei dos judeus». Todos os quatro evangelhos mencionam essa inscrição, embora variem quanto à sua exata declaração. A versão de João 19:19 é a que melhor se ajusta a essa abreviatura. Tradições pias, sem dúvida mitológicas, asseveram que Helena, mãe do imperador Constantino, descobriu uma tábua, juntamente com as três cruzes, em uma caverna, identificada como o santo sepulcro. Naquela tábua foi encontrada essa inscrição. Pinturas da crucificação, feitas por M. Munkacsy, F. Pesellino e Ed. Burne-Jones, exibem a inscrição em latim.

INSANIDADE

Vem do latim, **in**, «não», e **sanus**, «são», «saudável». Essa é uma palavra geral que indica aqueles que são desequilibrados mentais, ainda que, no uso popular, também possa significar tolo, extravagante ou antipático. Na lei, a insanidade é uma condição mental que torna o indivíduo incapaz de cuidar de seus próprios negócios, ou de ser considerado responsável pela sua conduta. A palavra «incompetente» é usada para descrever tais pessoas. A lei ocupa-se com a questão da responsabilidade, e não com a identificação de enfermidades específicas, pelo que não está sujeita à queixa dos psiquiatras de que o uso dessa palavra, por parte dos advogados, subentende alguma enfermidade específica.

As legislações dos países têm estabelecido normas mediante as quais a insanidade é determinada; mas, nesse campo é mister grande dependência à ciência médica. Nos casos legais, com freqüência, testemunhos conflitantes são oferecidos pelos psiquiatras. É questão difícil e intrincada determinar tanto a insanidade quanto o grau de responsabilidade envolvidos, não apenas nos casos criminais, mas também no que diz respeito a testamentos. A questão fica ainda mais complicada por alegadas insanidades temporais, mediante as quais um criminoso, embora considerado hígido no momento, pode ter passado por um acesso de insanidade, pelo que cometeu seu ato criminoso.

Além disso, há atos feitos por pessoas normais que, segundo alguns alegam, poderiam ser feitos por pessoas que caem em insanidade temporária, ou em algo que se aproxima dessa condição. Para exemplificar, uma pessoa culpada de algum tipo de fraude pode ter sofrido pressões anormais, pelo que se tornou temporariamente irresponsável por suas ações. Ou, em um momento de intensa tristeza ou compaixão, uma pessoa poderia praticar um ato de eutanásia (vide).

Algumas Idéias Religiosas. Houve tempo em que se pensou que a insanidade era causada somente por possessões demoníacas. É verdade que assim sucede até hoje; mas, a maior parte desses casos deve ser atribuída a fatores fisiológicos ou psicológicos. No tocante à questão da responsabilidade, as leis civis tendem por assumir uma posição mais liberal do que a dos teólogos. Alguns teólogos afirmam que um homem pode chegar à insanidade por força de seus hábitos, que favorecem essa condição, sendo responsabilidade dele ter chegado a tal estado. Uma passagem bíblica das mais claras quanto a essa verdade é a de Romanos 1:22, que reza: «Inculcando-se por sábios, tornaram-se loucos...» Isso posto, apesar da lei alicerçar suas decisões sobre a responsabilidade do indivíduo sobre condições fisiológicas e psicológicas, também há o problema da degradação moral, diante da qual cada indivíduo deve ser responsabilizado.

Aqueles que crêem na preexistência da alma, com ou sem o acompanhamento da reencarnação (vide), supõem que as condições da alma, antes de sua junção ao corpo físico, podem ser a causa real da insanidade. Nesse caso, tal condição só pode ser evitada mediante a reversão de certas condições morais e espirituais, cultivadas pela alma, antes de vir habitar no organismo físico. Se esse raciocínio está com a razão, então pelo menos alguns casos de insanidade dependem da existência total da alma, e não meramente das condições do cérebro. Nesse caso, toda a alma que tiver cultivado sua própria insanidade certamente é responsável por seus atos, a despeito do que digam a lei e a psiquiatria.

INSCRIÇÕES

O latim por detrás dessa palavra é *inscriptio(nis)*, «uma escrita sobre». O termo latino *inscriptus* é o particípio passado de *inscribere*, «inscrever». Em um sentido geral, uma inscrição é qualquer coisa que se escreva sobre um objeto; mas, segundo o uso arqueológico do termo, estão em foco escritas gravadas sobre objetos encontrados pelos arqueólogos, vindos de antigas culturas, que nos auxiliam a compreender a natureza delas, bem como parte de sua história.

As inscrições, nesse sentido arqueológico, incluem cartas, palavras ou símbolos gravados ou pintados sobre materiais de grande duração, como pedra, argila, metal, terracota, marfim, etc., com o intuito de transmitir alguma mensagem, registrar eventos, ou talvez, em alguns casos, meramente decorar.

O estudo das inscrições muito tem feito para aumentar o conhecimento dos homens modernos sobre as civilizações antigas. Entre as mais bem conhecidas inscrições da civilização ocidental estão os vasos pintados e os mármores com gravuras em baixo relevo da antiga Grécia, bem como os selos e as moedas das civilizações da Mesopotâmia e do rio Nilo, que remontam tanto quanto até 3000 A.C. Naturalmente, inscrições também têm servido de preciosas fontes informativas sobre as culturas chinesa, maia, tolteca e asteca (estas três últimas nas Américas). As inscrições, como é óbvio, têm sua contraparte moderna nas pedras angulares dos edifícios, nas placas comemorativas, etc. Essa arte chama-se *epigrafia*.

I. Contribuição das Inscrições

As inscrições têm sido uma das mais valiosas fontes informativas dos arqueólogos. Até cerca de cem anos atrás, os estudiosos tinham de limitar-se a referências históricas literárias, como, por exemplo, os livros de Josefo, historiador judeu que viveu imediatamente após a época de Cristo. Atualmente, porém, a arqueologia tem encontrado grande massa de

INSCRIÇÕES

informações nas próprias terras bíblicas. As inscrições encontradas pelos arqueólogos nos revelam muita coisa sobre leis, tratados, condições sociais, motivos das populações, crenças (inclusive aquelas de natureza religiosa), etc. Além de meras pequenas inscrições, a arqueologia tem encontrado vastas bibliotecas, valiosíssimas para o estudo de culturas antigas. Na área dos rios Tigre e Eufrates, têm sido encontradas muitas inscrições feitas sobre argila, o material mais comumente achado ali. No Egito, muitas inscrições eram feitas sobre a pedra, mas também como pintura. Na Grécia têm sido encontradas muitas inscrições pertencentes aos séculos IV e V A.C., especialmente em Atenas. As mais antigas inscrições em grego foram gravadas da direita para a esquerda, ao estilo dos hebreus. Mas, com a passagem do tempo, o grego passou a ser escrito da esquerda para a direita, como o nosso português. E também existem inscrições escritas verticalmente, de cima para baixo, conforme se vê, por exemplo, no japonês.

As inscrições públicas visavam transmitir instruções às massas populares, geralmente sendo colocadas em lugares movimentados. As inscrições feitas sobre túmulos tinham significado religioso. Inscrições particulares, com freqüência, tinham uma finalidade decorativa, embora até mesmo essas, em muitos casos, nos forneçam informações valiosas.

II. Inscrições Antes de Israel Estabelecer-se na Terra Prometida

1. *Os textos de execração do Egito*, pertencentes aos séculos XIX e XX A.C. Nomes de inimigos, suas cidades, além de outras informações, eram escritos sobre figurinhas ou vasos de argila, os quais eram então quebrados. Isso equivalia mais ou menos à prática dos macumbeiros e outros, que atravessam bonecos com agulhas, na esperança de prejudicar às suas vítimas vivas. Textos assim fornecem-nos informações sobre as condições sociais, militares e governamentais dos povos que os prepararam.

2. *Os Textos dos Faraós do Egito*. Além das inscrições em escrita hieroglífica que nos dizem algo sobre os tempos e os reinados de vários reis egípcios, há os escritos mais extensos como os de Tutmés III (cerca de 1490—1436 A.C.), encontrados no templo de Amom, em Carnaque, onde aparecem alistados os nomes de cento e dezenove cidades e aldeias, capturadas pelos egípcios em Canaã e na Síria. Esses escritos nos fornecem grande iluminação quanto aos centros populacionais dessas áreas, naquele tempo. Outros documentos **escritos revelam o inter-relacionamento** entre o Egito e a Palestina, nos tempos de vários Faraós, como Ramsés II (cerca de 1290—1223 A.C.), Ramsés III (cerca de 1179—1147 A.C.), além de outros. Esse material, também, nos fornece algumas informações sobre os hititas e os hurrianos. E na própria Palestina têm sido encontradas inscrições relativas ao Egito. Três estelas (duas de Seti I, antecessor de Ramás II, e uma do próprio Ramsés III) foram deixadas em Bete-Seã por tropas egípcias que ocuparam aquele lugar em certo período histórico. Ali, lê-se sobre a captura de Bete-Seã. Em uma dessas estelas há menção aos *habiru* (vide), que muitos estudiosos pensam ser os hebreus.

3. *Inscrições Sumério-acadianas*. Têm sido encontradas bibliotecas inteiras, pertencentes a essa cultura, como milhares de textos, inscritos sobre argila queimada. Entre esse material se encontra a lista de reis sumérios, onde aparecem os nomes dos mais antigos governantes da Mesopotâmia. Todavia, essa lista é parcialmente mitológica, visto que aparecem ali os nomes de somente oito monarcas antediluvianos, os quais teriam coberto, ao todo, um período fantástico de duzentos e quarenta e um mil e duzentos anos.

Muito se tem podido aprender sobre as opiniões desses povos quanto à lei e à moral, conforme se vê no código de Hamurabi (cerca de 1792—1750), que encontra alguns paralelos na Bíblia. Ver o artigo separado intitulado *Hamurabi, Código de*. Outras coleções de material antigo, que nos oferecem informes sobre leis e questões morais foram encontradas em Ur, da época do rei Ur-Namu (cerca de 2060 A.C.), e das épocas dos reis Bilalão, de Esnuna (cerca de 1930 A.C.), e Lipite-Istar, de Isin (cerca de 1865 A.C.).

Em Mari, no curso médio do rio Eufrates, foi encontrada uma coleção de vinte mil tabletes, pertencentes aos séculos XIX e XVIII A.C. Esse material revela muita coisa sobre costumes sociais, leis, etc., e que ilustram muitas coisas da época bíblica patriarcal. Material similar foi encontrado em Nuzi na porção noroeste da Mesopotâmia que ilustra muitos costumes dos hurrianos. Esse material também lança luz sobre certas questões referidas na Bíblia.

4. *Inscrições Ugaríticas*. O ugarítico era um dos dialetos cananeus que contava com uma escrita alfabética, mas cuja escrita era tipo cuneiforme. Em nenhum local tem sido encontrado grande acúmulo desse material; mas o material pertencente a essa categoria, encontrado espalhado por toda a Palestina, tem sido considerável. Os fragmentos mais antigos pertencem ao século XIV A.C., contendo informações de cunho religioso, além de outras.

5. *Textos em Escrita Alfabética*. Tem sido encontrado algum material em escrita protosinaítica pertencente, principalmente aos séculos XVI e XV A.C. Esse material foi achado em Serebite. Embora não sejam abundantes, tais inscrições ilustram estágios no desenvolvimento do alfabeto, além de nos darem algumas informações sobre as culturas da época. E algumas dessas informações iluminam as condições bíblicas da época.

III. Inscrições da Época da Terra Santa Ocupada por Israel

1. *Egípcias*:

a. *Mernepta* (cerca de 1224—1216 A.C.) deixou hinos de vitória em uma estela, achada em seu túmulo, em Tebas. Essa mensagem duplica aquilo que ficou inscrito no templo de Amom, em Carnaque. Israel é mencionado entre os povos inimigos derrotados.

b. *Ramsés III* (cerca de 1179-1147 A.C.). Ele diz que repeliu os chamados povos do mar, entre os quais estavam os filisteus, que se estabeleceram nas costas marítimas da Palestina, depois que foram expulsos do Egito. Relatos sobre as lutas que houve, aparecem no **templo** mortuário de Ramsés, em Medinet Habut.

c. *A Literatura de Sabedoria*. Os escritos de Amenemope assemelham-se, quanto ao estilo, a algumas declarações do livro de Provérbios, na Bíblia, especialmente o trecho de Pro. 22:17—23:14.

d. *Sisaque*, também conhecido como Sosenque, guerreou contra Israel, nos dias de Reoboão (I Reis 14:25,26; II Crô. 12:2-9). Há uma inscrição, no templo de Carnaque, que dá uma lista de cidades que ele teria conquistado, confirmando as informações que aparecem em II Crônicas 12. Jerusalém não foi capturada, mas lhe foi imposto um pesado tributo. E os escudos de ouro, de Salomão, foram entregues aos egípcios, entre outros tesouros.

341

INSCRIÇÕES — INSEMINAÇÃO

As histórias dos reis da Assíria, — contadas em suas inscrições, suplementam aquilo que a Bíblia nos diz. Na inscrição monolítica de Salmaneser III (858—824 A.C.), Acabe é mencionado como um dos adversários dos assírios. Os sírios e israelitas tornaram-se aliados, por breve tempo, para enfrentar a ameaça assíria. Certa inscrição menciona a batalha de Qarqar, em 853 A.C., que houve durante esse conflito. O obelisco negro de Salmaneser III refere-se à submissão de Jeú aos sírios. *Tiglate-Pileser III* (744—727 A.C.) deixou registrado como Menaém, de Israel, precisou pagar-lhe tributo, o que também é mencionado em II Reis 15:19,20, além de descrever a guerra siro-efraimita, que envolveu Acaz, de Judá, o que tem paralelo bíblico em II Reis 16:5-18. Há inscrições que dizem como *Sargão I* (721—705 A.C.) destruiu Samaria e deportou os israelitas (ver também II Reis 18:9,12). *Senaqueribe* (704—681 A.C.) narra suas guerras na Palestina, jactando-se de suas vitórias sobre uma longa lista de cidades palestinas. Ele conta como pôs Ezequias em uma gaiola, embora sem mencionar os detalhes que aparecem em II Reis 18:17-35. Ele estabeleceu seu quartel general em Laquis, o que é confirmado na Bíblia. *Esar-Hadom* (680—669 A.C.), chama ao rei Manassés, de Judá, seu vassalo. *Assurbanipal* (668—633 A.C.) descreve como invadiu a Palestina.

3. *Babilônicas.* As inscrições que nos chegaram do período babilônico narram o colapso do império assírio, com a queda de Nínive. Cerca de trezentos tabletes foram recuperados na Babilônia, de cerca de 595-570 A.C., o tempo em que Nabucodonosor governou (605-562 A.C.). Jeoaquim, rei de Judá, é mencionado entre os muitos cativos e vassalos. Material escrito, procedente da Babilônia, também descreve Nabonido, Ciro e outros, que tiveram algum relacionamento com o povo de Israel.

4. *Hebréias.* Pertencentes ao século XII A.C., temos três cabeças de lanças inscritas, mui provavelmente, com os nomes de seus donos. Lâminas de metal, com nomes indecifráveis, têm sido encontradas, pertencentes desde o século XI A.C. Estações de plantio são alistadas em inscrições achadas em Gezer (século X A.C.). Inscrições fenícias, do século X A.C., ilustram o desenvolvimento do alfabeto. Uma dessas inscrições, bastante longa, foi encontrada em Caratepe, na parte leste da Cilícia, com material paralelo em escrita hieroglífica hitita. A chamada *pedra moabita* (vide), do século IX A.C., fala sobre o rei Onri, de Israel, além de fornecer detalhes sobre a história desse período do Antigo Testamento. Essa é a única inscrição significativa, no dialeto dos moabitas, que era um ramo da língua cananéia. Registros da entrega de azeite e vinho, pertencentes ao século VIII A.C., foram encontrados em Samaria, sob a forma de cerca de setenta *ostraca* (vide). Cerca de vinte e uma ostraca, do século VI A.C., foram achadas em Laquis, fornecendo-nos detalhes da época de Zedequias. A *inscrição de Siloé* (vide) foi encontrada em um antigo túnel, em Jerusalém, da época de Ezequias. Descreve como os engenheiros israelitas escavaram o túnel. Também há duas ostraca achadas em Tell Kasileh (século VIII A.C.), que mencionam o comércio de azeite e ouro, que Israel fazia com o Egito. Inscrições fúnebres, encontradas em Siloé, um lugar perto de Jerusalém, nos chegaram desde os tempos de Ezequias. Na fortaleza de Matzad Hashabyahu, várias ostraca foram achadas. Uma delas contém uma carta escrita em hebraico, do século VII A.C. Materiais perecíveis, como o papiro e o pergaminho, não perduravam por tanto tempo na Palestina como o faziam no Egito, de

clima bem mais seco; razão pela qual não muito desse material chegou até nós. Os chamados manuscritos do Mar Morto são uma notável exceção desse fato. Ver o artigo intitulado *Mar Morto, Manuscritos (Rolos) do.* Centenas de inscrições relativamente sem importância, inscritas em hebraico, sobre todo tipo de objetos, como selos, pesos, jarras e cabos de armas, moedas, ossuários, ostraca, etc., têm sido encontradas. Essas inscrições abordam a maior variedade imaginável de assuntos, e outras são apenas ornamentais.

5. *Aramaicas.* Uma estela encontrada perto de Alepo, na Síria, confirma o texto de I Reis 15:18, ao falar sobre Ben-Hadade. Uma inscrição feita sobre marfim, de Arslan Tash, contém o nome Hazael, também mencionado em II Reis 8:15. Várias inscrições em aramaico nos dão detalhes sobre a história dos reinos aramaicos, além de mencionarem lugares específicos de grande interesse, como Nerabe e Assur. A história de uma colônia judaica em Elefantina, no Alto Egito, tem sido aclarada por papiros encontrados. Isso já nos vem do período persa. Dentre os manuscritos mais importantes aramaicos, estão aqueles descobertos no mar Morto. Ver o artigo *Mar Morto, Manuscritos (Rolos) do.*

6. *Gregas.* Durante o período helenista, era comum as sinagogas judaicas conterem inscrições que honravam a reis pagãos. De fato, havia até sinagogas com os nomes dessas figuras. Desde a época de Antíoco III (223—187 A.C.), uma inscrição em grego conta como os seus soldados lançaram confusão no norte da Palestina, perto de Hefizibá. Uma inscrição feita sobre o mármore, em Acre, menciona Antíoco VII, sendo uma dedicação feita a Zeus Soter, o principal deus do panteão grego. Inscrições em grego têm sido achadas em lugares de sepultamento, em Maresa (159—119 A.C.), em Samaria, mais ou menos da época dos monarcas ptolomeus. Em Kefar Yasif, a nordeste de Acre, foi encontrada uma inscrição em pedra calcária, que era uma dedicatória, posta sobre um altar devotado a deuses orientais, Hadade e Atargates. Muitos fragmentos de papiro foram encontrados na areia dos desertos egípcios, ilustrando a vida das épocas de onde procederam, ou seja, imediatamente antes da era cristã, que foi o período helenista.

7. *Latinas.* Inúmeras inscrições em latim têm sido encontradas, lançando luz sobre o período de dominação romana. Para os estudiosos do Novo Testamento é de especial interesse a inscrição encontrada em um antigo teatro de Cesaréia. Representa uma dedicatória em honra ao imperador Tibério, ali posta por Pôncio Pilatos. Ver o artigo separado intitulado *Escrita.* (AM THO Z)

IN SE

No latim significa «em si mesmo», o que contrasta com a expressão latina *in alio*, «em outro». Os mestres do escolasticismo usavam a expressão *in se* para indicar alguma substância, ao passo que *in alio* referia-se aos acidentes dessa substância.

INSEMINAÇÃO ARTIFICIAL

A história da inseminação artificial é antiga, retrocedendo pelo menos ao século XIV. Alguns governos e grupos religiosos não têm aceito a prática por uma razão ou outra. Nos Estados Unidos da América, entre dez e vinte mil mulheres por ano engravidam através desse método (1980), a grande maioria com esperma de seus próprios maridos. Se

INSEMINAÇÃO — INSENSATO

isso não é possível, usualmente faz-se o possível para encontrar um doador cujas características genéticas sejam similares às do marido. O esperma pode ser recente ou congelado, preservado em bancos de esperma. O processo é hígido do ponto de vista da medicina, mas têm surgido problemas legais quando o doador não é o marido, e os tribunais têm baixado decisões contraditórias. Dois são os problemas mais evidentes: 1. A lei pode considerar tais casos como instâncias de adultério; ou 2. se a criança apresentar enfermidade ou deformação, por questões genéticas, o médico pode ser considerado responsável. Um problema adicional é a reação emocional retardada do marido, que, em alguns casos, é extremamente negativa. Ele pode sentir-se inadequado, ou que sua mulher o traiu de alguma maneira.

O impulso principal por trás do processo é o desejo natural da mulher de ter filhos. Para muitas delas, é mais satisfatório ter o próprio filho, mesmo que com esperma de outro homem, do que adotar um filho. Os problemas psicológicos das mulheres são raros.

O problema religioso. Se o doador é o marido, a maioria dos grupos religiosos não faz objeção, salvo que às vezes surge o argumento da «desnaturalidade» do processo. O problema real surge quando o doador não é o marido, e nesse caso, a história mostra que os católicos, os judeus ortodoxos e alguns protestantes (sobretudo luteranos) são os que mais se opõem à prática. A maioria dos grupos protestantes não tomou posição sobre a questão, a qual é deixada ao encargo da consciência das pessoas diretamente envolvidas. Ainda recentemente, os luteranos afrouxaram a sua posição sobre o problema, mas a Igreja Católica Romana, por meio de seus oficiais (não necessariamente seus membros), tem retido uma posição firme em contrário.

V. *Elvin Anderson*, diretor do Dwight Institute of Human Genetics, na Universidade de Minnesota, tem defendido a inseminação artificial com base nas seguintes razões:

1. É aconselhável para mulheres cujos maridos não são férteis ou têm genes prejudiciais, capazes de gerar filhos com defeitos genéticos.

2. A acusação de adultério não tem base do ponto de vista bíblico. O sermão do monte, ao referir-se ao adultério, salienta sua natureza sensual, que é o seu aspecto essencial, o que dificilmente ocorre na inseminação artificial, mesmo que a mulher seja inseminada com material colhido de outro homem que não seja seu marido.

3. A lei do casamento levirato, segundo a qual, se um homem casado morresse, um parente próximo tomaria sua esposa, gerando filhos para o marido falecido, em sua essência era um caso de inseminação por doador. (Conforme publicado no *Journal of the American Scientific Affiliation*, dezembro de 1966).

Cautelas necessárias. 1. Precisa haver concórdia entre marido e mulher. 2. Se são um casal religioso, devem consultar os representantes de sua fé, a fim de que se chegue a uma decisão se a questão é apropriada ou não. 3. Devem consultar um advogado para verificar quais problemas legais podem surgir, na área onde vivem. 4. Devem consultar o médico, para garantir a correção e a segurança médicas. (H PO)

INSENSATO, INSENSATEZ

No hebraico há quatro palavras envolvidas, e no grego, também quatro:

1. *Evil*, «insensato». Esse termo hebraico ocorre por vinte e seis vezes, conforme se vê, por exemplo, em Sal. 107:17; Pro. 1:7; 7:22; 24:7; 27:3,22; Isaías 10:11; Osé. 9:7.

2. *Kesil*, «autoconfiante». Palavra hebraica que aparece por sessenta e nove vezes, quando usada como adjetivo, conforme se vê, por exemplo, em Sal. 49:10; 94:8; Pro. 1:22,32; 3:35; 8:5; 10:18,23; 28:26; 29:11,20; Ecl. 2:14-16; 4:5; 5:3,4; 9:17; 10:2,12.

3. *Nabal*, «vazio», «tolo». Palavra hebraica que figura por dezoito vezes, conforme se vê em II Sam. 3:33; 13:13; Jó 30:8; Sal. 14:1; 53:1; Pro. 17:7,21; 30:22; Jer. 17:11.

4. *Sakal*, «cabeça dura». Termo hebraico que aparece por sete vezes como adjetivo: Ecl. 2:19; 10:3,14; 7:17; Jer. 5:21; 4:22.

5. *Anóetos*, «destituído de mente». Termo grego que aparece por seis vezes: Luc. 24:25; Rom. 1:14; Gál. 3:1,3; I Tim. 6:9; Tito 3:3.

6. *Ásophos*, «destituído de sabedoria». Palavra grega que é utilizada por apenas uma vez, em Efé. 5:15.

7. *Áphron*, «desatento». Palavra grega que é usada por onze vezes: Luc. 11:40; 12:20; Rom. 2:20; I Cor. 15:36; II Cor. 11:16,19; 12:6,11; Efé. 6:17 e I Ped. 2:15.

8. *Morós*, «rebelde», «insensato». Vocábulo grego usado por catorze vezes: Mat. 5:22; 7:26; 23:17,19; 25:2,3,8; Mar. 7:13; I Cor. 1:25,27; 3:18; 4:10; II Tim. 2:23 e Tito 3:9. O substantivo, *moría*, ocorre por cinco vezes: I Cor. 1:18,21,23; 2:14; 3:19.

I. Características da Insensatez

1. Não ter conhecimento de Deus (Tito 3:3).
2. Negar a Deus na teoria e na prática (Sal. 14:1; 53:1).
3. Blasfemar contra Deus e achar nele defeito (Sal. 74:22).
4. Zombar e desvalorizar o pecado (Pro. 14:9).
5. Odiar o conhecimento espiritual e desprezar a instrução (Pro. 1:22 e 15:5).
6. Não se interessar pela compreensão espiritual (Pro. 18:2).
7. Praticar o mal e permanecer nas trevas espirituais (Ecl. 2:14).
8. Deleitar-se no pecado (Pro. 10:23).
9. Mostrar-se corrupto (Sal. 14:1), auto-suficiente (Pro. 14:16), auto-iludido acerca dos verdadeiros valores (Pro. 14:8), falar muito, mas sem sabedoria (Ecl. 10:18), professar-se religioso, mas não pôr em prática a religião (Mat. 25:2-12), intrometer-se nos negócios alheios (Pro. 20:3), caluniar ao próximo (Pro. 10:18), ser um mentiroso (Pro. 10:18), ser preguiçoso (Ecl. 4:5), irar-se com facilidade (Ecl. 7:9), mostrar-se contencioso (Pro. 18:6), buscar a companhia de tolos (Pro. 13:20), ser idólatra (Jer. 26), confiar no dinheiro (Luc. 12:20).
10. O insensato pode ouvir o evangelho, mas não lhe dá atenção (Mat. 7:26).
11. Os insensatos só podem esperar pelo castigo divino (Sal. 107:17; Pro. 19:29).

II. Seus Contrários

1. A busca pela sabedoria; a inquirição espiritual; o cultivo da espiritualidade; o cultivo da santidade.
2. Levar uma vida enérgica, industriosa, cheia de propósito. Ter alvos na vida e buscá-los com denodo. Anular a própria ignorância, mediante o aprendizado. Buscar a sabedoria espiritual e aplicá-la (Efé. 1:17 ss). Aceitar a mensagem do evangelho (Rom. 2:20; Tito 3:3-5; I Cor. 1:21-25).

III. Quando é Legítimo ser Insensato?

O sério discipulado cristão pode envolver que o

INSETOS — INSPIRAÇÃO

crente torne-se um tolo, por amor a Cristo. Na verdade, os crentes dedicados não são tais, porém, as pessoas comuns assim os consideram (I Cor. 4:10; Atos 26:24). Entretanto, a verdadeira insensatez será evitada pelos discípulos sérios de Cristo (Efé. 5:4).

INSETOS

Todos os insetos mencionados na Bíblia aparecem em artigos separados, por seus respectivos nomes.

INSOLUBILIA

Essa palavra é latina e significa «insolúveis». Aponta para vários dilemas, quebra-cabeças e paradoxos semânticos e lógicos. Esses insolúveis apareceram, inicialmente, na antiga filosofia grega, principalmente entre os sofistas; e chegaram a ser um tema comum de discussões, na Idade Média. Ver sobre *Paradoxo*, sobretudo os pontos segundo a sexto.

INSPIRAÇÃO

Esboço:
  I. A Inspiração e as Escrituras
  II. A Inspiração e o Misticismo
  III. A Revelação e a Inspiração
  IV. Inspiração, um Fator Comum e Vital à Experiência Humana
  V. A Inspiração e a Autoridade
  VI. Fontes de Inspiração
  VII. Critérios para Julgamento de Inspiração Verdadeira e Falsa

I. A Inspiração e as Escrituras

Quanto a quase tudo que tenho a dizer sobre o assunto, ver o artigo *Escrituras*, segunda seção, *Inspiração das Escrituras;* e quinta seção, *Níveis e Tipos de Inspiração*. Damos o que consideramos ser uma importante declaração sobre a questão, no último parágrafo do artigo sobre o *Alcorão*. A leitura desses artigos fornece, com detalhes, as coisas que podem ser ditas sobre a inspiração de escritos sagrados, além de outros assuntos, afins. Ver, igualmente, sobre a *Infalibilidade* (que inclui a idéia da inerrância das Escrituras). Muitos teólogos têm asseverado que essa palavra só pode ser aplicada ao próprio Deus. Pois nada mais é infalível, além de Deus; e as declarações em contrário terminam em alguma variedade de idolatria, porquanto atribui um atributo divino exclusivo a alguém ou a alguma coisa.

II. A Inspiração e o Misticismo

Misticismo é o termo usado quando indicamos que poderes externos e superiores a nós podem entrar em contacto conosco, comunicando-se conosco. A isso se dá o nome de *misticismo objetivo*, a forma mais comum de misticismo no Ocidente. Se Deus quer revelar algo e um profeta recebe essa comunicação em um transe, por inspiração, em qualquer de suas formas, mediante a apreensão intuitiva, então o profeta terá recebido uma experiência mística. Já o *misticismo subjetivo*, comum no Oriente, é o ensino que diz que a alma é um grande depósito de conhecimentos e de sabedoria, e que esse depósito pode ser sondado pela visão interior, que nos é conferida através da meditação e dos estados de consciência alterados que ela produz. Ver o artigo geral sobre o *Misticismo*, quanto a uma completa explanação a respeito. Por enquanto, basta-nos esclarecer que a revelação e a inspiração são subcategorias do misticismo.

III. A Revelação e a Inspiração

É verdade que essas duas palavras podem ser usadas como sinônimos. Porém, a revelação pode indicar o ato de Deus por meio do qual ele revela importantes verdades que podem ser ou não incorporadas, mais tarde, em um livro ou em uma coleção de livros sagrados. Em contraste, a inspiração pode aludir a uma revelação menos formal, mais de cunho pessoal, com vistas a guiar ou instruir o indivíduo. Isso pode fazer parte do seu aprendizado, por intermédio do que tal indivíduo torna-se habilitado para cumprir a sua missão. Em um sentido inferior, a inspiração consiste na infusão ou implantação de uma idéia, como uma espécie de influência espiritual, que opera sobre a pessoa e a transforma.

Alguns grupos cristãos, como a Sociedade de Amigos, ou quacres, têm dado muito valor à inspiração pessoal com o propósito de se compreender as Escrituras, quando o indivíduo recebe ensinamentos diretos que podem ser sugeridos ou não pelas Sagradas Escrituras. Isso faz parte do ministério do Espírito Santo, sendo o toque místico na vida, e muito importante para o desenvolvimento espiritual. Quando isso é exagerado além das medidas, já teremos chegado a novas escrituras, que tendem por suplantar a Bíblia Sagrada. É o caso, para exemplificar, dos escritos da sra. White, muito prezados pelos Adventistas do Sétimo Dia. Alguns hinos cristãos, mui definidamente, foram inspirados nesse sentido, como também outros escritos.

IV. Inspiração, um Fator Comum e Vital à Experiência Humana

Dentro do *campo religioso*, podemos falar em *iluminação* (vide). Temos aí a obra iluminadora do Espírito sobre a mente humana, para que esta entenda melhor o que seja a espiritualidade e seus requisitos. Faz parte do crescimento espiritual, da compreensão de tudo quanto está envolvido na inquirição espiritual: o conhecimento de Deus, do Filho, das obras do Espírito e do que essas coisas significam para nós. Ver Efé. 1:18 e I Cor. 2:6-16. É possível termos abertos *os olhos da alma*.

Em outros campos. A inspiração opera na ciência, bem como em todas as linhas da experiência e do empreendimento humano. Trata-se de uma experiência universal, aliada à *intuição* (vide). Não se pode duvidar de que a mente humana pode sondar uma inteligência e um conhecimento além de sua própria experiência e da capacidade cerebral do homem. Ver o artigo sobre a *Mente Cósmica Universal*. Coisas que dizem respeito à vida e à morte estão inscritas na consciência humana, de várias maneiras, e não somente da maneira individual. Edison e outros cientistas, e o próprio Albert Einstein, têm atribuído algumas de suas idéias e invenções a forças maiores que suas realizações cerebrais. A inspiração opera sobre as artes, a música, a poesia, etc., e até sobre a filosofia. Quanto mais aprendo, mais acredito nisso.

V. A Inspiração e a Autoridade

Em qualquer campo, religioso ou não, se algo foi inspirado, então, mui naturalmente, terá mais autoridade do que aquilo que não é inspirado, pelo menos quanto a certas questões. Todavia, é inútil falarmos em perfeição, quando estamos tratando dessas coisas. Nada existe de perfeito e destituído de erro, excetuando-se o próprio Deus; e a inspiração, por mais valiosa que seja, não é capaz de dar-nos um conhecimento perfeito, porquanto sempre será algo incompleto. É o que disse o próprio Paulo, em certo trecho: «...porque em parte conhecemos, e em parte

344

INSPIRAÇÃO — INSTINTO

profetizamos...» (I Cor. 13:9). Ver o artigo geral sobre a *Autoridade*.

A Igreja Católica Romana, a Igreja Ortodoxa Oriental e alguns grupos anglicanos supõem que os concílios ecumênicos da Igreja cristã foram inspirados, e que a seus pronunciamentos deveríamos conferir a mesma autoridade que os católicos romanos dão ao papa, no tocante às suas declarações *ex cathedra*.

VI. Fontes de Inspiração

As mesmas fontes que nos dariam experiências místicas também são as fontes inspiradoras. Na inspiração objetiva, temos Deus, o Espírito Santo, Cristo, os santos (estes últimos dentro do catolicismo romano), os espíritos angelicais, e até mesmo espíritos humanos desencarnados (segundo o espiritismo). Na inspiração subjetiva, como já dissemos, a própria alma humana é o armazém de conhecimento e de sabedoria, o qual pode ser explorado mediante certos métodos. Sócrates tinha grande fé nas capacidades da alma humana. Ele acreditava em uma mente cósmica ou universal como fonte inspiradora; e isso seria outro modo de inspiração que requer o nosso respeito. A alma humana teria acesso à alma cósmica; e a mente humana teria acesso à mente cósmica.

VII. Critérios para Julgamento de Inspiração Verdadeira e Falsa

Muitos desses critérios são os mesmos que aqueles usados para determinar a autoridade do cânon das Escrituras, quando estamos tratando com documentos sagrados. Damos abaixo algumas sugestões gerais:

1. *A autoridade da Igreja,* através de seus concílios, ministros, etc.

2. *A coerência da mensagem dada,* em comparação com outras mensagens reputadas válidas. É importante que a comunidade interessada compreenda tal mensagem.

3. *A universalidade da mensagem.* Seitas e grupos locais dificilmente podem ser considerados autoritários quanto a questões religiosas, se é que a massa total da Igreja permanece na ignorância de fatos supostamente revelados e inspirados.

4. *Coerência interna:* moralidade e razão. Nenhuma inspiração verdadeira haverá de nos encorajar a praticar atos imorais, ilegítimos ou dúbios. Esse é o grande teste moral, uma questão importantíssima. Outro aspecto disso é o teste da *razão*. Não deveríamos abdicar de nossa capacidade de raciocinar, só porque algum grupo ou indivíduo diz que recebeu uma inspiração reveladora. A razão é que nos pode resguardar de abusos e fanatismos. É justo supormos que a razão nos foi outorgada como salvaguarda, e nós não deveríamos sacrificá-la, embora também não lhe possamos conferir uma importância exagerada. O misticismo pode transcender à razão, mas, usualmente não deveria contrariar a razão.

5. *Atitude desinteressada.* Algumas pessoas dizem ter recebido inspiração reveladora somente para promoverem seus próprios sistemas, em prejuízo de outros. Em uma verdadeira experiência mística, o «eu» e seus múltiplos interesses desaparecem, e o Espírito universal se manifesta.

6. *Inteligibilidade.* Visto que a inspiração visa a comunicar alguma mensagem, poderíamos aplicar esse critério. Precisamos aprender algo que serve de ajuda à maneira pela qual pensamos e agimos. Devemos repelir os excessos, os abusos, os absurdos.

7. *Praticalidade.* Aquilo que nos for dado pela inspiração revelada precisa revestir-se de senso prático, para nossas próprias pessoas, para nossas próprias vidas.

Esses vários critérios não são absolutos. São meras sugestões sobre o que deveríamos pensar sobre a inspiração. Dão-nos orientações. (E EP W Z)

INSTALAÇÃO

Essa palavra pode ser entendida de duas maneiras:

1. A cerimônia por meio da qual um cânon recebe seu ofício, para tornar-se um dos membros liderantes do clero de uma catedral ou de um colegiado eclesiástico (dentro da Igreja Católica Romana e da Igreja Anglicana, respectivamente). Desse modo, ele entra na posse oficial de seu assento ou posição eclesiástica. Essa palavra vem do latim medieval, *installare*, «estabelecer».

2. Nas igrejas tipo episcopal, essa palavra aponta para a cerimônia mediante a qual um ministro ou novo pastor dá início oficial ao seu trabalho, recebendo a recomendação da igreja onde deverá ministrar.

INSTINTO

Vem do latim, **instinctus**, particípio passado de *instingere*, «impelir». A palavra alude aos impulsos naturais ou tendências inatas que são essenciais à existência do homem e dos animais irracionais, para sua preservação e **bem-estar**, para a realização de certos atos e formas de comportamento, acompanhado por algum tipo de excitamento emocional. Naturalmente, o assunto é amplo e complexo na psicologia. Tem sido costumeiro os cientistas subestimarem as capacidades da razão e da inteligência nos animais, atribuindo tudo quanto eles fazem aos seus instintos. Os behavioristas (ver sobre o *behaviorismo*) fazem a mesma coisa no tocante ao próprio homem, praticamente eliminando a inteligência e a capacidade de escolher, com base na vontade criativa, para nada dizermos sobre as qualidades espirituais, que também inspiram as pessoas a fazerem coisas.

Uma definição popular de *instinto* é «motivação interior», sem entrar em detalhes quanto à natureza desse poder motivador. Além disso, muitas aptidões naturais podem ser chamadas instintivas. Muitos pensam que, nos animais, os instintos nunca são aprendidos, por serem motivações inconscientes. Toda essa questão está envolvida na teoria da evolução; e aquilo que se acredita aplicar aos instintos básicos, nos animais inferiores, também existiria nos superiores, incluindo no homem; contudo, até que ponto e de que maneira isso se dá, é algo que os estudiosos que crêem na teoria da evolução muito debatem.

Freud afirmava que o *libido* (vide) é a fonte da energia instintiva, que aflora sob a forma de comportamento sexual ou agressivo. J.B. Watson procurou demonstrar que existem reações instintivas que precisam ser distinguidas daquelas que são aprendidas e dependem do condicionamento. No mundo dos animais irracionais, há provas abundantes de que os instintos não são aprendidos. Assim, o filhote de gaivota, faminto desde que nasce, belisca no bico vermelho de seus pais, provocando o regurgitamento de alimentos. Isso é necessário, visto que aquela espécie, como várias outras também, só pode sobreviver se alimentar-se de alimentos parcialmente digeridos por seus pais. Só depois de algum tempo é que pode digerir sozinha. Supõe-se que os filhotes da gaivota não sabem por que razão precisam bicar o bico vermelho de seus pais. Todavia, sabe-se que a

INSTINTO — INSTRUMENTO DO BEM

precisão das bicadas melhora com o tempo, o que significa que o instinto é aprimorado. Os pesquisadores também têm observado que os filhotes de gaivota beliscam qualquer objeto vermelho, se for alongado e do tamanho aproximado do bico de seus pais. Seja como for, esse impulso é controlado geneticamente, e não racionalmente.

É óbvio que os animais nascem com instintos de comportamento agressivo, cujo propósito é o de proteger seu território. Não é mister ensinar um cão a ficar na porta de sua casa e ladrar por causa de toda pessoa que se aproximar. E alguns cães assumem a tarefa de proteger uma área maior, talvez algumas poucas casas de ambos os lados. Porém, da metade do quarteirão em diante, os cães não sentem ser necessário ladrar por causa dos que se avizinharem. Alguns pesquisadores estão convencidos de que um instinto similar é a causa principal das contínuas guerras entre os homens. Talvez racionalize o que está fazendo mas, o tempo todo, está apenas obedecendo a um antigo instinto animal de proteger o seu território. A agressividade é algo necessário para a sobrevivência neste mundo hostil. Falamos sobre «defender os próprios direitos». Aquele que não mostra qualquer agressividade não demora a tornar-se saco de pancadas de todos em redor. Todos sentimos a necessidade da agressividade, vez por outra.

Os instintos humanos básicos parecem ser a autopreservação, o temor da morte, a necessidade de contacto sexual, a ira, a sociabilidade, a necessidade de dar e receber amor, o senso estático de harmonia e equilíbrio, e muitas preferências que poderíamos pensar ser aprendidas, mas que, provavelmente, são controladas por fatores genéticos.

A Moralidade, a Espiritualidade e os Instintos. Uma pessoa pode ser instintivamente moral ou espiritual? Até recentemente, tal idéia seria alvo de chacotas. Um certo autor, que tenho examinado, diz: «Há um acordo geral... de que o homem não tem instintos morais ou religiosos específicos». No entanto, estudos recentes mostram que os filhos parecem herdar as preferências e os instintos morais e religiosos de seus pais. Portanto, parece correto dizer que os pais deveriam receber menos crédito, se seus filhos se saem bem, mas também serem considerados menos culpados, se encontrarem dificuldades na vida. Essa questão levanta tremendos questionamentos. Por que as coisas são assim? Poderia acontecer que a alma humana é capaz de controlar o seu corpo ao ponto de imprimir suas características ao seu código genético, e que as características espirituais são possessões de *famílias*, e não meramente de indivíduos? Essas características são transmitidas geneticamente, como se fossem instintos básicos? As evidências favorecem um «sim» parcial e cauteloso, porquanto ainda há muitos mistérios a serem desvendados. Ver o artigo separado sobre *Psicologia da Religião*. Essa questão aumenta a dificuldade do *problema corpo-mente* (vide), que é a interação entre a alma e o corpo do indivíduo. Quando uma entidade amadurece, espiritual e moralmente, parece que as essências física e espiritual são afetadas por esse desenvolvimento, de tal modo que os corpos se adaptam ao progresso espiritual e moral das almas que neles habitam. Alguns pensadores misturam com tudo isso a idéia da reencarnação, o que deveria ser investigado, mesmo que discordemos de tal sugestão. Ver o artigo sobre a *Reencarnação*.

Os empreendimentos humanos não são necessariamente limitados pelos nossos instintos nem física, nem profissional, nem moral e nem espiritualmente.

O homem é um ser criativo, cuja vontade pode dominar muitas situações e circunstâncias. Porém, é inútil negar a realidade dos instintos.

INSTRUMENTALISMO

1. John Dewey (vide) criou uma teoria de pensamento, lógica e aquisição de conhecimentos que chamou de *instrumentalismo*. Ele desdobrou o *pragmatismo* (vide) de William James, supondo que as idéias, conceitos e juízos são instrumentos que funcionam em situações experimentadas, e que assim determinam futuras conseqüências. As proposições seriam instrumentos de inquirição. Elas não são necessariamente verdadeiras ou falsas. Antes, deveriam ser reputadas eficazes ou ineficazes, o que é a medida da veracidade ou falsidade das mesmas. Se nossos juízos chegarem a ser confirmados pela experiência, então, sim, poderemos chamá-los de verdadeiros ou falsos; mas não estamos tratando com valores absolutos. As idéias e a prática cooperam juntamente, como instrumentos de aplicação prática na vida, onde o alvo é *aquilo que funciona*. A predição torna-se possível quando as experiências se ajustam umas às outras, formando padrões. É isso que torna a ciência possível. As idéias são instrumentos de ação, e as finalidades são consideradas mais importantes do que os meios.

Todas as Finalidades são Instrumentais. Coisa alguma é terminantemente final. Não existe síntese que não dê origem, finalmente, a uma antítese, de tal modo que as situações estão em constante estado de fluxo. Uma finalidade, na verdade, é apenas o instrumento para um novo começo, de maneira que não existe tal coisa como uma verdadeira finalidade. Orígenes, meditando dessa forma, embora não tivesse usado a mesma terminologia, supunha que já houve muitos ciclos que terminaram em redenção e restauração, somente para irromperem novamente em rebelião e queda; e que deveríamos esperar que esse processo continue. Todavia, nisso já entramos em especulações e mistérios; mas, pelo menos, o conceito de finalidades como meros instrumentos certamente é algo fartamente demonstrado em nossa própria experiência.

2. As Teorias são instrumentais. Filósofos como Berkeley e Mach não têm exibido fé no valor absoluto das teorias em geral, como verdades. Antes, as teorias são consideradas apenas instrumentos ou artifícios calculadores, de onde derivamos algumas observações (predições), com base em outras observações (dados). As teorias, por conseguinte, não abordam questões de verdadeiro ou falso, mas servem apenas de condições para uma contínua investigação. Levado à sua conclusão lógica, esse tipo de instrumentalismo opõe-se ao realismo, onde as teorias básicas são consideradas como afirmações acerca da realidade do mundo. Talvez essa teoria instrumental seja outra maneira de dizer que todo o nosso «conhecimento» assume a forma de parábolas. Há grandes verdades a serem adquiridas, mas dispomos apenas de fragmentos de verdades, retidos em nossas mentes sob a forma de parábolas.

INSTRUMENTO

Ver sobre *Música e Instrumentos Musicais*.

INSTRUMENTO DO BEM

Ver sobre *Bem Instrumental*.

••• ••• •••

INSTRUMENTOS — INTELECTO

INSTRUMENTOS MUSICAIS DE CORDA

Ver sobre **Música e Instrumentos Musicais**.

INSUFLAÇÃO

Vem do latim, **insufflatio(onis)**, «sopro sobre». A raiz verbal é *in* e *sufflare*, «soprar do alto» ou «soprar em». Essa palavra tem sido usada para indicar aquele ato religioso que consiste em soprar sobre uma pessoa, como símbolo da doação do Espírito, em imitação ao que fez Jesus, conforme se lê em João 20:22. A mesma coisa é feita por alguns exorcistas, a fim de expelirem espíritos imundos. Primitivos ritos cristãos incluíam a insuflação sobre os catecúmenos, juntamente com o ato de batismo. Também é usada a insuflação em conexão com a bênção da fronte e com a crisma com o óleo bento. As Igrejas Católica Romana e Ortodoxa Oriental ainda praticam tal rito.

INSULTO

Palavra que aparece em Mat. 5:22 como tradução do termo aramaico *racá*, que significa «estúpido», «vazio (de mentalidade)». Era termo insultuoso. É um *hapax legomena*, ou seja, palavra usada apenas uma vez na Bíblia, onde Jesus disse que aquele que usasse tal expressão contra um irmão estaria sujeito a julgamento do tribunal.

A palavra que aparece no original grego pode ser uma transliteração do termo aramaico que indica uma pessoa de mentalidade inferior, ou estúpida. Há um termo aramaico similar que significa «vazio», ou seja, figuradamente, *ignorante*. Na literatura rabínica, o primeiro desses vocábulos aramaicos é usado por um comandante acerca de um homem que continuou a orar, ao ser saudado pelo oficial, mas não respondeu à saudação. O rabino Jochanan chamou de *reqa* a um aluno que riu em uma de suas conferências. E em um dos Midrashim, Noé teria dito a seus contemporâneos: «Ai de vós, *reqayya!* Amanhã chegará o dilúvio. Arrependei-vos». Nesses casos, o sentido parece ser «estúpido», «embotado».

Mas há um papiro grego do século III A.C. que usa *rachan* de modo a sugerir que se trata de um termo insultuoso, embora seu sentido seja incerto. Porém, visto que a forma *rachá* conta com maior apoio dos manuscritos que a forma *raká*, não podemos saber com certeza se o termo está vinculado ao termo aramaico.

INSURREIÇÃO

Ver o artigo intitulado **Crime e Castigos**, quanto ao ponto de vista da Bíblia acerca das insurreições. Esse termo vem do latim, *insurgere*, «levantar-se contra», «insurgir-se». Alude à revolta contra a autoridade civil ou religiosa, ou contra qualquer governo legitimamente estabelecido. Um exemplo bíblico é o de Absalão, que se revoltou contra seu pai, Davi. Ver II Sam. 15 *ss*. Ver também Sal. 55 quanto à descrição de Davi sobre essa insurreição.

Os teólogos supõem que é possível alguém insurgir-se contra as autoridades civis, sem que isso envolva desobediência às leis de Deus, quando os governos se mostram corruptos e ameaçam aos cidadãos de maneiras opressivas e imorais, através de medidas econômicas ou outras. As revoluções provam o fato de que muitos povos têm sentido que certos governos são insuportáveis. Por outro lado, nem todas as revoltas são justas, como é lógico. As visões de Fátima, em Portugal, envolviam uma forte advertência contra o comunismo (vide), exortando que se fizesse oposição a tal movimento. Se tal advertência era veraz, então as revoltas feitas em prol do comunismo são malignas, ainda que igualmente malignos possam ser movimentos que se digam democráticos ou que tenham outras motivações, quaisquer que sejam. É o caso do governo do aiatolá Komeine, do Irã, alicerçado sobre o mais puro fanatismo religioso. De modo geral, entretanto, a Bíblia recomenda a obediência às autoridades civis, conforme se vê, por exemplo, no décimo terceiro capítulo de Romanos, que é a exposição mais detalhada que encontramos sobre essa questão, em toda a Bíblia. Ver o artigo geral intitulado *Governo, Instituição de Deus*.

Alguns eruditos, mui equivocadamente, têm promovido o conceito de um «Jesus político», revoltado contra Roma. Segundo eles, talvez Jesus pertencesse ao partido dos zelotes (vide). No Novo Testamento encontramos a sua declaração de que ele viera trazer ao mundo a espada, e não a paz (Mat. 10:34); e o fato de que ele expulsou os cambistas e purificou o templo, através de medidas violentas (ver Mateus 21:12 *ss*). Todavia, as evidências em favor dessa tese não podem ser comprovadas pela Bíblia, havendo, pelo contrário, evidências bíblicas definitivas de que Jesus era apolítico. Para exemplificar, suas palavras diante de Pilatos: «O meu reino não é deste mundo. Se o meu reino fosse deste mundo, os meus ministros se empenhariam por mim, para que não fosse eu entregue aos judeus; mas agora o meu reino não é daqui» (João 18:36). A mente de Jesus estava interessada no mundo espiritual. Jesus jamais foi um político, nem mesmo por aspiração. Quanto à declaração que Jesus viera trazer a espada ao mundo, ele estava se referindo aos resultados inevitáveis do seu evangelho, que provocariam divisões entre as pessoas, segundo elas lhe dessem ouvidos ou se rebelassem contra a mensagem divina.

INTEGRIDADE

Ver o artigo geral sobre a **Honestidade**. A integridade refere-se à *higidez moral*, a condição daqueles que são possuidores de um autêntico caráter moral, em contraste com aqueles cuja natureza inclui o engodo, a astúcia e a malícia. O trecho de Gên. 25:27 faz a comparação entre Jacó e Esaú. Jacó aparece ali como um homem íntegro; mas Esaú é descrito como um homem dotado de habilidades violentas. Em Tito 2:7, a palavra grega *aphthoria* (palavra que só se acha por uma vez em todo o Novo Testamento), que nossa versão portuguesa traduz por «integridade», em algumas outras versões aparece como «incorruptibilidade» ou «sanidade». Ali, essa virtude aparece como uma das qualidades que os líderes das igrejas cristãs devem possuir. Com toda a razão podemos pensar que temos aí um aspecto do fruto do Espírito Santo, em nossas vidas, embora tal virtude não seja especificamente mencionada na lista de Gálatas 5:22,23. Mas Jesus ensinou claramente esse princípio, conforme se vê em Mat. 6:1-6.

Para nós, povo de Deus, a integridade envolve a honestidade, a retidão, a higidez de caráter e uma espiritualidade da mais pura qualidade, que evita e foge da corrupção.

INTELECTO

Esse termo vem do latim, **intelligare**, «compreender». Essa palavra é usada em diversos sentidos, na teologia e na filosofia, a saber:

1. Alguns aludem ao *intelecto* como a faculdade ou

INTELECTO — INTENÇÃO

poder de pensamento ou de percepção que envolve processos mais elevados de pensar. É distinguido por eles dos sentidos e da memória, como se caracteriza-se o homem, em contraste com os animais inferiores. Os estudos feitos sobre as reações dos animais têm demonstrado que eles têm muito mais intelecto do que anteriormente se supunha.

2. Para outros, o intelecto seria aquele poder que permite ao homem compreender através da sua razão, em contraste com o conhecimento que lhe chega através da percepção dos sentidos. Ver sobre o *Racionalismo*.

3. No campo da psicologia, uma classificação arcaica alista o intelecto como a faculdade cognitiva, em contraste com a vontade e com a percepção dos sentidos.

4. Nosso intelecto pode se referir à somatória dos poderes mentais possuídos pelo homem, mediante os quais seu conhecimento é adquirido, ampliado e retido, em contraste com o conhecimento que nos chega através da percepção dos sentidos.

5. *O Uso Metafísico*. Deus é o *Grande Intelecto*, e os homens são meros intelectos, que compartilham algo da natureza e da inteligência divinas. De acordo com esse uso, está em pauta a *essência* do ser humano. Nesse caso, *intelecto* torna-se um virtual sinônimo de *espírito*, em contraste com a matéria, embora ressaltando a inteligência do espírito como sua principal qualidade. A natureza intelectual e espiritual de Deus também é demonstrada por essa palavra, «intelecto». Segundo dizia Joseph Smith: «A glória de Deus consiste em sua inteligência». Essa afirmativa é favorável à tese do racionalismo, porquanto assevera que o homem é um ser dotado de conhecimento, tal como Deus. O homem pode tomar conhecimento de muitas coisas mediante a razão e a intuição, que ele não precisa investigar empiricamen-te. Entre essas coisas, encontram-se as verdades morais e espirituais.

6. Nos escritos de *Aristóteles* encontramos os usos que aparecem no ponto anterior. E ele também se referia ao intelecto *passivo* e ao intelecto *ativo*. O primeiro refere-se à faculdade da inteligência que recolhe informações através da percepção dos sentidos; e o segundo refere-se à manipulação inteligente, mediante o desdobramento e a compara-ção dos informes recebidos. Desse modo as idéias seriam criadas e **se inter-relacionariam**.

7. *Avempace* usava a terminologia aristotélica e assevera que a inteligência ativa é um dos alvos do empreendimento humano. Aristóteles costumava dizer que Deus é pensamento puro, por pensar em si mesmo (visto que não há ninguém e nem outra coisa que seja digna da atenção divina). O homem, pois, parecer-se-ia mais com Deus quando se acha em estado de contemplação.

8. *Averróis*, ao referir-se ao intelecto como a essência do ser humano (conforme se vê no quinto ponto, acima), declarou que o intelecto é a essência imortal do homem; mas, conforme ele também dizia, o intelecto passivo contém elementos que fazem a pessoa tornar-se um *indivíduo*. Destarte, ao que parece, ele não cria na imortalidade contínua, individual, visto que, por ocasião da morte física, cessaria a intelectualidade passiva. Essa parece ter sido a posição de Aristóteles; mas Averróis foi pesadamente criticado por esse motivo.

9. *Tomás de Aquino* também se utilizou das descrições aristotélicas. O intelecto passivo (*intellectus possibilis*) receberia os fantasmas dos sentidos, ao passo que o intelecto ativo perceberia a essência mesma das realidades. A isso ele chamava de *intellectus agens*. Aquino também se referia ao intelecto como uma essência **não-material**, a saber, o espírito ou alma do homem, que seria uma substância capaz de tomar conhecimento das coisas. Esse espírito ou alma, conforme ele pensava, é capaz de existir sem um corpo físico. Em outras palavras, a *imortalidade* (vide) é uma realidade.

10. *Guilherme de Ockham* (vide) não via razões convincentes para crer em um intelecto ativo, embora recebesse esse conceito pela fé, visto que santos e filósofos respeitáveis tinham defendido tal idéia. Ele não encontrava evidências para se estabelecer a distinção entre o intelecto e a vontade, conforme é comum fazer-se na filosofia. Meu artigo sobre ele explica essas questões.

INTELIGÊNCIA ARTIFICIAL

Ver o artigo **Cibernética**.

INTEMPERANÇA

Essa palavra vem do latim, **in**, «não», e **temperare**, «misturar nas devidas proporções», dando a entender qualquer coisa onde algum elemento se acha em desproporção aos demais. A intemperança consiste na falta de moderação na fala ou nas ações. Esse vocábulo também é comumente usado para aludir ao uso excessivo de bebidas alcoólicas. Ver os artigos intitulados *Alcoolismo* e *Bebida Forte*. Ver também *Moderação*.

INTENÇÃO SACRAMENTAL

Lutero afirmava que a validade de um sacramento (vide) depende da fé da pessoa que o recebe, e não da intenção do ministro que o serve. O concílio de Trento, contradizendo isso, afirmou: «Se alguém diz que não se requer dos ministros ao menos a intenção de fazer o que a Igreja faz, que seja anátema» (Cânon XI, seção sétima). De acordo com a doutrina católica romana e anglicana, as exigências para que haja uma válida ministração dos sacramentos, no caso de adultos, são duas: 1. uma vontade positiva, por parte dos adultos que o recebe; 2. uma vontade positiva por parte do ministro, de tal modo que ele tenha por intenção fazer com o sacramento aquilo que a Igreja ensina. Calvino, por sua vez, ensinou (Acta syn. trid. cum antid., Corpus Reforma, 35.946 *ss*) que as boas intenções, por parte do ministrante, não são necessárias, embora sejam desejáveis. Pois o ato de um ministrante, ainda que feito de modo fingido, ainda assim pode despertar fé por parte de quem recebe o sacramento; e é nessa fé, exclusivamente, que reside a eficácia do sacramento.

Após o concílio de Trento, Catarino defendeu o ponto de vista que diz que mesmo que um ministro discorde da aplicação de um sacramento, isso não desqualifica esse sacramento, contanto que seja ministrado da maneira correta. Esse veio a tornar-se um dos pontos de vista daqueles que têm tendências fortes para o sacramentalismo (vide). Não obstante, as teologias católica romana e anglicana continuam a requerer boas intenções da parte do ministrante, se um sacramento tiver de ter validade. E os protestantes sacramentalistas, como os luteranos, tomam atual-mente uma posição intermediária, segundo a qual um rito é válido, apesar das falhas e dúvidas do ministrante, contanto que ele não o faça como um ato de zombaria. Por outro lado, os grupos evangélicos não sacramentalistas não acreditam na transmissão da graça divina mediante meras cerimônias ou ritos eclesiásticos. Por conseguinte, para eles nem existe tal

INTERACIONISMO — INTERCESSÃO

coisa como sacramentos teológicos. Por essa precisa razão, esses grupos evitam a palavra sacramento, preferindo dizer «ordenação». Para eles, pois, toda essa discussão em torno dos sacramentos já pecou pela base, e nem deveria ter prosseguimento.

INTERACIONISMO

Essa é uma das teorias relacionadas ao **Problema Corpo-Mente** (vide), que afirma que o ser humano constitui um dualismo composto de elementos materiais e **não-materiais**, e também que interagem o corpo (material) com a alma ou espírito (imaterial). De acordo com essa explicação, acredita-se que a substância material pode produzir efeitos sobre a parte **não-material**, e vice-versa. Em outras palavras, os eventos físicos podem produzir eventos mentais, e vice-versa. É sabido que uma emoção forte pode fazer o coração bater mais rapidamente. As atitudes erradas podem levar a enfermidades diversas. Os poderes mentais podem curar enfermidades. Mas, principalmente, o espírito humano pode manipular e realmente manipula o corpo material, sendo esse o poder por detrás de todos os atos humanos. Quanto a um completo estudo sobre essa questão, ver o artigo geral intitulado *Problema Corpo-Mente*, em sua sétima seção, chamada *Interacionismo*.

INTERCESSÃO

Esboço:

I. A Palavra e Caracterização Geral
II. A Intercessão dos Crentes
III. A Intercessão de Cristo
IV. A Intercessão do Espírito Santo

I. A Palavra e Caracterização Geral

A palavra intercessão vem do latim, **intercedere**, «ficar entre». Sua raiz é **inter**, «entre», e **cedere**, «passar», «ir». Interceder é apelar em favor de alguém. Quando é aplicada à oração, essa palavra dá a entender as intercessões feitas diante de Deus ou de alguma elevada autoridade espiritual, em favor de outrem. Em algumas porções da Igreja, a prática das preces em favor dos mortos está incluída na questão, visto que na Igreja Ortodoxa Oriental o estado dos *perdidos* não é considerado fixo ou final antes do julgamento do último dia, ao passo que na Igreja Católica Romana o estado dos *fiéis* não é considerado fixo antes do julgamento final.

A palavra hebraica *paga*, «interceder», originalmente significa «ferir sobre», e, por extensão, «assediar com petições». Quando esse insistente tipo de oração era feito em favor de outra pessoa, então a palavra tomava o sentido de *intercessão*. E a palavra grega correspondente é *entugchano*. Essa palavra ocorre por cinco vezes no Novo Testamento: Atos 25:24; Rom. 8,26,34; 11:2 e Heb. 7:25. O significado básico dessa palavra é «encontrar», «voltar-se para», «aproximar-se de», «apelar», «fazer petição». O indivíduo aproxima-se do poder divino a fim de fazer suas petições. A forma nominal, *enteuksis*, significa «pedido», «petição», «oração», «intercessão». Essa palavra encontra-se somente por duas vezes em todo o Novo Testamento: I Tim. 2:1 e 4:5. A passagem de I Tim. 2:1 recomenda um amplo ministério de intercessão por todas as classes de pessoas.

No Antigo Testamento, nos livros poéticos, encontramos exemplos de intercessão (ver Jó 1:5; 42:8; Sal. 20; 25:22; 35:13). Muitos exemplos podem ser vistos nos livros proféticos (ver Isa. 6; 25; 26 e 37; ver também Jer. 10:23 ss, 14:7 ss; Eze. 9:8; 11:13 e

Dan. 9:16-19). O trecho de Mal. 2:7 subentende que os sacerdotes mostravam-se negligentes em seu trabalho de intercessão. Joel 2:17 mostra-nos que os sacerdotes e ministros tinham por obrigação realizar esse serviço. A intercessão é muito enfatizada nos livros históricos. Ver a história de Abraão e sua intercessão em favor dos sodomitas (Gên. 18:22-33). No tocante a Jacó, ver Gên. 48:8-23. Moisés intercedeu em favor do rebelde povo de Israel (Êxo. 32:31,32), e Samuel seguiu esse exemplo (I Sam. 15:11).

No Novo Testamento vemos que Jesus ensinou a necessidade de intercedermos até mesmo pelos nossos inimigos (Mat. 5:44). Disso o próprio Senhor Jesus deu o exemplo (Luc. 22:32; João 17), e a Igreja primitiva O imitou nisso (Atos 12:5-12; 13:3). O Espírito Santo intercede por nós (Rom. 8:26), tal como agora o faz o Cristo exaltado à glória celestial (Heb. 9:24).

A intercessão é um ato resultante da prática da lei do amor, visto que todos os seres humanos são carentes, e deveríamos preocupar-nos com a satisfação dessas necessidades, sobretudo quando essas necessidades são espirituais. A intercessão é a confissão de nossas necessidades e de que dependemos de Deus. Algumas vezes, precisamos da intervenção divina direta em nosso favor. Sempre precisamos do divino auxílio no tocante às nossas necessidades, sejam elas físicas ou espirituais, a fim de que também possamos cumprir como é devido a missão de cada um de nós neste mundo.

II. A Intercessão dos Crentes

Ver o artigo sobre a **Oração**, especialmente o nono ponto, *Intercessão Mútua*. Na família divina, o Filho de Deus intercede pelos filhos de Deus; o Espírito Santo intercede pelos filhos de Deus, e espera-se que estes últimos intercedam uns pelos outros. Cristo nos deixou exemplo disso: Luc. 22:32; João 17:9-24. A oração intercessória nos é ordenada (I Tim. 2:1; Tia. 5:14,16). Deveríamos interceder em favor de todos os homens (I Tim. 2:1), por todos quantos ocupam posições de autoridade (I Tim. 2:2), pelos ministros (II Cor. 1:11; Fil. 1:29), pela Igreja como um todo (Sal. 122:6; Isa. 62:6,7), por todos os santos (Efé. 6:18), pelos patrões (Gên. 24:12-14), pelos servos (Luc. 7:2,3), pelas crianças (Mat. 15:22), pelos nossos compatriotas (Rom. 10:1), pelos enfermos (Tia. 5:14), pelos que nos perseguem (Mat. 5:44), pelos nossos inimigos (Jer. 29:7), pelos que mostram ter inveja de nós (Núm. 12:13), por aqueles que nos abandonam (II Tim. 4:16). Os ministros do evangelho deveriam orar pelos membros de suas igrejas (Efé. 1:16; 3:14-19; Fil. 1:4), para que tomem coragem (Tia. 5:16). É um pecado negligenciarmos a oração intercessória (I Sam. 12:23). Além disso, a oração intercessória beneficia ao próprio intercessor (Jó 42:10).

Os exemplos bíblicos de oração intercessória incluem Abraão (Gên. 18:23-32), Moisés (Êxo. 8:12; 32:11-13), Samuel (I Sam. 7:5), Salomão (I Reis 8:30-36), Elias (II Reis 4:33), Ezequias (II Crô. 30:18), Isaías (II Crô. 32:20), Davi (Sal. 25:22), Daniel (9:3-19), Estêvão (Atos 7:60), Pedro e João (Atos 8:15), a igreja de Jerusalém (Atos 12:5), Paulo (Col. 1:9,12), Epafras (Col. 4:12) e Filemom (File. 22).

III. A Intercessão de Cristo

O décimo sétimo capítulo de João mostra a preocupação do Filho de Deus pelos filhos de Deus, mormente no tocante ao bem-estar espiritual deles. O trecho de Lucas 22:32 mostra que Jesus atarefava-se

349

INTERCESSÃO — INTERDITO

nesse ministério. E as passagens de Romanos 8:34 e Hebreus 7:25 referem-se ao Cristo exaltado aos céus a interceder em favor de seus irmãos. O Espírito de Deus nos seria dado mediante a intercessão de Cristo (João 14:16,17), e é por meio dele que somos conduzidos a toda a verdade. Os crentes enfrentam muitos adversários; mas o trabalho intercessório do Filho de Deus garante para os filhos uma peregrinação **bem-sucedida** até à glória final (Rom. 8:34 e seu contexto). Somos salvos até às últimas conseqüências em virtude da intercessão de Cristo (Heb. 7:25). A eficácia desse ministério depende do ato expiatório de Cristo (Rom. 8:34), o que significa que sua missão salvatícia é que dá eficácia à sua intercessão. E Hebreus 7:25 mostra que essa intercessão de Cristo, em nosso favor, ocorre dentro do contexto de seu sumo sacerdócio. Ver também I João 2:1,2 quanto a essa questão. A intercessão é um dos aspectos da provisão do amor de Deus em prol de toda a humanidade.

IV. A Intercessão do Espírito Santo

Nosso principal texto bíblico a esse respeito é o de Romanos 8:26. Esse versículo indica um ministério bastante geral, que deve incluir todo tipo de petição. Supomos que o Espírito de Deus «traduz» as nossas orações, tornando-as mais eficazes e espirituais. Ele se preocupa com todas as nossas necessidades, físicas e espirituais; e, na qualidade de alter ego de Cristo, compartilha do ministério de intercessão de Cristo. O Espírito intercede por nós em consonância com a vontade de Deus, e profere coisas que não podemos entender, isto é, «...com gemidos inexprimíveis». Devemos entender que esses gemidos não poderiam ser expressos pela mente humana, embora sejam plenamente compreensíveis para a mente divina.

Algumas Questões e Controvérsias Teológicas. No segundo século de nossa era cristã, os mártires eram tidos no maior respeito, e suas orações eram grandemente valorizadas. Muitos cristãos chegaram a crer que os mártires continuariam intercedendo em favor dos crentes ainda no corpo, mesmo depois da morte desses mártires. E muitos dos primeiros pais da Igreja acreditavam no poder dos anjos e dos santos, como intercessores em favor da Igreja, devido à posição de que desfrutavam no céu. Um possível texto de prova do ministério intercessório dos anjos é o de Apocalipse 8:3, onde o incenso oferecido simboliza as orações dos santos, mediadas por um anjo. Filosoficamente falando, podemos apresentar o argumento de que a comunhão dos santos é mantida e exercida pela intercessão mútua; e muitos acreditam que esse liame não é quebrado nem mesmo pela morte física, e nem pela entrada nas dimensões celestiais.

Vigilâncio, que nasceu em cerca de 370 D.C., atacou a crença na intercessão dos santos e dos anjos. Desde então muitos estavam apelando para a ajuda dos tais, esperando que aqueles poderes espirituais intercedessem diante de Cristo ou de Deus. Essa prática, como é óbvio, envolve um modo de ver gnóstico (ver sobre o *Gnosticismo*), onde Deus aparece como um Ser que só pode ser abordado através de uma série de intercessores, dele emanados. Jerônimo fazia oposição vigorosa a essa prática. De fato, para nós «...há um só Deus e um só Mediador entre Deus e os homens, Cristo Jesus, homem» (I Tim. 2:5). Não obstante, o catolicismo romano defende essa prática com base na idéia da comunhão de todos os santos. E outro tanto ocorre no seio da Igreja Ortodoxa Oriental, onde a expressão *a grande intercessão* indica aquela mútua intercessão da qual participariam todos os membros da família de Deus.

Durante a Reforma protestante, os grupos oficiais e independentes vieram a rejeitar o tipo de intercessão que não se restringe a Cristo e ao Espírito Santo. Todavia, o primeiro Livro da Oração Comum (1549), da comunidade anglicana, retinha o conceito e a prática da intercessão universal entre todos os crentes, deste mundo e do outro, embora não haja ali qualquer referência a supostos méritos humanos. A edição de 1552 rejeitou a idéia de orações *pelos* mortos, embora retendo a menção aos espíritos que *partiram* deste mundo, como um ato memorial. No entanto, alguns anglicanos oram em favor dos mortos, visto que acreditam que o estado deles só será fixado por ocasião do julgamento do trono branco, e as recentes liturgias anglicanas autorizam essa prática. Ver o artigo separado sobre a *Oração Pelos Mortos*. Sabemos que as orações pelos mortos eram uma antiqüíssima característica das religiões pagãs, e que pelo menos alguns judeus adotaram essa prática (ver II Macabeus 39:44). Por volta do século III D.C., essa prática já se havia generalizado na cristandade. Inscrições existentes nas catacumbas (vide) mostram-nos que essa prática entre os cristãos é realmente antiga. Os textos de prova bíblicos, usados em prol dessa prática, como I Cor. 15:29; II Tim. 1:16,18 e 4:19, nunca foram aceitos de modo generalizado, como se essa fosse a única interpretação possível, a qual, de fato, é muito forçada.

INTERDIÇÃO

Palavra que indica uma antiga prática religiosa, demonstrando certo desprazer ou disciplina. Israel e seus vizinhos praticavam o interdito. No início da história de Israel, a prática era usada contra os cananeus e outros povos pagãos circunvizinhos. Nesse caso, está em foco o «extermínio». Essa prática prossegue até hoje naquelas regiões do mundo, pois jamais elas gozaram de paz permanente. (Ver Êxo. 23:31,32; 34:13; Deu. 7:2; Jos. 6:17,21). Algumas vezes o interdito era decretado contra os israelitas ofensores, como no caso de Acã e sua casa (ver Jos. 7:25). A mesma sorte era ameaçada contra Israel, se chegasse a apostatar (ver Deu. 8:19,20 e Jos. 23:15). A prática variava desde a total extinção de pessoas e animais, até à extinção somente de pessoas (ver Deu. 20:10 *ss.*).

É possível que aos poucos a prática tivesse desaparecido, visto que da última vez em que ela foi mencionada, lemos que Davi ordenou que dois terços dos moabitas capturados fossem mortos (ver II Sam. 8:2). No trecho de Ezequiel 10:8, a idéia é a de exclusão e confisco de propriedades, feita contra os exilados que se recusassem a reunir-se em Jerusalém no prazo de três dias, após terem retornado da Babilônia. Ver o artigo sobre *exclusão*.

O interdito moderno. Temos os seguintes casos possíveis: 1. Uma exclusão ou denúncia oficial eclesiástica. 2. Temos uma multa imposta pelas autoridades eclesiásticas devido a sacrilégio ou algum crime cometido. 3. Na história da Alemanha, vê-se o interdito como uma forma de decreto (ver o artigo a respeito). Nesse caso, honras e privilégios das pessoas atingidas eram removidos, e havia proibições impostas. Pessoas, comunidades e até mesmo cidades inteiras podiam ser atingidas. (E PED)

INTERDITO

De acordo com a lei canônica do catolicismo romano (*Codex Iuris Canonici*), um interdito é uma punição eclesiástica. Permite que os membros errados

INTERESSE — INTERPRETAÇÃO

da Igreja Católica Romana permaneçam dentro da comunhão da assembléia, mas nega-lhes determinados ritos ou funções sacras, como a missa, os sacramentos e os serviços divinos. Um interdito pode ser pessoal, local ou geral, atingindo, respectivamente, um indivíduo, uma comunidade, ou mesmo uma cidade ou um país inteiro, pelo menos teoricamente.

INTERESSE

Na psicologia, esse termo alude à atitude mental que leva um indivíduo a ser atraído por algum objeto, atividade, ambição, propósito, causa, etc. Um interesse é qualquer coisa que desperta sentimentos, preocupação ou excitação, impelindo a pessoa à ação. Um interesse requer resposta.

Essa palavra, «interesse», pode aludir a algum desejo constante de uma pessoa, ou, conforme os psicólogos o chamam, a uma *fixação mental*. Não há que duvidar que certos interesses estão alicerçados sobre os *instintos* (vide); mas há outros que se desenvolvem na prática diária. É possível que quase todos os interesses sejam socialmente criados e derivados. Também existem aqueles interesses espirituais que precisam ser cultivados mediante o uso de meios espirituais, como a oração, o estudo dos documentos sagrados, a meditação (irmã gêmea da oração), a santificação, a prática das boas obras, a obediência à lei do amor e o toque místico das experiências espirituais, o que inclui o uso dos dons espirituais. Paulo nos diz quais são as coisas que deveriam atrair o nosso interesse, como servos de Cristo que somos: «...tudo o que é verdadeiro, tudo o que é respeitável, tudo o que é justo, tudo o que é puro, tudo o que é amável, tudo o que é de boa fama, se alguma virtude há e se algum louvor existe, seja isso o que ocupe o vosso pensamento» (Fil. 4:8).

Esse grande alvo pode ser atingido através da renovação espiritual da mente (ver Rom. 12:1,2), bem como mediante o cultivo, por parte do Espírito Santo, dos vários aspectos do fruto espiritual no crente individual (ver Gál. 5:22,23). Podemos julgar a natureza espiritual de uma pessoa por meio das coisas que a interessam.

INTERNACIONALISMO

Ver o artigo sobre o **Nacionalismo**.

INTERNÚNCIO

Essa palavra vem do latim, inter, «entre», e nuntius «mensageiro» O termo refere-se a um diplomata enviado pelo papa, encarregado da legação em um país estrangeiro de importância secundária. Ele ou é um arcebispo titular ou um prelado doméstico, e tem os mesmos poderes e privilégios de um *núncio*, embora sem idêntico grau de dignidade.

INTERPOLAÇÃO

O latim por detrás desse termo é inter, «entre», e polire, «polir». Isso posto, o seu sentido é polir e embelezar um texto qualquer, mediante a inserção de alguma palavra, cláusula, ou mesmo um texto inteiro. Essas alterações, como é evidente, modificam o texto envolvido, de tal modo que não retém sua forma original em sua inteireza. O *Textus Receptus* (vide), compilado por Erasmo de Roterdã, e que serviu de base para as primeiras traduções neotestamentárias do texto grego para línguas vernáculas, contém cerca de quinze por cento de bagagem. Uma boa parte desse material resultou de interpolações. Sempre foi mais natural os escribas tentarem adicionar algo ao texto sagrado, em vez de tentarem abreviá-lo. Isso posto, uma das regras fundamentais da crítica textual (tanto da Bíblia quanto de qualquer outro documento, antigo ou moderno) é que os textos mais breves usualmente correspondem ao original.

Os quatro evangelhos exibem muita interpolação nos manuscritos, portanto sempre houve a tendência de se fazerem harmonizações, com troca de matéria escrita. Assim, a oração do Pai Nosso, nos evangelhos sinópticos, envolve vários empréstimos, um do outro. O fim mais longo do evangelho de Marcos (16:9-20) é uma antiga interpolação, compilada essencialmente com base em material existente nos demais evangelhos, incluindo o quarto evangelho, onde o vs. 18 é sugerido pelo Salmo 91. O relato da mulher apanhada em flagrante adultério, em João 7:53—8:11, não fazia parte original do evangelho de João; e, em alguns manuscritos, essa passagem figura no evangelho de Lucas, e não no de João. Provavelmente, esse material representa uma tradição antiga (e, quem sabe, verdadeira), embora fosse um incidente da vida de Jesus que nenhum dos escritores sagrados incorporara em seu livro. O leitor pode ver as evidências textuais referentes às passagens mencionadas no NTI, *in loc*. Um dos alvos da crítica textual (ver o artigo intitulado *Manuscritos do Novo Testamento*) é o de eliminar as interpolações escribais, retornando assim o texto de volta ao seu estado primitivo. As pessoas que não estudaram as questões envolvidas na crítica textual ocupam-se na caça às bruxas, procurando dar um ar de autoridade a textos interpolados, e perseguindo ou criticando àqueles que têm o conhecimento que os leva a eliminar essas interpolações. Esse é outro desafortunado exemplo de como a «teologia» inspira a perseguição e o ódio. Ver o artigo sobre a *Tolerância*.

INTERPRETAÇÃO

Ver o artigo sobre a Hermenêutica. Além desse artigo geral sobre a natureza e os modos de interpretação, ver também estes: *Interpretação Alegórica; Interpretação Anagógica; Exegese; Interpretação Literal; Sentidos das Escrituras e Tipos*.

INTERPRETAÇÃO ALEGÓRICA

1. Quando um trecho de um dos chamados Livros Sagrados, ao ser literalmente interpretado, mostra-se ofensivo, obsoleto, ou (talvez) simplesmente errado naquilo que diz, os intérpretes apelam para a interpretação alegórica, a fim de preservar aquele trecho do livro, embora usando-o de forma mais útil. Isso evita a ofensa inerente à interpretação literal. **Exemplos:** Alguns interpretam alegoricamente a história da criação, por julgarem-na falsa, visto refletir idéias antigas acerca do Universo, que a ciência ultrapassou. Ou o sacrifício de Isaque, que Deus presumivelmente ordenou.

2. Ou pode ser usada a alegoria para descobrir-se sentidos ocultos, ou para ampliá-los, inteiramente à parte do significado inerente à interpretação literal. A maior parte das parábolas de Jesus precisa ser interpretada desse modo, pois cada item significa algo. Ver Mat. 13:18 quanto a uma elaborada interpretação, ponto por ponto, de uma parábola.

Para se chegar a um ou outro dos propósitos acima, muitos métodos engenhosos de reinterpretação têm sido criados, onde se encontram sentidos ocultos, simbólicos, metafóricos e espirituais, nos mais obscuros detalhes. Os gregos posteriores interpreta-

INTERPRETAÇÃO

ram Homero desse modo. Similarmente, os judeus palestinos, acomodando as Sagradas Escrituras à compreensão mais recente, apelaram para esse método de interpretação. Desse modo, muitos têm caído nas pseudo-interpretações, embora, ocasionalmente, o método produza boas lições morais e espirituais, sem importar se faziam parte ou não dos escritos originais. Ver o uso alegórico de Paulo em Gál. 4:21-26; I Cor. 9:8-10. E também Heb. 7:2.

Em tempos posteriores. Os platonistas cristãos de Alexandria apreciavam a interpretação alegórica, especialmente quanto ao Antigo Testamento. Ver o artigo *Alexandria, Teologia de.* Eles extraíam vários pontos teológicos e filosóficos das Escrituras, mediante um bem frouxo método de aplicação, não dando muita atenção, em muitos casos, aos sentidos originais tencionados. Devemos lembrar, contudo, que há a convicção de que tal atividade é legítima, porque se cria que muitos sentidos ocultos estão fechados nas Escrituras, como tesouros ocultos, e que a interpretação alegórica e mística se faz necessária para desenterrar essa riqueza. Orígenes acreditava que havia três métodos de interpretação: 1. o literal, histórico; 2. o moral, com freqüência obtido através da alegoria e da tipologia; 3. o místico e filosófico. Assim sucedeu que, após Orígenes, muitos adotaram essa forma de interpretação, que veio a ser parte importante da exegese. Jerônimo introduziu esse método na Igreja de Roma. Na Idade Média floresceu essa atividade, embora os reformadores tendessem por desencorajá-la. Nos tempos modernos, o criticismo bíblico rejeita o método, embora ainda tenha grande papel na homilética e nas ilustrações.

Tipologia. Essa é uma atividade similar, embora nesta um único detalhe do Antigo Testamento representa alguma verdade do Novo Testamento. Os intérpretes vêem muitos tipos de Cristo no Antigo Testamento, em pessoas ou objetos, cada um aludindo a algum aspecto da pessoa ou da obra de Cristo. Assim, Adão é um tipo (Rom. 5:12-21) de Cristo; a páscoa é um tipo da morte expiatória de Cristo (I Cor. 5:6-8); os anos no deserto do Sinai são tipos de certos aspectos da vida cristã (I Cor. 10:1-11) e vários itens do próprio tabernáculo predizem muitas coisas acerca de Jesus Cristo - a madeira, Sua humanidade; o ouro, a Sua divindade; o sistema de sacrifícios, a Sua missão expiatória, etc. O cordeiro é um tipo de Salvador que se sacrificou (João 1:29).

A tipologia sobrevive na moderna crítica da Bíblia, apesar de seus abusos. Como exemplo de abusos, consideremos a interpretação que insiste que *todos* os Salmos são messiânicos, profeticamente ou como tipo. Tais exageros faríamos bem em ignorar. (B C D HAN JD LA) Ver o artigo sobre **Tipos**.

INTERPRETAÇÃO ANAGÓGICA

Esse adjetivo, «anagógica», vem do grego, **anagogo**, «levar para cima». A palavra **anagógica** refere-se a uma espécie de interpretação alegórica, que procura descobrir verdades espirituais ocultas, no texto literal das Escrituras. Sua forma mais radical era aquela dos antigos hebreus, que pensavam ver significados ocultos até nas letras formadoras das palavras, para nada dizermos sobre palavras e frases. Como é óbvio, tal prática tem sido sujeita a muitos abusos, porquanto a mente humana é fértil, podendo ver toda espécie de coisas que os autores originais nunca pretenderam dizer. Ver o artigo geral chamado *Hermenêutica.*

••• ••• •••

INTERPRETAÇÃO LITERAL

Aqueles que quiserem interpretar literalmente as Escrituras, haverão de rejeitar a *interpretação alegórica* (vide), bem como o método hermenêutico de Orígenes, de acordo com o qual três variedades de significação se achariam nas Sagradas Escrituras. Ver o artigo *Sentidos das Escrituras.* Os reformadores protestantes, em seu afã de recuperar a antiga autoridade das Escrituras, mostraram ser literalistas radicais. Lutero afirmou: «Somente o sentido literal das Escrituras contém a essência inteira da fé e da teologia cristã». Alguns evangélicos modernos chegam ao extremo de reduzir a afirmações literais as revelações de um livro tão *simbólico* quanto é o Apocalipse. Isso ignora a história inteira da simbologia apocalíptica que começou e se desenvolveu em porções amplas do Antigo Testamento, como, por exemplo, nos livros de Daniel e Ezequiel, sem falarmos da literatura apocalíptica e pseudepígrafa do período entre o A. e N. Testamentos, que exerceu tão poderosa influência sobre o livro de Apocalipse, do Novo Testamento.

João Calvino mostrou que era mais uma voz, em meio a esse literalismo todo, tendo rompido completamente com o método alegórico de interpretação, tornando-se um literalista extremado. Embora limitado pela falta de conhecimento quanto às questões históricas que jazem por detrás dos textos bíblicos, ele enfatizou a importância da história na interpretação dos textos sagrados. No entanto, caiu no erro colossal de negar a revelação progressiva, até mesmo entre o Antigo e o Novo Testamentos, que dirá dentro do próprio Novo Testamento. Tal como sucede a muitos literalistas, por muitas vezes, ele mostrou depender excessivamente da letra, na qual, em certos casos, entrava o entendimento. No entanto, a ênfase dele ajudou a reestabelecer a autoridade das Escrituras, que foi o grande grito de guerra da reforma protestante. Talvez por ser um dos pioneiros protestantes, ele chegou ao fanatismo, desdenhando quaisquer interpretações alternativas, e, em seu extremismo, chegou a banir, encarcerar e até mesmo executar àqueles que com ele discordavam. Ver o artigo sobre João Calvino, nos seus parágrafos finais; e também o artigo chamado *Tolerância.*

A lição que todos precisamos aprender é que temos necessidade de equilíbrio, não somente na interpretação, mas também em todas as atitudes e atividades. Em sua postura literalista e bitolada, tanto Lutero quanto Melancthon falharam, não distinguindo entre as porções doutrinárias do Antigo Testamento e as porções doutrinárias do Novo Testamento. Por esse motivo, passagens veterotestamentárias foram usadas abertamente para firmar pontos da doutrina cristã, ou alegadas doutrinas cristãs. A despeito disso, Melanchthon percebeu como o Novo Testamento transcende ao Antigo quanto a certos aspectos, e injetou alguma *razão* nos seus métodos hermenêuticos que modificavam, em algum sentido, o seu método literalista. E a moderna ênfase sobre a inerrância ou alegada *infalibilidade* (vide) das Escrituras, que tornou comum em vários ramos do movimento evangélico de nossos dias, como se a Bíblia não contivesse erros nem mesmo de origem gramatical e de harmonia entre suas diversas partes constituintes, tem servido para fortalecer a interpretação literalista, enfocando a atenção sobre palavras, e não sobre o sentido geral da Bíblia. Se houvesse um conhecimento mais generalizado entre os crentes acerca da hermenêutica e da exegese, essas posições extremadas e indefensáveis não estariam prevalecendo em tantos segmentos da cristandade. Ver o artigo sobre as

352

INTOLERÂNCIA — INTRUSÃO

Escrituras, seções II e V, quanto a detalhes sobre a questão da *Inspiração*.

Os estudiosos liberais põem em dúvida a filosofia inteira que cerca as questões da fé e da prática cristãs, bem como da busca pela verdade como se esta pudesse ser resolvida mediante o apelo somente às Escrituras, sem qualquer auxílio externo. Eles criticam mais acerbamente ainda a idéia de que as Escrituras devem ser interpretadas apenas literalisticamente. Ver o artigo sobre *Autoridade*.

INTOLERÂNCIA
Ver o artigo sobre a **Tolerância**.

INTRODUÇÃO BÍBLICA
Essa expressão é usada para indicar aquele ramo dos estudos teológicos que trata da crítica literária e da crítica histórica. É empregada por alguns como sinônimo de alta crítica. Era costume antigo prefixar cada escrito bíblico com uma breve nota referente ao autor, ao lugar de origem e aos destinatários da obra. Atualmente, informes dessa natureza, embora mais elaborados, são o tema abordado pelos críticos e intérpretes, quando estudam os vários livros da Bíblia. Essa atividade é variegadamente intitulada de alta crítica, crítica literária ou introdução bíblica. (E)

INTRÓITO
Esse termo vem do lat. **introitus**, «entrada». Esse é o nome da antífona que se canta na Igreja Católica Romana quando o padre se aproxima do altar, no começo da missa (vide). Faz parte da liturgia católica romana que começou a desenvolver-se nos séculos V e VI D.C. Na cantilena romana, outro nome para a música gregoriana (vide), há porções fixas e variáveis. O intróito é uma das porções variáveis.

INTROSPECÇÃO
Essa palavra vem do latim, **intro**, «para dentro», e **specere**, «espiar», ou seja, «espiar para dentro». Na filosofia e na psicologia essa palavra é usada para indicar a consciência que a pessoa tem de si mesma, de seus estados emocionais e espirituais, e, presumivelmente, da natureza de seu próprio ser. O indivíduo pode crescer através da introspecção, aperfeiçoando-se e lançando mão de tal conhecimento. Sócrates forneceu-nos um grande lema: «Conhece-te a ti mesmo», pois acreditava que se uma pessoa obtiver tal conhecimento de si mesma, poderá conduzir-se como é devido, atingindo uma conduta ideal. As religiões orientais têm enfatizado muito a meditação como um meio de introspecção, na firme fé nos resultados dessa prática, capaz de levar o indivíduo a vários estados alterados de consciência, conducentes à obtenção de um conhecimento mais imediato. Alguns filósofos e teólogos supõem que a introspecção é um guia adequado para se chegar a um autoconhecimento completo; mas, para outros, essa é uma questão problemática. Pois o perigo reside no *subjetivismo* (vide), segundo o qual o indivíduo cria seu próprio mundo de idéias e as valoriza, — envolvendo-se, assim, em **uma alta dose de auto-ilusão**. O misticismo também tem sido acusado de envolver idêntico perigo; mas, apesar de certos aspectos da experiência humana demonstrarem que tal perigo é real, outras experiências humanas comprovam o indiscutível valor das experiências místicas e da introspecção. Entretanto, torna-se mister aprendermos que nenhum pensamento, nenhum método, nenhum sistema pode manter-se de pé sozinho, e que cada fator precisa ser contrabalançado por outras considerações, para que a nossa ênfase não seja unilateral, pesando demais em uma direção, às expensas de outra.

Aqueles que acreditam no valor da introspecção supõem que o homem é um guardião do conhecimento universal (ou, pelo menos, de um conhecimento muito vasto), sendo ele uma espécie de *microcosmo* de realidades éticas e espirituais universais, fundamentais. A introspecção pode incluir tanto a intuição (vide) quanto os estados místicos. Mas também pode envolver **tão-somente** desejos e imaginações subjetivas. A introspecção é valiosa, mas precisa ser controlada, e jamais deveria ser praticada isoladamente e, sim, em conjunção com outros métodos de obtenção de conhecimento.

INTROVERTIDOS E EXTROVERTIDOS
Foi **Carl Jung** (vide) quem cunhou esses dois termos, para falar sobre o que ele pensava serem os dois tipos básicos de personalidade. Os *introvertidos* (palavra alicerçada sobre o latim, com o sentido de «voltados para dentro») são aquelas pessoas com padrões de emoção, de fantasia e de pensamento fortemente autocentralizados. A pessoa dotada desse tipo de personalidade prefere ter um pequeno círculo de amigos seletos, evita as multidões e é capaz de fortes poderes de concentração acerca de qualquer projeto pessoal. Tal pessoa geralmente descamba para o altruísmo, mas de um tipo que envolve apenas algumas poucas pessoas escolhidas. Em contraste, as pessoas *extrovertidas* (palavra alicerçada sobre o latim, com o sentido de «voltados para fora») são sociáveis, gostam de estar entre as multidões, apreciam os contactos sociais e as reuniões públicas. Uma pessoa extrovertida pode tornar-se um bom obreiro social ou político, ao passo que o indivíduo introvertido pode tornar-se um bom pesquisador, aprimorando o seu mundo privado e valorizando o mesmo. Poucas pessoas são inteiramente introvertidas ou inteiramente extrovertidas. A espiritualidade de cada um, como é óbvio, é afetada quando alguém é introvertido ou extrovertido, pelo menos naquilo em que cada um exprime a sua espiritualidade. Outrossim, uma ou outra dessas atitudes básicas são favoráveis ou desfavoráveis a tipos específicos de missões que a pessoa tente preencher. Assim, uma pessoa fortemente introvertida pode tornar-se um bom erudito, e promover o lado intelectual da fé; mas não será nunca um bom pastor. E uma pessoa fortemente extrovertida poderá tornar-se um bom pastor, mas andará sempre muito **atarefada** com atividades sociais para dedicar-se por muito tempo a estudos e à redação de livros. No corpo místico de Cristo há muitos membros, cada um com o seu ofício específico. Um tipo de personalidade básica pode ajudar cada crente como membro específico do corpo de Cristo.

INTRUSÃO
Vem do latim, **in**, «em», e **trudere**, «ímpeto». O ato de intrusão consiste em entrar em algo, física ou metaforicamente, mediante a força e sem a devida autorização. O indivíduo que assim age é um intrujão. Dentro da linguagem eclesiástica, o termo refere-se ao ato de introduzir alguém a algum ofício eclesiástico de maneira ilegal. O termo também pode referir-se a alguma denominação que force a aceitação de algum ministro a uma congregação que não quer tal ministro. Esse ato usualmente é efetuado para ganhar alguma vantagem ou retribuir a um favor feito pelo

INTUIÇÃO — INVEJA

ministro, embora isso faça violência à vontade dos membros da Igreja. Alguma dúbia situação política geralmente acompanha o ato, porquanto envolve interesses pessoais às expensas da vontade da maioria e da autonomia da igreja local. Há muitos pastores intrujões, infelizmente.

INTUIÇÃO

Ver o artigo separado intitulado o **Conhecimento e a Fé Religiosa**. Em I.3 do mesmo, damos uma descrição da *intuição*, e em II.7 discutimos a intuição como uma teoria da verdade. Ver também *Conhecimento, Conhecer* e *Epistemologia*. A intuição pode estar ligada ao misticismo se o conhecimento imediato, obtido através desse processo estiver relacionado à comunicação com agências da própria alma de quem o recebe (misticismo subjetivo), ou se for obtido mediante a inspiração dada por alguma força externa (como Deus, o Espírito Santo, etc.). Ver sobre o *Misticismo*. Seja como for, a intuição é o conhecimento que se considera obtido *imediatamente*, por via da percepção dos sentidos (como nas experimentações) ou por meio do processo do raciocínio. Todos os tipos de conhecimento seriam obtidos pela intuição, como o conhecimento da própria alma, o conhecimento do Ser divino, o conhecimento ético e estético, a compreensão sobre os universais, ou a definição de quaisquer objetos palpáveis. Por meio da intuição, *sentimos* algo da verdade das coisas inefáveis, pelo que não poderiam ser expressas verbalmente.

Essa palavra vem do latim, *intuitus*, particípio passado do verbo *intueri*, «olhar para». Mas, na filosofia e na religião, esse ato de «olhar para» envolve uma maneira especial de tomarmos conhecimento das coisas, sem a mediação de sentidos. Ver o artigo sobre o *Intuicionismo*.

INTUIÇÃO ÉTICA

Ver sobre o **Intuicionismo**, sétimo ponto.

INTUICIONISMO

Ver sobre **Intuição**, e os vários outros artigos mencionados sob esse título. O **intuicionismo** é a doutrina que diz que certas verdades são conhecidas de modo imediato, sem qualquer argumento discursivo, e também que essas verdades são fundamentais e incontestes, servindo de verdadeiro alicerce do conhecimento humano. No campo da *ética*, isso significa que pelo menos alguns juízos morais estão ao alcance do homem, através da intuição, sem qualquer investigação empírica ou racional. Isso pressupõe que o homem tem, dentro de si mesmo, as grandes respostas morais, por ser alguém que participa da mente universal, através da provisão divina, mediante os arquétipos de Jung, etc. Algumas vezes, os filósofos têm descoberto certas verdades normativas, como o utilitarismo, o hedonismo, ou algum outro conceito intuído; e é sobre esse fundamento que repousa a ética, construída com o auxílio da dedução e da coerência, que partem de algum grande princípio básico.

Algumas Idéias dos Filósofos:

1. *Platão* situava a intuição em terceiro lugar como maneira de conhecermos as coisas. Antes de tudo, viria a percepção dos sentidos, embora aí prevaleçam muitas ilusões, de tal modo que o verdadeiro conhecimento nunca emerge dessa atividade. Em segundo lugar teríamos a razão, que é mais poderosa

que os sentidos. A razão nos confere algumas verdades, como os princípios éticos. Nem por isso a razão deixa de ter severas limitações. Em terceiro lugar aparece a *intuição*, de acordo com a qual já há uma operação da própria alma, e não somente da razão. Porém, acima da intuição teríamos a contemplação dos universais, uma forma de experiência mística, segundo a qual a verdade é diretamente conhecida pela alma.

2. *Aristóteles, Descartes, Locke e Leibniz* supunham que a intuição deve ser posta em contraste com a função do raciocínio discursivo. Intuímos tanto aquilo que percebemos como os princípios gerais que determinam nosso raciocínio.

3. *Spinoza* falava sobre a *scientia intuitiva* (conhecimento intuitivo). Isso pertence ao indivíduo que já atingiu o terceiro estágio da existência, e vive sob o aspecto da eternidade, de acordo com o que ele dizia.

4. *Bergson* também contrastava a intuição com o raciocínio discursivo. Ele pensava que a intuição é capaz de aprender o mundo em suas qualidades essenciais e em sua fluidez, ao passo que o raciocínio discursivo falsifica o mundo ao nosso redor, visto que faz parar seu fluxo e examina questões particulares, e não universais. E espacializa o tempo, o que é uma distorção.

5. *Emanuel Kant* distinguia entre a intuição empírica e a intuição pura. A primeira apreende a significação dos objetos, ao passo que a intuição pura compreende que o espaço e o tempo são formas da sensibilidade.

6. A *intuição sensível* é a idéia de que intuímos, e assim, compreendemos algo sobre um objeto, através das sensações que dele recebemos. Assim, não intuiríamos uma cadeira, mas somente que ela tem certa configuração geométrica, certa cor, certo grau de dureza, e outros fatores, mediante os quais então podemos dizer: «Vi uma cadeira».

7. A *intuição ética*. Ver o primeiro parágrafo.

a. Um homem é capaz de ter conhecimento imediato, sem o uso de quaisquer meios.

b. Essa capacidade de conhecimento imediato nos fornece pelo menos algumas proposições éticas dignas de confiança.

c. A origem desse conhecimento deve ser a alma, ou então algum poder exterior, como Deus, o Espírito Santo, etc. Isso talvez inclua algum tipo de participação mística na mente universal.

d. Certas verdades normativas específicas, desse modo, podem ser descobertas, como o utilitarismo, de onde pode ser derivado o restante do sistema ético.

e. Alguns pensadores, como Platão, supõem que podemos chegar aos universais por meio da intuição, ao passo que a racionalização pode distorcê-los, para nada dizermos sobre os poderes ilusórios da percepção dos sentidos.

f. Os intuicionistas escoceses (Thomas Reid, Dugald Steward, Thomas Brown, etc.), opondo-se ao utilitarismo e ao kantianismo, asseveravam ser a consciência humana, uma vez devidamente educada, capacita-nos a conhecer, sem muita reflexão, o que deveríamos saber acerca da conduta apropriada, e também como pô-la em prática.

INVARIABILIDADE, PRINCÍPIO DE

Ver **Uniformidade da Natureza.**

INVEJA

No hebraico, **qinah**, «zelo», «ciúmes», «inveja». Essa palavra é empregada por quarenta e duas vezes,

INVEJA — INVESTIDURA

como, por exemplo, em Jó 5:2; Pro. 14:30; 27:4; Ecl. 4:4; 9:6; Isa. 11:13; 26:11; Eze. 35:11. Também é usado o adjetivo «invejoso», no hebraico, *qana*, conforme se vê em Sal. 37:1; 73:3; Pro. 24:1,19.

No grego, *phthónos*, «inveja», «ciúmes». Esse vocábulo ocorre por nove vezes: Mat. 27:18; Mar. 15:10; Rom. 1:29; Gál. 5:21; Fil. 1:15; I Tim. 6:4; Tito 3:3; Tia. 4:5; I Ped. 2:1. Algumas versões também traduzem como tal o vocábulo grego *zélos*, mas este último tem mais o sentido de «zelo», «ardor».

A inveja é um sentimento sempre negativo, ao passo que o zelo pode ser negativo ou positivo. A inveja é uma das maiores demonstrações de mesquinharia humana, causada pela queda no pecado. Os invejosos chegam a fazer campanhas de perseguição contra suas vítimas, as quais, na maioria das vezes, não têm qualquer culpa por haverem despertado tal sentimento nos invejosos. Geralmente os mal-sucedidos têm inveja dos bem-sucedidos.. Essa é uma tentativa distorcida para compensar pelo fracasso, glorificando ao próprio «eu» e procurando enxovalhar a pessoa invejada. Está baseada, portanto, na mais pura carnalidade. Muitas vítimas da inveja já descobriram que a melhor maneira de evitar o invejoso é fugir dele. Uma pessoa bem-sucedida não pode abandonar o seu sucesso, somente para satisfazer o invejoso, tornando-se um fracassado como ele.

A palavra portuguesa «inveja» vem do latim, *invidere*, que significa «em» (contra) e «olhar para», ou seja, olhar para alguém com maus olhos, de modo contrário, com base no ódio sentido contra esse alguém. A inveja sempre envolve um certo ressentimento. Mas alguns conseguem disfarçar muito bem a sua inveja, transmutando-a em zelo por alguma causa, mas sempre com alguém a ser combatido sem verdadeiras causas. O homem é um ser extremamente egoísta, ressentindo-se diante do sucesso ou da boa sorte de seus semelhantes.

No Antigo Testamento. Os Dez Mandamentos (que vide) proíbem o sentimento invejoso, embora ali a própria palavra hebraica, *qinah*, não seja usada. Mandamentos específicos contra a inveja podem ser encontrados nos livros de Salmos, de Provérbios e em vários outros contextos. Ver, por exemplo, Sal. 37:1; 73:2,3; Pro. 3:31; 23:17; 24:1,19. O trecho de Eclesiastes 4:4 encerra uma interessante observação sobre o assunto. Ali os homens são exortados a trabalhar e a desenvolver suas habilidades pessoais, quando sentirem inveja de outrem. Assim, uma coisa boa pode resultar de uma atitude errada. O homem é capaz de qualquer coisa ruim. Exemplos veterotestamentários de inveja podem ser encontrados nas vidas de Jacó e Esaú, Raquel e Lia, os irmãos de José e ele mesmo. Os irmãos de José venderam-no como escravo, movidos por pura inveja. Um dos relatos mais tocantes da Bíblia é o de Hamã e Mordecai, no livro de Ester. A inveja tem sido motivo para muitas histórias pervertidas, para muitos dramas humanos.

No Novo Testamento. Dentro da lista de vícios humanos, preparada por Paulo, em Romanos 1:29, a inveja ocupa posição proeminente, associada ao homicídio e ao ódio contra Deus. Isso é muito sugestivo, pois parece que o invejoso, não podendo atacar a Deus diretamente (a quem considera a causa de seu insucesso), volta-se contra um outro ser humano, que parece ameaçá-lo com o seu sucesso (real ou imaginário). O trecho de Gálatas 5:19 alista a inveja como uma das obras da carne, que formam contraste direto com o cultivo dos frutos do Espírito (vs. 22 *ss*). — Paulo advertiu Timóteo para não se envolver em controvérsias e disputas mórbidas, as quais conduzem, entre outras coisas, à inveja (I Tim.

6:4). Tito também foi devidamente instruído quanto à inveja (Tito 3:3). O caso mais trágico de inveja, nas páginas da Bíblia é o dos líderes judeus, que fizeram de Jesus Cristo a vítima de sua inveja (Mat. 27:18). O distorcido motivo deles era tão óbvio que o próprio Pilatos, governador romano, percebeu o mesmo, embora fosse homem fraco demais para pô-lo ao lado do direito (Mar. 15:10 *ss*). O trecho de Tiago 4:5 tem um possível uso positivo do termo grego *phthónos*, ao referir-se ao intenso amor de Deus pelo homem, que O leva a ter ciúmes da amizade humana. É por isso que a nossa versão portuguesa traduz esse termo por «ciúme», evitando a confusão com o sentido negativo daquela palavra grega. A versão inglesa *Revised Standard Version* diz «yearns jealously», que aqui traduzimos para «anela com ciúmes». O *ciúme* de Deus em relação ao seu povo é uma noção que vem do Antigo Testamento, pelo que aparece com grande naturalidade na epístola de Tiago, que escrevia uma obra do ponto de vista cristão-judaico. Contudo, comparar com Gál. 4:17,18. Seja como for, a inveja é uma atitude diabólica, conforme asseveram I João 3:12, Sabedoria 2:24 e I Clemente 3. A inveja, como já dissemos, é uma das obras da carne, pelo que é natural para o ser humano decaído (Gál. 5:21). Na teologia moral posterior, a inveja é alistada entre os *pecados mortais* (que vide).

INVERNO
Ver sobre **Calendário**.

INVESTIDURA; CONFLITO DE INVESTIDURA

O latim por detrás desse termo é *in*, «sobre», e *vestire*, «vestir», ou seja, «revestir». A investidura é aquele ato ou cerimônia por meio do qual uma pessoa recebe as «vestes» próprias de seu ofício, passando a ficar autorizado para exercê-lo. Assim, os ofícios eclesiásticos são conferidos juntamente com os símbolos do ofício, a saber, o anel, o cajado e as chaves.

Conflito de Investidura:
Como é lógico, a investidura aponta para as funções dos oficiais eclesiásticos. Porém, tem havido disputas e conflitos entre os papas e os governantes civis, acerca de quem tem o direito de conferir posições nos bispados, nas abadias, etc. Essas questões envolvem a luta pelo poder político e questões monetárias. A simonia (venda de cargos eclesiásticos, para quem oferecesse mais) era um problema comum, de que lançavam mão aqueles que buscavam fama, privilégios e poder. Na época do Santo Império Romano (de Carlos Magno a Napoleão Bonaparte, 800—1806) os governantes civis assumiram o direito de conceder ofícios eclesiásticos, a despeito da oposição da Igreja oficial. O papa Nicolau II (1059—1061) tentou corrigir tal abuso; e os papas que o seguiram, fizeram o mesmo. — A controvérsia atingiu o seu ponto culminante quando o papa Gregório VII (1095) fez um ultimato ao imperador, Henrique IV. O imperador recusou-se a obedecer, pelo que foi excomungado. O conflito continuou entre os papas posteriores e os governantes civis. Por ocasião da Concordata de Worms (1122), que incluiu a disputa entre Henrique V e o papa Calixto II, chegou-se a uma posição de transigência. Por um lado, as autoridades civis viram-se privadas de seu poder sem limites, no tocante à nomeação de bispos; e, por outro lado, a Igreja Católica teve de satisfazer-se com algo menor do que a plena autoridade e poder sobre a questão. Pois os governantes civis continuaram tendo de ser consultados, e sua aprovação tinha de ser dada

INVISÍVEL — IODE

aos candidatos escolhidos àquelas posições eclesiásticas. Por ocasião do concílio laterano de 1179, foram instituídas ainda outras reformas, no tocante a essa questão, especialmente no tocante aos ofícios eclesiásticos inferiores. Com a passagem do tempo, à medida que a Igreja e o Estado se foram distanciando um do outro, o conflito acabou desaparecendo.

INVISÍVEL, DEUS COMO

Do Deus invisível, Col. 1:15. Esse é o Deus que não se manifesta diretamente, mas que preferiu manifestar-se através do Logos eterno, que é a sua imagem, o seu representante exato. Nisso se destaca a razão verdadeira do uso desse vocábulo. Deus talvez não possa manifestar-se diretamente a seres inferiores, por ser ele por demais elevado, e nenhum ser criado pode aproximar-se dele, anjo ou homem. ...o único que possui imortalidade, que habita em luz inacessível, a quem homem algum jamais viu, nem é capaz de ver. A ele honra e poder eterno. Amém». (I Tim. 6:16). Isso pode ser comparado à mensagem do primeiro capítulo do evangelho de João.

O Logos eterno é a manifestação de Deus para toda a criação, é a sua mensagem. Nele se revela tudo quanto se pode saber de Deus. Assim sendo, Cristo, na qualidade de sua «imagem» ou representação, encerra aquilo que se pode saber sobre Deus, tomando-se como subentendida a «comunidade» de natureza, embora isso não seja diretamente expresso pelo termo grego. Como é que Cristo «representa» a Deus é o que é diretamente ensinado, pelo uso deste vocábulo. A doutrina gnóstica de uma interminável cadeia de elos, formados por mediadores angelicais não pode ser aceita. Pois aquilo que se pode saber de Deus só pode ser visto em sua «imagem», que é Cristo, o qual é mais elevado que todos os supostos mediadores e salvadores secundários, suplantando-os em qualquer serviço que porventura se pense terem, e que supostamente auxiliassem os homens na sua volta para Deus.

Hodiernamente há aqueles que degradam a glória de Cristo. Para a maioria de nós, o problema refletido na epístola aos Colossenses, sobre os que degradavam a Cristo, equiparando-o a meras emanações angelicais, não tem mais significação. Porém, até mesmo no mundo de hoje há muitas coisas que têm tomado o lugar desse problema de doutrina. O materialismo, o secularismo, o ateísmo, etc., podem ser enumerados, juntamente com o egoísmo e o desinteresse espiritual. Paulo exortou aos crentes de Colossos para que se afastassem dessas especulações, que só degradam a pessoa, a posição e a obra de Cristo. Ele também os ensinou para que vissem em Cristo a «imagem» de Deus, para que, tomados por essa visão, não andassem mais atrás daqueles que degradavam ao Senhor Jesus.

O Sentido Físico

Deus é invisível à percepção física do homem, e sua invisibilidade deve incluir este aspecto, como se pode ver em Jo. 1:18. Mas o sentido espiritual, como descrito acima, é a consideração principal.

A Visão Beatífica

A visão beatífica de Deus (os redimidos verão Deus) fala sobre a visão transformadora que faz o homem participar da imagem e natureza de Deus (II Ped. 1:4) e não meramente que, afinal, os homens poderão ver Deus, de alguma maneira, ainda não definida. Esta visão é iluminadora e transformadora, não meramente, a contemplação da pessoa de Deus com os olhos do corpo espiritual que será o veículo da alma nos lugares celestiais. Ver o artigo sobre *Visão Beatífica*.

INVITATÓRIO

Diz Salmo 95: «Vinde, cantemos ao Senhor, com júbilo...» (vs. 1). Essa introdução do referido salmo tem sido usada como o começo das *matinas* (vide), como um convite geral à adoração a Deus. Via de regra, os invitatórios são frases usadas como introduções a ritos relacionados ao dia ou período que está sendo observado. Trata-se de uma prática comum na Igreja Católica Romana e na Igreja Anglicana.

INVOCAÇÃO

Um ministro profere uma oração especial, no começo de um culto religioso, a fim de solicitar a manifestação da presença de Deus. A isso dá-se o nome de *invocação*. A mesma palavra é usada para designar as palavras, «Em nome do Pai, e do Filho e do Espírito Santo», que acompanham os sermões e vários atos de devoção e liturgia. Esse termo também alude a *epíclesis* (vide) dos ritos anglicanos, que invoca a presença do Espírito por ocasião da celebração da Ceia do Senhor. A Igreja Oriental, por ocasião da *epíclesis* («invocação»), afirma que é nesse momento — que se dá a transformação miraculosa que altera os elementos da eucaristia. Mas a Igreja Católica Romana afirma que isso tem lugar durante a recitação das palavras da *instituição* (vide).

INVOCAÇÃO AOS SANTOS

Convém lembrarmos que o movimento cristão cresceu na atmosfera do pluralismo religioso greco-romano, dentro do qual meros homens eram elevados a semideuses, assumindo a estatura de *heróis*, aos quais se conferia grande veneração, na sociedade pagã. Não é de admirar, pois, que cristãos notáveis, especialmente no caso de mártires e dos que fossem dotados de poderes e de santidade extraordinários, se tivessem tornado *heróis cristãos*. Essas pessoas, em alguns casos, também eram chamadas de «santos».

O que se deve destacar nesse desenvolvimento é que a devoção aos santos não incluía, no começo, a idéia de que deveriam ser mediadores entre Deus e os homens. Essa idéia de mediação só começou a ser aventada a partir do século IV D.C. O papa Leão I, o Grande, que faleceu em 461 D.C., favorecia a doutrina da invocação aos santos. Todavia, antes mesmo do quarto século cristão, a idéia já se vinha desenvolvendo, e muita gente dirigia preces aos «santos».

Sabemos que nas religiões grega, romana e nas religiões misteriosas, eram oferecidas orações aos mortos em geral; e assim, sob tais influências, não é para admirar que a cristandade acabasse adotando também essa prática, no tocante a vultos cristãos extraordinários. Então, como agora, o pressuposto básico é que esses «santos» têm grande poder diante de Deus, podendo ajudar aos vivos e às almas daqueles que já morreram. Entretanto, os reformadores protestantes descontinuaram tal prática, por duas razões fundamentais: 1. Ela não aparece nos ensinos bíblicos, tendo-se cercado de muitas superstições, fazendo o paganismo invadir as fileiras cristãs. 2. Ela obscurece o ensino bíblico de que só existe um Mediador entre Deus e os homens, isto é, o homem Jesus Cristo (ver I Tim. 2:5).

IODE

Nome da décima letra do alfabeto hebraico. Era a menor das letras hebraicas. A letra grega *iota* (vide)

IOTA — IRA

está baseada sobre a mesma. Essas letras correspondem ao *i* ou ao *y* das línguas indo-européias. Em Mat. 5:18, o *iota* é aludido. Ali é dito: «Até que o céu e a terra passem, nem um *i* ou um *til* jamais passará da lei, até que tudo se cumpra». A letra hebraica *iode* aparece no começo de cada verso da décima seção do Salmos 119 (vs. 73-80). Cada uma das seções desse salmo começa com uma letra hebraica diferente, em sucessão alfabética.   Ver o *Alfabeto Hebraico*.

IOGA   Ver **Yoga**.

IOTA

Nome da menor letra do alfabeto grego, equivalente ao nosso *i* e escrito virtualmente da mesma maneira. Deriva-se do *jod* dos hebreus. **Ambas essas palavras**, incluindo o siríaco *judh*, eram usadas metaforicamente para indicar qualquer coisa minúscula e de mínima importância. Várias metáforas têm sido derivadas das letras do alfabeto antigo, como *alfa* (o começo, alguma coisa importante que dê início a outras coisas) e *ômega* (o fim de algo, a finalidade de algum propósito). O Cristo exaltado era chamado de o Alfa e o Ômega, por ser ele, ao mesmo tempo, a origem e o alvo da existência humana. Ver o artigo separado sobre o *Alfa e o Ômega*.

No tocante ao *jod*, o Talmude (Sanhed. 20:2) conta-nos uma interessante história. Ali o livro de Deuteronômio é personalizado. Como uma pessoa, comparece à presença de Deus e queixa-se de como os seus preceitos são abusados pelos homens, mencionando, especificamente, Salomão, que, contra um certo mandamento, ignorou a proibição de multiplicar esposas (ver Deu. 17:17). Deus, então, teria respondido que Salomão e milhares de outros homens abusam dos preceitos da Palavra de Deus, mas que todos eles perecerão, ao passo que nunca perecerá a menor palavra do **Livro Sagrado**. Em face disso, Salomão teria tentado apagar a ietra *jod* do Livro **Sagrado** (conforme o livro personalizado alegou), embora não tivesse sido capaz de perpetrar nem mesmo essa minúscula corrupção do texto sagrado. A passagem de Mat. 5:18 é um paralelo óbvio desse conceito. «Porque em verdade vos digo: Até que o céu e a terra passem, nem um *i* ou um *til* jamais passará da lei, até que tudo se cumpra». O *til* corresponde ao termo grego *keraia*, que indica qualquer projeção, ou gancho, ou sinal que faça parte de alguma letra. O *jod* era uma letra minúscula do alfabeto hebraico, e podia ser representada por essa palavra grega. Os acentos e as aspirações também tinham esse nome, no grego. Quanto a outros comentários, ver as notas expositivas do NTI em Mat. 5:18. Isso nos ensina a importância e a permanência da Palavra de Deus, em suas formas escritas ou não.

IQUENATOM (AQUENATOM)

Um dos Faraós do Egito, também conhecido como Amenhótepe IV. Governou entre 1375 e 1358 A.C. Ver o artigo geral sobre *Faraó*. Do ponto de vista religioso, esse Faraó é lembrado por causa de sua suposta religião monoteísta. Porém, muitos eruditos pensam que o *henoteísmo* (vide) foi a verdadeira forma de sua adoração, e não um autêntico monoteísmo. Seja como for, ele estabeleceu o culto a Atom, o disco solar visível, como religião egípcia, ficando eliminado Amom, o deus de Tebas. Estava mais interessado na religião do que na política, e erigiu suntuosos templos, compôs hinos e estabeleceu o culto de sua fé. Porém, logo após a sua morte, foi restaurado o culto a *Amom*, e toda a obra de Iquenatom foi anulada. Os místicos modernos têm-no

visto como um tipo de *anticristo* (vide), e alguns chegam a supor que há uma ligação de sangue entre ele e o anticristo futuro, pois seria seu antepassado. Essa figura (que pode aparecer em cena em nossa própria época, em cerca de 1993), imitando Iquenatom, estabelecerá uma nova forma de adoração que procurará eliminar a adoração a Cristo; mas, à semelhança de Iquenatom, não será capaz de manter essa adoração por muito tempo. Ainda à semelhança de Iquenatom, ele estabelecerá um culto universal, às expensas de outras fés religiosas. Mas a adoração ao anticristo será finalmente abolida, tal como sucedeu ao culto inventado por Iquenatom.

IQUES

No hebraico, «perverso». Foi pai de Ira, o tecoíta, um dos trinta poderosos guerreiros de Davi, e capitão do sexto regimento de seu exército (II Sam. 23:26; I Crô. 11:28; 27:9). Viveu por volta de 1046 A.C. Sua divisão armada consistia em vinte e quatro mil homens.

IR

No hebraico, «cidade». Um benjamita mencionado em I Crô. 7:12 que talvez seja o mesmo Iri, que aparece no vs. 7 desse mesmo capítulo. Ver também sobre *Iri*. Era pai de Supim e Hupim. Alguns estudiosos identificam-no com um filho de Benjamim mencionado em Gên. 46:21, Rôs; mas é bastante improvável tal coisa.

IR-HA-HERES

Temos aí a transliteração, para o português, das palavras hebraicas que significam «cidade do sol». Ver o artigo sobre *Heliópolis*, que significa a mesma coisa, passando pelo grego. Ver também *Cidade do Sol*.

IR-SEMES

No hebraico, «cidade do sol». Um lugar pertencente à tribo de Dã (Jos. 19:41). Talvez fosse idêntica a Bete-Semes (vide), onde foi construído um templo para a adoração ao sol, em tempos posteriores (I Reis 4:9).

IRÃ

No hebraico, «citadino». Foi um líder idumeu em monte Seir (Gên. 36:43 e I Crô. 1:54). Muitos pensam que ele foi contemporâneo dos reis horeus. Teria, portanto, vivido por volta de 1600 A.C.

IRA   Ver também, **Ira de Deus**.

Meus amigos, quando tentamos descrever Deus, e suas supostas emoções, entramos no terreno do misterioso e na expressão antropomórfica. Achamos necessário usar muitos antropomorfismos. Portanto, o artigo que segue, falando sobre a *ira de Deus* pode errar muito por causa do dilema humano no uso de sua linguagem meramente terrestre. Quem é que pode realmente descrever Deus em termos acurados? As primeiras três seções deste artigo ignoram o problema de antropomorfismos. Na seção IV, tento lançar alguma luz sobre este problema. Na seção V, procuro mostrar que a ira de Deus tem uma *obra positiva* para cumprir, afinal, porque a ira de Deus é um *sinônimo* de seu amor. A ira de Deus castiga, sim; faz sofrer, sim; vinga, sim; pode prolongar-se,

IRA

sim. Mas opera um propósito benigno e restaurador, *afinal*.

O conceito de ira aparece nas Escrituras Sagradas no tocante tanto a Deus quanto ao homem. Trata-se de uma das grandes doutrinas, tanto do judaísmo quanto do cristianismo.

Esboço:

I. Palavras Envolvidas
   A. No Hebraico
   B. No Grego

II. A Ira de Deus
   A. A Ira Divina no Antigo Testamento
   B. A Ira Divina nos Livros Apócrifos e Pseudepígrafos
   C. A Ira Divina nos Manuscritos do Mar Morto
   D. A Ira Divina no Novo Testamento

III. A Ira do Homem
   A. A Ira Humana no Antigo Testamento
   B. A Ira Humana no Novo Testamento
   C. O Conceito de Ira na Igreja Antiga

IV. Usos Antropomórficos

V. A Ira de Deus e o seu Amor são Sinônimos

Introdução

1. Quando lemos que Deus está irado, isso é simbólico (sendo uma expressão antropomórfica) do desprezar divino ante o pecado ou coisas incorretas. Ver Sal. 7:11; 11:7; Gên. 6:7; Êxo. 4:14. Essa ira inclui a indignação de Deus, termo usado para indicar o julgamento. Ver também Rom. 1:18; 2:8; Efé. 5:6. Supomos que Deus não sente esses tipos de emoção humana, e que a expressão «ira de Deus» seja um termo técnico para indicar o juízo. Ver o artigo sobre *o julgamento*. Há o grande dia da ira de Deus (Apo. 6:16).

A ira de Deus é suavizada por Sua misericórdia e Seu amor, não havendo nisso qualquer fraqueza, pois o amor é a maior de todas as forças. Ver II Crô. 19:7; Rom. 2:4.

2. Jesus se indignou com aqueles que pervertiam ou afrontavam espiritualmente a outros, como aqueles que queriam impedir os outros de entrarem no reino (Mat. 23:13), ou chegarem à Sua presença (Mar. 10:14). Jesus se indignava diante da falta de fé (Mat. 17:17; João 11:33,38), bem como por causa daqueles que se opunham às ordenanças de Deus (Mar. 3:5; Mat. 23:1-38; João 2:16). A indignação de Jesus era uma emoção humana, santificada por elevado nível de espiritualidade.

3. No tocante aos homens, a ira é geralmente proibida (Luc. 2:11,14; Rom. 5:9; II Cor. 5:18,19; I Tes. 1:10), pois a ira humana não estabelece a justiça de Deus (Tia. 1:20). Usualmente a ira é uma obra da carne, sendo um pecado cardeal (Gál. 5:20). E com freqüência origina-se no orgulho (Pro. 13:10).

4. É possível alguém irar-se sem pecar (Efé. 4:26), dependendo da causa e da motivação, bem como do objeto da ira. Mesmo assim, não deve ser sustentada por muito tempo, pois a ira contida é psicologicamente negativa, além de ser fisicamente prejudicial.

5. Objetos justos da ira: os ímpios (Sal. 7:11; Rom. 1:18); a incredulidade (Sal. 78:21,23; Heb. 3:18,19);a impenitência (Sal. 7:12; Rom. 2:5); a apostasia (Heb. 10:27,27); a idolatria (Deu. 29:20,27,28; Jer. 44:3); o pecado dos santos (Sal. 89:30-32; Sal. 90:7-9); os opositores do evangelho (I Tess. 2:16).

Muita arrogância, egoísmo, indisciplina e ódio se fazem passar por «justa indignação». Na verdade, a *ira* usualmente é obra da carne, embora se exiba como se fosse uma virtude.

I. Palavras Envolvidas

A. No Hebraico. Há cinco palavras hebraicas principais que transmitem a idéia de ira, no Antigo Testamento, a saber:

1. *Charon*, «calor», «ira», «ferocidade». Essa palavra, e sua forma verbal, *charah*, aparece no Antigo Testamento por cerca de cem vezes, conforme se vê, por exemplo, em Gên. 4:5,6; 31:36; Êxo. 15:7; Núm. 16:15; I Sam. 18:8; 20:7; II Sam. 3:8; 13:21; Nee. 4:1,7; 13:18; Sal. 18:7; 58:9; Eze. 7:12,13. Esse vocábulo hebraico dá idéia de uma fisionomia acalorada, transtornada pela ira. Sua primeira ocorrência fica no diálogo entre Deus e Caim, depois que a oferta deste fora repelida pelo Senhor: «Irou-se, pois, sobremaneira Caim, e descaiu-lhe o semblante. Então lhe disse o Senhor: Por que andas irado? E por que descaiu o teu semblante?» (Gên. 4:5,6). Essa palavra encontra cognatos em outras línguas semíticas. E até mesmo no hebraico podia significar coisas como «queimar», «inflamar», «acender», etc.

2. *Aph*, «nariz», «ira», «resfolegar». Esse termo hebraico ocorre por mais de duzentas vezes com o sentido de «ira». Ver por exemplo, Gên. 39:19; Êxo. 22:24; Núm. 11:33; Deu. 11:17; I Sam. 28:28; II Reis 23:26; II Crô. 12:12; 30:8; Jó 14:13; 16:9; 42:7; Sal. 2:5,12; 21:9; 55:3; 78:31; 138:7; Pro. 14:29; 24:18; 29:8; 30:33. A ligação dessa palavra para indicar «ira», provavelmente, deve-se ao fato de que, de acordo com a psicologia semítica, julgava-se que essa emoção forte tem sede no nariz. Tanto é assim que a manifestação de ira é expressa mediante expressões como «resfolegando», «respirando ameaças», etc. Esse sentido simbólico do ato de resfolegar pode ser visto claramente em Sal. 18:8: «...meu Deus... Das suas narinas subiu fumaça, e fogo devorador da sua boca...» E a forma substantivada, como é claro, também indica esse forte sentimento, conforme se vê em Números 25:4: «Disse o Senhor a Moisés: Toma todos os cabeças do povo, e enforca-os ao Senhor ao ar livre, e a ardente ira do Senhor se retirará de Israel».

3. *Chemah*, «calor», «fúria». Essa palavra hebraica, cujo sentido central é a sensação de «calor», é empregada até mesmo no sentido de «furor», «rancor» (no hebraico, «veneno»), segundo se vê em Gênesis 27:44. Tal vocábulo foi usado por mais de cem vezes com o sentido de «ira», conforme se pode ver, para exemplificar, em Núm. 25:11; Deu. 29:23,28; II Sam. 11:20; II Reis 22:13,17; II Crô. 12:7; 36:16; Est. 2:1; 3:5; Jó 19:29; Sal. 37:8; 59:13; 88:7; 89:46; 90:7; 106:23; Pro. 15:1,18; 16:14; 19:19; Jer. 18:20; Eze. 13:15. Indica uma ira furiosa e descontrolada, que incendeia os sentimentos da pessoa.

4. *Qetseph*, «ira», «amargor». Esse termo hebraico aparece por vinte e sete vezes no Antigo Testamento. Para exemplificar: Núm. 1:53; 16:46; Jos. 9:20; I Crô. 27:24; II Crô. 19:2,10; 24:18; 32:25,26; Est. 1:18; Sal. 38:1; 102:10; Ecl. 5:17; Isa. 54:8; 60:10; Jer. 10:10; 21:5; 50:13; Zac. 7:12.

5. *Ebrah*, «ira», «violência», «explosão». Essa palavra hebraica, cujos sentidos cognatos são bem claros, ocorre por trinta e quatro vezes, conforme se vê em Gên. 49:7; Jó 21:30; Sal. 78:49; 90:9,11; Pro. 11:4,23; 14:35; 21:24; Isa. 9:19; 10:6; 13:9,13; 16:6; Jer. 7:29; 48:30; Lam. 2:2; 3:1; Eze. 7:19; 21:31; 38:19; Osé. 5:10; 13:11; Amós 1:11; Hab. 3:8; Sof. 1:15,18. Um interessante texto que passa a ser estudado, no tocante ao sentido dessa palavra, é Jó 40:11: «Derrama as torrentes (no hebraico, *qetseph*) da tua ira (no hebraico, *aph*)... É como se, em sua ira justa, Deus espumasse contra os soberbos.

IRA

Ver também o artigo intitulado *Indignação*.

B. No Grego. Há três palavras gregas que devemos estudar, neste verbete, a saber:

1. *Thumós*, «ira», «furor». A raiz dessa palavra é o verbo *thúo*, «precipitar-se». A idéia é que a pessoa se precipita em sua mente e emoções, por causa de forte paixão iracunda, embora, no grego, indicasse as iras transitórias, explosivas, sem a idéia de rancor guardado. Essa palavra aparece no Novo Testamento por dezoito vezes: Luc. 4:28; Atos 19:28; Rom. 2:8; II Cor. 12:20; Gál. 5:20; Efé. 4:31; Col. 3:8; Heb. 11:27; Apo. 12:12; 14:8,10,19; 15:1,7; 16:1,19; 18:3 e 19:15.

2. *Orgê*, «ira», «indignação», «irritação». Essa palavra grega aponta para aquela ira mais duradoura que não se manifesta tanto como uma explosão dos sentimentos, mas mais como uma atitude de contínua indignação. Esse termo foi usado por trinta e cinco vezes, como um substantivo: Mat. 3:7; Mar. 3:5; Luc. 3:7; 21:23; João 3:36; Rom. 1:18; 2:5,8; 3:5; 4:15; 5:9; 9:22; 12:19; 13:4,5; Efé. 2:3; 4:31; 5:6; Col. 3:6,8; I Tes. 1:10; 2:16; 5:9; I Tim. 2:8; Heb. 3:11 (citando Sal. 95:11); 4:3; Tia. 1:19,20; Apo. 6:16,17; 11:18; 14:10; 16:19; 19:15. O verbo, *orgízomai*, aparece por nove vezes: Mat. 5:22; 18:34; Mar. 1:41; Luc. 14:21; 15:28; Efé. 4:26 (citando Sal. 4:5); Apo. 11:18 e 12:17. E o adjetivo, *orgílos*, «iracundo» aparece por uma vez, em Tito 1:7.

3. *Parorgismós*, «exasperação», «amargor», «exacerbação». Temos aí a variedade mais exacerbada e perigosa dessa emoção forte, que poderia ser melhor interpretada em português por «rancor», a ira surda que não perdoa, mas procura tirar vingança. O substantivo ocorre apenas por uma vez no Novo Testamento, em Efé. 4:26. E a forma verbal aparece por duas vezes, em Rom. 10:19 (citando Deu. 32:21), e Efé. 6:4.

II. A Ira de Deus

É um claro princípio bíblico que a ira de Deus é de categoria inteiramente diferente e de definição totalmente diversa da ira humana. A diferença não é apenas de intensidade, como poderíamos ser levados a pensar, mas é que a ira divina é de outra natureza, manifestando-se de forma como não se manifesta entre os homens. Isso ficará mais claro no decorrer deste estudo.

A. A Ira Divina no Antigo Testamento

1. Freqüência. No A.T., a ira de Deus nos é apresentada, com grande freqüência, tanto como um princípio quanto como através de exemplos históricos. Essa ira divina está estreitamente ligada à apresentação do grande motivo básico da Bíblia, a saber, o drama da criação-queda-redenção-restauração final. Mais especificamente, a necessidade da redenção é exposta contra o pano de fundo da natureza da iniqüidade do pecado e das exigências da justiça divina, que se manifesta sob a forma de ira contra toda a desobediência e iniqüidade humana. Citemos duas passagens veterotestamentárias que enfocam essa questão. «Disse o Senhor a Moisés: Até quando me provocará este povo, e até quando não crerão em mim, a despeito de todos os sinais que fiz no meio deles?» (Núm. 14:11). Esse trecho mostra que a ira divina é provocada pelas atitudes humanas contrárias. Nesse caso, os israelitas, no deserto, obstinavam-se em não confiar no Senhor, apesar de todos os prodígios que já fizera em favor deles. Talvez não haja atitude que mais deixe o Senhor Deus indignado que a atitude da incredulidade. E também poderíamos citar Deuteronômio 6:14-16: «Não seguirás outros deuses, nenhum dos deuses dos povos que houver à roda de ti, porque o Senhor teu Deus é Deus zeloso no meio de ti,

para que a ira do Senhor teu Deus se não acenda contra ti e te destrua de sobre a face da terra. Não tentarás o Senhor teu Deus, como o tentaste em Massá». Da incredulidade quanto a Deus, os homens passam para a confiança nos deuses imaginários. Isso desperta o ciúme do Senhor, como uma terrível provocação que faz sua indignação acender-se contra os idólatras. Aliás, o Novo Testamento também enfoca claramente esse aspecto, conforme se vê, por exemplo, em Rom. 1:18,25: «A ira de Deus se revela do céu contra toda impiedade e perversão dos homens que detêm a verdade pela injustiça... pois eles mudaram a verdade de Deus em mentira, adorando e servindo a criatura, em lugar do Criador...»

Foi essa indignação divina que levou, muitas vezes, o Senhor a decretar a destruição de povos inteiros. Do ponto de vista do Senhor Deus, o mal precisa ser extirpado definitivamente. Se o pecador não muda, não se arrepende, não resta a Deus alternativa senão aplicar-lhe o castigo, que pode até incluir o extermínio. Muitas das vitórias militares do povo de Israel estavam alicerçadas sobre esse fato — chegara a hora de certos povos, caracterizados por teimosa iniqüidade, serem varridos da face da terra. E disso o Antigo Testamento testifica abundantemente. Por exemplo: «...e a terra se contaminou; e eu visitei nela a sua iniqüidade, e ela vomitou os seus moradores... porque todas estas abominações fizeram os homens desta terra que nela estavam antes de vós...» (Lev. 18:25 e 27). E os próprios israelitas foram advertidos que também seriam expelidos da Terra Prometida, se chegassem a provocar o Senhor à ira. «Então se dirá... o Senhor os arrancou de sua terra com ira, indignação e grande furor, e os lançou para outra terra...» (Deu. 29:25 e 28).

2. Meios e Fins da Ira Divina. Os meios usados pela ira de Deus sempre são agências criadas pela vontade de Deus, como seus exércitos angelicais (II Sam. 24:17), o seu povo de Israel (Eze. 32:9-31), as nações gentílicas (Isa. 10:5,6), as forças da natureza, todas elas postas sob as ordens do Senhor (Juí. 5:20). Por meio do intermédio válido dessas várias forças, Deus faz sua justa causa imperar sobre a história dos homens e o curso seguido pelas nações. E as finalidades colimadas, tal como os meios usados por sua ira, também são justas e corretas. A ira de Deus se manifesta tendo em vista uma dupla finalidade, a saber: 1. A manutenção da ordem legal da criação, o que requer a justiça; e 2. a retribuição contra aqueles que agem impiamente. Mediante as operações da ira divina, no curso da história, a objetividade e a responsabilidade dos meios empregados são mantidos estritamente intactos. A ira do Senhor, pois, jamais é desfechada contra alguém sem nenhum propósito em mira, ou visando a algum resultado misterioso; os atos de Deus, em sua justiça, são sempre claramente visíveis.

Já vimos que a ira divina se acende igualmente contra os pagãos irreverentes e contra os malfeitores. Os reis, os sacerdotes, os profetas, as tribos e o povo de Israel eram julgados e castigados, tanto quanto os líderes e governantes das nações gentílicas (ver Sal. 2:1-3).

No século XIX, era costume entre os eruditos da época fazer distinções espúrias entre o pecador e seus atos pecaminosos, e então supor que a real ira de Deus descarregava-se somente contra a noção abstrata do pecado do pecador. No entanto, o Antigo Testamento é perfeitamente claro no ensino de que a iniqüidade não existe à parte dos atos iníquos dos ímpios. Por conseguinte, o julgamento divino é lançado contra as criaturas ímpias inteligentes. E é

IRA

precisamente por esse motivo, e com a finalidade de impor a justiça ao quadro, que a ira de Deus, por muitas vezes, assume a forma de guerras e carnificinas. Essas formas humanas de violência e derramamento de sangue, portanto, são empregadas tendo em vista a glória de Deus. O humanismo evolutivo geral dos fins do século XIX e do século XX tem achado que esse conceito bíblico é cruel e inaceitável; porém, a sua veracidade essencial pode ser vista no decurso não somente da narrativa bíblica, mas também no curso da história pós-bíblica, secular.

Reveste-se de importância primária o fato de que Deus considera os objetos de sua ira como entes responsáveis por seus delitos e por isso mesmo, determina que eles são passíveis de destruição. Por causa desse último fato é que alguns intérpretes do Antigo Testamento rejeitam o quadro que ali se faz de Deus, como se as descrições veterotestamentárias expusessem um Deus cruel e caprichoso. Porém, ao assim julgarem a questão, perdem de vista as finalidades da ira divina, que consistem em devolver à lei de Deus aquilo que tem sido violado pelos desígnios e ações dos iníquos. Nesse sentido, o pacto opera sem encontrar qualquer obstáculo, porquanto quando homens ou anjos usurpam a autoridade que pertencem exclusivamente a Deus, a destruição deles anda muito próxima de ocorrer, em face da ira de Deus.

A própria santidade e transcendência de Deus são de tal magnitude que só podemos nos aproximar de Deus com muito temor e respeito. Blasfemar da soberania de Deus, mediante a resistência à vontade revelada de Deus, mediante as Escrituras, é convidar e até exigir a manifestação da ira de Deus. Uma consideração central é que a apostasia de Israel, ao aceitar os pontos de vista das nações gentílicas e ao adorar os ídolos pagãos, servia de causa direta das desigualdades sociais e dos fracassos políticos naquela nação. Contra isso a ira do Senhor se manifestava. A lei do profeta Moisés, e as advertências das grandes vozes proféticas, eram igualmente obrigatórias para os israelitas e os gentios. Visto que o Antigo Testamento declara a tríplice promessa de que a presença do povo de Israel em sua própria terra seria uma fonte de bênçãos divinas para toda a humanidade, é óbvio que a ira de Deus terá de entrar em ignição contra aqueles, dentro ou fora do povo de Israel, que tentarem frustrar o plano divino. «Queixou-se o povo de sua sorte aos ouvidos do Senhor; ouvindo-o o Senhor, acendeu-se-lhe a ira, e o fogo do Senhor ardeu entre eles, e consumiu extremidades do arraial. Então o povo clamou a Moisés, e orando este ao Senhor, o fogo se apagou. Pelo que chamou aquele lugar Taberá, porque o fogo do Senhor se acendera entre eles» (Núm. 11:1-3). Ver também Deu. 1:26-36; 13:2,6,13, etc.; Jos. 7:1; I Sam. 28:18; Sal. 2:1-6; 78:21,22.

3. A Ira Divina e a Expiação. A ira de Deus opera de duas maneiras diversas, simultaneamente. Deus tanto liberta os oprimidos (I Sam. 15:2, etc.) quanto condena os iníquos (Deu. 7:4,5). Entretanto, uma porção básica do ensinamento bíblico concernente à ira de Deus é que, por meio da expiação, a ira divina pode ser aplicada e os ímpios que aceitarem a expiação serão justificados. Essa expiação, de acordo com o Antigo Testamento, era apropriada mediante a observância da lei mosaica e da confiança nas promessas de Deus (Eze. 36:22-32). Visto que, de acordo com o antigo pacto, às nações do mundo era requerido que viessem ao povo em pacto com Deus, a fim de receberem a graça divina, o Antigo Testamento requeria que os gentios seguissem a lei de Israel, se

quisessem obter misericórdia. A ira de Deus, por conseguinte, opera tanto como uma advertência quanto como um encorajamento à obediência por parte dos homens.

Um fator especial na expiação por meio de sacrifícios, ensinada no Antigo Testamento, é que ela era coerentemente figurada. Todavia, o Antigo Testamento apresenta a remoção final da ira de Deus e a preservação daqueles em favor de quem era feita a expiação em termos do dia final do julgamento divino. Esse aspecto escatológico é associado ao ensino veterotestamentário sobre a culminação da história no «dia» de Deus. Esse dia da visitação divina seria, primariamente, um dia de ira. «Porque o dia do Senhor dos Exércitos será contra todo soberbo e altivo, e contra todo o que se exalta, para que seja abatido... A arrogância do homem será abatida, e a sua altivez será humilhada; só o Senhor será exaltado naquele dia» (Isa. 2:12,17). Todavia, a mesma proclamação divina que haverá de impor a condenação aos ímpios, proferirá salvação em favor do povo de Deus. Ver Isaías 2:2-5. A expressão mais importante para indicar esse período final, nas páginas da Bíblia, é «últimos dias». Para exemplificar: «...então este mal vos alcançará nos últimos dias, porque fareis mal perante o Senhor, provocando-o à ira com as obras das vossas mãos» (Deu. 31:29).

A remoção da ira divina, em face da satisfação prestada pelo arrependimento, ou, vendo-se a mesma coisa de outro ângulo, pela obediência ao Senhor, aparece no Antigo Testamento descrita por vários termos hebraicos, dentre os quais os mais comuns são dois: 1. *shub*, «voltar atrás» (por exemplo, Sal. 85:3,4 e Eze. 18:27,28); e 2. *nacham*, «arrepender-se» (por exemplo, II Sam. 25:16 e Jó 42:6).

Esse desviar da ira de Deus, usualmente, está vinculado à cessação das calamidades e catástrofes naturais, um método comum de Deus castigar aos homens, por todo o decurso da história. Alguns estudiosos têm imaginado, mais recentemente, que os ritos do tabernáculo e do templo em algum sentido mágico faziam a ira de Deus desviar-se; mas isso não goza de qualquer apoio por parte dos textos sagrados envolvidos. Não obstante, todos os ritos e práticas cúlticas de Israel eram confirmados na expectativa escatológica da grande «bênção» final. E isso, ainda de acordo com o Antigo Testamento, seria levado à plena fruição pelo «servo do Senhor», conforme se vê, por exemplo, em Isa. 49:7-9: «Assim diz o Senhor, o Redentor e Santo de Israel, ao que é desprezado, ao aborrecido das nações, ao servo dos tiranos: Os reis o verão, e os príncipes se levantarão; e eles te adorarão por amor ao Senhor, que é fiel, e do Santo de Israel, que te escolheu. Diz ainda o Senhor: No tempo aceitável eu te ouvi e te socorri no dia da salvação; guardar-te-ei e te farei mediador da aliança do povo, para restaurares a terra e lhe repartires as herdades assoladas; para dizeres aos presos: Saí, e aos que estão em trevas: Aparecei. Eles pastarão nos caminhos, e em todos os altos desnudos terão o seu pasto». E também Isaías 53:10-12: «Todavia, ao Senhor agradou moê-lo, fazendo-o enfermar; quando der ele a sua alma como oferta pelo pecado, verá a sua posteridade e prolongará os seus dias; e a vontade do Senhor prosperará em suas mãos. Ele verá o fruto do penoso trabalho de sua alma, e ficará satisfeito; o meu Servo, o Justo, com o seu conhecimento justificará a muitos, porque as iniqüidades deles levará sobre si».

O amor de Yahweh foi demonstrado no fato de que ele supria uma graça gratuita, suficiente e não merecida para as necessidades de Israel, no tocante à expiação. Um equívoco comum consiste em interpre-

360

IRA

tar a expiação pela culpa de Israel como se esta fosse oferecida por alguma atividade ou por algum sofrimento da própria nação de Israel, como se isso fosse o bastante para satisfazer os requisitos da justiça do Senhor Deus. Porém, quanto a essa idéia o Antigo Testamento mostra-se totalmente silente. Assim, o povo de Israel não foi redimido do Egito por motivo de sua fidelidade e, sim, por haver sustido o seu pacto com Deus: é Deus quem provê as devidas salvaguardas ao seu pacto, apesar dos pecados de seu povo. De fato, o poder eletivo especial de Israel, entre as nações do mundo, envolve uma responsabilidade vastamente crescente diante de Deus. «De todas as famílias da terra somente a vós outros vos escolhi, portanto, eu vos punirei por todas as vossas iniqüidades» (Amós 3:2). As exigências da lei de Deus estão arraigadas em sua justiça, e a razão dos cuidados de Deus por seu povo encontra-se no seu amor. Em última análise, o Antigo Testamento aponta para esse amor divino, conforme se vê em Salmos 1:2 e vários outros trechos bíblicos. E esse amor divino se reflete no amor humano pelo Senhor e sua lei. «Antes o seu prazer **está na lei do Senhor,** e na sua lei medita de dia e de noite». É precisamente esse amor que faz sobrevir ao povo de Deus todas as suas bênçãos. A bênção e a promessa de sua certeza estão alicerçadas sobre o aparecimento do exemplar celeste da bênção, a saber, o próprio Messias. O término final tanto da ira quanto da misericórdia refletidas no antigo pacto ocorreu no primeiro advento do Senhor Jesus Cristo, em cuja pessoa combinavam-se as funções tanto de Juiz quanto de Salvador. «Quem nele crê não é julgado (salvação); o que, porém, não crê já está julgado (julgamento)...» (João 3:18). Na vinda de Cristo, pois, todas as promessas e profecias sobre Cristo, como o Redentor, tiveram cumprimento.

B. A Ira Divina nos Livros Apócrifos e Pseudepígrafos. Essa literatura dá prosseguimento ao tema da destruição das nações gentílicas que, porventura, tenham perseguido ao povo de Israel (ver Pr. Man. 10 ss). As narrativas dos livros apócrifos concebem um futuro governo messiânico e político, bem como a restauração da monarquia davídica. O Senhor é o protetor de Israel, é Aquele que é o grande Vitorioso nas campanhas de Israel (II Macabeus 15:17-36). A literatura de Sabedoria demonstra ser um tanto mais eclética. Também tem certas tendências sincretistas. Assim, disse Aristéias: «É mister reconhecer que Deus governa o mundo inteiro com espírito de bondade, e sem qualquer tipo de ira» (254). Porém, isso não concorda com o testemunho do Antigo Testamento, e nem mesmo com os registros apócrifos mais tradicionais. Na literatura apócrifa e pseudepígrafa, a ira de Deus é retratada, mais freqüentemente, como algo dirigido, em sentido mecânico, contra algum opressor humano (Jubileus 36:10), ainda que, em algumas passagens, se perceba a mesma antiga mensagem profética de juízo divino contra as iniqüidades de Israel (IV Macabeus 4:21). Certo interesse pelo possível retorno de famosas personalidades bíblicas do passado é uma das características da literatura apócrifa e pseudepígrafa, de modo geral, bem como pelo papel medianeiro de Moisés, Elias ou algum anjo, que desviariam a ira de Deus, conforme se vê, para exemplificar em Sabedoria de Salomão 18:21. No entanto, nenhuma nova idéia interpretativa é acrescentada nas obras apócrifas ou pseudepígrafas.

C. A Ira Divina nos Manuscritos do Mar Morto. O mesmo padrão interpretativo reaparece nos manuscritos do mar Morto, conforme já se viu no tocante à literatura apócrifa e pseudepígrafa do Antigo Testamento, embora não com tanta intensidade. A principal característica é a maldição das nações, por parte dos judeus, com a expectação do derramamento da ira divina sobre as mesmas. Ali, o «dia da ira» é encarado como o dia do *triunfo final* dos exércitos de Israel sobre todas as nações gentílicas. Na realidade, a totalidade do rolo 1 QM ocupa-se com a ordenação do exército do Senhor para a batalha, para o derramamento da ira divina. Nessas cenas, os romanos substituem os monarcas helenistas, como os grandes alvos da ira divina. A separação entre os benditos, isto é, Israel, e os condenados, as nações gentílicas, aparece como algo consumado nos manuscritos do mar Morto, embora sem o cumprimento de qualquer das promessas remidoras do Antigo Testamento, e quase sem qualquer menção de castigo contra os apostatados do próprio povo compactuado com Deus. De fato, o templo institucionalizado também aparece castigado, em face de sua fidelidade e vassalagem a Roma. Assim, a ira de Deus aparece ali como uma retribuição política. Esse nacionalismo militarista, que permeia aqueles escritos, utiliza-se mais da terminologia das artes e ciências humanas do que da terminologia emocional humana. Pois ali predominam termos que indicam as idéias de fundir, refinar e dividir (1 QS 1.16; 4.20; 8.4, etc.). Além disso, aqui e acolá, nesses rolos das cavernas de Qunram transparecem idéias gnósticas, como a da indução secreta e irracional no tocante à verdade. Os rituais elaborados, os conceitos dualistas dos **bem-aventurados** e dos malditos, são pontos fundamentais, nesses escritos, no tocante à vinda do «dia da ira», porquanto será então que os iniciados nesses mistérios seriam vindicados. No entanto, como é evidente, não encontramos coisa alguma dessas idéias nem no Antigo e nem no Novo Testamentos.

D. A Ira Divina no Novo Testamento. Desde o começo, o Novo Testamento dá a entender que o pacto do Antigo Testamento chegara ao fim e tivera cabal cumprimento. Citemos uma das mais claras passagens neotestamentárias quanto a essa questão, a de Lucas 16:16: «A lei e os profetas vigoraram até João; desde esse tempo vem sendo anunciado o evangelho do reino de Deus...» Por conseguinte, no Novo Testamento a ira de Deus é compreendida juntamente com as antigas doutrinas enunciadas no Antigo Testamento, embora com uma ênfase inteiramente nova. E essa nova ênfase é que é mister os homens se submeterem e obedecerem a Cristo, sob a pena de estarem sujeitos à ira de Deus. «Por isso quem crê no Filho tem a vida eterna; o que, todavia, se mantém rebelde contra o Filho não verá a vida, mas sobre ele permanece a ira de Deus» (João 3:36). Acrescente-se a isso que a ira que se manifestará no *juízo final* é a ira de Jesus Cristo. «E o Pai a ninguém julga, mas ao Filho confiou todo o julgamento» (João 5:22). Portanto, a idéia de proteção da comunidade de Israel como uma nação, mediante ameaças de ira divina desfechada contra os adversários, é algo que se faz totalmente ausente nas narrativas dos evangelhos. É precisamente quando aparece como o Juiz que Jesus Cristo aparece com muitos dos títulos e muitas das imagens simbólicas do Antigo Testamento. «Pelo que também Deus o exaltou sobremaneira e lhe deu o nome que está acima de todo nome, para que ao nome de Jesus se dobre todo joelho, nos céus, na terra e debaixo da terra, e toda língua confesse que Jesus Cristo é Senhor, para glória de Deus Pai» (Fil. 2:9-11).

1. A Terminologia do Novo Testamento. Visto que o Novo Testamento é consideravelmente menos volumoso do que o Antigo Testamento, além de não ter a necessidade de apelar para a poesia hebraica de estilo paralelista, o vocabulário do Novo Testamento

IRA

grego é consideravelmente mais breve do que o vocabulário do Antigo Testamento hebraico, no tocante aos termos referentes à ira. Como já vimos, a palavra grega mais comum para indicar «ira» é *orgê*, que a Septuaginta usou para representar certo número de vocábulos hebraicos. Essa palavra é usada sem aquelas distinções de várias facetas da ira, conforme se vê no Antigo Testamento. O que se destaca no Novo Testamento, no tocante a essa questão, é que a ira de Deus, que resulta na eterna condenação, é tão central que a contenção, atribuída a Márcion, um mestre gnóstico do século II D.C., no sentido de que haveria uma dicotomia entre o «amoroso Pai celestial» de Jesus e o iracundo Yahweh do Antigo Testamento, não tem a menor razão de ser. Não obstante, o uso da noção da ira divina, no Novo Testamento, é algo tão terrível porque não se aplica à esfera política, envolvendo alguma vitória ou derrota militar, mas antes, aplica-se à perdição·eterna da alma, com um eterno castigo para os ímpios. «...onde não lhes morre o verme, nem o fogo se apaga» (Mar. 9:48). «...e serão atormentados de dia e de noite, pelos séculos dos séculos» (Apo. 20:10).

A despeito disso, não existem termos, no Novo Testamento, que descrevam a ira divina em linguagem antropopatética, ou seja, de acordo com os sentimentos humanos. No Novo Testamento, aqueles que forem julgados dignos de receber a ira de Deus aparecem confinados a um lugar de castigo. «Eu, porém, vos mostrarei a quem deveis temer: Temei aquele que depois de matar, tem poder para lançar no inferno...» (Luc. 12:5). O trecho de Judas 11-15 também nos apresenta uma cascata de idéias: «Ai deles! porque prosseguiram pelo caminho de Caim e, movidos de ganância, se precipitaram no erro de Balaão, e pereceram na revolta de Coré... Quanto a estes foi que também profetizou Enoque, o sétimo depois de Adão, dizendo: Eis que veio o Senhor entre suas santas miríades, para exercer juízo contra todos e para fazer convictos todos os ímpios...» e vemos que as imagens verbais mais freqüentemente usadas, com base no Antigo Testamento, são aquelas que encontramos nos livros de Isaías e de Salmos.

Muitas das parábolas de Cristo abordam diretamente a questão da ira de Deus. Nessas parábolas, a ira divina aparece não somente como a retribuição dada àqueles que perseguiram ao povo de Israel, mas também àqueles que rejeitaram ao Messias, em suas reivindicações. «Então ordenou o rei aos serventes: Amarrai-o de pés e mãos, e lançai-o para fora, nas trevas; ali haverá choro e ranger de dentes. Porque muitos são chamados, mas poucos escolhidos» (Mat. 22:13,14). Somente em algumas poucas passagens do Novo Testamento os juízos impostos pela ira divina aparecem associados a calamidades físicas ou naturais, conforme se vê, comumente, nas páginas do Antigo Testamento. Assim, em Lucas 13:4,5, a queda repentina da torre de Siloé, sobre certos indivíduos, parece mais importante que a morte daquelas dezoito vítimas. Mas o Senhor Jesus sempre se preocupou, em seu doutrinamento, a ensinar não sobre meras calamidades físicas, como resultados da ira divina, e, sim, a ensinar sobre a perdição da alma e, de fato, do homem em sua inteireza: «...temei antes aquele que pode fazer perecer no inferno tanto a alma como o corpo» (Mat. 10:28).

Independentemente das indicações de ira, emoções levemente menos violentas do que a ira foram atribuídas a Jesus, nos textos neotestamentários, quando ele se via diante de indivíduos que não queriam largar seus pecados e sua hipocrisia. Assim, em Marcos 10:14, onde lemos: Jesus, porém, vendo isto, indignou-se e disse-lhes: Deixai vir a mim os pequeninos, não os embaraceis, porque dos tais é o reino de Deus». A palavra aqui traduzida por indignou-se é o vocábulo grego *aganaktéo*, «indignarse», «ficar desagradado». No entanto, em tais casos, não se reflete, realmente, a severidade da ira divina, mas tão-somente o quanto revoltava ao Senhor Jesus a dureza do coração humano.

2. Cristo e a Ira Divina. Jesus Cristo desempenha um duplo papel nas operações da ira divina. Ele é, ao mesmo tempo, o Juiz celeste e o principal dos Pecadores (representativamente), sob o julgamento divino. No Antigo Testamento, nenhum rei, profeta ou sacerdote chegou a asseverar que estava investido da autoridade divina de julgar, exceto naquilo em que agia como mensageiro ou servo do Senhor, se para tanto fosse enviado. No entanto, foi nessa função que Jesus Cristo apareceu, ao ser apresentado ao mundo por João Batista. «A sua pá ele a tem na mão, e limpará completamente a sua eira; recolherá o seu trigo no celeiro, mas queimará a palha em fogo inextingüível» (Mat. 3:12). Isso é um reflexo de Salmos 1:4 e 5, onde lemos: «Os ímpios não são assim; são, porém, como a palha que o vento dispersa. Por isso, os perversos não prevalecerão no juízo...»

Em suas parábolas, o Senhor Jesus reiterou as descrições do Senhor dos céus como um Juiz, conforme se vê em Mat. 13:24-30, sobre a parábola do joio. Ali, o dono do campo plantado dirá aos ceifeiros: «Ajuntai primeiro o joio, atai-o em feixes para ser queimado; mas o trigo, recolhei-o no meu celeiro». De conformidade com muitas outras passagens bíblicas, isso terá lugar por ocasião da vinda gloriosa do *Filho do homem*, ou seja, quando da *parousia* (vide). Nessa conexão, é interessante observarmos que o título «Filho do homem», nunca foi aplicado por Jesus a si mesmo a fim de destacar a sua natureza humana, tãosomente, e, sim, para reaiçar o seu papel como Aquele que cumprirá as expectativas messiânicas do Antigo Testamento, nos «últimos dias» e no «dia de Deus».

O fato de que Jesus Cristo tomou, sobre Si mesmo, todas as conseqüências da ira de Deus contra o pecado, como nossa expiação vicária, é um dos mais profundos mistérios da revelação cristã. O quadro bíblico que nos é oferecido, a respeito do injusto julgamento e da crucificação do Senhor Jesus, na qualidade de Messias ou Servo de Deus, quando então ele sofreu todo o rigor da ira divina, desafia toda e qualquer descrição e silencia as especulações. As narrativas bíblicas dependem totalmente da terminologia sobre a ira, conforme se vê no Antigo Testamento, como «o derramamento do cálice» ou o «sorver da ira divina», além de outras expressões similares. Para exemplificar: «E lembrou-se Deus da grande Babilônia, para dar-lhe o cálice do vinho do furor da sua ira» (Apo. 16:19b). Isso reverbera a idéia de que Deus destilou todas as mais ferozes da manifestação da bílis de sua ira, e entregou a mistura para ser sorvida até à borra, por aqueles que O desafiaram.

Nas explicações das parábolas, feitas por Jesus, ele esclareceu o significado completo do seu sacrifício expiatório pelo pecado, aplacando assim inteiramente a justa indignação e ira de Deus contra os pecadores, sob a condição de arrependimento e fé. E isso também transparece nos escritos apostólicos, conforme vemos, por exemplo, em Rom. 5:9: «Logo, muito mais agora, sendo justificados pelo seu sangue, seremos por ele salvos da ira». Ou em Gálatas 3:13,14: «Cristo nos resgatou da maldição da lei, fazendo-se ele próprio maldição em nosso lugar, porque está escrito: Maldito

IRA

todo aquele que for pendurado em madeiro; para que a bênção de Abraão chegasse aos gentios, em Jesus Cristo...» Ver Também II Cor. 5:12.

Uma expansão final das idéias sobre a ira de Deus, nas páginas do Novo Testamento é aquela que, em Judas e em Apocalipse, está vinculada à idéia da *parousia* ou segundo advento de Cristo. É ali que, conforme já dissemos de passagem, culmina toda a ira de Deus. A mais complexa e completa predição sobre os dias finais de nossa dispensação é aquela que se encontra no livro de Apocalipse. Ali são reiteradas todas as possibilidades da linguagem usada no Antigo Testamento a respeito da ira divina. Basta uma pequena lista dessas repetições para vermos o quanto essa linguagem depende do Antigo Testamento. Sobre uma grande lamentação (Apo. 18:9,10: «Ora, chorarão e se lamentarão sobre ela os reis da terra, que com ela se prostituíram e viveram em luxúria, quando virem a fumaceira do seu incêndio e, conservando-se de longe, pelo medo do seu tormento, dizem: Ai! ai! tu, grande cidade, Babilônia, tu, poderosa cidade! pois em uma só hora chegou o teu juízo» — ver Eze. 26:16,17; 27:30,33; Sal. 48:4; Eze. 27:35; Isa. 23:17; Dan. 4:30 e Eze. 26:17). Um incêndio (Apo. 8:7: «O primeiro anjo tocou a trombeta, e houve saraiva e fogo de mistura com sangue, e foram atirados à terra. Foi, então, queimada a terça parte da terra, e das árvores, e também toda erva verde» — ver Êxo. 9:24; Eze. 38:22; Joel 2:30). A ceifa (Apo. 14:15: «Outro anjo saiu do santuário, gritando em grande voz para aquele que se achava sentado sobre a nuvem: Toma a tua foice e ceifa, pois chegou a hora de ceifar, visto que a seara da terra já secou» — ver Joel 3:13). A quebra de um vaso de barro (Apo. 2:27: «...e com cetro de ferro as regerá, e as reduzirá a pedaços como se fossem objetos de barro» — ver Sal. 2:8,9; 49:14; Dan. 7:22 e 12:5).

Na literatura apócrifa do Novo Testamento destaca-se ainda um outro aspecto da execução da ira divina. Trata-se do julgamento da prisão, de mescla com tormentos incessantes. «...estrelas errantes, para as quais tem sido guardada a negridão das trevas, para sempre» (Jud. 13). Ver também Apo. 20:1-3: «...porque o Senhor sabe livrar da provação os piedosos, e reservar, sob castigo, os injustos para o dia de juízo» (II Ped. 2:9). Isso posto, ainda que o quadro nos pareça espantoso no livro de Apocalipse temos o quadro de como o Messias, que foi morto mas reviveu, haverá de governar sobre este mundo, depois que o mesmo tiver sentido os devastadores efeitos da ira de Deus, o que porá fim à nossa dispensação. «Digno é o Cordeiro, que foi morto, de receber o poder, e riqueza, e sabedoria, e força, e honra, e glória e louvor. Então ouvi que toda criatura que há no céu e sobre a terra, debaixo da terra e sobre o mar, e tudo o que neles há, estava dizendo: Àquele que está sentado no trono, e ao Cordeiro, seja o louvor, e a honra, e a glória e o domínio pelos séculos dos séculos» (Apo. 5:12,13).

III. A Ira do Homem

A. A Ira Humana no Antigo Testamento. Embora, em ocasiões e por motivos restritos, aos homens é ordenado que cumpram as exigências da ira de Deus, no Antigo Testamento (cf. Jos. 9:20), as explosões de ira, sem qualquer autocontrole, são julgadas por Deus. como se as pessoas estivessem se arrogando a posição que cabe exclusivamente à autoridade de Deus. «Deixa a ira, abandona o furor; não te impacientes; certamente isso acabará mal. Porque os malfeitores serão exterminados, mas os que esperam no Senhor possuirão a terra» (Sal. 37:8,9). Os mandamentos

determinados por Deus devem ser cumpridos sem qualquer irritação por parte dos homens (ver Núm. 20:11), e a fúria da ira apaixonada devia ser rejeitada, e era proibida em Israel, conforme se aprende em Gênesis 49:5-7: «Simeão e Levi são irmãos; as suas espadas são instrumentos de violência... no seu furor mataram homens, e na sua vontade perversa jarretaram touros. Maldito seja o seu furor, pois era forte, e a sua ira, pois era dura; dividi-los-ei em Jacó, e os espalharei em Israel». A justa ira divina também se volta contra os atos cruéis e bárbaros, ou contra as astúcias de certas nações gentílicas, que inventam sofrimentos sofisticados para os seres humanos. De acordo com o trecho de Naum 3:1-4, certamente isso atrai o castigo divino. E até mesmo a execução de criminosos precisava ser efetuada sem malícia e sem rancor, conforme se depreende claramente de Deuteronômio 21:22,23: «Se alguém houver pecado, passível da pena de morte, e tenha sido morto, e o pendurares num madeiro, o seu cadáver não permanecerá no madeiro durante a noite, mas certamente o enterrarás no mesmo dia...»

Nos períodos de degradação idólatra, por muitas vezes, nações pagãs foram usadas por Deus para servirem de instrumentos de sofrimento para a ímpia nação de Israel (cf. Isa. 10:5,6); mas os excessos das violências gentílicas, por sua vez, eram castigados. O Antigo Testamento mostra claramente a distinção entre o estado de guerra, um ato do Estado, e os ataques físicos e os homicídios, estes causados pela fúria das paixões humanas. No *decálogo* (ver Êxo. 20:13) temos um mandamento diretamente aplicado ao homicídio cometido por um indivíduo. Nas narrativas do Antigo Testamento, os atos de ira mencionados, com freqüência, servem de base de julgamento por parte de Deus (ver Gên. 4:5,6; 34:13). E a própria indignação de Deus é reconhecida com algo desfavorável (ver Núm. 18:5), embora absolutamente necessária. Enfim, Deus nunca encontra satisfação com as misérias sofridas pelos ímpios, porquanto ele só se rejubila diante dos triunfos de sua retidão. «Ri-se aquele que habita nos céus; o Senhor zomba deles. Na sua ira, a seu tempo, lhes há de falar, e no seu furor os confundirá» (Sal. 2:4,5). O Antigo Testamento mostra-se claríssimo quanto ao ensino que somente Deus tem a autoridade de vingar-se dos erros cometidos pelos homens contra os seus semelhantes. «A mim me pertence a vingança, a retribuição, a seu tempo, quando resvalar o seu pé: porque o dia da sua calamidade está próximo, e o seu destino se apressa em chegar» (Deu. 32:35; ver também Sal. 94:1).

O Antigo Testamento não permite aos homens aquilo que se convencionou denominar de «justa indignação», exceto no clamor da batalha. Diferentemente de tantos outros documentos escritos que nos chegaram da antiguidade, o Antigo Testamento jamais encoraja a satisfação diante da agonia humana. As privações sofridas pelos iníquos e o cativeiro que, finalmente, atinge os conquistadores, são pontos enaltecidos nos salmos impecatórios e outros trechos bíblicos, de uma maneira até bastante comum; mas as recitações sobre conquistas sangrentas, com detalhes dos tormentos padecidos por cativos derrotados, que faziam parte tão constante dos anais assírio-babilônicos, fazem-se completamente ausentes das páginas da Bíblia. A ira, no Antigo Testamento, contenta-se em asseverar a privação da vida e a remoção do corpo até algum lugar de sepultamento; e a vindicação final da ira justa, aparece ali como algo que ocorrerá na outra vida, já fora das realizações terrenas dos homens. «Eis que me matará, já não tenho esperança; contudo, defenderei o meu procedi-

IRA

mento. Também isto será a minha salvação, o fato de o ímpio não vir perante ele» (Jó 13:15,16).

B. A Ira Humana no Novo Testamento. Se há alguma coisa que nos deveria fazer meditar é que as proibições contra a manifestação da ira humana ainda são mais peremptórias no Novo Testamento, do que o eram no Antigo Testamento. O ensino principal gira em torno do discurso de Jesus no monte das bem-aventuranças. «Bem-aventurados os pacificadores, porque serão chamados filhos de Deus... Ouvistes que foi dito aos antigos: Não matarás; e: Quem matar estará sujeito a julgamento. Eu, porém, vos digo que todo aquele que sem motivo se irar contra seu irmão estará sujeito a julgamento...» (Mat. 5:9,21,22). Jesus adverte nesse contexto até mesmo contra a falha que consiste em ofender a um irmão com as nossas palavras. E essa advertência é reiterada em várias das epístolas. «...não vos vingueis a vós mesmos, amados, mas dai lugar à ira; porque está escrito: A mim me pertence a vingança; eu retribuirei, diz o Senhor. Pelo contrário, se o teu inimigo tiver fome, dá-lhe de comer; se tiver sede, dá-lhe de beber; porque, fazendo isto, amontoarás brasas vivas sobre a sua cabeça. Não te deixes vencer do mal, mas vence o mal com o bem» (Rom. 12:19-21). Ver também II Cor. 12:10; Gál. 5:19,20; Efé. 4:26-31; Col. 3:8; Tia. 1:19,20.

O grande alvo da expiação pelo sangue de Cristo é a glorificação do crente; mas uma parte essencial desse alvo consiste na santificação diária. E certas passagens neotestamentárias deixam claro que a ausência de santificação, por parte do homem, torna-o sujeito à ira divina. «De quanto mais severo castigo julgais vós será considerado digno aquele que calcou aos pés o Filho de Deus, e profanou o sangue da aliança com o qual foi santificado, e ultrajou o Espírito da graça... O Senhor julgará o seu povo. Horrível cousa é cair nas mãos do Deus vivo» (Heb. 10:29-31). Ver também II Coríntios 5:10, terrível nas conseqüências salientadas, para o crente que não anda na santidade: «Porque importa que todos nós compareçamos perante o tribunal de Cristo, para que cada um receba segundo o bem ou o mal que tiver feito por meio do corpo». Essa necessidade de santificação chega mesmo a ser exposta em termos da salvação da própria ira de Deus. «E compadecei-vos de alguns que estão na dúvida — salvai-os, arrebatando-os do fogo; quanto a outros, sede também compassivos em temor, detestando até a roupa contaminada pela carne» (Jud. 22:23). E a posição dos cristãos, por muitas vezes, é comparada com a do povo de Israel, em suas jornadas pelo deserto do Sinai, onde vemos que os israelitas, com grande freqüência, voltaram as costas a Yahweh, e, por isso mesmo, ficaram sujeitos à sua ira. «E contra quem se indignou (Deus) por quarenta anos? Não foi contra os que pecaram, cujos cadáveres caíram no deserto? E contra quem jurou que não entrariam no seu descanso, senão contra os que foram desobedientes? Vemos, pois, que não puderam entrar por causa da incredulidade. Temamos, portanto, que nos sendo deixada a promessa de entrar no descanso de Deus, suceda parecer que algum de vós tenha falhado» (Heb. 3:17—4:1). E, no Novo Testamento, torna-se igualmente claro que a santificação é realizada com base na expiação pelo sangue de Cristo, em face da graça divina, mediante a fé em Jesus Cristo (Rom. 7:13-25). Ora, é precisamente no que concerne a essa última questão que, em algumas poucas referências, há alusão a uma «ira justificada», de acordo com as Escrituras. No esforço do crente obedecer à lei de Deus e de emular o amor de Cristo, todo estado de animosidade e ira deve ser imediatamente soluciona-

do. A bem da verdade, a ira gerada devido ao genuíno ódio contra o mal, é uma ira aprovada. Lemos em Salmos 97:10: «Vós, que amais o Senhor, detestai o mal...» E esse tema reaparece no Novo Testamento. Sem dúvida, certas observações feitas por Paulo, acerca de seus detratores, foram impulsionadas pela ira. «Mas, ainda que nós, ou mesmo um anjo vindo do céu vos pregue evangelho que vá além do que vos temos pregado, seja anátema. Assim como já dissemos, e agora repito, se alguém vos prega evangelho que vá além daquele que recebestes, seja anátema» (Gál. 1:8,9). Não obstante, mesmo quando justificada, a ira não pode ser guardada no coração, ao ponto de transformar-se em rancor, ou seja, não pode chegar àquilo que Paulo condenou tão indubitavelmente: «Irai-vos, e não pequeis; não se ponha o sol sobre a vossa ira, nem deis lugar ao diabo» (Efé. 4:26,27). Nessa citação, a primeira vez em que aparece a palavra verbal, «irar-se», temos o verbo grego *orgízomai*; mas, na segunda vez, temos o vocábulo grego *parorgismós*, «rancor», «exasperação». Ver I. *Palavras Envolvidas*. B. *No Grego*. 3. *Parorgismós*. Toda ira dessa qualidade exacerbada torna-se passível do julgamento divino.

C. O Conceito da Ira na Igreja Antiga. Um dos mais importantes documentos que sobrevivem até hoje, provenientes do período anteniceno, é o tratado de Lactâncio (260—320? D.C). O título desse documento é *De ira Dei*, «A Ira de Deus». O argumento apresentado por essa pequena, mas antiga obra, aborda o problema se podemos dizer, com toda propriedade, que Deus pode *irar-se*, à luz do fato de que as fortes emoções humanas não podem ser atribuídas ao Criador. O autor daquela obra retruca a isso dizendo que Deus é o Criador, e que se ele permitisse que a transgressão tivesse curso livre, sem qualquer retribuição divina, isso seria lançar o caos na criação. Essa obra segue um método escolástico de apresentação, e suas conclusões gerais não têm sido aprovadas pelos estudiosos no decorrer dos séculos, mesmo por aqueles que têm aprovado seu método e seus alvos. A questão foi ventilada novamente nos escritos dos escolásticos medievais; porém, uma vez mais, caiu no desinteresse, após o período da Reforma. Mas, à semelhança de outros documentos da fé cristã, tem sido um foco de atenções em períodos de turbulência política e de perseguição religiosa, embora torne a cair no olvido nos tempos de relativa tranqüilidade e bem-estar por que tem passado a Igreja cristã. Mas, nesta nossa época de ameaça de extermínio total da humanidade, a obra tem sido novamente projetada a uma posição de importância e veracidade, na opinião de muitos.

A Ira de Deus e a Interpretação Pré-Milenista da Parousia. Conforme temos mostrado em vários artigos dispersos por esta enciclopédia, mormente naquele intitulado *Parousia* (vide), há uma posição escatológica que diz que Jesus virá arrebatar a sua Igreja antes da eclosão da tribulação final, e uma outra posição que diz que o Senhor só virá buscar a sua Igreja após terminado aquele período atribulado. Ora, aqueles que tomam a primeira dessas duas posições têm, como um de seus argumentos de reforço, a idéia de que o crente não foi destinado à ira, que a Grande Tribulação será a manifestação da ira de Deus, e que, por conseguinte, a Igreja não passará pela Grande Tribulação.

À primeira vista essa argumentação parece ser lógica. Todavia, quando submetida a exame, vê-se que o argumento é muito falho, conforme passamos a mostrar. Antes de tudo, esse argumento usa a palavra *ira* em dois sentidos. Na primeira premissa — o

IRA — IRA DE DEUS

crente não foi destinado à ira — temos uma premissa veraz, para a qual poderíamos citar vários textos bíblicos. Por exemplo: «...porque Deus não nos destinou para ira, mas para alcançar a salvação mediante nosso Senhor Jesus Cristo» (I Tes. 5:9). Como é evidente, nesse sentido, «ira» é o oposto de «salvação», conforme Paulo mesmo frisa. Já na segunda premissa — a Grande Tribulação será a manifestação da ira de Deus — encontramos uma premissa viciada. Pois, se é verdade que a Grande Tribulação será um aspecto da ira de Deus, não pode ser confundida com «a ira» de Deus, a qual, conforme já vimos, no Novo Testamento tem sempre o sentido de castigo eterno, nos lugares infernais, algo que nada tem a ver com a Grande Tribulação. Em virtude disso, a conclusão desse aforismo — a Igreja não passará pela Grande Tribulação — não passa de um sofisma.

A posição pós-tribulacional, ou seja, a que diz que o Senhor Jesus só virá buscar sua Igreja terminada a calamidade da Grande Tribulação, fundamenta-se sobre a ordem de seqüência dos acontecimentos relatados por Cristo, no seu discurso profético, em resposta à indagação dos discípulos: «Dize-nos quando sucederão estas cousas, e que sinal haverá da tua vinda (no grego, *parousia*) e da consumação do século» (Mat. 24:3 *ss*). O Senhor Jesus, pois, fez a listagem de sinais que antecederiam a sua *parousia* (vide), destacou a Grande Tribulação como o maior de todos os sinais anteriores à sua *parousia*, mostrou que após a tribulação final haverá sinais cósmicos (o que não ocorrerá durante a Grande Tribulação) e, finalmente, cumpridos todos os sinais menores e maiores, diz ele: «...verão o Filho do homem vindo sobre as nuvens do céu com poder e muita glória. E ele enviará os seus anjos, com grande clangor de trombeta, os quais reunirão os seus escolhidos, dos quatro ventos, de uma a outra extremidade dos céus» (Mat. 24:30b,31). Ora, se tanto aqueles sinais cósmicos e o próprio arrebatamento dos eleitos (posto que Jesus não tenha usado a palavra «arrebatamento», e, sim, o verbo «reunirão»), sucederão «logo em seguida à tribulação daqueles dias» (vs. 29), como é que alguns dizem que o arrebatamento da Igreja será antes da tribulação final?

Além disso, há precedentes bíblicos para a idéia de que o povo de Deus pode ficar incólume, na terra, enquanto a ira de Deus descarrega-se contra os seus adversários, atingindo somente a estes e isentando de toda a ira àqueles. É o caso de Israel durante as dez pragas do Egito. Embora convivessem no mesmo país, os israelitas não foram atingidos por nenhuma das dez pragas, mas os egípcios não puderam escapar de nenhuma delas. Ver Êxo. 7:14—12:36. Isso posto, que impedirá que Deus proteja o seu povo dos piores desastres ecológicos e outros, que haverão de sobrevir ao mundo, quando da Grande Tribulação? Elias também foi preservado em vida, enquanto a seca, por três anos e meio (o mesmo período da Grande Tribulação) devastava Israel!

IV. Usos Antropomórficos

Alguns eruditos duvidam que seja apropriado usar descrições tipicamente humanas para descrever Deus. Até que ponto podemos afirmar que *Deus* sente os mesmos tipos de emoções que os *homens* sentem? É claro que a linguagem humana, necessariamente, deve se expressar em termos *humanos*; mas é claro também que, descrevendo *Deus*, a linguagem humana, tão cheia de antropomorfismos, deve errar muito quando descreve o Ser *mais alto* e *transcendente*. O termo *ira*, portanto, é um termo técnico para significar o julgamento de Deus e seus resultados, e

não descreve, necessariamente, uma emoção que o Ser Supremo sente. A Bíblia fala, em muitos lugares, sobre a ira de Deus em termos de emoção, mas este uso é um limite natural do dilema antropomórfico no qual os homens se acham. A Bíblia também descreve Deus como um ser cujos pensamentos não são nossos, cuja natureza é totalmente diversa da nossa porque ele é um ser *transcendente* (Rom. 11:33 *ss*; I Tim. 6:16). É possível falar sobre este Deus, usando termos antropomórficos, e mesmo assim, esperar que as nossas descrições sejam corretas? É melhor confessar a nossa *ignorância*.

V. A Ira de Deus e o Seu Amor São Sinônimos

A cruz de Cristo foi um julgamento (uma expressão da ira de Deus), mas foi, igualmente, uma grande expressão de seu *amor*. O castigo que o crente recebe quando erra, é uma demonstração da ira de Deus, mas, mesmo assim, é também uma expressão do amor de um *Pai*, Heb. 12:5 *ss*. O julgamento do incrédulo tem a intenção de remediar sua condição, portanto, é uma demonstração do *amor divino*. Ver I Ped. 4:6; Efé. 1:9,10 e os artigos sobre a *Descida de Cristo ao Hades* e *Restauração*. Fica óbvio, portanto, que a ira de Deus, mesmo quando severa, é uma expressão de seu amor, porque opera o plano que o amor de Deus fez em favor dos homens. A ira de Deus castiga, mas também limpa; corrige, mas também restaura. O amor de Deus, *através* de sua ira operava e opera no próprio lugar do julgamento, como I Ped. 3:18-4:6 demonstram. A ira de Deus, mesmo quando severa e *prolongada*, é um dedo na mão amorosa de Deus. O *Artista-Mor Supremo* nunca perde ou gasta uma pincelada. (AM B E I ID ND NTI)

IRA (Pessoa)

No hebraico, «cidadão» ou «vigilante». Esse foi o nome de várias personagens que figuram no Antigo Testamento:

1. Um tecoíta, filho de Iques. Ira foi um dos trinta poderosos guerreiros de Davi, que faziam parte de sua guarda pessoal. Ver I Crô. 11:28; II Sam. 23:26. Foi comandante do sexto regimento de tropas, segundo se vê em I Crô. 27:8. Viveu entre cerca 1046 e 1014 A.C.

2. Um itrita, outro dos trinta poderosos guerreiros de Davi. Ver II Sam. 23:38 e I Crô. 11:40. Viveu na mesma época do primeiro.

3. Um jairita, que foi chamado de sacerdote de Davi (II Sam. 20:26). É impossível que ele tivesse ocupado uma verdadeira posição sacerdotal, visto que era da tribo de Manassés. De acordo com a opinião de alguns, é possível que algumas exceções fossem abertas, no sacerdócio, no caso de indivíduos especiais. No entanto, o mais provável é que ele funcionasse como uma espécie de capelão ou conselheiro religioso de Davi; e, assim sendo, seu ministério sacerdotal era extra-oficial. Ele também é mencionado em I Crô. 18:17. Viveu por volta de um pouco antes do ano 1000 A.C.

IRA DE DEUS

1. Essa expressão não indica alguma emoção, como se o Senhor Deus, em cólera, frustração e ódio, se voltasse violentamente contra os seus adversários, conforme esse termo freqüentemente é usado, quando aplicado aos homens.

2. Pelo contrário, trata-se de um termo técnico que aponta para o «julgamento». (Ver o artigo sobre o *Julgamento*).

3. A ira de Deus (julgamento) inclui as seguintes

IRA DE DEUS — IRINEU

considerações:

a. *Ela é retributiva.* Em outras palavras, os homens terão de pagar por todo o mal que tiverem praticado, como também pelo bem que tiverem deixado de fazer. Essa retribuição será minuciosa, seguindo a lei da colheita segundo a semeadura, em detalhes precisos. (Ver no NTI as notas em Gál. 6:7,8 sobre esse conceito). Essa lei é que determinará a extensão da retribuição.

b. Ela será mitigada pelas obras do indivíduo, pois os não-eleitos que tiverem praticado boas obras, não receberão a mesma retribuição que receberão aqueles que praticaram muitas maldades e poucas ações boas.

c. *O julgamento* (a ira de Deus) tem um aspecto remedial e restaurador e não apenas retributivo. Esse conceito é comentado em I Ped. 4:6 no NTI, onde está contida a idéia no texto sagrado.

d. O julgamento contribuirá para trazer à existência a «restauração» referida em Efé. 1:10. Não fará com que os não-eleitos se tornem eleitos; e nem reverterá seus destinos eternos. Mas conferirá aos não-eleitos, uma vida digna de ser vivida, uma glória secundária, onde Cristo será honrado e será o alvo de toda a existência, porquanto ele terá de ser tudo para todos (ver Efé. 1:23).

e. Os não-remidos não participarão da natureza divina (o «pleroma» de Col. 2:10), mas *tornar-se-ão* uma espécie de ser inteiramente diferente, de ordem inferior. Mesmo assim, sua glória, afinal, será muito grande.

f. O julgamento envolve sofrimento. Esses sofrimentos exercerão um efeito remedial. Mas o julgamento significa que os perdidos nunca chegarão a obter o destino que lhes era possível atingir em Cristo. Nesse sentido é que serão «destruídos», quanto ao propósito essencial em potencial, que tiveram na vida. Esse conceito de julgamento é muito mais temível que a idéia de mero sofrimento, por mais intensos que sejam tais sofrimentos.

g. Falando assim, usamos termos comparativos, e não absolutos em si. É errado baixar a missão de Cristo, diminuindo o nosso conceito sobre a sua grandeza. A glória da restauração dos não-eleitos será maior do que as descrições na igreja sobre a glória dos eleitos. E a glória dos eleitos será maior do que a descrição na igreja sobre o próprio Deus. Ver o artigo sobre *Restauração* que entra em detalhes sobre este assunto.

4. Não há nenhuma contradição entre a ira de Deus e seu amor. De fato, os dois servem o mesmo propósito. A ira de Deus é um dedo da mão amorosa de Deus. É severa mas esta própria severidade realiza o trabalho de restauração, *através* de um julgamento tão severo que *deve ser* para cumprir seu propósito benéfico. É isto que I Ped. 4:6 ensina. Ver o artigo separado sobre *Julgamento.* Ver a *Descida de Cristo ao Hades.*

IRA DOS HOMENS

O trecho de Gálatas 5:19 informa-nos que essa é uma das obras da carne, contrastando com o fruto (as virtudes) cultivado pelo Espírito. A ira é um dos grandes vícios humanos. Algumas vezes, pessoas boas deixam-se arrastar pela ira, mas chamam-na de justa indignação. O que usualmente está operando é a carnalidade, a despeito daquelas reivindicações. A palavra «iras», naquele versículo, traduz o vocábulo grego *thumoi.* Esse termo indica, basicamente, «alma», «espírito», «coração»; e daí derivam-se as idéias de *coragem* (positivamente) e de *mau*

temperamento (negativamente). É provável que Paulo quisesse destacar aquelas explosões de ira que criam sentimentos de hostilidade contra nossos semelhantes. Também poderia indicar *ardor* ou *paixão.* Tal vocábulo era usado tanto para Deus quanto para os homens. Ver Apo. 14:10,18; 15:1. Indica tanto a indignação divina quanto a fúria de Satanás. Ver Apo. 12:12. Também aponta para a ira humana. Ver Luc. 4:28; Atos 19:28; II Cor. 12:20 e Col. 3:8. Essa emoção forte é causa de muitos conflitos pessoais, domésticos e religiosos. É o contrário da ação benigna do Espírito Santo. Essa emoção solapa e destrói o espírito do amor cristão. Transforma em adversários aqueles que deveriam amar-se mutuamente.

Tiago informa-nos que a ira humana não opera a justiça divina (Tia. 1:20). E o trecho de Tia. 1:19 recomenda que sejamos lentos para nos irar. A ira não deveria perdurar por muito tempo na pessoa espiritual (Efé. 4:26). Apesar de ser possível a um homem bom odiar ao mal e irar-se contra as manifestações do mal, e apesar disso ser bom, na maioria das vezes, os homens bons também caem na armadilha da ira carnal e destrutiva.

IRADE

No hebraico, «fugitivo». Era um dos filhos de Enoque, o patriarca antediluviano, da linhagem de Caim (Gên. 14:18). Era neto de Caim.

IRASCÍVEL

Um termo usado por Tomás de Aquino (vide), referindo-se aos apetites carnais do homem. Mais especificamente, esse vocábulo indica como o indivíduo protege seus meios de satisfação. O homem natural inclina-se, pois, por proteger e promover aquelas coisas que lhe dão satisfação, pelo que é *irascível.* Essa palavra significa «inclinado à ira», referindo-se à maneira intensa e egoísta como o homem protege os seus próprios vícios.

IRÊNICA, TEOLOGIA

Esse adjetivo, «irênica», vem do grego, **eirene**, «paz». A chamada **teologia irênica** consiste no estudo das doutrinas cristãs, com o intuito de conciliar diferenças, e assim promover a paz e a harmonia, em lugar da contenção e da controvérsia, que, com tanta freqüência, são apodadas de «teologia». Essa abordagem ao estudo das doutrinas cristãs procura evitar pontos de vista unilaterais, levando em conta todos os aspectos envolvidos em cada questão ventilada.

IRI

Ver sobre **Ir,** provavelmente outra forma do mesmo nome. Esse nome também é mencionado em I Esdras 8:62. Ver igualmente sobre Urias, em Nee. 3:4,21. Alguns duvidam da identificação desse homem com aquele que é mencionado em I Crônicas 7:7, e que algumas versões também dão em Gênesis 46:21.

IRINEU

Suas datas aproximadas foram 125-202 A.C. Foi um líder e teólogo cristão. Pensa-se que ele nasceu em Esmirna, na Ásia Menor. Foi bispo de Lyon, na França. Declarou que conhecia o bispo de Esmirna, Policarpo (vide). Há escassas informações sobre a sua vida; mas os seus escritos são importantes devido às citações que ele fez dos pais e devido aos seus ataques contra o gnosticismo (vide), o que nos provê

IRINEU — IRMÃ

informações sobre o assunto. Tornou-se presbítero da igreja de Lyon, mas, por razões que desconhecemos, foi para a Gália. Em 177 D.C., no decurso da controvérsia montanista, foi a Roma, como representante da igreja de Lyon. Irrompeu a perseguição contra as igrejas de Lyon e de Viena. E Potino, bispo de Lyon, foi martirizado. Então Irineu tomou seu lugar como bispo, tendo continuado no ofício até, pelo menos, o ano de 190 D.C.

Foi por esse tempo que ele escreveu uma carta ao bispo de Roma, acerca da controvérsia quartodecimana (vide). Ele intercedeu diante do papa Vítor, em favor dos bispos asiáticos. O papa Vítor reinou em cerca de 189—199 D.C. A petição de Irineu era que aqueles bispos pudessem continuar seu tradicional método de calcular a data da páscoa, que estava envolvida na citada controvérsia.

Não se sabe quais as circunstâncias da morte de Irineu. Apesar disso, ele é honrado como mártir cristão. Talvez a antiga tradição a respeito seja correta, embora não haja menção da questão antes do século V D.C. Sua festa religiosa era antes observada a 28 de junho, mas agora o é a 3 de julho. Sem dúvida alguma, foi um dos mais influentes elementos da Igreja da época antes de Nicéia.

Escritos. Sabe-se que Irineu foi autor de muitos livros e artigos, embora só sobrevivam dois livros completos, ambos originalmente escritos em grego. Seus títulos são: *Adversus Haereses*, «Contra as Heresias», atualmente disponível em uma tradução para o latim. No original chamava-se *Detecção e Refutação da Pretensa Mas Falsa Gnosis*, sendo, essencialmente, um ataque contra o gnosticismo. Sua outra obra, *Epideixis*, «Prova da Pregação Apostólica», esteve perdida durante muitos séculos. Mas, foi encontrada uma tradução da mesma para o armênio, em 1904. Trata-se de uma espécie de catecismo de ensinamentos cristãos, enfatizando como Cristo cumpriu muitas profecias do Antigo Testamento. Fragmentos daquela primeira obra também podem ser encontrados nos escritos de Hipólito, Eusébio e Epifânio.

Idéias:

1. Sendo um dos pais orientais da Igreja, e em consonância com a teologia geral da área (o que até hoje prevalece na Igreja Ortodoxa Oriental), Irineu acreditava que a oportunidade de salvação ultrapassa à morte biológica do indivíduo, de tal modo que o após-vida torna-se um tempo em que as almas podem ser remidas. Usualmente, essa crença também envolve a confiança de que o ministério de Cristo no hades (I Ped. 3:18—4:6) é eficaz, porquanto o hades teria sido aberto como um campo missionário. Para alguns, essa crença incorpora uma doutrina da restauração, em algum sentido. Ver os artigos separados: *Descida de Cristo ao Hades* e *Restauração*.

2. Em sua refutação do gnosticismo, Irineu foi o primeiro a desenvolver uma espécie de sistema de crença católica ou universal. Isso incluía as seguintes idéias:

a. A autoridade da sucessão apostólica.

b. Cristo era o **Deus-homem**, encarnação da divindade, antecipado no Antigo Testamento e revelado no Novo Testamento.

c. Assim como Cristo participou de nossa humanidade, assim também as almas humanas, na redenção, podem participar da natureza divina. Ver os seguintes artigos, que expõem o conceito: *Transformação Segundo a Imagem de Cristo* e *Divindade, Participação na, Pelos Homens*. Esse conceito ensina que os homens podem participar da natureza divina (II Ped. 1:4), em um sentido real,

embora finito e secundário, mas de maneira sempre crescente, o que faz da glorificação um processo eterno, e não um único acontecimento, por ocasião da morte física. O finito ir-se-á aproximando sempre e cada vez mais do infinito, nunca atingindo o mesmo, mas sempre progredindo. Visto que há uma infinitude com que deveremos ser cheios, então também deverá haver um preenchimento infinito. Cristo, como o Filho de Deus, é o Redentor que leva os demais filhos de Deus à glória.

d. A presença do corpo e do sangue de Cristo nos elementos da eucaristia.

3. *O Teísmo.* Deus tanto criou o mundo como está sempre presente em sua criação. Sua presença é remidora. Isso Irineu ensinava em oposição ao gnosticismo, com sua teologia deísta. Ver sobre o *Deísmo.*

4. A doutrina do *Logos* (vide). Irineu dizia que o Logos apenas tornou-se uma *hipóstase* (vide) independente da deidade, com o propósito de criar e de redimir.

5. Irineu frisava especialmente a *encarnação*, com interessantes subprodutos. Segundo ele ensinava, Cristo teria retraçado todos os estágios da experiência de Adão, bem como todo o processo da transgressão de Adão, quando se tornou pecado em nosso lugar. Em cada estágio, onde Adão havia desobedecido, Cristo obedeceu. Dessa filosofia emergiu o grande princípio de Irineu de que tudo isso foi feito a fim de que «Cristo se tornasse o que somos, a fim de nos podermos tornar naquilo que ele é». Essa crença é descrita em 2.c, acima.

6. Sua insistência sobre a necessidade da sucessão apostólica tinha o propósito de evitar a fragmentação da Igreja. Ele pensava que é mister haver alguma autoridade central, automaticamente transmitida, pois, do contrário, surgiriam grupos como os gnósticos, que ameaçariam o cristianismo histórico. Além disso, essa sucessão de ministros agiria como um corpo de mestres, salvaguardando as doutrinas cristãs, transmitidas de geração em geração. Os pais da Igreja ter-nos-iam dado tradições que dão apoio e defendem as Escrituras, de tal modo que os seus ensinos não são interpretados de acordo com os caprichos de cada um.

Quanto a esse particular, muitos pensadores têm objetado a uma estrita transmissão das tradições, como base da verdade, pois, se dessa maneira, realmente se obtém a preservação dos ensinos, por outro lado também se chega a uma horrível estagnação que tolhe todo o crescimento espiritual. De fato, poderíamos limitar dessa maneira a verdade?

IRMÃ

Ver o artigo sobre a **Família**.

No hebraico, 'ahoth; no grego, adelphē. Esse termo era usado pelos hebreus com a mesma latitude de significado com que usavam a palavra «irmão». Indicava um grau de parentesco que abrange literalmente à palavra «irmã», ou, à palavra «meia-irmã», ou, simplesmente, uma parenta próxima, como uma «prima» (ver Mat. 13:56; Mar. 6:3). Sara era chamada de irmã de Abraão (Gên. 12:13; 20:12), embora fosse, na realidade, apenas sua meia-irmã. Também há estudiosos que pensam que ela seria apenas sobrinha de Abraão, como Ló. Procuramos aclarar a questão no artigo intitulado *Sara*.

Usos Metafóricos. Existem as *irmãs em espírito*, ou seja, aquelas que concordam completamente conosco sobre alguma questão, ou que compartilham de aspirações e planos similares. *Assuntos relacionados*

IRMÃS — IRMÃOS DO SENHOR

entre si, como a astronomia e a astrologia, também são chamados de ciências irmãs. As pessoas unidas umas às outras pelas mesmas convicções religiosas são chamadas de irmãos e irmãs. Ver I Tim. 5:2, como um exemplo disso no Novo Testamento. Mas também devemos pensar no uso profissional dos termos. Assim, as *freiras* são chamadas de «irmãs», porquanto, em seu serviço religioso, atuam como irmãs espirituais da comunidade a que servem.

IRMÃS DE CARIDADE

Esse nome é dado popularmente às freiras pertencentes às Irmãs de Caridade de São Vicente de Paula. A ordem foi fundada em 1633, dedicando-se a obras físicas e espirituais de misericórdia. Embora a princípio fosse apenas um grupo de jovens mulheres que cuidavam dos enfermos, foi organizado como uma ordem de religiosas por São Vicente de Paula, pela venerável Louise de Merilla e pela srta. le Gras. A primeira casa da ordem, fundada nos Estados Unidos da América, foi estabelecida pela mãe Elizabeth Seton, em 1809, embora, antes disso, já se tivesse espalhado por muitos países. Também há muitas comunidades diocesanas que seguem uma regra modificada das Irmãs de Caridade. (E)

IRMANDADE

No hebraico, **achavah**, palavra que aparece somente em Zac. 11:14. No grego, **adelphótes**, palavra que aparece em I Ped. 2:17 e 5:9.

O vocábulo denota o vínculo que une irmãos literais, ou indivíduos da mesma raça, ou pessoas pertencentes a um mesmo grupo religioso, político, social ou a uma mesma organização filantrópica. Biblicamente falando, há uma irmandade que congrega todos os homens, derivada da paternidade de Deus. Essa é uma importante verdade, largamente enfatizada, mas posta em prática mui raramente. Deus é o criador de todos os homens, e cada um deles é um ser espiritual que merece o máximo respeito. O reconhecimento desse fato poderia resolver de imediato diversos problemas da humanidade, de âmbito pessoal, comunitário, nacional ou internacional. Mas o homem, quer considerado como indivíduo, quer como uma comunidade, uma sociedade ou uma nação, sempre se mostra egoísta, preocupado, acima de tudo, com os seus mesquinhos interesses pessoais.

No sentido mais restrito, há também a irmandade de todos os regenerados (I Ped. 2:17), regida por princípios exclusivamente espirituais. Nesse caso, irmandade é apenas um outro ângulo pelo qual pode ser vista a Igreja dos remidos. Cumpre-nos amar aos nossos irmãos em Cristo, conforme lemos nessa referência.

Quando a irmandade é perturbada em qualquer sentido, em algum ponto oculta-se o pecado, o qual contradiz a lei do amor. Visto que o pecado é um problema espiritual, a concretização da unidade, da paz e da estabilidade são problemas espirituais, antes de tudo, e apenas secundariamente são problemas econômicos. No *sentido teológico*, a idéia de irmandade ou fraternidade é muito importante, porquanto, no processo da redenção, Cristo é o nosso Irmão mais velho, enquanto nós somos irmãos de Cristo e uns dos outros, pois chegaremos a participar da mesma natureza de Cristo, mediante a transformação interna, operada pelo Espírito Santo (Rom. 8:29; II Cor. 3:18; II Ped. 1:4). Portanto, em um certo sentido, irmandade é um nome alternativo para a salvação (que vide). (H NTI)

IRMÃO

No hebraico, **ach**, palavra usada por cerca de cento e sessenta vezes (por exemplo: Gên. 4:2,8,11,21; 9:5; Êxo. 4:14; 7:1; Lev. 16:2; Núm. 6:7; Deu. 1:16; II Sam. 1:26; 2:22; I Reis 1:10; II Crô. 31:12; Jó. 1:13; Sal. 35:14; Isa. 3:6; Jer. 9:4; Eze. 18:18; Mal. 1:2; 2:10). No grego, *adelphós*, palavra usada por cerca de trezentas e quarenta vezes, desde Mat. 1:2 até Apo. 22:9. Tanto o termo hebraico como o grego têm vários sentidos nas Escrituras, a saber:

1. Um irmão no sentido natural, progênie do mesmo pai e da mesma mãe, ou apenas de um deles (Mat. 10:2; Luc. 3:1,19; 6:14).

2. Um parente próximo, incluindo primos (Gên. 13:8; 14:16; João 7:3; Atos 1:14).

3. Outra pessoa do mesmo país, raça ou família (Mat. 5:47; Atos 3:22; Heb. 7:5; Êxo. 2:11).

4. Alguém de idêntica posição ou dignidade, mas sem parentesco de sangue (Jó 30:29; Pro. 18:8; Mat. 23:8).

5. Um discípulo (Mat. 15:40; Heb. 2:11,12).

6. Alguém da mesma fé religiosa (Amós 1:1; Atos 9:30; I Cor. 5:11).

7. Um associado, colega de ofício ou de dignidade (Esd. 3:2; I Cor. 1:1; II Cor. 1:1).

8. Alguém da mesma natureza humana (Gên. 13:8; Mat. 5:22-24; Heb. 2:17; 8:11).

9. Aquele que cumpre a vontade de Deus é irmão de Jesus (Mat. 12:50).

Dentro da comunidade cristã, o termo «irmão» é usado para indicar o amor mútuo, a compaixão e o respeito por aqueles que confiam em Cristo e pertencem à mesma família espiritual. Os textos do Oriente Próximo mostram que as culturas em redor tinham usos similares, paralelos aos acima enunerados. Ver o artigo separado sobre os *Irmãos de Jesus*.

IRMÃOS CRISTÃOS

Um nome abreviado dos Irmãos das Escolas Cristãs, uma ordem monástica fundada por João Batista de La Salle (que vide), em 1674. Surgiu como uma congregação de leigos, que se compactuava mediante três votos simples, dedicando-se à educação dos pobres. Sua instituição de treinamento para mestres, fundada em Rheims, na França (1685), foi o primeiro desses institutos, com o objetivo de formar professores primários. Escolas dessa ordem existem em vários países. Os Irmãos Cristãos Irlandeses formam uma organização similar, mas separada, fundada em Dublim, por Edward Ignatius Rice, em 1802. (E)

IRMÃOS DE CARIDADE

Uma congregação religiosa católica romana, fundada na Bélgica pelo padre P.J. Triest, no século XIX. O propósito do grupo é cuidar dos enfermos, dos idosos, dos órfãos e de outras pessoas necessitadas.

IRMÃOS DE JESUS

Ver sobre **Família de Jesus**.

IRMÃOS DO SENHOR

Ver sobre **Família de Jesus**

Quanto a Judas (autor do livro neotestamentário desse nome), como irmão do Senhor Jesus, ver o artigo sobre aquele livro.

IRMÃOS GÊMEOS — IRRACIONALISMO

IRMÃOS GÊMEOS

Ver sobre os **Dióscuros**.

IROM

No hebraico, «luta de terrores». Essa era a designação de uma cidade existente na região montanhosa de Naftali (Jos. 19:38). Talvez seja a moderna Yarun, que fica na porção norte da Galiléia.

IRONIA

O termo grego correspondente, **eironeia**, significa «dissimulação». O vocábulo descreve duas possíveis atividades filosóficas: 1. a abordagem *heurística*. Esse é um método mediante o qual tentamos descobrir alguma coisa. Esse adjetivo procede do verbo grego *eurísko*, «achar». *Sócrates*, em seus diálogos, empregava uma ironia do tipo heurístico. Ele fingia ignorância sobre alguma coisa, fazendo muitas perguntas, a fim de forçar seus interlocutores a responderem o que ele queria ouvir. É verdade que ele punha armadilhas à frente das pessoas, levando-as a cair em toda espécie de contradição, algumas delas bastante cômicas. Meus amigos, se vocês ainda não leram os diálogos socráticos (escritos por Platão), então acharão que eles são deliciosos. Alguns desses diálogos são fáceis de entender, e outros, não, a menos que o leitor tenha alguma formação filosófica. 2. *Kierkegaard* (vide) empregava uma ironia *reveladora*. Consistia em uma espécie de comunicação indireta, que forçava a pessoa, em algum ponto, a dar um salto de fé, a fim de chegar a alguma crença, que parecia necessária **para o bem-estar** e a compreensão do indivíduo.

Na argumentação, a *ironia* consiste no uso de palavras com um sentido exatamente oposto daquilo que usualmente significam. Ou então consiste no ridículo disfarçado de elogio, isto é, um sarcasmo ou sátira indireta.

IRPEEL

No hebraico, «Deus curará». Nome de uma cidade do território de Benjamim, localizada entre Requém e Tarala (Jos. 18:27). Provavelmente, ficava localizada na região montanhosa a noroeste de Jerusalém. Ela tem sido identificada por alguns eruditos com a moderna Rafate, a norte de Gibeão.

IRRACIONAIS

Um vocábulo usado para indicar todos os animais, excetuando o homem, conforme se vê no *Discurso* de Descartes. A diferença entre o homem e os irracionais é a ausência de linguagem nestes últimos, pelo que não teriam a capacidade de pensar e raciocinar. Os animais eram antes explicados com base em reações instintivas e mecânicas diante dos estímulos externos. Descartes, por isso mesmo, chamava-os de *autômatos naturais*. Voltaire e Hume opunham-se a tal doutrina (a qual, na realidade, tem sua base em Aristóteles), pois supunham que os animais são dotados de certo poder de raciocínio. Experiências recentemente efetuadas têm demonstrado que o chimpanzé e outros símios têm a capacidade de adquirir competência lingüística através do uso de teclas de computadores, bem como através dos sinais da língua dos mudos. As experiências feitas com os insetos mostram que eles têm certa forma de pensamento, podendo até mesmo antecipar o futuro, como no caso das abelhas. Põe-se um pouco de água açucarada do lado de fora da colméia; quando a água é encontrada pelas abelhas, remove-se a mesma para certa distância além de sua posição original. As abelhas tornam a encontrá-la. Então remove-se a água para mais longe. As abelhas tornam a achá-la. Numa próxima etapa, as abelhas irão ainda mais longe, já tendo compreendido o jogo envolvido e esperam que a água açucarada seja posta em certo lugar, onde elas já a estão esperando. Parece que a ciência ocidental não tem compreendido muita coisa acerca dos irracionais. No Oriente, pelo contrário, uma doutrina comum diz que os animais possuem alma, pelo que até mesmo a sobrevivência de animais, após a morte, é antecipada. Ver o artigo sobre os *Animais*. (F EP)

IRRACIONALISMO

Ser irracional significa não possuir razão, ou crer em coisas que não estão alicerçadas sobre a sã razão. Em contraste com isso, uma filosofia racional é aquela que, presumivelmente, pode fornecer um conhecimento fidedigno, embora incompleto, por meio da razão. Ver sobre o *Racionalismo*.

Hegel expunha uma filosofia altamente racional, mediante a qual os seus princípios de tese, antítese e síntese explicavam todas as palavras do Espírito absoluto. Desse modo, ele eliminou os elementos desconhecidos de Kant, e produziu uma solução racional para todos os problemas filosóficos.

Vários filósofos do século XIX reagiram contra esse «pacote feito» que tão arrogantemente afirmava poder solucionar grandes mistérios. *Kierkegaard* (vide) assevera que o homem é um ser essencialmente irracional e emotivo, e que a posição de Hegel distorcia a verdade. O destino de cada homem depende da salvação aos moldes cristãos, buscada mediante uma busca apaixonada, orientada pela escolha deliberada e voluntária, o que incluiria crer em absurdos, porquanto, com freqüência, a verdade parece absurda para o homem, e não racional. Por exemplo, não há explicações racionais para algumas das principais doutrinas cristãs, como a encarnação. Tertuliano havia antecipado a filosofia irracional, afirmando que devemos crer *porque* é absurdo.

Nietzsche (vide) foi um filósofo secular, ateu e irracionalista. Ele negava a própria existência da mente no sentido tradicional e dualista, afirmando que aquilo que Descartes pensou ser *ego*, na realidade era apenas uma multiplicidade de desejos e impulsos conflitantes. Freud adotou esse pensamento em seus traços essenciais. A verdade não seria o alvo real buscado pelos homens, mas apenas a utilização do mundo para suas finalidades egoístas. A lei básica da lógica seria a contradição. Essa lei teria emergido do processo evolutivo, o qual impõe sobre nós a irracionalidade que atualmente prevalece. Talvez a evolução ainda consiga reverter esse curso, **prevalecendo** sobre a nossa loucura.

Paradoxo. Apesar de não podermos concordar inteiramente com as assertivas acima, é verdade que as grandes doutrinas cristãs, inevitavelmente envolvem algum *paradoxo* (vide), e que precisamos observar, por muitas vezes, o princípio da *polaridade* **(vide)** *Karl Barth* chegou a empregar o ponto de vista de Kierkegaard sobre os paradoxos, mas, em seus escritos posteriores, ele restringiu tal conceito. *Emil Brunner*, por sua vez, acreditava que a fé exerce a função de refrear a lógica, porquanto, inevitavelmente, teremos de acreditar em algumas coisas que nos parecem absurdas, descrendo em outras coisas que tal crença pareceria tornar necessárias. A coerência, de acordo com essa posição, não é, necessariamente, um

IRRIGAÇÃO — IRVINGITAS

guia seguro da verdade. Também é verdade que a fé justifica a insanidade? O valor residente em uma discussão assim é que ela nos conserva humildes, evitando a arrogância de quem chegou a algum alegado sistema de verdade completo. Grandes surpresas ainda esperam por nós, nessa inquirição pela verdade; e de nada adianta pensarmos de outro modo. A verdade é uma aventura, e não algo que nos seja dado de uma vez para sempre, como se fosse um pacote infalível.

O misticismo (vide) acredita que a verdade, com freqüência, é inefável, e que, de fato, assim acontece com freqüência. Grande parte de nosso conhecimento toma a forma de alguma *parábola*. Nosso conhecimento fala-nos *sobre* a verdade, em vez de nos entregar diretamente a verdade. Esse é um dilema humano, por causa das limitações do entendimento do homem. Até mesmo as verdades que nos são conferidas por meio da revelação são necessariamente parciais, pois não há como a alma humana, no presente, poder abrigar perfeitamente a revelação do Ser divino. Não obstante, contamos com alguns fragmentos de grandiosas verdades que nos são outorgadas por meio da razão e da revelação, coisas essas que não deveriam ser degradadas, meramente porque ainda precisamos percorrer uma estrada muito longa, antes de chegarmos até à *Verdade*.

IRRIGAÇÃO

Em algumas regiões áridas, a vida humana depende da *irrigação*. Nos tempos modernos, inúmeras represas e barragens têm sido construídas para assegurar a irrigação de terras áridas, bem como o suprimento de água potável para as populações, durante os meses de estio. A grande represa Hoover, localizada perto de Las Vegas, estado de Nevada, nos Estados Unidos da América do Norte, precisou de vinte anos para que a água ali represada chegasse ao seu nível planejado. Naturalmente, essa água está sempre sendo renovada. O que é notável nessa represa é que a água vem de um único rio de proporções médias, o rio Colorado, formado pela neve que se derrete em certo trecho das montanhas Rochosas. Além dessa represa, há várias outras, rio Colorado abaixo, de tal modo que nenhuma gota desse rio chega ao oceano. E o que os norte-americanos não aproveitam, os mexicanos usam, antes desse rio completar seu antigo curso. Toda a porção sudoeste dos Estados Unidos da América consiste, essencialmente, em um deserto e sem um sistema de represas, a vida humana não poderia ser sustentada ali em grandes números.

Um moderno subproduto das represas é a produção de energia elétrica, possibilitando a industrialização e a vida de estilo moderno. Isso é algo que os antigos sistemas de irrigação não antecipavam. A água é a fonte da vida e da energia, e isso fornece-nos uma metáfora sobre o pensamento espiritual. Oferecemos ao leitor um artigo detalhado sobre a *Água*, que aborda a questão e também descreve os mananciais de água potável na antiga Palestina.

Não há nenhuma palavra hebraica antiga que signifique, especificamente, *irrigação*, e que apareça no Antigo Testamento. Contudo, sabemos que essa é uma prática antiga que se processava de várias maneiras. Os egípcios praticavam a irrigação, utilizando-se das águas do rio Nilo; mas nas colinas da Palestina, onde havia chuvas abundantes, essa era uma prática desnecessária. Com freqüência, um bom regime de chuvas era considerado sinal da aprovação divina; e a ausência de chuvas era interpretada ao contrário (Deu. 11:10-17). Como é óbvio, nas áreas desérticas, o povo de Israel também contava com alguma forma de irrigação, ainda que crua e primitiva.

A arqueologia tem mostrado que desde os tempos calcolíticos (3000 A.C.) havia a prática da irrigação por todo o chamado Crescente Fértil (vide). Sistemas de irrigação vêm de antes de Abraão. No Egito, a irrigação era feita mediante barragens de terra, que retinham as águas do Nilo; e, então, saíam canais dessas barragens, levando a água até os locais a serem irrigados. Idêntico método era usado no vale do rio Jordão (Gên. 13:10). Em muitos lugares de Israel, fontes naturais supriam toda a água que se fazia necessária, mas, em outros lugares, eram utilizados os wadis (vide), ao método egípcio. Há evidências de que, com freqüência, a malária resultava de águas estagnadas, que serviam de viveiros dos mosquitos transmissores (embora os antigos não fizessem nenhuma idéia de que esses insetos serviam de meio transmissor), o que acrescentava uma outra praga à situação de escassez de água.

Sabemos que, na região montanhosa eram usados tanques, construídos paralelos aos poços artificiais e aos açudes. As cisternas e os açudes eram forrados com argila, e assim as águas eram utilizadas no plantio e para dessedentar o gado e até mesmo as populações. Ver II Crô. 26:10 e Ecl. 2:4-6. Isso possibilitava multiplicar em até dez vezes a produção agrícola. Eram construídos aquedutos para transporte de água de um lugar para outro. Ver os artigos *Aquedutos Antigos* e *Cisternas*.

Alguns Antigos Sistemas de Irrigação. Havia o método egípcio, acima descrito; também havia cisternas e canais. A água, levada de Siloé para os jardins feitos em terraços, era espalhada por aberturas feitas em canais e túneis. Também eram usados os simples baldes. Neste último caso, as pessoas borrifavam água, manualmente; e outras vezes, eram usados animais para transporte da água até os lugares a serem irrigados. Ver Núm. 24:7. Havia canais flanqueando córregos, como o Quisom. Túneis horizontais transportavam águas subterrâneas na Síria e na Transjordânia. As águas que extravasavam nas cheias dos grandes rios, devido a chuvas pesadas, eram retidas em represas. Intrincados sistemas de barragens foram encontrados em Kurnube, no Neguebe. Os nabateus e os bizantinos multiplicaram esses sistemas, em seus respectivos territórios. Os romanos (e Herodes, na Palestina) ampliaram e criaram novos sistemas de irrigação com sistemas de canais e represas. Na moderna Palestina, a irrigação bem planejada, do estado de Israel, tem feito o deserto florescer como a rosa. (AM DRO GLU (1960) A)

IRU

No hebraico, «cidadão». Era o nome do primeiro dos filhos de Calebe, filho de Jefuné (I Crô. 4:15). Viveu por volta de 1618 A.C. Provavelmente, seu nome real era *Ir*, e a letra *u* foi acrescentada como a conjunção simples *e*. Nesse caso, o texto deveria dizer: Ir e Elá e Naã, em vez de, Iru, Elá e Naã.

IRVING, EDWARD

Suas datas foram 1792-1834. Ele foi um líder religioso escocês. Nasceu em Annan, na Escócia. Educou-se na Universidade de Edimburgo. Foi estudante de teologia e mais tarde, professor da

IRVING — ISABEL

mesma matéria. Tornou-se conhecido por seus sermões eloqüentes e candentes, o que foi um fator na formação da chamada Igreja Católica Apostólica, em Londres, em 1832. Trabalhava entre os pobres, em Glasgow; então serviu como pastor da capela Caledoniana, uma congregação presbiteriana de Londres. Amigos pessoais seus eram figuras famosas como Thomas Carlyle, Charles Lamb e Samuel Taylor Coleridge.

Ficou obcecado por temas proféticos, e pregava sermões de fogo sobre o retorno iminente de Cristo e de uma breve inauguração do reino milenar. Foi atraído para o Círculo Albury, que salientava a volta iminente de Cristo (ver sobre a *parousia*). Foi-lhe dado um cargo secundário na Igreja Católica Apostólica, que havia sido organizada por membros de sua congregação em Londres. Membros dessa igreja têm sido chamados de *irvingitas* (vide), embora, na verdade, seu fundador não tenha sido Irving.

Um outro aspecto da vida e do ministério de Irving é que ele se envolveu nas línguas e nas profecias. E ele complicou ainda mais a questão em face de sua doutrina particular da humanidade de Cristo, por causa da qual foi excluído da congregação presbiteriana de Londres, o que, conforme já foi dito, finalmente levou à fundação de Igreja Católica Apostólica, porquanto as pessoas que deixaram aquela igreja formaram essa seita. Irving morreu em uma viagem que fazia pela Escócia, em meio às suas profecias e pregações apocalípticas, em um corpo prematuramente envelhecido e debilitado, embora tivesse sido um homem de elevada estatura e porte elegante.

IRVINGITAS

Essa seita, até hoje existente, é assim designada como nome alternativo para Igreja Católica Apostólica, sobre a qual oferecemos um artigo separado. Ver também o artigo *Irving, Edward*.

IS-BOSETE

Ver sobre **Esbaal**.

IS-HODE

No hebraico, «homem honrado». Ele era um manassita, filho de Homolequete, irmã de Gileade (I Crô. 7:18). Por causa de seu chegado parentesco com Gileade, provavelmente, era homem influente. Viveu por volta de 1400 A.C.

IS-SEQUEL

Em várias traduções, no trecho de Esd. 8:18; essa palavra hebraica não é traduzida como um nome próprio e, sim, algo parecido com o que vemos em nossa versão portuguesa, «homem entendido», que é o sentido literal do vocábulo. Todavia, há quem pense que a tradução ali deve ser como se fora um nome próprio. Esdras, em Aava, precisava de sacerdotes levitas que o ajudassem; e, entre eles, achou esse homem. Era um dos filhos de Mali, filho de Levi, filho de Jacó. Isso deve ter ocorrido por volta de 460 A.C.

IS-TOBE

Literalmente, no hebraico, «homens de Tobe», precisamente o que encontramos em nossa versão portuguesa, em II Sam. 10:6,8. Tobe era um pequeno principado arameu, fundado no século XII A.C. Ficava localizado ao sul do monte Hermom e de Damasco. É local mencionado juntamente com Zobá,

Maaca e Reobe. Jefté residiu ali como um foragido (Jui. 11:3,5). Davi teve alguns conflitos com os habitantes daquele lugar (II Sam. 10:6 ss).

ISABEL

No hebraico, **Elisheba**, «Deus é jurador». No grego, **Elisábet**. No Antigo Testamento, o nome ocorre somente em Êxodo 6:23, indicando uma filha de Aminadabe. Ver sobre *Eliseba*. No Novo Testamento, a única mulher desse nome é a mãe de João Batista e esposa de Zacarias. Isabel é mencionada somente no evangelho de Lucas (1:5,7,13,24,36,40,41,57).

Interessante é observar que a Eliseba do Antigo Testamento era esposa de Arão, irmão de Moisés, e, portanto, mãe de toda a família sacerdotal, o que lhe conferia muito prestígio. E a Isabel do Novo Testamento era descendente de Arão.

O Novo Testamento muito elogia a Isabel e seu marido, Zacarias, dizendo: «Ambos eram justos diante de Deus, vivendo irrepreensivelmente em todos os preceitos e mandamentos do Senhor» (Luc. 1:6). A grande dificuldade é que Isabel era estéril e, nos dias do Antigo Testamento, uma mulher casada que não tivesse filhos era considerada uma tragédia. O casal continuava sem filhos, mesmo quando já eram idosos. Um belo dia um anjo do Senhor chegou com boas novas quase inacreditáveis — eles teriam uma criança, que chegaria a ser um grande profeta diante do Senhor, o precursor do Messias: «E irá adiante dele (do Senhor seu Deus; versículo anterior) no espírito e poder de Elias...» (Luc. 1:16,17). Quando alguma esperada realização demora-se, é fácil ficarmos descoroçoados. Zacarias, pois, não foi capaz de aceitar facilmente a mensagem e demonstrou dúvidas. Por causa disso, ficou mudo, o que continuou até que nasceu João Batista.

A narrativa assemelha-se à de Sara e à de Ana, no Antigo Testamento. Contra todas as expectativas, uma promessa divina teve cumprimento e em proporções muito acima do que seria de esperar. Se Deus não fosse muito além daquilo que pensamos e pedimos, não realizaríamos grandes coisas, pois a nossa fé é muito pequena. Esses relatos bíblicos ensinam-nos que há um desígnio divino em operação que pode realizar mais do que aquilo que pensamos ou pedimos. Diz Efésios 3:20: «...àquele que é poderoso para fazer infinitamente mais do que tudo quanto pedimos, ou pensamos, conforme o seu poder que opera em nós...»

Isabel é chamada «parenta» de Maria, mãe de Jesus (Luc. 1:36). O termo grego por detrás de «parenta», isto é, *suggenís*, «da mesma linhagem», é por demais lato para sabermos qual grau de parentesco exato havia entre as duas. O mais provável, conforme desde há muitos séculos se diz, é que elas eram «primas», o que significa que Jesus e João Batista também tinham esse grau de parentesco, embora um pouco mais distante.

Durante cinco meses, já grávida, Isabel ocultou o fato, por especial favor de Deus; mas o anjo Gabriel revelou a gravidez de Isabel a Maria, quando lhe apareceu também, como uma garantia extra de que a futura mãe de Jesus também seria altamente favorecida por Deus (Luc. 1:24-38). A declaração conclusiva do anjo, referindo-se a ambos os casos, de Isabel e de Maria, foi: «Porque para Deus não haverá impossíveis em todas as suas promessas» (Luc. 1:37).

Posteriormente, Maria visitou Isabel, o que deu a ambas a oportunidade de trocarem congratulações e louvarem juntas ao Senhor. E quando nasceu o menino de Isabel, amigos objetaram ao nome por ela

ISABEL — ISAÍAS

escolhido, «João», visto que esse nunca fora um nome utilizado no círculo da família. No entanto, Zacarias, em uma tabuinha de escrever, anunciou que o menino chamar-se-ia «João», conforme fora instruído, meses antes, pelo anjo do Senhor. E foi depois que escreveu as palavras «João é o seu nome», que o seu empecilho vocal desapareceu, e Zacarias voltou a ser capaz de falar.

A bela passagem de Lucas 1:47-55 está alicerçada sobre a oração de Ana, registrada em I Samuel 2:1-10. Essas palavras de Lucas foram ditas por Maria. Esse hino de louvor recebeu o título latino de *Magnificat*, por causa da primeira palavra da tradução latina. E o *Benedictus*, as palavras proferidas por Zacarias, em Luc. 1:68-79, também recebeu esse nome devido à primeira palavra da tradução latina. Interessante é observar que alguns antigos manuscritos latinos, bem como Irineu e Orígenes, atribuem o *Magnificat* a Isabel e, não, a Maria. As evidências textuais e confirmatórias são impressionantes nesse sentido, podendo até ser autênticas. Contudo, a maioria dos estudiosos prefere pensar que *Maria* foi quem proferiu essas palavras. Alguns eruditos pensam que Lucas adicionou tanto o *Magnificat* quanto o *Benedictus* como um artifício literário a fim de ornamentar o diálogo que Maria e Zacarias devem ter tido, na ocasião. O problema textual envolvido nessa passagem é amplamente discutido no NTI, *in loc.*

ISABEL, SANTA

Suas datas foram 1201-1231, filha de um rei húngaro e esposa de um príncipe da Turíngia. Embora ela tivesse muitas responsabilidades, dedicava-se intensamente a obras de caridade. O começo de seu desenvolvimento espiritual foi assessorado por conselheiros franciscanos. — Quando seu marido faleceu, ela resolveu seguir uma vocação ainda mais ascética. Entretanto, ela foi convencida a abandonar a vida do convento para continuar em seus labores ativos de caridade. E Isabel distinguiu-se por seu ministério social como freira franciscana terciária.

Desde a mais tenra juventude, Isabel não simpatizava com a vida de pompa e do luxo em que era forçada a viver, porquanto fazia parte de uma família real. As circunstâncias, sem dúvida, guiadas pela vontade divina, finalmente libertaram-na de fazer aquelas coisas que ela não gostava de fazer, para fazer o que queria. Seu marido encorajava-a nas obras de caridade, ao passo que outros membros de sua família a censuravam por esse mesmo motivo. Enquanto seu marido ainda vivia, ela conseguiu fundar muitas obras de caridade, incluindo hospitais. Seu marido, Luís, partiu na Quinta Cruzada, mas morreu no caminho, por causa de uma febre. Em sua viuvez, Isabel sofreu muitas perdas e infortúnios. Os próprios habitantes de Marburgo, aos quais ela tanto servira, recusaram-se a dar-lhe asilo, quando novas forças políticas tornaram-se dominantes e a sua família caíra em desfavor. Finalmente, ela encontrou refúgio no mosteiro de Kitzingen, onde sua tia era abadessa; e, mais tarde, foi acolhida por um tio, que era o bispo de Bamberg. Quando os guerreiros que tinham seguido com Luís, retornaram da cruzada, os direitos soberanos de Isabel lhe foram restaurados. Dotada novamente de recursos, ela entregou-se com empenho redobrado às obras de caridade. E tornou-se membro da Ordem Terceira de São Francisco, razão pela qual com freqüência é representada trajada no habito das franciscanas.

Quatro anos após o seu falecimento (com apenas trinta anos de idade), foi canonizada pelo papa

Gregório IX. O santuário dela, na igreja de Marburgo, tornou-se um santuário religioso muito popular. Várias pinturas célebres têm retratado Isabel, e um poema, de Charles Kingsley, intitulado *A Tragédia da Santa*, **foi escrito tendo-a em mente.** (AM E)

ISAGOGE

Palavra formada de dois termos gregos, eis, «para dentro», e agein,«guiar», ou seja, «levar para dentro». Esse termo é usado para indicar a *introdução bíblica*. Trata de assuntos como autoria, data, lugar de composição, destino, pano de fundo histórico, problemas de inspiração, unidade, integridade, estilo e problemas especiais. A *isagoge* é um estudo preliminar a qualquer exegese bíblica sã.

ISAÍAS

Esboço:
- I. Isaías, o Profeta
- II. Pano de Fundo Histórico
- III. Unidade do Livro: Isaías e os Críticos
- IV. Autoria e Data
- V. Cânon e Texto
- VI. Isaías e seu Conceito de Deus
- VII. Idéias Teológicas
- VIII. Isaías no Novo Testamento
- IX. Problemas Especiais do Livro
- X. Esboço do Conteúdo

I. Isaías, o Profeta

1. *Cenário*. O versículo de introdução do livro de Isaías situa o profeta durante os reinados de Uzias, Jotão, Acaz e Ezequias, reis de Judá. O trecho de Isa. 6:1 refere-se, especificamente, à morte do rei Uzias, o que pode ser datado em cerca de 735 A.C. Sem importar o que pensemos sobre os problemas que envolvem a unidade do livro (ver a terceira seção), não há razão alguma para duvidarmos que o profeta Isaías viveu nesse tempo. Isaías, o filho de Amós, proclamou a sua mensagem à nação de Judá e em sua capital, Jerusalém, entre 742 e 687 A.C., o que foi um período crítico para o reino do norte, por causa da invasão assíria, o que resultou no *cativeiro assírio* (vide). Partes do livro parecem refletir um tempo posterior ao *cativeiro babilônico* (capítulos 40—66), conforme alguns supõem, o que já teria acontecido após a época de Isaías. Discutimos sobre essa questão na seção mencionada acima.

2. *O Nome*. No hebraico, *Yeshayahu* ou *Yeshaya*, uma combinação de duas palavras hebraicas cuja tradução seria «salvação de Yahweh». Historicamente, Isaías acompanhou Amós e Oséias, que ministraram na nação do norte, Israel. Miquéias foi contemporâneo de Isaías, e também trabalhou no reino do sul, Judá.

3. *Sua Vida*. Sabemos que o nome do pai de Isaías era Amós (Isa. 1:1), e que sua esposa era profetisa, embora não saibamos dizer em qual capacidade (Isa. 8:3). Coisa alguma se sabe sobre seus primeiros anos de vida. Com base em Isa. 6:1-8, alguns têm conjecturado que ele era um sacerdote. No entanto, outros pensam que ele pertencia à família real. Isso se alicerça sobre tradições judaicas, as quais, naturalmente, não nos podem dar certeza do que dizem. O certo é que, aos seus dois filhos, foram dados nomes que simbolizavam a iminência do juízo divino. O primeiro deles, «Um-Resto-Volverá» (no hebraico, Shear-yashub; Isa. 7:3) parece que já era homem feito, nos dias de Acaz. O outro filho, de nome

372

ISAÍAS

«Rápido-Despojo-Presa-Segura» (no hebraico, Maher-shalal-hashbaz; Isa. 8:3), tal como seu irmão, recebeu um nome simbólico. É possível que, nesses dois nomes, estejam em pauta tanto o cativeiro assírio quanto o cativeiro babilônico. Quando a nação do norte foi levada em cativeiro, a nação do sul só conseguiu permanecer precariamente, pagando tributo (II Crô. 28:21).

Calcula-se que durante quarenta anos, Isaías atuou ativamente como profeta do Senhor, em Judá. Se, afinal de contas, Isaías não pertencia à aristocracia, pelo menos sua habilidade literária confirma sua excelente educação. Sabemos que o seu grande centro de atividades foi Jerusalém, embora não saibamos a que tribo ele pertencia. Mas, levava a sério o seu ofício, usando roupas de linho cru e uma capa de pêlos de cor escura, as vestes próprias de quem lamentava, porquanto o que ele previa para o povo de Israel era extremamente desastroso.

4. *Períodos do Ministério de Isaías.* a. Nos tempos de Uzias (783—738 A.C.) e de Jotão (750—738 A.C., como regente, e então 738—735 como governante único). Nesse primeiro período, Isaías pregava o arrependimento, mas não conseguiu convencer a quem quer que fosse. Então proferiu um terrível julgamento que estava prestes a desabar sobre a nação b. O segundo período de seu ofício profético começou no início do reinado de Acaz (735—719 A.C.), até o reinado de Ezequias. c. O terceiro período começou com a ascensão de Ezequias ao trono (719—705 A.C.) até o décimo quinto ano do seu reinado. Depois disso, Isaías não mais participou da vida pública, embora tivesse continuado a viver até o começo do reinado de Manassés. As tradições antigas dizem que ele foi martirizado sendo serrado ao meio, sendo possível que o trecho de Heb. 11:37 faça alusão a isso.

5. *Escritos.* Além do livro que tem seu nome (ou, pelo menos, uma porção maior do mesmo), Isaías escreveu uma biografia do rei Uzias (II Crô. 26:22) e outra de Ezequias (II Crô. 32:32). Contudo, essas biografias, com o tempo se perderam. A obra chamada *Ascensão de Isaías* (vide), naturalmente nada tem a ver, historicamente falando, com o profeta Isaías.

Estilo e Poder. O sexto capítulo nos deixa em um terreno eminentemente místico. Isaías era homem dotado de visões e experiências místicas (ver o artigo sobre o *Misticismo*). O que ele via e experimentava serviam para dar grande poder ao que ele escrevia. Naquele sexto capítulo, ele registrou a visão que teve de Yahweh; e, apesar de todo o nosso conhecimento de Deus ser necessariamente parabólico, nessa visão a glória de Deus resplandece mediante a inspiração dada a esse profeta. Alguns de seus oráculos mais candentes foram aqueles que descreveram a queda então iminente de Samaria, diante dos assírios (ver Isa. 9:9-10:4; 5:25-30; 28:1-4). Notáveis oráculos messiânicos encontram-se nos trechos de Isa. 9:1-7; 11:1-9; 32:1-8. Os capítulos 40—48 encerram, virtualmente, uma teologia sobre os atributos de Deus. Apresentamos um artigo separado que considera a questão com detalhes, intitulado *Isaías, Seu Conceito de Deus.* Isaías escrevia com um vigor e uma eloqüência sem iguais, entre todos os demais profetas do Antigo Testamento. Com toda a justiça, pois, ele é considerado como o principal dos profetas escritores. Seus escritos antecipavam os ensinamentos bíblicos sobre a graça divina. Sua linguagem é rica e com muitas ilustrações. Seu estilo é severo, apesar de imponente. Suas aliterações e bem calculadas repetições ilustram sua grande habilidade literária,

colocando **seus escritos numa classe toda à parte. Ele** não se precipitava nunca em suas palavras as quais fluíam graciosamente. Sua parábola da vinha (Isa. 5:1-7) serve de excelente exemplo do uso poderoso que ele fazia das palavras. Suas doutrinas normativas eram o reinado e a santidade de Yahweh. Com base nisso, segue-se, necessariamente, o julgamento divino contra os desobedientes. A Assíria estava aterrorizando Israel, mas como um terror enviado por Deus contra um povo desobediente. Todavia, Deus estava no controle das coisas. Coisa alguma acontece de surpresa para ele. O propósito de Deus terá de prevalecer, finalmente (Isa. 14:24-27; 28:23 ss). Apesar de suas profecias melancólicas, Isaías previu o dia do triunfo do Bem. Chegará, afinal, o tempo em que a terra encher-se-á do conhecimento de Yahweh, assim como as águas cobrem o mar (ver Isa. 11:9).

II. Pano de Fundo Histórico

O próprio livro de Isaías (ver 1:1) informa-nos de que esse profeta viveu durante os reinados de Uzias, Jotão, Acaz e Ezequias, reis de Judá. O trecho de Isa. 6:1 menciona a morte do rei Uzias (cerca de 735 A.C.). Miquéias, outro profeta, foi seu contemporâneo que trabalhou em Judá. O período da vida de Isaías foi um período crítico. No tocante a Israel é um dos períodos mais abundantemente confirmados pelo testemunho histórico e pelas evidências arqueológicas. Foi o tempo em que os grandes monarcas assírios, Tiglate-Pileser III, Salmaneser IV, Sargão e Senaqueribe lançaram-se à tarefa de universalizar o seu império assírio. Parte desse esforço foram as campanhas militares contra o norte da Palestina, o que incluía as nações de Israel e Judá. Parece que Isaías iniciou seu ministério público em cerca de 735 A.C. e continuava ativo até tão tarde quanto o décimo quinto ano do reinado de Ezequias (cerca de 713 A.C.). Talvez tenha vivido até bem dentro do reinado de Manassés. As tradições judaicas afiançam que foi no período desse rei que Isaías foi serrado pelo meio (ver *Martírio de Isaías,* cap. 5), ao que é possível que aluda o trecho de Heb. 11:37, embora referências e tradições dessa ordem não possam ser comprovadas, podendo ser apenas imaginárias. Seja como for, o trecho de Isaías 1:1 não menciona Manassés, e isso é uma omissão significativa, se Isaías viveu todo esse tempo. Seja como for, seu ministério público poderia ter-se ampliado por quarenta anos; e certamente não envolveu menos do que vinte e cinco anos.

Se os capítulos 40 a 66 não foram originalmente escritos por Isaías, conforme alguns têm pensado, então poderíamos dizer que as profecias de Isaías abordavam, essencialmente, a ameaça assíria, bem como a razão dessa ameaça, a saber, a teimosa desobediência de Israel, a par da indiferença religiosa e da corrupção moral. Se esses capítulos, porém, pertencem genuinamente a Isaías, então devemos considerá-los como *profecias,* e não como história. Em outras palavras, dificilmente Isaías teria sobrevivido até o tempo do exílio babilônico, que é o pano de fundo daqueles capítulos. Porém, ele pode ter visto profeticamente aquele período histórico. Os estudiosos conservadores preferem tomar o ponto de vista profético. Mas os eruditos liberais consideram que aqueles capítulos são um reflexo histórico, e não declarações preditivas. Nesse caso, teriam sido escritos aqueles capítulos por um outro autor. Se isso é mesmo verdade, então o livro unificado de Isaías aborda tanto o cativeiro assírio quanto o cativeiro babilônico. Ver os artigos separados sobre ambos. Ver a terceira seção, que aborda a questão da unidade do livro de Isaías.

Acabe e seus aliados detiveram, temporariamente,

ISAÍAS

o avanço assírio, por ocasião da batalha de Qarqar, em 854 A.C.; mas isso não fez os assírios desistirem de seus ideais de conquista territorial. Tiglate-Pileser III (745—727 A.C.) invadiu o oeste, conquistou a costa da Fenícia e forçou certos reis, como Rezim, de Damasco, e Menaém, de Samaria (além de vários outros) a lhe pagarem tributo. O trecho de II Reis :15:19-29 revela-nos isso. Ali esse rei é chamado *Pul*, que era o seu nome nativo, conforme se sabe mediante fontes informativas babilônicas. Em cerca de 722 A.C., ele conquistou grande fatia da Galiléia e deportou daquela região as duas tribos e meia de Israel que ocupavam a área. E fez aquelas populações se misturarem com outras, conforme era seu costume (II Reis 17:6-24).

Salmaneser V(726—722 A.C.) seguiu na esteira de seu pai, quanto às conquistas militares. Peca, rei de Israel, foi assassinado. Seu sucessor, Oséias, tornou-se vassalo da Assíria. Seguiu-se um cerco de três anos da capital, Samaria, até que o reino do norte, Israel, foi destruído, o que ocorreu em 722-721 A.C. Amós e Oséias foram os profetas do Senhor que predisseram isso. Alguns pensam que Sargão teria sido o monarca assírio que, finalmente, conquistou Samaria e completou a derrota do reino do norte. Seja como for, o trabalho de destruição se completou. Sargão continuou reinando até 705 A.C., tendo ainda feito muitas guerras contra a Ásia Menor, contra a região de Ararate e contra a Babilônia.

Senaqueribe, filho de Sargão (705—681 A.C.), invadiu Judá, nação que já se sujeitara a pagar tributo à Assíria. Acaz pagou tributo a Tiglate-Pileser III, e Ezequias foi forçado a fazer o mesmo a Senaqueribe. Foram capturadas quarenta e seis cidades de Judá, e Ezequias, em Jerusalém, ficou engaiolado como se fosse um pássaro, embora a própria cidade não tenha sucumbido. Então Senaqueribe foi assassinado, e seu filho, Esar-Hadom (ver Isa. 37:38) continuou a opressão contra Judá. Alguns pensam que foi por esse poder que Manassés ficou detido por algum tempo na Babilônia (II Crô. 33:11). Judá não caiu totalmente diante da Assíria, mas ficou extremamente debilitada, e tornou-se uma sombra do que havia sido antes disso.

A *Babilônia* veio então a substituir a Assíria como potência mundial dominante e foram os babilônios quem, finalmente, derrubaram os habitantes de Judá e os levaram em cativeiro. Os capítulos quarenta em diante do livro de Isaías cobrem esse tempo, ou profeticamente (conforme dizem os estudiosos conservadores) ou historicamente (conforme dizem os estudiosos liberais, — que, por isso mesmo atribuem esses capítulos finais de Isaías a um outro autor, que não aquele profeta).

Conforme se pode ver, Isaías (e o deutero-Isaías?) viveu na época em que impérios caíram e se levantaram. Em sua confiança de que nada de mal poderia acontecer a um obediente povo de Deus, ele partia da idéia de que as tribulações do povo de Deus se deviam a causas morais e espirituais, e não apenas políticas e militares. Ele pressupunha que Deus controla todas as coisas, e que todo o desastre que recaiu sobre Israel poderia ter sido impedido, se o povo de Deus se tivesse mostrado fiel ao Senhor. Porém, o que sucedeu foi precisamente o contrário. As nações de Israel e Judá haviam caído em adiantado estado de decadência moral e espiritual. Na primeira metade do século VIII A.C., tanto Israel (sob Jeroboão II; cerca de 782—753 A.C.) quanto Judá (sob Uzias) haviam desfrutado de um período de grande prosperidade material. Esse período foi uma espécie de segunda era áurea, perdendo em

resplendor somente diante da glória da época de Salomão. Os capítulos dois a quatro de Isaías nos fornecem indicações sobre isso. Mas, ao mesmo tempo que prevalecia a riqueza material, prevalecia a pobreza espiritual, incluindo a mais desabrida idolatria, que *encheu* a terra (Isa. 2:8). De tão próspera e elevada situação, Israel e Judá em breve cairiam. A Assíria deu início à derrubada; e a Babilônia a terminou.

«Isaías, em seu ministério, enfatizava os fatores espirituais e sociais. Ele feriu as dificuldades da nação em suas raízes — sua apostasia e idolatria — e procurou salvar Judá da corrupção moral, política e social. Porém, não conseguiu fazer seus compatriotas se voltaram para Deus. Sua comissão divina envolvia a advertência de que sobreviria o castigo fatal (Isa. 6:9-12). Dali por diante, ele declarou, ousadamente, a inevitável queda de Judá, e a preservação de um pequeno remanescente fiel a Deus (Isa. 6:13). Todavia, há raios de esperança que alegram as suas predições. Através desse pequeno remanescente, teria lugar uma redenção de âmbito mundial, quando viesse o Messias, em seu primeiro advento (Isa. 9:2,6; 53:1-12). E, por ocasião do segundo advento de Messias, haveria a salvação e a restauração da nação (Isa. 2:1-5; 9:7; 11:1-16; 35:1-10; 54:11-17). O tema de que Israel, um dia, será a grande nação messiânica no mundo, um meio de bênção para todos os povos (o que terá cumprimento somente no futuro), que faz parte tão constante das predições de Isaías, tem merecido para ele o título de *profeta messiânico*». (Unger, em seu artigo sobre *Isaías*).

III. Unidade do Livro: Isaías e os Críticos

1. Ponto de Vista Tradicional. No século XVIII, a unidade do livro de Isaías começou a ser questionada. Até então, o livro inteiro era aceito como produção literária do profeta Isaías, e mais ninguém. Pode-se notar que seu nome figura nos capítulos um, dois, sete, treze, vinte, trinta e sete e trinta e nove. Em apoio a essa contenção, deve-se notar que todos os manuscritos do livro de Isaías apresentam-no como uma unidade. Não há qualquer menção histórica de que algum outro autor esteve envolvido no preparo de qualquer porção dessa produção. Um dos mais bem preservados manuscritos dentre os manuscritos do mar Morto é um completo rolo de Isaías, com data de cerca de 150 A.C. Não há qualquer evidência de interrupção no começo do capítulo quarenta, conforme alguns eruditos liberais têm querido dar a entender.

2. *Um Autor Distinto para os Capítulos 40—66.* O primeiro a sugerir um autor distinto de Isaías foi o erudito alemão Doderlein. Esses capítulos finais do livro de Isaías foram chamados de deutero-Isaías. Presumivelmente, um autor desconhecido, que teria escrito durante o exílio babilônico, teria produzido essa adição aos primeiros trinta e nove capítulos.

3. *Uma Outra Divisão: o Trino-Isaías.* Eruditos posteriores pensaram ter encontrado ainda um terceiro autor, no capítulo cinqüenta e cinco do livro de Isaías, pelo que uma terceira divisão do livro foi proposta, envolvendo os capítulos cinqüenta e seis a sessenta e seis.

4. *Explicações das Divisões.* Os capítulos quarenta a cinqüenta e cinco consistem em uma coletânea de poemas em um novo estilo rapsódico, que alguns atribuem ao período do exílio babilônico de Judá. A crítica da forma (ver o artigo intitulado *Crítica da Bíblia*) tem procurado separar os elementos dessa seção. Ali encontramos alusões a Ciro, como uma figura que começava a levantar-se. Seria isso uma

374

ISAÍAS

predição, ou seria história? E também há menção à iminente queda da Babilônia dos caldeus. Se essa seção teve origem imediatamente após a queda da Babilônia, o que ocorreu a 29 de outubro de 539 A.C., então a composição dessa segunda suposta seção do livro de Isaías deve ter sido feita durante esse tempo, ou alguns anos mais tarde. Ciro é especificamente mencionado em Isa. 44:28 e 45:1. A menos que tenhamos aí uma afirmação *profética*, então pode-se pensar seriamente na possibilidade da existência de um **deutero-Isaías**, porquanto não haveria como Isaías pudesse ter sobrevivido desde o cativeiro assírio até o cativeiro babilônico. Pois ele teria tido de viver por mais de duzentos anos! Diferenças de estilo, de terminologia e de expressões, quanto a certas idéias, são adicionadas ao argumento histórico. Muitos eruditos modernos, por isso mesmo, crêem que essa porção do livro de Isaías deve ser considerada como história, e não como profecia.

Os capítulos cinqüenta e seis a sessenta e seis são uma coletânea de poemas similares aos dos capítulos quarenta a cinqüenta e cinco. Muitos eruditos crêem que foram escritos pelo mesmo autor daquela seção. É, nesse caso, então houve somente um **deutero-Isaías** e não um **trino-Isaías**. Outros eruditos opinam que essa seção reflete uma escatologia mais avançada, típica de tempos posteriores. E daí supõem que esses capítulos foram, realmente, produzidos mais tarde que a época de Isaías. Além disso, esses estudiosos acham que há um interesse maior pelo culto, nessa seção que seria distinta das outras duas porções do livro. Supõem eles que o conteúdo sugere uma data entre 530 e 510 A.C., talvez da época dos contemporâneos de Ageu e Zacarias. E alguns estudiosos pensam que os capítulos sessenta a sessenta e dois devem ser atribuídos a uma época ainda posterior. Outros pensam que o **próprio trino**-Isaías consiste apenas na coletânea de poemas escritos por vários autores. Uma data tão tardia quanto 400 A.C. tem sido atribuída a essa alegada terceira seção. Dizem esses estudiosos que os vários autores envolvidos faziam todos parte da escola de Isaías, —pelo que o livro de Isaías teria sido uma compilação de material recolhido no processo de muitos anos. A continuar nesse pé, vai ver que cada capítulo do livro de Isaías teve um autor diferente! Já há quem pense que essa escola de seguidores de Isaías usava seu livro original como um livro de texto, ao qual, periodicamente, foram adicionados novos capítulos!

Respostas dos Defensores da Unidade do Livro de Isaías:

1. O ponto de vista *tradicional* merece consideração. Todos os manuscritos antigos favorecem a idéia da unidade do livro de Isaías. As evidências históricas também. Não há qualquer relato sobre alguma escola de Isaías que tenha compilado gradualmente algum manual profético. Não há evidência histórica em favor de um segundo ou um terceiro Isaías.

2. O argumento acerca do *estilo* poderia ter algum peso, pois sabe-se que todo autor tem sua maneira distintiva de exprimir-se, um vocabulário todo seu, e idéias específicas que ele gosta de enfatizar. Todavia, as diferenças não são maiores do que aquelas encontradas, por exemplo, nas obras de Shakespeare, ou nas obras mais volumosas de outro autor qualquer. Além disso, ao escrever sobre diferentes assuntos, qualquer pessoa se utiliza de uma maneira toda própria para expressar-se. Um autor que escreva prosa, também pode escrever poemas; e seu estilo varia, até mesmo muito. A história nos dá muitos exemplos disso. Um só autor que escreva

poesias, fica diferente quando escreve em prosa. Além disso, um Isaías mais idoso, que tivesse escrito certas porções de seu livro mais tarde na vida, poderia ter adquirido certas idéias e certos maneirismos de estilo diferentes da época em que ainda era jovem. Para julgarmos a questão, tornar-se-ia mister, antes de tudo, que fôssemos mestres do hebraico. É quase impossível julgar questões que envolvam estilo. Julgo que poucos dos críticos e poucos dos defensores da unidade do livro de Isaías dominam o hebraico o bastante para fazerem as afirmações que fazem com grande grau de seriedade. E mesmo que tivessem tal conhecimento, ainda assim é difícil julgar questões de estilo.

3. *A crítica* que afirma que os capítulos 40-66 são *históricos* e não proféticos, repousa sobre a suposição de que não há tal coisa como a capacidade verdadeiramente profética. O fato de que o nome de Ciro é mencionado é, para os críticos, uma clara indicação de que esta porção de Isaías foi escrita depois do cativeiro babilônico. Sabemos, todavia, que o homem possui o poder de precognição, fato esse abundantemente ilustrado através dos estudos da parapsicologia. É raro, obviamente, que um místico moderno preveja *nomes* muito antes dos acontecimentos, mas até isto acontece. Também, não devemos esquecer do poder de Deus que dá aos profetas uma capacidade extraordinária. Supomos que Isaías era um verdadeiro profeta e que foi capaz de prever o futuro. Os estudos mostram que todas as pessoas, nos seus sonhos, têm uma previsão do futuro. De fato, a experiência psíquica mais comum é o sonho precognitivo. (Ver o artigo sobre *Sonhos*). Sendo este o caso, não é um grande pulo de fé acreditar que o profeta de Deus, com capacidades além das dos homens comuns, poderia ter verdadeiras visões do futuro remoto. Portanto, a menção de Ciro, por nome, enquanto não uma coisa comum em profecias, não é impossível.

4. O argumento derivado de *diferenças de idéias e ênfases* é o mais fraco de todos. Nos capítulos 1-39 nós temos a ênfase sobre a majestade de Deus. A segunda parte do livro é, de fato, mais interessada no *culto* religioso, seus ritos, leis etc., mas isto dificilmente comprova um autor distinto. Qualquer livro pode ter estes tipos de variações sem indicar que outro escritor esteja envolvido. Diferenças de temas e de ênfase ocorrem em todas as peças de literatura que são conhecidas como dos mesmos escritores. Autores até incorporam contradições de idéias e acontecimentos, e erros crassos. Mas tais coisas não indicam, necessariamente, uma mudança de escritor.

IV. Autoria e Data

A maior parte dos eruditos acredita que o mesmo escritor produziu os capítulos 1-39. Alguns acham que esta porção sofreu algumas interpolações. O nome de Isaías aparece em 1:1; 7:3; 13:1; 20:2,3; 37:2,5,6,21; 38:1,4,21; 39:3,5,8. É curioso, que não aparece depois do capítulo 39, que é, sem dúvida, um peso em favor da suposição de que os capítulos 40-66 foram escritos por outro autor. De qualquer maneira, o que cremos sobre a autoria, naturalmente, tem um efeito sobre a data ou datas que atribuímos ao livro, ou a partes distintas do mesmo.

Na seção III, pontos um e quatro, oferecemos várias conjecturas acerca da data da composição do livro de Isaías. As idéias diferem desde cerca de 750 A.C. até cerca de 400 A.C., dependendo de quantos autores sentirmos que estão envolvidos nessa obra. Se um único autor escreveu o livro inteiro, então é possível que parte foi escrita tão cedo quanto 750

ISAÍAS

A.C., embora outras porções só tenham sido escritas no tempo do reinado de Ezequias, o que seria nada menos que uma geração mais tarde. Ezequias é mencionado por várias vezes nesse livro, incluindo em 1:1 (o último nome da lista de reis). Ver também Isa. 36:1,2,4,7,14-16,22; 37:1,3,5,9; 38:1,2,35,39; 39:1-5, 8. Isaías profetizou durante os dias do reinado de Uzias (791-740 A.C.), sendo possível que uma parte do livro tenha vindo dessa época, com outras porções acrescentadas até tão tarde quanto o ano 700 A.C., embora Isaías tenha sido o autor de todas essas porções.

V. Cânon e Texto

Isaías é o mais longo e, em vários sentidos, o mais rico dos livros proféticos do Antigo Testamento. E a canonicidade desse livro é tão antiga quanto aquela atribuída a qualquer outro livro profético do Antigo Testamento. A experiência demonstra que os escritos e as predições de um profeta garantem sua aceitação e reconhecimento quase imediatos, o seu autor foi uma figura notável. Podemos supor que a preservação dos escritos de Isaías, e sua contínua aceitação durante todo o tempo, desde que ele escreveu, confirmam sua posição no cânon desde o século VIII A.C. Todavia, não dispomos de qualquer evidência literária comprobatória acerca do livro de Isaías. O trecho de Eclesiástico 48:22-25 (de cerca de 180 A.C.) refere-se às visões do profeta Isaías, sendo esse o primeiro informe histórico a respeito de que dispomos. A passagem de II Crônicas 32:32 menciona as visões do profeta Isaías, correspondente à época da morte do rei Ezequias, ou seja, cerca de 700 A.C. Esse livro vem de depois do cativeiro babilônico, pelo que foi escrito bastante tempo depois do próprio Isaías. As tradições judaicas atribuem esse livro de II Crônicas a Esdras (cerca de 538 A.C.), embora alguns estudiosos liberais pensem que só foi escrito no século III A.C. Seja como for, essa referência é nossa mais antiga informação sobre Isaías, dentro da Bíblia, mas fora do próprio livro de Isaías. Serve de confirmação do grande poder espiritual de Isaías, como profeta. E podemos supor que isso reflete a posição canônica de seu livro, que desde o começo, recebeu condição quase canônica, e que se tornou plenamente canônico não muito depois de sua morte.

Texto. Antes da descoberta dos **Manuscritos (Rolos) do Mar Morto** (vide), não havia rolos de Isaías de antes da época de Cristo. Os estudiosos tinham de confiar na exatidão geral do chamado texto massorético (vide). A LXX não difere em grande coisa daquele texto. E a cópia completa do livro de Isaías, descoberta nas cavernas que margeiam o mar Morto, é bastante parecida com o texto tradicional, excetuando quanto à vocalização, à soletração de palavras e outros pequenos pontos, como um uso diferente do artigo, de certas preposições e de certas conjunções. As variações são mais numerosas do que os tradicionalistas poderiam esperar, mas não são tão grandes a ponto de ser alterada qualquer idéia ou a substância da mensagem do livro. Há evidências de que os escribas dos séculos anteriores a Cristo se mostraram muito cuidadosos na cópia, embora não tão cuidadosos quanto os escribas judeus da época medieval. Seja como for, o texto massorético (ver sobre *Massorá*) pode ser atualmente acompanhado, em todos os seus pontos essenciais, de volta até cerca de 150 A.C., data em que foi escrito o rolo de Isaías encontrado nas cavernas de Qumran, perto do mar Morto.

VI. Isaías, Seu Conceito de Deus

Os capítulos quarenta a quarenta e oito apresentam um notabilíssimo estudo acerca de Deus e seus atributos. Textos de prova, extraídos desses capítulos, têm sido tradicionalmente usados pelos teólogos, como bases de várias asserções. Apresentamos um artigo separado sobre esse assunto, com o título de *Isaías, Seu Conceito de Deus*.

VII. Idéias Teológicas

Quanto à doutrina de Deus, no livro de Isaías, oferecemos um artigo separado. Ver sob a seção sexta. Outros notáveis ensinos e ênfases do livro de Isaías são os seguintes:

1. *Contra a Idolatria*. O lapso de Israel nesse pecado e em outros levou Isaías a escrever seu livro, porquanto viu que o desastre esperava o desobediente povo de Israel. O trecho de Isa. 40:12-31 é uma ótima peça literária contra os ídolos mudos, que pessoas insensatas fabricam, em substituição a Deus. Outras condenações da idolatria acham-se em Isa. 2:7,8,18, 21,22; 57:5-8. Ver também o artigo sobre a *Idolatria*.

2. *A Providência e a Soberania de Deus*. Deus governa os indivíduos e as nações. Essa é uma verdade que empresta grande peso à profecia, porquanto Deus age a fim de corrigir os pecadores em seus erros; e essa correção, às vezes, é feita de maneira desastrosa para os desobedientes. A Assíria aparece como instrumento nas mãos de Deus, em Isa. 10:5. Ela era a vara da ira de Deus. Fora enviada para punir a hipócrita nação de Israel (vs. 6). Contudo, a providência divina também tem o seu lado positivo. Pode abençoar e destina-se a abençoar àqueles que se arrependem e vivem em consonância com os princípios espirituais verdadeiros. Deus exerce controle sobre a cena internacional, conforme é ilustrado em certas porções dos capítulos dez e trinta e sete do livro de Isaías.

3. *O Pecado do Homem*. Quanto a essa questão há vívidas descrições no livro de Isaías. Esse pecado é escarlate (Isa. 1:18); por causa do pecado os corações dos homens se afastam para longe de Deus (Isa. 29:13), seus pés correm para praticar o mal, e eles apressam-se por derramar sangue inocente (Isa. 59:7). Aqueles que rejeitam o pecado podem esperar pelo favor divino (Isa. 56:2-5). Deus ouve a causa dos oprimidos (Isa. 1:23); os orgulhosos são repreendidos, mas os humildes são exaltados (Isa. 22:15-25).

4. *Redenção*. Esse é um dos principais temas do livro de Isaías. Por isso mesmo esse profeta tem sido chamado de o evangelista do Antigo Testamento. Suas declarações proféticas têm um caráter nitidamente messiânico. Ele via quão inadequados eram os sacrifícios de animais e os ritos religiosos (Isa. 1:11-17; 40:16). Apesar disso, ele aconselhava a devida observância das obrigações religiosas (Isa. 56:2; 53:10). O capítulo cinqüenta e três encerra a famosa passagem do Servo sofredor (o Messias), que tem sido citada com tanta freqüência pelos cristãos, como textos de prova acerca de Jesus e de seu caráter messiânico, como o grande sacrifício expiatório. O capítulo cinqüenta e cinco salienta a *salvação eterna* posta à nossa disposição. Isa. 55:5 prediz a salvação das nações gentílicas.

5. *Os Poemas do Servo*. Esses poemas talvez aludam a Israel ou Jacó, indicando mais especificamente a nação de Judá. Porém, há vezes em que esses poemas aludem claramente ao Messias, o filho de Judá. Alguns eruditos, que não dão o devido valor à profecia, e que objetam à prática de alguns, que torcem passagens a fim de encontrar ali menções ao Messias, afirmam que essas passagens são referências estritamente contemporâneas à nação de Israel. O exame de todas essas passagens, porém, demonstra o tom messiânico que algumas delas inegavelmente

376

ISAÍAS

têm. Ver Isa. 41:8—53; 42:1-9; 49:1-6; 50:4-10; 44:1,2,21,26; 45:4 e 48:20. Ezequiel mostrou-nos a dualidade de uso que se encontra no livro de Isaías. O trecho de Isaías 37:25 chama de *servos* de Deus tanto à nação de Israel quanto ao Rei messiânico. Notemos como, em Isaías 42:1-6, o servo é ungido pelo Espírito de Deus para uma grandiosa obra de testemunho e de julgamento. Esses versículos descrevem o Messias, e o trecho de Mat. 12:18-21 cita aquela passagem de Isaías.

6. *Escatologia.* **Acima de tudo,** Isaías é um livro profético, e destacar todas as profecias seria apresentar, virtualmente, **um tabela** do conteúdo do livro. A natureza constante **desse elemento,** pois, damos na décima seção, intitulada *Esboço do Conteúdo.* Há predições sobre o reino de Deus em Isa. 2:1-5; 11:1-16; 25:6-26:21; 34 e 35; 52:7-12; 54; 60; 65:17-25; 66:10-24. A ressurreição de Cristo e a sua volta aparecem em Isa. 25:6—26:21. Isaías 34 apresenta Edom como o inimigo escatológico do povo de Deus, em um sentido simbólico. O quarto versículo desse capítulo foi citado por Jesus acerca de sua própria vinda (Mat. 24:29), como também é feito em Apocalipse 6:14. O retorno de Israel à sua terra e o reino milenar de Cristo são descritos em Isaías 35. Certas profecias a curto prazo dizem respeito, essencialmente, à invasão e ao cativeiro assírios (Isa. 10:5 *ss,* 36). O trecho de Isaías 39, porém, olha para mais adiante no tempo, ao cativeiro babilônico de Judá. Isaías 53 é a passagem messiânica mais notável de Isaías, onde são descritos os sofrimentos de Cristo.

VIII. Isaías no Novo Testamento

Os escritores do Novo Testamento muito se utilizaram dos escritos de Isaías. Há pelo menos sessenta e sete citações claras desse livro, no Novo Testamento, a saber:

ISAÍAS	NOVO TESTAMENTO
1:9	Rom. 9:29
6:9	Luc. 8:10
6:9-10	Mat. 13:14-25; Mar. 4:12; Atos 28:26,27
6:10	João 12:40
7:14	Mat. 1:23
8:8,10 (LXX)	Mat. 1:23
8:12-13	I Ped. 3:14-15
8:14	Rom. 9:33; I Ped. 2:8
8:17 (LXX)	Heb. 2:13
8:18	Heb. 2:13
9:1-2	Mat. 4:15-16
10:22	Rom. 9:27,28
11:10	Rom. 15:12
22:13	I Cor. 15:32
25:8	I Cor. 15:54
26:20	Heb. 10:37
28:11-12	I Cor. 14:21
28:16	Rom. 9:33; 10:11; I Ped. 2:6
29:10	Rom. 11:8
29:13 (LXX)	Mat. 15:8-9; Mar. 7:6-7
29:14	I Cor. 1:19
40:3	Mat. 3:3; Mar. 1:3; João 1:23
40:6-8	I Ped. 1:24-25
40:13	Rom. 11:34; I Cor. 2:16
42:1-4	Mat. 12:18-21
43:20	I Ped. 2:9
43:21	I Ped. 2:9
44:28	Atos 13:22
45:21	Mar. 12:32
45:23	Rom. 14:11
49:6	Atos 13:47
49:8	II Cor. 6:2

ISAÍAS	NOVO TESTAMENTO
49:18	Rom. 14:11
52:5	Rom. 2:24
52:7	Rom. 10:15
52:11	II Cor. 6:17
52:15	Rom. 15:21
53:1	João 12:38; 10:16
53:4	Mat. 8:17
53:7-8 (LXX)	Atos 8:32-33
53:9	I Ped. 2:22
53:12	Luc. 22:37
54:1	Gal. 4:27
54:13	João 6:45
55:3 (LXX)	Atos 13:34
56:7	Mat. 21:13; Mar. 11:17; Luc. 19:46
59:7-8	Rom. 3:15-17
59:20-21	Rom. 11:26-27
61:1-2	Luc. 4:18-19
61:6	I Ped. 2:9
62:11	Mat. 21:5
64:4	I Cor. 2:9
65:1	Rom. 10:20
65:2	Rom. 10:21
66:1-2	Atos 7:49-50

Que Isaías previu a vinda do Messias é fato aceito por todo o Novo Testamento. Algumas das citações acima são didáticas; mas a maioria delas é de natureza preditiva sobre o Cristo ou sobre as circunstâncias de seu período na terra. Algumas delas podem ser aplicadas ao Novo Israel, a Igreja, conforme se vê em I Ped. 2:9 (Isa. 43:20,21). Outras situam Israel em relação à Igreja, como em Rom. 9:27,28 (Isa. 10:22 e 1:9). A natureza dessas predições tem feito o livro de Isaías ser chamado de evangelho do Antigo Testamento.

IX. Problemas Especiais

1. A unidade do livro de Isaías, o que foi discutido na terceira seção, acima.

2. O nascimento virginal de Jesus (comparar Isa. 7:14 e sua citação em Mat. 1:22,23). Esse problema tem sido considerado suficientemente importante para merecer um artigo em separado. Ver *Nascimento Virginal de Jesus: História e Profecia em Isaías 7:14 e Mateus 1:22,23.*

3. O problema do significado da palavra «servo». Ver sob a oitava seção quinto ponto.

4. O problema da profecia preditiva. Os eruditos liberais não se deixam impressionar pela tradiçao profética, supondo que os eruditos conservadores estão sempre vendo coisas, no texto do Antigo Testamento, como se ali estivesse o Novo Testamento em potencial. Segundo diz esse mesmo argumento, os conservadores estariam sempre procurando encontrar predições acerca dos últimos dias (que corresponderiam à nossa própria época), o que, para os liberais é uma atividade sem proveito. Apesar dessa acusação ter certa dose de razão, não há como negar a existência e a exatidão da tradição profética. Esse problema destaca-se mormente na questão da unidade do livro. O próprio Isaías poderia ter previsto Ciro, chamando-o por seu nome próprio? ou um outro autor qualquer teria estado envolvido na escrita dos capítulos 40 a 66 de Isaías, cujo autor teria vivido em tempos posteriores, pelo que escreveu história, e não profecia preditiva? Ver uma discussão sobre isso em III.4, e também sob *Respostas dos Defensores da Unidade do Livro de Isaías,* em seu terceiro ponto.

Apesar de ser verdade que o Messias não é mencionado no Antigo Testamento com a extensão

ISAÍAS, SEU CONCEITO DE DEUS

que alguns intérpretes supõem, é muito difícil imaginar que Isaías não escreveu sobre o Messias em muitos trechos do seu livro. A oitava seção deste artigo alista grande número de profecias de Isaías, referidas no Novo Testamento, onde a teoria das profecias messiânicas é abundantemente comprovada. Assim, se os intérpretes modernos, que encontram alusões claras ao Messias, no livro de Isaías, estão equivocados, também o estavam os escritores sagrados do Novo Testamento, o que é um absurdo.

X. Esboço do Conteúdo
Em Quatro Divisões Principais:

1. *Profecias de Cumprimento a Curto Prazo* (Isa. 1:1—35:10).

Temos aí a condenação da nação de Israel por causa de suas corrupções, com predições de desastres, produzidos pela invasão e pelo cativeiro assírios. Várias outras nações também são denunciadas, havendo predições de condenação contra elas.

2. *Os Capítulos Históricos* (Isa. 36:1—39:8).

Descrição da invasão pelas tropas de Senaqueribe; a enfermidade de Ezequias e sua recuperação. Menção à missão de Merodaque-Baladã.

3. *Profecias Preditivas Sobre a Babilônia* (Isa. 40:1—45:25)

Antecipação da invasão e do cativeiro babilônicos. Para os estudiosos conservadores, isso envolve predição; mas muitos estudiosos liberais preferem pensar que essa seção do livro de Isaías é histórica, tendo sido escrita por algum outro autor, que eles intitulam de **deutero-Isaías**.

4. *Várias Profecias Preditivas* (Isa. 46:1—66:24).

Essa seção contém muitas e diferentes profecias, sobre vários assuntos, além de muitos ensinamentos morais e espirituais. Essa quarta seção não pode ser esboçada de forma coerente, por causa da natureza miscelânica do material ali constante, reunido sem qualquer estrutura interna.

Um Esboço Detalhado:

I. *Profecias e Instruções a Curto Prazo* (Isa. 1:1—35:10)
1. *Judá e Jerusalém e Acontecimentos Vindouros* (1:1—13:6)
  a. Introdução ao livro e ao seu assunto (1:1-31)
  b. A purificação e a esperança milenar (2:1-4:6)
  c. Punição de Israel devido ao seu pecado (5:1-30)
  d. A chamada e a missão de Isaías (6:1—13)
  e. Predição acerca do Emanuel (7:1-25)
  f. Invasão e cativeiro assírios (8:1-22)
  g. Previsão acerca do Messias (9:1-21)
  h. O látego assírio (10:1-34)
  i. A restauração e o milênio (11:1-16)
  j. O culto durante o milênio (12:1-6)
2. *Denúncias Contra Várias Nações* (13:1—23:18)
  a. Babilônia (13:1—14:23)
  b. Assíria (14:24-27)
  c. Filístia (14:28-32)
  d. Moabe (15:1—16:14)
  e. Damasco (17:1-14)
  f. Terras para além dos rios da Etiópia (18:1-7)
  g. Egito (19:1-25)
  h. A conquista da Assíria (20:1-6)
  i. Áreas desérticas (21:1—22:25)
  j. Tiro (23:1-18)
3. *O Estabelecimento do Reino de Deus* (24:1-27:13)
  a. A grande tribulação (24:1-23)

  b. A natureza do reino (25:1-12)
  c. A restauração de Israel (26:1—27:13)
4. *Judá e Assíria no Futuro Próximo* (28:1—35:10)
  a. Catástrofes e livramentos (28:1-33:24)
  b. O dia do Senhor (34:1-17)
  c. O triunfo milenar (35:1-10)

II. *Descrições Históricas* (Isa. 36:1—39:8)
1. A invasão de Senaqueribe (36:1—37:38)
2. Enfermidade e recuperação de Ezequias (38:1-22)

III. *Profecias Concernentes à Babilônia* (Isa. 40:1—45:13)
1. Consolo para os exilados: promessa de restauração (40:1-11)
2. O caráter de Deus garante o consolo (40:12-31)
3. Yahweh castigará a idolatria por meio de Ciro (41:1-29)
4. O Servo de Yahweh, o Consolador (42:1-25)
5. Restauração: a queda da Babilônia (43:1—47:15)
6. Exortação para que sejam consolados os restaurados do cativeiro babilônico (48:1-22)

IV. *O Servo e Redentor e as Coisas Finais* (Isa. 49—64)
1. Livramento final do sofrimento pelo Servo de Deus (49—53)
2. A salvação e as suas bênçãos (54 e 55)
3. Repreensão a Judá, por causa de seus pecados (56—58:15)
4. O Redentor divino redimirá a Sião (58:16-62)
5. A vingança do Messias e a oração de Isaías (63:7—64:12)
6. A resposta de Deus e o reino prometido (65 e 66)

Bibliografia. AM BA BW DEL E GT I IB IOT ND. UN WBC WG WES YO YO(1954) Z

ISAÍAS, SEU CONCEITO DE DEUS

Esboço:
  Introdução
  I. Teísmo
  II. Deus de Juízo
  III. Deus de Perdão: Deus é Redentor
  IV. Os Atributos de Deus
  V. A Natureza de Deus
  Conclusão

Introdução

Os filósofos tentam provar a existência de Deus. É razoável supor que deve haver uma *primeira causa*, e que a imensidade que vemos ao nosso redor, com nossos próprios olhos nus ou mediante o uso de instrumentos (telescópios, radiotelescópios, microscópios, etc.), **não pode ter-se auto-originado**. É lógica simples supor que o desígnio que pode ser visto nas coisas deve ter sido determinado por uma mente inteligente, e não pelo mero acaso, que teria operado de forma caótica. Não é contrário à razão pensarmos que o propósito que pode ser percebido em todas as funções da natureza subentende a atividade de um Criador inteligente. E os próprios teólogos não combatem essa atividade racionalista, visto que qualquer teologia sistemática que possamos selecionar conta com uma seção que aborda essas questões. É uma necessidade imperiosa que a justiça, finalmente, terá de ser feita, e que deve haver um Deus que tanto é poderoso quanto é suficientemente sábio para impor a justiça. Mediante o uso de nossa razão, também podemos afirmar muitas coisas sobre a natureza de Deus, inteiramente à parte da revelação; e isso porque a mente humana, afinal de contas, é criação de Deus e

ISAÍAS, SEU CONCEITO DE DEUS

deve ter alguma afinidade com Ele. Sem dúvida, há grande harmonia entre a revelação e a razão, uma vez que a razão tenha sido devidamente disciplinada.

Porém, o quadro bíblico acerca de Deus depende da revelação, e não da razão humana. Do começo ao fim, a Bíblia pressupõe a existência de Deus, em vez de tentar prová-la, embora ela contenha muitas informações que podem ser utilizadas como a base de provas racionalistas. A voz dos profetas fala na Bíblia, e, quando damos ouvidos a essa voz, aprendemos muitas coisas a respeito da natureza de Deus.

Uma seção bíblica especialmente rica sobre a natureza e os atributos de Deus se encontra no livro de Isaías, capítulos 40-48. O presente artigo está alicerçado sobre essa porção do livro de Isaías. A discussão está dividida em cinco tópicos, segundo se vê no esboço, acima.

I. Teísmo

1. *Definição Básica*. Existe um Deus pessoal. Ele criou tudo e continua a manter contacto com a sua criação. Ele guia, recompensa, castiga e intervém na história da humanidade. Tanto o Antigo quanto o Novo Testamento são acentuadamente teístas em sua postura, incluindo aqueles capítulos do livro de Isaías que estamos discutindo, segundo demonstraremos abaixo.

2. *Idéias Contrastantes*

a. *Deísmo*. Existiria um Deus, um deus ou alguma força cósmica (pessoal ou impessoal). Porém, essa força não mantém o contacto com a criação. Antes, as leis naturais seriam o fator governante no Universo, e não algum Deus vivo e pessoal. — Na teologia, isso significa que Deus transcende e se mantém totalmente distante do mundo, sua criação, sem qualquer relação íntima com o mesmo. Tal posição deve ser contrastada com a teologia da imanência de Deus. O conceito deísta, como é óbvio, é contrário à teologia bíblica.

b. *Ateísmo*. Pode-se falar de modo significativo sobre Deus, um deus ou deuses; mas as evidências de que dispomos são negativas. Deus não existe. Essa posição, contrária à Bíblia, usualmente, alicerça-se sobre as inadequações morais do homem, por causa das quais ele rejeita qualquer autoridade acima dele mesmo, ou sobre sua incapacidade de explicar a presença do mal no mundo, se é que realmente existe um **Deus Amoroso, Todo-Poderoso e Todo-Conhecedor.**

c. *Agnosticismo*. Pode-se falar de modo significativo sobre Deus, um deus ou deuses, mas as evidências que temos são insuficientes, positiva ou negativamente, para nos permitir fazer qualquer asserção dogmática. Em outras palavras, não sabemos se Deus existe ou não, e nem dispomos de informações adequadas que nos permitam tomar uma decisão inteligente a respeito. Talvez Deus seja a fonte originária de todas as coisas, mas ele mesmo ou é desconhecido ou não pode ser conhecido.

d. *Panteísmo*. Deus é a totalidade da realidade. Tudo quanto existe é Deus, e Deus é tudo quanto existe, incluindo a vegetação... os minerais... as pessoas. Visto que, de acordo com essa idéia, Deus não é um Ser pessoal, de acordo com a definição bíblica o panteísmo é uma variação do ateísmo.

e. *Positivismo Lógico*. Essa é uma forma científica do ceticismo. O cetismo afirma que não existe tal coisa como conhecimento seguro, e que, quando muito, só podemos conviver com uma série de aproximações da verdade. O cético confirmado é alguém que pensa que essa situação prosseguirá para sempre, que o conhecimento nunca será alcançado. O

positivismo lógico assevera que nossas aproximações precisam ser conseguidas através do método científico (empírico). A revelação é assim rejeitada como um meio de se obter conhecimentos. As proposições teológicas, incluindo aquela que diz: «Deus existe», são destituídas de sentido para os positivistas lógicos. E igualmente sem sentido é aquela outra proposição que diz: «Deus não existe». Em outras palavras, nada temos a dizer sobre o sujeito que transmite «conhecimento», visto que tais proposições ficam fora do terreno da inquirição científica.

Por todas as suas páginas a Bíblia pressupõe a existência de Deus. Essa idéia se alicerça, essencialmente, sobre o pressuposto de que o conhecimento dado através da revelação é um conhecimento válido, sem importar se podemos submetê-lo a exame de microscópio, em algum laboratório. No primeiro capítulo de Romanos, Paulo afirma que Deus pode ser conhecido através da luz que nos é dada mediante a natureza, o que se torna um meio secundário de conhecermos a Deus, um meio em parte racional, em parte empírico.

3. *O Teísmo em Isaías 40—48*:

Em Isa. 40:1 *ss* Deus consola o seu povo, pelo que tem contacto com eles, sempre interessado em suas vidas. Isso é teísmo em contraste com o deísmo. Em Isa. 40:11 Deus alimenta o seu povo, como um pastor faz com o seu rebanho. Isso envolve uma preocupação teísta. Em Isa. 41:13 Deus aparece ocupado em ajudar o seu povo. Em Isa. 42:16 Deus mostra o caminho aos homens; ele os guia, mesmo que eles ajam como cegos, e nunca os abandona. Em Isa. 43:1,2 Deus aparece como quem redime o seu povo em tempos difíceis. Ele os livra de seus inimigos. Em Isa. 43:5 lemos que a herança de Deus não deve temer, porquanto Deus tem um desígnio para os homens e para as nações. Nesse caso, a restauração do povo de Israel está em pauta. Portanto, as coisas não acontecem por puro acaso, segundo alguns filósofos têm proposto. Em Isa. 45:25 vemos que o interesse de Deus por Israel garante o bem-estar e a glorificação finais de seu povo. Em Isa. 46:4 aprendemos que Deus acompanha os membros de seu povo até à idade avançada, pois seu cuidado por eles não muda em nada com a passagem dos anos. Em Isa. 48:17 vemos que Deus nos ensina o que é «proveitoso», guiando-nos pelo caminho pelo qual devemos palmilhar.

Essa seleção (dentre uma variedade ainda maior) mostra-nos que Deus deve ser considerado Alguém que está interessado por nós. As seções II e III deste artigo, que mostram que Deus castiga e galardoa, também são provas insofismáveis do conceito teísta. Deus se interessa pelas vidas dos indivíduos e das nações. Logo, Deus não é sempre e totalmente transcendental, conforme o deísmo assevera.

II. Deus de Juizo

1. *Contra os pagãos*. Em Isa. 40:15 ss, os ímpios, considerados em pouca monta, são julgados. Em Isa. 41:11,12, lemos que os perseguidores serão julgados. Em Isa. 42:13-15 aprendemos que alguns homens, em sua perversão, se fazem adversários de Deus, atraindo assim a indignação do Senhor contra eles mesmos. Em Isa. 44:9 *ss* lemos que certas nações específicas são julgadas por pecados específicos. Os pecados secretos também não escapam (vs. 10).

2. *Contra o povo de Deus*. Em Isa. 41:23,24, é-nos mostrado que quando o povo de Deus age como se fosse pagão, — compartilha do castigo destinado aos pagãos. Em Isa. 42:24,25 vemos que *Jacó* pode tornar-se — um despojo — se não caminhar pela

379

ISAÍAS, SEU CONCEITO DE DEUS

vereda de Deus. Em Isa. 43:28 lemos que príncipes e mestres são destacados como aqueles que merecem ser julgados, se não cumprirem os seus deveres. Em Isa. 48:1,2 aprendemos que os hipócritas jamais escaparão. Em Isa. 48:3 a rebelião é condenada. Em Isa. 48:5, embora a idolatria possa ser praticada pelo povo de Deus, este não escapará ao juízo divino. Em Isa. 48:9-11 vemos que os julgamentos de Deus são remediais, e não meramente retributivos. Em Isa. 48:22 somos informados de que é impossível a paz sem a retidão. Mediante meios gentis, não mais severos que os homens e as nações são capazes de suportar, Deus aplica os seus juízos.

III. Deus de Perdão: Deus é Redentor

A teologia bíblica apresenta Deus como o Redentor, e não meramente como o Criador. A iniciativa é de Deus, e isso com base no amor divino. A passagem de Isaías 40—48 ilustra amplamente esse princípio.

Isaías 40:2,3. Essa seção começa com uma chamada ao consolo, pois um Deus remidor se move entre o seu povo. *Isaías 41:14* — esse versículo chama Deus, especificamente, de Redentor. *Isaías 42:1* — esse trecho refere-se à missão remidora do Messias, salientando uma das mais bem conhecidas profecias messiânicas. A redenção dá-se por meio de Cristo. *Isaías 42:6* — esse versículo ensina-nos que a missão remidora de Cristo inclui, necessariamente, os gentios. *Isaías 43:11*. Deus é um Salvador sem-par, não havendo outro que o salve. *Isaías 43:14*. Novamente, Deus aparece especificamente como Redentor de seu povo. *Isaías 43:25*. A redenção inclui a anulação do pecado. Nossos pecados nos são perdoados. Isso é mencionado de novo em Isaías 44:22, onde é diretamente vinculado ao conceito de redenção. *Isaías 46:13*. O ato da vontade de Deus assegura, inevitavelmente, o exercício de sua redenção. *Isaías 47:4*. O Senhor dos Exércitos é Redentor. *Isaías 48:17*. Deus concede bênçãos proveitosas ao seu povo, guiando-o pelo caminho que deve seguir. *Isaías 48:20*. O perdão divino e a redenção de seu povo são causas de grande júbilo. Apesar dessa profecia envolver, primariamente, o livramento da servidão à Babilônia, o fato de que até os confins da terra haverão de ouvir tais notícias mostra-nos a universalidade da redenção.

IV. Os Atributos de Deus

Os capítulos de Isaías que estamos estudando ilustram o grande número dos atributos de Deus. O estudo aqui exposto é feito mediante a alistagem de todos os atributos divinos discutidos na teologia sistemática de Lewis Sperry Chafer. Cada item dessa sua lista pode ser consubstanciado com um versículo ou mais, extraídos dos capítulos do livro de Isaías que estamos considerando.

1. *Personalidade* (Isa. 40:1,5). Deus é uma pessoa que consola, julga, orienta, galardoa e castiga. Deus não é apenas alguma força cósmica e impessoal. Tudo quanto foi dito no primeiro capítulo, sobre o *Teísmo*, aplica-se aqui. Deus fez o homem (uma pessoa) à sua própria imagem (Gên. 1:26,27). A similaridade de naturezas pode ser vista como inerente a Deus e ao homem. Ele (Deus) é uma Pessoa, dotada daquelas faculdades e elementos constitutivos que fazem parte da personalidade.

2. *Onisciência* (Isa. 40:13,14; 46:10). Esses textos não declaram um conhecimento absoluto da parte de Deus; mas subentendem isso, ao falarem de um conhecimento imenso. Outros trechos bíblicos, como II Reis 13:19 e Jer. 38:17-20, ensinam a mesma coisa. Ver também II Crô. 16:9.

3. *Santidade* (Isa. 40:25). A santidade de Deus não tem igual. Em Isaías 41:16 aprendemos que essa santidade é contrária à falsidade e à idolatria. Em Isaías 44:9-18, que Deus julgará a idolatria. Em Isaías 45:11, que o Senhor de Israel é o Santo.

4. *Justiça* (Isaías 40:15-17). As nações são reputadas em nada, porquanto têm transgredido contra a retidão e não se têm arrependido. Em Isaías 41:10 lemos que o poder sustentador de Deus se alicerça sobre sua retidão. Em Isaías 41:26 descobrimos que o julgamento contra a idolatria será severo.

5. *Amor* (Isaías 49:1,2). Deus consola o seu povo. *Isaías 41:9*. O amor de Deus é a base da escolha que ele fez de seu povo. *Isaías 42:16*. Deus guia os cegos pelo caminho e retifica as veredas tortuosas. *Isaías 43:3,4*. Deus dá forças a seu povo para que atravesse as dificuldades. *Isaías 42:1 ss*. O Amor de Deus está por detrás da missão messiânica.

6. *Bondade* (Isaías 40:1,2). O amor de Deus é a fonte de sua bondade. Portanto, tudo quanto foi dito no ponto anterior, cabe também aqui. Isaías 43:3 ss nos faz saber que essa bondade opera através do Espírito Santo.

7. *Veracidade* (Isaías 40:13,14). Deus é a fonte de todo conhecimento e verdade. Ele é ímpar, não havendo quem possa aconselhá-lo. Isaías 43:9,10. O testemunho e o propósito de Deus são verazes. Isaías 42:3. O juízo divino é efetuado em meio à verdade, isto é, «...de acordo com o perfeito padrão da verdade».

8. *Liberdade da Vontade* (Isaías 40:12). Deus é dotado de um poder ilimitado e exerce esse poder de acordo com sua própria vontade. Ninguém lhe diz o que deve fazer. Isaías 43:21. Sua vontade mostrou-se soberana, quando ele escolheu o seu povo. Isaías 45:23. Deus não tem que prestar contas a quem quer que seja, e a sua vontade fatalmente se cumpre.

9. *Onipotência* (Isaías 40:12,17,18,22,24,26,28). O ilimitado poder de Deus é exercido sobre a natureza, entre as feras e entre os habitantes humanos da terra, porquanto ele é o Criador de tudo. Isaías 41:20. O poder do Senhor é empregado em benefício de seu povo. Isaías 45:23. Esse poder divino não conhece restrições.

10. *Simplicidade* (Isaías 40:7,13). Deus não é um ser complexo como o homem, por exemplo, que é uma combinação de matéria e de espírito, formando um só ser. A natureza de Deus é simples, pois ele é puro espírito. Essa passagem de Isaías declara a natureza espiritual de Deus.

11. *Unidade* (Isaías 43:10,11; 44:8; 45:5,6,21; 46:9; 48:16). Há somente uma essência na natureza de Deus. Embora ele se manifeste como Deus triúno (o que talvez fique implícito em Isa. 42:1,2 — Pai, e Messias (Filho) e Espírito que repousa sobre o «Servo»), ele é um único Deus. Esses versículos mostram-nos que há somente uma essência divina, e, por conseguinte, um único Deus. O trinitarianismo não é triteísmo. ...o Senhor nosso Deus é um único Deus» (Deu. 6:4).

12. *Infinitude* (Isaías 40:12,14,18). Esses versículos não ensinam a infinitude de Deus em um sentido estrito, mas ilustram a incompreensível imensidade de Deus; e, para todos os propósitos práticos, isso equivale à mesma coisa. Deus, na qualidade de Criador, sempre envolve essa noção, pois quão imensa é a criação! O efeito não pode ser maior do que a causa. Na seção V.5, ilustramos essa verdade. Isaías 44:6. Deus é o primeiro e o último, a medida de todas as coisas, o único Deus. Esses fatos falam sobre a infinitude de Deus.

ISAÍAS — ISAQUE

13. *Eternidade* (Isaías 41:4; 43:6; 48:12). Deus pertence ao mundo eterno. Ele não teve princípio e nem terá fim. Deus não pode deixar de existir. Na teologia, a palavra «eternidade» pode ter estes dois sentidos: como qualidade — pertencente à ordem eterna; e como uma qualidade temporal — sem começo e sem fim. Deus é o primeiro e o último. Isaías 43:10. Deus sempre foi Deus. Nenhum outro deus formou-se antes ou depois dele. Isaías 43:13 mostra-nos que Deus existia antes que houvesse dia.

14. *Imutabilidade* (Isaías 40:8). Enquanto outras coisas fenecem, Deus permanece para sempre. Isaías 43:6. Deus é o primeiro e o último, sugerindo a expressão «o mesmo ontem, hoje e para sempre». Isaías 48:12. Sendo o primeiro e o último, Deus lançou os fundamentos da terra, o que subentende um Ser constante e eterno.

15. *Onipresença-Imensidade* (Isaías 40:12). Os capítulos 40—48 de Isaías não declaram, abertamente, que Deus está em toda a parte; mas as dimensões de sua presença aparecem como tão diversas que a onipresença de Deus fica entendida. Em Isa. 40:12 essa onipresença aparece em toda a natureza; e em Isaías 48:13, Deus aparece em toda a sua criação, incluindo a expansão dos céus.

16. *Soberania* (Isaías 40:9,12,15—17). Deus faz sua vontade imperar sobre todas as nações e sobre a própria natureza. Isaías 43:13: Deus faz o que melhor lhe apraz, e ninguém é capaz de impedi-lo. Isaías 43:20. Os animais irracionais obedecem à sua vontade. Isaías 43:15. As pessoas existem segundo o **bel-prazer de Deus.** Isaías 45:23. Toda a criação haverá de prostrar-se diante de Deus, finalmente, porquanto a sua palavra é firme e exerce um infalível efeito. Isaías 46:9. Deus é o único Deus que existe, pelo que somente ele é supremo.

V. A Natureza de Deus

Algumas coisas, já escritas, dizem respeito à natureza de Deus. Para exemplificar, seus vários atributos certamente ilustram algo de sua natureza fundamental. Ademais, o conceito do *teísmo*, ventilado no primeiro capítulo, necessariamente subentende algo sobre a natureza básica de Deus.

1. *Deus é Espírito* (Isaías 40:7,13; 41:1,5). Na qualidade de espírito, Deus é uma pessoa, e não apenas uma força cósmica (o que é discutido na primeira seção).

2. *Deus é Eterno* (Isaías 40:8). Isso coincide com o décimo terceiro item, a eternidade de Deus, sob atributos, onde damos mais detalhes, com mais alguns versículos.

3. *Deus é um Poder Criativo* (Isaías 40:12,28; 42:5; 43:1,14; 44:24). A criação de Deus constitui uma admirável mescla de harmonias e atitudes. Ele fez a criação ser algo agradável a ele, — a qual contém criaturas como ele, dotadas de espírito, porquanto ele é espírito e intelecto, visto que ele é inteligência capaz de amar. Deus é mais do que um arquiteto, porquanto existia antes do dia e do que ele fez. Deus é o primeiro e o último.

4. *Deus é Onipotente*. Isso é abordado no nono item dos atributos, na quarta seção. Deus é imutável, item décimo quarto dos atributos, na quarta seção.

5. *Deus é Independente*. Essa é outra maneira de dizermos que Deus é o Criador, e que todas as coisas fora de Deus foram criadas. Somente Deus não pode não existir. Porém, ao redimir os homens, ele lhes confere uma independência derivada. Ver Isaías 40:15-17, quanto a essa independência. O trecho de Isaías 46:5 mostra que ninguém pode comparar-se com Deus. Isaías 46:9 ensina que não existe outro

Deus além do Senhor, não existe qualquer outro poder independente. Todas as coisas são contingentes e dependem de Deus. O ensino sobre a soberania de Deus (item décimo sexto dos atributos, seção quarta) mostra algo paralelo à independência de Deus. Somente um Ser independente poderia ser realmente soberano.

6. *Deus é triúno*, mas é somente um Deus. Ver sob o décimo primeiro item, unidade, na discussão sobre os atributos de Deus.

7. Embora independente, Deus prefere ser *dependente*, porquanto busca o nosso amor e a nossa lealdade. Em Isaías 40:1 ss vemos que ele convoca os homens para que sigam o seu caminho e partícipem de sua glória. Em Isaías 42:1 ss, aprendemos que Deus enviou o seu Servo, o Messias, com esse propósito distinto, Deus quer que os homens compartilhem de sua glória.

Conclusão

No tocante à doutrina de Deus, os capítulos 40-48 do livro de Isaías são bastante reveladores. O ponto mais surpreendente é que esses capítulos de Isaías incorporam um segmento tão amplo do teísmo bíblico. Quase todos os aspectos dessa doutrina encontram-se ali, pelo menos em forma potencial. Poderíamos dizer que *o todo* repousa sobre a fé, a fé de que as palavras recebidas pelos profetas são autênticas revelações de Deus. Por outro lado, nossa razão aceita esse esboço geral da doutrina de Deus, como algo que condiz com aquilo que poderíamos esperar que Deus fosse. Além da revelação e da razão, devemos também considerar a experiência humana. Se essa experiência é espiritual, então certamente adiciona seu testemunho à veracidade desse ensino geral.

ISAQUE

Esboço:

I. Caracterização Geral
II. A Origem do Nome
III. Sacrifício Humano Ordenado por Deus?
IV. As Notáveis Características de Isaque
V. Isaque nas Páginas do Novo Testamento
VI. Tipologia

I. Caracterização Geral

A história da vida de Isaque aparece nos capítulos vinte e um a vinte e nove do livro de Gênesis. Isaque era filho de Abraão e Sara, e foi o segundo dos três patriarcas hebreus: Abraão, Isaque e Jacó. Era filho gerado por promessa divina e por divina intervenção, o que fez dele um apto símbolo de Cristo, o Filho prometido, redentor, que está conduzindo muitos filhos de Deus à glória. Seu nome significa «riso» (comparar com Sal. 15:9 e Amós 7:9,16), embora essa mesma palavra hebraica também signifique «zombaria», o que, naturalmente, não se ajusta ao contexto de Gênesis. A razão desse nome é explicada na segunda seção, abaixo.

Isaque foi circuncidado como um filho prometido, porquanto nele é que a aliança com Abraão (e, portanto, o pacto messiânico) teria continuação. Ver o artigo separado, *Pacto Abraâmico*. Quando Isaque tinha seus oito anos de idade, houve o seu sacrifício potencial, de onde extraímos lições espirituais de grande valor moral, mas que, por si mesmo, não pode ser justificado através de qualquer sã teologia. Ver esse problema na terceira seção deste artigo. Seja como for, o povo terreno de Deus, *escolhido*, descenderia de Abraão, passando por Isaque. Destarte, no relato, encontramos as raízes de uma

381

ISAQUE

grande nação, o povo de Israel.

Após a morte de Sara, Abraão enviou um seu servo dileto à Mesopotâmia, a fim de encontrar ali esposa para Isaque. Isso teve o propósito de preservar os laços raciais de Abraão, pois as jovens da região onde ele habitava não eram aceitáveis com esse propósito. Teria sido desastroso para a nação em formação envolver-se com os cananeus pagãos. Isso serve de tipo da noiva espiritual que seria buscada para Cristo, o grande Filho da promessa. Quanto à *tipologia* da vida de Isaque, ver a seção VI. Foi assim que Isaque adquiriu Rebeca como sua esposa. Eles permaneceram sem filhos durante muitos anos; mas, finalmente, nasceram-lhes os irmãos gêmeos, Esaú e Jacó. E Jacó veio a tornar-se o terceiro dos grandes patriarcas hebreus, através dos quais se formou o povo de Israel, por meio de quem o pacto messiânico foi perpetuado.

A fome, provocada pela seca, forçou Isaque a levar sua família para Gerar. Em uma terra estrangeira, e tendo de enfrentar possíveis perigos, ele julgou ser necessário apresentar sua esposa como se fosse sua irmã, duplicando o que Abraão fizera, muitos anos atrás (ver Gên. 12:10-20). Apesar de Abraão e Isaque terem sido ambos severamente criticados, porque supostamente «negaram» e não deram «proteção» às suas respectivas esposas, devemos lembrar que os chefes das pequenas tribos antigas podiam fazer qualquer coisa que quisessem com as mulheres do lugar, incluindo aquelas que passassem pelo seu território. Todavia, estamos falando acerca de tribos selvagens e pagãs, cujos costumes eram tão diferentes das comunidades civilizadas de hoje em dia. Apesar de Rebeca ser prima de Isaque, e apesar do uso lato que os antigos faziam de termos como irmão, irmã, pai, etc., não se pode negar que o intuito de Isaque foi o de enganar os habitantes de Gerar, a respeito da verdadeira identidade de Rebeca, em relação a ele. Mediante tal esquema, mesmo que ela tivesse de perder sua virtude, pelo menos salvar-se ia a vida dela (e, por que não dizer, a dele também). Muitos homens modernos, se se vissem em tais circunstâncias, fariam algo similar. Mas Abimeleque, o chefe de Gerar, ao surpreender Isaque brincando com Rebeca, percebeu de pronto que ela era esposa dele, e não irmã; e, chamando Isaque à sua presença, repreendeu-o pelo engodo. E Isaque confessou que agira daquele modo com medo de perder a vida. Felizmente para Isaque e Rebeca, Abimeleque era homem probo, e chegou a proibir que qualquer homem de seu povo fizesse qualquer malefício a Isaque ou à sua esposa. Até mesmo entre os pagãos podemos encontrar algumas virtudes. «Quando, pois, os gentios que não têm lei, procedem por natureza de conformidade com a lei, não tendo lei, servem eles de lei para si mesmos. Estes mostram a norma da lei, gravada nos seus corações...» (Rom. 2:14,15).

Com o tempo, Isaque prosperou; e isso serviu para despertar a inveja dos filisteus em derredor. A fim de evitar problemas, ele se mudou para Berseba, onde erigiu um altar. E novamente recebeu as promessas e as bênçãos de Deus. A providência de Deus estava em operação, a despeito dos perigos que apareciam e desapareciam.

Quando Isaque tornou-se homem idoso, débil e cego, preparou-se para transmitir a última bênção a seu filho primogênito (embora gêmeo), Esaú, que era seu filho favorito. Entretanto, Rebeca preferia Jacó, e ansiava para que este recebesse a bênção paterna. Daí originou-se o relato, contado por tantas vezes, de como Isaque foi enganado pelo disfarce de Jacó, que o levou a supor que estava abençoando a Esaú. Foi assim que Jacó foi confirmado como o «suplantador»,

conforme o seu nome também significa. Esaú, por sua vez, recebeu uma bênção secundária, e ficou muito indignado por causa disso. Isso criou um longo período de conflitos entre os dois irmãos, o que poderia ter resultado em alguma grave violência, se Jacó não tivesse abandonado a região. Jacó voltou à Mesopotâmia, a fim de arranjar esposa, enquanto Isaque, Rebeca e Esaú permaneceram na Palestina.

Finalmente, Isaque faleceu, com cento e oitenta anos de idade, e foi sepultado por seus dois filhos, na caverna de Macpela, perto de seus pais e de sua esposa, Rebeca, que já havia falecido algum tempo antes. E os dois irmãos, Esaú e Jacó, adversários durante tantos anos, fizeram as pazes. Os antigos ódios foram ultrapassados; e, pessoalmente, acredito que a graça de Deus, de alguma maneira, também chegou a beneficiar a Esaú, apesar da má reputação dele na antiga tradição rabínica, o que transparece no nono capítulo da epístola aos Romanos.

II. A Origem do Nome

No tocante às circunstâncias de seu nascimento, lemos que várias pessoas riram-se. Abraão riu-se quando lhe foi revelado que ele teria um filho na sua velhice (Gên. 17:17), o que também foi a reação de Sara, a mãe de Isaque (Gên. 18:12). E ainda outros sentiram vontade de rir, quando souberam do que estava sucedendo (Gên. 21:6). Sara foi repreendida por Deus, – por ter rido, o que foi interpretado como sinal de falta de fé no poder de Deus. E, quando ela negou que se tinha rido, foi repreendida novamente. Mas Sara mentiu por motivo de temor. Seja como for, a promessa divina teve cumprimento. Mas, com base nessa circunstância de que várias pessoas riram-se, o menino recebeu o nome de Isaque, «riso», no hebraico. O riso original fora divertido, e não zombeteiro, embora refletindo certa fraqueza de fé. Todavia, nesse riso também podemos perceber o *júbilo* diante do cumprimento das promessas de Deus, o que, finalmente, resultou na vinda do Messias a este mundo, através da linhagem de Isaque.

Lemos nos textos ugaríticos que o deus *El* costumava rir-se. Algo semelhante se acha no segundo salmo. Talvez Isaque fosse um nome comum, baseado na crença da existência de um deus risonho. Mas, no tocante ao Isaque da Bíblia, é quase certo de que seu nome lhe foi dado por causa dos vários incidentes de riso, conforme se vê acima.

III. Sacrifício Humano por Deus?

Não há que duvidar que esse é o aspecto mais difícil do relato bíblico sobre Isaque. De fato, é um dos mais árduos problemas de todo o Antigo Testamento. Aqueles que tentam apoiar a teoria de que não existe tal coisa como revelação divina progressiva, encontram boa variedade de maneiras para desculpar *Yahweh* por ter dado a Abraão a ordem de sacrificar seu filho, Isaque. Todo esse esforço é inútil. Por que não confessar logo que estamos ali tratando com um primitivo conceito acerca de Deus, que foi totalmente ultrapassado pela tradição religiosa hebreu-cristã, tendo então sido abandonado como inaceitável?

Sentimo-nos desolados diante do vigésimo segundo capítulo de Gênesis. Nenhuma explicação pode aliviá-lo da sua demonstração de uma religião primitiva. Mesmo que Abraão tivesse crido, sinceramente, que Deus requerera dele um sacrifício humano, e isso do seu próprio filho, é impossível crermos que *Deus*, realmente, tivesse feito a ele tal exigência. Abraão certamente errou (embora em boa fé), apesar de seu estado espiritual avançado. Podemos extrair do relato muitas boas lições morais, mas é catastrófico para a fé religiosa sã a suposição de que

ISAQUE

Deus, sob quaisquer circunstâncias, tivesse ordenado que se oferecesse um sacrifício humano. Mais tarde, na legislação de Israel, os sacrifícios humanos foram estrita e enfaticamente proibidos. Ver Lev. 18:21. A *pena de morte* foi imposta aos desobedientes (Lev. 20:2,3).

Contudo, a lição espiritual que se sobressai nesse relato é a da suprema dedicação de Abraão ao Senhor, uma dedicação desde o próprio lar. A fé religiosa requer de nós todos, se quisermos ser sinceros, que nossos filhos devam ser a primeira coisa que dedicamos a Deus. Naturalmente, temos nesse incidente um tipo do sacrifício do Filho de Deus. Deus amou de tal maneira ao mundo, que deu o Seu próprio Filho (João 3:16). O primeiro mandamento da lei mosaica determina que amemos a Deus de todo o coração e de todas as nossas forças; em seguida, em grau de importância, temos o mandamento para amarmos ao próximo como a nós mesmos. Abraão, pois, demonstrou esse tipo de amor a Deus, sem importar o quão equivocado fosse o seu ato.

Uma outra lição que se evidencia aqui é que as pessoas religiosas, a despeito de suas boas intenções e grande sinceridade, podem estar equivocadas naquilo que fazem e crêem, embora essa seja uma lição que todos preferimos olvidar. A arrogância cega.

IV. As Notáveis Características de Isaque

Isaque foi o único dos três grandes patriarcas hebreus que nasceu na Terra Prometida e nunca a abandonou. Acima dos outros dois, ele ancorava a história de Israel àquela região. Esse relato também nos mostra como a linhagem prometida passava por Jacó, ao passo que Esaú deu origem aos idumeus. Deus tem os seus escolhidos. Essa é uma das ilustrações mais claras da Bíblia — usada por Paulo — para mostrar o fato. «E ainda não eram os gêmeos nascidos, nem tinham praticado o bem ou o mal (para que o propósito de Deus, quanto à eleição, prevalecesse, não por obras, mas por aquele que chama), já lhe fora dito a ela (Rebeca): O mais velho será servo do mais moço. Como está escrito: Amei a Jacó, porém, me aborreci de Esaú» (Rom. 9:11-13).

O relacionamento de Isaque com Deus caracteriza-va-se pela passividade, pela confiança instintiva, pela submissão e pela devoção (Gên. 22:7; 25:21). Jacó referiu-se a Deus como «o Temor de Isaque» (Gên. 31:42,53), o que demonstra a completa devoção de Isaque ao Senhor. No Talmude e no judaísmo posterior, Isaque simbolizava a submissão do povo de Israel à inexcrutável vontade de Deus. Isso, naturalmente, estava vinculado à história de como Isaque submeteu-se a ser sacrificado a Deus, sem queixas e questionamentos.

Os intérpretes julgam como fraqueza de caráter o fato de Isaque ter mentido acerca de sua esposa e de sua preferência por Esaú (o que se deveria ao fato de que Esaú caçava e satisfazia ao apetite de Isaque; Gên. 25:28). Ou, pelo menos, esses incidentes mostrariam lapsos sérios na vida de Isaque. Mas, dificilmente poderíamos julgar o caráter geral de um homem por causa de dois incidentes difíceis de julgar, ou mesmo por causa de alguma atitude errada e persistente, de algum tipo. É verdade que a bênção que Isaque tencionava proporcionar a Esaú, finalmente foi dada a Jacó, por desígnio divino; e isso não por causa do próprio Jacó e, sim, por causa do plano divino relativo ao povo de Israel, porquanto esse povo seria o instrumento mediante o qual o Messias chegaria ao mundo e cumpriria a sua missão terrena.

«A vida de Isaque, julgada segundo normas mundanas, pode parecer inativa, ignóbil e infrutífera;

mas os anos de vida imaculada, de oração, de atos graciosos, de ações de graças diárias, em meio a atividades tipicamente pastorais, não devem ser julgados por esse prisma, embora não nos pareçam espetaculares. O caráter de Isaque talvez não tenha exercido nenhuma influência dominante sobre a sua geração e sobre as gerações subseqüentes; mas foi suficientemente assinalada e coerente para conquistar o respeito e a inveja da parte de seus contemporâneos. Seus pósteros sempre lhe deram uma honra idêntica à que dão a Abraão e a Jacó. Esse nome chegou mesmo a ser usado como parte de uma fórmula empregada pelos mágicos egípcios dos tempos de Orígenes (*Contra Celso* 1:22), empregada como eficaz para amarrar demônios que quisessem conjurar» (Smith, *Dicionário Bíblico*).

V. Isaque no Novo Testamento

Além das duas vezes em que Isaque aparece na genealogia de Jesus (ver Mat. 1:2 e Luc. 3:34), há outras referências a ele, como na expressão «...o Deus de Abraão, o Deus de Isaque e o Deus de Jacó...» (Mat. 22:23; Mar. 12:26; Luc. 13:28 e 20:37). Lucas repete essa fórmula em Atos 3:13, como parte de um dos sermões de Pedro. No sétimo capítulo de Atos, no discurso defensivo de Estêvão, Isaque é mencionado em conexão com a narrativa da história de Israel (vs. 8 e 32). E as passagens de Rom. 9:7,10 e Gál. 4:28 enfatizam Isaque como um filho prometido, que serve de ilustração sobre a posição favorecida do Novo Israel (a Igreja), que também seria um filho prometido. O trecho de Heb. 11:9 ressalta a vida de peregrinações dos patriarcas (entre os quais estava Isaque), como herdeiros que foram da promessa divina de salvação. Hebreus 11:17 menciona o sacrifício de Isaque, por parte de Abraão, como um ato de fé. O fato de que ele foi preservado vivo representa a ressurreição (vs. 19). E o versículo vigésimo mostra-nos que a bênção dada por Isaque a Jacó era profética, sem dúvida alguma envolvendo a promessa messiânica, que passava por Isaque. O trecho de Tia. 2:21 refere-se ao sacrifício de Isaque, por parte de Abraão, como prova de que um crente é justificado, igualmente, por suas obras de fé, e não somente pela fé, o que o contexto afirma enfaticamente, especialmente no versículo vigésimo quarto. Muitos pensam que temos nisso uma típica interpretação rabínica, que Tiago usou para defender sua tese. Ver sobre o *Legalismo*.

VI. Tipologia

1. O servo que foi enviado por Abraão a fim de obter esposa para Isaque serve de símbolo de Espírito Santo, que está buscando uma noiva para Cristo. De acordo com esse tipo, Abraão simboliza Deus Pai, e Isaque representa Deus Filho. E a noiva é a Igreja, ver Gên. 24.

2. O nascimento de Isaque, que foi miraculoso, representa o nascimento virginal do Filho. Ver Gên. 21:1,2.

3. O sacrifício de Isaque simboliza o sacrifício de Jesus Cristo, o Filho de Deus. Ver Rom. 8:32. Deus «...não poupou a seu próprio Filho...» E o Filho de Deus também foi obediente até à morte (Fil. 2:5-8), exibindo a mesma atitude que a de Isaque, diante da morte.

4. Isaque, como filho da promessa, também simboliza a todos os filhos da promessa, que, coletivamente, formam a Igreja. Ver Gál. 4:28.

5. Os filhos espirituais de Abraão, todos os quais passam através de Isaque, simbolizam o novo Israel, a Igreja, ver Gál. 4:28.

6. Isaque também simboliza a nova natureza do

ISBÃ – ÍSIS

crente, nascido «...segundo o Espírito...» (Gál. 4:29).

7. *A Providência de Deus*. É curioso que, contra todas as expectativas, Isaque não morreu em face da enfermidade que o levou a abençoar apressadamente a Jacó e a Esaú. Parece que ele ainda viveu por cerca de mais trinta anos, até que, finalmente, morreu, já com cento e oitenta anos de idade. Portanto, viveu por mais tempo que Abraão ou que Jacó. Isso contém uma lição para nós. O propósito de Deus, operante em nossas vidas, garante que elas sejam vividas em consonância com a tabela de tempo de Deus, e que nem mesmo enfermidades sérias podem frustrar os desígnios do Senhor. Além disso, notemos a intervenção divina. A bênção acabou sendo outorgada a Jacó, embora Isaque tivesse planejado de outro jeito. Essa é uma preciosa lição acerca da providência divina em nossas vidas, e do que tanto necessitamos.

ISBÃ

No hebraico, «ele louvará». Esse era o nome de um descendente de Judá, pai ou fundador de Estemoa (I Crô. 4:17). Era filho de Merede e Bitia, esta filha de Faraó. Alguns identificam-no com o Isi do vs. 20 desse mesmo capítulo, ou então, com o Naã do versículo dezenove. Viveu por volta de 1600 A.C.

ISBI-BENOBE

No hebraico, «meu assento está em Nobe». Ele era um dos gigantes ou refains. Levava uma lança cuja ponta de bronze pesava trezentos siclos, ou seja, cerca de 3,4 kg. O siclo equivalia a 11,4 gramas. Ver II Sam. 21:16. Ele era um dos quatro filhos nascido a um gigante que vivia entre os filisteus, na cidade de Gate. Ver II Sam. 21:22. Esse gigante, que já se preparava para tirar a vida de Davi, extremamente fatigado na batalha, foi morto por Abisai, filho de Zeruia. Isso aconteceu por volta de 1018 A.C.

ISCÃ

No hebraico, «vigilante». Esse era o nome de uma filha do irmão de Abraão, Harã. Era irmã de Ló (Gên. 11:29). As tradições judaicas e também Jerônimo (*Quaest*. sobre o Gênesis) identificavam-na com Sara. Isso também é mencionado por Josefo (*Anti*. 1:6,5).

ISCARIOTES

Ver sobre **Judas**, segundo item, **Judas Iscariotes**. Muitos pensam que essa palavra significa «homem de Queriote» (vide), ou seja, no hebraico, *'ish qerioth*. Era esse o sobrenome de Judas, o traidor de Jesus, da mesma maneira que Aquino (um lugar) servia de sobrenome de Tomás de Aquino. Esse Judas era assim chamado a fim de ser distinguido de outro apóstolo com o mesmo nome, Judas, já que esse era um nome judaico muito comum na época. Ver Mat. 10:4.

ISHI (NOME DE DEUS)

Em nossa versão portuguesa encontramos a tradução dessa palavra hebraica, «meu marido». Oséias predisse que esse nome seria usado por Israel, no futuro, ao referir-se a Deus, em vez de usar o nome *Baali* (em nossa versão portuguesa, «meu Baal»), porquanto esse último nome estava associado à adoração pagã ao deus *Baal* (vide). Ver Osé. 2:16.

••• ••• •••

ISHVARA

A forma personalizada de Deus, em contraste com o Brahman impessoal, de acordo com o hinduísmo. Esse nome é usado por seitas teístas do hinduísmo, como o apelativo do Ser Supremo.

ISI

No hebraico, «salutar». Nome de várias personagens bíblicas, a saber:

1. O filho de Apaim, um descendente de Judá, e pai de Sesã (I Crô. 2:31). Pertencia à casa de Hezrom, e viveu em cerca de 1612 A.C.

2. Antepassado de vários simeonitas, que encabeçaram uma expedição de quinhentos homens armados. Eles tomaram o monte Seir dos amalequitas, que se haviam apossado do mesmo (I Crô. 4:42). Esse Isi viveu em cerca de 726 A.C.

3. O pai de Zoete e de Ben-Zoete (I Crô. 4:20). Ele viveu por volta de 1017 A.C.

4. Um chefe da tribo de Manassés, que se tornou conhecido por sua bravura. Ele vivia na região leste do rio Jordão (I Crô. 5:24), por volta de 720 A.C.

ÍSIS

Essa deusa egípcia da natureza vinha sendo adorada no Egito pelo menos desde 1700 A.C. Juntamente com Mitra e com a Grande-Mãe, o seu culto foi uma das três adorações que mais se opuseram à emergente fé cristã, no Egito. Gradualmente, porém, o cristianismo foi prevalecendo, mas a influência do culto a Ísis perdurou ainda por muito tempo. No Egito, Ísis tornou-se uma espécie de modelo dos seus fiéis, bem como de uma esposa e mãe amorosa. Talvez ela tivesse personalizado o trono real, porquanto seu nome tem sido encontrado inscrito nos tronos reais do Egito, embora os eruditos não tenham certeza sobre como se deve interpretar esse fato.

Tradicionalmente, ela era irmã e esposa do deus Osíris. Quando Sete, à traição, matou e então desmembrou o corpo de Osíris, Ísis reconstituiu cuidadosamente o cadáver dele e, com suas artes mágicas, fê-lo reviver, a fim de que, unidos, pudessem cuidar dos poderes do mundo inferior, onde Osíris deveria governar como monarca. O casal gerou um filho, Horus, que precisou ficar escondido até estar preparado para enfrentar o maligno Sete, e apossar-se do anterior reino de seu pai, que Sete havia usurpado. Isso Horus acabou conseguindo fazer. E assim, Horus tornou-se o símbolo dos Faraós vivos e de sua divindade protetora, enquanto que Osíris continuou sendo considerado o governante do mundo dos mortos. De acordo com a astrologia egípcia, Ísis seria a estrela Sotis (Sírio), fiel companheira de Osíris, o Órion.

Ísis teria uma mágica tão poderosa por ter aprendido qual o nome secreto do deus-sol, Rá. Ao tomar conhecimento desse nome, ela adquiriu os poderes dele. A adoração a Ísis propalou-se largamente na época dos Ptolomeus; e mais ainda no período da dominação romana. Os templos dedicados a Ísis podiam ser encontrados por toda a parte, com os sacerdotes dedicados a ela, o que representava um poderoso desafio idólatra ao cristianismo.

O conflito entre Osíris (o sol) e Sete (a noite) simboliza a luta entre o bem e o mal, como também entre a imortalidade da alma e o eterno esquecimento.

384

ÍSIS-OSÍRIS — ISMAEL

ÍSIS-OSÍRIS

Ver os artigos separados sobre *Ísis* e *Osíris*, e também sobre as *Religiões Misteriosas* (*dos Mistérios*).

ISIDORO DE SEVILHA

Suas datas foram 560-635 D.C. Foi um filósofo espanhol. Nasceu em Cartagena. Foi bispo de Sevilha. Escreveu prolificamente. Suas *Etimologias*, além de outros livros de texto, preservavam a erudição da época, ao mesmo tempo que suas obras de cunho prático eram notáveis como fontes informativas, mesmo que não se notabilizassem por sua originalidade. Seu interesse pela sistematização do conhecimento da época foi o que o levou a produzir as *Etimologias*, uma espécie de enciclopédia. A influência dessa obra foi grande durante a Idade Média.

Isidoro de Sevilha se achava entre os homens mais eruditos de seu tempo. Ele arquitetou um programa cujo desígnio era fundir as instituições romanas e góticas em uma cultura nacional homogênea, na Espanha. Alguns dos fatores dessa fusão eram a conversão dos visigodos ao cristianismo romano, a restauração da erudição e o apoio dado aos reis visigodos. Suas idéias e seus atos influenciaram profundamente e até mesmo modificaram a Igreja católica espanhola. O concílio de Toledo (633 D.C.) ordenou o estabelecimento de escolas nas catedrais de cada diocese, aprimorou a educação dos padres e padronizou a liturgia. Isidoro faleceu em Sevilha, a 4 de abril de 636, e foi canonizado em 1598 e declarado doutor da Igreja em 1722. Sua festa é celebrada a 4 de abril.

ISLÃ

Essa palavra é de origem árabe e significa «submissão a Deus». Esse é o nome da religião fundada por Maomé, religião essa também conhecida por islamismo e maometanismo. As tradições islâmicas dizem que o anjo Gabriel perguntou de Maomé (o mensageiro de Deus): «O que é o islã?» E Maomé replicou, dando a essência da fé islâmica: «O islã é crer em Deus e no seu profeta; é dizer as orações prescritas; é dar esmolas; é observar a festa de Ramadã, e é fazer uma peregrinação a Meca».

Visto que Maomé pregava a submissão a Deus, por isso mesmo ele chamou a fé religiosa, por ele fundada, de «islã». Os seguidores do islamismo são os *muçulmanos* (vide). Artigos a serem consultados, para a obtenção de completas informações sobre o islamismo:

1. Maomé
2. Maometanismo
3. Ética Islâmica
4. Filosofia Islâmica
5. Alcorão

Ver também o artigo sobre *Ismael* e sobre o pano de fundo racial e histórico dos povos (árabes) que têm estado mais intensamente envolvidos com o islamismo.

ISMA

No hebraico, «desolado». Esse era o nome de um descendente de Judá (I Crô. 4:3). Aparentemente era filho do fundador de Etã (vide). Sua vida esteve associada à aldeia de Belém (vs. 4). Viveu por volta de 1612 A.C. Os nomes de seus irmãos eram Jezreel e Idbas.

ISMAEL

Esboço:
1. O Nome
2. Circunstâncias de seu Nascimento
3. Sumário da Vida de Ismael
4. O Filho Rejeitado
5. Incidentes Posteriores de sua Vida
6. Descendentes de Ismael
7. Ismael no Novo Testamento

1. O Nome. «Ismael», Deus ouve. A raiz básica é El, um nome comum aplicado a Deus, que significa «forte» ou «força». Ver o artigo sobre *Deus, Nomes Bíblicos*. A essa raiz está vinculada a palavra hebraica que significa «ouvir». Portanto, esse nome pode ser interpretado como «Deus ouve», «Deus ouviu» ou «Deus ouvirá». Em Gênesis 16:11, lemos: «...a quem chamarás Ismael, porque o Senhor te acudiu na tua aflição». Deus ouvira Hagar quando ela clamara a Ele, em grave momento de necessidade. O trecho de Gên. 21:17 mostra-nos que o Senhor também ouviu a voz de Ismael. Assim, em ambos os casos, encontramos em atuação a providência de Deus.

2. Circunstâncias de seu Nascimento. No Oriente Próximo e Médio era muito importante para as mulheres casadas que elas tivessem filhos. Se uma mulher casada fosse estéril, era costume ela prover filhos e herdeiros para seu marido, por algum outro meio. Um meio comum consistia em dar ela uma serva ou escrava, ou mesmo várias, a seu marido, para lhe servirem de concubinas. E os filhos nascidos do concubinato eram criados pela esposa legítima, ficando sob seu controle. Portanto, temos aí um antigo caso de mães substitutas, com a diferença que, na atualidade, essas mães recebem uma certa quantia em pagamento, a fim de dar à luz a uma criança. O modelo antigo envolvia concubinas que, naturalmente, era um método mais satisfatório em vários sentidos. Tal como nos tempos modernos, o método antigo também causava conflitos, conforme se vê no caso de Hagar e Ismael. Visto que Hagar era serva de Sara, Ismael era considerado filho legal de Sara. Têm sido encontradas evidências arqueológicas em favor dessa prática. Um caso especializado é mencionado no código de Hamurabi, ponto 146 (que envolvia uma sacerdotisa). No entanto, naquela porção do mundo antigo havia uma lei generalizada no sentido de que a mãe escrava não podia fazer prevalecer os seus direitos sobre a mãe livre. Às escravas não se permitia que fossem arrogantes ou exigentes. Ora, o trecho de Gên. 16:4 mostra-nos que Hagar, tendo concebido, desprezava Sara no íntimo. E mostrou-se orgulhosa e altiva. Ela, e não Sara, é quem pudera dar um filho a Abraão! E Sara sentiu-se profundamente ofendida diante disso, conforme se vê no quinto versículo, onde também Sara falou na «afronta» sofrida. Sara, pois, exigiu justiça da parte de Abraão. E assim Sara, promovendo seus próprios direitos, mas esquecendo-se da caridade e do espírito de conciliação, perseguiu Hagar ao ponto — que esta acabou fugindo.

O Anjo do Senhor, entretanto, saiu no encalço de Hagar, porquanto havia um propósito divino em andamento que requeria que Hagar e Ismael ficassem, por mais algum tempo, em companhia de Abraão. O Anjo do Senhor encontrou Hagar no deserto, perto de uma fonte de água, e a enviou de volta, recomendando que ela se submetesse a Sara, sua senhora. Foi esse o primeiro conflito árabe-judaico. Hagar obedeceu, totalmente admirada de que «vira a Deus», mas continuava viva para contar o fato. Incidentalmente, percebemos a convicção, comum ao primitivo judaísmo, de que ver o Anjo do

ISMAEL

Senhor era a mesma coisa que ter visto ao Senhor.

Em todo esse incidente também encontramos uma lição sobre as intervenções divinas. Fazemos as coisas de acordo com a nossa razão ou com as nossas paixões, as quais nos dominam em grande parte — se não a razão, então as paixões. Porém, Deus tem uma idéia diferente da nossa, e intervém. No caso de Hagar, doutra sorte, provavelmente, ela pereceria no deserto, juntamente com o filho que trazia no ventre. No entanto, uma nação poderosa haveria de nascer dela, e isso de acordo com os propósitos de Deus (Gên. 16:11 ss). Algumas vezes, precisamos da intervenção divina em nossas vidas, para reconduzir-nos à trilha certa, ou para ajudar-nos a enfrentar obstáculos que não poderíamos transpor sozinhos. Ver o artigo separado sobre *Hagar*.

3. Sumário da Vida de Ismael. Hagar, que era egípcia, evidentemente estava retornando de sua fuga de Sara. O anjo interveio e enviou Hagar de volta a Abraão. Ismael nasceu quando Abraão tinha cerca de oitenta e seis anos de idade (Gên. 16:16). Naquele tempo, ele vivia perto de Hebrom (Gên. 13:18). E quando Ismael chegou aos treze anos (Gên. 17:1), Deus estabeleceu um pacto com Abraão, que incluía a necessidade da circuncisão de todos os homens que viviam em sua casa. Ismael, pois, foi incluído na operação.

Ao que parece, Abraão se sentia muito apegado a Ismael, porquanto quando lhe foi anunciado que um filho nasceria de Sara, e que através desse filho, Isaque (vide), a promessa constante no pacto abraâmico (vide) teria cumprimento, Abraão disse a Deus: «Oxalá viva Ismael diante de ti» (Gên. 17:18). Porém, Deus tinha um plano diferente, pois de Ismael procederia uma grande nação, mas de Isaque, o filho da promessa, descenderia a nação de Israel, que seria o meio da vinda do Messias a este mundo!

Algum tempo depois, nasceu Isaque. Hagar e seu filho cairam em desfavor e foram expulsos, e então, puseram-se a vaguear pelos lugares ermos em redor de Berseba. O trecho de Gên. 21:9 indica que Ismael tomou uma atitude hostil contra Isaque. O sentido exato desse versículo não é claro, e tem sido interpretado de várias maneiras. Uma interpretação comum é que Ismael havia zombado do infante Isaque por ocasião da cerimônia do desmame. Talvez tudo quanto temos aí seja aquele ciúme comum de um irmão mais velho diante de um irmão mais novo, que lhe ameaça a posição. Usualmente, tais coisas acabam sendo ajustadas, mas Sara não tinha paciência de tentar a conciliação, e exigiu, novamente. que Abraão expulsasse a *egípcia* e o filho dela. Abraão fez o que Sara exigiu, embora com bastante relutância. Alguns intérpretes judeus exageram a questão, dizendo que Ismael era uma ameaça à integridade física de Isaque, ou então, que Ismael praticava a idolatria e tentara arrastar Isaque à mesma prática.

O trecho de Gên. 21:14 ss registra uma história comovente. Abraão, triste no coração, levantou-se cedo pela manhã e preparou pão e água para Hagar, para que ela levasse em sua jornada de volta ao deserto. Então ela pôs as provisões sobre o ombro e partiu, levando consigo a Ismael. Ela adotou uma vida de nômade, no deserto de Berseba, não muito distante da tenda de Abraão. Mas, houve um momento, antes disso, em que ela pôs Ismael debaixo de uns arbustos, para deixá-lo morrer à míngua. E foi sentar-se longe dele, a fim de não ser testemunha do evento. Então Ismael chorou, e Deus precisou fazer uma segunda intervenção em favor dele. O Anjo do Senhor apareceu novamente. Foi reiterada a promessa

de que uma grande nação procederia dele. É Deus quem controla os destinos, e não as vicissitudes da vida humana. Hagar foi orientada na direção de certo manancial de água, e assim a vida dela e de seu filho foram salvas. Ela e Ismael continuaram a viver no deserto de Parã. E, sendo egípcia, Hagar providenciou para que, com o tempo, Ismael obtivesse uma esposa egípcia.

É interessante observarmos que apesar de Ismael não ter sido um filho prometido, ainda assim tinha um destino que era importante aos olhos de Deus. Por conseguinte, houve duas provisões divinas: uma delas, através de Isaque, com propósitos específicos; e outra, através de Ismael, com um propósito específico, embora diferente, mas igualmente útil. Por igual modo, no trato de Deus com a humanidade, há a redenção dos eleitos, mas também há a restauração dos **não-eleitos**, afinal. Ver sobre *Redenção* e sobre *Restauração*. As idéias de Deus sempre são mais amplas que as idéias humanas, sempre mais universais e mais satisfatórias.

4. O Filho Expulso. Alguns intérpretes frisam que o ato de expulsar um filho era algo contrário aos costumes antigos daquela região do mundo. Castigar, sim, restringir privilégios, sim. Mas, expulsar? Além disso, as razões dadas — Ismael zombou de Isaque, exibindo ciúmes — **dificilmente justificariam** uma reprimenda tão severa. E, se alguns intérpretes pensam que o texto dá mostras de que Ismael estava ameaçando seriamente a vida de Isaque, o próprio Antigo Testamento não indica tal coisa nem de longe. O que mais se pode deduzir do texto sagrado é que Sara foi assaltada por um violento ataque de ciúmes; e, quer creiamos quer não, ela parece que exercia bastante ascendência sobre Abraão, que, desejando manter bons relacionamentos com ela, dispôs-se a praticar um ato contrário à natureza. Outros intérpretes salientam que o termo hebraico *tsachaq*, que nossa versão portuguesa traduz por «caçoava» (ver Gên. 21:9), na verdade indica que tudo quanto Ismael estava fazendo era «brincando» com Isaque. Essa é a tradução que aparece, por exemplo, na *Revised Standard Version*. E a tradução portuguesa da Imprensa Bíblica Brasileira diz apenas: «...Sara viu *brincando* o filho de Agar, a egípcia». Isso poderia envolver Isaque, ou não, visto que essa parte é suprida por alguns tradutores, não fazendo parte do original hebraico. Seja como for, parece que o ato de Ismael foi inocente, sem manifestar qualquer hostilidade contra Isaque. Mas Sara meramente foi atacada por violento surto de ciúmes, e simplesmente não queria que houvesse qualquer competição contra Isaque. O filho dela era um príncipe, enquanto que o filho da escrava era perfeitamente supérfluo. A enciclopédia Z, quanto a esse incidente, meramente supõe que o problema é que Sara não queria que houvesse um competidor de seu filho. E assim, não mandou Ismael embora por causa de qualquer coisa que ele tivesse feito. E o fato de que Abraão anuiu à voz de Sara mostra-nos o poder que Sara exercia sobre ele. Algumas mulheres, na verdade, são poderosas. Poderíamos dizer:«Eu a teria posto no seu devido lugar». Porém, é muito difícil pôr certas mulheres no lugar delas. Felizmente, nem todas as mulheres são desse tipo.

Todavia, a lição que nos convém aprender não é como são certas mulheres e, sim, observar que a despeito de todos os empecilhos, o propósito de Deus relativo a Isaque não pôde ser impedido, e teve seu devido cumprimento, o que também aconteceu no caso de Ismael.

5. Incidentes Posteriores. Ismael cresceu no

ISMAEL — ISMAELITA

deserto, tornou-se arqueiro e teve mulheres egípcias. Teve doze filhos (Gên. 25:13-15), presumivelmente de uma só mulher, que também lhe deu uma filha, de nome Maalate (Gên. 28:9). Todavia, há estudiosos que pensam que todos esses filhos não eram de uma única mulher, embora o próprio texto sagrado não diga tal coisa.

Ismael e Isaque Unidos na Morte de Abraão. Ver Gên. 25:9. Visto que, no Oriente, os funerais ocorriam pouco depois da ocorrência da morte do indivíduo, podemos concluir que a vida nômade de Ismael acabou levando-o até perto de onde Abraão residia. Também podemos supor que Ismael recebeu algum dote, sob a forma de propriedades, da parte de seu pai, nessa ocasião, ou antes disso, visto que aquele patriarca fez a mesma coisa com os filhos de Quetura (Gên. 25:6).

Nada mais é dito na Bíblia a respeito de Ismael, exceto que ele morreu com cento e trinta e sete anos de idade. Seus doze filhos deram nomes a doze tribos (cumprindo assim a promessa divina acerca de uma grande nação). E Maalate, sua filha (talvez entre várias) tornou-se uma das esposas de Esaú (ver Gên. 28:9). Ao contrário do que alguns pensam, Ismael não foi o fundador das nações árabes, porquanto antes disso essas tribos semitas já tinham tido seu começo; mas Ismael contribuiu para a formação da nação árabe, com a tribo que dele descendia.

6. Descendentes de Ismael. Ver Gên. 25:12-16 e I Crô. 1:29-31, que provêem essa informação. Assim como Jacó teve doze filhos, cada um deles originou uma das tribos de Israel, assim também sucedeu a Ismael, cujos doze filhos tornaram-se cabeças de tribos. A mesma coisa é dito acerca de Naor (ver Gên. 22:21-24). A menos que isso envolva mera coincidência, então, é possível que haja algum tipo de padrão organizacional dos povos daquela área do mundo, que envolvia o número doze como uma normativa. Ver o artigo separado sobre os *Ismaelitas*.

7. No Novo Testamento. Ismael não é chamado por nome em nenhuma porção do Novo Testamento; mas Paulo faz alusão a ele, em Gál. 4:29-31, embora sem mencionar o seu nome. Ali, Ismael é chamado de «o filho da escrava», que foi expulso da casa paterna como alguém que era perseguidor e não poderia ser herdeiro juntamente com «o filho da livre» (Isaque). Isso se alicerça sobre as interpretações rabínicas sobre a conduta de Ismael, e não sobre o próprio texto do Antigo Testamento. Paulo tirou vantagem disso a fim de se queixar de como a nova fé, o cristianismo, estava sendo perseguida pela antiga fé, o judaísmo. E fez da *lei* um equivalente à condição de *escrava* de Hagar e seu filho; mas a *liberdade* equivale à justificação pela fé, da *nova religião*. Esse uso alegórico (metafórico) deve ter parecido extremamente amargo e incoerente para a mente judaica. Pois, fazer do judaísmo o filho de Hagar, e do cristianismo o filho prometido, de Sara, certamente deve ter parecido uma blasfêmia para qualquer judeu que lesse os escritos de Paulo. Embora a ilustração paulina seja poderosa, tem sido questionada até mesmo por alguns intérpretes cristãos, no tocante à sua coerência e lógica. Na verdade, Paulo também interpretava alegoricamente o Antigo Testamento. Ver sobre *Interpretação Alegórica*. O uso que ele fez dessa interpretação empresta crédito a esse modo de interpretar, contanto que não seja exagerado e nem seja usado com exclusividade. Sabe-se que alguns rabinos gostavam muito de usar a interpretação alegórica. Paulo lançava mão desse modo de interpretar com certa raridade.

••• ••• •••

ISMAEL (OUTROS)

Ver o artigo sobre **Ismael**, filho de Abraão e Hagar. Outros indivíduos do mesmo nome, referidos nas páginas do Antigo Testamento, são os seguintes:

1. Um filho de Azael, descendente de Saul através de Meribaal ou Mefibosete (I Crô. 8:38 e 9:44). Viveu em algum tempo antes de 588 A.C.

2. Um homem de Judá, cujo filho (ou descendente), Zabadias, governava a tribo de Judá nos dias do rei Josafá (II Crô. 19:11). Viveu por volta de 875 A.C.

3. Um filho de Joanã, que era capitão de cem homens, e que ajudou Joiada, na substituição da usurpadora Atalia pelo legítimo pretendente do trono, Joás, ainda menino (II Crô. 23:1). Viveu por volta de 877 A.C.

4. Um filho de Pasur, que foi forçado a divorciar-se de sua esposa estrangeira, com quem se casara durante o cativeiro babilônico, depois que ele retornou a Jerusalém. Ver Esd. 10:22. Isso ocorreu em cerca de 456 A.C.

5. O assassino de Gedalias, que fora nomeado superintendente do remanescente de Judá, que fora deixado na Palestina quando do cativeiro babilônico. Gedalias tinha de prestar contas de seu governo aos babilônios. O motivo de seu assassinato, ao que parece, era debilitar ainda mais e destruir o que fora deixado da tribo de Judá na Palestina. Outros atos de traição certamente se seguiram. Gedalias havia sido avisado sobre o conluio, e alguém se oferecera por matar a Ismael, antes que ele pudesse matar a Gedalias. Gedalias, porém, não creu na informação. O rei dos amonitas, Baalis, entre as quais Ismael se refugiara na época do cativeiro babilônico, convenceu-o a perpetrar o crime. Talvez Ismael tivesse pensado que ganharia alguma posição de autoridade, ou seria recompensado de alguma outra maneira. Talvez Ismael pertencesse à família real, mas não se sabe se ele era filho ou não do rei Zedequias. Seja como for, após o assassinato, ele fez um certo número de reféns, entre os quais o profeta Jeremias e as filhas do rei Zedequias, e retornou aos amonitas. Porém, foi alcançado por Joanã, amigo de Gedalias, perto das águas de Gibeom, e Ismael foi forçado a libertar os seus reféns. O próprio Ismael, porém, conseguiu escapar com oito de seus auxiliares, e continuar a residir entre os amonitas. Ver o relato inteiro nos trechos de Jer. 40:7—41:18 e II Reis 25:23-25.

ISMAELITA

Ver Gên. 37:25,27,28. Esse termo, nesses versículos, refere-se a certo descendente de Ismael (vide). O vocábulo foi usado como uma designação genérica de povos árabes, ainda que, estritamente falando, Ismael tivesse sido o progenitor de somente certas tribos, através de doze filhos que se tornaram chefes de suas respectivas tribos. Em seu sentido estrito, esse nome aplica-se somente àqueles doze clãs. Foi aplicado, porém, a Jeter, pai de Amasa, por Abigail, irmã de Davi (I Crô. 2:17). Porém, em II Sam. 17:25, ele é chamado de *israelita*. Portanto, é possível que ele tivesse sido israelita, embora chamado de ismaelita porque vivia no território dos ismaelitas. Além disso, Ismael tornou-se um nome comum entre os israelitas (ver I Crô. 8:38; 9:44; II Crô. 19:11; 23:1; Esd. 10:22), pelo que nem sempre **uma ascendência não-**israelita era indicada por esse nome. Ver Gên. 25:12-16 e I Crô. 1:29-31 quanto aos descendentes de Ismael, bem como o sexto ponto do artigo sobre *Ismael*.

Maomé dizia-se descendente de Ismael. Visto que, historicamente falando, os árabes têm sido cuidado-

ISMAÍAS — ISOLACIONISMO

sos sobre suas genealogias, a exemplo dos judeus, é possível que a reivindicação dele fosse autêntica. Dando margem à miscigenação entre várias tribos, especialmente com os joctanitas e os queturaítas, quase chega a ser correto chamarmos os árabes de ismaelitas.

ISMAÍAS

No hebraico, «Yahweh ouvirá». Esse era o nome de duas personagens do Antigo Testamento:

1. Um gibeonita, líder daqueles que abandonaram Saul e se bandearam para Davi, tendo-se juntado a ele em Ziclague (I Crô. 12:4). A família de Saul também era de Gibeom (I Crô. 8:28,30,33). Ele viveu por volta de 1020 A.C.

2. Um filho de Obadias, um chefe nomeado por Davi para a tribo de Zebulom (I Crô. 27:19). O propósito de Davi era organizar melhor a nação. Isso ocorreu por volta de 1014 A.C.

ISMAQUIAS

No hebraico, «Yahweh sustentará». Esse era o nome de um levita que, por ordem do rei Ezequias, ficou encarregado das oferendas sagradas (II Crô. 31:13). Ele viveu por volta de 726 A.C.

ISMERAI

No hebraico, «que Deus preserve». Esse era o nome de um descendente de Benjamim. Ele era filho de Elpaal, que vivia em Jerusalém (I Crô. 8:18). Viveu por volta de 588 A.C.

ISÓCRATES

Suas datas foram 436-338 A.C. Ele foi filósofo e retórico grego, contemporâneo de Platão. Foi educado pelos sofistas (vide). Estabeleceu uma escola perto do Liceu, em cerca de 392 A.C. Um de seus alunos foi Speusipo, que foi o sucessor de Platão como chefe da Academia.

Isócrates foi um professor altamente bem-sucedido de retórica e oratória, e as suas idéias sobre a ética exerceram grande influência sobre vários pensadores da época. Nasceu em uma família rica e influente, pelo que teve a oportunidade de ouvir os filósofos que estavam produzindo uma revolução intelectual em seus dias. Seu professor que mais o influenciou foi o sofista Górgias. Foi esse Górgias que tentou elevar a prosa a um estilo tão elevado que pudesse competir com a poesia, seguindo o pendor da mente grega, que se tem perpetuado por milênios, para a eloqüência.

A escola fundada por Isócrates foi muito bem-sucedida e influente. Cícero observou que essa escola era como o cavalo de Tróia: «dali só saíam líderes». O próprio Isócrates não se ocupava na oratória pública, embora a ensinasse; mas enviou muitas cartas e panfletos, sob a forma de orações que influenciavam o pensamento, a política e as idéias éticas de muitos. Cícero foi muito influenciado por ele, pelo que passou a ter um lugar garantido, na tradição ocidental, como um artístico escritor em prosa. Restam vinte e uma de suas orações, e nove de suas cartas. Ele promovia a cultura grega como superior às outras culturas, e pensava que a mesma deveria ser imposta ao resto do mundo conhecido, pelo que foi uma espécie de antigo precursor do *helenismo* (vide).

1. Isócrates definia a retórica como *a arte da persuasão*. Ele fez da retórica uma ciência técnica muito superior àquilo que os sofistas tinham

conseguido. Ele enfatizava o uso da retórica com nobres propósitos, ao contrário dos sofistas, que a usavam com propósitos egoístas, e até mesmo dúbios. É com Isócrates que temos o começo da profissão dos advogados.

2. No campo da *ética*, Isócrates elogiava a utilidade da virtude, de ser alguém honesto, e ensinou uma forma da regra áurea que servia de lei normativa de seu sistema ético. Ele acreditava que a virtude pode ser ensinada com sucesso a outras pessoas, e que a essência básica da virtude é a *moderação*, o que se tornou um importante princípio da ética grega, e que foi trazida para o Novo Testamento pelo apóstolo Paulo (ver Fil. 4:5). Ele salientava que as leis morais devem manifestar-se na sociedade, e não meramente no indivíduo, e que nessa esfera ele obtém uma existência mais durável. Ele também abordava a ética de forma utilitarista, quanto a certos aspectos, embora não tivesse desenvolvido essa tendência, que foi deixada ao encargo de filósofos posteriores.

ISOLACIONISMO

1. Definição
2. Isolacionismo Político
3. Isolacionismo Religioso
4. Isolacionismo Estético

1. *Definição*. Essa palavra vem do latim, *isolare*, «isolar». No uso comum, pode significar pôr em uma situação distinta, separada. —Pode ser um isolamento geográfico, mental, moral ou espiritual. Pode envolver a separação de algo do todo. Pode indicar o exclusivismo.

2. *Isolacionismo Político*. As nações, na esperança de evitarem dificuldades e complicações, conseqüência comum e inevitável das relações exteriores, isolam-se em maior ou menor grau. Para isso, é mister que um país se torne essencialmente **auto-suficiente**, sacrificando qualquer vantagem advinda das relações internacionais. Mas, se assim se obtém uma certa liberdade, por outro lado perde-se um pouco de liberdade, pois, de fato, nenhum país pode viver totalmente independente e ainda assim satisfazer às necessidades de sua população, a menos que esse país seja uma pequena nação agrícola. Um governo é responsável pela segurança, pela paz e pela prosperidade de seus cidadãos. Nesta era moderna de populações em rápido crescimento e de sistemas de comunicação que se expandem rapidamente, a interdependência, e não a independência das nações, é um fato da vida. Um país independente e **auto-suficiente** acabará por ser objeto de agressão externa; e nesse momento é que o valor dos aliados se evidencia. A **auto-suficiência** na área econômica só pode ser obtida mediante o sacrifício de muitos bens de consumo. Outrossim, um país que nunca exporta, perde muitos empregos em potencial. E nenhum país pode exportar se também não importar, mediante acordos mútuos com outras nações. Do ponto de vista da ética, poder-se-ia argumentar que uma nação se assemelha a um indivíduo. Um país tem a responsabilidade de **inter-relacionar-se com** outros, não menos que um indivíduo tem a responsabilidade **de inter-relacionar-se com outros indivíduos**. Um país precisa pôr em prática a lei do amor e da cooperação mútua, tal como deve fazer o indivíduo, se quiser manter boas relações de amizade com outras pessoas. Por outro lado, um país está convidando o desastre, se se tornar por demais envolvido em dívidas. Nenhum governo deveria forçar o endividamento nacional além das possibilidades de pagamento da dívida. Temos aí um princípio econômico que poderia ter salvado

ISPA — ISRAEL, CONSTITUIÇÃO DE

muitos países do terceiro mundo dos desastres em que atualmente se encontram.

3. *Isolacionismo Religioso*. É verdade que há pessoas que pensam que o fato de que se isolam de outros cristãos (como uma denominação de outras denominações) é uma virtude. Na verdade, o que está sucedendo é que está sendo **ferida** a lei do amor. Existem princípios de separação bíblica que envolvem a necessidade de evitarmos vários tipos de males. Ver o artigo chamado *Separação do Crente*, que aborda com detalhes essa questão. Por outro lado, os cristãos têm encontrado muitas razões para se isolarem, formando facções hostis umas às outras, por causa de questões insignificantes. Assim, conheço uma escola bíblica que não recebe nenhum professor que não creia no arrebatamento pré-tribulacional da Igreja. Uma outra escola bíblica dividiu-se, tanto os professores quanto os alunos, sobre a questão se os seis dias da criação devem ser compreendidos ou não como dias literais de vinte e quatro horas cada um. É fácil alguém mostrar-se arrogante acerca de sua própria doutrina e espiritualidade. O conhecimento incha, e até mesmo um conhecimento falso faz a cabeça de muita gente **estufar como balões** de gás. Precisamos aprender duas lições básicas: a *tolerância* (vide), e, mais importante ainda, o *amor* (vide). Esses dois princípios têm a capacidade de eliminar muito isolacionismo espúrio.

4. *Isolacionismo Estético*. Essa é a teoria de uma interpretação estética que promove a idéia de que uma obra de arte pode ou deveria ser compreendida sem qualquer alusão ao seu contexto cultural e histórico. O *contextualismo*, em contraste com isso, assevera que toda obra de arte deveria ser entendida em termos de suas conexões culturais totais, e que tudo deveria ser historicamente condicionado.

ISPA

No hebraico, talvez signifique «ele arranhará». Outros pensam em «forte», «robusto». Esse era o nome de um benjamita, da casa de Berias. (I Crô. 8:16). Viveu por volta de 1400 A.C.

ISPÃ

No hebraico, «ele esconderá», embora outros pensem no sentido «forte», ou «robusto». Era um dos filhos de Sasaque, residente em Jerusalém. Era um chefe da tribo de Benjamim (I Crô. 8:22). Viveu por volta de 588 A.C.

ISRAEL

Quanto a definições e usos desse termo, ver a primeira seção do artigo intitulado *Israel, História de*.

Esta enciclopédia oferece muitos artigos que abordam o povo de Israel por vários ângulos. Ver os seguintes:

1. Antigo Testamento
2. Cronologia do Antigo Testamento
3. Ética do Antigo Testamento
4. Filosofia da História
5. Filosofia Judaica
6. Hasmoneanos
7. Hebraico
8. Hebreus (Povo)
9. Hebreus, Literatura dos
10. Israel, Constituição de
11. Israel de Deus
12. Israel, História de

13. Israel, Reino de
14. Israel, Religião de
15. Judá, Reino de Judá
16. Judaísmo
17. Legalismo
18. Lei no Antigo Testamento
19. Pactos
20. Período Intertestamental
21. Profecia: Tradição da, e a Nossa Época
22. Queda e Restauração de Israel
23. Rei, Realeza

O Antigo Testamento conta a história completa de Israel, de sua religião, de suas leis, de sua ética e de sua filosofia. Esta enciclopédia provê um artigo detalhado sobre cada um dos livros do Antigo Testamento.

O nome *Israel* tem feito parte da tradição judaica desde seu primeiro aparecimento, no Antigo Testamento, em Gên. 32:28. Lemos ali sobre como o anjo lutou com Jacó. Tendo prevalecido na luta, Jacó exigiu uma bênção da parte do anjo, que a concedeu e, ao mesmo tempo, mudou o nome de Jacó para *Israel*, que significa «Deus luta». «...pois como príncipe lutaste com Deus e com os homens, e prevaleceste». Do indivíduo, Jacó, o nome se estendeu aos seus descendentes, que então formaram a nação de Israel. No século XX, esse antigo nome, Israel, tornou-se a designação do país restaurado. O moderno estado de Israel, estabelecido em 1947, é um dentre mais de cinqüenta estados soberanos que têm vindo à existência desde que terminou a Segunda Guerra Mundial.

Israel (Jacó) Ver **Jacó.**

ISRAEL, CONSTITUIÇÃO DE

Esta enciclopédia contém muitos artigos relacionados a Israel. Ver o artigo *Israel*, onde há uma lista.
Esboço:

   I. O Israel Patriarcal
   II. O Israel Teocrático
   III. A Constituição Civil de Israel
   IV. Propósitos Históricos de Israel

Introdução:

Israel não era o único país que dependia muito de alegadas informações e inspiração divina como princípios normativos de governo e de padrões de vida em geral. De fato, quando lemos a história das nações antigas, com suas leis e seus costumes, ficamos impressionados com o grande poder que a religião exercia sobre todos os aspectos da vida delas. Mas, apesar de Israel não estar isolada quanto a esse particular, talvez, dentre todas as nações, seja ela aquela que melhor exemplifique a operação do princípio divino, em cooperação com o poder civil e secular. Talvez até seja um erro falar sobre qualquer coisa secular em Israel, se estamos falando sobre teorias. Deus propusera-se a governar todas as coisas, individual e coletivamente. Na prática, houve muitos desvios e abusos dessa situação. Seja como for, em Israel temos a mescla da constituição *civil* com a lei *divina*; e, pelo menos em teoria, as duas coisas não podiam ali ser separadas.

I. O Israel Patriarcal

Deus falou com Abraão, Isaque é Jacó. As leis estabelecidas por eles resultaram de convicções religiosas. Enquanto residissem na terra de Canaã, estariam livres da opressão estrangeira. Eles promoveram uma sociedade agrícola e pastoril, e tinham a liberdade de mover-se dentro da Terra Prometida

ISRAEL, CONSTITUIÇÃO DE

conforme bem quisessem fazê-lo (Gên. 13:6-12). Usaram da violência, sempre que precisaram vingar-se de alguma injúria sofrida (Gên. 14). Todavia, não tentavam sujeitar a si mesmos os seus vizinhos, e tratavam os chefes das tribos como iguais, estabelecendo acordos com eles (Gên. 14:13,18-24; 21:22-32; 26:16; 27:33; 31:44-54). Dentro do sistema patriarcal, os pais eram reis e os filhos eram súditos. Infrações graves podiam causar a perda da herança, ou alguma outra punição severa, incluindo a execução capital (Gên. 49:3,4; I Crô. 5:1; Gên. 21:14). As bênçãos ou as maldições que os pais podiam proferir sobre seus filhos eram, respectivamente, altamente prezadas ou temidas. Noé amaldiçoou seu neto, Canaã (Gên. 9:25); Isaque abençoou Jacó (Gên. 27:28,38); Jacó abençoou seus filhos (Gên. 49). Quando o pai de uma família morria, o filho mais velho tornava-se o chefe da mesma e assumia a autoridade de seu pai. Os direitos do filho primogênito eram grandes. Nas questões religiosas, o pai era o sacerdote da família, o responsável pelas questões espirituais de seus familiares. Sua palavra era lei (Gên. 7:20; 12:7,8; 35:1-3).

A forma patriarcal de governo, no primitivo Israel, incluía a provisão de que quando novas unidades familiares se estabeleciam, com o casamento dos filhos, o pai, agora avô, retinha grande dose de autoridade sobre a sua família, que assim se ampliava (Gên. 38:24; 42:1-4,37,38; 43:1-13; 50:15-17).

À medida que os números aumentavam, tornava-se mister criar um governo suprafamília, mediante a nomeação de magistrados ou governadores, que exerciam autoridade sobre os vários clãs. Esses *anciãos* tornavam-se os chefes dos clãs, e tinham autoridade sobre as famílias que constituíam cada clã, e não meramente sobre as suas próprias famílias (Êxo. 3:16). Eram escolhidos por causa de sua idade e sabedoria superior. Os *shoterim*, ou oficiais de Israel, brandiam grande autoridade (Êxo. 5:14,15,19). Dentro do contexto egípcio, parece que essas pessoas eram nomeadas pelos egípcios, como uma maneira de estabelecer sobre os israelitas um controle indireto.

II. O Israel Teocrático

O povo de Israel foi redimido da servidão no Egito Os israelitas encaminharam-se para o deserto. No deserto do Sinai, foi instituída uma nova forma de governo. Deus outorgou a *lei* a Moisés, a qual se tornou o padrão para todo modo de proceder pessoal, social e governamental. O cotejo entre essa e outras legislações da época, sobretudo aquelas da Mesopotâmia, demonstra um considerável *fundo comum* de idéias. As provisões da lei mosaica eram bastante abrangentes, incluindo questões como a proteção da propriedade privada, da liberdade individual, da segurança, da paz e de tudo quanto dissesse respeito ao culto religioso. É significativo que a base dessa legislação, os Dez Mandamentos (vide) exerce uma grande ascendência sobre as mentes dos homens, até hoje, quanto a seus aspectos religiosos, ou não. É interessante que essa lei tencionava fazer com que um povo santo se consagrasse a um Deus Santo. Destarte, os israelitas formavam uma espécie de reino de sacerdotes, embora também contassem com um sacerdócio formal, a fim de assegurar a propagação e a proteção dos princípios religiosos que eram reputados indispensáveis. Essas leis eram escudadas em severas sanções, incluindo a pena de morte para os infratores graves (entre as quais havia várias que, hoje em dia, não seriam consideradas muito sérias).

Juízes. Nos tempos de Moisés, conforme os registros históricos, ele assumia uma tremenda responsabilidade na aplicação da lei. Esse arranjo nem sempre funcionou suavemente, pois todo povo desgosta-se diante de uma autoridade por demais centralizada. À medida que o povo de Israel se multiplicou, juízes foram nomeados, dotados de muitos dos poderes de um rei-sacerdote, visto que controlavam tanto as questões civis quanto as religiosas (Deu. 1:17; 19:17). Quase todos os juízes, após a época de Moisés, provinham da tribo de Levi. O sumo sacerdote de Israel era o principal expositor da lei religiosa. Em casos difíceis, eram consultados o Urim e o Tumim (vide). Deus enviou profetas que esclareceram alguns pontos. Apesar do governo assim descentralizado, Deus era considerado o verdadeiro rei de Israel. E, após os tempos de Josué, os juízes formais de Israel passaram a atuar como reis-sacerdotes, o que foi um passo preliminar na instituição do ofício real. A questão da constituição do povo de Israel, na época do reino unido e dividido, é abordada nos artigos *Israel, História de; Israel, Reino de* e *Judá, Reino de.*

III. A Constituição Civil de Israel

1. Significação. Está em foco a classificação das pessoas que envolviam a sucessão e o direito de herança, de terras, de propriedades e de direitos adquiridos.

2. Em virtude do fato de que o povo de Israel estava dividido em doze tribos, que eram os descendentes de Jacó, todas as instituições nacionais tinham de levar em conta esse fato. As doze tribos formavam a *casa de Israel*,—que era genealogicamente dividida em várias tribos (Jos. 7:14,16-18). As tribos, por sua vez, eram divididas em famílias ou clãs; então vinham as casas ou grupos familiares e, finalmente, cada família individual.

3. *As Tribos.* As unidades familiares se uniam em grupos maiores, chamados tribos. Cada tribo era uma espécie de comunidade em miniatura, com seus próprios direitos. Também havia príncipes ou chefes de tribos, que formavam uma espécie de reinos dependentes, e que também dispunham de poderes religiosos. Com base nos registros sagrados, parece que as doze tribos foram mantidas em Israel mesmo depois que elas partiram do Egito; e isso foi confirmado no deserto como a norma. As tribos eram conservadas unidas mediante a herança genética e os laços culturais.

4. *As Famílias ou Clãs.* Os conglomerados de famílias, ou clãs, eram unidades menores, dentro das tribos. O clã (no hebraico, *mishpahoth*, «círculo de aparentados») era a subunidade básica de cada tribo. Com base no capítulo vinte e seis de Números parece que as doze tribos eram constituídas por cinqüenta e sete famílias ou clãs, já perto do fim dos quarenta anos de vagueação pelo deserto.

5. *As Casas.* O termo hebraico correspondente é *bayith*, «casa», ou então *beth ab*, «casa do pai». Os clãs eram constituídos por casas, ou famílias, no sentido de um grupo de famílias, talvez composto por bisavô, avô, pai, filhos e os vários inter-relacionamentos por casamento. Dentro dessa unidade, havia um tipo de poder patriarcal. O pai nunca perdia completamente a autoridade sobre seus filhos, embora estes se casassem e formassem unidades familiares distintas. O avô continuava exercendo certo controle sobre as atividades e negócios de seus descendentes. As autoridades dentro dessas unidades familiares podiam ser chamadas de *anciãos;* mas um ancião também era o governante de um clã, a unidade maior. Ver Jos. 23:2; 24:1; Deu. 18:21; 21:1-9.

6. *O Homem, a Unidade Básica.* É uma filosofia ética comum que o valor de uma sociedade começa

ISRAEL — ISRAEL, HISTÓRIA DE

pela valorização do indivíduo. Apesar da maioria dos homens exercer pouca influência sobre a comunidade onde vivem, alguns poucos exercem uma influência significativa, que extrapola suas próprias unidades familiares. O aprimoramento da família, da comunidade e da nação depende do caráter espiritual de cada indivíduo formador dessas unidades. É nesse ponto que a fé religiosa torna-se tão importante. O quinto capítulo da epístola aos Romanos ensina-nos que um homem nunca vive isolado; pois faz parte da sociedade em que vive. A redenção, a despeito de ser individual, também tem um aspecto coletivo. O indivíduo e a sua comunidade avançam ou retrocedem juntos.

IV. Propósitos Históricos de Israel

É doutrina comum supor que Israel, como uma nação, incluindo suas várias constituições, estava escudada sobre o plano divino, de tal modo que o propósito de Deus sempre atuava com finalidades remidoras. Pode-se mesmo dizer que os propósitos de Deus entraram na comunidade de maneira significativa, através de Israel. Mas aquilo foi apenas o começo de um desenvolvimento, e não o fim. Pois os propósitos de Deus não se limitam ao povo de Israel, mas antes, abarcam todos os povos, os quais também foram estabelecidos com propósitos específicos (ver Atos 17:26 ss). O propósito divino básico é a redenção, embora existam muitos propósitos secundários, relativos à vida física, terrena, e que também são importantes. A terra tem um destino, que se cumprirá através das nações da terra e as atividades das mesmas. Esse propósito não envolve apenas uma escola que prepara os homens para a existência nos lugares celestiais.

ISRAEL, HISTÓRIA DE

Quanto a uma lista de artigos que abordam **Israel** por vários ângulos, como a sua religião, a sua lei, a sua ética, o seu reino, etc., ver o artigo desse nome.

Esboço:
  I. Definições e Usos do Termo
  II. Caracterização Geral
  III. Gráficos Ilustrativos dos Reis de Israel e Judá
  IV. O Reino de Israel
  V. Filosofia da História
     Bibliografia

I. Definições e Usos do Termo

Os intérpretes têm dado diferentes traduções para a palavra *Israel*. Basicamente, significa «Deus esforça-se», pois compõe-se de duas palavras hebraicas, *yisra* e *el* (esta última um dos termos comuns para Deus, e que significa «forte»). O verbo hebraico *sara* significa «esforçar-se». No contexto da primeira vez em que essa palavra é usada no Antigo Testamento (Gên. 32:28), onde Jacó lutou com o anjo e prevaleceu, quando seu nome foi alterado de Jacó para Israel, temos a palavra hebraica *sarita*, «tendo-se esforçado». A declaração bíblica inteira diz: «Já não te chamarás Jacó e, sim, Israel: pois como príncipe lutaste com Deus e com os homens, e prevaleceste». O trecho de Gên. 35:10 reafirma a mudança do nome de Jacó. Ali o Senhor diz a Jacó: «O teu nome é Jacó. Já não te chamarás Jacó, porém Israel será o teu nome. E lhe chamou Israel». Dali por diante, o nome Israel aparece por todo o Antigo Testamento, em alternância com Jacó. Visto que a nação hebréia multiplicou-se a partir da linhagem de Jacó, o nome *Israel* veio a designar a nação inteira. Além disso, os patriarcas que dele descenderam são chamados de «filhos de Israel».

O termo *Israel* também tem sido interpretado como se significasse «que tem poder diante de Deus», ou então «lutador de Deus». Mas outros interpretam o nome como se fosse «príncipe com Deus». Winder, em seu léxico hebraico, dá o sentido *pugnator Dei*. Talvez a melhor tradução de todas seja «Contender com Deus», porque Jacó, ao lutar com o anjo, tomou isso como uma espécie de confrontação pessoal com o próprio Deus. E chamou o lugar onde a luta ocorreu de *Peniel*, dizendo: «Vi a Deus face a face, e a minha vida foi salva» (Gên. 32:30). Ora, *Peniel* significa «face de Deus». A idéia mais ousada de todo o incidente é que Jacó lutara com o próprio Deus, e prevalecera; e, por isso mesmo, foi abençoado de modo todo especial, por motivo de sua diligência e vitória. Por sua vez, a nação de Israel recebeu bênçãos especiais de Deus, como representante dele entre as nações, como agente do desígnio messiânico.

Usos do Termo Israel:

1. Um nome alternativo do homem Jacó, conforme foi explicado acima.

2. Nome da nação hebréia, descendente de Jacó, com base em Gên. 24:7. Os *israelitas* eram as doze tribos de Israel, também chamados de «filhos de Israel» (Jos. 3:17; 7:25; 8:27; Jer. 3:21), «casa de Israel» (Êxo. 16:31; 40:38). A nação inteira foi personificada como se fosse uma pessoa, chamada filho de Deus: «Israel é meu filho, meu primogênito» (Êxo. 4:22; Núm. 20:14; Isa. 41:8; 42:24). O primeiro uso extrabíblico, estrangeiro, desse termo, em alusão aos hebreus, aparece em uma inscrição de Meremptá, Faraó do Egito, em cerca de 1230 A.C. Várias outras ocorrências do nome Israel, em inscrições de inimigos dessa nação, têm sido encontradas.

3. Alguns intérpretes pensam que, em Isa. 49:3, temos um uso messiânico desse termo, referindo-se a Cristo como o Servo de Deus: «Tu és o meu servo, és Israel por quem hei de ser glorificado».

4. Os trechos de Esd. 6:16; 9:1 e Nee. 11:3 parecem aplicar o termo Israel aos sacerdotes e levitas, destacando-os do restante da nação.

5. O nome Israel foi conferido a dez das tribos, após a divisão dessa nação nos reinos do norte (dez tribos) e do sul (duas tribos). Ver II Sam. 2:9,10,17,28; 3:10; 10:40-43; I Reis 12:1. Em contraste com isso, as duas tribos do sul (Judá e Benjamim) foram chamadas de reino de Judá. Finalmente, o termo *judeu* derivou-se de Judá, tendo chegado a designar todo o povo de Israel. Os reis das dez tribos eram chamados «reis de Israel»; e os reis de Judá e Benjamim eram chamados de «reis de Judá». Isso posto, os profetas falaram sobre *Israel* e *Judá* como nações distintas (Osé. 4:15; 5:3; 6:10; 7:1; 8:2,3,6,8; 9:1,7; Amós 1:1; 2:6; 3:14; Miq. 1:5; Isa. 5:7). Porém, em Isaías 8:14 os dois reinos são chamados de «duas casas de Israel».

6. Terminado o cativeiro babilônico, o termo *Israel* novamente veio a designar a nação inteira, apesar do fato de que a maioria daqueles que voltaram a residir em Jerusalém pertencia à tribo de Judá. Mas, por essa altura, o termo «judeu» também se tornou comum, o que é exemplificado nos livros apócrifos e no Novo Testamento.

7. *O Uso Espiritual.* Algumas vezes há alguma referência ao *verdadeiro Israel*, ou seja, os fiéis, aqueles que se distinguiam por sua sinceridade e piedade, em contraste com outros membros dessa nação, que não eram tais. Ver Sal. 73:1; Isa. 45:17; João 1:47; Rom. 9:6; 11:26; Gál. 6:16.

8. *O Uso Cristão.* A Igreja cristã veio a ser chamada de Novo Israel, o Israel espiritual. Ver I Ped. 2:9; Gál. 6:16, e comparar com Rom. 4:11,12 e 9:6. Ver o

391

ISRAEL, HISTÓRIA DE

artigo separado intitulado *Israel de Deus*.

II. Caracterização Geral

Apresentamos aqui um sumário da história de Israel, alguns aspectos da qual desenvolvemos com detalhes em outras seções deste artigo.

1. *O Pacto Abraâmico* (vide). — Esse pacto armou palco para o desenvolvimento e o caráter da nação de Israel; e Abraão foi o pai em quem foram investidas as bênçãos e os desígnios de Deus.

2. A linhagem escolhida passava por Jacó, que recebeu o novo nome de *Israel*, conforme foi descrito longamente nos parágrafos acima.

3. A nação de Israel desenvolveu-se numericamente no Egito, mas mesmo ali, naquele tempo, conforme mostra a inscrição de Meremptá (cerca de 1230 A.C.), o termo *Israel* já era aplicado à nação. É provável que esse desenvolvimento se tivesse dado na forma de doze tribos, e que esse arranjo foi confirmado e teve continuação (e não que foi iniciado) após o *êxodo* (vide). Os filhos de Jacó foram denominados *filhos de Israel*, por serem tribos que descendiam dele (Êxo. 1:1). Os filhos de Jacó foram chamados *filhos de Israel*, tal como as tribos que deles descendiam (Êxo. 1:1). Além disso, encontramos as alternativas «tribos de Israel» (Gên. 49:16,28), «congregação de Israel» (Êxo. 24:4) e «casa de Israel» (Êxo. 5:1).

4. O *êxodo* (vide) fez que a nação que se multiplicara no Egito fosse enviada ao deserto, onde ficou vagueando por quarenta anos. Foi então que a lei foi dada a Israel. Ver o artigo separado sobre *Lei no Antigo Testamento*, quanto a detalhes completos. A lei, acima de qualquer outro fator, distinguiu Israel de todas as demais nações do mundo. Nesse tempo, a nação tornou-se uma *teocracia*. Ver o artigo separado intitulado *Israel, Constituição de*. Isso ocorreu por volta de 1200 A.C.

5. *A Conquista da Terra*. Diversas datas têm sido sugeridas para essa conquista. A cronologia do Antigo Testamento não é um assunto fácil de deslindar. Ver sobre *Cronologia do Antigo Testamento*. Uma data padrão para a conquista é cerca de 1200 A.C., mas outros têm sugerido uma data tão remota quanto 1400 A.C. O livro de *Josué* narra as vicissitudes da conquista.

6. *Os Juízes*. O livro com esse título conta a história desse período. Israel continuou sendo uma nação teocrática, mas os juízes atuavam como se fossem reis-sacerdotes, embora lhes faltasse uma completa organização, com o apoio de um exército, conforme sucedia no caso dos reis. A ausência de organização centralizada tendia para o individualismo e o caos (ver Juí. 21:25). O livro de Juízes narra um total de sete apostasias, com sete períodos de servidão e sete nações pagãs opressoras, com sete livramentos correspondentes. O período coberto foi de cerca de trezentos anos, que alguns estudiosos pensam ter começado tão cedo quanto 1400 A.C. Os problemas cronológicos são muitos, conforme nosso artigo sobre esse assunto demonstra laboriosamente.

7. *Os Reis*. Samuel (vide), o maior dos juízes de Israel, que foi um líder carismático, talvez o líder hebreu mais significativo entre Moisés e Davi, objetou ao estabelecimento da monarquia em Israel; porém, os israelitas queriam um rei que os protegesse, pois isso lhes parecia o melhor método. As guerras e as matanças jamais cessaram; e, para viver dessa maneira era mister contar com forças armadas, o que resultou em um exército permanente, sob o comando do rei. Saul (vide) tornou-se o primeiro rei de Israel. Imediatamente começaram guerras contra os amonitas e os filisteus. Enquanto Saul deu ouvidos aos conselhos de Samuel, as coisas correrem regularmente bem. Porém, quando as hostilidades entre os dois aumentaram, houve uma brecha entre eles, e Saul declinou rápida e perigosamente. Foi morto em batalha contra os filisteus, no monte Gilboa. A ameaça dos filisteus, que sempre fora grande, agora estava mais perigosa do que nunca. A morte de Saul ocorreu por volta de 1010 A.C. Os livros de I e II Samuel nos fornecem os detalhes de sua história.

8. *Davi*. Ele era membro da tribo de Judá, e foi através dele, um guerreiro decidido e violento, que o jugo filisteu foi quebrado, afinal. Davi havia sido um comandante militar nos dias de Saul, e sua habilidade em combate despertara a inveja do idoso monarca. Assim, Davi teve de fugir para o exílio, até que as circunstâncias permitiram que ele se tornasse rei. Quando Saul foi morto, imediatamente Davi foi aclamado rei de Judá. Dois anos mais tarde, as tribos de Israel estavam unidas debaixo de seu governo. Davi capturou a cidade de Jerusalém (que então se tornou sua capital), no sétimo ano de seu governo. E os filisteus tornaram-se seus vassalos, através de uma série de brilhantes vitórias. Ele desenvolveu a vida religiosa do seu país, especialmente organizando a classe dos músicos que serviam no templo. O próprio Davi era um habilidoso músico.

Davi conseguiu formar um império que se estendia desde a fronteira com o Egito e desde o golfo de Acaba, até o alto rio Eufrates. Ver o artigo separado acerca de Davi, quanto a considerações sobre a história inteira. Os reis Saul, Davi e Salomão, que governaram sobre uma unida nação de Israel, datam de cerca de 1020 a cerca de 922 A.C. O povo do período do império unido era chamado de «povo de Israel» (II Sam. 18:7), de «filhos de Israel» (I Reis 6:13), de «congregação de Israel» (I Reis 8:5,14,55), de «casa de Israel» (II Sam. 1:2), ou simplesmente, de «Israel» (II Sam. 2:10). Mas, até mesmo nessa época já se fazia a distinção entre Israel e Judá (ver II Sam. 12:8; 21:2; 24:9), ao passo que «a casa de Israel» era constituída pelas duas porções, Israel e Judá.

9. *Salomão*. Ele era filho de Davi e Bate-Seba (II Sam. 12:24). Salomão herdou o império de Davi. Embora homem mais pacífico do que Davi, Salomão também teve sua cota de matanças, tanto em batalha quanto pessoalmente. Todavia, não conduziu qualquer campanha militar importante. Ver o artigo separado sobre ele. Por ser um homem comparativamente pacífico (o que concordava com o sentido de seu nome, no hebraico), foi-lhe permitido por Deus construir o templo de Jerusalém, assim fomentando o aspecto religioso da vida de Israel. Salomão empregou muito trabalho estrangeiro na ereção do templo, principalmente de origem fenícia. Seu reinado de comparativa paz permitiu-lhe desenvolver o comércio e a indústria, e o resultado disso foi um reino muito rico, muito luxo pessoal e tempo para ele entrar em dificuldades espirituais. O fato de que ele tolerou a idolatria, por amor às suas esposas estrangeiras, tornou-se um fato destacado. Salomão foi um grande edificador, mostrando-se tão intenso construtor quanto seu pai, Davi, fora um intenso líder militar. Empregou trinta mil israelitas em trabalhos forçados (I Reis 5:13 *ss*). Também empregou operários cananeus; mas, quando isso se mostrou inadequado, empregou o método de campos de trabalho. A impopularidade dessa política trabalhista provocou o assassínio de Adonirão, superintendente das equipes de trabalho forçado (I Reis 4:6; 5:14; 12:18).

A questão tornou-se tão séria que se estendeu até o tempo do sucessor de Salomão, seu filho Reoboão. Reobão recusou-se a tomar qualquer providência de

ISRAEL, HISTÓRIA DE

melhoramento a respeito, e essa foi a razão da divisão da nação em dois reinos, o do norte, Israel, e o do sul, Judá (I Reis 12:4 ss). Mas, voltando à época de Salomão, este se atirou a um intensivo programa de construção e prometeu dar duas cidades da Galiléia a Hirão, como recompensa pela ajuda financeira dada por este (I Reis 10:11 ss). Todavia, vários atos opressivos de Salomão levaram o povo israelita a perder a estima por ele, e a boa vontade deles. Seu ambicioso programa de edificações, portanto, custou-lhe um preço exorbitante, ajudando a armar o palco para a divisão do reino de Israel em dois, conforme dissemos acima.

Salomão também substituiu as tradicionais fronteiras tribais por distritos administrativos: doze na porção norte do rei (I Reis 4:7 ss), e talvez um só em Judá. A fim de viver luxuosamente, cobrava impostos escorchantes, reduzindo seus súditos a uma situação econômica difícil. Entrementes, ele corrompeu a vida religiosa da nação, permitindo o funcionamento de cultos idólatras estrangeiros, e até mesmo participando deles. Esses foram pecados gravíssimos, especialmente para quem era dotado de tão profunda sabedoria. Salomão multiplicou esposas e cavalos, contra todo o bom conselho dado pelos profetas.

10. *Reobão e Jeroboão*. Reobão sucedeu a seu pai, Salomão, no trono. Foi o último rei do império unido (governou em cerca de 922—915 A.C.), e também foi o primeiro a reinar somente sobre o reino de Judá. Contudo, não houve outra família reinante em Judá, senão a de Davi, até o cativeiro babilônico. Mas o reino de Israel foi governado por várias dinastias. A continuação de más normas financeiras, instituídas por Salomão, além das rivalidades pessoais entre Reobão e Jeroboão, produziram a permanência da divisão entre o reino do norte e o reino do sul. Sua arrogante recusa de anuir às condições impostas pelo povo, conforme se vê no registro de I Reis 12:14, levaram dez tribos a retirar dele a lealdade, e Reobão ficou contando com o apoio somente das tribos de Judá e Benjamim, com os levitas que ali viviam.

Jeroboão. Foi ele quem encabeçou o protesto; e quando Reobão permaneceu firme em sua recusa de aliviar os pesados impostos, Jeroboão e seus parceiros, indignados, resolveram retirar sua lealdade de Reobão. Separaram-se da opressora casa de Davi. E assim Jeroboão tornou-se rei de dez das tribos de Israel, excetuando Judá e Benjamim. Reobão preparou um grande exército para atacar o norte; mas o profeta Semaías convenceu-o de que tudo aconteceira por vontade divina (I Reis 12:22-24). Isso impediu a guerra civil. Reobão herdou o gosto pelo luxo de seu pai; mas, pelo menos, quanto às questões espirituais, foi superior a Jeroboão, que não demorou muito para levar as dez tribos de Israel à mais horrenda idolatria.

Jeroboão (vide) era efraimita, filho de Nebate. Calcula-se que seu governo sobre o reino do norte deu-se, aproximadamente, entre 931 e 910 A.C. Ver I Reis 11:26—14:20; II Crô. 10:2—13:20. Ele havia servido a Salomão como um dos líderes sobre turmas de trabalhos forçados, no norte (I Reis 11:28). O profeta Aías havia previsto dificuldades futuras, por causa das normas seguidas por Salomão (que Reobão deu continuidade), e a divisão do reino em dois tornou-se inevitável (I Reis 11:29 ss).

Jeroboão criou santuários religiosos rivais, em Dã e Betel, para dar ao seu povo alternativas de adoração em Jerusalém (que não tinha mais acesso fácil para eles). Alguns supõem que a adoração ao bezerro foi instituída por ele. Outros pensam que as estátuas de bezerros representavam divindades, ou mesmo que eram apenas pedestais sobre os quais, supostamente, o invisível Yahweh se postaria. Seja como for, eles ameaçavam a verdadeira fé porquanto encorajavam o sincretismo da adoração a Yahweh com o culto de fertilidade de Baal, motivo porque foram tão acerbamente condenados (ver I Reis 13:1 ss; 14:14-16). E os cultos instituídos pelos diversos reis de Israel perpetuaram o pecado de Jeroboão (I Reis 16:26).

11. *O Reino de Israel*. Desde o começo do reinado de Jeroboão (cerca de 931 A.C.), até à queda da capital do reino, Samaria, quando Oséias era o rei (cerca de 752 A.C.), houve dezenove reis, durante um período de cerca de duzentos e dez anos. Quanto aos reis de Israel e suas respectivas datas, ver a terceira seção *Cronologia do Reino Dividido*, onde oferecemos um gráfico a respeito.

A data da divisão do reino é variegadamente calculada entre 983 e 931 A.C. Dificuldades cronológicas e aparentes contradições são abundantes. Ver o artigo separado sobre *Israel, Reino de*, quanto a maiores detalhes.

12. *O Cativeiro Assírio*. Ver o artigo separado sobre esse assunto. Salmaneser, rei da Assíria, conquistou o reino do norte, Israel, bem como sua capital, Samaria, que caiu em 721 A.C. A deportação dos israelitas do reino do norte foi tão completa que o país perdeu quase inteiramente o seu caráter hebreu. Foi trazida gente do estrangeiro, o que deu o retoque final **na des-hebraização do país. Todavia, a verdade é que na própria província de Samaria, embora cheia de** estrangeiros, prosseguiu a religião de Israel até certo ponto, ou conforme se lê em II Reis 17:26, eles desejavam «...servir o Deus da terra». Não obstante, permaneceu no reino do norte um remanescente israelita, embora em números estontentamente pequenos. A mistura desses com os estrangeiros produziu os desprezados samaritanos, um povo misto, racial e religiosamente falando, que os judeus puros nunca aceitaram de bom grado.

13. *O Reino de Judá*. Reobão foi o primeiro rei do reino do sul, Judá, e Zedequias foi o último dessa dinastia. Um total de vinte reis governou ali, desde 936 A.C., quando ocorreu a divisão do reino em dois, até o cativeiro babilônico, em 586 A.C. Ver os dois artigos separados, *Judá, Reino de* e *Cativeiro Babilônico*. Isso cobre um período de cerca de trezentos e cinqüenta anos.

Quase todos aqueles que foram levados para o cativeiro babilônico pertenciam à tribo de Judá, embora alguns exilados procedessem do reino do norte, que fixaram residência no norte da Mesopotâmia e na Média. Também havia exilados de Judá no Egito. O profeta Ezequiel, juntamente com um bom contingente de exilados judeus, vivia em Tel-Abibe, à beira do rio Quebar, um canal que havia próximo da cidade de Nipur. Outros locais povoados por judeus eram Tel-Harsa, Tel-Melá e Casifia.

Escrevendo aos exilados judeus na Babilônia, o profeta Jeremias recomendou que construíssem casas, plantassem jardins e vivessem de maneira normal. Esse conselho foi aceito, e os judeus receberam certo grau de liberdade, podendo ser dirigidos no exílio por seus próprios líderes, os anciãos. Alguns deles prosperaram nos negócios, e outros chegaram a galgar postos de mando no exílio. Assim, Daniel chegou à posição de conselheiro do rei. O rei da Babilônia, Evil-Merodaque (562-650 A.C.), tirou o rei Jeoaquim da prisão, permitindo-lhe viver no palácio real da Babilônia. Jeremias e Ezequiel se esforçaram por melhorar a qualidade espiritual da vida dos exilados, ressaltando diante deles as catástrofes que

ISRAEL, HISTÓRIA DE

lhes tinham sobrevindo em resultado de sua teimosa desobediência, e que uma vida correta e justa poderia reverter essa sorte. É possível que os capítulos quarenta e um a sessenta e seis do livro de Isaías também tenham sido escritos para os exilados judeus na Babilônia, oferecendo-lhes o consolo da providência divina, que é o fator normativo em toda a história da humanidade. Todavia, alguns estudiosos pensam que esses capítulos são de natureza profética, e não histórica. Ver sobre *Isaías*, terceira seção, intitulada *A Unidade do Livro*.

14. *O Poder Persa*. A área do mundo que interessa aos estudiosos da Bíblia esteve sob o poder persa de 538 a 533 A.C. Ciro (cerca de 559—530 A.C.) foi o instrumento usado por Deus para livrar Israel do cativeiro, segundo nos mostra a passagem de Isaías 41—66. Ciro capturou a Babilônia em 539 A.C., e isso armou o palco para o estágio de modificações radicais, que afetaram a história de Israel. Ele praticava normas políticas internas liberais e mesmo benévolas, tendo permitido a reconstrução do templo de Jerusalém, e também o retorno dos judeus que quisessem voltar à Terra Prometida. Sesbazar, um príncipe judeu, foi nomeado governador de Judá, e ele conduziu a primeira leva de judeus que retornou à Palestina. Um outro grupo retornou em companhia de Zorobabel, sobrinho de Sesbazar e seu sucessor como governador de Judá. Sacerdotes e levitas faziam parte do grupo que voltou com Zorobabel.

A Reconstrução do templo de Jerusalém começou em 520 A.C. Os profetas Ageu e Zacarias encorajaram o povo; e o rei Dario I (522—486 A.C.), da Pérsia, deu seu apoio e cooperação ao projeto. Em 515 A.C. estava completo o segundo templo de Jerusalém. Não tinha a glória e o esplendor do templo de Salomão, mas serviu para restabelecer o culto religioso dos judeus, em Jerusalém, dando aos mesmos uma nova esperança e determinação. Esdras, um sacerdote e escriba, foi um instrumento disciplinador e restaurador das práticas religiosas tradicionais. Todavia, a data de seu retorno é disputada entre os estudiosos. Pode ter acontecido já no tempo de Artaxerxes I (465—424 A.C.); mas, se aconteceu nos dias de Artaxerxes II, então sucedeu entre 404 e 358 A.C. O trecho de Nee. 8:1,2,5,6,9; 12:36 parece requerer a data mais recuada, a época de Artaxerxes I.

Neemias, que havia sido o copeiro-mor do rei da Pérsia, chegou a Jerusalém, como governador nomeado, em 445 A.C., no vigésimo ano de governo de Artaxerxes I. Sua autoridade lhe fora conferida pelo monarca persa, a fim de reconstruir as muralhas de Jerusalém, e o governo persa chegou a suprir ajuda material com essa finalidade. Judá opôs-se aos samaritanos, encabeçados por seu governador, Sambalate, por Tobias, governador israelita de Amom, e por Gesém, que, segundo inscrições, parece ter sido o rei dos árabes quedaritas, do noroeste da Arábia. Mas, apesar de toda a oposição, Neemias e seus seguidores cumpriram seu propósito. Neemias foi o primeiro a assinar o pacto nacional, cujo intuito era restaurar Israel material e espiritualmente. A lei teria de ser obedecida; os casamentos com estrangeiros foram descontinuados; foi vedado aos israelitas casarem-se com samaritanos; e, finalmente, foram restabelecidos os ritos religiosos judaicos. Esdras e Neemias, destarte, restauraram a nação de Israel, e atuaram como poderosas forças que moldaram as atitudes judaicas pelo resto da história da nação, até hoje. Os conflitos havidos entre Neemias e Sambalate dividiram Israel de Samaria, e as hostilidades se agravaram, perpetuando-se por muitos séculos exaustivos.

15. *A Comunidade Judaica de Elefantina*. Muitos judeus não voltaram do exílio. Mas permaneceram fora da Palestina, em vários lugares, e prosperaram materialmente. Um desses lugares era Elefantina, uma ilha perto do Aswan, no Egito, às margens do rio Nilo. Uma guarnição armada de judeus foi postada ali, pelos persas. O judaísmo daquele lugar passou por grandes modificações, incluindo o fim do oferecimento de animais em sacrifício mas com a adição de idéias e práticas pagãs, devido à influência persa e egípcia. Quanto a detalhes completos sobre essa questão, ver o artigo separado intitulado *Elefantinos, Papiros*.

16. *O Poder Grego*. A dominação grega sobre as terras que interessam aos estudiosos da Bíblia perdurou de 333 a 167 A.C. Alexandre, o Grande (336-323 A.C.) foi a força que produziu mudanças radicais e duradouras na Palestina. Ele derrotou militarmente a Dario III, em Isso, perto da fronteira entre a Ásia Menor e a Síria, e logo marchou em triunfo por toda a Síria e a Palestina, para nada dizermos acerca do mundo conhecido na época. Alexandre solicitou a ajuda do sumo sacerdote de Israel, Jadua; mas este negou-se a isso, já se tendo comprometido com o rei Dario. Porém, coisa alguma era capaz de fazer Alexandre estacar. Quando Alexandre já se aproximava de Jerusalém, Jadua teve um sonho que o avisava de submeter-se ao grego. E foi o que ele fez, recebendo Alexandre em paz. Isso impediu uma grande matança entre os judeus, e também encorajou Alexandre a manter um relacionamento pacífico com os judeus. E foi-lhes permitido um considerável grau de autonomia. Josefo, historiador judeu, narrou a visita de Alexandre a Jerusalém.

Alexandre morreu ainda jovem, de malária e excesso de bebidas alcoólicas. Os seus maiores generais assumiram a direção e dividiram entre si o seu vasto império. A Palestina ficou com Ptolomeu I (323—283 A.C.), —que também governava o Egito. Dele é que surgiu a linhagem dos reis ptolomeus, catorze ao todo. Oferecemos um artigo separado sobre esses monarcas. Além disso, todo aquele período intertestamental é descrito em um artigo separado, *Período Intertestamental*.

17. *Os Selêucidas*. A Síria ficou com outro general de Alexandre, *Seleuco* (vide). Daí surgiu o governo selêucida sobre a Síria. No começo, a Palestina ficou sob a esfera de influência dos selêucidas, mas depois passou para as mãos dos ptolomeus, apesar de que haja algumas disputas históricas a esse respeito. O poder ptolemaico permaneceu na Palestina durante cerca de cem anos, até 198 A.C. Nesse tempo, a cidade de Alexandria cresceu muito em importância, onde havia uma numerosa comunidade judaica. Foi nessa época que veio à existência a Septuaginta (também conhecida como LXX), tradução do Antigo Testamento do hebraico para o grego. O fato é que os judeus prosperaram sob os reis ptolomeus, e Alexandria tornou-se um poderoso centro da erudição judaica.

18. *Antíoco, o Grande*. Esse homem reconquistou a Palestina, e esta voltou ao controle dos selêucidas. Em 175—164 A.C., os judeus foram severamente perseguidos por *Antíoco Epifânio* (vide), —que estava resolvido a exterminá-los e a helenizar toda a Palestina. Esse é o *pequeno chifre* de Dan. 8,9, descrito nessa passagem profética. No ano de 168 A.C., Antíoco Epifânio profanou o templo de Jerusalém, oferecendo uma porca sobre o altar dos holocaustos. Ele tornou-se assim o tipo mais vívido do ainda futuro *anticristo* (vide). Antíoco Epifânio

O portão de ouro, Jerusalém

Foto por Alistair Duncan

O Poço de Salomão, perto de Hebrom

Foto por Alistair Duncan

ISRAEL, HISTÓRIA DE

cometeu muitas atrocidades contra os judeus, incluindo a tentativa de destruir todos os manuscritos do Antigo Testamento. Seus excessos é que provocaram a revolta dos *Macabeus* (vide), o que resultou no período de independência política dos israelitas, antes de a perderem novamente para o romanos.

19. *Os Hasmoneanos (Macabeus) e a Independência de Israel.* O período de independência israelita também é conhecido como período *macabeu*, ou *hasmoneano*. O nome de família dos macabeus era *Hasmom*. Matatias, um sacerdote, tinha cinco filhos, cujos nomes eram Judas, Jônatas, Simão, João e Eleazar. Judas foi guerreiro de considerável habilidade, tendo reunido as forças necessárias para a libertação dos judeus. Em 165 A.C., Judas purificou e reconsagrou o templo de Jerusalém, um acontecimento que passou a ser comemorado pela *Festa da Dedicação*. A partir daí, pois, houve um período de cem anos de independência política. Porém, essa liberdade terminou em 63 A.C., quando os romanos se apossaram da Palestina. Ver o artigo separado sobre os *Hasmoneanos*, quanto a uma descrição detalhada sobre esse período da história de Israel.

20. *O Poder Romano.* A dinastia hasmoneana havia caído em decadência; facções adversárias disputavam o poder, conforme a descrição detalhada do artigo a respeito deles. Roma tomou isso como o motivo (ou a desculpa) para invadir a Palestina, o que sucedeu em 63 A.C. Sob o comando de Pompeu, os romanos se apossaram da Palestina. E Antípatre, um idumeu (descendente de Esaú), foi nomeado governador da Judéia. A Judéia incluía, na verdade, terras pertencentes à Galiléia, à Samaria, à própria Judéia, à **Traconite** e à Peréia (terras essas intituladas algumas vezes, coletivamente, de *Judéia*). Essas divisões políticas haviam sido estabelecidas durante o período sírio, mas permaneceram durante a maior parte do tempo do período de domínio romano, que se seguiu. Foi com Antípatre que começou o governo dos *Herodes* (ver o artigo separado sobre eles). Herodes, o Grande, era filho de Antípatre. Os *herodianos* (vide) eram o partido político que favorecia a linhagem dos Herodes como um artifício para evitar o governo romano direto. Muitos consideravam a sucessão dos Herodes como se fosse o *Messias*; mas muitos judeus abominavam esse partido e seus representantes. Foi no tempo do governo do tetrarca Herodes (também chamado Ântipas, um dos filhos mais novos de Herodes, o Grande; Luc. 3:19) que Jesus Cristo morreu e ressuscitou.

21. *O Nacionalismo e a Revolta dos Judeus.* Israel nunca se sentiu à vontade sob governo estrangeiro. As revoltas eram inevitáveis. Enquanto os herodianos procuravam promover as boas relações com Roma, os zelotes e outros grupos radicais pensavam que podiam realizar o que os macabeus tinham feito, liberando uma vez mais a Palestina do poder estrangeiro. Somente assim, segundo pensavam, poderia ser preservada e promovida a verdadeira fé de Israel. *Judas, o Galileu* (Atos 5:37) enganou os judeus. Mas, sua derrota e morte não desencorajou o movimento em geral. Finalmente, em 66 D.C., a tempestade, que se vinha concentrando e ameaçava já por tanto tempo, irrompeu de súbito. Por cem anos, os romanos haviam dominado a Palestina, mas a mão de ferro dos romanos usara uma luva de veludo. Entretanto, em 66 D.C., eles tiraram essa luva. A rebelião dos judeus, cada vez mais intensa, provou aos olhos de Roma que sua política de relativa tolerância, na Palestina, fora um equívoco. Durante quatro anos, fez-se sentir a ira dos romanos. Jerusalém caiu, finalmente, e vastas áreas, por toda a Palestina, foram destruídas. A

destruição foi tão completa que apenas recentemente, em Cafarnaum, foi desenterrada pelos arqueólogos uma verdadeira sinagoga do século I D.C. Até recentemente não havia tais evidências, e as sinagogas que haviam sido encontradas datavam somente do século III D.C. em diante. O lindo templo de Herodes, o Grande, foi totalmente demolido, e a terra foi deixada em total desolação.

O incrível é que os judeus se revoltaram novamente em 132 D.C., e uma vez mais os romanos sentiram que tinham de arrasar até ao rés do chão a Palestina inteira. Dessa vez, o país foi despovoado de judeus, e asism começou a grande dispersão que perdurou até o nosso próprio tempo, quando, em 1948, após a Segunda Guerra Mundial, novamente Israel tornou-se um estado independente.

A Igreja cristã desenvolveu-se, em seus aspectos positivos e negativos; a nação de Israel foi temporariamente posta de lado, nos propósitos de Deus; porém, podemos esperar pela restauração de Israel, como algo que está previsto nas profecias bíblicas. Ver o artigo separado sobre isso, intitulado *Queda e Restauração de Israel*. Esse artigo explica as razões para a rejeição de Israel, discutindo também a esperança de Cristo, quando, por ocasião da volta de Jesus, ela se tornará uma nação cristã, oficialmente falando.

III. Gráficos Ilustrativos dos Reis de Israel e Judá

1. *O Reino Unido*
   De Saul a Salomão — 120 anos, 1095—975 A.C.
   Escrituras: I Sam. 8—I Reis 11
   I Crô. 10—II Crô. 9.

2. *O Reino Dividido — Israel e Judá*
   Israel: De Jeroboão a Oséias — 209 anos, 931—722 A.C.
   Judá: De Reoboão a Zedequias — 345 anos, 931—586 A.C.
   Israel e Judá separadas: 209 anos, 931—722 A.C.
   Judá sozinha: 136 anos, 722—586 A.C.

3. *Gráfico Comparativo do Reino Dividido com Profetas e Poderes Estrangeiros Dominantes*
   Escrituras: I Reis 12:2—II Reis 18:12
   I Crô. 10—28.
   Ver este gráfico no artigo *Rei, Realeza*.

4. *O Reino Isolado: Judá Sozinha*
   De Ezequias (sexto rei judeu) a Zedequias — 136 anos, 722—586 A.C.
   Escrituras: II Reis 18:13-25; II Crô. 29—36.

IV. O Reino de Israel

Apresentamos um artigo separado sobre esse tema, onde damos uma breve descrição sobre os reinados dos reis de Israel, para servir de suplemento do presente artigo. Sob o título *Judá, Reino de* temos provido informações gerais sobre aquela divisão política da antiga Israel, onde também damos um sumário do governo de cada um dos reis da mesma.

V. Filosofia de Israel

Quando abordamos a história de Israel, precisamos lembrar de duas coisas: a primeira é o interesse pela história, fortíssimo em Israel, pois muitos judeus se têm tornado historiadores. Israel sempre foi uma nação que procurou enfatizar a história, talvez mais do que qualquer outra das nações da terra. É geralmente reconhecido que a história exposta por vários autores do Antigo Testamento, a começar pela época da monarquia (1095 A.C.), é muito exata, a

ISRAEL — ISRAEL, REINO DE

despeito dos problemas que envolvem questões cronológicas. Em segundo lugar, Israel tinha uma *filosofia* da *história*. Deus era tido como o poder por detrás do processo histórico humano. A história, para eles, tinha uma razão específica para existir, tendo sido instituída por Deus. De acordo com a filosofia judaica, a história prossegue em sentido linear, de um evento para o próximo, desdobrando assim o propósito divino. E chegará a um ponto culminante, divinamente direcionado. Ver o artigo separado *Filosofia da História*, que nos dá idéias sobre vários filósofos, bem como a postura filosófica do Antigo e do Novo Testamentos.

Bibliografia. ALB AM ANET BA E HALL ID IOT ND PF PFE SMI SMIT STA YO Z

Israel, Jacó Ver **Jacó.**

ISRAEL, QUEDA E RESTAURAÇÃO

Ver *Queda e Restauração de Israel*. Ver também *Restauração de Israel*, que oferece mais detalhes e aborda mais a teologia envolvida na questão.

ISRAEL, REINO DE

Este artigo serve somente de suplemento a vários outros artigos que têm sido escritos acerca de Israel, ou acerca de assuntos que tratam diretamente com Israel. Ver uma lista de artigos dessa natureza sob o título *Israel*. Ver especialmente o artigo *Israel, História de*.

A fim de suplementar a matéria oferecida, apresentamos aqui um sumário das vidas e da influência dos reis de Israel, o reino do norte. No artigo sobre *Judá, Reino de*, temos feito a mesma coisa quanto à porção sul da nação.

Os Reis de Israel:
De Jeroboão a Oséias. Ver os artigos separados sobre cada um deles, quanto a maiores detalhes que aqueles que aqui oferecemos.

Ver os gráficos existentes no artigo — **Rei, Realeza**. Esses gráficos comparam os reis de Judá com os de Israel (as porções sul e norte da nação dos descendentes de Abraão).

Israel, o reino do norte (931—722 A.C.), um período de cerca de trezentos e quarenta e cinco anos.

Os artigos sobre *Jeroboão* e *Reoboão* explicam por que Israel se dividiu em duas nações: a do norte e a do sul. E o artigo sobre o *Cativeiro Assírio* explana como terminou o reino do norte, Israel.

As Escrituras que narram a história do reino dividido são I Reis 12 a II Reis 18:12 e II Crônicas 10—28.

Lista e Descrição dos Reis de Israel, o Reino do Norte:
1. *Jeroboão* (931 A.C.) reinou por vinte e dois anos (I Reis 11:28). Tinha sido um ativo oficial do governo de Salomão. Foi encorajado pelo profeta Aías. Encabeçou uma revolta contra as normas trabalhistas de Salomão. Este último procurou executá-lo. Então Jeroboão fugiu para o Egito. Voltou a Israel e separou as dez tribos do norte do reino de Israel, tendo estabelecido o reino do norte, que assumiu o nome de «Israel», contrastante com «Judá» (formada por Judá e Benjamim). Estabeleceu uma adoração separada, em Dã e Betel, que rivalizava com a adoração em Jerusalém; mas, nesse tempo, o profeta Aías predisse a queda e o cativeiro do reino de Israel, por causa de seus pecados (I Reis 14:10,15). Josias foi chamado por nome trezentos anos antes de seu nascimento (I Reis 13:2), o que teve o devido cumprimento (II Reis 23:15-18). Os estudiosos liberais, entretanto, pensam

que isso envolve história, e não profecia.

2. *Nadabe* (911 A.C.) reinou por dois anos (I Reis 14:20). Era filho de Jeroboão. Perpetuou os caminhos ímpios de seu pai. Foi morto por Baasa, que também exterminou a casa de Jeroboão.

3. *Baasa* (909 A.C.) reinou por vinte e quatro anos (I Reis 15:16). Assassinou Nadabe, filho de Jeroboão, a fim de se apossar do trono. Fez guerra contra Judá. Esta contratou os assírios para atacarem a Baasa.

4. *Elá* (887 A.C.) reinou por dois anos (I Reis 16:14). Era filho de Baasa. Era oficial militar; vivia debochadamente. Quando estava alcoolizado, foi assassinado por Zinri, que também exterminou a sua família.

5. *Zinri* (886 A.C.) reinou por apenas sete dias (I Reis 16:15 ss). Apesar de haver governado por apenas uma semana, mostrou-se muito sangüinário, tendo executado à casa inteira de Elá. Suicidou-se assim que começou a governar.

6. *Onri* (886—875 A.C.) reinou por doze anos (I Reis 16:21 ss). Foi o recordista na maldade, entre todos os reis de Israel, embora soubesse governar. O seu poder e habilidades eram tão extraordinários que Israel chegou a ser chamada de «a terra de Onri». Fez de Samaria a capital do reino, em substituição a Tirza (I Reis 14:17; 15:33). A pedra Moabita (vide) menciona Onri, como também o faz a inscrição de Adade-Nirari (808-783 A.C.). O Obelisco Negro, de Salmaneser III (860-825), fala sobre o tributo pago por Jeú, sucessor de Onri. Uma expedição feita pela Universidade de Harvard encontrou os alicerces do palácio de Onri, além de muitas relíquias antigas.

7. *Acabe* (875—854 A.C.) reinou por vinte e dois anos (I Reis 16:29—22:40). Chegou mesmo a ultrapassar a Onri em iniqüidade, pois ninguém pode se esquecer de Acabe e de sua indigna esposa, Jezabel. Esta era uma princesa sidônia, má, violenta e sem escrúpulos, que encorajou Acabe em sua idolatria, bem como em toda forma de pecados e atos de violência. Acabe tornou-se devoto do deus pagão, Baal. Jezabel construiu um santuário em honra a esse deus, em Samaria, e mantinha oitocentos e cinqüenta sacerdotes nesse culto. A adoração de Yahweh foi abolida de Israel (I Reis 18:13,19). O profeta Elias fez oposição ao casal real (I Reis 17—II Reis 2). Acabe encerrou o seu governo com um crime brutal contra Nabote, e então foi morto, em guerra com a Síria. Em uma inscrição, Salmaneser jacta-se de suas vitórias militares sobre Acabe. Sua casa de marfim foi descoberta pelos arqueólogos. As paredes dessa residência eram apaineladas com peças de marfim. Muitas relíquias foram descobertas, demonstrando a vida luxuosa de Acabe.

8. *Acazias* (855—854 A.C.) reinou por dois anos (I Reis 22:51 e II Reis 1). Foi co-regente com seu pai, Acabe, e imitou toda a iniqüidade dele.

9. *Jorão* (854—843 A.C.) reinou por doze anos (II Reis 3—9). Foi um monarca essencialmente mau e corrupto. Foi morto por Jeú (II Reis 9:24). Durante o seu governo, o rei de Moabe, que havia pago tributo a Acabe, rebelou-se (II Reis 3:4-6). Essa passagem também refere-se à sua tentativa fracassada de tornar a sujeitar a si os moabitas. A pedra Moabita presta-nos informações sobre a questão. Essa inscrição foi encontrada em 1868, em Dibom, Moabe, a trinta e dois quilômetros a leste do mar Morto. Mesa, rei de Moabe, mandou fazer essa inscrição.

10. *Jeú* (843—816 A.C.) reinou por vinte e oito anos (II Reis 9 e 10). Tornou-se famoso por sua impiedade. Fora oficial da guarda pessoal de Acabe, e testemunha do assassínio de Nabote. Ouviu Elias proferir a condenação da casa de Acabe. Foi ungido

Os filhos de Israel cativos pelos assírios em Láquis

Vale de Hinom com Monte Sião à distância — Cortesia, Matson Photo Service

ISRAEL — ISRAEL, RELIGIÃO DE

por Eliseu para ser o próximo rei. Destruiu a casa de Acabe. Erradicou o baalismo, mas passou a perpetuar muitas iniqüidades. Era homem incansável, que não mostrava tréguas e nem misericórdia. Matou Jorão, rei de Israel, Jezabel, Acazias, rei de Judá (genro de Acabe), setenta filhos de Acabe, e toda espécie de associado e amigo daquele monarca. Jeú era um látego terrível. Algumas vezes, homens maus são levantados por Deus para realizarem missões negativas; e isso não os transforma em personagens de boa índole. Quando Jeú estava ocupado com uma sangüinária revolta dentro das fronteiras de Israel, Hazael, rei da Síria, conquistou Gileade e Basã, regiões pertencentes a Israel, a leste do rio Jordão (II Reis 10:32,33). Em seu tempo, os assírios tornaram-se uma ameaça mais evidente; e Jeú não demorou a encontrar dificuldades com a nova potência que se erguia no Oriente.

11. *Jeoacaz* (820—804 A.C.) reinou por dezessete anos (II Reis 13:1-9). O seu período de governo foi muito difícil, por causa dos constantes ataques desfechados pelos sírios.

12. *Joás* (806—790 A.C.) reinou por dezesseis anos. Guerreou contra os sírios, e reconquistou algumas das cidades perdidas por seu pai, Jeoacaz. Guerreou também contra Judá, e chegou a pilhar Jerusalém.

13. *Jeroboão* (790—749 A.C.) reinou por quarenta e um anos (II Reis 14:23-29). Era filho de Joás, e deu prosseguimento às vitórias militares contra os sírios, com a ajuda de Jonas, o profeta. Restaurou a glória e o poder do reino do norte. No entanto, deixou-se envolver pela idolatria e por certas abominações, e foi repreendido pelos profetas Amós e Oséias.

14. *Zacarias* (748 A.C.) reinou por seis meses (II Reis 15:8-12). Seguiu nos passos iníquios de seus antepassados e foi assassinado por Salum, que se apossou do trono de Israel.

15. *Salum* (748 A.C.) reinou por um mês apenas (II Reis 15:13-15). Matou o rei Zacarias, para tomar seu lugar. Menaém, filho de Gadi, assassinou-o e reinou em seu lugar.

16. *Menaém* (748—738) reinou por dez anos (II Reis 15:16-22). Matou Salum para reinar em seu lugar. Perpetuou a iniqüidade de todos os seus ancessores. Encontrou dificuldades com os assírios e teve de pagar um elevado tributo, para evitar que eles se apossassem do território de Israel.

17. *Pecaías* (738—736 A.C.) reinou por dois anos (II Reis 15:23-26). Perpetuou o mal. Peca, filho de Remalias, e capitão do exército, matou-o em Samaria, juntamente com seus associados, e começou a reinar em seu lugar.

18. *Peca* (748—730 A.C.) reinou por vinte anos. Talvez tivesse sido co-regente com Menaém e Pecaías, e era um poderoso militar. Tendo a Síria como aliada, atacou Judá. E Judá precisou apelar para o socorro dos assírios. O exército assírio invadiu tanto Israel quanto a Síria, e levou os habitantes do norte e da porção oriental de Israel para a Assíria. Isso constituiu o chamado *cativeiro galileu*, de 734 A.C. Do reino do norte, Israel, restou somente Samaria. Ver II Crô. 28 e Isa. 7, quanto à narrativa bíblica a respeito.

19. *Oséias* (730—721 A.C.) reinou por nove anos (II Reis 17). Matou Peca a fim de governar em seu lugar (II Reis 15:30). Foi o último dos reis de Israel. Pagou tributo à Assíria, mas fez um pacto secreto com o Egito. Foi em seu tempo que os assírios deram o golpe de misericórdia contra Israel, levando para o exílio o que restara de seus habitantes e conquistando a capital, Samaria, em 722 A.C. Os profetas de seus dias foram Oséias, Isaías e Miquéias. O reino do norte, Israel, perdurou por cerca de duzentos anos, e todos os seus reis imitaram as atitudes pecaminosas de Jeroboão, fundador do reino. Diz certa inscrição de Tiglate-Pileser, rei da Assíria: «Peca, rei deles, foi derrubado; pus Oséias sobre eles. Dele recebi dez talentos de ouro e mil talentos de prata». Os assírios cercaram Samaria pelo espaço de três anos, e, finalmente, a conquistaram. Estrangeiros foram trazidos para ocupar o território. Finalmente, uma população mista desenvolveu-se ali, tomando o nome de samaritanos, e uma forma de judaísmo modificado prevaleceu na região. Ver os detalhes a respeito no artigo intulado *Cativeiro Assírio*.

ISRAEL, RELIGIÃO DE

Esta enciclopédia oferece grande número de artigos atinentes a Israel. Quanto a uma lista dos títulos dos artigos mais importantes, ver sobre *Israel*. A história geral de Israel aparece no artigo *Israel, História de*. Aspectos separados da cultura e da fé de Israel são abordados em separado, como no artigo *Lei no Antigo Testamento*, etc. O presente artigo concentra sua atenção sobre os aspectos religiosos da história e da cultura de Israel.

1. Primórdios. Talvez possamos dizer que o começo formal da fé judaica teve lugar no livro de Gênesis, que funciona como base de certas crenças sobre Deus e descreve o início das cerimônias e práticas religiosas. A comparação entre as crenças e os costumes religiosos patriarcais e aqueles das culturas da Mesopotâmia demonstra claramente grande interdependência. Embora falemos sobre revelações, temos de considerar que não existem revelações feitas no vácuo, e nem elas desprezam completamente os elementos culturais já existentes. Para exemplificar, sabe-se que os místicos quase sempre interpretam suas visões e informações gerais, obtidas através das experiências místicas, segundo diretrizes das religiões nas quais se criaram. Nunca deveríamos ignorar os elementos históricos e culturais, quando estivermos estudando qualquer fé religiosa, mesmo que tal fé afirme ter sido dada mediante revelação direta. Um exemplo notório disso, nos tempos modernos, é o material que os mórmons afirmam ter sido dado, por revelação, a Joseph Smith, como o livro de **Mórmon**, a Pérola de Grande Preço e os Documentos e Pactos. Esses livros abordam muitas questões teológicas que surgiram no século XIX, quando as alegadas revelações foram feitas, embora uma grande parte pertenceria à época de Cristo, oculta na terra por quase dois milênios. Os profetas usam suas visões para reforçar suas crenças teológicas. Contudo, nem todas as crenças têm origem na experiência visionária. Não admira, pois, que o judaísmo antigo compartilhasse de muitas crenças religiosas juntamente com os povos vizinhos, e que a passagem do tempo tenha modificado, e, em alguns casos, purificado certas crenças. Esse processo foi ajudado pelas visões e escritos dos profetas do Antigo Testamento.

Segundo insistem alguns eruditos, *Yahweh* teria sido, a princípio, um deus tribal, que, no processo do tempo, assumiu ares de universalidade na mente dos hebreus. E muitos deles asseveram que uma vez que o politeísmo franco foi abandonado pelos hebreus, o passo seguinte foi o *henoteísmo* (vide), que afirma que apesar de haver muitos deuses, somente um entra em contacto conosco, o único ao qual devemos adorar. Esse deus, usualmente, é apresentado como mais poderoso do que todos os outros. Isso importa em politeísmo teórico, mas em monoteísmo prático. Alguns supõem que essa idéia predominava em Israel, desde Moisés até o exílio, visto que Yahweh cada vez

ISRAEL, RELIGIÃO DE

mais se universalizava e singularizava, mas tudo mui gradualmente, após muito desenvolvimento histórico. Os eruditos conservadores, é claro, negam esse ponto de vista; e até mesmo muitos estudiosos liberais de nossos dias declaram que Moisés era monoteísta. Pelo menos é certo que o conceito de Deus desenvolveu-se a partir de conceitos mais primitivos da deidade, que foram sendo aprimorados com o passar do tempo. Esse desenvolvimento pode ser visto até mesmo dentro do Antigo Testamento, mormente no Novo Testamento. No livro de Gênesis, pois, encontramos um Deus que vinha passear e conversar com o homem com grande facilidade, algo característico do pensamento grego primitivo, com seus deuses e heróis que facilmente entravam em contacto com os homens. Porém, gradualmente Deus se foi tornando mais augusto e transcendental, e menos um capitão de exército, etc. Certamente é preciso alguém ser cego para não perceber a diferença entre o Deus de Elias e o Deus de Jesus Cristo. É inútil, pois, negarmos o princípio da revelação progressiva. Se negarmos esse fato, que avanço poderia ter havido no Novo Testamento, em relação ao Antigo?

Também é claro que tanto no Antigo quanto no Novo Testamentos houve uma revelação progressiva. Não fora isso, e Paulo não poderia ter falado em mistérios, ou seja, a revelação de segredos e doutrinas divinos que, até o tempo em que foram desvendados, eram desconhecidos. Ver o artigo chamado *Mistério*, e também sobre *Inspiração*. Tudo o mais neste mundo cresce e evolui. E por que pensaríamos que somente a teologia forma exceção a essa regra?

2. Desenvolvimento. Os pais alexandrinos da Igreja estranharam certas apresentações de Deus no Antigo Testamento, sobretudo diante de atos brutais que eram atribuídos a Deus, mas que uma compreensão sã da divindade não podia aceitar sem qualquer modificação. Assim, a fim de preservarem os valores morais e espirituais dos relatos e declarações do Antigo Testamento, sem se envolverem em qualquer crença literal ou sanção de certas coisas, eles lançaram mão da interpretação alegórica (vide). Assim, para exemplificar, pode-se admitir que o sacrifício potencial de Isaque, por parte de Abraão, contém lições morais e espirituais valiosas, sem termos de admitir que Deus, realmente, tenha ordenado um sacrifício humano. Ver o artigo sobre *Isaque*, seção III, quanto a uma completa discussão sobre esse assunto. As crenças patriarcais e as práticas religiosas deles tinham muitos pontos em paralelo com as crenças e práticas religiosas da Babilônia, e a lei mosaica tinha muito em comum com os códigos legais da época. Ver o artigo sobre *Hamurabi, Código de*, que fornece ilustrações adequadas a esse respeito.

3. Quanto a propósitos comparativos, o leitor deveria ler o artigo sobre o **Dilúvio de Noé**, onde se demonstra como as crenças antigas dos patriarcas eram compartilhadas por muita coisa existente na cultura mesopotâmica. Quanto a informações adicionais e iluminadoras, ver também sobre *Gilgamés, Epopéia de*.

4. Uma Nação Sacerdotal. Nos tempos patriarcais, o pai da família era o sacerdote da mesma. Com Moisés, entretanto, esse ofício foi institucionalizado, e uma tribo de Israel foi escolhida para cuidar do culto religioso formal. Seja como for, Israel, como um *reino de sacerdotes*, tornou-se parte da consciência religiosa. Isso foi transferido mui naturalmente para a Igreja cristã, o Novo Israel, de natureza eminentemente espiritual. Ver Apo. 1:6 e 6:10.

5. As Instituições de Israel. As instituições tipicamente judaicas, que realmente chegaram a distinguir Israel das outras nações, começaram com a lei mosaica. Isso proveu não somente os princípios fundamentais de todos os atos, individuais, sociais e nacionais, mas também outorgou a Israel o seu *Livro*, as suas leis e práticas, sob forma concreta, a base de toda a instrução do povo de Israel. Essa legislação era tão abrangente e sugestiva (quando não especificava coisas) que todos os aspectos da vida nacional e individual, em Israel, eram regulamentados por ela.

6. Conceito de Inspiração e Revelação Divinas. Desde o princípio, conforme nos mostra o livro de Gênesis, a mente dos hebreus preocupou-se em entrar em contacto com Deus e manter esse contacto, aprendendo sobre ele e obedecendo às suas leis. Essa preocupação foi reforçada pelas revelações dadas através de Moisés. Era apenas natural que os livros sagrados terminassem formando um cânon. Assim, temos como diretriz das crenças e práticas religiosas uma base literária aceita como dotada de origem divina. Ver os artigos chamados *Cânon* e *Revelação*. Ver também sobre *Misticismo*. A revelação é apenas uma subcategoria do misticismo. O pressuposto básico é que Deus existe, estando interessado em comunicar-se com o homem e, realmente, comunicando-se. Nessa comunicação é que surgem nossas crenças e leis fundamentais. O contacto com o ser divino transcende às limitações da razão e da percepção dos sentidos, dando-nos um meio de obter conhecimentos de uma maneira não inerente a essas qualidades. Outrossim, o contacto com o Ser divino promove a espiritualidade, e não apenas o conhecimento; e isso serve de alicerce de toda a crença religiosa.

7. Lutas Contra a Idolatria. Até mesmo durante as vagueações de Israel pelo deserto, segundo o registro do livro de Êxodo, ocasionalmente, esse povo foi tentado a cair na idolatria. Mas, quando lemos o relato bíblico sobre os reis de Israel (ver o artigo chamado *Israel, Reino de*, que sumaria a história de todos os dezenove reis de Israel), ficamos desolados em ver como Israel, durante séculos, foi, essencialmente, uma nação idólatra, em contraste com Judá, o reino do sul, que teve menos comprometimento com a idolatria. É difícil entendermos como a lei de Moisés e as antigas instituições de Israel não exerceram maior poder sobre a mentalidade nacional. Profetas como Elias e Eliseu tentaram promover a antiga fé, em meio a tantos apostatados.

8. O Crescente Conceito de Deus. É notável o quanto a teologia cristã acerca de Deus se alicerça sobre os escritos do profeta Isaías, especialmente nos capítulos quarenta a sessenta e seis de seu livro. Apresentamos um artigo separado sobre essa questão. Ver *Isaías, Seu Conceito de Deus*.

9. A Tradição Profética. Israel era uma nação que acreditava no poder que os profetas tinham tanto para instruir quanto para prever o futuro. Portanto, temos uma série de livros proféticos no Antigo Testamento, e falamos sobre os profetas maiores e menores, dependendo do volume de material que eles nos legaram. O livro de Daniel tornou-se a grande inspiração dos escritos proféticos e apocalípticos do período intermediário entre o Antigo e o Novo Testamentos. Ver os artigos intitulados *Livros Apócrifos* e *Apocalípticos, Livros* (*Literatura Apocalíptica*). O Novo Testamento também apresenta esse ponto de vista no capítulo vinte e quatro de Mateus, no capítulo treze de Marcos, no capítulo dois de II Tessalonicenses, e, acima de tudo, no livro do Apocalipse.

ISRAEL, RELIGIÃO DE

O Messias. O conceito messiânico é importantíssimo dentro da Bíblia, tendo-se desdobrado a partir de Isaías e Daniel. No período intermediário, essa atitude prosseguiu nos livros apócrifos de I e II Enoque (vide), além de outros escritos judaicos do mesmo período. O Novo Testamento aponta em Jesus, o Cristo, o cumprimento de todas as esperanças messiânicas. E na missão terrena de Jesus, o Novo Testamento vê parte importante da missão do *Logos* (vide).

10. Ezequiel foi um profeta que enfatizava a responsabilidade moral, que é a base de toda a ação ética verdadeira.

11. Recompensa e Castigo. Um dos pontos mais admiráveis da lei de Moisés eram suas promessas de recompensa e suas ameaças de castigo, no caso da obediência ou da desobediência, respectivamente — mas promessas que nada tinham a ver com o céu e ameaças que nada tinham a ver com o inferno. Conforme alguém já disse: «As chamas do inferno foram acesas somente em I Enoque!» De fato, seria uma incoerência prometer o céu aos obedientes à lei, quando a lei é o ministério da condenação, segundo diz Paulo: «Todos quanto, pois, são das obras da lei, estão debaixo da maldição; porque está escrito: Maldito todo aquele que não permanece em todas as cousas escritas no livro da lei, para praticá-las. E é evidente que pela lei ninguém é justificado diante de Deus, porque o justo viverá pela fé» (Gál. 3:10 *ss*). No Pentateuco não temos qualquer ensino claro sobre a alma, embora trechos isolados possam ser destacados que mostram que alguns hebreus acreditavam no após-vida. A doutrina da alma, como ensino direto e claro, só aparece nos salmos e nos livros proféticos. Somente depois disso aparece com nitidez a doutrina da *ressurreição*, em face da qual as almas serão conduzidas ou à glória eterna ou à vergonha eterna, depois da presente vida. Isso é enfatizado em Dan. 12:2. E esse conceito veio a popularizar-se no período intermediário, entre os dois testamentos, no judaísmo, e daí passou para o cristianismo.

12. A salvação pessoal é uma doutrina que se desenvolveu naturalmente a partir da crença na alma e na ressurreição do corpo. Essa doutrina foi ensinada claramente, pela primeira vez, pelos *hassideanos* (vide), nos séculos IV e III A.C. Esses conceitos tornaram-se básicos no fariseísmo, em contraste com a posição dos saduceus. Naturalmente, no Novo Testamento, a salvação pessoal é uma das doutrinas dominantes. Ver sobre *Salvação* e sobre *Imortalidade*.

13. O Mundo Intermediário. Referimo-nos aqui ao período de vida da alma, antes da ressurreição. No judaísmo de antes e da época do cristianismo, encontrava-se a mesma variedade de idéias que achamos atualmente na Igreja cristã. Assim, entre alguns prevalecia a doutrina do *sono da alma*. Ou seja, de acordo com certas crenças primitivas dos hebreus; alguns pensavam que a alma morre juntamente com o corpo, embora a vida do indivíduo viesse a ser renovada por ocasião da ressurreição. Mas também, havia aqueles que não criam na vida após-túmulo, de maneira alguma, julgando que a morte física é o fim de tudo, o que parece refletir-se no trecho de Ecl. 9:10: «...porque no além, para onde tu vais, não há obra, nem projetos, nem conhecimento, nem sabedoria alguma». Isso concorda com o pensamento hebreu mais primitivo, uma das razões pelas quais Moisés não tentou encorajar a busca pela retidão com a promessa do céu, e nem desencorajar a prática do mal com a ameaça do inferno. E alguns pensam que no décimo segundo capítulo de Eclesiástico temos um pós-escrito, de um autor

diferente, que deu ao livro um final de sabor ortodoxo. Diz Ecl. 12:7: «...e o pó volte à terra, como o era, e o espírito volte a Deus, que o deu». De acordo com esse versículo, a sobrevivência da alma diante da morte física é uma realidade; e também fica subentendida a futura ressurreição do corpo. Porém, a verdade é que antes mesmo do décimo segundo capítulo de Eclesiastes fica subentendida a sobrevivência da alma, juntamente com a idéia de um ajuste de contas diante de Deus, o que mostra que o autor sagrado não deixava de crer na imortalidade. Lemos em Ecl. 11:9: «Alegra-te, jovem, na tua juventude, e recreie-se o teu coração nos dias da tua mocidade; anda pelos caminhos que satisfazem ao teu coração e agradam aos teus olhos; sabe, porém, que de todas estas cousas Deus te pedirá conta».

Sabemos, com base em II Macabeus 12:39, que muitos judeus do período intermediário antes da inauguração do Novo Testamento, acreditavam que o estado dos mortos não era fixo, podendo ser afetado pelas preces dos vivos. Naturalmente, para a Igreja Católica Romana, para quem os livros apócrifos fazem parte do cânon do Antigo Testamento, aquele versículo de II Macabeus é autoritário, como se o mesmo desse respaldo à doutrina do *purgatório* (vide). No entanto, foi somente por ocasião do concílio de Trento, já em meados do século XVI, que os livros apócrifos foram considerados canônicos pelo catolicismo romano. «Excetuando o protestantismo moderno, a oração em favor dos mortos, herdada do judaísmo, tem sido uma prática cristã universal. Essa prática não precisa de qualquer apoio escriturístico específico, muito menos de II Macabeus 12:39. Pois certamente é um corolário necessário da doutrina cristã da comunhão dos santos» (C). Ver os artigos intitulados *Purgatório* e *Estado Intermediário*.

14. A Reencarnação. Sabemos que tanto as escolas dos fariseus quanto as escolas dos essênios ensinavam a doutrina da reencarnação. A reencarnação era uma doutrina importante da *Cabala* (vide), a escola mística do judaísmo. No Novo Testamento mesmo há casos especiais de reencarnação, como os de Elias, das duas testemunhas do Apocalipse 11 e do anticristo. Este último, terá sido um dos antigos imperadores romanos, que, saindo dos hades, viria à terra em uma nova missão maligna (Apo. 17:8,10,11). No caso do anticristo temos a doutrina de uma alma humana que sairá do hades e se reencarnará. O trecho de I Ped. 4:6 indica que o hades não é, necessariamente, um lugar permanente para as almas perdidas, mesmo porque ali se processa um trabalho missionário. Ver o artigo sobre a *Descida de Cristo ao Hades*. Refletindo uma doutrina judaica popular sobre a reencarnação, alguns judeus pensavam que Jesus fosse o retorno de algum dos antigos profetas de Israel (ver Mat. 16:14). A significação teológica disso é que, na concepção de muitos judeus, havia *oportunidade* de salvação mesmo após a morte física. Além disso, havia a crença de que muitos dos profetas do Antigo Testamento continuariam os seus labores através desse processo, pelo que assim seriam perpetuados tanto o trabalho missionário no hades quanto o ofício profético na terra. Ver o artigo separado sobre a *Reencarnação*, que apresenta um completo estudo sobre a questão, com argumentos pró e contra.

15. O Problema do Mal. Um dos mais complicados e vexatórios problemas da teologia e da filosofia é o problema do mal. Como reconciliar as doutrinas da bondade, da onisciência e da onipotência de Deus com o mal reinante, com os desastres e tragédias que podemos observar no mundo? O livro de Jó é uma primitiva resposta a esse problema. É perturbador que

ISRAEL — ISRAEL DE DEUS

ali Deus seja retratado a barganhar com o diabo sobre a tentação á que Jó seria sujeito, com o resultado de que ele terminou sofrendo horrores, somente para ficar provado um ponto. Mas talvez aquela fosse apenas uma maneira literária de introduzir o problema, que não deva ser considerado como parte integral do argumento. A mensagem principal do livro parece ser que o mal pode sobrevir a um homem bom, inteiramente à parte do problema do pecado, embora os consoladores molestos de Jó tivessem insistido em que seus problemas tinham de se derivar de seu pecado. Todavia, no fim Jó confessou o seu pecado, ao ser cotejado com o próprio Deus (Jó 40:4; 42:1-6; esse último versículo fala em *arrependimento*). Mas, o fato de que ele era um pecador miserável e cheio de limitações não parece ser a *razão* por detrás de seus sofrimentos. Se assim fosse, então os oponentes de Jó estavam com a razão na avaliação que fizeram. Jó 42:7, mostra-nos que Deus ficou indignado com eles, pelo que fizeram, e isso não é reivindicação em favor da argumentação deles. Antes, o livro de Jó parece indicar a idéia de que os sofrimentos podem proceder de algum lugar dentro da inescrutável vontade de Deus; que esses sofrimentos são controlados por Deus; e que, no fim o homem bom é abençoado. Ver o artigo separado sobre o *Problema do Mal*.

16. O Monoteismo. Essa foi a mais primitiva contribuição do judaísmo ao pensamento religioso. Muitos estudiosos liberais estão concordando, atualmente, que Moisés foi um monoteísta e um henoteísta. A grande pluralidade de deuses, bons e maus, concebida pelos povos pagãos, apenas obscurecia o conceito do divino, por parte dos homens. Xenófanes objetava ao conceito popular dos gregos acerca dos deuses como uma degradação e uma invenção da mente humana. Somente o Deus que se revelou aos hebreus era o Deus verdadeiro (todos os demais sendo apenas imaginários), um Deus justo que requer justiça da parte dos homens. A lei mosaica demonstra isso, ao mostrar a pecaminosidade de todos os homens, ao confrontá-los com um reto padrão de justiça, a justiça de Deus.

17. Uma Ética Superior e Nacional. Acima de todas as outras nações, Israel era uma nação fundamentada sobre um código de princípios éticos que qualquer comunidade humana bem formada exigiria. Não havia entre os israelitas o que hoje chamamos de secular, em contraste com o religioso. Todas as coisas, na vida nacional, faziam parte do desígnio divino, e cada aspecto da vida teria de ser governado pela lei moral.

18. As Leis Universais. Os fariseus ensinavam que a salvação pessoal só podia ser obtida por membros da fé judaica através do estudo e da observância cuidadosos da lei mosaica, que havia sido dada especificamente a Israel. Mas também ensinavam que todos os homens podiam obter a salvação mediante a observância dos sete princípios morais básicos da legislação mosaica. Conforme os fariseus entendiam, essas leis aplicar-se-iam a todos os descendentes de Noé, ou seja, todos os povos do mundo. Esses sete princípios seriam aquelas leis que proíbem a idolatria, a blasfêmia, o homicídio, as irregularidades sexuais, o furto, a crueldade contra os animais, e, positivamente, a necessidade de estabelecer a retidão civil.

19. A Duradoura Influência do Farisaísmo. Os escritos talmúdicos são produtos da tradição farisaica. Não dispomos de obras escritas antigas geradas pelas tradições dos saduceus. Portanto, o judaísmo que sobreviveu no mundo é, essencialmente, filho do farisaísmo.

20. A Influência da Filosofia. Quanto a uma completa declaração a esse respeito, ver o artigo chamado *Filosofia Judaica*. Era apenas natural que o judaísmo, em contacto com grandes centros de filosofia, como Alexandria, se deixasse influenciar pelas idéias filosóficas de Aristóteles e de Platão, mormente deste último. Alguns judeus se esforçaram por reconciliar a sabedoria grega com as revelações dadas aos hebreus. Esse artigo traça a história e os principais pensamentos que emergiram desse esforço. De modo geral, podemos dizer que, quanto a *alguns* aspectos, o judaísmo produziu certas idéias melhores que aquelas contidas no Antigo Testamento, sobretudo no tocante à imortalidade da alma, sobre o que o Antigo Testamento é fraco, embora essa doutrina seja saliente no Novo Testamento.

21. Elementos Essenciais da Fé Judaica. Se levarmos em conta não só o Antigo Testamento, mas também o que ensinava o judaísmo posterior, poderemos afirmar que os princípios abaixo são fundamentais: uma doutrina de Deus na qual Deus é eterno, santo, onisciente, onipotente, transcendental e imanente ao mesmo tempo, existente fora do tempo e totalmente transcendental; a lei é autoritária, mas a sua verdadeira interpretação apareceria no Talmude; as Escrituras do Antigo Testamento, como um corpo literário, esboçam nossas crenças e práticas básicas; no que concerne ao homem, deve-se afirmar que ele é dotado de dignidade, imortalidade e personalidade individual; durante a era messiânica haverá a redenção final da humanidade.

22. A Interpretação e a Autoridade. Não há qualquer corpo judaico central capaz de expor uma interpretação final e autoritária do judaísmo. Cada rabino bem instruído pode examinar o Talmude e outros escritos afins, como sua orientação pessoal, e como base das instruções que der a outros. Na prática, e por consenso informal, os principais mestres rabínicos de cada geração são reconhecidos como intérpretes autoritários. Porém, a autoridade deles envolve somente aqueles indivíduos e grupos que os aceitam como líderes espirituais. Outras comunidades judaicas precisam ter seus próprios mestres orientadores. Não obstante, visto que todos eles partem das mesmas bases, há uma espécie de concórdia geral entre eles, pelo menos no tocante a pontos básicos. A isso temos que ajuntar que somente os rabinos de tendências liberais fazem exceção a isso, que não aceitam aquelas bases, necessariamente, como autoritárias. Temos provido vários artigos a respeito do *Judaísmo*, que suplementam o presente artigo.

Bibliografia. AM E HOS KRAU WG(1969) Z

ISRAEL (JACÓ)

Ver sobre Jacó. Ver a definição e os vários usos desse nome na primeira seção do artigo intitulado *Israel, História de*.

ISRAEL BEN ELIEZER BAAL SHEM TOBE (BESHT)

Ele foi o fundador do moderno *Assidismo* (vide).

ISRAEL DE DEUS

Um dos ensinamentos de Paulo é que nem todos os membros do *Israel* físico merecem o nome. Lemos em Romanos 9:6 «...porque nem todos os de Israel são de fato israelitas». Por um lado, obtemos a idéia de que o remanescente espiritual é que constitui o verdadeiro

ISRAEL DE DEUS — ISSACAR

Israel; e, por outro lado, que a Igreja tornou-se o Israel espiritual nesta era da graça.

João Batista já havia introduzido o conceito de um remanescente, visto que ensinava que era inútil alguém pensar que tinha algum direito espiritual, meramente por descender fisicamente de Abraão (Mat. 3:9). Jesus convocou para si mesmo um «pequeno rebanho», que ele declarou serem os herdeiros do reino (Luc. 32:32; ver Dan. 7:22,27, quanto a essa conexão). Jesus também predisse uma nova era, durante a qual os doze apóstolos governariam o novo Israel (Mat. 29:38; Luc. 22:30). Outras ovelhas haveriam de engrossar as fileiras desse novo Israel, ou seja, com o chamamento dos gentios (João 10:16).

É em Gálatas 6:16 que encontramos a única ocorrência bíblica da expressão exata, *Israel de Deus*. Os estudiosos disputam quanto à definição desse termo. Pode indicar um Israel espiritual (e literal), ou pode indicar o Novo Israel (a Igreja), formada por judeus e gentios convertidos. Seja como for, é comum, nas páginas do Novo Testamento, a idéia da Igreja como o Novo Israel. Ver I Ped. 2:9. Naturalmente, o núcleo original desse Novo Israel compunha-se de judeus convertidos (Rom. 11:18). Na verdade, Israel é a *nova criação* de Deus (Gál. 6:15); equiparada ao Israel de Deus.

A fim de evitarmos conceber um quadro desolador e pessimista do destino de Israel e daqueles que não fazem parte do *remanescente*, deveríamos lembrar que o conceito de remanescente não é a palavra final de Deus sobre a redenção e a restauração humanas. Pois, finalmente, todo o Israel será salvo, conforme aprendemos em Rom. 11:25 *ss*. Ver o artigo separado intitulado *Queda e Restauração de Israel*. Esse artigo aborda o Israel literal, o que, finalmente, será espiritualizado como uma vasta unidade. Outrossim, temos o ensino sobre a restauração dos perdidos, o que ocorrerá através das eras da eternidade futura, mediante o julgamento divino e vários outros fatores. Ver o artigo sobre a *Restauração*. Isso contrasta com a Redenção (vide), embora seja uma grandiosa obra do Redentor Restaurador.

Para propósitos de comparação, ver Rom. 4:11,12; 9:6 e Gál. 3:16 *ss*. Um remanescente da nação de Israel foi salvo; surgiu o Novo Israel; mas Paulo antevia uma obra ainda mais completa e abrangente de Deus, acerca de Israel (Rom. 9:1-3). Os artigos acima referidos justificam essa antevisão de Paulo.

ISRAELI, ISAAC BEN SOLOMON

Foi um filósofo judeu dos fins do século IX e começo do século X. Nasceu no Egito. Educou-se em Kairawan. Sua filosofia era, essencialmente, uma forma de neoplatonismo (vide). Suas principais obras escritas são: *Livro dos Elementos; Livro das Definições; Livro das Substâncias; Livro sobre o Espírito e a Alma.*

ISRAELITA

Alguém que pertence a alguma dos doze tribos de Israel. Quanto a uma completa descrição sobre o uso do termo «Israel» (e, portanto, «israelita»), ver o artigo intitulado *Israel, História de*, seção primeira.

ISSACAR

Esboço:
I. A Pessoa
II. A Tribo
III. O Território de Issacar

I. A Pessoa

Issacar vem de uma palavra hebraica que significa «ele trará recompensa». Esse era o nome do nono filho de Jacó (e o quinto de Lia), —que nasceu por volta de 1750 A.C. Outros estudiosos derivam seu nome de *ish*, «homem», e *sakar*, «salário», ou seja, «trabalhador contratado» (Gên. 30:18; 35:23 e Núm. 26:25). Sabe-se que ele nasceu em Padã-Harã, mas praticamente nada é registrado na Bíblia acerca de sua vida. Tinha quatro filhos e desceu com eles ao Egito, em companhia de Jacó (Gên. 46:13; Êxo. 1:3). Ali compartilhava da vida que tinham todos os patriarcas hebreus; mas não se sabe de qualquer de seus atos distintivos. Issacar morreu no Egito e ali foi sepultado. Sua família dividiu-se em quatro tribos; mas finalmente consolidou-se como a tribo de Issacar. Ver Núm. 26:23,24; Gên. 46:13.

Um Outro Issacar. Houve um sacerdote coraíta com esse nome, que trabalhava como porteiro, durante o reinado de Davi. Ver I Crô. 26:5.

II. A Tribo

A tribo de Issacar era formada pelos descendentes do homem desse nome, descrito na primeira seção, através de quatro famílias principais: Gên. 46:13; Núm. 26:23-25 e I Crô. 7:1. Quando foi feito o recenseamento em Israel, Issacar contava com 54.400 homens, o que fazia deles a quinta mais populosa tribo de Israel. Ver Núm. 1:28,29. Quando do segundo recenseamento, esse número já havia aumentado para 64.300 homens, o que fazia da tribo a terceira mais numerosa. Quando o povo de Israel marchava pelo deserto, Issacar posicionava-se a leste do tabernáculo. Essa posição era compartilhada por Judá e Zebulom (Núm. 2:3-8). Nesse tempo, o chefe da tribo era Natanael, filho de Zuar (Núm. 1:8). Seu sucessor foi Igal, que era filho de José. Ele foi um dos doze espias enviados para investigar a Terra Prometida, antes da invasão israelita (Núm. 13:7). Paltiel apareceu em seguida como chefe da tribo, que ajudou Josué a dividir a terra invadida, depois que a mesma foi conquistada (Núm. 32:26).

O trecho de Josué 19:17-23 alista mais de uma dúzia de cidades pertencentes à tribo de Issacar, depois que ela se estabeleceu na Terra Prometida. Porém, os arqueólogos não têm conseguido determinar a localização exata da maioria delas.

Tola, um dos juízes de Israel, era da tribo de Issacar (Juí. 10:10). Dois dos reis de Israel, reino do norte. eram de Issacar, Baasa e seu filho, Elá (I Reis 15:27). Débora e Baraque também eram da tribo de Issacar. O cântico triunfal de Débora menciona a tribo, cujos homens participaram da batalha contra Sísera. Essa batalha teve lugar na planície de Issacar. Um dos benefícios dessa vitória é que foi obtida uma passagem livre entre os israelitas da região montanhosa de Efraim e os israelitas que viviam na Galiléia.

Pela época de Davi, a tribo já havia aumentado para oitenta e sete mil homens (I Crô. 7:5). Quando Salomão reorganizou Israel em distritos administrativos, em vez de doze tribos, o território de Issacar tornou-se uma província independente (I Crô. 4:17).

Na divisão ideal do território da Terra Santa, conforme se vê na visão de Ezequiel (48:25), o território de Issacar aparece entre os das tribos de Simeão e Zebulom. Issacar, Simeão e Zebulom teriam três portões, no lado sul da nova Jerusalém. Esses portões são chamados pelos nomes dessas tribos (Eze. 48:33). A tribo de Issacar é mencionada em Apo. 7:7, onde doze mil homens daquela tribo figuram como selados para o serviço do Senhor.

••• ••• •••

ISSACAR – ITÁLIA

III. O Território de Issacar

A fronteira oriental da tribo de Issacar era o rio Jordão. Para oeste, esse território estendia-se exatamente até a meio-caminho para o Grande Mar, ou mar Mediterrâneo. Compreendia a totalidade da planície de Esdrelom e os distritos circunvizinhos, e era considerado o celeiro da Palestina. O território de Manassés fazia fronteira com o de Issacar a oeste e ao sul. Suas principais cidades eram Megido, Taanaque, Suném, Jezreel, Bete-Seã, Endor, Afeque e Ibleã. Os montes de Tabor e Gilboa, e o vale de Jezreel, eram elementos geográficos importantes do território de Issacar. O rio Quisom atravessava esse território.

ISSIAS

No hebraico, «Yahweh emprestará». Esse é o nome de cinco pessoas cujos nomes aparecem na Bíblia:

1. Um levita, filho de Uziel, da casa de Coate (I Crô. 23:20; 24:25). Ao que parece, ele viveu na época de Davi.

2. Um membro da tribo de Issacar (I Crô. 7:3). Também viveu na época de Davi.

3. Um dos trinta poderosos guerreiros de Davi (I Crô. 12:6).

4. Um filho de Recabias, neto de Moisés, através de Eliezer. Viveu na época de Davi e foi cabeça de uma numerosa família que tinha o nome de seu pai (I Crô. 24:21; ver também 23:17; 26:25). Também é chamado de Jesaías, em algumas versões (mas não na nossa versão portuguesa) em I Crô. 12:6 e 23:20.

5. Um israelita que retornou do cativeiro babilônico e que, em consonância com o pacto firmado, divorciou-se de sua mulher estrangeira (Esd. 10:31). Ele tem sido identificado por muitos estudiosos com o Asaías de I Esdras 9:32. Viveu por volta de 520 A.C.

ISTALCURO

Um israelita que teria retornado do cativeiro babilônico em companhia de Esdras, no tempo de Artaxerxes (I Esdras 8:40). Na passagem canônica paralela, em Esd. 8:14, encontramos «Utai, dos filhos de Istalcuro», segundo alguns manuscritos, o que, sem dúvida é uma corrupção do texto original, que diz «Utai e Zabude». Viveu por volta de 520 A.C.

ISTAR

Uma deusa assíria e babilônica, também conhecida como Astarte e Astorete. Em diversas tradições ela desempenhava certa variedade de funções, sendo considerada deusa das fontes, da vegetação, dos rebanhos de gado vacum e de ovelhas, do amor sexual e do casamento. Pelo lado negativo, ela era tida como destruidora da vida, controlando as tempestades e a guerra. Segundo a crença de seus adoradores, ela descia anualmente ao hades, o que estaria associado à morte da vegetação. De acordo com as lendas astrológicas, ela estava associada ao planeta Vênus. O nome «Istar» não aparece nas páginas do Antigo Testamento, embora se saiba que era venerada tanto na Assíria quanto na Babilônia. Somente na Babilônia ela contava com cento e oitenta santuários ao ar livre. Ela, entretanto, é a «rainha do céu», a que se referem os trechos de Jer. 7:18 e 44:19. Com base nessas referências, sabemos que os israelitas andaram envolvidos nessa adoração idólatra.

ISVÁ

No hebraico, «plano». Esse era o nome do segundo filho de Aser, filho de Jacó e Zilpa (Gên. 46:17; I Crô. 7:30). Viveu em algum tempo entre 1850 e 1640 A.C.

ISVARA KRISHNA

Ver sobre **Sankhya**.

ISVI

No hebraico, «igual». Nome de duas personagens mencionadas nas páginas do Antigo Testamento:

1. O terceiro filho de Aser, filho de Jacó e Zilpa (Gên. 46:17; Núm. 26:44; I Crô. 7:30). As traduções grafam o nome de várias formas, nessas três passagens, mas não a nossa versão portuguesa, que traz uma única grafia. Ele foi o fundador de uma família que tomou seu nome, os isvitas (ver Núm. 26:44).

2. Um filho do rei Saul e Abinoã (I Sam. 14:49). No entanto, em I Crô. 8:33 e 9:39, seu nome aparece com a forma de *Esbaal* (vide). E, em II Sam. 2:10, lê-se *Is-Bosete* (vide).

ITAI

No hebraico, «oportuno». Foi o nome de duas pessoas que figuram na Bíblia:

1. Um filho de Ribai, de Gibeá, um dos trinta poderosos guerreiros de Davi (II Sam. 23:29; I Crô. 11:31). Ele viveu por volta de 1046 A.C.

2. Um filisteu de Gate que se uniu a Davi e tornou-se comandante de seiscentos homens e suas respectivas famílias. Quando Absalão revoltou-se contra seu pai, esse homem acompanhou a Davi na fuga. Então tornou-se comandante de uma terça parte do pequeno mas experiente exército de Davi, ocupando um posto militar idêntico ao de Joabe e de Abisai (II Sam. 17:2,5,12). O trecho de II Sam. 15:20 refere-se aos seus «irmãos». Isso mostra que Davi contava com vários estrangeiros no seu exército, entre os quais também havia filisteus. Itai participou da batalha na floresta de Efraim, quando Absalão foi morto (II Sam. 15:18-22; 18:2,5).

ITALA, VERSÃO

Esse é o nome da mais antiga das versões latinas do Novo Testamento. Ver sobre *Bíblia*, *Versões e Manuscritos do Novo Testamento*.

ITÁLIA

O Nome. Não se sabe qual o nome que os antigos hebreus davam à Itália. Algumas vezes, Jerônimo equiparou *Quitim* com a Itália, em Núm. 24:24 e Eze. 27:6. E, quanto a Isa. 66:19, ele traduziu *Tubal* como Itália, embora isso seja tradução extremamente duvidosa. Parece mais provável que o mar Tirreno, a oeste da península italiana, preserve o nome dos mais antigos habitantes da região, os descendentes de Tiras (ver Gên. 10:2), filho mais novo de Jafé, filho de Noé. Contudo, não há como comprovar essa opinião. Há estudiosos que pensam que Tiras deu os trácios. Ver o artigo sobre a *Trácia*.

No Novo Testamento. Se no Antigo Testamento não há nenhuma menção específica à Itália, com esse nome, o mesmo já não ocorre no Novo Testamento, onde esse nome locativo aparece por quatro vezes (Atos 18:2; 27:1,6 e Heb. 13:24), e em cujos trechos não há qualquer dúvida ou ambigüidade quanto ao sentido da palavra. «Itália» refere-se então àquela região do sul da Europa que inclui a península inteira que vai desde os montes dos Alpes até o estreito de

ITÁLIA — ITINERÁRIO

Messina, onde havia uma nação da qual Roma era a capital.

Abalizados estudiosos pensam que o nome «Itália» vem de um termo itálico, *vitulus*, «boi» ou «vitela». Os habitantes daquela península eram chamados *itali*, pelos gregos. Os *itali* eram os habitantes da ponta do extremo sul da Itália e estavam, aparentados, bem de perto com os gregos. Tanto isso é verdade que, posteriormente, essa região veio a chamar-se de Magna Grécia, e suas cidades tinham nomes tipicamente gregos, como Nápolis, Crotone, Galípoli, Otranto, etc. Entretanto, pouco a pouco, o nome Itália foi sendo aplicado à península inteira, até envolver todo o país que, atualmente, se chama Itália. Assim, a Gália Cisalpina, que é a porção do extremo norte da Itália atual, só foi incorporada ao que se considera Itália, atualmente, nos tempos de César Augusto. Foi nessa época que a Itália atingiu suas fronteiras alpinas, conforme até hoje se vê. Essa península, em forma de uma perna humana, e que também é conhecida pela alcunha de «bota italiana», tem cerca de mil e cem quilômetros no sentido de maior comprimento, na direção noroeste-suleste. E somente no extremo norte atinge mais de duzentos e quarenta quilômetros de largura, que é a largura média do resto do território.

Os montes Alpes formavam uma barreira natural, que protegia a Itália de invasores vindos do norte; mas Aníbal, o general cartaginês (ver sobre *Guerras Púnicas*), demonstrou que atravessar os Alpes com um exército poderoso não era um feito impossível. As referências neotestamentárias à Itália mostram que ali havia colônias judaicas. A colônia judaica da capital, Roma, era bastante numerosa. Mas, o imperador Cláudio expulsou de Roma os judeus; e foi por esse motivo que Paulo chegou a conhecer Áquila e Priscila (ver Atos 18:2).

Após ter sido detido em Jerusalém, e após certo período de permanência em Cesaréia, Paulo foi levado até Roma, onde teria de ser julgado pelo imperador, Nero, consoante a sua petição (ver Atos 25:11,12). A famosa viagem de Paulo a Roma, capital da Itália, é narrada no vigésimo sétimo capítulo do livro de Atos. Havia uma próspera igreja cristã em Roma, conforme o demonstra a epístola paulina aos Romanos. E o trecho de Hebreus 13:24 indica que outros locais do território italiano haviam sido influenciados pelo evangelho, e não somente Roma.

Na antiguidade, a Itália tinha mais paisagens lindas do que férteis, excetuando-se as planícies entre as montanhas, onde havia um adequado suprimento de água. Os produtos agrícolas dali eram as azeitonas, as uvas e muitas frutas, mas, sobretudo cereais. A madeira era abundante na antiguidade. Havia populações italianas antiqüíssimas que se misturaram com invasores **indo-europeus.**Entre essas populações mais primitivas poderíamos mencionar os etruscos, vindos da Ásia Menor, os oscos e os úmbrios. Sete séculos de expansão quase contínua resultaram na propagação do poder e da cultura romanos por uma grande parte do mundo antigo, incluindo grande faixa da Europa, o norte da África e o Oriente Próximo, ou seja, todos os territórios em redor do mar Mediterrâneo, que se tornou um lago italiano. Visto que a civilização ali predominante era **greco-romana,** e que esta dependia muito da civilização persa, a qual, por sua vez, era um subproduto da civilização babilônica, pode-se dizer que esta última é a originária da atual civilização ocidental, um misto de elementos romanos e germânicos, conforme qualquer estudioso da história universal sabe. Roma, portanto, sintetizava todo um desenvolvimento civilizador que vinha de antes da época de Abraão, e que, lentamente foi deslocando o seu centro do Oriente para o Ocidente — Babilônia, Média-Pérsia, Grécia e Roma.

Quando da queda do Império Romano do Ocidente, no século V D.C., provocada tanto por sua própria inércia e devassidão quanto pela invasão de diversos povos germânicos (vindos do centro e norte da Europa), a Itália se desagregou em diversas unidades políticas, cujas fronteiras mudavam diversas vezes por outra, ao longo dos séculos. Foi somente no século XIX, em 1870, que se completou a unificação política moderna da Itália, conforme os ideais do Risorgimento haviam previsto que aconteceria. Mas, se a organização política do império romano se esfacelou (em seu segmento ocidental) no século V D.C., a civilização romana prossegue até hoje, naquilo que chamamos de civilização latina (da qual até o Brasil faz parte). Essa civilização terá seu período de renovação às mãos do futuro anticristo, somente para chegar ao seu final poucos anos depois, quando da volta do Senhor Jesus. Ver sobre a *Parousia*. Ver também sobre o *Anticristo* e a *Grande Tribulação*. Por igual modo, ver os artigos separados *Roma* e *Império Romano*.

ITAMAR

No hebraico, «ilha das palmeiras». Esse era o nome do quarto filho de Aarão, irmão mais velho de Moisés. Itamar foi consagrado ao sacerdócio juntamente com os seus irmãos (Êxo. 6:23 e Núm. 3:2,3). Sabemos que a propriedade do tabernáculo foi deixada aos seus cuidados (Êxo. 38:21), e que ele supervisionava a atuação das seções levíticas de Gérson e Merari (Núm. 4:28); mas, à parte disso, não temos informações mais específicas acerca dele.

Itamar e seus descendentes ocuparam a posição de sacerdotes comuns até que o sumo sacerdócio passou para essa família, na pessoa de Eli. Entretanto, são desconhecidas as causas dessa transferência de sumo sacerdócio. Abiatar, deposto por Salomão, foi o último sumo sacerdote dessa linhagem, quando então o ofício reverteu à linhagem de Eleazar, na pessoa de Sadoque (I Reis 2:34).

Os dois irmãos mais velhos de Itamar, Nadabe e Abiú, foram executados a mando do Senhor por terem oferecido fogo estranho sobre o altar (Lev. 10; Núm. 3:4; 26:1). Quando Israel vagueava pelo deserto, ele era líder dos levitas (Êxo. 38:21), e também dos gersonitas (Núm. 4:28) e dos meraritas (Núm. 4:33; 7:8). O trecho de Esd. 8:2 mostra que a família de Itamar sobreviveu como um clã distinto, terminado o cativeiro babilônico.

ITINERÁRIO

Esse termo refere-se às orações recitadas por monges e outros eclesiásticos, antes de iniciarem alguma viagem. Essas orações aparecem impressas no final do *Breviário* (vide). Essas preces são muito antigas, e, provavelmente, tiveram começo entre as ordens monásticas. Sabemos que os chamados padres do deserto proferiam orações em favor dos monges que partiam em alguma jornada. A regra de São Benedito (vide) apresenta duas formas dessas orações: uma para viagens curtas e outra para viagens longas. O *Itinerário* dos dias presentes teve origem na Idade Média. Ali o cântico *Benedictus* aparece em combinação com uma antífona, além de certos versículos e diversas coletâneas.

••• ••• •••

ITLA — IUS DIVINUM

ITLA

No hebraico, «suspenso» ou «exaltado». Algumas traduções grafam seu nome como Jetlá. Esse era o nome de uma cidade do território de Dã, localizada em algum ponto entre Aijalom e Elom (Jos. 19:42). O local exato nos é desconhecido.

ITMÃ

No hebraico, «orfanato». Esse era o nome de uma porção sul de Judá (Jos. 15:23), localizada em algum ponto entre Hazor e Zife. É mencionada juntamente com Quedes e Telém, pelo que, provavelmente, ficava perto da fronteira do deserto. O local exato é desconhecido na atualidade.

ITNÃ

No hebraico, «extensa». Nome de uma cidade na moabita que era um dos trinta guerreiros seletos de Davi, segundo se vê na lista complementar de I Crônicas 11:46.

ITRÃ

No hebraico, «excelência» ou «proeminente». Nome de duas personagens bíblicas:

1. Um horeu, filho de Disom e neto de Seir (Gên. 36:26; I Crô. 1:41). À semelhança de seu pai, ele parece ter sido chefe do clã dos horim (ver Gên. 36:30). Viveu por volta de 1970 A.C.

2. Um descendente de Aser, aparentemente filho de Zofa (I Crô. 7:37). Alguns estudiosos têm-no identificado com o mesmo Jeter do versículo seguinte. Ver sobre *Jeter*, número dois. Nesse caso, teria vivido por volta de 1540 A.C.

ITREÃO

No hebraico, «resíduo do povo». O sexto filho de Davi, nascido em Hebrom. Sua mãe era Eglá (II Sam. 3:5; I Crô. 3:3). Viveu por volta de 1045 A.C.

ITRITAS

Nome de um dos quatro clãs que viviam em Quiriate-Jearim, que eram os itrigas, os puteus, os sumateus e os misraeus (I Crô. 2:53). Dentre os itritas saíram dois dos trinta poderosos heróis do exército de Davi, cujos nomes eram Ira e Garebe (II Sam. 23:38 e I Crô. 11:40). Alguns supõem que Jeter, mencionado em II Sam. 17:25 (ver sobre *Jeter*, número um), é uma outra forma do nome Itra. Ele era cunhado de Davi, sendo possível que ele tenha originado um dos clãs de Israel. Outros estudiosos pensam que Jetro, sogro de Moisés, fizesse parte dos itritas, o que só seria possível se eles não fizessem parte de Israel. Ainda outros imaginam que esse nome se derivava de *Jatir*, um distrito montanhoso de Judá.

ITURÉIA

A única referência bíblica ao território com esse nome, encontra-se em Luc. 3:1. Conforme nos mostra esse versículo, fora de Judéia, os Herodes ainda exerciam alguma autoridade. Herodes Ântipas, filho mais novo de Herodes, o Grande, governou a Galiléia e a Peréia, enquanto que Filipe (Herodes Filipe II), usualmente conhecido por Filipe, o Tetrarca, filho de Herodes, o Grande e de Cleópatra de Jerusalém, governou as regiões de Gaulonite, Traconite, Bata-néia e Panéia, a leste da Galiléia. Ver o artigo sobre os *Herodes*.

A Ituréia era uma pequena província na fronteira noroeste da Palestina, situada ao longo da base do monte Hermon. Ficava a nordeste do mar da Galiléia e a leste das fontes que alimentavam aquele rio. Essa província incluía as cadeias montanhosas do Líbano e do Antilíbano, bem como o território lacustre ao redor de Hulé, com seus mananciais. A capital era Calquis. É possível que o nome dessa região se derivasse de Jetur, um dos filhos de Ismael (I Crô. 1:31).

Ante o declínio do poder dos seléucidas (vide), os territórios antes dominados por aquela dinastia obtiveram certa medida de independência. A Ituréia, que os seléucidas chamavam de Coele-Síria (vide), era um desses territórios. Os homens de Ituréia, de linhagem árabe, utilizavam-se do aramaico como uma espécie de *língua franca* da área em geral. Ali mesclavam-se as culturas grega e semítica. Em 161 A.C., Judas Macabeu derrotou o exército de Nicanor, comandante das tropas seléucidas. A região da Ituréia, desse modo, ficou sob o controle dos Macabeus. Ver o artigo geral sobre os *Hasmoneanos*. Na época, os habitantes da região foram forçados a aceitar o judaísmo, deixando-se circuncidar, conforme nos informa Josefo (Anti. 13:9,3). Estrabão (*Geografia* 15:2,18) dá-nos algumas informações sobre essa população.

Roma começou a entrar na região em cerca de 65 A.C. Mais ou menos nessa época, Pompeu conquistou a Síria e a cidade de Jerusalém. O governante da Ituréia, Ptolomeu, filho de Meneu, comprou tempo e a independência pagando a Pompeu uma polpuda soma. Ele protegeu o último dos hasmoneanos e conseguiu manter alguma independência de Roma. Porém, em 36 A.C., seu filho, Lisânias, foi assassinado por um agente de Cleópatra, com a anuência de Antônio, segundo nos diz Josefo (*Anti*. 15.92,3). Mesmo assim, Roma não interferiu ainda diretamente, mas permitiu que os reis vassalos da região mantivessem boa medida de independência.

Um outro Lisânias, talvez descendente daquele que já foi mencionado, subiu ao poder, embora responsável diante de Roma. Esse é o Lisânias mencionado em Luc. 3:1, como «tetrarca de Abilene»; mas esse território foi um dos segmentos em que foi dividido o antigo estado da Ituréia. Herodes, o Grande, chegou a governar a região inteira; e, então o tetrarca Filipe, após a morte de Herodes, o Grande, ficou com uma parte da região. Portanto, a Ituréia ficou o seu controle em cerca de 4 A.C. Após a invasão da Palestina pelas tropas comandadas por Tito, em 70 D.C., foi alterada a divisão política, e a Ituréia não aparecia mais como um território distinto, mas antes, foi incorporada na Síria, passando a ser dirigida por procuradores romanos.

IUS DIVINUM

Expressão latina que significa «lei divina». Deve-se comparar com a *lex divina* e com a *lex aeterna*. Dentro da filosofia e da teologia escolásticas, especialmente no caso da teoria tomista, a *ius divinum* refere-se à ordem imutável da natureza e da sociedade humana, derivada diretamente de Deus, em contraste com a *lex humana*, mutável e criada pelo homem. A *ius divinum* e a *ius naturale* podem ser conhecidas pelo homem mediante a razão, sem qualquer auxílio divino; mas a *ius divinum positivium* precisa ser conhecida pelo homem por meio da revelação.

••• ••• •••

IUS NATURALE — IZRI

IUS NATURALE

Expressão latina que significa «lei natural». Ver o artigo intitulado *Direito Natural*.

IUSTITIA NATURALIS

Expressão latina que significa «justiça natural ou «perfeição». Essa expressão é usada para aludir ao que o homem era em si mesmo, e o que era capaz de fazer, antes da queda no pecado. Essa qualidade é aceita como algo sujeito ao livre-arbítrio humano. Mas a queda maculou tanto a justiça natural quanto o livre-arbítrio, e os teólogos continuam discutindo até que ponto isso afetou o homem. Dessa discussão é que se originou a controvérsia calvinista arminiana. Ver os artigos separados sobre *Calvinismo* e *Arminianismo*.

IUSTITIA ORIGINALIS

Expressão latina que quer dizer «justiça original», «justiça primitiva» ou «perfeição». O termo refere-se à perfeição com que o homem teria sido criado. Isso foi dado por dom divino, pois, do contrário, nem teria existido. Foi um *donum supernaturale*, acrescentado à *pura naturalia*, ou seja, à humanidade essencial que era possuída por Adão, antes da queda no pecado. Muitos teólogos acreditam que visto que esse dom foi dado ao homem através do poder divino, que o pecado humano não foi capaz de destruí-lo, embora o tivesse manchado e debilitado. A teologia católica romana estabelece uma aguda distinção entre a lei natural e a justiça original ou perfeição. A primeira seria uma parte natural e inerente à criação. A última seria uma doação divina.

IVA

Enquanto alguns estudiosos pensam que o sentido dessa palavra é desconhecido, outros preferem pensar em «esconderijo» ou em «céu, o deus Iva». Essa cidade assíria é nomeada por três vezes no Antigo Testamento: II Reis 18:34; 19:13; e Isa. 37:13. Em II Reis 17:24, também temos a designação *Ava*, que certamente se refere à mesma cidade assíria. Alguns eruditos têm-na identificado com a *Hite* da Babilônia e com a *Is* aludida por Heródoto (Hist. 1.179).

A localidade tornou-se famosa por suas fontes betuminosas, que até hoje produzem com abundância. Talvez se trate da mesma *Aava*, referida em Esd. 8:15. *Hite* ficava no lado leste do rio Eufrates, entre Sefarvaim e Hena. Os eruditos não estão muito certos quanto à localização da antiga cidade.

IYYAR

Um nome posterior para o mês de Zive, do calendário judaico. Era o segundo mês dos hebreus, correspondendo ao nosso mês de maio. Todavia, esse nome, Iyyar, não aparece nas páginas da Bíblia. Ver o artigo sobre o *Calendário Judaico*. Ver também sobre *Zive*, mencionado em I Reis 5:1,37; Dan. 2:31 e 4:33.

IZAR

No hebraico, «ungüento». Esse é o nome de duas personagens que figuram nas páginas do Antigo Testamento:

1. Um neto de Levi, segundo filho de Coate (Êxo. 6:18,21; Núm. 3:19; 16:1; I Crô. 6:2,18). Em I Crô. 6:22, Aminadabe aparece em lugar de Iazar, como filho de Coate e pai de Coré. Muitos estudiosos pensam que se trata de um erro de transcrição, visto que no vs. 38 reaparece o nome de Izar, como deve ser. Seus descendentes tornaram-se conhecidos como os izaritas. Ele viveu por volta de 1440 A.C.

2. Um descendente de Judá também tinha esse nome. A sua mãe era Hela. Algumas traduções, porém, dão seu nome como *Jezoar*, e ainda outras como *Zoar*. Ver I Crô. 4:7. Viveu por volta de 1500 A.C.

IZARITAS

Uma família de levitas que descendia de Izar (vide), filho de Coate (Núm. 3:27). Nos dias de Davi, Selomote era o cabeça desse clã (I Crô. 14:22). Ele e seus irmãos estavam encarregados do tesouro do templo (I Crô. 24:22; 26:23,29).

IZIAS

Seu nome não aparece nos livros canônicos do Antigo Testamento, mas figura em I Esdras 9:26. Era da família de Parós. Quando do cativeiro babilônico (vide), ele se casou com uma mulher estrangeira; mas, ao retornar a Jerusalém, viu-se forçado a divorciar-se dela, a fim de manter o pacto estabelecido por Israel.

IZLIAS

No hebraico, «retirado», «preservado». Nome de um filho de Elpaal, da tribo de Benjamim (I Crô. 8:18). Algumas traduções dão seu nome como Jezlias. Ao que parece, ele era chefe de um clã, e residia em Jerusalém, em cerca de 590 A.C. Nada mais se sabe a seu respeito além disso.

IZRAÍAS

No hebraico, «Yahweh produzirá» ou «Deus resplandece». Era descendente de Issacar, neto de Tola, e o filho único de Uzi (I Crô. 7:3). Seu nome aparece com a forma de Jezraías, em Nee. 12:42. O filho de Uzi e o homem que aparece no trecho referido do livro de Neemias não são uma mesma pessoa. O primeiro data de cerca de 1000 A.C., mais ou menos na época de Davi, e o outro de cerca de 446 A.C., na época de Neemias.

IZRI

No hebraico, «jererita». Nome de um levita, líder da quarta divisão de cantores, organizados por Davi (I Crô. 25:11). Provavelmente, trata-se do mesmo Zeri, filho de Gedutum, conforme se vê em I Crô. 25:3. Viveu por volta de 1000 A.C.

••• ••• •••

Reprodução Artística de
Darrell Steven Champlin

Arte céltica — o leão, símbolo do evangelho
de Marcos, Livro de Kells

1. Formas Antigas

fenício (semítico), 1000 A.C.   grego ocidental, 800 A.C.   latino, 50 D.C.

2. Nos Manuscritos Gregos do Novo Testamento

3. Formas Modernas

JJjj   JJjj   JJjj   Jj

4. História

J é a décima letra do alfabeto português. Historicamente, deriva-se da letra semítica *yod*, «mão». No grego, essa letra tornou-se *iota*. A letra latina *I* reteve os sons do grego (longo, como na palavra portuguesa «sim»; breve como na palavra inglesa «it»). No inglês antigo, essa letra representava o som *I*. Foi somente no século XVI D.C. que o *J* foi adotado como letra distinta em vários alfabetos modernos, com um som diferente do *I*. Ao mesmo tempo, o *J* passou a ser um som consonantal, e não vocálico. Isso posto, o «J» é apenas uma forma modificada do «I», quando esta era escrita com um sinal na parte inferior, abaixo da linha de escrita.

5. Usos e Símbolos

Nas abreviações *J.E.D.P.(S.)*, a primeira letra refere-se a um suposto autor *jeovista*, que teria usado o nome divino *Yahweh* («Jeová», segundo certa grafia equivocada). Ver os artigos sobre *J* e sobre *Yahweh*.

Caligrafia de Darrell Steven Champlin

J

J

Essa letra é usada para designar uma das alegadas fontes informativas de determinados livros do Antigo Testamento. Deriva-se do nome *Jeová* (ou seja, *Yahweh*) (vide), por causa do uso comum e característico desse nome divino na fonte informativa proposta. Esse material, de acordo com os defensores da teoria, encontra-se em certa seção do livro de Gênesis, e daí até o iivro de Juízes, inclusive, e certas porções de I e II Samuel. Esse material teria sido escrito no século X ou IX A.C. Alguns eruditos não encontram qualquer unidade na suposta fonte informativa J, pelo que a têm subdividido em J(1), J(2), J(3), etc. Nesse caso, um editor poderia ter provido certa unidade à fonte informativa, embora ela tivesse tido um certo número de autores.

Em nosso artigo sobre *Gênesis* damos uma demonstração do conceito da teoria das múltiplas fontes informativas do Pentateuco. Ver o artigo sobre J E D S(P) quanto a uma explicação sobre as várias fontes informativas que têm sido propostas pelos críticos. Ver também uma daquelas letras individualmente, quanto a detalhes. Ver também sobre o *Código Sacerdotal*. A teoria JEDP(S) propõe a idéia de que o Pentateuco só foi escrito alguns anos após Moisés, embora tivesse usado o seu nome e a sua autoridade *como se ele* fosse o autor desses livros. Os artigos sobre cada um dos cinco livros do Pentateuco contêm uma seção sobre autoria, onde detalhamos essas especulações dos críticos.

JÁ

Forma abreviada de um dos nomes de Deus, *Yahweh*. Todavia, tal forma nunca aparece em nossa versão portuguesa. Em outras versões, ela aparece em Sal. 68:4, por exemplo. É mister esclarecer que os nomes hebraicos de Deus (*El*, *Adonai* e *Yahweh*, e suas variantes) só ocorrem no Antigo Testamento, e nunca no Novo Testamento. No Novo Testamento os nomes principais são *Theós* e *Kúrios*, traduzidos, respectivamente, por «Deus» e «Senhor». A Tradução do Novo Mundo das Escrituras Sagradas, em seu Apêndice, dá a entender que o nome «Jeová» (corruptela de *Yahweh*) aparece por duzentas e trinta e sete vezes no Novo Testamento, e que a forma abreviada, «Já», figura por quatro vezes, em Apo. 19:1,3,4,6. No entanto, nenhum manuscrito grego do Novo Testamento jamais foi encontrado contendo essas palavras hebraicas. No caso desses quatro versículos do Apocalipse, achamos as palavras gregas *theós* e *kúrios*. O Novo Testamento foi escrito em grego!

No Antigo Testamento, a palavra *Já* aparece em muitas palavras hebraicas compostas, especialmente no caso de nomes pessoais. O intuito era emprestar ao nome um certo ar de imponência e excelência. Ver o artigo sobre *Deus*, *Nomes Bíblicos*, III.8, *Yahweh*.

JAACÃ

No hebraico, «lutador». Nome do pai de Bene-Jaacã, em Núm. 33:30-32 e Deu. 10:6, que deu origem ao nome de um lugar onde os israelitas acamparam, após terem saído do Egito. Ele era filho de Ezer, filho de Seir, o horeu (I Crô. 1:42). Nessa referência, seu nome aparece com a forma de Jaacã, ao passo que em Gên. 36:27 esse nome aparece como Acã. Alguns eruditos supõem que em Núm. 33:32 haja alusão a uma localidade apenas, e não a algum indivíduo que deu seu nome a essa localidade. Mas, se Jaacã foi mesmo uma pessoa, então deve ter vivido por volta de 1440 A.C.

JAACOBÁ

Na Septuaginta, **Iakaba**. O sentido da palavra, no hebraico, é «que a deidade proteja». No entanto, alguns estudiosos pensam que esse nome é simples variante de *Jacó*, que significa «suplantador» ou «segurador do calcanhar». Jaacobá foi um próspero descendente de Simeão, um dos príncipes da tribo. Ele emigrou para o vale do Gedor nos dias de Ezequias, o rei (cerca de 710 A.C.). Ver I Crô. 4.36 e comparar com I Crô. 4:24-68.

JAALÁ

No hebraico, «cabrito selvagem». Nome de uma família que retornou do cativeiro babilônico (vide) e fixou residência em Jerusalém. Foram alistados como membros dos «filhos dos servos de Salomão» (ver Esd. 2:56; Nee. 7:60). Isso aconteceu por volta de 536 A.C.

JAAR

No hebraico, **ya'ar**, «floresta». Normalmente no AT esta palavra significa «floresta», mas em Salmo 132:6, a palavra pode significar a cidade *Quiriate-Jearim* (vide), sendo uma abreviação daquele nome. A arca do pacto permaneceu lá mais do que 20 anos antes de ter sido recuperada (I Sam. 7:1,2; I Crô. 13:5). Mesmo em Salmo 132:2, a palavra pode significar simplesmente «floresta», na opinião de alguns eruditos.

JAARÉ-OREGIM

O nome significa «bosques dos tecelões». Porém, *oregim* parece haver sido uma inserção descuidada de um escriba qualquer (II Sam. 21:19). Ele era o pai de Elanã. Elanã teria morto ao gigante Golias, o gitita. Porém, em I Crô. 20:5, lemos que ele matou a Lami, irmão de Golias. Alguns eruditos pensam que esta última passagem é a correta, e que um outro erro primitivo esteja envolvido no texto de II Samuel. Isso ocorreu por volta de 1080 A.C.

JAARESIAS

Enquanto alguns eruditos opinam que o sentido desse nome é desconhecido, outros pensam que significa «Yahweh dá um leito». Designa um chefe da tribo de Benjamim, que residia em Jerusalém (I Crô. 8:27). Ele viveu por volta de 588 A.C.

JAASAI

No hebraico, «eles farão». Nome de um homem da família de Bani, que se casou com uma mulher estrangeira, durante o cativeiro babilônico, e foi obrigado a divorciar-se dela, quando Israel se reestabeleceu na Palestina. Ver Esd. 10:37. Ele viveu por volta de 457 A.C.

JAASIEL

No hebraico, «aquele a quem Deus criou». Era filho de Abner e primo do rei Saul (I Crô. 27:21). É chamado Jasiel, em I Crô. 11:47, em algumas versões,

JAATE — JABES-GILEADE

embora seu nome não seja assim alterado, em nossa versão portuguesa. Foi um dos chefes da tribo de Benjamim. Nessa última referência, aprendemos que ele era um dos heróis do exército de Davi. Alguns eruditos pensam que cada uma dessas referências aponta para uma pessoa diferente.

JAATE

No hebraico, «união», «unidade», embora outros especialistas prefiram a tradução «arrebatará». Nome de várias personagens do Antigo Testamento:

1. Um neto de Gérson, filho de Judá (I Crô. 4:2). Foi pai de Aumai e Laade. Viveu por volta de 1600 A.C.

2. Um descendente de Gérson, filho de Levi (I Crô. 6:20). Viveu por volta de 1450 A.C.

3. Um filho de Selomote, um levita coatita (I Crô. 24:22). Viveu por volta de 1014 A.C.

4. Um levita merarita que supervisionou os reparos do templo de Jerusalém, após o cativeiro babilônico (II Crô. 34:12). Viveu por volta de 623 A.C.

5. O chefe da casa mais numerosa de sua tribo, filho de Simei, filho de Ladã (I Crô. 23:10,11). Alguns estudiosos identificam-no com o mesmo Jaate que aparece em segundo lugar nesta lista.

JAAZIAS

No hebraico, «aquele a quem Yahweh consola (ou fortalece)». Foi o terceiro filho de Merari, um levita que viveu nos dias de Salomão (I Crô. 24:26,27), em cerca de 1010 A.C.

JAAZIEL

No hebraico, «Deus vê». Nome de vários homens que figuram nas páginas do Antigo Testamento:

1. Um homem que desertou da causa de Saul e se bandeou para Davi, quando este estava exilado em Ziclague (I Crô. 12:4). Tornou-se, então, um dos poderosos guerreiros de Davi. Viveu em cerca de 1055 A.C.

2. Um sacerdote e trombeteiro de Benaia, cujo dever era comparecer nas ministrações em volta da arca, depois que este a trouxe para Jerusalém (I Crô. 16:6). Ele viveu por volta de 1043 A.C.

3. Um levita coatita que viveu na época de Davi. Sua casa aparece enumerada nos textos sagrados em I Crô. 23:19 e 24:23.

4. O filho de Zacarias, um levita que foi impulsionado pelo Espírito a encorajar Josafá, mediante sua predição do triunfo contra o poderoso exército formado pelos moabitas, amonitas e meunins (II Crô. 20:14—17). Viveu por volta de 896 A.C.

5. Um dos descendentes dos filhos de Jaaziel, chefe dos filhos de Secanias, que retornou do exílio babilônico em companhia de Esdras (Esd. 8:5). Isso aconteceu em cerca de 459 A.C. Alguns eruditos pensam que há aqui alguma corrupção textual, e que o texto deveria dizer algo como «filhos de Zatoé» ou «filhos de Zati». Seja como for, Jaaziel foi o ancestral da família de exilados que **retornou à Palestina nos** dias de Esdras.

JABAL

No hebraico, «derramamento». Nome de um rio que atravessa a região a leste do rio Jordão, e que, após seguir um curso quase exatamente de leste para oeste, deságua no rio Jordão, cerca de quarenta e oito

quilômetros ao sul do mar da Galiléia. As Escrituras mencionam esse rio como a fronteira que separava o reino de Seom, rei dos amorreus, do reino de Ogue, rei de Basã (Jos. 12:2). Posteriormente, parece ter sido a linha fronteiriça entre a tribo de Rúben e a meia-tribo de Manassés. As referências bíblicas a esse rio são: Gên. 32:22; Núm. 21:24; Deu. 2:37; 3:16; Jos. 12:2; Jui. 11:13,22. Nasce perto de Amã e percorre um curso de cerca de 97 km. Atualmente é chamado de wadi Zerqa, ou seja «rio azul». Jacó vadeou esse rio (Gên. 32:22), na ocasião em que teve de lutar com o anjo. O nome hebraico desse rio é muito semelhante a «e lutou», sendo possível que o nome desse rio tenha sido originado nessa circunstância, com ligeira alteração, a fim de que significasse «fluente».

Os arqueólogos têm encontrado muitos locais anteriormente ocupados no wadi ez-Zerka e cercanias. Várias cidades mencionadas na Bíblia ficavam às suas margens ou nas proximidades. O vau referido na história de Jacó ainda não foi identificado, mas Penuel (Gên. 32:31), provavelmente, é a moderna Tulul edh-Dhahab, que não fica muito longe de Sucote.

JABES

No hebraico, «seco» ou «ressecado». Era tanto o nome de uma localidade como o nome de uma pessoa, nas páginas do Antigo Testamento, a saber:

1. Era uma forma abreviada de Jabes-Gileade (ver o artigo seguinte), uma cidade do **território da meia-**tribo de Manassés.

2. Era o nome do pai de Salum, o décimo quinto rei de Israel, o reino do norte (II Reis 15:10). Esse rei assassinou o rei Zacarias e apossou-se de seu trono (II Reis 15:10,13,14). Alguns eruditos supõem que o nome poderia indicar que Salum era nativo da cidade de Jabes e não que esse tenha sido o nome de seu genitor. Em Isaías 7:6, há um uso dessa natureza, onde a expressão «o filho de Tabeel» significa que havia um certo homem natural dessa localidade.

JABES-GILEADE

Esse nome significa «Jabes que ficava em Gileade». *Jabes* quer dizer «seca» ou «ressecada». Era uma cidade que pertencia à **meia-tribo** de Manassés, portanto, do outro lado do rio Jordão. É possível que o local seja atualmente marcado por Tell Abu-Kharza, no lado norte do wadi yabis. Esse wadi entra no rio Jordão, vindo do Oriente, cerca de quarenta quilômetros ao sul do mar da Galiléia. Nos dias de Eusébio, o grande historiador da Igreja, Jabes ainda existia como cidade. Ficava cerca de dez quilômetros de Pella, na direção de Gerasa. Os cômoros duplos de Tell el-Mezbereh e Tell Abu-Kharaz parecem identificar o local. Os arqueólogos têm encontrado ali cerâmica e outros artefatos da época de Saul; e esses cômoros ficam suficientemente próximo do rio Jordão para se ajustarem aos informes bíblicos acerca do local. Há algumas décadas atrás, o Tell el-Mazlub era identificado como o local da antiga Jabes; mas esse cômoro fica distante demais de Bete-Seã, que era próxima, e onde foram sepultados os corpos decapitados de Saul e Jônatas. Lemos que os homens de Jabes-Gileade recuperaram os cadáveres de Saul e Jônatas, em Bete-Seã, levaram-nos para Jabes, e ali sepultaram-nos condignamente (I Sam. 31:8-13; I Crô. 10:8-12). O Tell el-Mazlub poderia ser melhor identificado com a cidade natal de Eliseu, Abel-Meolá (ver I Reis 19:16).

Narrativas Bíblicas e Jabes-Gileade. Um dos relatos mais chocantes da Bíblia é aquele que narra como um

JABES-GILEADE — JABNE

levita e sua concubina foram passar algum tempo com os parentes dela, em Belém. Em seguida, eles foram para Gibeá. Neste lugar, os homens que ali residiam exigiram que o levita lhes fosse entregue, para abusarem sexualmente dele. Mas o hospedeiro do casal recusou-se a isso, oferecendo aos homens sua filha virgem e a concubina do levita, na esperança de assim salvar vidas, porquanto enfrentavam uma multidão enlouquecida. Os homens. abusaram da concubina do levita a noite inteira. Não somos informados sobre o que aconteceu à virgem. Mas, seja como for, a concubina do levita morreu após ter sofrido tantos abusos.

O levita então desmembrou o corpo de sua concubina morta e enviou os pedaços a todo o território de Israel, para mostrar quão grande ultraje havia sido cometido pelos homens da tribo de Benjamim. Esse incidente, pois, deu início a uma guerra entre a tribo de Benjamim (da qual fazia parte a cidade de Gibeá) e as outras onze tribos. A princípio, a batalha mostrou-se indecisa; mas, finalmente, os homens da tribo de Benjamim foram quase completamente aniquilados. O relato é registrado nos capítulos dezenove a vinte e um do livro de Juízes. Esse capítulo vigésimo primeiro narra que ninguém de Jabes-Gileade quis lutar contra os homens de Benjamim. Assim sendo, forças de Israel, a fim de mostrar seu desprazer diante dessa falta de cooperação, foram à cidade e mataram a todos os seus habitantes, excetuando quatrocentas virgens donzelas. E essas foram dadas aos quatrocentos homens restantes da tribo de Benjamim, como esposas. Ao que parece, Jabes foi repovoada por pessoas vindas de lugares circunvizinhos, especialmente por gileaditas.

O trecho de I Samuel 11 conta a história seguinte. O amonita Naás atacou a cidade. Foram cometidas muitas atrocidades. Então Saul saiu em socorro da cidade e derrotou Naás. Esse ato obteve para Saul a lealdade de Jabes-Gileade e de toda a região da Transjordânia. Mostramos acima como os habitantes dessa cidade, tempos depois, deram a Saul e a seu filho Jônatas um sepultamento decente, em face da lealdade que lhes votavam. Davi, pois, elogiou e recompensou os habitantes ·de Jabes-Gileade pelo serviço assim prestado a Saul e a Jônatas (II Sam. 2:4-6). Posteriormente, Davi mandou remover os ossos desses dois homens dali, a fim de sepultá-los no território da tribo de Benjamim, juntamente com Quis, pai de Saul (II Sam. 21:10-14).

JABEZ

No hebraico, «aquele que entristece». Esse era o nome de uma cidade e de um homem, nas páginas do Antigo Testamento, a saber:

1. Uma cidade do território de Judá, onde habitavam as famílias dos escribas (I Crô. 2:55). Esses homens descendiam de Calebe. Os especialistas pensam que o lugar ficava perto de Belém.

2. Um homem que era cabeça de uma família da tribo de Judá (I Crô. 4:9,10), e que viveu em cerca de 1444 A.C. Era conhecido por seu caráter honrado. É possível que Zobeda, que figura no vs. 8, seja uma forma corrompida do mesmo nome.

JABIM

No hebraico, «discernidor», «inteligente». Esse é o nome de dois reis diferentes de Hazor, a saber:

1. Um rei de Hazor, líder de uma aliança de povos cananeus que ofereceram resistência à invasão israelita dirigida por Josué. Ele era um dos mais poderosos príncipes da área. Parece que governava toda a porção norte do país. Após a derrota de Jabim, Hazor foi destruída, e o rei e outros chefes foram executados (Jos. 11:10-12). O relato faz-nos lembrar quão numerosos eram os cananeus, e, assim sendo, o poder que os israelitas tiveram de enfrentar em sua conquista da Terra Prometida. Esses inimigos foram descritos como «...muito povo, em multidão como a areia...» (Jos. 11:4). Escavações feitas há algumas décadas, em Hazor, mostraram que o lugar podia conter uma população de cerca de quarenta mil habitantes, e isso sem incluir as populações em derredor, em outros territórios, mas igualmente em relação de aliança com os habitantes de Hazor.

2. Um outro monarca de Hazor tinha esse nome. Provavelmente, descendia daquele primeiro. Ver Juí. 4:2. Ele oprimiu o povo de Israel por vinte anos. O motivo espiritual dado para isso foi a idolatria de Israel. Jabim é ali chamado de «rei de Canaã», o que significa que ele deve ter sido o poder dominante na época, naquela área. Contava com novecentos carros de combate de ferro (Juí. 4:3), o que constituía uma formidável força armada na época. O comandante desse exército era Sísera. Sísera foi um dos mais renomados generais da época. Mas, apesar de seu poder e habilidades, Baraque e Débora obtiveram grande vitória sobre ele, na planície de Esdrelom, em cerca de 1285 A.C. Foi assim que o povo de Israel obteve liberdade, por algum tempo. Ainda houve algumas batalhas, mas Israel continuou prevalecendo, de tal modo que isso levou à ruína total de Jabim e à subjugação de seus territórios, por parte dos israelitas (Juí. 4). A vitória de Israel sobre **Jabim** e Sísera foi cantada festivamente, segundo se vê no quinto capítulo do livro de Juízes. Desse modo, a vitória foi imortalizada em uma notável peça de literatura.

JABNE

Ver sobre **Jabneel**, a primeira das duas cidades com esse nome.

Jabne era uma cidade filistéia, localizada entre Jope e Asdode (II Crô. 26:6), que foi capturada pelo rei Uzias. Houve um conflito armado constante entre os danitas e os filisteus daquela área, fazendo com que a localidade trocasse de mãos por várias vezes. O rei Uzias obteve uma vitória temporária sobre as cidades filistéias de Jabne, Gate e Asdode. Josefo chamava o lugar de *Jamnia*. A moderna Jebuah, uma vila de bom tamanho, assinala o local antigo. Fica cerca de três quilômetros da beira-mar, e a pouco mais de onze quilômetros ao sul de Jope.

Informes Históricos. Como uma cidade antiga, que vem sendo ocupada continuamente até os nossos próprios dias, é natural que ela conte com uma longa história. Em 332 A.C., Alexandre, em sua marcha através da Palestina, passou pelo lugar, conquistando e matando ao longo do caminho. Chegou a Gaza, que lhe custou dois meses para ser conquistada, e então passou o inverno no Egito.

As forças dos Macabeus, sob José e Azarias (ver I Macabeus 5:52-55), atacaram o lugar, sem qualquer sucesso, quando era um importante posto militar, denominado Jamnia, pertencente aos reis selêucidas (ver I Macabeus 4:15; 10:69; 15:40). Posteriormente, Judas atacou o lugar e incendiou o seu porto (ver II Macabeus 12:8). Em 147 A.C., teve lugar a famosa batalha de Jamnia. Israel obteve então uma grande e decisiva vitória, embora a cidade tivesse continuado a ser ocupada pelas forças selêucidas. Então essas forças usaram Jabené e um fortim que construíram à

JABNEEL — JACÓ

margem do riacho do Cedrom (perto da moderna Gedera), fazendo desses dois lugares fortalezas de onde podiam lançar ataques contra os judeus. João e Judas Hircano atacaram esses fortes e derrotaram-nos.

Quando o poder romano invadiu a região, essa cidade e algumas outras, próximas da orla marítima e pelo interior, receberam autonomia. Porém, o imperador, César Augusto, em cerca de 30 A.C., adicionou Jamnia ao reino de Herodes. Posteriormente, passou aos domínios de Salomé, irmã de Herodes. Mais tarde ainda, Salomé deu a cidade a Júlia, a imperatriz. Porém, em 67 D.C., Vespasiano capturou-a, juntamente com outras cidades da área.

É provável que o evangelista Filipe tenha visitado esse lugar em sua jornada missionária pela região (ver Atos 8:40). Tornou-se o quartel general do Sinédrio exilado, após a queda de Jerusalém, e até à segunda revolta dos judeus, que ocorreu em 132 D.C. Em cerca de 100 D.C., ocorreu ali o *Sínodo de Jamnia*, que reviveu o cânon dos escritos sagrados dos judeus.

JABNEEL

No hebraico, «edificado por Deus». Nome de duas cidades mencionadas nas Escrituras Sagradas, a saber:

1. Uma cidade na fronteira de Judá, próxima ao mar (Jos. 15:11). Provavelmente é a mesma cidade chamada Jabné, em II Crô. 26:6. Ver sob esse título. Essa cidade ficava entre Jope e Gaza, perto da costa marítima. Era um importante local, perto da Via Maria, e também era chamada Jamnia. A moderna cidade de Yavne assinala o local antigo.

2. Uma cidade na fronteira do território de Naftali (Jos. 19:33). Ela tem sido identificada com o Tell en-Na'am. Um certo lugar que o Talmude também designa como Jabneel, tem sido identificado com um lugar diferente, isto é, com Kh. Yamma. A moderna aldeia de *Yavneel* fica perto do sítio antigo.

JABOQUE

No hebraico, **fluir fora** ou **adiante**, o nome de um rio que atravessa a região a leste do Jordão, que, depois de um curso quase perfeitamente do leste para o oeste, entra no Jordão c. de 48 km abaixo do mar da Galiléia. Nas escrituras, este rio é mencionado como formador da margem que separou o reino de Seom, rei dos amorreus, daquele de Ogue, rei de Basã (vs. 4).

Depois este mesmo rio formou a margem entre as tribos de Rúbem e a meia-tribo de Manassés. Ver Gên. 32:22; Núm. 21:24; Deut. 2:37; 3:16; Jos. 12:2; Juí. 11:13 e 22. Este rio tem sua fonte inicial perto de Annom; tem um comprimento de um pouco mais de 100 km. Hoje se chama *Wadi Zerqa* que significa *rio azul*. Jacó atravessou este rio num pouco antes de ter sua «luta livre» com o anjo (Gên. 32:22). Assim, a palavra hebraica para este rio é semelhante à palavra *lutar* e é possível que o nome tenha surgido, originalmente, deste verbo, com uma mudança pequena para que ela significasse *fluido*.

A arqueologia tem encontrado muitas evidências de habitação ao longo deste rio na área do Wadi ez-Zerqa. Diversas cidades bíblicas se localizaram ao longo dele. O lugar da atravessia de Jacó não pode ser localizado, mas alguns eruditos sugerem que *Penuel* (vide, Gên. 32:31) provavelmente ficava perto.

JACÃ

Há quem suponha que essa palavra hebraica significa «perturbador». Designa um dos chefes da tribo de Gade, que teria vivido em torno de 1100 A.C. Ver I Crô. 5:13.

JACINTO

Trata-se de uma gema, uma variedade de zircônio mineral (sílica de zircônio). Usualmente tem cor vermelha, embora também apareça com tons de alaranjado e marrom. É uma pedra transparente, sem importar a cor. Nos tempos antigos, esse vocábulo incluía um coríndon azul, uma safira ou uma turqueza. O mais provável é que, em Apo. 21:10, esteja em foco uma safira. Plínio usava esse nome para indicar uma gema de coloração dourada. A palavra também figura em algumas traduções (como a nossa versão portuguesa), em Êxo. 29:19 e 39:12, em relação ao peitoral do sumo sacerdote de Israel; mas ali parece estar em foco uma gema amarela. A Septuaginta usa esse vocábulo para descrever certas peças do tabernáculo, onde as traduções dizem «azul». A maioria dos eruditos supõe que, usualmente, onde a Bíblia diz jacinto (no hebraico, *leshem*), está em pauta alguma forma da nossa safira.

JACÓ

Esboço:

  I. O Nome
  II. Israel e Seus Significados
  III. Informes Históricos Sobre Sua Vida
  IV. Seu Caráter
  V. Sentidos Espirituais e Metafóricos
  VI. A Arqueologia e a Vida de Jacó

I. O Nome

O Jacó do Antigo Testamento era o filho mais novo de Isaque e Rebeca, e o terceiro dos patriarcas hebreus históricos, a saber: Abraão, Isaque e Jacó. Tinha um irmão gêmeo, levemente mais velho que ele, Esaú. Sua íntima identificação com a nação de Israel, que se desenvolveu de sua linhagem, torna-se imediatamente evidente pelo fato de que seu nome foi alterado para *Israel*, depois do incidente de sua luta com o anjo (Gên. 32:28). Dali por diante, a nação inteira de Israel, que se multiplicou partindo dos doze filhos de Jacó, veio a ser assim denominada. O termo hebraico por detrás do nome «Jacó» é *Yaakov*, provavelmente, uma forma abreviada da palavra que significa «Deus protege». No entanto, em Gên. 25:26 o nome é explicado como se significasse «aquele que segura pelo calcanhar», posto que, por ocasião de seu nascimento, Jacó emergiu do útero materno segurando o calcanhar de seu irmão gêmeo, Esaú. Daí é que vem o sentido secundário de «suplantador», isto é, «alguém que toma o lugar de outro, mediante astúcia». Isso alude ao incidente em que Jacó, mediante ludíbrio, furtou a bênção paterna de Esaú, e por causa do que Jacó obteve ascendência sobre seu irmão gêmeo. O fato de que Esaú também perdeu seu direito de primogenitura para Jacó fez parte dessa atividade dele como suplantador (ver Gên. 27:36). Sem dúvida alguma, «Deus protege» é o sentido original do nome, e as outras idéias derivam-se de uma etimologia popular e, talvez, mediante um jogo de palavras: «Este homem, cujo nome é *Deus protege*, de fato é um agarrador de calcanhar e um suplantador!» A raiz *'qb* tem sido encontrada entre os povos dos grupos semitas ocidentais, como os amorreus. O mesmo vocábulo hebraico que tem por base a palavra *calcanhar* também é um elemento básico do verbo que significa «enganar», provavelmente como um termo homófono. Apesar desse nome ter

JACÓ

sido encontrado em fontes extrabíblicas, é significativo que no Antigo Testamento, à parte do patriarca Jacó, ninguém mais foi chamado por esse nome. No período helenista, entretanto, o nome começou a ser largamente usado. Há mais de trezentas referências a Jacó no Antigo Testamento, e vinte e quatro ocorrências no Novo Testamento. Quase uma quarta parte do volume de Gênesis devota-se diretamente a traçar a biografia de Jacó. E o período de vida desse patriarca ocupa metade do volume do mesmo livro.

II. Israel e Seus Significados

Quando Jacó lutou com o anjo de Deus e prevaleceu, e então exigiu dele uma benção, tornou-se apropriado a alteração de seu nome de Jacó para *Israel*. Isso assinalou um significativo avanço em sua vida, em preparação para o desenvolvimento da nação de Israel. O nome *Israel* faz parte da tradição judaica desde que apareceu pela primeira vez no Antigo Testamento, em Gên. 32:28. O anjo deu a Jacó esse novo nome que significa «Deus luta». Naturalmente, deve-se entender que essa luta refere-se ao ato de prevalecer, mediante o qual Jacó recebeu a bênção que desejava, para daí por diante ser considerado um príncipe de Deus, por meio de quem a nação se desenvolveria, debaixo da proteção e bênção especiais de Deus. Portanto, do indivíduo o nome foi transferido a todos os seus descendentes, por meio de seus doze filhos. A antiga designação tornou-se também o nome oficial da restaurada nação, o Estado de Israel. A moderna nação de Israel foi organizada em 1948, sendo um dentre mais de cinqüenta estados soberanos que vieram à existência desde o término da Segunda Guerra Mundial.

Era apenas natural que esse nome envolvesse muitos usos diferentes. No artigo sobre *Israel, História de*, na primeira seção, alistamos oito usos diferentes, incluindo aqueles que dizem respeito à Igreja cristã.

III. Informes Históricos Sobre sua Vida

1. Extensão do material bíblico que versa sobre Jacó. Metade do volume do livro de Gênesis conta a sua história (ver Gên. 25—50). Condições e costumes constantes nessa narrativa têm sido ilustrados na literatura não-bíblica, e também através de muitas descobertas arqueológicas. Isso demonstra a autenticidade do relato bíblico, e do fato de que Jacó não é nenhuma figura mitológica, inventada para ser o pai de uma nação, conforme se dá no caso dos mitos de vários povos antigos.

2. As Datas de Jacó. Sua data tradicional aproximada é de 1800 A.C. Porém, é notoriamente problemático encontrar datas precisas para o tempo dos patriarcas hebreus. No nosso artigo, *Cronologia do Antigo Testamento*, abordo essa questão. Correlações exatas e explícitas entre o relato de Gênesis e outras narrativas históricas (não-bíblicas) são difíceis de encontrar; e depender das datas que nos são fornecidas nas genealogias é uma maneira precária de fazer qualquer cálculo. Há evidências de que Jacó viveu durante o século XVIII A.C. Nesse caso, ele viveu no tempo da dominação do Egito pelos invasores hicsos. Sua data faria a vida de Abraão ter acontecido nos séculos XX e XIX A.C., havendo evidências bíblicas e arqueológicas em favor disso.

3. Circunstâncias do Nascimento de Jacó. A concepção de Jacó ocorreu como resposta a oração (Gên. 25:26). Ele foi o segundo filho gêmeo de Isaque e Rebeca. Seu irmão, levemente mais velho, era Esaú. Nasceu segurando o calcanhar de Esaú, o que, de acordo com uma etimologia popular (e talvez por via de um jogo de palavras), deu-lhe o nome de *Jacó*. Ver sob a primeira seção quanto a uma completa explicação desse nome. Ver Gên. 25:26. O cabeludo Esaú tornou-se um homem que gostava de viver ao ar livre, como bom caçador. Jacó, por sua vez, era homem introvertido e tranqüilo, que preferia habitar em tendas (Gên. 25:26,27). Houve tensões entre os dois gêmeos desde o seu nascimento. Isaque tinha preferências por Esaú, mas Rebeca tinha em Jacó o seu filho favorito.

4. Real Relação Entre Jacó e Esaú. Eles nasceram para se tornarem personagens bem diferentes uma da outra, conforme se vê no parágrafo acima. Suas diferenças tornaram-se ainda mais irreconciliáveis quando Esaú vendeu seu direito de primogenitura a Jacó, em troca de um prato de lentilhas cozidas (ver Gên. 25:30). Esaú vendeu sua primogenitura em um ato impulsivo, quando não conseguiu caçar nenhum animal; e, estando com muita fome, vendeu aquele direito por tão pouco. Os tabletes de Nuzi confirmam o fato de que o direito de primogenitura podia ser vendido. Os intérpretes percebem uma espécie de indiferença, por parte de Esaú, no tocante ao seu privilégio como primogênito. Seria mesmo difícil explicar por que razão ele fez assim, a menos que ele tivesse alguma atitude básica de indiferença para com seus direitos religiosos. Metaforicamente, isso fala sobre sua indiferença espiritual sobre questões importantes, um sinal típico do homem carnal. Esse foi o primeiro ato suplantador de Jacó a ser registrado na Bíblia, por causa do que ele adquiriu o seu nome. O segundo desses atos ocorreu quando ele enganou seu pai, Isaque, e recebeu a bênção paterna que se destinava a Esaú (Gên. 27). Tal bênção, uma vez conferida, não podia mais ser revogada (Gên. 27:33 *ss*), um detalhe igualmente ilustrado nos tabletes de Nuzi. Dessa forma, Jacó tornou-se o porta bandeira da promessa messiânica, e o cabeça da raça eleita, segundo aprendemos em Rom. 9:10 *ss.* Esaú teve de se contentar então com uma bênção secundária, e com territórios menos férteis que aqueles prometidos a Jacó, isto é, *Edom*. Ver o artigo com esse título, quanto a maiores esclarecimentos. Desnecessário é dizer que Esaú ficou furioso, tornando necessário que Jacó fugisse. Jacó, pois, fugiu para a terra natal de Rebeca, em Padã-Harã (ver Gên. 26:41—28:5). Rebeca tinha a esperança que Jacó se casasse com uma mulher dentre a parentela dela, porquanto Esaú se casara com mulheres hititas (ver Gên. 26:34 e 27:46).

5. O Incidente de Betel. A caminho de Berseba para Harã, Jacó parou para descansar, em Betel, que era chamada *Luz*, antes de receber aquele nome. Ali, Jacó recebeu a visão da escada, com anjos que subiam e desciam pela mesma, posta entre a terra e o céu. Ele ficou sumamente admirado com a divina manifestação, e rebatizou o local com o nome de *Betel*, «casa de Deus» (Gên. 28:18,19). Jacó consagrou uma décima parte de toda a sua renda a Deus (Gên. 28:10-22), aparentemente de forma *perpétua.* Betel (vide) ficava cerca de cem quilômetros de Berseba, pelo que esse incidente ocorreu ainda no começo de sua jornada, provavelmente com o propósito de infundir-lhe coragem. A Jacó, pois, foi garantida a proteção divina. O pacto abraâmico foi confirmado com Jacó nessa oportunidade (Gên. 28:3,4), pelo que os propósitos divinos estavam em operação, apesar das vicissitudes da vida de Jacó, a despeito de seus fracassos misturados com sucessos. Jacó erigiu um altar ali, e fez seus votos, incluindo o pagamento de dízimos a Yahweh.

6. Jacó em Harã, Sujeito a Labão. Aproximando-se de Harã, Jacó veio até um poço que havia fora da cidade. Ali conheceu sua prima, Raquel. Imediata-

JACÓ

mente amou-a com grande amor, e assim começou um dos maiores romances de amor que há na história antiga. Raquel levou Jacó a Labão, tio dele e irmão de Rebeca. Jacó estava apaixonado por Raquel e concordou em trabalhar para Labão, pelo espaço de sete anos, a fim de tê-la como esposa (Gên. 29:1 ss). O trecho de Gên. 29:20 revela-nos que Jacó trabalhou durante os sete anos, os quais «...lhe pareceram como poucos dias, pelo muito que a amava». Essa é uma fantástica declaração, na qual eu não teria crido se não a tivesse lido diretamente na Bíblia. Jacó quis receber o seu pagamento, Raquel. Labão concordou, mas, mediante um artifício, pôs Lia em lugar de Raquel, quando o casal se retirou para a tenda deles. Jacó só descobriu que fora ludibriado no dia seguinte, em plena luz do dia. Essa é outra incrível declaração, sobre a qual nem quero comentar. Mas, pelo menos, podemos estar certos de que, naquele momento, Jacó deve ter-se sentido como Esaú, a quem ele havia enganado em proveito próprio. E foi assim que, para desposar Raquel, Jacó teve de comprometer-se que serviria a Labão por outros sete anos, com a diferença que ela lhe foi dada como esposa em antecipação pelo serviço, de tal maneira que, no decurso de uma semana, Jacó estava com duas esposas ao mesmo tempo. E Labão ia prosperando com o fiel trabalho prestado por Jacó, tendo compreendido que a presença de Jacó atraía bênçãos. E Jacó também foi prosperando materialmente, visto que a mão de Deus estava com ele.

Rúben, primogênito de Jacó, nasceu de Lia. Três outros filhos de Lia seguiram-se, a saber: Simeão, Levi e Judá. Raquel, sem filhos, deu Bila a Jacó, para que ela tivesse filhos em nome dela. Dessa união, pois, nasceram Dã e Naftali. Zilpa, criada de Lia, tornou-se a segunda concubina de Jacó, e dessa nova união nasceram Gade e Aser, além de uma filha, Diná. Em seguida, Lia deu à luz a Issacar e Zebulom. Finalmente, Raquel teve o muito querido e amado José. Ver Gên. 29:1-30:24. Passados mais alguns anos, Raquel também teve a Benjamim. Dessa maneira, encontramos os doze filhos de Jacó, dos quais vieram as doze tribos de Israel. José não se tornou cabeça de alguma tribo; mas seus dois filhos, Manassés e Efraim, tornaram-se cabeças de tribos. Isso daria treze tribos, mas doze é o número tradicional, visto que Levi tornou-se um clã sacerdotal, que não herdou territórios. Assim, quando Levi aparece como uma tribo, então Efraim e Manassés são reputados como a tribo de José (ver Núm. 26:28; Jos. 17:14,17). Em Apocalipse 7:14 ss, Dã é excluído e José substitui a Efraim. Ver esses problemas discutidos no NTI, em Apo. 7:5.

As Esposas e os Filhos de Jacó

Lia	Raquel
1. Rúben	12. José
2. Simeão	13. Benjamim
3. Levi	
4. Judá	
9. Issacar	
10. Zebulom	
11. Diná	

Bila	Zilpa
5. Dã	7. Gade
6. Naftali	8. Aser

N.B. — Os números indicam a ordem dos nascimentos.

7. Jacó Parte de Harã. As relações entre Jacó e Labão não demoraram nada a azedar. Jacó sofreu às mãos de seu tio, Labão, o mesmo tratamento que Jacó havia conferido a Esaú, o que mostra que a lei da colheita segundo a semeadura estava operando. Todavia, Labão prosperava, porquanto Jacó era fiel e operoso, e Labão nunca teria abandonado a situação se o próprio Jacó não tivesse desistido. Reunindo sua família e suas propriedades, Jacó partiu de Padã-Harã a fim de retornar à sua terra de Canaã, o que ocorreu em cerca de 1960 A.C. Labão só descobriu a fuga de Jacó ao terceiro dia; mas, quando a percebeu, saiu ao encalço do sobrinho e genro com um grupo armado. Todavia, Deus fez intervenção e advertiu a Labão que não tentasse fazer qualquer mal a Jacó. Assim, não sendo capaz de fazer qualquer coisa de radical, ao alcançar a Jacó, limitou-se a repreendê-lo severamente. Por que Jacó partira secretamente? Por que havia enganado a seu tio? Por que havia levado suas filhas e netos, sem dar-lhe uma oportunidade de despedir-se? E, acima de tudo, por que Jacó cometera o ultraje de furtar seus deuses domésticos (seus santos protetores)?

Dessa vez, pelo menos, Jacó disse a verdade. Ele temia o que Labão poderia querer fazer contra ele. E calculou que, no mínimo, mandá-lo-ia vazio, e que os seus familiares e os seus bens seriam forçados a ficar em Padã-Harã. No tocante aos terafins ou deuses domésticos, Jacó afirmou que não os havia tirado, e que qualquer um que o tivesse feito poderia ser executado. (Raquel não contara a Jacó que ela é quem furtara os tais deuses). Labão procurou e apalpou por toda a parte e nada achou. Raquel estava assentada sobre a sela de seu camelo, e os deuses estavam ocultos debaixo da sela. Ela estava serenamente sentada, com um ar de inocência. E disse a Labão que ele teria de desculpá-la, pois não podia levantar-se, visto que estava menstruada. Os ídolos permaneceram seguramente ocultos debaixo da sela, porquanto uma mulher, e tudo quanto ela tocasse, era considerado imundo, estando ela nesse período. Pelo menos assim se dava na lei mosaica posterior, e podemos supor que a crença era anterior a essa data.

Jacó ficou observando a busca com grande ansiedade; mas, quando viu que coisa alguma pertencente a Labão havia sido achada, ele então tomou coragem. Era a sua vez de repreender severamente a Labão. Que maldade ele havia alguma vez feito a Labão? Por que o seu salário, durante todos aqueles anos, lhe havia sido negado? Por que Labão mudara para pior o seu salário por dez vezes? Jacó acusou Labão de ser um enganador e um homem duro, dizendo que sabia que se anunciasse a sua intenção de voltar à sua terra, Labão fá-lo-ia regressar de mãos abanando. E, concluindo sua argumentação, Jacó relembrou a Labão que Deus havia aprovado a sua fuga, ao advertir que Labão não deveria tentar tolhê-lo. A discussão perdurou mais um pouco, sem produzir qualquer resultado. Finalmente, Labão sugeriu que eles firmassem um acordo. E Jacó concordou. Eles levantaram uma grande pedra, como coluna, e também fizeram um montão de pedras. Esses emblemas eram testemunhas dos termos do acordo. Dessa circunstância é que vieram aquelas imortais palavras: «Vigie o Senhor entre mim e ti, quando estivermos apartados um do outro». Essas palavras têm servido de grande consolo quando pessoas que se amam têm se de separar, provocando muitas lágrimas. Jacó chamou o monumento de *Galeed*, «monte do testemunho»; e Labão chamou-o de *Mizpah*, «posto de vigia». Labão também avisou a Jacó de que se ele não cuidasse bem de suas filhas, então entraria em dificuldades. Em seguida, invoca-

JACÓ

ram o Deus de Abraão e Naor (avô de Abraão), como testemunha do acordo estabelecido. Jacó jurou pelo *Temor de Isaque*, nome dado a Yahweh com base na circunstância da bem conhecida reverência de Isaque ao Senhor Deus. Jacó ofereceu sacrifícios e houve um banquete. Eles se banquetearam a noite inteira e, ao amanhecer, os dois partiram cada um em sua direção. Labão, o idoso espertalhão, amava as suas filhas e seus netos, e, com o coração saudoso, beijou-os, abençoou-os e deixou-os partir!

Quão difícil é deixarmos ir os nossos filhos, o círculo familiar desmanchando-se para que se formem outros círculos familiares, e nós avançando em anos! Apesar das grandes disputas, das mentiras, dos enganos e das astúcias, tudo termina da mesma maneira: mais uma daquelas dolorosas separações familiares que a minha própria família, com seus ramos internacionais, tem sofrido por tantas vezes. Ver o capítulo trinta e um de Gênesis, quanto a essa narrativa bíblica.

O Relato é Tão Humano. Houve alguns elementos religiosos distorcidos, houve a velha idolatria que domina tanto ao coração humano, transformando os homens em tolos; houve mentiras, egoísmo, ludíbrios. No entanto, também houve amor; e cada um, à sua maneira, a despeito de seus defeitos, estava cumprindo o desígnio divino. Essa é uma cena em miniatura do próprio drama humano. A fim de estabelecer o acordo que fizeram, tiveram de invocar a Deus como testemunha. Se Deus não for chamado como testemunha dos lances da vida humana, essa vida não terá sentido.

8. A Presença de Deus. A separação teve lugar, e Jacó, agora uma unidade familiar distinta, começou a viver uma nova fase em sua vida. Ansioso, ele encetou sua nova caminhada. Quase imediatamente em seguida, porém, o quadro ameaçador foi aliviado. Um grupo de anjos encontrou-se com ele no caminho, e Jacó exclamou, admirado: «Este é o acampamento de Deus» (Gên. 32:2). E Jacó denominou o lugar de *Maanaim*, «dois exércitos», evidentemente referindo-se aos dois grupos, o seu próprio grupo, composto por pessoas mortais como ele, que o acompanhavam, e o outro grupo, formado pelos anjos imortais. Temos aí uma ótima lição, ensinada com maiores detalhes no décimo primeiro capítulo da epístola aos Hebreus. O grupo imortal cuida do grupo mortal e o guia pelo caminho.

9. O Antigo Problema Entre Jacó e Esaú. A fuga de Jacó necessariamente fá-lo-ia atravessar o território ocupado por Esaú. Por essa razão, enviou mensageiros à sua frente, que anunciassem sua aproximação. Jacó temia tanto por sua vida como pelas vidas dos seus, segundo se vê em Gên. 32:6-8. E então soube que Esaú estava vindo ao seu encontro com uma companhia de quatrocentos homens, o que, para Jacó, representava um poderoso e hostil exército. Fora capaz de enfrentar a Labão, com a ajuda de Deus; mas, poderia enfrentar a Esaú? A vida é assim. Nenhuma vitória é definitiva e vence a guerra. Precisamos avançar para novos conflitos, procurando obter novas vitórias.

Em seu temor e aflição, Jacó fez a única coisa ao seu alcance. Voltou-se para Deus, para que o livrasse. Em oração, lembrou ao Senhor que ele é quem o enviou naquela jornada de retorno à sua terra natal. Lembrou-O acerca do pacto abraâmico, e da parte do Senhor nesse pacto. Agora, restava Deus cumprir tudo quanto havia dito, visto que Jacó estava impotente, diante de Esaú que se aproximava.

10. Jacó Torna-se Israel. Jacó traçou planos elaborados para salvar o máximo que pudesse, no caso de Esaú promover um massacre (Gên. 32:16 *ss*). Porém, o método de Deus era simples. Quando Jacó estava sozinho, veio ao seu encontro um anjo, e começou uma furiosa luta física. Essa luta durou a noite inteira. Jacó era forte, e o anjo não era capaz de vencê-lo. Portanto, tocou no nervo de sua coxa e a deslocou, embora a luta tivesse continuado. Quando a madrugada chegou, Jacó anunciou que não deixaria o «homem» ir-se embora, a menos que o abençoasse (Gên. 23:26). Dessa bênção é que se derivou a mudança do nome de Jacó, o suplantador e enganador, para *Israel*, fazendo com que Jacó se tornasse um príncipe diante de Deus, aquele que se *esforça* e *prevalece* em suas lutas (Gên. 32:28). Jacó tornou-se alguém dotado de *poder diante de Deus*. Jacó chamou o lugar onde isso ocorreu de Peniel, ou seja, «face de Deus», pois, ao defrontar-se com o Anjo do Senhor, isso foi a mesma coisa que se ter defrontado com o próprio Deus e, no entanto, a sua vida fora preservada. Ele quis saber a identidade do anjo, mas essa identidade não lhe foi conferida. Assim, podemos passar por grandes experiências místicas, mas muitas coisas continuam ocultas de nós.

11. Jacó e Esaú Encontram-se. Chegou o dia de prestação de contas. Aproximou-se a companhia que vinha com Esaú. Jacó, temeroso, enviou à sua frente suas esposas e seus filhos, a fim de tentar tocar o coração de Esaú e fazê-lo sentir misericórdia. Porém, tudo era desnecessário. Esaú não estava mais irado. Os anos haviam varrido sua ira e amargura. E tudo se resumiu em uma daquelas tocantes reuniões de família, após tantos anos de separação. Esaú nem ao menos estava interessado nos liberais presentes que Jacó lhe oferecia. Respondeu que tinha de sobra. Portanto, todos os elaborados planos de Jacó para aplacar seu irmão, foram inúteis. Deus já havia cuidado da situação. Nesse ponto do relato, encontramos outro grande versículo que deveria servir de modelo em todas as relações domésticas: Jacó humilhou-se diante de Esaú e prostrou-se por sete vezes; mas Esaú não poderia ter dado menor atenção às homenagens. «Esaú correu-lhe ao encontro, lançou-se-lhe ao pescoço e o beijou; e eles choraram» (Gên. 33:4). O antigo conflito e o coração iracundo desapareceram subitamente, e o amor cobriu uma multidão de pecados.

Esaú observou o grande número de pessoas que estavam em companhia de Jacó, suas esposas, seus filhos, seus criados e todos os animais. Admirado, indagou quem era toda aquela gente. Jacó falou-lhe sobre como Deus o havia feito prosperar; e isso é o que explica todas as boas coisas que acontecem conosco. Então Jacó forçou Esaú a aceitar alguns generosos presentes, que Esaú aceitou com relutância. Jacó afirmou: «...aceita o presente da minha mão; porquanto tenho visto o teu rosto, como se tivesse visto o rosto de Deus, e tu te agradaste de mim» (Gên. 33:10).

Pouco depois, os dois irmãos separaram-se em paz e amizade, o que prevaleceu durante todo o resto de suas vidas. E não se encontraram de novo senão quando chegou o tempo de sepultar o pai deles, Isaque, na sepultura da família (Gên. 35:29).

12. Jacó Retorna a Betel. Jacó entrou em conflito com os habitantes de Siquém. Sua filha, Diná, foi violentada, e dois dos filhos dele vingaram-se sanguinariamente dos homens daquele lugar, quase exterminando-os (Gên. 34). Mediante uma ordem divina, Jacó voltou a Betel. Ali é que ele tinha visto os anjos subindo e descendo pela escada que ia da terra ao céu, há mais de vinte anos, e erigira um altar em honra a Yahweh. Mas, antes de encetar viagem,

JACÓ

ordenou que todos quantos estavam em sua companhia que se desfizessem de seus deuses estrangeiros e se purificassem. Podemos supor que foi nessa ocasião que foi dado sumiço aos ídolos do lar que Raquel trouxera de Padã-Harã. Todos os ídolos foram enterrados sob um carvalho, perto de Siquém; e, pouco depois, Deus renovou o pacto abraâmico com Jacó, em Betel.

13. Perda de Duas Vidas Queridas. Em viagem entre Betel e Efrata, Raquel, a amada esposa de Jacó, morreu de parto, ao dar à luz seu segundo filho, Benjamim (Gên. 35:20). Não demorou muitos anos para José ser vendido como escravo pelos seus próprios irmãos; e Jacó foi enganado por seus filhos, os quais disseram que tinham encontrado uma peça do vestuário de José, toda ensangüentada, dando a entender que teria sido morto por alguma fera. Ver Gên. 37. Nesta vida, depois de algumas alegrias, sempre há algumas lágrimas; e ninguém está isento de inevitáveis sofrimentos neste mundo.

A VIDA

Feliz aquele que em modesta lida,
Isento da ambição e da miséria,
No regaço do amor e da virtude
A vida passa. Mais feliz ainda
Se, das turbas ruidosas afastado,
À sombra do carvalho, entre os que adora,
Sente a existência deslizar tranqüila,
Como as águas serenas do ribeiro;
Mas, que digo! Nem esse, infindos males,
Comuns a todos, seu viver não poupam.

(Soares de Passos, Portugal)

14. Os Filhos de Jacó Descem ao Egito. Veio a fome, e todos padeceram muito. No Egito, mediante seu dom profético, José soubera da aproximação do período de fome, tendo interpretado corretamente os sonhos de Faraó. Assim, em meio ao flagelo da natureza, os egípcios tinham abundância de víveres. E Jacó enviou seus filhos ao Egito, para adquirirem alimentos, tendo conservado em sua companhia somente a Benjamim (seu favorito, na ausência de José), temendo que alguma tragédia também o atingisse. Os filhos de Jacó retornaram com bom suprimento de cereais, mas informaram a Jacó que o *oficial* que tinham visto no Egito pensara que eles eram espiões; e, como prova de que não eram, havia exigido que levassem a seu irmão mais novo, Benjamim, na próxima vez em que descessem ao Egito. Naturalmente, esse oficial era José, embora seus irmãos ainda não tivessem descoberto isso.

Pressionados no Egito, e sob suspeita, eles lembraram seu crime de terem vendido José como escravo. Simeão foi retido no Egito, como garantia da volta dos demais irmãos. A fome continuou e o suprimento de alimentos se esgotou. Tornava-se necessária outra viagem, e assim Jacó, com relutância, permitiu que Benjamim também fosse com eles, dessa vez. E os irmãos de José chegaram novamente ao Egito. Foi conseguido um encontro com José, a quem seus irmãos conheciam somente como um duro oficial egípcio. Simeão foi solto, e todos os irmãos de José estavam presentes. Quando José viu Benjamim, seu único irmão que não era meio-irmão, filho de sua mãe, Raquel, deixou-se dominar pela emoção e teve de fazer uma retirada estratégica, para não chorar diante de todos. Controlou-se e voltou, e foi servido um banquete. Finalmente, os irmãos de José foram despedidos e partiram. Mas a taça de prata de José havia sido posta ocultamente na sacola de Benjamim. Essa taça seria usada para adivinhações, no dizer de José, não havendo certeza se ele disse isso para fingir-se um egípcio ou se ele usava mesmo a tal taça

como uma espécie de bola de cristal. Assim, um grupo de homens saiu ao encalço dos irmãos de José e, feita uma busca, encontrou-se a taça na saca de Benjamim. E, por causa do *crime*, Benjamim foi declarado escravo. Judá fez então uma longa exposição, procurando convencer o «oficial egípcio» a aceitá-lo em lugar de Benjamim; pois a permanência de Benjamim no Egito fatalmente faria o pai deles morrer de tristeza. José estava iniciando uma longa e elaborada charada; mas, de súbito, vencido por suas emoções, mandou para fora todos os circunstantes, exceto os seus irmãos. Então José prorrompeu em choro, em voz alta, de modo que os egípcios ouviram tudo. Então José anunciou sua verdadeira identidade, dizendo: «Eu sou José. Vive ainda meu pai?» E os seus irmãos não sabiam como responder, tão pasmos estavam diante dele (ver Gên. 45:3). Sentiam-se consternados, uns miseráveis, sentindo todo o peso de seus pecados; José, entretanto, consolou-os, assegurando-lhes que o desígnio de Deus é que permitira que tudo aquilo acontecesse, a despeito dos maus propósitos que tinham inspirado o ato deles, ao vender seu próprio irmão como escravo.

«Sabemos que todas as coisas concorrem para o bem daqueles que amam a Deus, daqueles que são chamados segundo o seu propósito» (Rom. 8:29).

15. Jacó Desce ao Egito. Quando Faraó e outros oficiais egípcios souberam que os irmãos de José estavam entre eles, ficaram muito satisfeitos e sugeriram que Jacó fosse chamado ao Egito, onde poderia desfrutar de grande abundância. Os irmãos de José apressaram-se a voltar à Terra Prometida; e, ali chegando, contaram a Jacó a incrível história de José. E, como eles haviam trazido de volta provas palpáveis de que José estava vivo, Jacó, finalmente, deixou-se convencer de que seus filhos estavam dizendo a verdade. O quadragésimo sexto capítulo de Gênesis relata a descida de Jacó ao Egito.

Após algum tempo, a bonança haveria de transformar-se em um longo período de servidão, a outra casa reinante do Egito. Os descendentes de Jacó multiplicaram-se no Egito, formando uma numerosa nação. Mas foi preciso Moisés surgir a fim de Deus pôr fim à escravidão dos filhos de Israel.

O capítulo quarenta e nove de Gênesis registra as bênçãos proferidas por Jacó a seus filhos, e o último versículo daquele capítulo registra sua morte. E o último versículo do último capítulo de Gênesis registra a morte de José. Jacó faleceu com a idade de cento e quarenta e sete anos (ver Gên. 45:28), em cerca de 1854 A.C. Seu corpo foi embalsamado e transportado com grande cuidado para a terra de Canaã, sendo sepultado no sepulcro da família, onde já estavam seus genitores e sua esposa Lia, na caverna de Macpela (Gên. 50:1-13). No entanto, quando José morreu, o seu corpo foi embalsamado e posto em um esquife, no Egito.

O cativeiro de Israel no Egito perdurou por cerca de quatrocentos e trinta anos, de acordo com o texto hebraico; mas apenas duzentos e quinze anos, de conformidade com a Septuaginta. Ver Êxo. 12:40. Estêvão, em Atos 7:6, arredonda esse número para quatrocentos anos. Quanto a esses anos há problemas de harmonia, que são discutidos no artigo intitulado *Cronologia do Antigo Testamento* 5.d.3. Pouco antes de morrer, José fez seus irmãos prometerem que, quando saíssem do Egito, levariam consigo o seu corpo. Essa promessa foi cumprida por Moisés (Êxo. 13:19). E seus ossos foram finalmente sepultados em Siquém (Jos. 24:32), no sepulcro da família, com o resto dos mortos da família patriarcal.

JACÓ

IV. Seu Caráter

A primeira coisa que nos impressiona na vida de Jacó é que, apesar de suas fraquezas e fracassos, em muitas oportunidades ele teve experiências místicas que em muito alteraram o curso de sua vida. O propósito dessas experiências não era apenas o de abençoá-lo pessoalmente, pois também envolvia a nação de Israel e, finalmente, a promessa messiânica. Jacó mostrou-se muito afetuoso com a sua família. E herdou a astúcia de Rebeca, que também era própria de seu tio, Labão. Havia momentos em que Jacó perdia o ânimo; mas logo se lançava aos cuidados de Deus. Foi homem que passou por muitas provações e recuos, embora também tivesse alcançado vitórias súbitas e gloriosas. Sua desonestidade e astúcia eram neutralizadas por seus momentos de grandes vitórias e avanços espirituais. Sua história é o relato de um homem que, começando sua vida como suplantador e enganador, terminou sendo um príncipe diante de Deus, mediante o propósito remidor.

V. Sentidos Espirituais e Metafóricos

1. Os vários incidentes da vida de Jacó foram muito usados nos escritos judaicos a fim de ilustrar grandes e numerosas lições espirituais. Temos indicado algo sobre isso, ao longo deste artigo.

2. *O Talmude* usa a vida de Jacó para ilustrar a vida da própria nação de Israel. Sua vida é ali entendida como emblemática da sorte do povo de Israel. Motivos morais são vistos em todos os seus atos, e muitos detalhes lendários têm ornado o relato do Antigo Testamento, como acréscimos tradicionais. Assim como Jacó teve muitos momentos de triunfo e de derrota, mas Deus sempre esteve com ele, intervindo por ele, sempre que necessário, assim também tem acontecido à nação de Israel, ao longo dos séculos.

3. Há vinte e quatro referências a Jacó no Novo Testamento, algumas das quais visam a ensinar-nos alguma lição espiritual. Ver especialmente Atos 7:8—16, que contém um sumário da vida de Jacó. Ver também Rom. 9:10 *ss* e Heb. 11:20,21, onde Jacó aparece como um modelo da vida de fé.

4. A transformação de Jacó em Israel ilustra como o homem **não-remido**, dotado de um caráter moral questionável, pode tornar-se um príncipe diante de Deus, mediante o propósito remidor.

5. A vida de Jacó ilustra como o plano divino mostra-se ativo, no caso de indivíduos e de nações, de tal modo que o valor da vida é garantido, bem como, finalmente, uma digna realização.

6. *Usos Figurados com o Nome de Jacó: O Deus de Jacó* é o Deus de Israel (Êxo. 3:6; 4:5; II Sam. 23:1; Sal. 20:1; Isa. 24). Deus também é denominado de «o poderoso de Jacó» (Sal. 132:2). A *casa de Jacó* corresponde à nação de Israel (Êxo. 19:3; Isa. 2:5,6; 8:17). O povo judeu está em foco, nas seguintes expressões: a semente de Jacó (Isa. 45:19; Jer. 33:26), os filhos de Jacó (I Reis 18:31; Mal. 3:6), ou simplesmente, Jacó (Núm. 23:7; 10:23; 24:5). «Em Jacó» significa «entre o povo judeu».

VI. A Arqueologia e a Vida de Jacó

Em Nuzi, entre 1925 e 1941, foram descobertos cerca de quatro mil tabletes de argila, ilustrando certos aspectos dos relatos sobre os patriarcas hebreus, sobretudo Jacó. Naturalmente, a luz se projetou mais sobre aquela área da Mesopotâmia, com o resultado que se sabe mais sobre aquela região do que sobre qualquer outra região da Mesopotâmia. Nuzi ficava cerca de catorze quilômetros e meio a oeste da moderna cidade de Kirkut, na parte nordeste da Mesopotâmia, no atual Iraque, e cerca de cento e sessenta quilômetros da fronteira com o Irã, mais para nordeste. Os tabletes ali achados tratam sobre cidadãos comuns, em contraste com os de Mari, que abordavam a família real. Ver os artigos separados sobre Nuzi e *Mari*, quanto a maiores detalhes.

Ilustrações dos Tabletes de Nuzi sobre a Vida Patriarcal nos Dias Bíblicos:

1. *Adoção*. Não há relato direto de adoção, no Antigo Testamento; mas Abraão, antes de Isaque ter nascido, pensou em fazer de Eliezer de Damasco seu filho e herdeiro adotivo (Gên. 15:2). A lei de Israel não tem qualquer provisão sobre adoções; mas em Nuzi essa questão era regulamentada por lei. Um homem sem filhos podia adotar um filho que levasse avante o nome e a herança da família. Alguns vêem um certo paralelo no relacionamento entre Labão e Jacó (Gên. 29—31), como se houvesse entre eles uma situação de adoração. Um filho adotivo podia tomar como esposa uma filha de seu pai adotivo, mas não podia tomar uma segunda esposa, fora do círculo da família. O paralelo disso com o caso de Labão e Jacó é duvidoso.

2. *A Venda da Primogenitura*. Isso tem um paralelo direto com as leis mencionadas no material encontrado em Nuzi. Os privilégios de um filho primogênito podiam ser transferidos para outro. Isso envolvia tanto um filho adotivo como um filho autêntico. Em certo caso mencionado, o direito de primogenitura foi vendido em troca de três ovelhas, mais do que o preço pago por Jacó a Esaú, mas, mesmo assim, bastante humilde.

3. *Os Deuses Domésticos, ou Terafins*. Raquel ansiava por assenhorar-se daqueles ídolos, que representavam os deuses da família (Gên. 31:34). Os tabletes de Nuzi esclarecem que a possessão desses ídolos emprestava o direito de liderança da família, bem como a herança paterna. Labão tinha filhos para quem a herança seria transmitida. Ficava subentendido que Jacó, se ficasse com aqueles ídolos, poderia suplantar novamente a seus cunhados, obtendo a maior parte da herança deixada por Labão. É perfeitamente possível, pois, que os motivos de Raquel fossem econômicos, e não meramente religiosos. Isso permite-nos ver a natureza séria da ofensa. Ver Gên. 31:19,30,35.

4. *O Nome Jacó*. O sentido básico desse nome é *que El (Deus) proteja* (no hebraico, *Ya' qub 'el*). Esse nome tem sido encontrado em tabletes do século XVIII A.C., descobertos em Chagar Bazar, no norte da Mesopotâmia. O nome Jacó também foi encontrado como nome locativo, na lista de lugares de Tutmés III, do século XV A.C.

5. *As Criadas de Lia e Rebeca*. Os críticos têm duvidado do relato sobre como Labão deu criadas às suas duas filhas, criadas essas que, posteriormente, tornaram-se concubinas de Jacó. Eles supõem que tais informes são interpolações posteriores, com base no documento chamado *S* (sacerdotal). Ver o artigo separado sobre *Código Sacerdotal*, e outro sobre *J.E.D.P.(S.)*,, as alegadas fontes do Pentateuco. Todavia, os tabletes de Nuzi ilustram o costume.

6. *Os Nomes Divinos*. Os tabletes de Mari, em escrita cuneiforme, em número de cerca de vinte mil, ilustram os nomes divinos que figuram no livro de Gênesis, falando sobre *Yawi-Addu* e sobre *Yawi-el*, que seriam paralelos de *Yahweh* e *El*, nomes comuns dados a Deus, no Antigo Testamento. Ver *Deus, Nomes de*.

7. *Vida Nômade*. Os tabletes de Mari também ilustram a vida nômade dos habitantes da região da Mesopotâmia, a saber, os caneanos, suteanos e benjamitas, e isso lança alguma luz sobre as vidas dos

JACÓ — JACÓ, POÇO DE

patriarcas hebreus e, mais tarde, as vagueações do povo de Israel pelo deserto.

Bibliografia. AM E GOR(1940) GOR(1937) GORD HUN MILL ND UN Z

JACÓ (NO NOVO TESTAMENTO)

Em Mateus 1:15,16, na genealogia de Jesus Cristo, lemos que o pai de José, marido de Maria, e pai adotivo de Jesus, chamava-se Jacó. Ele viveu algum tempo antes de 40 A.C.

JACÓ, POÇO DE

A única menção bíblica ao poço de Jacó encontra-se em João 4:6. Jesus precisava passar pela Samaria; e, ao assim fazer, chegou a Sicar, cidade daquele território. Essa cidade ficava próxima do campo que Jacó dera a seu filho, José, onde estava o poço de Jacó.

João 4:6: *Achava-se ali o poço de Jacó. Jesus, pois, cansado da viagem, sentou-se assim junto do poço; era cerca da hora sexta.*

1. *Localidade, Sicar.* Essa localidade é geralmente identificada com a moderna *Askar*, aldeia que fica no vale a meio-caminho entre os dois montes Ebal e Gerizim, o que seria cerca de pouco mais de um quilômetro e meio ao norte do poço de Jacó. Cerca de meio-caminho entre a cidade e o poço fica o local tradicional do sepulcro de José (ver Gên. 33:19; 48:22 e Jos. 24:32). Embora o poço de Jacó não seja mencionado nas páginas do A.T., pelo que não possuímos orientações específicas quanto à sua origem, parece não restar qualquer dúvida de que o lugar aqui descrito e a localização autêntica desse poço. Sicar é mencionada na Bíblia exclusivamente neste versículo. W.F. Albright identificou o lugar com a antiga *Siquém* e os evangelhos revertidos para o siríaco antigo assim dizem; porém, escavações recentemente feitas por G.E. Wright, em Siquém, sugerem que Siquém cessou de existir em cerca de 100 A.C. Dessa maneira, a aldeia de Askar, na vertente oriental do monte Ebal, tem sido sugerida como localização alternativa da cidade antiga. Todavia, é-nos impossível ter certeza absoluta sobre o fato, no presente.

Flui água em abundância pelos flancos da montanha, em filetes, nessa região, e isso mostra que deve ter havido alguma razão especial para ter sido cavado ali um poço (que a tradição atribui ao trabalho do próprio Jacó; e isso tem dado foros de local sagrado ao povo, atraindo hoje em dia muitos turistas). É bem possível que Jacó tivesse cavado o poço a fim de impedir as contendas acerca do direito de explorar as águas entre os seus homens e as populações vizinhas, o que teria sido um resultado perfeitamente natural. Desde 333 D.C. foi identificado o poço de Jacó. Em cerca de 400 D.C. foi construído um templo sobre o mesmo. Fica cerca de oitocentos metros a leste de *Balatah* (Sicar, antiga *Siquém*, em uma estrada que vai de Jerusalém à Galiléia). Embora o poço esteja entupido de entulho, ainda conta com mais de vinte e cinco metros de profundidade. Originalmente descia a mais de trinta metros, tendo cerca de dois metros e trinta centímetros de diâmetro, e foi escavado através de um espesso estrato de solo, embora tivesse atingido mais abaixo, alguma rocha mole. A água se infiltra através de suas paredes laterais, de tal maneira que é ao mesmo tempo uma *fonte* (conforme fica indicado pelos vss. 6 e 14) como um poço de dreno (conforme é indicado pelos vss. 11 e 12).

2. *A história de Jesus naquele lugar. Para chegar* àquela localidade, o Senhor Jesus provavelmente seguiu uma vereda que seguia a oriente do monte Ebal, evitando assim as vertentes extremamente inclinadas do caminho que passava por Siquém (*Nablua*) e por Samaria (*Sebaste*), passando também ao largo das populações inamistosas que constituíam aquelas cidades maiores. Nos dias de Jesus, Samaria se compunha de uma população pronunciadamente grega, ao passo que Siquém era primordialmente samaritana (ver Mat. 10:5,6). Jesus chegou à beira do poço cerca de meio-dia (a hora sexta, segundo o cômputo judaico, calculado a partir das seis horas da manhã; quanto a notas sobre as «vigílias» e indicações da passagem do tempo, ver os trechos de Mar. 6:48 e João 1:39). Embora aquela fosse hora usual para uma mulher estar ali, o próprio texto, que indica que somente uma mulher estava presente, pode indicar a correção da especulação de que era cerca de meio-dia. Ordinariamente as mulheres vinham buscar água à tardinha. «O fato de que a mulher estava sozinha explica suficientemente que ela viera muito cedo buscar àgua, em vez de vir ao cair da tarde, como era de costume. O tempo do ano devia ser o fim de dezembro, que permitia jornadas pela hora do meio-dia (pois noutras estações do ano essa hora era quente demais para alguém sair ao ar livre)». (*Philip Schaff*, no Lange's Commentary).

3. *A humanidade de Jesus.* Assim sendo, exausto de viagem, cansado e sedento, Jesus se assentou à beira do poço de Jacó. «...*ele estava exausto*, e muito feliz por poder repousar. Ouvindo isso... muitos olham para cima, voltam-se para ele e demonstram um interesse renovado e uma súbita nova esperança. O conceito popular sobre o Messias que viria era de um poderoso conquistador, a esmigalhar violentamente tudo em seu caminho irresistível para a vitória. Porém, existem multidões para quem um Cristo exausto significa muitíssimo mais. Pois eles mesmos estão cansados, sempre cansados, e não vêem possibilidades de sentirem-se diferentes disso. Ora, um Cristo exausto certamente compreende, certamente ajuda, como nenhum outro poderia fazê-lo... Por isso é que o N.T. tanto se esforçou por destacar a unidade que há entre Cristo e nós... assim sendo, aqueles que labutam e estão sobrecarregados podem enxergar, por si mesmos, que Cristo está carregando fardos muito mais pesados que os deles... e, vendo isso, tal cena lhes parece uma voz que se eleva de uma vida aparentemente negra e sombria, que lhes assegura que Deus é amor; não os irrita; pelo contrário, convence-os». (Arthur John Gossip, *in loc.*).

4. *Terras que Jacó dera a seu filho José.* A base dessa tradição é o que se lê no trecho de Gên. 33:19. Jacó comprou dos filhos de Hamor um campo, em Siquém, onde lhe convinha estabelecer-se. Lemos em Jos. 24:32 que os ossos de Jacó foram sepultados em Siquém. Por isso também é que nessa região está assinalado o suposto túmulo de Jacó.

5. *Lições deste texto.*

a. Jesus sentiu fadiga e padeceu sede. Assim, fica negado o docetismo.

b. O docetismo imagina que Jesus não era humano, mas meramente tinha a aparência física de homem. Conforme alguns gnósticos, Jesus teria sido um ser humano; mas teria sido mero instrumento do Cristo divino, possuído por este, desde o momento do batismo, e abandonado quando da morte. Os gnósticos, pois, negavam a identificação do Logos com o homem Jesus.

c. O N.T. ensina a verdadeira humanidade de Cristo (o Verbo encarnado), ver Fil. 2:7.

415

JACOBI — JACTÂNCIA

d. O N.T. também ensina a divindade de Cristo (ver Heb. 1:3).

e. Há uma fusão de naturezas. Grande mistério!

f. Os eleitos, por participarem da ressurreição, ascensão e glorificação, compartilharão da natureza do Logos.

g. Tal como ele se identificou conosco, identificar-nos-emos eternamente com ele, em sua vida, herança e glória.

JACOBI, FRIEDRICH HEINRICH

Suas datas foram 1743-1819. Nasceu em Dusseldorf, na Alemanha. Foi educado para seguir uma carreira comercial. Mostrou-se ativo nos negócios e na política. Então começou seus estudos filosóficos e a escrever. Rejeitava a filosofia kantiana porque a mesma levaria ao solipsismo e ao racionalismo dogmático. Também rejeitava a filosofia de Spinoza, por causa de seu panteísmo e determinismo. Acreditava que sabemos das coisas intuitivamente (vide), e também mediante a fé e os sentimentos, mas nunca através da razão. Para ele, a fé indicava uma espécie de conhecimento, alicerçado sobre a certeza imediata que já é a intuição. — Esse tipo de fé (intuição em operação), para ele, era a base de toda a filosofia, das idéias sobre Deus, da ética, da liberdade e do raciocínio teórico. No tocante a Deus, ele negava que as provas de sua existência possam ser encontradas naquilo que ele chama de *natureza mecanicista*. A natureza e os atributos de Deus estariam acima do conhecimento humano e da capacidade de descrição do homem, mas a sua existência é percebida intuitivamente por nós. Descobrimos Deus dentro de nós, e não fora de nós.

Escritos Principais. On The Teaching of Spinoza in Letters to Moses Mendelssohn; David Hume on Beliefs ou *Idealism and Realism; Open Letters to Fichte; On the Understanding of Criticism in Reducing the Reason to the Understanding; On Divine Things*.

JACOBITAS

A igreja nacional da Síria é chamada também de **jacobita** devido à circunstância histórica de que Jacob Baradeus e seus seguidores rejeitaram as decisões do concílio de Calcedônia (451 D.C.), produzindo assim uma forma distintiva de cristianismo. Eles representavam a posição monofisista da cristologia. Ver sobre *Cristologia* e *Monofisistismo*, quanto a detalhes. Essa doutrina insistia sobre a unidade das naturezas divina e humana, na pessoa de Jesus Cristo. Na encarnação, a carne humana teria assumido a natureza divina, e a doutrina das duas naturezas de Cristo — a divina e a humana — considerada ortodoxa nas Igrejas Ocidental e Oriental era negada. O concílio de Calcedônia defendeu o conceito da dupla natureza de Cristo. Em sua essência, a doutrina dos jacobitas negava a humanidade de Cristo. O *docetismo* (vide) era outra maneira de cair no mesmo erro.

Jacob Baradeus conseguiu unificar facções dispersas, no tempo dos reinados de Justiniano e de Teodora. Esta última também tinha convicções monofisistas e protegeu Jacob das perseguições que Justiniano, seu marido, queria promover, porquanto assumia uma posição ortodoxa. Quando os islamitas invadiram a Síria, os jacobitas foram deixados quase intactos, sendo-lhes permitido manter suas tradições e seu meio de vida. No presente, esse grupo conta com cerca de duzentos mil membros, sendo governado pelo patriarca de Antioquia, cuja sede fica em Mardin, no Iraque.

JACOPO DA VORAGINE

Suas datas foram 1230—1298. Ele foi um pregador popular, frade dominicano e, finalmente, arcebispo de Gênova, na Itália. Tornou-se conhecido por seus escritos sobre as vidas e lendas dos santos. Esses escritos já tiveram dois títulos, o primeiro *Legendae Sanctorum*, e, depois, *Legenda Áurea*. Para muita gente, através de mais de sete séculos, essa obra tem sido inspiradora. Foi mesmo uma obra popular na Idade Média, primeiro circulando em forma de manuscritos e, finalmente, sob forma impressa, em latim, e então traduzida para cinco idiomas vernáculos, meio século após a invenção da imprensa. Xisto de Siena afirma que da Voragine traduziu a Bíblia inteira para o italiano. Essa reivindicação tanto é defendida quanto é disputada.

JACTÂNCIA

Há cinco palavras hebraicas e três palavras gregas, a saber:

Gadal, «engrandecer-se». Palavra hebraica usada por cerca de cento e dez vezes. Mas apenas por algumas vezes com o sentido de jactar-se. Por exemplo: Eze. 35:13; Isa. 10:15; Dan. 11:36,37.

Halal, «louvar-se». Palavra hebraica usada por mais de cento e sessenta vezes, embora apenas por umas tantas vezes com o sentido de jactar-se. Por exemplo: I Reis 20:11; Sal. 10:3; 44:8; Pro. 20:14; 27:1.

Kabad, «fazer-se pesado» (fazer-se importante). Palavra hebraica usada por mais de cento e dez vezes, embora apenas por algumas vezes com o sentido de jactar-se. Por exemplo: II Crô. 25:19; Pro. 12:9

Amar, «falar sobre si mesmo». Palavra hebraica usada por mais de quatrocentas e cinqüenta vezes, mas apenas por algumas vezes com o sentido de jactar-se. Por exemplo: Sal. 94:4; I Reis 20:5.

Yamar, «exaltar-se». Palavra hebraica usada por duas vezes: Isa. 61:1 e Jer. 2:11. Mas o sentido de jactância aparece só na primeira referência.

Kaucháomai, «jactar-se». Palavra grega usada por trinta e três vezes. Por exemplo: Rom. 2:17,23; II Cor. 5:12; 7:14; 10:8-17; Gál. 6:13,14; Tia. 1:9; 4:16.

Katakaucháomai, «jactar-se contra». Palavra grega usada por quatro vezes. Ver Rom. 11:18; Tia. 2:13,14.

Megalauchéo, «engrandecer-se com palavras». Palavra grega usada apenas em Tia. 3:5.

As várias palavras hebraicas e gregas traduzidas com o sentido de jactar-se, envolvem as idéias de gloriar-se, louvar-se, bendizer-se, embora também possam ser usadas transitivamente e não no reflexivo, quando então também podem ter um bom sentido. Assim, aquele que se jacta de si mesmo, erra; mas aquele que se ufana no Senhor exerce uma forma de louvor a Deus, e age corretamente. Ver Sal. 44:8; II Cor. 7:14. Todavia, os homens podem jactar-se de si mesmos, de outros homens, ou até mesmo da lei, embora falsamente (Rom. 2:17; II Tim. 3:2).

Natureza da Jactância. Quando a jactância é errada, envolve uma confiança equivocada no poder, no sucesso ou nas possessões materiais (Jer. 9:22; Sal. 52:1; 49:7; Deu. 8:11-18). Ousa rejeitar a providência divina, com base no sucesso pessoal obtido (Tia. 4:15,16). Confia em si mesma, e não na graça divina (I Cor. 1:31). A verdadeira retidão é conferida através do método da graça-fé (Tito 3:5); mas os fariseus jactavam-se de que, em si mesmos, muita coisa havia para ser louvada (Luc. 18:9-14). Jactância e ufania são opostos.

As causas psicológicas da jactância são: 1. Um

416

JADA — JAFÉ

indivíduo quer ser *reconhecido* em seu valor, por outras pessoas, e sabe que, somente em raras ocasiões os outros haverão de louvá-lo espontaneamente. Isso posto, ele louva-se na presença de outros, na esperança de que vejam seu valor, de acordo com uma sóbria estimativa das coisas. 2. Um homem busca ganhar *confiança* em si mesmo, pelo que formula declarações que o encoragem a atingir esse estado de confiança própria. 3. Um homem quer elevar-se acima de outros, que são seus rivais. 4. Um homem quer *ocultar inadequações*, pelo que se encobre com uma cortina de fumaça de jactâncias.

Objetos de ufania legítima: 1. Deus (Sal. 44:8). 2. A cruz (Gál. 6:14). 3. Os frutos da cruz e suas implicações (Rom. 5:1-3). 4. A generosidade cristã para com nossos semelhantes (II Cor. 9:2,3). 5. Autoridade espiritual (II Cor. 10:8). 6. Experiências espirituais especiais, que ajudam o indivíduo a cumprir sua missão e glorificam a Cristo (II Cor. 10:13,15; 12:11). (B NTI)

JADA

No hebraico, «conhecedor». Esse era o nome de um irmão de Samai, filho de Onã e neto de Jerameel (I Crô. 2:28,32). Ele viveu em cerca de 1450 A.C

JADAI

No hebraico, «Já guia». Mas outros pensam em «judeu». Ele tinha seis filhos que aparecem na genealogia de Calebe (I Crô. 2:47). Alguns poucos eruditos opinam que esse nome refere-se a uma concubina de Calebe, e não a um de seus descendentes do sexo masculino.

JADAI

No hebraico, «amado». Algumas traduções dizem Jadau, «sabedor». Ele pertencia ao clã de Nebo e, durante o cativeiro babilônico, casara-se com uma mulher estrangeira. Ao retornar a Jerusalém, foi obrigado a divorciar-se dela, a fim de que pudessem ser reestabelecidos os costumes religiosos dos judeus. Ver Esd. 10:43. Viveu por volta de 446 A.C.

JADIEL

No hebraico, «unidade de Deus», ou então, de acordo com outros, «Deus dá alegria». Ele era um dos chefes da meia-tribo de Manassés (I Crô. 5:24). Era conhecido como um poderoso guerreiro. Viveu por volta de 612 A.C.

JADO

No hebraico «sua união» (?). Esse era o nome de um gadita, filho de Buz e pai de Jesisai (I Crô. 5:14). Deve ter vivido em algum tempo entre 1093 e 782 A.C.

JADOM

No hebraico, «juiz». Esse era o nome de um meronotita que ajudou a reparar as muralhas de Jerusalém, após o retorno de Judá do cativeiro babilônico (Nee. 3:7). Ele viveu por volta de 445 A.C. Josefo (*Anti.* 8.9) dá esse nome ao homem de Deus (cujo nome não aparece no Antigo Testamento) que foi de Judá até à presença de Jeroboão, a fim de adverti-lo das consequências de seu pecado (I Reis 13). Esse homem, por sua vez, é identificado pela tradição judaica com o mesmo *Ido* de II Crô. 9:29. Mais do que isso é impossível determinar.

JADUA

No hebraico, «conhecedor». Nome de duas personagens bíblicas:

1. Um levita que assinou o pacto com Neemias, terminado o cativeiro babilônico, quando da restauração de Israel em Jerusalém (Nee. 10:21). Ele viveu por volta de 445 A.C. Esse pacto significava que agora Israel podia voltar aos caminhos trilhados por seus antepassados, seguindo a lei do Senhor.

2. Um filho de Jônatas, o sumo sacerdote. Ele foi o último dos sumos sacerdotes a ser mencionado no Antigo Testamento (Nee. 12:11,22). Viveu em cerca de 520 A.C. Retornou do cativeiro babilônico com o grupo liderado por Zorobabel. Foi sumo sacerdote durante o reinado de Dario, o persa. Josefo menciona um sacerdote com esse nome, em seu relato da entrada de Alexandre, o Grande, em Jerusalém (*Anti.* 11.8,2) e alguns identificam-no com o sacerdote em pauta. Entretanto, as datas parecem por demais separadas para que isso corresponda à realidade dos fatos, a menos que o homem tenha vivido até uma idade extremamente avançada.

JADUS

Em I Esdras 5:38, um dos livros apócrifos do Antigo Testamento, certos sacerdotes são mencionados, os quais não podiam provar seu direito ao sacerdócio, visto que suas genealogias se tinham perdido. O resultado é que não podiam servir como sacerdotes. *Jadus* foi um desses casos.

JAEL

No hebraico, «cabra selvagem», nome da esposa de Héber, o quenéu. A história dela é relatada em Juí. 4:17-22. Sísera, famoso comandante cananeu, levara a pior em uma batalha contra Israel, e estava fugindo. Deixou seu carro de guerra e fugia a pé. Chegando às tendas do povo de Héber, refugiou-se na tenda do próprio Héber. É que não havia hostilidades entre a família de Héber e os cananeus. Os queneus, habilidosos artífices em metais, tinham suprido vários itens de que os cananeus precisavam. Porém, a verdade é que o próprio Héber vivia separado dos outros queneus (Juí. 4:11), e, aparentemente, não compartilhava dos bons sentimentos que Sísera esperava encontrar. Héber estava ausente; mas Jael, talvez não podendo evitar a invasão de sua tenda por parte do general fugitivo, fingiu acolhê-lo amigavelmente. Ela o cobriu com um tapete, ele, estando cansado, não tardou a adormecer. E, enquanto ele dormia, ela lhe tirou a vida, enterrando uma estaca de tenda em sua têmpora. Esse ato foi celebrado no famoso Cântico de Débora, em Juí. 5:24-31, como parte da vitória de Israel sobre os cananeus, que, sob a liderança do seu rei, Jabim, vinham oprimindo os israelitas já por vinte anos.

JAFÉ

Esboço:

I. Informações Gerais
II. Raças Descendentes de Jafé
III. Gráfico Comparativo dos Descendentes de Jafé, Cão e Sem

I. Informações Gerais

No hebraico, «espalhado», com o sentido que «Deus engrandecerá» (Gên. 9:24). Era um dos três filhos de Noé. É difícil dizer qual a sua posição entre os outros dois, porquanto ele é mencionado em último lugar em

JAFÉ

trechos como Gên. 5:32; 6:10; 7:13; 9:18,23,27; I Crô. 1:4. Todavia, seus descendentes aparecem em primeiro lugar em Gênesis 10 e I Crônicas 1:5-7. Além disso, o trecho de Gên. 9:22, 24 parece afirmar que Cão, pai de Canaã era o mais jovem dos três. Porém, em Gên. 10:21, temos uma afirmação que pode ser interpretada como se dissesse que Jafé era o segundo, e não o terceiro dos filhos de Noé.

Importantes incidentes em sua vida incluem estes pontos: ele foi uma das oito pessoas que participaram das experiências salvadoras da arca de Noé, durante o período do dilúvio universal. Ver sobre o *Dilúvio*. Terminado o dilúvio, Noé plantou uma vinha; e, colhendo a uva e tomando o vinho, ficou alcoolizado. Cão, o filho mais jovem de Noé, quebrou uma rígida lei moral da época, que proibia um filho de ver a nudez de seu pai. Em seu estupor de alcoolizado, Noé jazia nu em seu leito, e Cão observou a cena, divertido. Ao que parece, ele contou o acontecido a seus dois irmãos; e eles, horrorizados diante da infração, entraram de costas onde jazia Noé, e cobriram-no com alguma coisa (Gên. 9:20-27). Quando Noé despertou e ficou sabendo do ato de Cão, lançou sobre ele uma maldição (—que, na verdade, recaiu sobre seu neto, Canaã, filho de Cuxe); mas abençoou a Sem e a Jafé, que haviam respeitado a sua nudez. Os descendentes de Sem e Jafé haveriam de prosperar; mas os descendentes de Cão, através de Canaã, haveriam de ser escravos dos descendentes daqueles.

Alguns intérpretes têm pensado que essa maldição fez de Cão um negro, o que explicaria por que, até os fins do século passado, muitos negros foram escravizados. Porém, isso é ler no texto sagrado o que não está ali escrito, além de ser uma tentativa de encontrar na Bíblia um texto que sirva de prova para a instituição cruel da escravatura. Na verdade, porém, as mais diferentes raças e indivíduos já foram escravizados no passado; e a escravidão negra é um fenômeno relativamente recente. A Bíblia, por sua vez, não nos fornece qualquer explicação de como surgiu a raça negra. O mais provável de tudo é que se trate de uma das potencialidades da raça humana, uma das variações possíveis dentro de uma espécie — a espécie humana. Sabemos que as condições de clima podem causar tanto o enegrecimento quanto o embranquecimento da pele; mas é totalmente impossível que essas condições justifiquem tudo, em face da cronologia bíblica depois do dilúvio ser tão curta. Lembremos que o dilúvio é situado em cerca de 2400 A.C.! Acresça-se a isso que a raça negra possui características físicas, excluída a questão da cor da tez, que não podem ser explicadas por qualquer processo físico normal de que tenhamos conhecimento. Certas coisas terão de permanecer um mistério. Por outro lado, a teoria da evolução, que alguns consideram uma possível explicação alternativa, também se vê a braços com dificuldades intransponíveis, quando se lança à explicação de coisas como essa.

O que se sabe é que os cananeus da época de Josué foram subjugados e que as suas terras lhes foram tomadas pelos israelitas invasores; e podemos supor, com muita razão, que isso cumpriu, pelo menos em parte, a maldição lançada por Noé.

A predição da propagação dos descendentes de Jafé por muitos territórios cumpriu-se à risca, embora muitos eruditos disputem quanto a como isso aconteceu exata e detalhadamente. Os estudiosos liberais supõem que questões dessa ordem revestem-se de pouco valor genealógico real, e que é impossível que raças tão diversas, com suas distintas qualidades, poderiam ter descendido de um único genitor, dentro do tempo alocado pela genealogia bíblica. Pela fé, os eruditos conservadores levam a sério as genealogias constantes na Bíblia, embora também não contem com qualquer explicação, científica ou não, para justificar a grande diversidade de raças que acabou surgindo na terra. Novamente, entramos em mistérios insondáveis.

II. Raças Descendentes de Jafé

As informações que os intérpretes nos fornecem a esse respeito diferem grandemente entre si. A Bíblia informa-nos que ele foi o pai de Gômer, Magogue, Javã, Tubal, Meseque e Tiras (Gên. 10:2 e I Crô. 1:4). Isso faria de Jafé o genitor das raças caucasianas e indo-européias, além de outras. O trecho de Gên. 10:2 *ss* também nos dá a impressão de que seus descendentes migraram para as terras em redor do Mediterrâneo («as ilhas das nações», em Gên. 10:5). Certas tradições árabes faziam de Jafé um dos antigos profetas; e, na enumeração dos seus filhos, faziam dele o pai dos gin ou dshin (os chineses); os seklab (os eslavos); e os manchurges, os gomaris (os turcos) os calages, os gozar, os rôs (os russos); os sussans, gaz ou torages (?)

As tremendas diferenças físicas das raças sinotibetanas são tão difíceis de explicar como aquelas que caracterizam as raças negras, e pelas mesmas razões. Naturalmente, os cientistas modernos atribuem as diferentes raças humanas a mutações genéticas, e não meramente a influências climáticas, supondo que o ser humano já exista há mais de um milhão de anos, e não a algo parecido com seis mil anos. Alguns desses cientistas pensam que várias raças devem sua existência a diferentes antepassados animais, pelo que nem todos os ramos da humanidade descenderiam de um mesmo e único genitor, Adão. Naturalmente, o ensino bíblico não concorda com isso. Paulo deixou bem claro: «O Deus que fez o mundo e tudo o que nele existe... de um só fez toda raça humana...» (Atos 17:24-26).

Para os evolucionistas, as grandes diferenças raciais entre os seres humanos só podem ser explicadas em termos evolutivos. A teoria da evolução das espécies parece oferecer uma explicação lógica, excetuando a questão das origens absolutas; mas, sob um exame mais detido, apresenta muitas dificuldades, porquanto nenhum argumento convincente pode transpor um prodigioso salto evolutivo que poderia levar um ser humano a deixar o mundo dos animais irracionais para ingressar no mundo dos homens racionais e dotados de uma alma eterna. Além disso, se há variantes dentro de uma mesma espécie (por exemplo os cães), nunca se conseguiu comprovar que uma espécie qualquer seja capaz de evoluir de outra, e daí evoluir ainda para uma outra. E, quando há variações, a tendência é sempre voltar ao tipo original, seguindo as leis genéticas de Mendel, e jamais progredir para outra espécie, deixando para trás a espécie supostamente original. Novamente, pois, chegamos a mistérios insolúveis. E a Bíblia em nada pode ajudar-nos quanto a essas questões, pois não foi escrita para revelar questões dessa natureza, e, sim, como o homem pode corrigir seu relacionamento com Deus e seus semelhantes. Ver ainda o artigo intitulado *Antediluvianos*, que aborda os problemas da antiguidade da raça humana, em maiores detalhes.

Identificações Tentativas das Raças Associadas a Jafé:

Povos Antigos

Gômer: os antigos cimérios; *Magogue*: os diversos

JAFÉ — JAIMINI

povos mongóis; *Madai*: os medos e persas; *Javã*: os gregos; *Tubal* e *Meseque*: povos da porção oriental da Turquia e do centro norte da Ásia; *Tiras*: os «tirsenoí» das ilhas do mar Egeu, talvez incluindo os etruscos.

À medida que esses povos se foram multiplicando, foram ocupando áreas geográficas cada vez mais distantes do ponto de onde todos se irradiaram, após a torre de Babel. «...ali confundiu o Senhor a linguagem de toda a terra, e dali os dispersou por toda a superfície dela» (Gên. 11:9). Naturalmente, nessa dispersão não devemos incluir somente os descendentes de Jafé, mas também os de Cão e os de Sem, embora a tendência dispersiva fosse maior entre os descendentes de Jafé, segundo também o seu nome indica. Os descendentes de Gômer, para exemplificar, com a passagem do tempo, podiam ser encontrados em uma faixa que ia desde o que é hoje o norte da Índia até à porção mais ocidental da Europa, incluindo, entre outros, os *celtas* (vide) e os *germânicos* (vide), estes últimos, descendentes de Asquenaz, um dos filhos de Gômer.

III. Gráfico Comparativo dos Descendentes de Jafé, Cão e Sem

Escrituras envolvidas: Gênesis 10:1-32; 11:11-26 e I Crônicas 1:4-27.

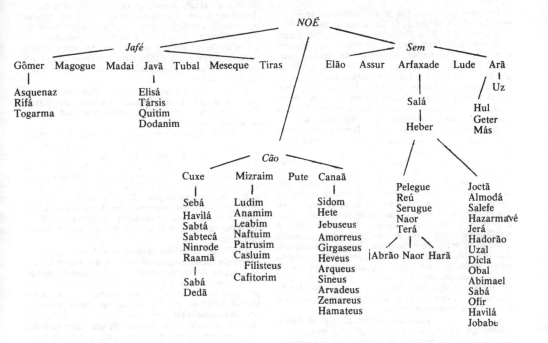

JAFLETE

No hebraico, «aquele a quem Deus livra». Ele era filho de Héber, filho de Aser. Foi pai de três filhos e de uma filha (I Crô. 7:32,33). Viveu em torno de 1856 A.C., mas, conforme outros, tão tarde quanto 1658 A.C.

JAFLETI

Essa localidade, cujo nome tem um sentido desconhecido, é mencionada somente por uma vez em todo o Antigo Testamento, em Jos. 16:3, dentro do contexto da determinação das fronteiras de Manassés e Efraim, tribos descendentes de José. A forma da palavra, no original hebraico, indica um adjetivo pátrio, «jafletitas»; mas a nossa versão portuguesa preferiu traduzir como se essa fosse a designação de uma cidade ou aldeia, Jafleti.

••• ••• •••

JAFLETITAS

Parece que um ramo dos descendentes de Jaflete estabeleceu-se ao longo da linha fronteiriça entre as tribos de Efraim e Dã (Jos. 16:3). Porém, alguns estudiosos pensam que esse nome se refere a um dos povoados cananeus originais. Após a divisão da Terra Prometida, o território foi alocado aos descendentes de José. Ficava perto da fronteira de Efraim, perto de Bete-Horon.

JAGUR

No hebraico, «estalagem». Nome de uma cidade no sul de Judá (Jos. 15:21). Ficava perto da fronteira com Edom, embora não se saiba qual o local exato.

JAIMINI

Autor da obra **Mimamsa Sutra** (vide). Essa obra foi composta em cerca de 400 A.C. Um dos seis sistemas ortodoxos do *hinduísmo* (vide), chamado *Purva*

JAINISMO

Mimamsa (vide), usava a *Mimamsa Sutra* como seu documento sagrado básico.

JAINISMO

Esse nome vem do sânscrito, **jaina**, que significa «vitorioso». O jainismo e o materialismo charvakan são considerados os dois principais sistemas heterodoxos religiosos e filosóficos do hinduísmo (vide). O jainismo é uma fé religiosa e uma filosofia nativa da Índia. No século VI A.C., o jainismo e o budismo emergiram do hinduísmo como religiões separadas. Ambas surgiram, em parte, como uma reação contra os conceitos então correntes sobre a divindade, inclinando-se mais r.a direção do **não-teísmo**. Ambas ensinam que a salvação (*moksha*) pode ser obtida através dos próprios esforços do indivíduo, sem a necessidade de se buscar continuamente o auxílio dos deuses.

Informes históricos dão conta de que essa fé existia em Magadá, no norte da Índia, desde os séculos VI e V da era cristã. Suas doutrinas fundamentais foram ensinadas por Vardhamana Mahavira. Esse homem buscava a iluminação espiritual de modo muito intenso e depois de treze anos de vida ascética, quando atingiu com cerca de quarenta e três anos de idade, atingiu a iluminação buscada. Durante outros trinta anos foi um poderoso mestre de suas idéias. Duzentos e cinqüenta anos antes, o mestre Parshva tinha ensinado conceitos que influenciaram no desenvolvimento do jainismo. Ele fundou uma ordem que requeria que os monges fizessem quatro votos básicos: 1. Não prejudicar a qualquer criatura viva. 2. Ser sempre veraz. 3. Nada furtar. 4. Não possuir qualquer propriedade. Mahavira adicionou a esses votos o voto de celibato, além de exigir uma vida ainda mais ascética. O termo *jaina*, «vitorioso» (sobre as desgraças e as vicissitudes da vida) foi outorgado aos mestres desse movimento histórico, de onde temos a derivação do nome *jainismo*. Os *jainas* eram o equivalente aos «santos» do catolicismo, sendo venerados pelos membros da fé que fundaram. Parshva e Mahavira são considerados por essa religião como os últimos dos vinte e quatro grandes líderes religiosos do mundo. Eles também são chamados de *tirthamkara* (ou *tirthakara*), isto é, «atravessador de vau», alguém que ajuda as pessoas a atravessarem o perturbado oceano da vida.

O cânon das sagradas escrituras do jainismo, compostas na língua ardhamagadhi, foi transmitido oralmente, e os documentos escritos aparentemente perderam-se no século III D.C. A tradição oral, segundo dizem, teria sido reescrita em 454 D.C. Uma característica distintiva dessa fé é que ela rejeita a autoridade dos *Vedas* (vide), com seu panteão e suas cerimônias, além de rejeitar o sacerdócio brâhmane. Esses elementos fazem parte de sua postura heterodoxa.

Idéias:

1. A *salvação* deve ser obtida mediante um rígido auto-esforço, com a observância de práticas ascéticas. *Três jóias* ajudariam nesse processo: o conhecimento, a fé e a conduta correta. Isso conduziria à liberação final do espírito.

2. O *renascimento* e o *karma* (vide) são as principais doutrinas desse sistema. A salvação libera a alma dos ciclos de novos nascimentos, até ser atingido o perfeito conhecimento. Esse ideal, para nós, os cristãos bíblicos, é atingido quando a pessoa aceita a Cristo como seu Salvador. Isso posto, se a reencarnação é uma realidade, o ciclo termina para o crente, que, em Cristo, achou a sua perfeição! Mas não cremos em reabsorção e perda da identidade individual!

3. *Conhecimento*. Essa fé religiosa é dominada pelo princípio do *Syadvada*. Esse termo significa «talvez», dando a entender que todo conhecimento humano é meramente provável, e sempre parcial.

Aspectos do Conhecimento. a. O conhecimento ordinário, por meio da memória, do reconhecimento, da indução. b. O conhecimento por meio dos sinais e símbolos que envolvem a associação de idéias, a compreensão e certos aspectos do sentido das coisas. c. A clarividência, o conhecimento à distância, por meios psíquicos. d. A telepatia, o conhecimento dos pensamentos alheios. e. O conhecimento perfeito, que só chega por meio da salvação, e que anula o conhecimento humano, alicerçado sobre o «talvez».

4. *Visões da Realidade, ou Naya*. Poderíamos ver a realidade de sete ângulos diferentes: a. figurado, não-literal; b. geral, como no conceito de classes; c. distributivo, com discriminação de subclasses, ordens ou tipos; d. condição ativa; e. descrições por meio da linguagem; f. descrições específicas, mediante as quais qualquer coisa é descrita em termos exatos e delimitadores; g. descrição ativa, segundo a qual um nome ou termo é compreendido através do exame das suas atividades.

5. *Não-Teísmo*. Esse sistema filosófico religioso não tem qualquer Deus formal, embora as almas liberadas adquiram uma estatura que poderia ser reputada como divina.

6. *Cosmologia*. O universo é eterno e se move passando por ciclos contínuos de ascensão e declínio. Chega-se assim a uma estado ideal; mas, então, o declínio conduz a alma ao seu oposto, um ponto extremamente inferior. Isso posto, haveria ciclos que vão de zênite ao nadir, e daí de volta ao zênite e ao nadir, interminavelmente. O universo não contaria com qualquer Deus supremo, criador e sustentador; mas contaria com divindades secundárias. E o universo operaria sob o impulso de meras forças mecânicas.

7. *Classificação das Essências ou Seres*. Todas as entidades são chamadas *almas*, e todas elas estariam em estado de transmigração. a. Os *nigoda* seriam seres ou essência sem qualquer percepção de sentidos, pelo que seriam inferiores até mesmo a coisas como pedras, minerais, etc. Talvez eles estivessem aludindo aos elementos atômicos, que, em si mesmos, não são entidades. b. Seres dotados de um único sentido, o do tato, seriam coisas como a água, a pedra, o fogo, os minérios, as raízes comestíveis das verduras. c. Seres dotados de dois sentidos, o do tato e o do paladar, também seriam capazes de alguma capacidade de comunicação, como os vermes. d. Os seres dotados de três sentidos, do tato, do paladar e do olfato, seriam os insetos, como as vespas, os escorpiões e os mosquitos. e. Os seres dotados de cinco sentidos, incluindo aqueles que vivem nos mundos infernais, os animais superiores, o homem e os habitantes dos mundos celestiais. Alguns seres dessa última classe também possuiriam a qualidade adicional da mente.

8. *O Destino da Alma*. A alma, uma vez liberada dos ciclos da *reencarnação* (vide), atinge a verdadeira imortalidade, uma espécie de condição divina, com fantásticos atributos, como a onisciência. As poucas almas que teriam atingido esse estado são veneradas, templos são erigidos em sua honra, e tornam-se modelos que devem ser seguidos pelos homens mortais. A veneração a essas almas inclui o uso de imagens. Cerca de dois milhões de pessoas são adeptas dessa fé do jainismo.

Jesus levanta a filha de Jaíro
(Marcos 5:41)

Foto por Alistair Duncan Vista do Monte Hermom

JAIR — JAIRO

JAIR

No hebraico, «iluminador», ou então «Yahweh ilumina». Esse é o nome de quatro personagens referidos no Antigo Testamento, a saber:

1. Um filho de Segube, da tribo de Manassés (pelo lado de sua mãe) e da tribo de Judá (pelo lado de seu pai). Tornou-se conhecido por sua expedição bem-sucedida contra o reino de Basã, o que parece ter estado vinculado à conquista do território a leste do rio Jordão. Finalmente, ele se estabeleceu naquela parte da Argobe que fazia fronteira com Gileade. Nessa região havia vinte e três aldeias, coletivamente chamadas de Havote-Jair, ou seja, «aldeias de Jair». Ver Núm. 32:41; Deu. 3:14; Jos. 13:30; I Crô. 2:22; I Reis 4:13. Ver o artigo separado sobre *Havote-Jair*. Suas datas são disputadas, mas alguns têm sugerido cerca de 1450 A.C.

2. Um outro Jair foi o oitavo dos juízes de Israel. Ele era natural de Gileade, no território de Manassés, na Transjordânia. Pode-se supor que ele descendia do Jair descrito acima. Governou durante vinte e dois anos, com grande conforto e riquezas materiais. Tinha trinta filhos que montavam em trinta jumentos, e também tinha trinta cidades, a Havote-Jair, mencionada no parágrafo acima. Essas circunstâncias têm levado alguns estudiosos a confundi-lo com o Jair mencionado no primeiro ponto, acima. Ver Juí. 10:3,5. Alguns eruditos defendem a identidade, mas parecem ter vivido em tempos distintos. Viveu em cerca de 1180 A.C.

3. Um benjamita, pai de Mordecai, tio de Ester (Est. 2:5). Viveu em cerca de 518 A.C., e desempenhava o papel de protetor de Ester.

4. O pai de Elanã, um dos heróis do exército de Davi. Elanã matou Lami, irmão de Golias (I Crô. 20:5). Seu nome aparece com a forma de Jaaré-Oregim, em II Sam. 21:19, o que, segundo muitos estudiosos, envolve um erro escribal. Aquele versículo também contém a falsa informação de que foi ele quem matou o gigante Golias, o que tem dado muita dor de cabeça aos harmonistas, uma atividade desnecessária, posto que a nossa fé não repousa sobre a letra, mas sobre o Espírito, que ensina à alma. Jair viveu em algum tempo antes de 1018 A.C.

JAIRITA

No hebraico, «de Jair», ou seja, um de seus descendentes. Esse adjetivo é aplicado a Ira, um sacerdote da época de Davi. O Jair em questão, mui provavelmente, é o primeiro na lista dos quatro desse nome, mencionados no artigo intitulado *Jair*. Ver Núm. 32:41 e Deu. 3:14.

JAIRO

No grego, **Iáeiros**, provavelmente uma transliteração do termo hebraico correspondente, que foi nome de várias personagens do Antigo Testamento. Ele foi chefe de uma sinagoga, cuja filha foi ressuscitada pelo Senhor Jesus. O relato da ocorrência foi registrado em Mar. 5:22-43; Luc. 8:41-56 e Mat. 9:19-26. O nome do homem é dado somente por Marcos. No hebraico, esse nome significa *Yahweh ilumina*. Cada sinagoga usualmente contava somente com um «chefe» (no grego, *archisunágogos*), cujos deveres consistiam em dirigir a adoração que ali se efetuava, selecionando aqueles que haveriam de iniciar as orações e as leituras das Escrituras. Contrariamente ao que geralmente ocorre, o relato de Marcos é o mais detalhado, enquanto que os outros dois evangelistas sinópticos condensaram a sua narrativa.

A História de Jairo no Novo Testamento

Mar. 5:22: *Chegou um 'dos chefes da sinagoga, chamado Jairo e, logo que viu a Jesus, lançou-se-lhe aos pés.*

1. *Arriscou sua reputação.* Esse homem arriscou sua reputação ao *aproximar-se* de Jesus, já que desde há muito os conflitos e controvérsias com os líderes religiosos tinham começado, dando a Jesus o aspecto de um poderoso agitador herege. Mas sua necessidade era grande, e ele ignorou a política. Devido à sua coragem, seu nome tornou-se imortal, por haver entrado em contacto com Jesus. Ele se serviu de uma das muitas janelas do N.T. através das quais vemos algo da glória do Senhor Jesus. Jairo, juntamente com outros, ilustra aqueles dotados de mente aberta o suficiente para aprenderem algo. Ele ignorou os dogmas que se opunham a Jesus e experimentou o poder de Cristo, querendo saber se ganharia ou não algo com ele. Jairo veio *ver* Jesus. Outros o ignoravam ou criticavam.

2. *Vinho novo.* Jesus trouxera o *Vinho Novo* que não podia ser contido em «odres velhos». Jairo estava pronto a tornar-se um odre novo, a fim de conter o vinho novo. Jairo nos anuncia esta mensagem: «Conserva aberta a tua mente», para que teu crescimento espiritual aumente. E isso porque a mente fechada pelos dogmas e pelas restrições denominacionais somente dificultam o avanço espiritual. Jairo também representa a «necessidade humana». Ele tinha uma «filha» em necessidade, que precisava da atenção de Jesus, pois o caso dela era extremamente grave. Todos nós temos, em nossas vidas, as nossas «filhas» que precisam da ajuda de Jesus.

3. *Autoridade de Jairo:* «um dos principais da *sinagoga*». O grego traz o plural, «sinagogas». Porém, o mais provável é que aquele homem era um dos principais líderes de uma única sinagoga, embora seu «ofício» fosse válido para todas as sinagogas. O grego, «*archon*», significa «**chefe-líder**», alguém encarregado dos negócios gerais daquela instituição. O «archisunagogon» talvez fosse indivíduo que não conduzisse a adoração pública, mas que arranjasse as coisas para os outros fazerem, que cuidava das questões materiais e financeiras da sinagoga. Mas deve-se notar que Mateus chama **Jairo de «archon»**; e Lucas usa os dois títulos intercambiavelmente; pelo que é difícil fazer qualquer distinção válida entre eles, com base neotestamentárias.

4. *Em Mateus,* o homem *adora* a Jesus. Em Marcos, ele se lança a seus pés, detalhes com os quais os autores sagrados queriam indicar a natureza messiânica autêntica de Jesus, pois, de outro modo, tais atos estariam fora de Lucas.

Mat. 9:18: *Enquanto ainda lhes dizia essas coisas, eis que chegou um chefe da sinagoga e o adorou, dizendo: Minha filha acaba de falecer; mas vem, impõe-lhe a tua mão, e ela viverá.*

(Mar. 5:21-24; Luc. 8:42-48). «Chegou». Aparece nas traduções AC e IB, baseadas nos mss SV Gamma Delta Fam Pi; «aproximando-se», aparece nos mss Aleph(4) CDE MX; «aproximando-se», aparece na tradução AA, baseada nos mss Aleph(1) BC(3) FGLU, e sem dúvida é a palavra original do evangelho.

5. *Chamado em Mateus, «chefe».* Oficial da sinagoga. (Marcos diz: «um dos *principais da sinagoga*, chamado Jairo»—Mar. 5:22). Provavelmente foi um dos homens que solicitaram a ajuda de Jesus para que este curasse o criado do centurião (ver Mat. 8:5-13). Sem dúvida Jairo ficou bem impressionado com o milagre que vira naquele caso. Agora, estando

JAIRO — JAMES

em situação desesperadora (a filha já morrera ou estava moribunda; segundo Marcos, «está à morte»; segundo Lucas «estava à morte»). Provavelmente o autor assim escreveu por conhecer bem o caso, e soubesse que quando Jesus chegou à casa de Jairo, a filha deste já tinha falecido. Por isso escreveu: «faleceu agora mesmo».

«*Viverá*». Não pode significar «continuará viva», e, sim, que o chefe antecipava a ressurreição de sua filha, a volta de sua vida perdida.

«*Impõe a tua mão*». Ver nota sobre o toque que cura, em Mat. 8:3 no NTI.

Nota-se que o autor deste evangelho omite a mensagem enviada pelo chefe, de sua casa, anunciando a morte da jovem (Mar. 5:35 e Luc. 9:49), e isso, naturalmente, porque já declarara a filha morta. Parece que o autor apresenta um resumo do incidente, omitindo alguns detalhes.

6. *Em Lucas*. Lucas fornece detalhes como a idade da jovem (*doze anos*), bem como o fato de ser filha *única* (Luc. 9:42). Sem dúvida ficou sabendo os detalhes ao fazer investigações próprias sobre as ocorrências da vida de Jesus, a fim de escrever um evangelho convincente. É possível que tenha recebido essa informação dos próprios pais da jovem (ver Luc. 1:1-4). Ver o artigo sobre a *Historicidade Dos Evangelhos*.

7. *O termo grego «archon»* aqui traduzido como «chefe», podia ser aplicado a diversos tipos de oficiais. Provavelmente, neste caso, refere-se ao dirigente da sinagoga, o que explica a seleção da tradução «chefe». Essa palavra podia indicar simplesmente o dirigente de uma comunidade local, que também podia ser um dos anciãos, se essa comunidade fosse judaica.

8. *A sinagoga de Cafarnaum* foi recentemente descoberta. É a única sinagoga do 1º século que a arqueologia tem conseguido desenterrar. Ver sobre *Sinagoga*, seção V, onde esta descoberta está descrita.

JALÃO

No hebraico, «aquele a quem Deus oculta». Era filho de Esaú e Aolibama, e veio a tornar-se um dos chefes dos idumeus. Gên. 36:5,14,18; I Crô. 1:35. Viveu por volta de 1740 A.C.

JALOM

No hebraico, «residente», «habitante». Ele era filho de Esdras, mencionado na genealogia de Judá (I Crô. 4:17). Viveu em torno de 1618 A.C.

JAMBRES

Ver sobre **Janes e Jambres**.

JAMBRI

Esse nome não figura nas páginas do Antigo Testamento canônico, mas somente em I Macabeus 9:36-41, onde figura como uma das cidades dos moabitas, embora, originalmente, fosse a designação de uma tribo que proveio de Medeba. Nessa passagem de I Macabeus somos informados de que essa gente tomou João, irmão de Jônatas, o líder macabeu dos judeus rebelados, e levou a ele e às suas possessões. Jônatas e Simão vingaram-se desse ultraje emboscando um grupo dos filhos de Jambri que estavam ocupados em uma festa de casamento, tendo morto a muitos e tendo levado todas as suas possessões.

••• ••• •••

JAMES, WILLIAM

Suas datas foram 1842-1910. Ele foi um médico norte-americano, além de psicólogo e filósofo. Nasceu em Nova Iorque. Educou-se na Universidade de Harvard, onde, mais tarde, tornou-se professor. Descendia de uma família ilustre. Tinha um irmão novelista, Henry James. Seu pai, Henry James Sr. foi um bem conhecido teólogo swedenborgiano. William James, por sua vez, ensinou medicina, e, posteriormente, psicologia, em Harvard. Na verdade, não tinha credenciais acadêmicas no campo da filosofia, mas era homem que muito lia e era dotado de grande experiência, e foi assim que também veio a tornar-se professor de filosofia, em Harvard. Deixou marcas permanentes nos campos da psicologia, da parapsicologia (antes mesmo dessa ciência ser assim chamada), do misticismo e da filosofia. Embora não tivesse cunhado a palavra *pragmatismo* (o que foi feito por Peirce), foi ele quem popularizou o termo, tendo-se tornado um dos principais filósofos pragmáticos. Foi até mesmo capaz de injetar essa posição em sua visão religiosa da vida, com alguns resultados interessantes e frutíferos. Para ele, a lógica era um instrumento forjado pela vida e pela experiência diária. E todas as operações intelectuais eram por ele vistas como se derivassem sua importância do *sucesso* que as mesmas tivessem na concretização de propósitos práticos. Todavia, suas investigações práticas acabaram convencendo-o sobre a realidade e sobrevivência da alma humana, diante da morte biológica. Seu empirismo radical começou como uma teoria psicológica, e terminou como uma metafísica um tanto incompleta. Mas, embora essa sua metafísica tivesse ficado incompleta, quando morreu, deixou sugestões frutíferas quanto a modos de investigação, nesse campo, que até hoje continuam sendo utilizados.

Em certo sentido, a filosofia de William James emergiu das tensões entre a sua dedicação às ciências e o poder de atração que ele sentia pela fé religiosa. Ele procurava um modo de pensamento filosófico que pudesse unificar esses dois pólos.

Idéias:

I. No Tocante aos Princípios da Psicologia

1. Ele combinava um completo empirismo com uma abordagem funcional e biológica, juntamente com uma intensa introspecção. As questões metafísicas só começaram a ser ventiladas por ele um tanto mais tarde.

2. A *consciência* era tida por ele como um fluxo de idéias e impressões, em parceria com a memória. O *presente ilusório* era uma expressão que ele costumava usar para referir-se à real duração da consciência, que contém o passado e parte do futuro. Ele supunha que deve haver no homem e em sua consciência uma certa unidade orgânica, a fim de satisfazer aquilo que sabemos a seu respeito.

3. *A teoria James-Lange sobre as emoções*. Ele ensinava que os sentimentos são uma condição do corpo, originando-se no mesmo. Segue-se daí, em vez de proceder dessas condições. A consciência seria uma função, e não uma entidade. Todavia, suas experiências místicas posteriores levaram-no a reverter esse ponto de vista.

II. No Tocante aos Interesses Religiosos

1. *A vontade de crer*. As grandes questões da vida não nos podem permitir assumir posições de neutralidade. Para evitar essa insensatez, somos inspirados a crer *para além* das evidências, embora de uma maneira sugerida por essas evidências. A nossa

JAMES, WILLIAM

preferência em crer faz parte dessas evidências. Em um sentido universal, essa *vontade de crer* tem feito parte da história humana e explica muitas das crenças que os homens aceitam como se fossem a própria verdade. Os céticos, naturalmente, exercem a atitude contrária: a vontade de *não-crer*, o que é o mesmo que decidir negativamente. Portanto, com freqüência, os céticos não permitem que as evidências falem por si mesmas, rejeitando as idéias que lhes são sugeridas, decepando assim possíveis ganhos de conhecimento, meramente porque a certeza absoluta não está ao alcance deles. Encontramos um bom exemplo dessa atitude no tocante às pesquisas no campo da parapsicologia. Embora grande acúmulo de evidências já se tenha conseguido, mostrando o lado espiritual do homem, através de capacidades psíquicas e espirituais de que o homem é dotado, e, por intermédio disso, a realidade da existência e da sobrevivência da alma diante da morte biológica, os céticos requerem condições de teste cada vez mais exigentes, negando sempre a validade das descobertas que, como é óbvio, falam em favor da natureza espiritual do homem. Os céticos, pois, sentem a necessidade de subestimar as evidências colhidas e suas implicações, ao mesmo tempo em que os crentes, dando um salto em sua fé, mostram a tendência de superestimar as evidências. Isso posto, confiando no homem como um poder criativo, William James supunha que a sua crença era capaz de produzir a realidade, e não meramente de refletir a realidade como uma entidade estagnada.

2. Seu livro, intitulado «Variedades de Experiências Religiosas», aborda as experiências místicas e suas reivindicações. James chegou à conclusão de que há um aspecto nas experiências humanas que merece ser investigado, embora ultrapasse à razão, conferindo-nos uma base para crer na existência da alma e em sua sobrevivência diante da morte física, além de nos dar um ângulo diferente de considerarmos a atual natureza humana e suas potencialidades. A *unidade* das experiências religiosas (sem importar as culturas e as denominações porventura envolvidas) justifica a crença de que várias declarações importantes da fé religiosa são, realmente, verazes.

III. A Busca Pela Unidade de Conceitos

1. Os interesses de William James eram muito amplos, e até mesmo potencialmente contraditórios. Contudo, ele buscava um modo de unificar seus interesses científicos com seus instintos religiosos. Ele encontrava valor nas experiências místicas e mesmo extraordinárias das pessoas religiosas. Sua busca pela unidade era uma das forças por detrás de sua escolha do *pragmatismo* (vide) como uma maneira de pensamento que expressasse as suas idéias. As experiências religiosas, longe de contradizerem a verdade (conforme alguns cientistas têm pensado), na realidade são uma questão vital e prática para muitas pessoas. Todavia, a leitura dos escritos de William James certamente revelam que ele percebia maior realidade nas experiências religiosas do que se fossem meras ajudas que levam as pessoas a viver melhor, de maneiras eminentemente práticas e frutíferas. A sua doutrina do salto de fé, ou seja, da vontade de crer, acerca do que já falamos, indicava que temos razão em ir além das evidências, porquanto as evidências subentendem, e não meramente provam. Algumas vezes, segundo ele, é sábio e prático confiarmos em implicações, e não meramente em provas.

2. Não obstante, William James era um verdadeiro pragmático, embora estranho, com sua esquisita mescla de psicologia, ciências biológicas e fé religiosa. Juntamente com Peirce, ele concordava que uma idéia é boa quando obtém conseqüências práticas. É mister que uma boa idéia tenha algum *valor comercial*, algo com que contribua para o bem da humanidade.

3. *A verdade em graus variados*. William James reconhecia graus na verdade. A verdade modifica-se e desenvolve-se com a passagem do tempo. Se existem verdades fixas, essas são as verdades de Deus. Para o homem, a verdade está em um estado de fluxo constante; e os valores de qualquer verdade, em qualquer momento, dependem de suas conseqüências práticas. Apesar disso, Tiago não se reduziu à aposta de Pascal, de acordo com a qual apostamos que Deus e a alma existem, porquanto, se assim fizermos, teremos ganho algo; e, se não existirem, não teremos perdido coisa alguma. E então passaríamos a viver de acordo com a opinião vencedora. Bem pelo contrário, James parecia perfeitamente seguro de que viver em consonância com as crenças teístas, e confiar na existência da alma, tem grandes taxas de probabilidade de estarem perfeitamente apoiadas sobre a verdade, de modo a formar isso uma certeza, e não meramente uma chance.

4. James tinha fé no conceito que diz que não pode ser verdade que o homem está vivendo em um mundo caótico, e que este mundo não seria um lugar razoável para o homem aqui viver. Ele fazia seu caso depender da crença teísta, porquanto essa fé lhe parecia mais razoável, dando ao homem uma atitude prática e produtiva para inspirá-lo na vida, dotado de um código moral que pode seguir. Logo, ele rejeitava o ateísmo como uma idéia improdutiva e antiprática.

5. *Testes da Verdade*. a. Uma idéia deve ter coerência teórica em seu favor; b. deve contar com algum apoio nos fatos; quanto à fé religiosa ele satisfazia-se, no tocante a essa exigência, com as experiências místicas e ordinárias dos crentes, boas para suas vidas e dotadas de conseqüências benéficas; c. uma idéia também deve contar com poderes psicológicos práticos, ou seja, com «algo em que se possa apoiar», que nos ajude a viver a vida diária.

6. *O Pluralismo*. O mundo constituir-se-ia de muitas entidades e realidades. Não é algo absolutamente unificado, embora mantendo uma espécie de associação de realidades. Isso deixa espaço para a liberdade humana. Ver sobre o *Livre-Arbítrio*. Ver também a doutrina contrária, o *Determinismo*.

7. *Estar com a razão* não é um absoluto para os homens, o que também sucede no caso da *verdade*. A *ética* consistiria em descobrir, mediante a experiência, o que é melhor, em termos de conseqüências.

8. William James parecia acreditar em uma espécie de teoria de *duplo aspecto* que envolvia as relações entre a mente e o corpo. Ver sobre o *Problema Corpo-Mente*. A realidade que é uma unidade, organiza-se em matéria e espírito (mente). Nessa manifestação encontramos um *dualismo* (vide); mas, por detrás dessa dualidade haveria uma unidade. Sua obra convencera-o psicologicamente da realidade da alma humana e de sua sobrevivência diante da morte biológica. Ele acreditava na comunhão das mentes em um mundo em que todas as coisas são compartilhadas em comum.

9. *A realidade maior*. As mentes (ou almas) humanas podem compartilhar entre si de um mundo mental ou espiritual, com objetos em comum. Porém, acima da nossa consciência pode haver uma consciência ainda maior, da qual fazemos parte, uma consciência cósmica, da qual a consciência humana faz parte. James sentia a força do *pampsiquismo* (vide), e suas elucubrações conduziam-no nessa direção. Deus é o mais *profundo poder* do universo, um poder «fora de nós», mas que nos reconhece e que,

JAMIM — JANELA

de alguma maneira, nos inclui, embora o faça de maneira tal que não nos furta da nossa liberdade. Deus deve ser menos do que todo inclusivo, pois, do contrário, ele seria a causa do mal. Ver sobre o *Problema do Mal*. Todos devemos participar da história humana, pois, de outra sorte, nossa experiência ficaria destituída de sua significação. Ver sobre o *Teísmo*. (AM E EP MM)

JAMIM

No hebraico, «lado direito» ou «mão direita». Esse foi o nome de várias personagens mencionadas no Antigo Testamento:

1. Um dos filhos de Simeão, filho de Jacó (Gên. 46:10; Êxo. 6:15). O trecho de Núm. 26:12 alude a seus descendentes como *jaminitas*. Viveu em cerca de 1856 A.C.

2. Um filho de Rão, que foi um homem importante da casa de Hezrom (I Crô. 2:27). Ele viveu em cerca de 1650 A.C.

3. Um sacerdote (ou levita) que ajudou Esdras em suas instruções ao povo de Israel, quanto à lei mosaica, terminado o cativeiro babilônico (Nee. 8:7; I Esdras 9:48). Viveu por volta de 410 A.C.

JAMNIA, JAMINITAS

Ver sobre **Jabneel**.

JANAI

No hebraico, «responsivo». Esse era o nome de um chefe gadita (I Crô. 5:12). Um dos antepassados de Jesus também teve esse nome, segundo se lê em Luc. 3:24.

JANE FRANCES DE CHANTAL

A Igreja Católica Romana considera-a uma de suas santas. Seu nome, em francês, era Jeanne Françoise Fremyot de Chantal. Depois que ela enviuvou e que os seus filhos já eram crescidos, ela começou a dedicar-se a obras de caridade e à oração, tendo-se tornado a fundadora de uma ordem religiosa feminina. Ver sobre *Visitação, Ordem da*. Seu diretor espiritual e ajudante foi Francisco de Sales (vide). Ela tornou-se conhecida como uma mulher dotada de raras qualidades e poderes. Suas datas foram 1572—1641.

JANELA

Nada menos de sete palavras hebraicas têm sido traduzidas, nas diversas versões, por «janela», embora nem sempre isso corresponda à realidade dos fatos, porquanto algumas poderiam ser melhor traduzidas por outros termos em português, como «vista», «respiradouro», «objeto luminoso». Destacamos a palavra *tsohar*, que ocorre em Gên. 6:16, que nossa versão portuguesa traduz por «Farás ao seu redor uma abertura de um côvado de alto...», o que mostra que não se tratava, realmente, de uma janela na arca de Noé. Todavia, se essa palavra significava «objeto luminoso», então, *abertura* também nos dá apenas uma pálida idéia do que seria o *tsohar*. Feitos esses reparos necessários, diremos que há duas palavras hebraicas e uma palavra grega, realmente envolvidas neste verbete, a saber:

1. *Arubbah*, «janela», «treliça». Essa palavra hebraica foi utilizada por nove vezes: Gên. 7:11; 8:2; II Reis 7:2,19; Ecl. 12:3; Isa. 24:18; 60:8; Osé. 13:3 e Mal. 3:10.

2. *Challon*, «perfuração», «abertura». Esse termo hebraico ocorre por trinta e uma vezes: Gên. 8:6; 26:8; Jos. 2:15,18,21; Juí. 5:28; I Sam. 19:12; II Sam. 6:16; I Reis 6:4; II Reis 9:30,32; 13:17; I Crô. 15:29; Pro. 7:6; Can. 2:9; Jer. 9:21; 22:14; Eze. 40:16,22,25, 29,33,36, 41:16,26; Joel 2:9; Sof. 2:14.

Além disso, em Dan. 6:10, temos a única utilização da palavra aramaica *kavvin*, «janelas», onde se lê: «Daniel, pois, quando soube que a escritura estava assinada, entrou em sua casa, e, em cima, no seu quarto, onde havia janelas abertas da banda de Jerusalém, três vezes no dia se punha de joelhos, e orava...»

3. *Thurís*, «janelas». Vocábulo grego empregado por apenas duas vezes em todo o Novo Testamento: Atos 20:9 e II Cor. 11:33. A primeira dessas passagens faz parte de um texto famoso, a ressurreição de Êutico, pelo apóstolo Paulo: «Um jovem, chamado Êutico, que estava sentado numa janela, adormecendo profundamente durante o prolongado discurso de Paulo, vencido pelo sono, caiu do terceiro andar abaixo, e foi levantado morto».

As descobertas arqueológicas apontam para uma grande variação nas janelas da antiguidade, quanto a detalhes como dimensões, freqüência, ornamentação, formato e maneiras de fechar a abertura na parede. Assim, nos dias de Jeremias, as mansões dos ricos contavam com inúmeras janelas, para mero efeito de ornamentação, o que mereceu a zombaria do profeta: «Ai daquele que edifica a sua casa com injustiça, e os seus aposentos sem direito; que se vale do serviço do seu próximo sem paga, e não lhe dá o salário; que diz: Edificarei para mim casa espaçosa, e largos aposentos, e lhe abre janelas...» (Jer. 22:13,14).

Os baixos relevos que chegaram até nós dos tempos antigos, com freqüência, apresentam as janelas fechadas com grelhas de pedra ou com treliça de madeira; e também ornamentadas com projeções ou reentrâncias. E algumas janelas abriam para sacadas. A mãe de Sísera, de acordo com o cântico de Débora, esperava por ele, olhando por uma janela, protegida por uma grade (ver Juí 5:28). A Casa do Bosque do Líbano, que fez parte dos grandiosos projetos de construção de Salomão, contava com três fileiras de janelas, umas defronte das outras, provavelmente ao estilo sírio (ver I Reis 7:4).

No templo de Jerusalém também havia janelas, provavelmente localizadas no Lugar Santo, bem no alto da parede, para efeito de iluminação, e não para que as pessoas, do seu interior, olhassem para fora, ou para que, de fora, se pudesse ver o que ocorria ali dentro. Nos dias do império romano já encontramos vidraças, colocadas às janelas de muitas casas; mas, como esse uso só apareceu bem mais tarde, não parece que na Palestina houvesse vidraças nas janelas. Antes, as janelas eram protegidas por cortinas interiores, por painéis de madeira, etc., quando o frio aumentava ou quando fazia muito vento. As treliças ou grades, mais ou menos com a mesma função das modernas venezianas, serviam para evitar que os observadores externos vissem as pessoas que estavam pelo lado de dentro das janelas.

Não há palavra, no Antigo Testamento, para «chaminé». Na verdade, há uma antiga tradução inglesa que usa a palavra «chaminé» em Osé. 13:3. Porém, no hebraico encontramos apenas *arubba* (vide acima). Nossa versão portuguesa corrige esse erro de interpretação, dizendo: «Por isso serão como... fumo que sai por uma janela». É que as janelas, na antiguidade, também eram aberturas por onde saía a fumaça que se fazia no interior das edificações, no ato de cozinhar ou de acender uma fogueira para aquecer

JANELA — JANES E JAMBRES

o ambiente.

Simbolismo da Janela. Logo na primeira menção à «janela», na Palavra do Senhor, encontramos esse termo usado metaforicamente: «...romperam-se todas as fontes do grande abismo, e as comportas (no hebraico, *arubbah*) dos céus se abriram...» Nossa versão portuguesa prefere dizer aí «comportas», embora a palavra hebraica, na realidade, signifique «janelas». Uma outra passagem que nos chama a atenção é a de Isa. 24:18, que diz: «E será que aquele que fugir da voz do terror cairá na cova, e se sair da cova, o laço o prenderá; porque as represas (no hebraico, *arubbah*) do alto se abrem, e tremem os fundamentos da terra». O contexto mostra que o profeta falava do tempo do fim, quando haverá tremendos cataclismos por todo o Universo.

Em um belo sentido positivo, prometendo bênçãos, há uma outra menção simbólica à janela, no trecho de Malaquias 3:10: «Trazei todos os dízimos à casa do tesouro, para que haja mantimento na minha casa, e provai-me nisto, diz o Senhor dos Exércitos, se eu não vos abrir as janelas do céu, e não derramar sobre vós bênção sem medida»! Linda promessa de progresso material, aos dizimistas!

JANES E JAMBRES

Esses nomes, mui provavelmente, eram de origem egípcia, e talvez estivessem relacionados a nomes aramaicos que significam, respectivamente, «aquele que seduz» e «aquele que se rebela». O trecho de II Tim. 3:8 chama assim aos mágicos egípcios que se opuseram a Moisés diante do Faraó. O próprio Antigo Testamento, entretanto, não dá seus nomes (ver Êxo. 7:11,12,22). A história é contada em Êxodo 7 e 8, no Antigo Testamento.

II Tim. 3:18: *E assim como Janes e Jambres resistiram a Moisés, assim também estes resistem à verdade, sendo homens corruptos de entendimento e réprobos quanto à fé.*

1. *Os Nomes: Janes e Jambres.* Esses nomes não figuram nas páginas do A.T., e nem mesmo nos escritos de Filo ou de Josefo, no tocante ao conflito de Moisés com os mágicos do Egito. No entanto, são freqüentemente citados nessa conexão, no Talmude, de onde passaram para a literatura cristã primitiva, conforme se vê neste ponto. Supostamente, esses dois homens se encontravam entre os mágicos egípcios, na corte do Faraó, que tentaram impedir a libertação dos israelitas, ao repetirem vários dos milagres realizados por Moisés.

«Pelo menos, desde o primeiro século de nossa era, havia em circulação uma espécie de livro judaico que provavelmente ridicularizava e os desmascarava (Janes e Jambres), transformando-os em um típico exemplo do mundo como a sabedoria dos 'sábios' que se opõem à verdade é desmascarada naquilo que realmente é, 'insensatez'. A sorte dos oponentes de Paulo teria exatamente o mesmo fim dos opositores de Moisés. A despeito de alguns sucessos da parte deles (ver o sexto versículo deste capítulo e também II Tim. 2:16,18), 'não iriam muito longe'. A loucura deles seria amplamente desvendada, tal como sucedeu no caso de Janes e Jambres». (Gealy, *in loc.*).

Os nomes de Janes e Jambres figuram em um Targum de Jônatas, em mais de um lugar, em um dos quais temos o seu comentário sobre a passagem de Êxo. 1:15. Numênio, o filósofo, refere-se a Janes e Jambres como escribas egípcios, famosos por seus escritos acerca das artes do ocultismo. (Apud Euseb. Praeparat. Evangel. 1.9, pág. 411). Targum de Jônatas sobre Núm. 22:22; Zohar sobre Números, fol.

78,3 e o Chronicon Josis. fol. 6:2, fazem de Janes e Jambres filhos de Balaão, principais entre os mágicos egípcios. Porém, o Targum de Jônatas, sobre Êxo. 1:15, acrescenta a informação bastante dúbia de que eles se tinham convertido ao judaísmo, tendo sido os inspiradores da feitura do bezerro de ouro. (Assim também diz Zohar sobre o Êxodo, fol. 1.75, e sobre Números, fol. 78:3). Tal como no caso de todas as tradições, muitos adornos têm sido adicionados através dos séculos, à história desses personagens. (Ver a simples narrativa bíblica sobre a questão, no sétimo capítulo do livro de Êxodo). E nos escritos cristãos primitivos também aparecem esses nomes. (Ver Orígenes, *ad Matth.* 27:9 e 23:37, onde Orígenes se refere a um livro que tinha por título os nomes deles). Plínio também fez alusão a eles. (Ver *História Natural* xxx.1,11; *Apul. Apol.*, cap. xc). Outro tanto se dá no caso do evangelho apócrifo de Nicodemos, em seu quinto capítulo.

2. *Variantes Textuais.* Em vez do nome grego Jannes, conforme se vê em C(1), — Euthalius (manuscritos conhecidos por ele), temos a forma *Ioannes*, (João). E em vez da forma normal «Iambres», vários manuscritos ocidentais como FG It(dg), a Vulgata, o gótico e os escritos de alguns dos pais da igreja, como Cipriano, Hipólito, Lúcifer, Ambrosiastro e Agostinho, dizem «Membres», o que, segundo as tradições judaicas, é forma paralela do mesmo nome. Essas formas, entretanto, são secundárias.

3. *Resistiram a Moisés.* De que maneira? Procurando duplicar os seus prodígios, o que fizeram com êxito parcial, embora lhes faltasse real poder. Imitavam o poder de Deus através das artes mágicas, nas quais reside um grande poder, conforme estudos sérios o demonstram. Tal poder pode ser puramente humano, manipulado pela força da alma humana, pois o homem também tem espírito.

Muitos crêem que o paralelo entre aqueles homens que se opuseram a Moisés e os «hereges gnósticos», indica que parte da atração deles residia em seu ocultismo, devido às suas artes mágicas. Sabemos, efetivamente, que muitos gnósticos eram praticantes das artes mágicas, pelo que esse paralelo mui provavelmente é legítimo. As mulheres sempre demonstraram ter uma tendência natural por se deixarem atrair pelo ocultismo, pelo que também a maioria dos «médiuns» espíritos são mulheres. E esse falso poder dos mestres hereges, que imitava os dons autênticos do Espírito Santo, agia como poder de atração sobre muitos novos convertidos. Parece-nos que eles curavam, falavam em línguas, profetizavam, faziam declarações inspiradas, etc., fazendo tudo quanto se pode fazer mediante o uso legítimo dos dons espirituais, tal como os mágicos egípcios duplicavam tudo quanto Moisés ia fazendo.

4. *Resistiram a verdade*, isto é, a verdade que há na pessoa de Jesus, conforme interpretada e mediada por Paulo, a «doutrina paulina ortodoxa», tal como no sétimo versículo deste capítulo.

5. *Corrompidos na mente.* No grego é *kataphtheiro*», que significa «destruir», «arruinar», e, portanto, no passivo, «arruinado na mente», «depravado nos processos intelectuais»; e isso porque a alma entenebrecida não pode raciocinar corretamente. A maldade embota as faculdades intelectuais, de tal modo que apesar de toda a erudição e de todas as habilidades adquiridas, a verdade permanece oculta. Dentro dessa categoria precisam ser situados muitos intelectuais, cujo conhecimento mais serve para afastá-los do que para aproximá-los da verdade. Agostinho declarou: «Creio para que possa compreender». Sim,

425

JANES E JAMBRES — JANSENISMO

porque a «esfera da verdadeira fé» é acompanhada de «luz», pelo que também a verdade pode ser assim encontrada. Já a esfera do ceticismo é circundada de trevas, sendo impossível a verdade divina ser descoberta em tal meio ambiente.

6. *Réprobos*. No grego é *adokimos*, isto é, «desaprovado», palavra usada para indicar o teste dos metais das moedas, quando o teste é negativo. Por essa razão é que a tradução inglesa de Williams, aqui vertida para o português, diz «...simuladores na fé...» Ver I Cor. 9:27, onde se vê Paulo preocupado em não ser achado *desaprovado* enquanto pregava para outros. A mesma palavra grega é aqui empregada. «São eles como metal vil, não cunhado; e não deveriam passar como dinheiro legítimo, porquanto não alcançam o padrão certo». (Adam Clarke, *in loc.*). «São rejeitados ao serem testados». (Faucett, *in loc.*).

«Quanto à fé». A tradução inglesa RSV diz «...*simulam a fé*...», combinando a idéia que aparece no fim do parágrafo anterior, com a fé, como modificadora. Mas, quanto ao próprio texto sagrado, a fé deve ser aqui entendida como «objetiva», isto é, «aquilo em que se crê», o «credo», e que nestas «epístolas pastorais», com freqüência, indica a «fé cristã», o «cristianismo ortodoxo». No tocante a isso, tais indivíduos são simuladores, embora se professem mestres dá fé—substituíram-na por uma fé fingida. São «simuladores» no meio da verdade. Foram testados pelo Senhor e foram declarados falsos. Eram mestres de novidades e doutrinas prejudiciais e não da «verdadeira doutrina cristã».

Uma obra sadoquita da literatura de Qumran refere-se a Belial, que teria criado a *Yohaneh* e seu irmão, a fim de fazerem oposição a Moisés e a Aarão (ver 7:19 das *pseudepígrafas*). O Talmude Babilônico traz os nomes *Yohane* e *Mamre* (Menahoth 85a). As lendas judaicas associam-nos a Balaão, como se fossem de uma mesma família; mas há bem pouco valor nas tradições que têm surgido em torno desses nomes. As tradições não gostam de deixar hiatos em nosso conhecimento, sendo provável que tudo quanto seja dito sobre essas duas personagens, talvez incluindo até mesmos os seus nomes, sejam puras invenções, ou quase.

JANEU, ALEXANDRE

Ver o artigo geral sobre os **Hasmoneanos**.

JANGADA

Ver **Navios e Embarcações**

JANIM

No hebraico, «sono». Nome de uma cidade do território de Judá, no distrito montanhoso perto de Hebrom. Ficava perto de Bete-Tapua (Jos. 15:53). Alguns arqueólogos identificam o local com a moderna *Beni Na'im*, a leste de Hebrom.

JANLEQUE

No hebraico, «que Deus dê domínio». Esse era o nome de um chefe da tribo de Simeão (I Crô. 4:34). Ele parece ter vivido na época do rei Ezequias (ver o vs. 41). Sua família invadiu o vale do Gedor, em cerca de 711 A.C.

JANOA

No hebraico, «tranqüila». Esse é o nome de duas

cidades que figuram nas páginas do Antigo Testamento, a saber:

1. Uma cidade existente nas fronteiras de Efraim (Jos. 16:6,7). Tem sido identificada com a moderna Khirbet Hanum, cerca de onze quilômetros a suleste de Siquém.

2. Uma cidade no norte da Galiléia, no território de Naftali, que foi capturada por ocasião da primeira invasão das tropas de Tiglate-Pileser rei da Assíria, nos preliminares do cativeiro assírio (ver II Reis 15:29). Parece que ficava localizada entre Abel-Bete-Maaca e Cades e tem sido tentativamente identificada com a moderna aldeia de *Yanuh*.

JANSEN, CORNELIUS

Suas datas foram 1585-1638. Nasceu em Acquoi, perto de Leerdam, na Holanda. Estudou na Bélgica, na Universidade de Louvain, e então no departamento teológico daquela mesma instituição. Juntamente com Jean Duvergier de Hauranne, abade de São Cirano, ele buscava respostas para certas questões doutrinárias levantadas pelo luteranismo e pelo calvinismo. Começou a estudar história eclesiástica e história dos pais da Igreja, a fim de obter uma compreensão melhor sobre questões doutrinárias e as interpretações históricas das mesmas. Assim, ele chegou à conclusão geral de que qualquer reforma dos dogmas católicos romanos e da ética católica deveria usar moldes agostinianos como guia, sobretudo no tocante às doutrinas da graça e da salvação.

Obteve seu doutorado em teologia e se tornou o chefe de uma nova faculdade em Louvain. Escreveu comentários sobre as Escrituras, além de várias obras de natureza doutrinária e especulativa. Os jesuítas tornaram-se seus competidores e opositores. Os jesuítas tinham uma escola toda sua, produzindo uma confrontação direta com as opiniões de Jansen. Assim, Jansen fez duas viagens à Espanha, relacionadas a essa controvérsia. Nesse tempo, a Espanha estava sob o domínio belga. Por causa de sua influência, o governo removeu da escola jesuíta os cursos de humanidades e de filosofia, em Louvain. Jansen permaneceu na Igreja Católica Romana, embora desejando que fossem feitas certas reformas internas. Foi assim que, apesar disso, foi obtendo autoridade cada vez maior no catolicismo romano, até tornar-se bispo de Ipres, na França, em 1636. Foi nessa época que ele escreveu um tratado, chamado *Augustinus*, que veio a ser o alicerce daquele movimento que se chamou *jansenismo* (vide), sobre o qual oferecemos um artigo separado.

Jansen faleceu a 6 de maio de 1638, de uma praga. Por ocasião de sua morte, continuava em boas relações com a Igreja Católica Romana. Porém, seu tratado, *Augustinus*, publicado dois anos após o seu falecimento, provocou grande comoção, principalmente em face de sua forte ênfase sobre a doutrina da predestinação e sobre o ensino de que a graça divina se limita aos eleitos.

JANSENISMO

Ver o artigo sobre **Jansen, Cornelius**.

O *jansenismo* foi um movimento de tentativa de reforma, dentro da Igreja Católica Romana, seguindo idéias de Cornelius Jansen, bispo de Ipres (1585—1638), depois da morte dele. O seu tratado teológico, publicado dois anos após a sua morte, chamado *Augustinus*, revivia uma forma extrema e radical das idéias de Agostinho. Jansen chegou a essa posição em face de seu desejo de reformar certos aspectos da doutrina católica romana, que lhe pareciam necessá-

JANSENISMO — JAPÃO

rios, visto que os ensinos do luteranismo e do calvinismo haviam «restaurado» a Igreja. Um outro fator histórico foi a oposição de Jansen a alegadas idéias lassas dos jesuítas, sobre questões morais e éticas. Os jesuítas ensinavam que em questões onde haja dúvidas éticas, quando o curso de ação não pode ser claramente determinado, o indivíduo tem a liberdade de agir de acordo com taxas de probabilidade de que seus atos estejam corretos. Jansen opunha-se peremptoriamente ao *probabilismo*, porque era muito rigoroso quanto às questões éticas. Os jesuítas, por outro lado, asseveravam que uma lei dúbia, ou uma lei de aplicação duvidosa, nem pode requerer e nem pode anular um ato. Em tais casos, a liberdade deve prevalecer.

Condenação papal. O papa Inocente X, em 1653, declarou hereges cinco das proposições do **Augustinus** de Jansen. As idéias condenadas eram as seguintes:

1. Certos mandamentos de Deus não podem ser observados por homens justos, a despeito de seus esforços, se lhes faltar a graça divina.

2. Um pecador não pode resistir à graça divina, quando Deus lha confere.

3. Um homem só é livre se não for constrangido a cometer algum pecado.

4. A vontade humana, por si mesma, não pode nem obedecer e nem resistir à graça divina.

5. Cristo morreu exclusivamente em favor dos eleitos.

Conforme podemos ver, excetuando a oposição de Jansen às idéias éticas dos-jesuítas, a questão foi apenas outro daqueles conflitos calvinista-arminiano que invadem, qual praga, periodicamente, a cristandade.

O Jansenismo Prosseguiu. Port-Royal, um convento discerciano próximo de Paris, tornou-se o centro do movimento jansenista. Após a morte de Jansen, o principal líder do movimento foi Antoin Arnauld. Ele pôs em dúvida o direito de Roma decidir sobre questões como aquelas que tinham sido levantadas por Jansen. Arnauld tinha algumas poucas distinções e reparos de sua própria lavra, além de negar que Jansen havia ensinado certas coisas pelas quais suas idéias haviam sido condenadas. Por isso, as idéias de Arnauld também foram tidas como heréticas, e ele foi excluído da Sorbonne, onde até então estivera ensinando teologia.

O papa Alexandre VII, em 1656, confirmou a condenação do jansenismo, imposta por seu antecessor. Naquele mesmo ano, as *Cartas Provinciais*, de Blaise Pascal, lançaram no ridículo a ética jesuítica, defendendo, de modo geral, os pontos distintivos do jansenismo. Por um breve período, isso ajudou o movimento. Porém, o clero francês traçou um formulário contra essas cartas, requerendo que todos assinassem. Mas isso apenas provocou maiores controvérsias, e o movimento jansenista continuou sendo promovido pelas freiras de Port-Royal e por quatro bispos franceses. Em 1664, o papa Alexandre VII, com o apoio do rei Luís XIV, exigiu o repúdio, por escrito, das proposições de Jansen, por parte de todos os eclesiásticos, sob pena de julgamento canônico.

Entre 1687 e 1694 foi gerada uma nova tempestade pelo livro de Pasquier Quesnel, *Réflexions morales sur le Nouveau Testament*, que reiterava os ensinos do jansenismo. Embora Louis de Noailles, arcebispo de Paris, tivesse aprovado a obra, em 1713, o papa Clemente XI condenou a mesma, em sua bula *Unigenitus Dei Filius*. O resultado disso foram dificuldades e um quase cisma na Igreja Católica Romana da França. Todavia, quando o arcebispo Noailles submeteu-se à autoridade papal, em 1728, o jansenismo começou a abrandar-se na França e acabou se identificando com o *galicanismo* (vide), um movimento antijesuíta.

O movimento prosseguiu na Holanda, resultando na organização dos *Católicos Antigos* (vide), que acabou se separando de Roma. A Igreja Jansenista continua existindo, mas apenas com alguns poucos milhares de membros, localizados na França e na Holanda. O termo «jansenista» adquiriu significados secundários, como de escrúpulos éticos extremos e grande rigidez quanto a questões dogmáticas, disciplinares e de costumes. Como estamos vendo, o jansenismo contribuiu tão-somente para que a Igreja Católica Romana acabasse reafirmando as doutrinas firmadas por ocasião do concílio de Trento, como representantes da abordagem católica romana padrão às questões em debate. Todavia, um resultado positivo do movimento foi que o mesmo inspirou um maior desenvolvimento da filosofia e da teologia morais.

JANUS

Essa palavra é latina, **ianua**, «pórtico». Janus era o deus do pórtico, uma divindade puramente romana, derivada do animismo antigo. Ele tinha dois rostos, como se fosse capaz de ver o começo e o fim de qualquer coisa, ao mesmo tempo. Daí é que nos vem o nome do mês de *janeiro*, porquanto é então que o ano começa. Seu famoso templo de bronze, no Fórum romano, tinha fachadas para o Oriente e para o Ocidente, assim exemplificando a natureza da divindade que ali era honrada. Esse templo, fundado pelo antigo rei Numa Pompílio, ficava fechado em tempos de guerra e aberto em tempos de paz. De acordo com uma lenda, essa divindade assentou-se sobre a colina do outro lado do rio Tibre, que, por causa disso, veio a ser chamada de Janiculum. Como é que o nome dessa divindade desenvolveu-se é algo obscuro. É possível que seu nome estivesse associado à idéia de que ele era o deus que abria os portões do céu, ao amanhecer, que fazia o dia raiar e que fechava os portões do céu ao cair da noite. Talvez ele fosse um deus da luz. Seja como for, ele era adorado como uma divindade associada aos começos e, que, supostamente, era o protetor dos portões e dos arcos arquitetônicos. O primeiro dia de cada mês era dedicado à sua adoração, e o primeiro mês do ano, em latim, *Ianuarius*, recebeu o nome em honra a ele.

JAPÃO, RELIGIÕES DO

As principais religiões do Japão são: 1. o xintoísmo; 2. o budismo; 3. o confucionismo; e 4. o cristianismo. Visto que todas essas religiões recebem um tratamento em separado, nesta enciclopédia, este artigo é apenas histórico e suplementar. A variedade de expressões do cristianismo aparece em artigos separados sobre as diversas denominações cristãs, bem como no artigo sobre o *Novo Testamento*, que apresenta sua forma original e básica.

1. *Xinto, o Caminho dos Deuses*. A palavra assim traduzida («xinto») reflete dois ideogramas da escrita japonesa. Refere-se essa palavra aos conjuntos de práticas e crenças religiosas que relacionam os santuários japoneses locais e as divindades indígenas do Japão que são honradas naqueles santuários. A história do xintoísmo retrocede até o século VI D.C., embora as suas raízes sejam muito mais antigas do que isso. O xintoísmo pode ser dividido na religião *oficial* e na variedade sectarista que envolve milhares

JAPÃO — JAQUE

de santuários onde uma grande maioria da população japonesa adora. O xintoísmo é mais antigo que o budismo, que foi introduzido no Japão no século VI D.C. Incorpora certa variedade de elementos religiosos primitivos, como o *animismo* (vide). O principal desses elementos, contudo, é o shamanismo mongol, que reflete uma antiga cosmogonia, típica do suleste asiático e da Indonésia.

Todos os ritos demonstram que há um panteão extremamente complicado, e que as divindades envolvidas eram consideradas protetoras das famílias, dos clãs e dos poderes dinásticos. A deusa do sol, *Aegis*, finalmente, proveu uma espécie de fé unificada em torno da qual se centralizaram tanto os deuses oficiais como as demais divindades. A deusa, *Amaterasu-Omikami*, deu margem à formação inicial da religião oficial xintoísta. O panteão xintoísta é um complexo sistema de divindades da natureza, com outras variedades de divindades e antepassados que se teriam guindado ao estado divino, juntamente com os espíritos de heróis e governantes que mereceriam ser venerados. O xintoísmo, religião oficial, funciona como um meio de aprofundamento e de fator unificador de diversos sentimentos religiosos do povo japonês, institucionalizando seitas populares em uma espécie de frouxa religião popular. Quanto a mais detalhes, ver o artigo sobre o *Xintoísmo*. O xintoísmo secular compõe-se de um determinado número de seitas que não pertencem ao xintoísmo oficial.

2. *Budismo*. A data tradicional da introdução dessa fé tipicamente indiana no Japão, é 552 D.C. A escola *Mahayana* do budismo sempre exerceu um exclusivo controle prático sobre essa religião. A princípio, os xintoístas opuseram-se à introdução do budismo no Japão; mas não demorou muito para que o budismo adquirisse ali um grande poder. O príncipe Shotoku Taishi (572-622 D.C.) tornou-se budista, e logo o budismo tornou-se a mais influente religião do Japão. De 710 a 784 D.C., vieram à existência nada menos de seis distintas seitas budistas. Três dessas seitas, hosso, kegon e ritsu continuam existindo no Japão; mas várias outras seitas também se desenvolveram ali. Assim, apareceram seitas posteriores como a tendai (806 D.C.), a xingon (806 D.C.), a yuzu nembutsu (1123 D.C.), o jodo (1174 D.C.), a zen (1191 D.C.) e a nichiren (1253 D.C.). O budismo conta com cerca de oito mil agremiações, setenta e dois mil templos, duzentos mil sacerdotes e cerca de quarenta e cinco milhões de aderentes, só no Japão. No tocante às crenças do budismo, ver o artigo separado sobre o *Budismo*.

3. *Confucionismo*. Essa fé religiosa chegou ao Japão antes do budismo. Apesar de não se saber exatamente quando, tem sido oferecida a data tentativa de cerca de 400 D.C. O confucionismo atingiu seu ponto culminante, no Japão, na era Tokugawa (1603—1868 D.C.). Desenvolveram-se vários ramos dessa agremiação religiosa, dentre os quais o mais proeminente era o *shushi*. Contava com um sistema determinístico em que a imutável vontade celestial determinaria todas as gradações e manifestações sociais humanas. A escola *Oyomei*, por sua vez, enfatizava a igualdade entre os homens, porém, exercia menos influência sobre a estrutura social japonesa que o outro ramo. Houve também uma espécie de sincretismo entre o budismo zen e a filosofia shushi, o que proveu as crenças e práticas fundamentais da *bushido*, o Caminho do Guerreiro.

O confucionismo exerceu tremenda influência sobre as instituições políticas, educacionais e culturais do Japão. Por exemplo, o Rescrito Imperial sobre a Educação, decretado em 1890, inspirou o nacionalismo e o patriotismo japoneses contra os avanços das instituições e costumes ocidentais, com base essencial sobre a ética confuciana. Quanto às crenças dessa fé, ver o artigo separado intitulado *Confúcio, Confucionismo*.

4. *Cristianismo*. Missões católicas romanas começaram a atuar no Japão no século XVI, e as missões protestantes começaram ali em 1859. Essas duas fontes da fé cristã desenvolveram variedades conflitantes de cristianismo no Japão. Francisco Xavier começou seus trabalhos em Kagoshima, em 1549. A princípio, ele e os seus seguidores sofreram repressão; mas, finalmente, começou um movimento que floresceu até bem dentro do século XVII. Por volta de 1605, havia cerca de setecentos e cinqüenta mil japoneses católicos romanos, de acordo com estimativas de historiadores católicos. Talvez isso seja um exagero, mas, seja como for, o movimento romanista era poderoso. O bispo Cerqueira (1552—1614), que estava à testa das missões jesuítas, afirmou que havia cerca de duzentos mil católicos romanos japoneses, e isso pode estar mais perto da verdade dos fatos. Foi então que sobrevieram dificuldades. Temores nacionalistas e a ganância de senhores feudais quase puseram fim ao cristianismo católico romano no Japão, em cerca de 1638. O catolicismo só conseguiu sobreviver ali como um movimento subterrâneo. Florescia em locais determinados, mas não nacionalmente. O interdito legal só foi removido em 1872.

No período mais moderno grupos católicos romanos, ortodoxos gregos e protestantes têm feito incursões no Japão. As primeiras igrejas evangélicas foram estabelecidas no Japão por volta de 1872. Imediatamente antes da Segunda Guerra Mundial, segundo cálculos, havia cerca de duzentos e trinta e três mil protestantes japoneses, cerca de cento e vinte mil católicos romanos e cerca de quarenta e um mil ortodoxos gregos. O trabalho missionário, interrompido pela guerra, floresceu novamente, terminada a conflagração.

JAQUE

No hebraico, **obediente, piedoso**. Os eruditos encontram dificuldades com esse nome, que parece ter sido um homem de Massá (Pro. 30, no título; ver também Pro. 31). No título do trigésimo capítulo de Provérbios, Jaque aparece como pai de Agur, que teria sido o autor de *apotegmas*, isto é, os capítulos trinta e trinta e um do livro de Provérbios.

Um apotegma é uma máxima instrutiva e sucinta. Essa palavra vem do grego, *apó*, «da parte de» e *phthengesthai*, «falar».

Todavia, outros estudiosos compreendem esse nome como se fora um título místico de Davi. Ainda outros identificam-no com Salomão. Uma outra conjectura é que Agur seria Ezequias, ou algum outro príncipe desconhecido de Judá. A idéia mais comum é que Jaque aponta para Davi, e que Agur, seu filho, seria Salomão, o qual, pelo menos, foi autor de alguns dos provérbios. Entretanto, a verdade da questão pode ser que alguns dos provérbios foram escritos por Agur, e que tanto ele quanto Jaque fossem pessoas para nós desconhecidas. Essa idéia é confirmada em parte pela observação de que Massá (o lugar de origem de Jaque) era uma tribo da Arábia (ver Gên. 25:14). Isso significaria, por sua vez, que pelo menos alguns dos provérbios refletiriam a literatura de sabedoria dos povos árabes. Ver o artigo separado sobre *Massá*.

••• ••• •••

JAQUIM — JARDIM

JAQUIM

No hebraico, «ele (Deus) estabelecerá». Esse é o nome de várias personagens que aparecem nas páginas do Antigo Testamento; e também de uma coluna:

1. O quarto filho de Simeão, pai da tribo desse nome, os jaquinitas (Gên. 46:10; Êxo. 6:15; Núm. 26:12). Ele viveu por volta de 1700 A.C. Em I Crô. 4:24, ele é chamado de *Jaribe* (vide).

2. O cabeça de uma família descendente de Aarão, cabeça do vigésimo primeiro turno Sacerdotal (I Crô. 24:17). Viveu em torno de 1015 A.C.

3. Um sacerdote que voltou a residir em Jerusalém, após o cativeiro babilônico (I Crô. 9:10; Nee. 11:10). Ele viveu por volta de 445 A.C. É possível que esse nome se refira a um lugar, e não a um indivíduo. Nesse caso estaria em pauta o vigésimo primeiro turno sacerdotal, do qual Jaquim era o antepassado.

4. Nome de uma das colunas do templo de Salomão. A outra coluna chamava-se Boaz. Ver I Reis 7:21 e II Crô. 3:17.

JARÁ

Um nome egípcio de significação incerta. Esse era o nome de um escravo egípcio de Sesã, um jerameelita, que se casou com a filha de seu senhor (I Crô. 2:34,35). Isso resultou em sua alforria, naturalmente. Sesã não tinha filhos do sexo masculino, e assim sua posteridade continuou através desse casamento. Sem dúvida, Jará era um prosélito do judaísmo. O relato parece pertencer ao período em que Israel esteve no Egito. E é exatamente por essa razão que é difícil entender como um egípcio acabou sendo escravo de um israelita. Quanto a esse problema, nem mesmo o notável John Gill, grande comentador batista do passado, conseguiu dar-me qualquer ajuda.

JARDIM

No hebraico temos três vocábulos envolvidos e no grego, um, quanto a este verbete, a saber:

1. *Gan*, «jardim». Palavra hebraica usada por quarenta e duas vezes, conforme se vê, por exemplo, em Gên. 2:8-10; 13:10; Deu. 11:10; I Reis 21:2; II Reis 9:27; Can. 4:12; Isa. 51:3; Jer. 31:12; Lam. 2:6; Eze. 28:13; 31:8,9; Joel 2:3.

2. *Gannah*, «jardim». Termo hebraico que aparece por doze vezes: Núm. 24:6; Jó 8:16; Ecl. 2:5; Isa. 1:29,30; 61:11; 65:3; 66:17; Jer. 29:5,28; Amós 4:9 e 9:14.

3. *Ginnah*, «jardim», palavra hebraica que ocorre por apenas quatro vezes: Est. 1:5; 7:7,8; Can. 6:11.

4. *Képos*, «jardim», «pomar», «plantação». Palavra grega que é utilizada por cinco vezes: Luc. 13:19; João 18:1,26; 19:41.

As palavras hebraicas (especialmente *gan*) traduzidas por *jardim*, referem-se a lugares de cultivar flores (Can. 6:11), especiarias (Can. 4:16), pomares (Can. 6:11), condimentos (Deu. 11:10) e até mesmo parques (II Reis 9:27; 21:18,26). Diversos jardins são mencionados nas Escrituras, como o do Éden (vide), (Gên. 2:9,10,15,18), o jardim de Acabe (I Reis 21:2), os jardins reais perto da fortaleza de Sião (II Reis 21:18; 25:4), os jardins reais dos reis da Pérsia, em Susã (Est. 1:5; 7:7,8), o jardim de José de Arimatéia (João 19:41) e o jardim de Getsêmani (João 18:1). Os jardins eram usualmente protegidos por cercas ou muros. Josefo expressa especificamente isso, em *Guerras* 5:7. E os trechos de Nee. 2:8 e João 20:15 mostram que havia jardineiros profissionais.

Nos jardins não se plantavam apenas flores belas e fragrantes, mas também arbustos, árvores e árvores frutíferas, que hoje chamaríamos de pomares. Ver Gên. 2:8; Jer. 19:5; Amós 9:14. Alguns se especializavam em produtos particulares, como castanhas (Can. 6:11), romãs (Can. 4:28), azeitonas (Deu. 8:8; I Crô. 27:28), videiras (Can. 7:12). Isso não aponta para nenhuma cultura exclusiva e, sim, que essas eram as espécies principais cultivadas neste ou naquele lugar.

A maioria dos jardins era localizada perto de algum bom suprimento de água, como um riacho, segundo as passagens de Gên. 2:9 *ss* e Isa. 1:30. Na antiguidade, a Palestina era densamente arborizada. Porém, séculos de abuso e destruição da natureza, sem qualquer tentativa de preservação e restauração, deixaram a região, essencialmente, desnuda de vegetação. Por essa razão, os jardins e pomares é que aliviavam a situação de esterilidade. Apesar de que muitas residências tinham seus jardins particulares, geralmente era nos subúrbios que jardins e pomares eram cultivados, longe das massas populacionais. E, mesmo no caso de jardins particulares, muitos eram localizados a boa distância das residências. Esses jardins, pois, ofereciam lugares de descanso e de beleza natural, como propriedades miniaturas da família, não muito distantes do lar. As famílias mais abastadas contavam com uma casa separada, em seu jardim, para onde podiam recolher-se por algum tempo, desfrutando das belezas da natureza. Além disso, esses jardins eram usados para ocasiões e celebrações especiais, onde eram efetuados banquetes, danças e música. Acrescente-se a isso que em muitos jardins havia sepulcros, onde os familiares falecidos eram sepultados, segundo se vê, por exemplo, em Gên. 23:19,20; I Sam. 25:1 e Mar. 15:46. Os gregos também tinham esse costume. Ver Heliodoro, *Aethiop*. 1:2, parte 35. E, igualmente, os romanos (Suetônio, *Galba*, 20).

Os hebreus, que não contavam com uma classe de médicos profissionais, cultivavam ervas medicinais em seus jardins, o que também era comum nos países do Oriente. Ver Jer. 8:22.

Os jardins também eram lugares prediletos para oração e meditação (Gên. 24:63; Mat. 26:36; João 18:1,2). Naturalmente, havia toda a espécie de abuso quanto a essa prática, incluindo a idolatria (I Reis 14:23; II Reis 16:4; 17:10; Isa. 1:29; 45:3; Jer. 2:20; 3:6; Eze. 20:28).

Usos Figurados:

1. Um jardim bem regado (ver Isa. 58:11; Jer. 31:12) simbolizava a fertilidade. Essa fertilidade podia ser da mente, do espírito, literal, ou até sob a forma de prosperidade material.

2. Uma árvore plantada perto de águas (como em um pomar) era um emblema dos justos, que prosperam. Ver Jer. 17:8; Sal. 1:3.

3. Um jardim destituído de água (ver Isa. 1:30) indicava uma situação de esterilidade, como se fosse um deserto de areia.

4. Nos sonhos e nas visões, um jardim pode simbolizar a vida interior do indivíduo, ou seja, o cultivo de sua natureza e de suas qualidades espirituais e morais. Também está em foco o cultivo geral da personalidade.

5. Nos sonhos e nas visões, um jardim também pode indicar aquilo que uma pessoa estiver produzindo, os frutos de seus labores, os resultados de suas atividades profissionais.

6. Ainda nos sonhos ou nas visões, se um jardim aparece tomado por sementes daninhas e arbustos

JARDIM DE UZÁ — JASÉIAS

retorcidos, isso significa que a pessoa tem defeitos em seu caráter, que estão estrangulando as suas melhores qualidades.

7. O jardim do Éden simboliza o paraíso perdido, como também as oportunidades perdidas.

8. Um jardim, quando é associado ao amor romântico, simboliza a reclusão privilegiada, algum lugar ou relação harmoniosa, que duas pessoas conservam somente para elas mesmas.

JARDIM DE UZÁ

Esse era o jardim real, que havia perto da fortaleza de Sião (II Reis 21:18 e 25:4). Ficava perto de En-Rogel, que, provavelmente, é a moderna Bir Ayyub. Ver o artigo geral sobre *Jardim*.

JARDINEIRO

Ver o artigo geral sobre **Jardim**. Desde os dias antigos, os jardineiros eram uma classe profissional que cuidava dos jardins e pomares. Ver Jó 27:18 e João 20:15. Porém, muitas famílias também cuidavam de seus próprios jardins, sem qualquer ajuda externa. Muitos jardins da antiguidade incluíam o cultivo de frutas, o que lhes emprestava um certo valor comercial. Nesses casos, fazia-se mister a assistência de jardineiros profissionais.

Também havia jardins dedicados a ritos religiosos, como aqueles do deus pagão Baal (II Reis 10:19-23). Nesses casos, jardineiros profissionais e/ou religiosos (pertencentes à classe sacerdotal) cuidavam dos jardins. Paulo era fabricante de tendas, mas demonstrou algum interesse e conhecimento de jardinagem, o que é refletido em Romanos 11:17,19, 23,24, o que talvez indique que ele era um jardineiro amador. Isaías também empregou uma metáfora própria de jardinagem (17:10). O livro Cantares de Salomão demonstra profundo interesse pela jardinagem, e seu autor deve ter sido grande apreciador dessa arte da jardinagem.

JAREBE

No hebraico, «adversário» ou então «que ele contenda». Nome de um rei mencionado em Osé. 5:13 e 10:6. Alguns eruditos supõem que se trata de um título simbólico do rei da Assíria. A julgar por seu paralelo com o nome Assur, é possível que esteja em foco um país, e não um indivíduo. A história nada nos diz a respeito de algum monarca assírio com esse nome. Todavia, alguns estudiosos opinam que Jarebe era um outro nome de Sargão, o destruidor da cidade de Samaria, em 722 A.C. Também é possível que tenhamos nesse nome um jogo de palavras, a saber: «O rei da Assíria, o homem ansioso por começar uma luta». Todavia, outros estudiosos pensam que o significado dessa palavra é «grande», em cujo caso esse termo funcionaria como um adjetivo qualificativo, e não como um nome próprio. Os estudiosos não têm conseguido apresentar qualquer argumento conclusivo acerca de qualquer das alternativas que têm sido propostas.

JAREDE

No hebraico, «descida» ou «terra baixa». Esse é o nome de dois indivíduos mencionados nas páginas do Antigo Testamento, a saber:

1. Um patriarca antediluviano, pai de Enoque (Gên. 5:15-20; I Crô. 1:2; Luc. 3:37). É possível que tenha vivido por volta de 3712 A.C. Faleceu com a idade de novecentos e sessenta e dois anos. Nossa versão portuguesa grafa *Jarete*.

2. Um homem da tribo de Judá, aparentemente filho de Esdras e Jeudia. Foi o fundador da cidade de Gedor (I Crô. 4:18). Algumas versões grafam seu nome com a forma de *Jerede*. É muito difícil determinar a época em que ele viveu.

JARIBE

No hebraico, «adversário» ou «ele contende». Nome de várias personagens mencionadas na Bíblia e em livros apócrifos, a saber:

1. Um filho de Simeão, também chamado Jaquim (ver I Crô. 4:24; Gên. 46:10; Êxo. 6:15 e Núm. 26:12). Viveu por volta de 1720 A.C.

2. Um dos chefes de clã enviados por Esdras da Babilônia a Jerusalém, a fim de buscarem levitas, antes do retorno à Palestina, para que pudessem se ocupar nas funções que lhes cabiam. Ver Esd. 8:16; I Esdras 8:44. Isso aconteceu por volta de 459 A.C.

3. Um sacerdote que, na época do cativeiro babilônico (vide), casara-se com uma mulher estrangeira e foi compelido a divorciar-se dela, depois que o povo de Israel retornou à sua terra (Esd. 10:18; I Esdras 9:19). Isso aconteceu por volta de 459 A.C.

4. Nome de uma pessoa que também é chamada Joiaribe, em I Macabeus 14:29.

JARMUTE

No hebraico, «altura», «colina». Esse era o nome de duas antigas cidades da Palestina, a saber:

1. Uma cidade nas terras baixas de Judá (Jos. 15:35), que foi reocupada pelos israelitas que voltaram à Terra Santa, terminado o cativeiro babilônico (Nee. 11:29). Um de seus antigos monarcas, Pirão, foi um daqueles que foram executados em Maquedá, por terem planejado assassinar o povo de Gibeom, que se aliara em aliança com o povo de Israel (Jos. 10:3,5,23 e 12:11). Josué derrotou a coligação dos cinco reis de Jerusalém, Hebrom, Jarmute, Laquis e Eglom, cujas forças combinadas não puderam resistir ao poder de Josué.

2. Uma cidade de Issacar que se tornou possessão dos levitas gersonitas, após a divisão da terra, após a invasão feita pelos israelitas. Tornou-se então uma das cidades de refúgio (Jos. 21:29). Em Josué 19:21, ela é chamada de Remete; e em I Crônicas 6:73 de *Ramote*. A localização moderna da mesma é desconhecida.

JAROA

No hebraico, «lua nova». Ele era chefe da tribo de Gade e residia em Basã (I Crô. 5:14). Sua época foi por volta de 750 A.C.

JARRO

No hebraico, **baqbuq**, palavra que aparece por três vezes: I Reis 14:3; Jer. 19:1,10. Esse vocábulo hebraico indica um pequeno recipiente para água, azeite, ou perfume. Os antigos hebreus, juntamente com povos contemporâneos, contavam com receptáculos de muitos formatos e serventias. Ver verbetes como *Vasos, Cerâmica, Cozinha*, etc.

JASEÍAS

No hebraico, «Yahweh vê». Esse era o nome de um dos quatro homens que ou apoiaram ou se opuseram a

JÁSEM — JASOM

Esdras, quando este exigiu que os israelitas que se tivessem casado com mulheres estrangeiras, durante o cativeiro babilônico, se divorciassem delas. Ver Esd. 10:15.

O sentido de «apoio», dado a Esdras, é confirmado em I Esdras 9:14 e na tradução da Septuaginta. Porém, no Antigo Testamento hebraico as palavras em questão exprimem a idéia de oposição, que aqueles quatro homens teriam feito a Esdras. Ver I Crô. 21:1; II Crô. 20:23; Dan. 11:14. Diferentes traduções adotam ou a idéia de apoio, ou a idéia de oposição. Nossa versão portuguesa encontra uma solução interessante. Diz que dois desses homens se opuseram a Esdras, e que os outros dois o apoiaram, seguindo a Revised Standard Version. Outro tanto ocorre na Berkeley Version, in Modern English. É possível que tenhamos aí a verdadeira tradução da passagem em foco, Esdras 10:15.

JÁSEM (HASÉM); BENÉ-JÁSEM

No hebraico, «filho do rico». Ele foi um dos trinta guerreiros poderosos de Davi (I Crô. 11:34). Ele era gizonita (vide). A passagem paralela, em II Sam. 23:32, diz «filho de Jásem» (em nossa versão portuguesa, Bené-Jásen). Os estudiosos pensam que essa é apenas uma forma variante do nome Bené-Hasém. Ele deve ter vivido por volta de 1014 A.C. Uma tradução variante fá-lo ser pai de um dos heróis de Davi, e não um dos heróis propriamente dito.

JASOBEÃO

No hebraico, «povo que volta». Nome de vários indivíduos que figuram nas páginas do Antigo Testamento:

1. Um dos trinta poderosos guerreiros de Davi. Ele era filho de Zabdiel, um hacmonita. Desertou de Saul e bandeou-se para Davi, que se achava exilado em Ziclague. A Bíblia narra que, de certa feita, matou trezentos homens, em uma única batalha (I Crô. 11:11). O trecho paralelo de II Sam. 23:8 refere-se ao taquemonita Josebe-Bassebete, que seria o principal entre os três maiores heróis de Davi, que brandiu sua lança e matou nada menos de oitocentos homens em uma única batalha. Os estudiosos pensam que as palavras que ali se acham, «filho de Taquemoni» sejam uma corruptela de *Haquemonita* e que está em foco o mesmo Jasobeão, embora chamado por outro nome. Os «três», ao que parece eram uma elite seleta dentre os heróis de Davi, um círculo mais íntimo dos trinta guerreiros de Davi. Visto que os números 300 e 800, escritos por extenso, começam no hebraico com a mesma letra, é possível que tenha havido uma confusão não proposital no trecho de II Samuel 23:8, e que a verdadeira cifra seja trezentos. Contudo, John Gill salienta que apesar de oitocentos homens ser um número significativo não o é mais do que o feito de Sangar, que matou seiscentos com um aguilhão de bois; ou do que o feito de Sansão, que matou a mil homens com a queixada de um jumento. Alguns rabinos também explicaram que estiveram envolvidas duas batalhas. Em uma delas, Jasobeão teria morto a trezentos homens; e na outra, a oitocentos. E há várias outras tentativas de harmonização; porém, visto que são todas conjecturas, em nada nos ajudam a resolver essa questão de diferença numérica. Diz a Septuaginta, em II Samuel 23:8: «Ele brandiu a sua lança contra oitocentos soldados de uma só vez», dando a idéia de que ele precisou enfrentar uma força formidável, e não que tivesse realmente morto a todos eles. Porém, essa tradução pode ter sido proposital-

mente distorcida a fim de evitar um feito tão fantástico. Jasobeão deve ter vivido por volta de 1050 A.C.

2. Um coreíta que descendia de Coate, e, por conseguinte, um levita (I Crô. 12:6). Viveu mais ou menos na mesma época do primeiro desse nome.

JASOM

Na Bíblia e nas obras apócrifas do Antigo Testamento há menção a um total de cinco homens com esse nome, a saber:

1. O Jasom de Atos 17:1,4,7 (e talvez de Rom. 16:21):

O nome desse personagem ou era um equivalente grego, ou, mais provavelmente ainda, era uma forma helenizada ou latinizada, qual corruptela, do apelativo hebraico Josué, que, através do grego, chegou ao idioma português na forma de *Jesus*. Os greco-romanos, com freqüência, distorciam a pronúncia dos nomes próprios semitas, ou então substituiam-nos, selecionando nomes próprios mais ou menos equivalentes quanto ao som, em lugar dos nomes judaicos. Assim, pois, o nome *Jasom* seria substituto de *Jesus*, do mesmo modo que *Paulo* tomara o lugar de *Saulo*. Em II Macabeus 4:7 há um sumo sacerdote com o nome de Jasom. O Jasom do livro de Atos, portanto, mui provavelmente era um judeu que se tornara cristão.

Aqueles que foram aprisionados durante a perturbação que visava ao apóstolo Paulo e a Silas, foram soltos sob a promessa de que não ocorreria mais qualquer dificuldade; e essa promessa provavelmente incluía a garantia de que Jasom não mais hospedaria os missionários cristãos, juntamente com alguma soma em dinheiro ou compromisso de pagamento, se tal garantia não se cumprisse. Esse astuto plano impediu o apóstolo Paulo de continuar mantendo contacto com os discípulos de Tessalônica. Mas, apesar disso, a igreja cristã local continuou a florescer. Isso aconteceu por volta de 53 D.C. Parece que Jasom acompanhou Paulo até Corinto (Atos 17:5-9; Rom. 16:21).

2. O Jasom de Romanos 16:21:

É possível que o Jasom mencionado nesse texto seja o mesmo Jasom dos dois parágrafos acima. Todavia, o nome era tão comum que é possível que outro homem tivesse estado em pauta. Seja como for, ele era um *parente* de Paulo, embora isso, provavelmente, signifique apenas que ele era um compatriota judeu de Paulo, e não um seu verdadeiro parente de sangue. Se ele fosse um autêntico parente, então também teríamos de incluir nessa parentela a Lúcio e a Sosípatro, que figuram no mesmo versículo como «parentes» de Paulo. Mas, se um Jasom diferente daquele primeiro está aqui envolvido, então não dispomos de qualquer outra informação a seu respeito. Jasom estava entre aqueles que enviaram saudações aos cristãos de Roma. Ou então, se o décimo sexto capítulo de Romanos é uma epístola que mais tarde foi vinculada à de Romanos, mas que originalmente fora enviada à Ásia Menor (talvez a Éfeso), então Jasom teria enviado saudações aos cristãos daquela província. Quanto a esse problema sobre a integridade da epístola aos Romanos, ver o artigo sobre esse livro, em sua oitava seção.

3. *Um filho de Eleazar*, a quem Judas Macabeu enviara para solicitar a ajuda dos romanos contra os sírios, em cerca de 161 A.C. (I Macabeus 8:17). Ele, ou quiçá seu filho, procurou renovar a aliança em 144 A.C. (I Macabeus 12:16; 14:22; Josefo, *Anti.* 12:10,6).

431

JASOM — JASPERS

4. *Um filho de Simão II*, e irmão do sumo sacerdote Onias III. Ele obteve o ofício de sumo sacerdote para si mesmo, mediante suborno. Tornou-se conhecido por seus esforços tendentes à helenização do judaísmo (II Macabeus 4:7-26). Entre as suas atividades que refletiam a sua maneira de pensar, temos o fato de que ele deu ricos presentes para os jogos sagrados de Tiro, efetuados em honra a Hércules (II Macabeus 4:16-20). Mas ele ficou ocupando o ofício apenas por três anos de 174 a 171 A.C. Foi substituído por Menelau, ao oferecer ao monarca um suborno ainda mais gordo. Então, Jasom fugiu para os amonitas. Mas, então, ele ouviu o falso rumor de que Antíoco havia falecido no Egito, e retornou à Palestina. E muitos de seus seguidores derrubaram Menelau. Entretanto, Antíoco, após retornar do Egito, vingou-se, e Jasom teve de fugir novamente para Amom, e dali para o Egito e, mais tarde ainda, para a cidade de Esparta, onde, finalmente, veio a falecer (II Macabeus 5:1-10).

5. Um cireneu que escreveu um livro sobre as lutas dos judeus pela liberdade, em conflito contra Antíoco Epifânio e seu sucessor, Eupator. O livro de II Macabeus conta a história sob forma condensada. Provavelmente, Jasom era grego e sua narrativa termina no ano de 160 A.C. Provavelmente, não escreveu muito depois dessa data.

JASPE

Há uma palavra hebraica e uma palavra grega envolvidas, a saber:

1. *Yashepheh*, que aparece por três vezes no Antigo Testamento: Êxo. 28:20; 39:13 e Eze. 28:13.

2. *Íaspis*, termo grego que figura por quatro vezes, todas no Apocalipse (4:3; 21:11,18,19).

O trecho de Êxo. 28:20 menciona essa pedra que era usada no peitoral do sumo sacerdote de Israel. No livro de Apocalipse (21:19) aparece como um dos materiais usados nos alicerces da Nova Jerusalém. O jaspe é uma espécie opaca de quartzo, uma sílica de grão muito fino (dióxido de sílica), aliada à calcedônia e à pederneira. Aparece com certa variedade de cores: vermelho, marrom, amarelo, verde, azul e negro. As pedras com cores mais claras são usadas como gemas. O jaspe do Egito dispõe de faixas de diferentes tons de marrom. Ocorre em nódulos, tal como sucede à ágata. Da mesma forma que outras sílicas de grão fino, o jaspe é depositado pela água circulante, ou a água do subsolo ou em soluções hidrotermais de origem ígnea.

A palavra hebraica e a palavra grega envolvidas incluíam mais pedras do que aquelas que hoje em dia chamaríamos de *jaspe*. As referências antigas incluíam diversos tipos de variedades translúcidas e delicadamente coloridas de quartzo (as calcedônias), e também o que hoje chamamos de *crisópraso*. Atualmente, porém, esse nome limita-se às variedades ricamente coloridas e estritamente opacas. Os antigos usavam o jaspe (em termos modernos) no fabrico de selos, cilindros, etc. Além disso, as antigas palavras hebraica e grega também incluíam o que hoje chamamos de jade.

JASPERS, KARL

Suas datas foram 1883-1973. Ele nasceu em Oldemburgo, na Alemanha e formou-se médico em 1909. Engajou-se no trabalho psiquiátrico em Heidelberg. Tornou-se então um docente particular em psicologia, em Heidelberg, em 1913. Começou a interessar-se vivamente pela metafísica. Ensinou filosofia em Heidelberg, de 1916 a 1938. Durante o regime de Hitler, não recebeu licença para apresentar conferências, e, finalmente, foi destituído de suas funções de professor. Em 1945, entretanto, foi reintegrado e começou a ensinar filosofia em Basiléia, na Suíça. Veio a ser conhecido como um existencialista, embora não apreciasse esse rótulo. Sua obra prima foi uma obra em três volumes, sobre filosofia, publicada em 1932.

Escritos. Além da obra que acabamos de mencionar, ele escreveu os seguintes livros (títulos em inglês): *General Psychopathology; Psychology of Views; Man in the Modern Age; Reason and Existence; Nietzsche; Descartes and Philosophy; The Idea of the University; The Question of Guilt; Nietzsche and Christianity*, além de outras, incluindo, *Introduction to Philosophy* e *Ciphers of Transcendence*.

Idéias:

1. Seu principal interesse era descrever e tentar compreender a distintiva função do homem que filosofa. Sua própria filosofia era a de um pensador subjetivo que extraía idéias de seu próprio discernimento intuitivo, sujeitando-as, por muitas e muitas vezes a uma rigorosa crítica e análise. Para ele, a filosofia precisa passar pela descoberta científica, então pela iluminação pessoal (ou descoberta da liberdade individual, dentro do tempo), e, finalmente, pela *Metaphysik*, palavra germânica que, para ele, indica a consciência da dependência a um ser transcendental.

O elemento existencial do pensamento de Jaspers assemelhava-se ao de Heidegger (vide). Porém, este último era um realista, influenciado pelo escolasticismo, ao passo que Jaspers tendia para o idealismo, exibindo influências da parte de Kant e do protestantismo.

Qual o propósito da filosofia? Para ele, era despertar os homens para a **autenticidade**. a. O homem seria um *Dasein*, um «estar ali», um objeto empírico dentro do espaço e do tempo. b. O homem também seria consciência (*Bewusstsein*). c. Finalmente, o homem seria um espírito (*Geist*). O homem utilizaria os materiais desta vida a fim de chegar a totalidades ideais.

2. A mais importante distinção que uma pessoa poderia exprimir acerca do homem é que ele é uma *existência*. A sua ênfase sobre esse item era tão grande que sua filosofia chegou a ser apodada de «filosofia da existência». Haveria três considerações relacionadas ao homem: a. O homem pode evitar a existência evitando a autenticidade, ou seja, não conhecendo e não atingindo o que ele é e deveria ser como um ser humano. b. Há um aspecto transcendental no homem que depende de um ser transcendental, embora faça parte do mesmo. c. Em meio a isso há a *existência*, ou seja, o homem autêntico, conforme ele pode agora existir. Quando o homem torna-se nele mesmo, então ele é existência. E um homem torna-se em si mesmo quando alcança uma autêntica autoconsciência, postando-se dentro da história numa atitude de liberdade e franqueza perante a transcendência toda abrangente. E é dessa maneira que o homem alcança um momento de transcendência, embora ele ainda não seja transcendental. Porém, quando o ser humano perde essa franqueza e liberdade, sua consciência fica corrompida e ele perde a sua existência. E então afunda de volta no *Dasein*: ele, meramente, encontra-se ali, um objeto que está no espaço e no tempo.

A existência e seus limites. A existência está limitada por fronteiras impenetráveis (*Grenzsituationem*). Experimentar essas limitações e existir são uma

JASPERS

e a mesma coisa; e, em meio a isso, sentimos desespero. No entanto, o desespero pode ser uma emoção cognitiva e elevadora, pois força-nos na direção da autenticidade. Em suas experiências finitas, o homem enfrenta o problema do mal. E a morte física é a principal dessas experiências finitas, além de ser a mais dramática de todas as barreiras que cercam a existência. A culpa é uma outra importante limitação. A culpa demonstra o poder que a nossa liberdade exerce sobre o nosso destino. O limite da *situacionalidade* é a limitação que temos em nossa própria situação de vida, em nossa condição humana particular. Uma parte da nossa autenticidade consiste em usarmos o poder do **livre-arbítrio** a fim de transcendermos aos nossos próprios limites. Fazemos as coisas acontecerem; fazemos de nós mesmos aquilo que somos, e assim experimentamos a transcendência. Ainda outras limitações são as oportunidades, os sofrimentos e os conflitos.

3. Até mesmo no caso do indivíduo que já atingiu o nível da *existência*, permanece uma certa polaridade entre a razão e a existência. A razão, sem a existência, fica vazia; e a existência sem a razão não passa de um sonho particular. A razão unifica os diversos elementos da existência, mediante vários modos de comunicação. É nessas comunicações que descobrimos as verdades individualizadas; porém, para além desse ponto temos de forçar na direção da transcendência e do Ser eterno.

4. O objetivo da luta do homem é a transcendência, e essa transcendência consiste em um Ser. O ser é a mais profunda de todas as verdades. Em seu mais completo sentido, não há qualquer possibilidade de que um homem venha a atingir o Ser absoluto; todavia, estará sempre se movendo nessa direção. Para além de nosso atual horizonte de existência, há a *abrangência*. Quando crescemos, fazemos os nossos horizontes ampliarem-se, e assim nos movemos na direção da abrangência. A idéia da abrangência está ligada à nossa percepção da parcialidade e natureza incompleta de todo esquema e idéia. Todas as filosofias são parciais; todas as idéias são incompletas, todas as realizações são limitadas. Os sistemas de pensamento são todos circulares e necessariamente levam a noções incompletas. E esses fragmentos incompletos são incorporados no conceito da abrangência. Além disso há a transcendência e o estado completo.

5. *Metafísica*. É através da metafísica que podemos ler as cifras da transcendência. Uma cifra é um símbolo e, através das cifras o mundo empírico fala à nossa consciência e nos confere compreensão. Dessa maneira, podemos ler a verdade do Ser, embora não em termos de conceitos. A transcendência fala à existência por meio dos símbolos (cifras). Essa comunicação dá-se por meio da intuição, e nunca mediante os fatos empíricos da percepção dos sentidos. Há uma certa ambigüidade na intuição, e a ambigüidade é uma das características de todas as cifras. Nos mitos e nas filosofias, a cifra primária, que nos daria total compreensão, permanece oculta, mas espera ser descoberta.

6. *Ciência*. Essa emerge do princípio do *Dasein*. Os objetos empíricos existem juntamente com outros, em um mundo que é detectado pela percepção dos sentidos. A razão experimenta a totalidade no *Dasein*, embora em nossas experiências divida-se em esferas separadas. Jaspers falava sobre quatro dessas esferas: a inorgânica, a orgânica, a alma como experiência e o espírito (*Geist*), que é a alma racional da filosofia.

7. *História*. A história compor-se-ia de todos aqueles toques empíricos do homem, e também das tentativas humanas por atingir a transcendência na filosofia, na religião, nos mitos, nos conceitos, etc. A verdade é um ser histórico condicionado pela existência dentro deste mundo empírico. A liberdade é possível ao homem, mas opera dentro dos limites das situações últimas, sendo impedida por essas situações, como a morte, o sofrimento, os conflitos e o senso de culpa.

8. *Ética*. Essa é a exploração da experiência e a potencialidade do **livre-arbítrio**. Liberdade é sinônimo de escolha, de consciência própria, de identificação pessoal. Escolher é o mesmo que ser livre. O ser do homem é livre, pois sem a liberdade ele é reduzido a nada. Só existo à medida que sou livre. A liberdade consiste em experiência, sob a forma tanto de espontaneidade como de ação. Ajo *com base* em idéias intuitivas de valor. Devo dedicar-me a alguns valores, mas muitos valores continuam sendo investigados e permanecem incertos para nós. Experimento a angústia nas minhas incertezas acerca dos valores e das escolhas. O senso de culpa segue-se à incerteza e ao erro nas escolhas. Não existe tal coisa como um absolutismo que resulte da racionalização e da harmonização humanas, e não da própria verdade. Em meu coração sei que para o homem, em seu estado presente, não há valores fixos, não há conclusões, não há padrões absolutos. No fim, não fora a transcendência, a vida humana redundaria em total fracasso. O homem está condenado a lutar interminavelmente. Há um temível paradoxo entre a existência finita e o esforço para atingirmos a infinitude. O símbolo final da salvação é a transcendência.

9. *Religião*. Jaspers, à semelhança de Kant, criticava as provas tradicionais em prol da existência de Deus. Ele rejeitava o teísmo, o ateísmo, o panteísmo, a religião revelada e todas essas explicações padronizadas, afirmando que tudo isso não passa de símbolos (cifras). Por isso, correríamos o risco de considerar esses símbolos em sentido liberal e absoluto. A verdadeira compreensão religiosa residiria nas intuições que operam através da teologia e da filosofia. Mas esses sistemas tentam, sem êxito, articular as cifras. O homem, em sua liberdade, conhece apenas obscuramente que ele não está sozinho, que há algo de muito grande, vasto e misterioso «lá fora», além das suas limitações, finitudes e conflitos. De alguma forma, intuímos que o homem resulta do poder e dos atos da transcendência, embora não estejamos em posição para definir tais coisas, e embora as nossas cifras nos enganem, levando-nos a pensar que sabemos mais sobre a verdade do que realmente sabemos.

Na abrangência encontramos as pegadas de Deus, embora de forma tão distante e indistinta que só podemos seguir as nossas intuições, na esperança de obter o melhor. A metafísica definiria as cifras, mas a compreensão é uma questão eminentemente pessoal, efetuada em meio à liberdade. O homem está aberto à transcendência, e assim aspira pela eternidade. Nesse próprio desejo temos uma indicação da realidade na direção da qual ele procura avançar. Não podemos rejeitar a fé, pois isso equivaleria a dizer que o mundo imediato é tudo quanto existe. É a fé que pressente a transcendência que há para além deste mundo imediato.

Para Jaspers, a Bíblia era um sugestivo instrumento para atingirmos a compreensão, ou seja, de encontrar e definir as cifras. As cifras salientadas na Bíblia são Deus, o amor, o **livre-arbítrio**, a necessidade de escolher entre o bem e o mal, a eternidade que há no homem, um universo contingente, a imagem de Deus

JASPERS — JAVÃ

como um refúgio do homem — todas essas coisas são símbolos importantes, que deveríamos seguir. Não obstante, na Bíblia continuamos no terreno dos símbolos, e não no campo da realidade última, para a qual a Bíblia aponta. Em nossas dúvidas, entretanto, chegamos a transcender aos símbolos. Se confiamos no tocante a tudo, então acabamos matando a *busca* que é a essência do Ser. No momento, não pode haver qualquer salto final da fé para a certeza. Essa é uma falsidade que os sistemas promovem, procurando obter conforto mental, mas que pouco tem a ver com a verdade.

10. *Gnosiologia*. A maneira de pensar de Jaspers sobre o conhecimento era, essencialmente, uma forma não hostil de *ceticismo* (vide). Ele anelava por explorar, descrever e analisar; e, no entanto, pensava que, em nossa atual condição humana, não podemos obter um conhecimento indiscutível. Ele também tomava um ponto de vista cético quanto àqueles sistemas de conhecimento que modificam os símbolos do conhecimento, elevando-os a dogmas e certezas. O seu método era subjetivo, dependendo dos informes que a intuição nos pode outorgar. Juntamente com Kierkegaard, ele descrevia as experiências imediatas à luz de seu significado emocional e ontológico, nas quais ele via os elementos de amor, de ansiedade, de esperança e de desespero, alternando-se com conflitos. Ele acreditava que a pesquisa científica deveria ser um antídoto para os dogmas religiosos, políticos e filosóficos; mas também asseverava que a ciência pode proporcionar-nos um conhecimento meramente superficial, pouco dizendo a respeito da verdadeira natureza da realidade. Quando muito, a ciência é apenas uma mitologia funcional, capaz de pôr em nossas mãos ferramentas práticas para enfrentarmos nossas vidas físicas, diárias. Mas pouco ou nada tem para dizer a respeito da transcendência, onde, de alguma maneira, em algum ponto, em algum tempo, a verdade pode ser descoberta. (AM E EP MM P)

JASUBE

No hebraico, «aquele que volta». Nome de dois homens que figuram nas páginas do Antigo Testamento:

1. O terceiro dos quatro filhos de Issacar, que fundou a família chamada *jasubitas* (Núm. 26:24; I Crô. 7:1). Entretanto, em Gên. 46:13, ele é chamado Jó. Viveu em cerca de 1856 A.C.

2. Um daqueles israelitas que se tinham casado com alguma mulher estrangeira, na Babilônia, durante o cativeiro dos judeus ali, mas que, quando do retorno à Palestina, foi obrigado a divorciar-se dela para que a sociedade de Israel pudesse ser restaurada à sua pureza. Ver Esd. 10:29. Isso ocorreu por volta de 459 A.C.

JASUBI-LEÉM

No hebraico, «devolvedor do pão». Ao que parece, descendia de Selá (I Crô. 4:22) e viveu por volta de 995 A.C. Contudo, alguns intérpretes crêem que o texto em foco significa que Noemi e Rute *retornaram* do lugar onde tinham estado para Belém da Judéia, terminado o período de escassez de alimentos. Ainda outros opinam que está em pauta um lugar perto de Maresa, situado no lado ocidental do rio Jordão. A Revised Standard Version, em inglês, diz «e retornou a Leém», referindo-se a Sarafe, que governava em Moabe. É preciso reconhecer que há um erro primitivo no texto, que nos impossibilita de entender a passagem com maior satisfação.

JATÃO

De acordo com Tobias 5:13, um dos livros apócrifos, Jatão era filho de Semaías e irmão de Ananias, parentes de Tobias. Em algumas traduções aparece, nesse trecho, a forma variante do nome, Jônatas.

JATIR

No hebraico, «redundante». Esse era o nome de uma das nove cidades que foram entregues à tribo de Judá, para os levitas da família de Coate (Jos. 15:48; 21:14; I Crô. 6:57). Davi enviou despojos para esse lugar, após sua vitória sobre os amalequitas, em Ziclague (I Sam. 30:27). Ela tem sido identificada com a moderna Khirbet 'Attir, cerca de vinte e um quilômetros a sudoeste de Hebrom.

JATNIEL

No hebraico, «aquele a quem Deus confere». Ele foi o quarto filho de Meselemias, porteiro do tabernáculo (I Crô. 26:2), que viveu por volta de 1014 A.C. Era um coreíta.

JAVÃ

No hebraico, «efervescente», embora alguns pensem que o sentido do nome é desconhecido. Era o nome de uma pessoa, o quarto filho de Jafé, e, portanto, neto de Noé. Por extensão, tornou-se o nome designativo de seus descendentes e dos lugares que eles vieram a ocupar.

1. Javã foi o quarto filho de Jafé (Gên. 10:2,4; I Crô. 1:5,7), e viveu em algum tempo depois de 2500 A.C. Alguns eruditos supõem que ele foi o progenitor dos povos originais da Grécia e de certas ilhas do mar Egeu, e também da porção sul da península italiana, embora não se possa dizer essas coisas com certeza absoluta. Ver o artigo sobre *Jafé*, quanto à especulações sobre as origens e os descendentes desse filho de Noé, onde também há um gráfico que ilustra a questão. Etimologicamente, o nome *Javã* corresponde à *Jônia* (no grego antigo, *Ialon*), e foi usado pelos profetas do Antigo Testamento para denotar os descendentes de Javã na Jônia, nas costas ocidentais da Ásia Menor, e, por extensão, também na Grécia, na Macedônia, etc., porquanto havia descendentes seus até mesmo em certas regiões costeiras do mar Negro.

O trecho de Isa. 66:19 refere-se a Javã, juntamente com Társis, Lud, Pute e Tubal como nações distantes às quais seriam enviados missionários que falariam a respeito da glória de Yahweh e da restauração de Jerusalém. Para os judeus, essas nações representavam os limites ocidentais do mundo que eles conheciam. Os trechos de Daniel 8:21; 10:20 e 11:2 identificam Javã com o império greco-macedônio de Alexandre, pelo que o *bode* que marrava vindo do Ocidente era o rei de Javã. As passagens de Dan. 10:20 e 11:2 falam sobre vários conflitos entre nações que envolveriam o povo de Javã. Ezequiel 27:13 é trecho que vincula Javã a Tubal e Meseque, como comerciantes em bronze e em escravos. Joel 3:6 condena Tiro porquanto vendia como escravos cidadãos de Judá e Jerusalém a Javã. Zacarias 9:13 prediz o triunfo final de Israel sobre Javã, o que, naquele texto, evidentemente representa nações aguerridas dentre as quais a Grécia era o exemplo mais destacado.

2. O trecho de Ezequiel 27:19 menciona Javã de tal modo que parece requerer uma localização na Arábia.

JAVÁ — JAZANIAS

Seu comércio com Tubal e Meseque é enfatizado, um comércio que envolvia o tráfico de escravos. Os estudiosos têm-se sentido confusos diante dessa referência de Ezequiel, que remove Javã do Ocidente; e eles não têm conseguido dar uma explicação definitiva. Sucede, porém, que os descendentes de Javã sempre foram grandes colonizadores, não sendo difícil conjecturar que até mesmo na região da Arábia houvesse uma forte colônia deles, em alguma época passada, embora isso não passe de uma conjectura. Todavia, a Septuaginta diz «vinho», em vez de *Javã* (palavras similares aparecem no texto hebraico original), dando a entender que pode ter havido alguma forma de erro primitivo no original hebraico. Nesse caso, a dificuldade de localização geográfica estaria removida, visto que Javã nem estaria em foco nessa referência.

Os descendentes de Javã estavam destinados a exercer poderosíssima influência sobre a civilização antiga. Além deles terem sido os herdeiros da civilização babilônica e medo-persa, a própria civilização romana só é corretamente caracterizada quando a denominamos de greco-latina. Países tão distantes entre si como a Rússia e Portugal exibem sinais de influência grega, desde o idioma até à cultura e a própria etnia. Todo o sul da Itália (berço da civilização latina em sua porção norte) era grego. Durante muitos séculos essa região da porção austral da bota italiana foi conhecida como Magna Grécia. Isso tem reflexos até hoje, incluindo a forma de gesticulação das pessoas, quando falam. Todo italiano é muito gesticulador, mas os italianos do sul gesticulam à moda dos gregos, e não segundo o resto da Europa, conforme fazem os italianos do centro e do norte da Itália!

JAVALI

A palavra hebraica, **chazir**, aparece por sete vezes no Antigo Testamento. (Ver Lev. 11:7; Deu. 14:8; Sal. 80:13; Pro. 11:22; Isa. 65:4; 66:3,17). Esse termo hebraico indicava tanto o porco doméstico como as variedades silvestres. Os hebreus, os egípcios, os árabes, os fenícios e outros povos das proximidades não eram consumidores de carne de porco ou javali. No entanto, em período posterior, do outro lado do mar da Galiléia, e em algumas regiões do Egito, o porco, domesticado, passou a ser usado como um dos itens da alimentação. No Egito, os criadores de porcos eram tidos como uma classe muito baixa; e, naturalmente, os hebreus desprezavam tais homens, por causa de seus conceitos religiosos; o javali não ataca o homem, se não for molestado; mas enfurece-se quando atacado. Sabe-se que grupos de javalis podem atacar até mesmo os grandes felinos. No Brasil há dois tipos de javali, o caititu e o queixada. O primeiro é menor, mas às vezes anda em bandos numerosos, e homens e animais os respeitam, incluindo a própria onça, o maior felino de nossas florestas.

Nos tempos do Antigo Testamento, os javalis eram abundantes na Palestina, e até hoje podem ser encontrados naquela região do mundo. — Os javalis foram domesticados desde os tempos mais remotos como por exemplo, no Egito, antes de 3000 A.C. O habitat desse ungulado ia desde o norte da Ásia, atravessando toda a Europa até às ilhas britânicas. Os islamitas, tanto quanto os judeus, não consomem carne de porco, embora alguns judeus, nos dias de Jesus, preferissem ignorar as proibições mosaicas (Mat. 8:30). Ou o trecho falaria de alguma comunidade gentílica? Também parece que alguns judeus antigos consumiam carne de porco (Isa. 66:17). A proibição mosaica encontra-se em Lev. 11:7

e Deu. 14:8. Sabe-se que o porco é o hospedeiro de um tipo de parasita que pode ser transferido para o organismo humano, mediante a ingestão de carne de porco mal cozida, e que pode ser perigoso para a saúde do homem, podendo até mesmo matá-lo. Naturalmente, os judeus antigos não sabiam disso, pelo que aquela proibição mui provavelmente alicerçava-se, psicologicamente, sobre os hábitos imundos desse animal, capaz de comer quase qualquer coisa.

Usos Metafóricos. 1. A mulher indiscreta e de baixa moral é comparada a esse animal (Pro. 11:22). 2. A queda moral de uma pessoa é simbolizada através do ato de cuidar dos porcos (Luc. 15:15). 3. O trecho de Mateus 8:31 sugere a associação dos demônios com os porcos. Os judeus chegavam mesmo a pensar que uns e outros pertenciam à mesma ordem de seres. 4. Os mestres falsos, que entram em contacto com as idéias cristãs, mas posteriormente retornam às idéias e costumes dos pagãos, são assemelhados aos porcos, em sua natureza (II Ped. 2:22). (G HA ND UN)

JAVÉ

Ver sobre **Yahweh**.

JAZA

No hebraico, «repisada», pois diz respeito a alguma eira. Esse era o nome de uma cidade da Transjordânia, onde houve uma batalha decisiva entre os israelitas e Seom, rei dos amonitas (Núm. 21:23; Deu. 2:32; Juí. 11:20). Essa cidade fora entregue aos levitas meraritas da tribo de Rúben (Jos. 13:18; 21:36; I Crô. 6:78). Posteriormente, os conquistadores babilônios destruíram a cidade. Jaza foi denunciada profeticamente por Jeremias (ver Jer. 48:21,34 e Isa. 15:4). Na época, a cidade era ocupada pelos moabitas. A pedra Moabita (vide) apresenta o rei Mesa a dizer que o rei de Israel residiu em Jaza enquanto fez guerra contra ele, mas que dali foi expulso e que Mesa passou a controlar a cidade, assim aumentando os territórios moabitas. Por isso é que, naquelas duas referências acima, dos livros proféticos, a cidade aparece como pertencente a Moabe. Não há qualquer certeza quanto à identificação moderna da cidade.

JAZANIAS

No hebraico, «Yahweh ouve». Nome de quatro personagens que aparecem nas páginas do Antigo Testamento:

1. O filho de um maacatita (II Reis 25:23; Jer. 40:8), que viveu por volta de 588 A.C. Ele se aliou a Gedalias, governador nomeado pelos babilônios para governar o remanescente de Judá, quando do exílio babilônico. Talvez seja o mesmo Jazanias mencionado em Jer. 40:8 e 42:1. Parece que ele recuperou parte dos despojos tomados por Ismael, filho de Netenas (Jer. 41:11 *ss*), e então foi para o Egito com o resto dos judeus revoltados (Jer. 43:4,5).

2. Um filho de Jeremias (não o profeta), um chefe dos recabitas (Jer. 35:3). Ele se mostrou leal às idéias e às práticas de seus genitores, e o profeta Jeremias usou-o como ilustração de lealdade cujo exemplo deveria ter sido seguido pelos judeus (Jer. 35:3).

3. Um filho de Safã. Ezequiel viu-o em uma visão, oferecendo sacrifícios a ídolos, em Jerusalém (Eze. 8:11). Isso ocorreu por volta de 593 A.C.

4. Um filho de Azur, um iníquo príncipe de Judá, contra quem Ezequiel recebeu ordens para profetizar (Eze. 11:1). Ele foi uma das vinte e cinco pessoas

JAZEEL — JEBUS

contra quem a atenção do profeta Ezequiel foi dirigida. Isso aconteceu por volta de 594 A.C.

JAZEEL

No hebraico, «Deus confere». Nome do primogênito de Naftali (Gên. 46:24). Foi ele o fundador do clã dos jazeelitas (Núm. 26:48). Ele viveu por volta de 1856 A.C.

JAZER

No hebraico, talvez «ele ajuda». Esse era o nome de uma cidade dos amonitas, em Gileade, no lado oriental do rio Jordão. Foi conquistada dos amorreus quando Israel invadiu a Terra Prometida (Núm. 23:32). Foi uma das quatro cidades pertencentes à tribo de Gade que foram entregues aos levitas (Jos. 21:39). Alguns dos mais habilidosos e destemidos guerreiros de Davi vieram daquela localidade (I Crô. 26:31). Finalmente, os moabitas conquistaram a área e fizeram de Jazer uma de suas cidades fronteiriças (Isa. 16:9; Jer. 48:32). Isso teve lugar pouco depois da queda de Samaria. Nos tempos helenistas, os amonitas estiveram de posse de Jazer; mas Judas Macabeu tomou-a deles. Isso teve lugar em cerca de 164 A.C. (I Macabeus 5,7,8). O local tem sido tentativamente identificado com o wadi Sa'ib, perto de es-Salt. Outras identificações também têm sido propostas, como Khirbet Sar (Qasr es-Sar), cerca de oito quilômetros a oeste de Amam, perto do wadi esh-Shita; e também Khirbet es-Sireh, cerca de um quilômetro e meio ao norte de Khirbet Sar. Mas a verdade é que a questão da localização exata da antiga cidade continua em aberto.

JAZERA

No hebraico, «guiado de volta por Deus». Um sacerdote, neto de Imer (I Crô. 9:12), filho de Mesulão. Em Nee. 11:13, ele é chamado de Azi, filho de Mesilemote. Encontrava-se entre aqueles que retornaram do cativeiro babilônico a fim de ajudar a reestabelecer o povo de Israel em Jerusalém, em cerca de 536 A.C.

JAZIZ

No hebraico, «proeminente». Todavia, alguns duvidam desse ou de qualquer outro significado sugerido. Esse era o nome de um hagarita que estava encarregado do gado de Davi, provavelmente a leste do rio Jordão (I Crô. 27:31). Ele viveu por volta de 1014 A.C.

JEALELEL

No hebraico, «louvador de Deus», ou então «que Deus resplandeça». Esse era o nome de dois personagens que ocupam as páginas do Antigo Testamento:

1. Um descendente de Judá, mas cujos pais não são mencionados, embora o sejam quatro filhos seus (I Crô. 4:16). Ele viveu em cerca de 1618 A.C.

2. Um levita merarita. Seu filho, Azarias, participou da restauração do templo de Jerusalém, nos tempos de Ezequias (II Crô. 29:12). Viveu por volta de 719 A.C.

JEANS, JAMES H.

Suas datas foram 1877-1946. Ele foi físico e astrônomo, nascido na Inglaterra. Educou-se em Cambridge e ensinou em Cambridge e em Princeton. Foi um habilidoso cientista e conferencista popular. Sua metafísica idealista é importante do ponto de vista religioso. Essa metafísica reduz a realidade ao não-material, pois ele explicava que tudo quanto existe é o conteúdo da *mente divina*. Naturalmente, isso é uma negação do materialismo e a espiritualização do conhecimento. Ver sobre o *Idealismo*. Ele descrevia Deus como o «Matemático Puro». Contudo, preferia chamar Deus de «a Mente divina». Muitos religiosos animam-se diante do fato de que alguns físicos teóricos não são materialistas. De fato, os físicos teóricos estão usando uma linguagem parecida com a dos místicos, e parece que uma visão inteiramente diferente da realidade está surgindo na ciência, que, sem dúvida alguma, produzirá profundos efeitos sobre a teologia cristã.

JEARIM

No hebraico, «florestas». Esse era o nome de uma montanha, localizada na fronteira norte do território de Judá (Jos. 15:10). Essa montanha era forrada por florestas, o que lhe explica o nome. A cidade de Balá ou Quiriate-Jearim ficava localizada ali. Há no local uma serra montanhosa cerca de treze quilômetros de distância de Jerusalém, que lhe fica mais para o Oriente, e onde fica localizada a moderna aldeia de Saris.

JEATERAI

No hebraico, «aquele que é guiado por Yahweh». Esse era o nome de um levita gersonita, antepassado de Asafe (I Crô. 6:21). No vs. 41 daquele trecho, porém, ele é chamado de Etni, o que, segundo alguns eruditos, representa um erro escribal.

JEBEREQUIAS

No hebraico, «aquele a quem Yahweh abençoa». Ele era o pai de certo Zacarias (não o profeta desse nome), que Isaías contratou como testemunha de seu casamento com uma *profetisa* (Isa. 8:2). Isso ocorreu em cerca de 739 A.C. Ele também era testemunha das profecias de Isaías contra a Síria e Efraim.

JEBUS

No hebraico, «pisada». Um antigo nome de Jerusalém, quando ainda era uma cidade cananéia, nas colinas do sudoeste da Palestina, naquilo que, posteriormente, veio a chamar-se de Sião (Jos. 15:8; 18:16,28; Juí. 10:10; I Crô. 11:4,5). Davi foi quem capturou a Jerusalém jebusita (II Sam. 5:8). A arqueologia tem demonstrado que Jebus era fortificada por duas fortes muralhas. A cidade antiga ficava ao sul da área do templo, que veio a tornar-se o centro de adoração em Israel. Até onde a história nos pode fazer recuar, Jebus já existia, muitos séculos antes da época de Davi. Os jebuseus (vide) deram o seu nome à cidade, e não o contrário, conforme freqüentemente acontecia.

Os eruditos também dizem que «Jerusalém» é um nome antiqüíssimo dessa cidade, ao ponto de, talvez, ser ainda mais antigo que Jebus. Se isso é verdade, então quando Davi chamou a cidade de «Jerusalém», isso foi a restauração de um nome antigo, e não uma mudança de nome. Referências bíblicas, como a de Josué 10:1,3,5, mostram que esse nome existia desde antes da invasão israelita, e o trecho de Josué 15:8 mostra-nos que os dois nomes já eram usados

436

JEBUSEUS — JECONIAS

para indicar o mesmo lugar, no tempo dessa invasão.

Melquisedeque (Gên. 14:18), da época de Abraão, era rei de *Salém*, o que significa *pacífica*. Por sua vez, *Jerusalém* significa «alicerce da pacífica». E isso quer dizer que, nos dias de Abraão, já havia a raiz do nome *Jerusalém*. É possível que o nome original significasse «fundada em paz», e que *Salém* fosse uma forma abreviada do nome original, «Jerusalém». Um informe egípcio, do século XIX A.C., menciona *Urusalimum*, com quase absoluta certeza uma menção à antiga cidade de Jerusalém. A correspondência de Tell el-Amarna, do século XIV A.C., diz *Urusalím*, uma outra antiga evidência da antiguidade desse nome. O trecho de Jos. 15:8 traz a forma variante «jebuseu», que é explicada como uma menção a Jerusalém. Ver os artigos separados sobre *Jebuseu(s)* e *Jerusalém*.

JEBUSEU(S)

Ver o artigo sobre **Jebus** (Jerusalém), a principal cidade dos antigos *jebuseus*. O jebuseus estavam entre as sete populações cananéias condenadas à destruição pelos escritores bíblicos. Os jebuseus, usualmente, aparecem em último lugar nas listas. Ver Gên. 10:16; 15:21; Êxo. 3:8,17; 13:5; Deu. 7:1; 20:17; Jos. 3:10; 9:1; 11:3; 12:8; 24:11; Juí. 3:5; I Reis 9:20; I Crô. 1:14. Os jebuseus eram uma das mais poderosas nações de Canaã que se estabeleceram próximas do monte Moriá, onde construíram a cidade de Jerusalém. Chamaram-na de Jebus, segundo o nome de seu próprio primeiro antepassado, que pertencia à linhagem de Canaã, filho de Cão. Ver Gên. 10:6,15.

Josué e seu exército conseguiram derrotá-los, tendo efetuado grande morticínio e destruição e matando Adonizedeque, o rei deles (Jos. 10). Todavia, os jebuseus não foram totalmente subjugados, conseguiram reter Jebus como sua capital (Juí. 1:8). Só foram inteiramente desapossados nos tempos de Davi (II Sam. 5). — Mas a propriedade particular foi respeitada e alguns jebuseus puderam ficar com suas terras, mesmo nos tempos de Davi. Isso levou à circunstância que o local onde o templo foi, finalmente, edificado, até então era propriedade particular de Araúna, um jebuseu. Davi, entretanto, comprou aquele terreno, embora Araúna tivesse oferecido o mesmo como uma dádiva (II Sam. 24:18-25). Os trechos de Esd. 9:1 e Nee. 9:8 são outras referências bíblicas a esse povo. E no livro apócrifo de Atos dos Apóstolos há uma alusão a uma certa caverna, em Chipre, onde a raça dos jebuseus, ao que se diz, antes tinham vivido. Além disso, nessa mesma obra apócrifa, há menção a um jebuseu piedoso, que seria parente do imperador Nero.

Visto que os jebuseus ocupavam a faixa fronteiriça entre Judá e Benjamim (Jos. 15:63; Juí. 1:21), eles serviam de uma inconveniência para ambas essas tribos de Israel. Mas nenhuma dessas duas tribos foi capaz de deslocar inteiramente aos jebuseus. As referências nos livros de Esdras e Neemias subentendem que os jebuseus continuaram a existir como uma tribo pagã distinta até mesmo após o cativeiro babilônico.

A Arqueologia e os Jebuseus:

1. Os arqueólogos têm localizado a Jerusalém dos jebuseus na colina oriental, ao sul do terreno mais elevado sobre o qual Salomão, no século X A.C., erigiu o suntuoso templo.

2. Os jebuseus não ocupavam esse terreno mais elevado porque ali havia um templo cananeu que era tido como um local sagrado, que devia permanecer desocupado.

3. A área tornou-se um minúsculo terreno em forma triangular, embora pesadamente fortificado. Seus limites eram os vales do Cedrom, Tiropoeano e Sedeque. Contava com um bom suprimento de água potável na fonte de Giom.

4. Davi utilizou-se de um túnel a fim de invadir a cidade. Esse túnel fazia parte do sistema de transporte de água que os cananeus haviam construído para trazer água desde um ponto fora da cidade para um reservatório localizado no interior da cidade murada. Esse sistema, juntamente com um outro, similar, construído por Ezequias, rei de Judá (II Reis 20:20), têm sido explorado pelos arqueólogos. A questão é descrita no artigo separado *Giom, Fonte de*. Ver também os artigos *Aquedutos Antigos* e *Ezequias*, quinto ponto, quanto às construções desse rei, incluindo o seu famoso aqueduto.

5. Várias escavações arqueológicas têm revelado os limites originais da antiga cidade de Jebus, juntamente com suas várias expansões, feitas posteriormente. Têm sido encontradas porções das muralhas da cidade e outras fortificações de Jebus, incluindo o grande portão do lado ocidental. Algumas dessas construções remontam a um tempo tão recuado quanto 2000 A.C.

6. A cidade capturada por Davi, vista de cima, tinha o formato de uma gigantesca pegada humana, com cerca de 380 m de comprimento por cerca de 137 m de largura. Isso fazia de Jebus uma cidade levemente maior do que a antiga Jericó, quando os cananeus exerciam controle sobre a mesma. Contava com altas muralhas e outras fortificações militares, mostrando assim o problema de estratégia que Davi precisou enfrentar. A menos que ele tivesse encontrado uma maneira astuciosa de penetrar na cidade, através de seu sistema de fornecimento de água, ter-lhe-ia sido praticamente impossível conquistá-la, por mais maciças que fossem as forças que pudesse lançar contra ela.

JECAMEÃO

No hebraico, «o povo levantar-se-á». Ele era levita, o quarto filho de Hebrom, no arranjo dos levitas, estabelecido por Davi (I Crô. 23:19; 24:23). Ele viveu em torno de 960 A.C.

JECAMIAS

No hebraico, «Yahweh levantar-se-á» ou «Yahweh estabelecerá». Esse foi o nome de duas personagens da Bíblia:

1. Um homem da tribo de Judá, filho de Salum (I Crô. 3:18). Descendia de Judá. Viveu nos dias do rei Acaz, em cerca de 730 A.C.

2. O quinto filho do rei Jeconias (I Crô. 3:18). Nasceu durante o cativeiro babilônico, em cerca de 598 A.C.

JECOLIAS

No hebraico, «capaz por meio de **Yahweh**». Esse era o nome da mãe do rei Azarias (Uzias), de Judá (II Reis 15:2; II Crô. 26:3). Ele viveu por volta de 810 A.C.

JECONIAS

No hebraico, «Yahweh estabelece». Há três personagens do Antigo Testamento canônico e em seus livros apócrifos com esse nome:

1. O penúltimo rei de Judá, cujo nome é mencionado em I Crô. 3:16,17; Est. 2:6; Jer. 24:1;

JECUTIEL — J.E.D.P.(S.)

27:20; 28:4; 29:2. E, no Novo Testamento, na linhagem do Senhor Jesus, em Mat. 1:11,12. Ele viveu por volta do ano de 599 A.C.

2. Um levita que viveu nos dias do rei Josias. Em II Crô. 35:9, seu nome aparece com leve forma variante, Conanias. Com a forma de Jeconias, somente em I Esdras 1:9.

3. O filho de Josias, que foi rei de Judá (I Esdras 1:34).

O nome *Jeconias* é uma forma alternativa de Jeoiaquim.

JECUTIEL

No hebraico, «Deus sustentará». Esse nome está relacionado ao termo árabe *gata*, «sustentar», «nutrir». Ele era filho de Esdras e uma «mulher judia», que algumas pessoas pensam que se deve traduzir como nome próprio *Jeudia* (vide), e que outros pensam ser a mulher de *Hodias* (vide). Ele fundou a cidade de Zanoa (vide) (I Crô. 4:18). Isso ocorreu em cerca de 1618 A.C. Ele era descendente de Judá, através de Merede (vide).

JEDAÍAS

No hebraico, «louvado por Yahweh». Nome de várias personagens que figuram na Bíblia, a saber:

1. Um chefe do segundo turno de sacerdotes, depois que Davi os dividiu em vinte e quatro grupos (I Crô. 24:7). Ele viveu por volta de 1014 A.C. Talvez tenha sido o antepassado dos novecentos e setenta e três sacerdotes que retornaram a Jerusalém, após o término do cativeiro babilônico, mencionados em Esd. 2:36 e Nee. 7:39.

2. Um sacerdote que serviu na época do sumo sacerdote Josué (I Crô. 9:10; Nee. 11:10), e que, ao que parece, era seu aparentado (Esd. 2:36; Nee. 7:30). Provavelmente, ele é o mesmo indivíduo mencionado em Nee. 12:6, que foi honrado com uma coroa pelo profeta, segundo o registro de Zac. 6:14. Viveu em cerca de 530 A.C.

3. O pai de Sinri e antepassado de Ziza (I Crô. 4:37) mencionado na história de Semaías, com quem estabeleceu residência no vale do Gedor. Viveu por volta de 700 A.C.

4. O filho de Harumafe, um dos edificadores das muralhas de Jerusalém, quando as mesmas foram restauradas após o cativeiro babilônico. Ver Nee. 3:10. Ele viveu em cerca de 446 A.C.

JEDIAEL

No hebraico, «conhecido por Deus». Há três ou quatro homens que podem ser identificados com esse nome, nas páginas do Antigo Testamento:

1. Um patriarca da tribo de Benjamim. Seus descendentes foram enumerados entre os guerreiros, quando do recenseamento feito por Davi (I Crô. 7:6,10,11). É possível que ele tenha sido o mesmo homem que é chamado de Asbel, em I Crônicas 8:1. Alguns eruditos pensam que ele pertencia a uma família de Zebulom. Ele viveu por volta de 1700 A.C.

2. Um levita coreíta, filho de Meselemias, que serviu como porteiro do templo de Jerusalém, nos dias de Davi (I Crô. 26:1,2). Viveu por volta de 1014 A.C.

3. O filho de Sinri, um dos poderosos guerreiros de Davi, que foi para o exílio em companhia dele, em Ziclague, quando Davi fugia de Saul (I Crô. 11:45; 12:20). Isso ocorreu por volta do ano 1000 A.C.

4. Um manassita que se aliou a Davi em Ziclague e que se tornou um de seus poderosos guerreiros (I Crô.

12:20). Entretanto, alguns o identificam com o mesmo Jediael que ocupa o terceiro lugar nesta lista. Viveu por volta de 1000 A.C.

JEDIAS

No hebraico, «unidade de Yahweh», embora outros prefiram interpretar como «que *Yahweh* se alegre». Nome de dois homens que figuram nas páginas da Bíblia:

1. Um representante dos filhos de Subael, que parece ter estado encarregado de uma das divisões dos serviços prestados no templo de Jerusalém (I Crô. 24:20). Ele viveu em cerca de 1014 A.C.

2. Um meronotita que estava encarregado das jumentas de Davi e mais tarde, de Salomão (I Crô. 27:30). Viveu por volta de 1014 A.C.

JEDIDA

No hebraico, «amada». Esse era o nome da mãe do rei Josias. Ela era filha de Adaías. Era esposa do rei Amom (II Reis 22:1). Ela viveu por volta de 650 A.C.

JEDIDIAS

No hebraico, «amado por Yahweh». O profeta Natã deu essa alcunha a Salomão, filho de Davi, declarando ser esse o nome de Deus para ele, como garantia de que Deus estava investindo nele e usaria a sua vida. Ver II Sam. 12:25.

J. E. D. P.(S.)

Essas letras são abreviações das alegadas quatro fontes do Pentateuco (ou Hexateuco). Segundo alguns estudiosos, essas quatro fontes teriam sido entretecidas para formar aqueles documentos sagrados. Isso equivale a dizer que Moisés não foi o autor desses livros, embora algumas de suas idéias e instituições tivessem sido incorporadas aos mesmos. A teoria dá a esses livros datas muito distantes e posteriores dos dias de Moisés, querendo levar-nos a crer que tradições, tanto orais quanto escritas (mas principalmente orais) teriam sido coligidas bem mais tarde, através de um ou mais editores, — formando assim livros como Gênesis, Êxodo, Levítico, etc.

J. Esse símbolo é usado para indicar um dos componentes dos livros em questão, além de porções de I e II Samuel. Significa Jeová (isto é, *Yahweh*), que é um nome divino comum e enfático, no material proveniente dessa suposta fonte. Os eruditos dividiram essa fonte em duas partes, de tal modo que até mesmo *J* deveria ser visto como mais de um autor ou compilador. Ver o artigo separado sobre *J*, quanto a maiores detalhes. Pertenceria aos séculos X e IX A.C.

E. Essa letra é usada para simbolizar outra das fontes formadoras do Pentateuco (ou Hexateuco). Significa *Elohim*, o nome divino enfático e característico dessa suposta fonte. Os estudiosos acreditam que porções de I e II Samuel também se valeram dessa fonte. Teria sido escrito no reino do norte, talvez no território de Efraim, em cerca do século VIII A.C. Os eruditos disputam sobre a sua independência, alguns supondo que meramente seria uma parte de *J*, *D* e *S*, e não uma entidade literária separada, argumentando que parte desse material teria sido trabalho de um editor ou editores, e não uma genuína fonte informativa. Ver também sobre *E*.

D. Essa letra é usada para simbolizar outra suposta fonte do Pentateuco (ou Hexateuco), além de material incorporado em I e II Reis e Jeremias, além de outros

J.E.D.P.(S.) — JEFTÉ

livros do Antigo Testamento, talvez. Esse símbolo indica o autor ou autores do livro de Deuteronômio, além de uma escola de historiadores que teria agido como editores, após a publicação do livro de Deuteronômio (o que teria sido feito somente em 621 A.C.). Esses editores teriam empregado o mesmo vocabulário e outras idéias típicas do livro de Deuteronômio e outros. Dali é que teriam saído materiais incluídos em Josué, Juízes, I e II Reis e Jeremias. Ver o artigo sobre *D*.

P(S). *P* «priestly» em inglês corresponde a *S*, «sacerdotal» em português. — Estaria sob consideração o cógico *sacerdotal*, uma das alegadas fontes informativas do Pentateuco (ou Hexateuco). Ao que alguns presumem, incluindo Êxodo 25—31; 35—40; Levítico 1—16; Números 1:1—10:28, além de outras seções, como porções do livro de Gênesis, porções de Êxodo 1—24; Lev. 17—26; Números 11—36 e trechos de Deuteronômio 31—34, além de uma boa parcela de Josué. Alegam esses teóricos que seria uma fonte «sacerdotal» por causa de sua ênfase sobre as cerimônias, os ritos e as funções sacerdotais da fé judaica. Teria sido uma fonte produzida no século V A.C. Quanto a uma descrição completa a respeito, ver o *Código Sacerdotal*.

S. Uma outra fonte informativa, também chamada *S* por alguns eruditos, é utilizada para indicar certa fonte informativa de Gênesis — (capítulos 1—11 e 14—18). Essa fonte é atribuída ao século X A.C. Ver sobre isso no artigo *S*. Esse *S* representa *Sul* ou *Seir*, seu alegado lugar de origem.

Desnecessário é dizer que essa teoria *J.E.D.P.(S.)* tem servido de campo de batalha que envolve eruditos liberais e conservadores, porquanto destrói a unidade literária do Pentateuco, negando a autoria mosaica e conferindo datas bem posteriores aos livros envolvidos. Temos provido discussões sobre essas questões nos artigos sobre os livros em questão. Questões como diferenças de vocabulário, de estilo, de referências históricas e do tipo e antiguidade do idioma hebraico empregado são destacadas como razões para a opinião de que vários autores e editores estiveram envolvidos na escrita e compilação daqueles primeiros livros da Bíblia Sagrada.

JEDUTIUM

No hebraico, «aquele que louva». O homem com esse nome era um levita da família de Merari. Foi um dos quatro grandes mestres da música do templo (I Crô. 16:41,42; 25:1). Esse nome também designa os seus descendentes, que também foram músicos notáveis em seu tempo (II Crô. 25:15; Nee. 11:17). Os subtítulos dos Salmos 39, 62 e 77 mostram que esses salmos, talvez, fossem recitados com acompanhamento musical; ou, então, há alusão a algum tipo especial de instrumento musical, usado no acompanhamento dos salmos em questão, quando eram recitados. O Jetudum original também era conhecido pelo nome de Etnã (I Crô. 6:44), que talvez tivesse sido seu nome original. Ao que parece ele era dotado tanto de dons musicais quanto de dons proféticos (I Crô. 25:1,3). Era um vidente real (II Crô. 35:15), e, mui provavelmente, ocupava-se em adivinhações e predições, e não meramente em prestar conselhos ao rei. A família que descendia dele continuou a oficiar, terminado o exílio babilônico (Nee. 11:17).

JEEZQUEL

No hebraico, «Deus fortalecerá». Nome de um sacerdote que era o cabeça do vigésimo turno de

sacerdotes, na época de Davi (I Crô. 24:16). Ele viveu por volta de 1000 A.C.

JEFONÉ

No hebraico, «vivaz», «ágil», ou, então, como alguns interpretam, «ele está pronto». Esse é o nome de duas pessoas, nas páginas da Bíblia:

1. O pai de Calete, companheiro de Josué na espionagem na terra de Canaã, antes da conquista daqueles territórios. Ver Núm. 13:6; 14:5,30,38; 26:65; 32:12; 34:19; Deu. 1:36; Jos. 14:6,13,14. Ele viveu em torno de 1700 A.C.

2. O filho mais velho de Jeter (Itrã), um descendente de Aser (I Crô. 7:38). Ele viveu em cerca de 1017 A.C.

JEFTÉ

No hebraico, «abridor», «ele abrirá» ou «El (Deus) abrirá». O sentido final do nome pode ser «liberdade».

1. *Caracterização Geral*. Jefté foi o nono juiz de Israel. Pertencia à tribo de Manassés. Ele foi um grande guerreiro de Israel, filho de Gileade e de uma concubina sua, ou de uma prostituta. Foi expulso de casa pelos seus irmãos, e refugiou-se na terra de Tobe (vide). Quando os amonitas atacaram militarmente a nação de Israel, Jefté retornou de seu exílio e apelou para os anciãos dos israelitas, encorajando-os a defender Israel. Jefté tomou a sério a sua responsabilidade. Em primeiro lugar, fez um voto, prometendo que se obtivesse a vitória, ofereceria em sacrifício (em holocausto) a primeira pessoa que viesse a encontrar-se com ele, proveniente de sua casa, quando voltasse da esperada vitória. As coisas complicaram-se quando essa primeira pessoa foi a sua própria filha única. No entanto, ele cumpriu seu voto dois meses mais tarde. Dali por diante, as mulheres de Israe! passaram a observar quatro dias de lamentação pela virgindade da filha de Jefté, a cada ano. A última campanha de Jefté, contra os efraimitas revoltosos, também obteve pleno sucesso. Ver Juí. 11:1—12:7.

2. *Informes Históricos*. a. Por causa de seu nascimento ilegítimo é que ele fora expulso da sua casa paterna, tendo ido fixar residência em Tobe, um distrito da Síria, não muito longe de Gileade (Juí. 11:1-3). Em Tobe, Jefté tornou-se o chefe de um bando de homens violentos, que «ganhavam» a vida mediante violências. No Oriente, nos dias da antiguidade, tal atividade era considerada honrosa, se os objetos dos ataques fossem inimigos, quer públicos quer particulares, mormente se se sentisse que tais inimigos mereciam tal tratamento. Seja como for, foi durante esse tempo que Jefté adquiriu suas habilidades violentas que, mais tarde, foram postas a bom uso, em defesa de Israel.

b. Após a morte de Jair, pai de Jefté, os israelitas, por causa de suas idolatrias e corrupções, tornaram-se sujeitos à opressão dos filisteus, a oeste do rio Jordão, bem como dos amonitas, para o Oriente. Dezoito anos de agonia levaram os israelitas de volta a uma melhor espiritualidade, e eles procuraram de Deus a libertação de seus inimigos. O tempo era cerca de 1143 A.C.

c. As tribos israelitas da Transjordânia decidiram fazer oposição violenta contra os amonitas; e Jefté foi escolhido como o melhor líder da revolta. Jefté aceitou o convite, e tornou-se um prestigioso guerreiro. Surpreendentemente, no começo ele tentou barganhar com os amonitas, solucionando a disputa por meios pacíficos. Mas seus esforços diplomáticos redundaram em nada. Isso fez com que a violência se

JEFTÉ — JEGAR-SAADUTA

tornasse a única alternativa para livrar Israel de seus adversários ocupantes.

d. *O Voto Precipitado*. Jefté anelava pelo triunfo, razão pela qual fez um voto *precipitado*, o de que sacrificaria em holocausto a primeira pessoa que viesse recebê-lo, vindo de sua casa, *se* ele retornasse a ela vitorioso. Ver sobre esta loucura em Juí. 11:30,31.
— Versículos 3-33 explicam como os amonitas foram totalmente derrotados, com tremendas perdas. Jefté voltou vitorioso para casa. Mas, tragicamente, a primeira pessoa a vir ao seu encontro foi a sua filha única. Houve música e danças em celebração à vitória. Mas Jefté sentia-se tão derrotado quanto os amonitas. E Jefté declarou: «Ah! filha minha, tu me prostras por completo...» (Juí. 11:35). Jefté explicou à sua filha única o voto que fizera, e a donzela só pediu mais dois meses de vida, a fim de chorar sua virgindade com suas amigas. Os dois terríveis meses passaram-se, e o horrendo sacrifício foi consumado.

e. Em seguida, Jefté precisou lutar contra os perturbadores efraimitas, no lado ocidental do rio Jordão. Os efraimitas não estavam satisfeitos, porque não haviam compartilhado do combate e da vitória sobre os amonitas. Foi na batalha que se seguiu entre os seguidores de Jefté e os efraimitas que houve a famosa história da pronúncia da palavra Chibolete, que os efraimitas pronunciavam como Sibolete. Essa palavra significa «espiga de trigo». Dessa forma, os efraimitas podiam ser facilmente identificados, e muitos deles foram mortos quando não conseguiam pronunciar direito a palavra sugerida. Ver o relato em Juí 12:1-6.

3. *Governo e Morte de Jefté*. Jefté julgou Israel durante seis anos (Juí. 10:6; 12:7). Ao que parece, ele conseguiu governar em paz. Corria, aproximadamente, 1105—1099 A.C. Sua autoridade parece ter-se limitado à região a leste do rio Jordão, a Transjordânia. Finalmente, Jefté faleceu e foi sepultado em sua terra nativa, em uma das cidades de Gileade (Juí. 12:7).

4. *Caráter de Jefté*. Jefté era um homem intenso. Ele vivera temerariamente, matou a muitos e fez um famoso voto precipitado, que, mui estupidamente, foi cumprido. Como é óbvio, ele era homem de vontade férrea, embora ele se tivesse mostrado primitivo em sua fé religiosa. A sua tentativa de negociar com os amonitas mostra-nos que a violência não era o único aspecto de seu caráter. Soluções rápidas, por meios violentos, eram o costume da época, e Jefté foi apenas um produto de sua época.

5. *O Problema do Voto*. Os intérpretes têm transformado em campo de batalha essa questão do voto de Jefté. Jefté realmente cumpriu o seu horrendo voto? Alguns respondem na afirmativa; e outros, na negativa. Aqueles que respondem com um «não» inspiram-se na crença dogmática de que isso não pode ter acontecido em Israel, ou, então, temem que possam compreender que Deus, realmente, aprovou e aceitou o ato.

a. *Argumentos em Apoio que o Sacrifício foi Efetuado*. Os textos bíblicos envolvidos deixam claro que Jefté fez o voto e o cumpriu. Além disso, por que as mulheres de Israel lamentariam pela filha de Jefté, se o voto não tivesse sido cumprido! Apesar dos sacrifícios humanos terem sido proibidos pela legislação mosaica (ver Deu. 18:10; 12:30,31; Lev. 18:21; 20:2; Sal. 106:37,38; 7:31; Eze. 16:20,21), não há razão alguma para supormos que essas leis foram observadas cem por cento. Além disso, temos o exemplo de Abraão, no caso de Isaque, que poderia ter servido de precedente para casos especiais, embora, via de regra, a legislação mosaica fosse obedecida. Sabemos, por meio da história, que continuaram em Israel os sacrifícios humanos, apesar das leis em contrário. Finalmente, os registros bíblicos mostram que o próprio Jefté foi um homem violento, que, durante anos, ganhou a vida atacando outras pessoas. Sua primitiva fé religiosa não o impediu, pois, de oferecer um sacrifício humano; e o seu passado violento levou-o a aceitar e praticar atos absurdos, como esse do sacrifício de sua própria filha única. Provavelmente, ele estava bem convencido de que Deus aprovava o seu voto, o que estaria evidenciado pelo fato de que derrotara completamente o inimigo. E, assim sendo, não temeu executar o seu voto, sacrificando a filha única. Sem dúvida, ele classificava isso como um *ato especial*, embora não aprovasse uma prática generalizada de sacrifícios humanos, de adultos ou de infantes.

b. *Argumentos Contra a Realidade do Sacrifício*. O principal desses argumentos estriba-se sobre a proibição mosaica, supondo que Jefté não teria ousado contradizê-la. Porém, o argumento da *coerência* na observação da lei mosaica não é muito forte. Além disso, alguns distorcem o próprio texto sobre o voto. O trecho de Juí. 11:31, então, é interpretado como se dissesse: «...quem primeiro da porta da minha casa me sair ao encontro, voltando eu vitorioso dos filhos de Amom, esse será do Senhor, *ou* (em vez de *e*) eu o oferecerei em holocausto». Mediante essa sutil alteração imaginária, Jefté teria tido uma opção, indicando que a pessoa em foco poderia ser consagrada ao serviço do Senhor, e não como um holocausto que pusesse fim à sua vida terrena. É verdade que a palavra hebraica envolvida pode ser assim traduzida, mas o texto inteiro clama contra tal alteração na tradução. Além disso, o vs. 38, onde as mulheres de Israel aparecem a lamentar pela virgindade da filha de Jefté, é interpretado como se indicasse que elas lamentavam não por sua morte, mas pelo fato de que ela teria de permanecer como virgem, separada para o serviço do Senhor como tal. A condição normal das jovens, em Israel, era casarem-se e terem filhos; e, se não fosse esse o caso, então fazia-se lamentação pela donzela. Porém, a virgindade da filha de Jefté foi lamentada, não porque ela tivesse permanecido no celibato pelo resto da vida, e, sim, porque seria morta quando ainda virgem, pelo que não tivera tido oportunidade de ter filhos, o que era considerado uma desgraça em Israel. Outrossim, sendo ela morta, isso significaria que Jefté não teria quem lhe continuasse o nome, visto que ela era filha única. E isso também era considerado uma calamidade em Israel.

c. *Comentário sobre o Voto de Jefté*. Que o voto de Jefté foi cumprido, tenhamos a certeza. Isso é apenas uma evidência da natureza primitiva da fé de um homem violento. Não há razão para supormos que Deus tenha dado a Jefté a sua notável vitória *porque* ele fizera aquele voto, ou que, depois da vitória, houvesse qualquer *necessidade* de cumprir o voto. Jefté é que criara a questão toda. Deus não esteve envolvido em tão estúpido ato. As pessoas acusam Deus de toda espécie de coisas ridículas, e até mesmo injuriosas e prejudiciais, e inventam coisas estúpidas em suas mentes. O trecho de Juízes 11:29 mostra-nos que Deus usa as pessoas até mesmo quando elas pensam e agem de forma estúpida.

JEGAR-SAADUTA

No hebraico, «montão do testemunho». Esse foi o nome arameu que Labão deu ao monte de pedras que erigira para servir de memorial do pacto firmado entre ele e Jacó, — quando, finalmente, se

JEÍAS — JEJUM

separaram. Jacó comemorou o ato levantando uma coluna (Gên. 31:47), — que chamou de *Galeede* (vide), que significa «montão do testemunho». É provável que essa palavra, usada por Jacó, esteja vinculada à região chamada *Gileade* (vide), porquanto naquela região é que foi firmada a aliança entre Jacó e Labão.

JEÍAS

No hebraico, «Yahweh vive». Nome de um dos porteiros da arca, quando Davi a transportou para Jerusalém. Ele foi nomeado porteiro em favor da arca (I Crô. 15:24). Viveu por volta de 1000 A.C.

JEIEL

No hebraico, «que El viva». Esse foi o nome de dez ou onze homens que aparecem nas páginas do Antigo Testamento, a saber:

1. Um levita que serviu nos dias de Davi no ministério musical, que era muito importante para Davi (que também era músico consumado). Foi Davi quem mais desenvolveu a música sacra em Israel. Jeiel ministrava diante da arca do Senhor (I Crô. 15:18,20 e 16:5). Muitos pensam que ele é o mesmo Jeías do vs. 24 desse mesmo capítulo quinze de I Crônicas. E tem sido identificado com o Jeiel de I Crô. 23:8, um dos filhos de Ladã, e que estava encarregado dos tesouros da casa do Senhor (I Crô. 29:8). Viveu por volta do ano 1000 A.C.

2. Um levita gersonita que alguns estudiosos identificam com o homem que acabamos de descrever. Seu pai era Ladã. Os levitas que serviam no tabernáculo também se tornaram servos do templo (I Crô. 23:8 e 29:8).

3. Um filho de Hacmoni, que, ao que parece, trabalhava como tutor real, na porção final do reinado de Davi (I Crô. 27:32). Viveu por volta de 1000 A.C. Serviu tanto aos filhos de Davi como a Jônatas, tio de Davi.

4. Um filho de Josafá, rei de Judá (I Crô. 21:2).

5. Um levita que serviu durante os dias de Ezequias. Era filho de Hemã, um cantor que atuava no culto sagrado (II Crô. 29:14). Uma variante de seu nome é *Jeuel*. Entre seus deveres estava o de cuidar do tesouro guardado no templo de Jerusalém (II Crô. 31:13). Viveu por volta de 726 A.C.

6. Um dos governantes da casa de Deus, que contribuiu para a renovação do culto no templo, nos dias de Josias (II Crô. 35:8). Viveu por volta de 623 A.C.

7. O pai de Obadias. Juntamente com outros duzentos e dezoito homens, retornou do cativeiro babilônico a Jerusalém, em companhia de Esdras (Esd. 8:9). Isso aconteceu em cerca de 459 A.C.

8. O pai de Secanias, dos descendentes de Elão (Esd. 10:2), que se casara com uma mulher estrangeira ao tempo do cativeiro babilônico, mas que foi forçado a divorciar-se dela quando o povo de Israel renovou seu pacto de cultuar ao Senhor, em Jerusalém. Viveu por volta de 457 A.C.

9. Um sacerdote que se casara com uma mulher estrangeira, nos dias do cativeiro babilônico, e que precisou divorciar-se dela quando Israel renovou seu pacto com o Senhor, ao retornar a Jerusalém (Esd. 10:21). Ele viveu por volta de 459 A.C.

10. Um dos filhos de Israel que precisou divorciar-se de sua esposa estrangeira, com quem se casara durante o cativeiro babilônico, para que pudesse participar da renovação do pacto de Israel com o Senhor, em Jerusalém (Esd. 10:26), o que aconteceu

em cerca de 459 A.C.

11. Um dos filhos de Hotão, o aroerita. Ele era membro da guarda militar de Davi, cujo nome foi incluído na lista suplementar de I Crô. 11:44. Seu tempo foi em torno de 1046 A.C.

JEIRA

Ver sobre Pesos e Medidas. Essa medida, **jeira** é mencionada no Antigo Testamento em Êxo. 30:13; Lev. 27:25; Núm. 3:47; 18:16 e Eze. 45:12.

JEIZQUIAS

No hebraico «aquele a quem Yahweh fortalece» (pois tem o mesmo sentido do nome Ezequias). Ele era filho de Salum, um dos cabeças da tribo de Efraim. Diante da sugestão feita pelo profeta Obede, insistiu em mostrar clemência para com os prisioneiros tomados da tribo de Judá (II Crô. 28:12), em cerca de 738 A.C. Ele se opôs a que cativos judeus fossem trazidos para Samaria, nos dias do rei Acaz.

JEJUM

Esboço:

   I. Caracterização Geral
   II. O Valor do Jejum
   III. História do Jejum nas Escrituras
   IV. O Jejum no Novo Testamento
   V. A Importância do Jejum
   VI. Do Século II D.C. em Diante
   VII. O Jejum no Islamismo, no Hinduísmo e no Budismo

I. Caracterização Geral

A importância do jejum, em muitas e nas mais diversas religiões, sempre foi perfeitamente óbvia. Uma fome prolongada pode provocar visões e diversos outros tipos de experiências místicas, tanto genuínas quanto espúrias. Essa qualidade do jejum tem feito que o mesmo seja largamente empregado, na cultura judaica cristã e fora dela. Assim, tem sido usado pelos shamans a fim de facilitar a comunicação com espíritos desencarnados, como também era usado por aqueles que davam e consultavam os oráculos gregos. Portanto, tem uma longa e diversificada história. Além de seu emprego, como provocador de experiências místicas (a alma rebrilha mais quando o estômago está vazio), o jejum tem sido usado como meio de expressão de arrependimento, ou como um meio de buscar o favor e o perdão da parte de Deus ou dos deuses. Meu irmão, que tem sido homem dotado de poder espiritual, usa o jejum para ajudá-lo a solucionar problemas difíceis. Ele dá início a um período de jejum, buscando respostas através desse tipo de sacrifício e disciplina. O jejum também tem sido um sinal comum de *lamentação* e *luto*. Quanto a esse aspecto do jejum, ver I Sam. 31:13; II Sam. 1:12. No tocante ao *arrependimento*, ver Joel 2:12-18; Nee. 9:1,2. Aquele que *busca intensamente* a Deus, geralmente jejua (Sal. 35:13; 69:10). Os judeus tinham somente um dia de jejum absoluto, a saber, no dia da expiação (Lev. 16:23; Núm. 29:7). Mas o judaísmo posterior também contava com muitos outros dias de jejum. Naturalmente, no caso de muitos, o jejum havia degenerado em mera ostentação, tornando-se parte do legalismo (ver Isa. 58 e Jer. 14:12). Foi contra esse tipo de jejum que o Senhor Jesus se rebelou, condenando-o.

II. O Valor do Jejum

Eis um exercício espiritual que tem perdido sua

JEJUM

popularidade na adoração religiosa, talvez como sinal de nossos tempos, que se caracterizam por grande ausência de disciplina; pois, acima de tudo, o jejum requer disciplina. Não obstante, é fato bem conhecido entre os estudiosos do misticismo, que o jejum tem seu valor como preparação da alma, para que possa exercer suas funções mais elevadas, porque, nesse estado, os apetites do corpo são negados, e esses apetites sempre impedirão as faculdades mais exaltadas da alma. A máxima que diz que a alma brilha mais quanto menor for a atenção dada ao corpo, parece expressar uma verdade, especialmente no que concerne ao jejum e a tudo que diz respeito aos apetites físicos. O jejum, pois, fazia parte importante da adoração judaica, e aparentemente, continuou assim na igreja cristã primitiva.

III. História do Jejum nas Escrituras

As palavras hebraicas usadas para indicar o «jejum» podem significar simples abstinência de alimentos, mas há uma expressão hebraica, «inna napso», que significa «afligir a alma». A princípio o jejum foi instituído como uma das exigências anuais vinculadas às festividades religiosas de todos os anos. Os hebreus jejuavam no dia da Expiação (ver Lev. 17:29,31; 23:27-32 e Núm. 29:7). Após o exílio babilônico, o jejum passou a fazer parte das quatro outras festas anuais religiosas (ver Zac. 8:19), que assinalavam grandes tragédias na história nacional judaica. O trecho de Est. 9:31 talvez deixe entendido o estabelecimento ainda de um outro jejum regular.

O jejum era expressão de tristeza (ver I Sam. 31:13; Nee. 1:4; Est. 4:3 e Sal. 35:13,14); de penitência (ver I Sam. 7:6; Dan. 9:3,4; Jon. 3:5-8); de humilhação (ver Esd. 8:21; Sal. 69:10); de *punição* auto-infligida, como meio de mostrar a Deus a própria sinceridade, na busca pela sua orientação, o que parece ter sido o fator que mais perdurou, no que tange a essa atividade religiosa (ver Êxo. 34:28; Deut. 9:9; II Sam. 12:16-23). A prática desse princípio levou os homens a pensarem que o jejum tem alguma forma de mérito automático diante de Deus (ver Isa. 58:3,4), e essa era a atitude de muitos líderes eclesiásticos dos tempos do Senhor Jesus.

IV. No Novo Testamento

Nos tempos neotestamentários, em adição àquelas ocasiões, mencionadas nos parágrafos imediatamente acima, os judeus piedosos costumavam jejuar todas as segundas e quintas-feira (ver Luc. 18:12). Outros talvez costumassem jejuar com maior freqüência ainda, como parece ter sido o caso da profetisa Ana (ver Luc. 2:37). O Senhor Jesus jejuou em certos lances de seu ministério, como se vê em Mat. 4:1-4. Sempre o Senhor teve como implícito que seus ouvintes jejuariam, não tendo condenado a esse costume, mas ensinava aos seus seguidores que deveriam jejuar visando a glória de Deus, e não a fim de se ostentarem diante dos homens (ver Mat. 6:16,18). O Senhor Jesus nunca ensinou aos seus discípulos a que não jejuassem, mas instruiu-os sobre um tempo mais apropriado para fazê-lo (quando ele se ausentasse deles, ver Mat. 9:14-17; Mar. 2:18-22 e Luc. 5:33-39

No livro de Atos vemos os líderes cristãos a jejuarem quando da escolha de missionários, o que evidentemente era *prática* que aplicava o jejum como meio de buscar a *orientação* divina (ver Atos 13:2,3 e 14:23). Paulo menciona por duas vezes os seus jejuns (ver II Cor. 6:5 e 11:27), mas não sabemos se esse jejum era voluntário ou ritualista.

O jejum, quando corretamente usado, sem dúvida alguma, é de inestimável valor no desenvolvimento

espiritual e na busca pela orientação divina. O jejum e a meditação, ambos poderosos agentes na liberação dos poderes da alma, têm-se perdido na moderna igreja evangélica. Pensa-se atualmente que a simples leitura das Escrituras e a fala com Deus (isto é, a oração), mas desacompanhada da meditação (que é ouvi-lo), sejam suficientes. O estado anêmico das igrejas comprova quão errada é essa suposição. Porém, não é provável que o jejum ou a meditação venham a ser em breve restaurados nas igrejas evangélicas que não simpatizam nem com uma e nem com outra prática, e nem têm a disciplina necessária para torná-la útil.

A palavra traduzida por *servindo*, em Atos 13:2, envolve a oração, o jejum, a meditação, a exortação, provavelmente uma combinação de todos esses elementos. Tudo isso pode ter sido feito propositalmente para buscar a orientação divina sobre o que deveria ser feito em seguida, para obtenção do progresso das atividades missionárias da igreja; ou então essa orientação divina pode ter surgido como um resultado natural. Seja como for, a importância desse exercício fica aqui amplamente ilustrada.

V. A Importância do Jejum

O jejum é um exercício piedoso que tem perdido muitíssimo a sua popularidade na adoração religiosa, talvez como sinal dos tempos em que vivemos, altamente indisciplinados, porquanto o jejum requer, acima de tudo, grande disciplina e força de vontade. Não obstante, é fato bem conhecido, entre os estudiosos do misticismo, que o jejum é de inigualável valor como preparação da alma para exercer suas elevadas funções; porque, nesse estado, os apetites do corpo são negados. Esses apetites físicos, de qualquer modalidade, sempre servem de empecilhos para as funções mais nobres da alma. Parece não restar dúvida de que o máximo de realização que pode ser obtido pela alma brilha mais segundo à proporção da menor atenção que se dê ao corpo.

O *jejum* fazia parte muito importante da adoração judaica; e é evidente que assim continuou sendo, no seio da primitiva igreja cristã. No judaísmo, esse costume foi inicialmente instituído como parte integrante de determinadas festividades religiosas; mas, gradualmente, foi-se tornando uma prática mais constante, visto que os judeus piedosos, dos tempos do cristianismo, e mesmo antes, costumavam jejuar todas as segundas e quintas-feiras (ver Luc. 18:12). Outros jejuavam ainda com maior freqüência do que isso, conforme parece ter sido o caso de Ana (ver Luc. 2:37).

O Senhor Jesus praticava o jejum (ver Mat. 4:1-4), tendo deixado subentendido que os seus seguidores haveriam de jejuar quando ele se ausentasse deles. Isso mostra que ele deve ter encontrado algum valor nessa prática (ver Mat. 9:14-17; Mar. 2:18-22 e Luc. 5:3—39). No livro de Atos observamos que os líderes cristãos costumavam jejuar quando da escolha de missionários e líderes das igrejas locais; e isso, evidentemente, servia para eles o poderoso meio de buscar a orientação divina, a fim de que tais escolhas fossem acertadas. Também servia essa prática para mostrar a seriedade da questão (ver Atos 13:2,3). Paulo também jejuava; mas não sabemos dizer se esse jejum era de natureza ritualista, ou era feito espontaneamente (ver trechos de II Cor. 6:5 e 11:27). Quando é corretamente usado, o jejum é de indiscutível valor para o desenvolvimento espiritual do crente, embora, por si mesmo, utilizado como rito vazio, não tenha valor algum, conforme os fariseus erroneamente supunham. O jejum é auxílio poderoso na busca pela orientação de Deus. À semelhança da

442

JEJUM — JEMINA

meditação, o jejum é poderoso agente para liberar os poderes da alma. Infelizmente, porém, ambas essas práticas vêm sendo extremamente negligenciadas pela moderna igreja evangélica, onde a indolência espiritual é uma constante. Outrossim, atividades externas de muitas modalidades têm substituído os antigos e bíblicos meios de expressão religiosa, para grande prejuízo do ·cristianismo, do ponto de vista espiritual.

Comumente se imagina que a simples leitura das Escrituras e o falar com Deus (ao que chamam de oração) sejam suficientes para o desenvolvimento espiritual do crente. Todavia, a prática e a experiência têm comprovado que esse ponto de vista labora em grave equívoco. Pois, apesar dessas práticas mais simples serem necessárias, as igrejas cristãs locais precisam de algo mais profundo. O estado de anemia espiritual das congregações evangélicas demonstra sobejamente essa verdade. Não obstante, não é provável que o jejum e a meditação (que consiste em dar ouvidos e atenção a Deus) sejam novamente instaurados, na igreja cristã, como práticas constantes, visto que os crentes atuais nem simpatizam com elas e nem têm a disciplina necessária para que elas se tornem operantes e eficazes

VI. Do Século II D.C. em Diante

O jejum tornou-se um costume importante e regulamentado, na Igreja cristã, antes do fim do século II D.C. Após o século III D.C., tornou-se uma prática crescentemente ligada ao *ascetismo* (que vede). Os cristãos, no século II D.C., adotaram a prática farisaica de jejuarem duas vezes por semana, embora não o fizessem nem na segunda e nem na quinta-feira, porque esses eram os dias escolhidos pelos judeus com esse propósito. Ver *Didache* 8:1 e *Didascalia* 5:14. Requeria-se o jejum antes da cerimônia do batismo (*Did.* 7:4). A *Epístola de Barnabé* alegoriza a questão do jejum, como também o fazia com outros pontos da lei, em vez de requerer a prática literal do jejum (3:1 ss). A segunda epístola de *Clemente* vai ao extremo de conferir ao jejum uma posição superior à oração (ver 16:4). O *Pastor de Hermas* recomenda o jejum, mas também o alegoriza, dizendo que o jejum que realmente agrada o Senhor é a *vida piedosa*. Ver *Hermas Sim*. 5:1. A prática do jejum também estava vinculada à caridade; o dinheiro poupado em razão de não ter sido gasto com uma refeição, era doado aos pobres.

Em vista do fato de que o jejum tornara-se parte das práticas do legalismo e do ascetismo, os reformadores protestantes rejeitaram os jejuns tradicionais e forçados, embora não o desaprovassem como uma questão individual de devoção e exercício espiritual.

Uma das abordagens modernas ao assunto consiste em ligá-lo à preocupação de quem jejua com os pobres e necessitados. O papa Paulo VI (Constituição Apostólica, *Paenitemini*, 17 de fevereiro de 1966), declarou: «As nações que desfrutam de abundância econômica têm o dever de abnegar-se, em combinação com uma prova ativa de amor, para com os nossos irmãos que são atormentados pela pobreza e pela fome». Essa preocupação deveria resultar em obras e feitos de caridade, que visassem ajudar a aliviar o sofrimento humano.

Em alguns lugares, o movimento carismático (que vede) tem renovado o interesse pelo jejum.

Na Igreja Católica Romana, os únicos jejuns obrigatórios são aqueles da Quarta-Feira de Cinzas e da Sexta-Feira da Paixão. Antes de tomar a hóstia, o católico romano deve abster-se de ingerir alimentos, pelo menos durante uma hora. Em séculos passados, os jejuns oficiais também tinham lugar durante todo o decurso da quaresma, em certos dias santificados e solenes. Na Sexta-Feira da Paixão, o bom católico precisa abster-se de certos alimentos, embora não tenha de fazer jejum total. Outros dias, como todos os domingos durante a quaresma, como o dia de São Marcos, etc., continuam sendo, até hoje, dias de jejum, pelo menos para *alguns* católicos romanos.

A Igreja Ortodoxa Grega reconhece duzentos e sessenta e seis dias de jejum no decorrer do ano, incluindo cada quarta e **sexta-feira**, os quarenta dias anteriores ao **Natal** e os quarenta dias antes da Páscoa, etc. Na primeira semana da quaresma, a carne é totalmente proibida e, depois disso, também ficam eliminados o peixe, o queijo, a manteiga, o azeite, o leite e os ovos. Os coptas e os nestorianos têm um jejum antes da quaresma, de três dias, que eles chamam de «jejum dos ninivitas». Algumas igrejas reformadas chegaram a recomendar o jejum durante a quaresma.

VII. O Jejum no Islamismo, no Hinduísmo e no Budismo

Maomé ordenou um jejum geral, para os seus discípulos, durante os trinta dias do mês de Ramadã (o nono mês do calendário islâmico). Durante esses dias, os islamitas só podem comer após o pôr-do-sol. Esse jejum comemora a outorga do Alcorão, por parte de Deus. Islamitas devotos também têm outros dias de jejum, além de mais seis dias, no mês seguinte, o jejum de Sura (no décimo dia do mês de Muharram). Também podem jejuar a cada segunda e quinta-feira, se o quiserem.

Os *brâmanes hindus* jejuam no décimo primeiro dia após a lua nova, e depois da lua cheia. Os devotos de Siva jejuam, além desses dias, a cada segunda-feira, durante o mês de novembro. Buda proibiu práticas ascéticas para o público religioso em geral; mas alguma abstinência é requerida da parte dos monges budistas. No zoroastrismo e no jainismo dá-se pouco valor ao jejum. (AM ABR ARB H NTI Z)

JEJUM NEGRO

Nome dado a uma prática de austeridade do século X D.C., por ocasião da Quaresma, e imediatamente antes da ordenação sacerdotal, pela Igreja Católica Romana. Nesses dias de jejum, a quantidade e a qualidade de alimentos ingeridos eram limitadas, como nos outros jejuns; mas, em adição a isso, o indivíduo só podia alimentar-se à noite. Somente *uma* refeição era permitida a cada dia, sendo vedados alimentos frescos como carne, ovos, manteiga, leite e vinho. O horário da única e frugal refeição variava, de acordo com costumes locais. Com o tempo, a prática foi abandonada e, em seu lugar, tornaram-se permissíveis um leve quebra-jejum e um jantar, em tais ocasiões. (AM E)

JALEEL

No hebraico, «esperando em Deus». Nome do terceiro dos três filhos de Zebulom (Gên. 46:14; Núm. 26:26). Ele foi fundador da família que tinha o seu nome, os jaleelitas. Viveu por volta de 1700 A.C.

JEMINA

No hebraico, «pomba». Esse era o nome da filha mais velha de Jó, que lhe nasceu depois que lhe foi restaurada a sua saúde e a sua prosperidade material (Jó 42:14). Ela e suas duas irmãs viveram em torno de

JEMUEL — JEOAQUIM

2200 A.C. De acordo com essa avaliação quanto ao tempo, Jó aparece como quem viveu na época dos patriarcas mais antigos de Israel. Porém, a questão tem suscitado aguda controvérsia. Ver sobre o livro de *Jó*, quanto à questão da sua *Data*.

JEMUEL

No hebraico, «dia de Deus». Esse era o nome de um dos filhos de Simeão, filho de Jacó (Gên. 46:10; Êxo. 6:15). Em Núm. 26:12 e I Crô. 4:24, ele é chamado *Nemuel* (vide). Ele viveu em cerca de 1700 A.C. Alguns estudiosos interpretam o significado de seu nome como «Deus é luz».

JEOACAZ

No hebraico, «Yahweh vê», ou, na opinião de outros, «Yahweh tomou conta». Esse nome equivale a Joacaz, uma abreviação daquele. Várias pessoas eram chamadas assim, na Bíblia:

1. Um filho de Jeú, rei de Israel, e que sucedeu a seu pai, em 856 A.C., tornando-se o décimo segundo monarca de Israel. Reinou durante dezessete anos (II Reis 10:35). Deu prosseguimento aos maus caminhos da casa de Jeroboão. Os sírios, sob a liderança de Hazael e Ben-Hadade, atacaram-no, tendo prevalecido sobre ele até que o reduziram a praticamente nada. Humilhado, clamou ao Senhor; e, então, veio-lhe o livramento, provavelmente na forma de seu filho, Jeoás (vide), que foi capaz de expulsar aos sírios e restabelecer o reino de Israel (II Reis 13:1-9,25). No tempo de Jeoacaz, a Síria chegou a controlar praticamente todo o território de Israel, o reino do norte. Porém, apesar de todas as suas tribulações, o rei de Israel não se desvencilhou do culto idólatra de Betel ou da adoração a Aserá, que era, então, extremamente comum (II Reis 13:6; 21:3). Pelo menos, entretanto, houve um reavivamento religioso parcial, que o levou a buscar ao Deus de Israel. A obscura referência a um «salvador de Israel» talvez aponte para o filho de Jeocaz, conforme dissemos acima; ou então a alusão é a Adade-Nirari III, o monarca assírio que começou a debilitar o poder dos sírios em cerca de 805 A.C. Todavia, outros sugerem que quem está em foco é *Eliseu*. Ver o artigo sobre *Israel, Reino de*.

2. O décimo sétimo rei de Judá, o reino do sul. Ele também era conhecido como Salum (Jer. 22:11,12). Era filho de Josias. Seu governo começou e terminou no mesmo ano, 608 A.C. Fora escolhido para suceder a seu pai, mas foi deposto por Faraó Neco apenas três meses mais tarde (II Reis 23:30-34; II Crô. 36:1-4). *Salum* é uma forma abreviada de Selemias. Albright pensava que tivéssemos aí um nome pessoal, e não um nome oficial de coroa. Faraó Neco exercia grande poder sobre a região em derredor do Egito, nomeando ou aprovando reis de povos estrangeiros. Visto que Jeoacaz havia sido nomeado sem a sua aprovação, ele pôs Jeoaquim (o irmão de Jeoacaz) em seu lugar. O monarca judeu deposto a princípio foi levado aprisionado para Ribla, na Síria; mas acabou encarcerado no Egito, onde veio a falecer (II Reis 23:30-35; II Crô. 36:1-4; I Crô. 3:15; Jer. 22:10-12). Ver o artigo sobre *Judá, Reino de*.

3. Esse nome é uma forma variante de Acazias, o filho de Jeorão, rei de Judá em 842 A.C. (II Crô. 21:17; 25:23).

4. *Acaz* é apenas uma forma abreviada de Jeoacaz. Acaz também foi rei de Judá. O nome completo foi encontrado em uma inscrição de Tiglate-Pileser III, da Assíria.

JEOADA

No hebraico, «Yahweh adorna». Nome de um dos filhos de Acaz, bisneto de Meribaal, descendente de Saul (I Crô. 8:36). Seu nome aparece com a forma de Jaerá, na passagem paralela de I Crô. 9:42. Viveu por volta de 1037 A.C.

JEOADÃ

No hebraico «Yahweh agradou». Ela era a esposa do rei Joás (II Reis 14:2; II Crô. 25:1), e mãe de Amazias, rei de Judá. Viveu, aproximadamente, entre 862 e 837 A.C.

JEOAQUIM

No hebraico, «Yahweh estabeleceu», ou então «que o Senhor levante». Ele foi o décimo oitavo monarca de Judá. Ver o artigo sobre *Judá, Reino de* quanto a uma visão panorâmica desse reino, que se separou da porção norte. A porção norte passou a ser conhecida como *Israel*; e a porção sul como *Judá*.

1. *Relações Familiares*. Jeoaquim era o segundo filho de Josias. Originalmente, seu nome era Eliaquim. Seu equivalente, *Jeoaquim*, foi-lhe dado por Faraó Neco, do Egito. Sua mãe chamava-se Zebuda, filha de Pedaías, de Rumá (II Reis 23:36). Ele nasceu em 633 A.C. Reinou, aproximadamente, entre 609 e 598 A.C. A forma *Yoqim*, do mesmo nome, foi encontrada em um selo de procedência desconhecida, do século V A.C.

2. *Caracterização Geral e Circunstâncias de sua Ascensão ao Trono*. Quando Josias, seu pai, faleceu, seu irmão mais jovem, Jeoacaz, também chamado Salum (Jer. 22:11) foi feito rei. Três meses mais tarde, porém, Faraó, tendo retornado de uma campanha militar na área do rio Eufrates, removeu Jeoacaz do trono, tornando rei a Eliaquim (Jeoaquim). Sendo este o filho mais velho de Josias, o trono lhe cabia por direito; mas o ato também serviu para demonstrar a autoridade de Faraó, visto que o Egito era o poder dominante na área, na época. Naturalmente, Jeoaquim era apenas um príncipe subordinado à autoridade egípcia. Começou a reinar em 608 A.C., tendo permanecido no trono por onze anos.

Embora o jugo egípcio fosse pesado, o destino haveria de reduzir Jeoaquim a uma servidão ainda pior. A fim de satisfazer a seus senhores egípcios, Jeoaquim foi forçado a cobrar pesados impostos do povo judeu (II Reis 23:35). Ele edificou grandes obras públicas, incluindo suntuosos edifícios, mediante o uso de labor forçado (Jer. 22:13-17). Jeremias e Habacuque repreenderam sua desintegração religiosa. É que as reformas religiosas de Josias haviam sido revertidas, e formas religiosas egípcias haviam sido introduzidas em Judá (Eze. 8:5-17). Ademais, Jeoaquim foi um governante cruel. Muito sangue inocente foi derramado (II Reis 24:4). O profeta Urias foi assassinado, por ter ousado fazer-lhe oposição (Jer. 26:20); e Jeoaquim combateu ao próprio profeta Jeremias (Jer. 36:26). Josefo descreveu Jeoaquim como um indivíduo «injusto e maligno, não inclinado para Deus» (*Anti.* 10:5,2). De fato, ele chegou mesmo a desenvolver o mau exemplo deixado por Manassés (II Reis 24:3). E a predição de Jeremias, de que ele teria uma morte violenta e desonrosa (Jer. 36:30), finalmente teve cumprimento; mas, quando a predição foi feita, Jeoaquim não lhe deu qualquer atenção. Sua desatenção diante da Palavra de Deus tornou-se famosa. Quando Jeudi leu diante dele um rolo, contendo palavras de reprimenda enviadas por Deus, através do profeta Jeremias, o próprio monarca

JEOAQUIM — JEORÃO

encarregou-se de cortar o rolo com um canivete e lançá-lo despedaçado às chamas de um braseiro à sua frente (Jer. 36:22).

3. *Relações com Nabucodonosor*. Em seu quarto ano de governo (602 A.C.), Jeoaquim foi atacado militarmente por Nabucodonosor, que cercou Jerusalém. A cidade foi capturada, e Jeoaquim foi levado em cadeias para a Babilônia (II Crô. 26:6). Muitas outras pessoas também foram deportadas na ocasião. Com a passagem do tempo, Jeoaquim foi restaurado à sua autoridade em Jerusalém, mas as perdas de Judá foram consideráveis. Uma grande quantidade dos vasos sagrados e do tesouro do templo foi levada para a Babilônia. No ano seguinte após o assédio babilônico, os egípcios foram derrotados pelos babilônios; e foi assim que a Babilônia acabou exercendo total controle sobre a Palestina, demonstrando a loucura de Jeoaquim, que tanto confiara nos egípcios. Ver Jer. 42:2; 44:24-30. No entanto, Jeremias já havia advertido ao rei acerca dessa falsa confiança. Foi depois desse aviso que o monarca judeu despedaçou e queimou o rolo das predições de Jeremias, conforme já dissemos. Jeoaquim acabou se rebelando novamente contra o poder babilônico, porquanto queria libertar-se dos pesados encargos econômicos que lhe haviam sido impostos por Nabucodonosor. Por três anos sofreu essa imposição, antes de recusar-se a dar mais tributo (II Reis 24:1).

4. *Estertores Finais*. Nabucodonosor não tinha pressa, mas, no devido tempo, enviou seus exércitos novamente contra Jerusalém. Foi ajudado por tropas enviadas pelos sírios, moabitas e amonitas. Foram necessários apenas três meses e dez dias para completar a matança. Josefo (*Anti*. 10:6,7) revela-nos que Jeoaquim foi morto após a captura, via execução. Seu cadáver ficou exposto, fora das muralhas da cidade, sem ninguém lamentar por ele. Isso ocorreu a 6 de dezembro de 598 A.C. Tinha apenas trinta e seis anos de idade. Jeremias havia predito, em termos exatos, o seu horrendo fim (Jer. 22:18 *ss*). O trecho de II Reis 24:6 nada nos informa no tocante a seu sepultamento. Foi sucedido no trono por seu filho, Joaquim.

Não seria vantajoso para Nabucodonosor destruir Judá completamente. Era preferível que permanecesse como vassalo para pagar-lhe tributo. Além disso, Judá poderia atuar como um posto avançado contra os egípcios. Assim sendo, Nabucodonosor permitiu a continuação da nação de Judá, mas segundo as condições por ele impostas. Assim, deportou muita gente nessa oportunidade, nobres e pessoas de nomeada, em número de cerca de três mil. Entre elas estava Ezequiel, que mais tarde, foi chamado por Deus para profetizar na Babilônia, por bastante tempo, enquanto Israel continuava no cativeiro.

5. *Discrepâncias*. O trecho de Jer. 36:20 afirma que Jeoaquim não tinha sucessor ao trono, para dar continuidade à linhagem de Davi. Porém, a passagem de II Reis 24:6 afirma que Joaquim, seu filho, chegou a reinar em seu lugar. Os estudiosos conservadores, que sentem necessidade de harmonizar tudo e que fazem disso uma parte integral de sua fé, asseveram que *sentar-se* no trono dá a entender algum grau de permanência, mas que Joaquim só ficou no poder por três meses. O trecho de II Crô. 36:6 afirma que Nabucodonosor prendeu a Jeoaquim com cadeias e o levou para a Babilônia. Mas, em II Reis 24:6, lemos que seu corpo foi lançado fora dos portões de Jerusalém (ver também Jer. 22:19). Se dermos crédito a Jeremias, como quem fez uma predição correta, mas quisermos preservar as declarações dos escritores históricos, então teremos de usar vários esquemas, na tentativa de harmonizar os dois informes. É possível que ele tenha sido preso com cadeias, com o intuito de transportá-lo assim à Babilônia, mas que esse propósito não se cumpriu, afinal. Antes, ele foi executado. Ou então, realmente, ele foi levado cativo, foi solto novamente, e então, finalmente, cumpriu-se o horrendo fim que lhe dera a profecia de Jeremias. Embora essas suposições viessem a corrigir muita coisa, ainda assim permaneceria de pé a contradição verbal. As Escrituras simplesmente não nos fornecem todos os detalhes. Questões assim são totalmente destituídas de importância, exceto para os céticos, que gostam de encontrar justificativas para sua falta de fé, ou então para os ultraconservadores, que pensam que é impossível que a Bíblia contenha esse tipo de problemas. Ambas essas atitudes são irracionais e desnecessárias, nada tendo a ver com a fé religiosa e com a espiritualidade.

6. *O Caráter de Jeoaquim*. A Bíblia sempre frisa se algum monarca de Judá ou Israel foi um rei bom ou mau, pois há uma evidente preocupação com o caráter moral e espiritual dos governantes de Israel. Desafortunadamente, informes favoráveis são dados em relação aos heróis, hábeis em liquidar os inimigos, se essa habilidade porventura ajudou a libertar Israel de seus adversários. Seja como for, antes de qualquer outra coisa, Israel era uma nação voltada para o culto religioso e para a fé, e os reis que violaram esses princípios foram severamente criticados pelos profetas do Senhor, e seus atos foram responsabilizados pelas misérias e problemas que Israel teve de enfrentar com as potências estrangeiras. Um rei não podia pecar como um indivíduo isolado. Seus atos sempre lançavam a nação inteira no infortúnio. Temos aí uma importante lição. É difícil a pessoa pecar apenas para si mesma. Sempre ferimos a outros com nossos atos e nossas atitudes errados. Ora, Jeoaquim foi um idólatra, que encorajou abominações em Israel, e também se tornou culpado de muitos crimes pessoais e de sangue. Ver Jer. 19 e II Reis 24:4. As indignidades sofridas por seu cadáver demonstraram o desprazer do povo com aquilo que ele fora e fizera (Jer. 26:20-23). Acompanhando a atitude geral dos políticos, ele construiu para si mesmo magnificentes palácios, ao mesmo tempo em que o povo empobrecia diante de pesados impostos, que ele precisava pagar ao Egito e à Babilônia (Jer. 22:14,15).

JEOIARIBE

No hebraico, «Yahweh defende», ou então «Yahweh pleiteia». Ver I Crônicas 9:10 e 24:7. Ele era o cabeça do primeiro dos vinte e quatro turnos de sacerdotes que foram organizados por Davi, para cuidarem melhor do culto sagrado. Jeoiaribe viveu por volta de 1014 A.C. Alguns dos seus descendentes encontravam-se entre aqueles que retornaram do cativeiro babilônico, a fim de virem residir em Jerusalém; assim sendo, o seu turno sacerdotal foi preservado. Ver Nee. 11:10 e 12:6.

••• ••• •••

JEORÃO

No hebraico, «exaltado por Yahweh». A forma abreviada desse nome, *Jorão*, encontra-se em algumas versões (como a nossa versão portuguesa) em II Sam. 8:10; II Reis 8:10,16,21,23, etc.; 9:14, etc.; I Crô. 3:11; 26:25 e II Crô. 22:5,7. A forma abreviada também aparece na genealogia de Jesus, em Mat. 1:8. Houve um rei de Judá com esse nome, e também um rei de Israel:

445

JEORÃO

I. Jeorão, Rei de Israel:

1. Jeorão, de Israel, era filho de Acabe e Jezabel, e foi o sucessor de seu irmão Acazias, no trono de Israel, que morreu sem filhos. Ele foi o nono rei do reino do norte, e governou durante doze anos. Ver II Reis 1:18; 3:1. Reinou entre 853 e 842 A.C., aproximadamente. Ver o artigo sobre *Israel, Reino de*.

2. *Uma Ímpia Tradição no Governo*. Jeorão aderiu às normas pecaminosas e deletérias de Jeroboão, que tanto corromperam o reino do norte, Israel, incluindo a adoração aos bezerros de ouro. A despeito disso, quando Jezabel, sua mãe, ainda vivia, ele descontinuou as práticas idólatras em torno de Baal, que ela havia introduzido no reino e queria manter a qualquer preço. É possível que esse ato correto tenha resultado de sua reflexão sobre a sorte de seu irmão (ver II Reis 3:2). Todavia, a observação feita por Eliseu, em II Reis 3:13, parece indicar que o rompimento com o culto a Baal não fora completo. A crônica sobre esse monarca está interligada à história de Eliseu (II Reis 1:17—9:29).

3. *Problemas Cronológicos*. O autor dos livros de Reis suprimiu, deliberadamente, os nomes dos reis de Israel, em seus relatos concernentes a Elias e a Eliseu. Portanto, não sabemos dizer por quantas vezes a palavra *rei* refere-se a Jeorão ou a algum outro monarca, cujo nome não é fornecido. Seja como for, parece que Elias sobreviveu pelo menos até o sexto ano do reinado de Jeorão (II Crô. 21:12), ao mesmo tempo em que Eliseu deu início a seu ministério nos dias desse mesmo monarca. Ao que parece, Jeorão viveu durante os sete anos de fome que haviam sido preditos por Eliseu diante da mulher sunamita (II Reis 8:1). Nesse caso, quase todos os grandes feitos de Eliseu também foram realizados durante o governo desse rei. Logo, Elias foi testemunha poderosa em favor de Deus, embora isso tivesse produzido apenas resultados mistos sobre a nação.

4. *A Revolta dos Moabitas*. Israel havia sujeitado esse povo a pagar tributo. Mas, quando Acabe foi morto, o rei Mesa procurou tirar vantagem do período conturbado que se seguiu, a fim de se livrar de Israel. E negou pagar tributo, que consistia em cem mil ovelhas e cem mil carneiros, com a sua lã. Acazias ainda governou durante um breve período, mas não foi capaz de enfrentar a revolta. Todavia, Jeorão teve tempo mais do que suficiente, bem como forças, para pôr fim à questão. Na ocasião, Josafá, rei de Judá, ajudou Israel na empreitada, um auxílio que os comentadores consideram uma desgraça. A campanha quase fracassou, quando os soldados se viram ameaçados de extinção, por falta de água. Mas Eliseu realizou um de seus grandes feitos, tendo sido assim obtida a vitória sobre os moabitas (II Reis 3:4-27). Essa aliança pôs fim à casa de Acabe, por meio de Jeú, sucessor de Jeorão. Mas, depois disso, o acordo que fora estabelecido entre Israel e Judá acabou dando lugar a renovadas hostilidades entre os reinos do norte e do sul.

5. *Ben-Hadade, Rei da Síria*. Por muito tempo, Jeorão foi perturbado por esse homem e suas aguerridas tropas. Não fora Eliseu, para intervir, e as coisas teriam, realmente, chegado a uma premência incalculável. Na realidade, o registro sobre essas tribulações parece que foi preservado especificamente para ilustrar o tremendo poder de Eliseu. Eliseu tinha a desconcertante capacidade de saber o que Ben-Hadade estava planejando fazer, sem necessidade de alguma de espiões. A espionagem psíquica está sendo atualmente estudada — tanto na Rússia quanto nos Estados Unidos da América do Norte! Ver o trecho de II Reis 6:1-23 quanto à narrativa que envolve a Ben-Hadade. Samaria foi livrada da fome, quando a cidade estava sendo assediada pelos sírios, sendo esse outro episódio no qual houve decisiva participação de Eliseu (II Reis 6:24-33 e cap. 7). Um intervalo nas hostilidades deu motivo para o caso da cura de Naamã, o general sírio que era leproso, outro dos feitos de Eliseu (II Reis 5).

6. *Hazael* assassinou a Ben-Hadade a fim de se apossar do trono sírio. Jeorão fortaleceu Ramote-Gileade para fazer frente aos sírios; e nem sem Hazael se sentara no trono da Síria, Jeorão resolveu submeter a situação à prova. Hazael acabou levando a melhor na batalha contra Jeorão, que saiu ferido. Jeú era o general do exército de Israel. Ele era um hábil general que, por volta dessa época, foi ungido por Eliseu para ser o próximo rei. Imediatamente ele partiu para Jezreel, a fim de exterminar a casa de Acabe. Jeorão foi a primeira das vítimas de Jeú, tendo morrido por causa de uma flecha atirada ao acaso, em Jezreel (II Reis 9:24-26). Isso cumpriu uma profecia de Eliseu, segundo o registro de I Reis 21:21-29.

Jeorão foi o último rei da dinastia de Onri, que foi o pai de Acabe. Jeú garantiu que assim fosse, mediante o extermínio de toda a família real e de todos os oficiais do culto a Baal (II Reis 9 e 10). A dinastia de Acabe, pois, governara em Israel pelo espaço de quarenta e quatro anos (II Reis 8:25-29; 9:1-20).

II. Jeorão, Rei de Judá:

1. Jeorão, de Judá, foi o filho mais velho de Josafá, e também seu sucessor no trono. Ele começou a reinar (separado de seu pai) quando tinha trinta e cinco anos de idade (cerca de 853 A.C.), tendo permanecido como rei de Judá pelo espaço de doze anos (II Reis 1:17; 3:1). Esteve associado a seu piedoso pai nos últimos anos de seu governo; mas isso parece não lhe ter beneficiado em coisa alguma. — As Escrituras relacionadas à sua vida são II Crônicas 21 e II Reis 8:16-19. Excetuando o espaço de alguns poucos meses, quando então seu filho, Acazias, reinou depois dele, o seu governo correspondeu aos últimos oito anos do reinado de Jeorão, do reino do norte, Israel. Ele foi o quinto rei de Judá. Ver o artigo intitulado *Judá, Reino de*.

2. *Primeiras Influências Negativas*. Jeorão casou-se com Atalia, filha de Acabe e Jezabel.

O exemplo de Jezabel parece ter sido mais poderoso sobre ele do que sobre Josafá, que foi um governante justo.

2. No começo de seu reinado, a fim de estabelecer a sua autoridade e eliminar qualquer competição, Jeorão mandou matar seus irmãos, juntamente com muitos nobres. Em seguida, ele firmou a adoração a Baal (II Reis 8:18,19). Elias advertiu-o dos desastres futuros (II Crô. 21), mas ele ignorou todos os avisos do profeta. Podemos presumir que sua esposa era o poder real por detrás de tudo; mas, considerando seus grandes malefícios, devemos concluir que ele mesmo era indivíduo suficientemente mau para não precisar de muito encorajamento na prática da iniquidade.

3. Ocorreu, então, uma série de calamidades. Os idumeus revoltaram-se, e não mais enviaram o tributo que até então tinham sido forçados a pagar. Foi assim que os idumeus estabeleceram sua independência permanente, conforme havia sido profetizado há muito (ver Gên. 27:40). Em seguida, revoltou-se uma cidade fortificada, Libna (II Crô. 21:10). Também houve perturbações externas, sob a forma de uma invasão da parte de filisteus e árabes, que chegaram a entrar no palácio real, matando as esposas e os filhos de Jeorão, excetuando Jeoacaz, o caçula (II Crô.

JEOSABEATE — JEOVÁ

22:1). E aqueles que residiam no palácio, que não foram mortos, foram tomados como reféns, juntamente com muitos bens.

4. Jeorão não escapou pessoalmente do juízo contra suas maldades. Acabou contraindo uma incurável e dolorosa enfermidade nos intestinos que, finalmente, o matou. E a Bíblia informa-nos que ele morreu em grande agonia, e que «se foi sem deixar de si saudades». Além disso, apesar de haver sido sepultado na cidade de Davi, não lhe deram a honra de ser posto nos túmulos dos reis (ver II Crô. 21:19,20).

5. *Um caráter negro*. Jeorão foi o primeiro rei de Judá a evitar uma disputada sucessão ao trono mediante o ato abominável de assassinar seus próprios irmãos, além dos nobres que poderiam perturbá-lo. Prostituiu as filhas de Judá através dos infames ritos de Astarte, e estabeleceu em Judá a idolatria de Baal. O que mais admira, em tudo isso, é que ele conseguiu reverter totalmente tudo que era de bom que seu piedoso pai, Josafá, tinha conseguido realizar.

6. *Uma discrepância*. Em II Reis 1:17, é-nos dito que Jorão, filho de Acabe, começou a reinar no segundo ano de Jeorão, filho de Josafá. Porém, II Reis 8:16 afirma que Jeorão, de Judá, começou a reinar no quinto ano de Jorão, de Israel, o que reverte a situação e fala em datas diferentes. Aqueles que insistem em harmonia a qualquer custo, lembram-nos que Jeorão, de Judá, teria reinado em parceria com seu pai, pelo que Jorão, de Israel, pode ter começado a reinar quando Jeorão, de Judá, ainda era co-regente. E então, no quinto ano do reinado de Jorão, de Israel, Jeorão teria começado a reinar sozinho. Nesse caso, Jeorão, de Judá, teria reinado juntamente com seu pai por cinco anos. *Uma outra discrepância*. O trecho de II Crô. 21:16,17 afirma que os filhos de Jeorão foram levados em cativeiro, ao passo que II Crô. 22:21 diz que eles foram mortos. Os harmonistas sugerem que, a princípio, eles foram tomados cativos; mas que então foram mortos, já no cativeiro. Detalhes como esses não são importantes, exceto para os céticos, que estão sempre à cata de algo para ferir a fé; ou, então, para os harmonistas, que pensam que qualquer discrepância é uma grande ameaça à fé. Ambas as posições são infantis, e nada têm a ver com a fé religiosa e com a espiritualidade.

JEOSABEATE

Forma variante do nome Jeoseba (vide), conforme se vê em II Crô. 22:11

JEOSEBA

No hebraico, literalmente, «Yahweh, juramento dela», que se deve interpretar como «adoradora de Yahweh». Ela era filha de Jorão, irmã de Acazias e tia de Joás, todos eles foram reis de Judá. Joiada, o sumo sacerdote, era marido de Jeoseba, conforme o registro de II Reis 11:2. O trecho de II Crô. 22 apresenta o nome dela com a forma de Jeosabeate (vide), onde ela figura como filha do rei Jeorão e irmã de Acazias; e, com base nisso, alguns estudiosos têm pensado que ela era filha de Jeorão por meio de outra esposa, e não de Atalia.

Foi Jeoseba quem resgatou o infante Joás do massacre da linhagem real, por crime de Atalia. Joás foi ocultado no palácio real, e, posteriormente, no templo (II Reis 11:2,3; II Crô. 22:11,12). Então, Joás passou a ser criado como um dos outros filhos de Jeoseba (II Crô. 23:11). Finalmente, Joás (vide) tornou-se o rei de Judá.

JEOVÁ

Ver sobre **Yahweh**.

Uma variação *non-sense* do nome Yahweh. Outra variação é *Javé*. Ver o artigo geral sobre *Deus, Nomes Bíblicos* de, onde estão incluídas muitas informações sobre esse nome particular. Ver sobre *Yahweh* e os diversos nomes combinados com esta designação.

Yahweh era o nome pessoal do Deus de Israel. Que a forma *Yahweh* é a forma correta pode-se provar mediante transcrições para o grego. Quando, pela primeira vez, foram inseridos sinais representando fonemas vogais, na Bíblia hebraica, já no século VII D.C., as letras vogais da palavra hebraica aDoNaY, «Senhor» foram escritas intercaladas com as consoantes YHWH, produzindo assim o nome artificial Jeová. Esse não era, realmente, um nome divino; mas muitos, temendo pronunciar *Yahweh*, como apelativo por demais sagrado, passaram a usar como um substituto aceitável. Portanto, Jeová é um híbrido sem base bíblica nenhuma, que começou a ser usado de modo geral, como um dos nomes de Deus, no século XIV D.C. Isso ocorreu porque os eruditos cristãos da época não reconheceram a natureza híbrida da forma Jeová.

Esse nome hebraico de Deus também aparece com as formas abreviadas de *Yah* (Êxo. 15:2, etc. em português, «Já») e *Yahu* ou *Yeho*. Estas duas últimas formas aparecem em inscrições hebraicas e assírias, e também nos papiros escritos em aramaico. Mas o nome abreviado original parece ter sido *Yaw*, que tem sido tentativamente identificado com um dos nomes divinos pagãos encontrados nos documentos de Eras Shamra (vide), provenientes do norte da Fenícia, do século XV A.C. Alguns especialistas supõem que o nome Yahweh não foi cunhado por Moisés, e nem por qualquer dos demais autores bíblicos; antes, seria um nome *pré-mosaico*, como um antigo nome de Deus que Moisés usou, tal como a moderna palavra portuguesa «Deus» é apenas o aportuguesamento do termo latino *Deus*, que como é óbvio, antecede ao uso português por muitos e muitos séculos. Os trechos de Êxo. 3:13-15 e 6:4 parecem indicar que esse nome começou a ser usado no Antigo Testamento como se tivesse havido uma revelação especial do nome. Gên. 4:26, por sua vez, parece dar a entender uma origem não hebréia, ou seja, quando esse nome *começou* a ser usado pelos hebreus, teria sido tomado por empréstimo de alguma fonte extrabíblica. Seja como for, a raiz do nome, sem dúvida, é antiqüíssima, sendo provável que aparecesse entre os nomes de divindades mesopotâmicas. Alguns supõem que Moisés chegou a adorar a *Yahweh*, mediante seu casamento com a filha de um queneu, em Midiã (Êxo. 3:1 *ss*; 18:12-24). A isso se chama de teoria quenita, o que, como é óbvio, é uma teoria rejeitada por muitos intérpretes conservadores, pois não querem aceitar a idéia de que os nomes de Deus, na Bíblia, possam ter tido origem pagã. Seja como for, a forma mais longa, YHWH, é confirmada desde o século IX A.C., como na pedra Moabita (vide). De acordo com uma etimologia popular, essa palavra estaria ligada ao verbo hebraico *ser* (ver Êxo. 3:14), pelo que se referiria ao ser eterno de Deus, que é a fonte originária de todos os seres, não dependendo de qualquer outro ser para a sua vida e continuação em existência. Em termos teológicos, isso aponta para a vida *independente* e *necessária*. Deus não deriva de outrem a sua forma de vida, e a sua forma de vida não pode deixar de existir. Todas as demais formas de vida dependem de sua vida, e todas as outras formas de vida, se exclurmos o fator de graça divina, são vidas não necessárias. Em outras palavras, as demais vidas *podem* deixar de existir. A

JEOVÁ — JEOVISTA

verdadeira imortalidade, para a alma humana, ocorre mediante a transformação segundo a imagem do Filho, que compartilha da forma de vida do Pai, que é independente e necessária, conforme já dissemos. Um grande mistério! Ver Rom. 8:29; Col. 2:10; II Cor. 3:18 e o artigo intitulado *Transformação Segundo a Imagem de Cristo*.

O General Abraham Ramiro Bentes, historiador brasileiro, de origem judaica, de cultura judaica bem reconhecida, autor de vários livros, diz o seguinte, acerca do nome Yahweh: «...tendo o tempo inacabado, no semítico, o valor do futuro e do presente, assim traduzimos (o mesmo): «Eu Serei Sempre Quem Era». Os velhos comentários tinham uma compreensão neste sentido». (*Das Ruínas de Jerusalém à Verdejante Amazônia*, Edições Bloch, pág. 3). De conformidade com esse abalizado parecer, o nome *Yahweh*, pois apontaria para a eternidade e a imutabilidade da pessoa de Deus.

Objeções dos Eruditos Conservadores. Alguns eruditos, relutando em admitir qualquer origem pagã para os nomes divinos na Bíblia, supõem que o trecho de Êxo. 6:3, que diz: «...mas pelo meu nome, O Senhor (no hebraico, *Yahweh*), não lhes fui conhecido», não subentende que os hebreus não conhecessem e nem usassem esse nome, até que foi adotado para ser usado, nos dias de Moisés e, sim, que os judeus, então, começaram a ter um *conhecimento experimental* desse nome, em suas vidas espirituais. Esse conhecimento experimental lhes foi dado mediante o livramento da servidão ao Egito. Antes disso, como pastores na Palestina, Abraão, Isaque e Jacó conheciam a Deus com o nome de *El Shaddai*, «o Todo Poderoso». Naturalmente, sabemos que *El* (com várias combinações) era um antigo nome mesopotâmico para Deus, que certamente já era usado antes do tempo de Abraão. Assim, no caso desse nome, também temos um uso pré-hebreu. Seja como for, o argumento, na realidade, não faz sentido. O que importa é a nossa experiência com o Ser Divino, e não as palavras e suas origens, que usamos como nomes de Deus.

Usos Comparados dos Nomes Yahweh, Elohim e Shaddai. Yahweh é o mais freqüentemente usado dos nomes de Deus no Antigo Testamento. O uso que se faz dos nomes Yahweh e Elohim, deu margem à teoria das fontes designadas por esses nomes. Ver o artigo sobre J.E.D.P.(S.), que oferece detalhes sobre essa questão. Em uma visão em Horebe (Êxo. 3), Moisés ficou sabendo do nome «Yahweh»; mas, é evidente que esse nome é anterior a Moisés, juntamente com suas variações. Pois ocorria em combinações, como no nome da mãe de Moisés, Joquebede (Êxo. 6:20). O trecho de Êxo. 6:2,3 indica que *Yahweh* não era um nome conhecido pelos patriarcas da nação de Israel, que conheciam como *Adonai* ou *El Shaddai* (vide). O escritor do livro de Jó, que situa seu livro como se tivesse historiado um episódio dos tempos patriarcais, usa o nome *Yahweh* apenas por uma vez (Jó 12:9), o que talvez seja um anacronismo, porquanto Jó talvez reflita um acontecimento ainda anterior a Moisés. O nome mais comumente usado por Jó é *Shaddai*. No livro de Salmos, *Elohim* é usado com mais freqüência do que *Yahweh*.

Origem do Nome Yahweh. Já tecemos comentários sobre esse ponto. Há muitas especulações no tocante à questão. Alguns têm procurado vincular esse nome a divindades indo-européias, ou mesmo do Egito e até da China. Outros vêem esse nome como o apelativo de uma das muitas deidades semíticas, supondo que o mesmo foi, finalmente, adotado pelos hebreus. Faltam-nos informações detalhadas e precisas, pelo

que a questão deverá permanecer na semi-obscuridade.

O Eterno. Alguns estudiosos supõem que o melhor sentido para *Yahweh* seja *o Eterno*. Ver a citação acima, do general Abraham Bentes, que confirma a idéia. No tocante aos homens, na obtenção da verdadeira imortalidade, para que eles venham a tornar-se verdadeiramente eternos, e não meramente perenes, a questão é discutida acima, quando se fala na vida independente e necessária de Cristo, que ele tem doado aos regenerados. Ser eterno é compartilhar da forma de vida de Deus. Ser perene é existir para sempre, dotado apenas de uma imortalidade *dependente*. É interessante observar que Platão já fazia esse tipo de distinção, pelo que ela não tem origem meramente cristã.

JEOVÁ-JIRÉ Ver **Yahweh-Jiré**

JEOVÁ-NISSI Ver **Yahweh-Nissi**

JEOVÁ-SAMA Ver **Yahweh-Sama**.

JEOVÁ-SALOM Ver **Yahweh-Salom**.

JEOVÁ-TISIDKENU Ver **Yahweh-Tisidkenu**

JEOVISTA (ELOÍSTA)

Também são usados os termos *javista* e *yahvista*. Está em foco um hipotético autor do Pentateuco (ou Hexateuco), que teria usado, de forma predominante, o nome hebraico para Deus, *Yahweh*. Isso é contrastado com o uso predominante de *Elohim*, que teria sido usado por um outro hipotético escritor, autor dos mesmos livros. O autor que preferia o nome *Elohim* é chamado, dentro dessa teoria, de *eloísta*. Quase todos os eruditos modernos da Bíblia rejeitam a autoria mosaica dos livros em questão, supondo que dois ou mesmo vários autores estiveram envolvidos na produção dos cinco ou seis primeiros livros da Bíblia; e que as produções literárias deles teriam sido reunidas por um ou mais editores. Os artigos providos sobre o Pentateuco e sobre o livro de Josué fornecem maiores detalhes sobre essas questões. Ver também o artigo sobre J.E.D.P.(S.), cujo propósito é o de sumariar o problema da autoria desses livros da Bíblia.

A história escrita pelo *Jeovista* é aceita como mais antiga que a narrativa do *Eloísta*. Alguns datam aquele primeiro autor em cerca de 950 A.C. Seu alvo principal foi o de contar os relacionamentos de Yahweh com Israel, ao tempo da conquista da terra de Canaã. Os textos envolvidos enfatizariam a supremacia de Yahweh, talvez refletindo um henoteísmo (vide), e não um monoteísmo (vide). No livro de Gênesis, Yahweh é retratado como o criador do mundo, o Pai de um povo seleto. Esse Deus teria aparecido aos patriarcas ora como um ser humano, ora com um ser angelical.

No registro produzido pelo *eloísta*, que cobriria o mesmo período histórico, mas que teria vivido em cerca de 700 A.C., teríamos um tipo mais moderno de interpretação histórica. A pesada linguagem antropomórfica é um tanto suavizada através de expressões teológicas mais elevadas. Elohim seria ouvido, mas nunca visto. Ele usava os seus profetas, mas ele mesmo ocultava-se da visão humana, em uma exaltada majestade da qual os homens não podem aproximar-se.

O Editor ou Editores. A obra editorial teria ocorrido no século VII A.C. Aquelas duas fontes

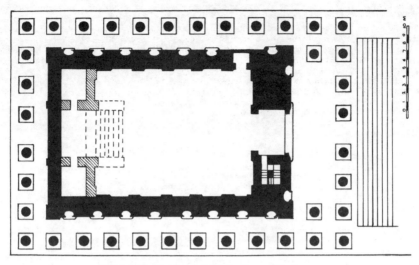

Templo de Zeus, 163 A.C. — Jerá
— Cortesia, John F. Walvoord

Teatro de Jerá — Cortesia, Jonn F. Walvoord

Mar da Galiléia
Foto por Alistair Duncan

JEOZABADE — JEREMIAS

(juntamente com outras, sem dúvida), foram reunidas, formando uma unidade. No século IV A.C., conforme diz ainda essa teoria, um terceiro autor, pós-exílico, adicionou os códigos legais. E foi assim que foi produzido o Hexateuco (os primeiros cinco livros, de Moisés, e o livro de Josué).

JEOZABADE

No hebraico, «Yahweh dá». Esse é o nome de três homens, nas páginas do Antigo Testamento:

1. Um levita, filho de Obede-Edom, que trabalhava como porteiro do templo de Jerusalém, ao tempo de Davi (I Crô. 26:4,15). Ele viveu por volta de 1014 A.C.

2. Um capitão da tribo de Benjamim, que controlava mais de cento e oitenta mil homens. Ele serviu nos dias do rei Josafá, em torno de 910 A.C. Ver II Crô. 17:18.

3. Um filho de Somer, a mulher moabita que conspirou contra o rei Joás, e acabou por assassiná-lo em seu leito, segundo se lê em II Reis 12:21 e II Crô. 24:26. Isso ocorreu em cerca de 837 A.C. O texto de II Crônicas identifica-o como filho de Sinrite, a moabita. Portanto, essa mulher, sua mãe, era conhecida por esses dois nomes diferentes.

JEOZADAQUE

No hebraico, segundo uns, «Yahweh é justo»; segundo outros, «Yahweh justifica». Esse era o nome de um dos filhos de Seraías, e pai de Josué, o sumo sacerdote (I Crô. 6:14,15; Ageu 1:1,12,14; 2:2,4; Zac. 6:11). Sucedeu a seu pai no ofício sumo sacerdotal (I Crô. 6:14,15), e, finalmente, sofreu o cativeiro, nos dias de Nabucodonosor. Viveu em torno de 588 A.C. Crê-se que ele tenha morrido no exílio, visto que seu filho, Josué, oficiava como sumo sacerdote, depois que Judá retornou do cativeiro para Jerusalém (Ageu 1:1,12,14; 2:2,4; Zac. 6:11). Uma forma abreviada de seu nome, *Jozadaque*, aparece em alguns trechos bíblicos, como Esd. 3:2,8; 5:2; 10:18; Nee. 12:26; e, também, em livros apócrifos, como I Esdras 5:5,48,56; 6:2; 2:19 e Eclesiástico 49:12.

JERÁ

No hebraico, «mês». Esse foi o nome do quarto filho de Joctã (I Crô. 1:20; Gên. 10:26). Ele foi o fundador de uma tribo árabe, que parece ter-se estabelecido perto de Hazarmavete e Hadorã.

JERAMEEL

No hebraico, «Yahweh terá compaixão». Esse é o nome de três homens que figuram nas páginas do Antigo Testamento, a saber:

1. Um filho de Hezrom, neto de Perez e bisneto de Judá. Seus descendentes eram chamados jerameelitas (I Crô. 2:9,26,27,33,42). Ele viveu em cerca de 1628 A.C. Uma estranha vocalização do nome Calebe (chamado Quelubai, em I Crô. 2:9), esconde o fato de que Jerameel era irmão de Calebe, o grande companheiro de Josué (Núm. 13:6; 14:1-10). Os jerameelitas habitavam no Neguebe, a porção sul do território de Judá, pelo menos até os dias de Davi (I Sam. 27:10; 30:29). Finalmente, foram absorvidos na população geral e perderam sua posição distintiva.

2. Um levita merarita, da família de Quis, era assim chamado. Ele representava a sua tribo, na organização do serviço religioso, por Davi (I Crô. 24:29). Seu pai, Quis, não tinha qualquer parentesco com o pai do rei Saul, que era benjamita. Viveu em

torno de 960 A.C.

3. Um filho de Hameleque, um dos dois homens nomeados pelo rei Jeoaquim para deterem o profeta Jeremias (Jer. 36:26). O rei Jeoaquim deu-lhe essa triste incumbência; Jerameel deveria prender tanto a Jeremias quanto a Baruque, o seu amanuense. Pouco antes, o rei havia queimado o rolo que continha as profecias de Jeremias. Jerameel estava cultivando um triste destino com seus atos de arrogância. Os textos envolvidos não deixam claro se o pai de Jerameel era «o rei», (conforme aparece em algumas traduções e na Septuaginta), ou se era um certo Hameleque, que era amigo de Jeremias. Nossa versão portuguesa prefere esta última possibilidade. Ver Jer. 36:27 e comparar com 38:6. O texto hebraico pode ser entendido de uma ou de outra maneira.

JERAMEELITA

Esse adjetivo pátrio designa os descendentes de *Jerameel* (vide, número 1).

JEREDE

No hebraico, «descida». Há dois homens com esse nome, no volume da Bíblia:

1. Um judaíta, pai de Gedor (I Crô. 4:18). As traduções também grafam seu nome com a forma de Jarede. Ele também é mencionado em Gên. 5:15-20. Ele foi um dos patriarcas antediluvianos.

2. Ao que tudo indica, um filho de Esdras, da tribo de Judá, e de sua esposa «judia», tinha esse nome. Ele aparece como o pai ou fundador de Gedor (I Crô. 4:18). Viveu em cerca de 1640 A.C.

JEREMAI

No hebraico, «habitante das alturas». Esse era o nome de um dos filhos de Hasum. Ele contraíra matrimônio com uma mulher estrangeira, ao tempo do cativeiro babilônico, e fora forçado a divorciar-se dela, após um remanescente de Judá ter voltado a Israel. Ver Esd. 10:33; e, nos livros apócrifos, I Esdras 9:34. Jeremai viveu em torno de 459 A.C.

JEREMIAS (O PROFETA)

Ver sobre **Jeremias (o Livro)**. Nada menos de nove personagens figuram com esse nome, nas páginas do Antigo Testamento. Trataremos, antes de tudo, com o profeta Jeremias, um dos maiores profetas do Antigo Testamento; e então, em artigo separado, falaremos sobre os outros oito homens com esse nome.

Esboço:

I. O Nome

II. A Família de Jeremias

III. Informações Históricas e Biográficas

IV. A Arqueologia e o Profeta Jeremias

V. O Caráter e a Contribuição de Jeremias

I. O Nome

O nome **Jeremias** foi construído em torno do nome hebraico de Deus, *Yahweh*. Significa «Yahweh estabelece». Temos mais informações autênticas sobre ele do que sobre qualquer outra figura exponencial do Antigo Testamento.

II. A Família de Jeremias

Ele era filho de Hilquias, que operava em Anatote, no território de Benjamim (Jer. 1:1). Muitos estudiosos têm pensado que seu pai foi o sumo sacerdote do mesmo nome (II Reis 22:8), que encontrara o rolo do livro da lei, no décimo oitavo ano

449

JEREMIAS

do reinado de Josias. Porém, muitos eruditos pensam que isso é improvável, pois Jeremias, em seus escritos, não menciona nada disso. Naturalmente, seu pai era sacerdote, mas não, necessariamente, aquele sumo sacerdote. O nome Hilquias era bastante comum na época. Além disso, os sacerdotes que residiam em Anatote eram da casa de Abiatar (I Reis 2:26,35), enquanto que o sumo sacerdote era da linhagem de Eleazar, a começar por Sadoque (vide). Salomão havia banido Abiatar para Anatote, e dessa linhagem nunca mais surgiu um sumo sacerdote. O próprio Jeremias nunca serviu como sacerdote. Ele cresceu em Anatote e ficou familiarizado com a vida rural daquele lugar. Sem dúvida, ele aprendeu sobre os escritos dos profetas anteriores, e tinha excelente educação religiosa.

III. Informações Históricas e Biográficas
1. Período do Ministério Profético de Jeremias.
Jeremias viveu em um período histórico crucial tanto para Judá quanto para o Oriente Próximo e Médio em geral. O império assírio havia declinado e caído. Sua capital, Nínive, fora capturada pelos caldeus e pelos medos, em 612 A.C. Sete anos mais tarde, por ocasião da batalha de Carquêmis, os egípcios e os remanescentes dos assírios foram derrotados pelos caldeus. Assim, a nova potência mundial veio a ser o império neobabilônico, governado por uma dinastia caldéia, cuja figura principal era a do rei Nabucodonosor II, que governou em cerca de 605—562 A.C. O minúsculo reino de Judá havia sido vassalo da Assíria, antes disso. Mas teve de mudar a sua lealdade primeiramente para o Egito e, então, para a Babilônia; mas, finalmente, caiu com a captura de Jerusalém, em 587 A.C. Seguiu-se então o famoso cativeiro babilônico. Ver o artigo separado sobre o *Cativeiro Babilônico*.

2. *Começo de sua História e Chamada*. Jeremias residia na cidade rural de Anatote, uma aldeia cerca de três quilômetros a nordeste de Jerusalém. Quando ainda era bem jovem, recebeu sua chamada divina e foi nomeado profeta pelo Senhor Deus (Jer. 1:4-10). Como era usual, ele sentiu sua incapacidade para tão elevada tarefa; mas a vontade de Deus acabou prevalecendo. Logo ele recebeu duas visões, uma de uma vara de amendoeira e outra de um caldeirão fervente, cuja boca estava voltada para o norte (Jer. 1:1-19). O vara de amendoeira simbolizava a ameaça do governo pelo poder estrangeiro de Nabucodonosor. E o caldeirão fervente tem um sentido óbvio, porque todas as invasões vindas do Oriente atacavam Israel pelo norte. Assim, a ira divina, sob a forma de guerra e cativeiro, logo devastaria Judá. O juízo divino viria da parte do norte. Foi assim que Jeremias deu início às suas predições, a começar em cerca de 627 A.C., até algum tempo depois de 580 A.C., provavelmente já no Egito. Ele deu início ao seu ministério no décimo terceiro ano de Josias, cerca de sessenta anos após a morte de Isaías. Sofonias e Habacuque foram contemporâneos seus, na primeira parte dos seus labores; e Daniel foi outro contemporâneo seu, na segunda metade de suas atividades.

3. *Relacionamento com Cinco Reis*
a. *Josias*. Parece que Jeremias ajudou Josias em sua política reformadora (II Reis 23:1 *ss*). Alguns eruditos, porém, duvidam disso, porque essas reformas foram de natureza cúltica. Porém, é possível que tais reformas fossem mais profundas do que isso. A descoberta do rolo da lei, por Hilquias, ajudou no movimento reformista. Jeremias já era profeta havia cinco anos, quando isso sucedeu. É possível que os capítulos primeiro a sexto do livro de Jeremias descrevam condições antes daquelas mudanças

começarem a ter lugar. O trecho de Jer. 11:1-8, talvez, referia-se ao seu entusiasmo em favor dessas reformas. Josias foi morto, ao oferecer resistência ao Faraó Neco (610—594 A.C.), e Jeremias lamentou a morte desse rei de Judá (Jer. 22:10).

b. *Jeoacaz*. Esse monarca de Judá governou por somente três meses, e nada sabemos acerca do relacionamento de Jeremias com ele. Faraó Neco depôs Jeoacaz e impôs a Judá um pesado tributo (II Reis 23:31-33). Jeoaquim, irmão de Jeoacaz, foi nomeado rei em seu lugar, por autoridade de Neco. Jeremias também lamentou o destronamento de Jeoacaz e seu exílio, no Egito (Jer. 22:10-12).

c. *Jeoaquim*. Este reinou de 608 a 597 A.C. Ele foi apenas um vassalo do poder egípcio. Ora, Jeremias era o principal representante do grupo que favorecia a supremacia dos caldeus. Isso o expôs a um grande perigo, e ele foi aprisionado. Chegou a ser proposta a pena de morte (Jer. 26:11 *ss*). Alguns dos príncipes de Judá tentaram protegê-lo, apelando para o precedente estabelecido por Miquéias, o morastita, que havia profetizado tempos antes de Jeremias. Os oráculos de Jeremias, contra o Egito (ver Jer. 46:3-12), pois, atraíram muitas perturbações contra ele; mas não nos deveríamos esquecer que ele também estava denunciando os pecados do povo judeu; e isso servia somente para aumentar o ódio que cresceu contra ele.

Por ocasião da batalha de Carquêmis, na primavera de 605 A.C., os caldeus derrotaram as forças combinadas dos egípcios e dos remanescentes do exército assírio. — Jeremias havia previsto esse choque (Jer. 46:3-12). Jeremias sabia que a ocasião de Jerusalém ser destruída estava bem próxima. Jeoaquim reteve o tributo que deveria pagar a Nabucodonosor (cerca de 601 A.C.), e este reagiu, — enviando um exército para cercar Jerusalém. O rei Jeoaquim, ao que tudo indica, morreu antes do cerco ter início. Seu filho, Joaquim, rendeu-se, entregando Jerusalém aos babilônios, em 597 A.C.

d. *Joaquim*. Em Jer. 22:24,28 e 24:1, o nome dele aparece com a forma de Jeconias. Outras traduções dizem «Conias», nessa primeira referência. Ele sucedeu no trono a seu pai, e colheu a péssima colheita que fora semeada por Judá e seus governantes anteriores. Tinha apenas dezoito anos de idade quando subiu ao trono, e ficou ali somente por três meses (II Reis 24:8). Jerusalém rendeu-se em 587 A.C., e Joaquim e muita gente de Judá foram levados para o cativeiro. Jeremias lamentou esse acontecimento, segundo se lê em Jer. 13:15-19. Jeremias havia predito a sorte de Joaquim, que o profeta lamentou, em Jer. 22:24-30. Trinta e seis anos mais tarde, Joaquim foi libertado, pelo filho e sucessor de Nabucodonosor (II Reis 25:27-30).

e. *Zedequias*. Nabucodonosor nomeou para o trono a Zedequias, tio de Joaquim. Os registros históricos dos babilônios confirmam essa informação bíblica. Zedequias era o filho mais novo de Josias, e foi o último rei de Judá. Foi um governante fraco, que procurava contrabalançar as facções adversárias que lutavam pelo poder, em Judá. Ele começou a ouvir mais a Jeremias do que a seus antecessores; porém, já era tarde demais para isso fazer qualquer diferença. Zedequias governou por dez anos, pagando tributo à Babilônia. Quando Zedequias deixou de pagar o tributo e firmou um acordo com o Egito, Nabucodonosor perdeu a paciência e enviou um exército para pôr fim à cidade de Jerusalém. Isso teve lugar em agosto de 587 A.C. Jeremias opusera-se à rebelião de Zedequias contra Nabucodonosor, sabendo que somente o sofrimento poderia resultar daí (Jer.

450

JEREMIAS

27:1-22). Por causa de suas predições de destruição, que, obviamente estavam tendo cumprimento, Jeremias foi detido, acusado de querer desertar para o inimigo e lançado em uma masmorra (Jer. 27:11-16). Posteriormente, foi removido para um cárcere no pátio da guarda, perto do palácio real (Jer. 27:17-21). Em seguida, esse profeta foi acusado de traição, e lançado em uma cisterna sem água, mas apenas com lama. Teria morrido ali, se Ebede-Meleque não tivesse intervido. Então, Jeremias foi transferido para o pátio da guarda (Jer. 38:13), onde o rei chegou a conferenciar secretamente com ele (Jer. 38:14-28).

Jeremias foi capaz de perceber o fim do cativeiro que então começava, embora soubesse que esse cativeiro perduraria por setenta anos. Os falsos profetas estavam dizendo que o exílio babilônico perduraria somente por dois anos. Seja como for, Jeremias comprou um terreno, pertencente a um seu primo, em Anatote, a fim de mostrar que ele tinha fé que os judeus voltariam do cativeiro babilônico, a despeito das nuvens carregadas que tinham vindo encobrir a nação de Judá (ver Jer. 32:1-15). Foi então que Jeremias predisse a restauração de Judá (Jer. 32:36-44; 33:1-26), o que, de fato, ocorreu, no tempo determinado. As crônicas históricas da Babilônia concordam com os trechos de II Reis 24:10-17; II Crô. 36:17 e Jer. 52:28, quanto aos detalhes que cercaram essa questão.

A destruição de Jerusalém ocorreu em 587 A.C., e Jeremias foi para Mispa. Porém, uma grande multidão foi transportada para a Babilônia. Jeremias, entretanto, foi bondosamente tratado pelos babilônios.

4. *Relações entre Jeremias e Nabucodonosor.* Nabucodonosor deu a seu comandante, Nabuzaradã, a ordem de libertar a Jeremias e seguir qualquer conselho que fosse dado pelo profeta. É estranhíssimo que o monarca pagão respeitasse ao profeta mais do que o próprio povo deste! Ver Jer. 39:11,12. A Jeremias foi dado escolher ficar com o seu povo, no exílio, ou permanecer em Jerusalém, com o remanescente minúsculo que ali seria deixado. Jeremias preferiu ficar em Jerusalém, tendo-se transferido para Mispa, o moderno Tell en-Nasbeh, cerca de treze quilômetros ao norte de Jerusalém. Assim, Jeremias ficou com o povo que permaneceu em Judá, cujo novo governador nomeado, pelos babilônios, era Gedalias. No entanto, não demorou para Gedalias ser assassinado, e Joanã tornou-se o próximo líder do povo judeu. Jeremias aconselhou o povo a seguir a liderança de Joanã e permanecer na Palestina (Jer. 42:7 ss). Mas os judeus, em seu espírito revoltado, recusaram-se a isso, novamente acusando o profeta de estar-se bandeando para o inimigo. E foram para o Egito, forçando Jeremias a acompanhá-los (Jer. 43:6,7). Estando no Egito, Jeremias continuou o seu ministério espiritual e profético, procurando desviar os judeus de suas iniqüidades e erros obstinados (Jer. 44).

5. *Morte de Jeremias.* O livro de Jeremias não narra o que, finalmente, sucedeu a Jeremias, Presume-se que ele tenha morrido no Egito. Há uma tradição, aludida por diversas fontes, que diz que Jeremias foi apedrejado até à morte, pelos seus próprios correligionários, em Tafnes, no Egito. Uma tradição alexandrina diz que os ossos de Jeremias foram levados àquele lugar por ordem de Alexandre, o Grande. Uma outra tradição afirma que quando Nabucodonosor conquistou o Egito, Jeremias e Baruque escaparam para a Babilônia. Ali, ele teria vivido durante algum tempo, até morrer em paz. Não há como julgar qual dessas tradições é a correta.

IV. A Arqueologia e o Profeta Jeremias

As chamadas **Cartas de Laquis**, dezoito ostraca escritas em hebraico, no antigo alfabeto fenício, descobertas em 1935 por J. L. Starkey, em um depósito contíguo ao portão externo da Laquis, têm lançado muita luz sobre os tempos e as circunstâncias da vida de Jeremias. Um homem de nome Hosaís escreveu essas cartas a um outro, chamado Joás. Ao que parece, Joás era um oficial sob as ordens de Nabucodonosor, em Laquis. Cerca de dez anos antes, Nabucodonosor havia atacado e incendiado a cidade. Posteriormente, em 588 A.C., Nabucodonosor arrasou a cidade, — no mesmo ano em que Jerusalém foi atacada, embora mais cedo naquele mesmo ano. Essas cartas revestem-se de grande valor paleográfico, pois até usam expressões comuns no livro de Jeremias. De modo geral, elas ilustram itens interessantes, correspondentes ao período de Jeremias.

As *Crônicas Babilônicas* provêem para nós muitas informações que concordam diretamente com o relato de Jeremias. Outros detalhes, que não figuram na narrativa bíblica, ilustram a vida daquele tempo. Abaixo damos exemplos disso:

Como príncipe coroado, Nabucodonosor dirigia o exército babilônio na Assíria (606 A.C.). Nabucodonosor derrotou Neco II, do Egito, em Carquêmis e Hamate (605 A.C.; ver Jer. 4:62; II Reis 23:29; II Crô. 35:20). Suas conquistas deram-lhe a vitória na Síria e na Palestina; e também contou com governantes vassalos em Judá. Nesse tempo, morreu seu pai, e ele se tornou o rei, a 6 de setembro de 605 A.C. Jeoaquim tornou-se seu vassalo (Jer. 25:1). Nabucodonosor sofreu um recuo temporário, ao ser derrotado pelos egípcios. Foi então que Judá transferiu sua lealdade para o Egito, novamente. Porém, isso foi um grave equívoco. Nabucodonosor voltou, mais forte do que nunca. Jeremias (ver 27:9-11) advertiu o povo de Judá quanto a essa má escolha, e previu triunfo após triunfo para os babilônios. Então, Nabucodonosor derrotou as tribos árabes de Quedar, e apossou-se da região a leste do rio Jordão, conforme Jeremias havia predito que aconteceria (Jer. 49:28-33). Nabucodonosor continuou e tomou Jerusalém. Jeoaquim já havia sido morto, pelo que o monarca babilônico pôs Joaquim em lugar daquele. Mas Joaquim só persistiu por três meses. Muitos cativos judeus foram enviados para o exílio, na Babilônia. Nabucodonosor entrou em guerra contra os elamitas (Jer. 49:34). Quando Zedequias, rei de Judá, rebelou-se e recusou-se a pagar mais tributos à Babilônia, provocou a queda final de Jerusalém, em 586 A.C. Mais judeus ainda foram deportados para a Babilônia, em 582 A.C. (Jer. 52:30). Isso sucedeu no vigésimo terceiro ano do governo de Nabucodonosor.

V. O Caráter e a Contribuição de Jeremias

Jeremias viveu em dias de declínio e queda do reino de Judá. Ele nasceu em cerca de 640 A.C. e morreu em cerca de 570 A.C. Seu ofício profético, pois, ampliou-se por mais de quarenta anos. Jeremias recebeu a desagradável tarefa de advertir sobre os envolvimentos e as destruições que um poderoso inimigo, que não dava quartel, haveria de impor. Os falsos profetas, porém, eram sempre otimistas, predizendo o bem, embora falsamente, para a nação de Judá. Jeremias, por sua vez, anunciava a terrível verdade. A exatidão de suas predições era tão grande que os seus compatriotas sentiam que, de algum modo, ele era responsável pelos acontecimentos adversos, perseguindo-o como se fosse um traidor. Porém, Jeremias nunca se esquivou da tarefa, mesmo diante de falsas acusações e de ameaças de morte. Seu

JEREMIAS

senso de missão era muito forte, e ele serviu com grande zelo até o fim, um fim que, segundo alguns, foi a morte de um mártir, às mãos de sua própria gente.

As lamentações de Jeremias demonstram a profundeza de seu amor por seu próprio povo; e sua chamada à retidão exibe sua piedade que jamais se comprometeu. As perseguições que sofreu tornaram-no um homem que experimentou muitas aflições (Lam. 3:1). Por reiteradas vezes, ele precisou arrostar o ódio e palavras ofensivas e atos vis de homens ímpios, que se tinham levantado como autoridades e líderes. Mas Jeremias confrontou fielmente àquela gente, com a mensagem que Deus lhe dera, sem nunca se comprometer, enquanto os falsos profetas só anunciavam coisas boas. Jeremias quebrou um vaso, diante dos anciãos do povo, ao sul de Jerusalém, e assim proclamou a inevitável derrocada do reino de Judá (Jer. 19:1-15). Foi açoitado por causa disso; seus rolos escritos foram queimados; foi detido e ameaçado de morte. O mais incrível é que foram os adversários, os babilônios, que o trataram bem, libertando-o e dando-lhe a escolha de tomar seu rumo.

Provavelmente nos dias de Zedequias, Jeremias denunciou aos falsos pastores do povo (Jer. 23), e isso fê-lo ser odiado por todos. Os judeus preferiram continuar na rebeldia e na iniqüidade a dar ouvidos à mensagem do profeta de Deus. Quando os babilônios lhe deram a chance de ir para a Babilônia, onde, sem dúvida alguma, seria bem tratado, Jeremias preferiu ficar com o remanescente desprezível de Judá. Então, foi forçado pelo povo a ir para o exílio, no Egito. Mas, Jeremias permaneceu fiel à sua chamada profética, até que foi executado pelos seus próprios concidadãos (se pudermos confiar nas tradições). Assim, a perseverança e a fidelidade eram suas principais qualidades de caráter. Suas profecias, que nos relatam as coisas que sucederam, e que nos fornecem mais informações biográficas sobre ele do que no caso de qualquer outro autor bíblico, serve de imortal contribuição, tanto do ângulo histórico quanto do ângulo religioso. Jeremias tem sido apodado de apóstolo Paulo do Antigo Testamento; e o apóstolo Paulo tem sido chamado de Jeremias do Novo Testamento, o que serve de atributo apropriado para ambos. Paulo, tal como Jeremias, era homem de tristezas, que lamentava a apostasia de Israel, e sofreu muitas perseguições às mãos de seu próprio povo.

Bibliografia. Ver sobre *Jeremias* (*O Livro do Antigo Testamento*).

JEREMIAS (O Livro do Antigo Testamento)

Esboço:
I. Jeremias, o Profeta
II. A Arqueologia, Jeremias e Nabucodonosor
III. Caracterização Geral do Livro
IV. Relações Entre Jeremias e Cinco Reis de Judá
V. Autoria e Integridade do Livro
VI. A Cronologia Histórica e Jeremias
VII. Esboço do Livro
VIII. Alguns Conceitos Básicos de Jeremias — Sua Mensagem

No artigo intitulado *Jeremias* (*o Profeta*), temos apresentado muito material que se aplica, naturalmente, à sua obra, o livro profético do Antigo Testamento que leva o seu nome. Vários pontos do esboço anterior referem-se a materiais específicos, dados no artigo sobre o próprio profeta Jeremias. A esse material adicionamos agora outras informações, sobre o livro propriamente dito.

I. Jeremias, o Profeta
Ver completas descrições no artigo **Jeremias** (o *Profeta*).

II. A Arqueologia, Jeremias e Nabucodonosor
Examinar esse material sob a seção IV do artigo sobre *Jeremias* (o *Profeta*).

III. Caracterização Geral do Livro
As profecias de Jeremias, em forma de livro, tomaram o nome do próprio profeta, cujo nome, em hebraico, era *Yirmeyahu* ou *Yirmeyah*, «Yahweh estabelece». O seu ministério estendeu-se pelo menos durante quarenta anos da história de Judá, história essa que terminou em tragédia, com o cativeiro babilônico (vide).

Propósito. O intuito de Jeremias era conclamar o povo de Judá ao arrependimento, visto que ele via a potência do norte, Babilônia, a erguer-se, pela providência divina, para castigar uma nação desobediente como era Judá. Ele exortou os habitantes de Jerusalém a abandonarem sua apostasia e idolatria. Jeremias via um cativeiro de setenta anos delineando-se no horizonte (Jer. 25:1-14). Ele via que o conflito entre três potências mundiais, a Assíria, o Egito e a Babilônia, terminaria com o triunfo desta última. E advertiu aos judeus acerca de pactos firmados com o Egito, que redundariam em desastre, a longo prazo. Visto que Jeremias previu um resultado desfavorável para Judá, que era um pequeno reino, entalado no meio de lutas entre poderes gigantescos, esse profeta acabou merecendo a desconfiança de seu próprio povo, e foi desprezado. Suas profecias de condenação soavam estranhas, quando comparadas com as palavras consoladoras dos profetas falsos. Todavia, a esperança messiânica resplandece em seus escritos, onde é prometida a restauração e a glória finais, para Israel e para Judá, juntamente. Ver Jer. 23:5 *ss*; 30:4-11; 31:31-34; 33:15-18. Ele previu a manifestação do justo *Ramo de Davi*, *Yahweh-Tsidkenu* (vide). Ver também Jer. 23:6; 30:9.

Jeremias profetizou cerca de sessenta anos após Isaías. Seus contemporâneos foram Sofonias e Habacuque (no começo), e Daniel (mais tarde). Jeremias precisou relacionar-se com cinco dos reis de Judá, o que nos fornece a porção essencialmente histórica do seu livro. Isso é comentado detalhadamente no artigo *Jeremias* (o *Profeta*), seção III.3. As predições de Jeremias incluem os grandes eventos do cativeiro babilônico; a restauração após setenta anos; a dispersão universal dos judeus; o recolhimento final de Israel; a era do reino; o dia do juízo dos poderes gentílicos.

O livro de Jeremias pode ser dividido em três seções bem gerais, a saber: 1. capítulos 1—25: profecias contra Judá; 2. capítulos 46—51: narrativas acerca de Jeremias, o profeta, e predições contra potências estrangeiras; 3. capítulo 52: um apêndice histórico, extraído de II Reis 24:18 *ss*. Várias fontes informativas podem estar envolvidas, algumas delas, provavelmente, — adicionadas por autores posteriores ou editores. Uma dessas fontes diz respeito aos discursos de Jeremias, a saber, os trechos de Jer. 7:1 *ss*, 11:1 *ss*; 18:1 *ss*; 21:1 *ss*; 25:1 *ss*; 32:1 *ss*; 34:1 *ss*; 35:1 *ss*; 44:1 *ss*. Os eruditos liberais supõem que os capítulos 46—51 são, essencialmente, derivados de fontes outras, que não o profeta Jeremias. Os oráculos indubitavelmente genuínos, no parecer de alguns, seriam os capítulos 1—25, que vieram do rolo original escrito por Baruque (o que é mencionado em Jer. 36:32). Os capítulos 26—44 enfocam a atenção sobre os acontecimentos externos. Os capítulos 30 e 31 formam uma coletânea especial de dizeres, que alguns supõem ter sido acrescentada ao livro em tempos

452

JEREMIAS

posteriores. Uma característica ímpar do livro são as chamadas «confissões» de Jeremias, a saber, os trechos de Jer. 11:18-23; 12:1-6; 15:10-21; 17:12-18; 18:18-23; 20:7-18. Essas confissões revelam a relação pessoal entre Jeremias e Deus.

IV. Relações Entre Jeremias e Cinco Reis de Judá — No artigo intitulado **Jeremias (o Profeta)** seção III.3, temos provido esse material para o leitor. A terceira seção inteira daquele artigo aborda a história que é contada no livro de Jeremias, e que o leitor faria bem em consultar.

V. Autoria e Integridade do Livro

Jeremias, filho de Hilquias, pertencia a uma família sacerdotal que vivia em Anatote, cidade de Benjamim. Ele foi o autor do livro que traz o seu nome (Jer. 1:1). Há mais informações biográficas sobre ele do que sobre qualquer outra figura profética do Antigo Testamento. Não há que duvidar que o livro pertence, genuinamente, a Jeremias, embora certas porções possam ter sido adicionadas, posteriormente, por editores. E também é claro que Jeremias valeu-se de mais de uma fonte informativa, que incorporou em sua obra.

1: *Jeremias Ditava a Baruque.* Uma boa porção do volume (os liberais concordam com os capítulos 1—25) foi ditada a Baruque, o amanuense de Jeremias. Esses capítulos formavam o rolo que foi queimado pelo rei Jeoaquim (Jer. 36:23). No entanto, foi ditada uma segunda edição, que incluía material novo (Jer. 36:32). Em seguida, aparecem seções que foram compostas posteriormente, embora ainda de autoria de Jeremias, conforme nos sugerem os trechos de Jer. 21:1 e 24:1.

2. O capítulo cinqüenta e dois do livro de Jeremias é um óbvio empréstimo de II Reis 24:18; 25 e 30, que foi adicionado por algum editor.

3. *Evidências de Autenticidade.* Além daquelas evidências internas, no próprio livro, temos as confirmações dos relatos que demonstram a validade das predições de Jeremias, como o caso dos setenta anos de cativeiro, que se tornaram um fato histórico. Ver Dan. 9:2; Jer. 25:11-14; 29:10; II Crô. 36:21; Eze. 1:1 e Josefo (*Anti.* 10:5,1). O livro de Jeremias é muitas vezes citado no Novo Testamento como uma profecia autêntica. Ver Mat. 2:17,18 (Jer. 31:15); 21:13; Mar. 11:17; Luc. 19:46 (Jer. 7:11); Rom. 11:27 (Jer. 31:33 *ss*); Heb. 8:8-13 (Jer. 31:33 *ss*). A tradição talmúdica afirma detalhes sobre a vida e as predições de Jeremias.

4. *Integridade.* É patente que o volume de Jeremias foi escrito em vários estágios, acompanhando os sucessos históricos e as predições de Jeremias pertencentes àqueles acontecimentos. Os estudiosos liberais vêem, nessa atividade, o trabalho de um editor ou editores. Sabemos que a primeira edição dos capítulos 1—25 do livro foi destruída e precisou ser reescrita. Não sabemos dizer quanto trabalho editorial foi feito pelo próprio Baruque. Mas sabemos que o arranjo, algumas vezes, não é cronológico. O fato de que a versão hebraica massorética difere consideravelmente da Septuaginta serve de prova absoluta de que deve ter havido mais de uma edição do livro de Jeremias. Mas aqueles que têm procurado identificar o trabalho dos possíveis editores diferem muito entre si, no tocante às suas reconstruções, baseadas muito mais em sentimentos subjetivos do que naquilo que, realmente, deve ter acontecido. Talvez Baruque tenha refeito alguns dos discursos de Jeremias, redigindo-os com suas próprias palavras, embora preservando-lhes a substância. Apesar disso poder exprimir uma verdade, não há como provar tal suposição, e nem há

como descobrir o modo como isso foi feito. Alguns estudiosos pensam que os capítulos 46—51 não pertencem, essencialmente, a Jeremias, mas antes, poderiam ser adições feitas posteriormente, embora não haja nenhuma razão compeliadora para apoiar tal argumento. O apêndice, formado pelo capítulo 52, mui provavelmente foi acrescentado pelo próprio Baruque, ou por algum editor posterior. O ministério de Jeremias espraiou-se pelo governo de cinco monarcas de Judá. Se quisermos obter uma seqüência cronológica dos seus escritos, teremos de dar um novo arranjo aos mesmos. O professor C. Lattey sugeriu o seguinte arranjo, que segue os reis envolvidos no relacionamento com Jeremias:

Josias. Caps. 1—20 (excetuando 12:7—13:27).

Jeoacaz. Nada foi escrito em seu tempo.

Jeoaquim. Caps. 12:7—13:27; 21; 25; 27; 28; 33; 35; 36; 45.

Joaquim. Caps. 13:18 *ss*; 20:24—30; 52:31-34.

Zedequias. Caps. 24; 29; 37; 38; 51:59,60 (advertências); 30—33 (promessas de restauração); 21; 34; 37—39 (o cerco babilônico); 40—44 (após a queda de Jerusalém); 46—51 (profecias contra várias nações); 52 (apêndice).

O material inicial cobriu um período de vinte e três anos, desde o décimo terceiro ano de Josias (626 A.C.) até 604 A.C. Esse material foi destruído durante o quinto ano do reinado de Jeoaquim, mas Baruque reescreveu o mesmo. E *então adicionou* algo a esse material (Jer. 36:32).

O texto da Septuaginta nos dá uma versão mais breve que o texto hebraico. Ora, usualmente é o texto mais breve que é o original. É muito mais natural que os escribas tenham expandido do que tenham condensado os textos que copiavam. A diferença é cerca de uma oitava parte, pelo que não é muita coisa. Na Septuaginta, os oráculos contra as nações estrangeiras (caps. 46—51), aparecem depois de Jer. 25:13, e a seqüência desses oráculos também encerra algumas diferenças. Essas diferenças poderiam ser explicadas com base em duas versões do livro de Jeremias; ou, então, poderíamos supor que o trabalho de editores é que produziu isso. O texto hebraico tem sido tradicionalmente preferido; e devemos relembrar que, dificilmente, poderia mesmo ser diferente disso. Pois que estudioso hebreu teria preferido a tradução da Septuaginta à versão em seu próprio idioma? Os materiais autênticos, incluídos nas propostas *adições*, não servem de argumento em favor da originalidade, mas apenas mostram que um editor ou editores estiveram envolvidos, tendo adicionado material histórico genuíno, que é confirmado nos registros babilônicos. As omissões que aparecem na Septuaginta (Jer. 28:1-33; 29:16-20; 33:14-26; 39:4-13; cap. 52, além de alguns outros pequenos trechos) são difíceis de explicar. Por que motivo um tradutor teria deixado essas passagens de lado, propositalmente? Não há resposta para esse problema; mas, considerando o que sucede nas atividades dos escribas, parece que os tradutores da Septuaginta preferiram representar a forma original do livro, ao passo que o texto hebraico foi por eles concebido como uma expansão dessa forma original. Porém, nada de certo se pode dizer quanto a essa questão.

VI. A Cronologia Histórica e Jeremias

Os eventos principais e suas datas, no que se relacionam ao livro de Jeremias, são os seguintes:

686 A.C.: O reinado de Manassés.

648 A.C.: O nascimento de Josias.

642 A.C.: Amom substitui a Manassés como rei.

633 A.C.: Josias busca renovação espiritual (II Crô.

JEREMIAS

34:3). Morte de Assurbanipal, rei da Assíria. Ciaxares torna-se rei da Média.

628 A.C.: Reformas religiosas de Josias.

627 A.C.: Chamada divina de Jeremias.

626 A.C.: Nebopolassar torna-se rei da Babilônia.

621 A.C.: Acha-se o rolo da lei, depois utilizado na reforma.

609 A.C.: Josias é morto, em Megido. Jeoacaz governa por três meses. Jeoaquim assume o poder, em Jerusalém.

605 A.C.: Os babilônios derrotam o Egito e a Assíria, em Carquêmis. Daniel e outros são levados à Babilônia (Dan. 1:1). Nabucodonosor torna-se rei da Babilônia.

604 A.C.: A Palestina paga tributo a Nabucodonosor.

601 A.C.: Os egípcios derrotam momentaneamente aos babilônios.

598 A.C.: Fim do reinado de Jeoaquim; os babilônios invadem Jerusalém. Joaquim torna-se rei de Judá; governa por três meses e é deportado para a Babilônia.

597 A.C.: Zedequias torna-se rei de Judá.

588 A.C.: Cerco de Jerusalém, iniciado a 15 de janeiro.

587 A.C.: Jeremias é encarcerado pelos judeus (Jer. 32:1,2).

586 A.C.: Fuga de Zedequias diante dos babilônios (II Reis 25:2,3; Jer. 39:4; 52:5,7). Destruição de Jerusalém (II Reis 25:8-10). Gedalias, governador temporário de Judá, é assassinado. Jeremias o apoiava. Os judeus vão para o Egito e levam Jeremias.

?: Morte (e martírio) de Jeremias, no Egito.

VII. Esboço do Livro

I. *Chamada de Jeremias*, Avisos e Mensagem aos Judeus (1:1—29:32)

  A. Oráculos de Condenação:

    1. Contra o pecado e a ingratidão (2:1—3:5)

    2. A destruição virá do norte (3:6—6:30)

    3. Os judeus seriam exilados (7:1—10:25)

    4. O pacto rompido: sinal do cinto (11:1—13:27)

    5. A seca (14:1—15:21): sinal do profeta solteiro (16:1—17:18); avisos acerca do sábado (17:19-27)

    6. O sinal da casa do oleiro (18:1—20:18)

  B. Oposição aos Anciãos e Líderes

    1. Abusos contra Jeremias e seu encarceramento (19:1—20:18)

    2. Seu conselho a Zedequias (21:1-14)

    3. Contra os reis e os falsos profetas (22:1—24:10)

    4. Contra as nações (25:1-38)

    5. Jeremias escapa da execução (26:1-24)

    6. Oposição a Jeremias, em Jerusalém e na Babilônia (27:1—29:32)

II. *Várias Profecias*, da Subida ao Trono ao Cativeiro de Zedequias (30:1—39:18)

    1. Vislumbres de restauração (30:1—33:26)

    2. Uma nova aliança (30:1—31:40)

    3. Um sinal sobre a restauração (32:1-44)

    4. O pacto davídico (33:1-26)

    5. Desintegração do reino de Judá (34:1—39:18)

    6. O exemplo dos recabitas (34:1-22)

    7. Queda de Jerusalém (37:18)

III. *Profecias em Judá*, Após o Cativeiro (40:1—42:22)

    1. Mensagem ao remanescente, na Palestina (40:1—41:18)

    2. Aviso para os judeus não descerem ao Egito (cap. 42)

IV. *Jeremias no Egito* (43:1—45:5)

V. *Profecias contra Nações e Cidades* (46:1—51:64)

    1. Egito (46:1-28)

    2. Filístia (47:1-7)

    3. Moabe (48:1-47)

    4. Amom (49:1-6)

    5. Edom (49:7-22)

    6. Damasco, Quedar e Hazor (49:23—33)

    7. Elão (49:34-39)

    8. Babilônia (50:1—51:64)

VI. *Apêndice*

    1. Queda e Cativeiro de Judá (52:1-30)

    2. Libertação de Joaquim (52:31-34)

VIII. Alguns Conceitos Básicos de Jeremias—Sua Mensagem

1. *O Livre-Arbítrio e o Determinismo*. Jeremias viu o soerguimento inevitável da Babilônia, que subjugaria a Assíria e o Egito. Nesse jogo pelo poder, a nação de Judá seria reduzida a nada. Apesar de predizer tais eventos como inevitáveis, mesmo assim ele cria na genuinidade da chamada de Judá ao arrependimento (o que poderia evitar toda a tragédia). Em outras palavras, Judá *poderia ter escapado* ao terror. Essa circunstância levanta a antiga questão da interação entre o livre-arbítrio humano é o determinismo divino. Para essa questão não há respostas absolutamente adequadas. Deus usa o livre arbítrio humano, sem destruí-lo, embora não saibamos dizer *como*. Quanto a um estudo completo sobre essa questão, examinar os dois artigos intitulados *Livre-Arbítrio* e *Determinismo*. Ver também acerca da *Predestinação*. No que diz respeito a indivíduos, pelo menos no tocante à questão do desenvolvimento espiritual, uma verdade inegável parece ser que os eventos que inevitavelmente devem suceder em uma vida são *auto-escolhidos*. Em outras palavras, a própria pessoa seleciona os acontecimentos principais de sua vida, os quais determinarão o curso que ela seguirá. Porém, esses eventos que determinam o destino de uma pessoa não são em grande número, de tal modo que a *maior parte* daquilo que um homem faz, fá-lo por sua livre agência. Porém, naquilo que dirige o destino da alma, o indivíduo não faz por meio de seu livre-arbítrio; antes, segue os ditames de sua alma, em consonância com a direção e a providência de Deus, que delega tais poderes aos homens. Além disso, como é óbvio, há eventos tanto pessoais, como independentes do indivíduo (mas que exercem profundo efeito sobre a sua vida) que são intervenções diretas ou diretivas de Deus. Depois de dizermos isso, vemos que alguma luz foi projetada sobre o problema, embora muitas perguntas continuem sem resposta.

2. *Conceito de Deus*. Conforme fica implícito no primeiro ponto (acima), Deus é o poder controlador das atividades humanas, embora não seja infenso, como Ser Supremo, àquilo que o homem quer e faz. Ele é o Criador e o Senhor Soberano que governa todas as coisas, nos céus e na terra. Jer. 5:22,24; 10:12 *ss;* 23:23 *ss;* 27:5. Um completo *monoteísmo* era a crença de Jeremias. Não havia qualquer toque de henoteísmo (vide) em seu sistema doutrinário. Para ele, os deuses das nações nem eram entidades (10:14

454

JEREMIAS

ss; 14:22 A vontade divina é suprema sobre todas as coisas (Jer. 18:5-10; 25:15-38; 27:6-8).

3. A *presciência de Deus* é absoluta (Jer. 17:5-10).

4. O *amor de Deus* desconhece limites (Jer. 2:2; 31:1-3).

5. *Deus é a fonte originária da vida* de todos os seres vivos (Jer. 2:13; 17:13).

6. *Deus requer* justiça e obediência (Jer. 7:1-15).

7. As *abominações* a Deus incluem os sacrifícios oferecidos aos deuses pagãos (Jer. 7:30 *ss*; 19:5), embora também sejam abominações as oferendas de um povo rebelde e pecaminoso (Jer. 6:20; 7:21 *ss*, 14:12).

8. A *idolatria* (vide) é salientada como uma espécie de ofensa capital contra Deus. Baal, Meloque e a rainha do céu são especificamente condenados pelo profeta. Havia ídolos pagãos no próprio templo de Jerusalém (Jer. 32:34). Em Jerusalém, crianças estavam sendo oferecidas em holocausto a Baal e a Moloque (Jer. 7:31; 19:5; 32:35). Jeremias lamentava a grande apostasia que invadira Judá, mormente porque ele via a ira de Deus preparando Babilônia para ser a vara do castigo contra o seu povo terreno.

9. A *imoralidade* foi condenada como uma forma de idolatria. As pessoas imaginam deuses de acordo com os seus próprios vícios (Jer. 5:1-6; 7:3-11; 23:10-14). A corrupção moral tem uma maneira de abafar o temor de Deus, no coração dos homens. Os próprios sacerdotes tinham-se deixado envolver nisso (Jer. 5:30 *ss*; 6:13-14; 14:14). Em meio à sua imoralidade e idolatria, Judá conseguira manter sua religiosidade. Mas Jeremias proclamou que a lei moral é mais importante do que as práticas religiosas e cerimônias. O povo de Judá reverenciava a arca (Jer. 3:16), as tábuas da lei (31:31 *ss*), o templo de Jerusalém (7:4,10 *ss*; 11:15), o sinal da circuncisão (4:4; 6:10; 9:26) e o sistema de sacrifícios (6:20; 7:21 *ss*; 11:15; 14:2), mas estava afundado na corrupção moral. Isso também tipifica a Igreja organizada, conforme a vemos hoje em dia no mundo. Uma porca pode ser sacrificada sobre o altar, na forma de música irreverente e de práticas profanas, ao mesmo tempo em que o pastor emprega seu sermão, presumivelmente a fim de convocar os homens ao arrependimento.

10. *Julgamento*. O profeta pregou o julgamento divino, explicando que o mesmo haverá de descarregar-se contra os homens desobedientes. Mas também ensinou que o arrependimento pode arredar o castigo. Jeremias tinha em mente, especificamente, a invasão por parte da Babilônia (Jer. 1:13-16; 4:11,12; 5:15-19; 6:1-15). A Babilônia, pois, era um látego usado por Deus como instrumento, embora também servisse de medida corretiva, porquanto todos os juízos divinos são remediais em sua natureza, e não meramente vingativos. Ver o artigo geral sobre o *Julgamento*.

11. Nem todas as religiões são iguais; nem todas as fés religiosas são genuínas. Existem *religiões falsas*. Jeremias manifestou-se contra os falsos profetas, que tão facilmente enganavam ao povo (Jer. 8:10-17; 14:14-18; 23:9-40). A principal falsidade deles consistia em pregar uma mensagem otimista, ao mesmo tempo em que Deus só pensava em castigar o seu povo terreno.

12. A *esperança*, em meio ao juízo divino e à condenação, era um tema constante nas predições de Jeremias. O exílio de Judá era inevitável, embora não houvesse de perdurar para sempre. Haveria de redundar em um digno propósito, visando ao bem do povo judeu, em última análise (Jer. 19:10; 25:11). Nisso consiste a própria natureza do julgamento. O julgamento tem um aspecto *remedial*, não sendo

mera reparação, e, menos ainda, vingança. Ver o trecho de I Ped. 4:6, que ensina essa verdade no tocante ao julgamento dos incrédulos. O próprio hades tem um aspecto remedial, conforme se vê no relato bíblico da descida de Cristo ao hades. Ver o artigo intitulado *Descida de Cristo ao Hades*. A esperança de Jeremias, em meio ao juízo divino iminente, deu origem a um ato de fé, quando ele comprou um terreno em Anatote (não distante de Jerusalém), pois sabia que o povo de Judá haveria de retornar à sua pátria. É lamentável que o próprio Jeremias tenha sido assassinado no exílio (no Egito), o que significa que o ato de compra do terreno era simbólico, não lhe tendo trazido qualquer vantagem pessoal. Porém, Deus também estava controlando a situação, e podemos ter a certeza de que o profeta nada perdeu, mas somente teve a ganhar.

13. A *Convocação à Religião Vital*. À semelhança de Paulo, no segundo capítulo da epístola aos Romanos, Jeremias viu que as formalidades religiosas externas são inúteis, a menos que haja uma correspondente vitalidade espiritual, na alma. A confiança de Judá no templo, nos sacrifícios animais, no sacerdócio e no sinal da circuncisão era inteiramente inútil sem a santidade e a dedicação da alma aos princípios espirituais (Jer. 2:8; 5:13; 7:4-15; 8:8; 21—26). É mister que os princípios da lei sejam inscritos nos corações dos homens, e não meramente em alguma superfície de escrita (Jer. 31:31-34; 32:40). Se os símbolos externos fossem destruídos, isso não seria o fim do relacionamento eficaz de Deus com os homens (Jer. 33:14-26). Suas alianças continuariam, mesmo sem símbolos externos. Essa é uma verdade que os ramos sacramentalistas da Igreja cristã ainda não conseguiram absorver.

14. *Contemplando a Esperança Messiânica*. Jeremias viu um brilhante e novo dia, que haveria de raiar, apesar da melancolia do momento. Em primeiro lugar, haveria uma restauração do povo de Israel à sua terra, no tempo certo (Jer. 30:17-22; 32:15,44; 33:9-13). Em segundo lugar, haveria o estabelecimento do governo do Príncipe messiânico sobre Israel (Jer. 23:5 *ss*) e sobre todas as nações da terra (Jer. 3:17; 16:19; 30:9).

15. A *Essência da Fé Religiosa*. Os homens ficam ofuscados e escravizados às formas religiosas externas, cerimônias e instituições. Porém, a fé religiosa genuína é, essencialmente, uma condição moral e espiritual, na qual a alma é unida a Deus (Jer. 31:31-34). Esse foi um dos temas fundamentais da prédica do Senhor Jesus, conforme fica demonstrado pelo Sermão da Montanha (Mat. 5—7), um tema que teve continuidade nos escritos de Paulo, do qual o segundo capítulo de Romanos é um bom exemplo.

Bibliografia. AM ARC BRI BRIG(1966) E EIS G I IB ID ND UN WIS Z.

JEREMIAS (Outras Pessoas, que não o Profeta)

Ver o artigo geral intitulado **Jeremias (O Profeta)**. Além do profeta, outras oito pessoas aparecem com esse nome, no Antigo Testamento. Quanto ao significado do nome *Jeremias*, ver o artigo sobre o profeta desse nome.

1. Um guerreiro gadita que se aliou a Davi, em seu exílio, no deserto, em Ziclague, quando Davi fugia de Saul (I Crô. 12:10). Ele viveu em torno de 1061 A.C.

2. Um benjamita que também veio juntar-se às forças de Davi, no deserto, em Ziclague, quando Davi fugia de Saul (I Crô. 12:4). Viveu em cerca de 1053 A.C.

3. Um outro gadita que veio reunir-se a Davi, nas

455

JEREMIAS – JEREMIEL

mesmas condições dos casos anteriores (I Crô. 12:13). Viveu em cerca de 1050 A.C.

4. Um chefe da meia-tribo de Manassés, que vivia na Transjordânia (I Crô. 5:24). Ele viveu em cerca de 782 A.C. Aparentemente, viveu na época do cativeiro assírio.

5. Um nativo de Libna e pai de Hamutal, a esposa do rei Josias. Ele foi um daqueles que se casaram com mulheres estrangeiras, ao tempo do exílio babilônico, e que, após o retorno a Jerusalém, foi forçado a divorciar-se dela. A esposa de Josias foi mãe de Jeoacaz (II Reis 23:31) e de Zedequias (II Reis 24:18; Jer. 52:1). Ele viveu em torno de 632 A.C.

6. Um filho de Habizinias e pai de Jaazanias, o recabita, a quem o profeta Jeremias testou com uma oferta de vinho (Jer. 35:3). Isso ocorreu em cerca de 536 A.C.

7. Um sacerdote, cabeça de um dos turnos que servia no templo de Jerusalém (Nee. 12:1,34). Ele viveu por volta de 450 A.C.

8. Um dos trombeteiros, por ocasião da celebração das recém-reparadas muralhas de Jerusalém. Talvez seja idêntico ao Jeremias anterior (número 7). É mencionado em Nee. 10:2. Ainda que seja um indivíduo diferente, também viveu por volta de 450 A.C.

JEREMIAS, CARTA DE

Essa breve obra, pseudônima, foi incluída nas obras apócrifas (ver sobre os *Livros Apócrifos*), como uma espécie de adição ao livro de Baruque. Na Septuaginta, os livros aparecem na ordem seguinte: Baruque, Lamentações e Carta de Baruque. Essas três obras constituem uma espécie de apêndice ao livro canônico de Jeremias. Na Vulgata Latina, entretanto, a Carta de Jeremias constitui o sexto capítulo do livro de Baruque.

1. *Origem da Carta*. Sabemos que Jeremias escreveu cartas aos exilados judeus na Babilônia, enquanto ele mesmo ficava no que restara de Jerusalém (Jer. 29:1 ss). Bastaria essa circunstância para inspirar algum escritor desconhecido para arrogar-se à tarefa de dar-nos uma dessas cartas. Parece que o trecho de Jer. 10:5,70 sugere o conteúdo de uma carta apócrifa. Porém, também há reflexos de trechos como Isa. 44:9-20; Sal. 115:4-8 e 135:15-18. O que não se sabe com certeza é se a tal carta era uma mera composição literária, com o intuito de dar instruções morais e atacar a idolatria, ou se era uma carta genuína (embora não escrita por Jeremias), com uma destinação real, como por exemplo, alguma comunidade judaica na dispersão, ou na Palestina.

2. *Data*. O terceiro versículo assevera que os exilados deveriam permanecer na Babilônia por longo tempo, por nada menos de sete gerações. Se computarmos esse tempo, a partir de 586 A.C. (quando ocorreu o exílio babilônico), então chegaríamos ao começo do século III A.C., o que poderia ter sido o tempo em que essa carta de Jeremias foi escrita. E, mesmo que essa obra fosse mera peça literária, e não uma missiva genuína, enviada a um grupo específico de pessoas, então essa informação ainda assim poderia indicar quando essa carta foi escrita. Entretanto, alguns eruditos têm-na datado como pertencente ao século I D.C.

3. *Idioma Original*. Alguns estudiosos têm proposto um original hebraico (ou aramaico), embora outros insistam em que houve um autógrafo grego. Quanto a isso, não há consenso de opinião, por falta de evidências sólidas. E, mesmo que pertença a uma data anterior ou posterior, a ambigüidade da linguagem usada não teria sido afetada em coisa alguma.

4. *Canonicidade e Texto*. O Concílio de Trento (vide) aceitou os livros apócrifos do Antigo Testamento como canônicos. Assim, essa carta de Jeremias faz parte da Bíblia católica romana. Porém, poucos, ou mesmo nenhum, dos eruditos considera essa obra uma produção genuína do profeta Jeremias. Na Vulgata Latina, conforme já vimos, não forma um livro separado, mas apenas o capítulo final do livro de Baruque, o que reflete a tradição ocidental. Os anglicanos respeitam e usam os livros apócrifos, embora não lhes dêem posição canônica, pelo que lhes falta autoridade, ali. Os demais grupos protestantes e os evangélicos, por sua vez, ignoram quase inteiramente os livros apócrifos, visto que não os consideram canônicos, e nem ao menos os usam para fins de edificação, conforme fazem os anglicanos (posto que estes não usam os livros apócrifos para, sobre eles, firmar doutrinas cristãs).

Texto. O texto grego dessa obra foi preservado em muitas cópias da Septuaginta (vide). Entretanto, o manuscrito Aleph não o contém. Ora, Aleph é um dos principais manuscritos tanto do Antigo quanto do Novo Testamentos. Além disso, há cópias dessa carta na Vulgata Latina; mas não há nenhum manuscrito dessa obra apócrifa em aramaico.

5. *Conteúdo*. Essa obra, na realidade, não é uma carta. Antes, é uma áspera diatribe contra a idolatria, uma espécie de tratado de fogo. Na introdução, diz que se trata de uma cópia da carta enviada por Jeremias aos judeus que estavam prestes a ser deportados, embora ninguém leve a sério essa declaração. A argumentação é repetitiva, demorando-se sobre a falta de poder e a inutilidade dos ídolos. A peça é caracterizada por forte e constante zombaria. Os ídolos não falam, nem se movem, nem se defendem, e, de modo geral, são inteiramente insensatos e inúteis. Nem ao menos podem limpar-se, e ficam sujos. As térmitas e os vermes, em muitos casos, acabam-nos consumindo. Ora, visto que não podem fazer coisa alguma por si mesmos, é claro que não podem ajudar aos homens. A humilhação espera por aqueles que neles confiam. É ridículo temer aos ídolos ou respeitar os seus supostos poderes. A carta de Jeremias também ataca a prática da prostituição sagrada (vs. 4 e 26), o deus Bel (vs. 41) e as lamentações por uma divindade morta (provavelmente, Tamuz, vss. 31 ss). BROC CH ME(1957)

JEREMIAS II, O PATRIARCA

Suas datas foram 1536-1595. Ele foi uma das grandes personalidades da Igreja Ortodoxa Grega, no século XVI. Ele foi o autor das respostas às perguntas existentes na Confissão de Augsburgo, respostas essas que se tornaram uma interpretação fundamental da fé da Igreja Ortodoxa Grega. Ele foi humanista, erudito nos clássicos e amigo dos luteranos. Foi o responsável pela organização da Igreja Ortodoxa Russa, quando esta assumiu uma organização melhor. Viveu por cinco anos na Rússia, ocupado nesse mister. Ver o artigo geral sobre *Ortodoxa Oriental, Igreja*.

JEREMIEL

Esse é o nome de um suposto arcanjo, que responde às perguntas a ele dirigidas pelos mortos justos, conforme o registro de II Esdras 4:36. Alguns identificam-no com o Ramiel de II Baruque 55:3 e com o Remiel de I Enoque 20:8. Ver os artigos gerais sobre os *Anjos* e sobre *Rafael*, onde oferecemos material tradicional a respeito dos arcanjos. Ver

Jericó antiga
Cortesia, Matson Photo Service

Mar Morto, lugar das cidades das planícies
Cortesia, Matson Photo Service

Deserto de Judá
Foto de Alistair Duncan

JEREMOTE — JERICÓ

também o artigo sobre *Gabriel*.

JEREMOTE

No hebraico, «alto», «inchado» ou «grosso». Em algumas traduções (mas não na nossa versão portuguesa), aparece a forma alternativa *Ramote*, em Esd. 10:29. Várias personagens bíblicas aparecem com esse nome, a saber:

1. Dois benjamitas chamavam-se Jeremote (I Crô. 7:8; 8:14). O segundo talvez possa ser identificado com o Jeroão de I Crô. 8:27. Eles viveram em torno de 588 A.C.

2. Um levita merarita, filho de Musi (I Crô. 23:23). Ele é chamado *Jerimote*, em I Crô. 24:30. Viveu em cerca de 960 A.C.

3. Um descendente de Hemã (I Crô. 25:22). No quarto versículo daquele capítulo, ele é chamado de Jerimote. Viveu em cerca de 960 A.C.

4. Um chefe da tribo de Naftali, que viveu durante o reinado de Davi (I Crô. 27:19). O texto massorético grafa seu nome como *Jerimote*.

5. Um dos filhos de Elão, que se casara com uma esposa estrangeira, durante o exílio de Judá na Babilônia. Quando do retorno de Judá a Jerusalém, ele foi forçado a divorciar-se de sua esposa estrangeira (Esd. 10:27). Ele viveu em torno de 456 A.C.

6. Um dos filhos de Zatu, que se casara com uma mulher estrangeira, durante o tempo do cativeiro babilônico, e que, ao retornar a Jerusalém, foi forçado a divorciar-se dela (Esd. 10:27). Ele viveu em torno de 456 A.C.

JERIAS

No hebraico, «Yahweh é o fundamento». Um levita coatita, filho de Hebrom (I Crô. 23:19; 24:23). Ele era chefe dos hebronitas, ao tempo do rei Davi. Viveu em torno do ano 1000 A.C.

JERIAS

No hebraico, **temor de Yahweh**, embora alguns pensem apenas em «ver». Era filho de Selemias. Seu nome chegou até nós porque foi ele quem deteve Jeremias, sob a acusação de que esse profeta planejava desertar para os caldeus (Jer. 37:13,14). Era guardião da porta de Benjamim, em Jerusalém. Viveu por volta de 597 A.C.

JERIBAI

Ele foi um dos valentes guerreiros de Davi, sendo mencionado em I Crô. 11:46. O trecho de II Sam. 22 apresenta uma lista desses guerreiros, e o livro de I Crônicas também dá alguns deles. Esse homem aparece entre os heróis extras, mencionados em II Crônicas. Ele é o segundo filho de Elnaão. Deve ter vivido em torno de 1000 A.C.

JERICÓ

Esboço:
   I. O Nome
   II. Informes Geográficos
   III. Informações Históricas
   IV. No Novo Testamento e Posteriormente
   V. Escavações Arqueológicas

I. O Nome

O nome «Jericó» tem sua origem e seu sentido incertos, embora pareça significar «lugar perfumado», ou então «cidade da lua». Talvez esteja relacionado à palavra hebraica *yeriho*, que vem da mesma raiz que *yareah*, «lua». Nesse caso, a razão para o uso original desse termo provavelmente esteve ligada ao deus-lua dos semitas ocidentais, *Yarih* ou *Yerah*, conforme foi sugerido pelo arqueólogo W. Albright. Quanto a referências veterotestamentárias sobre essa localidade, ver Núm. 22:1; 26:3; 31:12; 33:48,50; 36:13; Deu. 32:49; Jos. 2:1,2; 3:16; 4:13; 5:10; 6:1,2,25; 16:1,7; 18:12,21; II Sam. 10:5; I Reis 16:34; II Reis 2:4,5,15,18; I Crô. 6:78; 10:15; II Crô. 28:15; Esd. 3:24; Nee. 3:2; 7:36; Jer. 39:5; 52:8. Nas páginas do Novo Testamento, essa cidade é mencionada em Mat. 20:29; Mar. 10:46; Luc. 10:30; 18:35; 19:1 e Heb. 11:30. Assim, a cidade é mencionada por cerca de setenta vezes no Antigo Testamento, e por seis vezes no Novo Testamento.

II. Informes Geográficos

Jericó era uma antiqüíssima cidade, construída na espaçosa planície onde o vale do Jordão alarga-se entre os montes de Moabe e os precipícios ocidentais. Ficava situada na rota que o povo de Israel vinha seguindo, depois da travessia do rio Jordão, sob as ordens de Josué, em preparação para a conquista da Terra Prometida (Jos. 3:16). Jericó fica quase diretamente a leste do mar Morto, cerca de vinte quilômetros das margens do mesmo, e diretamente a leste de Betel, da qual fica cerca de quinze quilômetros. Ficava cerca de trinta quilômetros a nordeste de Jerusalém. O local da antiga Jericó é assinalado, hoje em dia, por um cômoro em forma ovóide, muito desgastado, chamado Tell es-Sultan. Isso fica nos subúrbios da cidade moderna. Uma estrada moderna passa pelo lado oriental do cômoro. Perto desse cômoro fica a fonte de Ain es-Sultan, que provia água na antiguidade e, sem dúvida, foi uma das razões do local ser ocupado desde tempos remotos. O próprio cômoro tem cerca de quatrocentos metros de comprimento, no eixo norte-sul, e cobre uma área de cerca de dez acres, ou seja, pouco mais de quarenta mil metros quadrados. Nos dias do Novo Testamento, a Jericó de Herodes ficava localizada cerca de um quilômetro e meio a oeste da cidade moderna, sendo representada pelas ruínas que ocupam ambas as margens do wadi Qelt. Esse local é chamado de Tulo Abu el-Alyiz. As colinas da Judéia elevam-se abruptamente a oeste desses dois lugares. A área fica a 250 m abaixo do nível do mar. Naquela região, no passado, várias cidades diferentes, com o nome de Jericó, floresceram e declinaram.

III. Informações Históricas

As escavações efetuadas por Carl Watzinger (1907 e 1908) e por John Garstang (1929—1936) demonstraram que havia uma comunidade dos tempos neolíticos naquele local onde Jericó, finalmente, foi erigida, uma comunidade de cerca do quinto milênio A.C. Três cidades foram construídas naquela área, na idade do Bronze (3000 a 1200 A.C.). A terceira dessas cidades era a aldeia cananéia que foi capturada por Josué, e então destruída, em cerca de 1400 A.C. Ver o décimo sexto capítulo do livro de Josué. Subseqüentemente, a cidade foi reconstruída por Hiel, o betelita, conforme se aprende em I Reis 16:34. Há provas de que as cidades assim construídas foram destruídas tanto pelos homens quanto por catástrofes naturais, como guerras e terremotos.

Jericó era uma parada obrigatória para as tribos nômades. Antes da invasão israelita, nos dias de Josué, no começo da idade do Bronze, invasores nômades destruíram aquele lugar. Isso sucedeu em cerca de 2300 A.C. Esses invasores têm sido identificados pelos estudiosos como amorreus. Os

457

JERICÓ

cananeus que viviam no local migraram para a área talvez desde 1900 A.C. Lemos em Núm. 13:29: «...os amorreus habitam na montanha; os cananeus habitam ao pé do mar e pela ribeira do Jordão». Esses fatos são ilustrados por fontes arqueológicas e extrabíblicas.

Os túmulos que têm sido escavados em Jericó ilustram o tipo de vida que ali havia, nos tempos patriarcais. Excelentes peças de cerâmica, mesas de madeira com três ou quatro pernas, ferramentas, camas, cestas, caixas de armazenamento, pratos, travessas, vários tipos de armas, e até mesmo produtos alimentícios, como carne e frutas (preservadas pelo gás metano, em alguns desses túmulos) têm sido desenterrados.

Algum grande cataclismo atingiu o local, em cerca de 1550 A.C. Jericó, assim sendo, foi abandonada de 1550 a 1400 A.C. A invasão israelita ocorreu no século XIII A.C., quando os cananeus ocupavam o local. Não é abundante o material que tem sido recuperado daquele tempo, embora seja o suficiente para confirmar que o local era habitado. Há períodos da história antiga de Jericó que sofreram o desgaste próprio do tempo, e muita coisa continua escondida por debaixo das estruturas modernas, que não podem ser removidas. O relato do Antigo Testamento, a respeito da conquista encabeçada por Josué, aparece nos capítulos terceiro e oitavo do livro de Josué. A Jericó capturada por Josué era apenas uma pequena aldeia. A cidade principal, na conquista liderada por Josué, na Palestina, era Hazor, embora alguns estudiosos tenham pensado que Jericó fosse a cidade mais importante da região. A ênfase da Bíblia sobre Jericó deve-se ao fato de que ela foi uma espécie de primícias da conquista, que prometia muito mais por vir, e não que a cidade foi de conquista difícil, como se mostrasse que todas as cidades que os israelitas ainda teriam de conquistar fossem igualmente difíceis.

A narrativa veterotestamentária, como é óbvio, envolve Raabe, que, como é incrível (devido à graça divina e o seu contacto com os israelitas da época), acabou fazendo parte da genealogia de Jesus Cristo (Mat. 1:5). O livro de Josué informa-nos acerca da natureza caótica da época, e Jericó participava desse estado de coisas. Nenhum resto substancial da cidade antiga tem sido encontrado, pertencente àquele período. Podemos supor, pois, que Jericó, na época de Josué, era apenas uma aldeia em declínio.

Josué proferiu uma maldição contra o lugar (Jos. 6:26). A Bíblia informa-nos que, subseqüentemente, houve ali alguma atividade humana. A área, como um oásis, foi ocupada por Eglon, rei de Moabe (Juí. 3:14). Alguns representantes de Davi passaram algum tempo ali, depois de terem sido ofendidos por Hanum, de Amom (II Sam. 10:4).

Nos dias do rei Acabe, Hiel, de Betel, tentou reconstruir a cidade de Jericó (século IX A.C.), porém, as evidências arqueológicas sobre isso são escassas. Hiel perdeu seus filhos mais velhos e mais jovens, e isso foi interpretado como cumprimento da maldição lançada por Josué, segundo se lê em I Reis 16:34. Isso nos leva aos tempos de Elias e Eliseu (II Reis 2:4,5,18-22). Eliseu purificou as águas amargosas que ali havia.

Jericó chegou ao seu ponto final no tempo do cativeiro babilônico, nos dias de Zedequias, o último rei de Judá (II Reis 25:5; II Crô. 28:15; Jer. 39:5; 52:8). Os trechos de Esd. 2:34 e Nee. 7:36 aludem a uma ocupação do local durante o período de dominação persa; mas a população consistia apenas de trezentas e quarenta e cinco pessoas. Todavia, eles ajudaram no soerguimento das muralhas de Jerusalém (Nee. 3:2).

Árabes, cruzados e turcos chegaram ao local, utilizando-se das águas de suas fontes, e o ocuparam. Porém, essa ocupação foi feita cerca de três quilômetros para suleste do antigo local, que havia nos dias do Antigo Testamento. A atual cidade de Jericó expandiu-se ao ponto de circundar o antigo eômoro.

IV. No Novo Testamento e Posteriormente

Após ter passado de mão em mão, Jericó foi adquirida por Herodes, o Grande, que construiu uma nova cidade um tanto ao sul do local antigo. Ele a romanizou, dando-lhe um hipódromo, um anfiteatro e um palácio. As ruínas do local erigido por Herodes chamam-se, hoje em dia, Tulul Abut el-Alayia. No inverno, o clima da região é quente e agradável, o que explica a escolha feita por Herodes. Uma pequena fortaleza foi erigida ali, em uma estrada que vai do vale do Jordão até Jerusalém.

— Herodes usava essa cidade como sua *capital de inverno*. Fora embelezada com estruturas de estilo helênico, por Herodes, o Grande, e por seu filho, Arquelau. Contava com um palácio de inverno, com uma fortaleza, com um teatro e com um hipódromo. Os arqueólogos têm podido desenterrar indícios das atividades que havia nesse edifício. A arquitetura da Jericó do N.T. era romana e, diferentemente das aldeias de origem cananéia e judaica, Jericó estava ornamentada com árvores como o sicômoro, a qual cresce somente no vale do rio Jordão e na costa do mar Mediterrâneo. Pequenas peças de madeira, usadas para sustentar o muro de uma torre que foi descoberta em Jericó (segundo foi demonstrado pela Escola de Florestas de Yale), eram feitas de sicômoro.

Essa cidade estava situada nos vaus do *rio Jordão*, na fronteira com a Peréia e na planície mais rica da Palestina. Ficava cerca de vinte e quatro quilômetros de Jerusalém, e estava cerca de mil e cem metros abaixo do nível do mar, — que oferecia violentos contrastes com o capital. Herodes, o Grande empenhou-se em extenso programa de edificações ali, e sabemos, pelas descobertas arqueológicas, que havia duas Jericós, a mais antiga (pertencente à história judaica), e a que foi construída pelos romanos. Mas esta última ficava bem próxima da primeira e, na realidade, não passava de uma continuação daquela. Produzia certo número de importantes produtos, incluindo o bálsamo, e era uma próspera comunidade comercial ao tempo de Jesus. Era um centro de cobrança de impostos. Zaqueu era o chefe desse ofício lucrativo na cidade e, naturalmente, era rico (ver Luc. 19:1-10). Provavelmente Jesus viajara pelo lado oriental do Jordão e cruzara o vau perto de Jericó. Essa cidade foi o último estágio de sua jornada. Ali ele abriu os olhos de dois cegos e foi proclamado Messias. Mediante sua morte e ressurreição, que ocorreu pouco depois, ele abriu os olhos de um mundo cego pelo pecado.

Evidentemente, — a cidade foi totalmente reconstruída, — e, subseqüentemente, ornamentada por Herodes, o Grande. Era uma cidade ornamentada de palmeiras. No entanto, pelo século XII D.C., não restava qualquer indício da existência dessa cidade. Atualmente, uma miserável localidade está situada no local chamado Richa ou Ericha, e a área perdeu todas as suas antigas palmeiras. O clima é quente e doentio. Tal como no caso de muitas localidades, lembramo-nos melhor de Jericó porque Jesus esteve ali também.

Lucas registra certa permanência de Jesus ali, na

JERICÓ — JERIOTE

casa de Zaqueu. A parábola dos servos e dos talentos, como acontecimento associado a Jericó, foi registrada também por Lucas. Lucas situa o milagre da cura do cego antes desses outros acontecimentos. (Lucas diz *um* cego; Marcos fala em *dois*). Marcos esclarece que o cego se chamava *Bartimeu*. Segundo a gramática do grego indica, a exclamação: «Senhor, Filho de Davi, tem misericórdia de nós!» foi repetida por diversas vezes. Bartimeu parecia ser mais insistente em seu clamor que o outro, e a multidão não conseguiu fazê-lo calar-se. Essas multidões acompanhavam a Jesus em grande número.

A cidade construída por Herodes foi destruída pelos persas e pelos árabes, e ainda uma outra Jericó foi edificada ali pelos cruzados, no local onde se acha a moderna cidade de Jericó. Com a partida dos europeus, o local tornou-se cada vez menos importante. A aldeia moderna fica na estrada de Jerusalém para Amam, estando localizada em uma região agrícola que é fertilizada pela fonte de Eliseu, uma fonte poderosa localizada na falda ocidental do Tell es-Sultan. Muitos turistas costumam visitar esse lugar, que conta com fontes termais, uma igreja grega, uma igreja latina e um mosteiro russo. Jericó tornou-se parte do mandato britânico sobre a Palestina, em 1920; e após a guerra árabe israelita de 1948-1949, Jericó foi incluída no reino hasemita da Jordânia. A região tem uma população de cerca de cem mil pessoas; mas a própria vila conta com não mais de dez mil habitantes.

V. Escavações Arqueológicas
Sumário:

1. Há evidências que apontam para a ocupação do local desde os tempos neolíticos, ou seja, antes de 4500 A.C.

2. Há provas de que no período calcolítico (4500—3000 A.C.) houve uma série de cidades edificadas ali. Isso é ilustrado por evidências arqueológicas modestas. O professor Garstang atribuiu letras aos vários níveis da cidade, como cidade A (3000 A.C.), cidade B (2500 A.C.), cidade C (1500 A.C.). Esta última era uma cidade maior que as outras, pertencente ao período dos hicsos.

3. Foi a cidade D que foi capturada por Josué. Na época, Jericó era ocupada por filisteus. Contava com um palácio, reparado, pois pertencia à cidade anterior, e também contava com uma dupla muralha de tijolos. A muralha exterior tinha 1,80 m de espessura. A muralha interior, com um vão de cerca de 4 m, em média, entre ela e a muralha externa, tinha 3,60 m de espessura. Originalmente, tinha cerca de 9 m de altura. Na época, Jericó ocupava uma área de cerca de 12 acres (cerca de 48 mil metros quadrados). Era um lugar compacto, havendo casas até mesmo entre as muralhas externa e interna, o que explica a situação em que Raabe fez os espias descerem muralha abaixo com a ajuda de uma corda, pendurada na janela de sua casa, visto que ela residia na muralha (Jos. 2:15). As muralhas da cidade D evidenciam uma violenta destruição, em consonância com a narrativa bíblica. A muralha exterior ruiu ladeira abaixo, enquanto que a muralha interior, com as suas casas, ficou a descoberto, no espaço assim deixado. Os detalhes ajustam-se às descrições do sexto capítulo do livro de Josué.

4. A cidade E veio a tomar o lugar da cidade D; porém, só foi construída em 860 A.C., nos dias do rei Acabe.

5. As escavações iniciadas em 1950 desenterraram o palácio e a fortaleza de Herodes.

6. As escavações efetuadas na Jericó do Antigo

Testamento, efetuadas no ano de 1952, encontraram, principalmente, artefatos do período pré-literário.

7. Há evidências da Jericó dos tempos bizantinos, que foi construída entre um quilômetro e meio e dois quilômetros a leste de Jericó construída por Herodes. A atual cidade foi construída acima do nível da localidade bizantina, embora se tenha expandido até dentro da área da Jericó do Antigo Testamento.

Bibliografia. AM KELS KENY UM Z.

JERIEL

No hebraico, «achado por Deus». Jeriel era um dos filhos de Tola, um dos seis cabeças da tribo de Issacar, durante os dias de Davi (I Crô. 7:2). Ele viveu em torno de 1020 A.C.

JERIMOTE

No hebraico, «alturas». Esse foi o nome de várias personagens que figuram nas páginas do Antigo Testamento, a saber:

1. Um filho de Bela, um chefe guerreiro que pertencia à tribo de Benjamim (I Crô. 7:7). Ele viveu em torno de 1860 A.C.

2. Um guerreiro e arqueiro benjamita, que se aliou a Davi, em Ziclague, quando Davi fugia de Saul (I Crô. 12:5). Viveu em cerca de 1040 A.C.

3. Um filho de Bequer, cabeça de uma das famílias benjamitas (I Crô. 7:8). Ele viveu em cerca de 1017 A.C.

4. O líder dos sacerdotes meraritas, ao tempo em que o recenseamento foi feito por determinação de Davi (I Crô. 24:30). Ver sobre *Jeremote*, número dois.

5. Um filho de Hemã, cabeça do décimo quinto turno dos músicos que serviam nos cultos sagrados organizados por Davi (I Crô. 25:4,22). Viveu em torno de 1020 A.C.

6. Um filho de Azriel, capitão da tribo de Naftali, durante os dias de Davi e Salomão (I Crô. 27:19). Viveu em cerca de 1010 A.C.

7. Um dos filhos do rei Davi. Sua filha, Maalate, foi a primeira esposa de Reobão. Visto que ele não aparece na lista dos filhos de Davi, é possível que ele tivesse sido filho de uma concubina. Porém, Davi teve tantas esposas e concubinas que teria sido possível que alguns dos filhos tivessem sido esquecidos na alistagem. Ver II Crô. 11:18, onde esse homem é mencionado.

8. Um levita, um dos supervisores do templo nos dias de Ezequias, rei de Judá (II Crô. 31:12). Ele viveu em cerca de 729 A.C.

JERIOTE

No hebraico, «cortinas» ou «timidez». Esse era o nome da segunda esposa de Calebe, filho de Hezrom (I Crô. 2:18). Ele viveu em cerca de 1440 A.C. A interpretação do texto envolvido é duvidosa, sendo possível que Jeriote tivesse sido filha, e não esposa de Calebe. O texto massorético ficou corrompido naquele ponto. Jeriote pode ser outro nome de Azuba, a esposa de Calebe, se interpretarmos o *waw* hebraico com o sentido de «a saber», e não com o sentido de «e». Ou então, naturalmente, pode significar que Azuba, antes de se casar com Calebe, fora esposa de um homem chamado Jeriote. Na verdade, não há como solucionar definitivamente o problema.

••• ••• •••

JEROÃO — JEROBOÃO

JEROÃO

No hebraico, «compassivo». Esse é o nome com que aparecem oito personagens diferentes, nas páginas do Antigo Testamento, a saber:

1. Um filho de Eliú (Eliabe ou Eliel) e avô de Samuel (I Sam. 1:1; I Crô. 6:27,34). Ele viveu em torno de 1142 A.C. Era efraimita, mas mesmo assim foi incluído na genealogia levítica. Provavelmente, era um levita não praticante, que fora fixar residência em Efraim, embora não oriundo dali. Seja como for, no período dos juízes houve mùitas práticas duvidosas, sendo possível que um levita, na verdade, fosse um efraimita. Ver Juí. 17:7—18:31.

2. Um residente de Gedor. Ele era pai de dois arqueiros benjamitas que se aliaram a Davi, em seu exílio em Ziclague, quando fugia de Saul (I Crô. 12:7). Jeroão viveu em torno de 1055 A.C.

3. O pai de Azareel, que era chefe da tribo de Dã, nos dias de Davi e Salomão (I Crô. 27:22), algum tempo antes de 1017 A.C.

4. Um líder da tribo de Benjamim (I Crô. 8:27), que viveu em cerca de 588 A.C. Talvez ele seja a mesma pessoa descrita abaixo, no número cinco.

5. O pai de Ibnéias, que se tornou um chefe benjamita, em Jerusalém (I Crô. 9:8), por volta de 536 A.C. Seu filho viera estabelecer-se em Jerusalém antes dele, logo após o cativeiro babilônico.

6. O filho de Pasur, descendente de Aarão, que pertencia à casa de Imer (Nee. 11:12). Ele viveu em cerca de 530 A.C. Alguns estudiosos identificam-no com o sétimo desta lista. Pertencia a uma família sacerdotal, e seu filho prestou um bom serviço, em seus dias.

7. O filho de Pelalias e pai de Adaías, que veio residir em Jerusalém, terminado o exílio babilônico (Nee. 11:12), em cerca de 440 A.C. Alguns estudiosos pensam que ele pode ser identificado com a personagem anterior, número seis desta lista.

8. O pai de Azarias. Ele era um comandante militar que ajudou o sumo sacerdote, Joiada, a derrubar a rainha apóstata, Atalias (II Crô. 23:1). Joás tornou-se rei, com a ajuda de sua ação. Corria, segundo os cálculos o ano de 836 A.C.

JEROBOÃO

Jeroboão foi o primeiro rei da nação do norte, Israel, quando Israel e Judá tornaram-se reinos distintos. Para melhor entender a história envolvida, o leitor deveria examinar os seguintes artigos: *Israel, História de; Israel, Reino de; Judá, Reino de*. No artigo intitulado *Rei, Realeza*, damos um gráfico que compara os reinos de Judá e Israel com várias outras nações ao redor, ilustrando assim os períodos históricos correspondentes, e seus principais acontecimentos.

1. O Nome

Heb., «povo multiplicado» ou «que se multiplique». Esse nome tem sido ilustrado mediante a descoberta de um belo selo de jaspe, que retrata um leão a rugir. Tem estampada uma inscrição: *Ishm 'bd yrb'm*, ou seja, «pertencente a Sema, ministro de Jeroboão».

2. Informes Históricos

a. *Família de Jeroboão*. Ele era filho de Nebate, um efraimita. Sua mãe chamava-se Zerua (I Reis 11:26).

b. *Exaltado por Salomão*. Salomão estava levantando fortificações em Milo, perto da cidadela de Sião. Foi então que ele observou um ambicioso jovem, que estava ajudando nos trabalhos. E Salomão elevou-o à posição de superintendente sobre a questão da cobrança de impostos e trabalhos forçados, no tocante à tribo de Efraim (I Reis 11:28). Isso aconteceu logo após 960 A.C.

c. *Práticas Opressivas de Salomão*. As condições de trabalho eram ruins, os impostos eram altos demais, e isso gerou a insatisfação geral. Jeroboão, pois, tornou-se o cabeça de um movimento de rebelião. Uma predição feita por Aías, que dizia que, finalmente, Jeroboão, seria elevado à posição de rei, provavelmente encorajou-o a encabeçar a revolta (I Reis 11:29-40).

d. *Conspirações e Fuga*. A questão foi crescendo, e Salomão começou a perceber que Jeroboão servia de ameaça para seu governo. A execução foi planejada, mas Jeroboão fugiu para o Egito. Ali chegando, Jeroboão foi protegido pelo Faraó Sisaque, onde permaneceu até que ocorreu a morte de Salomão, em cerca de 926 A.C. Ver I Reis 11:40. A Septuaginta contém um comentário duvidoso, quanto à sua autenticidade, acerca do exílio de Jeroboão, em parte alicerçado sobre as experiências de Hadade, segundo o registro de I Reis 11:14-22. Faraó Sisaque não permitiu que essa amizade pusesse cobro à invasão dos territórios de Judá e de Israel, pelas tropas egípcias.

e. *Tentativa de Reconciliação, e Nova Revolta*. Reoboão, filho do rei Salomão, subiu ao poder. Aparentemente, Jeroboão encabeçava uma delegação cujo intuito era obter melhores condições para o povo comum, mormente no tocante às condições de trabalho e aos impostos. Mas Reoboão, em sua juventude e arrogância, respondeu rispidamente à petição, prometendo um tratamento até mais duro que aquele que fora dado por seu pai. As dez tribos haviam comissionado Jeroboão quanto à sua incubência, sendo apenas natural que, quando a tentativa fracassou, elas o tivessem convocado para tornar-se o monarca de uma nação independente, as dez tribos do norte, que, depois, tomaram o nome de *Israel*, em contraste com as duas tribos do sul, Judá e Benjamim, que ficaram formando o reino de *Judá*.

f. *A Nova Capital, Siquém*. Os primeiros atos de Jeroboão tiveram por fim ampliar o abismo entre as duas nações em que se dividiu o povo israelita; e o estabelecimento de uma capital rival foi a medida mais importante nesse sentido. Por razões desconhecidas, a capital *de facto* era Penuel, a oeste do rio Jordão, onde ficava a sede do governo nortista. Posteriormente, Jeroboão retornou à porção leste do Jordão, e fixou residência permanente em Tirza (I Reis 12:25; 15:21,33; 16:6 *ss*; Jos. 12:24). Além de perturbações políticas, havia também as dificuldades religiosas. Jeroboão, cansado de tentar impedir o fluxo de peregrinos que se dirigia, anualmente, ao templo de Jerusalém, capital do reino do sul, acabou fundando santuários idólatras em Dã e Betel.

g. *Os Bezerros de Ouro de Dã e Betel*. Os intérpretes, provavelmente, estão com a razão ao suporem que a adoração ao bezerro de ouro, instituída por Jeroboão, era uma maneira de homenagear a Yahweh, posto que mal-orientada, e não uma franca idolatria pagã. Havia um costume semita comum de considerar as deidades como entronizadas sobre as costas de animais. É possível que Yahweh fosse concebido como sentado nas costas dos dois bezerros de ouro, de tal modo que aquela idolatria fosse uma maneira distorcida de adorar a Yahweh! Porém, quão moderno tudo isso parece! Quão triste é que certos segmentos da cristandade estejam fazendo exatamente esse tipo de coisa. Promovem uma forma de idolatria que, segundo pensam, honra a Deus e ao seu Cristo! Ver I Reis

460

JEROBOÃO

12:26-33. Nem Deus e nem os profetas do Senhor concordaram com tal forma de idolatria. Jeroboão corrompeu as leis antigas. Ele estabeleceu o seu sacerdócio particular, composto de indivíduos que não pertenciam à tribo de Levi. Ele instituiu suas próprias comemorações e seus próprios dias de oferecimento de sacrifícios. Ele erigiu lugares para uma adoração espúria, em lugares altos, seguindo o costume pagão.

h. *Denúncias dos Profetas*. Jeroboão deu início a um curso de ação que só poderia resultar na destruição. Um dia, quando ele oficiava, oferecendo incenso, nos holocaustos, como se fosse um rei sacerdote (imitando a prática egípcia), um profeta que é chamado apenas de «homem de Deus», passava e observou a cena. Este lamentou a idolatria e profetizou no local que um descendente de Davi, que se chamaria «Josias», haveria de pôr fim às práticas idólatras de Jeroboão, sacrificando sobre os altares nos altos, os sacerdotes estabelecidos por esse rei de Israel. Também predisse a destruição dos altares idólatras. Jeroboão, porém, não gostou do que o profeta dissera, e ordenou que ele fosse preso. Jeroboão estendeu o braço, em um gesto de comando, e seu braço ficou imediatamente seco. O altar rachou pelo meio, e então Jeroboão precisou pedir por misericórdia, para que seu braço lhe fosse restaurado. Isso lhe foi concedido, pela graça divina, através da oração feita pelo profeta. Jeroboão, em seguida, mostrou-se generoso, e queria que o homem fosse à sua casa para uma refeição, o que, naturalmente, o profeta recusou.

i. *Mais Idolatria e Declínio*. Os pecadores raramente aprendem as suas lições e se arrependem. Jeroboão não foi uma exceção a isso. Ele continuou em sua obstinação. Seu filho, Abias, adoeceu gravemente; e Jeroboão enviou sua esposa para inquirir do profeta Aías se havia possibilidades de recuperação. O profeta, porém, reconheceu a mulher, que viera disfarçada, e predisse a morte do filho do casal. Nem bem ela chegou de volta, e o menino morreu. Jeroboão nunca se recuperou totalmente do golpe, e das diversas circunstâncias que se estabeleceram. E morreu não muito depois (I Reis 14:1-20).

3. A Dinastia de Jeroboão

Na qualidade de primeiro rei secessionista de Israel, Jeroboão governou por vinte e dois anos (I Reis 14:20), isto é, de 931 a 910 A.C., embora outros estudiosos falem nas datas de 922—901 A.C. Seu filho, Nadabe, governou apenas por dois anos, e foi assassinado por Baasa (I Reis 15:25-30). A breve dinastia de Jeroboão caiu sob o peso de seus próprios pecados e corrupções, embora ele tivesse sido escolhido como rei, no começo de sua carreira, a fim de opor-se a uma série de corrupções, da parte de Salomão, que Reoboão ameaçava continuar. Quão comum isso é, no campo da política em geral! Isso, naturalmente, cumpriu a profecia de Aías, registrada em I Reis 14:2-18 e 15:27-30.

4. Suas Guerras e Dificuldades

No começo, — Jeroboão teve de lutar com Reoboão, rei de Judá; e então com Abias, também de Judá (I Reis 14:30; 15:5; II Crô. 12:15). No quinto ano de seu governo, seu antigo amigo e protetor, o Faraó Sisaque, do Egito, invadiu a Palestina, prejudicando tanto a Judá quanto a Israel (I Reis 14:25 *ss*). A Bíblia não menciona o envolvimento da nação do norte, nessa invasão; mas a inscrição sobre o triunfo de Sisaque, achada em Carnaque, alista a derrota de Taanaque, Sunem, Reobe, Maanaim e Megido, cidades essas que pertenciam ao reino do norte, Israel. Contudo, Abias obteve uma decisiva

batalha sobre Jeroboão (II Crô. 13:1-22). Jeroboão perdeu a cidade de Betel, além de outras cidades das proximidades das fronteiras. Nadabe subiu ao trono da nação do norte, mas não permaneceu ocupando-o por longo tempo. A dinastia, desse modo, chegou ao fim, conforme já foi descrito. Aqueles foram tempos agitados para um homem que abandonara a sua herança, e para a sua descendência. Jeroboão começou opondo-se ao erro, mas terminou praticando um número de erros muito maior.

5. Problemas Textuais

O período da vida de Jeroboão, antes de tornar-se rei, é narrado em três versões diferentes: uma delas pertence à Septuaginta, e as outras duas ao texto massorético, em hebraico. *a*. O texto hebraico de I Reis 11:26—12:24 não é seguido exatamente em três menções existentes na Septuaginta. Em I Reis 11:43, a Septuaginta contém uma expansão, dizendo que Jeroboão, ao ouvir a notícia da morte de Salomão, foi à sua cidade, Sarira, na região montanhosa de Efraim. Isso significa que ele deixou o seu exílio, no Egito. Ao que se presume, isso o preparou para a revolta que encabeçou. Muitos manuscritos da Septuaginta omitem I Reis 12:2 e uma parte do versículo seguinte, que aparecem no texto hebraico. Em I Reis 12:12a são acrescentadas as palavras «...e todo Israel veio ao rei Reoboão, no terceiro dia». Isso transparece em nossa versão portuguesa, que diz: «Veio, pois, Jeroboão, e todo o povo, ao terceiro dia, a Reoboão».

b. O trecho de I Reis 12:24, segundo a Septuaginta, é diferente do texto hebraico, havendo diversas adições. Ali Jeroboão é vilipendiado, e ele aparece sob uma luz adversa. Faz sua mãe, Sarira, ser uma meretriz, e não dá o nome de seu pai. Diz que ele tentou apossar-se do poder até mesmo nos dias de vida de Salomão. Ora, isso difere do texto massorético, em I Reis 11:27. A Septuaginta também afirma que, chegando ao Egito, Jeroboão casou-se com a filha mais velha e mais proeminente de Faraó Sisaque, Ano, que lhe deu um filho chamado Abias. Isso pode ser comparado com o relato sobre o rebelde Hadade, em I Reis 11:14-22, que é muito similar ao que diz a Septuaginta, naquela «glosa», sobre Jeroboão. Por essa razão, alguns eruditos pensam que foi dali que se retirou aquele acréscimo. Temos ali o relato de um profeta que foi enviado a Jeroboão para instruí-lo a rasgar uma peça de vestuário em doze pedaços, dizendo-lhe, sarcasticamente, que ficasse com dez pedaços, com os quais se vestiria. Todos os detalhes, pois, aparecem ali com o intuito de degradar a Jeroboão e às suas intenções.

c. Em I Reis 11:26—12:24, achamos outras diferenças. Em I Reis 11:43, a Septuaginta afirma que Jeroboão voltou do exílio, no Egito, assim que ouviu falar sobre a morte de Salomão. O texto massorético, em I Reis 12:1-3, diz que Reoboão veio a Israel e reuniu uma assembléia em Siquém, a fim de ser nomeado rei. Ao mesmo tempo, Jeroboão retornou a Israel. Qual foi o papel de Jeroboão nas negociações com Reoboão? O texto massorético deixa Jeroboão em segundo plano, em I Reis 12:3 e 12. A Septuaginta deixa-o no pano de fundo, omitindo os versículos em pauta. Os estudiosos, pois, têm procurado avaliar essas diferenças. Alguns supõem que a Septuaginta envolve glosas sem autoridade. Outros pensam que há alguma fonte histórica fidedigna por detrás desses pontos, razão pela qual o texto massorético, quanto a esses particulares, deve ser considerado secundário. Mas, após uma longa e intrincada troca de pontos de vista, a enciclopédia Z conclui que o texto massorético deve ser preferido. Todavia, é feito o reparo que, pelo

JEROBOÃO II — JERÔNIMO DE PRAGA

menos, algumas das informações históricas não devem ser consideradas sem valor histórico, sobretudo quando abordam a permanência de Jeroboão no Egito.

JEROBOÃO II

Ele foi o décimo terceiro (ou décimo quarto, se Tibini for contado) rei de Israel. A princípio, governou como co-regente (793—782 A.C.), e então como monarca único (782—753 A.C.; mas há quem prefira 786—746 A.C.).

1. *Família*. Jeroboão II foi filho e sucessor de Jeoaás; e foi o quarto monarca da dinastia de Jeú (vide).

2. *Expansões do Seu Reino*. Jeroboão II conseguiu ampliar as fronteiras de sua nação até à Transjordânia, desde a Arabá (vide) até às fronteiras com Hamate. Isso cumpriu uma profecia de Jonas (II Reis 14:25). É mister usar as descobertas arqueológicas para descrevermos essa expansão, visto que a narrativa bíblica é muito abreviada. Ver II Reis 14:23-29 e I Crô. 5:17. Os assírios debilitaram o reino de Ben-Hadade, e Jeroboão II aproveitou-se disso para recuperar a Transjordânia, que fora tomada por Ben-Hadade. Os assírios, muito ocupados algures, não fizeram oposição ao expansionismo de Jeroboão II, durante todo o tempo em que ele viveu. Naturalmente, depois de sua morte, os assírios tornaram a penetrar na região.

3. *Prosperidade Econômica e Social e Naufrágio Espiritual*. Os dias de Jeroboão II foram assinalados pela prosperidade material. De fato, a nação do norte, Israel, nunca desfrutou de tão grande prosperidade desde os dias de Salomão. Todavia, a vida religiosa da nação de Israel estava caótica. Os livros dos profetas Oséias e Amós refletem essa degradação. Ver Osé. 6:4-10; 10:1-15; Amós 2:6-8; 3:13—4:5.

4. *O Fim da Prosperidade Material*. Quando Jeroboão II faleceu, seu filho, Zacarias, o sucedeu. Mas só permaneceu no trono por seis meses, e então foi assassinado. Isso pôs fim à dinastia de Jeú, que fora condenada desde o começo, em face de seus muitos erros. Ver II Reis 15:8-12. Somente trinta anos depois disso, Israel, a nação do norte, deixou de ser uma nação, em face da invasão assíria e o subseqüente cativeiro de Israel.

5. *Dados Arqueológicos* . — Vários arqueólogos têm feito escavações importantes em Samaria, — tendo confirmado o seu esplendor e as suas riquezas, no século VIII A.C. Jeroboão II construiu várias fortificações, a começar por uma grande muralha dupla que, em alguns lugares, tinha a espessura de dez metros. Suas fortificações ajudam-nos a entender por que os assírios precisaram de três anos completos para capturar a cidade (II Reis 17:5). Um magnificente palácio de pedra calcária, com torres e um espaçoso átrio externo, fazia parte de seu programa de construções. Alguns estudiosos têm pensado que Acabe foi o responsável por essa construção; mas os arqueólogos modernos têm descoberto que o autor da mesma foi, de fato, Jeroboão II. Em Megido, foi descoberto um selo de jaspe, com a inscrição «Sema, servo de Jeroboão». Essa inscrição aponta para Jeroboão II, e não para Jeroboão I. O trabalho de arte nesse selo, representando um leão a rugir, é impressionante. Edificações simples, de tijolos, foram substituídas por casas de pedra talhada, e o país enriqueceu muito (Amós 3:15; 5:11; I Reis 22:39). Havia muitas festividades, danças e folguedos, geralmente acompanhados por práticas morais duvidosas (Amós 6:4-6). A religião degenerou, acompanhando o baixo nível moral (Amós 4:4; 5:5; 8:14). Amós 7:9 é passagem que prediz que a espada visitaria a casa de Jeroboão. Isso poderia indicar morte violenta para o próprio Jeroboão; mas sabemos que ele morreu de morte natural, em 746 A.C. Mas, seu filho e sucessor, Zacarias, após haver ocupado o trono real apenas por seis meses, foi assassinado. O trecho de II Reis 14:29 registra a morte de Jeroboão, e tudo indica que se tratou de uma morte natural.

JERÔNIMO (SANTO)

Ele foi um dos grandes eruditos cristãos antigos. Seu nome, em latim, era Hieronimous, «nome sagrado». Esse nome derivava dos termos gregos *hierós*, «santo», e *ónoma*, «nome». Suas datas foram 342—420 D.C. Ele nasceu na Dalmácia e educou-se em Roma, onde foi batizado. Viajou muito. Finalmente, fixou residência em Belém da Judéia, onde fundou um mosteiro e passou os últimos trinta e quatro anos de sua vida. Foi o mais erudito de todos os pais latinos da Igreja.

A carreira de Jerônimo foi muito variada. Foi eremita, sacerdote, erudito, diretor espiritual de nobres e de ricos, de mulheres e de monges romanos. Viajou extensamente pelo Oriente, visitou Calcis, no deserto da Síria, e também Antioquia da Síria e Constantinopla, no Egito. Então voltou a Roma (382 D.C.), e tornou-se secretário do papa Damaso. Outras viagens levaram-no novamente a Antioquia da Síria, dali ao Egito, e então à Palestina, onde, finalmente, ele se estabeleceu e desenvolveu seu trabalho em um mosteiro, por ele fundado. Também foi fundado ali um convento, e ele dirigia o trabalho da comunidade, ocupando-se em suas atividades eruditas. Ele é considerado o fundador do monasticismo latino. Sua obra mais importante e imortal foi uma nova tradução da Bíblia inteira para o latim, que veio a chamar-se *Vulgata Latina*, ou seja, a Bíblia latina comum. Ele traduziu o Antigo Testamento diretamente do original hebraico, em vez de fazê-lo da Septuaginta, conforme tinham feito seus antecessores tradutores. Sua tradução latina foi uma revisão e harmonização de outras traduções, previamente existentes.

A história informa-nos que ele foi um homem apaixonado e contendor, que era incapaz de controlar a violência de suas palavras e da pena, quando se ocupava em alguma controvérsia, o que acontecia com freqüência. Em sua juventude, ele favoreceu as opiniões de Orígenes; mas, posteriormente, lançou um tremendo ataque contra Orígenes. Tornou-se um asceta severo, que atribuía um exagerado valor a essa forma de vida. Além de sua tradução, a Vulgata Latina, ele produziu outras importantes obras, incluindo comentários bíblicos, biografias de cristãos famosos (*De Viris Illustribus*) e muitas cartas, que ilustram a vida, as doutrinas e a prática cristãs em Roma, durante a segunda metade do século IV D.C. As suas cartas eram cortantes, embora também exibissem uma profunda piedade. Foi um dos poucos hebraístas autênticos de seu tempo. Distinguia entre os livros canônicos e os livros apócrifos do Antigo Testamento, os primeiros escritos em hebraico, e os segundos escritos em grego. Estes últimos haviam sido adicionados àqueles. Jerônimo foi um dos primeiros eruditos antigos a fazer tal distinção. (AM C P)

JERÔNIMO DE PRAGA

Ele era checoslovaco e seguidor das idéias de

JERÔNIMO — JERUSALÉM

Wyclife. Nasceu em Praga, em cerca de 1360 D.C., onde também morreu, a 30 de maio de 1416. Educou-se na Universidade de Praga, e também nas Universidades de Paris, Oxford, Colônia e Heidelberg. Foi companheiro a ele em vários particulares, como na erudição e na eloqüência, embora lhe fosse inferior na moderação e na prudência. Em face de suas reconhecidas realizações eruditas, foi empregado por Ladislau II, da Polônia, a fim de organizar a Universidade de Cracóvia. Sigismundo, da Hungria, convidou Jerônimo de Praga para vir pregar na sua presença, em Budapeste.

Ele assumia uma abordagem vigorosa, e mesmo violenta, da reforma. Isso fez com que John Huss e outros amigos seus entrassem em dificuldades, por causa do vigor de suas expressões. Ele mandou prender a monges que a ele se opunham, sempre que isso esteve ao seu alcance. Queimou publicamente a bula da cruzada contra Ladislau, de Nápoles, além de indulgências papais.

John Huss foi aprisionado em Constança, na Suíça, e Jerônimo de Praga correu para lá, a fim de defendê-lo. Porém, quando tentava voltar a Praga, o duque de Sulzbach mandou encarcerá-lo, em Hirschau, e o levou em cadeias a Constança. O que admira é que após apenas seis meses de aprisionamento, Jerônimo de Praga tenha concordado em retratar-se de suas *heresias*. Nem por isso, porém, deram-lhe a liberdade. E assim, após outro ano de padecimentos na prisão, Jerônimo retirou sua retratação. Assim, a 30 de maio de 1415, ele foi queimado vivo na fogueira, por ordens do concílio de Constança, e as suas cinzas foram lançadas no rio Reno. Quão violentos são os homens, em sua fé religiosa; e quanta estupidez eles exibem, pensando que Deus os está inspirando! Jerônimo de Praga foi um homem violento, e morreu de maneira violenta.

JERUBAAL

No hebraico, «que Baal contenda», ou então, «que Baal aumente». Esse foi o apelido dado a Gideão, quando ele destruiu o altar de seu pai, dedicado a Baal, que fora levantado em Ofra. A idéia por detrás desse apelido era que se Baal fosse alguma coisa, então que ele contendesse contra Gideão, por haver derrubado o seu altar. Outros supõem que esse nome não era apenas uma alcunha, mas um verdadeiro nome pessoal de Gideão, refletindo a cultura sincretista em que ele vivia; e também que esse se tornou o seu nome mais proeminente, após seu ato de iconoclasmo. E então, quando, finalmente, o nome Baal se tornou quase pejorativo, em Israel, o seu nome foi alterado para «Jerubesete», segundo se lê em II Sam. 11:21. Ver o artigo sobre *Jerubesete*. Quanto ao relato sobre como Gideão profanou o bosque e derrubou o altar de Baal, ali existente, ver Juí. 6:31,32; 7:1; 8:29,35; 9:1,2,5,16,19,24,28,57; I Sam. 12:11.

JERUBESETE

No hebraico, «contendor contra a vergonha», isto é, contra um *ídolo vergonhoso*. Mas, esse nome também pode significar «que a vergonha contenda», ou então, «que a vergonha aumente». Essa palavra hebraica foi conseguida alterando-se a palavra «baal» para «vergonha» (II Sam. 11:21). Houve tempo em que os israelitas relutavam até em pronunciar a palavra Baal, pelo que ocorreu esse tipo de alteração. Há outros exemplos, no Antigo Testamento, dessa

espécie de atividade, como nos casos de Isbosete, que veio a substituir a *Isbaal*, e Mefibosete, que veio a substituir *Meribaal*.

JERUEL

No hebraico, «achado por Deus». Esse era o nome de certa porção do deserto da Judéia, localizada entre Tecoa e En-Gedi. Foi ali que o rei Josafá derrotou a coligação militar dos amonitas, moabitas e meunitas (II Crô. 20:16). Essa área ficava a oeste do mar Morto, e na parte sul do território de Judá; mas, a sua localização exata é desconhecida atualmente. Tem sido identificada com a região ao sul do wadi el-Ghar, que se estende desde o mar Morto até às vizinhanças de Tecoa. Atualmente chama-se *el-Hasasah*.

JERUSA

No hebraico, «possuída» ou «tomada em casamento». Esse era o nome da filha de Sadoque, que se tornou a rainha do rei Uzias. Foi a mãe de Jotão, rei de Judá (II Reis 15:33 e II Crô. 27:1). Ela viveu em cerca de 738 A.C.

JERUSALÉM

Esboço:
   I. O Nome
  II. Jebus, a Antiga Jerusalém Cananéia
 III. Situação Geográfica e Topográfica
  IV. Caracterização Geral
   V. Esboço da História de Jerusalém
  VI. Jerusalém e a Arqueologia
 VII. A Jerusalém dos Dias de Davi e de Neemias
VIII. Jerusalém e a Profecia Bíblica
  IX. Lugares Interessantes da Moderna Jerusalém
      Bibliografia

I. O Nome

Jerusalém é uma das mais antigas cidades do mundo a ter sido continuamente ocupada; e tem recebido vários nomes através de sua história. Apesar da etimologia do nome não ser indubitável, aparentemente é de origem semítica, estando relacionado esse nome ao termo hebraico *shalom*, ou *shalem*, «paz». Em Gên. 14:18 encontramos que o nome do local era *Salém*. Isso posto, nos dias de Abraão a cidade já era chamada por um nome relacionado a «Jerusalém». É possível que o nome original signifique «fundada em paz», e que Salém fosse uma forma abreviada desse nome. Os tabletes de Tell el-Amarna, do século XIV A.C., dizem *Urusalim*, «cidade da paz». Os assírios chamavam-na de *Ursalimmu*. Os gregos e os romanos usavam a transliteração e adaptação do nome, *Hierosoluma*. Os árabes lhe dão o nome de *El Kuds*, «Cidade Santa». O trecho de Jos. 15:8 fala sobre os «...jebuseus do sul, isto é, Jerusalém...» Essas eram designações cananéias. Temos ventilado essa questão em artigos separados, conforme indicamos abaixo.

Em Isa. 52:1, Jerusalém é chamada de *'ir haz-kodesh*, «cidade santa», um significado que, sem dúvida, se acha por detrás das adaptações feitas pelos gregos e romanos desse nome. Sendo a sede do templo e dos ritos sagrados, Jerusalém era, proeminentemente, uma cidade santa, o lugar onde Deus fazia a sua presença conhecida, e onde a sua mensagem era anunciada claramente.

No tocante a *Salém*, seu sentido é evidente, «paz». Porém, o sentido da primeira porção do nome, isto é, «Jeru», é obscuro. As conjecturas têm incluído as idéias de «possessão» e de «fundação». O cognato

JERUSALÉM

assírio diz «cidade da paz». E isso pode significar que, de algum modo, aquela primeira porção do nome, «Jeru», signifique «cidade». Nesse caso, porém, essa palavra não tem origem hebraica.

II. Jebus, A Antiga Jerusalém Cananéia

Quanto a esse aspecto da história de Jerusalém, e dos nomes ali envolvidos, ver os artigos separados sobre *Jebus* e *Jebuseus*.

III. Situação Geográfica e Topográfica

Jerusalém fica situada em meio às colinas da Judéia, a cinqüenta e seis quilômetros a leste do mar Mediterrâneo, em uma elevação com cerca de 730 m. Fica próxima ao cume de uma larga cadeia montanhosa, cerca de cinqüenta e seis quilômetros a leste de Jope, à beira do mar Grande (mar Mediterrâneo), e cerca de vinte e nove quilômetros a oeste da extremidade norte do mar Morto, e a pouco mais de trinta e cinco quilômetros das margens do rio Jordão. A serra montanhosa onde se acha Jerusalém, estende-se sem interrupção desde a planície de Esdrelom até uma linha imaginária, traçada entre a extremidade sul do mar Morto e a esquina suleste do mar Mediterrâneo. Todo esse terreno é rochoso e íngreme, atravessado por vales profundos, que correm na direção leste-oeste, a cada lado do rio Jordão, ou começando às margens do Mediterrâneo, na direção leste. O território em redor de Jerusalém é de formação calcária, não sendo muito fértil. Rochas emergem à superfície, e por toda a parte há grandes pedras soltas. Ali cultiva-se a oliveira, mas os cereais são melhor produzidos nas regiões de Hebrom e de Nablus. Nas elevações maiores, não medram bem nem a parreira e nem a figueira.

Jerusalém não tem porto marítimo (no que se diferencia de Tiro, Sidom e Alexandria, por exemplo). Não obstante, conta com um bom suprimento de água, proveniente da antiga fonte de Giom (vide; também chamada fonte da Virgem). Jerusalém situa-se em um platô elevado, com descidas bem pronunciadas na direção suleste. A serra para leste é formada pelo monte das Oliveiras. O acesso à cidade, vindo de todas as direções, exceto do norte, é impedido por três ravinas profundas, que se juntam no vale de Siloé, perto da fonte de Bir Eyyub, que fica a suleste da cidade. O vale oriental é o Cedrom. O vale ocidental é atualmente chamado de wadi al-Rababi, que, mui provavelmente, corresponde ao antigo vale de Hinom. Uma terceira ravina atravessa a cidade, dividindo-a pelo meio antes de continuar na direção sul, e levemente para o leste, onde, finalmente, encontra-se com as outras duas ravinas. É possível que Mactés (vide), referida em Sof. 1:11, fizesse parte dessa ravina. Josefo chamava-a de vale Tiropoeano (o vale dos fabricantes de queijo). Foi feita uma tentativa deliberada para atulhar as depressões, sem falarmos nos atulhamentos naturais, causados pela erosão e pelos abalos sísmicos. O resultado disso é que camada após camada de entulho se tem empilhado em alguns lugares da cidade, até uma profundidade de cerca de trinta metros.

Jerusalém consiste em *cinco colinas* formadas por duras pedras calcárias cenomanianas. Três dessas colinas ficam a leste do vale Tiropoeano. A menor delas, que fica mais para o sul, tem uma crista de cerca de 670 m acima do nível do mar. Essa situação, com seus declives e estreitas gargantas, fazem dessa porção da cidade aquela que mais facilmente podia ser defendida. As escavações arqueológicas têm demonstrado que essa era a Sião original, ou seja, a Cidade de Davi (II Sam. 5:7).

Os vales que cortam a área dividem a cidade em colinas distintas. O vale central divide a cidade naquilo que se chama de Colina Ocidental, que, na realidade, consiste em *duas* elevações. Tentativamente, o Gólgota tradicional e o local do sepultamento de Jesus têm sido localizados na elevação noroeste da cidade. A Colina Oriental, por sua vez, está dividida em *três* seções. Josefo chamava a seção norte de *Bezeta*, que é a elevação maior. A porção central é onde fica a Mesquita de Omar, ou seja, a colina onde, originalmente, foi levantado o templo de Jerusalém. A seção sul é a parte mais baixa, e fica fora das atuais muralhas da cidade. É evidente que essa era a Sião anterior à chegada dos israelitas, que veio a tornar-se a Cidade de Davi. A descoberta, ali feita, de ruínas, de fontes e de obras hidráulicas, parece confirmar essa forte conjectura.

IV. Caracterização Geral

Jerusalém é a principal e mais sagrada cidade da Palestina. Tem existido como cidade e como capital, além de lugar sagrado, há mais de três mil anos. Aparece, no começo, mencionada com o nome de Ursalimmu, nas cartas de Tell el-Amarna, pertencentes ao século XIV A.C., embora a referência bíblica à mesma, em Gên. 14:18, reflita uma antigüidade ainda mais remota do que isso, retrocedendo, talvez, até cerca de 2000 A.C. Desconhece-se a sua origem absoluta; mas a sua história total conhecida cobre, desse modo, um período de quatro mil anos!

Quando Jerusalém é mencionada nas cartas de Tell el-Amarna, ela já era uma importante cidade-estado do sul da Palestina. Alguns têm aludido a essa cidade como a mais antiga cidade do mundo, embora tal declaração seja impossível de comprovar. Nos tempos históricos mais remotos, era a cidade capital dos jebuseus, uma subdivisão dos habitantes pré-israelitas da Palestina. Naquele tempo, a cidade era reputada como inexpugnável. No entanto, foi capturada por Davi, em cerca de 1000 A.C. Ele deu a ela (ou a uma parte da mesma) o nome de «Cidade de Davi», tornando-a capital de seu reino. Quarenta anos mais tarde, seu filho reinante, Salomão, erigiu ali o famoso templo. Após a divisão do povo de Israel em dois reinos rivais (o do norte, Israel; e o do sul, Judá), Jerusalém continuou sendo capital do reino do sul, Judá. Suas rivais do norte eram Siquém e Samaria, no reino nortista de Israel. Continuou sendo a capital da nação de Judá por cerca de quatrocentos e cinqüenta anos; e, então, foi capturada e destruída pelos babilônios, em 586 A.C. E os seus habitantes, em sua esmagadora maioria, foram deportados para a Babilônia. Os historiadores chamam a esse episódio de *cativeiro babilônico* (vide). Terminado o exílio babilônico, Jerusalém tornou-se, de novo, a capital judaica, embora não tivesse demorado muito a cair novamente em mãos estrangeiras. Os macabeus (vide), restauraram-lhe a independência; mas ela acabou ficando sob os romanos, que puseram fim às fortes rivalidades entre os judeus. Nos anos 70 e 132 D.C., os exércitos romanos destruíram a cidade de Jerusalém. Em 132 D.C., os judeus foram expulsos da cidade e proibidos de ali entrarem. Isso deu origem à grande Dispersão (vide), que só começou a ser revertida em nossos próprios dias, em 1948, quando da formação do moderno estado de Israel. Os islamitas dominaram a cidade em 636 D.C. Por causa de suas persistentes associações religiosas, os judeus, os islamitas e os cristãos consideram-na uma cidade sagrada. Os islamitas pensam que ela só perde em importância religiosa para Meca e para Medina, na Arábia. Conforme alguém observou, Jerusalém é «santa demais por seus próprios méritos», e tem havido contínuas lutas pela possessão da mesma,

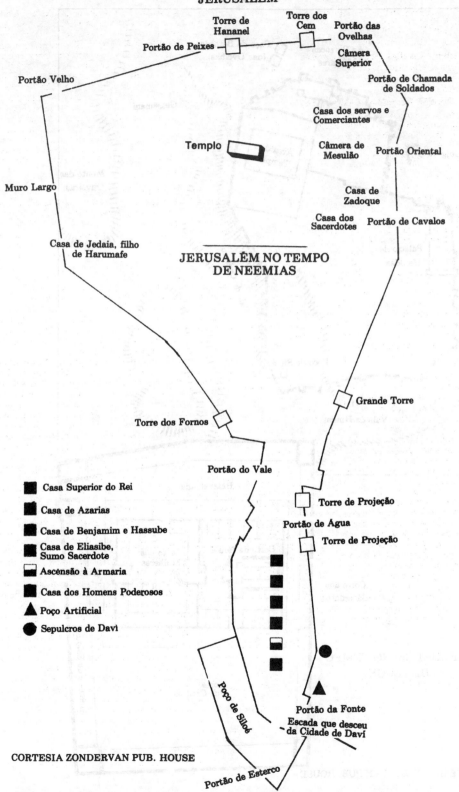

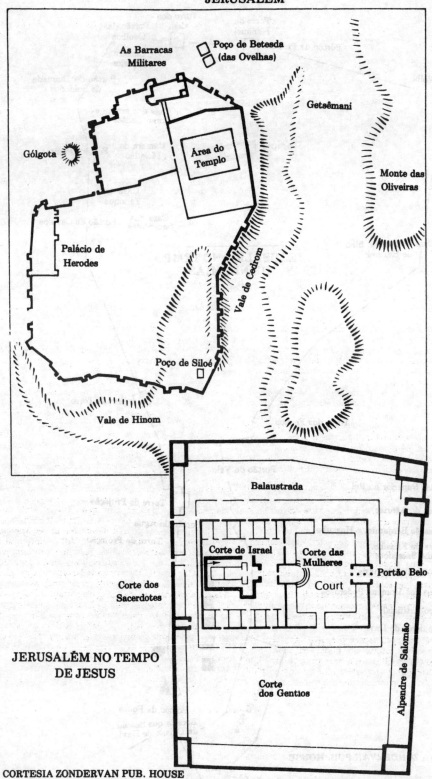

JERUSALÉM

agitando-a o tempo todo.

A *moderna Jerusalém* compõe-se da histórica Cidade Antiga e da Cidade Nova. Quanto à Cidade Nova, a maior parte vem sendo edificada a partir de 1860. Sua atual população excede trezentos mil habitantes. Em 1948, após a decisão das Nações Unidas, de dividir os territórios do mandato britânico na Palestina em estados israelenses e árabes, os árabes passaram a controlar a Cidade Antiga. Essa situação reverteu-se na guerra arabe-israelense de 1967, quando Israel tomou posse de toda a antiga seção da cidade. Desde o começo, ela teve uma porção nova. Desse modo, a cidade de Jerusalém foi unificada, e todos os locais sagrados da mesma estão agora sob o controle do governo israelense. E isso é visto, por muitos estudiosos da Bíblia como um cumprimento profético. Diríamos que isso, pelo menos, dá início ao cumprimento de certas profecias. Jerusalém é, principalmente, um centro religioso, cultural e administrativo, embora também haja ali um certo número de empreendimentos industriais. A Cidade Antiga continua sendo um chamariz tremendo de atividades turísticas e de peregrinos. A arqueologia tem feito ali algumas de suas mais notáveis descobertas.

V. Esboço da História de Jerusalém

A ocupação mais antiga de Jerusalém provavelmente vem desde a Idade da Pedra. Há alguma evidência arqueológica de que houve habitantes de cavernas, nas faldas do vale do Cedrom, perto da fonte dos Degraus, que é o suprimento natural de água potável mais próximo, naquela área. Pederneiras e ossos de animais evidenciam essa ocupação. Em cerca de 2500 A.C., esses ocupantes foram substituídos por invasores semitas do ramo cananeu. Também há provas arqueológicas do uso de tendas, da domesticação de animais, e, posteriormente, de uma atividade agrícola regular.

Os mais antigos registros escritos aparecem em Gên. 14:18, que aludem ao período de cerca de 2000 A.C. Nesse tempo, o misterioso *Melquisedeque* (vide) era o monarca do lugar, talvez um semita, racialmente falando. Uma povoação controlada pelos egípcios aparece nas oito tábuas das cartas de Tell el-Amarna. Tell-el-Amarna é o local da antiga capital do Faraó egípcio, Amenhotepe IV. Esses tablets vieram dos arquivos reais da corte egípcia, e pertencem a cerca de 1400 A.C. Foram missivas enviadas ao Faraó pelo então rei de Jerusalém, *Abd-Khiba*, que era vassalo daquele. Nesse tempo, Jerusalém parece ter sido uma pequena fortaleza, cercada por uma pequena cidade, em uma colina. Naquelas cartas, Abd-Khiba implorou a ajuda militar do Faraó, visto que estava enfrentando o assédio dos Khabiri (hebreus?), que estavam invadindo a terra. Os jebuseus, com o tempo, vieram a substituir aquela gente, no local de Jerusalém. Ver sobre *Jebus* e sobre os *Jebuseus*.

Quando o povo de Israel penetrou na terra de Canaã, Jerusalém estava em poder de uma tribo semita indígena, os jebuseus, governada por um rei de nome Adonizedeque. Jerusalém não foi conquistada nessa ocasião, provavelmente por causa de suas defesas naturais, e durante esse tempo tinha o nome de Jebus. Após algum tempo, como é evidente, parte da cidade foi ocupada pelos israelitas; mas, finalmente, sob o governo de Davi, ocorreu a sua captura e apropriação final por parte de Israel. Davi estabeleceu sua primeira capital em Hebrom; mas percebendo o valor estratégico de Jerusalém, devido à sua posição central privilegiada, resolveu conquistá-la a qualquer preço. A cidade foi conquistada por

ataque de surpresa. (II Sam. 5:6-8). Daí por diante passou a ser chamada pelo nome de *Sião*. A cidade, recém-conquistada, foi transformada na capital israelita e embelezada, e pouco tempo depois Salomão edificou ali o primeiro templo.

Grande parte da história da cidade de Jerusalém, nas páginas do V.T., fala sobre *guerras e conflitos*, até que, finalmente, Nabucodonosor, rei da Babilônia, destruiu a cidade e o templo no ano de 587 A.C.; depois ela passou para o domínio persa. A cidade continuou em ruínas, até que Neemias a restaurou, no século V A.C. Alexandre, o Grande, pôs fim ao poder persa, no fim do século IV A.C. E após a sua morte, um de seus generais, Ptolomeu, fundador da dinastia egípcia que tem o seu nome, incluiu Jerusalém em seus domínios. No ano de 198 A.C., a cidade caiu nas mãos de Antíoco III, o rei selêucida da Síria. Judas Macabeu liderou uma revolta dos judeus contra os selêucidas, e, em 165 A.C., foi reconsagrado o templo de Jerusalém. Judas Macabeu e seus sucessores gradualmente foram conquistando independência da Judéia, e assim se foi formando a dinastia hasmoneana, que governou a Judéia até meados do século I A.C. A fim de pôr ponto final às facções em luta, entre os hasmoneanos, que haviam imposto uma situação de guerra civil na Judéia, o novo poder mundial, *o império romano*, interveio na situação, e Jerusalém passou para a órbita romana (63 a 54 A.C.). Por determinação de Roma é que Herodes, o Grande, foi nomeado rei da Judéia.

Os judeus se revoltaram — contra os romanos — em cerca do começo do ano de 66 D.C., e Tito destruiu a cidade no ano de 70 D.C. Ocorreu outra revolta, e, em cerca de 132 D.C., Adriano destruiu uma vez mais a cidade, expulsando dali todos os judeus. Eles foram proibidos de habitarem na cidade, até que Constantino a fez santuário cristão, no primeiro quartel do século IV D.C. Foi no período do governo de Constantino que se erigiram diversos santuários que supostamente assinalam os locais antigos de maior interesse da vida de Cristo, tal como a Igreja do Santo Sepulcro, etc. Mas não há que duvidar que a maioria dessas indicações é errônea.

No ano de 614 D.C., os persas destruíram parcialmente a cidade, e em 636 D.C., o imperador *bizantino* a recuperou. Em 637 D.C., os islamitas a conquistaram, encabeçados pelo califa Abd. al-Malik, e foi erigida a mesquita de Omar. No século XI D.C., turcos semibárbaros desapossaram os árabes. Às cruzadas, no ano de 1099 D.C., restituíram Jerusalém a *mãos cristãs*. Mas Saladino a reconquistou em 1187 D.C., e a cidade caiu em mãos egípcias. Em 1517, os turcos otomanos a tomaram. Em 1542, o Sultão Suleimã, o Magnificente, reconstruiu e ornou a cidade. Os turcos otomanos conservaram a Palestina até o fim da Primeira Grande Guerra, quando tropas britânicas, sob o comando do general Allenby, a conquistaram. De 1917 a 1948 a Palestina esteve debaixo de mandato britânico; e no ano de 1948 a Palestina foi dividida entre árabes e judeus. A guerra árabe-judaica de 1967 restituiu a Israel a cidade antiga de Jerusalém, em sua inteireza, bem como alguns outros territórios que estavam nas mãos dos árabes.

VI. Jerusalém e a Arqueologia

As escavações feitas por Sir Charles Warren revelaram que os habitantes de Jerusalém, de cerca de 2000 A.C., fizeram uma passagem na rocha, similar àquelas de Gezer e de Megido, garantindo suprimento de água vindo da fonte de Giom. Já falamos sobre evidências arqueológicas, relativas a tempos mais

JERUSALÉM

antigos ainda, sobre possíveis habitantes de cavernas, perto do local de Jerusalém. Ver a seção V, no seu começo. A partir da caverna onde a fonte de Giom desagúava, havia um túnel horizontal, colina adentro cerca de onze metros na direção oeste, e, então, cerca de sete metros e meio na direção norte. Isso era um conduto de água que levava a uma antiga caverna, que atuava como reservatório. Estendendo-se daí para cima havia um túnel vertical, chamado Fenda de Warren, com cerca de doze metros de altura. Temos provido um artigo separado sobre essa admirável obra de engenharia antiga, intitulado *Warren, Fenda (Escavação) de*. Parece provável que foi por meio dessa fenda que Davi obteve acesso até à fortaleza de Jerusalém, que, até então, tinha a reputação de ser inexpugnável. Ver II Sam. 5:7. Alguns estudiosos, porém, crêem que ele simplesmente escalou as muralhas, com pesadas perdas humanas, sem dúvida.

Outras curiosas descobertas foram as construções chamadas de *Arco de Robinson* e *Arco de Wilson*. São restos de antigas pontes de pedra, que ligavam os palácios hasmoneanos à testa nordeste da colina ocidental, na área do templo. O arco de Robinson parece ter tido cerca de doze metros de extensão. Um antigo viaduto cruzava o vale Tiropoeano, composto de oito arcos em sucessão. Sir Charles Warren descobriu o arco que recebeu o seu nome quando explorava o sítio geral de Jerusalém. Na extremidade sul do arco, ele encontrou um *Salão Maçônico*. Parte do trabalho em tijolos pode ser vista, até hoje, na porção inferior da cidadela e da área ampliada do templo, trabalho de Herodes. Sem dúvida, isso foi visto pelo Senhor Jesus, tal como o túmulo de Absalão, que data dos dias de Herodes. Todavia, não se trata do real túmulo de Absalão, até onde as evidências nos permitem opinar.

Existem certas localidades, em Jerusalém, que têm sido identificadas como lugares autênticos, associados à vida de Cristo. (Ver as seguintes notas no NTI: sobre Calvário, Mat. 27:33; sobre o túmulo de Cristo (chamado o túmulo de Gordon), Mat. 27:60; sobre uma confirmação arqueológica da pessoa de Pilatos, Mat. 27:11. Sobre a destruição de Jerusalém, ver Lucas 21:6. — Outras descobertas incluem o seguinte: um grande número de ossuários (caixas empregadas para guardar ossos de mortos) foi encontrado, que datam da era de Jesus, com nomes gravados em hebraico, aramaico e grego. Esses nomes ilustram quão comuns eram nomes como Jesus, Judas, Ananias, Lázaro, e muitos outros, com os quais estão familiarizados os leitores do N.T. No tocante às descobertas arqueológicas que ilustram as edificações de Herodes, ver o artigo sobre o *Período Intertestamental*.

O Muro das Lamentações também fornece provas da mão construtora de Herodes. Ao norte do templo existem remanescentes da fortaleza dos Macabeus, que ele reconstruiu e designou de *Antônio*, em memória a Marco Antônio. Herodes edificou outras fortalezas e muralhas para proteção da cidade, conquistando a admiração dos próprios romanos, quando estes tomaram Jerusalém, em 60 D.C. É possível que o mais magnificente dos edifícios construídos por Herodes tenha sido o templo de Jerusalém. Grande número de autores antigos exalta a beleza dessa estrutura, feita de mármore branco polido e que, no dizer de Josefo, à distância se parecia com um monte de neve. Somente duas peças remanescentes de pedra têm sido identificadas com certeza como porções daquele templo. Uma delas foi encontrada em um cemitério, e outra perto da porta de Santo Estêvão. Numa delas há uma advertência

gravada nestes termos: «Nenhum estrangeiro pode entrar para além da barreira e da muralha ao redor do templo. Quem for apanhado será o único responsável pela morte (pena) que se seguir». Atualmente, a área do antigo templo jaz dentro do santo recinto que os islamitas veneram como o 2° mais importante, depois de Meca e de Medina na Arábia. Chamam este lugar, *o nobre santuário*. Acredita-se que o átrio central da fortaleza de Antônia fosse o pavimento chamado *Gábata* (ver João 19:13), o qual foi descoberto. Fica localizado abaixo do arco de Ecce Homo, pertencente à era de Adriano (120 D.C.).

VII. A Jerusalém dos Dias de Davi e de Neemias

Dos Dias de Davi. Davi conquistou o povoado e a fortaleza de Jerusalém, capturando-os dos jebuseus. Em seus dias, Jerusalém ficava localizada na colina suleste, e tinha o formato, visto do alto, de uma gigantesca pegada humana, com cerca de 380 m de comprimento e 125 m de largura. Essa área fechava cerca de oito acres. Isso pode ser contrastado com os trinta acres de Megido. Manassés, em cerca de 687 A.C., construiu uma muralha exterior no lado ocidental da fonte de Giom, no vale, até à entrada da porta do Peixe (ver II Crô. 33:41), o que representou uma considerável expansão de território.

Dos Dias de Neemias. Os informes bíblicos acerca da Jerusalém dos dias de Neemias—o que deve ter representado uma espécie de último estágio bíblico do território que essa cidade recuperou—devem ser considerados parciais, visto que não há ali qualquer tentativa de descrever a cidade inteira. Seja como for, através desses informes podemos obter alguma idéia sobre como era então a cidade de Jerusalém.

A muralha de Neemias seguia, como é patente, a direção da muralha mais antiga. Porém, chegada à torre Hípica, perto do atual portão Jafa, ampliava-se na direção noroeste e, evidentemente, engolfava o portão da Esquina. Então dirigia-se para o norte e era interrompida pela porta de Efraim, pela porta Antiga e pela porta do Peixe. E chegava até o ângulo noroeste da área do templo. Ao norte, a muralha chegava à área onde ficavam o Calvário e o chamado túmulo de Gordon (vide).

Descrições Detalhadas:

O terceiro capítulo do livro de Neemias fala sobre os seguintes detalhes da cidade de Jerusalém: 1. a Porta das Ovelhas (vs. 1); 2. a Torre dos Cem (também chamada Meá) (vs. 1); 3. a Torre de Hananeel (vs. 1); 4. a Porta do Peixe (vs. 3); 5. a Porta Velha (vs. 6); 6. a Porta do Vale (vs. 13); 7. a Porta do Monturo (vs. 13); 8. a Porta da Fonte (vs. 15); 9. o Açude de Asselá (vs. 15); 10. o Açude Artificial (vs. 16); 11. a Casa dos Heróis (vs. 16); 12. a Casa das Armas (vs. 19); 13. a Porta da Casa de Eliasibe (vs. 20); 14. a torre que sai da casa real superior (vs. 25); 15. a Porta das Águas (vs. 26); 16. a torre grande e alta (vs. 27); 17. o muro de Ofel (vs. 27); 18. a Porta dos Cavalos (vs. 28); 19. a Porta Oriental (vs. 29); 20. a Porta da Guarda (vs. 31). Ao que parece, essas designações davam pontos estratégicos das muralhas e da área de Jerusalém. Além dessa lista, há outros informes, acerca da Porta de Efraim e a Porta do Gado (Nee. 12:39). Ao que parece, a Porta de Efraim era uma designação alternativa para a Porta Velha (ver Nee. 8:16 e 12:39). E também são mencionados outros locais de Jerusalém, como Siloé, que deve ser identificado como o açude de Hasselá (nq. 9, na lista).

Os eruditos continuam debatendo quanto às distâncias envolvidas; e, em alguns casos, quanto à localização exata dos locais mencionados. Seja como for, K. Kenhon calculou que as muralhas de

JERUSALÉM

Jerusalém, ao tempo de Neemias, deveriam estender-se por cerca de 4.500 metros, em circuito. Sem dúvida, parte dessa construção incluía a incorporação de partes das antigas muralhas, que não haviam sido destruídas. Ver a ilustração sobre a muralha de Neemias, que inclui a menção a alguns dos itens acima mencionados.

VIII. Jerusalém e a Profecia Bíblica

Alguns estudiosos estão afeitos à interpretação literal de todas as profecias bíblicas, deixando pouco espaço para o que é simbólico e místico. Jerusalém também é manipulada desse jeito. De fato, é difícil dizer quais predições apontam literalmente para Jerusalém, e quais o fazem de modo simbólico ou místico, apontando para a Jerusalém celestial. Temos provido um artigo detalhado, intitulado *Nova Jerusalém*, que nos dá exemplos de conceitos místicos, embora muitos eruditos, mesmo nesse caso, concebam alguma estrutura literal, com ruas de ouro e portões de pérolas literais.

Itens a Notar:

1. Em primeiro lugar, temos a **Nova Jerusalém** (vide).

2. A vinda visível de Cristo (ver sobre a *Parousia*) estará associada à cidade de Jerusalém. Somos informados de que Cristo e os seus santos descerão sobre o monte das Oliveiras (Isa. 35:10; Zac. 14:4,5; Atos 1:11). Exércitos gentios terão assolado a cidade (Zac. 12:2; 14:2), mas o retorno de Cristo haverá de resgatá-la da total destruição. Os judeus arrepender-se-ão e serão restaurados (Isa. 4:3,4; Zac. 2:10; 13:1; 14:5; Mal. 3:2,5). Então, Israel fará parte integrante da Igreja de Cristo (Zac. 12:5; Rom. 11:26). Isso armará o palco para a inauguração do reino milenar de Cristo.

Todavia, essa questão tem dividido os intérpretes. Alguns compreendem toda essa descrição em um sentido espiritual, apesar de admitirem que o segundo advento de Cristo será uma intervenção visível do Senhor Jesus. A despeito disso, esses intérpretes não acreditam que o reino de Cristo será material e visível, e sim, místico e espiritual, posto que perfeitamente real, porquanto o poder de Cristo produzirá uma grande intervenção divina na história humana. E a segunda vinda de Cristo, ainda conforme esse ponto de vista, dará início a um novo ciclo de história mundana e espiritual. Outros estudiosos, por sua vez, compreendem a questão em termos perfeitamente reais, supondo que Jesus Cristo (ou o Davi ressurrecto, Seu Filho) haverá de reinar literalmente em uma Jerusalém física, que se tornará a capital do mundo restaurado.

3. *A Jerusalém do Milênio.* Ao chegarmos a esse ponto, deparamo-nos com os mesmos debates sobre simbologia ou literalismo, conforme destacamos acima. Várias predições podem ser entendidas como se ensinassem que Jerusalém será a capital do mundo milenar e restaurado, o novo mundo que emergirá do período da Grande Tribulação (vide). Ver Jer. 31:40; 33:16; Zac. 8:4,5; 14:20,21. A lei de Deus propagar-se-á por todo o mundo, a partir de Jerusalém, o que resultará em uma vasta e mundial diferença (Miq. 4:1-4). O resultado será a submissão geral à vontade de Deus (Isa. 23:18; 45:14). Uma nova espécie de adoração universal, uma nova fé religiosa, com seu centro em Jerusalém, será a grande conseqüência (Isa. 60:3; Zac. 14:16,17). Alguns milenistas radicais, chamados quiliastas, supõem que será restaurado o antigo sistema de sacrifícios (Eze. 43:20,21), mas isso importa em um literalismo extremo. O trecho de Heb. 9:12-28 ensina-nos que a morte expiatória de Cristo pôs fim a tais simbolismos.

Não é provável que o segundo advento de Cristo restaure aquilo que foi ab-rogado. Aquela passagem de Ezequiel, e seu contexto em geral, sem dúvida fala do tempo pós-exílico e sua restauração, embora, provavelmente, também predига, simbolicamente, a restauração futura, milenar. A própria natureza passará por um novo ciclo, de condições climáticas mais favoráveis que atualmente (Isa. 65:25; Eze. 47:1-12; Zac. 14:10). Naturalmente, os amilenistas (vide) espiritualizam todas as descrições bíblicas sobre o milênio. Alguns deles chegam a pensar que a dispensação da Igreja, a nossa dispensação, é que é o milênio! Se assim fosse, então, o milênio é algo bem horrível, com suas intermináveis guerras, vícios e a rebelião generalizada contra Deus! Ver o artigo separado sobre o *Milênio*. Ver também sobre o *amilenismo*, em um artigo separado. Como é óbvio, o artigo *Milênio* é mais detalhado que esse.

4. *A Jerusalém Pós-Milenar.* Os derradeiros informes proféticos que temos a respeito de Jerusalém são aqueles que aparecem em trechos como Eze. 38 e 39; Isa. 33:20; 65:17,18; Miq. 4:7; Apo. 21:2,9,18,19, 21. Gogue e Magogue haverão de atacar a cidade de Jerusalém e os lugares santos de Deus, terminado o milênio. Porém, o julgamento divino haverá de cair sobre eles. Jerusalém, porém, continuará a existir como a capital política e religiosa do mundo. E o estado final da Igreja de Cristo é identificado com a cidade santa, a Nova Jerusalém, onde, sem dúvida alguma, encontramos um sentido místico, e não literal.

5. *Indicações Dadas pelos Místicos Modernos.* É deveras significativo que os místicos contemporâneos (não necessariamente evangélicos) estejam prevendo uma era áurea, sem importar se a chamam de milênio ou não, que haverá de ser inaugurada imediatamente após uma grande destruição mundial. Também é significativo que eles contemplem a nação de Israel a elevar-se, gloriosa, dentro dessa era áurea, com o surgimento de uma nova fé religiosa. Essa nova fé seria uma graduação acima do cristianismo presente, fazendo com que a capital religiosa do mundo volte a ser Jerusalém. Por assim dizer, Jerusalém tornar-se-á uma nova Roma, porque o ofício papal terá desaparecido, e o centro do mais numeroso grupo cristão não mais se achará na antiga capital do império romano. E, assim como Roma protegeu e fomentou a civilização pelo espaço de mil anos (a Idade Média), em um período extremamente negro e difícil para os homens, assim também a futura Jerusalém servirá de centro de progresso e de bênção para a humanidade, após o agitadíssimo período da Grande Tribulação.

IX. Lugares Interessantes da Moderna Jerusalém

1. A chamada cidade Antiga (ver acima) está mais ou menos dividida em quatro bairros: o bairro *Islâmico*, que é o mais extenso de todos, na porção nordeste; o bairro *Cristão*, a noroeste, onde também fica localizada a Igreja do Santo Sepulcro; o bairro *Armênio*, a sudoeste; e o bairro *Judeu*, a suleste.

2. A Cidade Antiga contém as sedes da Igreja Católica Romana, da Igreja Ortodoxa Grega e dos patriarcados armênios. Tanto as Igrejas Ortodoxas orientais quanto a Igreja Anglicana têm bispos ali sediados.

3. Os monumentos árabes incluem o local do templo e do palácio de Salomão, onde foram erigidas as mesquitas Azsa e de Omar. A mesquita de Omar é um edifício de madeira, em formato octogonal, em que cada lado tem uma largura de 20,3 m. Pelo lado de dentro, essa estrutura é decorada com mármore e ladrilhos de porcelana. Os lados externos dão frente

JERUSALÉM

aos pontos cardeais e subcardeais, e cada um desses lados tem um portão quadrado, encimado por um arco em voluta.

4. A Igreja do Santo Sepulcro contém uma pequena capela. Tem uma cúpula de quase 20 m de diâmetro. Ali também fica localizado o sítio tradicional (mas não verdadeiro) do Gólgota. Também existem outras vinte e duas capelas, e certo número de templos e edifícios eclesiásticos.

5. A via Dolorosa, ao longo da qual Jesus transportou a cruz, até o Calvário, tem sido delineada pelos estudiosos.

6. O monte das Oliveiras é um local muito significativo, intensamente visitado pelos turistas.

7. O poço de Betesda também já foi identificado.

8. O Calvário e o Túmulo de Gordon (vide) vieram à luz a partir de 1881, como locais mais prováveis da morte e do sepultamento do Senhor Jesus. Ver os artigos separados sobre o *Túmulo de Gordon* e sobre *Sepulcro, Santo, Igreja do*.

A Cidade Nova. Esse é um lugar onde há edifícios de pedra clara, de ruas largas e de muitos logradouros públicos belos. Essa parte da cidade é moderna e funcional. Ali fica a sede do Rabinato Principal e a sede da Agência Judaica para a Palestina, como também a Organização Sionista Mundial, que, juntamente com o Fundo Judaico Nacional e o Fundo da Fundação Palestina fazem parte da Agência Judaica. Há muitas escolas de rabinos e muitas organizações religiosas, para nada dizermos sobre o grande número de igrejas cristãs e sinagogas judaicas. As instituições de ensino superior incluem a Universidade Hebréia e o Centro Médico da Universidade Hadassah. Numerosos projetos residenciais têm sido desenvolvidos ali, a partir de 1949.

Bibliografia. AM ALB AV CHI KEN(1964) ND UN SI(1954) SMI SMI(1908) Z.

••• ••• •••

Jerusalém Na Sua Glória

Selous

JERUSALÉM — Cortesia, Matsou Photo Service

JERUSALÉM — JESIMOM

JERUSALÉM CELESTIAL
Ver sobre a **Nova Jerusalém**.

JERUSALÉM, NOVA
Ver sobre **Nova Jerusalém**.

JERUSALÉM, PATRIARCADO DE
Jerusalém é a mãe de todas as igrejas cristãs. Ali reuniu-se a primeira comunidade cristã do mundo. Apesar de sua história e de seu prestígio apostólico, não foi concedido à cidade ser sede de um patriarcado, senão já quando do concílio de Calcedônia (vide), em 451 D.C. Juvenal foi o primeiro patriarca de Jerusalém; mas, mesmo assim, ocupava somente o quinto lugar em grau de importância. Todavia, Juvenal não foi bem aceito pelos habitantes da cidade. A maioria dos cristãos que estava sob a sua autoridade tinha adotado o *monofisistismo* (vide). A conquista árabe da Palestina fez com que o cisma da igreja calcedônica se tornasse permanente. No presente, o patriarcado de Jerusalém é governado por uma hierarquia de prelados gregos, escolhidos, exclusivamente, dentre a confraria do Santo Sepulcro. Mas tal arranjo não é bem acolhido, pois sente-se que um demasiado poder é brandido por apenas alguns. Ver os artigos gerais sobre *Patriarca* e sobre *Patriarcado*.

JERUSALÉM, SÍNODO DE
Um **sínodo** é uma assembléia eclesiástica autoritária. Na Igreja antiga, esse termo foi usado, a princípio, como equivalente a *concílio*. Mais tarde, o vocábulo *concílio* foi restringido às assembléias ecumênicas oficiais, enquanto que o termo *sínodo* passou a indicar convenções eclesiásticas de áreas geográficas específicas e limitadas. Quanto a maiores informações sobre o termo *sínodo*, ver o artigo sobre esse assunto. Também oferecemos um detalhado artigo sobre os *Concílios Ecumênicos*.

O *Sínodo de Jerusalém* foi efetuado em 1672, convocado pelo patriarca Dositeu (1669—1707). Seu ato principal foi uma afirmação da fé ortodoxa. Asseverava que Cirilo Lucaris, patriarca de Constantinopla (falecido em 1638) escrevera uma confissão calvinista, e refutou os pontos de vista do mesmo. Em outras palavras, esse sínodo tomou uma postura anticalvinista. Ver sobre o *Calvinismo*. Mesmo que um patriarca assuma uma posição calvinista, contra a posição ortodoxa comum, sobre questões controvertidas, isso não obriga a comunidade ortodoxa a aceitar tal posição. Isso expressaria apenas a opinião de um indivíduo. Esse sínodo produziu o que se convencionou chamar de *Confissão de Dositeu*, reafirmando a típica teologia ortodoxa, e refutando o calvinismo.

JESAÍAS
No hebraico, «Yahweh salvou». Várias pessoas figuram, com esse nome, nas páginas do Antigo Testamento:

1. Um filho de Hananias, filho de Zorobabel (I Crô. 3:21). Ele viveu por volta de 536 A.C.

2. Um filho de Jedutum, chefe da oitava divisão dos cantores, sob a tutela do pai dele (I Crô. 25:3,15). Ele viveu em torno de 1015 A.C.

3. Um levita que ajudava a supervisionar o tesouro de Davi (I Crô. 26:25). Ele era descendente de Anrão, por meio de Moisés. Ele viveu em torno de 1015 A.C.

4. Um elamita que retornou do cativeiro babilônico em companhia de Esdras (Esd. 8:7; I Esdras 8:33). Viveu em cerca de 459 A.C.

5. Um levita merarita que retornou do cativeiro babilônico com Esdras (Esd. 8:19; I Esdras 8:48). Viveu em cerca de 459 A.C.

6. O pai de Itiel, um benjamita. Alguns de seus descendentes estavam entre aqueles que foram escolhidos por sorte para residir em Jerusalém, terminado a cativeiro babilônico (Nee. 11:7). Isso ocorreu por volta de 445 A.C.

JESANA
No hebraico, «antiga». Esse era o nome de uma cidade, com os seus arrabaldes, que Abias tomou de Jeroboão. Ficava perto de Betel e Efraim (II Crô. 13:19; I Sam. 7:12). Sem dúvida, ficava perto da fronteira entre Judá e Israel. Tem sido identificada com *Isanas*, que servia de quartel-general do general sírio que operava sob as ordens de Antígono. Foi ali que Herodes, o Grande, obteve grande vitória militar sobre o rei da Síria, segundo nos informa Josefo (*Anti.* 14:15,12). O local moderno talvez seja Burj el-Isaneh, ao norte de Jerusalém. Ou pode ser Ain Sinia, a poucos quilômetros ao norte de Betel.

JESARELA
No hebraico «reto diante de Deus». Ele foi o chefe do sétimo dos vinte e quatro turnos em que foram divididos os músicos levitas (I Crô. 25:14). No segundo versículo do mesmo capítulo ele é chamado *Asarela*. Ele viveu em torno de 1015 A.C.

JESEBEABE
No hebraico, «assento do pai». Ele era o chefe do décimo quarto turno de sacerdotes, que serviam no tempo de Davi (I Crô. 24:13). Viveu em torno de 1015 A.C.

JESER
No hebraico, «retidão». Esse era o nome do primeiro filho de Calebe e sua esposa, Azuba (I Crô. 2:18). Viveu em cerca de 1440 A.C.

JESIMIEL
No hebraico, «que Yahweh estabeleça». Esse era o nome de um chefe da tribo de Simeão (I Crô. 4:36). Nos dias de Hezequias, Jesimiel migrou para o vale de Gedor, com o propósito de descobrir melhores regiões de pasto para seu gado; e ali ficou residindo. Ele viveu em torno de 711 A.C.

JESIMOM
No hebraico, «ermo», «deserto». Essa palavra, no hebraico, era usada como um substantivo comum, sem aludir a qualquer lugar específico; mas, quando usada com o artigo definido, então referia-se a algum lugar específico:

1. O deserto da Judéia está em foco, em I Sam. 23:19,24 e 26:1,3. Ficava localizado a suleste de Hebrom, nas vizinhanças de Zife (vide).

2. A região de Pisga, em Moabe, a nordeste do mar Morto (Núm. 21:20,23,28). É interessante que o deserto, na mente e no vocabulário dos hebreus, era referido por meio de um termo que aponta não somente para desolação, mas também para devasta-

JESISAI — JESUA

ção. Os israelitas evitavam o deserto o máximo possível. Mas, sendo mister atravessar alguma área desértica, isso era feito da maneira mais expedita possível. Os habitantes do deserto eram alvo das suspeitas dos israelitas e de outros povos. Assim, os egípcios chamavam-nos de «residentes da areia», e isso em tom de desdém.

Uso Figurado. Uma nação que fosse derrotada e cujos habitantes fossem deportados tornava-se um «deserto» (Jer. 22:6; Osé. 2:3-5). Os antigos meios de transporte tornavam os desertos lugares perigosos. Por essa razão, os desertos eram considerados ameaçadores, símbolos do infortúnio.

JESISAI

No hebraico, «idoso». Esse era o nome de um filho de Jacó, e pai de Micael. Ele foi o ancestral de uma tribo que tinha esse nome, que vivia em Gileade, e cujas genealogias foram registradas no tempo de Jotão (I Crô. 5:14). Viveu em torno de 782 A.C.

JESOAÍAS

No hebraico, «Yahweh perturba». Ele era um chefe simeonita, descendente de Simei (I Crô. 4:36). Ele atacou os camitas, no dias de Ezequias, em cerca de 711 A.C.

JESSÉ

Embora o significado dessa palavra, no hebraico, seja incerto, alguns arriscam a interpretação «firme».

Esboço:
1. Família
2. História
3. Derrisão Quanto ao Nome de Jessé
4. Uma Designação Messiânica

1. *Família*. Jessé foi pai do rei Davi. Era filho de Obede e neto do próspero belemita Boaz e de sua esposa moabita, Rute. Ver Rute 4:17,22; I Crô. 2:12; Mat. 1:5,6; Luc. 3:32. Naturalmente, isso fez de Jessé um dos antepassados de Jesus Cristo. Ao que parece, ele era um abastado proprietário de terras. Tinha oito filhos, conforme aprendemos em I Sam. 16:1-13 e 17:12. Desses, o caçula, Davi, foi quem deixou uma marca permanente na história de Israel.

Jessé também tinha duas filhas, Zeruia e Abigail (I Crô. 2:13-17). Essas duas mulheres tornaram-se genitoras de guerreiros bem conhecidos, que serviam no exército de Davi, a saber, Joabe, Abisai e Asael (de Zeruia), e Amasa (de Abigail). Não há como explicar por que razão Abigail é chamada de filha de Naás, em II Sam. 17:25. Talvez esse fosse outro nome de Jessé. E, no caso de Naás ser um nome feminino, então está ali em foco a mãe de Abigail. Ou, então, as filhas provinham de um primeiro casamento da mãe delas, fazendo delas enteadas de Jessé.

2. *História*. O próprio Jessé não figura como homem importante. A Bíblia narra como Samuel ungiu a Davi, ainda um mancebo, como o futuro rei de Israel, em I Sam. 16:1-13. Os sete filhos mais velhos de Jessé foram sendo rejeitados um a um pelo Espírito do Senhor, embora tivessem impressionado fisicamente ao profeta. Quando Samuel soube que havia um oitavo filho de Jessé, ainda adolescente, que estava no campo, cuidando das ovelhas, só se deu por satisfeito depois de havê-lo ungido. No entanto, parece que, na ocasião, Jessé e Davi não compreenderam bem tudo quanto estava implícito naquela unção.

Davi era conhecido como bom músico. A próxima cena da história conduz-nos ao momento em que Saul enviou um mensageiro para buscar a Davi, para que este fosse tocar a sua harpa no palácio real, a fim de aliviar a natureza melancólica do monarca benjamita (I Sam. 16:14 ss). Jessé anuiu ante a ordem do rei e lhe enviou Davi, juntamente com generosos presentes, o que talvez mostre algo de sua abastança. E Davi ficou na corte real, atuando como músico (e, segundo podemos bem supor, ocupado também em outros misteres e treinamentos), segundo se aprende em I Sam. 16:22,23.

Quando o gigantesco Golias (vide) andou ameaçando as tropas de Israel, Jessé enviou Davi ao acampamento, a fim de levar víveres a seus irmãos que faziam parte das tropas de Saul. Ninguém sabia que Davi terminaria sendo o grande campeão de Israel, abatendo ao gigante. Davi aceitou o desafio lançado por Golias, e o abateu com o auxílio da funda, e foi imortalizado (I Sam. 17:17 ss).

Jessé e seus familiares foram enviados por Davi para o território de Moabe, quando Davi se tornou vítima da inveja doentia de Saul, e teve de fugir para não perder a vida, ele mesmo. É evidente que os familiares de Davi passaram anos em Moabe, sem quaisquer incidentes negativos (I Sam. 22:2-4).

3. *Derrisão Quanto ao Nome de Jessé*. Jessé não era grande figura, ainda que fosse homem abastado. E assim, quando Saul quis zombar de Davi, chamou-o de «o filho de Jessé» (I Sam. 20:17, 30,31; 22:7,8; 22:9; II Sam. 20:1; I Reis 12:16). No entanto, esse título de zombaria foi revertido pelo povo de Israel, que passou a usá-lo respeitosamente, conforme se vê em II Sam. 23:1; I Crô. 10:14; Sal. 72:20; Atos 13:12.

4. *Uma Designação Messiânica*. Jessé é mencionado dentro de um contexto messiânico, em Isa. 11:1, onde o futuro Messias e Rei de Israel é chamado de descendente de Jessé: «Do tronco de Jessé sairá um rebento, e das suas raízes um renovo». A expressão «raiz de Jessé» é uma referência ao Messias, em Isa. 11:10. Paulo também usou essa expressão, em Rom. 15:12, a fim de identificar Jesus com as passagens messiânicas do Antigo Testamento. O nome de Jessé, mui obviamente, foi incluído na lista dos antepassados de Jesus, em Mat. 1:5,6 e Luc. 3:32.

JESUA

No hebraico, «Yahweh ajuda», ou «Yahweh é salvação». Esse foi o nome de muitos homens ou lugares, nas páginas do Antigo Testamento, a saber:

1. Uma cidade onde alguns descendentes de Judá vieram habitar, após retornarem do cativeiro babilônico (Nee. 11:26). Talvez fosse a mesma Sema de Jos. 15:26, ou Seba, em Jos. 19:2. Tem sido tentativamente identificada com o *Tell Es-Sa'weh*.

2. Um sacerdote da época de Davi, que foi o chefe do nono curso de sacerdotes (I Crô. 24:11). Ele viveu por volta de 1015 A.C.

3. Um filho de Jozadaque, sumo sacerdote que retornou com Zorobabel, terminado o cativeiro babilônico, em cerca de 536 A.C. Parece ter nascido no exílio, ou, então, já era homem muito idoso quando se tornou sumo sacerdote. Encorajou os judeus em seu trabalho de reconstrução e em sua rededicação à antiga adoração. Aliou-se a Zorobabel, na oposição aos esquemas ardilosos dos samaritanos (Esd. 4:3). Encorajou o reinício das obras, que haviam sido interrompidas, e que foram retomadas no segundo ano do reinado de Dario Histapes (Esd. 5:2; Ageu 1:12). Vários pronunciamentos do profeta Ageu foram endereçados a Jesua (que nossa versão dá como

JESUA — JESUÍTAS

«Josué») (Ageu 1:1; 2:2). Seu nome (com a forma de «Josué») ocorre em duas das profecias simbólicas de Zacarias (Zac. 3:1-10 e 6:11-15). Essas passagens apresentam o povo judaico primeiramente vestido em trajes próprios de um escravo, mas, em seguida, em novas e gloriosas vestimentas de liberdade. Na segunda representação simbólica, Josué usa coroas de prata e de ouro, símbolos das coroas sacerdotal e real de Israel, que haveriam de ser unidas no adorno de cabeça do esperado Messias. Interessante é observar que o nome de Josué, filho de Num, aparece com a forma de «Jesua», em Nee. 8:17, o que significa que *Josué* e *Jesua* eram formas intercambiáveis, provenientes da mesma raiz. Naturalmente, dessa palavra hebraica é que se deriva o nome grego *Iesous* (por meio de transliteração), e também é daí que se deriva a palavra portuguesa *Jesus*.

4. Josué, filho de Num, é chamado Jesua, em Nee. 8:17.

5. Um levita cujo trabalho consistia em distribuir as oferendas sagradas nas cidades sacerdotais, nos dias do rei Ezequias. Ver II Crô. 31:15. Ele viveu em torno de 726 A.C.

6. Um descendente da pessoa ou lugarejo chamado Paate-Moabe. Sua gente, em número de dois mil oitocentos e doze, retornou do cativeiro babilônico (Esd. 2:6; Nee. 7:11). Nossa versão portuguesa dá seu nome como Jesua-Joabe. O tempo desse retorno foi cerca de 536 A.C.

7. Um levita cujo nome é mencionado juntamente com o de Cadmiel, cujos descendentes, em número de setenta e quatro (chamados «filhos de Hodovias»), regressaram à Judéia, após o exílio babilônico (Esd. 2:40; Nee. 7:43), em cerca de 436 A.C.

8. O pai do levita Jozabade. Esdras nomeou-o para cuidar das ofertas para o culto sagrado (Esd. 8:33). Isso ocorreu em cerca de 459 A.C.

9. O pai de Ezer. Este ajudou a reparar as muralhas de Jerusalém, sob a direção de Neemias (Nee. 3:19). Ele viveu em torno de 446 A.C.

10. Um levita, chefe de uma casa, que desde o começo ajudou Neemias nas reformas instituídas em Judá, após o retorno dos judeus do cativeiro babilônico. Pode-se interpretar o texto em que seu nome figura (Nee. 9:5; ver também Nee. 8:7; 9:4; 12:8,24) como se dissesse que era «filho de Cadmiel». Mas é possível que isso envolva um erro de transcrição. Os eruditos preferem pensar em «...Jesua Cadmiel...», ou seja, como dois homens sem qualquer parentesco entre si. E isso faria desse Jesua o mesmo que aparece no número 7 desta lista, acima.

JESUÍTAS

Essa é uma das ordens religiosas organizadas pela Igreja Católica Romana. Essa ordem foi fundada no século XVI e tomou o nome de Sociedade de Jesus, embora seus membros sejam melhor conhecidos como jesuítas.

1. *Fundador*. O fundador da Sociedade de Jesus foi Inácio de Loyola, cujas datas principais são 1491—1556. Ele era espanhol. Temos provido um artigo separado sobre *Inácio de Loyola*. Embora debilitado por dificuldades orgânicas, Inácio foi homem de grande energia e de notável religiosidade. Buscava intensamente a Cristo, posto que a seu modo. Passava muito tempo em preces, atos de disciplina e atos de caridade. De suas experiências espirituais surgiu o seu livro, *Livro dos Exercícios Espirituais*. O propósito desse livro era servir de guia para algum diretor religioso que desejasse alistar recrutas para a causa de Cristo e para o serviço cegamente leal ao papado e para a promoção da religiosidade. Esse livro procura expor aos seus leitores uma espécie de intensa filosofia cristã de vida. É obra altamente devocional, instruindo os homens a ocuparem suas horas em orações, serviços e sacrifícios pessoais. Também é uma espécie de manual do soldado cristão, conforme seu autor entendia a questão. Inácio começou a oferecer suas idéias a outros, e obteve uma resposta entusiasmada da parte de alguns. Seus colegas da Universidade de Paris ficaram encantados diante de sua devoção e poder espiritual, e começaram a fazer uso dos seus exercícios. Um dos resultados disso foi a dedicação de muitos para se lançarem a uma cruzada, na Terra Santa, com o intuito de converter aos sarracenos. Paralelamente a isso, aqueles jovens concluíram que a melhor maneira de servirem a Cristo era jurarem uma total dedicação ao papa. Essas decisões foram ratificadas mediante solenes promessas a Deus, durante uma missa celebrada na capela Montmarte, fora de Paris, a 15 de agosto de 1534.

2. *Uma Ordem Oficial*. Foi assim que a Sociedade de Jesus teve começo, embora, até ali, não fosse uma ordem reconhecida. Inácio e seus seis seguidores mais íntimos não tinham qualquer intenção de formar uma nova ordem religiosa. Ao terminarem seus estudos em Paris, buscaram a ajuda do papa Paulo III, que os persuadiu de que poderiam servir melhor tendo sua sede em Roma, e não em Jerusalém. A ordem foi oficialmente reconhecida pelo papa a 27 de setembro de 1540. No ano seguinte, Inácio foi eleito primeiro superior da nova Sociedade. Sua tarefa seguinte foi a de traçar uma detalhada constituição para ser seguida como norma pela sociedade.

3. *A Constituição da Sociedade de Jesus e Características Especiais*. A constituição traçada por Inácio tinha algumas características especiais. A *primeira* e mais importante é que o grupo existia a fim de servir devotadamente ao papado. A *segunda*, por sua vez, envolvia um voto exigido dos membros, que os proibia de aceitar qualquer título e honra eclesiásticos, a menos que o papa, mediante sua decisão pessoal, chegasse a conferi-los a algum membro específico. Essa organização também proveu para que os *escolásticos* recebessem as santas ordens, e que os *irmãos* não se ocupassem em estudos acadêmicos, mas passassem a vida cuidando de interesses domésticos, como sacristães, refectorianos, etc. Ambas essas classes primeiramente são submetidas a um período de preparação e de prova, que dura dois anos. Se forem aprovados, então fazem os três votos simples de pobreza, castidade e obediência. Os escolásticos, usualmente, passam entre doze e quinze anos estudando humanidades, filosofia e teologia. Atuam como professores e diretores de escolas. A ordenação dos escolásticos, usualmente, ocorre quando eles ainda são estudantes de teologia. O treinamento dos escolásticos encerra-se mediante um período de estudos especiais, sobre teologia mística adiantada, com um completo curso sobre a história e a natureza da própria sociedade. Aqueles que, finalmente, chegam ao final de todos esses estudos, fazem votos adicionais de cega obediência ao papa, o que não faz parte dos votos de qualquer das outras ordens religiosas do catolicismo romano. Todavia, esse voto de lealdade ao papa só é feito pelos estudantes que mais se notabilizam. Os demais limitam-se aos três votos simples de pobreza, castidade e obediência.

4. *Primeiros Desenvolvimentos*. Após o ano de 1556, a ordem dos jesuítas multiplicou-se rapidamente. Em 1616 havia 13.112 membros; em 1710, 19.978; em 1949, 22.589. Muitos protestantes foram trazidos

JESUÍTAS — JESUS

de volta à Igreja Católica Romana graças aos esforços de membros dessa agremiação religiosa. Os jesuítas têm aberto muitas escolas e têm exercido uma vasta influência sobre a educação. Famosos educadores jesuítas incluem nomes como os de Vasquez, Valência, Lessius, Busenbaum e Suarez. No Brasil, quem já não ouviu falar no padre Anchieta? Em consonância com a época, os jesuítas salientaram o aristotelismo cristão, mediante o *escolasticismo* e o *tomismo* (ver sobre esses dois assuntos). No campo da filosofia moral, essa ordem caracteriza-se por um otimismo moderado, no tocante à capacidade moral do homem.

5. *Missões ao Estrangeiro*. Muitos países têm sido afetados pelos esforços missionários dessa sociedade religiosa, principalmente no Extremo Oriente e na América do Sul. Naturalmente, a Europa tem sido sempre a base de operações domésticas, e onde o poder educacional do grupo é maior. Por meio de mais de seiscentos colégios a sociedade tem ministrado cursos e tem espalhado a sua filosofia, principalmente do século XVI ao século XVIII.

6. *Supressão e Oposição à Ordem*. No século XVII, a Sociedade de Jesus passou por um período adverso, de oposição e supressão. Os jansenistas (ver sobre o *Jansenismo*) procuravam destruir a influência dos jesuítas na Igreja Católica Romana; os holandeses e os ingleses impediram a expansão jesuítica em seus respectivos territórios; no Japão, uma feroz perseguição quase pôs ponto final à obra da sociedade, naquele país. Até mesmo outros missionários católicos romanos passaram a fazer oposição aos métodos missionários dos jesuítas. E até mesmo em países de fortíssimo catolicismo romano, como Portugal, Espanha e França, grupos pertencentes aos jesuítas debandaram. A família real dos Bourbon, pressionando o papa Clemente XIV, conseguiu dele um breve que, essencialmente, anulava a Sociedade de Jesus. Todavia, Catarina, a Grande, da Rússia, não permitiu que esse breve circulasse onde ela exercia autoridade, razão pela qual os jesuítas sobreviveram ali, bem organizados, até que a ordem foi universalmente descontinuada. A supressão alicerçava-se sobre questões sociais, questões doutrinárias, questões práticas e questões políticas. Por outra parte, a supressão da ordem tinha, como um dos intuitos indiretos, diminuir a autoridade papal.

7. *Restauração*. O papa Pio VII, em 1814, restaurou a Sociedade de Jesus à sua anterior posição na Igreja Católica Romana; e ela começou a espalhar-se pelo mundo, a despeito de contínuos ataques de fora. O holandês John Philip Roothaan (vide) muito fez para restaurar a Sociedade de Jesus nos lugares onde ele era influente. A restauração requeria a expulsão dos membros que tivessem perdido os ideais originais da sociedade, quanto a questões doutrinárias ou quanto a questões políticas.

8. *Situação Moderna*. Em 1939, a Sociedade de Jesus atingiu um número de membros de cerca de vinte e cinco mil. Seu trabalho em escolas, em missões estrangeiras e em retiros especiais têm-na distinguido. Ela tinha então cinqüenta *províncias* de atividade, sete das quais nos Estados Unidos da América do Norte. O seu crescimento nesse país tem sido fenomenal. Atualmente, essa sociedade conta com cerca de trinta e cinco mil membros; um quinto desse número acha-se nos Estados Unidos da América. A Europa continental não é mais o centro de maior desenvolvimento. Essa distinção, atualmente, pertence aos países de língua inglesa e aos países do continente sul-americano.

Se quisermos apontar para uma realização notável dos jesuítas, então teremos de apontar para a educação. Nos Estados Unidos da América, essa organização conta com quarenta e um ginásios, vinte e oito colégios e universidades, com 25.155 alunos em seus ginásios e quase cem mil alunos em suas universidades. Porém, as missões estrangeiras também são uma gigantesca operação desse grupo. Mais de cinqüenta grupos missionários existem ao redor do mundo. Como é óbvio, a Sociedade de Jesus tem produzido muitos eruditos bem conhecidos, em certo número de campos, ao redor do mundo inteiro. (AM CE E)

JESURUM

No hebraico, «reto», «justo». Esse é um nome poético e honorífico outorgado a Israel, em Deu. 32:14; 33:5,26; Isa. 44:22. Esse nome aponta para uma nação ideal, santa em sua natureza e cônscia de seu alto chamamento. O trecho de Deu. 32:15 usa essa palavra como repreensão, porque o elevado ideal não fora atingido; mas, nas demais passagens, o uso é positivo. Gesênio pensava que essa palavra se referia a «um pequeno povo justo», um título dado afetuosamente, talvez aliado a uma idéia similar, no «livro dos Justos» (Jos. 10:13 e II Sam. 1:18; no hebraico, *sepher jasher*, que se parece com *Jesurum*), e onde, novamente, o povo de Israel está em foco.

JESUS

Ver uma explicação deste nome no artigo sobre **Jesus (não o Cristo)**.

O Jesus Histórico

Ver o artigo separado sobre *Jesus Histórico*. Alguns liberais acham que o relatório de pessoas entusiasmadas produziu um *Jesus teológico* que obscureceu o verdadeiro Jesus *histórico*. Em outras palavras, a igreja *inventou* o Jesus teológico (metafísico), e agora é difícil entender o Jesus verdadeiro, histórico pelo uso dos documentos que possuímos. O artigo mencionado acima examina o problema detalhadamente. Ver também sobre *Cristologia*.

Esboço

I. *Identificação*
  1. Magnitude de Sua Influência
  2. Muitas Idéias Sobre Sua Pessoa
    a. Não-existência
    b. Gnóstico
    c. Docetismo
    d. Ário
    e. Emanação
    f. Liberal
    g. Triteísta
    h. N.T. (ortodoxo, trinitário)

II. *Ministério*
  1. Antes do Ministério na Galiléia
    a. Preexistência
    b. Nascimento
    c. Infância
    d. Relações para com João Batista e os Essênios
    e. Batismo
    f. Tentação
    g. Primeiros contactos com seus discípulos especiais
    h. Ministério na Judéia
  2. Ministério na Galiléia
    a. Acontecimentos preliminares

JESUS

b. Sua mensagem básica e auto-identificação
c. Nas sinagogas
d. Escolha dos doze
e. Grandes sermões
f. Obras prodigiosas
g. Sinagogas próximas de Jesus
h. Missão dos doze (e dos setenta)
i. João Batista e Herodes Ântipas
j. Três circuitos pela Galiléia
3. Jesus afasta-se da Galiléia
a. Para Tiro
b. Revelação da pessoa de Jesus e reconhecimento por Pedro
c. Viagem a Jerusalém
4. Ministério na Judéia
a. Ensinos em Jerusalém
b. Ministério na Peréia
5. Dias Finais de Jesus
a. Entrada triunfal em Jerusalém
b. Traição
c. Última Ceia
d. Getsêmani
e. Aprisionamento
f. Vários julgamentos de Jesus
g. Crucificação
h. Descida ao hades
i. Ressurreição
III. *Ensinos*
1. Fontes
2. Sem paralelo
3. Temas básicos
a. Reino
b. Filho do Homem
c. Missão messiânica
d. Princípios éticos
e. Acontecimentos futuros
f. Sua morte e seu sentido
g. Relações para com o judaísmo
h. Diversos temas das suas parábolas
IV. *Bibliografia*

INTRODUÇÃO

Qualquer tentativa de expor de modo breve e completo a identificação, o ministério e os ensinos de Jesus, deve ser vista como algo semelhante à tentativa de pôr o oceano dentro de uma xícara. A grandeza de Jesus, sua subseqüente vastíssima influência, e nosso conhecimento relativamente exíguo de sua vida, ministério e ensinos, de pronto nos colocam em um dilema, porquanto qualquer esforço terá de ficar muito aquém do alvo de uma caracterização adequada de sua pessoa. Todo este comentário é apenas uma tentativa um pouco mais extensa de caracterizar a Jesus e sua importância; e a existência de muitos comentários, alguns deles versículo por versículo, lado a lado com muitos outros volumes de diversas categorias, demonstra que essa tarefa jamais poderá ser realizada de modo completo ou perfeito.

Este artigo foi escrito na esperança de que pelo menos seja útil, e que o ponto de vista aqui apresentado sobre Jesus seja impressionante, a fim de que se descubra aquela «glória em seu seio que transfigura a ti e a mim». Este breve artigo de introdução só pode esperar salientar o esboço geral dos assuntos abordados, e seu propósito específico consiste em explicar os temas básicos de Jesus e de seu ministério, confiando que o leitor se interesse suficientemente por seguir avante com um estudo mais detalhado destas questões.

O leitor que lançar mão desses diversos mananciais de informação certamente obterá uma visão mais compreensiva acerca de Jesus, de sua identificação, de seu ministério e de seus ensinos. Não pode haver ocupação mais importante do que essa, pois em verdade o destino de Cristo determina nossos próprios destinos pessoais. *Sua vida* mostrou o caminho pelo qual teremos, finalmente, de seguir na qualidade de homens, se temos a esperança de retornar a Deus. A vida de Cristo, tal como ela é atualmente, é o nosso alvo. Quando a sua glória final tornar-se realizada, seremos co-herdeiros juntamente com ele. Assim, pois, de forma bem real, o estudo da vida de Jesus e sua importância é, ao mesmo tempo, uma sondagem na significação mesma de nossa existência e uma previsão em nosso destino. Por certo todos nós deveríamos nos interessar nessa inquirição.

I. IDENTIFICAÇÃO

1. Magnitude de sua Influência

Ao que sabemos, *Jesus nada escreveu*, apesar de que muitos sentiram a necessidade de escrever a respeito dele, necessidade essa que prossegue até hoje, pois cada geração precisa ter os seus próprios intérpretes sobre o sentido da vida de Cristo. Jesus jamais deixou a Palestina durante o seu ministério terreno (exceto que de certa feita esteve na região de Tiro e Sidom), mas o seu nome é conhecido em toda parte do mundo. Os historiadores afiançam-nos que antes do fim do século II D.C., vinte distintos grupos religiosos tinham saltado à existência, todos afirmando alguma espécie de origem em Cristo, embora apresentando definições diferentes e contraditórias acerca dele e de seu ministério. Antes do fim do século IV D.C., havia mais de oitenta desses grupos; mas hoje exauriria a boa matemática se quiséssemos contar o número de grupos existentes, todos supostamente alicerçados em sua autoridade.

É verdade que quando qualquer *gênio criador* aparece entre os homens, o resultado natural é uma modalidade de conflito e de revolução. As pessoas que entram em contacto com o mesmo são modificadas por ele, ou por outro lado, têm de fazer-lhe tenaz resistência, a fim de se livrarem de sua possível influência. Quanto mais elevada for a estatura desse gênio criador, tanto mais intenso será o conflito, a modificação e a mudança nas vidas daqueles que entram em contacto com ele. No caso de Jesus, essa verdade é óbvia. Até mesmo os elementos liberais, que negam completamente a divindade de Cristo, reconhecem, não obstante, o valor de sua pessoa; e, na maioria dos casos, nem procuram livrar-se totalmente de sua influência. Que isso continue ocorrendo quase dois mil anos depois de sua vida terrena, por si mesmo é grande indicação da magnitude de sua pessoa. Os ateus e agnósticos são igualmente afetados por ele, mas, nesses casos, o conflito e a reação adversa são ativados. Alguns têm passado a vida inteira na tentativa de anular e desacreditar a sua influência e de diminuir-lhe a importância. Essa oposição é apenas um testemunho involuntário acerca da grandeza de Cristo. Os crentes apresentam a maior evidência de sua grandeza, porquanto procuram *incorporar* em si mesmos «algo» de sua vida. Aqueles que conseguem isso em maior profundidade, são os mais excelentes exemplos de sua magnitude. Quase vinte séculos não têm podido diminuir as modificações, alterações, transformações e conflitos que a presença de Jesus criou nesta terra.

Fora das próprias Escrituras não contamos com muito testemunho ou material que nos forneça informações sobre Jesus. Ele é mencionado pelos historiadores romanos *Tácito* (Anais XV.44), *Suetô.* (Cláudio, 25; Nero, 16), *Plínio* (Epístolas X.96), e pelo famoso historiador judeu *Flávio Josefo*, em uma

473

JESUS

passagem altamente interpolada (Ant. XVIII.3.3). Também existem numerosas referências indiretas a Jesus na literatura judaica posterior, em sua maioria, adversa. Os livros apócrifos do N.T. se baseiam nele, mas nenhum estudo chegou até às nossas mãos capaz de distinguir quanto dessa informação é digna de confiança e quanto não o é. A maioria das histórias dos livros apócrifos no N.T. se baseia nos quatro evangelhos, pelo que também não tem valor independente. Não obstante, há certa quantidade de informações adicionais, nesses livros, que provavelmente é autêntica; porém, os eruditos sobre os livros apócrifos são poucos, pelo que fica extremamente limitado para nós o valor desses livros como fontes informativas dignas de fé. De modo geral, só nos resta pesquisar as páginas do N.T., para que encontremos informações fidedignas acerca de Jesus.

É fato sobejamente conhecido e muito comentado que, fora dos evangelhos, pouquíssima informação existe sobre a vida de Jesus e, realmente, pouquíssimas citações diretas. Pode-se aprender muito através dos apóstolos e seus ensinos, e existem muitas *revelações* de doutrinas que se tornaram parte do sistema cristão, mas pouquíssimo que se tenha originado do ministério terreno de Jesus propriamente dito. Por esse motivo, ficamos à mercê dos quatro evangelhos (ou quase inteiramente) quanto a fontes informativas sobre Jesus. E nem mesmo esses livros são biografias no sentido moderno do termo, mas, de fato, são uma modalidade distinta de literatura. Os «evangelhos», em si mesmos, são um tipo diferente de literatura, embora incorporem breve esboço biográfico sobre a vida de Jesus. Não podemos estar totalmente certos quanto à ordem cronológica dos acontecimentos nos evangelhos, porquanto, de forma geral, Marcos traça o *esboço básico* (isto é, os outros, com a exceção de João, usaram o evangelho de Marcos como seu esboço), ao passo que Papias, discípulo do apóstolo João, diz-nos que Marcos nem sempre registrou os acontecimentos em sua exata ordem cronológica. Todavia, a base das narrativas de Marcos é, essencialmente, as memórias de Pedro; pelo que nem sempre podemos depender da ordem cronológica dos acontecimentos, embora possamos confiar na historicidade dos mesmos.

Quanto a uma análise geral do conteúdo e das fontes informativas dos evangelhos, o leitor pode examinar o artigo intitulado, o *Problema Sinóptico*, bem como os artigos sobre os *Evangelhos*. A respeito da questão da «historicidade», ou seja, do fato que as narrativas são fidedignas do ponto de vista histórico, o leitor deveria examinar o artigo chamado *Historicidade*. Quanto à questão se os textos dos evangelhos são dignos de confiança (bem como os textos de todo o N.T.), conforme os conhecemos, posto que não existe mais nenhum documento original de qualquer dos livros do N.T., o leitor deveria consultar o artigo sobre *Manuscritos do Novo Testamento*.

2. Muitas Idéias Sobre sua Pessoa

O progresso da história não tem alterado grandemente as várias opiniões do mundo sobre Jesus, pois nos tempos modernos encontramos todos os pontos de vista representados desde o mundo antigo, embora, talvez, em formas modificadas. Apresentamos aqui, de forma abreviada, esses principais pareceres:

a. Não-Existência

Alguns antigos, tanto quanto alguns modernos, têm preferido crer que Jesus realmente nunca existiu, mas que surgiu uma espécie de «culto ao Salvador» (provavelmente entre os essênios), que criou o personagem do «Messias», posteriormente identificado com Jesus. Quiçá os psicólogos chamam isso de uma espécie de «cumprimento de desejo», que é uma das funções psíquicas dos seres humanos. Israel anelava por um Messias, por um Salvador, por um Libertador. Daí alguns deles passaram a criar tal personagem. Talvez alguma figura pouco conhecida, chamada «Jesus», tivesse estado de alguma maneira associada a tal movimento; mas o «Jesus» do cristianismo histórico seria principalmente uma personalidade lendária. David Strauss, teólogo alemão (1873) em seu livro, «Life of Jesus», levantou a questão da realidade histórica de Jesus, e apresentou a sua conclusão que a história de «Jesus» é quase inteiramente mitológica. Authur Drews, em sua obra «*The Christ Myth*», procura demonstrar que já havia um culto ao Salvador antes dos tempos cristãos, que havia criado um «Messias», e que os cristãos subseqüentemente tomaram de empréstimo desse culto o seu *Salvador*, disso se desenvolvendo a doutrina, em torno da pessoa do homem chamado *Jesus*. Diversas formas dessa idéia geral têm aparecido em círculos liberais. Alguns acreditam no «Jesus» histórico, mas também crêem que foi criado um «Jesus teológico», personagem esse meramente mitológico. Isso significaria que os evangelhos são narrativas feitas por zelotes maníacos, não sendo fidedignos como documentos históricos. Por conseguinte, pouco ou nada se conheceria acerca do *Jesus histórico*, realmente.

De modo geral, essa teoria não tem sido bem aceita em círculos históricos, ortodoxos ou liberais. De fato, se é impossível demonstrar a existência de Jesus, seria difícil, se não mesmo impossível, demonstrar a existência da maioria dos personagens antigos. Jesus foi *mencionado pelos historiadores* romanos Tácito (Anais *xv*.44), Suetônio (Cláudio, 25; Nero, 16) e Plínio o Jovem (Epístolas X.96). A data desses escritos é 115 D.C., 125 D.C. e 110 D.C., respectivamente. Em obras de Flávio Josefo temos a declaração que Jesus era «um homem bom (se é legal chamá-lo um homem), com quem se associavam homens bons» (*Ant.* XVIII.3.3). Essa declaração é reputada como altamente interpolada, mas pelo menos temos aqui uma referência ao Jesus histórico, bem como alguma indicação acerca de seu caráter. Nos tempos que se seguiram imediatamente à vida de Jesus, até mesmo os seus mais figadais adversários jamais tentaram negar a sua existência; pelo contrário, as declarações zombeteiras a seu respeito, tais como as alusões indiretas que lemos a ele no Talmude, também servem de provas, pelo menos, de sua existência. O Talmude chama-o de mágico que aprendeu suas artes mágicas no Egito, e de enganador do povo; e a despeito disso ser um testemunho adverso, contudo, comprova a sua existência.

b. Gnósticos

Na Igreja cristã, quase desde o princípio, surgiu um ponto de vista acerca de Jesus que tentava incorporar dentro de sua identificação várias idéias da filosofia e da mitologia gregas, além de pensamentos orientais e judaicos. Os trechos de I João 2:2 e 4:2,3 e as epístolas aos Colossenses e aos Efésios, parecem ser tentativas para combater diversos aspectos dessas idéias externas acerca de Jesus. De conformidade com o pensamento gnóstico, Jesus tornou-se parte da ordem dos anjos, talvez o mais exaltado deles, talvez não. Talvez seja o deus deste mundo, porém, também há muitos outros deuses. Ele é uma criatura superior, mas não o Deus que está acima de todos, nem é filho em qualquer sentido especial, conforme ensina a doutrina trinitária bíblica. Pelas passagens mencionadas acima (I João) aprende-se que os gnósticos negavam a verdadeira humanidade de Jesus, por-

JESUS DISCUTINDO COM OS DOUTORES

JESUS E MATEUS

MARIA SENTADA AOS PÉS DE JESUS

O SENHOR DO SÁBADO

JESUS E NICODEMOS

ECCE HOMO

A PREPARAÇÃO DO CORPO DE JESUS

Jesus, ao lado do lago depois da ressurreição (João 21:4)

JESUS

quanto não diziam que «...Jesus Cristo veio em carne...» E nas epístolas aos Colossenses e aos Efésios ficamos sabendo que negavam a deidade essencial de Jesus Cristo, provavelmente rebaixando-o a alguma das ordens de anjos. O problema do gnosticismo é o mesmo problema que enfrentamos hoje em dia. Jesus teve uma vida grande e incomum. Como poderia ele ter vivido como viveu? Os gnósticos respondem: Jesus pertencia a alguma ordem angelical, e não à humanidade. Deve ter havido muitas variedades de explicações, entre os gnósticos, acerca da vida de Jesus, e essa heresia era um dos principais flagelos da igreja primitiva. Alguns aceitavam que Jesus era um ser humano controlado por um ser celestial; mas outros criam que um «ser angelical» descera à terra a fim de cumprir uma missão, e que a sua — *humanidade* — não passava de uma ilusão. Esse era o elemento docético dentro do gnosticismo.

Muitos gnósticos, conforme se dava com os docéticos, ensinavam que o espírito de Cristo descera sobre Jesus, quando de seu batismo, mas deixara-o quando de sua morte. Assim sendo, o homem Jesus não podia ser inseparavelmente identificado com o «espírito descendente de Cristo».

c. Docetismo

Essa palavra se deriva do termo grego **dokeo**, que significa «parecer». Cerinto (85 D.C.), foi um dos principais advogados dessa opinião acerca de Jesus. Ele era alexandrino e discípulo de Filo, o famoso filósofo judeu neoplatônico (até 50 D.C.). ¡O seu ensino geral é que a «humanidade» de Cristo era «ilusória», apenas «parecia» ser real. Entre outras, temos a idéia de que Jesus já existia como homem quando o «espírito de Cristo» veio controlá-lo, mas que não houve verdadeira encarnação de Cristo, nem o Cristo sofreu ou morreu, tão somente o Cristo divino apossou-se de Jesus, quando de seu batismo, e o abandonou quando de sua morte na cruz. O homem Jesus em sentido algum seria Deus, mas tão-somente um homem um pouco melhor e mais sábio do que os demais.

Márcion ensinava certa forma de docetismo quando afirmava que apesar de Cristo ter sofrido, não nascera como outros homens, nem tivera começo na história, mas aparecera subitamente, vindo dos céus, durante o reinado de Tibério. Parte da doutrina islamita também tem elementos docéticos.

Os primeiros pais da igreja, Inácio, Irineu e Tertuliano, opuseram-se vigorosamente ao docetismo. Tertuliano escreveu diversos artigos contra essa heresia, como também o fizeram outros dos pais; e a maior parte de nossas informações a respeito das primeiras heresias nos chega através dessas fontes. Parte da doutrina gnóstica tinha tendências ou implicações docéticas, e era possível a alguém ser gnóstico e docético ao mesmo tempo. Ótima ilustração disso é Márcion. Se o espírito de Cristo viera controlar o homem Jesus, não havia «Cristo humano» real, porquanto seu espírito viera e se fora, mas não fazia parte da personalidade de Jesus. Outros também eliminavam completamente a «humanidade», imaginando que Jesus teria surgido repentinamente dos céus, pelo que também não havia qualquer natureza humana. E a forma humana que parecia existir, era tão-somente uma ilusão. Essa posição geralmente elimina qualquer idéia sobre o «Salvador sofredor». Cristo apenas pareceria ter sofrido. Ele era por demais divino para sofrer.

Salientar demasiadamente a deidade de Cristo, às expensas de sua humanidade, como tão freqüentemente se verifica nas modernas igrejas evangélicas, em realidade é uma forma de *docetismo*. Também nos esquecemos por muitas vezes que essa humanidade foi real, e que as suas limitações eram reais, e que Jesus precisou de «aprender a obediência pelas cousas que sofreu». Mui freqüentemente fazemos de Jesus um homem irreal, e terminamos por ensinar uma forma qualquer de docetismo. O evangelho de Pedro (livro apócrifo do N.T., 130 D.C.) é tão docético quanto os Atos de João (170 D.C.). Outros dos evangelhos refletem o docetismo e o gnosticismo. Os docetistas tinham muito em comum com os gnósticos, mas finalmente formaram uma seita separada. Mas basta-nos um pouco de reflexão para que percebamos que tanto o gnosticismo como o docetismo estão vivos no mundo, até o dia de hoje.

d. Ário

O **Arianismo**, que derivou seu nome de Ário, presbítero de Alexandria em 256-336 D.C., e que era discípulo de Luciano de Antioquia, combinava o ponto de vista monárquico e adocionista com a «cristologia do Logos», de Orígenes. O monarquianismo — do termo grego «monarchia», que sugere «unidade», salientava a unidade da deidade em oposição às distinções dentro da deidade (como ensina o trinitarismo). A doutrina do *Logos*, por sua vez, procurava estabelecer a transcendência de Deus, e o *Logos* seria uma emanação ou expressão de Deus, mas não podia ser identificado com o Deus altíssimo, que deveria ser visto como totalmente transcendental. Entretanto, para Ário, o *Logos* era perfeita criatura, parte da criação de Deus, embora pudesse ser um agente ativo em outros atos da criação. Ário cria que o *Logos* se tornara carne em Jesus, mas negava que Jesus (ou Cristo) possuísse alma humana. A pessoa de Cristo não possuiria deidade essencial. Cristo teria sido a primeira das criaturas e a maior de todas, e talvez se tivesse tornado em uma espécie de Deus, por adoção, mas jamais como o Pai transcendental. Todavia, poderia ser objeto da adoração dos homens. A idéia essencial de Ário era que a deidade essencial jamais poderia identificar-se com esta esfera terrena inferior, porquanto isso seria uma espécie de contaminação. A «deidade» de Cristo, portanto, tinha de ser de sorte diferente. Aqueles que têm estudado a filosofia platônica reconhecem aqui a influência dos ensinos dos «universais» e dos «demiurgos», nos quais estes últimos criam o mundo visível (nosso mundo) de conformidade com o desígnio dos primeiros. Muitas variedades de arianismo se têm desenvolvido, em variegados graus, dependentes do reconhecimento conferido à pessoa de Cristo, mas nenhuma dessas variedades lhe atribui a deidade essencial do Pai. Após a excomunhão de Ário, suas doutrinas se propagaram largamente, e em pouco tempo toda a Igreja Oriental se transformou em uma batalha «metafísica». O concílio de Nicéia condenou os pontos de vista de Ário e estabeleceu o «trinitarismo» (325 D.C.).

Certas facções do cristianismo atual são bem definidamente arianas em seu caráter.

e. Emanação

A emanação é a doutrina que diz que tudo quanto existe derivou-se da Realidade ou Ser supremo, absoluto, mais alto. Aqueles que têm estudado a filosofia platônica e, especialmente a adaptação religiosa dessa filosofia, que tem sido intitulada neoplatonismo, facilmente poderão ver que tais idéias foram aplicadas a Cristo, por parte de alguns, na igreja primitiva. Pode-se ilustrar a idéia geral pensando no sol e em seus raios. Os raios emanam do sol e, em realidade, são uma expressão da essência do sol. Quanto mais afastado alguém estiver do sol, maior será a escuridão que verá. Deus Pai é como o

475

JESUS

sol. Sua emanação mais forte é—'o Filho.' Um pouco mais distantes encontramos os seres angelicais. Em seguida, os homens podem ser contemplados muito distantes de Deus, embora continuem sendo uma emanação divina. Finalmente, encontra-se a matéria pura, que está tão distante de Deus que habita em trevas absolutas. O trecho de Heb. 1:3, fala-nos de Cristo nestes termos: «...é o resplendor da glória...», parece expressar uma idéia de emanação, embora os intérpretes e comentaristas (que conhecem as questões envolvidas), façam muitos desvios e contorções para evitarem essa interpretação. Caso uma idéia de emanação fosse aceita por nós, nesse versículo, haveria muitas implicações que os gnósticos e outros extraíam, quando falavam de Cristo como uma emanação de Deus. Mas, podemos ver nesse versículo meramente uma forma de expressão poética, o que parece indicar que Cristo é expressão especial de Deus, tal como os raios do sol são expressões do sol. Alguns dos primeiros pais da igreja foram neoplatônicos em graus variados (por exemplo, Justino Mártir, Orígenes e Clemente de Alexandria), pelo que algumas das primeiras teologias que surgiram na igreja continham idéias de emanação. Essa idéia parece criar uma espécie de panteísmo, e é justamente esse o elemento da idéia que tem provocado a reação a ela. Muitos daqueles que ensinavam as idéias neoplatônicas na igreja primitiva, também fazem Deus totalmente transcendental, e assim pareciam ensinar contra as idéias básicas do teísmo, que ensina que Deus criou e continua diretamente interessado na criação.

f. Liberalismo

Quando Jesus estava no templo, ocupado nos negócios de seu Pai, Maria e José não puderam compreendê-lo, e ficaram — perplexos. Muitas pessoas que não fariam objeção em ser catalogadas como liberais, continuam perplexas ante a personalidade de Jesus. Caracterizar o liberalismo, mediante algumas poucas palavras, é tarefa impossível; pelo que, o melhor que se pode esperar fazer é apresentar uma brevíssima descrição, adicionando algumas poucas idéias liberais específicas acerca da identificação de Jesus Cristo. A palavra *liberal* é definida, pelo Oxford Dictionary, como «epíteto original e distintivo daquelas *artes* e *ciências* que eram consideradas dignas de um homem livre, em oposição às atividades servis ou mecânicas». Quando isso é aplicado à teologia, fica subentendido que o liberalismo é uma realização educacional e espiritual, prenhe às dignidades, responsabilidades e direitos da liberdade. Segundo essa definição, um liberal é um homem livre, em contraste com o conservador que pode estar *escravizado* à tradição e às interpretações mecânicas e absolutistas. Os liberais pretendem interpretar sem o empecilho dos preconceitos e convenções. Suspeitam das autoridades, e algumas vezes se revoltam contra elas. Talvez creiam na revelação, mas não identificam essa revelação com qualquer único livro ou qualquer indivíduo. Talvez cheguem a aceitar o sobrenatural, mas sua compreensão acerca do sobrenatural não pode ser limitada a qualquer *coleção* de livros, regra, etc., ou a qualquer autoridade tal como uma igreja, papa, padre, ministro, etc. Para os liberais, as declarações literais das Escrituras não bastam. A despeito de poderem acreditar que a Bíblia é uma revelação válida, não identificam esse livro com uma revelação infalível. Os liberais não empregam «textos comprovantes» para neles basearem qualquer conhecimento. Estudam a Bíblia como estudariam qualquer outro livro, motivados por considerações lingüísticas, históricas e sociais. Não aceitam a Bíblia

como autoridade absoluta, isto é, que seja perfeitamente veraz, completa e sem erro. Procuram separar ali o falso do verdadeiro. O liberalismo, naturalmente, é tão antigo quanto o cristianismo, mas tornou-se especificamente proeminente na igreja a partir do século XIX e já em nosso século XX, pelo que se trata de um movimento um tanto moderno, com um tipo de pensamento teológico mais universal. Assim é que surgiu o «modernismo», termo largamente utilizado como sinônimo de *liberalismo*.

Por causa da base muito vasta do pensamento «liberal», há muitas variedades de liberais, a começar por aqueles que poderiam ser considerados essencialmente conservadores (isto é, aqueles que mantêm algumas poucas opiniões liberais, paralelamente a pontos de vista conservadores) e terminando por aqueles que negam terminantemente qualquer doutrina sobrenatural, que podem até mesmo ser indivíduos ateus que encontram algum valor nos princípios religiosos, mas separadamente de seus valores «metafísicos». Muitos indivíduos liberais enfatizam os elementos sociais e éticos da religião, e não os elementos doutrinários. A leitura de exposições bíblicas feitas por liberais revela que alguns milagres são aceitos por eles, enquanto que outros são rejeitados; algumas das declarações de Jesus são aceitas como autênticas, mas outras são rejeitadas como palavras da igreja que foram postas nos lábios de Jesus algum tempo depois dele ter vivido na terra. Alguns liberais aceitam uma espécie de *divindade* em Jesus, ao passo que outros só vêem uma pessoa humana de considerável valor. Alguns rejeitam as tendências principais do ensinamento evangélico. Por exemplo, alguns vêem um Jesus patriota e político, e não meramente um Jesus religioso, crendo que Cristo morreu principalmente como vítima do estado romano, por ser um ativista político. Essa é a tese dos recentes livros escritos pelo padre anglicano S.G.F. Brandon, «Jesus and the Zealots» (Scribners) e «The Trial of Jesus» (Stein & Day). Esse autor acredita que o evangelho original (o de Marcos), por causa das perseguições movidas pelas autoridades romanas (perseguições essas que então começavam), evitou implicar Roma na morte de Jesus e assim exagerou grandemente a parte desempenhada pelos judeus. Isso teria sido seguido pelos demais evangelhos, e assim Roma ficou quase isenta de culpa, ao mesmo tempo que se criou uma espécie de «anti-semitismo». Tais idéias, como é lógico, forçosamente negam de todo o valor total ou a natureza fidedigna das narrativas que se encontram nos evangelhos, e especulam com pequenos «indícios» a fim de criar argumentos. Por exemplo, a purificação do templo, por Jesus, é vista não principalmente como um ato religioso, que se teria originado na indignação de Cristo, em face dos abusos religiosos das autoridades judaicas, mas antes, como um «ataque» ao tesouro do templo, a fim de desapossar seus diretores sedentos de dinheiro, e tudo isso em favor dos pobres. Esse ato, pois, é visto pelos liberais como uma ação social e política, e não como ação religiosa. Por conseguinte, Jesus teria morrido como patriota, nas mãos de estrangeiros romanos, um «rebelde-mártir» em prol de seu povo. Esse tipo de interpretação é típico do liberalismo, o qual não se sente obrigado a aceitar, totalmente e sem questão, as declarações do N.T. acerca da identidade e do ministério de Jesus Cristo.

g. Triteísmo

Existem alguns que vêem Jesus como Deus, isto é, que adotam a divindade de Jesus, mas que não aceitam o conceito trinitário da deidade. O triteísmo é a opinião de que existem três deuses, a saber, Pai,

476

JESUS

Filho e Espírito Santo. Esses três são distinguidos por uma essência de ser que os alça acima de todos os outros seres, o que lhes confere o direito de serem chamados deuses. O triteísmo, em realidade é uma forma de politeísmo. Alguns que professam crer no «trinitarismo», por equívoco, realmente crêem no «triteísmo». O triteísmo ensina uma substância separada, bem como personagens separados. João Filipon, do século VI D.C., mediante uma interpretação extrema do trinitarismo, na realidade ensinava o triteísmo. Ensinava ele que três *hipóstases* devem significar três substâncias. Roscelin, do século XI D.C., ensinava que as pessoas da trindade são apenas *nominalmente* uma, a saber, apenas quanto ao nome, ou por designação apenas, e não como realidade. Isso não passa de triteísmo. Entre os grupos que atualmente se dão o título de cristãos, existem aqueles que defendem o triteísmo. Um exemplo notável disso é o mormonismo. Muitos crentes individuais não compreendem o conceito trinitário de Deus, e de fato são triteístas, sem distinguirem a diferença.

h. Posição do N.T. (ortodoxa, trinitária)

O conceito de Jesus, que finalmente veio a ser reputado *ortodoxo*, de conformidade com as páginas do N.T., é a explicação trinitária. Ao identificarmos a Jesus, adicionamos a isso o ensino da sua verdadeira humanidade, e mediante esses dois conceitos (trinitário e humano), chegamos à verdadeira identificação. A palavra «trindade» não se encontra na Bíblia, nem no Antigo nem no Novo Testamentos. Foi empregada pelo pai Tertuliano, já desde o fim do século II. D.C. Tornou-se uma parte formal da teologia cristã pelo século IV de nossa era. Essa é uma doutrina distintiva do cristianismo, e «reúne, em uma única grande generalização, com referência ao ser e às atividades de Deus, todos os principais aspectos da verdade cristã» (Lowry). O vocábulo *trindade* é meramente uma tentativa teológica de definir, em termos mais ou menos compreensíveis, a substância de Deus, declarando que Deus é um em seu ser essencial, mas que a essência divina existe em três formas ou modos, cada uma constituindo uma pessoa; mas ainda assim, de tal modo, que a essência divina existe em cada uma dessas pessoas. Mas a grande realidade é que ninguém, realmente, pode compreender o que isso significa, mas tudo não passa de uma tentativa de esclarecer algo acerca de Deus. O conhecimento humano é tremendamente limitado até mesmo quanto à questão material mais simples; pelo que também certamente é impossível para nós compreender realmente a essência e as manifestações de Deus. O que sabemos só é transmitido em termos humanos, que compreendemos por meio de padrões humanos. Ninguém pode reivindicar para si mesmo grande conhecimento acerca da essência de Deus. Podemos conhecer um pouco mais acerca de suas obras, mas até mesmo nesse particular nossa compreensão humana é limitada pelo fato de que tudo nos chega em formas humanas, e não divinas. *O concílio de Nicéia* (325 D.C.) se pronunciou contra o arianismo e em favor do trinitarismo «Deus de Deus, luz da luz, vero Deus de vero Deus, sendo de uma só substância com o Pai» (falando acerca do Filho). Isso é «trinitarismo»; mas fica bem aquém da verdadeira compreensão das questões abordadas, pois qualquer exemplo apresentado para ilustrar o trinitarismo, necessariamente terá de ser insuficiente e inadequado.

Essa doutrina não é bem desenvolvida no A.T. e as tentativas de vê-la na palavra *«elohim»*, uma palavra hebraica no plural que indica Deus, não são bem fundadas no idioma hebraico. Essa forma plural era usada para magnificar o conceito e elevar o sentido, isto é, o plural agia como uma forma de aumentativo, e não indicava, necessariamente, o plural em número. Não obstante, pode-se ver traços dessa doutrina em Deus e seu Espírito, no Anjo do Senhor (que era chamado pelo nome divino) e no Servo do Senhor (indícios messiânicos). Nas passagens de Pro. 8:22 e Jó 28:23-27, a Palavra ou Verbo é personificada como a Sabedoria. O trecho de Isa. 9:6 atribui divindade ao «filho que nasceu», e toda a terminologia desse trecho sugere igualdade com o Pai. O Espírito de Deus tem proeminência sobre tudo quanto lhe pertence, e ninguém pode defender, pelas Escrituras, que o Espírito Santo é meramente uma espécie de influência, e não uma pessoa, (ver Isa. 9:2; 42:1; Joel 2:28 e Eze. 36:26,27). Todos os elementos se acham presentes, mas disso não se seguiria obviamente o trinitarismo, a menos que o N.T. não tivesse sido escrito. É por esse motivo que os judeus não são trinitários.

O Trinitarismo é mais claro no N.T. Ali, Pai, Filho e Espírito Santo são reconhecidos como pessoas distintas, com atividades diversas; não obstante, ao mesmo tempo o N.T. procura preservar o *monoteísmo*. Essa dualidade de expressão leva-nos ao trinitarismo. Três pessoas, mas ao mesmo tempo um Deus (não três deuses) — isso é o que o trinitarismo tenta definir. São numerosas as referências à distinção que existe entre o Pai, o Filho e o Espírito Santo. Um desses principais exemplos é a narrativa do batismo, onde as três pessoas se fizeram presentes. O Filho foi imerso, o Pai falou do céu, e o Espírito desceu em forma de pomba, (ver Mat. 3:16,17). A fórmula batismal, dada na Grande Comissão — «...em nome do Pai, e do Filho e do Espírito Santo...» demonstra a mesma verdade (Mat. 28:19,20). Entretanto, tais declarações poderiam provar, igualmente, o triteísmo, e alguns têm frisado que as três personagens, na cena do batismo, foram vistas a ocupar diferentes lugares no espaço. A bênção apostólica — «A graça do Senhor Jesus Cristo, e o amor de Deus, e a comunhão do Espírto Santo sejam com todos vós» (II Cor. 13:13) — demonstra o uso que havia na igreja primitiva e que as três pessoas eram vistas como dotadas de essência e exaltação especiais e idênticas, segundo se pode subentender seu esforço.

Passagens como Fil.2 ensinam a igualdade entre Pai e Filho. Passagens como João 1, Col. 1 e 2, Efé. 1 e Fil. 2, ensinam a divindade do Filho. Passagens como Luc. 1:35; João 15:26: Atos 2:32,33, ensinam o ministério do Espírito Santo, e também sua personalidade e suas relações para com o Pai e o Filho. Todavia, tudo isso poderia indicar *triteísmo*, e não trinitarismo. Para essa indicação precisamos depender de declarações neotestamentárias que defendem o monoteísmo, das quais I Cor. 8:6 serve de exemplo, e que tem o propósito de negar especificamente as noções politeístas (como no vs. 5 do mesmo capítulo) — «...todavia, para nós há um só Deus, o Pai... e um só Senhor, Jesus Cristo...» Se continuarmos vinculando o N.T. ao V.T., então teremos de interpretar o pensamento do N.T. de acordo com o V.T., onde há declarações como «...eu sou Deus, e não há outro» (Isa. 45:22); «Há outro Deus além de mim? Não, não há outra Rocha que eu conheça» (Isa. 44:8); «...eu sou Deus, e não há outro semelhante a mim» (Isa. 46:9). O N.T., interpretado à luz do A.T., elimina a possibilidade de qualquer tipo de interpretação politeísta, e o triteísmo é politeísmo. Não é provável que a igreja primitiva, sendo composta essencialmente de judeus, e tendo seguido essencial-

JESUS

mente os princípios da teologia judaica, tivesse sido politeísta. O trinitarismo oferece o único meio de escape para que se possa aceitar a divindade do Filho e do Espírito Santo, sem que se deixe de ser monoteísta. Continua havendo um só Deus, mas existente em três essências, em três expressões dessa essência. Naturalmente que não compreendemos muito sobre o sentido dessas palavras, e certamente nada das realidades por detrás delas, porquanto compreendemos pouquíssimo acerca da essência de Deus. De fato, nem sabemos do que se compõe a matéria... quanto menos a *Divina Substância*.

Não obstante, pode-se tentar descrever Deus em termos que tenham sentido para nós, e essa tentativa leva-nos ao conceito trinitário, e não ao triteísmo. A palavra «pessoa» pode ser ilusória, pois esse termo sempre designa para nós um indivíduo separado, racional e moral. Mas, no que diz respeito ao ser de Deus (de acordo com o pensamento trinitário), não existem três indivíduos, mas três autodistinções pessoais dentro de uma única essência divina. No homem a personalidade indica independência; mas, ao aplicar-se a Deus, isso não é verdade. Cada pessoa é autoconsciente e **auto-orientada, mas jamais** independente das demais. Deus é uma unidade, e não dividido em três partes. Dentro dessa unidade, todavia, há diversidade. O Pai é a fonte da vida e da criação. Ele é o primeiro. Diz-se ser ele o originador. O filho é a fonte da vida e da criação. Ele é Alfa; ele é Ômega. O Filho é eternamente gerado com o Pai; ele é o segundo. O Espírito, que procede eternamente do Pai e do Filho, é o terceiro. Diz-se que ele é o executor da vontade divina. Esses termos, *primeiro, segundo* e *terceiro*, não indicam nem prioridade de tempo, nem de existência e nem de dignidade, poder ou posição. Todas as três pessoas são *igualmente eternas*, iguais em dignidade e poder. Portanto, usamos esses termos para ajudar-nos a compreender algo de suas manifestações.

Mas Jesus, o filho de Deus, também se tornou homem. — Certamente que o N.T. ensina isso. O segundo capítulo de Filipenses ensina, bem definidamente, a humanidade de Jesus, em sua encarnação. O Filho esvaziou-se, não de sua divindade, mas de seus direitos e poderes, bem como de seu conhecimento — como homem. Palmilhou pela vereda que os homens devem seguir, e sob condições próprias aos homens. Jesus «...aprendeu a obediência pelas cousas que sofreu...» (Heb. 5:8). Também não sabia todas as coisas (ver Mar. 13:32), mas dependia de Deus-Espírito Santo a fim de desenvolver-se como homem e tornar-se suficientemente poderoso para realizar os prodígios que fez. Sofreu as dores e tristezas próprias a todos os homens e, no jardim do Getsêmani, hesitou e enfraqueceu sob a tremenda carga. Contudo, foi vitorioso, não por ser Deus (embora o fosse), mas por causa daquilo que chegara a ser como homem. Jesus era verdadeiro homem, porquanto a encarnação foi real. Um número demasiado de elementos da igreja acredita em um Jesus docético (ver «b» na discussão anterior). Ver o artigo separado sobre a *Humanidade de Cristo*, e o texto bíblico, Fil. 2:6,7.

Jesus, portanto, era o *Deus-Homem* — mas verdadeiro Deus e verdadeiro homem. Como juntar esses pensamentos num só é algo impossível, pois o hiato entre o que conhecemos de Deus e o que conhecemos do homem é demasiadamente lato. Podemos descrever muita coisa do lado humano, e pouquíssimo do lado divino, mas essa doutrina nos apresenta um paradoxo, isto é, um ensino que parece contradizer a si mesmo. Mas, apesar da aparente contradição, suas implicações são importantíssimas,

porquanto no Deus-Homem vemos revelados os propósitos de nossos destinos. Ele tomou sobre si mesmo a natureza humana, a fim de elevar-nos de nossa triste condição humana. Sua vida tornou-se o padrão da nossa, não só moralmente, mas também no aspecto metafísico, porquanto não só procuramos imitar a sua vida, mas também seremos um dia transformados segundo a sua própria imagem, assumindo a sua essência. Essa é a mais alta promessa do evangelho e, de fato, o ponto principal do evangelho. Ver as notas detalhadas no NTI sobre as implicações dessas afirmações, em Rom. 8:29 e no contexto geral daquele capítulo. O plano da encarnação, que criou o *Deus-Homem*, é o mesmo plano que nos eleva à alta posição na criação vindoura, como novas criaturas, como novos tipos de seres, modelados segundo a personalidade do Deus-Homem, porquanto seremos, coletivamente, a sua plenitude (Efé. 1:23). Ver notas sobre os três últimos versículos do primeiro capítulo da epístola aos Efé. no NTI, quanto aos detalhes dessas implicações.

Dessa maneira se vê a importância da identificação de Jesus, pois a descoberta de sua identificação é, ao mesmo tempo, a descoberta de nossa identificação. (Ver a declaração introdutória a esta seção sobre «identificação»).

II. *MINISTÉRIO*

Diz o *evangelho de João*: «Há, porém, ainda muitas outras coisas que Jesus fez. Se todas elas fossem relatadas uma por uma, creio eu que nem no mundo inteiro caberiam os livros que seriam escritos» (João 21:25). Naturalmente que isso é uma amostra de hipérbole oriental, mas, não obstante, indica algo do problema de tentar esboçar o ministério de Jesus. Deve ter havido muitas coisas que ele fez, muitos milagres que realizou, muitas palavras que proferiu, e que jamais foram registrados por qualquer autor, enquanto que muitas outras ocorrências que encontraram lugar em documentos escritos primitivos, subseqüentemente devem ter-se perdido para nunca mais serem restauradas. Gostaríamos de ter conhecimento de tudo isso, mas nossos únicos documentos fidedignos, como material informativo sobre a vida de Jesus são os quatro evangelhos. Existem — alusões esparsas — sobre ele nos escritos de Flávio Josefo, de Tácito, de Suetônio e nas tradições talmúdicas posteriores (embora nem todas essas referências sejam favoráveis), mas todas se revestem de pouquíssimo valor histórico. Também há diversas tradições a seu respeito, algumas nos evangelhos apócrifos e outras independentes dessas fontes, tradições essas que buscam descrever sua infância e os anos anteriores ao seu ministério público. Algumas dessas tradições dizem que ele passou algum tempo de estudo na Índia e no Egito, e que estudou com os essênios, no monte Carmelo, que não ficava muito distante de Nazaré. Quanta verdade existe nessas tradições, não temos meios de saber, pelo que ninguém pode apresentar declarações definidas acerca de seus anos formativos.

Sabemos, todavia, que o homem Jesus deve ter recebido **uma educação essencialmente judaica,** porquanto os seus ensinamentos deixam transparecer isso. Sua recomendação acerca do celibato (ver Mat. 19:10-12), todavia, era um conceito contrário às idéias judaicas, e realmente reflete um importante ensino dos *essênios*, pelo que é possível que Jesus tenha mantido conexões com esse grupo, como também João Batista. Os primeiros discípulos de Jesus, mui provavelmente também haviam estado sob a influência dos ensinos dos essênios, através de João Batista, (ver a nota sobre os «essênios», em Luc. 1:80 e Mat. 3:1 no NTI). As narrativas dos evangelhos apócrifos

478

JESUS

fornecem muita evidência de que foram histórias ordinariamente produzidas pela imaginação desenfreada (sempre que diferem dos quatro evangelhos), e que as freqüentes narrativas autênticas que ali aparecem não passam de cópias ou adaptações das narrativas dos evangelhos do N.T. Há uma pequena quantidade de material que, sendo autêntica e não produto da imaginação, pode ser posta lado a lado aos evangelhos como informação. Ninguém jamais preparou um estudo preciso que determinasse exatamente quanta informação adicional poderia ser obtida desses evangelhos apócrifos; mas certamente não poderia ser uma informação abundante. Portanto, considerando as atuais fontes de informação de que dispomos, posto que a arqueologia não nos tem proporcionado nada de novo, somos forçados a depender quase totalmente dos quatro evangelhos quando queremos obter conhecimentos acerca do ministério de Jesus. Apresentamos abaixo, em forma de esboço, as principais épocas desse ministério:

1. Antes do Ministério Galileu

a. *Preexistência, João 1*
b. *Nascimento, Mat. 1; Luc. 1 e 2*
c. *Infância*

Jesus nasceu talvez em 6 A.C., em Belém da Judéia. Foi criado em Nazaré. Tinha certo número de irmãos e irmãs (Tiago, José, Judas e Simão — ver Mar. 6:3). Trabalhou como aprendiz de carpinteiro, em Nazaré. Quando seu pai adotivo, José, faleceu, provàvelmente tornou-se o único carpinteiro de Nazaré, por ser essa uma localidade tão pequena que nem ao menos foi mencionada por Josefo, embora tivesse feito a lista de muitas cidades da Galiléia. O Talmude também jamais menciona a localidade. Lucas apresentà-nos uma única instância de Jesus (Luc. 2:52), onde descreve como Jesus confundiu os mestres do templo, devido ao seu conhecimento. Durante esse tempo Jesus pode ter conhecido João Batista (pois era parente seu, e provavelmente primo) e evidentemente teve algum contacto com os essênios. Jesus passou cerca de trinta anos nessa pequena aldeia da Galiléia, que foram anos de preparação; mas os detalhes sobre esse período estão totalmente perdidos para a história.

d. *Relações de Jesus com João Batista e os Essênios*

Poderíamos dizer, como tentativa, que Jesus teve algum contacto com João Batista e com os essênios. O ministério de João Batista foi poderoso, e alguns chegaram a pensar ser ele o Messias. O ministério de Jesus, entretanto, ainda foi mais poderoso que o de João, e foi uma espécie de continuação do de João. (Ver Luc. 3:7).

e. *Batismo de Jesus*

Quanto ao sentido desse acontecimento, ver notas em Mat. 3:6,13-17 no NTI. Jesus identificou-se com o movimento do arrependimento e com o anúncio do reino dos céus que breve viria. Jesus continuou o ministério de João Batista, e, após o falecimento deste, provavelmente ficou com a maioria dos seus discípulos.

f. *Recebimento do Espírito Santo*

O início do ministério de Jesus foi causa natural das tentações lançadas por Satanás, porquanto nenhum pioneiro pode continuar no caminho sem ser testado, porque de outro modo não seria considerado um guia digno de confiança. (Ver Luc. 4 e Mat. 4).

g. *Primeiros Discípulos*

Pouco depois Jesus entrou em contacto com seus primeiros discípulos, Pedro, André, Tiago e João. Alguns têm sugerido que esse contacto se efetuou primeiro na área de Jerusalém, durante uma das festividades religiosas dos judeus (de acordo com o registro no evangelho de João), mas que posteriormente tornou a entrar em contacto com eles, na Galiléia, e seu discipulado tornou-se oficial, (ver Mat. 4:18,19, em comparação com João 1:28,35-51).

h. *Ministério na Judéia*

Isso ocorreu antes do ministério na Galiléia. Evidentemente Jesus teve um ministério preliminar na Judéia. Somente João descreve esse ministério, mas é possível que Luc. 4:44, onde os melhores e mais antigos *mss* gregos dizem *Judéia*, em vez de *Galiléia*, mencione, em termos gerais, aquilo que João apresentou em forma detalhada. De João 1:29 ao fim do capítulo (primeiros contactos com os primeiros discípulos); João 2 (primeiro milagre — mudança da água em vinho); João 3 (entrevista com Nicodemos); João 4 (ministério em Samaria e provável primeira purificação do templo, João 2:13-22, embora muitos eruditos pensem que isso é uma referência fora da ordem cronológica, ou então que essa é a purificação mencionada nos evangelhos sinópticos, como parte da última semana do ministério de Jesus, mas que está deslocada da ordem real dos acontecimentos).

2. Ministério na Galiléia

Jesus nasceu em Belém e no princípio de sua vida habitou em Nazaré; mas, por ter sido rejeitado em Nazaré, mudou-se para Cafarnaum (ver Mat. 4:13).

a. *Acontecimentos Preliminares*

João Batista foi aprisionado e muitos de seus seguidores tornaram-se discípulos de Jesus. João Batista pregava a arrependimento e o reino de Deus, que ele afirmava que breve seria estabelecido na terra. Jesus Cristo viajou pela Galiléia e pregou em muitas sinagogas, mas principalmente, nos primeiros dias, na famosa sinagoga de Cafarnaum, (ver Mat. 4). Sua fama se propagou até a Síria, Decápolis, Jerusalém e outros lugares (ver Mat. 4:24,25).

b. *Identificação com o Filho do Homem*

Jesus se identificou como Filho do homem, dando indicações de sua missão messiânica, embora isso não tivesse sido abertamente declarado a essa altura dos acontecimentos.

c. *Sinagogas*

Jesus fez das sinagogas, congregações judaicas, o seu principal ponto de contacto, embora também pregasse ao ar livre. Jesus declarava ensinos éticos, reexaminava os princípios da lei, demonstrava a sua autoridade, elevou imensamente o tom e a qualidade do ministério nas sinagogas. Não tinha treinamento formal e nem credenciais ordinariamente requeridas de um mestre na sinagoga; a despeito disso, era largamente aceito como mestre (ver Mat. 4—8).

d. *Escolha de Discípulos*

Jesus selecionou doze discípulos especiais, que o acompanharam em seu segundo circuito pela Galiléia, (ver Mat. cap. 10).

e. *Cinco Grandes Blocos de Ensinos*

Jesus pregou grandes sermões, cujos esboços e conteúdos gerais, no evangelho de Mateus, se encontram em cinco grandes blocos de ensinos, pois esse é o evangelho que com maior cuidado preserva os ensinamentos de Jesus (ver Mat. capítulos 5,7,10,13, 18; 24:1 — 26:2). Os principais temas desses sermões são os princípios éticos do reino de Deus, a nova lei, a lei do amor, instruções aos discípulos especiais, discursos sobre a natureza do reino, os problemas comunitários da igreja, e o fim desta dispensação (profecias de Jesus).

479

JESUS

f. Fecham-se as Sinagogas para Jesus

As sinagogas, finalmente, cerraram as portas para Jesus e seu ministério. Ele provocara muita oposição e inveja. Sua mensagem era por demais poderosa, crítica e revolucionária para os judeus, (ver Mar. 6:3; e Luc. 4:22). Jerusalém enviou espiões que procuravam desacreditar a Jesus. Mas Jesus os confundiu, o que apenas intensificou a ira e a oposição de seus adversários. Após a declaração de Mar. 6:5,6, não lemos mais que Jesus falou em alguma sinagoga. A sinagoga deixara de servir-lhe de instrumento para a propagação de sua mensagem, excetuando-se alguns poucos indivíduos convertidos. Evidentemente, daí por diante, Jesus começou a ensinar ao ar livre.

g. Envio dos Doze

Jesus enviou doze discípulos como ministros especiais, (ver Mat. 10). Jesus ensinou-os como deveriam ser discípulos, como deveriam depender dele, como deveriam pregar, curar e andar em suas pisadas. Jesus enviou-os a colher uma ceifa porque proclamava o fim breve da ordem de coisas, e o estabelecimento imediato do reino de Deus à face da terra. Os discípulos de Jesus enfrentaram a mesma oposição que ele mesmo encontrara. Não conseguiram converter a Galiléia, como um todo, para Deus. Foram obtidos alguns poucos convertidos individuais, mas nenhum território para o estabelecimento do reino foi conseguido, (ver Luc. 7:31-35). Um ministério similar foi efetuado por setenta discípulos selecionados, (ver Luc. 10). Talvez esse tenha sido o terceiro circuito pela Galiléia.

h. Morte de João Batista

João foi assassinado a mando de Herodes, e o estabelecimento de um reino literal foi inteiramente rejeitado, (ver Mat. 14).

i. Os Três Circuitos pela Galiléia

Foram os seguintes: a. Mat. 3—8; Mar. 1; Luc. 3 e 4 — Jesus foi com quatro pescadores; b. Mat. 10:13; Mar. 1; Luc. 3:5 — Jesus foi com os doze. c. Luc. 10:1-17; Mat. 9:14-18; Mar. 6—9; Luc. 9—11 — Jesus enviou os doze (e depois os setenta).

3. Jesus Parte da Galiléia

A multiplicação dos pães para — os quatro mil — (Mar. 8:1-9) assinala o fim do ministério galileu. A sinagoga se fechara para Jesus, ele ganhara apenas alguns verdadeiros discípulos, embora muitos, dentre o povo comum, continuassem simpatizando com sua causa; mas as autoridades religiosas tinham feito progressos notáveis, fazendo a opinião popular voltar-se contra Jesus, e muitos temiam segui-lo abertamente. Entre o ministério galileu e o da semana final em Jerusalém, encontramos uma série indefinida de eventos. Os escritores dos evangelhos obviamente não estavam interessados em prover uma narrativa detalhada ou sistemática dessas ocorrências. Assim sendo, temos de juntá-las à base das escassas evidências com que contamos.

a. Retirada para Tiro

Evidentemente Jesus a princípio retirou-se para a região de Tiro, (ver as passagens de Mar. 8:24 e 7:31). Entre essas referências temos a história da mulher siro-fenícia (Mar. 7:24-30). Imediatamente depois disso temos a cura do surdo-mudo. Muitos crêem que a multiplicação dos pães para os quatro mil teve lugar em território gentílico, fazendo parte do ministério não-judaico, um acontecimento que sucedeu antes da semana final na área de Jerusalém. O trecho de Mat. 8:14-19 pode indicar que Jesus primeiro partiu de Genezaré, após ter-se recusado a apresentar um «sinal» aos fariseus; então, tendo atravessado para Betsaida, dali foi para a região de Tiro. Mas, à base da narrativa, isso não pode ser afirmado com certeza. Após a visita a Tiro, Jesus evidentemente retornou a Betsaida (tendo realizado ali alguns poucos milagres), e então foi para as aldeias de Cesaréia de Filipe, onde Pedro apresentou sua grande confissão, (Mar. 8:27-33 com Mat. 16:13-20). Marcos também menciona um ministério «na região de Decápolis», (Mar. 7:31). Este teve lugar mais ou menos nesse tempo, o que teria sido de interesse particular para os leitores romanos de Marcos. É óbvio que Marcos pretendia indicar algo sobre a tencionada universalidade da mensagem e do ministério de Jesus, embora tais questões ainda não tivessem sido claramente definidas. A significação desse ministério, incluindo o de Tiro, é que Jesus, nessa época, começou a declarar abertamente a necessidade de sua morte, indicando o sentido que os apóstolos deveriam ver nesse acontecimento. Nesse tempo, Jesus preferia não ser seguido pelas multidões (ver Mar. 7:24), posto que precisava de tempo para refletir, para planejar e para ganhar coragem para os acontecimentos que breve ocorreriam, e que nessa altura dos acontecimentos via com tanta clareza. Parece que ele andava sozinho durante a maior parte do tempo, dispensando até mesmo a companhia dos discípulos. Jesus refletia sobre sua missão entre os judeus, (ver Mat. 15:24). Sabia que sua missão, a considerar pelos padrões terrenos e numéricos, havia falhado inteiramente. Jesus contemplava os seus sofrimentos, e nisso se via claramente o «Servo Sofredor», o «Filho do homem», o Homem de dores, (Mar. 9:12).

b. Jesus se Revela

Jesus revelou a sua pessoa como Servo Sofredor e como Filho do Homem, e Pedro reconheceu a filiação especial de Jesus, (ver Mat. 16:13-20). As pedras fundamentais estavam lançadas para a doutrina cristã, e o cristianismo seria distintivamente firmado como revelação separada do judaísmo. Pela primeira vez Jesus fez alusão à edificação de sua igreja, (ver notas no NTI em Mat. 16:13-20, que discutem os variegados problemas que cercam esse texto, a posição de Pedro, o sentido da palavra «pedra», o significado de «igreja», etc.). A fim de confirmar a posição de Jesus e a fim de que se reconhecesse a aprovação divina, o Pai fê-lo passar pela experiência da transfiguração. Esse acontecimento teve muita significação, e devem ser consultadas as notas em Mat. 17 no NTI. O reconhecimento é um desses sentidos. Outro desses sentidos é que isso forneceu aos discípulos uma experiência que os fortaleceria por muitas vezes, em tempos posteriores, quando tivessem de enfrentar a perseguição. Lembravam-se de Jesus glorificado e se firmavam. Durante esse período, Jesus tirou proveito da tranqüilidade e do vagar comparativo a fim de instruir aos discípulos. Haveria de deixá-los dentro em breve. Deveriam preparar-se para esse grande acontecimento, — que agora estava muito próximo. — E assim os apóstolos aprenderam a conhecê-lo como nunca antes, — a despeito de sua contínua associação íntima com ele. Alguns situam o ministério na Peréia, nessa altura dos acontecimentos, fazendo-o preceder imediatamente o ministério final de Jesus, em Jerusalém. Outros, porém, fazem desse ministério na Peréia uma espécie de retirada de Jerusalém, depois de Jesus já ter chegado nessa cidade, mas antes da semana final.

c. Viagem a Jerusalém

Da Galiléia, Jesus partiu para Samaria (Luc. 9:51-56). Ali Jesus foi rejeitado. Marcos nada nos diz acerca disso, mas meramente afirma que ele entrou nas regiões da Judéia, do outro lado do Jordão, (ver

480

JESUS

Mar. 10:1). Isso é interpretado de diversas maneiras: alguns pensam que esse foi um ministério na Peréia; outros imaginam que o próprio Jesus atravessou a Samaria, enquanto seus discípulos, nesse ínterim, cruzavam a Peréia. Até que ponto Jesus penetrou nessa região, não sabemos dizê-lo. Provavelmente Jesus atravessou o Jordão para tornar a atravessá-lo de volta, em um dos vaus que conduzia à estrada de Jericó. Progredindo o grupo em direção a Jerusalém, Marcos dá-nos uma indicação sobre a atitude emocional dos discípulos: «Estes se admiravam e o seguiam tomados de apreensões», (Mar. 10:32). Alguns acreditam que a primeira frase se aplica a Jesus — «Ele estava admirado» — mas essa conjectura não tem alicerce algum no texto grego. Provavelmente temos aqui dois grupos distintos de discípulos, os doze e os outros que os seguiam, conforme deve ter ocorrido com freqüência nas viagens de Jesus, especialmente quando a jornada tinha por seu objetivo a visita a Jerusalém, para freqüentar alguma festividade religiosa. Sabemos que pelo menos os discípulos de Jesus devem ter apreendido algo de suas advertências melancólicas acerca de sua morte próxima, e que estavam admirados e temerosos.

Em Marcos 10:42-45, temos o pronunciamento de Jesus sobre o **resgate** que a sua vida daria em favor de «muitos». Não podemos atribuir essas palavras a reflexos paulinos sobre a igreja primitiva, como se fossem interpolações *posteriores* à narrativa do evangelho. Pois essa idéia de «resgate» também é judaica, pois na literatura judaica lê-se que outros deram suas vidas como resgate e, além disso, a doutrina de Paulo estava profundamente arraigada no cristianismo primitivo. Teorias distorcidas sobre a expiação não devem furtar-nos da clara percepção de Jesus de que ele sofreria em favor dos homens. Em Jericó, cerca de vinte e quatro quilômetros de Jerusalém, ele encontrou o filho de Timeu, o cego, que o chamou de «Filho de Davi». E nisso vemos que sua missão messiânica era conhecida na área de Jerusalém, e que a sua fama se espalhara por todas as regiões de Israel, (ver Mar. 10:46-52).

4. Jesus na Judéia

Neste ponto não podemos seguir apenas um dos evangelhos para traçar os acontecimentos, mas precisamos lançar mão de todos. O evangelho de Marcos sugere que as *ocorrências finais* se seguiram rapidamente umas às outras, isto é, concentraram-se em uma única semana da vida terrena de Jesus — a última. Essa história final foi dividida em dias, e se encaminhou, rapidamente, para o clímax. Entretanto, apesar de geralmente ser aceito e ensinado que houve apenas uma semana final, certo número de estudiosos tem procurado demonstrar que o período foi mais longo, estendendo-se talvez por um mês ou mais. A principal evidência por detrás dessa conjectura é a informação derivada de várias referências no evangelho de João; e ultimamente esse evangelho de João se tem recomendado como historicamente fidedigno (até mesmo quando aparentemente contradiz os evangelhos sinópticos), o que é aceito até mesmo por eruditos liberais. Pelas referências em Mar. 11:2-6 e 14:13,14, onde Jesus é visto a ensinar «dia após dia», talvez tenhamos uma indicação sobre um período mais prolongado. Em Luc. 19:47 e 21:37,38, transparece a mesma idéia. João 7-12, com os acontecimentos ali registrados, parece confirmar de modo definitivo essa impressão de um período de tempo mais lato. As referências de João 7:10,14,32; 8:20; 10:22,40-42; 11:54 e 12:1 mostram que João tinha fontes distintas e valiosas de informação acerca desse período de tempo, o que não aparece nos evangelhos sinópticos.

Maurice Goguel (*The Life of Jesus*, traduzida por Olive Wyan, New York, The Macmillan Co., 1933), acredita que Jesus partiu da Galiléia com os seus discípulos pouco antes da festa dos Tabernáculos, (ver João 7:2), em setembro ou outubro, e que continuou a ensinar em Jerusalém até à festa da Dedicação (ver João 10:22), em dezembro, e que pouco depois disso se retirou para a Peréia, do outro lado do Jordão, (ver João 10:40 e 11:54). Dali voltou à capital, «seis dias» antes da Páscoa. Esse pano de fundo nos ajuda a compreender melhor as diversas controvérsias com os fariseus, que parecem ter ocorrido todas no espaço de alguns poucos dias, nos evangelhos sinópticos. O argumento em favor de um período mais longo, em Jerusalém, assevera que essas muitas controvérsias não ocorreram no espaço de alguns poucos dias e, sim, dentro de um período de tempo bem maior. Nesse caso, os evangelhos sinópticos teriam feito uma condensação dos acontecimentos em foco. Marcos registrou cinco controvérsias principais, provavelmente representativas de muitas outras controvérsias similares, que não são especificamente mencionadas.

a. Ensinos em Jerusalém

Durante as controvérsias, Jesus ensina sua «missão messiânica», porquanto é o Filho de Davi, mas, ao mesmo tempo, seu Senhor. Também ensina que, na qualidade de Messias, tinha o direito de ensinar e de realizar milagres e exigir discipulado, a despeito do fato de não possuir as credenciais ordinárias das escolas rabínicas. Jesus ensinava uma ressurreição literal e a realidade do mundo espiritual. O reino de Deus esteve em sua mente até o fim, embora soubesse que um reino literal não seria então estabelecido. Mas ensinava os aspectos mais latos desse reino, a saber, seus sentidos espirituais, indicando, em suas predições, que o reino literal ainda seria firmado. Jesus expôs uma série de parábolas que indicam que os homens devem aguardar ansiosamente a chegada do reino e o seu segundo advento, isto é, a *parousia*. Também mostrou as conseqüências sérias para aqueles que não se mantêm nessa expectativa e não se preparam. Mostrou o triunfo final do Cristo, o qual finalmente governará. Advertências dessa sorte têm sido corretamente vinculadas à passagem que se encontra em Mar. 13 e que tem paralelo em Mat. 24 (o Pequeno Apocalipse). Jesus se identificou, em conexão com esses acontecimentos, com o vindouro «Filho do homem», e ligou isso à profecia de Dan. 7:13.

b. Ministério na Peréia

Assim como Jesus foi impelido para o deserto, após o seu batismo, para um período de preparação para o seu ministério, assim também, neste ponto de seu ministério final na Judéia, retirou-se para a Peréia. Lembramo-nos de que quando do encerramento de seu ministério na Galiléia, ele também se retirou, por algum tempo, para Tiro. «Novamente se retirou para além do Jordão, para o lugar onde João batizava no princípio; e ali permaneceu», João 10:40. Quantas memórias deve ter isso provocado! Agora, porém, João estava morto e Jesus sabia que em breve se reuniria ao seu espírito. Jesus terminou indo para uma pequena aldeia chamada Efraim, (ver João 11:54). É provável que tenha ficado ali por um mês ou mais; porém, não podemos afirmá-lo com certeza. Alguns sugerem que esse período foi de *três meses*. Jesus tivera muitas controvérsias com as autoridades religiosas e a mais acirrada de todas certamente foi em torno de sua reivindicação de que era capaz de destruir o templo e construí-lo novamente em três dias. Muitos devem ter-se escandalizado ante essa declaração, e é evidente que Jesus agora já rompera

481

JESUS

com o judaísmo, conforme o encontrara. Talvez esperasse que muitos se separassem do judaísmo, tal e qual estava corrompido. Talvez tivesse esperado que, ao voltar, encontrasse apoio popular, e que o estabelecimento literal do reino, à face da terra, viesse a ser uma realidade. Porém, foi desapontado novamente, porquanto na Galiléia o povo só queria um *Messias político*, pois não estava espiritualmente preparado para acolher Jesus e a sua mensagem. Alguns acreditam que a sua retirada para a Peréia foi uma medida essencialmente política, e que para partir gozava do apoio das massas, mas, ao voltar, o ardor popular diminuíra. Alguns crêem que, desse modo, o próprio Jesus afastara dele o povo. Mas essa interpretação exagera as possíveis intenções políticas de Jesus, ao passo que, no relato dos evangelhos, transparece que em realidade Jesus evitava apresentar-se como personagem político. Provavelmente a sua retirada para a Peréia teve o mesmo propósito de suas outras retiradas, a saber, preparar-se espiritualmente para a luta que breve viria. Planejou o que finalmente faria em Jerusalém, pois não podia desistir da batalha. A desconhecida aldeia de Efraim foi o cadinho onde se misturaram os seus pensamentos. Jesus talvez tenha passado ali dias sem ser reconhecido completamente. E dessa maneira moldou os seus pensamentos, longe de amigos e adversários, entre as rochas do deserto.

5. Dias Finais

Quanto a esta parte da vida de Jesus, dependemos principalmente do esboço fornecido por Marcos, com algum escasso material adicional em Lucas. Mateus segue Marcos bem de perto. Os primitivos cristãos compreendiam a história da paixão à luz da profecia do A.T., pelo que, aqui e ali se vê alguma referência às profecias cumpridas em incidentes particulares. Isso é especialmente verdadeiro no evangelho de Mateus. Uma nota de *admiração e urgência* permeia a seção inteira que aborda a última semana da vida de Jesus. Vê-se as controvérsias, a indignação das autoridades religiosas, a frivolidade das multidões, a ignorância e o desânimo dos apóstolos, a coragem de Jesus, o golpe esmagador da cruz, e a magnificente e emocionalmente dominante vitória da ressurreição. É digno de nota que cerca de um terço do conteúdo dos evangelhos se concentra em torno dos acontecimentos dessa última semana. Essas narrativas foram escritas sem qualquer comentário acerca do que essas cenas significaram para o mundo, e com toda a razão. Mas os posteriores evangelhos apócrifos fazem Jesus proferir muitas palavras interpretativas.

a. *A Entrada Triunfal*

Poucos dias antes da páscoa, Jesus entrou de modo significativo em Jerusalém. A cidade inteira se agitou, parecendo mesmo que Jesus estava prestes a ser aceito como o Messias, porquanto foi chamado de Filho de Davi. No templo, realizou diversos prodígios de vulto. É evidente que Jesus entrou na cidade da maneira que fez (montado em um jumentinho) a fim de dramatizar o seu conceito de Messias. Embora sabendo que fora rejeitado como Messias, contudo quis ensinar ao povo o verdadeiro conceito espiritual desse personagem. Seja como for, a sua atração como Messias foi-se gradualmente dissipando. Seus amigos estavam perplexos, sem saber o que aconteceria em seguida; mas sabiam que Jesus era odiado pelas autoridades, e que a situação era perigosa.

b. *A Traição*

Judas, sendo mais arguto que os outros discípulos, compreendeu que toda a aparente intenção do ministério de Jesus fracassara. Não haveria reino, e nem Jesus seria rei. Sabia que os inimigos de Jesus eram poderosos. Sabia que facilmente poderia participar da triste sorte de Jesus, e não podia esquecer-se do trágico fim de João Batista e, em um momento de cobiça, o que não lhe era incomum, porquanto o amor ao dinheiro parece ter sido a sua fraqueza proeminente, resolveu tirar proveito material da situação. Supriu a informação necessária para o aprisionamento de Jesus, em troca de pequena quantia em dinheiro. A *traição*, por parte de um dos doze elementos de confiança, deve ter assustado a pequena comunidade cristã. «...um dos doze...» é reiterado por Marcos (Mar. 14:10,20,43). Judas, cego pela luz da presença de Jesus, não conseguiu ver a sua glória, e traiu o maior personagem da história humana. Ao assim fazer, gravou para sempre o seu nome nas páginas da história, e até hoje chamamos os traidores de «Judas». Alguns escritores, como Schweitzer («Quest of the Historical Jesus», pág. 394), acreditam que o que Judas Iscariotes traiu foi o «segredo messiânico», isto é, que Jesus cria ser o Messias, e estava preparado a declarar-se como tal, o que teria sido uma ameaça às autoridades, tanto religiosas quanto civis. Porém, parece-nos claro que esse «segredo» há muito fora revelado, não por Judas e, sim, pelo próprio Jesus. O que Judas desvendou foi o local onde Jesus costumava recolher-se, pois Jesus se retirara novamente da atenção pública. As autoridades não podiam ter certeza se ele reapareceria. Judas, entretanto, removeu esse receio das mentes das autoridades, revelando onde poderiam aprisionar a Jesus.

c. *A Última Ceia*

Essa ceia tem todos os sinais de ter sido uma observância com fins deliberados, e não apenas para cumprir a páscoa, embora este propósito também estivesse em mira. Jesus, sabendo que o fim se acercava, referiu-se a si mesmo como o *Cordeiro* de Deus — ele é a expiação pelo pecado, o salvador, o resgate, (ver Mar. 14:24 e 11:25). Esse ato se tornou a base do rito supremo da adoração cristã, mas também tem sofrido muitas perversões e exageros. Aqui se comemora a revelação de uma das verdades supremas do cristianismo, ou seja, que Jesus é o pão espiritual, o sustento da vida espiritual.

d. *Jardim do Getsêmani*

Jesus «começou a sentir-se tomado de pavor e de angústia», (Mar. 14:33). Foi um ser humano que entrou no jardim, a fim de orar. Foi um ser humano que sofreu muitas agonias e que, momentaneamente, retrocedeu, mas que logo em seguida avançou para a vitória. Foi um ser humano naquele momento preciso de consolo e do fortalecimento da oração. Anjos vieram ministrar-lhe, o auxílio estava a caminho, mas foi um ser humano que pediu tal socorro. É isso que torna Jesus compreensível para nós, porque, a menos que tivesse sido realmente humano, dificilmente poderíamos encontrar qualquer consolo na história do Getsêmani. Com demasiada freqüência, na igreja, ouve-se falar de um Jesus *docético*, que é divino, mas que não é verdadeiramente humano, mas só tinha aparência humana. Ver o artigo sobre a *Humanidade de Cristo*. A agonia do jardim foi tanto mais real porque Jesus sofreu tudo sozinho. Ele provou, em sua vida, que em sentido bem real, «cada homem é uma ilha». Sentimos saudades em nossa própria casa e somos estrangeiros debaixo do sol. Jesus sofreu plenamente muitas limitações humanas, mas venceu a tudo. Isso dá sentido à sua vida e à nossa também, porquanto ele não é apenas o caminho, mas é também o pioneiro do caminho. Ele mostrou o caminho e ele é o caminho. Jesus triunfou na provação mais tenebrosa, e perto dele também

JESUS

haveremos de triunfar.

e. *Aprisionamento*

O aprisionamento de Jesus foi efetuado por um grupo armado com espadas e cacetes, enviado pelos principais sacerdotes e liderado por Judas Iscariotes, (ver Mar. 14:37,38). João supre a informação adicional que também houve o acompanhamento de um grupo de soldados romanos, o que subentende que Pilatos estava mancomunado com as autoridades religiosas, (ver João 18:12). O temível fim levou todos os discípulos a temerem pela própria vida, pelo que todos eles fugiram, pois tinham bem vivos na memória outros casos de indivíduos que haviam tentado alguma revolução, e sabiam a sorte terrível que os romanos reservavam para os tais, (ver Mar. 14:50).

f. *Julgamentos de Jesus*

Pelas Narrativas Bíblicas, parece claro que Jesus não foi julgado no sentido verdadeiro do termo, porquanto sua sorte já fora determinada de antemão pelos principais sacerdotes. Esses julgamentos serviram apenas de «publicidade». No evangelho de Marcos lê-se sobre um julgamento noturno, seguido por outro, cedo pela manhã. Lucas, porém, parece situar todos os acontecimentos pela manhã. À noite, provavelmente Jesus foi manuseado violentamente pela polícia do templo, (Luc. 22:54-65). *Pedro*, que horas antes fugira, quando do aprisionamento de Jesus, agora seguia tudo à distância, até que chegou o momento em que negou finalmente a Jesus, segundo o Senhor mesmo predissera que sucederia. Jesus foi conduzido e guardado na casa de Anás, o qual, após um interrogatório preliminar, enviou-o amarrado à presença de Caifás, o sumo sacerdote, genro de Anás, (ver João 18:13,19,24). Caifás mostrou-se astuto, pois conseguiu levar Jesus a admitir «blasfêmia», ao proclamar abertamente a sua missão messiânica e a sua filiação especial a Deus. Jesus deve ter feito o coração de Caifás saltar de satisfação ao dizer que o Filho do homem viria entre nuvens a fim de governar, porque nessa declaração Jesus deixou transparecer seus interesses políticos. A palavra «todo-poderoso», que se encontra nesse texto (Mar. 14:62), se deriva de Sal. 110:1 e Dan. 7:13, e evidentemente alude ao próprio Deus, que é o grande poder. Jesus se referia à sua «parousia», mas provavelmente as autoridades religiosas pensaram que ele se estivesse referindo a alguma insurreição futura, feita em nome de Deus. Porém, tendo declarado essas coisas, Jesus removeu a necessidade de qualquer testemunho adicional. Aos olhos de todos ele era, claramente, um blasfemo.

Continua *questão disputada* se o sinédrio tinha poder ou não de decretar a punição capital. Os evangelhos deixam entendido que somente o procurador romano estava investido de tal autoridade, e o historiador Mammsen afirma que isso é correto. As acusações foram expostas de tal maneira a Pilatos a não deixar margem de ignorância sobre elas. Disseram que Jesus proibiu os judeus a pagarem tributo a César, tendo-se proclamado rei, (ver Luc. 23:2). A primeira acusação era obviamente falsa, mas a segunda tinha base na verdade, e que o próprio Jesus não queria negar. Alguns têm exagerado o elemento político, fazendo de Jesus pouco mais do que um revolucionário religioso e político. Pilatos não queria adicionar às suas tribulações permitindo que Jesus continuasse agitando o povo, quer essas acusações específicas fossem verdadeiras, quer não; pelo que também Pilatos repeliu o testemunho de sua própria consciência, e assim o seu nome ficou para sempre registrado na história, como aquele que negou o direito e a consciência, moralmente fraco, quando era vantajoso para seus interesses pessoais. As multidões vêem a sorte de Jesus, perdem toda esperança dele ser o Messias, resignam-se a continuar oprimidas pelos romanos e, em espírito de ódio, descarregam sobre Jesus suas indignações e frustrações. Agora todos querem ver Jesus crucificado, a fim de vê-lo padecer sob a ira dos romanos, da qual eles mesmos tinham esperado escapar.

g. *A Crucificação*

Cícero descrevia a crucificação como «o mais cruel e odioso dos castigos» (*The Verrine Orations*, V.64). O flagelamento, que antecedia à crucificação, era só por si uma introdução terrível à cruz, mas Marcos menciona o fato apenas de passagem (Mar. 15:15), o que é típico da grande moderação que assinala toda essa narrativa. Jesus sofreu todas as agonias, e elas foram tão horríveis que ninguém ousa descrevê-las, pois o fato é suficientemente doloroso, e ninguém poderia suportar a descrição das minúcias. «Então o crucificaram...» é tudo quanto é dito, sem qualquer adição. Isso ocorreu no Gólgota, lugar que se assemelhava a uma «caveira», local esse que até hoje pode ser visto. Jesus foi crucificado às 9:00 horas da manhã, e às 15:00 horas já estava morto. Jesus estava morto; os discípulos estavam dispersos; as multidões, que antes se mostravam sedentas de sangue, agora estavam chocadas, e provavelmente sentiam o amargor do remorso. Um corpo foi arriado da cruz, arroxeado e sangrento, e foi depositado em um túmulo novo, pertencente a um homem rico. Esse túmulo pode ser visitado até hoje. A execução teve lugar em uma **sexta-feira**. Ver os artigos sobre *Crucificação, Cruz*, e *Sexta-feira, Dia da Crucificação*.

h. *A Descida ao Hades*

Jesus teve um ministério pós-morte, pré-ressurreição em Hades como é afirmado em diversas passagens do N.T., principalmente em I Ped. 3:18-20, 4:6. Esta doutrina, não popular em algumas denominações evangélicas modernas, ou ignorada completamente, era reconhecida universalmente pelos pais antigos da igreja. O ministério de Jesus em Hades era de *redenção*. A igreja não tem concordado sobre a extensão e o significado desta redenção (ou restauração), mas a maioria dos pais antigos da igreja pensava que isto estendia o «dia da possibilidade da salvação» para a Segunda Vinda. A morte pessoal nossa então, não seria o fim do dia de graça. O ministério da Descida aumenta enormemente o poder da missão messiânica, e exalta a Cristo, que é o Salvador de todos os mundos, em todos os mundos. Ver o artigo sobre a *Descida de Cristo ao Hades*.

i. *A Ressurreição*

O corpo de Jesus dormiu até o primeiro dia da semana, pela manhã. Alguns afirmam que Jesus ressuscitou no sábado à noite, mas os relatos bíblicos não fornecem base para essa opinião. Ver o artigo sobre *Domingo*. Pedro diz-nos que Jesus teve um ministério anterior à sua ressurreição, no mundo dos espíritos, ver I Ped. 3:18-4:6. — Assim veio à luz um novo e espantoso fato — a *ressurreição*. O impacto foi tão grande que podemos ver os seus efeitos nas narrativas do fato. Essas narrativas são fragmentárias, e certamente diferem umas das outras quanto aos detalhes e às seqüências. É muito difícil preparar uma harmonia entre as quatro narrativas que possuímos nos evangelhos, porque é óbvio que os autores dessas narrativas tinham pouco interesse em descrever, minuciosamente, tudo quanto aconteceu e na ordem das ocorrências. Escreveram apressadamente, aproveitando os relatos de que dispunham, transmitindo-nos o fato espantoso da ressurreição,

JESUS

sem se importarem muito com os pormenores. Jesus estivera morto. Os discípulos tinham sido assaltados pelo medo e se tinham ocultado, por não quererem compartilhar da mesma horrível sorte. Mas agora as notícias se espalhavam rapidamente que Jesus estava vivo novamente e que já aparecera a algumas mulheres. A notícia foi crescendo intensamente, ao passar de boca em boca. Um rumor ajuntava que Pedro também já vira a Jesus. Esta última notícia foi melhor recebida, porque de uma mulher se poderia esperar que propagasse notícias exageradas, mas Pedro era mais digno de confiança. Então a história adquiriu furos de maior evidência ainda, porque alguns dos onze já o tinham visto, e também outros que não pertenciam a esse grupo mais seleto de discípulos. Finalmente, todos os onze, com exceção de *Tomé*, chegaram a vê-lo. Tomé disse que não creria enquanto não visse a Jesus e o apalpasse, mas certamente seu coração bateu descompassado, porquanto esperava, contra a esperança, que essas narrativas estivessem baseadas em fatos. Então, finalmente, o próprio Senhor Jesus apareceu no meio deles, um tanto diferente, mas perfeitamente reconhecível. Ao ver as cicatrizes dos cravos em suas mãos e pés, e ao ver a cicatriz deixada pela lança, Tomé exclamou: «Senhor meu e Deus meu!», (João 20:28).

As narrativas dos evangelhos são eternas e imperecíveis, mas não representam os relatos mais antigos sobre o novo e espantoso acontecimento — a ressurreição de Jesus. Os relatos de Atos (2:24,32; 3:15; 4:10; 10:40, etc.) e os de Paulo (I Cor. 15:8; Rom. 1:4, etc.) são mais antigos. Paulo diz-nos que mais de *quinhentos* irmãos viram a Jesus de uma só vez e, quando esse apóstolo escreveu, a *maioria* deles ainda vivia, — pelo que seria fácil falar em testemunhas oculares. O cristianismo fez depender o seu destino e a sua natureza sem-par da exatidão histórica desse acontecimento. Ela demonstra o poder eterno do Cristo, bem como nossa fulgurante esperança futura, porque se a morte não pode reter uma alma ou um corpo, então nos está assegurada a vitória final. Paulo reverberou a grande afirmativa cristã quando declarou: «Por que se julga incrível entre vós que Deus ressuscite os mortos?», (Atos 26:8). Certamente que esse evento não é incrível como clímax da vida de Jesus Cristo, que desafia toda descrição no que diz respeito ao seu poder, à sua beleza, à sua graça, ao seu significado e à sua esperança. A morte não pode reter um homem como ele.

III. *ENSINOS*

Embora a quantidade de material de que dispomos acerca dos ensinamentos de Jesus não seja grande, as implicações são tão *vastas* que nem mesmo todos os volumes que já foram escritos acerca de Jesus e seus ensinos têm satisfeito as mentes daqueles que buscam a verdade e a autêntica expressão religiosa revelada. As interpretações sobre os ensinamentos de Jesus são tão numerosas quanto as opiniões sobre a sua pessoa e o sentido de seu ministério. — Por conseguinte, — neste pequeno artigo —, esperamos apresentar somente um esboço abreviado do que Jesus ensinou, esperando compreender apenas os temas principais.

1. Fontes

O corpo principal dos ensinos de Jesus acha-se preservado nos quatro evangelhos, embora os livros de Atos e Apocalipse, e as epístolas, sirvam para corroborar a mensagem essencial de Jesus. Essas obras posteriores, entretanto, não citam freqüentemente a Jesus, e nem mesmo apresentam paráfrases do que ele disse. Sabemos que as *primeiras* epístolas

de Paulo foram publicadas antes dos evangelhos, pelo que não se poderia esperar que contivessem citações dos mesmos; mas é surpreendente que não contenham mais citações da tradição oral, e de pesquisas pessoais nos muitos documentos escritos que devem ter vindo à luz antes dos *quatro* evangelhos que conhecemos. Também é verdade que as epístolas paulinas posteriores (escritas após os evangelhos) não citam os evangelhos nem quaisquer outras tradições que porventura contivessem ensinos de Jesus. Assim, tal como se dá com o conhecimento que se tem acerca da vida histórica de Jesus, outro tanto se verifica quanto aos seus ensinos —somos obrigados a depender pessoalmente dos quatro evangelhos. Os evangelhos apócrifos apresentam material adicional, embora a maioria dos ensinos que parecem fidedignos se baseia nos quatro evangelhos, que antecederam àqueles. Entretanto, é muito provável que exista nesses evangelhos apócrifos algum material adicional autêntico. Quem fizesse um estudo especial nesses documentos, a fim de separar o que parece válido e que não é baseado nos quatro evangelhos canônicos, prestaria um grande serviço à causa do cristianismo. Também existe certo número de declarações, fora dos evangelhos, que chegou até nós, sendo possível que muitas dessas declarações sejam autênticas. Essas declarações são intituladas pelos eruditos como declarações «não-canônicas» de Jesus. Importantes escavações arqueológicas foram levadas a efeito por B.P. Grenfell e A.S. Hunt, em Behnesa, a antiga *Oxyrynchus*, cerca de dezesseis quilômetros do rio Nilo, situada no canal principal (Bahr Ysef), que trazia água para a região de Fayum. Essa cidade, na antiguidade, foi a capital do distrito de Oxyrynchus. Nos séculos IV e V de nossa era tornara-se famosa como comunidade cristã.

Foi nessa localidade, pois, que se desenterraram alguns papiros contendo diversas declarações atribuídas a Jesus, algumas delas similares às que se lêem nos evangelhos, embora outras sejam diferentes. Foram publicadas sob o título de *Logia*, em 1897. Algumas delas dizem como segue: «Jesus diz: Exceto jejueis para o mundo, de maneira alguma encontrareis o reino de Deus; e exceto se fizerdes do sábado um verdadeiro sábado, de modo algum vereis ao Pai». «Jesus diz: Estive no meio do mundo e na carne fui visto por eles e encontrei todos os homens bêbados, e ninguém encontrei sedento entre eles e a minha alma se entristeceu por causa dos filhos dos homens, porque estão cegos em seus corações, e não vêem». «Onde houver dois, não estão sem Deus, e onde houver ao menos um, digo que estou com ele. Levanta a pedra, e ali me encontrarás, racha a lenha, e ali estou eu». «Jesus diz: Ouves um dos ouvidos, mas o outro ouvido fechaste». Outras declarações desse grupo são similares ou iguais às declarações canônicas, tais como a cidade edificada sobre uma colina, mas há uma declaração na qual Jesus supostamente diz que ninguém pode cair nem ocultar-se. Em 1903, *Grenfell* e *Hunt* descobriram um outro fragmento de papiro, em Oxyrynchus, e que continha mais declarações atribuídas a Jesus, que foi publicado sob o título *New Sayings of Jesus and a Fragment of a Lost Gospel from Oxyrynchus* (London, 1904). Esses documentos indicam quão populares eram as declarações de Jesus entre os cristãos do Egito, e também ilustram o tipo de coleções feitas por eles. Quanto é autêntico nessas coleções é incerto, e provavelmente assim será sempre. Não obstante, não há que duvidar que pelo menos uma parte dessas declarações é autêntica. Outras declarações **não-canônicas** de Jesus podem ser

JESUS

encontradas em mss gregos e latinos do N.T., os quais se afastam em muito da tradição textual ordinária. Isso é particularmente verdadeiro acerca do texto «ocidental» do N.T. (isto é, manuscritos que chegaram a nós vindos do *Ocidente*, partes da África da Itália e da Europa). Os códices D e W são os principais exemplares. O códex D e algumas traduções latinas também contêm um texto mais longo do livro de Atos dos Apóstolos do que o texto geralmente aceito, acrescentando detalhes sobre a vida e as palavras dos apóstolos, e fornecendo algumas informações de natureza geográfica. O leitor interessado poderá encontrar essas declarações adicionais e mais informações no NTI, nas seguintes referências: Mat. 20:28; 23:27; Mar. 13:2; 16:3; Luc. 5:10,11; 6:4; 11:35,36; 11:53,54; 23:42,43; 25:53 e João 6:56. Ver sobre *Logia* que dá mais detalhes.

O leitor pode verificar facilmente que, embora exista algum material adicional que preserva algumas declarações de Jesus, e que parte das mesmas certamente é autêntica, contudo, ficamos limitados aos quatro evangelhos como fontes informativas, fidedignas para que compreendamos os ensinamentos de Jesus, porquanto o material adicional extrabíblico é reduzido.

2. Natureza sem-par

Todos concordam que os ensinamentos básicos de Jesus podem ser encontrados no judaísmo revelado. De fato, a *teologia cristã* tem suas raízes ali. Muitas das declarações de Jesus podem ser encontradas na literatura rabínica, algumas vezes em sua forma exata, e outras vezes em forma modificada. Certo número dessas declarações, todavia, deve ter sido autêntico, porque não encontramos traço algum das mesmas em qualquer peça literária. A habilidade especial de Jesus, — ao manusear o pensamento judaico, era de eliminar aquilo que era supérfluo e prejudicial ou mesmo errôneo, preservando o melhor da tradição, tanto no V.T. quanto nos escritos rabínicos. Alguns bem conhecidos temas judaicos receberam nova vida ou nova interpretação nas mãos de Jesus. Por exemplo, o ensino sobre o reino de Deus (ou do céu). Esse tema era antigo e familiar entre os judeus, mas Jesus fê-lo soar com uma nova urgência, pois proclamou que o reino estava às portas, e que ele mesmo era o rei, por ser o Messias. Jesus também ensinou a ressurreição dos mortos e indicou que esse evento faria parte integral do estabelecimento do reino. Mais do que qualquer outro contemporâneo ou do que qualquer profeta do A.T., ele revelou a espiritualidade do reino e demonstrou que não pode ser encarado como mero sistema político de governo. Por causa da espiritualidade do reino, o arrependimento é urgente e necessáro. Essa renovação e nova ênfase, bem como a proclamação de que o rei já estava presente, fez com que o ensino de Jesus sobre o «Reino de Deus» fosse não apenas novo, mas absolutamente sem-par. Jesus também revolucionou outros ensinamentos, incluindo muitos ensinos básicos da lei, tal como o sentido do divórcio, do adultério, do amor, etc. De fato, Jesus reinterpretou a lei «de modo radical». Isso não significa que ele não tinha companhia entre os escritores rabínicos, pois a verdade é que os tinha, em muitos particulares. No entanto, o que ele disse e fez foi revolucionário e até mesmo sem igual.

Jesus veio para ensinar sobre o *pequeno rebanho*, em contraste com a correnteza principal do judaísmo e, finalmente, usou a palavra «igreja», com ela indicando um tipo inteiramente novo de comunidade religiosa. Esses ensinos não tinham igual. Desde o décimo sexto capítulo de Mateus temos os primórdios dessa nova ordem, e seguem-se muitas instruções que se aplicam aos diversos problemas que porventura surgissem no seio da nova comunidade. O desenvolvimento do tema messiânico, aplicado à personalidade do próprio Jesus, certamente era uma novidade em Israel. O — *Servo Sofredor* — era novo para o pensamento judaico, pois embora certos trechos do V.T. claramente indiquem sua existência, o pensamento judaico deixara passar completamente em branco as suas implicações. As «duas vindas» do Messias, igualmente, eram uma novidade, porque, embora contidos no V.T., não foram compreendidas pelos teólogos judeus. O tema do *resgate* ou «expiação» era bem conhecido entre os judeus, mas aplicar tal tema a um homem, ou seja, ao Messias, era reconhecido como possível apenas por alguns poucos. O ensino sobre a ressurreição era bem conhecido e largamente aceito nos dias de Jesus, na congregação judaica; Jesus, porém, transformou-o em uma doutrina poderosa, ao ressuscitar pessoalmente e ao insuflar esperança a todos sobre a conquista da morte. Nas mãos de Jesus, a ressurreição se tornou um ensino novo e revolucionário, e a igreja primitiva se desenvolveu à base do mesmo, tendo-o propagado por toda a parte. O corpo inteiro das profecias de Jesus, a começar por Mat. 20, mas especialmente Mat. 24, forma um grupo de ensinos sobre acontecimentos futuros e de sua significação que é definidamente sem-par, e não unicamente novo. Em suma, podemos afirmar que a natureza sem-par dos ensinos de Jesus nos fornece as pedras fundamentais sobre as quais está alicerçado o cristianismo. E naquilo em que o cristianismo difere do judaísmo, nisso mesmo os ensinamentos de Jesus diferem da correnteza principal do judaísmo de seus dias.

3. Temas Básicos

Tal como outros líderes religiosos, Jesus proclamou verdades acerca de Deus e da busca espiritual. Mas, diferentemente de outros líderes, também ensinou a identificação e a importância de sua própria pessoa como Filho único de Deus, o Messias, o Salvador, o Rei e o Juiz. Assim sendo, a sua mensagem não consistia meramente de um sistema de teologia, mas era uma auto-revelação. Essa mensagem começou desde o princípio, e se estendeu até às suas últimas palavras (ver Luc. 2:48-50 e João 20:17).

a. O Reino de Deus

Mateus empregou quase exclusivamente o título de «reino dos céus», e é certo que ele não entende com isso coisa alguma que os outros também não tencionavam dizer. O trecho de Mat. 19:23,24 usa os termos um em lugar do outro, o que prova positivamente o que acabamos de dizer. São termos sinônimos. Jesus jamais ofereceu qualquer definição do que esse termo significava para ele, pelo que temos de examinar muitas passagens, para que obtenhamos uma visão geral e compreensiva. A expressão «reino dos céus» se encontra cerca de trinta vezes no evangelho de Mateus. A idéia básica desse conceito é a região ou reino onde tudo está sujeito a Deus, onde sua autoridade prevalece. Esse reino, portanto, pode ser presente ou futuro, externo ou interno. Jesus proclamou um reino literal, sobre a face da terra, onde Deus haveria de governar e, segundo ele, logo haveria de ser estabelecido. Tal reino, por conseguinte, deve ser ao mesmo tempo político e religioso, com ordem social e governo.

Não obstante, João fala da impossibilidade de alguém entrar no «reino de Deus» sem o novo nascimento; e apesar de Jesus certamente ter visto a necessidade da conversão, para os que entrassem no reino terrestre, parece óbvio que Jesus também deve

JESUS

ter usado o termo para referir-se a algo como o «céu», segundo é empregado esse termo na igreja atual. No céu, ou lugares celestiais, Deus governa; ali está o seu reino. Os homens podem entrar nesse reino mediante o novo nascimento. Esse uso, pois, é muito diferente do reino literal, à face da terra, como governo terrestre sobre o qual Deus exerceria controle. Mas esse termo também pode ser entendido como a influência de Deus sobre um mundo ímpio, e alguns, hoje em dia, se referem à igreja como o *reino* sobre a terra, porquanto exerce sua influência no mundo. Quando Jesus declarou que o reino está «dentro» do indivíduo, ou, traduzindo mais exatamente, «entre vós», (ver Luc. 17:21), provavelmente ele tinha em vista algo como isso. Ele e seus discípulos formavam uma espécie de reino de Deus, um começo, um núcleo do reino que era esperado entre os homens.

Desde os dias de *Orígenes* que os intérpretes têm tentado fazer dessas palavras, «entre vós», significarem a condição espiritual do indivíduo — o reino de Deus estaria na vida desta ou daquela pessoa, como se o sentido fosse «dentro de vós». Apesar desta ser uma tradução possível, o contexto parece ser contrário à essa interpretação, pelo que a tradução mais exata é mesmo «entre vós», o que nos transmite a idéia que já foi mencionada. Não obstante, em certo sentido, o reino de Deus pode estar «dentro» de nós, ainda que esse texto não indique isso. Assim, pois, vê-se que o termo pode ser complexo, formado por muitos elementos do N.T. O tema do reino era um dos principais, — se não mesmo *o principal* dos temas do ministério de Jesus, juntamente com o qual ensinava sua própria missão messiânica e real. Os crentes (ainda que não todos) continuam esperando o reino terreno em resultado da segunda vinda de Cristo. A melhor e mais completa descrição sobre o reino, especialmente em seus aspectos espirituais, e como esses aspectos podem ser aplicados aos homens, se encontra no décimo terceiro capítulo do evangelho de Mateus. A leitura da exposição ali feita dará ao leitor ampla compreensão sobre o que estava envolvido no ensino de Jesus sobre o reino. O reino de Deus é encarado como a súmula de todas as bênçãos e benefícios espirituais, e conquistá-lo pode custar um alto preço, ainda que nenhum preço seja alto demais, (ver Mat. 13:44-46). Dessa forma, Jesus convocou os seus discípulos ao «sacrifício» e à dedicação, bem como ao sofrimento, quando necessário, para que pudessem ser membros autênticos desse reino.

b. O Filho do Homem

Alguns têm ensinado que posto **Jesus** ter dito que o **Filho do homem** viria entre «nuvens do céu», que é impossível que ele se tivesse identificado com esse personagem. Porém, a simples leitura dos diversos textos que mencionam esse termo é suficiente para convencer a qualquer leitor de que essa idéia é falsa. A sua vinda das nuvens faz alusão a *um futuro* aparecimento glorioso do reino, isto é, a «parousia», o que não forma uma idéia contraditória ao ensino geral de Jesus sobre ele mesmo como *Filho do Homem*. O próprio termo vem de uma expressão hebraica e indica, principalmente, uma posição de humildade, isto é, a posição de um homem comum, sem privilégios especiais. Essa expressão é usada por cerca de oitenta vezes com respeito a Jesus, a maioria das quais por ele mesmo. É empregada da seguinte maneira: 1. Jesus era um ser humano, um homem comum, um homem típico, um homem identificado com outros homens, compartilhando de sua posição, natureza e sofrimento. 2. Mas com esse termo Jesus se vincula ao personagem profetizado em Dan. 7:13,14. Por esse título o ministério sem igual e poderoso de

Jesus é usualmente indicado, bem como a sua estatura metafísica especial. A missão ou ministério indicado inclui a sua futura segunda vinda, quando Jesus aparecerá como juiz universal, (ver João 5:22-27). 3. A idéia do Filho do homem «sofredor» foi um resultado natural da necessidade da missão terrena de Jesus. Ele, na qualidade de Filho do homem, tinha que sofrer como homem representativo. Jesus veio a encarar essa parte de sua missão como inevitável e, de fato, esse foi seu serviço supremo em favor dos homens, (ver Mar. 10:45 e 14:22-24). 4. É título messiânico.

c. Missão Messiânica

A palavra «Messias» significa **ungido** e o vocábulo «Cristo» vem do termo grego equivalente. A palavra Cristo, **na realidade**, é um adjetivo que se transformou em substantivo próprio, passando a designar um indivíduo — Jesus Cristo — embora os reis, os sacerdotes e os profetas também fossem «ungidos». O próprio Jesus usou esse termo para identificar-se, utilizando-se dele como título, (ver Mat. 23:8,10). A unção tinha o propósito de confirmar a autoridade daquele que recebia determinados ofícios ou funções. Jesus, o maior de todos os reis, sacerdotes e profetas, foi chamado de *o Cristo* por causa de sua unção, efetuada pelo Espírito Santo, para seu ofício e missão especiais. A unção com óleo era aplicada aos enfermos, aos cegos e até mesmo aos mortos, (ver Tia. 5:14; João 9:5,11 e Mar. 14:8). Jesus, na qualidade de ungido, exercia sua autoridade espiritual sobre esses males.

A palavra «Messias» era usada no judaísmo como *título oficial* que indicava a expectação central dos judeus quanto aos benefícios possíveis e profetizados da parte de Deus, e que visavam a nação de Israel. O pleno desenvolvimento das idéias messiânicas pertence ao judaísmo posterior, e talvez seja surpreendente para alguns o conhecimento de que esse termo só se encontra por duas vezes em todo o A.T., a saber, em Dan. 9:25 e 26. Não obstante, as alusões ao Cristo são abundantes nos vários escritos não-bíblicos, os quais, em sua essência, eram comentários de suas Escrituras Sagradas. Alguns acreditam, entretanto, que as chamadas passagens messiânicas do V.T. (quer usem quer não usem realmente a palavra «Messias») eram simples títulos aplicados a profetas ou reis vivos, sem qualquer significação escatológica. Contrariamente a essa idéia, pode-se observar que muitíssimas dessas passagens (tais como os chamados salmos messiânicos) vão muito além do que se poderia esperar ser dito a reis e profetas de Israel. Parece certo, a julgar pelos comentários feitos pelos judeus, que eles esperavam o aparecimento de um grande personagem futuro, que agiria como libertador e rei. O Messias, pois, pode ser definido como um personagem «teológico», isto é, uma pessoa que incorporaria, em si mesmo, de maneira toda especial, a «salvação» e o livramento do povo de Israel, o povo de Deus. O Messias seria o instrumento dos propósitos de Deus.

O elemento temporal desse livramento e dessa salvação pode ser um verdadeiro problema, pois a grande verdade é que sempre houve e sempre haverá desacordo entre as autoridades judaicas, acerca do tempo do aparecimento do Messias. Os trechos de Heb. 1:2 e I João 2:18 falam sobre os *últimos dias*, o que obviamente é um termo de origem judaica para indicar o tempo do reinado do Messias, em contraste com todos os tempos anteriores ao Messias. Na passagem de Heb. 1:2 poderíamos traduzir, com muito maior razão, «os últimos destes dias» onde a palavra «destes» se referiria aos dias imediatamente anteriores ao Messias, os dias finais da antiga

486

JESUS

dispensação. Nos últimos daqueles dias, pois, é que o Messias apareceu. É verdade que pelo menos a expressão «últimos dias», segundo o uso atual da igreja, se refere aos dias que precederão imediatamente a segunda vinda de Cristo ou o estabelecimento do reino celestial sobre a face da terra; mas a escatologia judaica não aludia necessariamente a isso ao empregar a expressão «últimos dias».

A doutrina do Messias, tanto no V.T., como no pensamento judaico em geral, não é claramente declarada, conforme esperaríamos que o fosse. Muitos judeus não esperavam o cumprimento de todas as escrituras messiânicas em uma só pessoa. Os essênios aguardavam três personagens separados que haveriam de cumprir essas expectações.

Alguns judeus distinguiam entre o «profeta vindouro» e o Messias, (ver Mat. 11:3), ao passo que outros faziam os dois termos aplicarem-se à mesma personagem. Nem todos os intérpretes judeus criam que o Messias teria de ser, necessariamente, o Filho de Davi, embora o trecho de Mat. 22:42 ilustre o fato de que Cristo seria o Filho de Davi, segundo era também a opinião prevalente dos judeus ao tempo de Jesus. Alguns judeus deixavam passar completamente em branco um personagem terreno, nunca pensando em um bebê que cresceria como homem normal e que se manifestaria como o Messias; mas antes, pensavam que a história do mundo seria terminada de modo súbito, em meio a cataclismos, quando uma figura sobrenatural desceria do céu a fim de assumir *o controle* do mundo. Enquanto isso, outros, que se satisfaziam com as coisas conforme elas eram, que gozavam de riquezas e do luxo, negavam ou ignoravam qualquer espécie de intervenção messiânica. Essa era justamente a atitude dos saduceus, que acima de tudo temiam perder sua posição privilegiada mediante qualquer alteração na ordem ou mediante qualquer revolta. No caso de outros, ainda, era costumeiro identificar governantes terrenos com o Messias, como se esses governantes, em sua autoridade terrena, estivessem cumprindo as exigências das profecias messiânicas. Alguns viam o Messias no livramento político e religioso da nação de Israel através da revolta dos hasmoneanos. Os herodianos chegaram mesmo a proclamar que Herodes era o Messias; mas deve-se ajuntar que tais idéias não obtinham o favor geral entre o povo.

O *N.T.* define mais claramente o ofício do Messias, acrescentando novas dimensões ao mesmo, e identificando a Jesus como o Messias tão longamente esperado. A conexão essencial do judaísmo com o cristianismo depende exatamente dessa identificação. Os cristãos primitivos criam que Jesus cumpriu todas as exigências das profecias messiânicas, e que havia apenas um «messias», e não três. Também criam que não haveria um «profeta vindouro» separado, além do profeta representado na figura do Messias. Vários aspectos da missão do Messias foram definidos, tal como o aspecto do *Servo Sofredor*. Esse servo, no conceito bíblico, é o agente de Deus na restauração nacional, mas também ministraria entre os gentios, (ver Is. 42:1-4). Esperava-se que ele tivesse um tipo definido de ministério entre os pobres, os enfermos e os necessitados, (ver Is. 42:5-25), e os primitivos cristãos viam um cumprimento completo de todas essas idéias na pessoa de Jesus.

Esse servo seria um «Servo Sofredor», embora essa idéia jamais tivesse sido geralmente reconhecida pelos judeus, que jamais a aplicaram ao Messias. Embora Is. 53 indique claramente esse aspecto da missão do Messias, os intérpretes judeus nunca o entenderam com clareza. O N.T. confirma essa interpretação, e

embora alguns eruditos mais liberais do N.T. duvidem que o próprio Jesus tenha feito essa identificação, passagens tais como Mat. 20:18,19,28 e 21:38-42 (além de diversas outras predições de Jesus acerca de seus próprios sofrimentos) parecem mostrar claramente que Jesus, ao identificar-se como o *Messias*, ao mesmo tempo ilustrou essa sua missão com a figura do Servo Sofredor.

Jesus parece ter-se referido à sua — missão messiânica — tanto em termos presentes como em termos futuros. O Messias seria o arauto do reino futuro, seria aquele que haveria de sofrer e de dar a sua vida em resgate de muitos, seria aquele cuja vinda haveria de demonstrar a validade das reivindicações messiânicas; mas também seria o rei futuro que ainda viria e estabeleceria o seu domínio neste mundo, (ver Mat. 26:64,65). Alguns intérpretes liberais têm procurado demonstrar que Jesus jamais falou sobre sua missão messiânica ou a defendeu, ou mesmo chegou a reivindicar tal autoridade; mas essa opinião é extremamente estranha, quando nos lembramos que nossas únicas fontes sobre dele e diziam: sobre qualquer autoridade acerca dos ensinamentos ministrados por Jesus, são os quatro evangelhos, cuja intenção, conforme os evangelhos deixam transparecer abertamente, era justamente a de provar que Jesus era o Messias prometido. A acusação que provocou a sua execução era de que havia blasfemado por ter feito elevadas reivindicações, como servo especial de Deus. Os soldados zombavam dele e diziam: «Profetiza-nos, ó Cristo, quem é que te bateu!», (Mat. 26:68). E a *acusação estampada* na cruz foi: «Jesus, o Rei dos Judeus».

Tudo isso indica que as reivindicações da missão messiânica de Jesus não foram apresentadas apenas pelos crentes primitivos mas, em primeiro lugar, pelo próprio Jesus. É verdade que com freqüência ele teve de ocultar a sua verdadeira identidade, o que certamente se devia às idéias errôneas de que o povo nutria sobre o Messias profetizado, que julgava que seria uma figura essencialmente política e guerreira. Ora, Jesus sempre evitou imiscuir-se nas questões políticas terrenas. Ele contemplava um reino espiritual, um líder espiritual, uma reforma e uma renovação religiosa; mas as multidões não estavam preparadas para acolher esse tipo de Messias que Jesus idealizava.

d. Princípios Éticos

Todos reconhecem que o judaísmo é essencialmente uma *religião ética*, e desde os tempos mais antigos a ênfase do mesmo tem recaído sobre os elementos éticos. Os dez mandamentos, embora apresentados em uma fórmula básica distintiva do judaísmo revelado, refletem, contudo, em grande parte, o que é reconhecido como uma moralidade essencial na maioria das religiões do mundo. Jesus, como filho de Israel, foi um mestre essencialmente ético, embora não o fosse exclusivamente (conforme fica demonstrado pelos outros temas básicos de seus ensinos, referidos nesta seção). Não obstante, parece verdade que os elementos éticos são os que ocuparam, de maneira predominante, os sermões e as instruções particulares expostos por Jesus. Com esse termo, *princípios éticos*, queremos indicar o seguinte: 1. conduta; 2. princípios ou regras que são recomendados como normas dessa conduta; 3. —esforço crítico do estudo e da reflexão que têm por desígnios sistematizar, organizar e aplicar tais princípios. O N.T. (incluindo os evangelhos) apresenta vasto acúmulo de material que serve de uma espécie de sistema «ético organizado».

Deve ser óbvio, em toda a ética cristã básica (que se

JESUS

alicerça nas declarações de Jesus), que esse é um reflexo da ética judaica básica. A ética cristã modificou a ênfase de parte do ensino judaico, e foi além da tradição judaica em outras particularidades. Por exemplo, o casamento misto não era reputado válido no judaísmo. (Por *misto* o cristianismo entende o casamento entre um crente e um não-crente, ou entre um judeu e um não-judeu). Mas o cristianismo reconhece os casamentos mistos como válidos, ainda que não sábios. Essa é a mensagem de I Cor. 7:13,14. Quanto a uma instância de ênfase, Jesus recomendava o celibato aos que do Senhor recebem esse dom, tal como já tinham feito os essênios e como Paulo confirmou posteriormente; mas, de modo geral, certamente a ênfase judaica não recaía sobre o celibato. No que tange ao divórcio, Jesus falou em termos mais severos do que qualquer judeu comum. Essas são apenas algumas sugestões acerca das diferenças de ênfase ou acerca das modificações que podem ser vistas nos ensinamentos de Jesus, quando confrontados com os princípios éticos do judaísmo; passemos, agora, a observar certos pontos particulares.

Em primeiro lugar, consideremos o grande método básico ou a grande consideração dos ensinos éticos de Jesus, que em sua maioria podem ser identificados com as normas do judaísmo. Os que estão familiarizados com a ética do ponto de vista da filosofia, devem lembrar-se de que os sistemas éticos têm bases extremamente variadas. Por exemplo, parte da conduta reputada ética pode basear-se em considerações inteiramente humanas. Protágoras de Abdera (450 A.C.) fez soar a nota-chave de grande parte da ética moderna, ao dizer: «O homem é a medida de todas as coisas». Com isso ele quis dizer que as *considerações éticas*, como *quaisquer outras* considerações que afetam a vida humana, devem ter seu fundamento apenas naquilo que é bom para o homem, naquilo que é útil para o ser humano, que obtém os alvos desejados pelos homens, e não naquilo que agrada a algum deus ou deuses, ou ao que pode ser reputado como um nebuloso após-vida. A ética pragmática está alicerçada nessa atitude. O que mostra ser bom, após tentativa e erro, é bom para nós, e o que é bom para nós hoje, talvez não seja o que será bom amanhã. Por conseguinte, essa ética pragmática não pode estar baseada em princípios «eternos» ou «teístas». De modo geral, na ética pragmática, as considerações «divinas» ou eternas se fazem completamente ausentes.

Ora, nem o judaísmo e nem Jesus basearam seus princípios éticos nessas crenças. Existem outros que refletem uma ética cínica ou pessimista, os quais negam que exista qualquer valor humano autêntico, e que, por isso mesmo, assumem uma posição adversa ou pelo menos cética acerca de qualquer pronunciamento que procure regulamentar a conduta humana. *O pessimismo* ensina que a própria existência é o maior de todos os males, e que o maior pecado do homem é o de «ter nascido» (Schopenhauer). Evidentemente, Jesus não compartilhava dessas idéias. Mas ensinou que há bens positivos que devem ser obtidos e maus positivos que devem ser evitados. Os estóicos, por sua vez, ensinavam que qualquer espécie de emoção é má, quer positiva, quer negativa. Segundo essa filosofia, o desejo é mau, a busca e a pesquisa também são processos maus. Somente o despreendimento total da vida é aceito como princípio ético para os estóicos. Segundo eles, é mister exercer a «apatia» ante tudo. Embora Jesus tenha aprendido a controlar o seu próprio ser de maneira extraordinária, dificilmente alguém poderia classificar a sua «compaixão» pelas multidões como um sentimento de «apatia». Por outro lado, os epicuristas e hedonistas criam que somente o prazer é um alvo digno da existência humana, e que se deve usar da inteligência na busca do prazer. Jesus permitia o prazer, certamente mais do que João Batista, mas via alvos mais elevados na vida do que o prazer.

Sócrates cria que o perfeito conhecimento do bem assegura, automaticamente, a conduta perfeita. Assim sendo, igualava a bondade com o conhecimento. Acreditava que o indivíduo que realmente soubesse o que é bom para ele, automaticamente faria o que é bom. Portanto, Sócrates ensinava a auto-realização e a compreensão como a busca básica do homem, porquanto, segundo pensava, isso o conduziria à conduta perfeita. Sua vida, pois, foi dedicada à busca do entendimento da bondade. Essa idéia é boa até onde vai, mas ignora a natureza pervertida do homem, que algumas vezes prefere conscientemente o mal, — em vez do bem, e sempre para seu dano próprio. Jesus, portanto, foi muito mais fundo do que Sócrates, porque a sua missão visou essencialmente a transformar a natureza básica do homem, e não simplesmente insuflá-lo à auto-realização. Em geral, poderíamos classificar o sistema ético de Jesus como *teísta*. Com isso queremos dizer que tem por base a grande consideração que é Deus. Deus é o legislador, e o homem é responsável; antes de tudo, a Deus, e apenas secundariamente a si mesmo e aos seus semelhantes. A ética teísta geralmente ensina princípios éticos «eternos» e «imutáveis». Mas a ética pragmática admite mudança e alteração. A ética teísta conta com um Deus eterno e imutável que impede a mudança de qualquer modalidade. Se houver mudança, será tão-somente em resultado de uma melhor compreensão sobre Deus e seus caminhos, e não pela mudança no próprio Deus ou em seus ensinos. Jesus, por conseguinte, falou de princípios eternos, e todo o seu sistema repousa nos mesmos. Esperamos, por conseguinte, que a despeito da passagem de dois mil anos, a contar da vida terrena de Jesus, os princípios e exigências básicas permaneçam inalteráveis.

Falando de maneira muito «generalizada», podemos classificar os sistemas éticos em sistemas *relativistas absolutistas*. Pelo termo «absolutista» se compreende também a idéia de categoria. Os princípios éticos absolutistas ou categóricos ensinam que os princípios éticos são absolutos, não estando sujeitos a modificações, formando uma categoria permanente e imutável. Princípios eternos e imutáveis são inatos ao homem e foram dados por Deus. Entretanto, é possível alguém ter idéias de princípios absolutistas ou categóricos sem pôr Deus no quadro de suas considerações, porque pode crer que a «natureza» ou algum outro princípio «universal» que não seja «Deus» pode servir de fundamento da conduta ética. Em contraste com isso, temos a ética «relativista», que ensina que não existem princípios eternos e, sim, pessoas, condições, estruturas sociais e muitas outras condições, que determinam o que é bom para nós, que o não o é, e que as mudanças nas pessoas, nas estruturas sociais e em outras condições também modificam os princípios éticos. Vê-se, portanto, que, se considerarmos uma classificação geral, Jesus ensinou princípios éticos absolutistas ou categóricos, pois a ética «teísta» é um dos ramos desse tipo de sistema ético.

Consideremos agora algumas particularidades sobre esses ensinamentos éticos. Com esse propósito, não podemos fazer nada melhor do que examinar, ainda que de passagem os conceitos do Sermão da

JESUS

Montanha, em Mat. 5—7.

1. A paternidade de Deus. Jesus via a Deus como a fonte de toda vida humana e como benfeitor de todos, tal como um pai humano deseja o bem de todos os seus filhos. Jesus expandiu grandemente o conceito judaico de Deus, porquanto apresentou um Deus universal, e não local. Esse conceito é básico para os princípios éticos de Jesus e forma um contraste definido e violento com o judaísmo comum. Por muitas vezes Jesus empregou o termo «vosso Pai que está no céu», no Sermão da Montanha e em outros lugares, (ver Mat. 5:45; 6:1,6,14,18). Isso não visava a contradizer a outra idéia de que alguns são «filhos do diabo», nem afirmar a conversão como experiência a todos os homens. Porém, serve para despertar-nos para o fato da grande compaixão de Jesus, e também que, por força da criação, em sentido bem real, todos têm a fonte de sua existência em Deus, e que esse deve ser o alvo de todos. Por esse motivo é que nos é oferecida a possibilidade e grande realidade de muitos benefícios que são dados aos homens de modo geral. A missão do Messias tinha por finalidade declarar a *salvação universal* oferecida por Deus. Até que grau de perfeição Deus haverá de finalmente desenvolver essa missão, antes do término da história da humanidade, aqui ou no além, pode-se tão-somente conjecturar; mas as implicações são vastíssimas.

2. O princípio do amor. Jesus ensinou insistentemente essa virtude. Ele mesmo foi enviado ao mundo por motivo do amor do Pai. Jesus exercia grande compaixão para com as multidões. O décimo quinto capítulo do evangelho de João é uma demonstração dessa atitude, e muitos dos princípios do Sermão da Montanha repousam nesse alicerce. O novo mandamento consiste no amor, pois essa é a virtude que realmente cumpre todos os requisitos da lei. Precisamos sentir pelos outros o que sentimos por nós mesmos. Sabemos o que é o amor próprio e o praticamos, porquanto quase todos os nossos atos se baseiam no egoísmo. Cuidamos de nós mesmos, de nossos planos para o futuro, vestimo-nos e temos cuidado com nossa saúde. No seio da família tornamos mais evidente esse princípio do amor, pois amamos os membros íntimos de nosso círculo familiar, e nossa grande preocupação é o bem-estar dos mesmos. Ora, o que Jesus quer é justamente que nosso amor se expanda para abranger o mundo inteiro, incluindo até mesmo os nossos inimigos. A vereda do amor é a vereda mais curta para o desenvolvimento e o progresso espirituais. O próprio Jesus foi o exemplo supremo de como deve funcionar esse princípio. O amor não somente diz que não se deve matar, mas proíbe até mesmo o odiar, (ver Mat. 5:21): O amor diz não somente que não se deve adulterar, mas nem mesmo cobiçar, (ver Mat. 5:28). O amor não somente diz que não se deve provocar a violência, mas instrui até mesmo a sermos ativos pacificadores, (ver Mat. 5:9). Aquele que cultiva em sua vida o amor de Jesus, nutrindo-o em seu homem interior, será mais rapidamente transformado à imagem de Cristo, que é o grande propósito da existência humana.

3. Respeito à autoridade constituída. Assim ensinou Jesus, ao falar especificamente da lei e dos profetas como autoridades religiosas (ver Mat. 5:19). Jesus aprovava a lei e os profetas, embora algumas vezes tivesse discordado de seus contemporâneos no tocante à interpretação que davam à lei e aos profetas. Jesus ensinou uma inquirição espiritual sincera e fervorosa durante esta vida, e baseou essa inquirição em antigas pedras fundamentais — as pedras básicas do judaísmo revelado. Por conseguinte, aqueles que desobedecem aos mandamentos, só causam dano a si mesmos. E aqueles que quebram os mandamentos e assim ensinam a outros, prejudicam duplamente a si mesmos e aos outros — serão os chamados mínimos do reino dos céus.

4. Jesus aprofundou parte do ensino do judaísmo contemporâneo. Todos reconheciam que o assassínio é um mal. Mas Jesus procurou mostrar que o *ódio* é uma forma de homicídio; críticas severas, uma língua virulenta e odiosa, ira, etc., são formas de assassínio, porquanto ferem e destroem as suas vítimas, ainda que não causem a morte do corpo físico. Quanto ainda temos de aprender acerca disso na igreja, que por muitas vezes se torna cena de ódio armago e de debates acirrados. Quantos crentes têm destruído um irmão na fé! Quantas igrejas evangélicas têm destruído pastores! Quantos «anciãos» ou «autoridades» da igreja têm destruído a juventude da igreja por fazerem coisas movidos pela ira, criticando amargamente, devido ao ódio que se instala em seus corações. Se Jesus estivesse conosco hoje em dia, pessoalmente, nas nossas igrejas, procuraria aprofundar nossos conceitos acerca do que é o homicídio. E se ele estivesse em nossos corações, faria a mesma coisa sem ser notado (ver Mat. 5:21,22).

5. Jesus aprofundou a moral: no tocante ao adultério. Um homem talvez congratule a si mesmo se não toca em mulher, mas Jesus indicou que a *cobiça* já é adultério, e qual homem pode congratular-se por não cobiçar? Jesus não ensinava aqui contra as instituições sociais da poligamia e do concubinato (Mat. 5:27) e não é provável que ele classificasse esses costumes sociais dos judeus como adultério; mas em Mat. 5:31,32, e especialmente mais tarde, em Mat. 19:3-9, pelo menos desencorajou tais práticas como indignas daquele que verdadeiramente procura progredir espiritualmente. A lei de Jesus referente ao adultério requer uma transformação completa no íntimo, em contraste com a regulamentação das ações externas que era tão comum na ética judaica. Um bom exame nessa lei ensina-nos o quanto ainda temos de caminhar para sermos moralmente transformados segundo a imagem de Cristo — e esse é um dos propósitos ou alvos desta nossa existência terrena.

6. Jesus pregava uma linha dura sobre o divórcio que é totalmente adversa às filosofias e à sociologia modernas. Muitos eruditos acreditam que o registro das palavras de Jesus por Marcos, que não permitem qualquer desvio nesse particular, são as verdadeiras palavras de Jesus (ver Mar. 10:1-9). Em geral contudo, a igreja tem preferido a versão de Mat. 19:9, que permite o divórcio (e provavelmente novo casamento do cônjuge inocente), por razão de fornicação. Os sociólogos e psiquiatras do mundo inteiro não se sentem à vontade ante as declarações de Jesus, pois crêem que há muitos motivos válidos para o divórcio e que existem muitos outros crimes que uma pessoa casada pode cometer contra seu companheiro ou companheira de matrimônio, que são piores do que o adultério. É possível que se o assunto tivesse sido mais extensamente examinado, e sob outros prismas, — Jesus tivesse acrescentado aos seus ensinos outros detalhes sobre a questão; mas os evangelhos servem para fornecer-nos a ênfase principal de Jesus sobre a questão do casamento e do divórcio. Como sempre foi típico de Jesus, ele alicerçou a questão inteira sobre princípios eternos.

«No princípio...Deus...» fez assim ou assado. Desde o princípio, a norma tem sido «um homem—uma mulher». Nenhum estudo moderno tem melhorado esse princípio, e reconhecemos instintivamente a sua validade. Mediante tal preceito, Jesus indica a

JESUS

inferioridade ou mesmo o mal da poligamia e do concubinato. «Um homem—uma mulher» é o melhor, e está de conformidade com o desígnio original das coisas. Isso envolve mais do que meras diferenças de ênfases entre Jesus e o judaísmo — o que se praticava entre os judeus de seus dias era uma completa distorção do princípio eterno.

7. Recomendação do celibato. Conforme já disse, Jesus baseava os seus ensinamentos éticos sobre o alicerce de uma intensa *pesquisa espiritual* — aquela pesquisa que leva os homens de volta à presença de Deus. Portanto, sobre determinadas questões que não envolviam necessariamente os princípios do bem e do mal, Jesus enfatizava o bem que seria melhor que outros bens. Jesus honrava o matrimônio e procurou elevar o pensamento judaico sobre o assunto, ao mostrar que o casamento não pode ser rompido por razão alguma. Jesus também elevou a posição da mulher na sociedade judaica e proferiu coisas que tinham em vista solapar o alicerce do duplo padrão que era tão geralmente praticado em Israel, em seus dias. Não obstante, parece perfeitamente claro, por meio de Mat. 19:10-12, que Jesus reconhecia o valor do celibato, pelo menos no caso de algumas pessoas. Somente alguns podem *receber* essa doutrina. Mas esses podem buscar melhor o reino dos céus se praticarem o celibato. Esse princípio concorda com o que Paulo procurou expressar posteriormente, em I Cor. 7:7 (e nesse capítulo em geral). Muitas religiões reconhecem o mesmo princípio, e aqueles que tentam viajar pela estrada mística, em sua inquirição religiosa, ou aqueles que buscam iluminação sobre questões especiais dizem-nos que o celibato é a melhor condição para quem quer dedicar-se a essa busca intensiva. Isso não significa, porém, que Jesus tenha criado — ordens religiosas — ou decretado essa prática para as mesmas. Essas ordens religiosas são desenvolvimentos posteriores da cristandade, e não têm qualquer autoridade nos ensinamentos de Jesus. Todavia, o princípio do celibato, como questão particular, como ajuda no processo espiritual, permanece aprovado e recomendado tanto por Jesus como por Paulo. Esse ensino não era desconhecido para a corrente principal do judaísmo; mas certamente não era praticado de forma generalizada. No entanto, era uma das principais doutrinas dos essênios. Jesus teve algum contacto com os essênios; e alguns dizem que esse contacto foi vital e contínuo, no que era seguido por João Batista. O certo é que Jesus adicionou a sua autoridade a esse preceito.

8. Jesus mostra o alvo da inquirição espiritual. «Portanto, sede vós perfeitos como perfeito é o vosso Pai celeste» (Mat. 5:48). Aqui Jesus falava da perfeição moral no sentido absoluto. A palavra «perfeito» pode significar «maduro», e certamente Jesus recomendava a maturidade espiritual; porém, este ensino é mais profundo do que isso. A igreja geralmente tem perdido de vista o fato de que o alvo da inquirição espiritual é a *perfeição absoluta*, que envolve uma transformação total nos aspectos moral e metafísico. Paulo ensina a mesma coisa no primeiro capítulo de Efésios, ao falar sobre o fato de que somos o «corpo» de Cristo. Isso envolve transformação total, tanto moral como metafisicamente. A perfeição absoluta é o nosso alvo. O trecho de Heb. 2:10 ensina a mesma coisa que fala acerca da verdade que Jesus vai conduzindo «...muitos filhos à glória...». Jesus participou da nossa natureza a fim de que pudéssemos participar da sua natureza, em sentido absoluto. O oitavo capítulo da epístola aos Romanos ensina a mesma verdade ao dizer que estamos sendo transformados à imagem de Cristo. É em direção a

esse acontecimento que a criação inteira geme e sofre dores de parto. Essa é a obra especial de Deus — a *duplicação* de seu filho. Aqueles que forem assim transformados serão muito mais elevados que os anjos em sua estatura metafísica, e serão tão perfeitos moralmente quanto o próprio Deus. Esse é um alvo extremamente elevado, e é nessa direção que se deve orientar a inquirição espiritual. Esse conceito (refletido em Mat. 5:48), portanto, é a base de todos os princípios éticos de Jesus. É por essa razão que Jesus requeria um discipulado minucioso em todos os pontos. Esse é o motivo por que ele elevou os princípios do «amor à humanidade», a ponto de incluir os próprios inimigos. É por essa razão que ele regulamentou a conduta entre os sexos e quanto ao matrimônio. Esses princípios éticos são necessários para o sucesso e para o rápido progresso na inquirição cristã que visa a atingir a grande imagem moral de Deus e a imagem metafísica de Cristo. Muitas outras particularidades poderiam ser mencionadas além das que foram referidas nesta breve seção, mas as que foram aqui ventiladas nos dão à idéia dos princípios éticos de Jesus e o alvo ou propósito de toda existência e conduta dos homens.

e. Acontecimento futuros. O conhecimento especial de Jesus.

Os evangelhos mostram que Jesus tinha poderes especiais de conhecimento, inclusive da telepatia e do conhecimento prévio. Este fato é apresentado pelos evangelistas como uma prova (entre muitas) do messiado autêntico de Jesus. Os rabinos previam um Messias dotado de tais poderes e os evangelhos mostram que, neste ponto, (como em muitos outros), Jesus cumpriu as esperanças do povo de Israel. Poderes elevados do conhecimento podem ser a propriedade de meros homens, pois o homem é um espírito, e deve ter altos poderes espirituais. Estes são ainda mais notáveis em pessoas de um desenvolvimento alto de espiritualidade. Não é preciso supor que o conhecimento especial de Jesus foi uma propriedade da divindade dele, embora, possa ser que os evangelistas tenham apresentado esta capacidade aos seus leitores como se fosse uma prova disto. De qualquer maneira, não devemos esquecer da extrema importância da humanidade de Cristo. Ver o artigo sobre a *Humanidade de Cristo*. De modo geral, podemos declarar que Jesus, normalmente, nas suas façanhas, se limitou aos seus poderes humanos espirituais (desenvolvidos e usados pelo Espírito Santo) quando fez seus milagres, com a provável exceção dos milagres «da natureza» (como o ato de acalmar as águas do mar, multiplicar o pão etc.), quando, evidentemente, usava seus poderes divinos. Foi desígnio da encarnação que Jesus fosse limitado (normalmente) às mesmas fontes de poderes as quais nós temos acesso. Nisto, ele nos mostrou o caminho do desenvolvimento espiritual. Jesus era homem verdadeiro, que labutava como homem, que sofreu e se desenvolveu tal como todos os seus irmãos. Seus poderes especiais, por conseguinte, normalmente dependiam de seu desenvolvimento como homem. Se assim não fosse, as suas palavras que indicam que os discípulos podem fazer as mesmas coisas que ele fez, contanto que tenham fé, quase não teriam sentido.

Sua *íntima comunhão* com o Pai, mediante o Espírito Santo, transformava toda a sua pessoa. Ele ia se tornando um ser diferente. Tendo sido feito, por pouco tempo, menor do que os anjos, agora, mediante a inquirição e o desenvolvimento espirituais, na qualidade de homem, se ia elevando. E isso ele fez justamente para mostrar-nos o caminho. Jesus foi ao mesmo tempo o caminho e o pioneiro desse caminho;

JESUS

e tudo quanto ele fez é possível para nós, a começar pelos milagres e a terminar pela perfeição moral. Ele é o alvo em todos os aspectos da vida cristã. Seremos semelhantes a ele em nossa natureza, e essa transformação está aberta para nós. Precisamos, tãosomente, andar como ele andou, nos desenvolvermos como ele se desenvolveu, e de sermos indivíduos que seguem seriamente essa inquirição, porquanto — não há limite.

Portanto, **parece lógico** afirmar que os especiais poderes telepáticos de Jesus e seu conhecimento prévio eram manifestações dessa sua humanidade altamente desenvolvida, de sua humanidade espiritualizada. Nada disso nega a sua divindade, mas tem o propósito de declarar, sem o menor equívoco, a sua verdadeira humanidade. Jesus, portanto, foi um grande previsor do futuro, um profeta de acontecimentos futuros. Jesus deve ter previsto muitos acontecimentos pormenorizados de sua vida diária. As Escrituras dizem-nos que ele previu a negação de Pedro e a traição de Judas. Ele previu a extensão da oposição que lhe seria movida, tanto pelas autoridades religiosas como pelo povo em geral. É-nos impossível saber com certeza, mas, segundo os detalhes de que dispomos, parece certo que sua vida se assinalava pelo conhecimento prévio de muitas minúcias de sua vida. Entretanto, preocupam-nos mais aquelas profecias que dizem respeito a nós e ao mundo em geral. Jesus previu a sua morte como resgate em favor de muitos (ver Mat. 20:28 e Mar. 10:45). Há três grandes avisos sobre a aproximação de sua morte, no evangelho de Mateus, e esse trecho de Mat. 20:28 nos dá a avaliação de Jesus sobre sua própria morte. Jesus também previu a sua *ressurreição* (ver Mar. 9:9). Previu que teria breve ministério após a sua ressurreição, pois advertiu aos discípulos que fossem encontrá-lo na Galiléia (ver Mat. 28:7). Em conexão com esses eventos, ele previu o seu triunfo final sobre os seus inimigos e o sucesso de seu ministério universal (ver Mat. 24; Mar. 13; Luc. 21:5-36). Nesses ensinamentos, naturalmente, Jesus indicou a vitória de Deus nos homens e entre eles (ver Mat. 10:23; 16:28; Mar. 9:1; Luc. 22:69). Por causa de sua rejeição, Israel passaria pelo juízo e como símbolo desse juízo, Jesus previu a destruição de Jerusalém, bem como a intensificação, e não o desaparecimento do poder romano em Israel (ver Mar. 13:1,2), sendo essa uma de suas mais famosas profecias a breve prazo. Embora esse acontecimento estivesse próximo, suas implicações iam longe, por ser esse um símbolo do fato de Israel ter sido posto temporariamente de lado, que é o tema abordado extensivamente por Paulo em Rom. 9—11, especialmente no décimo primeiro capítulo. Quase desde o princípio de seu ministério Jesus predisse o aparecimento da igreja (ver Mat. 16). Por semelhante modo, descreveu o método geral da ação de Deus, antes da restauração de Israel, bem como os acontecimentos que teriam lugar quando do estabelecimento do reino. Ele predisse o derramamento especial do Espírito Santo, que seria o agente no seio da igreja, a fim de cumprir nela os propósitos de Deus (ver João 16:7-22 e Luc. 24:49).

A **passagem mais famosa** das profecias de Jesus é o vigésimo quarto capítulo do evangelho de Mateus, cujo paralelo é o décimo terceiro capítulo de Marcos. Aqui é exposto um sumário dos acontecimentos ali previstos:

1. «Predição da destruição de Jerusalém», como símbolo da queda e da rejeição de Israel.

2. «Surgimento de religiões falsas» e de pseudocristos — como característica da «era da igreja», quando o cristianismo haveria de tornar-se poderoso e ser um fator mundial de maior envergadura que o judaísmo.

3. «A desordem geral» e a violência que haveriam de caracterizar a história humana durante esse período, e que se tornariam muito mais graves pouco antes do estabelecimento literal do reino.

4. «A perseguição contra os verdadeiros discípulos» por parte de homens ímpios e desarrazoados, os quais ficarão cada vez pior, ao aproximar-se o fim desse período. Em resultado dessa *maldade crescente*, muitos discípulos esfriarão, isto é, perderão a coragem de continuar na inquirição espiritual.

5. «Uma nova mensagem» o *evangelho* do reino, não diferente da mensagem que Jesus pregou a Israel, mas uma mensagem que deverá ser anunciada pelos seus discípulos em escala internacional, que abrangerá todas as nações. Isso tem sido parcialmente cumprido no ministério da igreja, mas alude especificamente à proclamação do reino pouco antes do fim, quase inteiramente levada a efeito durante o período da Grande Tribulação, um período de sete anos, que precederá de imediato o estabelecimento do reino.

6. «O aparecimento do anticristo» e da abominação desoladora, também mencionada em Dan. 9. A questão também é abordada em II Tes. 2.

7. «Grande e amarga perseguição contra Israel», nos dias da tribulação, intitulada angústia de Jacó. Essa perseguição será um grande agente na restauração de Israel, porquanto os israelitas entrarão nessa perseguição ainda como nação que rejeita a Cristo.

8. Nesse capítulo, Jesus descreve de modo abreviado a «Grande Tribulação», mostrando que será um período de angústias sem paralelo e de sofrimento universal. A maior parte do livro de *Apocalipse* segue paralela a essas profecias, posto que quase todo esse volume se dedica à descrição minuciosa desses acontecimentos.

9. «Alguns serão preservados» durante esse período (os «eleitos»), tempo esse que será assinalado pela violência quase ilimitada dos homens, bem como pelas tremendas comoções da natureza, incluindo a fúria das ondas, a destruição incontrolável das águas do mar, grandes terremotos, pragas generalizadas, enfermidades e morte de milhões de criaturas humanas.

10. Imediatamente antes do aparecimento de Cristo na glória quando ele vier para reinar, os próprios céus sofrerão distúrbios notáveis. Provavelmente a atmosfera da terra será perfurada, permitindo a entrada de calor intenso, que destruirá a muitos (ver Apo. 16:8,9). Os *físicos* também estão predizendo essa modalidade de acontecimentos, o que indica que os tempos realmente estão próximos. Alguém escreveu como segue: «Oxalá não fosse verídico o Apocalipse; mas é». Alguns físicos explicam que a causa de muitos desastres naturais (terremotos, maremotos, etc.) é o fato de que os pólos da terra estão mudando (o que já aconteceu antes), o que provoca muitos distúrbios na natureza, quando as costas marítimas são destruídas, quando os oceanos invadem muitas áreas continentais, quando há terremotos de proporções gigantescas. Um bem conhecido místico de nossos dias (falecido em 1945) indicou que essas destruições serão tão universais e intensas que apenas uma pequena porcentagem da atual população do mundo conseguirá sobreviver. Ele deixou indicado que esses acontecimentos terão lugar antes do ano 2000 D.C., e muitas autoridades bíblicas têm dito exatamente isso por muitos anos. É bem possível que essa profecia sobre a Grande Tribulação

JESUS

seja um dos tópicos mais pregados atualmente nas igrejas. Estará a igreja dormindo?

11. Jesus ensinou a sua segunda vinda; terá aspectos literais e simbólicos; estabelecerá o reino de Deus longamente esperado à face da terra, inaugurando o reino milenar. Será acompanhado pelo julgamento dos ímpios. Será estabelecida uma nova ordem, e o livro de Apocalipse indica uma espécie de *espiritualização* da humanidade; isso significa que os que tiverem permissão de entrarem com vida na era milenar (que incluirá nações inteiras) receberão uma transformação parcial em seus seres, embora continuem sendo humanos. Essas pessoas terão vidas extremamente longas, e muitas delas provavelmente viverão durante todos os mil anos.

Jesus ensinou a necessidade de — fidelidade — no discipulado como a principal característica à luz desses acontecimentos, a fim de que a humanidade possa atravessar esse período de julgamento, tanto da tribulação como depois, com sucesso. Segundo a opinião de alguns, a «igreja» ficará isenta da tribulação, embora muitos crentes sinceros digam o contrário. Se a igreja tiver de atravessar a tribulação, terá de ser preparada por advertências similares às contidas aqui. Em caso contrário, mesmo assim seus membros devem ser discípulos fiéis, porquanto a igreja também passará pelo juízo do trono de Cristo. Ver o artigo sobre o *Arrebatamento*.

f. Morte de Cristo e sua Significação

A teologia do N.T. acerca do sentido da morte de Cristo, é bastante extensa. A maioria dos ensinos concernentes à expiação e a outros efeitos da morte de Cristo, emerge das epístolas, e não dos evangelhos, e quase sempre da pena do apóstolo Paulo. Podemos alistar como segue as principais implicações da morte de Jesus.

1. *Em relação à Igreja e aos santos:* expiação por substituição — Cristo tornou-se pecado por nós, levando a nossa penalidade, e nós temos ficado com sua justiça. Cristo se tornou o *fim da lei* para aqueles que crêem. A igreja não está debaixo da lei no que diz respeito à justificação. Reina agora uma nova lei no que implanta o poder de praticarmos a justiça — essa é a lei do Espírito (ver Rom. 8). Foi efetuada a redenção que nos livra do pecado e de seu poder e que, finalmente, nos livrará de sua presença. Foi apresentada expiação a Deus, removendo a ira contra os homens e seus pecados. O próprio pecado já foi julgado, pelo que finalmente desaparecerá como um dos fatores da existência. Foi instaurada a purificação de pecados, tanto a dos pecados do passado como progressivamente e também na vida vindoura. A justificação vem através da fé na expiação. Gozamos de identificação especial com Cristo (o batismo espiritual; ver Rom. 6). Participamos de sua morte e ressurreição por meio de um processo místico, e recebemos o benefício decorrente de ambas. A expiação assegura-nos a glorificação final e a nossa transformação segundo a imagem de Cristo, tanto moral quanto metafisicamente.

2. *Sentido da morte de Cristo* para com Israel. A morte de Jesus cumpriu a promessa que foi feita a essa nação concernente ao Messias-Servo Sofredor. Essa morte conseguiu o necessário para a redenção nacional. Removeu os símbolos da salvação na forma de sacrifícios de animais e de outros ritos, dando-nos a substância tão longamente esperada. Finalmente assegurará o estabelecimento da nação de Israel *à testa* de todas as nações, quando a obra de Deus completar-se por meio de Cristo. Isso assegurará alta posição para a nação de Israel, durante o milênio. No que diz respeito a todos os demais povos, a salvação individual será providenciada, embora os alvos finais sejam um tanto diferentes do que no caso da igreja.

3. *Sentido da morte de Cristo* para com as nações. Algumas nações terão permissão de entrarem no período milenar, e essa gente experimentará certa *espiritualização* de seus seres, pois apesar de continuarem humanos e mortais, sua existência terrena será grandemente prolongada, e eles realmente serão mais espirituais, em sua natureza moral e metafísica, do que os homens de hoje em dia. Nações dotadas de imortalidade serão finalmente estabelecidas à face da terra, o que também será resultado direto da obra da expiação de Cristo e de outras realizações do Senhor Jesus, em sua missão benéfica em favor dos homens.

4. *Sentido da morte de Cristo* para com a criação física. A criação física inteira, segundo a conhecemos atualmente, será *renovada*. A maldição contra o pecado será suspensa. Finalmente haverá uma nova criação, que instaurará novos céus e nova terra.

5. *Sentido da morte de Cristo* para com os céus. A passagem de Heb. 9:23 indica a purificação dos lugares celestiais, em resultado da morte de Cristo. Sabemos que o pecado começou nos lugares celestiais, e não à face da terra. Finalmente, porém, o princípio do pecado será removido dos lugares celestiais. Os seres celestiais deixarão de lutar contra esse princípio pecaminoso. Obterão a vitória completa e final, demonstrando que seres dotados de livre-arbítrio podem preferir o bem em vez do mal.

6. *Relação da morte de Cristo* para com os anjos caídos, os demônios e Satanás. Segundo ensina o segundo capítulo de Colossenses, o reino da maldade finalmente cairá. Essa destruição será gradual. A morte de Cristo assegurou a destruição final desse reino, embora até agora não tenha produzido esse resultado final.

7. *Influência da morte de Cristo sobre Hades;* sobre o inferno: I Ped. 3:18-20, 4:6 (e outras passagens do N.T.) falam de um ministério de Cristo em Hades. Alguns vêem este ministério como uma oferta completa de salvação aos perdidos, além do túmulo, até que a Segunda Vinda de Cristo termine este tempo, este dia de oportunidade. Isto significa que a nossa morte pessoal não marca este limite. A maioria dos pais antigos da igreja tinha este ponto de vista, como João de Damasco (seção VIII) nos informa em seu livro, *A Fonte de Sabedoria*. Apenas nos tempos modernos é que qualquer seção de tamanho razoável da igreja tem ignorado ou rejeitado a estória da Descida de Cristo ao Hades. Alguns vêem este ministério do submundo como um meio de «restauração», mas não como uma salvação evangélica, para os perdidos. Em outras palavras, o seu ministério no Hades «melhorou» o seu estado de perdição. Ef. 4:8,10 demonstra que os efeitos deste ministério são permanentes ao estado de todos os homens em todo lugar. O assunto, logicamente, tem sido sujeito a muita controvérsia, e a alguns abusos. Ver o artigo sobre a Descida de Cristo ao Hades.

8. *Por causa de sua obra remidora* (que inclui sua morte expiatória), Cristo será estabelecido como cabeça do universo, e não somente da terra (ver Efé. 1, Col. 1 e 2). Jesus é o grande alvo de toda a criação. Os crentes serão transformados à imagem de Cristo, moral e metafisicamente. Toda a criação, todas as criaturas, celestiais e terrenas, terão em Cristo o seu centro. O ponto mais alto de toda a criação será a duplicação da pessoa de Jesus Cristo nos homens remidos.

O leitor poderá observar que quase todas essas doutrinas emergem das epístolas, especialmente das

492

JESUS

de *autoria de Paulo*. Muitos se interessam pelo quadro exposto nos evangelhos, especialmente em face de que as idéias ali apresentadas resultam diretamente das palavras autênticas e verdadeiras do próprio Jesus, e não das palavras dos discípulos, como desenvolvimento posterior da igreja. Alguns eruditos mais liberais insistem que a igreja criou um Jesus «teológico», sem nenhuma ligação com o Jesus histórico. Por isso, rejeitam quase totalmente as epístolas como verdadeiras representações de Jesus. Esses mesmos mestres negam, igualmente, qualquer ensino que se aproxime dos das epístolas que porventura se ache nos evangelhos. A *grande verdade*, porém, é que os evangelhos expõem um quadro da expiação que a torna universal. Se não quisermos aceitar esse testemunho, seremos obrigados a depender de conjecturas para encontrar a verdade, e embora todo homem seja um agente moral livre, que pode fazer toda forma de conjectura, o crente sério, especialmente se a sua experiência religiosa é válida e vívida, terá de rejeitar o método da conjectura na busca da verdade. A vida de Jesus foi tão grande, as suas obras foram tão profundas, que parece razoável aceitar o testemunho dos evangelhos para explicação de sua grandeza. Durante a *parte final* do seu ministério, Jesus devotou grande parte de sua atenção à sua morte próxima e ao sentido de sua morte para com os seus discípulos (ver Mat. 16:21; Mar. 8:31; 9:31; 10:33,34; Luc. 9:22,44; 22:37; João 6:51; 10:11-18). Jesus declarou que a sua morte seria um resgate em favor de muitos (ver Mat. 20:28). As tentativas da parte de alguns, que procuram negar isso como parte dos próprios ensinos de Jesus, por alegarem que ele não poderia compreender a sua própria morte dessa maneira, têm falhado inteiramente. Que alguém desse a sua vida como resgate pelo povo não era um conceito inteiramente estranho ao judaísmo. Naturalmente que o resgate oferecido por Jesus deve ser compreendido em sentido diferente do oferecido da própria vida, por parte de algum profeta, segundo esse oferecimento deve ter sido compreendido pelos judeus. Jesus ilustrou isso na cena da «última ceia». Nessa oportunidade ele ensinou claramente as implicações espirituais desse ensino (ver Luc. 22:19,20; Mat. 26:27,28; Mar. 14:22-24). A passagem de Mat. 26:27,28 indica que a morte de Cristo nos traz a *remissão* de pecados, estabelecendo uma nova aliança entre Deus e os homens (ver Luc. 22:20). A linguagem usada é similar à de Is. 52:13—53:12, que descreve, em forma profética, a vinda do Messias-Servo Sofredor. Também nos devemos lembrar de que os discípulos imediatos de Jesus, especialmente Pedro, se tornaram seus intérpretes especiais na igreja primitiva, ao passo que Paulo assevera que o seu «evangelho» não diferia em nada do deles. A igreja primitiva, de modo geral, aceitava a interpretação de Paulo, não achando que fosse incoerente com a que haviam recebido da parte dos discípulos imediatos de Jesus. Passagens tais como Mat. 28:19,20 emprestam universalidade ao ensino que a morte de Cristo e os benefícios dela decorrentes não podem ser aceitos como limitados a qualquer nação ou povo.

g. Relação de Cristo para com o judaísmo

A relação entre Jesus, seus ensinos e o judaísmo, já transpareceu nos comentários acima acerca de Jesus, de sua identificação, de seu ministério e de seus ensinamentos distintivos; pelo que também basta apresentar aqui um «breve sumário». A magnitude de sua pessoa eleva-o de imediato acima de qualquer profeta, sacerdote ou rei de Israel. Pelos fins do século II de nossa era, mais de vinte religiões distintas se tinham desenvolvido em torno de seu nome. Pelos fins do século IV de nossa era mais de oitenta desses grupos já haviam surgido, enquanto a corrente principal do cristianismo se transformava em uma religião universal, mais que o judaísmo fora ou mesmo tentara ser. Jesus tinha muitas características próprias dos mestres e profetas judeus, e o seu ministério visava especialmente a nação de Israel. Mas quase desde o início de seu ministério Jesus foi rejeitado. Já no oitavo capítulo do evangelho de Marcos, vemos uma rejeição definida à pessoa de Jesus e ao seu ministério. A sinagoga fora fechada para Jesus. Enganamo-nos quando vemos, no ministério de Jesus, apenas um *movimento reformista* no seio do judaísmo. Não é de forma alguma improvável que Jesus tivesse tido muito contacto com os essênios, tal como acontecera com João Batista. Jesus se identificou desde o começo com o movimento de João Batista e pela história sabemos que os essênios já se tinham alienado, como um grupo, do judaísmo. A alienação de Jesus não demorou muito mais, e as sinagogas cerraram-lhe as portas, o que forçou o Senhor a pregar ao ar livre. Seu ministério, por conseguinte, dificilmente poderia ser reputado um movimento reformador. Consistia mais da formação de um grupo distinto dentro do judaísmo. Posteriormente (Mat. 16) Jesus intitulou o seu grupo de seguidores de *sua igreja*. Embora alienado e separado da corrente principal do judaísmo, Jesus continuava a ministrar para toda a nação de Israel, pois disso consistia sua missão como Messias.

A separação entre Jesus e o judaísmo tradicional pode ser vista ainda com maior clareza nos ensinos dos evangelhos. Já no décimo sexto capítulo do evangelho de Mateus, encontramos menção da *igreja*. Os capítulos que vêm logo em seguida, baseados nos ensinos de Jesus, contêm diversas instruções acerca de problemas que poderiam surgir na sua «igreja». Jesus estabeleceu leis disciplinares, leis de amor mútuo entre os crentes, leis de autoridade no seio da igreja, leis relativas ao perdão entre os membros da igreja, leis acerca das atitudes que devem ser mantidas para com os novos convertidos, leis sobre as relações familiares, leis acerca das atitudes para com as crianças. Esses ensinos indicam o aparecimento, desde o começo, de um grupo totalmente — separado — dentro do judaísmo, e também que a igreja de Jesus se separaria, finalmente, de modo total do judaísmo, em grau maior que os essênios (ver Mat. 16-19). Parte do ensino sobre o reino dos céus reflete certo colorido de uma «era da igreja», isto é, representa o reino visto na igreja que surgia e se desenvolvia, e não como desenvolvimento dentro do judaísmo (ver Mat. 13). Jesus, em seus ensinos sobre a sua própria pessoa como Filho do homem, foi muito além do que se poderia esperar no judaísmo convencional, especialmente porque universalizou o conceito de Filho do homem. Por semelhante modo, a idéia inteira da sua missão messiânica é universalizada nos evangelhos.

Marcos procura mostrar que o cristianismo não deve ser entendido apenas como um ramo do judaísmo. As seções finais desse · evangelho e dos demais enfatizam, particularmente, essa particularidade, ao mostrarem que o *evangelho* deverá ser anunciado a todas as nações e que Jesus voltará como rei e juiz universal.

Nem mesmo os ensinamentos éticos de Jesus podem ser inteiramente contidos dentro da tradição judaica. Jesus elevou a Deus como pai universal dos homens, assim alterando um princípio judaico exclusivista. Jesus ensinou um princípio de amor universal, em

JESUS

favor de todos os homens, ao passo que a maioria dos mestres judaicos permitia ou mesmo encorajava o ódio contra os inimigos estrangeiros. Jesus muito elevou os princípios éticos, mostrando que o ódio é reputado por Deus como assassínio, e que a cobiça já é adultério aos olhos do Senhor. A posição da mulher também foi guindada a novos níveis, bem como todo o conceito do matrimônio, devido ao princípio eterno de «um homem-uma mulher». Mais do que qualquer outro mestre antigo ou moderno, Jesus apontou para o alvo da perfeição absoluta, e ensinou que os homens, finalmente, serão semelhantes a Deus no aspecto moral, quando atingirem totalmente o alvo determinado para eles pela vontade de Deus (ver Mat. 5:48).

Na qualidade de profeta sobre acontecimentos futuros, Jesus **ultrapassou** a tudo quanto se conhecia no judaísmo, especialmente em face de ter revelado não apenas o futuro de Israel, mas também o futuro de todas as nações e de todos os homens e, mais especialmente ainda, por ter revelado que sua própria pessoa, finalmente, seria rei e juiz universal. O judaísmo jamais reconheceu qualquer ensino semelhante a esse, e nesses particulares é que vemos a distinção entre o judaísmo e o cristianismo, que equivale à distinção entre o judaísmo e Jesus Cristo.

Talvez o mais distintivo de todos os ensinamentos de Jesus seja o da expiação e o do sentido geral de sua morte, não visando apenas aos indivíduos, mas também às nações e ao universo em geral, incluindo tanto a criação física como a espiritual, tanto os homens como os anjos, tanto a terra como os lugares celestiais. Jesus, por conseguinte, empresta um sentido universal ao seu ministério e aos seus ensinos. Essa universalidade é a marca distintiva do cristianismo e, em seus muitos e variados aspectos, reflete a natureza das relações entre Jesus e o judaísmo. Jesus é o Salvador dos crentes, —é Senhor e Rei deles; mas também é o Salvador do mundo inteiro, e o seu nome está acima de todo e qualquer outro nome.

h. Vários Temas das Parábolas de Jesus

Finalmente, a fim de completarmos esta seção sobre Jesus e seus ensinamentos, observemos, em forma esboçada, os diversos temas das suas parábolas. Jesus deve ter proferido muitas outras parábolas que não se acham registradas, mas aquelas de que dispomos mui provavelmente servem de boa indicação sobre os assuntos que ele ensinou por esse método. Encontramos quarenta e uma parábolas de Jesus. O evangelho de Mateus contém vinte e três delas, dez das quais não se encontram em nenhum dos outros evangelhos. O evangelho de Marcos contém apenas oito das quarenta e uma parábolas, e apenas uma que os outros não registraram — a parábola da semente em crescimento, Mar. 4:26-29. O evangelho de Lucas foi o que melhor preservou as parábolas de Jesus, porquanto contém trinta das quarenta e uma dessas parábolas, dezesseis das quais foram registradas exclusivamente por ele. Quanto a uma lista completa das parábolas de Jesus, bem como suas localizações, etc., ver o artigo intitulado o *Problema Sinóptico*. Este artigo também contém uma lista completa dos milagres de Jesus (registrados nos evangelhos).

Quando se fala sobre as *parábolas* de Jesus, deve-se usar uma lata definição desse termo, porquanto algumas de suas parábolas mais extensas, que fornecem explicações pormenorizadas (como a parábola do «semeador», Mat. 13:3-23), poderiam ser chamadas, com mais razão, de alegorias. Também se poderia empregar a designação de «símiles» para as parábolas mais breves, como a da pérola de grande preço, em Mat. 13:45,46. O evangelho de João não usa «parábolas», «alegorias», ou «símiles» e, sim, «metáforas». Por exemplo, o fato de Jesus ter dito «Eu sou a porta», «Eu sou o caminho», «Eu sou o pão que, desceu do céu», etc., são metáforas, as quais ilustram um objeto ou ensino identificando-o com outro objeto. Uma *símile* pode ser parecida com uma metáfora, exceto que explana a comparação, ou, segundo poderíamos dizer, — explica os seus *símbolos*. Uma parábola, segundo a definição dos dicionários, é uma história simples contada com o fito de ilustrar ou ensinar ou moralizar ou doutrinar. Usualmente não procura ensinar algo com cada minúcia, como é o caso das alegorias. Com o uso da palavra «parábola», aplicada às histórias narradas por Jesus, queremos incluir o que poderia ser chamado com mais acerto, em alguns casos pelo menos, de «símile», em outros casos, de «alegoria», e ainda em outros, de «metáfora». Por conseguinte, a palavra «parábola», necessariamente assume um sentido muito lato, incluindo todas essas idéias. — Abaixo, tentamos ilustrar os temas principais das quarenta e uma parábolas de Jesus, preservadas para nós nos evangelhos.

1. *Parábolas que Explicam Diversos Aspectos do Reino dos Céus*

a. Jesus mantém uma *relação especial* para com o reino dos céus ou reino de Deus. Ele prepara o caminho, e prega a mensagem; e assim a mensagem se torna conhecida entre os homens. A maioria dos homens a rejeita, mas os outros a recebem e produzem fruto em vários graus. (Parábola do semeador: Mat. 13:3; Mar. 4:3; Luc. 8:4). Nesse reino, surgem discípulos falsos que causam condições destrutivas. Mas o julgamento final separará os falsos dos verdadeiros. (Parábola do joio: Mat. 13:36). O reino desfrutará de um fenomenal crescimento exterior. (Parábola do grão de mostarda: Mat. 13:31; Mar. 4:30; Luc. 13:18). *O reino* será dotado de notável poder inerente de crescimento. (Parábola do fermento: Mat. 13:33; Luc. 13:20). O reino cresce de uma maneira inconsciente para os observadores. (Parábola da semente, Mar. 4:3). O reino tem grande valor, e pode ser descoberto acidentalmente, isto é, sem que haja busca consciente; mas mesmo nesse caso o seu grande valor será percebido por quem o encontrar. (Parábola do tesouro escondido: Mat. 13:34). O reino tem grande valor e pode ser objeto de intensas pesquisas, e quando encontrado por aquele que o busca, o seu valor é imediatamente reconhecido. (Parábola da pérola de grande preço, Mat. 13:45). O reino se estenderá a muitos povos, nações e indivíduos, e reunirá tanto bons quanto maus; mas uma separação seletiva final haverá de purificar o reino. (Parábola da rede de pesca: Mat. 13:47). O reino se assemelha a uma grande festa de casamento, com muitos convidados presentes, alguns aceitáveis e outros não. (Parábola das bodas: Luc. 14:7. A parábola da grande festa ilustra a mesma verdade: Luc. 14:16).

b. *Perto do fim de seu ministério*, Jesus apresentou outra série de parábolas do reino, que visam ilustrar especialmente que o mesmo foi tirado das mãos de Israel, que o juízo aguarda aos que rejeitarem o reino, e que todos os homens devem preparar-se para esperar o reino. Assim é que temos a parábola dos dois filhos (Mat. 21:28), a parábola dos trabalhadores na vinha (Mat. 20:1), a parábola do casamento do filho do rei (Mat. 22:1), a parábola da figueira (Mar. 13:28; Mat. 24:32; Luc. 21:29), a parábola dos servos (Mar. 13:34; Luc. 12:35), a parábola do pai de família e do ladrão (Mat. 24:42; Luc. 12:36), a parábola do servo bom e do servo mau (Mat. 24:45; Luc. 12:42), a

JESUS

parábola das dez virgens (Mat. 25:1), a parábola dos talentos (Mat. 25:14; Luc. 19:11), a parábola das ovelhas e dos bodes (Mat. 25:31). Com essas parábolas, Jesus ilustrou quão insensato é rejeitar a sua mensagem, e também ilustrou a *rejeição de Israel*, o sucesso final do reino, a volta do rei a fim de reinar, a necessidade de vigilância diligente e de serviço no reino, para quem deseja ser verdadeiro discípulo do rei.

c. O termo *reino dos céus* (ou reino de Deus) tem assumido muitos sentidos diversos, e o próprio Jesus o empregou de diversas maneiras. O conceito básico é a idéia da dimensão onde todos estão sujeitos a Deus, ou pelo menos onde há a tentativa de pôr tudo sob o seu controle. O reino pode ser o reino terreno; o reino celestial; o mundo do além, onde ninguém pode entrar sem passar pelo novo nascimento; ou a influência da verdade e da espiritualidade entre os homens. A igreja pode ser um agente do reino, bem como seu ponto ou consideração central. O reino pode ser encarado como a súmula de todos os benefícios espirituais, pelo que também nenhum preço é alto demais para pagar por sua aquisição. Por conseguinte, as parábolas do reino têm uma aplicação vastíssima, que afeta nossa vida inteira. Deveríamos ser os servos fiéis, os recebedores da semente, interessados pelo crescimento do reino, vigiando pelo retorno do rei. Deveríamos buscar o seu reino como buscaríamos um tesouro ou uma pérola excelente, e deveríamos estar dispostos a nos desfazermos de qualquer e de todas as nossas posses, a fim de adquirirmos o reino, que se reveste de valor infinito. Portanto, as parábolas do reino incluem muitas lições acerca do discipulado cristão e acerca da inquirição espiritual.

2. Parábolas que Ensinam a Natureza Revolucionária da Doutrina Cristã

As duas primeiras parábolas de Jesus que foram registradas ensinam exatamente isso. Trata-se das parábolas dos panos e remendos novos e velhos e dos odres novos e velhos: Mar. 2:21,22; Mat. 9:16,17.

3. Parábola que Ataca o Preconceito e a Hipocrisia Religiosos

É o caso da parábola dos lavradores maus: Mar. 12:1; Mat. 21:33 e Luc. 20:29.

4. Parábolas que Ensinam Vários Princípios Éticos

Por meio de suas *Parábolas*, Jesus ensinou a necessidade de misericórdia: Parábola do servo incompassivo (Mat. 18:21). Também ensinou a necessidade de misericórdia e de sermos perdoadores, porquanto o pecador pode ser restaurado: Parábola do filho pródigo (Luc. 15:11) e da moeda perdida (Luc. 15:8).

5. Parábolas que Ensinam o Amor de Deus pelos Homens

Jesus ilustrou esse amor de Deus por toda humanidade com o princípio que Deus não quer que ninguém pereça: Parábola da ovelha perdida (Mat. 18:11; Luc. 15:3).

6. Parábolas que Frisam a Graça

Jesus ensinou parábolas nesse sentido, como as da ovelha perdida, do filho pródigo e do servo incompassivo, nas quais ilustrou o princípio da graça, que chega ao ponto de perdoar inúmeras vezes.

7. Parábolas que Ilustram Aspectos do Discipulado Cristão

Jesus também usou parábolas com esse propósito. As primeiras intenções não são suficientes, e é melhor obedecer finalmente, ainda que haja rebeldia a princípio, do que mostrar boa intenção no princípio

mas nunca realizar o serviço. É o caso da parábola dos dois filhos (Mat. 21:28), da parábola da vinha (Mat. 20:1-16). A parábola dos talentos (Mat. 25:41) também ilustra certos aspectos do discipulado cristão, embora a grande verdade seja que ilustra principalmente a rejeição do reino por parte de Israel. Nessa classificação também cabem as parábolas do *tesouro perdido*, e da *pérola de grande preço*, as quais falam do grande prêmio a ser conquistado pelo verdadeiro discípulo, incentivando-nos ao verdadeiro discipulado cristão.

8. Parábolas sobre a Oração

Jesus contou a parábola do amigo importuno (Luc. 11:5) e da viúva persistente (Luc. 18:1) a fim de ensinar a importância da oração e seus notáveis resultados.

9. Parábolas sobre a Insuficiência das Riquezas

Jesus também contou parábolas que mostram que as riquezas materiais não são suficientes, pois a vida é muito mais importante do que a teoria dos bens materiais nos leva a supor. A alma é mais importante do que as riquezas, segundo a parábola do rico insensato. (Luc. 12:16).

10. Parábolas sobre o Correto Uso das Riquezas

Jesus ensinou-nos a usar corretamente o dinheiro, bem como o modo de tratarmos aos outros, para nosso próprio benefício espiritual. É o caso da parábola do mordomo desonesto (Luc. 16:1).

11. Parábola sobre a Religião Falsa

Existe uma religião falsa, que se ufana de suas realizações mas que é repelida por Deus, embora os homens tanto a favoreçam. Jesus relatou uma parábola nesse sentido, que também mostra como os homens podem encontrar-se com Deus, mediante o arrependimento e a confiança simples. Foi o que ele ensinou na parábola do fariseu e do publicano (Luc. 12:16).

12. Parábolas sobre a Volta do Rei

Nessas parábolas Jesus se referia à sua *parousia* ou aparecimento em glória, mostrando que devemos estar preparados para esse acontecimento. Cinco são as parábolas que nos ensinam a necessidade de preparação: Parábola do dono da casa (Mat. 42:42), parábola do mordomo sábio (Mat. 24:45), parábola das dez virgens (Mat. 25:1), parábola dos talentos (Mat. 25:14) e parábola das ovelhas e dos bodes (Mat. 25:31).

Conforme mencionamos antes, em conexão com essas parábolas, também foram ensinadas lições específicas a Israel, como nação, como também foram ilustrados certos elementos da doutrina do reino.

13. Parábolas sobre a Sabedoria de Ouvir a Cristo

Jesus mostrou, numa parábola, quão grande sabedoria mostra aquele que lhe dá ouvidos e, em contraste, quão louco é o que não lhe dá atenção. É o caso da parábola dos dois fundamentos (Mat. 7:24 e Luc. 6:47).

14. Parábolas Contra os Preconceitos Religiosos e Raciais: Luc. 10:33 ss.

15. Parábolas sobre o Alto Custo do Discipulado

Querendo ilustrar quanto custa a verdadeira religião e o discipulado cristão autêntico, Jesus contou a parábola da torre que não foi terminada (Luc. 14:28) e do rei que se preparava para a guerra (Luc. 14:31).

Vemos, pois, que as parábolas de Jesus incluem muitas implicações éticas, doutrinárias e dispensacionais que não estão incluídas nestes comentários. Um estudo minucioso acerca de cada parábola, com o auxílio deste artigo, poderá ilustrar esse fato,

495

JESUS

preenchendo os hiatos quanto aos pormenores que foram deixados em branco.

IV. BIBLIOGRAFIA

Sobre a Identificação de Jesus

Anderson, H., *Jesus and Christian Origins*, 1964
Borchert, O., *The Original Jesus*, 1964
Bowman, J.W., *The Intention of Jesus*, 1943
Case, S.J., *Jesus*, 1928
Knox, John, *The Man Christ Jesus*, 1941
Mackinnon, James, *The Historic Jesus*, 1932
Zahrnt, H. *The Historical Jesus*, 1963

Sobre o Ministério de Jesus

Daniel-Ropes, H., *Jesus in his Time*, 1955
Enslin, M.S., *The Prophet from Nazareth*, 1961
Farrar, F.W., *The Life of Christ*, 1874
Goguel, Maurice, *The Life of Jesus*, 1933
Grant, F.C., *The Gospel of the Kingdom*, 1940
Goodspeed, E.J., *The Life of Jesus*, 1950
Johnson, S.E., *Jesus in His Own Time*, 1959
Loos von der, H., *The Miracles of Jesus*, 1965
Ogg, G., *Chronology of the Public Ministry of Jesus*, 1940
Robinson, J.M., *A New Quest of the Historical Jesus*, 1959
Schweitzer, A., *The Quest of the Historical Jesus*, 1950
Taylor, V., *The Life and Ministry of Jesus*, 1955
Warfield, B.B., *The Person and Work of Christ*, 1950

Sobre os Ensinos de Jesus

Dodd, C.H., *The Parables of the Kingdom*, 1936
Fuller, R.H., *The Foundations of NT Christology*, 1965
Freedman, D.N. e Grant, R.M., *the Secret Teachings of Jesus*, 1960
Henry, C. (redat.), *Jesus of Nazareth, Savior and Lord*, 1966
Porter, F.C., *The Mind of Christ in Paul*, 1930
Stewart, J.S., *The Life and Teaching of Jesus Christ*, 1958

Obras de referência e outras: AM B BART BARTS BULT BULT(1960) C E EN EP KAH KR I IB ID ND MOF NTI R ROBINS SCHW TIN UN WFH Z

JESUS (NÃO O CRISTO)

O Nome. Nas modernas línguas européias, como em português, a palavra *Jesus* deriva-se da transliteração desse nome de origem hebraica para o grego, *Iesous*. O nome hebraico é *Jehoshua*, cuja forma contraída é Josué ou Jesua (vide). Esse nome significa «ajuda de Yahweh», ou «Salvador» (Núm. 13:17; Mat. 1:21). A sua transliteração para o grego reflete a contração do nome, no aramaico, *Yesu*. Ver Nee. 3:19.

Há quatro personagens na Bíblia que são chamadas por esse nome, além do próprio Senhor Jesus, que, naturalmente, o imortalizou.

1. Josué (vide), filho de Num, o líder militar do povo de Israel durante a conquista da terra de Canaã. Em Atos 7:45 e Heb. 4:8, de acordo com algumas versões, seguindo a versão grega do nome, encontramos o nome *Jesus;* mas nossa versão portuguesa, em ambos os casos, diz «Josué», acertadamente.

2. Um ancestral de Jesus Cristo, que viveu em cerca de 500 A.C., conforme se vê em Luc. 3:29. Algumas traduções, seguindo certa variante, que aparece no texto grego, dizem *José*. Nossa versão portuguesa diz «Josué», novamente de modo acertado.

3. Na Septuaginta, o nome ocorre naqueles livros que são considerados apócrifos. O autor do livro de Eclesiástico é chamado pelo nome de Jesus. De acordo com Josefo, grande historiador judeu da época apostólica, doze notáveis vultos judeus tiveram esse nome, em vários períodos históricos. De fato, o nome tornara-se comum entre os judeus do período helenista.

4. Um certo judeu cristão, chamado *Justo* (vide), também se chamava «Jesus», conforme se vê em Col. 4:11, onde ele aparece como um dos obreiros que trabalhavam com Paulo. Ele viveu em cerca de 64 D.C.

JESUS (NAS TRADIÇÕES ISLÂMICAS)

Nos escritos islâmicos, Jesus é chamado de **'Isa ibn** *Maryam* (Jesus, filho de Maria), ao que, com freqüência, eles adicionam *Al Masih* (o Cristo). Três questões são destacadas nesses escritos: o nascimento e os poderes miraculosos de Jesus; a vida ascética exemplar de Jesus; seu papel escatológico no esquema religioso das coisas. Essas tradições islâmicas pertencem, antes de tudo, à narrativa do Alcorão sobre Jesus. Ali, Jesus aparece somente como um ser humano (chamar qualquer homem de Deus é a pior heresia e blasfêmia possível no islamismo), embora ele apareça como homem sobre quem repousava grande porção do Espírito de Deus. Jesus aparece como o **porta-voz do** *Injil* **(evangelho).** De acordo com isso, uma boa parcela do Novo Testamento foi incluída no Alcorão como material digno de fé e de ser posto em prática. Jesus é considerado a maior figura, depois do último e maior de todos os profetas históricos, o penúltimo de uma série de grandes reveladores. Jesus é retratado como quem foi elevado aos céus, em um momento de crise, sem haver sofrido a crucificação. Seu nascimento virginal e suas obras de compaixão são elementos importantes na tradição islâmica. Adornos, tomados por empréstimo de livros apócrifos do Novo Testamento fazem parte dessa documentação. Supõe-se que os livros apócrifos do Novo Testamento tiveram alguma circulação nas regiões que, posteriormente, tornaram-se territórios islâmicos, o que talvez explique a adição desse material ao Alcorão. Algumas das declarações do Alcorão são reflexos de idéias do Novo Testamento. Por exemplo, Jesus é visto a sair da casa de uma prostituta. Alguém então lhe pergunta: «Ó Espírito de Deus, que estás fazendo com essa mulher?» E Jesus responde: «O médico só visita aos enfermos». No Alcorão Jesus também mostra ser contra a ostentação no jejum. Essa idéia faz parte dos escritos islâmicos. A declaração de Jesus sobre o belo templo de Jerusalém, que seria destruído, sem que ficasse pedra sobre pedra (ver Mat. 24), é adaptada de modo a aplicar-se a uma mesquita islâmica. Mas também há alguns elementos diferentes. Ocorrem milagres mágicos de Jesus. Um desses relatos conta como Jesus foi capaz de tingir vestes com dez cores diferentes, mergulhadas em um único tanque. As tradições islâmicas dizem como Jesus foi treinado como tintureiro. Em um outro relato, Jesus é apresentado a transformar um grupo de crianças inconvenientes em suínos, para então ordenar que os porcos se fossem de sua presença!

Ascetismo. Segundo o islamismo, Jesus referiu-se à pobreza e à aflição como *dois amigos*, aos quais deveríamos amar; pois, amar a essas coisas é idêntico a amá-Lo. Uma tradição islâmica faz de Jesus o *Imam al-Sa'ihin*, «o Príncipe dos Vagabundos», o que, evidentemente, reflete a declaração dos evangelhos de

JESUS — JESUS E A LEI

que ele não tinha onde reclinar a cabeça. As tradições islâmicas expõem a seguinte descrição sobre a aparência de Jesus: «Ele era ruivo, de tez bem clara; tinha os cabelos aparados e nunca ungia a cabeça. Costumava andar descalço e não tinha residência, nem enfeites, nem bens materiais, nem trocas de roupa, mas tão somente seu alimento diário». Al-Ghazali disse que Jesus declarou, de certa feita: «Tenho-me desgastado com meus labores, e não há pessoa tão pobre quanto eu».

Parte dessa descrição, aparentemente, visava a frisar a verdadeira humanidade de Jesus, procurando desviar a idéia para longe de um Deus humano, conforme é a concepção bíblica e cristã de Jesus Cristo. Naturalmente, Jesus também é apresentado, dentro do islamismo como uma poderosa figura escatológica que haverá de vindicar a fé dos muçulmanos, tornando-a a fé suprema entre todas as religiões do mundo. É de presumir-se que ele haverá de quebrar todas as cruzes (símbolos da idolatria) e de matar ao anticristo, que os islâmicos dão o nome de *Al-Dajjal*. Entretanto, os movimentos *Ahmadiyyah*, no século XX, têm eliminado todo o vestígio de um Jesus escatológico, afirmando que Jesus foi sepultado em *Casemira* como homem de avançada idade. Ver os artigos separados sobre o *Alcorão; Maomé; Maometanismo; Ética Islâmica; Filosofia Islâmica*. (JR MAR ND).

JESUS COMO A VIDA
Ver **Vida, Jesus como** e **Vida, Cristo como Nossa**.

JESUS COMO O PÃO DA VIDA
Ver **Pão da Vida, Jesus como**.

JESUS E A LEI
Ver **Lei no Novo Testamento, seção II**.

No artigo geral sobre *Jesus*, abordamos os problemas principais que circundam a vida e os ensinamentos de Jesus Cristo. Ver III. *Ensinos*, g. *Relações Com o Judaísmo*, que versa sobre a questão de Jesus e a lei mosaica. É certo que Jesus e seus primeiros discípulos encabeçaram um movimento religioso que não foi mero movimento reformista dentro do judaísmo. As novas idéias e circunstâncias que afloravam no cristianismo primitivo não podiam mesmo ser contidas pelo antigo judaísmo tradicionalista. Isso não significa, porém, que Jesus tenha ensinado sobre a lei segundo os termos paulinos. No período apostólico, o Espírito de Cristo continuou instruindo e orientando a teologia; mas as idéias paulinas só apareceram quando Paulo surgiu em cena. Mesmo assim, sua teologia estava apoiada sobre o caráter ímpar de Cristo, declarado Filho de Deus, mediante a virtude da ressurreição. Foi dado a Paulo, pois, revelar novos aspectos da fé e da graça de Deus. Em vista disso, a relação exata entre Jesus e a lei mosaica é um dos mais espinhosos problemas que dizem respeito ao cristianismo primitivo. Pois, durante a vida terrena do Senhor Jesus, a doutrina cristã apenas havia lançado as suas raízes. «...o Consolador, o Espírito Santo, a quem o Pai enviará em meu nome, esse vos ensinará todas as cousas e vos fará lembrar de tudo o que vos tenho dito» (João 14:26).

1. Uma Significativa Declaração Não-Canônica
No codex D (Cantabrigiensis), no sexto capítulo do evangelho de Lucas, entre os versículos quarto e sexto (o quinto versículo vem após o versículo décimo, de outros manuscritos), encontramos a seguinte adição, que representa uma declaração extracanônica de Jesus: «No mesmo dia, vendo um homem trabalhar no sábado, ele (Jesus) lhe disse: Homem, se sabes o que estás fazendo, **és bem-aventurado**; mas, se não o sabes, então és maldito e transgressor da lei». Se isso reflete uma declaração genuína, que não foi registrada, então poderíamos dizer que o ponto de vista de Jesus sobre a lei era muito mais **próximo** do ponto de vista paulino do que poderíamos suspeitar. Por outra parte, esse versículo pode ser uma glosa, adicionada por algum escriba, com base nos sentimentos expressos por Paulo. Não há como testar a sua autenticidade, pelo que não podemos apelar para essa passagem, em qualquer discussão sobre como Jesus se relaciona à lei. Por outro lado, encontramos considerável material, nos evangelhos, referente a esse assunto. Damos abaixo um sumário.

2. Trechos Bíblicos Problemáticos
a. Este **trecho bíblico** nos dá razão para pensar: «...Mestre, que farei para herdar a vida eterna? Então Jesus lhe perguntou: Que está escrito na lei! Como interpretas? A isto ele respondeu: Amarás o Senhor teu Deus de todo o teu coração, de toda a tua alma, de todas as tuas forças e de todo o teu entendimento; e amarás o teu próximo como a ti mesmo. Então Jesus lhe disse: Respondeste corretamente; faze isto, e viverás» (Luc. 10:25-28).

Viver, realmente, a lei do amor, que é inspirado pelo amor que a pessoa tem a Deus, leva-a a ter a vida eterna. O caso do bom samaritano, pois, ilustra quem é o nosso «próximo». Vemos ali a prestação de serviço humanitário. Ora, essa foi uma resposta tipicamente dentro do contexto do judaísmo, conforme entendido por seus mestres mais espirituais. A resposta dada por Jesus leva-nos a entender que a observância da lei, desse modo, resultaria na vida eterna. Por outra parte, Paulo negou que a lei seja qualquer outra coisa além de instrumento da morte espiritual. E isso porque ninguém é capaz de guardar a lei em sua inteireza. E, ainda que alguém conseguisse fazê-lo, a lei não poderia transmitir vida eterna. Não há que duvidar que podemos depreender isso de trechos paulinos como Rom. 4:1-6 e Gál. 3:21. *Se* existisse uma lei que pudesse transmitir vida, então a vida seria transmitida desse modo. Para Paulo, porém, não existia tal lei; nem mesmo a lei de Deus poderia fazer tal coisa. A lei foi dada, segundo Paulo, para confirmar a nossa necessidade. A fé e a graça vieram para erguer essa carga e conceder vida. Poderíamos argumentar que Jesus esperava que entendêssemos os argumentos paulinos entre as linhas do que ele dizia, ou seja, que qualquer verdadeira observância da lei precisa estar alicerçada sobre a verdadeira fé e a regeneração, pois, de outro modo, a guarda da lei é algo impossível. Todavia, Jesus não falou como se a vida eterna não possa proceder da observância da lei, apesar de ser óbvio que ele requeria arrependimento, fé e regeneração genuínos, não menos enfaticamente do que Paulo. Além disso, Tiago fornece-nos a resposta judaica a esse problema, e não a resposta paulina, a menos que distorçamos o que Tiago afirmou, a fim de harmonizar suas palavras com aquilo que Paulo escreveu. A resposta dada por Jesus, à pergunta daquele homem também foi uma resposta tipicamente judaica. Naturalmente, compreendemos que, em última análise, não há verdadeira contradição entre Jesus e Tiago, por uma parte, e Paulo, por outra parte, visto que a graça divina e as obras (vistas como partes integrantes da graça divina) são coisas sinônimas, quando corretamente definidas. A verdadeira atuação espiritual procede do Espírito, mas

JESUS HISTÓRICO

manifesta-se na conduta humana. Não se trata de um meio de obter mérito através das realizações humanas. Não obstante, deve haver tal realidade na vida de todo convertido, que transforme genuinamente o seu ser, e não sendo apenas alguma coisa que ele espere chegar a ter, a fim de obter uma grande bênção espiritual.

b. *Consideremos este outro trecho bíblico.* «E eis que alguém, aproximando-se, lhe perguntou: «Mestre, que farei eu de bom, para alcançar a vida eterna? Respondeu-lhe Jesus:... Se queres... entrar na vida, guarda os mandamentos» (Mat. 19:16,17).

Seria ridículo paulinizarmos essa resposta, afirmando que Jesus estava postulando apenas um dilema filosófico, visto que, tendo ele dito isso, em seguida teria de dizer que, por esse método, ninguém pode adquirir a vida eterna, e que, logicamente, teria de voltar-se para a graça divina e para o gratuito dom de Deus (conforme Paulo, sem dúvida, teria respondido àquela pergunta). Antes, o Senhor Jesus enumerou os mandamentos, e o homem disse que os estava guardando. Então, Jesus disse-lhe para vender tudo quanto tinha, e dar o dinheiro aos pobres. Isso haveria de mostrar o quanto o jovem vinha observando a lei do amor, a essência real da lei mosaica inteira. Mas o homem foi-se embora, triste, porquanto não se sentia capaz de separar-se de seu rico dinheirinho, porquanto era no dinheiro que o seu coração, na verdade, estava preso. É fácil imaginarmos uma passagem como essa, nos escritos de Paulo, ser seriamente modificada. Novamente, vemos que Jesus deu uma resposta tipicamente judaica, dando a entender vigorosamente, que a vida eterna só pode vir através da *apropriada* observância da lei, o que está dentro das possibilidades humanas, cujos princípios eram negados por Paulo.

Nossa teologia gosta de harmonizar tudo, e sente intolerável que Paulo não concorde em tudo com Jesus, em todos os pontos, de acordo com a maioria dos sistemas teológicos cristãos. Porém, o livro de Tiago lembra-nos de que é inútil a tentativa de reconciliar tudo, dentro do Novo Testamento. Há porções que olham a verdade de um ângulo, e outras porções que olham essa mesma verdade de outro ângulo. O Novo Testamento não é uma obra tão homogênea como os nossos teólogos sistemáticos gostariam que acreditássemos. Em nossos esforços de harmonização, conseguimos sistemas mais coerentes internamente; mas, na realidade o que fazemos é cortar o nó górdio, em vez de desatá-lo. Ver o artigo sobre *Nó,* segundo parágrafo. É evidente que, por muitas vezes, a teologia nada é senão um trabalho de cortar nós, em vez de resolver problemas de modo genuíno. Alguns problemas simplesmente não têm solução adequada; e um desses problemas parece ser as diferentes atitudes que Jesus e o apóstolo Paulo tinham no tocante à lei mosaica.

3. Um Comportamento Ilegítimo

Tanto Jesus quanto os seus mais chegados discípulos foram acusados de uma conduta ilegal (ver Mar. 3:16; 2:23-28). Entretanto, não deveríamos interpetar isso como uma tentativa de ab-rogar a lei. Sabemos que os galileus não eram tão estritos, quanto a essa questão, quanto as autoridades ierosalomîtanas. Jesus não contradisse a essência ou verdadeiro espírito da lei. Ele tão somente objetava aos exageros dos escribas e dos fariseus. Ver Mar. 7:8 *ss.* Ver, especialmente, os vs. 14 em diante.

4. A Declaração Clássica de Jesus

A passagem de Mat. 5:17-20 é o trecho-chave das atitudes de Jesus Cristo a respeito da lei:

a. Ele veio cumprir a lei, e não anulá-la (vs. 17)

b. A lei jamais passará (vs. 18).

c. O cumprimento do menor dos mandamentos da lei importa em uma recompensa (vs. 19).

d. Jesus radicalizou a lei, longe de anulá-la. Ele fez com que os preceitos da lei se aplicassem a nossos motivos e pensamentos, e não apenas aos nossos atos. Moisés falou, mas o que Jesus *disse* é a fórmula mediante a qual a lei também envolve os nossos motivos, e não somente os nossos atos externos. Ver Mat. 5:38 *ss.*

e. A declaração final da radicalização da lei, por parte de Jesus, é a chamada para compartilharmos da perfeição de Deus Pai. *Se* guardarmos a lei, da maneira como Jesus (e não Moisés) ordenou, então teremos um meio de atingir a perfeição do Pai. Como é óbvio, Jesus esperava que os seus ouvintes entendessem que somente os homens regenerados, dirigidos pelo Espírito, são capazes de guardar a lei dessa forma. Não obstante, seu ensino, nesse ponto, não soa muito como o ensino de Paulo. A lei de Deus precisa ser inscrita nas tábuas do coração, conforme Jeremias afirmou (Jer. 31:33).

5. Ênfase Sobre a Lei do Amor

Jesus fazia a validade da guarda da lei girar em torno da observância da lei do *amor* (Mat. 22:40). Paulo também fazia a *lei do amor* ser a própria essência do espírito da lei (Rom. 13:10). Todas as fés religiosas concordam com esse princípio, como também praticamente todas as filosofias. A lei do amor é a lei suprema, e coisa alguma que possamos aprender de fato é capaz de contradizer isso. De fato, quanto maior for a nossa experiência espiritual, tanto mais teremos de concordar com esse ensinamento bíblico.

JESUS E PECADO

Ver o artigo sobre a **Impecabilidade de Jesus**.

JESUS, ENSINOS DE

Ver o artigo sobre **Jesus,** seção III.

JESUS, ÉTICA DE

Ver sobre **Jesus,** seção III. d. Ver também o artigo geral sobre a *Ética,* seção IX. *Etica Teísta,* que inclui as idéias principais sobre a ética do *Novo Testamento.*

JESUS HISTÓRICO

Esboço:

1. A Criação de Problemas
2. Obras Clássicas
3. Obras dos Racionalistas
4. O Cristo Histórico e o Jesus Histórico
5. Crítica da Forma
6. A Autenticidade dos Relatos Sobre Milagres
7. Karl Barth: Teologia Dialética
8. Rudolf Bultmann: A Demitização
9. A Nova Inquirição pelo Jesus Histórico
10. Contradição Inglesa ao Ceticismo Alemão
11. A Importância do Relato dos Evangelhos
12. A Realidade do Elemento Miraculoso
    Bibliografia

1. A Criação de Problemas

A crítica moderna tem criado o problema do Jesus histórico, em contraste com o Jesus teológico (celestial ou metafísico). Essa atividade, quando atinge proporções radicais, faz o Jesus teológico reduzir-se a

JESUS HISTÓRICO

uma invenção do cristianismo, além de assegurar-nos que essa atividade foi tão radical que nos é praticamente impossível descobrir como Jesus era, realmente, com base nos documentos bíblicos que atualmente possuímos. Em nosso artigo sobre Jesus, seção I, *Identificação*, damos os principais pontos de vista históricos, considerando o que deveríamos pensar sobre Jesus. O ponto f., *Liberal*, fornece-nos algumas coisas que se relacionam ao presente artigo, visto que os chamados eruditos liberais é que têm levantado e discutido a questão do *Jesus histórico*, em contraste com o *Jesus teológico*.

2. Obras Clássicas

O problema do «Jesus histórico» foi levantado, de forma gráfica, por Albert Schweitzer, em sua obra clássica, *The Quest of the Historical Jesus*, «A inquirição pelo Jesus Histórico». Parte dessa obra alicerçou-se sobre o trabalho de Herman Samuel Reimarus (1694—1768), mestre de idiomas orientais em Hamburgo, na Alemanha. Esse estudioso procurou distinguir o que Jesus realmente teria dito, daquilo que os apóstolos escreveram subseqüentemente. De acordo com essa obra, Jesus julgava ser o Messias dos judeus; mas, após a sua morte, seus apóstolos transformaram-no em uma figura celestial, e o seu tencionado reino terreno foi por eles guindado à posição do reino celeste de Deus. Reimarus, segundo sabemos, era influenciado pelo *deísmo* inglês (vide), e sob hipótese alguma não era um intérprete preconcebido. O deísmo supõe que as leis naturais cuidam das coisas, e que Deus é por demais transcendental para imiscuir-se na história humana em qualquer sentido direto. Por conseguinte, o elemento miraculoso, por exemplo, não é interpretado pelo deísmo como dotado de bases históricas.

3. Obras dos Racionalistas

As obras desses homens foram seguidas por vários livros acerca da vida de Jesus, e cujo intuito era eliminar o elemento miraculoso, atribuindo qualquer declaração mais admirável sobre Jesus aos seus apóstolos, como criações deles. O racionalismo, pois, estava trabalhando a pleno vapor, e os homens expressavam ali uma fé meramente racional. Eles perderam o contato com a experiência humana mística, de acordo com a qual ocorrem coisas realmente admiráveis, supondo que somente porque não tinham qualquer experiência incomum, essas experiências, na verdade, não existiam. Essa atitude nem é histórica e nem é científica.

David Friedrich Strauss (1808—1874) muito falava sobre os *mitos* existentes nos evangelhos, em seu livro *Vida de Jesus*, e isso se tornou uma posição popular, em alguns círculos liberais. Deveríamos reconhecer as contribuições de tais homens, porquanto foram eles que elaboraram estudos no campo da historicidade, não se ocupando com a mera teologia dogmática. Eles deixaram sua contribuição, apesar de suas respostas negativas, que dificilmente reconhecem Jesus como a grande figura que ele, indubitavelmente, foi. Nosso padrão nunca deveria ser «aquilo que esperamos» que possa acontecer. A vida de Jesus demonstrou que, constantemente, ele fazia o que os homens *não esperavam* que ele fosse capaz de fazer. Foi precisamente por esse motivo que ele deixou marcas imortais sobre a existência humana. Dificilmente poderíamos atribuir esse fato somente aos ensinamentos de Jesus. Antes, ele foi uma poderosa figura, que realmente realizou aquilo que os escritores dos evangelhos disseram que ele fez. Por que motivo duvidaríamos disso? Os homens, em nossos próprios dias, estão repetindo os milagres de Jesus!

Os teólogos sistemáticos liberais, Albrecht Ritschl e

Wilhelm Herrman, e o historiador liberal, Adolf von Harnack, lançaram-se à tarefa de demonstrar a existência de certa distinção entre a história e a fé. Essa é uma tarefa dificílima, porque requer, basicamente, que o Jesus dos evangelhos seja substituído por uma figura humana na qual ainda podemos exercer fé, e cujo exemplo podemos seguir, mas que pouco ou nada tem a ver com a visão que os apóstolos tinham de Cristo. Todavia, indagamos por que motivo os apóstolos ter-se-iam dado ao trabalho de inventar e propagar uma figura que eles *sabiam* não corresponder à personagem de Jesus de Nazaré. A obra de Renan, *Vida de Jesus*, foi escrita praticamente com essa mesma atitude, como também o livro de J.R. Seeley, *Ecce Homo*, «Eis o Homem». Schweitzer, entretanto, foi sábio o bastante para perceber que o Jesus inventado por aqueles homens era apenas uma visão *idealista* do que eles pensavam que o homem natural é capaz de realizar, e não um registro histórico válido do que Jesus, realmente, foi. Em outras palavras, aqueles homens fizeram exatamente aquilo que tinham acusado os apóstolos de terem feito: eles inventaram vários Jesus, de acordo com suas próprias imaginações. Tanto Schweitzer quanto outros críticos chegaram a crer que o Jesus idealizado no século XIX era um modelo religioso mais aceitável do que a figura do Jesus verdadeiro, ao qual não podiam aceitar porque, segundo eles, era por demais estranho a este mundo. Schweitzer enfatizava os elementos escatológicos da mensagem de Jesus, com prejuízo e obscurecimento de todos os demais elementos de seu ensino.

4. O Cristo Histórico e o Jesus Histórico

Martin Kahler criticou violentamente o pressuposto fundamental de alguns eruditos, de que o Jesus histórico foi o Jesus *real*. Seu livro, publicado em 1892, intitulado, *The So-Called Historical Jesus and the Historical Biblical Christ*, «O Chamado Jesus Histórico e o Cristo Bíblico Histórico», contém o seu argumento essencial. Para ele, o que é *histórico* refere-se àquilo que podemos aprender através dos métodos seguidos pelos historiadores, os quais sempre podem ser defeituosos, ou, pelo menos, parcialmente errôneos. Por outro lado, uma pessoa ou acontecimento seria *histórico* por causa do poder e dos efeitos produzidos sobre os homens e sobre o futuro deles. Dadas as alternativas entre o chamado Jesus histórico, e o Cristo histórico, Kahler preferia este último. O Cristo histórico, segundo ele proclamava, é o Cristo real. Para ele, a busca pelo Jesus histórico não passaria de uma ruela sem saída, como tantas outras questões históricas. Ele chegava ao extremo de declarar que essa inquirição pode até mesmo obscurecer a nossa compreensão sobre o Cristo vivo. Ele cria que Jesus era diferente de nós quanto à *espécie*, e que todos os métodos que podem ser usados para revelá-lo têm sido e continuarão sendo fracos. Ademais, ele acreditava que numerosos erros penetraram nos relatos dos evangelhos, subservientes aos propósitos dos escritores sagrados. Em outras palavras, Kahler não respeitava esses autores como historiadores; e nem se sentia satisfeito diante daquilo que eles escreveram. Ele se preocupava muito mais com o evento e com a pessoa *históricos*, que estabelecem reais diferenças nas vidas dos homens. O Cristo histórico transpareceria muito bem no N.T. sem precisar das armadilhas da historicidade.

5. Crítica da Forma

De acordo com essa teoria, os evangelhos oferecem *esboços* de vários tipos, acerca de como Jesus falava e agia. Foi feita a tentativa para retraçar os tipos de atitudes mentais ou tipos de relatos que teriam

JESUS HISTÓRICO

explicado o registro dos evangelhos em forma escrita. Ver o artigo *Crítica da Bíblia*, quarto ponto, quanto a um estudo completo sobre essa questão. A nossa principal crítica a essa posição é que essa maneira de interpretar a vida de Jesus, apesar de algum valor óbvio, é que, de acordo com ela, o intérprete se vê por demais envolvido em seu próprio subjetivismo, ao passo que os escritores dos evangelhos aparecem como exageradamente envolvidos na mecânica da transmissão, e não no relato daquilo que, para eles era uma narrativa vívida e admirável. Além disso, essa posição também exagera as possibilidades de mitos, memórias imperfeitas e seleções preconcebidas de material, com vistas à promoção a interesses pessoais e da Igreja em geral, como se os escritores sagrados não tivessem nenhuma vontade de anunciar, admirados, aquilo que Jesus realmente disse e fez. Essa posição também negligencia a essência dos registros de testemunhas oculares de admiráveis ocorrências, que assinalam, de maneira forte e gráfica, a memória daqueles que falaram a esse respeito. Todos nós temos passado por experiências que «parecem que aconteceram ontem», visto que os eventos importantes e dramáticos conferem-nos uma memória vívida deles, para sempre. É a vida rotineira, de todos os dias, que se perde nos arquivos das memórias meramente triviais.

6. A Autenticidade dos Relatos Sobre Milagres

Esses milagres são bem modernos, e não antigos. Fazem parte da experiência humana, embora não ocorram a todos os instantes. Alguns eruditos têm intelectualizado e provincializado a fé cristã. O que não se ajusta ao racionalismo deles é automaticamente rejeitado. E as racionalizações deles alicerçam-se sobre as suas experiências religiosas limitadas e provinciais. Muitos homens têm experimentado o que é incomum e miraculoso. Isso faz parte das experiências humanas místicas, tanto quanto as questões intelectuais e a manipulação das mesmas. A vida humana não é apenas intelecto e racionalidade; envolve, igualmente, o que é místico. A experiência humana é muito variegada e admirável. Não é histórico negar o elemento miraculoso na vida humana, **negá-lo é anti-histórico e anticientífico.**

«É impossível eliminar a maioria dos relatos de milagres, nos evangelhos, como se fossem meros acréscimos posteriores às narrativas. É verdade que alguns desses relatos exibem um estágio de desenvolvimento avançado, nas tradições, mais do que outros relatos—alguns deles são muito mais circunstanciais e pormenorizados, e contêm referências laterais a questões posteriores. Entretanto, refletem um mesmo e único caráter, por parte Daquele que os realizou, e isso serve de principal sinal de autoridade e poder desses relatos» (AM). Ver o artigo separado intitulado *Milagres*.

7. Karl Barth: Teologia Dialética

Karl Barth salientava ainda mais que Kahler, a idéia do *Cristo da fé* (o Cristo histórico). O seu comentário sobre a epístola aos Romanos, em certo sentido, foi uma revolta contra o liberalismo teológico. Ele ensinou uma *teologia de crise* ou *teologia dialética*, que exalta a Palavra de Deus como uma manifestação daquilo que é radicalmente diferente do homem, que se tornou humanamente conhecido na pessoa de Jesus Cristo. Ele ensinava que os evangelhos são meras tentativas hesitantes de revelar o que é o Totalmente Outro. Barth acreditava que os estudiosos liberais têm ido longe demais em sua humanização da fé cristã e do Cristo anunciado pela fé cristã e, assim sendo, passou a convocar os homens de volta à autoridade da revelação bíblica como base da fé que aceita a verdade sem

racionalizações. Ele ensinava que a fé religiosa necessariamente envolve *paradoxos* (vide), visto que todos os meios de tentar revelar o Totalmente Outro fracassam, até certo ponto. Para ele, a *polaridade* é um princípio muito importante. Ver o artigo intitulado *Polaridade*. As teologias sistemáticas geralmente negligenciam um pólo e enfatizam somente o outro pólo. Isso pode ser visto no fato de que o calvinismo esquece-se ou distorce os versículos que aludem ao **livre-arbítrio** humano, ao passo que o arminianismo negligencia ou distorce os versículos que aludem à soberania de Deus. Outrossim, há a Infinita Palavra de Deus, a verdadeira Palavra de Deus, acerca da qual qualquer documento sagrado escrito é um mero reflexo. Ver os artigos separados sobre *Barth, Karl; Dialética, Teologia da; Polaridade; Paradoxo; Neo-ortodoxia.* Karl Barth enfatizava a *Palavra* que nos chega por meio da Bíblia, e acreditava que ela requer uma fé inquestionável de nossa parte, bem como perfeita obediência, sem as contradições das atividades racionalistas dos homens.

8. Rudolf Bultmann: a Demitização

A sua publicação, intitulada **O Novo Testamento e a Mitologia** (1941) provocou grande agitação no mundo bíblico e teológico. De acordo com ele, os escritores do Novo Testamento tentaram retratar como eles entendiam as suas próprias existências, em vez de retratarem objetivamente a realidade. Isso posto, no Novo Testamento, temos um grande âmago de mitos que fala sobre realidades religiosas, mas que, com freqüência, é não-histórico ou mesmo contra-histórico. A história ficaria em segundo plano, e os ensinamentos religiosos seriam apresentados por meios simbólicos. As tentativas humanas de falar acerca de Deus seriam expressas por meio de mitos e representações. Esses mitos tratariam da relevância do evangelho, mas de uma maneira tal que fica sacrificada a sua historicidade essencial. Assim sendo, precisamos examinar os mitos, reconhecê-los naquilo que eles são e, desse modo, obter algum discernimento quanto à historicidade, embora os resultados, ainda assim, sejam pobres. Quanto a detalhes sobre essas questões, ver os artigos separados sobre *Bultmann, Rudolf* e *Demitização*. Bultmann descobriu que qualquer inquirição verdadeira para descrever o Jesus histórico é impossível, e até mesmo ilegítima. Contudo, ele acreditava que importantes coisas acerca da obra e da pessoa de Jesus podem ser conhecidas por nós. Isso viria através da *kerygma*, «pregação» ou «mensagem», similar a *Palavra* de Barth, mas nunca através da pesquisa histórica. Ele renunciou à pesquisa do século XIX, que procurava definir a personalidade de Jesus, conferindo-lhe descrições psicológicas. Pois, apesar de podermos determinar certos fatos básicos sobre a sua história (sem entrarmos em detalhes, o que só nos envolveria no erro), essa atividade não é muito importante. O que realmente importa é a sua *kerygma*, a mensagem, a *Palavra* de Cristo.

9. A Nova Inquirição pelo Jesus Histórico

Os eruditos do séulo XX têm frisado a **continuidade** entre o Jesus da história e o Cristo da tradição. O que havia em Jesus que levou a Igreja cristã a considerá-lo o Cristo? Ernst Kasemann, em sua preleção intitulada *O Problema do Jesus Histórico* (1953), e Gunther Bornkamm, em seu livro, *Jesus de Nazaré*, embora apresentando estudos tão diferentes entre si, concordaram pelo menos quanto a dois pontos: a. É quase impossível escrever uma verdadeira *vida* histórica de Jesus. b. Por outro lado, é fatal à fé religiosa permitir que o ceticismo nos leve a desencorajar-nos totalmente do interesse pelo Jesus

JESUS HISTÓRICO — JESUS, VIDAS DE

terreno, uma posição da qual Bultmann chegou bem perto. Deveríamos continuar interessados no Jesus que viveu na terra, investigando os aspectos históricos dos evangelhos e a base da fé cristã. As duas obras mencionadas não expõem novas idéias sobre o que *mais* sabemos sobre o Jesus histórico, mas tão somente tentam manter abertas as portas para o interesse e a pesquisa, o que é um novo ponto de vista, em comparação com o que pensava Bultmann. Parte dessa nova inquirição consiste na ênfase posta não sobre nomes, lugares, harmonia de eventos particulares, etc., e, sim, sobre o *significado* das ocorrências, ainda que talvez tenham sido apresentadas por escrito de modo incorreto. A atenção é enfocada sobre a tarefa a que Jesus se entregou, a sua personalidade, e o que essas coisas deveriam significar para nós. Essa nova inquirição, na verdade, é uma espécie de retorno à inquirição original, que trocou o Jesus idealista dos liberais (inventado por eruditos do século XIX) pelo Jesus existencial, inventado por Bultmann, e que os seus estudantes e discípulos continuaram tentando descrever.

10. Contradição Inglesa ao Ceticismo Alemão

Quase tudo quanto ocorreu antes, nesse campo, reflete aspectos do ceticismo alemão, que se manifesta de diferentes modos. Todos estão prontos a admitir a erudição detalhada e notável dos eruditos alemães. Porém, eles são caracterizados por um pronunciado ceticismo. Os eruditos ingleses, como um todo, embora não totalmente divorciados dessa atitude, não aceitaram em grande extensão, várias formas da abordagem germânica, como, por exemplo, a *crítica de forma*. Além disso, os ingleses têm-se mostrado mais otimistas acerca da possibilidade de se obter (ou de já se ter obtido) um conhecimento genuíno a respeito do Jesus histórico. Por certo, isso nos faz pensar em uma disposição racial, o que se reflete nas igrejas evangélicas estabelecidas na Alemanha e na Inglaterra. A Igreja Anglicana nunca acompanhou até muito longe o liberalismo alemão (com algumas notáveis exceções), e nem jamais favoreceu o fundamentalismo radical. Ela prefere seguir um curso intermediário entre esses extremos, tendo demonstrado uma notável tolerância para com outros grupos cristãos e seus pontos de vista, sem sentir a responsabilidade de concordar com este ou aquele grupo.

11. A Importânica do Relato dos Evangelhos

Embora aquilo que os harmonistas têm feito algumas vezes tenha chegado às raias do ridículo, é inútil tentar divorciar o Cristo histórico do Jesus histórico, como alguns têm feito. Isso alicerça-se sobre a ausência de fé, supondo que simplesmente porque alguém não experimentou *pessoalmente* o que é miraculoso, então é que o miraculoso não existe. A história da religião, antiga e moderna, bem como a experiência humana no campo do misticismo, demonstram que o miraculoso é uma realidade, a despeito das distorções, fraudes e errôneas interpretações a que os homens o têm sujeitado. Também não deveríamos permitir que a falta de entendimento dos homens, sobre a natureza de Cristo, obscureça o fato de que o Logos estava em Jesus, e saiu a realizar maravilhas extraordinárias. Isso transparece com clareza nos registros dos evangelhos, e foi confirmado por inúmeras testemunhas. Eis a razão pela qual os antigos (e também os modernos) encontram tanta dificuldade para explicar a pessoa de Jesus Cristo. Ele era, realmente, diferente de nós, pois, do contrário, não haveria qualquer dificuldade na tentativa de explicá-lo. Ver o artigo sobre *Jesus*, seção I, *Identificação*, que mostra os variegados meios que

têm sido empregados para explicar o que Jesus era e fez. Porém, o problema real não consiste em saber se ele fez o que fez e era o que disse que era. O evangelho informa-nos fidedignamente sobre essas coisas. O problema real consiste em explicar o *como*. Isso nos envolve em uma pesada teologia, e a *cristologia* (vide) é o resultado dessa atividade.

12. A Realidade do Elemento Miraculoso

Em primeiro lugar, deveríamos entender que o verdadeiro milagre é a própria pessoa de Jesus, e não tanto o que ele fazia. Pois o que ele fazia resultava daquilo que ele era. Assim, nossa primeira investigação deveria girar em torno da pessoa de Cristo, e não em torno de suas realizações. Em segundo lugar, importa reconhecermos a realidade de suas admiráveis obras. Pessoas bem informadas sabem que, em algum lugar, agora mesmo, muitas coisas miraculosas estão acontecendo. Os céticos, porém, nunca acreditam, sem importar o que suceda. Para eles, nenhuma evidência é suficiente. Existe o que se poderia chamar de mente fechada, que não crê sob hipótese alguma. Agostinho salientou que o ceticismo leva os homens às reais trevas espirituais, impossibilitando assim a fé. Os eruditos, envolvidos em seu intelectualismo, têm feito muitas contribuições que nos beneficiam em nosso conhecimento e em nossa maneira de viver. Porém, as pesquisas eruditas podem ser efetuadas em uma atmosfera distante da vida religiosa de todos os dias. Há muita coisa, na tradição mística, que fala em favor da verdadeira espiritualidade, e que se manifesta naquilo que é miraculoso. Ver sobre *Misticismo*. Milagres estão ocorrendo a cada dia. Nesta enciclopédia há um artigo sobre *Satya Sai Baba*, um homem que está duplicando milagres feitos por Cristo. Disse Satya Sai Baba: «Não há como a ciência poder investigar-me». Julgo que há nisso uma verdade que se aplica, supremamente, a Jesus Cristo. Os homens caem no ceticismo quando se defrontam com mistérios para os quais não há lugar em seus sistemas mentais. Todavia, deveríamos lembrar que o elemento miraculoso não serve de prova da veracidade de posições teológicas, pois esse elemento aparece nos mais variegados círculos, religiões e lugares. Todavia, o elemento miraculoso demonstra que precisamos de maiores definições sobre a vida do que aquelas que nos são oferecidas pelos céticos e incrédulos.

Bibliografia. AM B BART BARTS BULT BUTL(1960) KAH ROBINS SCHW.

JESUS, IDENTIFICAÇÃO
Ver sobre **Jesus**, seção I.

JESUS JUSTO
Ver sobre **Justo**.

JESUS, MINISTÉRIO DE
Ver **Jesus**, seção II.

JESUS, TRADIÇÕES MUÇULMANAS
Ver **Jesus (nas Tradições Islâmicas)**.

JESUS, VIDAS DE
Ver os artigos separados sobre **Jesus** (artigo geral); **Jesus e a Lei; Jesus Histórico**. A vida de Jesus e a busca pela compreensão ao Jesus histórico e ao Cristo apresentado nas páginas da Bíblia têm produzido uma prodigiosa literatura em termos de volume. O propósito deste artigo é o de apresentar um breve

JESUS, VIDAS DE — JETER

esboço da literatura envolvida. Alguns poucos livros representantes são alistados:

1. *Os Evangelhos*. Estão em foco os três evangelhos sinópticos e o evangelho de João. Os evangelhos mesclam a história pessoal de Jesus com a sua mensagem. Ver o artigo acerca do *Problema Sinóptico*, bem como a introdução a cada evangelho. Não há razão alguma para supormos que os evangelhos não narraram essencialmente aquilo que Jesus foi e fez. A grande questão não é a da historicidade. Antes, consiste em *como* ele fez o que fez, ou seja, qual era a sua verdadeira natureza.

2. *O Diatessaron, a Harmonia dos Evangelhos de Taciano*. A palavra grega *diatessaron* significa «através de quatro». Trata-se do exame dos quatro evangelhos, procurando pô-los em harmonia, uns com os outros, no tocante às suas apresentações da história da vida de Jesus. É impossível a produção de uma harmonia totalmente satisfatória, porquanto os escritores sagrados fizeram seleções dentre um número muito maior de ocorrências na vida de Jesus. «Na verdade, fez Jesus diante dos discípulos muitos outros sinais que não estão escritos neste livro...» (João 20:30). Contudo, essa atividade não é inútil, porquanto tem produzido excelentes resultados. Papias informa-nos que Marcos não alistou os eventos da vida de Jesus necessariamente em ordem cronológica. É mesmo provável que grande parte da seqüência histórica se tenha perdido para sempre. Isso não significa que o relato dos incidentes (ainda que nem sempre em sua ordem cronológica exata) não seja fidedigno, ou que tenha sido fraudulentamente narrado. Os grandes acontecimentos produzem um forte impacto sobre a mente humana. Assim, embora um grande número de anos se tenha passado entre os eventos da vida de Jesus e o registro, por escrito, desses eventos, a memória das testemunhas oculares não se embotou apreciavelmente. Por outra parte, o Senhor Jesus garantiu de antemão a assistência de seu Santo Espírito: «...mas o Consolador, o Espírito Santo, a quem o Pai enviará em meu nome, esse vos ensinará todas as cousas e vos fará lembrar de tudo o que vos tenho dito» (João 14:26).

3. Durante os primeiros séculos do cristianismo, o cristianismo ortodoxo, ao que tudo indica, não sentiu qualquer necessidade de produzir um exame histórico da vida de Jesus. Por outra parte, houve muita teologia sistemática e muita teologia dogmática.

4. A obra de Ludolf (falecido em 1377), *Vita Christi*, apresentava uma vida de Jesus que enfatizava o pietismo medieval.

5. Incrível é que a reforma protestante não tenha produzido livros individuais sobre a vida de Jesus. Mas, houve muitos comentários bíblicos que, naturalmente, incluíam esse tipo de material histórico.

6. Várias vidas de Cristo, produzidas por diferentes autores, foram publicadas por eruditos alemães, a partir do século XVIII, mas, apareceram em maior número no século XIX. Essa atividade foi feita em preparação e como parte da inquirição (ou negação) sobre o Jesus histórico. Gotthold Phraim Lessing (1729—1781) aplicou métodos críticos à fé cristã e aos documentos históricos do cristianismo. Lessing publicou uma obra póstuma de Reimarus, intitulada *Sobre o Propósito de Jesus e de Seus Discípulos*. Em contraste com a forte ênfase sobre o aspecto sobrenatural, esse livro procurava dar uma explicação puramente racionalista sobre as coisas registradas nos evangelhos. O elemento miraculoso foi posto em dúvida. H.E. Paulus (1828) deu continuação a esse tipo de exame. David F. Strauss tentou interpretar o relato sobre Jesus do ponto de vista mitológico (1835). Ele pensava que o conceito de mito provia uma síntese entre o sobrenatural e o racional. Entrementes, homens como Ewald e Neander (ver os artigos sobre eles) continuaram a defender o elemento miraculoso dos relatos bíblicos.

A obra de Renan, *Vida de Jesus* (1863), dependeu da obra e das idéias de Strauss e de F.C. Baur (1847). Estranhamente, ele eliminava o quarto evangelho, como se não tivesse qualquer valor histórico. Weisse (1838) e Wilke (1838) demonstraram a prioridade histórica do evangelho de Marcos. T. Kein produziu uma maciça obra sobre a vida de Jesus (1867—1872), onde o evangelho de Marcos e Q (vide) foram salientados como fontes históricas. — Esse foi o começo do desenvolvimento da discussão sobre o *Problema Sinóptico* (vide). O ceticismo e o racionalismo produziram um Jesus ideal, um homem agradável aos estudiosos do século XIX, de tendências racionalistas, que não tinha muita conexão real com o Jesus histórico. Albert Schweitzer percebeu quão fútil era essa atividade, embora tivesse exagerado os aspectos escatológicos da mensagem de Jesus (1901). Temos apresentado um esboço mais completo sobre essa questão, com idéias e esforços específicos envolvidos, no artigo sobre o *Jesus Histórico*.

7. *Obras Correntes sobre a Vida de Jesus*. Essas obras modernas podem ser divididas em quatro categorias: a. Vidas harmonizadas, como a de David Smith, *The Days of the Flesh* (Os Dias da Carne) (1905). b. *Vidas críticas*, como as de S.J. Case (1927), M. Gogel (1933) e Charles Guignebert (1935). c. Estudos que rejeitam a possibilidade de uma recuperação histórica acurada da vida de Jesus, preferindo enfatizar a carreira e os ensinamentos de Cristo, procurando encontrar nisso alguma significação: Wernle (1918), Debelius (1939) e C.C. McCown. Este último escreveu *The Search for the Real Jesus* (A Busca pelo Jesus Real) (1940). d. Os eruditos conservadores, naturalmente, formam uma quarta categoria, tendo eles produzido narrativas sobre a vida de Jesus, nas quais o elemento histórico dos evangelhos é aceito como fidedigno, e aquilo que ele disse e fez é aceito como vital para a fé e a prática cristãs.

JESUS BEN SIRAQUE

Esse é o nome do autor do livro apócrifo judeu, conhecido também pelo nome de *Eclesiástico* (vide). Algumas vezes, esse livro é chamado pelo nome do seu autor. Quanto ao conteúdo e às atitudes, trata-se de um livro parecido com os livros canônicos de Provérbios e Eclesiastes, e pertence à chamada literatura de sabedoria dos judeus (vide). Foi escrito em hebraico, em cerca de 180 A.C., e então, foi traduzido para o grego pelo neto do autor da obra. Atualmente, existe em sua inteireza somente no grego, ainda que, no começo do presente século, boas porções da obra, em hebraico, tenham sido descobertas em um antigo armário de uma sinagoga judaica, no Egito. Ver o artigo geral sobre os *Livros Apócrifos*.

JETER

No hebraico, «abundância» ou «excesso». Esse é o nome de várias personagens que figuram nas páginas do Antigo Testamento, a saber:

1. Um ismaelita (I Crô. 2:17). Algumas versões grafam seu nome.como Itra. Ele era o pai de Amsa, que liderou a revolução de Absalão contra Davi. Sua esposa era Abigail, irmã de Davi (I Crô. 2:17). Em II

JETETE — JETRO

Sam. 17:25, ele é chamado de «israelita», embora seja considerado «ismaelita», em I Crô. 2:17. Muitos estudiosos pensam que «israelita» seja uma corrupção do texto original, ou mesmo um erro primitivo do autor original. Seu nome significa, no hebraico, «excelência». Viveu por volta de 1050 A.C.

2. Um descendente de Aser, que teria tido três filhos: Jefoné, Pispa e Ara. Teria vivido por volta de 1540 A.C. Ver I Crô. 7:38.

3. O primogênito de Gideão (Juí. 8:20). Viveu por volta de 1250 A.C.

4. Um filho de Jerameel, filho de Hezrom (I Crô. 2:32). Viveu por volta de 1400 A.C.

5. Um filho de Esdras, descendente de Calebe, o espia (I Crô. 4:17). Viveu por volta de 1400 A.C.

6. **O sogro de Moisés** tinha esse nome, ainda que, mediante um erro escribal, seu nome apareça com a forma de *Jetro* (vide).

JETETE

Enquanto alguns estudiosos opinam que o sentido desse nome é incerto, outros arriscam falar em «sujeição». Ele foi um chefe idumeu, que viveu no monte Seir. Esse nome também pode ter sido o nome de 'um clã, provavelmente formado pelos seus descendentes. Ver Gên. 36:40 e I Crô. 1:51. Viveu por volta de 1470 A.C.

JETRO

No hebraico, «abundância», «excesso», «superioridade», «excelência». Esse era o nome do sogro de Moisés. Ele foi sacerdote e príncipe de Midiã. Parece que, entre os midianitas, os seus príncipes automaticamente também oficiavam como sacerdotes. Há uma certa confusão no tocante ao nome desse homem, que a Bíblia não se dá ao trabalho de explicar. Ele é chamado *Reuel*, em Êxo. 2:18 e Núm. 10:29. Em Juí. 4:11, ele é chamado de Hobabe; mas, em Núm. 10:29, Hobabe parece ser o filho de *Reuel* (Jetro). Todas as demais passagens, onde aparece esse homem, dão o seu nome como Jetro. É possível que os nomes Reuel e Jetro fossem ambos nomes desse homem, o que não era um caso único. Moisés passou quarenta anos em seu exílio em Midiã, enquanto se preparava para o seu ofício de *Libertador* de Israel, em companhia de Jetro, e uma de suas filhas casou-se com a qual se casou, Zípora (vide) (Êxo. 3:1; 4:18).

Não somos informados quanto à religião que Jetro promovia; mas é vão tentar ligá-lo a *Yahweh*, o Deus dos judeus, conforme este se revelou a Moisés, na sarça ardente (ver Êxo. 6:3). Todavia, segundo alguns estudiosos, *Yahweh* pode ter sido uma das divindades dos midianitas, embora muito duvidemos disso. Seja como for, residindo Moisés com seu sogro, aquele recebeu uma teofania da parte do Deus de Abraão. Na oportunidade, Moisés estava cuidando das ovelhas de seu sogro. Então, ele reconheceu sua comissão divina como *libertador* de Israel da servidão egípcia. Moisés tomou sua esposa e seus filhos e viajou para o Egito. Posteriormente, entretanto, os enviou de volta a Midiã, talvez como uma medida de segurança. O décimo oitavo capítulo do livro de Êxodo registra a narrativa comovente de como, depois que Moisés conseguiu retirar, com sucesso, do Egito, o seu povo de Israel, e estava acampado no deserto, Jetro, juntamente com seus familiares (incluindo a esposa e os filhos de Moisés, que tinham sido deixados em Midiã), vieram visitar Moisés, no deserto. Jetro estava muito satisfeito com o que Moisés fizera, e deu ao Deus de Israel o crédito pela operação inteira. Foi então que Jetro reconheceu a superioridade de Yahweh sobre todos os deuses das nações, tendo-lhe oferecido sacrifícios e ofertas queimadas. Jetro observou como Moisés estava trabalhando arduamente, a fim de tentar solucionar os inúmeros problemas que o povo de Israel lhe trazia para julgar; e o aconselhou a nomear assessores, em vez de tentar atuar como juiz exclusivo. E Moisés aceitou o conselho de seu sogro, tendo nomeado juízes e líderes de mil, de cem, de cinqüenta e de dez (ver Êxo. 18:24,25). Após esse incidente, Jetro partiu para a sua própria terra.

Por causa do crítico envolvimento de Jetro nessas questões práticas atinentes ao começo da história do povo de Israel, alguns estudiosos têm pensado que a sua influência também se fez sentir até na religião ensinada por Moisés. E alguns deles vão ao extremo de ensinar que *Yahweh* não era um nome de Deus conhecido e usado por Moisés, e, sim, que Jetro foi quem teria introduzido esse nome divino na religião hebréia. Ver o artigo sobre *Jeová* quanto a uma discussão sobre essa questão. Se essa sugestão é verdadeira, então Jetro seria um sacerdote de *Yahweh* entre os midianitas, — podemos presumir que Yahweh era uma espécie de deus de algum sistema quase henoteísta. Ver o artigo sobre o *Henoteísmo*. Contra essa idéia, porém, encontramos a menção a Yahweh em Gên. 4:26; 6:3,5; 12:1,4 e em outros trechos desse mesmo livro. Alguns afirmam, todavia, que, nessas passagens temos material posterior que veio a ser combinado com o material mais antigo, mediante o trabalho de um editor ou editores. Damos informações sobre a questão no artigo sobre *Jeová*, além de mais detalhes no artigo intitulado *Jeovista* (*Eloísta*). Ver também o artigo sobre J. E. D. P.(S), acerca da teoria de muitos documentos complicados, que teriam servido de fontes do Pentateuco ou Hexateuco. Uma coisa que parece indiscutível, entretanto, é que Yahweh não era um nome de Deus exclusivamente usado pelos hebreus (e talvez nem mesmo originalmente). Antes, era um nome de Deus bem conhecido entre as tribos do Oriente Médio e Próximo. Sabemos que os midianitas descendiam de Abraão por meio de Quetura (Gên. 25:2,4; I Crô. 1:32,33), sendo possível que Yahweh fosse um dos nomes do Ser divino entre eles. Em português, usamos a palavra latina para Deus, isto é, *Deus*; mas isso não significa que adoramos a alguma divindade pagã romana. Há evidências arqueológicas, entretanto, em favor de amálgamas e empréstimos, nas religiões antigas; e a fé de Israel exibe evidências desse fato. Parece melhor confessarmos que nenhuma fé religiosa, à face da terra, incluindo o cristianismo, é destituída de qualquer mistura, com elementos provenientes do passado. É indubitável que todos erramos em algumas de nossas crenças e práticas, por mais sinceros que possamos ser, e por mais que gostemos de afirmar que a nossa fé é pura.

Uma ilustração de mistura com a religião dos queneus (midianitas).

No vale de Tinra, não muito longe do extremo norte do mar Vermelho, vários objetos de interesse têm sido achados pelos arqueólogos. Um desses objetos é uma serpente de cobre dourado. Os estudiosos bíblicos lembram-se de que enquanto os israelitas vagueavam pelo deserto, Moisés fez uma serpente de metal (Núm. 21:9). Mui provavelmente, a serpente de cobre era um item religioso vinculado à adoração à serpente dos midianitas. Moisés, como é sabido, casou-se com Zípora, filha de um sacerdote midianita, tendo passado nada menos de quarenta anos convivendo com aquele povo. Embora, como é provável, ele não desse à serpente o mesmo valor que eles davam, é

JETUR — JEÚ

facilmente possível que seu uso, naquele incidente da serpente de metal, tenha sido inspirado por experiências que ele tivera entre os midianitas e com a religião deles.

JETUR

No hebraico, «cercado». Jetur foi um dos doze filhos de Ismael (Gên. 25:15; I Crô. 1:31). Uma tribo descendia dele, retendo o seu nome. Esse povo vivia a leste da área norte do rio Jordão. Alguns estudiosos têm identificado Jetur com os itureanos do Novo Testamento. Ver sobre a *Ituréia*. O lugar é mencionado somente por uma vez na Bíblia, em Luc. 3:1.

JEÚ (COMPANHEIRO DE DAVI)

Esse Jeú foi um guerreiro benjamita que se aliou a Davi, em Ziclague, quando Davi fugia de Saul. Ver I Crô. 12:3. Viveu em cerca de 1055 A.C.

JEÚ (FILHO DE HANANI)

Quanto ao sentido do nome Jeú, ver o artigo sobre **Jeú (o Rei)**, acima. Esse Jeú, filho de Hanani, foi um profeta que foi enviado por Deus para proferir juízo contra Baasa, rei de Israel. A condenação assemelhar-se-ia ao que sobreviera à casa de Jeroboão (I Reis 16:1-7). Anos mais tarde, Jeú recebeu a tarefa de reprovar a Josafá, por causa de sua tola aliança com Acabe, de Israel (II Crô. 19:2). Parece que Jeú trabalhara como cronista durante o reinado de Josafá (II Crô. 20:34). Ele viveu em cerca de 928—886 A.C. Foi um autor que deixou para a posteridade um comentário sobre o reinado de Josafá, que foi incluído no livro de Reis (que nossa Bíblia moderna desdobra em I e II Reis, livros canônicos), conforme somos informados em II Crô. 20:34.

JEÚ (FILHO DE JOSIBIAS)

Ele foi um simeonita que migrou para o vale de Gedor. Foi um dos chefes da tribo de Simeão (I Crô. 4:35). Viveu por volta de 711 A.C.

JEÚ (FILHO DE OBEDE)

Esse Jeú era da tribo de Judá, filho de Obede e pai de Azarias, I Crô. 2:38. Viveu por volta de 1612 A.C.

JEÚ (O REI)

1. Nome e Família. O sentido desse nome é incerto, embora uma boa suposição pareça ser que se trata de uma abreviação de *Yehohu*, «Yahweh é Ele». Porém, outros estudiosos ligam esse nome ao assírio *Jaua*, «é Já», onde *Já* aparece como um nome divino. Gesênio opinava que esse nome significa *Yahweh é Ele*, o que poderia ser uma afirmação da singularidade de Yahweh, ou seja, do monoteísmo. Seu avô foi Ninsi, e seu pai, Josafá. Em sua juventude, cavalgava atrás de Acabe, como elemento de sua guarda pessoal, como quando o maligno rei desceu a Jezreel, a fim de tomar posse da vinha obtida mediante falsa acusação e homicídio.

2. A Figura Predita. O ato de Acabe teve por base a profecia condenatória, por parte de Elias, dirigida contra esse monarca. E Jeú, desde o começo, foi apontado como o instrumento pelo qual o rei seria destruído. Ver I Reis 19:15-17. Temos aí um dos muitos exemplos bíblicos da operação da lei da colheita segundo a semeadura (ver Gál. 6:7,8). Eliseu,

que também foi impulsionado para fazer a mesma predição, viu-a cumprida durante os dias do filho de Acabe, Jeorão. Jeú era o comandante do exército de Jeorão. Na época, estavam ocorrendo choques com os sírios. Jeorão foi forçado a fugir para Jezreel, a fim de recuperar-se dos ferimentos recebidos. Jeú foi deixado no controle das tropas. Então, Eliseu enviou um dos filhos dos profetas para que ungisse a Jeú rei de Israel. E a primeira tarefa do novo rei foi a de exterminar a casa de Acabe. Outros oficiais do exército imediatamente puseram-se ao lado de Jeú, consolidando assim a sua autoridade. Ver II Reis 9:1-16.

3. A Matança de Acabe e sua Casa. Jeú foi a Jezreel, a fim de matar. Ele e os seus partidários foram vistos a aproximarem-se; Jeú foi reconhecido por causa da maneira furiosa como guiava seu carro de combate. Isso posto, ele veio a tornar-se símbolo dos cocheiros ligeiros e temerários. O rei Jeorão foi, pessoalmente, ao encontro do grupo (depois que os dois mensageiros antes enviados não lhe foram mandados de volta). O rei Acazias, de Judá, também estava de visita, com um grupo, e também saiu para encontrar-se com Jeú. Jorão saudou a Jeú e indagou se ele vinha em paz. Jeú respondeu, atrevidamente, embora com toda a razão, que enquanto a mãe de Acabe estivesse promovendo a imoralidade e a idolatria em Israel, juntamente com outros atos de traição, não poderia haver paz. E imediatamente tornou-se claro, para Jorão, que havia planos de violência, e ele gritou para Acazias: «Há traição, Acazias». Jorão tentou fugir, mas Jeú era excelente arqueiro e com uma flecha, atravessou o coração do monarca. O rei Acazias, de Judá, também foi morto. E o cadáver de Jorão foi lançado no campo de Nabote, por onde acabara de passar, em sua tentativa de escapar. Ver II Reis 8:16-25. A morte de Acazias não se deu no local. Ferido, ele fugiu para Megido, mas ali morreu.

4. A Morte de Jezabel. Jeú avançou na direção da cidade de Jezreel. Jezabel, a rainha, apareceu em uma janela do palácio, a fim de saudá-lo. Provavelmente, ela tentou intimidá-lo, pois estava em casa, protegida por seus guardas e soldados. Mas Jeú não temeu, e entrou em um jogo de autoridade, exigindo que os guardas dela se bandeassem para ele. Vários eunucos apareceram na janela com Jezabel, e prontamente puseram-se ao lado de Jeú. E os eunucos lançaram Jezabel janela abaixo. No instante seguinte, a orgulhosa e má mulher era apenas um cadáver sangrento, no pátio do palácio. Foi pisada por cavalos, e seu sangue espalhou-se em derredor. Quando vieram recolhê-la, para sepultá-la, não restava muita coisa de seu cadáver. Encontraram seu crânio, seus pés e as palmas de suas mãos. Os cães haviam devorado o que os cavalos pisoteadores tinham deixado. E assim, de forma tão literal e excitante, a profecia de Elias e de Eliseu teve cumprimento. Ver a narrativa toda em II Reis 9:30-37. A lei da colheita segundo a semeadura tinha operado novamente.

5. A Casa de Acabe é Julgada. Jeú desafiou os príncipes da casa de Acabe a estabelecerem um governante e lutarem contra ele, Jeú. Porém, já tinham visto o bastante, e submeteram-se a ele. No dia seguinte haveria um encontro, quando os príncipes e oficiais teriam de defrontar-se com Jeú. Jeú proclamou que era o instrumento de Deus para purificar a sujeira que Acabe e Jezabel haviam feito. E então determinou a imediata execução de todos os membros da família de Acabe, e de todos os ex-oficiais do governo anterior. Ver II Reis 10:1-11. Todavia, a matança ainda não havia terminado. Jeú

504

JEÚ — JEUEL

foi até Samaria, capital do reino do norte, Israel. A caminho, ele encontrou quarenta e dois parentes de Acazias, rei de Judá, e matou a eles todos (ver II Reis 10:12-14; II Crô. 22:8). Eles tiveram a infelicidade de estar em visita àquele lugar, e foram envolvidos na violência.

6. *A Adoração a Baal Termina*. Jeú era uma máquina de extermínio. Declarou que iria a um sacrifício em honra a Baal, e assim reuniu todos os profetas falsos de Baal, para a ocasião. Profetas e sacerdotes reuniram-se, vindos de toda a nação de Israel, e todos quantos não quisessem comparecer foram ameaçados de morte. Foram feitas ofertas em uma festividade, embora tudo não passasse de mero espetáculo. No momento certo, Jeú ordenou que todos os seguidores de Baal fossem mortos, e que todos os ídolos fossem destruídos. Isso foi feito com precisão absoluta, de tal modo que a adoração a Baal foi extinta em Israel. Ver II Reis 10:15-28.

7. *Pecados e Limitações de Jeú*. Jeú não conseguiu eliminar a adoração ao bezerro de ouro, em Betel e em Dã, e isso continuou o pecado de Jeroboão, que havia promovido essa forma de idolatria. Em recompensa pelo que fez, foi prometido a Jeú que a sua dinastia prolongar-se-ia por quatro gerações. Mas, em castigo pelo que fizera de errado, sua dinastia não passaria de quatro gerações. Ademais, muitas dificuldades ocorreram, sob a forma de guerras com Hazael, o rei da Síria. Israel não prosperou durante o reinado de Jeú.

8. *Informações Extrabíblicas*. Hazael assolou todo o território da nação do norte, Israel, a leste do rio Jordão (II Reis 10:32,33). Informações dadas no chamado Obelisco Negro informam-nos de que Jeú acabou por submeter-se ao poder de Salmaneser III da Assíria. Talvez Jeú se tenha sujeitado a isso para escapar dos ataques de Hazael, da Síria.

9. *A Morte de Jeú*. O homem violento acabou tendo uma morte violenta. Jeú dormiu com seus pais, e foi sepultado em Samaria. Jeoacaz, seu filho, passou a reinar em seu lugar. Jeú governara sobre Israel, em Samaria, pelo espaço de vinte e oito anos.

10. *Caráter e Avaliação de Jeú*. Jeú realizou o plano de livrar a nação de Israel da família de Acabe e da influência religiosa de Baal. As Escrituras elogiam-no por causa disso, apesar da extrema violência com que ele agia. Quanto dessa violência partia dele mesmo, no esforço de consolidar a sua autoridade—uma atitude tão comum para os governantes—ninguém sabe dizê-lo. Ficamos consternados diante das lutas e matanças, tão comuns às sociedades primitivas. Contudo, a chamada civilização moderna não é menos violenta que a antiga. Se há alguma diferença, é que as armas modernas ainda são mais letais.

É **difícil determinar** a razão da incoerência de Jeú, quando ele deixou intacta a **adoração ao bezerro** de ouro. Qual falha, no zelo, produziu isso? Porventura, ele não precisou eliminar essa adoração, a fim de consolidar seu poder? E o seu zelo religioso pôde ser assim tão facilmente limitado? Alguns estudiosos têm sugerido que Jeú apenas serviu de instrumento em favor de uma causa, mas que ele mesmo não foi um homem reto e justo. Naturalmente, isso sucede; pois o próprio anticristo (vide) será um instrumento que produzirá o governo do Messias, como uma de suas conseqüências. Só Deus pode julgar retamente o caráter de uma pessoa. E, em todos os casos, ele precisa balancear entre o bem e o mal, porquanto ninguém é totalmente bom e totalmente mau.

Jeú não tinha a piedade de seu pai; mas não lhe faltavam determinação, coragem e audácia. Sendo um instrumento da providência divina, apesar de seus

defeitos de caráter, ele salvou Israel de um declínio quase fatal, que teria levado a nação do norte ao paganismo. Ver o artigo abaixo, *Jeú (Simbólico)*.

JEÚ (SIMBÓLICO)

O trecho de II Reis 9:20 diz-nos que Jeú, o décimo monarca do reino do norte, Israel (governou de 843 a 816 A.C.), costumava dirigir *furiosamente* o seu carro, dando a entender que ele pudera ser identificado, à distância, por meio de sua maneira radical de dirigir. Jeú, pois, tornou-se símbolo dos motoristas velozes e temerários. Um tanto mais seriamente, Jeú também é símbolo das pessoas que têm muitos defeitos pessoais e cometem muitos erros, mas, que, apesar disso, são usadas por Deus como *instrumentos*, visando a alguma boa causa.

JEUBÁ

No hebraico, «Ele ocultará» ou «Yahweh ocultará». Ele era filho de Semer, da tribo de Aser, e viveu no tempo de Berias (I Crô. 7:34), ou seja, em cerca de 1618 A.C.

JEÚDE

No hebraico, «Judá», ou «louvor». Esse era o nome de uma cidade localizada no território de Dã, entre Baalate e Bene-Beraque (Jos. 19:45). Tem sido identificada com a moderna el-Yadudiyeh, cerca de treze quilômetros a suleste de Jafa. A Septuaginta, naquele texto de Josué, diz *Azor*. Provavelmente, isso originou-se de uma forma variante do texto hebraico, ou de uma interpretação quanto à sua identificação.

JEUDI

No hebraico, «judeu» ou «homem de Judá». Ele era filho de Netanias. Foi enviado para convidar Jeremias a trazer o rolo de suas predições e lê-lo diante dos príncipes reunidos de Judá. Posteriormente, Jeudi leu pessoalmente esse rolo diante do rei, Jeoaquim. Ver Jer. 36:14,21,23. Isso ocorreu em cerca de 605 A.C. O nome de seu avô era Cusi. Isso dá a entender que Jeudi não era um judeu nativo e, sim, estrangeiro naturalizado.

JEUDIA, MULHER JUDIA

No hebraico, «judia» ou «mulher de Judá». Em algumas traduções (como a nossa versão portuguesa) lemos que as palavras hebraicas correspondentes são interpretadas como um adjetivo pátrio, «mulher judia», e não como um nome próprio, «Jeudia». É provável que essa palavra *judia*, tenha sido usada para distinguir essa mulher de uma outra mulher, egípcia, mencionada no mesmo versículo (I Crô. 4:18), embora nossa versão portuguesa nem mencione nesse texto a tal mulher egípcia. Seja como for, está em pauta a segunda esposa de Merede (vide). Isso ocorreu em cerca de 1612 A.C.

JEUEL

No hebraico, «protegido por Deus». Há três personagens na Bíblia com esse nome, a saber:

1. Um homem da tribo de Judá, cuja família estabeleceu-se entre os exilados que voltaram do cativeiro babilônico (I Crô. 9:6). Seiscentos e noventa dos seus descendentes retornaram, em cerca de 536 A.C.

JEÚS — JEZABEL

2. Um levita que ajudou o rei Ezequias em suas reformas religiosas (II Crô. 29:13), em cerca de 700 A.C.

3. Assim chamava-se um israelita que voltou, juntamente com Esdras, do cativeiro babilônico (Esd. 8:13; I Esdras 8:39). Isso ocorreu por volta de 445 A.C.

JEÚS

No hebraico, «forte», «apressado», ou mesmo «coletor». Esse foi o nome de quatro personagens que aparecem nas páginas do Antigo Testamento:

1. O filho mais velho de Esaú e sua esposa, Aolibama (Gên. 36:5,14,18; I Crô. 1:35). Ele nasceu em Canaã; mas, posteriormente, tornou-se um dos chefes dos idumeus. Viveu em torno de 1960 A.C.

2. O primeiro filho de Bilã, chefe de um clã benjamita. Ele viveu na época de Davi, por volta de 1000 A.C. (I Crô. 7:10,11).

3. Um levita, um dos quatro filhos de Simei, dentre os gersonitas. Era irmão de Bérias. Visto que eles tiveram muitos filhos, foram considerados um terceiro ramo da família (I Crô. 23:10,11). Jeuel viveu em cerca de 1014 A.C.

4. O primeiro dos três filhos de Reoboão, cuja mãe, ao que tudo indica, era Abiail, a sua segunda esposa (II Crô. 11:19). Ele viveu em cerca de 973 A.C.

5. No hebraico, «coleta», ou «reunir». Esse era o nome de um filho de Eseque, um descendente de Saul (I Crô. 8:39). Jeús viveu em cerca de 588 A.C.

JEUZ

No hebraico, «conselheiro». Ele era o chefe de uma casa benjamita, aparentemente um filho de Saaraim e de Hodes, sua segunda esposa (I Crô. 8:10). Ele viveu por volta de 1618 A.C.

JEWELL, JOHN

Suas datas foram 1522-1571. Sua carreira, na Universidade de Oxford, foi brilhante. Sofreu a influência de Peter Marty Vermigli, que se tornou seu bom amigo. Quando a rainha Maria, da Inglaterra, subiu ao trono, Jewel foi expulso e só conseguiu escapar à morte ao subscrever às doutrinas da Sé de Roma. Então ele fugiu para Frankfurt, na Alemanha, onde se refez publicamente de seu lapso. Peter Vermigli veio ao seu encontro, em Estrasburgo e, posteriormente, os dois residiram juntos, em Zurique. Em 1559, Jewel retornou à Inglaterra; e foi consagrado bispo no ano seguinte. Em um famoso sermão, entregue no domingo de Ramos, na capela da Cruz de Paulo, ele acusou a Igreja Católica Romana de vinte e sete erros doutrinários. Também escreveu a obra *Apologia Ecclesiae Anglicanae* (que foi traduzida para o inglês por Lady Bacon). Essa obra defendia o anglicanismo contra as idéias de Roma. Uma saúde periclitante não impediu Jewel de continuar em seus labores, como também não o conseguiram as controvérsias que sacudiram a sua carreira. Seu escrito, *Defesa da Apologia*, apelou para citações patrísticas, com o propósito de defender as doutrinas da Reforma protestante. Ele também escreveu certo número de outras obras, quase todas de natureza polêmica. Richard Hooker, o maior teólogo inglês da Igreja Anglicana, no período elizabetano, que contribuiu para o estabelecimento de uma distintiva posição anglicana, chamava Jewel de «o mais digno teólogo que a cristandade tem produzido nos últimos cem anos». Apesar disso representar um certo exagero, pelo menos serve de tributo a um homem bom que lutava pelos princípios espirituais nos quais acreditava, apesar das ameaças externas e de sua saúde pessoal periclitante.

JEZABEL

Ver também sobre **Jezabel (Novo Testamento)**.

1. *Nome*. No hebraico, «casta», um nome totalmente inapropriado para ela e para sua homônima do Novo Testamento. Quanto à Jezabel do Antigo Testamento, ver I Reis 16 e II Reis 11.

2. *Família*. Jezabel era filha de Etbaal, rei de Tiro. Tornou-se a esposa de Acabe, rei de Israel, a nação do norte, em cerca de 918 A.C. Ela pertencia a um clã fenício, tendo sido apenas natural que ela tivesse trazido consigo as idéias e as práticas de seu povo. Ela foi uma tremenda força corruptora em Israel, além do fato de que Acabe já tinha sua própria pesada dose de problemas. Embora chamado de «rei dos sidônios» (I Reis 16:31), Etbaal, o pai de Jezabel, na verdade era o monarca da Fenícia inteira. Etbaal consolidou a sua autoridade através de vários homicídios. Começou a reinar com trinta e seis anos e manteve-se no trono por trinta e dois anos, e então, morreu. Desse modo, o começo de sua dinastia, embora banhada no sangue, conseguiu firmar-se no poder. Seu bisneto foi o último membro dessa dinastia. Ele morreu noventa e quatro anos após Etbaal ter subido ao trono, o que significa que essa dinastia de quatro gerações durou por quase um século.

3. *Casamento com Acabe*. A lei mosaica havia proibido o casamento entre israelitas e pagãos; mas essa regra foi freqüentemente ignorada, mormente quando havia interesses políticos envolvidos. O casamento de Jezabel com Acabe a imortalizou de modo negativo, dentro do registro bíblico, fazendo dela um permanente exemplo que deve ser evitado. A união de Acabe e Jezabel tinha por finalidade ratificar uma aliança feita entre Israel e Tiro, pelo que Onri, pai de Acabe, procurou eliminar a hostilidade de Damasco contra Israel (cerca de 880 A.C.). O que é incrível, nessa aliança, foi a licença dada a Jezabel para dar prosseguimento ao culto ao seu deus nativo, Baal, em Samaria, cidade que veio a tornar-se a sua nova residência. Esse compromisso não pôs fim, de modo algum, às lutas entre Damasco e Samaria. Ver I Reis 16:31-33.

4. *A Introdução da Idolatria em Israel*. Conforme já vimos, Jezabel não foi tolhida, mas antes, foi encorajada a continuar em seu culto idólatra. Ela não estava disposta a fazer disso uma questão pessoal. Com fervor fanático, ela estabeleceu o culto a Baal por toda a nação de Israel, além de tentar ab-rogar a adoração a Yahweh. O trecho de I Reis 6:30-34 conta-nos sobre a apostasia de Acabe, atribuindo-a diretamente a Jezabel. Talvez Acabe nem precisasse de ajuda para desviar-se, mas Jezabel apressou o naufrágio espiritual dele. Destarte, Acabe tornou-se o mais iníquo de todos os monarcas de Israel que possam ser mencionados, embora seja duvidoso que a mera influência de uma mulher tivesse conseguido isso. Seja como for, a maçã já estava apodrecida. Samaria, a capital da nação do norte, Israel, foi envolvida nessa apostasia, inicialmente; e então, a podridão espalhou-se por toda a nação. Foi instituído um programa sistemático para fazer desaparecer, em Israel, qualquer oposição à adoração a Baal. Os profetas do Senhor foram assassinados; e aqueles que escaparam tiveram de refugiar-se. Centenas de fiéis israelitas foram mortos. Entrementes, Baal ia ganhando todas as batalhas. Muitos dos profetas de Baal foram abrigados e sustentados pela rainha

JEZEBEL

Jezabel, até mesmo no recinto do palácio real. Ver I Reis 18:17-19.

5. *Choque com Elias*. Uma das mais famosas histórias relatadas na Escola Dominical e em inúmeros sermões, é a do confronto entre Jezabel e o profeta Elias. Ver I Reis 18 e 19. Os profetas do Senhor tinham-se escondido, ou seja, aqueles dentre eles que haviam conseguido sobreviver. Elias teve a coragem de vir a público sozinho, lançar o seu protesto. Assim, ele se tornou o único defensor *público* da fé ancestral de Israel. E Elias terminou tendo de defrontar-se, sozinho, com oitocentos e cinqüenta profetas de Baal (I Reis 18:1-40). Nisso, Elias triunfou espetacularmente, resultando no massacre dos profetas de Baal. Todavia, isso em nada diminuiu a determinação e a arrogância de Jezabel. E Elias sentiu-se ameaçado e refugiou-se na região do Sinai, visto que Jezabel jurara vingança; e, por ser rainha, tinha a autoridade para tanto. Muitas piadas sem graça têm sido inventadas sobre como Elias foi capaz de enfrentar mais de oitocentos profetas de Baal, e sair-se vencedor, mas teve de fugir de uma *mulher*, Jezabel. Esquecem-se que ela era a rainha. Quem não teria fugido diante de tal mulher? Elias derrotara os profetas de Baal de um golpe; mas o problema constituído por Jezabel precisava de tempo para ser resolvido.

6. *O Assassinato de Nabote*. Acabe mostrou a sua debilidade quando cedeu diante dos planos traiçoeiros, enganadores e violentos de sua mulher, Jezabel. Acabe cobiçava a vinha de Nabote, e queria apossar-se dela. Mas Nabote recusava-se a desfazer-se de sua herança paterna (o que era muito importante para todos os israelitas em Israel e em Judá); e Acabe hesitava em lançar mão da violência para conseguir o seu intento. No entanto, Jezabel não via qualquer problema no impasse. E conseguiu subornar falsas testemunhas, que acusaram Nabote de blasfêmia, e este acabou sendo morto apedrejado. Acabe tomou posse da vinha de Nabote. Mas isso assinalou o começo do fim, para Acabe e Jezabel. O profeta Elias proferiu a condenação do casal real. Predisse que os cães lamberiam o sangue de Acabe, no mesmo local onde o sangue de Nabote fora derramado; e que os cães comeriam as carnes de Jezabel, perto das muralhas de Jezreel (I Reis 21:19,23).

7. *Cumprimento das Predições Condenatórias*. A passagem de I Reis 22:29-40 conta o fim de Acabe, em harmonia com a profecia de Elias. E o trecho de II Reis 9:1-37 narra o fim de Jezabel. Jezabel continuou reinando por dez anos após a morte de Acabe. A morte de seu marido não ensinou qualquer lição a Jezabel. Ela foi a rainha-mãe durante todo o reinado de Acazias, e então durante a vida de Jeorão. Quando Jeorão foi morto por Jeú, Jezabel vestiu-se esplendidamente (II Reis 9:30) e ficou esperando por Jeú, sem saber que ele estava prestes a cumprir a predição feita por Elias. Ela zombou de Jeú, mas não conseguiu fazer estacar aquele homem terrível, poderoso e sem misericórdia. Ela havia encontrado um adversário à altura. De fato, posteriormente, Jeú mostrou ser um homem corrupto e violento. Mas, devemos admitir que ela enfrentou a morte com determinação e coragem! Jezabel nunca foi capaz de exibir qualquer sabedoria, no tocante às escolhas que fazia. Ela faleceu em cerca de 842 A.C. É curioso observar que os três filhos dela, Acazias, Jeorão e Atalias (se é que Jezabel era mesma a mãe desta última), em seus nomes, continham referências ao nome de Yahweh, e não de Baal, embora, sem dúvida, isso pouco significasse para Jezabel.

8. *A Má Influência de Jezabel Perdurou*. A nação do norte, Israel, não entrou em reforma moral e religiosa somente em face da morte de Jezabel. A queda de Israel no pecado deveu-se, pelo menos em parte, à culpa dela. Ela quase pôs fim à casa de Davi. Jeú exterminou a casa de Onri (841 A.C.), e a adoração a Baal foi suprimida. Não obstante, muitos males continuaram, conforme se vê no artigo acerca de *Jeú* (vide). Os quarenta anos da dinastia de Jeú foram tempos continuamente perturbados, tanto com inimigos externos quanto com conflitos internos. O cativeiro assírio não estava muito distante.

9. *O Caráter de Jezabel*. Essa rainha sidônia de Israel combinava os piores elementos da prepotência, da violência e da licenciosidade das rainhas orientais da antiguidade. A iniqüidade dela era tão grande que se tornou proverbial, conforme vemos em II Reis 9:22. De fato, ela obteve um lugar permanente, nas Escrituras Sagradas, como símbolo de iniqüidade e barbaridade femininas. Em Apo. 2:20, seu nome é usado simbolicamente como tipo de líder feminino que corrompeu a Igreja cristã primitiva, provavelmente algum tipo de profetisa gnóstica. Ver o artigo intitulado *Jezabel (Novo Testamento)*.

JEZABEL

No Novo Testamento: Apo. 2:26

Tolerares que essa mulher, Jezabel. (Quanto à história de Jezabel, esposa do rei Acabe, de Israel, ver I Reis 16 e *ss*). Ela foi uma rainha idólatra e imoral, que lutou contra o profeta escolhido por Deus, assim desafiando e negando à autoridade espiritual legítima, na comunidade religiosa. Jezabel era filha de Etbaal, rei de Sidom (ver I Reis 16:31), que fora sacerdote de Astarte, tendo obtido o trono ao assassinar seu antecessor, Feles. Acabe não hesitou em casar-se com aquela princesa pagã, tendo sido aquela a primeira vez em que um rei da porção norte de Israel entrou em tal aliança. Esse matrimônio assinalou o começo do declínio moral da nação nortista de Israel. O certo é que Jezabel nunca entendeu e nem respeitou a «religião» do povo sobre o qual obteve ascendência, mediante esse trágico casamento. Uma apostasia mortal e completa teve início em seu reinado, e ela se fez a força principal por detrás da mesma.

«Ela foi mulher em quem, junto com os hábitos licenciosos e desabridos de uma rainha oriental, uniam-se as mais ferozes e duras qualidades, inerentes à antiga raça semita. Seu marido, a quem não faltavam sentimentos generosos e gentis, era um caráter fraco e maleável, que logo se transformou em instrumento nas mãos dela... A louca licenciosidade da vida dela e o fascínio mágico de suas artes e do seu caráter, tornaram-se proverbiais na nação. Ao redor dela e da parte dela, em diferentes graus de proximidade, evoluiu o tremendo drama da pior crise daquela porção da história israelita». (Stanley, *Jewish Church*).

Jezabel chegou ao extremo de procurar eliminar completamente os profetas de Yahweh, e teria obtido sucesso, se muitos deles não se tivessem ocultado (ver I Reis 18:13). Estabeleceu a adoração a Baal, o deus-sol. Além de Baal, as divindades fenícias também receberam seus altares. Astarte (Astarote), equivalente a Vênus, na Fenícia, tornou-se divindade proeminente, sendo provável que a própria Jezabel fosse sacerdotisa desse culto imoral. Quatrocentos sacerdotes ou profetas se vincularam a essa seita, recebendo apoio da parte da rainha. Um gigantesco santuário foi edificado em Samaria, para adoração a Baal, suficientemente amplo para conter todos os adoradores desse culto, no reino do norte. Contava

JEZEBEL

com quatrocentos e cinqüenta sacerdotes. Acabe rebaixou-se ao ponto de oferecer sacrifícios a uma divindade falsa, nos santuários que assim foram erigidos.

Jezabel, a prostituta religiosa e ardorosa promotora da idolatria, tornou-se um símbolo apto para o surgimento do gnosticismo na igreja cristã, porque era um culto estrangeiro, essencialmente uma religião misteriosa oriental, mas que procurava apresentar-se como se fora a verdadeira fé cristã, mediante a mistura com o cristianismo, o que sucedeu em diversas localidades. Normalmente, o gnosticismo promovia a imoralidade, supondo que assim ajudava na final destruição da matéria, através do abuso contra o corpo. Para os mestres *gnósticos*, o corpo não era algo «indiferente» apenas, para ser usado como o indivíduo bem entendesse, mas também era algo que tinha de ser ativamente corrompido, especialmente mediante vícios sexuais. (Ver o artigo sobre *Gnosticismo*). Supõe-se que os nicolaítas e os seguidores de Balaão eram grupos que faziam parte do movimento gnóstico geral. Essa heresia, corrupta em suas crenças e em suas práticas, assediou a igreja cristã por nada menos de cento e cinqüenta anos.

Sentidos simbólicos de «Jezabel».

1. Não há que duvidar que alguma seita gnóstica e licenciosa é representada por esse título.

2. É possível que «Jezabel» tenha sido uma mulher real, líder de um partido amoral, dentro da igreja de Tiatira, e líder da própria igreja. Não é provável que esse tenha sido o seu nome real. Não obstante, ela era uma «Jezabel».

3. Também é provável que o «culto ao imperador» seja visto aqui como algo que desempenhava papel em tudo isso. É razoável a suposição de que a Jezabel de Tiatira não hesitava em opinar favoravelmente acerca da adoração ao imperador, chegando mesmo a encorajar os crentes a participarem desse tipo especial de idolatria, juntamente com outras formas que eram uma praga no mundo antigo.

4. Notemos que Jezabel era uma *profetisa*. Ela *imitava* os dons espirituais, provavelmente mediante as artes mágicas e o demonismo. Desse modo, ela representa a imitação satânica dos dons espirituais.

5. O nome dela é símbolo da corrupção moral e espiritual da igreja, sobretudo quando o pecado obtém império tal que é «tolerado» ou até é «oficialmente aprovado» pela igreja local.

6. Profeticamente falando, Jezabel simboliza o paganismo radical que invadiu a cristandade da Idade das Trevas, quando (conforme o sabe todo aquele que lê a história do mundo), a igreja foi vencida pelas práticas licenciosas, incorporando muitas formas de paganismo.

7. O nome de Jezabel, pois, representa o adultério físico e espiritual, e um adultério tolerado e até mesmo encorajado nos limites interiores do que se chama de igreja cristã. Os perigos e as corrupções por ela simbolizados são «internos», afetando o coração mesmo da igreja, e não ameaças externas.

8. Na situação local de Tiatira, quando foi escrito o livro de Apocalipse, é provável que as «guildas comerciais», que requeriam a «refeição comum», naturalmente de caráter pagão, estivessem pressionando a igreja a «aceitar» a falsa moralidade pagã. A Jezabel de Tiatira, provavelmente, era a principal figura da igreja que promovia a «transigência mediante o comércio».

9. Várias tentativas têm sido feitas para identificar o caráter histórico real, referido no presente texto. Ela não pode ter sido uma sibila caldaica em Tiatira,

porquanto essa Jezabel se achava no seio da igreja, e não fora dela. Alguns supõem que ela tenha sido a esposa do principal pastor da igreja, ou do bispo daquela região. Nada pode ser dito, com qualquer confiança, a respeito disso.

10. Alguns intérpretes pensam que ela simboliza a «Roma apóstata», a igreja de Roma. Mas, na verdade, ela era um elemento corruptor que operava dentro da igreja, mas não era a própria igreja. Lembremo-nos que a igreja de Tiatira foi elogiada quanto a certos particulares; não era totalmente má e nem totalmente apóstata.

Pode-se observar que o culto imoral representado por Jezabel (o gnosticismo religioso) era «odiado» em Éfeso (ver Apo. 2:6); *tolerado* em Pérgamo (ver Apo. 2:15,16); mas era ativamente promovido como posição *oficial*, em Tiatira (ver Apo. 2:20-24). A lição espiritual que há nisso é óbvia. Todo o mal que não nos aborrece, a princípio pode ser «tolerado», depois, «aceito» e, finalmente, «promovido oficialmente».

Profetisa, Apo. 2:20. Os dons espirituais não se limitavam a homens, na igreja primitiva. Jezabel representava a imitação satânica dos dons proféticos. Provavelmente ela era psiquicamente dotada, e talvez fosse inspirada pelos demônios. Isso ter-lhe-ia dado a autoridade de que ela precisava para promover o seu culto licencioso.

A si mesma. Ela era profetisa «autonomeada», mas as forças malignas que a usavam lhe davam uma aparência de autoridade. As suas «credenciais», seja como for, eram estranhas à igreja. Era usurpadora que usava o seu poder para destruir à igreja.

Ensine, mas ainda, seduza os meus servos a praticarem a prostituição. A doutrina de Jezabel era extremamente liberal. Particularmente, ela não via defeito no adultério. Seduziu a vários homens da igreja e, com mão de ferro, prendia a homens com a sua imoralidade. Mas o versículo também indica que essa «fornicação» (palavra que indica a prática de todas as formas de perversão e excessos sexuais) também fazia parte da adoração pagã das divindades que ela promovia, tal como no caso da Jezabel original. Na qualidade de representante do gnosticismo, ela ensinava que é bom que um homem abuse de seu corpo mediante os excessos físicos, já que isso ajuda no sistema do mundo, em sua tentativa de destruir a matéria. Os gnósticos chegavam ao extremo de dizer que os anjos se punham perto deles (embora em forma invisível), encorajando-os a participar de todas as formas de imoralidade, a fim de que obtivessem *experiência*. Era mediante tal *experiência* que obtinham o «conhecimento», o qual, para eles, era o meio mesmo da salvação. Tolamente imaginavam que pode-se abusar do corpo, sem prejudicar ao espírito. Não consideravam a verdade que um homem é corrupto tanto no corpo como no espírito. O pecado é algo que cativa e corrompe a personalidade inteira, e não meramente a porção física do ser.

Jezabel se Assemelhava ao «Bode Judas»

Na Butchers' Dressed Meat Company, de Nova Iorque, durante muitos anos, houve um bode que adquiriu o nome de Judas, por causa de suas ações. Esse bode costumava servir de «guia» das ovelhas que eram desembarcadas na beira do rio, levando-as ao matadouro. Fazia de oito a dez viagens por dia. Calcula-se que durante a sua carreira, conduziu à morte cerca de quatro e meio milhões de ovelhas. Sabe-se que as ovelhas, em contraste com os porcos ou com o gado vacum, não precisam ser tangidas. Portanto, não era problema para aquele bode de cor

Vale de Jezreel
Foto por Alistair Duncan

ΠΕΡΙΤΩΝΜΑΓΩΝ

Codex Pi, 9° séc., Mat. 1:21 ss
Cortesia, Public Library, Leningrad

JEZEBEL — JEZREEL

«branca» (o que lhe dava o aspecto de um carneiro) enganar às ovelhas, podendo assim cumprir seus propósitos de destruição.

Os profetas falsos não são apenas aqueles que sustentam doutrinas falsas. Podem ser pregadores do evangelho, cujas próprias vidas pessoais, devido à sua imoralidade, desviam às pessoas. Existem «ateus práticos», que são totalmente ortodoxos em sua doutrina e em sua pregação.

O evangelho destituído de imperativo moral. Oito livros do N.T. foram escritos para combater ao gnosticismo, o qual anunciava uma mensagem destituída de requisitos morais. Esses livros são Colossenses, as três epístolas pastorais, as três epístolas joaninas e Judas. A epístola aos Efésios, o evangelho de João e o livro de Apocalipse também fazem oposição a essa heresia, embora não tenham sido escritos primariamente para combater tal heresia. A santificação é o meio mesmo da salvação. (Ver os artigos sobre *Salvação* e *Santificação*).

JEZANIAS Ver **Jazanias**.

JEZER

No hebraico, «formação». Ele foi o terceiro filho de Naftali (Gên. 46:24; Núm. 26:49; I Crô. 7:13). Ele viveu em cerca de 1656 A.C. Foi o fundador da casa dos *jezeritas* (vide).

JEZERITAS

Esse é o nome dos descendentes de Jezer (vide). Eles são mencionados somente em Núm. 26:49.

JEZIEL

No hebraico, «assembléia de Deus». Ele era um dos filhos de Azmavete. Foi um guerreiro benjamita que se uniu a Davi, em Ziclague, quando Davi fugia de Saul (I Crô. 12:3). Jeziel viveu em cerca de 1000 A.C.

JEZRAÍAS

No hebraico, «Yah brilhará». Ele era levita, superintendente dos cantores que atuaram por ocasião da dedicação das muralhas reconstruídas de Jerusalém, depois que os judeus retornaram do cativeiro babilônico. Ver Nee. 12:42. Viveu em torno de 445 A.C.

JEZREEL

No hebraico, «semeado por Deus». Esse é o nome de várias pessoas e lugares, nas páginas do Antigo Testamento, a saber:

Pessoas:

1. Um descendente de Judá, pertencente à família do pai ou fundador de Etã (I Crô. 4:3). Parece que foi ele o fundador da cidade que tinha seu nome, existente no território de Judá (Jos. 15:56), e que viveu em torno de 1612 A.C. O texto massorético diz «pais» de Etã. Nossa versão portuguesa diz «Estes foram os filhos do pai de Etã...»

2. Um nome simbólico de um dos filhos de Oséias (Osé. 1:4). Esse nome anunciava o *sangue de Jezreel* seria vingado. Estava em memória a matança feita por Jeú. Podemos supor que todos os atos violentos do povo de Israel estavam sendo relembrados, simbolizados pelos atos de Jeú. Há um jogo de palavras entre os dois nomes: Israel e Jezreel. Esses

nomes são fundidos, e o castigo que sobreviria a Jezreel, sobreviria, igualmente, a Israel. Assim, o desaparecimento de Israel, como nação, foi profetizado através do nome daquele filho de Oséias. Deus estava resolvido a *semear* o julgamento destrutivo em Israel, conforme o sentido do nome «Jezreel», isto é, «Deus semeia». Estava no horizonte o cativeiro assírio da nação do norte, Israel.

Lugares:

1. Uma cidade nas montanhas de Judá, mencionada em Jos. 15:56. Parece que era natural dali a primeira esposa de Davi, *Ainoã* (ver I Sam. 25:43); 27:3; 30:5; II Sam. 2:2; 3:2; I Crô. 3:1). Essa localidade é alistada juntamente com várias outras, herdadas pela tribo de Judá. Ao que tudo indica, ficava ao sul ou suleste da primeira esposa de Davi, embora sua localização moderna seja desconhecida. Entretanto, alguns estudiosos pensam que a Jezreel associada àquela primeira esposa de Davi era um lugar diferente desse.

2. Uma cidade da tribo de Issacar (Jos. 19:18). Os reis de Israel possuíam ali um palácio e uma corte, embora Samaria fosse a metrópolis do reino do norte. Esse lugar é mencionado por várias vezes no relato sobre Acabe. Foi ali que ocorreu o drama que cercou a vinha de Nabote (I Reis 18:45,46; cap. 21). De acordo com uma predição de Elias, foi também ali que Acabe encontrou a morte, por haver permitido o assassínio de Nabote, e por causa de seus inúmeros outros delitos. A dinastia de Acabe também foi extinta por Jeú. Ver II Reis 9:14-37; 10:1-11. Após esse incidente, não mais ouvimos menção à cidade de Jezreel, senão já em Oséias (1:4 e 2:22). É possível que o local tenha sido virtualmente abandonado. Pelo menos é certo que os monarcas de Israel o fizeram. Os trechos do livro apócrifo de Judite 1:8; 4:3 e 7:3 mencionam essa cidade, mas já com o nome mais recente de Esdrelom (vide). Quanto a detalhes sobre a matança realizada por Jeú, em Jezreel, ver o artigo separado sobre *Jeú*.

Nos dias de Eusébio e Jerônimo, dois dos chamados pais da Igreja antiga, Esdrelom continuava sendo uma populosa aldeia, então chamada Esdraela. Também era conhecida como Stradela (*Itin. Hieros.* par. 586). No tempo das cruzadas, os francos chamaram-na de *Parvum Gerinum*, ao passo que os árabes lhe davam o nome de *Zerin*. Tem sido identificada com a moderna aldeia de *Zerin*, ao pé do monte Gilboa, a meio-caminho entre Megido e Bete-Seã. Situada em um lugar elevado, ela domina o vale que jaz a leste de Bete-Seã.

3. O vale de Jezreel (Jos. 17:16; Juí. 6:33; Osé. 1:5). Esse vale fica situado entre as serras dos montes Gilboa e Moré. Seu extremo leste é limitado pelo rio Jordão. É a porção suleste de um vale mais extenso que divide a Galiléia, ao norte, de Samaria, ao sul. O vale de Megido também é parte do vale de Jezreel. Ao tempo da conquista da Terra Prometida, essa região era ocupada pelos cananeus. Sua principal cidade era Bete-Seã. Os cananeus dispunham de carros de combate de ferro, que lhes permitia manobrarem na planície. Quando Gideão era juiz de Israel, os midianitas, os amalequitas e outros povos habitavam nesse vale. Foi nesse vale que Gideão e seus trezentos homens aterrorizaram o inimigo e obtiveram uma tremenda vitória (ver Juí. 7). Duzentos anos depois de Gideão, Saul foi derrotado ali pelos filisteus (I Sam. 29:1-11; 31:1-6).

4. Torre de Jezreel. Essa era uma fortificação existente na cidade de Jezreel (II Reis 9:17).

5. Campo de Jezreel. Esse era um campo ou terreno contíguo à cidade de Jezreel, onde ocorreu o crime de

JEZREELITA — JÓ

Acabe e Jezabel contra Nabote, e também a morte de Acabe (II Reis 9:10,21,36).

6. Muros de Jezreel. As muralhas da cidade, onde havia uma trincheira que protegia a cidade de ataques inimigos. Foi perto dali que ocorreu o assassínio de Nabote (I Reis 21:23).

7. Fonte próxima de Jezreel. Foi perto dessa fonte que Saul e suas tropas acamparam antes da batalha do monte Gilboa (I Sam. 29:1). Na região continua havendo um abundante suprimento de água, devido a fontes existentes a leste da moderna cidade de *Zerin*, que corresponde a Esdrelom e a Jezreel, em tempos mais antigos. Ver os artigos sobre *Esdrelom* e sobre *Zerin*.

8. Sangue de Jezreel. Isso alude à cidade como o lugar de derramamento de sangue, primeiro aquele provocado por Acabe, no caso do assassinato de Nabote e, em segundo lugar, pela sangrenta eliminação da casa de Acabe, por ato violento de Jeú. Ver Osé. 1:4. Essa referência bíblica mostra que apesar de Jeú ter cumprido uma diretiva divina concernente à dinastia de Acabe, ele também mostrou ser um homem cruel e sangüinário, que servia, em primeiro lugar, aos seus próprios interesses, pelo que precisou ser, ele mesmo, julgado por Deus.

JEZREELITA

Um habitante de Jezreel (vide), no território de Issacar (I Reis 21:1,4,6,7,15,16; II Reis 9:21,25). Ainoã, esposa de Davi, é chamada de «jezreelita», ou seja, natural de Jezreel (I Sam. 27:3; 30:5; II Sam. 2:2; 3:2; I Crô. 3:1).

JIDLAFE

No hebraico, «chorão» ou «lacrimejante». Esse foi o nome do sétimo filho de Naor, irmão de Abraão, e de Milca, sua esposa (Gên. 2:22). Ele viveu em torno de 2300 A.C.

JIHAD (JEHAD)

Essa palavra árabe, que significa «conflito» ou «competição», indica alguma guerra religiosa dos islamitas contra os *incrédulos*, ou seja, os membros de toda e qualquer outra religião. O Alcorão ensina que isso faz parte dos deveres de tódo bom islamita. Esse termo também é usado metaforicamente para indicar uma cruzada contra uma doutrina ou um princípio estranho ao islamismo.

JINN

Palavra árabe que, estando no plural, significa «demônios», «espíritos» ou «anjos». A forma singular, *jinni*, tem ligação com a palavra portuguesa «gênio». De acordo com a demonologia islamita, os *jinn* formariam uma ordem de espíritos inferiores aos anjos, e teriam o poder de aparecer com forma humana ou animal, exercendo poderes sobrenaturais.

JIVA

Ver o artigo sobre o **Jainismo**. Essa religião ensina um atomismo com a distinção entre a alma e o corpo. O universo, bem como tudo quanto nele existe, seria composto de duas categorias em contraste. A *jiva* englobaria aquilo que tem consciência própria; e a *ajiva* compor-se-ia daquilo que é inconsciente, como a matéria bruta, o movimento, o repouso, o espaço e o tempo. A *jiva* participa da porção imaterial da existência, uma porção que não está sujeita à dissolução, porém, seria perene e independente da matéria.

JNANA MARGA

Essas palavras, que significam «caminho do conhecimento», apontam para uma das três ou quatro maneiras dos hindus obterem a salvação. No artigo geral sobre o *hinduísmo* (vide), temos descrito esses caminhos. O tipo de conhecimento aludido pela expressão *Jnana Marga* difere, dentro dos vários ramos do hinduísmo. Ver sobre o *Hinduísmo*, seção IV, *Os Quatro Caminhos da Religião Hindu*, a. *O Caminho do Conhecimento*: *Janana Ioga*.

JÓ

Parece que o sentido desse nome é «retorno». Mas outros estudiosos pensam no sentido «odiado». Há dois homens com esse nome, no Antigo Testamento:

1. O terceiro filho de Issacar (Gên. 46:13). Ele também é chamado *Jesube*, em Núm. 26:24 e I Crô. 7:1. A forma hebraica desse nome é *'yyob*, conforme se vê nos Textos de Execração, guardados em Berlim, onde se refere a um certo príncipe que governou na área de Damasco, na Síria, no século IX A.C. Também acha-se nas cartas de Tell el-Amarna. Ver o artigo sobre *Tell el-Amarna*. Essa correspondência data de cerca de 1400 A.C. Nesse material, a pessoa aludida era príncipe em Pella, Edom. Formas desse nome, nos idiomas modernos, derivam-se da sua forma grega, pelo que não se assemelham muito ao hebraico. A forma original do nome, ao que tudo indica, era *yyab*, que parece significar «onde está meu pai?», e que, portanto, poderia significar «sem pai». Esse nome sugere orfanado ou ilegitimidade. A forma hebraica da palavra era uma modificação de *ayyab*, mediante o desaparecimento de um fonema gutural entre vogais.

2. *Jó, do Livro de Jó*. Quanto a explicações sobre a derivação e o significado de seu nome, ver acima, em número «um». Alguns supõem que Jó nunca, realmente, existiu, e que o livro de seu nome é apenas uma novela romântico filosófica, e não um livro verdadeiramente histórico. De fato, é significativo que não há qualquer registro genealógico desse homem; e alguns reputam isso como um sinal inequívoco da natureza não histórica desse homem e de toda a sua história. Todavia, esse argumento se vê debilitado pelo fato de que um profeta tão importante como foi Elias (cuja historicidade não é posta em dúvida pelos eruditos) também não tem a sua árvore genealógica registrada na Bíblia. Portanto, a questão genealógica não pode ser absoluta, ainda quando a ausência de tal genealogia possa parecer-nos indício da não historicidade. Jó aparece como habitante da terra de Uz (Jó 1:1), o que, segundo alguns estudiosos, ficava situada em algum ponto entre Damasco da Síria, ao norte, e Edom, ao sul, ou seja, nas estepes a leste da Síria-Palestina. A ausência de informes geográficos específicos, ou mesmo de alusões geográficas, que poderiam ajudar-nos a identificar o lugar onde esse homem residia, também é considerada, por alguns estudiosos, como prova da não historicidade da personagem e do livro que leva seu nome. Jó é chamado de «...o maior de todos os do Oriente» (Jó 1:3); mas isso é uma descrição tão vaga que, para todos os efeitos práticos, não tem utilidade. Quanto a outros comentários a respeito, ver sobre *Jó (o Livro)*, sob *Proveniência*, terceira seção.

Jó é a figura central do livro de Jó, cujas amargas experiências com o *problema do mal* (vide) nos têm

JÓ – JÓ (O LIVRO)

fornecido um estudo antigo, de natureza filosófico-teológica sobre a questão. Esse é um dos mais difíceis problemas da filosofia, da teologia e da vida humana em geral. Fora do próprio livro, Jó é mencionado na Bíblia em Eze. 14:14,20 e Tia. 5:11, onde é comentada a sua notável *resistência*. A narrativa gira em torno dos sofrimentos de Jó, o que levanta a indagação: «Como pode sofrer assim um homem justo?»

Se Jó foi uma figura humana literal, conforme cremos, então ele pode ter sido um xeque que vivia perto do deserto da Arábia, nos tempos dos patriarcas do Antigo Testamento (não há qualquer menção à lei mosaica, nesse livro de Jó). É possível que Jó fosse uma personagem histórica, e que um autor posterior, conhecendo a história mediante a tradição oral, a tenha reduzido à forma escrita. Mas, por essa altura a genealogia e o arcabouço histórico de Jó se tinham perdido, pelo que esses detalhes não foram registrados, ainda que importantes para a mentalidade dos hebreus. O próprio livro pode datar de tão tarde quanto o século VII A.C., ou mesmo depois do exílio babilônico, ou seja, pertenceria ao século V ou mesmo ao século IV A.C. Todavia, é muito difícil que um autor judeu tivesse esquecido a lei de Moisés.

Jó é apresentado como homem piedoso e justo, ao ponto do próprio Deus admirá-lo. Mas, em face de um desafio lançado por Satanás, quanto à genuinidade da retidão de Jó (embora este não tivesse conhecimento desse desafio), este foi submetido a grandes provas e padecimentos pessoais. Para complicar as coisas, chegaram os molestos *consoladores* de Jó. Na verdade, esses homens foram detratores e algozes mentais, embora seus discursos fossem bastante eloqüentes, a certos momentos. A própria esposa de Jó foi envolvida no redemoinho do desespero, tendo convidado Jó para amaldiçoar Deus e morrer (Jó. 2:9). Os consoladores de Jó defendiam a teoria de que o sofrimento sempre resulta das más ações. Tal explicação, a despeito de legítima, não é completa. Porquanto há homens que sofrem sem terem praticado o mal, e, às vezes, desde o berço. Esse é o problema crucial investigado no livro, embora, como é claro, Jó fosse um mero pecador, como o são todos os homens. Contudo, não foi por *essa* razão que ele estava *sofrendo*. O próprio Jó insistia em que essa não era a razão de seus sofrimentos, apesar de todos os protestos de seus amigos. Ele assegurava de que seus sofrimentos eram desproporcionais para os seus pecados, e apelou para que o próprio Deus lhe conferisse uma *resposta*. Até hoje os homens continuam a clamar a Deus, enquanto outros os amaldiçoam ou tornam-se ateus, simplesmente porque nenhuma resposta satisfatória tem sido encontrada para esse problema. Contudo, há respostas sugestivas, que, talvez, nos possam satisfazer. O fato foi que, finalmente, Deus falou pessoalmente com Jó. Este ficou satisfeito diante da *visão beatífica* que lhe foi dada e, como é natural, desprezou a sua própria condição pecaminosa. Porém, o livro de Jó não atribui os sofrimentos daquele homem ao fato de que ele era um pecador.

Por sua vez, Deus é apresentado como um Ser gracioso, poderoso e sábio. E a resposta para o problema do sofrimento, segundo podemos deduzir, é que devemos deixar a questão ao encargo do inescrutável vontade do Senhor. Deus vindicou a causa de Jó. Os amigos de Jó, entretanto, não estavam com a razão. Jó foi restaurado em sua saúde e em sua sorte, tendo-se tornado ainda mais próspero do que antes. O livro, por assim dizer, diz-nos: «Não se sabe a resposta para o problema do mal; mas devemos confiar *Naquele* que nos deu resposta, aguardando com toda a confiança e esperança». Todavia, em meio a seus problemas, os homens continuam a busca, o que é perfeitamente legítimo. Acresça-se a isso que o Novo Testamento nos tem fornecido algumas valiosas sugestões de natureza teológica e filosófica. Ver o estudo detalhado a respeito, no artigo *O Problema do Mal*. O artigo sobre o *Livro de Jó*, também aborda esse problema. Ver seção V onde uma discussão ampla é apresentada.

A resposta especial de Jó é que a *Presença* de Deus, *experimentada*, resolve todos os nossos problemas na terra e nos céus. Naquela *Presença* sabemos, extra-racionalmente (intuitiva e misticamente) que Deus está no seu trono e que tudo está bem no mundo, mesmo sem meios adequados para explicar *como*. Isto não é a confiança de um argumento teológico, mas sim, a confiança da *alma* que chegou perto da presença de Deus, e *sentiu* a resposta. Ver Jó 19:25-27.

JÓ (O LIVRO)

Esboço:

   I. Caracterização Geral
  II. O Homem Jó; Problema de Historicidade
 III. Proveniência
 IV. Data, Autoria e Integridade do Livro
  V. O Problema do Mal
 VI. Esboço do Conteúdo
    Bibliografia

I. Caracterização Geral

Esse livro reflete episódios da época patriarcal, quando a lei mosaica ainda não havia sido promulgada. Os intérpretes antigos e alguns modernos continuam favorecendo a data mais antiga do livro. Ver sobre *Data*, na quarta seção deste artigo. Todavia, quase todos os intérpretes modernos, embora acreditem que houve, realmente, um homem de nome Jó, que é a figura central do livro desse nome, e que ele deve ter vivido na época dos patriarcas hebreus, acreditam que a narrativa primeiramente circulou sob a forma de tradições orais, até que foi reduzida à forma escrita, aí pelo século V ou IV A.C. Quanto a especulações sobre a historicidade de Jó, ver o artigo sobre *Jó*, 2. *Jó, do Livro de Jó*. Uma das razões para a defesa de uma data posterior do livro é que o mesmo pertence à chamada literatura de sabedoria, dentro da tradição judaica, literatura essa pertencente a um período posterior. Além disso, talvez reflita uma grande crise de fé criada na mente nacional judaica, pelos cativeiros assírio e babilônico. Nesse caso, o livro não seria mera peça pessoal, refletindo os conflitos de um indivíduo isolado acerca do problema do mal, e, sim, um tipo de busca dos judeus por uma resposta acerca das aflições que Israel sofreu como nação. A antiga doutrina judaica, tão forte no Antigo Testamento, acerca da regularidade e previsibilidade da retribuição divina, foi perturbada pelos imensos sofrimentos da nação às mãos de povos pagãos que, sem dúvida, eram mais corruptos do que os judeus. O décimo nono capítulo de Jó mostra-nos que o homem que é sábio conserva a sua crença na retidão e na vindicação dada por Deus aos retos. A esperança da vindicação após a morte (uma resposta comum para o problema do mal) acha-se em Jó 19:25-27.

Os consoladores de Jó, que eram apenas atormentadores, não podiam perceber outra coisa além de uma retribuição divina regular, precisa e previsível. Para eles, Jó estava sofrendo porque merecia tal coisa, o que, segundo pensavam, fatalmente mostraria ser a

511

JÓ (O LIVRO)

verdade, apesar da capa de justiça com que Jó se vestia.

Alguns eruditos pensam haver problemas com o arranjo do material, supondo que algum editor, ou editores, de uma época posterior, tivessem feito adições que só teriam servido para lançar o livro na confusão. O capítulo vinte e um, diferentemente dos capítulos primeiro a décimo nono, retrata um Jó cético, que condenou a si mesmo e, então, foi levado à sabedoria *divina* no cap. vinte e oito. Após uma espécie de discurso de despedida, que contém um juramento de liberação (caps. 30 e 31), que seria, basicamente, um paralelo aos discursos dos capítulos terceiro a décimo nono, quanto à atitude, aparece uma reprovação *desnecessária* por parte de certo Eliú (caps. 32—37). Então o próprio Deus força Jó a retratar-se (caps. 38 e 39). Isso posto, parece haver consideráveis mudanças de atitude entre os capítulos terceiro a décimo nono, por um lado, e as porções subseqüentes do livro. E alguns estudiosos supõem que isso reflete adições feitas posteriormente. Todavia, isso poderia ser reflexo apenas de um confuso arranjo e tratamento, por parte do próprio autor sagrado, que, ao abordar uma questão espinhosa, não se mostrou muito metódico quanto, talvez, gostaríamos que ele tivesse sido. As presumíveis adições seriam os capítulos 28, 32-37 e 38 e 39.

Alguns estudiosos também supõem que o prólogo (Jó 1 e 2) e o epílogo (Jó 42:7-17) foram adições feitas ao corpo original do livro. Outros eruditos têm criticado a filosofia que transparece na obra, supondo que as tragédias gregas são superiores, pois, nessas tragédias, quando um homem sofre, nunca mais se recupera. E dizem que isso é mais realista diante da vida. No entanto, Jó recuperou-se e prosperou mais do que antes. Todavia, a vida também nos mostra casos de recuperação diante do sofrimento, mesmo nessa vida, não havendo nisso nada que possa ser considerado contrário à realidade. Mediante essa recuperação de Jó, o autor sagrado estava dizendo que a providência divina é capaz de nos surpreender. Em primeiro lugar, devido a razões desconhecidas, o homem sofre; e a única razão para isso é a inescrutável vontade de Deus. Em segundo lugar, para consternação daqueles que acreditavam que Jó era um homem iníquo, subitamente ele voltou a prosperar materialmente. E isso prova que a resposta simplista para o problema do sofrimento que este resulta de erros cometidos, nem sempre explica o que está acontecendo entre os homens. Por outro lado, isso também prova que não podemos afirmar que Deus nunca abençoa aos pecadores. Assim, os eruditos que não apreciam a bela e surpreendente recuperação de Jó—como se isso sempre fosse contrário à experiência humana, o que já vimos que não é assim—apegam-se à idéia de que o epílogo do livro foi uma adição posterior, com o intuito de vindicar, artificialmente, a causa de Jó, de tal modo que «tudo está bem com aquilo que termina bem», o que, conforme sabemos, não corresponde à mensagem que o autor sagrado queria transmitir.

Outro Propósito. O livro de Jó provê uma resposta ou respostas várias para o problema do mal, sobre o que tratamos especificamente na quinta seção, abaixo. Não há que duvidar que esse é o principal problema a ser ventilado no livro. Porém, em adição a isso, também é seguro que o autor sagrado estava sondando as profundezas da fé de um ser humano, mesmo diante do sofrimento moral e físico. Todavia, isso constitui apenas uma das respostas possíveis para o problema do sofrimento. Um indivíduo pode lançar-se nos braços da graça, do amor e do poder de

Deus, sofrendo no escuro, escudado exclusivamente em sua fé. De alguma maneira, em algum lugar, Deus está no seu trono, e tudo corre bem no mundo, a despeito de teimosas evidências humanas em contrário.

Qualidade Estética. Alfred Tennyson, que foi um poeta de grande envergadura, considerava o livro de Jó como «o maior poema dos tempos antigos e modernos». «Esteticamente falando, *Jó* é a produção literária suprema do gênio dos hebreus». (E)

Admiráveis Qualidades Intrínsecas. É de estranhar que um livro que nada exiba de características israelita, onde a lei mosaica nunca é promovida, tenha encontrado lugar seguro no cânon hebraico da Bíblia. Essa posição do livro de Jó nunca foi seriamente desafiada. Podemos apenas supor que a sua qualidade estética é tão grande que ninguém jamais ousou desafiar seu direito ao rol dos livros divinamente inspirados. Outrossim, o livro reflete uma experiência humana crítica, sendo uma busca por respostas para certas duras experiências humanas, diante das quais todos os povos se interessam.

II. O Homem Jó; Problema de Historicidade

Sob o título **Jó**, segundo ponto, temos falado sobre a origem e o significado do nome *Jó*, além de apresentarmos uma discussão sobre o problema da historicidade do livro. Este artigo também procura fazer uma descrição abreviada da caracterização do homem Jó, no livro que traz o seu nome.

III. Proveniência

Se o livro de Jó não é uma obra histórica e, sim, uma novela filosófico-religiosa, uma parte da literatura de sabedoria judaica, então não importa muito a investigação acerca de onde o livro foi escrito. Mas, se se trata de uma obra histórica, então temos o informe, em Jó 1:3, de que o relato ocorreu no «Oriente», com «o maior de todos os do Oriente». Mesmo nesse caso, porém, o autor sagrado, outro que não o próprio Jó, poderia ter escrito acerca de Jó, um homem do Oriente, sem que ele, o autor, residisse ali. Apesar de não podermos determinar onde o livro foi escrito, pode ser que o forte caráter aramaico do livro indique que foi produzido em um centro aramaico de erudição. Se o livro realmente deriva-se da época dos patriarcas (ver sobre *Data*, seção IV), então esse lugar poderia ter sido em algum ponto perto de *Araam Naharaim* (a Aram dos Dois Rios), ao norte da Mesopotâmia. Nos fins do segundo milênio A.C., tribos araméias deslocaram-se para o sul e se estabeleceram nas fronteiras entre a Babilônia e a Palestina, continuando a controlar a rota de caravanas que atravessava a área do Cabur. E foi então que Alepo e Damasco tornaram-se centros dos arameus. O trecho de Jó 1:17 poderia indicar um tempo quando os caldeus ainda estavam vivendo como seminômades, isto é, antes de 1000 A.C. Mas, se o livro de Jó pertence a uma data comparativamente posterior, então todas as especulações dessa natureza têm pouco ou nenhum valor, no que diz respeito à proveniência desse livro.

«Parece que Jó foi uma personagem histórica que passou por experiências incomuns. Ele, talvez, fosse um xeque que vivia próximo ao deserto da Arábia, em uma época similar à dos patriarcas hebreus. O autor do livro usou de licença poética, e assim transformou a narrativa sobre os sofrimentos de Jó em um memorável drama». (AM)

Jó é apresentado como homem que vivia na terra de Uz (Jó 1:1), que alguns estudiosos supõem que ficava situada em algum ponto entre Damasco da Síria, ao norte, e Edom, ao sul, ou seja, nas estepes a leste da

JÓ (O LIVRO)

Síria-Palestina. Porém, mesmo que essa informação seja correta, isso não significa que o autor do livro residia ali. A conclusão é que não dispomos de informação certa quanto a esse particular.

IV. Data, Autoria e Integridade do Livro

1. Data. O livro é encaixado, bem claramente, dentro do período dos patriarcas hebreus. Não há qualquer menção à lei mosaica, como também coisa alguma distintamente judaica no livro. Alguns eruditos supõem que havia uma tradição oral, que preservava a narrativa, fora de Israel, antes de ter sido posta em forma escrita, por algum israelita desconhecido. A isso podem ter sido feitas adições, da parte de um editor ou editores posteriores, como um prólogo, alguns dos capítulos finais e o epílogo. Se Jó foi uma personagem histórica, então poderíamos datá-lo dentro dos limites amplos entre 2000 e 1000 A.C. Várias descrições, como a longa vida de Jó, o fato de que suas riquezas eram aquilatadas sob a forma de gado, e que o relato parece refletir uma vida nômade (própria das tribos dos sabeus e dos caldeus), ajustam-se ao segundo milênio A.C., melhor que qualquer outra época posterior. Isso faz de Jó um homem que viveu há muito tempo no passado, talvez até algum tempo antes de Abraão. Por outro lado, visto que o livro faz parte da literatura de sabedoria dos judeus, muitos têm pensado que sua compilação pertence a um tempo muito posterior a isso. As opiniões a respeito divergem muito umas das outras, indo desde o segundo milênio até o século IV A.C. Encontraram-se fragmentos do livro de Jó entre os manuscritos do mar Morto, o que elimina a data ultraposterior de 200 A.C., como alguns eruditos têm arriscado. Todavia, esse livro poderia refletir especulações filosóficas, sobre o problema do mal, especificamente o *porquê* dos sofrimentos de certos homens bons, o que já pertence ao período pós-exílico dos judeus. Os judeus estavam então meditando sobre como grandes tragédias podem sobrevir aos homens, conforme os próprios judeus tinham sofrido às mãos dos assírios e dos babilônios. Idéias comuns sobre como operam a divina providência e a retribuição, estavam sendo testadas pelos acontecimentos históricos, e o livro de Jó pode ter sido uma tentativa para prover respostas para esse problema.

2. Autoria. Em vista do ambiente patriarcal que transparece no livro, a tradição judaica piedosa tem pensado que *Moisés* foi o autor do livro de Jó (*Baba Bathra* 14v ss), embora isso, segundo outros, esteja fora da realidade. O próprio livro não nos fornece qualquer indicação de que *Jó* tenha escrito qualquer porção da obra. Isso posto, temos um autor desconhecido, que viveu em um período desconhecido. «A menção aos bandos de caldeus (Jó 1:17), e o uso da arcaica palavra *qesitah* (42:11; em nossa versão portuguesa, «dinheiro») apontam, meramente, para a antiguidade da história, e não para a sua presente forma escrita. Os eruditos modernos têm variado na data do livro desde os dias de Salomão até cerca de 250 A.C., embora as datas mais populares variem entre 600 e 400 A.C., apesar do que há uma tendência crescente em favor de datas posteriores... Os argumentos com base no assunto, na linguagem e na teologia, provavelmente, favorecem uma data até posterior à de Salomão; mas, visto que o livro é *sui generis* dentro da literatura dos hebreus, e que a linguagem empregada é tão distintiva (alguns eruditos chegam a pensar que se trata de uma tradução de um original aramaico, enquanto que outros consideram que seu autor teria vivido fora da Palestina), qualquer dogmatismo deriva-se de fatores subjetivos e preconcebidos». (ND)

3. Integridade. Na primeira seção, **Caracterização Geral**, temos dado as razões pelas quais alguns eruditos duvidam que o livro inteiro foi escrito por um único autor. As porções atribuídas a algum outro autor-editor são o prólogo (caps. 1 e 2), a descrição sobre o hipopótamo (40:10—41:25), os discursos de Eliú (32:1—37:24), o capítulo vigésimo primeiro, e o epílogo (42:7-17). Alguns estudiosos dizem que os capítulos 28; 32-37 e 38-39 também são adições. Porém, até onde podemos ver as coisas, as razões contra e a favor da autoria original dessas seções são puramente subjetivas, e nada de positivo pode ser provado. É verdade que uma grandeza essencial de expressão poética percorre a obra inteira; mas, tanto podem ter havido dois ou três poetas envolvidos, como também somente um. Além disso, qualquer autor pode inserir material tomado por empréstimo; e, nesses pontos, certa incongruidade ou diferença de estilo pode ser observada, interrompendo a suavidade do fluxo da apresentação, sem que isso indique a contribuição feita por algum outro autor.

Segundo aqueles críticos, os discursos de Eliú são rejeitados como originais (Jó 32:1—37:34), porque ele não é mencionado no epílogo, onde os amigos de Jó foram repreendidos. Porém, se o epílogo foi acrescentado por algum autor posterior, por que ele omitiu esse nome? Deveríamos supor que os discursos de Eliú foram incluídos no livro após a adição do epílogo? Novamente, entramos em um raciocínio meramente subjetivo, não havendo como fazer qualquer afirmação absoluta acerca do problema assim levantado. E nem isso é necessário para a crença na divina inspiração do livro. Todos os livros da Bíblia contêm seus elementos humanos, e nenhum deles foi escrito em um vácuo, para então ser hermeticamente fechado. Os eruditos que fazem a fé depender dessas coisas enfatizam aquilo que se reveste de pouca ou nenhuma importância, exceto que essas coisas, mui naturalmente, desempenham um papel legítimo na análise e na avaliação literárias.

V. O Problema do Mal

Temos provido para o leitor um detalhado artigo sobre o *Problema do Mal* (vide). O livro de Jó é o único livro da Bíblia que aborda especificamente esse problema, ao mesmo tempo que é um dos mais extensos escritos que têm sido preservados desde tempos antigos. Alguns estudiosos negam que o tema principal do livro seja esse problema, preferindo sugerir que o livro realmente perscruta as profundezas da fé que um homem é capaz de ter, diante de inexplicáveis sofrimentos. Porém, isso, por si mesmo, faz parte do problema do mal. No que consiste o problema do mal? Esse é o problema que consiste em explicar como é que pode haver tanta maldade no mundo. Existe o *mal natural*: os acidentes, as inundações, os terremotos, os incêndios, as enfermidades e, acima de tudo, a morte, a qual parece ser o ponto culminante dos males naturais. Existem males que não se derivam diretamente da vontade e dos atos maus dos homens. Essas são coisas naturais que afligem a todas as pessoas. Esses são «atos de Deus», conforme alguns dizem. Existe também o *mal moral*, males que se derivam diretamente da vontade e dos atos pervertidos e maldosos dos homens, como as guerras, as matanças, a desumanidade do homem contra o homem. Essa questão toda envolve Deus: Se existe um Deus todo sábio (que conhece até o futuro), todo poderoso e todo amoroso, então por que há tanta maldade e sofrimento neste mundo? Não podemos lançar a culpa de tudo sobre a perversidade humana. Jó ficou muito doente, e sua carne, por assim dizer, desprendeu-se de seus ossos. Isso foi uma enfermida-

JÓ (O LIVRO)

de, parte dos males naturais. Por que Deus permite o sofrimento? Por que o homem bom sofre? Por que os homens maus não são julgados? Por que razão os ímpios prosperam? Qual é o resultado final do sofrimento? Haverá algum dia sem sofrimentos? Essas são perguntas que os homens costumam indagar, perplexos. Apesar de não haver respostas absolutas e perfeitas, nosso artigo sobre o problema do mal procura dar aos leitores as respostas que existem. Mas, todas essas respostas funcionam melhor quando são *outras* pessoas que sofrem. Quando temos de enfrentar alguma grande tragédia, então as respostas que existem não nos parecem muito boas.

Razões do Sofrimento, Segundo o Livro de Jó

Seja como for, o livro de Jó procura nos fornecer algumas respostas para o problema do mal. *Abaixo, oferecemos um sumário:*

1. Os discursos dos amigos molestos de Jó fornecem a resposta-padrão, que está sendo posta em dúvida, por esse livro: Deus castiga os ímpios com o sofrimento. Segundo os amigos de Jó, a retribuição divina é a grande resposta. Mas, apesar de haver nisso alguma razão, Jó nos é apresentado como um homem *inocente* das acusações de que o acusavam, pelo que os *seus* sofrimentos não podiam ser atribuídos àquelas acusações. Mesmo quando ele se confessou pecador, e declarou que se arrependia, isso não foi feito a fim de explicar *por que* ele estava sofrendo, mas serviu apenas para mostrar que todos os homens, diante de Deus, devem assumir uma posição de humildade, como pecadores que são. Ver Jó 42:6.

2. Os discursos de Eliú salientaram o princípio de que o sofrimento é uma *disciplina* para os justos, o que corresponde a um princípio verdadeiro, embora, por certo, não seja *a* resposta, no caso específico de Jó. Ver Jó 33:16-18; 27:30; 36:10-12.

3. Jó 19:25,26. Os remidos participam de uma gloriosa vida após túmulo, pelo que todos os sofrimentos terrenos e temporários são ali obliterados. Essa é uma boa resposta-padrão, sem dúvida, mas não é ainda o principal argumento do livro. Seja como for, essa resposta tenta pôr na correta perspectiva o problema do sofrimento humano. Nós, como seres mortais, exageramos a importância das coisas temporais e transitórias desta vida. Pode haver desígnio ou não nessas coisas; mas elas duram por algum tempo, e logo se acabam.

4. Há *profundezas da fé* que os justos podem obter, e que lhes conferem coragem para enfrentar seus sofrimentos, sem duvidarem da providência e dos desígnios de Deus. Apesar disso também não ser uma resposta definitiva para o problema, é uma espécie de solução para aqueles que estão sofrendo no presente. Um homem, mediante a sua fé, impõe-se à sua situação adversa, obtendo nisso razão para prosseguir, significado, desígnio e esperança.

5. O texto sagrado declara que Deus atua em todo o universo, trazendo chuvas à terra onde nenhum homem existe (Jó 38:26); que Deus está cônscio do mal e dos sofrimentos (personificados nos monstros hipopótamo e crocodilo—Jó 40:15—41:34). É óbvio que Deus cuida dos homens e observa os seus sofrimentos. Apesar de, talvez, não sabermos qual a *razão* de nossos sofrimentos, pelo menos tomamos consciência da bondade e da providência permanentes de Deus, o qual permite todas essas coisas; e assim podemos descansar no Senhor.

6. *A Presença de Deus*. Essa é a resposta final e mais excelente do livro de Jó. Poderíamos dizer: «Estive com o Senhor, e sei que não pode sobrevir ao homem, finalmente, um dano permanente». Essa é a resposta mística, a resposta que envolve a presença majestática e consoladora de Deus. Na presença de Deus, talvez os nossos argumentos intelectuais *não melhorem*; mas a nossa fé em sua providência torna-se *invencível*. Os místicos que têm experimentado a presença divina têm chegado ao extremo de negar a existência do mal, exceto como um fator que envolve a ausência do bem, ou seja, aquilo que contrasta com o bem positivo. Todos os atos de Deus estão encobertos dos olhares humanos, embora vejamos muitas luzes. Há cores brilhantes e cores escuras, formando um grande desenho, como em um tapete. As cores escuras fazem destacar a beleza das cores brilhantes; e, juntas, essas cores, brilhantes e escuras, produzem uma beleza singular. Alguns místicos afirmam que o mal e o sofrimento perfazem as cores escuras daquele simbólico tapete, e que, finalmente, tudo é bom, tudo é necessário: tudo faz parte da beleza de todas as coisas. Na presença de Deus, pois, sentimos isso, embora, talvez, nos faltem argumentos intelectuais para afirmar tal coisa de modo inteligente. Na presença de Deus, pois, encontramos sua vontade inexcrutável, e nos inclinamos, reverentes, sabendo que até o mal redundará em bem para nós, embora não saibamos dizer de que maneira. Quando a alma comunga com Deus, ela sabe que Deus está em seu trono, e que tudo está bem no mundo. Talvez não disponhamos de respostas intelectuais, mas podemos experimentar a presença Daquele que nos dá as respostas, e é em momentos como esses que sabemos que o Consumado Artista nunca cai em erros e equívocos. O criador de todas as coisas indagou de Jó: «Acaso, anularás tu, de fato, o meu juízo? Ou me condenarás, para te justificares?» (Jó 40:8). Jó não ficou satisfeito com as respostas que lhe foram dadas, e, sim, com a comunhão imediata com o Ser divino. Foi isso que levou Jó, à semelhança dos grandes profetas, a dizer: «Eu te conhecia só de ouvir, mas agora os meus olhos te vêem» (Jó 42:5). E todas as soluções possíveis para o mal que há neste mundo são encontradas em face dessa visão beatífica.

7. *O prólogo* tem por finalidade dar-nos a resposta (ou, pelo menos, uma resposta), desde o começo. Satanás, percebendo a prosperidade de Jó, e como Deus elogiou ao seu fiel servo, pôs então em dúvida a lisura de Jó, propondo submeter a teste a autenticidade de sua bondade. Jó seria bom por ser verdadeiramente justo, ou seria bom somente porque Deus o havia abençoado? Em outras palavras, a sua bondade era autêntica justiça de alma, ou seria uma bondade *egoísta*, alicerçada sobre a prosperidade material? Seguiu-se o terrível teste de Jó. Se levarmos em conta isso, de forma literal, e não como um esquema literário para introduzir a narrativa, então temos aí um mui perturbador ensino de que os justos podem sofrer meramente porque os poderes malignos querem submetê-los a teste; e, mais perturbador ainda é o pensamento que Deus coopera para que os justos sejam submetidos a essas provas! Portanto, é melhor compreendermos esse prólogo (provavelmente escrito por um autor diferente daquele que compôs o grande poema) como um artifício literário, e não como algo cuja intenção era mostrar que as Escrituras ensinam que os poderes malignos podem fazer uma espécie de barganha com Deus, com o resultado de que os justos acabam sofrendo injustamente.

VI. Esboço do Conteúdo

1. **Prólogo.** O teste é proposto e aceito (caps. 1 e 2).
2. **Primeira Série de Discursos.** O discurso de Jó e de seus três amigos molestos (caps. 3—14).
   a. Jó seria culpado, pelo que estava sendo punido. Essa é a razão do sofrimento humano.

JOA — JOABE

b. Jó nega tal acusação.

3. Segunda Série de Discursos. Os três amigos molestos de Jó discursam e recebem sua resposta (caps. 15—21).

4. Quarta Série de Argumentos. Elifaz e Bildade apresentam novos argumentos, e Jó lhes dá resposta (caps. 22—33).

5. Discursos de Eliú (caps. 32—37)

a. O propósito da aflição (caps. 32—33)

b. Vindicação da pessoa de Deus (cap. 34)

c. As vantagens da piedade (cap. 35)

d. Deus é grande, e Jó é ignorante (caps. 36 e 37)

e. Eliú fez a valiosa observação de que o sofrimento pode servir-nos de disciplina.

6. Os Discursos de Deus (caps. 38—42:6)

Na Presença de Deus, a solução deve ser sentida, mesmo quando não seja intelectualizada.

a. Deus é todo poderoso e majestático! Jó percebe sua pequenez e sente a vaidade de suas palavras (38:1—40:5).

b. O poder de Deus contrasta com a fraqueza humana. Jó se arrepende e demonstra a humildade que cabe bem ao homem. A *presença* de Deus experimentada garante a solução final para o problema do mal (40:6—42:6).

7. *Epílogo*. Os molestos consoladores de Jó são repreendidos. Deus reverte a fortuna de Jó, e a paz e a abundância material substituem a enfermidade e a carência (42:7-17).

Bibliografia. AM B DH G I IB ND NTI PAT PF PF(1841).

JOA

No hebraico, «Yahweh revive». Nome de duas personagens bíblicas:

1. Um filho de Berias, o benjamita. Ele foi chefe da tribo e residia em Jerusalém (I Crô. 8:16), em cerca de 588 A.C.

2. Um tizita, que foi enumerado entre os poderosos guerreiros de Davi, tendo assumido a defesa deste contra Saul. Seu irmão também pertencia ao grupo. (I Crô. 11:45). Sua época foi em torno de 1000 A.C.

JOÁ

No hebraico, «Yahweh é meu irmão». Esse foi o nome de quatro personagens que aparecem no Antigo Testamento, a saber:

1. Um filho de Asafe, que era o cronista dos dias do rei Ezequias. Foi um dos membros da embaixada enviada ao general assírio, para tratar de assuntos relativos à invasão assíria. Os enviados receberam uma mensagem insultante. Ver II Reis 18:18,26; Isa. 36:3,11,22. Isso ocorreu em cerca de 719 A.C.

2. Um filho ou descendente de Zima (I Crô. 6:21). Ele pode ser corretamente identificado com o Etã do vs. 42 daquele mesmo capítulo, a menos que os nomes de uma dessas listas sejam parcialmente omitidos na outra lista. Seja como for, Joá assessorava Ezequias em suas reformas religiosas (II Crô. 29:12). Joá viveu em cerca de 719 A.C.

3. Um filho de Obede-Edom (I Crô. 26:4). Era descendente de Coré, e foi um dos sacerdotes nomeados por Davi para guardar o portão sul do templo de Jerusalém e a casa de Asupim, um armazém ou átrio existente no templo (vs. 15). Isso aconteceu por volta de 1000 A.C.

4. Um filho de Joacaz, cronista que trabalhava para o rei Josias. Foi nomeado superintendente dos reparos feitos no templo (II Crô. 34:8). Isso ocorreu em cerca de 639 A.C.

JOABE

No hebraico, «Yahweh é (seu) pai». Esse é o nome de três homens que figuram nas páginas do Antigo Testamento: um capitão do exército de Davi; o filho de Seraías e o Joabe dos tempos de Zorobabel.

A. O Capitão do Exército de Davi

1. *Sua Família*. Joabe era filho de Zeruia, meio-irmã de Davi (II Sam. 2:18). Josefo (*Anti*. 7:1,3) diz-nos que o nome de seu pai era Suri. A Bíblia diz que seu sepulcro está em Belém (II Sam. 2:32). Isso nos permite concluir que a família de Joabe era nativa de Belém, ou, pelo menos, ali residia. Joabe era sobrinho de Davi; mas, não foi por essa razão que ele se tornou comandante das tropas de Davi. Joabe era uma máquina de matar. Visto que Zeruia, ao que parece, era uma das filhas mais velhas de Jessé, e que Davi era o filho mais jovem de Jessé, é provável que Joabe e Davi fossem, mais ou menos, da mesma idade. Amasa, que substituiu a Joabe como comandante, em duas ocasiões, era primo de Joabe, e também era sobrinho de Davi, através de Abigail, sua outra irmã (I Crô. 2:17).

2. *Detalhes Históricos de sua Vida*

a. Ouvimos falar em Joabe, pela primeira vez, em conexão com seus irmãos, Abisai e Asael, que eram guerreiros do exército de Davi, quando entraram em luta com Abner, que preferiam que Isbosete, descendente de Saul, se assentasse no trono de Israel. De fato, Isbosete chegou a ocupar o trono por breve período (II Sam. 2:8 *ss*). Mas Abner perdeu a batalha. Quando fugia, com relutância matou a Asael, que era bem jovem, e o vinha perseguindo (II Sam. 2:13-32), o que ocorreu por volta de 1000 A.C.

b. Joabe planejou vingar-se, mas não executou imediatamente o plano. Quando Abner visitou Hebrom, depois que abandonou a causa de Isbosete, e queria fazer de Davi o rei de uma unida nação de Israel, Joabe ralhou com Davi, acusando Abner de traição. Enviou mensageiros atrás de Abner, para o trazerem de volta, e prontamente o matou. Davi ficou muito insatisfeito com o ocorrido; mas, ao que parece, era impotente para fazer qualquer coisa a respeito (II Sam. 3:8-39).

c. Joabe tornou-se comandante em chefe do exército de Davi. Joabe estava sempre onde havia alguma luta. E ele era sempre mortal para os adversários. Os *jebuseus* (vide) controlavam o lugar onde Davi estabeleceu, finalmente, a sua capital, a saber, Sião, uma parte da antiga cidade de Jerusalém. Ver o artigo sobre *Jebus*. Joabe ousou atacar o lugar, pois, ao que parece, queria fazer algo de heróico que fizesse Davi esquecer-se da atrocidade que ele cometera ao matar Abner. O fato de que Joabe capturou monte Sião é registrado em II Sam. 5:6 *ss*; I Crô. 11:4 *ss*. Davi prometeu a patente de general supremo a qualquer um que conquistasse a fortaleza dos jebuseus. Alguns estudiosos pensam que Joabe entrou na cidade por meio do túnel que trazia para a cidade o seu suprimento de água. Mas outros opinam que ele simplesmente escalou as muralhas, com pesadas perdas em vidas. Seja como for, a tarefa foi realizada e Davi obteve a sua cobiçada fortaleza. Joabe reteve sua posição militar durante muitos anos, tendo servido fielmente a Davi (II Sam. 5:6 *ss*; 8:16; 20:23; I Crô. 11:4 *ss*; 18:15; 27:34). Davi, com freqüência, ia à batalha com o seu exército, mas Joabe estava sempre presente, a fim de garantir a vitória com suas inteligentes estratégias e com a sua incrível habilidade de matador.

515

JOABE — JOANÃ

d. Guerras Específicas de Joabe. Contra os amonitas e os sírios (II Sam. 10:1 ss). Contra Edom, ocasião em que Joabe eliminou grande parte da população masculina, sepultando os cadáveres nos túmulos de Petra (I Reis 11:15,16). O príncipe idumeu fugiu para o Egito, e só retornou à sua terra quando ouviu dizer que haviam morrido tanto Davi quanto Joabe (I Reis 11:21,22). Contra os amonitas, novamente, Joabe tomou a arca da aliança e assediou a cidade de Rabá (II Sam. 11:1,11). Os israelitas sofreram alguns pesados reveses, no início. E então Joabe conquistou a parte baixa da cidade. Ele convidou Davi para que viesse e tomasse a cidadela, provavelmente querendo que o rei ficasse com o crédito principal da vitória, embora não houvesse nenhuma razão pela qual o próprio Joabe não pudesse fazê-lo. E assim aconteceu (II Sam. 12:26-28).

e. O caso com Amasa. Davi não se mostrou especialmente grato a Joabe, ao oferecer a patente de generalíssimo a Amasa, na tentativa de conciliar o partido que favorecia a Absalão, quando este se revoltou contra seu pai, Davi. Amasa havia comandado o exército de Absalão (II Sam. 19:13). Mas Amasa não se mostrou eficaz, sem dúvida, em parte, porque o exército de Joabe não seguia com fervor ao novo comandante. Embora Amasa fosse seu próprio primo (pois era filho da irmã de sua mãe), Joabe removeu o competidor mediante o assassínio, o que alguns consideram um ato ainda mais traiçoeiro do que no seu caso com Abner. Ver II Sam. 20:1-13 quanto ao relato inteiro. A violência, os golpes de traição e a selvageria que transparecem nos relatos do Antigo Testamento deixam-nos boquiabertos, mas esses relatos são realistas, pois isso é que o homem é. O aspecto absurdo aparece quando os homens, antigos ou modernos, lançam a culpa dessas coisas sobre Deus.

f. Joabe apóia Adonias como pretendente ao trono. Adonias era o herdeiro natural do trono de Israel, por ser o filho mais velho de Davi. E quando Davi ainda vivia, houve uma demonstração popular em favor de Adonias. Joabe deu apoio à causa de Adonias. Mas, essa foi a única vez em que ele errou nos cálculos. Salomão foi quem ascendeu ao trono. Salomão fez abortar a demonstração, e compreendeu que teria de neutralizar a Joabe, se quisesse reter o trono.

g. Morte de Joabe. Joabe e seus seguidores estavam marcados para serem destruídos. Joabe refugiou-se diante do altar, que deveria dar-lhe imunidade. Mas, o que Salomão se importa com isso? Salomão enviou Benaia para executar Joabe, e foi exatamente isso que aconteceu (I Reis 2:28 ss; Núm. 35:33). Conforme diz um dos comentários que examinamos: «Esse período da história (de Israel) foi violento e primitivo, e Joabe era apenas um produto de sua época». Naturalmente, esse comentário também deve ser aplicado a Salomão.

h. O caráter de Joabe. Joabe era homem de coragem e de grande habilidade militar. Era homem de tremenda ousadia, muito destemido; mas também era traiçoeiro e selvagem. Era leal a seus amigos, e serviu a Davi durante muito tempo. Todavia, mostrava-se destituído de misericórdia e sangüinário com seus inimigos. Foi um dos mais notáveis guerreiros de Israel, mas também o mais inescrupuloso. Não era destituído de sentimentos religiosos; mas, como poderia ser ele um homem espiritual, derramando tanto sangue?

B. Joabe, Filho de Seraías

Esse Joabe era descendente de Quenaz (irmão mais jovem de Calebe), segundo aprendemos em Juí. 1:13. Ele era da tribo de Judá. Foi o pai ou fundador da tribo dos que viviam no Vale dos Artífices (I Crô. 4:13,14). Alguns estudiosos têm identificado ‘esse local com o *wadi Arabah*. Jerônimo diz que os arquitetos do templo foram escolhidos dentre seus filhos, e que por essa razão esse Joabe foi chamado de pai ou príncipe dos ferreiros (no hebraico, *charashim*).

C. Joabe dos Tempos de Zorababel

Esse Joabe foi chefe das mais numerosas famílias que retornaram a Jerusalém, terminado o cativeiro babilônico, em companhia de Zorobabel (Esd. 2:6; 8:9; Nee. 7:11). A época era cerca de 445 A.C. Alguns dos exilados retornaram com Esdras (Esd. 8:9, ao passo que outros voltaram com Zorobabel (I Crô. 4:13,14; Nee. 11:35).

JOACAZ

Em I Esdras 1:34, essa é a forma em que aparece o nome de *Jeoacaz* (vide). O trecho neotestamentário de Mat. 1:11 diz *Jeconias* (vide).

IOACHIM, H.H.

Ver o artigo intitulado **Verdade, Teorias da**, ponto 23.

JOANA

Mui provavelmente, essa é a forma feminina do nome próprio comum *João*. No grego é *Ionna* e no hebraico, sua forma masculina é *Jehohanan*, que significa «favorecido por Yahweh». Nas páginas do Novo Testamento, Joana era mulher de Cuza, que era mordomo de Herodes Ântipas, tetrarca da Galiléia. Jesus curou certo número de mulheres de graves enfermidades, que, então se tornaram suas dedicadas seguidoras; e Joana foi uma dessas mulheres. Ela era uma das mulheres que se preocupavam com as necessidades materiais de Jesus e de seus discípulos. Ver Luc. 8:2,3 quanto a essa informação. Joana estava entre as mulheres que seguiram a Jesus a Jerusalém, para a páscoa, e acabaram sendo testemunhas da crucificação. Morto Jesus, Joana foi à cidade a fim de preparar especiarias e ungüentos para preparar o corpo de Jesus para o sepultamento (Luc. 23:56). Quando Joana e outras mulheres piedosas chegaram ao túmulo, descobriram que já havia ocorrido o grande milagre da ressurreição, e levaram a notícia aos apóstolos (Luc. 24:1-10). Não há que duvidar que ela foi uma das testemunhas do Cristo ressurrecto, embora as Escrituras não nos informem especificamente a esse respeito.

JOANÃ

No hebraico, «Yahweh tem sido gracioso», ou «Yahweh dá». Esse é o nome de vários homens do Antigo Testamento. O nome bíblico João, é um derivado do mesmo, após passar pelo grego. No hebraico é *Iohanan*. Há dez homens com esse nome, no Antigo Testamento:

1. Um dos oficiais que reconheceu Gedalias como governador da Judéia, depois que Jerusalém foi capturada e que a maioria dos cidadãos de Judá fora exilada para a Babilônia. Atuou como capitão do exército de Judá, durante o cerco da cidade. Foi a Mista, com outros líderes (ver Jer. 40:8,13) e avisou Gedalias sobre o plano traçado por Ismael para assassiná-lo (Jer. 40:14). Quis impedir o assassinato tirando a vida de Ismael, antes que este cometesse o crime (Jer. 40:16). Mas Gedalias não tomou qualquer providência, e acabou assassinado. Então Joanã

JOANÃ – JOÃO, EVANGELHO DE

encabeçou um grupo contra Ismael (Jer. 41:11) e o alcançou perto das águas de Gibeom (Jer. 41:12), e libertaram os reféns que Ismael havia tomado (Jer. 41:14). Todavia, o próprio Ismael escapou, juntamente com oito outros homens (Jer. 41:15). Os demais foram levados a Gerute-Quimã, perto de Belém (Jer. 41:16,17). Joanã pediu que Jeremias opinasse se o remanescente de Judá deveria permanecer na Judéia ou se deveria se exilar no Egito, temendo que os babilônios os atacassem. Jeremias aconselhou, enfaticamente, que os judeus deveriam permanecer em sua própria terra. Desse modo, Jeremias se declarou favorável aos babilônios, uma atitude extremamente corajosa. Ver Jer. caps. 42, 43:2,3. Então Joanã levou todo o povo restante, incluindo **Jeremias e Baruque**, para o Egito (Jer. 43:5-7), onde, ao que se presume, Jeremias faleceu. Isso ocorreu em cerca de 587 A.C.

2. O filho mais velho de Josias, rei de Judá (I Crô. 3:15). Nada mais é dito sobre ele, pelo que ou ele faleceu ainda jovem, ou sua vida não se caracterizou por acontecimentos notáveis. Viveu em torno de 639 A.C.

3. O quinto filho de Elioenai, descendente de Zorobabel (I Crô. 3:24). Viveu em torno de 400 A.C. Tem sido identificado com o Naum mencionado em Luc. 3:25 como um dos antepassados do Senhor Jesus.

4. Um filho de Azarias, cujo pai tinha o mesmo nome. Ambos foram sumos sacerdotes (I Crô. 6:9,10). Alguns estudiosos têm-no identificado com Joiada (II Crô. 24:15). Servia no templo de Salomão. I Reis 4:2 é trecho que menciona seu pai como sumo sacerdote dos dias de Salomão.

5. Um dos guerreiros de Davi, que veio se juntar a ele em Ziclague, quando Davi fugia de Saul. Provavelmente era um benjamita (I Crô. 12:4). Os guerreiros benjamitas podiam atirar flechas e usar a funda com ambas as mãos.

6. Um homem da tribo de Gade, o oitavo dos gaditas que se uniu a Davi em Ziclague, quando Davi fugia de Saul. Foi um dos grandes guerreiros de Davi (I Crô. 12:12), sendo contado entre aqueles habilidosos no uso da lança e do escudo.

7. O chefe de uma família que descendia dos filhos de Azgade (Esd. 8:12). A frase «o filho de Catã», deve ser lida como «Joanã, o filho caçula», — ou, então, «Joanã, o menor». Ele encabeçou um grupo de cento e dez homens que deixaram a Babilônia, após o cativeiro, e voltaram a Jerusalém, em companhia de Esdras.

8. O pai de Azarias, que foi chefe da tribo de Efraim. Insurgiu-se contra os israelitas (da nação do N) por fazerem escravos dos judeus (da nação do S), II Crô. 28:12). O texto massorético dá seu nome com a forma de *Iehohanan*. Ele viveu em cerca de 735 A.C.

9. Um filho de Tobias, contemporâneo de Neemias (Nee. 6:18). O texto massorético grafa seu nome como Jônatas. Ele era um amonita que se casou com a filha de Mesulão, o sacerdote. Seu tempo de vida girou em torno de 445 A.C.

10. Um neto de Eliasibe, o sumo sacerdote. Joanã tornou-se também sumo sacerdote, durante o reinado de Dario II (Nee. 12:12,23). O texto massorético grafa seu nome como Iehohanan. Ele ficou desolado diante dos casamentos mistos que tiveram lugar durante o tempo do cativeiro babilônico, até que foram tomadas medidas drásticas para anular esses casamentos.

JOANA D'ARC

Suas datas foram 1412-1431. Ela nasceu em Dorémy, na França. Seu pai era um proeminente fazendeiro. Aos treze anos de idade, Joana começou a receber visões e a ouvir vozes, supostamente de São Miguel, Santa Catarina e Santa Margarida. Na época, a França estava parcialmente ocupada pelos ingleses, com a ajuda da Borgonha. As visões instavam com ela para que livrasse seu país da opressão inglesa. Dificuldades adicionais eram a economia caótica e a instabilidade da coroa francesa, de tal modo que Carlos VII, que ainda não fora coroado, não se sentia capaz de assumir uma liderança decisiva.

As visões de Joana asseguravam-lhe que Carlos era **o líder legítimo, e que a campanha militar dela contra** os invasores seria bem-sucedida. Foi assim que ela venceu a relutância dos chefes do exército francês, e foi comissionada pelo monarca, embora somente depois que os teólogos investigaram o caso. Ela se vestiu como homem e pôs-se a comandar o exército francês. Entre abril e julho de 1429, ela derrotou os ingleses em Orleães e capturou Troyes. A 17 de julho daquele ano, ela viu a coroação de Carlos VII, em Rheims. Foi então que sua sorte começou a mudar. Ela não conseguiu libertar Paris, e teve de enfrentar contínua oposição na própria corte francesa. Foi capturada em Compiègne, por um borgonhês, que a vendeu aos ingleses.

Pierre Cauchon, bispo de Beauvais, que favorecia a Borgonha, instituiu processo de heresia contra Joana. Esse julgamento acabou entrando na história como um vergonhoso exemplo de traição, preconceito e crueldade. — A Universidade de Paris teve um papel triste nesses acontecimentos. A própria Joana, embora tão jovem, senhora de si, apresentou uma boa autodefesa. Originalmente, foram lançadas contra ela setenta acusações. Essas acusações acabaram reduzidas em doze, incluindo a condenação por suas vestes masculinas, e uma declaração de que as visões que ela recebera eram diabólicas. E assim, Joana foi acusada de bruxaria. Sua atitude de dependência *exclusivamente de Deus*, também foi um ponto vigorosamente atacado.

Joana apresentou uma momentânea e confusa retratação; mas, então, ela caiu em uma armadilha, e caiu sob a acusação de heresia, permanecendo de pé, destarte, os seus crimes. Ela reafirmou a autenticidade das vozes que ouvira e a autoridade de Carlos VII. Foi condenada e foi queimada viva na fogueira, a 30 de maio de 1431. Suas cinzas foram lançadas no rio Sena.

Em 1450, as autoridades eclesiásticas romanistas deram início ao processo de reabilitação de Joana, acreditando que um grave erro havia sido cometido. Houve uma total reversão do julgamento, que fora realizado em 1431. Joana foi beatificada em 1909 e canonizada em 1920. A reversão do julgamento de Joana D'Arc foi inspirada com apoio popular, e também devido ao fato de que, não muito depois da execução dela, os franceses obtiveram a vitória e expulsaram os ingleses de Paris. Assim, se Joana não conseguiu levar os franceses à vitória, em vida, as suas predições tiveram cumprimento.

JOÃO, EVANGELHO DE

Esboço:

Observações Gerais

  I. Data
  II. Autor
  III. Procedência e Destino
  IV. Fontes Informativas
  V. Relação Com o Pensamento Religioso
    e Filosófico Contemporâneo

JOÃO, EVANGELHO DE

VI. Influência do Antigo Testamento e de
Outra Literatura Cristã Primitiva
VII. Propósitos deste Evangelho
VIII. Unidade deste Evangelho
IX. Relação deste Evangelho com as
Epístolas de João e o Apocalipse
X. Conteúdo
XI. *Bibliografia*

Observações Gerais

Chamamos os evangelhos de Mateus, Marcos e Lucas de *evangelhos sinópticos*, não porque encontramos neles uma boa sinopse da vida e dos ensinamentos de Jesus Cristo, em contraste com o que se pode observar no evangelho de João, mas por causa do fato de concordarem entre si, porquanto *vêem juntos*, em contraste com o material apresentado pelo evangelho de João, que consiste em menos de dez por cento daquilo que é apresentado pelos demais evangelhos. Assim sendo, posto que de forma alguma os registros do evangelho de João podem ser colocados em colunas paralelas com os registros dos demais evangelistas, visto que não «vê as coisas juntamente com eles», João não é reputado como um evangelho sinóptico. Mais de noventa por cento desse material fica fora da tradição dos evangelhos sinópticos, e bastaria esse fato para tornar impossível qualquer tentativa de fazer a harmonia entre os quatro evangelhos dos quais dispomos.

Desde os tempos mais remotos do cristianismo se tem reconhecido que o evangelho de João é distinto dos demais, por se ter fundamentado em fontes informativas diferentes. Os primeiros pais da igreja reconheceram esse fato tão claramente quanto o reconhecemos, e vemos que Clemente de Alexandria (ca. de 200 D.C.) dizia:

«Mas que João, em último lugar, consciente que os fatos corporais (isto é, externos) haviam sido revelados nos evangelhos, com o que ele tinha em mente os evangelhos de Mateus, Lucas e Marcos, sobre os quais vinha falando, foi encorajado, pelos seus conhecidos, e sob a inspiração do Espírito Santo, a escrever um evangelho espiritual». (Citado da obra *Hipóteses*, de Eusébio, em *Hist. Eccl*. VI. 14,7).

Embora a questão da autoria deste evangelho de João continui sendo assunto extremamente debatido (ver o item seguinte), uma coisa é certa: seu autor foi um homem profundamente religioso, místico por natureza, que mantinha real comunicação com o Cristo a respeito de quem ele escreveu; e, apesar do retrato falado que faz dele ser radicalmente diferente dos evangelhos sinópticos, é óbvio que ele cria que esse Cristo transcendental fosse o Jesus da história. Para que possamos compreender o evangelho de João, é mister jamais olvidarmos que apesar dele descrever aquele que a igreja cristã aceitava como salvador do mundo, para ele, esse salvador não podia estar confinado dentro dos estreitos limites da Palestina do primeiro século da era cristã, ou mesmo do mundo greco-romano daquela época, ou mesmo, meramente, dos estreitos limites de uma vida terrena, posto ser ele o Salvador eterno de todos aqueles que o têm conhecido e amado, significação essa que se estende a todos os séculos e, na realidade, até à própria eternidade.

I. *DATA*

Já houve ocasião em que uma das tentativas favoritas dos críticos eruditos era demonstrar uma data bastante posterior para o evangelho de João, talvez tão tarde como 200 D.C., mas essa idéia vem sendo gradualmente abandonada, conforme novas luzes vão sendo lançadas sobre esse problema. O descobrimento do minúsculo fragmento desse evangelho, intitulado P(52), que tem sido atribuído à primeira metade do século II D.C., tem demonstrado que este evangelho *já deveria* ter sido escrito e já deveria estar em larga distribuição por volta ou antes de 130 D.C. Também sabemos que esse evangelho já era conhecido e discutido, em círculos gnósticos, por volta de 130 D.C. Foi igualmente utilizado pelo escritor de um evangelho apócrifo recém-descoberto, editado por H. Idris Bell e T.C. Skeat, que os papirologistas supõem ter sido escrito na primeira metade do século II D.C. (Ver *Fragments of an Unknown Gospel*, conhecido por *Egerton Papyrus*, no católogo do Museu Britânico). Esse «evangelho» contém declarações e algumas passagens notavelmente similares aos evangelhos canônicos, incluindo o de João; e os eruditos concordam que apesar de uma parte desses escritos poder ter sido originada antes dos evangelhos de que dispomos (de uma fonte que nossos evangelhos também utilizaram), contudo, o mais provável é que simplesmente tais escritos foram tomados de empréstimo dos evangelhos canônicos.

À base desses fatos, tem sido comum, em anos recentes, atribuir o evangelho de João ao período entre 90 e 100 D.C., e até que outras evidências possam ser descobertas, parece que essa continuará sendo uma assertiva provavelmente correta.

II. *AUTOR*

Se confiássemos somente na tradição eclesiástica, sem qualquer outra indicação, seríamos forçados a aceitar a autoria joanina do evangelho de João, e com isso se quer dizer que João, o apóstolo, filho de Zebedeu, foi o seu autor. Em favor desse ponto de vista, têm sido expostos os seguintes argumentos:

1. A Tradição da Igreja Cristã

A tradição da igreja cristã favorece a autoria joanina: os Prólogos antimarcionistas, Irineu, Clemente de Alexandria, Tertuliano, o cânon muratoriano, e também Teófilo, em seu tratado, *Ad Autolycum*. Alguns consideram que a mais antiga referência ao apóstolo João, como autor desse evangelho, é o fragmento muratoriano, que deve ter sido escrito em cerca de 170 D.C. Seja como for, a afirmação da autoria joanina não poderia ser posta muito antes do que isso. Assim é que encontramos testemunhos que se derivam de lugares bem dispersos, como a Ásia, a Gália, o Egito, a África e Roma.

2. Evidências Internas

a. A mais conspícua dessas evidências é a declaração de João 21:24: «Este é o discípulo que dá testemunho a respeito destas cousas, e que as escreveu; e sabemos que o seu testemunho é verdadeiro». Esse mesmo discípulo, que evidentemente é referido como o «outro discípulo», também é salientado nos trechos de João 13:23; 19:26 e 21:7,20 (ver também João 18:15,16 e 20:2). Embora diversos dos doze apóstolos tenham sido mencionados por nome neste evangelho, Tiago e João nunca são chamados pelos seus nomes; contudo, por uma vez, os *filhos de Zebedeu* são incluídos entre aqueles que estiveram presentes quando do último aparecimento do Senhor ressuscitado, quando uma atenção especial é chamada à pessoa do discípulo amado. O «outro discípulo, a quem Jesus amava», conforme se lê em João 20:1-10, e que correu até o sepulcro a fim de confirmar a história do túmulo vazio, quase certamente deve ser identificado com o apóstolo João; e parece que se reunirmos todas essas referências, o próprio livro assevera a autoridade de

Códex W, Século V, primeira página do Evangelho de João, — Cortesia, Smithsonian Institution, Freer Gallery of Art, Washington, D.C.

RECTO   VERSO

P(52), também designado Rylands Papyrus 457: o fragmento mais antigo do Novo Testamento, segundo século — João 18:31-33; 37,38.
Cortesia, John Rylands Library

JOÃO, EVANGELHO DE

uma testemunha ocular, a saber, o testemunho do apóstolo João.

b. Muito se tem aproveitado, da parte de alguns, do fato de que neste evangelho, se evidencia grande conhecimento dos costumes judaicos e da geografia da Palestina; e por isso o autor deve ter sido um judeu da Palestina. Ele sabia, por exemplo, que era costume judaico alguém assentar-se sob uma figueira (João 1:49); ter alguém talhas para serem enchidas de água, com o propósito de usar a água nas cerimônias de purificação (João 2:6); embalsamar os mortos (João 19:40); lavar as mãos antes das refeições (João 13:4); que era errado a um rabino dirigir a palavra a uma mulher (João 4:2); que as enfermidades são resultantes do pecado (João 9:2); que Elias haveria de vir antes do aparecimento do Messias (João 1:21); que era contaminação para um judeu entrar numa moradia de gentios (João 18:29); e também esse escritor demonstrou possuir conhecimento íntimo sobre idéias messiânicas dos judeus, conforme se verifica no sétimo capítulo do livro.

Além disso, esse autor mostrou ter apurado conhecimento da *geografia* da Palestina, tendo-nos fornecido as distâncias, a descrição dos pórticos e claustros dos templos, o lado do edifício que o povo preferia durante a estação fria, etc. «Ele passa de Jerusalém para as aldeias circunvizinhas, atravessando riachos e visitando jardins, sem nem uma única vez ter tropeçado nos detalhes geográficos». (Bruce, na introdução ao evangelho de João, pág. 667). E disse também o professor Ramsya: «É impossível a quem quer que seja inventar uma narrativa, cujas cenas jazem em uma terra estrangeira, sem trair-se em pequenos pormenores, demonstrando a sua ignorância sobre o cenário e as circunstâncias, em meio aos acontecimentos que ele descreve a se desenrolarem... Até mesmo o estudo mais laborioso e minucioso das circunstâncias de uma região é incapaz de poupar o autor de tais equívocos». (Conforme citado por Bruce; ver a referência acima).

c. O autor era um *judeu*. Isso se verifica à base de considerações lingüísticas. João escreveu em grego puro, no que concerne às palavras e à sintaxe; porém, por mais de uma vez ele vaza as suas idéias em moldes de acordo com pontos de vista tipicamente judaicos, razão pela qual encontramos expressões de origem semita, como «filho da perdição» (João 17:12), «regozijar-se de alegria» (João 3:29), «estar em» ou «permanecer em» (João 14:17; 15:14 e I João 2:6), que são expressões muito mais típicas do hebraico do que do grego. Tudo isso serve para mostrar que o autor, apesar de poder usar à vontade o idioma grego «koiné», na realidade sabia manejar melhor com as idéias hebraicas. Alguns estudiosos têm frisado o fato de que as citações do V.T., feitas por João, ordinariamente não eram extraídas da versão grega do V.T., a Septuaginta; mas, na maioria das vezes, tais citações eram extraídas do V.T. hebraico, ainda que não com precisão. Isso serve para demonstrar, uma vez mais, a sua intimidade com a cultura judaica, e não tanto com a cultura grega. Assim sendo, o apóstolo João pode ter sido o autor deste evangelho, porque ele não era um judeu da dispersão, e, sim, da Palestina; e porque a linguagem deste evangelho parece indicar que o seu autor era judeu da Palestina.

3. Contra a Autoria Joanina

a. — Tem sido asseverado que posto a tradição eclesiástica não poder fornecer-nos qualquer afirmação acerca da autoria joanina, antes de 170 D.C., não temos, por essas mesmas razões, qualquer motivo para aceitar um testemunho que, assim sendo, é relativamente tardio. Entre o momento em que este evangelho foi escrito e a primeira afirmação de que dispomos de que o apóstolo João foi o seu autor, deve ter passado um período de, pelo menos, *oitenta* anos. Esse hiato de tempo parece invalidar afirmações posteriores a esse respeito, ou, pelo menos, parece torná-las um tanto duvidosas. Por exemplo, precisamos encontrar alguma explicação para o silêncio de Inácio, — que escreveu à igreja em Éfeso, quando de sua viagem a Roma, onde seria martirizado. *Inácio* apelou para a influência e o exemplo deixados pelo apóstolo Paulo, mas não faz qualquer alusão ao apóstolo João e, além disso, em seus escritos, não encontramos indício algum de que ele sabia da existência de algum evangelho escrito pelo apóstolo João. Justino Mártir, por sua vez, parece citar o evangelho de João pelos menos uma vez; — e, no entanto, não atribui a citação a um livro escrito pelo apóstolo João, apesar do fato de que, em outras oportunidades, tenha mencionado João como o autor do livro de Apocalipse. (Esses testemunhos ou semitestemunhos — porquanto, na realidade, não são testemunhos diretos sobre o caso — têm data anterior à tradição da autoria joanina, porquanto Inácio faleceu em cerca de 107 D.C., enquanto que os escritos de Justino Mártir podem ser datados como pertencentes à primeira metade do segundo século de nossa era cristã).

b. Alguns escritos, pertencentes aos séculos VII e VIII D.C., fazem alusão ao fato de que Papias, em seu livro, *Exposições dos Oráculos do Senhor*, asseverou que Tiago e João foram mortos pelos judeus; ora, esse martírio certamente teria ocorrido antes da data da escrita deste evangelho, pois João teria tido de viver até quase os cem anos de idade para que pudesse ter sido o autor do evangelho que tem o seu nome. Certo calendário de mártires, pertencente ao século V. D.C., celebra a data de 27 de dezembro como dia de memória e honra aos dois *mártires*, João e Tiago. — Alguns eruditos, entretanto, consideram que tal calendário seja resultado da aparente profecia, existente no evangelho de Marcos (10:39), de que esses dois irmãos seriam martirizados. Outrossim, se ambos foram martirizados, então a omissão de Eusébio, primeiro historiador eclesiástico, quanto a essa informação, seria um fato realmente estranho.

c. No tocante às *evidências internas*, poderíamos apresentar as seguintes observações acerca dos pontos que laboram contra a autoria joanina:

1. Deve-se admitir que o próprio evangelho de João *assevera autoridade* derivada da vida e do testemunho do apóstolo João, conforme também é expandido no ponto 2. a., acima, *Evidências Internas*. — Não obstante, sabemos que a autoridade que envolve o evangelho de Marcos é atribuída ao apóstolo Pedro; mas, apesar disso, ele próprio não foi o autor do evangelho de Marcos. Talvez o fenômeno seja idêntico neste caso. Certo discípulo de João, bem familiarizado com o pensamento grego ou com o movimento dos essênios, poderia ter sido o autor do evangelho segundo João. Ou, por outro lado, o seu autor poderia ter sido um judeu da Palestina, que tivesse residido em Jerusalém ou nas circunvizinhanças (mas não na Galiléia, segundo o próprio evangelho de João parece indicar), — que também teria sido um dos discípulos de Jesus, ou que, de alguma outra forma qualquer, tivesse estado associado ao círculo apostólico, ou ainda, que tivesse estado associado a algum dos discípulos de Jesus.

2. Também se deve admitir que o autor deste evangelho mui provavelmente foi um judeu da

JOÃO, EVANGELHO DE

Palestina, pelo menos um judeu que viveu ali durante muitos anos, porque o livro demonstra um íntimo conhecimento dos costumes judaicos e da geografia da Palestina. Todavia, essa evidência favorece mais um residente da cidade de *Jerusalém* ou da área circunvizinha a essa cidade, do que mesmo a um judeu da Galiléia. O ministério de Jesus, conforme é descrito neste evangelho de João, se circunscreve quase exclusivamente à área de Jerusalém; e, assim sendo, todas as provas concernentes ao conhecimento do autor sobre a Palestina dizem respeito à área de Jerusalém. O seu conhecimento exato acerca do templo, das aldeias ao redor, e das distâncias entre as aldeias ao redor de Jerusalém, como também a menção de haverem sido atravessados certos riachos em particular e as visitas a diversos jardins, indicam um conhecimento pessoal e especial da área de Jerusalém, que João, o pescador da Galiléia, dificilmente teria tido. Além disso, pode-se imaginar *um galileu a ignorar* quase inteiramente o ministério de Jesus na Galiléia? Todavia, podemos imaginar um habitante de Jerusalém ou da área imediatamente ao redor, a tomar interesse especial pelo ministério de Jesus ali efetuado, ao passo que os evangelhos sinópticos nos contam mais sobre o ministério de Jesus na Galiléia.

3. No que diz respeito às considerações *lingüísticas*, isso serviria tão-somente para provar que um judeu foi o autor deste evangelho, e não necessariamente o apóstolo João, o galileu. Outrossim, pode-se salientar o fato que o grego usado no livro ultrapassa em muito o que se poderia esperar de um judeu galileu sem grande cultura. Sabemos, pelos próprios evangelhos, que os apóstolos eram homens ignorantes e incultos. Por isso mesmo, de onde lhes derivaria o bom grego «koiné»? Parece mais certo, por conseguinte, que a prova lingüística favorece mais a autoria não-joanina deste evangelho.

4. Outras evidências internas também poderiam ser examinadas, as quais parecem apontar outro, não o apóstolo João, como autor do evangelho que é intitulado pelo seu nome, conforme diz Renam (*Vie de Jesus*, XXV): «Teria sido realmente João quem escreveu em grego esses discursos abstratos metafísicos, que não têm analogia nem nos evangelhos sinópticos e nem no *Talmude?* É uma pesadíssima cobrança à fé e, quanto a mim mesmo, não ouso dizer que estou convencido de que o quarto evangelho foi inteiramente produzido pela pena de um idoso pescador galileu; mas que esse evangelho, como um todo, se originou, perto do final do primeiro século, da grande escola da Ásia Menor, cujo centro era Éfeso... Às vezes somos tentados a acreditar que algumas notas preciosas, feitas pelo apóstolo, foram empregadas pelos seus discípulos».

5. Outros, ainda, supõem que o apóstolo João teria escrito o evangelho de seu nome, após ter vivido em certos centros de cultura grega, talvez a cidade de Éfeso, e após ter-se familiarizado com as idéias gregas como o *Logos*, bem como depois de haver aprendido o idioma grego. Essa teoria pode tomar duas direções diferentes: que o próprio João escreveu o evangelho, com o seu conhecimento adquirido e burilado; ou que ele entregou a tarefa de escrever a algum de seus discípulos. Esta última teoria seria mais convincente para qualquer pessoa que já tivesse aprendido a falar um idioma estrangeiro qualquer. Mesmo depois de anos de estudo e de uso, é quase impossível a um estrangeiro não revelar que ele não fala esta ou aquela língua como um nativo, mas que aprendeu a falar a mesma quando já era adulto. O grego do evangelho de João não deixa entrever que, para ele, tivesse sido um idioma adquirido; mas, ao mesmo tempo, revela uma mente *judaica*. Se João ditou a sua obra, e se algum discípulo que falava o grego como língua nativa a registrou, então poderíamos ter entre as mãos um livro da ordem do evangelho de João, do ponto de vista do conteúdo e das evidências lingüísticas. Tudo isso, entretanto, não passa de especulação.

Sumário. Abaixo damos o sumário das idéias referentes à autoria deste evangelho de João:

1. *João, o apóstolo*, filho de Zebedeu, escreveu este evangelho que tem o seu nome, talvez após ter vivido algum tempo em Éfeso ou em algum outro lugar, razão pela qual as suas expressões incluem algum material teológico abstrato ou filosófico, que não encontram paralelo no pensamento ou nos livros tipicamente hebreus.

2. O apóstolo João foi quem escreveu o livro, mas se utilizou de um *escriba* cujo idioma natural era o grego *Koiné*, para que servisse de amanuense.

3. O autor poderia ter sido um *outro João*, chamado João o Ancião, da cidade de Éfeso, um dos líderes proeminentes da igreja cristã da Ásia Menor.

4. O evangelho de João seria *anônimo*; mas houve tentativas de conseguir para o mesmo a autoridade apostólica, mediante referências ao «outro discípulo»; e daí se concluiu que o autor teria sido o apóstolo João. Bem poderia ter sido escrito por um *discípulo de João*, que baseou, pelo menos parcialmente, esses escritos, no conhecimento que tinha sobre incidentes da vida do citado apóstolo.

5. Quem escreveu o evangelho de João era residente *em Jerusalém* ou nas cercanias, e não na Galiléia.

6. O evangelho de João seria, na realidade, uma obra composta, tendo sido registrada pelo menos por duas *mãos diversas*. Alguns defendem autores judeus, e outros, autores gregos.

7. O estudo dos Manuscritos do Mar Morto (vide) e a comparação com as idéias ali encontradas, estão de acordo com os pensamentos contidos neste evangelho; isso parece indicar que o autor do evangelho de João teve alguma *conexão* com o grupo dos essênios. Frases tais como «filhos da luz», «andando nas trevas», além de outras, são típicas tanto dos essênios como deste evangelho. Todavia, é extremamente difícil demonstrar a correção dessa idéia, quando nos lembramos que tais frases se assemelhavam às judaicas em geral, que não pertenciam, como exclusividade, aos essênios.

8. Alguns acreditam que o evangelho de João foi originário *de Éfeso*, tendo sido escrito ou por um único autor ou por um grupo de escritores, e que o capítulo vigésimo primeiro foi-lhe então adicionado, escrito especificamente como defesa da autenticidade do conteúdo do livro. (Assim pensam Garvie, Alfred E., em *Commentary on John*, Abingdon Bible Commentary, Nashville, Tenn., págs. 1060-1069, 1929; e também Henshaw, T., em *The New Testament Literature*, Londres, George Allen and Unwin, 1952. E essa idéia é seguida por diversos outros eruditos).

Conclusão

1. O epílogo, cap. 21, teve, como um de seus propósitos, ligar esse evangelho à autoridade do apóstolo João (ver vss. 24 e 25). O vs. 24 menciona especificamente que ele *escreveu essas coisas*. Portanto, ali a intenção é mais do que dizer que o evangelho repousa sobre sua autoridade, sem que tivesse sido escrito por ele. Contudo, poderíamos dizer que Pedro «escreveu» o evangelho de Marcos, já que esse evangelho repousa sobre as memórias de Pedro, embora certamente tivesse tido outras fontes.

520

JOÃO, EVANGELHO DE

Portanto, é possível que um discípulo de João, provavelmente da escola de Éfeso (onde João passou seus últimos anos), tenha feito o trabalho de escrita, ao passo que João foi a autoridade por detrás de tal escrita.

2. Por que não aceitar, simplesmente, a idéia de que o apóstolo João escreveu a obra inteira? Se ele o fez, então é provável que ele *mandou revisar* seu livro por alguém cujo idioma nativo era o grego, algo totalmente possível. Desse modo pode-se responder à objeção «lingüística». O «grego não é o de um galileu», mas o de algum grego de Éfeso, que teria revisado a linguagem do galileu, ou até mesmo tenha «refeito» completamente os escritos de João.

3. João, sem dúvida, era capaz de aprender idéias filosóficas e teológicas abstratas, pelo que se expressou de modo diferente do que o fizeram os evangelhos sinópticos. Sua residência em Éfeso deve ter facilitado esse aprendizado. Ou então, alguns dos modos de expressão poderiam dever-se àquele que fez a redação final do evangelho para o idioma grego.

4. A única objeção *realmente difícil* à autoria joanina é o fato de que o evangelho ignora completamente o extenso ministério de Jesus na Galiléia, focalizando quase todas as suas cenas na área de Jerusalém. Seria possível que uma «testemunha» do ministério de Jesus na Galiléia, que também fosse galileu, tivesse escrito um evangelho que olvida totalmente a Galiléia? Poderíamos sugerir que se João o escreveu, que ele não resolveu escrever um evangelho ao estilo dos sinópticos, mas antes, quis compor um *tratado teológico*, cuja parte histórica está bem subordinada aos discursos. Nesse caso, João pode ter escolhido apenas alguns poucos incidentes, e todos provindos da área de Jerusalém, para agir como uma espécie de *pano de fundo* para seu tratado.

5. Apesar das dificuldades, não há razão para duvidar-se da idéia de que o evangelho repousa sobre a *autoridade de João*, refletindo seu discernimento no caráter cósmico de Cristo, embora um discípulo seu, ou da escola joanina, tivesse feito a real composição.

6. Tal como no caso de todos os livros do N.T., cuja autoria é debatida, o real problema que enfrentamos aqui não é a identificação absoluta daquele que manejou a pena, já que, em última análise, a mensagem vem do alto, pois o Espírito Santo é seu autor, mas antes: *«O que temos feito com o que foi escrito?»* Não basta crer que certa pessoa escreveu certo livro, nem mesmo basta crer em seus «conceitos». O Senhor Jesus Cristo nos interrogará, quando comparecermos perante seu tribunal: «Praticaste o que está escrito? Fizeste o que te foi dito? Justificaste teu privilégio de estar informado mediante a revelação?» Quanto do Cristo, que vive no evangelho, vive agora em nós? Essa é a questão realmente crítica.

III. *PROVENIÊNCIA E DESTINO*

Estes pontos, igualmente, têm de ser deixados na dúvida, tal como sucede à questão da autoria. Abaixo damos as idéias mais comuns. Quanto ao lugar em que teria sido escrito o evangelho de João, quatro localidades têm sido sugeridas, a saber: Jerusalém, Antioquia, Éfeso e Alexandria.

1. Aqueles que defendem *Jerusalém* como o lugar onde foi composto este evangelho, contam com o apoio do fato de que o próprio evangelho revela bom conhecimento, por parte de seu autor acerca dos costumes judaicos, do templo e das situações topográficas de Jerusalém e das circunvizinhanças, (ver b. 2, sob *«autor»*). A aparente similaridade dos chamados Manuscritos do mar Morto (*vide*), encontrados numa antiga comunidade dos essênios, em comparação com *João*, — pelo menos poderia sugerir uma origem palestiniana para o mesmo.

2. No que diz respeito à origem em *Antioquia da Síria* para este evangelho, alguns estudiosos têm apelado para a grande semelhança entre o pensamento e a fraseologia do evangelho de João e as epístolas de Inácio, bispo de Antioquia, e também com as Odes de Salomão, que foram escritas no idioma siríaco, e parecem ter-se originado em Antioquia da Síria. Confirmando ainda mais essa idéia, existe um fragmento, em siríaco, do comentário de Efrem, sobre o *Diatessaron* de Taciano, que diz: «João escreveu aquele (evangelho), em Antioquia, porquanto permaneceu no país até os tempos de Trajano». Não temos meio algum de comprovar a exatidão dessa informação, porquanto não sabemos qual a sua origem final.

3. A tradição mais constante e vigorosa tem vinculado este evangelho à cidade de Éfeso, sem importar se João o escreveu ou não, ou se é da lavra de um grupo de discípulos de João, ou se foi um só autor ou diversos autores que publicaram o livro, sob a autoridade apostólica de João. O argumento principal em prol dessa tradição é o próprio conteúdo do livro. As idéias, os discursos, a elevada teologia que emprega a *técnica do salão de conferências*, tudo parece indicar Éfeso como a localidade em foco. A tradição também vincula o apóstolo João com essa cidade. O evangelho põe ênfase especial no fato de subordinar João Batista, no que se mostra paralelo ao trecho de Atos 17:24—19:7; e isso, segundo alguns pensam, mostra ter havido certa conexão com Éfeso. «Seja como for, a esmagadora maioria dos críticos está acostumada a chamar esse escrito de o 'evangelho efésio'. E essa hipótese tem a seu favor um poderoso fator: não há rival mais forte». (Morton Scott Enslin, *The Literature of the Christian Movement*, Harper and Brothers, Nova Iorque, pág. 451, 1956). A história eclesiástica também se mostra uniforme ao testificar que o apóstolo João mudou-se para a Ásia Menor, passando a superintender as igrejas dali, e foi então banido para a ilha de Patmos durante o reinado de Domiciano (81—96 D.C.), e finalmente morreu em Éfeso, com cerca de noventa, (ou mesmo cento e vinte anos de idade (durante o reinado de Trajano — ver Eusébio, *História Eclesiástica* XXX. 18:23).

4. *Alexandria*. Sabemos que este evangelho de João exerceu poderosa atração sobre os gnósticos de Alexandria, e que o mesmo tem marcantes afinidades com certos pensamentos e a linguagem que se encontram nos escritos herméticos (um tipo de *misticismo especulativo* que prevaleceu no Egito e em outros lugares do mundo antigo, que supostamente teria sido dado por um sábio endeusado, chamado Hermes *Trismegisto*, isto é, «três vezes o maior»). Este evangelho também demonstra similaridades com os escritos neoplatônicos de Filo de Alexandria. Não obstante, não há qualquer tradição sólida que vincule este evangelho com Alexandria, como, por outro lado, se verifica com Éfeso; e essa é a razão por que a teoria não tem alcançado aceitação generalizada.

Destino

O conteúdo do próprio evangelho de João indica para quem foi o mesmo escrito: a. Trata-se de uma *apologia cristã de caráter geral*, e o trecho de João 20:31 ilustra para quem foi escrito, onde se lê: «Estes, porém, foram registrados para que creiais que Jesus é o Cristo, o Filho de Deus, e para que, crendo, tenhais vida em seu nome». Sim, este livro foi escrito para todos os que crêem, para outorgar-lhes a certeza da fé; porém, também tem finalidades evangelísticas, para servir de instrumento para convicção dos ímpios.

521

JOÃO. EVANGELHO DE

b. Seu capítulo inicial, que dá ênfase especial à doutrina do *Logos*, tem por intuito combater todas as formas de gnosticismo, especialmente prevalentes nas igrejas gentílicas e que, mui provavelmente, se mostravam mais virulentas nas igrejas cristãs da Ásia Menor.

IV. *FONTES INFORMATIVAS*

No caso dos evangelhos sinópticos, é tarefa relativamente fácil perceber as fontes informativas básicas dos mesmos, e têm sido largamente aceitas as teorias sobre o *protomarcos*, o qual ter-se-ia fundamentado na tradição da comunidade cristã de Roma, sobre a fonte informativa «Q», sobre as fontes de ensino usadas por Mateus e Lucas, designadas respectivamente de fontes «M» e «L», tudo alicerçado em tradições eclesiásticas separadas, como teorias de natureza regularmente aceitáveis e que são passíveis de demonstração.

Afirmações semelhantes, no que tange às fontes informativas utilizadas pelo evangelho de João, não gozam, entretanto, de aceitação universal; e em vista disso vemo-nos frente a frente com um problema que continua a deixar-nos perplexos. Não obstante, o consenso universal, hoje em dia, para todos os efeitos práticos, é de não esperar conhecimento preciso sobre as fontes informativas. O que é inegável é que os evangelhos não são simplesmente narrativas independentes, preparadas por quatro autores diversos, acerca de acontecimentos e declarações que todos teriam visto e conheciam em comum. Em outras palavras, não são meramente diferentes narrativas dos mesmos acontecimentos. É verdade que muitas tradições são refletidas nos quatro evangelhos, algumas delas provenientes diretamente dos apóstolos, outras provenientes dos discípulos dos apóstolos, e algumas outras provenientes do lastro de tradições escritas e orais, que havia na igreja primitiva. Algumas das narrativas ou declarações ali encontradas dependem de uma única testemunha, enquanto que outras contam com amplo número de provas corroboradoras. Abaixo expomos as diversas idéias sobre as fontes informativas do evangelho de João:

1. Dependência de João em relação aos evangelhos sinópticos—**Marcos**. A defesa mais razoável de que João dependeu, pelo menos parcialmente, do evangelho de Marcos (isto é, do «protomarcos») como sua fonte informativa, foi apresentada por B.H. Streeter, em seu livro *The Four Gospels*. Ele alude a *seis* passagens em que as palavras gregas são por demais similares entre os evangelhos de João e de Marcos para serem explicadas como meros acidentes. Essas passagens são as seguintes: João 6:7 com Mar. 6:37; João 12:3 com Mar. 14:3,5; João 14:31 com Mar. 14:42; João 18:18 com Mar. 14:54; João 18:39 com Mar. 15:9; e João 5:8,9 com Mar. 2:11,12. Em todas essas referências existem paralelos nos evangelhos de Mateus e Lucas, mas a similaridade lingüística se verifica muito mais com a versão de Marcos; e daí se conclui que João dependeu especialmente de Marcos.

Por semelhante modo, tem-se observado que o evangelho de João raramente concorda com outros evangelhos sinópticos, quando em choque com o de Marcos; porém, é freqüente discordar com Mateus e Lucas e concordar com o de Marcos. Algumas dessas passagens são as seguintes: João 1:19-34 com Mar. 1:7-10 (João Batista); João 2:13-22 com Mar. 11:15-19 (a purificação do templo); João 6:1-5 com Mar. 6:31-44 (a multiplicação de pães para a multidão; ver também Mar. 8:1-10); João 6:15-21 com Mar. 6:45-52 (andando sobre o mar); João 12:1-8 com Mar. 14:3-9 (a unção de Jesus em Betânia); João 12:12-19 com Mar. 11:1-10 (a entrada triunfal em Jerusalém); João 13:21 com Mar. 14:18 (a traição é predita); João 13:38 com Mar. 14:30 (a negação de Pedro é predita); João 18:3-10 com Mar. 14:43-50 (o aprisionamento de Jesus); João 18:15-18; 25:27 com Mar. 14:54,66-72 (a negação de Pedro); João 18:33 com Mar. 15:2 (a pergunta de Pilatos); João 18:37 com Mar. 15:2 (a resposta de Jesus); João 18:39,40 com Mar. 16:6-15 (Barrabás); João 19:2,3 com Mar. 16:16-20 (a zombaria contra Jesus); João 19:17-24 com Mar. 15:22-27 (a crucificação); João 19:38-42 com Mar. 15:43-46 (o sepultamento); João 20:1,2 com Mar. 16:1-8 (o túmulo vazio).

2. Dependência de João em relação aos evangelhos sinópticos—**Lucas**. O problema, quanto ao evangelho de Lucas, é muito mais débil do que no caso do evangelho de Marcos. O argumento mais forte em seu favor é que o trecho de João 11:1,2 não somente se refere a João 12:1-3, mas também subentende o conhecimento do trecho de Luc. 10:38,39. Também parece que a narrativa da unção, apresentada por João, é uma espécie de fusão das narrativas de Marcos e de Lucas, o que fica inteiramente diferente da narração do mesmo evento, segundo se lê em Luc. 7:36-50.

A *refutação da dependência* do evangelho de João em relação aos sinópticos tem sido apresentada por certos eruditos, como P. Gardner-Smith (*Saint John and the Synoptic Gospels*), os quais têm exposto as seguintes idéias:

1. As seções que supostamente dependem dos evangelhos sinópticos, e que possuem determinadas similaridades, até mesmo na questão da formação de palavras, etc., também são *igualmente diferentes*, nas mesmas modalidades das particularidades.

2. Basicamente, o evangelho de João é *realmente diferente*, porquanto reflete outras tradições. Por exemplo, João situa a purificação do templo no começo do ministério do Senhor Jesus, ao passo que os evangelhos sinópticos põe-na no fim. Em João, o ministério de Jesus se prolonga pelo espaço de três anos, mas nos sinópticos parece ter durado apenas um ano. A história do chamamento dos primeiros discípulos é tão inteiramente diferente que chega a sugerir que jamais se poderá fazer reconciliação adequada entre os dois. A história do ministério de João Batista, no evangelho de João, é *radicalmente diferente*, e isso nos sugere uma fonte informativa distinta. João escreveu numa época em que os ensinamentos acerca do nascimento de Jesus (a localização, o nascimento virginal, etc.), ainda não estavam estabelecidos; e, por isso mesmo, não encontramos ali qualquer alusão a esses aspectos; e isso serve para demonstrar, igualmente, que se o autor estivesse familiarizado com os sinópticos, mesmo assim não lançou mão deles como fontes informativas, porquanto, de outra maneira, sem dúvida alguma teria incluído mais do material dos mesmos. O fato é que menos de dez por cento do material que figura nos evangelhos sinópticos também aparece no evangelho de João. Outrossim, as narrativas acerca dos dias finais de Jesus contêm elementos similares; mas, no entanto, se distinguem mais em vista de seus elementos diferentes.

3. De modo geral, diríamos que *não há dependência real* de João em relação aos evangelhos sinópticos, e as passagens aparentemente similares, não passam de meros reflexos de duas tradições distintas, posto que similares. Essas tradições diversas podem ter sido mesmo preservadas na forma de palavras ou de princípios gramaticais especiais, embora tivessem chegado ao conhecimento de João de forma totalmente diversa do que chegaram ao conhecimento

JOÃO, EVANGELHO DE

de Marcos e Lucas. O fato de que João conta com menos de dez por cento de material similar ao dos evangelhos sinópticos comprova, virtualmente, essa idéia; pois é quase impossível crermos que ele tivesse tido acesso aos mesmos, para então usar deles tão pequena porção. Assim sendo, ele teve acesso a tradições paralelas às tradições similares empregadas por Marcos e Lucas, mas que não podem ser identificadas com essas últimas. É por puro acaso que cerca de dez por cento do evangelho de João se assemelha aos registros dos evangelhos sinópticos.

Essa refutação é extremamente vigorosa, e parece apresentar a verdade sobre a questão.

3. Outros evangelhos, outras tradições, que não foram usadas pelos evangelhos sinópticos:

Sabe-se que o evangelho de João tem alguns pontos de semelhança com o papiro Egerton 2, do Museu Britânico (informações acerca do qual foram publicadas na obra de H. Idris Bell e T.C. Skeat, *«Fragments of an Unknown Gospel»*, Londres: Oxford University Press). Alguns têm pensado que esse evangelho desconhecido simplesmente tomou de empréstimo algum material do evangelho de João e dos evangelhos sinópticos. (Assim diz a maioria dos eruditos). Mas existem outros que estão convencidos, após exame completo do material, mediante comparação do mesmo com o evangelho de João, que este evangelho em foco não fez empréstimos do de João e, sim, que ambos fizeram empréstimos de alguma outra fonte informativa, atualmente desconhecida e desaparecida, que data de um período anterior a ambos. Essa é a idéia de G. Mayeda, autor da obra mais completa sobre essa obra apócrifa, intitulada *Das Lebem-Jesu-Fragment Papyrus Egerton 2 und Seine Stellung in der urchristlichen Literaturgerschichte*, (Verna, Paul Haupt, 1946, pág. 69-75). Qualquer que seja a verdade a respeito disso, parece perfeitamente certo, porém, até mesmo à base do prefácio do evangelho de Lucas, que existiam então *muitos evangelhos* escritos e orais; e, em face disso, podemos meramente afirmar que o autor do evangelho de João teve acesso a certo material de que os evangelhos sinópticos não dispunham.

No caso do evangelho de Marcos, podemos supor com segurança que houve uma tradição central por detrás do mesmo—a tradição preservada pela comunidade cristã de Roma. Todavia, no caso do evangelho de João, na realidade não podemos afirmar de onde vieram tais tradições. Não passa de pura conjectura alguém afirmar que essas tradições se escudam primariamente na comunidade cristã de Éfeso, embora seja mais segura tal conjetura do que pensar que a base das mesmas tenha sido qualquer outra comunidade cristã primitiva. Todavia, é conjetura ainda mais sem base alguém dizer que as tradições que são refletidas pelo evangelho de João foram tomadas de empréstimo da coletânea de fatos pertencente aos essênios, ao zoroastrismo ou ao neoplatonismo. Concorda-se de maneira quase universal, entretanto, que, no caso da cena da paixão de Jesus, João contava com uma fonte antiqüíssima e fidedigna, provavelmente de *origem palestiniana*, o que nos tem fornecido detalhes que não conhecíamos através dos autores dos evangelhos sinópticos. Não obstante, algumas idéias e expressões foram tomadas de empréstimo da filosofia neoplatônica e do misticismo. O capítulo vigésimo primeiro do evangelho de João parece ser um epílogo de natureza editorial.

4. Diagrama das fontes informativas do evangelho de João:

• • • • • • • • •

523

JOÃO, EVANGELHO DE

V. RELAÇÃO COM O PENSAMENTO RELIGIOSO CONTEMPORÂNEO

1. Floresceu na cidade de Alexandria a chamada **filosofia neoplatônica**, e, por intermédio de Filo (que era um filósofo neoplatônico e, certamente, não Moisés falando grego, conforme alguns têm dito, mas antes, mais semelhante a Platão falando hebraico), essa influência penetrou na comunidade judaica. Ora, foi também em Alexandria que floresceu a cultura helenística geral. Naturalmente, a doutrina do *Logos* estava associada ao estoicismo (e pode ser feita retroceder até Heráclito, com alguma justificação, ou seja, até o ano 600 A.C.); todavia, essa doutrina do «Logos», na filosofia posterior à aristotélica, ficou ligada ao neoplatonismo, por motivo de fusão. Filo se referiu ocasionalmente ao *Logos*, algumas vezes de maneira impessoal, como se fora a força inteligente do mundo, a força criativa, a inteligência divina; mas, em outras ocasiões, também se referiu ao mesmo pessoalmente, como se fora o «anjo do Senhor», mais ou menos como o «demiurgo» de Platão, somente que personalizado. Não foi necessário um passo muito grande, para o autor do evangelho de João, personalizar ainda mais o conceito, assim fazendo do *Logos* (o Verbo ou Palavra), o Messias do V.T., o Cristo transcendental, o Filho de Deus, encarnado na forma de Jesus de Nazaré.

Nos escritos de Filo, o *Logos* é também aquele que revela a Deus; e outro tanto é dito acerca de Jesus Cristo, no N.T. Cristo aparece, no N.T., como a personificação da sabedoria divina. O monoteísmo hebraico havia destacado a transcendência de Deus; e isso se transformou, ou quase, numa expressão daquilo que hoje em dia é chamado, na filosofia religiosa, de «deísmo sobrenatural», — que assevera que apesar de Deus ser usualmente transcendente, ocasionalmente ele intervém na história humana, para alterar o seu curso, para realizar algum milagre, etc.

Ora, a doutrina do «Logos» oferecia, à comunidade cristã, o *instrumento necessário* para conservar a transcendência como um ensino acerca de Deus, ao mesmo tempo em que lhe emprestava uma forma de imanência. Deus veio ao mundo na pessoa do «Logos», do «Verbo». De fato parece adaptar-se maravilhosamente à mensagem inteira sobre Cristo, que é a manifestação especial de Deus neste mundo, a força criadora, o elo vinculador, a sabedoria divina, que tomou carne com o propósito de iluminar aos homens. Ao mesmo tempo, João, bem como a comunidade cristã em geral, evitaram o ensino panteísta do neoplatonismo. Seria um grande erro crermos que o autor deste evangelho de João foi um estudioso de Filo ou de sua filosofia em geral; contudo, o conceito tinha larga circulação no mundo greco-romano, e o autor desse evangelho meramente aproveitou a oportunidade de utilizá-lo como instrumento para expressar melhor a mensagem cristã. *«Embora ele tivesse emprestado o conceito, não fez empréstimos do mesmo».* (James Denny).

2. As religiões misteriosas e o gnosticismo. Até mesmo um exame superficial do evangelho de João é suficiente para convencer-nos sobre as inclinações *místicas* de seu autor. Essa circunstância tem encorajado alguns estudiosos a examinarem várias modalidades do misticismo oriental, a fim de averiguarem quais paralelos podem ser encontrados entre o evangelho de João e essas religiões misteriosas, e para verificar quais dessas idéias teriam exercido influência sobre o citado evangelho.

Durante o século passado se deu grande importância aos chamados escritos *herméticos*, uma coletânea de tratados que consiste em especulações religiosas e filosóficas e em instruções que supostamente foram transmitidas por um sábio endeusado chamado Hermes Trismegistus (que significa «três vezes o maior»). Parte desse material demonstra estranhas similaridades com alguns elementos do evangelho de João. Os dois mais importantes desses tratados são o primeiro e o décimo terceiro. O primeiro deles tem o título de *Poimandres*, isto é, «Pastor de Homens», mas que o próprio autor define como «A Razão do Senhorio». Contém certo mito sobre a criação, sem dúvida alguma alicerçado na cosmogonia do livro de Gênesis. A segunda parte contém material sobre como Deus ilumina aos homens, e também fala sobre a aproximação mística a Deus. O arrependimento é um elemento central, e inclui o evitar os caminhos da morte, da ignorância, do erro, do alcoolismo, da corrupção, além dos aspectos positivos de entrar no caminho da luz, do conhecimento, da verdade, da sobriedade e da salvação. Já o décimo terceiro tratado é um estudo sobre a regeneração. Nesse estudo, as características de uma pessoa nova e renascida são a verdade, o bem, a luz e a vida; e o corpo da razão é, literalmente, o *corpo do Logos*. A composição desses escritos teve lugar muito depois de haver sido registrado o evangelho de João; mas alguns têm pensado que tanto esses tratados como o evangelho de João tiraram subsídios de fontes informativas similares, ou, pelo menos, que se pode perceber que um vocabulário religioso distintivo foi posto à disposição do autor do evangelho de João, através da cultura que também produziu os escritos herméticos.

Outras religiões misteriosas, por semelhante modo, enfatizaram elementos comuns ao evangelho de João, tais como o milagre do grão de trigo que cai no solo, para em seguida morrer e viver de novo, assim produzindo fruto, e também os ritos da purificação, do batismo, a doutrina do renascimento, e a aproximação a Deus através da vereda mística da luz e da verdade. Os capítulos terceiro e sexto do evangelho de João são especialmente similares, quanto às idéias básicas, aos ensinamentos dessas religiões.

A semelhança que existe entre o evangelho de João e os escritos dos **gnósticos** tem sido observada com grande freqüência. Mais ou menos na época em que o cristianismo veio à existência, já havia no mundo helenista uma *estranha mistura* de conceitos religiosos do judaísmo com a filosofia grega, especialmente com o neoplatonismo. Havia diversas especulações cosmológicas, tradições astrológicas e uma demonologia mágica, tudo proveniente da Babilônia. Mais ou menos pelos meados do século II D.C., a igreja cristã já fora totalmente invadida por esses elementos. Todavia, antes mesmo dessa ocasião, tais elementos já se faziam presentes, e encontramos uma parte da literatura neotestamentária que foi escrita com o propósito de combater tais tendências, assim como as epístolas paulinas aos Efésios e aos Colossenses, como também o evangelho de João e as três epístolas de João. Todo o esforço, nessa literatura bíblica, foi enviado para exaltar a pessoa de Jesus Cristo, a fim de provar que ele não pertencia meramente à ordem dos anjos, segundo os gnósticos asseveravam, mas que ele é perfeitamente divino. Por outro lado, também houve evidente *esforço* em refutar os conceitos antinominianos e os conceitos ascéticos, próprios de determinadas variações do gnosticismo.

Por esse motivo é que o livro de Apo. também faz alusão àqueles que «...não têm essa doutrina e que

JOÃO, EVANGELHO DE

não conheceram, como eles dizem, as cousas profundas de Satanás...» (Apo. 2:24), o que, evidentemente, é um ataque contra as idéias do gnosticismo, espalhadas pela Ásia Menor. (Ver, igualmente, as passagens de I João 2:22 e 4:2,3). O gnosticismo negava a encarnação verdadeira de Jesus Cristo e, em seu docetismo, afirmava que a sua natureza humana era tão somente uma ilusão. E alguns gnósticos também negavam essa verdadeira encarnação de Jesus Cristo de outra forma, isto é, afirmando que o espírito de Cristo viera apossar-se do corpo de Jesus de Nazaré, por ocasião de seu batismo, tendo-o subseqüentemente abandonado, quando de sua morte na cruz; e dessa idéia concluíam que, em Cristo, na realidade, havia duas personalidades distintas.

E assim, se por um lado, alguns dos termos favoritos do gnosticismo tenham sido «conhecimento», «fé», «saber», «crer», «sabedoria» e «verdade», por outro lado, esses vocábulos também foram constantemente usados pelo autor do evangelho de João. E, apesar de ser historicamente demonstrável que certos grupos gnósticos de Alexandria e de Éfeso apreciaram especialmente o evangelho de João, contudo, não existe qualquer conexão vital entre os dois; parece bastante certo que, na realidade, o evangelho de João foi escrito como refutação das idéias gnósticas básicas, em vez de ter sido um reflexo das mesmas.

3. Mandeísmo. Alguns eruditos alemães, durante a década de 1920, provocaram alguma agitação quando chamaram a atenção do público para certa literatura pouco conhecida, preservada por uma seita obscura que ainda sobrevive em comunidades nos baixos rios Eufrates e Tigre. Os mandaeanos (nome proveniente do vocábulo aramaico *manda*, que significa *conhecimento secreto da vida*) podem, realmente, ser considerados uma parte integrante do grande movimento gnóstico; e em seu «cânon» de literatura existem os seguintes livros: a *Cinza* ou *Tesouro*, —que também é chamado de *O Grande Livro*; o *Livro de João* (Batista); a *Qolasta* (Quintessência); um livro de liturgias para a festividade batismal de todos os anos e um livro para o culto aos mortos. Em cerca de 1875, Theodor Noldeke publicou uma gramática mandaeana, e isso pavimentou o caminho para um exame mais completo dessa literatura, que se pensou ter alguma conexão bem definida com o evangelho de João. Parte dessa literatura é de caráter antijudaico, mas também anticristão, e com freqüência alude a Cristo como «o mentiroso». Posto que a data da publicação desse material se verificou após o ano de 651 D.C., isto é, após as conquistas muçulmanas, tem-se exercido muita cautela na aceitação da obra, posto terem-se descoberto muitos sinais de preconceitos islamitas; contudo, também se pensa que as tradições de onde procedeu o *cânon* mandaeano bem poderiam ter sido anteriores em muito às conquistas muçulmanas, talvez possuindo alicerces em tradições que antedatam parte da literatura do N.T., incluindo talvez até mesmo o evangelho de João.

Os diversos estudos feitos em torno dessa literatura têm demonstrado haver notável similaridade com o evangelho de João. Por exemplo, o Pai fala ao Filho (no Livro de João Batista), dizendo: «Meu filho, vem e sê meu mensageiro; vem e sê meu demonstrador, e desce à atribulada terra. Desce ao mundo das trevas, até às trevas onde não chega raio de luz, ao lugar dos leões, à habitação dos malditos leopardos...» E existem ainda outras passagens que nos fazem lembrar trechos do evangelho de João. Por semelhante modo, podem-se encontrar paralelos de todas as principais idéias do quarto evangelho. Porém, um

exame mais detido desses escritos mostra-nos que não está em vista um único pai, e nem um único filho e, sim, que muitos são os mensageiros assim envolvidos.

F.C. Burkitt (*The Mandaeans*, Journal of Theological Studies, XXIX, 1928, págs. 225-235), demonstrou que os mandaeanos obtiveram as suas idéias acerca dos cristãos, bem como o seu emprego do V.T., fundamentados na tradição Peshitta, i.e., a tradução para o siríaco, feita por Rabula, bispo de Edessa, em 411 D.C. E o mesmo autor chega mesmo a mostrar que *Eshu Mshiha* (Jesus Messias) é um falso profeta, e que a hostilidade deles contra ele equivale ao antagonismo que sentiam ante a igreja bizantina, plenamente desenvolvida. Em diversos lugares, Cristo se fazia acompanhar por *Rumaia* (Bizantino). Um outro personagem teria descido a este mundo, sendo operador de milagres e homem dotado de grande poder e então, antes da sua ascensão (após ter ressuscitado dentre os mortos), ele desmascarou o «enganador», isto é, o Cristo bizantino (símbolo da igreja bizantina), Cristo esse que foi agarrado pelos judeus e em seguida foi crucificado.

Um comentário de Theodore bar Konai (792 D.C.) indica que grande parte da doutrina dos mandaeanos foi tomada por empréstimo de Márcion (pai herético da igreja, em 150 D.C.) bem como dos maniqueus. A história verdadeira dos mandaeanos (como seita distinta) provavelmente teve começo na baixa Babilônia, cerca de setenta anos após o surgimento do islamismo, e se derivou de um asceta vagabundo de Adiabene, que derivou parcialmente os seus ensinamentos de Márcion e, parcialmente, dos maniqueus (**nome esse derivado do perso Manes ou Maniqueu, que ensinava certa filosofia religiosa em cerca de 400 D.C., e cuja seita persistiu até o século VII D.C.**), combinando elementos do zoroastrismo, do gnosticismo e do cristianismo, tudo alicerçado no dualismo radical do bem e do mal — um deus bom e um deus mal — luz e trevas, etc. — e nas primeiras noções dos gnósticos.

A conclusão da matéria parece ser a de que havia **paralelos definidos (isto é, autênticos) em relação ao** evangelho de João, e que esses paralelos foram tomados de empréstimo do próprio evangelho de João, ou diretamente ou através de alguma fonte informativa intermediária, e não de fontes anteriores a esse evangelho; em face do que é um anacronismo procurar luz, nos escritos dos mandaeanos, para esclarecer o pano de fundo do quarto evangelho.

VI. INFLUÊNCIA DO ANTIGO TESTAMENTO E DE OUTRA LITERATURA CRISTÃ PRIMITIVA

1. O Antigo Testamento

A tendência que se vê nos estudos mais recentes sobre o evangelho de João consiste em afirmar que as raízes mais profundas desse evangelho estão bem arraigadas no judaísmo bíblico do V.T., talvez um tanto mediadas pelo judaísmo posterior, como ele é refletido em alguns livros apócrifos do V.T. A influência histórica que se vê no evangelho de João, como os costumes, os ritos religiosos, as festividades, tudo retrocede *até o Pentateuco* e ao reestabelecimento da vida nacional judaica, ao tempo de Esdras e Neemias. A prioridade de Israel é reconhecida ali: «...a salvação vem dos judeus...» (João 4:22). Jesus é apresentado como o Messias judaico, embora na cristologia de João, fatos como o Filho divino, o Homem descido do céu, o Rei e Juiz que virá, etc., são aspectos que jamais foram incluídos nas explicações judaicas sobre o caráter do Messias.

Até mesmo a grande passagem sobre o *Logos*, no

JOÃO, EVANGELHO DE

trecho do primeiro capítulo do evangelho de João, mediante as suas palavras iniciais, «No princípio...», faz referência óbvia à história da criação, no livro de *Gênesis*; mas essa idéia está admiravelmente bem vinculada com o «Logos», a sabedoria divina, a força criadora, o revelador, que são conceitos que sem dúvida não eram comuns e nem estavam ainda bem desenvolvidos no V.T., e que certamente não faziam parte dos ensinos messiânicos dos judeus. Algumas das referências alegóricas feitas por João são de cunho nitidamente judaico, como o Pastor (capítulo décimo, alusão a Sal. 23; Is. 40; Jer. 23 e Eze. 15 e 19). É verdade que dificilmente há um capítulo deste evangelho em que não se possa encontrar alguma referência ou citação, direta ou indireta, ao A.T. Abaixo damos exemplos disso: João 1:23 (Is. 40:3); João 1:29 (Êx. 12:3; Is. 53:7); João 1:51 (Gên. 28:12); João 2:17 (Sal. 69:9); João 6:31 (Êx. 16:15; Nee. 9:15; Sal. 78:24,25; 55:1); João 7:38 (Is. 12:3); João 7:42 (Sal. 89:3,4; Miq. 5:2); João 8:17 (Deut. 17:6; 19:15); João 10:34 (Sal. 82:6); João 12:34 (Sal. 89:4; 110:4; Is. 9:7; Eze. 37:25; Dan. 7:14); João 12:38 (Is. 53:1); João 12:39,40 (Is. 6:10); João 13:18 (Sal. 41:9); João 15:6 (Sal. 80:15,16); João 15:25 (Sal. 35:19 e 69:4); João 19:24 (Sal. 22:18); João 19:28,29 (Sal. 69:21); João 19:36 (Êx. 12:46; Núm. 9:12); João 19:37 (Zac. 12:10).

2. Literatura de sabedoria

O trecho de Pro. 8:22-30 faz-nos relembrar a história da criação, no livro de Gênesis, mas também nos faz lembrar dos textos que podem ser encontrados em certas obras apócrifas do V.T., como a Sabedoria de Jesus, *Filho de Siraque* (Eclesiástico) e a Sabedoria de Salomão. A passagem de Eclesiástico 42:15 diz: «Pela palavra de Deus as suas obras foram formadas, e o que foi operado o foi pela sua boa vontade, de conformidade com o seu decreto». E o trecho de Eclesiástico 43:26 assevera: «Por razão dele, o seu fim tem sucesso; e por sua palavra todas as coisas consistem». Aqui temos notáveis paralelos do primeiro capítulo do evangelho de João e, mediante o uso de tais idéias, em combinação com o corrente ensinamento acerca do «Logos», encontramos uma expressão especial, que não é encontrada em parte alguma em sua inteireza, acerca do Filho divino, a força criadora e reveladora. Na famosa descrição da sabedoria, que se encontra no livro apócrifo Sabedoria de Salomão (7:22-8:1), a palavra *unigênito* também aparece, embora com sentido levemente diferente. J.A. Gregg, em sua obra *The Wisdom of Salomon* (Cambridge University Press, 1909) apresenta uma longa lista de paralelos entre o evangelho de João e o livro Sabedoria de Salomão. O Cristo do evangelho de João é a Sabedoria de Deus, a expressão de Deus, o conhecimento de Deus entre os homens e, de fato, na criação inteira. O autor deste evangelho indubitavelmente estava familiarizado com os diversos modos de expressão dessa literatura de sabedoria, e teceu tal linguagem em seu próprio evangelho, de maneira muito habilidosa. Dessa maneira foi apresentada uma verdade distintiva, embora tivesse chegado até nós mediante expressões não conhecidas entre os homens, mas, pelo contrário, apresentada através de veículos bem conhecidos para aqueles que conheciam e tinham interesse pelas obras da literatura religiosa contemporânea ao escritor sagrado.

3. Paulo e a epístola aos Hebreus

Antes de haver sido escrito o evangelho de João, Paulo e o autor da epístola aos Hebreus já haviam desenvolvido uma cristologia bem distinta e que, apesar de não ter empregado o vocábulo *Logos*, antecipava, de forma bem definida e até mesmo ensinava tal doutrina. Sem considerar se o autor deste evangelho já tivesse lido ou não as epístolas de Paulo e a epístola aos Hebreus, isso de maneira alguma significa que ele não tivesse sido influenciado por tal ensino, porquanto esse já se tinha tornado parte integrante da explicação dada pela igreja quanto ao significado da vida de Jesus. Jesus, o Cristo, era um personagem cósmico, preexistente, divino, mediador da salvação, elo de ligação entre os homens e Deus (ver Fil. 2:1-11; II Cor. 8:7-9; Col. 1; Efé. 1 e Col. 2). Paulo, por semelhante modo, atacou os gnósticos, tendo defendido a significação cósmica de Cristo contra as idéias inferiores que os gnósticos embalavam sobre ele, tal como o conceito de que ele pertencia a alguma ordem angelical. Assim é que podemos ler trechos como Col. 1:15-20 e cap. 2; Efé. 1:10 e II Cor. 4:4 onde Cristo aparece não somente como a glória de Deus (explicação essa que os gnósticos jamais aceitariam), mas também como a própria *imagem* de Deus. Cristo, nos escritos neotestamentários, aparece como a corporificação da deidade, como se vê em Col. 2:9. O trecho do primeiro capítulo da epístola aos Hebreus desenvolve uma cristologia notavelmente similar à do primeiro capítulo do evangelho de João. Assim sendo, verificamos que João não assumiu a posição de um inventor ou inovador, porquanto a sua doutrina do «Logos» já estava plenamente estabelecida na igreja cristã; mas meramente João aumentou o número de termos mediante os quais esses conceitos poderiam ser expressos, tendo chamado a esse Cristo transcendental e preexistente, que se encarnou entre os homens, pelo título de «Logos», o *Verbo* de Deus.

Em prova do que acabamos de dizer, citamos aqui o trecho de Sabedoria de Salomão (7:26), que diz: «Pois ela (a Sabedoria) é um resplendor da luz eterna, bem como um espelho sem mácula das operações de Deus, e uma imagem de sua bondade». Ora, essas palavras são virtualmente as mesmas de Heb. 1:3. A expressão «a Sabedoria» de Deus é identificada em I Cor. 1:30, pelo que parece ser uma idéia similar, se não mesmo diretamente tomada de empréstimo, de alguns autores mais antigos. João, por conseguinte, meramente seguiu a mesma tradição, e o seu prólogo imortal reúne tanto o sentido como as expressões verbais de autores mais antigos, os quais haviam procurado explicar certos conceitos altamente metafísicos, como aqueles que dizem respeito a Deus, à sua sabedoria, à sua criação e às suas manifestações entre os homens.

VII. *PROPÓSITOS DO EVANGELHO DE JOÃO*

Até mesmo sem as *claras* afirmações dos trechos de João 20:30,31 e de João 21:24, com *facilidade* poderíamos compreender por que razão este evangelho foi escrito. Jesus operou inúmeros milagres e teve uma vida terrena incomparável e essas coisas foram realizadas e ficaram registradas «...para que creiais que Jesus é o Cristo, o Filho de Deus, e para que, crendo, tenhais vida em seu nome». Jesus é, tanto historicamente como em sentido humano, um verdadeiro homem, como também, em sentido cósmico, é preexistente, divino. Ele é o Filho de Deus sem igual (conforme também o primeiro capítulo do evangelho de João tanto se esforça por demonstrar). Ora, nessa qualidade de Filho único, ele foi a força criadora. Esse Cristo, ao mesmo tempo histórico e cósmico, deve ser identificado com o Messias do V.T., pelo que também ele é a culminação da esperança messiânica, bem como o grande elo de ligação entre a antiga e a nova dispensações. Isso serve de ataque tanto contra a rejeição com que os judeus —

JOÃO, EVANGELHO DE

desprezaram — a Jesus, o Cristo, como contra as idéias aviltantes que os gnósticos formavam a respeito dele. Jesus não foi um mero fantasma, segundo eles ensinavam e nem foi meramente Jesus de Nazaré por algum tempo possuído pelo espírito de Cristo, que teria entrado nele por ocasião de seu batismo, e que ter-se-ia afastado dele quando de sua morte na cruz, ocasião esta em que a sua missão ter-se-ia completado. Pelo contrário, a entidade chamada pelo nome de Jesus, era a mesma entidade e tão preexistente e divina como o Cristo profetizado. Por ocasião de sua encarnação, Cristo se fez verdadeiro homem, tendo vivido e sofrido como outros homens, cumpriu a sua missão. Ele morreu, mas ressuscitou, e assim pôde trazer-nos a dádiva da salvação. Por conseguinte, faz-se necessária a fé para que recebamos essa salvação.

Dessa maneira vemos que o grande propósito deste evangelho de João era parcialmente polêmico, tendo servido como uma espécie de defesa de certa cristologia, — em combate contra os judeus e os pagãos; mas também foi parcialmente evangelístico, porquanto esse Cristo oferece a salvação aos homens.

O *epílogo* do evangelho de João, que mui provavelmente foi uma adição feita por algum autor ou autores posteriores — posto que o capítulo vigésimo realmente forma uma conclusão deste evangelho, e que o capítulo vigésimo primeiro forma outra conclusão, também polêmica — serve de afirmação da grande verdade do evangelho e dá prosseguimento ao sentimento polêmico, ao dizer: «Este é o discípulo que dá testemunho a respeito destas cousas, e que as escreveu; e sabemos que o seu testemunho é verdadeiro». É feita a tentativa para fazer este evangelho repousar em alicerces apostólicos, e também para afirmar a veracidade do testemunho daquele apóstolo, a saber, o apóstolo João. Dessa forma vemos que este evangelho é ao mesmo tempo polêmico e evangelístico.

Além desses alvos primários, podemos observar alguns outros propósitos:

1. *Combater* o judaísmo ortodoxo da época, que havia rejeitado ao Messias, demonstrando que as autoridades religiosas dos judeus foram as responsáveis diretas pelo assassínio do Messias.

2. *Refutar* a heresia que dizia que João Batista fora realmente o Messias, e procurar definir as relações entre João Batista e Jesus. Lembremo-nos de que os seguidores de João Batista deram início a uma seita que prosseguiu até bem dentro da era cristã (ver Atos 19), e que nem todos os seguidores de João se tornaram discípulos de Jesus. (Ver João 3:28-30).

3. *Estabelecer* o fato de que o cristianismo é mais do que alguma filosofia religiosa e especulativa (segundo os gnósticos, em geral, explicavam), e que Cristo é mais do que um «princípio divino» abstrato. Jesus foi um ser humano verdadeiro, que passou por tristezas e sofrimentos e, nessa qualidade, ele se tornou o Salvador dos homens.

4. O evangelho de João não foi escrito como mera biografia, como também não o foram os evangelhos sinópticos. Como biografia, a julgar pelos padrões modernos, seria uma biografia extremamente abreviada. Trata-se, antes, de *tratado teológico*, que incorpora em seu bojo alguns acontecimentos históricos da vida de Jesus, mas que, ao mesmo tempo, narra esses eventos como acontecimentos verdadeiramente históricos. O seu propósito, por conseguinte, é teológico, e não biográfico.

Nos evangelhos sinópticos, a percepção de sua missão divina parece ter raiado gradualmente para Jesus; mas, no evangelho de João, essa consciência já

se fazia presente *antes* mesmo de chegarmos ao final do primeiro capítulo. No evangelho de João, a frase «...aquele que me enviou...» ocorre por vinte e seis vezes; e outras expressões sinônimas também são freqüentes. Dessa maneira, aquela glória divina que não resplandece claramente, na pessoa de Jesus, senão quando de sua transfiguração, conforme a narrativa dos evangelhos sinópticos, já pode ser vista claramente desde a primeira linha do evangelho de João, onde Deus emana a sua revelação e presença através do «Verbo» ou «Logos» encarnado. «E o Verbo se fez carne, e habitou entre nós, cheio de graça e de verdade, e vimos a sua glória, glória como do unigênito do Pai» (João 1:14).

VIII. *UNIDADE DO EVANGELHO DE JOÃO*

Por essa unidade se entende: o evangelho de João, em sua inteireza, teria sido escrito por UM ÚNICO autor? Teria ele reunido diversas fontes informativas, em diferentes ocasiões, tendo assim agido, pelo menos parcialmente, como um editor? Teria havido mais de um autor?

1. Teoria de um único autor

Nesse caso, haveria uma perfeita unidade literária. Alguns têm asseverado que o evangelho de João reflete uma unidade perfeita, uma «túnica inconsútil». Mas outros estão convictos de que se trata de uma obra feita de retalhos, construída por seções, tendo sido escrita por diversos autores diferentes. Quatro teorias principais podem ser aqui mencionadas e sumariadas: I. Unidade (ou unidade quase perfeita); II. Paredes divisórias; III. Redação; e IV. Deslocamento. Essas teorias são discutidas minuciosamente nos apêndices C e D do «*The Fourth Gospel in Recent Criticism and Interpretation*», Londres, Epworth Press, 1945.

Considerações lingüísticas parecem pesar em favor da *unidade essencial* do evangelho de João. Não encontramos quaisquer transições chocantes de estilo, de vocabulário ou de expressão, como se verifica, por exemplo, entre Mar. 16:8 e Mar. 16:9 em diante. (Ver as discussões ali existentes no NTI). Pelo contrário, o estilo é simples, quase infantil, embora majestoso e profundo. Não obstante, a maioria dos eruditos de hoje em dia, até mesmo aqueles que concordam com a unidade essencial do livro de João, —considera o capítulo vigésimo primeiro como um epílogo editorial. O trecho de João 20:30,31 quase certamente é a conclusão do evangelho original de João. Alguns acreditam que o capítulo vigésimo primeiro seja *uma adição*, feita pelo próprio autor, e essa teoria não é impossível se considerarmos apenas as evidências lingüísticas. Pelo menos os versículos vigésimo quarto e vigésimo quinto são uma inserção feita por alguma *mão posterior*, ou pelo menos feita por editores mais recentes, como comprovação da veracidade do evangelho de João, comprovação essa que poderia ter sido feita após o falecimento do autor, especificamente para estabelecer o evangelho mais claramente em alicerces apostólicos, posto que o apóstolo João é ali identificado como o autor, embora o seu nome jamais apareça diretamente mencionado no evangelho de João. (Ver a discussão sobre o problema de autoria em um item anterior deste artigo). Alguns têm conjecturado que o capítulo vigésimo primeiro, bem como algum outro material, poderiam ter sido acrescentados por membros do círculo joanino, ou por membros do círculo de discípulos ou mesmo por algum discípulo proeminente do apóstolo João. Esse epílogo evidentemente também tem por propósito assegurar, à comunidade cristã, que Pedro apóstolo, atualmente uma coluna autorizada da igreja cristã, fora perdoado depois de ter

JOÃO, EVANGELHO DE

negado a Jesus. Ora, esse fato não foi claramente exposto pelos evangelhos sinópticos, sendo um detalhe que requeria maiores esclarecimentos.

2. Teoria das paredes divisórias

Essa teoria assevera essencialmente que este evangelho de João na realidade é obra de *mais de um autor*, podendo ser «dividido» entre diversos autores; e também afirma que vários níveis de material literário podem ser descobertos. Essa teoria tem estado associada a nomes tais como Wellhausen, Schwartz e B.W. Bacon; porém, o seu expositor mais habilidoso tem sido, provavelmente, J.C.B. Mohr, de Tubingen, na Alemanha, que publicou dois livros de Emanuel Hirsch, *Das vierte Evangelium in seiner ursprunglichen Gelstalt*, e *Studien zum vierten Evangelium*. Para Hirsch, o evangelho original de João consistiria em sete seções, cada uma com cinco subdivisões; e Hirsch então conjecturou que a parte escrita por João teria sido preparada por um comerciante, que viajava em visita a Jerusalém, e que, ali estando, ajuntou algum colorido local, que as gerações sucessivas equivocadamente teriam imaginado ser provas de que o evangelho era proveniente de Jerusalém. Posteriormente, esse simples esboço de um evangelho teria caído nas mãos de um eclesiástico qualquer, o qual teria acrescentado o capítulo vigésimo primeiro, tendo também adicionado, em outros trechos, algumas alusões ao apóstolo João, a fim de emprestar ao livro aparências de alicerce apostólico. Por semelhante modo, o livro teria sido enriquecido por citações tiradas do V.T., além de passagens contra o gnosticismo. Alegorias de natureza teológica também teriam sido acrescentadas, tais como a do Bom Pastor, para fazer o contraste entre o superintendente cristão e o herege gnóstico. Um exemplo de *supostas adições*, feitas pelo segundo suposto autor, seria o seguinte: João 1:15,24; 2:13,17,25; 3:5,7,11,14,15,24, 31, 32; 4:2,22,23,36-38,44,45; 5:22-24,29,30,34,39, 43; 6:8,22,28-30,35,36,39,40,44,45,51,53-56,64, 67-71; 7:38,39; 8:23,24,36,46; 10:9,11-13,16,25,26,28, 29,34,35; 11:13,22,42,52; 12:14,15,26,42,43,50; 13:2,3,10,11,17-20,23,27-29,34-38; 14:3,8,11,13,14, 18-25; 15:1-3,6,10-12,14,16,20-27; 16:1,23,25,26,29-32,33; 17:3,11,12,16,20,21,23; 18:1,5,6,9,14,20,24, 32,39,40; 19:4-6,14,26-28, 35-37; 20:2,11; 21:1-25.

Contra essa teoria, podemos observar que parte desse complexo exame e minuciosa divisão do evangelho de João não passa de *ficção da imaginação*, e a taxa de probabilidade de que isso realmente represente a verdade, quanto à composição desse evangelho, é extremamente baixa. Outrossim, a unidade lingüística do evangelho de João simplesmente não permite a existência de tantos níveis diferentes de composição. Também podemos observar que aqueles que apresentam essa e outras teorias similares estão em grande conflito, entre si, sobre como esse evangelho deve ser dividido. Não é mesmo impossível que algum trabalho editorial tenha sido efetuado, e que o capítulo vigésimo primeiro seja um desses acréscimos editoriais; todavia, a unidade essencial do livro tem mais sentido do que essa teoria, e pode ser demonstrada com muito maior facilidade.

3. Teoria da redação

Essa teoria diz essencialmente que **um editor reuniu**, em um todo completo, diversas fontes informativas extremamente divergentes entre si, muitas das quais nem ao menos eram evangelhos primitivos, orais ou escritos. Assim é que haveria, como uma dessas fontes, os *discursos reveladores* e, como outra fonte, a «fonte informativa de sinais». A fonte reveladora proveria o prólogo e as declarações de Cristo sobre o «eu sou». E a fonte informativa de sinais (por exemplo, João 20:30,31) provavelmente seria um tradição separada. Além disso, o autor, por motivos de interesse teológico, adicionou determinado material para emprego eclesiástico, como, por exemplo, o sexto capítulo, que provê um caráter eucarístico ao discurso feito na sinagoga de Cafarnaum. Parte desse material, outrossim, poderia ter sido inteiramente editorial ou mesmo produto da imaginação, como criação literária, como, para exemplificar, a reabilitação de Pedro, segundo lemos no capítulo vigésimo primeiro. Esse mesmo redator ou editor, ao ajuntar os diversos tipos de material, teria criado certo caos na ordem dos acontecimentos.

Segundo essa mesma teoria, também é possível que tivesse havido mais de um redator. Algumas das adições *teológicas* seriam as seguintes: João 1:22-24, 26,33; 3:5; 3:24; 4:2,22; 5:28,29; 6:27; 7:20,21,38,39; 10:34-36; 11:2; 12:17,18; 18:32; 19:34,35; 20:9. Rudolph Bultmann foi o grande campeão dessa teoria (*Das Evangelium des Johannes*, Gottingen: Vandenhoeck and Ruprecht, 1941; *Meyer's Commentary*). Bultmann também procurou reconstituir esse evangelho segundo sua ordem original, isto é, cronológica e literária, antes dos redatores supostos terem efetuado o seu manuseio.

Uma vez mais, entretanto, as evidências lingüísticas *são contrárias* a tais «empréstimos», tirados de fontes informativas tão diversas, a menos, naturalmente que um único redator tivesse trabalhado, reagrupando e reescrevendo todas as fontes informativas que empregou. Porém, não é muito grande a possibilidade dessa obra editorial, especialmente nos tempos antigos, quando os autores tomavam de empréstimo em larga escala, sem pejo, de outros escritores, sem lhes darem qualquer crédito. Outrossim, poucos eruditos têm favorecido essa teoria. Além disso, tal como no caso da teoria das paredes divisórias, existem talvez alguns elementos verdadeiros nesta; mas, a unidade essencial ainda assim fica preservada, demonstrando ter havido essencialmente um autor.

4. Teoria dos deslocamentos

Essa teoria assegura essencialmente que a **ordem original** do evangelho foi perturbada, talvez por mero acidente, e que a subseqüente junção das seções diversas de papiros criou um evangelho extremamente diferente, quanto à ordem dos acontecimentos, do que aparecia no original. Essa teoria repousa em *especulações* acerca das dimensões dos pedaços de papiro e, mediante um novo arranjo, uma suposta melhor simetria teria sido conseguida e restaurada. O arranjo feito por F.H. Hoare (*The Original Order and Chapters of John's Gospel*, embora seja um dos representantes mais destacados dessa teoria, entra em grande discórdia com outras restaurações semelhantes, feitas por autores como Friedrich Spitta, F.W. Lewis, James Moffatt, J.H. Bernard e G.H.C. Macgregor, as quais têm alguma coisa de comum entre si. Escritores recentes, tais como E.C. Hoskyns, C.H. Dodd, C.K. Barrett, além de outros, não têm descoberto qualquer necessidade para tais teorias.

Apesar de talvez surgirem alguns elementos de verdade, aqui e ali nessas várias teorias, nenhuma teoria parece ser tão facilmente demonstrável como aquela que dá apoio à unidade essencial do livro, que diz que somente um autor escreveu este evangelho, com a possível exceção do capítulo vigésimo primeiro do mesmo.

IX. *RELAÇÃO ENTRE O EVANGELHO DE JOÃO E AS EPÍSTOLAS JOANINAS E O APOCALIPSE*

Essa questão é muita antiga, sendo um problema

JOÃO, EVANGELHO DE

que tem atraído bastante atenção de escritores tanto antigos como modernos. Pelos meados do século III D.C., Dionísio de Alexandria preparou alguma boa evidência para mostrar que este evangelho de João e a epístola de I João foram escritos pelo mesmo autor, embora tivesse negado que o livro de *Apocalipse* pudesse ter sido escrito pelo mesmo autor. O historiador eclesiástico Eusébio confirmou esse parecer e, diferentemente de muitos pareceres antigos, esse pensamento vem sendo preservado, até os nossos próprios dias, sem sofrer grandes assédios. Essas dúvidas têm sido levantadas essencialmente à base de questões como o conteúdo, o estilo e o vocabulário (isto é, considerações de ordem lingüística). Assim é que A.E. Brooke comparou muitas passagens do evangelho de João com as epístolas joaninas. (Ver a sua obra *Critical and Exegetical Commentary on the Johannine Epistles*, Nova Iorque, Charles Scribner's sons, 1912, Inter. Critic. Commentary, págs. 129-135). E as suas conclusões são favoráveis a essa posição. Por sua vez, *C.H. Dodd* («*The First Epistle of John and the Fourth Gospel*», no Bulletin of the John Rylands Library, vol. XXI, 1937, págs. 129-156), encontrou evidências suficientes para dar apoio à idéia de uma comum autoria para esses dois livros.

Todavia, existem muitos estudiosos que acham ser preferível crermos que está mais próximo da verdade aceitarmos que as epístolas joaninas foram escritas por algum outro autor, que não o autor do evangelho de João, como, por exemplo, algum *discípulo íntimo* do autor do quarto evangelho. Essas conclusões se fundamentam em diferenças lingüísticas e de conteúdo. Algumas diferenças doutrinárias têm sido alistadas, conforme se vê abaixo:

1. A epístola de I João está mais próxima da doutrina cristã em geral do que o evangelho de João.

2. A influência do gnosticismo se mostra mais aguda nas epístolas do que no evangelho.

3. No evangelho, o julgamento é exposto como um processo presente. Já, nas epístolas, trata-se mais de uma manifestação escatológica, futura.

4. Nas epístolas, a morte de Cristo é apresentada como expiação e remoção da barreira que impede a nossa comunhão com Deus. Mas, no evangelho de João, essa morte se limita à questão da remoção do pecado do mundo. (Não obstante, uma comparação entre João 1:29 e 3:16, por um lado, e I João 2:2; 3:5 e 4:9,10, por outro lado, demonstra que o conceito subjacente é o mesmo).

5. No evangelho de João, o Espírito Santo é uma pessoa; nas epístolas joaninas é mais uma inspiração profética.

Quanto a esses argumentos, além de outros semelhantes, pode-se observar que, na realidade, são bastante *superficiais*, e que qualquer leitor que conheça bem tanto o evangelho de João como as epístolas de João, não encontra grande dificuldade em derrubar por terra essas teorias, uma vez que seja ajudado pela observação de que diferentes oportunidades e circunstâncias, bem como audiências diversas, facilmente podem explicar tais diferenças.

Apesar da segunda e da terceira epístolas de João serem muito breves, o que não nos permite qualquer análise literária mais extensa, por outro lado, estão vinculadas à primeira epístola de João por diversas similaridades, tanto em pensamento como na linguagem. Por exemplo, a passagem de II João 7 parece fazer alusão aos falsos mestres da primeira epístola de João, os quais negavam a verdade cardeal da encarnação, o que, naturalmente, é também um dos temas mais salientes do evangelho de João.

Entretanto, é perfeitamente evidente para qualquer pessoa que está afeita a ler o N.T. grego, que o autor do evangelho de João *não pode* ter sido, igualmente, o autor do livro de Apocalipse. O grego do evangelho de João é um grego *koiné* simples, embora literário. Já o grego do livro de Apocalipse, em contraste, fica muito a desejar gramaticalmente, diferenciando-se de qualquer outro grego usado no N.T. Por essas razões alguns estudiosos asseveram que certo discípulo, conhecido pelo nome de João, o *ancião*, tenha sido o autor do livro de Apocalipse. E outros intérpretes asseveram que o autor era inteiramente desconhecido, também chamado «João», embora não possa ser exatamente identificado. Essa foi essencialmente a conclusão a que chegou Dionísio de Alexandria, sendo geralmente apoiada pelos eruditos modernos. (Quanto a uma discussão mais ampla sobre esse assunto, ver o artigo sobre o livro de Apocalipse, no item intitulado *Autor*).

X. CONTEÚDO

Existem muitas diferenças genuínas de conteúdo, no quarto evangelho, quando confrontado com os evangelhos sinópticos. Verifica-se *notável diferença* quanto à ordem e à localização dos acontecimentos. Os evangelhos sinópticos apresentam o ministério de Jesus quase inteiramente confinado à Galiléia, com apenas alguns dias finais em Jerusalém, já perto de sua morte e ressurreição. Por outro lado, o evangelho de João apresenta o ministério de Jesus como se tivesse ocorrido quase inteiramente em Jerusalém ou nas cercanias dessa cidade. O evangelho de João (ao mencionar festividades judaicas específicas) dá-nos a idéia de que o ministério de Jesus se prolongou por três anos. Mas os evangelhos sinópticos, mediante menções similares das festividades religiosas dos judeus, parecem falar apenas de um ano de ministério para Jesus. João não nos presenteia com qualquer narrativa sobre o nascimento, o batismo, o sofrimento no jardim do Getsêmani, ou mesmo sobre qualquer tentação sofrida por Jesus da parte de Satanás, segundo salientam os outros evangelhos, sobretudo os de Mateus e de Lucas, que enfatizam esses acontecimentos. No evangelho de João não há qualquer *pequeno Apocalipse* ou bloco de asseverações proféticas, e nem mesmo muitas dessas asseverações, segundo se vê nos evangelhos sinópticos. Nestes evangelhos, a Última Ceia é comida no dia da páscoa; já no evangelho de João isso sucede na noite anterior. João não registra qualquer narrativa sobre a ascensão. E assim sucede que menos de dez por cento do material dos evangelhos sinópticos encontra paralelo no evangelho de João; mas este depende igualmente de fontes informativas válidas, embora diferentes. Os eruditos modernos se têm sentido especialmente impressionados com a narrativa dada por João acerca dos últimos dias de Jesus na face da terra (que atualmente, segundo se pensa, cobriram alguns meses), em seu ministério final em Jerusalém, incluindo os seus julgamentos, os seus sofrimentos e a sua morte, e acreditam que João possuía fontes antiqüíssimas e *fidedignas* a respeito desses dias finais, muito mais completas e satisfatórias do que as fontes informativas de que dispunham os evangelhos sinópticos.

João registra apenas *oito* dos muitos milagres operados por Jesus, e *quatro* desses não podem ser encontrados nos evangelhos sinópticos. Esses quatro são: a água transformada em vinho (João 2:1-11); a cura do paralítico de Betesda (João 5:1-16); o cego de nascença (João 9:1-38); e, o mais importante de todos, a ressurreição de Lázaro (João 11:1-44). João também omite as muitas narrativas sobre exorcismos de

JOÃO, EVANGELHO DE — JOÃO, I

demônios, que os sinópticos registraram. A seleção de milagres, feita pelo autor do evangelho de João, foi altamente seletiva, calculando apresentar o poder sem-par do Senhor Jesus. João também não apresenta parábolas, conforme fazem os evangelhos sinópticos; por outro lado, expõe discursos altamente desenvolvidos, como aqueles sobre o «pão», o «vinho», o «Bom Pastor», a «luz», a «oração sumo sacerdotal», o «Consolador», etc.

Abaixo apresentamos um esboço do conteúdo do evangelho de João. E embora muitos outros esboços igualmente válidos possam ser apresentados, este evangelho, mui naturalmente, se divide em dez porções:

I. *Prólogo:* A Palavra, o *Logos*, o Cristo Preexistente. A Encarnação (1:1-18)

II. *João Batista* e suas relações para com Jesus (1:19-51)

III. *Revelação de Jesus* na Judéia, na Galiléia e na Samaria (2:1-4:54)
   1. O casamento em Caná (2:1-11)
   2. A purificação do Templo (2:12-22)
   3. A primeira páscoa (2:23-25)
   4. Nicodemos e o novo nascimento (3:1-21)
   5. O testemunho de João Batista (3:22-30)
   6. O testemunho do alto (3:31-36)
   7. Jesus e a mulher samaritana (4:1-26)
   8. Jesus e os samaritanos (4:27-42)
   9. Jesus e os galileus — o filho do oficial (4:43-54)

IV. *Diversos Sinais e Controvérsias* (5:1-9:41)
   1. Cura de um aleijado e a controvérsia sobre o sábado (5:1-18)
   2. Unidade do Pai e do Filho: O Filho dá vida (5:19-47)
   3. O pão da vida: a multidão é alimentada (6:1-15)
   4. Jesus anda sobre o mar (6:16-21)
   5. Em Cafarnaum: discurso na sinagoga (6:22-59)
   6. A prova da fé (6:60-71)
   7. A festa dos Tabernáculos (7:1-14)
   8. Mais controvérsias (7:15-24)
   9. Tentativa para aprisionar a Jesus (7:32-36)
   10. Jesus e a mulher adúltera (7:53-8:11)
   11. Jesus é a Luz do mundo (8:12-20)
   12. Controvérsia sobre a autoridade de Jesus (8:21-59)
   13. Cura do cego (9:1-41)

V. *Prelúdio ao Fim* do Ministério Público de Jesus (10:1-11:57)
   1. O bom Pastor (10:1-18)
   2. A festa da Dedicação (10:19-40)
   3. A ressurreição de Lázaro (11:1-57)

VI. *Fim do Ministério de Jesus* (12:1-50)
   1. Unção em Betânia (12:1-8)
   2. Os perigos (12:9-11)
   3. A entrada triunfal em Jerusalém (12:12-19)
   4. Gregos procuram a Jesus (12:20-26)
   5. Agonia de Jesus e a voz do céu (12:27-36)
   6. Jesus é rejeitado (12:36-43)
   7. Julgamento mediante a Palavra (12:44-50)

VII. *No Cenáculo* (13:1-16:33)
   1. O lava-pés (13:1-20)
   2. A traição é predita (12:21-30)
   3. Discurso de despedida: novo mandamento; predição da negação de Pedro; o Caminho, a Verdade e a Vida; o Consolador; a paz e a alegria (13:31-14:31)

4. Continuação do discurso de despedida: a vinha; a comunhão e o amor; o ódio do mundo; ensinamentos sobre o Consolador; a vitória sobre o mundo (15:16-33)

VIII. *Oração Sumo Sacerdotal* (17:1-26)

IX. *Do Getsêmani ao Calvário* (18:1-19:42)
   1. O aprisionamento (18:1-11)
   2. Julgamento ante o sumo sacerdote e a negação de Pedro (18:12-27)
   3. Jesus na presença de Pilatos (18:28-19:16)
   4. Crucificação e sepultamento de Jesus (19:17-42)

X. *A Ressurreição e os Aparecimentos de Jesus* (20:1-25)
   1. Jesus ressuscita (20:1-29)
   2. Por que o evangelho de João foi escrito (20:30,31)
   3. *Epílogo*: Aparição de Jesus à beira do lago; restauração de Pedro; conclusão (21:1-25)

XI. *BIBLIOGRAFIA:* AM CKB EN I IB LAN MOF NTI R TRA TIN VIN WFH Z

JOÃO, I (PRIMEIRA EPÍSTOLA)

Esboço:

Introdução:
   I. Confirmação Antiga
   II. Autoria
   III. Data, Proveniência e Destino
   IV. Motivos e Propósitos
   V. Relação entre as Epístolas e o Evangelho de João
   VI. Temas Principais
   VII. Conteúdo
   VIII. *Bibliografia*

Embora haja dúvidas quanto ao autor (ou autores) do material joanino — o evangelho, as epístolas e o Apocalipse — nas introduções as três epístolas são normalmente tratadas como uma unidade. Esta introdução as agrupa, pois não há qualquer razão convincente de que não provieram todas as três da mesma escola de tradição, ainda que mais de um autor tivesse estado envolvido em sua escrita. As diversas idéias sobre a questão da autoria estão contidas na seção II da presente introdução.

Tal como no caso dos livros aos Hebreus e de Tiago, ainda que a primeira epístola de João seja chamada de «epístola», nada há de epistolar na mesma. Mais provavelmente trata-se de um tratado, de uma dissertação, que visava uma situação particular na igreja, e não uma congregação ou um grupo de congregações cristãs, como se dá no caso de uma carta. Em contraste com isso, II e III João são definidamente dotadas de natureza epistolar. A atração de todas as três, contudo, reside na simplicidade e no poder de seu testemunho, no sentido que Deus é amor, e que a verdadeira espiritualidade consite no amor. Apesar de nos fornecerem essa forma de ensinamento «positivo», também atacam a heresia gnóstica incipiente; e assim, juntamente com as chamadas epístolas pastorais, I e II Timóteo e Tito, II Pedro, Judas e Colossenses (e talvez até mesmo Efésios), elas se tornaram parte do que se tornou conhecido por «literatura de heresia», isto é, a porção do N.T. que foi escrita para combater as primeiras heresias que surgiram no seio do cristianismo.

Essas epístolas de João também vieram a ser classificadas junto às «epístolas católicas», alinhando-

JOÃO I (PRIMEIRA EPÍSTOLA)

se ao lado das epístolas de Tiago, de I e II Pedro e de Judas. Todas elas recebem essa designação. A palavra «católica», aplicada a cada uma dessas epístolas (ou tratados) tem recebido muitos significados no decorrer da história eclesiástica. Há notas expositivas sobre isso na exposição sobre a epístola de Tiago, imediatamente antes das notas expositivas começarem, em Tia. 1:1 no NTI. O significado ordinariamente dado ao termo *católica*, quando aplicado a essas epístolas, é que tencionavam ser «universais», ou seja, foram dirigidas à igreja em geral, ou ao cristianismo de uma área geral, e não a alguma comunidade cristã em particular e muito menos ainda, a algum indivíduo isolado.

I. CONFIRMAÇÃO ANTIGA

Devemos saber distinguir os «ecos» — e as «influências» literárias do «material em comum» e das «citações diretas». Nunca será fácil perceber se algum dos pais da igreja cita uma obra diretamente, a menos que se faça uma tradução de palavra por palavra, ou se houver a identificação de suas palavras como uma citação. No caso das «epístolas católicas» somente I Pedro e as epístolas joaninas gozam de confirmação verdadeiramente antiga (antes do século III D.C.). No caso de I João há citações extraídas da mesma nos escritos dos primeiros pais da igreja, embora não exista qualquer afirmativa de que o apóstolo João a escreveu, senão já no fim do segundo século de nossa era.

De modo bem geral, pode-se afirmar que a primeira epístola de João foi utilizada por Papias (140 D.C.), foi citada por Policarpo (110 — 120 D.C.), e mui provavelmente também foi citada por Justino Mártir (150 — 160 D.C.). Irineu (180 D.C.) aceitava essa epístola como obra do apóstolo João. O Cânon Muratoriano (180 — 200 D.C.) alista-a (juntamente com a segunda e a terceira epístolas de João) como obra canônica e joanina. E isso foi aceito por Clemente, Orígenes e seus sucessores de Alexandria. A segunda e a terceira epístolas de João algumas vezes têm sido postas em dúvida, desde os primeiros tempos, talvez devido à sua natureza breve. Mas Eusébio (século IV D.C.) mostra-nos que nunca houve quaisquer dúvidas, entre os cristãos, acerca da autenticidade da primeira epístola de João. Aqueles que têm estudado sobre questões de «confirmação» percebem que a confirmação proporcionada à primeira epístola de João é quase tão boa quanto aquela dada a qualquer outro dos livros do N.T. Entretanto, os primeiros *cânones* alistavam dez epístolas paulinas e os quatro evangelhos, o que vale dizer que nem mesmo a primeira epístola de João fez parte dos primeiros pronunciamentos canônicos. Contudo, não demorou muito, depois desses primeiros pronunciamentos, para que I João, pelo menos, assumisse um lugar entre aqueles livros tão prestigiados. (Ver o artigo sobre *Cânon* do Novo Testamento).

Os pais da Igreja, em particular, dão seu testemunho:

Clemente de Roma. Romanos xlix.5 talvez reflita o trecho de I João 4:18. *Romanos* 1:3, por igual modo, parece ser uma reverberação daquela passagem joanina.

Policarpo. Ad *Phil.* c.vii se assemelha a I João 4:2 (e 2:18,22 e 3:8 se parecem com II João 7). Essas passagens mostram, ao menos, que Policarpo estava familiarizado com as epístolas joaninas. Alguns estudiosos têm argumentado, porém, que a influência é justamente o contrário — as epístolas joaninas é que ecoariam os escritos de Policarpo. Ele não cita as epístolas (caso elas tenham surgido primeiro, e não só

seus escritos) como de autoria do apóstolo João; e isso é estranho, se soubesse que assim era, pois ele mesmo era discípulo pessoal de João. Poderia ele citar a seu mestre, sem identificá-lo?

A *Didache*, ou seja, obra que reúne os ensinamentos dos apóstolos, com data de cerca de 150 D.C. (em c.x), parece ter tirado proveito de I João 4:18.

Irineu. Sua obra III.xvi.5 fala do evangelho e das epístolas do apóstolo João. Embora ele fale no singular «a epístola de João», seus escritos, na realidade, contêm citações extraídas da segunda epístola. Assim sendo, ao falar em «a epístola», provavelmente ele se referia à «coletânea joanina». Ele se refere aos «profetas falsos» aludidos em I João 4:1-3 e II João 7,8 e fá-lo de tal modo que dá claramente a entender que tinha essas epístolas de João à sua frente. Nos escritos de Irineu, entretanto, não temos qualquer citação clara extraída da terceira epístola de João, sendo possível que sua aceitação e uso tenha ocorrido algum tempo depois da aceitação e do uso atribuídos à primeira e à segunda epístolas de João.

Clemente de Alexandria. Ver *Str.* ii.15.66 que cita I João 5:16 e *ss. Str.* iii cita I João 1:6 e *ss*; iii.5.42,44 e iii.6.45 que reverberam material joanino; *Quis Div. Salv.*37:6, que foi extraído de I João 3:15; *Ib. Str.* iv. 16.100 que muito se assemelha a I João 3:18 e *ss*; 4:16,18 e 5:3; v.1.13 que é trecho parecido com I João 4:16; iv.18,113 que se parece com I João 4:16; *Quis Div. Salv.* 38 que se parece com I João 4:18. Clemente faz pleno uso das duas primeiras epístolas de João, mas nunca da terceira. Isso poderia ter motivo em alguma circunstância, porém, em que a terceira epístola não se prestava diretamente para os seus fins.

É questão debatida se o **Fragmento Muratoriano** confirma todas as três epístolas de João. Pelo menos são confirmadas as duas primeiras, além do que elas são identificadas com João, o apóstolo.

Orígenes. (em *Joann.* v.3, ex Euseb., *História Eclesiástica* vi.25) confirma o material joanino, incluindo o livro de Apocalipse, mencionando João por nome. Suas citações, entretanto, se limitam à primeira epístola de João. Informa-nos esse pai da igreja que a autoria das «duas epístolas menores» era questão disputada em seus dias.

Tertuliano. Usou por muitas vezes a primeira epístola de João, mas não as outras. A história da segunda e da terceira epístolas de João é muito difícil de ser traçada; alusões específicas à terceira nem existem; e o uso que os pais da igreja fazem da segunda é bem escasso. O Cânon de Edessa (século IV D.C.) não continha qualquer dos escritos joaninos epistolares, aceitando apenas os evangelhos, o livro de Atos e as epístolas paulinas. E isso concorda com o Cânon Sírio original (400 D.C.). Porém, em outras porções da igreja antiga, parece que todas as três epístolas de João já tinham sido aceitas como canônicas, pelos fins do segundo século. Quanto à primeira não havia dúvidas; quanto à segunda, havia alguma confirmação; e quanto à terceira era ignorada, ou então referida como pertencente à mesma coletânea, sem qualquer designação específica, como «a terceira».

Eusébio informa-nos que Clemente de Alexandria comentou sobre todas as «sete» epístolas católicas. Assim, pelo menos no Oriente, todas as três epístolas de João, no meio do século III D.C., provavelmente já tinham recebido posição canônica.

Atanásio (367 D.C.), em sua trigésima nona epístola festal, incluiu todas as três epístolas de João; e isso reflete uso oficial das mesmas no Egito, naquela ocasião. Essa é a primeira declaração que possuímos

531

JOÃO, I (PRIMEIRA EPÍSTOLA)

de que a igreja cristã aceitava todos os livros do N.T. que hoje em dia são considerados canônicos. Até aquela época, a questão inteira do «cânon», excetuando os evangelhos e dez epístolas paulinas, era fluída. Mas continuou havendo dúvidas acerca de algumas das epístolas católicas, em certas porções do cristianismo, até o concílio de Trento (13 de dezembro de 1545 a 4 de dezembro de 1563). Os protestantes, de modo geral, adotaram seus pronunciamentos, mas sem os livros apócrifos do A.T. Contudo, muitos indivíduos, incluindo alguns dos líderes da Reforma, até mesmo estudiosos modernos, têm posto em dúvida um ou mais livros do N.T., que, na realidade, são canônicos e inspirados; e as epístolas católicas provêem a origem da maioria dessas dúvidas.

II. AUTORIA

Alguns estudiosos debatem se o mesmo autor compôs todas as três epístolas que agora chamamos «de João». Porém, quase todas as introduções ao material joanino as manuseiam como uma unidade. É quase certo, pelo menos, que a segunda e a terceira epístolas de João saíram da mesma pena. O autor da primeira epístola de João permanece estritamente *anônimo*, e sua identificação como o apóstolo João se originou devido às grandes e muitas *similaridades* com o evangelho de João. Na segunda e na terceira epístolas, o autor se identifica como «o ancião», mas sem deixar entendido quem poderia ser ele. Perto dos fins do século II D.C., todas essas três epístolas vieram a ser conhecidas como de autoria de João, o apóstolo; mas Orígenes informa-nos de que a questão de autoria continuava disputada em sua época. Em algumas porções da igreja, até mesmo no século IV D.C., essas epístolas continuavam não sendo aceitas como canônicas e nem como joaninas. Há eruditos que têm identificado a primeira epístola de João com o evangelho de João, como obras de um mesmo autor e classificam a segunda e a terceira epístolas de João juntamente com o livro de Apocalipse. A qualidade e o estilo do grego, no livro de Apocalipse, mostram ter sido impossível que o autor do evangelho (ou da primeira epístola de João) tivesse sido também o autor do livro de Apocalipse. O evangelho de João exibe um grego muito simples, mas puro. Já o grego do livro de Apocalipse é notoriamente deficiente, apesar de que a mensagem que nos é transmitida é esplêndida. Não obstante, há estudiosos que pensam ter sido um o autor do evangelho de João e outro o autor da primeira epístola de João, pensando que as similaridades entre um e outro desses livros foram propositadamente feitas, isto é, que o autor de um desses livros imitou o do outro. Há aqueles estudiosos que argumentam que o mesmo autor escreveu a primeira e a segunda epístolas de João (havendo um autor diferente para o evangelho de João), e que a terceira epístola de João foi escrita pelo autor do livro de Apocalipse. **Não há maneira certa** de alguém resolver o **problema de autoria dessas epístolas. Devemos** observar que, no tocante às epístolas de João e ao livro de Apocalipse, não há qualquer declaração, nessas obras, de que foi o apóstolo João quem as escreveu; e isso nem ao menos foi sugerido até o fim do século II D.C. Portanto, sem importar o que cremos sobre a autoria desses livros, tal crença deve repousar, pelo menos em parte, sobre a tradição ou conjectura, porque nenhuma evidência interna serve para comprovar qualquer coisa. O livro de Apocalipse afirma ter sido escrito por «João»; mas Papias parece ter conjecturado que esse era João, um «ancião» da Ásia Menor, a quem ele não identificou como o

apóstolo João. Diversos intérpretes modernos têm concordado com isso, pelo que esse «João», na opinião deles, era algum cristão desconhecido, do começo do segundo século de nossa era e não o mesmo João do quarto evangelho.

No entanto, pelo menos a primeira epístola de João está intimamente vinculada ao evangelho de João (ver **a seção V** quanto a total estudo sobre isso). O evangelho de João (em 21:20 e *ss*) encerra uma declaração de autoria joanina. Naturalmente, isso é no epílogo do livro, e talvez tenha sido feito por anotação dos discípulos de João, em Éfeso, significando que o evangelho de Éfeso se baseava sobre a *tradição joanina* do evangelho, embora não signifique isso que o mesmo foi escrito *pessoalmente* pelo apóstolo. Não nos olvidemos que o evangelho de Marcos, no tocante a seu fundo histórico, repousa sobre as memórias de *Pedro*, embora certamente não tenha sido Simão a única fonte informativa. Se no evangelho de Marcos, houvesse declaração similar à de João 21:20 e *ss*, baseando aquele evangelho sobre a tradição petrina, não tenhamos dúvidas de que tal evangelho teria chegado até nós como o evangelho de *Pedro*, ainda que tivesse sido escrito pelo punho de Marcos. Assim também, o evangelho de João, embora escrito pelo punho de algum membro da comunidade cristã de Éfeso, porquanto reflete a tradição joanina, chegou até nós com o nome de evangelho de João. O material joanino, além do evangelho de João, desde tempos antigos vem sendo atribuído a João, filho de Zebedeu; mas há estudiosos que o têm atribuído ao João aludido por Papias, o ancião de Éfeso (que não era o apóstolo do mesmo nome). E ainda outros estudiosos, nos tempos antigos, não faziam qualquer idéia quanto à sua autoria, conforme nos mostra Orígenes, nos meados do século terceiro de nossa era.

Teorias sobre a autoria dos livros joaninos

1. Ponto de vista tradicional, depois do século IV D.C. João, o apóstolo, teria escrito o evangelho, as três epístolas de seu nome e o livro de Apocalipse. Praticamente nenhum erudito moderno toma essa posição, porquanto se reconhece que pelo menos o livro de Apocalipse teve por autor alguém cujo domínio do grego era fluente, mas não muito correto, gramaticalmente, inserindo muitos modos de expressão próprios do aramaico. O evangelho de João tem um grego muito simples, mas puro, e as influências aramaicas são muito menores. Na primeira epístola de João não há aramaísmos. Se o apóstolo João é quem escreveu esses livros, deve-se pensar que ele deu sua obra para que um revisor a refizesse completamente, porquanto o grego de nenhum desses livros pertence ao tipo que um estrangeiro — um aldeão galileu — teria escrito.

2. Alguns estudiosos afirmam que o evangelho e as três epístolas são joaninas (de autoria do apóstolo João), mas que o Apocalipse foi escrito pelo «ancião» da Ásia Menor, um outro homem de nome João. Esse ponto de vista pelo menos é defensível, mas deixa sem resposta a questão do «tipo de grego» empregado. Além disso, há diferenças genuínas entre o evangelho e as epístolas (discutidas na seção V da presente introdução), que não recebem estudo convincente da parte dos advogados de tal teoria.

3. Outros estudiosos afirmam que o evangelho e as epístolas foram escritos por um discípulo de João, ao passo que o Apocalipse foi escrito pelo próprio apóstolo. Ou que o Apocalipse poderia ter sido escrito ainda por um outro discípulo do círculo de Éfeso, que teria preservado a tradição e os ensinamentos joaninos. Certas citações extraídas dos escritos de

JOÃO, I (PRIMEIRA EPÍSTOLA)

Papias são usadas em apoio a essa idéia. Essa é a idéia de defesa mais fácil, considerando-se todas as dificuldades. Sem importar se o «discípulo» ou «discípulos» estiveram envolvidos ou não, como discípulos em «primeira mão do apóstolo João, é algo que pode ser debatido; mas, pelo menos, é certo que não estavam muito distanciados dele, pois o evangelho e a primeira epístola de João são confirmados desde tempos *bem remotos*, desde a primeira porção do século II D.C. Podemos dizer que o evangelho e as epístolas são *joaninos*, embora talvez não escritos pelo próprio punho de João. Mas, para todos os propósitos práticos, chegamos ao mesmo ponto, a saber, à *autoridade* e à *tradição apostólicas*, que confirmam esses livros. João, como poderoso líder apostólico da comunidade cristã da Ásia Menor, como mestre que atuou por longo tempo naquela porção do mundo, naturalmente desenvolveu seus modos de expressão pessoais, suas próprias ênfases, suas próprias idéias. E os seus discípulos imediatos se alicerçaram fortemente sobre essa sua tradição e, naturalmente, seguiram sua maneira de exprimir as idéias, enfatizando aquilo que era considerado importante. Portanto, mais de um autor poderia ter produzido uma obra *genuinamente joanina*; e talvez isso é o que tenha sucedido no caso da «coletânea joanina».

Contra a idéia de que o próprio apóstolo João escreveu esses livros que ora consideramos, levamos em conta os pontos seguintes: 1. Nenhuma identificação pessoal aparece ali: os livros são anônimos. 2. O grego envolvido está longe da possibilidade de ser um «idioma adquirido». 3. A tradição antiga não dá apoio à escrita desses livros *diretamente* pelo apóstolo João, segundo se dá no caso de várias das epístolas paulinas, no tocante ao apóstolo dos gentios.

Estas objeções (contra a idéia que o Apóstolo João escreveu a coletânea pessoalmente) podem ser respondidas como segue: 1. O Evangelho não é anônimo, considerando a declaração de 21:24. As similaridades de idéias e expressões nas Epístolas e no Apocalipse, indicam que esta declaração pode ser estendida para incluir estes livros. 2. O grego diferente de cada um é devido aos escribas diversos empregados na redução. 3. A tradição antiga é forte em favor do Evangelho e I João. É mais fraca no caso das outras duas cartas, provavelmente por causa de seus tamanhos tão pequenos e insignificantes. A relutância da igreja primitiva em aceitar o Apocalipse provavelmente foi devido ao fato de que diversos outros livros semelhantes (os apocalipses judaicos) estavam circulando ao mesmo tempo, e estes livros não ganharam um lugar no cânon dos livros sagrados. O Apocalipse de João, o maior dos apocalipses, podia ter sofrido por causa da cautela dos antigos em aceitar tais livros como autoritários. Finalmente, devido ao seu valor intrínseco o Apocalipse de João ganhou um lugar merecido no cânon. O grego do livro é do tipo que esperaríamos de alguém nascido na Galiléia, quem adquiriu grego num centro como Éfeso, um autor que pensava em aramaico mas escrevia em grego.

III. DATA, PROVENIÊNCIA E DESTINO

Data. Dado que Policarpo (110-120 D.C.) cita a coletânea inteira dos escritos joaninos, com exceção da terceira epístola, dificilmente tais livros foram escritos muito depois da primeira porção do segundo século. O próprio João, evidentemente, viveu até o fim do 1º século ou até o começo do 2º século. Assim, de qualquer modo, esses livros foram escritos imediatamente ou quase imediatamente após a sua morte. É possível que a terceira epístola de João tenha

sido dada ao público mais tarde, porquanto não é citada pelos primeiros pais da igreja. Todavia, não é impossível que meramente tenha sido negligenciada por eles, devido à sua extrema brevidade e tema tão limitado.

Proveniência. Tradicionalmente, todas as três epístolas «joaninas» bem como o evangelho de João, têm estado associadas à Ásia Menor, particularmente à cidade de Éfeso. O apóstolo João aparentemente labutou ali, e ali se desenvolveu sua tradição evangélica. O fato de que se opõem à certa forma de gnosticismo que se sabe ter havido naquela área (contra a qual Colossenses, II Pedro e Judas também foram escritos) também favorece essa teoria. Polícrates, bispo de Éfeso (190 D.C.), declarou que João, «que se reclinava ao peito do Senhor», após ter sido «testemunha e mestre, dormiu em Éfeso». E Irineu afirma que João «entregou» o evangelho e combateu aos hereges, recusando-se a permanecer sob o mesmo teto com Cerinto, o «adversário da verdade». E em Éfeso ele permaneceu morando até os dias de Trajano, o qual reinou em 98 — 117 D.C. Jerônimo repete a tradição que associa João a Éfeso, e fala da avançada idade a que ele chegou. Também alude ao fato de que sua ênfase sempre foi «amor entre os irmãos».

Apesar de que alguns disputem que João residiu em Éfeso, Westcott concluiu que «nada é melhor confirmado, na história da igreja primitiva, do que a residência e a obra do apóstolo João em Éfeso». Porém, há alguma evidência em prol de um martírio mais no começo de sua vida, deixando óbvia a residência de João em Éfeso. Um cronista do século IX D.C., Jorge Hamartolos, reproduziu uma declaração contida na história de Filipe de Side (cerca de 450 D.C.), que alude a um antigo fragmento de um documento que fala sobre o martírio, desde cedo, de «ambos» os filhos de Zebedeu. Mas Eusébio deixa de lado todas as tradições dessa ordem; e a maioria dos eruditos tem duvidado de sua validade. É possível que a declaração de Side se tenha baseado no martirológio sírio, escrito em cerca de 400 D.C. no qual a data de 27 de dezembro é dedicada a «João e Tiago, os apóstolos em Jerusalém», os quais, supostamente, teriam sido ali martirizados. Contudo, não há qualquer razão em supormos que esse martirológio preserva qualquer tradição antiga autêntica; e nem se segue que o martírio de ambos necessariamente tenha tido lugar ao mesmo tempo, somente porque a data que relembra a ambos é uma só. Fatal a essa teoria é a narrativa do livro de Atos, o qual, apesar de registrar a morte de Tiago, nada fala sobre João. É impossível que se o apóstolo João tivesse sido martirizado juntamente com Tiago, que isso tivesse sido olvidado por Lucas. (Ver Atos 12:2 quanto à narrativa sobre a morte de Tiago, e que ali é identificado como irmão de João). Nenhuma teoria, pois, se pode rivalizar com aquela que coloca João em Éfeso, e isso até avançadíssima idade.

Além disso, é dito que João, o «ancião», referido por Papias, morreu em Éfeso. E que, nos dias de Papias, seu sepulcro era conhecido. Portanto, ainda que o apóstolo João não tenha escrito pessoalmente os livros em questão, a tradição os vincula a Éfeso.

Destino. Todas as três epístolas de João parecem ter sido endereçadas às comunidades cristãs da Ásia Menor, vários membros das quais eram conhecidos pelo autor sagrado. A tradição universal é que foram enviadas à província romana da Ásia, território modernamente conhecido por Turquia. As principais cidades dessa área eram aquelas *sete* que figuram no Apocalipse: Éfeso, Esmirna, Pérgamo, Tiatira,

JOÃO, I (PRIMEIRA EPÍSTOLA)

Sardes, Filadélfia e Laodicéia, além de Colossos e Hierápolis. Para essa área em geral também foram enviadas a primeira e a segunda epístolas de Pedro e a epístola de Judas. Portanto, a «literatura de heresia» surgiu a fim de combater os assédios dos gnósticos naquela região, além de dar instruções éticas necessárias aos crentes dali. A primeira epístola de João foi escrita para combater o gnosticismo docético, que se sabe ter florescido na região da Ásia Menor que se supõe haver recebido essa epístola. A epístola aos Colossenses foi escrita para combater o gnosticismo ascético; e a segunda epístola de Pedro, para combater uma variedade licenciosa do gnosticismo. Sem dúvida alguma, todas essas formas pululavam na Ásia Menor. Apesar de não haver evidências esmagadoras em favor da «Ásia Menor», como destino, esse destino simplesmente não tem rival. Alguns poucos manuscritos trazem títulos que destinam as epístolas de João a *parthos*. Mas não há qualquer tradição que vincule João aos «partas» (antigo reino a sudoeste do mar Cáspio).

Clemente de Alexandria aludiu a essas epístolas como escritas às «virgens», e alguns estudiosos têm conjecturado que «parthos» seja abreviação ou corruptela de «parthenos» (virgem). Mas outros dizem que «parthenos» teria sido uma explicação para um original *parthos*. Agostinho repetiu a identificação de «parthos» como o destino dessas epístolas. Mas todas essas tradições são mal definidas e envolvem obscuridades.

IV. *MOTIVOS E PROPÓSITOS*

Cerinto, contemporâneo de João, e a quem este se opôs, era um gnóstico. Nada sobreviveu até nós de seus escritos, e os primeiros pais da igreja apresentam um quadro confuso sobre sua heresia. Mas vinculam-no a Éfeso, fazendo dele um oponente do apóstolo João. Evidentemente, Cerinto cria que o homem Jesus fora filho natural de José, e que seu poder se devera a uma descida temporária de um «aeon» ou emanação angelical. Tal «aeon» teria vindo sobre Jesus quando de seu batismo, tendo-o abandonado por ocasião da crucificação. Alguns manuscritos posteriores chegam mesmo a dizer: «Meu poder, meu poder, por que me abandonaste?» uma corrupção gnóstica da conhecida declaração de Jesus. O texto do A.T. poderia ser assim traduzido, embora o original grego, evidentemente, não o possa. (Ver Sal. 22:1). Parece que Cerinto também negava o valor da expiação de Cristo (ponto de vista bastante comum entre os gnósticos, conforme se vê em II Ped. 2:1, onde se lê: «...ao ponto de renegarem o Soberano Senhor que os resgatou...»). Os gnósticos criam que o ato do batismo é muito importante, pois o «aeon» teria descido sobre Jesus de Nazaré naquele momento. Contudo, negavam o valor de seu sangue vertido. Assim, segundo afirmavam, Cristo veio pela água, mas não pelo sangue.

Alguns estudiosos têm negado a influência de Cerinto; mas, mesmo sem ele, está em foco alguma forma *docética* de gnosticismo, como heresia combatida. O docetismo ensinava que o Cristo real não era «humano» e que o seu corpo era apenas um fantasma. Assim, pois, sua vida como homem e seus sofrimentos, teriam sido irreais — eram apenas parte do papel desempenhado pelo «aeon». Notemos como o trecho de I João 4:2,3 identifica os hereges como aqueles que negavam a verdadeira humanidade de Cristo. Os heréticos exibiam o espírito do «anticristo». Temos ali uma denúncia contra o gnosticismo docético. Os gnósticos, que faziam do Cristo apenas um dentre muitos «aeons» ou manifestações ou emanações angelicais, tinham abandonado, por isso mesmo, a verdade do «senhorio» absoluto de Cristo,

negando que ele era o Cabeça de tudo. A epístola aos Colossenses foi especialmente escrita para combater essa modalidade de gnosticismo, juntamente com seu «ascetismo», que foi antes uma das manifestações éticas daquela variedade herética. (Ver Col. 2:15 e *ss*). Alguns elementos gnósticos eram licenciosos; e contra isso é que foram escritas as «epístolas pastorais» e a segunda epístola de Pedro. Podemos supor, com base em I João 2:15-17, que os gnósticos das igrejas para as quais João escreveu também tinham um caráter licencioso. (Ver essa conexão, em todo o segundo capítulo da segunda epístola de Pedro e o trecho de II Tim. 3:6 e *ss*).

Mas, se Cristo Jesus tivesse sido apenas um dentre muitíssimos mediadores, então ele nada tinha de especial, no tocante à salvação dos homens. (Tal conceito é denunciado no segundo capítulo da primeira epístola a Timóteo). Os gnósticos, pois, atacavam tanto a verdadeira divindade como a verdadeira humanidade de Cristo Jesus. O evangelho de João foi escrito para defender sua divindade; e a primeira epístola de João foi escrita para defender sua humanidade. O evangelho de João dá a entender a humanidade de Cristo e defende a sua divindade; e a primeira epístola de João dá a entender a sua divindade e defende a sua humanidade.

É impossível classificar-se exatamente os tipos de gnosticismo que assediavam cada área. O mais certo é que todas as formas de gnosticismo se faziam presentes em cada área, embora algumas formas predominassem aqui ou acolá. Os falsos mestres algumas vezes se mostravam totalmente desorganizados em seu pensamento e prática. Por isso é que E.C. Hoskyns e Noel Davey sugeriram: «O autor dos escritos joaninos, tal como o apóstolo Paulo, enfrentava um romantismo religioso desordenado... quando escreveu o romantismo espiritual tinha penetrado na igreja, sendo confiantemente declarado como a essência da religião cristã. Portanto, ele se preocupa menos com o romantismo espiritual no mundo do que com seu aparecimento no seio da igreja; e sentiu-se compelido a lançar toda a sua energia pastoral e literária a fim de recuperar o controle da igreja pela vida e morte de Jesus». (*The Riddle of the N.T.*, Nova Iorque, Harcourt, Brace and Co., 1931, págs. 231—232).

Irineu mostra a confusão que existia entre os gnósticos, mediante sua declaração: «A doutrina deles é homicida, conjurando, por assim dizer, certo número de deuses e simulando muitos pais, ao mesmo tempo que rebaixa e divide o Filho de Deus de muitos modos». (*Contra Heresias*, III.16.5; comparar com III.16.8).

O gnosticismo, tal como o cristianismo, essencialmente ensinava um plano de salvação, embora de maneiras bem diversas entre si. O gnosticismo postulava um deus «deísta», isto é, que emanara os universos (mediante mediadores ou emanações) mas que não teria qualquer contacto pessoal com os homens, por ser por demais grande para tanto. A matéria é vil demais, e o ser supremo não poderia contaminar-se com ela, porque a matéria seria o próprio princípio do pecado. Assim, a fim de entrar em contacto com seres tão inferiores, era obrigado a tratar com eles mediante uma quase interminável sucessão de emanações angelicais fantasmagóricas. Cristo seria uma dessas emanações, mas não necessariamente a maior delas. De fato, a maioria dos gnósticos declarava que Cristo não era o «aeon» maior, o «demiurgo», que teria criado este mundo, teria problemas pessoais, sendo uma emanação imperfeita de Deus, porquanto habitaria em trevas

JOÃO, I (PRIMEIRA EPÍSTOLA)

quase totais, por encontrar-se na linha fronteiriça entre a matéria e o espírito, uma longa distância de Deus. Alguns gnósticos identificavam esse *demiurgo* com o Deus do A.T. e outros, com Cristo. Seja como for, para eles Cristo era apenas um dentre muitos mediadores angelicais; e a salvação consistiria, antes de tudo, do indivíduo livrar-se da matéria (e, portanto, do corpo físico), para então participar da essência dos mediadores angelicais, com a reabsorção final na essência de Deus, quando então a alma perderia a sua individualidade e o ego se tornaria parte do «superego». Além disso, a maioria dos homens são de inclinações tão materiais que nunca serão capazes de desvencilhar-se da matéria, sendo forçados a perecer juntamente com a mesma. Portanto, não poderiam ser remidos. Os gnósticos chamavam tais pessoas de *hílicos*, termo esse derivado do vocábulo grego que significa «matéria». Outrossim, mediante a *fé*, algumas pessoas de natureza «psíquica», como os profetas do A.T., haveriam de obter certa forma inferior de redenção. Mas, mediante o «conhecimento» (no grego, «gnosis», do que se derivou o nome *gnosticismo*), os indivíduos «pneumáticos», que seriam as almas humanas verdadeiramente espirituais, haveriam de obter a total redenção. Esse «conhecimento» (que os gnósticos reputavam ser superior à «fé»), significaria o conhecimento e o poder obtidos através das mágicas, das cerimônias e do misticismo gnósticos. Portanto, o «conhecimento» seria o grande «meio» de salvação. Por isso é que se vê, na primeira epístola de João, o uso freqüente do termo «conhecimento». (Ver I João 2:3,5, 3:16,19,24; 4:2,6,13 e 5:2). Mas nessa epístola temos a menção do «conhecimento» cristão, em contradistinção ao tipo gnóstico de falso conhecimento. Para os escritores sagrados, esse conhecimento significava a «verdade», em que o indivíduo tem a Cristo Jesus como seu Salvador e Senhor. Além disso, tal conhecimento é permeado pelo «amor», resultando em uma espécie de «amor-conhecimento», que requer a atitude altruísta em favor do próximo. Isso explica a ênfase dada ao «amor», na primeira epístola de João. Alguns dos gnósticos, evidentemente, apresentavam-se como homens impecáveis. E isso, sem dúvida, queria dizer que seu espírito não era contaminado pelos pecados praticados com o corpo, pois o espírito seria o homem essencial. Mas o autor sagrado nega a impecabilidade sob quaisquer condições. (Ver o trecho de I João 1:10 a esse respeito).

Naturalmente, essas epístolas de João não são apenas polêmicas, pois foram motivadas não apenas por causa de ataques heréticos. Há ensinamentos cristãos positivos, especialmente a «ética do amor», que o escritor sagrado preferia salientar, sem importar que havia uma heresia a enfrentar. Há um mundo a que devemos fazer oposição, e há um mundo eterno que devemos conquistar.

Propósitos secundários também podem ser vistos nestas epístolas. Havia um adversário da verdade cristã, um certo Diótrefes, que vinha causando grande perturbação, que se opunha à autoridade joanina na igreja, tal como certos indivíduos se tinham levantado contra Paulo, nas igrejas da Galácia e em Corinto. Há, por igual modo, o problema do perdão dos pecados; e a primeira porção da primeira epístola de João explica a relação dos crentes para com tal problema. Ninguém está isento do pecado, mas o crente não pode ser viciado no mesmo, porque, ao contrário, nem ao menos será um crente, pois todo aquele que conhece a Deus não pode viver na prática contínua do pecado (ver I João 1:8 e 2:9,10). Há perdão de pecados (após o batismo em água,

conforme talvez fique subentendido), mediante a confissão. E é mediante o sangue de Cristo que nos chega o perdão divino (ver I João 1:9). A fé é um grande princípio que os gnósticos gostavam de subestimar. Porém, através da fé é que obtemos vitória sobre o mundo (ver I João 5:4,5), e essa fé é *em Cristo*.

O propósito do autor sagrado, portanto, foi fazer oposição a certa heresia (o que provocara a escrita dessa primeira epístola de João), ensinando certos princípios positivos da fé cristã. Desse modo esperava pregar aos crentes para que resistissem aos assédios da heresia, aclarando a visão deles quanto ao significado de Cristo e seu amor, para que tivessem nele uma fé completa. Assim viriam a participar da «vida eterna» (ver I João 5:13), o que mostra o «propósito» **mais central** do autor sagrado, ao escrever essa epístola.

«Alguns mestres falsos ensinavam, na província da Ásia, que Jesus não era homem verdadeiro, e que, quando de seu batismo, descera sobre ele um elemento divino, tornando-o o Messias, embora tal elemento o tenha abandonado por ocasião de sua morte. Esses mestres, chamados docéticos, diziam que Jesus nem é o Filho eterno e nem é homem real. O propósito desta epístola foi o de contra-atacar a influência exercida por esses mestres. Diz-se que João não quis permanecer no banho público juntamente com Cerinto, o líder herético. Quanto ao lado positivo, ele escreveu a fim de mostrar que o eterno Filho de Deus realmente se tornara homem, na pessoa de Jesus, a fim de mostrar que os crentes deveriam desfrutar de certeza pessoal de ser filho de Deus, e que a fé e o amor, que se expressam nas ações corretas, na obediência aos mandamentos de Deus, na prática do bem para com nossos irmãos sofredores, são as provas experimentais da tal certeza». (Tradução inglesa de Williams, *nota introdutória* à primeira epístola de João).

V. RELAÇÃO ENTRE AS EPÍSTOLAS E O EVANGELHO DE JOÃO

Apesar de não haver qualquer relação particular entre o evangelho de João, **a segunda e a terceira** epístolas de João, a sua similaridade com a primeira epístola de João é avassaladora. Além das similaridades quanto ao conteúdo e às expressões favoritas, há muitos paralelos atinentes ao estilo, ao idioma e aos modos de expressão. Em tempos recentes, entretanto, alguns eruditos têm pensado que essas grandes e muitas similaridades se devem ao fato de que o autor da primeira epístola de João imitava propositadamente o autor do quarto evangelho. A teoria da «mímica» adquire força no fato de que há diferenças e similaridades genuínas, talvez incluindo alguns aspectos difíceis de explicar, se mantivermos a autoria comum no caso de ambos esses livros. Na presente discussão, essas diferenças são discutidas imediatamente após a apresentação das similaridades. Um dos argumentos em favor da autoria comum é que o autor sagrado queria que sua epístola fosse conhecida como «de João», através da imitação do «evangelho de João»; mas isso ele poderia ter feito mais facilmente dizendo simplesmente, na introdução ou no final, que «o apóstolo João» escrevera a epístola. Tentar fazer a epístola parecer joanina, mas deixando-a totalmente anônima, é um estranho paradoxo, a menos que o autor, pertencendo genuinamente à tradição joanina, nada estivesse querendo provar com isso. Naturalmente, poderia argumentar que o autor sagrado não estava interessado em fazer a sua epístola «parecer» joanina, mas meramente gostou do estilo e do conteúdo do

JOÃO, I (PRIMEIRA EPÍSTOLA)

evangelho de João, copiando-o, por conseguinte. Mas, nesse caso, poder-se-ia indagar por que motivo o autor sagrado, se não estava interessado em adquirir a «autoridade» de João para sua epístola, ao escrever contra os hereges da Ásia Menor, sentiu a necessidade de copiar o estilo e o conteúdo joaninos. Certamente o evangelho de João está longe desse propósito, no tocante ao seu conteúdo geral; e procurar incorporar na epístola seus modos de expressão e seu conteúdo foi algo bem supérfluo.

Talvez a solução da questão é que tanto as epístolas como o evangelho de João representam genuinamente a tradição joanina, e que, embora talvez não tenham sido escritos pelo próprio apóstolo, foram escritos por algum discípulo ou discípulos *imediatos* de João. Estavam bem alicerçados sobre sua tradição, sobre suas idéias, sobre seus modos de expressão. Estavam fundamentados sobre a tradição do evangelho de João, o evangelho efésio, o evangelho da localidade deles, sem importar se um ou mais autores estavam envolvidos na escrita do quarto evangelho e das epístolas de João, seria natural que muitas coisas

similares aparecessem na «coletânea» joanina. E grande parte disso poderia fazer parte do esforço proposital de preservar expressões e idéias que eram típicas do próprio João, preservadas na comunidade cristã onde labutavam. Portanto, a tradição da coletânea joanina se deriva genuinamente de João; e se um ou mais autores estiveram envolvidos na preservação dessa tradição, isso é questão de somenos importância. Não obstante, a evidência em favor da autoria comum do evangelho de João, e pelo menos da primeira epístola de João, é irresistível. Westcott comenta como segue sobre isso, dizendo: «Nenhuma teoria de imitação consciente pode explicar razoavelmente as *sutis coincidências* e diferenças entre essas duas passagens breves mas cruciais». (Referia-se ele aos «prólogos» do evangelho de João e da primeira epístola de João).

Similaridades entre o evangelho de João e a primeira epístola de João. Nesses paralelos, um grego similar está envolvido, e não apenas a similaridade de conceitos.

Primeira Epístola de João	Evangelho de João
1:6 (duas frases gregas)	3:21 e 8:12
1:8 (duas frases gregas)	8:44 e 9:41
2:3	14:15
2:4	8:44
2:5	14:21
2:6 (duas frases gregas)	15:4 e 2:21
2:11	8:12; 3:8; 8:14; e 13:26
2:16	8:23 e 15:19
2:17	8:35 e 12:34
2:21	18:37
2:24	15:7
2:27	2:25 e 16:30
2:28	6:56
2:29	1:13
3:1	1:12
3:2	11:52
3:3	11:55
3:4	8:34
3:5	1:29
3:8	8:44
3:9 (duas frases gregas)	3:8 e 8:43
3:10	8:47
3:14	5:24
3:16	10:11,17,18 e 13:37
3:19	18:37
3:20	10:29
3:23	14:31; 12:49; 13:34 e 11:57
4:4	10:29
4:6	14:15 e 16:13
4:7	7:17
4:9	1:14,18; 3:16,18
4:12 (duas frases gregas)	1:18 e 6:56
4:16	6:69
4:20 (duas frases gregas)	6:46 e 5:44
5:4	3:8 e 16:33
5:5	16:33
5:6 (duas frases gregas)	19:34 e 1:33
5:9 (duas frases gregas)	3:33,34; 5:34; 14:28; 8:53
5:18	3:8
5:20	17:3

••• ••• •••

Abaixo exibimos **similaridades de estilo** que podem ser observadas nos exemplos dados:

1. O uso infreqüente de pronomes relativos. O pensamento continua através de outros meios, como «ou...alla» (Ver João 1:18,23 e I João 2:2,16,21).

2. Sentenças desconexas (ver João 3:18 e I João 1:8,9, como em «o pisteuon... o me pisteuon»).

3. Combinação de uma expressão positiva e de outra negativa, em um único pensamento, formando uma unidade (ver João 1:3 e I João 1:5).

JOÃO, I (PRIMEIRA EPÍSTOLA)

4. A ênfase de pensamentos mediante a introdução dos mesmos com um demonstrativo, como «em touto», «aute», e isso seguido por uma cláusula explanatória introduzida com «ina», «ean», «oti», ou outra cláusula, adicionada em oposição. (Ver João 15:12 e I João 5:4 e 3:11; João 3:19 com I João 5:9; João 9:30 com I João 4:9; João 9:30 com I João 4:9; João 13:34 com I João 2:3; João 4:37 com I João 2:6; João 15:8 com I João 4:17; João 5:16 com I João 3:1 e João 18:37 com I João 3:8). Vários outros maneirismos de estilo são alistados no «International Critical Commentary», introdução à primeira epístola de João, págs. vi., vii e viii. Notemos, por igual modo, que ali se mostra como ambos esses livros envolvem um vocabulário bem limitado.

Além dessas formas de similaridades «lingüísticas», que são como que as «impressões digitais» de um autor qualquer, existem *similaridades de idéias*, o que se vê nesses dois livros nos pontos seguintes:

1.Quanto à encarnação, apresentada praticamente do mesmo modo (ver João 1:14 e I João 4:2).

2. A vida, cuja fonte originária é Cristo (ver João 1:4 e I João 5:11).

3. Nossa identificação mística com Cristo (ver João 5:26; 11:25 e I João 1:1,2).

4. A permanência em Deus, para quem permanece em Cristo (ver João 6:56; 15:4-7 e I João 2:24 e 3:6).

5. A palavra de Deus, a habitar permanentemente nos homens (ver João 5:38 e I João 2:14,24).

6. A prova do amor de Deus, ao enviar seu Filho (ver João 3:16 e I João 4:9).

7. O amor, como guia da família divina (ver João 13:34; 15:10 e I João 3:23).

8. Os crentes, como filhos de Deus (ver João 1:12,13 e I João 5:1).

9. O «testemunho» de Cristo (ver João 5:36 e I João 5:6).

10. O uso de pontos opostos metafóricos e espirituais, como a luz e as trevas; a vida e a morte; o amor e o ódio; a verdade e a falsidade; o Pai e o mundo; do mundo e não do mundo; Deus e o diabo; os filhos de Deus e os filhos do diabo; o conhecer a Deus e o não conhecer a Deus; o ver a Deus e o não ver a Deus; o ter a vida e o não ter a vida.

Dissimilaridades entre o evangelho de João e a primeira epístola de João. Os dois eruditos que, mais do que quaisquer outros, se têm esforçado para demonstrar isso, são C.H. Dodd e A.E. Brooke. Dodd chama-nos a atenção para as peculiaridades gramaticais e sintáticas, para as expressões idiomáticas e para as características retóricas distintivas, que são diferentes na primeira epístola de João. Esta última não contém aramaísmos, a exemplo do evangelho de João. Ao sumariar seus argumentos, ele diz o seguinte: «O estilo da epístola tem forte similaridade geral com o evangelho; mas, no seu total, é mais monótono e mais estreito quanto ao alcance, ao passo que usa certas expressões idiomáticas e figuras que não se fazem presentes no evangelho, o que, plausivelmente, indicaria um caráter semítico, do qual a epístola é livre. Seu vocabulário se justapõe ao do evangelho, mas falta-lhe um número maior de termos altamente significativos, que aparecem naquele. Apesar de não se poder dizer que esses fatos refutam a identidade da autoria, deixam-nos em grande dúvida» (*The First Epistle of John and the Fourth Gospel*, pág. 141).

Há outros pontos de disparidade, quanto às idéias religiosas, nessas duas obras. A epístola de João não tece qualquer alusão ao A.T., mas encerra uma doutrina do «anticristo» que é sui generis. Mas falta-lhe aquele misticismo mais profundo do evangelho. Na epístola, Jesus é o «paracleto» (ver I João 2:1); no evangelho, o «paracleto» é o Espírito Santo, o representante de Cristo (ver João 14:6). Na epístola, Deus é «luz»; no evangelho, Cristo é que é a «luz» (comparar com João 1:4, 7-9 e I João 1:5). Na epístola, a *parousia* aparece como um *acontecimento* que logo teria cumprimento; no evangelho, é uma espécie de presença mística permanente, que já se acha com os homens. Naturalmente, é possível que o mesmo autor, sob circunstâncias diferentes, a enfrentar problemas diferentes e com um intervalo de vários anos, pudesse variar desse modo, no ensinamento de doutrinas. Por exemplo, é verdade que a «parousia», na primeira epístola, é um acontecimento mais incisivamente antecipado, pois o «anticristo» deverá vir primeiro; mas desde agora já há «anticristos» no mundo. (Ver I João 2:28 e 4:3). Contudo, no evangelho, é mencionado o «último dia» (ver João 5:26-29 e 6:38,40), mesmo que não fique subentendido que isso poderia ocorrer a qualquer momento. Contra isso poder-se-ia argumentar que a vívida expectação da vinda de Cristo, «a qualquer momento», e *durante minha vida terrena*, é algo que se faz totalmente ausente do evangelho, o que, pelo tempo em que o evangelho foi escrito, essa expectação já diminuíra ou se perdera. Portanto, sem importar o argumento que apresentemos, em favor deste ou daquele lado, sempre haverá um argumento contrário. Talvez não possamos fazer melhor que Morton Scott Enslin, em sua obra *Literature of the Christian Movement*, pág. 348 (introdução à primeira epístola de João), onde ele assevera: «Que esse escritor sem nome seria o homem que traçou o quarto evangelho é, atualmente, considerado como altamente provável por muitos eruditos, embora diversos críticos competentes prefiram identificá-lo com um revisor posterior. No evangelho, por igual modo, o autor oculta o seu nome. Outrossim, há muitos paralelos e similaridades notáveis quanto ao vocabulário, ao estilo e ao tipo de pensamento. Uma conveniente pesquisa do material é provido por Moffatt (*Introduction to the Literature of the N.T.*, pág. 589-593), o qual tende por ver o escritor vivendo e movendo-se 'dentro do círculo em que se originou o quarto evangelho, mantinha uma individualidade e um propósito todo seu'. A esses paralelos poderíamos bem adicionar o fato de que ambos os escritores apreciavam o tempo perfeito. Contudo, apesar das similaridades serem inescapáveis, também existem, claramente, algumas diferenças, a natureza polêmica da epístola se contrasta com a calma e fluência do evangelho, o que talvez possa ser melhor explicado como os paralelos livres do mesmo autor, que trabalhava para falar sobre um assunto bastante diferente. Um ponto de vista que não é impossível é que a epístola foi escrita algum tempo depois do evangelho, dirigida contra os falsos mestres que estavam abusando do evangelho, os quais assim punham em perigo o cristianismo e se apresentavam como mestres àqueles menos avisados».

Como é fácil ver, os eruditos não chegam a qualquer conclusão certa, mas expressam opiniões que são abertas a objeções. Parece, todavia, que os argumentos em favor da autoria comum do Evangelho e Primeiro João, têm mais peso do que os contra-argumentos.

Um completo estudo sobre esse problema pode ser lido no «*The International Critical Commentary*», introdução à primeira epístola de João, pontos i a xxvii. Mas, em última análise, o problema não é tão importante assim. Podemos dizer com confiança que a tradição «joanina» é a base de ambas essas obras; e

JOÃO, I (PRIMEIRA EPÍSTOLA)

que talvez algum discípulo ou discípulos imediatos de João estiveram envolvidos. Mas se os escritores envolvidos foram um ou mais, não é questão de grande monta. Ambos representam bem as idéias, as crenças, os ensinamentos e as esperanças de João, e de um modo como o próprio apóstolo João gostava de expressar-se. Portanto, ambos envolvem a «autoridade apostólica joanina», tal como o evangelho de Marcos se alicerça sobre a autoridade apostólica petrina, já que Pedro foi uma das principais fontes de informação do evangelho de Marcos.

VI. *TEMAS PRINCIPAIS*

A seção IV, que trata dos «Motivos e Propósitos», já apresentou os temas principais. Mas abaixo, em forma de esboço, há um quadro mais completo dos temas principais.

De modo geral, pode-se dizer que a primeira epístola de João representa a fé · comum da era apostólica, mas com adaptações às circunstâncias do fim do primeiro século e do começo do século II, na Ásia Menor. Assim, se os temas principais da mensagem apostólica são repetidos, são ditos de tal modo que fazem combate à heresia gnóstica daquela região do mundo. Isso é verdade tanto quanto ao lado «ético» da vida cristã como no que tange às doutrinas básicas.

1. A doutrina do Verbo forma o prólogo, tal como no evangelho, embora apresentada de maneira mais impessoal. Esse prólogo afirma ser obra de uma «testemunha ocular», pois a tradição do apóstolo João confirma a verdade que estava prestes a ser apresentada (ver I João 1:1,2).

2. O Verbo é, especificamente, o dispenseiro da *vida*; e essa vida eterna vem da parte de Deus Pai (ver I João 1:2 e 5:13).

3. A doutrina do Verbo é polêmica. Exalta Cristo à sua posição ímpar, em contraste com os gnósticos, que pretendiam fazer dele apenas um dentre muitos «aeons» ou emanações angelicais, ou seja, mediadores. Há apenas um Mediador entre Deus e os homens, Cristo, —que é o meio de vida eterna para os homens; essa vida não pode vir através de supostas emanações angelicais.

4. No Verbo temos a *comunhão* com a família divina, com o Pai e com o Filho. E nisso reside nossa alegria (ver I João 1:3,4). Isso também é polêmico. Os gnósticos consideravam a maioria dos homens como incapazes de serem remidos. Mas a oferta do evangelho, para haver comunhão com o Pai e com o Filho, visa a todos os homens (ver I João 2:2, onde se aprende que a «propiciação» foi efetuada em favor de todos os homens, e não em favor somente de algum grupo seleto).

5. A «comunhão», embora possível para todos, é condicionada à «conduta moral», vinculada ao perdão dos pecados mediante a expiação no sangue de Cristo. (Ver I João 1:5-10). Os gnósticos negavam ambas as coisas. Viviam na licenciosidade e pensavam que abusar do corpo não prejudica em nada à alma. De fato, pensavam que abusar do corpo seria um dos meios de cooperar com o sistema do mundo, cujo intuito, finalmente, seria a destruição de todas as coisas materiais, pois a matéria seria o princípio mesmo do pecado, bem como a sua sede. Os gnósticos, pois, asseveravam não ter pecado, porquanto o espírito não poderia ser prejudicado pelos pecados praticados com o corpo, já que o espírito é o verdadeiro homem. João salienta o fato de que não há homem que não peque, mostrando assim que o pecado envolve a pessoa real, a alma, e não meramente o corpo físico.

6. A vida e a comunhão nos vêm pela *expiação* de Cristo (ver I João 2:1,2) e de sua atuação como nosso advogado. Os gnósticos, por sua vez, negavam a validade da expiação de Cristo. Não havia expiação por sangue, dentro de seu sistema.

7. As provas de comunhão e do conhecimento de Deus são a obediência aos seus preceitos e o amor ao próximo (ver I João 2:3-17). Os gnósticos, em sua licenciosidade, desobedeciam às leis de Deus; em sua altivez, desprezavam aos irmãos.

8. O evangelho de Cristo impõe certa *exigência moral*; deve ser acompanhado pela rejeição ao mal que há no mundo, nas concupiscências da carne (ver I João 2:15,16). Os gnósticos ignoravam a necessidade do crente separar-se do mundo, pelo menos os gnósticos que assediavam aquelas comunidades cristãs para onde foram escritas estas epístolas. O gnosticismo combatido na epístola aos Colossenses era ascético; o que está em foco aqui é libertino.

9. Os apóstatas negavam o verdadeiro Cristo, fazendo de seu corpo um mero fantasma, e de sua pessoa real um «aeon» angelical. Tinham eles uma atitude «docetista» (ver I João 2:18-29 e 4:2-4 quanto a esses temas).

10. Os apóstatas negavam a realidade da «parousia». Mas a doutrina cristã a apresenta claramente, pois assinalará «notável salto à frente», quando os remidos haverão de participar da própria natureza de Cristo; e assim darão início ao progresso rápido nas perfeições divinas, sendo cheios de «toda a plenitude de Deus» (ver Efé. 3:19, ver também I João 3:1,2).

11. A «parousia» impõe uma *exigência moral*, a saber, a nossa pureza pessoal. Mas isso era ignorado pelos gnósticos (ver I João 3:3-10). Um homem não pode agora ser «praticante» do pecado; de outro modo, nem mesmo conhecerá a Deus.

12. O amor é a virtude suprema exigida da parte dos irmãos. Um homem ama a Deus somente quando ama a seus semelhantes (ver I João 3:11 e *ss*). O amor cristão se manifesta através de atos de altruísmo, feitos de gentileza. Amar ao próximo é, ao mesmo tempo, amar a Deus, que é o Pai de todos. A observância dos mandamentos de Deus é prova de que o amamos. O maior dos mandamentos divinos é que nos amemos uns aos outros.

13. Os falsos mestres mostravam-se corruptos em suas doutrinas e práticas, e eram amigos do mundo. Portanto, não admira que desprezassem aos verdadeiros crentes, que não pertencem ao mundo (ver I João 4:1-6).

14. Deus é amor, e todos quantos são seus filhos genuínos devem amar. A prova desse amor é a expiação feita por seu Filho. Devemos imitar a Deus em seu amor, sacrificando-nos em favor de outros. Esse tipo de ação prepara-nos para o dia do juízo. Não tememos aquele dia porque amamos, e o perfeito amor lança fora o medo (ver I João 4:11-21).

15. O amor coopera com a fé; e essa é a «gnosis» cristã, em contraste com o suposto «conhecimento» dos gnósticos. Nessas virtudes é que obtemos vitória sobre o mundo. Aquele que «nasceu de Deus» vence o mundo. Ora, tudo isso é mediado por Cristo, o Filho de Deus. Ele veio por água (a autoridade de seu batismo), mas também veio por sangue (a autoridade de sua expiação). Os gnósticos aceitavam somente a primeira idéia, e mesmo assim não em sua forma completa (ver I João 5:1-10).

16. O Filho de Deus veio para dar-nos a *vida eterna*; e a vida está nele. O principal propósito do autor sagrado era demonstrar isso, em oposição àquilo ao que Cristo fora reduzido pelos gnósticos, fazendo dele

JOÃO, I — JOÃO, II

apenas um dentre muitos senhores e mediadores. Nosso *conhecimento* consiste em conhecer a Cristo; e a nossa vida está em Cristo, presentemente mediada pela moralidade cristã. Em contraste com isso, os gnósticos buscavam a vida eterna independentemente do verdadeiro Cristo e da santidade (ver I João 5:13-21).

VII. CONTEÚDO

I. *Prólogo* — O verbo possibilita a comunhão com Deus (1:1-4)

II. Condições e Base da Comunhão — Exigências morais do evangelho (1:5-2:17)
  1. A comunhão se dá no perdão e na santidade (1:5-10)
  2. A comunhão é possibilitada pela expiação e advocacia de Cristo (2:1-6)
  3. Prova e condição de comunhão: a *lei do amor* (2:7-11)
  4. Comunhão com Deus mediante separação do mundo (2:12-17)

III. Os Falsos Mestres (2:18-27)
  1. Têm o espírito do anticristo (2:18-23)
  2. Os verdadeiros crentes são convidados à fidelidade, negando às doutrinas anti-cristãs (2:24-27)

IV. Os Filhos de Deus — Advertências e promessas (2:28-3:24)
  1. Suas relações para com a *parousia* (2:28-3:3)
  2. Suas relações para com o diabo (3:4-10)
  3. Como devem viver uns com os outros. A lei do amor fraternal (3:11-24)

V. Os Espíritos Falsos e o Espírito de Deus (4:1-6)
  1. O docetismo (4:1-3)
  2. A vitória dos verdadeiros filhos de Deus (4:4-6)

VI. O Amor de Deus Inspira Nossa Confiança (4:7-5:12)
  1. É a base do amor *mútuo*, o vínculo da família divina (4:7-12)
  2. Inspira a nossa confiança (4:13-18)
  3. É a base dos mandamentos (4:19-5:5)

VII. Cristo Veio Por Água e Sangue e o Testemunho do Espírito (5:6-12)

VIII. *Epílogo* — Afirmações e Exortações Finais (5:13-21)

VIII. *BIBLIOGRAFIA:* AM CKB E EN I IB LAN MOF NTI R TRA TIN VIN WFH Z

JOÃO II (SEGUNDA EPÍSTOLA)

A introdução às epístolas joaninas aparece no artigo sobre a primeira epístola de João. Trata-se ali de problemas como autoria, data, proveniência, confirmação antiga, motivos e propósitos, etc. Tais comentários devem ser consultados para que melhor se possa compreender a epístola que temos agora à frente. A única coisa que precisa ser adicionada aqui é o esboço do conteúdo desta segunda epístola de João.

Esboço do Conteúdo

I. Saudação (vss. 1-3)

II. O Mandamento do Amor (vss 4-6)

III. Advertência Contra o Erro Gnóstico (vss.7-11)

IV. *Conclusão* (vss. 12-13)

É interessante observar que a segunda e a terceira epístolas de João possuem saudação e conclusão epistolares formais, o que as assinala como epístolas legítimas, ao passo que a primeira epístola de João não conta nem com uma coisa e nem com a outra, o que significa que ela é mais um tratado do que realmente uma epístola. Assemelha-se muito mais ao evangelho de João, havendo muitos grandes paralelos entre esses dois livros. A primeira epístola de João, pois, tem mais o estilo de um tratado do que de uma epístola. Na segunda e na terceira epístolas de João, o autor sagrado chama a si mesmo de *ancião*, mas sem dar qualquer indicação que esclareça tal posição, pelo que tais epístolas são sinônimas. A primeira epístola de João, porém, nem ao menos alude ao «ancião». Contudo, seus muitos paralelos com o evangelho de João fez com que tanto a primeira, como, por extensão, a segunda e a terceira epístolas de João, fossem consideradas de autoria do apóstolo João. Pelo menos elas se acham dentro da tradição joanina. Ver discussão completa acerca da «autoria», na introdução à primeira epístola de João. Mas nem todos os eruditos acreditam que todas essas três epístolas foram escritas por um só autor.

Uma coisa, porém, é indubitável — a *razão* central por que essas três epístolas foram escritas é essencialmente a mesma. Os falsos mestres gnósticos estavam conseguindo grandes conquistas na igreja, e tinham de sofrer oposição. Estavam reduzindo o Cristo anunciado pelos apóstolos, o Verbo encarnado, o Deus-homem, a mera emanação angelical de Deus, um *aeon*. Negavam a realidade da encarnação, e viam o «Espírito-Cristo» meramente como um dos sombrios «aeons», o qual, por ocasião do batismo de Jesus de Nazaré, teria vindo possuir-lhe o corpo, usando-o como seu instrumento, até à sua crucificação. Por ocasião da morte, o «aeon» teria abandonado a Jesus, pelo que sua morte, quando muito, teria sido a de um mártir por uma boa causa, mas sem valor como expiação. Os gnósticos, por conseguinte, degradavam tanto a pessoa como a obra de Cristo. Em lugar de Cristo, apresentavam um «cristo» falso, dotado de uma missão diferente.

Alguns líderes cristãos tinham sido conquistados para os pensamentos dos gnósticos, e assim um evangelho não-cristão estava sendo impingido à igreja. Diótrefes (ver III João 9), que assumira poderes ditatoriais sobre a igreja da região da Ásia Menor, provavelmente era um dos principais proponentes do gnosticismo da igreja. O que esse homem foi capaz de fazer, o que é descrito em II João 9-11, demonstra a natureza crítica do problema que era enfrentado. O trecho de I João 2:19 mostra, entretanto, que os verdadeiros crentes tinham obtido certa vitória sobre os mestres falsos, porquanto muitos deles tinham rompido comunhão com a igreja cristã (ver o artigo sobre o «gnosticismo»).

Os versículos sétimo a décimo primeiro mostram que a doutrina dos gnósticos se espalhara por muitos lugares da Ásia Menor, através de pregadores itinerantes, que se aproveitavam da boa vontade e da hospitalidade natural dos cristãos primitivos. Foi mister que o «ancião» advertisse à igreja que os supostos «evangelistas» itinerantes de modo algum eram representantes da tradição apostólica. A igreja cristã foi avisada, pois, a não dar hospitalidade a tais homens, e a segunda epístola de João foi escrita essencialmente como advertência contra esses itinerantes pregadores gnósticos, embora o seu conteúdo não verse exclusivamente sobre esse tema.

Oito dos livros do N.T. foram escritos para combater o gnosticismo: as três epístolas pastorais, as três epístolas joaninas, a epístola aos Colossenses e a epístola de Judas. A epístola aos Efésios, o evangelho

539

JOÃO, II – JOÃO III

de João e certas porções do livro de Apocalipse, também foram dirigidos contra essa heresia, que assediou a igreja por cento e cinqüenta anos.

A presente epístola, naturalmente, é a mais polêmica de todas, mas polêmicas também são as demais epístolas joaninas. O grande tema do amor é novamente salientado (ver os versículos quarto a sexto); mas, devido à sua extrema brevidade, somente esse tema, além daquele que trata da defesa da verdade cristã contra os assédios da heresia, é abordado nesta epístola.

JOÃO III (TERCEIRA EPÍSTOLA)

Introdução:

No tocante à introdução geral às epístolas joaninas, ver o artigo sobre a primeira epístola de João. Este artigo aborda temas como autoria, data, proveniência, destino, confirmação antiga, motivos, propósitos e temas destas epístolas.

Esboço do Conteúdo
I. Saudação a Gaio (vss. 1,2)
II. Problema dos Evangelistas Itinerantes (vss. 3-8)
III. Diótrefes, o Ditador (vss. 9-11)
IV. Demétrio, o Bom (vs. 12)
V. Conclusão (vss. 13-15)

Se compreendermos que a *eleita* Kiria era uma matriarca da igreja, e não um título simbólico da própria igreja (ver no NTI as notas expositivas sobre II João 1), então, nas páginas do N.T. teremos três epístolas pessoais, isto é, cartas enviadas a indivíduos e não a igrejas locais ou à igreja em geral. Essas epístolas são a segunda e a terceira epístolas de João e a epístola a Filemom. Dentre as três, a terceira epístola de João é a que oferece melhor exemplo de antiga carta pessoal, em forma e conteúdo (Comparar com Atos 23:26 quanto à forma das cartas antigas).

As cartas antigas começavam com o costumeiro *cheirein* («regozijai-vos»), e que equivale à nossa expressão «Saudações». Em seguida há uma declaração solícita sobre a saúde do endereçado. Nas páginas do N.T., normalmente isso é substituído por uma bênção, como «graça e paz da parte de Deus, nosso Pai, e do Senhor Jesus Cristo» (nas epístolas de Paulo), ou «graça, misericórdia e paz» (nas epístolas pastorais e na segunda epístola de João). Judas diz «misericórdia... paz e amor». Eram adaptações cristãs de antigas formas epistolares. Há um papiro cristão (Papyri Greci e Latini, Publicazioni della Societá Italiana — Florence, 1912), o qual é citado por Allen Wikgren, em «Hellenistic Greek Texts» (University of Chicago Press, pág. 130), que é carta de um jovem para sua mãe, e que exibe uma forma que ilustra a forma comum nos tempos antigos: «Amom para Kalinika, minha senhora e mãe: saudações. Em primeiro lugar, rogo que estejas com saúde («ugiainein», a mesma palavra usada aqui, em III João) no Senhor Deus». (Quanto a outras notas expositivas sobre as formas epistolares da antiguidade, ver as notas que aparecem imediatamente antes de Rom. 1:1 no NTI).

Nas páginas do N.T., **há oito epístolas** que foram escritas em oposição à heresia gnóstica. São as três epístolas pastorais, as três epístolas joaninas e as epístolas aos Colossenses e de Judas. O evangelho de João, a epístola aos Efésios e algumas porções do livro de Apocalipse também têm um gnosticismo em vista, embora não tão enfaticamente. Ver o artigo sobre o *Gnosticismo* e também sobre *Docetismo*, ver a exposição sobre I João 4:2 e 3 no NTI. Este texto ataca

uma forma do docetismo. O perturbador *Diótrefes* (vide) foi mais do que um ditador; foi um representante do gnosticismo, um mestre falso, o qual obtivera poder suficiente na igreja para controlar a igreja local. Diótrefes não aceitava a autoridade apostólica de João, e rejeitava qualquer orientação vinda da parte do apóstolo, recusando-se a acolher os evangelistas itinerantes por ele enviados, demonstrando ainda, de outras maneiras, sua hostilidade franca aos representantes normais da igreja cristã.

Supomos que, na qualidade de representante da doutrina gnóstica, ele rejeitasse a Cristo como o Verbo eterno encarnado, e também a divindade e a humanidade verdadeiras de Cristo, em uma só pessoa. Antes, deveria pensar que algum «aeon» (não uma emanação tão elevada como o «Logos») tivesse vindo possuir temporariamente o homem Jesus de Nazaré, por ocasião de seu batismo, tendo-o abandonado quando de sua crucificação. Isso também significaria que ele negava a «expiação pelo sangue de Cristo», supondo que Cristo (o «aeon») não poderia sofrer e nem morrer. Se ele era um mestre gnóstico comum, então negava até mesmo a possibilidade de «encarnação» como algo metafisicamente impossível, pelo que veria a morte de Jesus como se fosse a morte de um mero homem, e não a morte do Cristo, e como se não tivesse qualquer valor expiatório. Pelo contrário, o «conhecimento» (do tipo místico, mágico e cerimonial) seria o meio da salvação. Também é provável que ele concordasse com o pensamento gnóstico normal que é matéria indiferente aquilo que fazemos por intermédio do corpo. Conforme pensavam os gnósticos, os homens podem abusar de seus corpos mediante o *ascetismo* (o tipo de gnosticismo combatido em Col. 2:15 e *ss*), ou mediante a «imoralidade» (o tipo de gnosticismo combatido nas outras sete epístolas mencionadas acima). Tal abuso, conforme pensavam eles, ajudava o sistema mundial em seu desígnio de destruir o corpo humano, que fazia parte da matéria, a qual deve ser destruída, porquanto é o princípio mesmo do mal (conforme pensavam os mestres gnósticos). Supostamente, os abusos contra o corpo não prejudicariam a alma, da mesma maneira que o ouro, ainda que mergulhado na lama, não pode ter alterada a sua natureza áurea.

A imoralidade, pois, veio a ser não apenas sancionada, como também passou a fazer parte do sistema doutrinário do gnosticismo, como porção oficial do mesmo. Não admira, pois, que se Diótrefes foi um gnóstico, que ele se opusesse amargamente à autoridade da igreja cristã, recusando-se a dar hospitalidade a seus evangelistas itinerantes.

A epístola perante nós reflete o surgimento da autoridade investida em um único homem. As igrejas neotestamentárias, originalmente, eram governadas por diversos «pastores» (também chamados «anciãos» ou «supervisores»), e não por um único oficial. Porém, é evidente que Diótrefes queria controlar tudo sozinho. Posteriormente, isso se tornou o estilo comum de governo eclesiástico, conforme os dons ministeriais e espirituais foram desaparecendo, quando um certo «profissionalismo» tomou seu lugar. Não havendo muitos que pudessem exercer dons espirituais no ministério, foi apenas natural que indivíduos dotados de personalidade forte, treinados na oratória ou em outras habilidades, as quais os qualificavam acima dos demais, tivessem usurpado a autoridade que antes estava investida em um grupo de anciãos em cada congregação local. Seja como for, é certo que perto dos fins do primeiro e no começo do segundo séculos, teve início o ofício dos «bispos»,

JOÃO III — JOÃO APÓSTOLO

como título dado a uma classe especial, e não equivalente aos «pastores». Em outras palavras, certos «anciãos» vieram a exercer autoridade sobre uma «região», — em vez de fazê-lo sobre uma única congregação local. E note-se que isso já tivera começo quando foram escritas as «epístolas pastorais».

Primeiramente surgiram os «bispos», — e apareceu o «ministério de um homem só», porquanto os dons espirituais e ministeriais tinham praticamente cessado, tornando-se mister que um profissionalismo eclesiástico tomasse o lugar do ministério espiritual. Certamente nada há de errado com o conceito de «bispo» ou «supervisor». Os apóstolos *sempre* exerceram essa forma de autoridade, sendo com freqüência vantajosa, para qualquer grupo de igrejas, que se reúnam-sob alguma autoridade comum, contanto que tal autoridade não se mostre ditatorial. Contudo, o advento do ministério de um homem só, em cada igreja local, foi, é, e sempre será prejudicial para o cristianismo, simplesmente porque ninguém pode possuir todos os dons espirituais e ministeriais que precisam ser exercidos na igreja local, para seu ótimo desenvolvimento espiritual. O trecho de Efé. 4:10 e *ss* mostra-nos que os dons ministeriais é que possibilitam o crescimento espiritual da igreja. Idealmente, todos os membros deveriam contribuir com a prática de algum dom espiritual, embora nem todos eles, como é óbvio, recebam os vários dons ministeriais: apóstolos, evangelistas, profetas, pastores e mestres.

Diótrefes, pois, além de ser exemplo de como um homem pode tornar-se um herege, também mostra como pode tal indivíduo obter o controle da igreja local, para detrimento desta. Isso sucede quando os dons ministeriais e espirituais não estão em operação, ainda que tal coisa não possa ser firmada como questão fixa. Por outro lado, isso ilustra o quanto precisamos dos dons espirituais hoje em dia como sempre. Os ditadores na igreja florescem somente quando os dons são reprimidos. Os dons devem ser exercidos, embora não necessariamente segundo o *modus operandi* do primeiro século. Sem tal espiritualidade, *pequenos césares* surgem na igreja.

JOÃO APÓSTOLO

Ver os artigos separados sobre *João Apóstolo, Teologia (Ensinos) de* e *Apóstolos, Apostolado*, onde há a descrição de cada um dos apóstolos e onde a missão do ofício apostólico é descrita. O nome *João* deriva-se do hebraico *Iohanan* ou *Iehohanan*, que significa «Yahweh tem sido gracioso».

Esboço:
- I. Caracterização Geral
- II. Fontes Informativas
- III. A Teologia e os Ensinos Joaninos
- IV. Escritos Joaninos
  Bibliografia

I. Caracterização Geral

1. Ampla Informação. Sabe-se mais sobre João através dos três evangelhos do que através do próprio evangelho que tem o seu nome. Ele é identificado como «o discípulo amado», mencionado em João 19:26; 20:2. Há breve menção a ele, em Atos 4:13 e 5:33,40, que são trechos que aludem ao seu conflito com as autoridades judaicas. Foi considerado pelos eruditos fariseus como homem sem cultura e sem letras, porquanto não recebera o treinamento acadêmico dos rabinos. Uma outra breve menção aparece em Atos 8:14, onde lemos que, juntamente com Pedro, ele impôs as mãos sobre novos convertidos samaritanos, para que fossem batizados no Espírito Santo. O único outro lugar onde João é mencionado por nome, fora dos evangelhos, é na epístola paulina aos Gálatas (2:9), onde ele é chamado de uma das colunas da Igreja. As evidências patrísticas a seu respeito não são abundantes e nem muito confiáveis, o que também se dá com o material neotestamentário apócrifo. Logo, continua de pé o fato de que pouco ou nada sabemos sobre o apóstolo João, fora dos escritos do Novo Testamento; mas, mesmo ali o material que nos é oferecido sobre esse apóstolo é escasso, em relação àquilo que poderíamos esperar acerca de uma das principais personagens do cristianismo primitivo.

2. Família e Chamamento. João era filho de Zebedeu e Salomé. Zebedeu, ao que parece, tinha uma pequena flotilha de barcos de pesca, e vários empregados. Salomé, sua esposa, tornou-se uma das principais cooperadoras que contribuíam para sustentar a Jesus e aos seus primeiros discípulos, o que lhes permitiu continuarem o ministério de ensino, embora nunca tivessem muita coisa. Ver Mar. 1:20; 15:40,41; 16:1. É possível que João, a princípio, fosse um dos seguidores de João Batista, o que talvez fique subentendido em João 1:35,40; embora não se tenha certeza quanto a isso.

Sua chamada para ser um dos discípulos especiais de Jesus é registrada em Mar. 1:19,20. Parece que João e Tiago não tinham visto a Jesus antes daquele dia, sendo surpreendente, por isso mesmo, que tivessem aceitado tornar-se seus discípulos naquele mesmo dia. Outros estudiosos supõem, entretanto, que houve algum contato anterior deles com Jesus, o que os evangelhos nunca historiam. Todavia, sabemos que poderosas figuras espirituais, como era a de Jesus Cristo, podem fazer discípulos instantaneamente. Existem homens extraordinários que têm grande ascendência espiritual sobre outras pessoas, e não precisam exercer qualquer persuasão gradual. Seja como for, parece que Zebedeu também deu apoio ao discipulado cristão de seus dois filhos. Não é provável que Salomé tivesse podido contribuir financeiramente como fez, e menos que o seu marido concordasse com esse apoio.

3. Natureza Explosiva de João

João e seu irmão, Tiago, receberam o apodo de *Boanerges*, «filhos do trovão». Esse apelido, talvez, alude à natureza explosiva, enérgica e imprevisível deles. Ou pode referir-se à ocupação deles, pois os pescadores tinham de enfrentar súbitos temporais. A interpretação tradicional é «prontos a se irarem», o que é apoiado pela falta de paciência que João demonstrou com alguns, que, embora não fossem discípulos de Jesus, estavam exorcizando demônios em seu nome (Mar. 9:38; Luc. 9:49). É significativo que essa impaciência de João se manifestasse sob a forma de exclusivismo, o que geralmente é o caso. Também é significativo o fato de que Jesus repreendeu essa atitude, o começo de intermináveis conflitos entre as denominações cristãs, todas afirmando-se seguidoras de Cristo. João também quisera fazer descer fogo do céu, contra uma aldeia samaritana não hospitaleira, conforme se lê em Luc. 9:54, o que Jesus igualmente repreendeu, a despeito do fato de que João foi capaz de salientar o precedente veterotestamentário de Elias, o profeta, que eliminou os opositores mediante fogo do céu.

4. O Círculo de Discípulos Íntimos de Jesus

Apesar de suas evidentes falhas, João, Tiago e Pedro faziam parte do círculo mais chegado de discípulos de Jesus. Ver Mar. 5:37. Isso é novamente evidenciado no relato sobre a transfiguração de Cristo (Mat. 17:1; Mar. 9:2; Luc. 9:28) e, igualmente, na

541

JOÃO APÓSTOLO

agonia de Jesus no Getsêmani, que ele sofreu em companhia daqueles três discípulos (Mar. 14:33).

5. Líder da Igreja Primitiva

Se João foi um dos mais íntimos dos três discípulos de Jesus, era apenas natural que ele tivesse assumido um papel de especial liderança na Igreja primitiva. Ele era objeto especial do amor do Senhor Jesus (ver João 19:26). Em Atos 3:1,4, Pedro e João foram aqueles que operaram o notável milagre que os levou a entrar em dificuldades com os membros do Sinédrio judeu. Atos 1:13 afirma especificamente o lugar de liderança que João ocupava. Parece que João compartilhou do encarceramento de Pedro (Atos 4:13). Além disso, encontramos João e Pedro a regularem a missão da Igreja primitiva entre os samaritanos (Atos 8:14,25). Paulo, além disso, assevera que João era uma das colunas da Igreja de Jerusalém (Gál. 2:9), o que é a única referência direta ao apóstolo João, fora dos evangelhos e do livro de Atos, se não considerarmos os títulos antigos que faziam dele o autor das epístolas que trazem o seu nome. A similaridade daquelas epístolas com o evangelho de João, no tocante à linguagem usada e aos temas selecionados, serve de uma espécie de confirmação indireta da autoria joanina desses livros neotestamentários, bem como da importância que ele desempenhava nas atividades da Igreja cristã primitiva.

6. Evidências Patrísticas

Polícrates, bispo de Éfeso, em cerca de 200 D.C., alegava que o apóstolo João foi sepultado em Éfeso; mas, não podemos ter a certeza disso. A escola joanina, ao que se presume, estava vinculada àquela cidade. Porém, Polícrates também nos diz que Filipe foi sepultado em Hierápolis. Mas, nessa informação ele confundiu o apóstolo Filipe com o evangelista Filipe, que é mencionado em Atos 21:8. Portanto, não sabemos quão exata é essa sua informação. Irineu, contemporâneo de Polícrates, afirmou que João escreveu o quarto evangelho em Éfeso, e que ele também escreveu o livro de Apocalipse. Essa informação não pode ser exata, pelo menos no que concerne ao Apocalipse, livro que contém uma linguagem inteiramente diversa das demais obras joaninas, cheia de erros no original grego, bastante diferente do evangelho de João, que, embora simples, foi escrito em grego relativamente puro. Tertuliano, no começo do século III D.C., adicionou a essa tradição de João, ao afirmar que este fora exilado, por causa de sua fé, na ilha de Patmos, vinculando-o assim ao João aludido em Apo. 1:1,4,9 e 21:2. Porém, ao que parece, Tertuliano não estava escudado em qualquer evidência independente, mas somente elaborou as declarações de Polícrates. Parece que houve um homem proeminente, de nome João, perto do fim da época apostólica; mas os eruditos chamam-no de ancião ou vidente, dizendo que alguns antigos confundiram o apóstolo João com esse homem.

7. A Morte de João

Não dispomos de informações seguras sobre como João terminou a sua vida terrena. Uma antiga tradição, levada a sério por alguns eruditos modernos, assevera que ele não haveria de morrer, mas permaneceria até o segundo advento de Cristo. Isso alicerça-se sobre a misteriosa passagem de João 21:21-23. Porém, o vs. 23 parece distinguir essa tradição do verdadeiro sentido das palavras de Jesus, que dá a entender que ele morreria. Talvez João tenha perecido como seu irmão Tiago, que teve uma morte prematura de mártir (Atos 12:2). O trecho de Mar. 10:38 parece indicar a mesma coisa. Porém, as

tradições antigas afirmam que João teve uma longa vida em Éfeso, talvez tendo sido o único apóstolo que não morreu como mártir cristão. Sobre essas questões, remotas como elas são, nada pode ser dito com absoluta certeza.

8. A Luz que Brilhava

Embora tenhamos tão poucas informações sobre o apóstolo João, é claro que ele foi uma luz que resplandeceu no primeiro século da era cristã, uma grande luz reflexa do Senhor, mas que, nesse reflexo, assumia um resplendor todo próprio. É significativo que *vinte e três papas* tenham escolhido chamar-se João. Sabemos que o apóstolo João era homem de ardente lealdade e de firme discipulado. Se ele é o discípulo cujo nome não é dado, em João 18:15, então é claro que ele não participou da negação de Pedro acerca de Jesus. De fato, João caminhou ousadamente entre a multidão agitada, a despeito do perigo que isso representava. Sabemos que João era amigo do sumo sacerdote, e chegou a entrar mesmo no pátio onde Jesus estava sendo submetido a interrogatório.

O retrato de Browning sobre a morte de João é atrativo e autêntico em espírito, apesar de não corresponder à realidade histórica. Ele pintou João como quem morria, já em estado de coma. Mas, por um breve período, recuperando-se, João começou a «contar novamente a velha, velha história» de Jesus e seu amor. O quadro de Correggio pinta João como uma alma em forma de águia, plena de poder e graça, o que não é estranho à narrativa dos evangelhos.

Penso continuamente naqueles que foram realmen-
te grandes,
Que desde o ventre relembraram a história da
alma,
Através dos corredores da luz, onde as horas são
sóis
Intermináveis e cantantes. Cuja amável ambição
Era que seus lábios, ainda tocados pelo fogo,
Falassem do espírito, revestido em cântico, da
cabeça aos pés,
E que ajuntaram ramos da fonte,
Os desejos que ornaram seus corpos como
florescências.

Penso continuamente naqueles que foram realmen-
te grandes,
....

Os nomes daqueles que na vida lutaram pela vida,
Que usaram nos corações o centro do fogo,
Nascido do sol, que viajaram por um pouco em
direção ao sol,
E deixaram o ar vívido, assinado com a sua honra.

(Stephan Spencer)

II. Fontes Informativas

Sob a primeira seção, **Caracterização Geral**, damos as informações essenciais sobre essas fontes. O que damos abaixo sumaria a questão:

1. Nos Evangelhos Sinópticos. Que Salomé era mãe do apóstolo João pode-se inferir com base em Mar. 16:1 e Mat. 27:56. Nas listas dos discípulos de Jesus, em Mateus e Marcos, a ordem sempre é primeiro Tiago, e então João, talvez dando a entender que João era o mais jovem dos dois. Porém, em Lucas-Atos, seu nome aparece antes do de seu irmão, talvez dando a entender sua posição mais proeminente. Pedro encabeça a lista dos três discípulos mais íntimos (Luc. 8:51; 9:28; Atos 1:13). Usualmente, Salomé é considerada irmã de Maria, mãe de Jesus, porque, em João 19:25, quatro mulheres aparecem perto da cruz, incluindo as duas Marias, mencionadas em Mateus e Marcos, além da mãe de Jesus e da irmã dela. Se essa

JOÃO APÓSTOLO

identificação é correta, então Jesus era primo em primeiro grau de João. A profissão do pai de João, Zebedeu, era a de pescador (Mar. 1:20). Salomé sustentava financeiramente o pequeno grupo dos primeiros discípulos de Cristo (Mar. 15:40). João tem sido tradicionalmente identificado com o discípulo de João Batista, cujo nome não é dado, o qual, juntamente com André, foi enviado a Jesus, por João Batista, que o chamou de «o Cordeiro de Deus» (João 1:35-37).

O temperamento sangüíneo de Tiago e de João é mencionado em Mar. 3:17. Todavia o grande zelo deles não era bem orientado (Luc. 9:49). Eles queriam receber posições especiais de importância no reino, um pedido mediado através da mãe deles (Mat. 20:20; Mar. 10:37). Eles faziam parte do círculo mais íntimo dos doze: Mat. 5:37; 9:2; Mar. 14:33. Pedro e João foram os dois discípulos enviados por Jesus para prepararem a refeição final da páscoa (Luc. 12:8). O quarto evangelho aparentemente alude a João, embora sem chamá-lo pelo nome. Ver João 13:23; 19:26,27; 21:23. O trecho de João 21:24, pelo menos, mostra-nos que as tradições sobre João estão por detrás do quarto evangelho, mesmo que ele não o tenha escrito pessoalmente.

2. No livro de Atos, nas epístolas de João e no Apocalipse, Pedro e João foram dois dos primeiros líderes da Igreja, e tiveram de padecer ante as perseguições iniciais contra os cristãos (Atos 4:13; 5:33,40). Mas eles exibiram ousadia e determinação, características essas obtidas como discípulos de Jesus. Pedro e João também foram líderes dos primeiros movimentos missionários da Igreja (Atos 8:14). Sem dúvida, isso incluía o ofício apostólico de supervisão sobre as atividades de outros cristãos. Talvez João seja o «ancião» que aparece em II João 1 e em III João 1, embora muitos achem que não é provável que seja o mesmo João, o vidente, do Apocalipse 1:1,4,9 e 21:2.

3. Nos Pais da Igreja. Nesses escritos temos algumas evidências que passamos em revista, essencialmente, no primeiro ponto, *Caracterização Geral*. Em adição ao que foi dito ali, temos o que foi mencionado na história de Filipe de Side (cerca de 450 D.C.), conforme foi narrado pelo cronista do século IX D.C., George Hamarttolos, que afirmava que Papias, bispo de Hierápolis (meados do século II D.C.) disse que *ambos* os filhos de Zebedeu tiveram morte violenta, em cumprimento a profecia de Jesus, em Mar. 10:39. Não há como julgar se Papias realmente fez essa afirmativa e, se a fez, se ela era exata ou não. Um martirológio sírio, escrito em cerca de 400 D.C., preserva a data de 27 de dezembro como o dia para relembrar os martírios de João e de Tiago, em Jerusalém. Um calendário da igreja de Cartago (datado de 505 D.C.), entretanto, diz que se deveria pensar em João Batista e em Tiago. Seja como for, porém, não precisamos imaginar que tais calendários preservassem qualquer item histórico de valor, que, porventura, tivesse sido perdido por outras fontes informativas. A tradição sobre a longa permanência de João em Éfeso é muito mais convincente, segundo já pudemos notar; mas muitos estudiosos duvidam do valor histórico até mesmo dessa tradição. Irineu, contudo, confirmou essa tradição, falando sobre as dificuldades de João com os gnósticos e com Corinto, em particular, principal representante daquele grupo. Ele também disse que João continuou vivo até os dias do imperador Trajano, que reinou de 98 a 117 D.C. Ver III.1,1; 3,4. Jerônimo repete essa tradição, embora seja duvidoso que ele estivesse estribado em qualquer informação independente. Contra essas afirmações, porém, encontramos o fato de que a literatura cristã da época, que emanava da Ásia Menor, nada diz a respeito desses informes. Coisa alguma parecida com isso é dito nas cartas de Inácio e na epístola de Policarpo, uma estranha omissão, de fato, se é que João estava residindo ali. É muito difícil crer que as menções posteriores a João dependessem do fato de que sua posição e importância na Igreja tinham crescido. Qualquer homem que tivesse sido um dos discípulos originais de Jesus, já revestir-se-ia de estatura gigantesca, somente por esse fato, não precisando tornar-se ainda mais importante para entrar na literatura posterior. Eusébio (III.21,3) citou Polícrates acerca do sepultamento de João, em Éfeso. Ele fala sobre como João viveu até avançadíssima idade, tendo acompanhado os reinados de Domiciano, Nerva e Trajano, e tendo vivido nos tempos dos bispos Clemente, Inácio e Simão. Afirmou, igualmente, que o quarto evangelho e I João sem dúvida alguma foram obras escritas por esse apóstolo, e que também havia fortes possibilidades das outras duas epístolas de João e do Apocalipse também terem saído de sua pena (Hist. 3:34,13). O quanto Eusébio meramente repetia tradições de terceiros, e o quanto ele disse, por si mesmo, é algo que não sabemos precisar.

4. Nos Livros Apócrifos

Ocorre algo de surpreendente na história e na literatura que circundam o apóstolo João. Temos pouquíssima informação sobre ele, no período patrístico inicial; mas, em contraste, dos fins do século II até os fins do século IV D.C., ele aparece com grande proeminência no material apócrifo de *Atos de João*, que data de meados do século II D.C., e que conta os alegados prodígios e discursos de João, acontecidos perto de Éfeso. Ele fala sobre o retorno de João da ilha de Patmos, um naufrágio, a cura de Cleópatra e a ressurreição do marido dela, a destruição do templo de Ártemis e muitas coisas semelhantes, algumas delas abertamente fantásticas. João também narra ali a história de suas ligações com Jesus. O livro termina com uma narrativa sobre a morte de João, e com a declaração do próprio João, que se mostrava agradecido por haver vivido como celibatário. De fato, o livro não passa de uma peça de propaganda e de novela romântica dos gnósticos, nada acrescentando ao conhecimento que possuímos sobre João. A tradição efésia é muito forte nesse livro, sendo mesmo possível que o livro tivesse sido inventado em Éfeso. Por outro lado, esse item pode estar baseado sobre um fato histórico.

Ptolomeu, da escola gnóstica de Valentino, produziu uma exegese sobre o evangelho canônico de João. Essa obra data de cerca de 150 D.C. Reclama para o quarto evangelho a autoria joanina, conforme nos diz Irineu (Her. 1:8,5). Um outro mestre gnóstico, Heráclio, dos fins do século II D.C., também escreveu um comentário sobre o evangelho de João. Nesse comentário também se menciona a autoria joanina do quarto evangelho. O Diatessarom de Taciano, uma das primeiras harmonias dos evangelhos (cerca de 160 D.C.), também dá apoio à autoria joanina do quarto evangelho. O chamado *Segundo Livro de João*, que se encontra entre os papiros gnósticos de Berlim, e que fazia parte da biblioteca gnóstica de Nag-Hammadi, no Egito, também diz algo sobre João. Outras obras gnósticas existem que citam o evangelho de João, embora nada digam sobre a autoria do mesmo, e nem nos fornecem qualquer material sobre ele que já não conheçamos.

III. A Teologia e os Ensinos Joaninos

A mais extensa declaração sobre essa questão aparece, nesta enciclopédia, na introdução ao

JOÃO APÓSTOLO, TEOLOGIA

evangelho e às epístolas de João. Em face da importância do assunto, temos provido um artigo separado chamado *João Apóstolo, Teologia (Ensinos) de*.

IV. Escritos Joaninos

Embora várias obras, fora do Novo Testamento, tenham sido escritas em nome do apóstolo João, conforme se vê sob o ponto II.4, os escritos joaninos tradicionais limitam-se ao evangelho e às epístolas. Alguns insistem que o Apocalipse também é de autoria joanina, conforme se vê em muitas listas do material joanino. Contudo, poucos eruditos de hoje em dia acreditam que o apóstolo João foi, realmente, autor do Apocalipse. O grego ali usado é próprio de um autor que falava o aramaico, e que adquiriu o grego como segundo idioma. Há muitos erros gramaticais no original, ao passo que o evangelho de João, embora escrito em grego simples, mostra um grego relativamente puro, quase certamente da autoria de alguém cuja língua nativa era o grego. E, se João, o pescador galileu, foi quem escreveu mesmo o Evangelho, então alguém submeteu o livro a uma revisão bem completa da linguagem, visto que nenhum aldeão galileu teria podido escrever a cópia final desse livro. Muitos estudiosos supõem que apesar do evangelho de João preservar as tradições de João, além de adicionar material histórico valioso que ultrapassa àquilo que dizem os evangelhos sinópticos, é muito difícil acreditar que João possa tê-lo escrito.

O que admira no evangelho de João é que o mesmo nada diz acerca do ministério de Jesus *na Galiléia*, ao passo que os evangelhos sinópticos enfocam toda a sua atenção sobre o seu ministério galileu. No evan. de João, quase todas as narrativas giram em torno da área de Jerusalém. Alguns indagam: Seria isso possível para um autor que era natural da Galiléia, e que passou todo ou quase todo o seu tempo ali? Por essa e por outras razões, alguns intérpretes modernos supõem que foi a escola joanina (os seguidores imediatos de João) quem produziu o evangelho de João, as três epístolas de João e o Apocalipse, e que o próprio João não escreveu coisa alguma, pessoalmente. Essa posição, porém, é considerada radical, na opinião de outros eruditos, que preferem permanecer crendo na autoria joanina desses cinco livros, mesmo porque as discussões sobre a autoria são supostamente subjetivas. Essa questão é muito debatida; e, nos livros em apreço, sob o título *Autoria*, abordamos os argumentos pró e contra a autoria joanina, com detalhes. As introduções a esses cinco livros fornecem completas descrições sobre as datas, proveniências, destinos, propósitos, problemas especiais, esboços do conteúdo, etc., referentes a esses cinco livros.

Bibliografia. Ver a bibliografia que há no fim do artigo *Evangelho de João*.

JOÃO APÓSTOLO, TEOLOGIA (ENSINOS) DE

O material joanino, que consiste no evangelho de João, nas três epístolas de João e no Apocalipse, certamente representam uma unidade distintiva no Novo Testamento, caracterizando-se por vários pontos de vista e elementos teológicos distintivos. Naturalmente, o apóstolo não escreveu o Apocalipse (com o que discordam os estudiosos conservadores), mas esse livro pertence à escola joanina. De acordo com alguns, o próprio evangelho de João pertence à escola joanina, embora talvez não tenha sido pessoalmente escrito pelo apóstolo João. Mas, mesmo que esse ponto seja admitido, o fato é que o quarto evangelho é autêntico, contendo traços e contribuições distintivas da escola joanina, para a mensagem

do evangelho. Quanto ao problema de autoria, ver cada livro do grupo. Ver também o artigo sobre *João*, que nos oferece suas idéias distintivas. Cada um desses cinco livros joaninos entrou com sua contribuição especial. Mas, apesar de haver muitos pontos homogêneos entre eles, também há algumas distinções entre os mesmos.

Esboço:

   I. Ensinos Acerca de Deus
   II. Ensinos Acerca de Jesus Cristo
   III. Ensinos Acerca do Espírito de Deus
   IV. Ensinos Acerca da Salvação
   V. Escatologia
   VI. A Lei do Amor
   VII. Ensinos Acerca da Ética Cristã
   VIII. Ensinos Acerca da Igreja

I. Ensinos Acerca de Deus

Sabemos que a base doutrinária do cristianismo se encontra na teologia judaica, do Antigo Testamento. Naturalmente, no judaísmo encontramos um desenvolvimento doutrinário sobre Deus, desde um Deus antropomórfico, que andava com Adão e falava com ele, no jardim do Éden, até o Deus mais transcendental e misterioso dos profetas do Antigo Testamento. João, sem dúvida, reflete mais o Deus dos profetas.

1. *O Deus transcendental* do judaísmo posterior é enfatizado na declaração joanina de que ninguém jamais viu a Deus (ver João 1:18). O Antigo Testamento fala de homens que viram Deus, o que também sucede até no Novo Testamento. Ver Gên. 32:30; Êxo. 24:10; 33:18; Juí. 6:22; 13:22 e Apo. 22:4. Todavia, nesses casos, ninguém viu a essência de Deus, ou seja, aquilo em que Deus consiste, mas viram tão somente alguma manifestação que O representava. Como é óbvio, porém, é inútil negar a diferença entre as primeiras apresentações de Deus e as últimas. Nestas últimas representações, Deus é mais transcendental e mais sofisticado, teologicamente falando.

2. *A revelação do Deus transcendental*. Por causa da natureza essencialmente transcendental de Deus, era mister que ele se revelasse através do *Logos*, o que é uma doutrina distintivamente joanina, repetida (embora sem o emprego desse termo exato), na epístola aos Hebreus. Ver João 1:18.

3. *Deus é o criador*. Esse é o conceito comum dos judeus e, de fato, universal, acerca do Ser Supremo. Nos escritos de João isso assume um traço distintivo, tomado por empréstimo da filosofia grega (do estoicismo e do platonismo), embora não seja uma verdade por esse motivo. Deus criou todas as coisas através do Logos (João 1:1,2).

4. *Um Deus ativo*. As obras de Deus prosseguem. O Pai continua operando (João 5:17), um conceito que alguns teólogos judeus negavam, visto que supunham que o fato de que Deus descansou, no sétimo dia da criação, dava a entender que ele cessara em todas as suas atividades, sem entenderem que ele descansou apenas como «criador», e não como «sustentador» e «dirigente» de toda a criação. Ver Gên. 2:2: «...descansou nesse dia de toda a sua obra que tinha *feito*». Entretanto, a ciência está ensinando que a própria criação é um processo contínuo. Universos aparecem e desaparecem continuamente. Pelo menos podemos afirmar com vigor que a obra espiritual de Deus jamais fica estagnada; e, talvez, até possamos afirmar que os destinos dos seres inteligentes também nunca são coisas estagnadas e fixas, embora talvez tenham de atravessar longos ciclos, que obscureçam

JOÃO APÓSTOLO. TEOLOGIA

esse fato. Naturalmente, quando assim dizemos, entramos no campo da teologia especulativa. Todavia, se não se desviar dos ensinos bíblicos, as especulações não prejudicam, mas até enriquecem a teologia. Pelo menos sabemos que a obra divina da salvação vai além do sepulcro (I Ped. 4:6), penetrando nos ciclos da eternidade (Efé. 1:9,10).

5. *O agente das atividades divinas é o Logos*. Deus estava atuando em Cristo, o Logos encarnado (João 3:2), realizando as obras que Deus queria realizar. Por sua vez, os demais filhos de Deus precisam se atarefar naquilo que pertence legitimamente às atividades da família divina, no que consiste o discipulado cristão. Ver João 14:12.

6. *Deus como Pai*. Esse é um dos mais notáveis temas da fé religiosa, que pode ser encontrado no judaísmo, embora ali aplicado exclusivamente ao povo de Israel. No evangelho cristão, a paternidade de Deus desconhece barreiras nacionais e raciais. Na salvação, a vida de Deus, vida necessária e independente, é dada do Pai ao Filho encarnado, e deste para os filhos de Deus, conforme se aprende em João 5:25,26, A paternidade de Deus é frisada em João 8:18-59. Ver também João 10:31 *ss*. Na qualidade de Filho, o Verbo é um com o Pai (João 10:30). A oração sumo sacerdotal de Jesus foi endereçada ao Pai (João 17). O décimo quarto capítulo do evangelho de João, que faz parte dos sermões de despedida de Jesus, enfatiza Deus como Pai. Pediu Filipe: «Senhor, mostra-nos o Pai, e isso nos basta» (João 14:8). Mas, em sua resposta, Jesus mostrou que o Pai só pode ser conhecido na pessoa do Filho; e também que os filhos de Deus, mediante o poder dado pelo Pai, podem fazer obras maiores que aquelas que o Filho realizou neste mundo (João 14:12). Naturalmente, isso quer dizer que assim fariam através do ministério do Espírito. Deus é mencionado como Pai por nada menos de cento e dezenove vezes no evangelho de João, e por doze vezes nas suas três epístolas.

7. *A união entre o Pai e o Filho*. Em João 10:30, disse Jesus: «Eu e o Pai somos um». E, em 10:30, aprendemos que o Pai e o Filho desfrutam de uma íntima e inquebrantável comunhão. O Logos tanto estava com Deus como ele mesmo é Deus (João 1:1). O décimo sétimo capítulo de João, que encerra a grande oração sumo sacerdotal de Jesus, enfatiza a união de natureza, de propósito e de ações entre o Pai e o Filho.

8. *Deus como Espírito*. Isso enfatiza o fato de que Deus pertence a outra categoria da criação. Não sabemos o que é um espírito, embora saibamos que é algo imaterial. Deus não faz parte de sua criação; e nem, metafisicamente, a sua criação faz parte de Deus. O *panteísmo* (vide) é assim negado, sendo afirmada a natureza diferente de Deus. Ver João 4:24. Visto que Deus é espírito, é necessário que o homem O adore em espírito e em verdade, e não segundo as formas antigas e terrenas que se encontravam no templo judaico, com seus ritos e cerimônias. A espiritualidade, pois, torna-se uma questão de comunhão pessoal com o Senhor. A espiritualidade de Deus é exposta como uma fé mais espiritualizada, segundo se vê no cristianismo bíblico, onde os homens é que são templos de Deus, e nos quais o Espírito de Deus opera.

9. *Deus como luz*. O trecho de João 1:4 *ss*, no começo do evangelho, frisa esse fato. O tema se repete em João 8:12 *ss*, e reaparece em I João 1:5. O Logos também é a Luz de Deus; por ser Deus, o Logos é a luz de Deus. Ver também Apo. 21:23 e 22:5, O ensino que Deus é luz se encontra no judaísmo helenista, na hermética e nos escritos de Filo. Era apenas natural que a mente religiosa inventasse essa metáfora. Em contraste, as trevas são más. A luz é uma conseqüência natural da santidade de Deus, de sua capacidade de manifestar a verdade.

10. *Deus como amor*. Ver I João 4:16. O único atributo de Deus que pode representar devidamente o ser de Deus é o amor. O amor é a base de toda a espiritualidade e, sem amor, não há tal coisa como a salvação dos homens. O amor é a prova própria da espiritualidade, e até do próprio novo nascimento. Ver I João 4:7-12. Ninguém jamais viu a Deus; mas, se nos amamos mutuamente, então é que Deus veio residir em nós, e está operando em nós a sua espiritualidade. O amor é a motivação que levou Deus a enviar o Filho em sua missão, da qual resultou a salvação dos homens. Ver João 3:16 e também o artigo separado sobre o *Amor*.

11. *O Deus verdadeiro e eterno*. Pode estar em pauta o Filho de Deus (I João 5:20), ou, então, a ênfase sobre a autêntica divindade do Pai, em contraste com todos os supostos e imaginários deuses. Só Deus possui a verdadeira eternidade; mas ele compartilha da eternidade com os seus remidos. Embora, por vontade divina, as almas humanas nunca morram, os homens só se tornam verdadeiramente imortais, ou eternos, quando chegam a compartilhar da natureza divina, o que lhes é conferido pelo Filho de Deus (João 5:25,26).

12. *Deus como Juiz*. Ver João 3:17 *ss*. O julgamento será imposto de acordo com o que os homens fizeram acerca da mensagem e dos requisitos do Filho. A ira de Deus sobrevém àqueles que desobedecem ao Filho (João 3:36). Ver o artigo intitulado *Julgamento*.

Apesar de muitos dos ensinos acima serem compartilhados por outros autores do Novo Testamento, podemos ver neles elementos distintivamente joaninos.

II. Ensinos Acerca de Jesus Cristo

Há alguma repetição dos ensinos referentes ao Pai e referentes ao Filho, pelo que os primeiros itens aqui apresentados já haviam sido salientados na seção I, acima.

1. *O Deus transcendental revela-se no Logos*. Ver os pontos primeiro e segundo da seção I.

2. *As obras de Deus têm continuação por meio de Cristo*. Ver os pontos terceiro e quarto da seção I.

3. *Deus é o Pai do Filho, que é o Cristo*. Por sua vez, outros filhos são gerados pela divina família, e passam a pertencer a essa família. Ver o quinto ponto da seção I.

4. *Há inquebrantável união entre o Pai e o Filho*. Isso envolve tanto a natureza quanto os propósitos de ambos. Ver o sexto ponto da seção I.

5. *O Pai e o Filho são ambos luz do mundo*. Ver o ponto oitavo da seção I.

6. *O Filho cumpriu os ditames do amor do Pai*. Isso inclui a missão salvatícia de Cristo, e a sua expressão, no seio da família divina, no que diz respeito aos filhos de Deus. Ver o nono ponto da seção I.

7. *O juízo é determinado por aquilo que os homens fizerem com Cristo*. Ver o ponto décimo primeiro da seção I.

8. *O Filho é o verdadeiro Deus, e é eterno*. Essa é uma possível interpretação de I João 5:20.

9. *O Filho transmite a vida* independente e necessária de Deus aos homens. Isso é evidenciado em João 5:25,26. Os homens, em Cristo, tornam-se verdadeiramente imortais, porquanto recebem a própria origem da vida necessária e independente, a vida de Deus.

JOÃO APÓSTOLO, TEOLOGIA

10. *O Filho é o Logos*. O *Logos* (vide) é uma doutrina antiga, que data, pelo menos, do século VI A.C. A personalização do Logos teve lugar na apresentação de Filo sobre o Poder de Deus, como o Anjo do Senhor. Porém, o Logos como o Filho de Deus, é uma das contribuições joaninas para o desenvolvimento dessa doutrina. O Logos tanto é criativo quanto transmite poder. Nele residem todas as revelações e manifestações de Deus. Os pais alexandrinos ensinavam que o Logos implanta suas sementes (*logoi spermatikoi*, no grego) em muitos lugares, e não meramente no judaísmo e no cristianismo. Eles acreditavam que o Logos também operara na melhor parte da filosofia grega (mormente no platonismo), e que essa filosofia serviu de aio para levar os gentios a Cristo, tal como a lei foi o aio que levou os judeus a Cristo. Pensamos que essa apreciação é correta; e deveríamos tirar vantagem de certas idéias, fora de nossos sistemas tradicionais, reconhecendo o valor de outros sistemas. Adiciono a isso o comentário de que não há diferença entre o Filho de Deus e o *Logos*, embora «Logos» seja um termo mais abrangente. «Filho» é o nome do Logos em sua relação trinitariana. O Messias foi a manifestação do Logos encarnado, a fim de realizar uma missão especial, primeiramente entre os judeus; e então, mundialmente, através da Igreja. Porém, o Logos é mais universal do que os nossos sistemas confessam, podendo ser conhecido por outros nomes, nos lugares onde menos suspeitaríamos. O Logos é o próprio Deus, conforme João 1:1 e I João 5:20. O artigo intitulado *Logos* adiciona abundantes detalhes.

11. *O Filho é o Eu Sou*. Antes de tudo, Cristo é o divino *Eu Sou* (João 8:58; ver também Êxo. 3:14). Além disso, na qualidade dessa elevada autoridade espiritual. Ele proferiu várias declarações em que ele aparece como o «Eu Sou», conforme se vê abaixo:

«Eu sou o pão da vida» (João 6); «Eu sou a porta» (João 10:7); «Eu sou o bom pastor» (João 10:11); «Eu sou a ressurreição e a vida» (João 11:25); «Eu sou o caminho e a verdade e a vida» (João 14:6); «Eu sou a videira verdadeira» (João 15:1). Essas declarações de Jesus apresentam uma característica ímpar do ensino e da expressão cristãs, uma característica enfatizada por João por intermédio de várias figuras, expondo a autoridade exclusiva de Cristo, o Logos de Deus.

12. *A humanidade de Cristo*. A primeira vez em que falou sobre o Logos *divino*, João deixou claro que iria enfatizar a natureza divina de Cristo. Contudo, João não deixou de lado a humanidade de Cristo, embora a tenha enfatizado menos. O décimo primeiro capítulo de João mostra-nos que ele compartilhava de emoções humanas; João 19:18 diz que ele teve sede. E o fato de que ele morreu mostra-nos que Cristo não era algum fantasma, a representar um papel teatral, conforme os gnósticos asseveravam.

13. *Atos de misericórdia*. Apesar de haver grandes mistérios enfatizados por João, na natureza divina, há pontos que demonstram os atos de misericórdia do Logos em favor dos homens. Jesus transformou água em vinho, a fim de garantir uma impecável festa de casamento (João 2); ele curou, até mesmo em dia de sábado (João 5); ele curou as enfermidades de muitos (João 6); ele curou um cego de nascença, um notável milagre que deu origem a todo um capítulo do quarto evangelho; ele ressuscitou dos mortos a seu amigo, Lázaro (João 11); ele mostrou profundo interesse pelos discípulos que estava prestes a deixar (João 14); e mesmo já estando na cruz, em meio a seus próprios sofrimentos espirituais e físicos, ele se preocupou com o bem-estar de outras pessoas (João 19:26,27).

14. *Jesus como o Messias. Seu Reino*. Os trechos de João 1:14,19 *ss*, especialmente os versículos 29 e 41, afirmam especialmente o ofício messiânico de Jesus. Nesse quarto evangelho, não há qualquer *segredo messiânico*. Nos evangelhos sinópticos, vemos que Jesus chegou a proibir outras pessoas de revelarem a sua identidade, pois, sem dúvida, seus contemporâneos estavam percebendo cada vez mais. Assim, temos em Mat. 16 a grande *revelação* de Jesus como o Messias. João dá início à revelação em consonância com a sua exaltada apresentação do poder e da autoridade de Jesus. A mulher samaritana confessou o caráter messiânico de Jesus (João 4:25). O trecho de João 20:31 contém a específica assertiva do fato de que Jesus é o Messias, mostrando que o seu evangelho foi escrito justamente para provar o ponto. Pelo tempo em que foi escrito o evangelho de João, já havia esfriado a expectação do estabelecimento do reino de Deus à face da terra para qualquer tempo previsível. João mostra que Jesus falara sobre o seu reino, e não sobre o mundo (João 18:36). Sem dúvida, essa foi uma declaração genuína de Jesus, que serviu admiravelmente bem aos propósitos de João. O terceiro capítulo de João apresenta o reino espiritual de Cristo, em cujo reino se entra por meio do novo nascimento, pouco tendo a ver com o reino político e terreno que João Batista anunciara e que os evangelhos sinópticos enfatizam.

O reino terreno de Cristo tornou-se assunto a ser tratado nas profecias, um reino que será materializado durante o milênio (vide). Entrementes, o reino de Jesus é de natureza espiritual, místico, não pertencente a este mundo.

III. Ensinos Acerca do Espírito de Deus

1. Ênfase especial do quarto evangelho. O Espírito Santo tem maior ênfase no evangelho de João do que nos três evangelhos sinópticos. O ofício do Espírito Santo, no batismo de Jesus, aparece logo no primeiro capítulo de João (1:32). Somente João registrou a mensagem anterior dada a João Batista, acerca do significado dessa atuação do Espírito.

2. João 1:33 parece *predizer* o Pentecoste cristão, quando o dom do Espírito Santo foi derramado sobre os discípulos de Cristo, reunidos em Jerusalém, dez dias após a sua ascensão ao céu.

3. *A história de Nicodemos* enfatiza o lugar do Espírito Santo na experiência do novo nascimento (João 3:3-5). Sem essa ação do Espírito, não poderia haver regeneração. A espiritualidade se alicerça sobre o poder do Espírito, e não sobre ritos e instituições religiosas.

4. *O Espírito é largamente concedido pelo Pai*, primeiramente ao Filho (por meio de quem o Espírito opera) e, então, aos filhos de Deus (João 3:34; 14:16 *ss*).

5. *A água viva e o Espírito*. Do coração do homem regenerado fluem rios de água viva, símbolo do Espírito e de suas abundantes manifestações. Isso é uma promessa acerca do dia de Pentecoste. Ver João 7:38,39.

6. *As declarações sobre o Paracleto*. O Espírito é o ajudante, o advogado, aquele que se põe ao nosso lado para nos ajudar, conforme a palavra grega *paraklete*, indica. Ver o artigo separado sobre esse assunto. Há cinco declarações de Jesus em que o Espírito Santo é chamado de *paraklete*. Ver João 14:15-17; 14:25,26; 15:26,27; 16:5-11 e 16:12-15. O Espírito apresenta-nos a verdade de maneira toda especial; reside no crente; possibilita a comunhão com Deus; é nosso conselheiro e guia; ensina-nos acerca de Cristo; glorifica a pessoa de Cristo; dá prosseguimento ao ministério de Cristo no mundo; revela a verdade

JOÃO APÓSTOLO, TEOLOGIA

de uma maneira mais extensa e completa do que era possível a Jesus fazê-lo em seu ministério terreno, o que significa que ele se tornou o alter ego de Cristo, neste mundo.

7. *O Espírito Santo foi conferido aos primeiros discípulos* de Jesus, e isso deu a especial autoridade apostólica (João 20:22). Isso serviu de prelibação do dia de Pentecoste; mas foi um ato especial em si mesmo, relacionado à autoridade apostólica, como garantia do cumprimento da missão dos apóstolos.

Referências na Primeira Epístola de João. Essas referências sobre o Espírito de Deus cobrem o mesmo terreno que se vê no evangelho de João. Ver os trechos seguintes: I João 3:24 (o conhecimento vem por meio do Espírito); 4:2 *ss* (a confissão de Cristo como Salvador é inspirada por Ele); 4:13 (o Espírito é dom de Deus); 5:7,8 (o Espírito é testemunha dos pontos essenciais da mensagem cristã).

Referências no Livro de Apocalipse. Apocalipse 1:10; 4:2; 17:3; 21:10 (o autor sagrado foi inspirado pelo Espírito); 1:4; 4:5; 5:6 (há sete Espíritos de Deus—isso significa ou sete seres divinos especiais, ou, mais certamente, os ofícios do Espírito Santo, apresentados em sete aspectos diferentes); 14:13 (o Espírito é uma voz celestial); 22:17 (o Espírito, juntamente com a Noiva, que é a Igreja, faz o último convite que a Bíblia oferece aos homens).

IV. Ensinos Acerca da Salvação

1. *A Filiação*

Na moderna Igreja evangélica, os ensinos sobre a salvação se alicerçam essencialmente, sobre textos de prova extraídos dos evangelhos sinópticos (Mateus, Marcos e Lucas) e do livro de Atos. A necessidade de arrependimento e de perdão de pecados destacam-se nesse ensino, juntamente com a promessa do céu (usualmente apresentado como um lugar estagnado) e com a ameaça do inferno. Segundo essa apresentação, o céu é um bom lugar, onde as pessoas viveriam sem a presença das enfermidades e da morte, e onde as bênçãos celestes seriam abundantes. O inferno, por sua vez, é um lugar de tormentos eternos, sendo também apresentado como um lugar estagnado. No evangelho de João e nos escritos de Paulo, porém, encontramos coisas que vão muito além desse ensino parcial. João 1:12, é trecho que vincula a salvação à *filiação*, tal como o fez Paulo. De acordo com Paulo, isso envolve a transformação do crente segundo a imagem do Filho, de tal modo que ele vem a participar da natureza metafísica e da glória transcendental de Cristo. Ver Rom. 8:29; II Cor. 3:18. Pedro ensina que a salvação consiste na participação na natureza divina, o que interpretamos como uma participação real, posto que em proporções finitas. Ver II Ped. 1:4. No entanto, essa finitude ir-se-á ampliando eternamente, de tal maneira que, em certo sentido, a salvação é um processo eterno, e não uma realização de uma vez por todas. A natureza do Pai e os seus atributos serão continuamente compartilhados pelo crente, em proporções cada vez maiores, de tal modo que os remidos vão passando de um grau de glória para o próximo, interminavelmente. No evangelho de João é-nos ensinado que os filhos de Deus, por meio do Filho, por um dom do Pai, chegam a compartilhar da vida divina que é necessária e independente. Isso posto, a salvação consiste no dom da imortalidade, onde o ser humano deixa de ser uma alma que não morre (vida sem-fim, mediada pela vontade de Deus), a fim de tornar-se um ser eterno, dotado do mesmo tipo de vida que Deus manifesta em Cristo. Em outras palavras, os remidos recebem aquele tipo de vida que tem, em si mesma, a origem de sua existência, uma vida necessária, uma vida não contingente, que não depende de outra vida qualquer, a fim de continuar. Essa doutrina fica implícita em João 5:25,26. Ver o artigo geral sobre a *Salvação*, bem como aquele intitulado *Transformação Segundo a Imagem de Cristo.*

2. *A Expiação*

O evangelho de João, em harmonia com os evangelhos sinópticos, naturalmente, trata sobre o problema do pecado. O terceiro capítulo nos diz que a condenação resulta dos pecadores não virem ao Filho, que trouxe a vida eterna ao mundo. A realização de Cristo foi inspirada pelo amor de Deus, sendo um amor muito amplo, universal mesmo. I João 2:2 encerra a mais enfática declaração neotestamentária contra qualquer noção de expiação limitada. Cristo é a propiciação pelos nossos pecados, e não somente pelos nossos, mas ainda pelos pecados do mundo inteiro. Isso combatia o exclusivismo dos gnósticos. O gnosticismo ensina que somente alguns poucos homens seletos, que eles chamavam de *pneumáticos*, têm qualquer chance de ser salvos. Um outro grupo menor, que seriam os *psíquicos* (como os profetas do Antigo Testamento e outros homens santos da época), poderiam atingir uma glória secundária. Mas a grande maioria dos homens, que seriam os *hílicos* (dominados pela materialidade), não teriam a menor chance de serem remidos e, fatalmente, haveriam de perecer, na conflagração geral que haveria no fim dos ciclos mundiais. Esse esquema é enfaticamente negado pelo apóstolo João. É lamentável que o calvinismo (vide) insista sobre esse mesmo tipo de limitação, anulando assim o mistério do evangelho. Há versículos bíblicos que ensinam a *eleição* (vide), mas também há versículos que ensinam o *livre-arbítrio* (vide). E é aí que encontramos um misterioso paradoxo que nenhum sistema teológico tem conseguido resolver, e que os sistemas ignoram, anulando ou um ou outro dos lados da questão. Podemos, contudo, aceitar ambos os elementos se postularmos que a iniciativa é divina (Deus escolheu antes da fundação do mundo, os seus escolhidos), e que, nesta vida, a vontade humana, com a ajuda do Espírito de Deus, se põe ao lado dessa decisão divina tomada na eternidade passada. Cristo é o Cordeiro de Deus, que tira o pecado do mundo (João 1:29). A crucificação expiatória de Cristo atrai *todos os homens* a si mesmo (João 12:32). A obra expiatória de Cristo foi completada (João 19:30), quando da crucificação.

3. *A Obra do Espírito*

Faz parte da obra do Espírito convencer aos homens, porquanto, sem esse poder divino, a mensagem cristã simplesmente não exerce qualquer poder. Ver João 16:9. Além disso, ninguém pode vir a Cristo, a menos que o Espírito de Deus o atraia (João 6:44). De fato, faz parte do propósito da missão de Cristo atrair *todos os homens* a si mesmo (João 12:32). E isso ele faz mediante as operações do Espírito. Outrossim, o amor de Deus é tão abrangente que Deus fez provisões universais, de tal modo que todos aqueles que queiram vir a Cristo, poderão fazê-lo (João 3:16). Temos aqui o paradoxo entre a interação do poder eletivo de Deus e o livre-arbítrio humano. Deus usa o livre-arbítrio do homem sem destruir esse livre-arbítrio, embora não saibamos dizer *como.* Não se resolve esse problema difícil cortando o *nó górdio* (ver o artigo com esse título).

4. *O Problema do Pecado*

O pecado reside no fato de que os homens rejeitam a luz divina (João 1:9; 3:19), visto que a iniquidade, inspirada pelo maligno, cativou os homens, tornando-os prisioneiros do reino das trevas (I João 3:4,8). O indivíduo precisa nascer do alto, a fim de poder

547

JOÃO APÓSTOLO, TEOLOGIA

escapar dessa armadilha (João 3 e I João 3:9). A ira de Deus dirige-se contra aqueles que preferem permanecer nas trevas (João 3:36).

5. A Fé

O evangelho de João foi especificamente escrito para provocar a fé da parte dos homens, levando-os a confiar na missão salvatícia de Cristo (João 20:30,31). A fé leva à vida eterna, e a incredulidade leva à condenação eterna (João 3:16-18). Naturalmente, a fé inclui a outorga da alma aos cuidados de Cristo, com a conseqüente santificação e transformação espiritual, não envolvendo, isso posto, apenas a anuência diante de algum credo. Como é óbvio, isso reflete o ensino bíblico sobre o *novo nascimento*. A fé precisa ser transformadora, e não meramente um assentimento intelectual.

6. O Novo Nascimento

Ver os artigos separados sobre *Novo Nascimento* e sobre *Regeneração*. O Espírito de Deus é que realiza essa obra espiritual, ou a mesma nunca é realizada. O novo nascimento é uma profunda modificação na essência do indivíduo, é uma intervenção espiritual, seguida pela evolução espiritual. João 3:3 *ss*, fornece-nos detalhes a respeito. A regeneração ou novo nascimento é uma operação do Espírito, segundo se aprende em João 3:5. Não é algo organizacional (dependente da participação do indivíduo em algum grupo específico); não é algo sacramental (a participação em um, vários ou todos os sacramentos); não é algo credal (a crença em algum conjunto específico de doutrinas); e nem algo atingido pelo mérito humano, mediante o acúmulo de boas obras. Antes, é uma transformação espiritual, que modifica totalmente a natureza da alma humana, espiritualizando-a, de modo a participar da natureza do Filho, levando-a a ingressar na divina família, mediante um novo nascimento espiritual.

7. A Vida Eterna

Ver o artigo sobre esse assunto. A vida eterna não consiste meramente em existência sem-fim. Antes, é um tipo de existência, com base na participação na natureza divina, conforme manifestada em Cristo. Platão falava sobre como os homens cessam de ser meramente eternos e passam a ser imortais, quando são absorvidos pelo universal (vide). O conceito joanino é parecido com isso. Ver sob o primeiro ponto, *Filiação*, onde oferecemos detalhes sobre essa noção bíblica. Somente Deus é verdadeiramente *imortal* (ver I Tim. 6:16). Porém, a promessa do evangelho é que Deus compartilha dessa imortalidade com os seus escolhidos. A imortalidade consiste na vida necessária e independente de Deus, e que é oferecida, em Cristo, ao pecador. Grande mistério!

V. Escatologia

1. O Apocalipse.

Esse é o nosso único livro inteiramente profético do Novo Testamento. Tradicionalmente é atribuído ao apóstolo João. Entretanto, a linguagem do livro é inteiramente diferente, como uma língua *adquirida* por um homem cujo idioma nativo era o aramaico. Contém um bom número de erros gramaticais, e algumas de suas passagens só são claramente compreendidas quando reconstituídas no aramaico original, por detrás do grego. O evangelho de João, por outro lado, apesar de simples, foi escrito em grego essencialmente puro, apesar de algumas influências aramaicas. É impossível que um mesmo autor tenha escrito ambos esses livros. Por isso, a maioria dos eruditos acredita que certo *João, o vidente*, foi quem escreveu o Apocalipse, embora ele também pertencesse à escola joanina. Isso posto, é legítimo incluirmos o livro de Apocalipse neste artigo referente aos ensinos joaninos. Seja como for, não é

provável que uma boa parte do conteúdo do Apocalipse tenha saído da pena do apóstolo João. Esse livro pertence a uma *longa tradição* de apocalipses, dentro da literatura judaica tradicional. E, naquilo em que não sofre a influência do Antigo Testamento (no caso, especialmente do livro de Daniel), reflete os livros pseudepígrafos do Antigo Testamento. Os livros pseudepígrafos são certo número de livros escritos durante o período intertestamental. Poucos de seus símbolos são originais. Estão firmemente baseados na literatura apocalíptica judaica, que se foi acumulando no decurso de várias centenas de anos. Seja como for, muitos eruditos levam a sério o quadro profético oferecido por esse livro, embora o esboço das predições proféticas seja, essencialmente, o esboço de I Enoque. O Apocalipse é interpretado, essencialmente, de três maneiras; e um quarto (ou mais) método de interpretação é conseguido mediante a mistura daquelas três maneiras. Essas maneiras são: 1. a interpretação preterista, isto é, o livro inteiro é considerado como uma *história*, pelo que as profecias ali contidas ou seriam pseudoprofecias, ou então não chegariam a envolver os *últimos dias*, conforme entendemos essa expressão. 2. Outra interpretação diz que o livro é *simbólico* (ou místico), o que significa que se trata de um livro de instruções espirituais simbólicas, e não uma profecia acerca do futuro. 3. A terceira interpretação é a *futurista*, essencialmente uma profecia sobre acontecimentos que ainda jazem no futuro, embora, como é óbvio, o livro contenha alguns pontos históricos. No artigo sobre o *Apocalipse*. damos as informações básicas sobre essas questões.

2. O Evangelho de João e a Escatologia

a. O Reino. Certamente a primeira coisa a ser notada é que o reino de Deus, na terra, como uma realização imediata, o que é um tema comum nos evangelhos sinópticos, foi um tema abandonado pelo autor do quarto evangelho. Ora, o reino de Deus é um conceito espiritual essencialmente equivalente ao novo nascimento. O indivíduo entra no reino de Deus por meio do novo nascimento (João 3:5). Jesus declarou a Pilatos que o seu reino não é deste mundo (João 18:36). O evangelho de João ultrapassou, definitivamente, o fervor apocalíptico dos evangelhos sinópticos. Alguns eruditos modernos, como Bultmann e Dodd, eliminam de modo radical os elementos futuristas, no tocante a predições do Apocalipse sobre o nosso tempo, sem falarmos no futuro do povo de Deus no céu, a vida eterna, etc.

b. O Antigo Testamento Cumprido em Jesus. Isso fala sobre a *parousia* futura e sobre o reino de Deus. A graça e a verdade encontram-se em Cristo, o novo Moisés (João 1:17). À semelhança de Abraão, Jesus é o cabeça de uma raça. Mas Jesus é superior a Abraão por ser o cabeça de uma raça celestial, e não meramente terrena (João 8:53 *ss*). Comparação similar é feita com Jacó (João 4:5,12; comparar com João 1:50,51). Haverá uma futura *parousia*, ou segunda vinda de Jesus Cristo (João 14:3,18; 21:22). Isso introduz o reino celestial de Deus (João 18:36,37). Os filhos de Deus assumirão o seu lugar junto com o Filho de Deus, devido ao favor divino (João 17). No reino de Deus entra-se por meio do novo nascimento (João 3).

c. A Ressurreição dos Últimos Dias. Os mortos ouvirão a voz do Filho de Deus, e sairão de seus sepulcros. Isso garante a imortalidade. Todavia, o evangelho de João não alude a uma primeira e a uma segunda ressurreições, conforme se vê em Apo. 20:4-6. Não obstante, distingue as coisas que daí

548

JOÃO APÓSTOLO, TEOLOGIA

resultarão. Pois alguns ressuscitarão. para a vida eterna, e outros para a condenação eterna (João 5:29).

d. *O Julgamento Futuro*. Ver João 3:19; 5:25-28 e 12:31. O julgamento faz parte indispensável do plano de Deus. A ira de Deus permanecerá sobre alguns (João 3:36). A questão do julgamento eterno é pressuposto no fato de que o juízo divino é contrastado com a vida eterna. Naturalmente, o livro de Apocalipse ensina a eternidade do julgamento (Apo. 14:11; 20:11 ss). A possibilidade da salvação no além-túmulo (o que certamente é ensinado em I Ped. 4:6), e a futura restauração de todas as coisas (Atos 3:20,21; Efé 1:9,10; ver também o artigo intitulado *Restauração*), não são assuntos abordados nos escritos joaninos, pelo menos chamando-os por esses nomes.

e. *O Anticristo e os Anticristos*. Um futuro anticristo é esperado, mas não descrito. Os anticristos presentes são denunciados em I João 2:18 e II João 6. Supõe-se que os anticristos presentes eram os mestres gnósticos. Foi deixado a Paulo descrever o anticristo (vide). Naturalmente, encontramos descrições detalhadas sobre o anticristo e seu falso profeta, nos capítulos treze e dezessete do Apocalipse.

Ao evangelho de João *falta* um *pequeno Apocalipse*, como aquele que se vê no capítulo vinte e quatro de Mateus e no capítulo treze de Marcos.

VI. A Lei do Amor

Todas as religiões e quase todas as filosofias dão ao amor o lugar supremo na fé religiosa, e todos fazem do amor a mãe de toda ética autêntica. João foi apodado de apóstolo do amor; pois sua ênfase sobre o amor excede a de todos os demais escritores do Novo Testamento, se, naturalmente, exceturamos o hino ao amor, em I Cor. 13. O amor de Deus era a grande inspiração da missão terrena de Cristo (João 3:16). A necessidade de amor, na comunidade cristã, é enfatizada no décimo terceiro capítulo de João. Ver o vs. 34. Se amarmos a Cristo, então guardaremos os seus mandamentos (João 15:12). O amor inspirou a expiação pelos nossos pecados (João 15:13). O mandamento específico de Cristo é que nos amemos mutuamente (João 15:17). Esse é o seu mandamento *novo* especial (João 13:34; I João 1:8 ss; II João 5). Trata-se do mesmo antigo mandamento do amor, embora com uma nova ênfase e significação. Há um amor divino mútuo unindo o Pai, o Filho e os filhos de Deus (João 17:26). O amor nos é conferido mediante o novo nascimento, por derramamento do Espírito, sendo o amor a própria prova da espiritualidade (I João 4:7 ss). Se nos amarmos uns aos outros, então Deus estará habitando em nós, e o seu amor é em nós aperfeiçoado (I João 4:12). Ver o artigo detalhado sobre o *Amor*.

VII. Ensinos Acerca da Ética Cristã

1. **A mãe de toda ação ética é o amor**. Demos a isso uma seção toda própria para efeito de ênfase. Ver a seção VI.

2. *A nova base*. Jesus anunciou uma nova existência, de acordo com a qual o indivíduo é espiritualizado mediante o novo nascimento (João 3). A encarnação é a base da nova ordem espiritual (João 1:1-14), que tornou possível a nossa filiação (João 1:12) e que resulta em um homem de nova categoria, com ações diferentes.

3. *Misericórdia para com o pecador*. Jesus não evitou a mulher que viera falar com Ele, à beira do poço de Jacó, somente porque ela tinha má reputação, e problemas morais sérios. Antes, anunciou para ela o poder de sua missão messiânica. A missão de Jesus aprimora os homens. Ver João 4.

4. *Uma revolução moral*. Nicodemos pertencia à elite dos líderes dos judeus, sendo dotado de uma religião extremamente ética. No entanto, Jesus salientou diante dele que, se quisesse agradar a Deus e participar do seu reino, teria que experimentar uma grande revolução moral, a revolução do novo nascimento. Ver João 3:3 ss.

5. *Quando a iniqüidade é forte*. O nono capítulo de João mostra-nos que certos homens religiosos opunham-se às obras de Jesus, por sentir-se ele liberto para fazer certas coisas em dia de sábado. É possível ficarmos cegos por dogmas que servem somente para impedir nossos pensamentos e atos, levando-nos a combater a verdadeira retidão. É possível alguém ter a Satanás como seu pai, sendo apanhado em sua armadilha, cooperando com ele, ao mesmo tempo em que esse alguém se ocupa em atividades religiosas (João 8:44). A ética nunca pode estar baseada meramente nas atitudes e ações de um homem. Sempre nos envolve naquele quadro maior e cósmico da lealdade ao reino da luz ou da lealdade ao reino das trevas. Ver João 3:19,20; I João 2:9 ss; 5:18,19. O mundo inteiro jaz sob o poder do maligno. É mister uma revolução espiritual radical para que esse poder seja anulado na vida de uma pessoa. Isso ocorre quando o indivíduo nasce do alto, mediante a regeneração do Espírito.

6. *A verdadeira ação ética* alicerça-se sobre a comunhão. Jesus é a *vinha*, e nós somos os *ramos*. Dele recebemos a vida e a nutrição. Se estivermos *permanecendo* em Cristo, então seremos o que devemos ser, e agiremos como é de nosso dever (João 15). A nossa permanência em Cristo leva-nos a produzir muito fruto espiritual. Nós somos ramos, filhos, amigos (João 15:5; I João 5:1; João 15:14). Somos amados (I João 2:7; 3:2) e estamos sendo santificados (João 17:17). Esses são os elementos espirituais que nos levam a agir corretamente.

7. *A vitória* está garantida a todos quantos se acham em Cristo (I João 3:8; 5:4,5).

8. *A vida é o resultado*. Não podemos separar a fé das obras, e nem as obras da fé. O homem bom tem fé e age corretamente, e herda a *vida eterna* (João 3:16,36; 5:28,29).

VIII. Ensinos Acerca da Igreja

Apesar da palavra **igreja** nunca aparecer no quarto evangelho, a comunidade cristã transparece ali claramente, com suas ordenanças e suas características distintivas.

1. No capítulo dezessete certamente temos um reflexo da consciência da existência da *comunidade cristã*, separada do judaísmo tradicional.

2. O fato de que Cristo atrai todos os homens a si mesmo (João 12:32) alude à sua própria e contínua missão por meio da Igreja. O décimo sétimo capítulo de João fala da missão de Cristo por meio da autoridade de Deus Pai.

3. No primeiro capítulo de João, a doutrina do *Logos* é reflexo de um tempo quando a teologia cristã estava se tornando mais sofisticada.

4. *A alegoria do Pastor*, do décimo capítulo de João. Isso tem reflexos em Sal. 23; Isa. 40:11; Eze. 34:11, informando-nos sobre o novo rebanho que se reunia em torno de Cristo, uma alusão direta à Igreja cristã. As forças adversas, que pretendiam prejudicar as ovelhas, incluíam os primeiros adversários do cristianismo, especialmente os judeus incrédulos que se opunham ao crescimento da nova religião. As «outras ovelhas» de João 10:6 referem-se à missão da Igreja em territórios gentílicos.

5. *O Espírito, Mestre e Guia da Igreja*. As

JOÃO (O BATISTA)

declarações de Jesus sobre o divino Paracleto apresentam-nos o ministério do Espírito, conforme o mesmo operaria após o dia de Pentecoste. Ver João 14:16,17; 15:26,27. O trecho de João 16:7 ss prevê definidamente o Pentecoste.

6. *A alegoria da vinha*, no décimo quinto capítulo de João, alude à unidade essencial da comunidade da Igreja, por depender totalmente do Filho de Deus, a própria origem da vida. A Igreja, desse modo, é vista como um organismo espiritual, e não como uma mera organização terrena.

7. *O exclusivismo do cristianismo* é aludido em João 14:16, bem como na alegoria da porta, em João 10:7.

8. *A comissão de Pedro*, de ser um bom pastor, reflete uma época em que a Igreja estava sendo formada e precisava de orientação (João 21:15-19).

9. *O Lava-pés*. O quarto evangelho é o único dos evangelhos que frisa, com detalhes, a ordenança do lava-pés. Quase todo o seu décimo terceiro capítulo gira em torno da cerimônia. Vários segmentos da Igreja, hoje em dia, por causa do ensino contido nesse capítulo, requerem o lava-pés como uma ordenança, embora o mesmo seja observado de vários modos, alguns radicalmente diferentes de outros.

10. *A Autoridade Apostólica*. O trecho de João 20:21-23 tem ocasionado considerável dificuldade de interpretação. A questão da autoridade para perdoar pecados é interpretada literalmente pela Igreja Católica Romana. Eles crêem que os padres têm essa autoridade, por meio da *sucessão apostólica* (vide). Os grupos protestantes supõem que esse ofício pertence a Cristo, sendo mediatoriamente cumprido, isto é, através do *ministério* da Igreja, através da pregação. Seja como for, é claro que aos apóstolos foi dada alguma espécie de autoridade especial na passagem em questão. Após a destruição de Jerusalém, no ano 70 D.C., o que pôs fim à autoridade do Sinédrio dos judeus, foi deixado um grande vácuo no campo da *autoridade eclesiástica*. O décimo sexto capítulo de Mateus parece pôr Pedro como a rocha fundamental da Igreja, preenchendo esse vácuo, embora o décimo oitavo capítulo do mesmo evangelho ponha nesse vácuo a autoridade coletiva dos apóstolos, o que também acontece no evangelho de João. Ver os artigos intitulados *Apóstolos* e *Apostolado*.

11. *As Ordenanças*. Já fizemos considerações passageiras sobre o lava-pes, no ponto nono, acima. A instituição da Ceia do Senhor não aparece, surpreendentemente, no evangelho de João; mas o estudo sobre Jesus como o Pão da Vida, ao que tudo indica é uma abordagem teológica do sentido essencial da Ceia. Ver os artigos intitulados *Eucaristia* e *Jesus Como o Pão da Vida*. A expiação de Cristo é o maná espiritual da Igreja (João 6:51). Ver também os artigos *Transubstanciação* e *Consubstanciação*.

Não há que duvidar que o batismo em água é aludido em João 3:3-5, como um símbolo, mas não como a origem do novo nascimento. O batismo em água pode representar os poderes regeneradores do Espírito de Deus, que é a Água da Vida. Ver sobre *Batismo*.

Bibliografia. Ver a bibliografia que damos no fim do artigo sobre o Evangelho de João.

JOÃO (O BATISTA)

Esboço
I. Caracterização Geral
II. Família e Começo de Vida
III. Fontes Informativas
IV. Ministério e Mensagem de João Batista
V. Elias Redivivo
VI. João Batista e Jesus
VII. Seguidores de João Batista
VIII. Morte de João Batista
  Bibliografia

I. Caracterização Geral

1. *O Precursor*. João, filho de Zacarias (que era sacerdote) e de Isabel (igualmente de ascendência sacerdotal), foi o *precursor* de Jesus, o Cristo. As datas de seu nascimento e da inauguração de seu ministério público não podem ser determinadas com precisão. As sugestões variam de 8 a 4 A.C., quanto ao seu nascimento, e de 26 a 28 D.C., quanto ao início de seu ministério público. Lucas informa-nos que João Batista nasceu quando seus pais eram ambos de avançada idade. No evangelho de Lucas temos a bela visão de Zacarias, que mostrou que João seria um vaso especial para servir ao Senhor. Ele nasceu na região montanhosa da Judéia, — onde também passou os primeiros anos de sua vida. Isabel, sua mãe, era parenta (talvez prima) de Maria, mãe de Jesus. João vivia como um asceta, segundo se vê em Mat. 3:4. Vestia-se de maneira similar à de Elias (II Reis 1:18). Alguns estudiosos pensam que João Batista era a reencarnação de Elias, mas outros, mais acertadamente, dizem que ele meramente cumpriu um ministério como o de Elias. Ou alguém que ministrava no poder e espírito de Elias. João Batista era uma voz no deserto, que conclamava os homens ao arrependimento, para que eles se voltassem para o Cristo, o Cordeiro de Deus (João 1:23,29). Foi o Batista quem preparou o núcleo inicial dos discípulos de Jesus, os quais, finalmente, se tornaram seus seguidores, quando chegou o tempo aprazado para isso.

2. *A Mensagem de João Batista*. Essa mensagem tinha como ênfase principal a necessidade de arrependimento, a breve inauguração do Reino de Deus à face da terra, e o iminente aparecimento do Messias, que haveria de julgar, purificar e unificar o povo de Deus. João Batista identificou Jesus como o Messias prometido, embora pareça ter hesitado quanto a essa identificação, pelo menos durante algum tempo, quando, sofrendo no cárcere, e sob forte desapontamento, chegou a duvidar (Mar. 11:3).

3. *O Batismo de Jesus por João*. Entre os que vieram receber o batismo de João, achava-se o próprio Jesus, que quis assim identificar-se com o grupo separado daqueles que buscavam fervorosamente o reino de Deus (vide). Foi nessa oportunidade que João declarou enfaticamente que Jesus era o Messias. Ver Mat. 3:13-15.

4. *Um Extenso Ministério*. Sabemos que o ministério de João Batista não se confinou ao vale do Jordão. O trecho de João 3:23 mostra-nos que ele deixou aquele local e, por algum tempo, pregou batismo de arrependimento em Enom, perto de Salim, onde havia muita água para imergir os penitentes. W.F. Albright (*The Archeology of Palestine*) diz que esse lugar ficava a suleste de Nablus, perto das cabeceiras do wadi Far'ah, em território samaritano. Depois disso, João retornou ao território governado por Herodes Ântipas, provavelmente a Peréia. Acabou despertando a hostilidade de Herodes Ântipas, e mais ainda de sua segunda esposa, Herodias, ao denunciar que o casamento deles era ilícito, porquanto ela era esposa de um irmão dele. Por esse motivo, João foi encarcerado na fortaleza de Maquero (vide), na Peréia; e, poucos meses mais tarde, foi executado. Ver Mat. 14:1-12 quanto a essa narrativa.

JOÃO (O BATISTA)

5. *João Batista e os Essênios.* Os eruditos comumente têm feito a ligação entre João Batista e os essênios (vide). Os seus hábitos ascéticos e os locais onde ele costumava pregar, perto de onde os membros daquela seita se localizavam, bem como as afinidades entre João Batista e os manuscritos do mar Morto (vide), encontrados em Qumran, chegam quase a confirmar essa pura especulação. Um grupo de ascetas essênios residia na margem noroeste do mar Morto; e tanto João Batista como os membros dessa seita residiam no deserto da Judéia; ambos tinham um caráter nitidamente sacerdotal; ambos davam ênfase ao batismo em água como sinal de purificação interna; ambos ensinavam um iminente juízo divino; ambos apelavam para Isaías 40:3 como a autoridade para suas missões. Os eruditos, pois, até hoje continuam a debater essa possível conexão entre o Batista e os essênios. Mas, se porventura João em algum tempo fez parte do grupo, então é certo que ele ultrapassou em muito as limitações do grupo e tornou-se líder de um movimento distinto. É mesmo possível que, bem antes de iniciar seu ministério, o Batista tivesse tido ligações com eles; o fato, porém, é que o *movimento* de João Batista nada tinha a ver com os essênios. Em *Qumran*, o batismo era um rito de iniciação; mas João universalizou a *imersão*, tornando-a sinal daquele movimento que em breve acolheria ao *Messias*. A mensagem do Batista dirigia-se à nação inteira de Israel. Ele não falava em nenhuma seita separatista e exclusivista. O batismo de João tornou-se uma espécie de ato escatológico, a declaração em favor da crença em um apocalipse que *em breve* se manifestaria.

6. *João, o Imersor.* Tanto o Novo Testamento (no grego), quanto Josefo, chamam João Batista por esse nome. A imersão em água era um elemento essencial e básico em seu ministério. Essa imersão ou batismo era o sinal de arrependimento e de aceitação da mensagem de João como precursor do Messias. Preparava as pessoas para um discipulado *sério* e especial. Ver Josefo (*Anti.* 18.5,2).

7. *O Movimento de João Batista.* João era homem dotado de grande poder e influência. Os evangelhos acham por bem mostrar que ele mesmo não era o Messias, e que ele não tinha quaisquer ambições messiânicas. Ver João 1:19-28. E o trecho de Atos 18:25 mostra-nos que o movimento de João Batista teve prosseguimento mesmo após a formação da Igreja cristã. Ver também Atos 19:1-7. A obra intitulada *Reconhecimentos Clementinos* sugere que o movimento continuou e que chegou a entrar em conflito com grupos cristãos. Alguns estudiosos têm afirmado que a comunidade dos *mandeanos* (vide), que até hoje sobrevive, teve suas origens no movimento de João Batista; porém, nada de certo se pode afirmar a esse respeito.

8. *Reconhecimentos Clementinos.* Entre a literatura que alegadamente procedeu da pena de Clemente de Roma (embora isso não seja verdade), temos as *Homilias* que, presumivelmente, preservam os ensinos e os sermões de Clemente de Roma. Também existem dez livros chamados *Reconhecimentos Clementinos*. Esses volumes, alegadamente, oferecem-nos informes históricos associados a Clemente, com grande abundância de ensinamentos. Entretanto, ambas essas obras parecem mais ter-se originado entre os gnósticos judeus, datando de algum período da porção final do século II D.C. Mas, embora esse material não seja genuinamente clementino, não há razão alguma para duvidarmos que contém alguns informes históricos genuínos, como aquele que diz que o movimento gerado por João Batista continuou

até o fim do século II D.C.

II. Família e Começo de Vida

João Batista era filho do sacerdote Zacarias, que pertencia ao turno de Abias (I Crô. 24:10). Sua mãe, Isabel, também era de família sacerdotal, pois é até chamada de «das filhas de Arão» (Luc. 1:5). Seu nascimento foi miraculoso, visto que ambos os seus pais eram de idade avançada. Ele nasceu na região montanhosa da Judéia. Maria, mãe de Jesus, foi visitar Isabel, e permaneceu com ela por cerca de três meses. Ver Luc. 1:56. Elas eram parentas (Luc. 1:36). Alguns estudiosos pensam que elas eram «primas», conforme a palavra grega correspondente é traduzida; mas outros preferem pensar que o termo grego *sungenes* não demarca nenhum grau específico de parentesco, e que pode ser melhor traduzido por «parenta». Esse termo grego é tão indefinido que pode até significar «compatriota». Ver Josefo (*Guerras* 7.262; *Anti.* 12.338). Talvez Jesus e João Batista fossem primos em algum grau desconhecido. Praticamente nada sabemos acerca da vida de João Batista, antes dele dar início a seu ministério público. Sabemos somente que ele residia na região montanhosa da Judéia, embora a cidade onde ele residia não seja mencionada nas páginas do Novo Testamento. É evidente que ele vivia sob o voto dos nazireus (vide), permitindo que seus cabelos crescessem e não aparando os cantos da barba. Evitava todo vinho e toda bebida alcoólica, e vivia como asceta. Por isso mesmo, alguns eruditos têm pensado que, pelo menos em algum tempo, antes de iniciar seu ministério, ele se tenha associado com os essênios, que habitavam em comunidades separadas, no deserto. Porém, não há provas conclusivas quanto a essa especulação. O trecho de Lucas 1:80 meramente diz-nos que João cresceu e se tornou forte, habitando no deserto, até o tempo de sua manifestação a Israel.

III. Fontes Informativas

Nossas fontes informativas sobre a vida de João Batista são os quatro evangelhos e algumas poucas citações das obras de Josefo:

Marcos 1:2-11,14; 2:18; 6:14-29; 8:27 *ss*; 9:11-13; 11:29-33.

Mateus e *Lucas*, que compartilham de material de «Q» (ver sobre o *Problema Sinóptico*): Mat. 3:7-10 = Luc. 7:24-28; Mat. 11:16-19 = Luc. 7:31-35; Mat. 11:12 = Luc. 16:16.

Mateus, em informes independentes: 3:14 *ss*, 11:14 *ss*; 21:32.

Lucas, em informes independentes: 1:5-25,57-66, 67-80; 3:1 *ss*; 3:10-14; 3:19 *ss*; 7:29 *ss*; 11:1.

Atos 1:6,22; 10:37; 11:16; 13:24 *ss*; 19:1-7.

João 1:6-8,15; 3:22-30; 5:33-36; 10:40 *ss*; 19:40.

Josefo (*Anti.* 18.5.2).

Há outras alusões, nos ensinos mandeanos e no Josefo Eslavônico. Porém, os informes ali contidos, de acordo com os estudiosos, revestem-se de pouco valor histórico.

IV. Ministério e Mensagem de João Batista

Quanto à narrativa geral sobre João Batista, ver a seção I, *Caracterização Geral*.

1. *O Precursor de Cristo.* A vida de João Batista visava a preencher um propósito todo especial, ou seja, o de ser o precursor do Messias. Tal como se dá no caso do próprio Senhor Jesus, pouco se sabe acerca do período de preparação de João Batista. João Batista deu início ao seu ministério público poucos meses antes do Senhor Jesus iniciar o seu próprio ministério. Tal como se deu com o Filho de Deus, João Batista dispunha de curtíssimo prazo para

JOÃO (O BATISTA)

cumprir o seu ministério. Josefo afiança que João Batista era pessoa dotada de grande magnetismo pessoal e força de atração. A vida dele foi como um brilhante meteoro que apareceu subitamente, coriscou durante um breve período, e desapareceu. Alguns chegaram a pensar que ele seria o Messias prometido, e o primeiro capítulo do evangelho de João cuida em mostrar que essa opinião estava equivocada, porquanto João Batista mesmo nunca fizera tal reivindicação. Todavia, a vida de João Batista foi de tal modo poderosa que outros identificaram-no com Elias. E, em certo sentido, estavam com a razão. Foi o próprio Senhor Jesus quem declarou: «E, se o quereis reconhecer, ele mesmo é Elias, que estava para vir» (Mat. 11:14). Ver a seção V quanto a esse particular.

2. *João Batista Foi uma Figura Profética*. Ele se assemelhava aos profetas do Antigo Testamento, sobretudo com Elias (ver Mat. 5:4 com II Reis 1:8 e Zac. 13:4). Os autores do Novo Testamento ensinaram que ele cumpriu a profecia de Isa. 40:3 (ver Mat. 3:3; 17:10-12; ver também Mal. 3:1 e 4:5). Como um homem do destino, João Batista coube dentro dos tempos do cumprimento de promessas messiânicas e, durante um tempo breve mas crucial realizou o seu ministério terreno. Embora fosse grande, do ponto de vista espiritual, é deveras significativo que Jesus tenha afirmado que o menor no Reino de Deus será maior do que ele (Mat. 11:11). Isso nos revela algo sobre a grandiosidade espiritual que o Reino de Deus haverá de trazer.

3. *Um Profeta Asceta*. João pode ter vivido ou não sob os votos do nazireado (vide). Seja como for, ele vivia de modo extremamente ascético, vestido, como Elias, com pêlos de camelo e comendo gafanhotos e mel silvestre, e falando acerca de acontecimentos apocalípticos e sobre a necessidade dos homens se arrependerem. Tudo, em João Batista, fazia lembrar Elias, e as multidões vinham ouvi-lo.

4. *Retirada e Reforma*. Embora, a exemplo dos essênios, João Batista se tivesse retirado do convívio social, de forma alguma ele se distanciou da sociedade de seus dias. Sua missão consistia em anunciar as condições, àquela sociedade, mediante as quais os homens de então deveriam acolher o Messias e o seu reino. O Batista engolfou Samaria em seu ministério (João 3:23). Se é que João Batista começou entre os essênios (um ponto muito disputado), então, por certo, ele não se limitou a essa «denominação», visto que a sua mensagem profética era universal, e ele não pregava a uma claque fechada, conforme faziam os essênios.

5. *O Messias Anunciado por João Batista*. O Novo Testamento deixa claro que João Batista esperava que o Messias estabelecesse o seu reino, pela força, se necessário, e que isso constituiria um acontecimento apocalíptico. De fato, João referia-se a esse advento com termos idênticos àqueles em que os pregadores modernos aludem ao Segundo Advento de Cristo. O Novo Testamento não tenta esconder que o Batista, em certa medida, ficou desapontado diante do modo como Jesus se apresentou publicamente. Jesus não reuniu algum exército, nem se mostrou militante. Ao que parecia, não foi ao menos capaz de proteger o seu **homem-chave**, ou seja, ao próprio João Batista. Os adversários de Jesus pareciam estar ganhando todas as vitórias. Verdadeiramente, do ângulo de João, as coisas não estavam avançando nada bem. Foi por essa razão que ele enviou mensageiros a Jesus, para que indagassem *se* ele era, veramente, o Messias, Aquele pelo qual ele, João Batista estava esperando. Ver Mat. 11:2 *ss*. João ouvia falar sobre os grandes prodígios de Jesus; mas ali estava ele mesmo, no cárcere. Como poderia ser isso?

A resposta de Jesus dificilmente poderia tê-lo satisfeito. Jesus não foi capaz de anunciar qualquer progresso na revolução! Não tinha reunido nenhum exército; não obtivera qualquer poder político; não havia um numeroso grupo de seguidores dispostos a combater por ele. Tudo quanto Jesus pôde dizer é que os cegos estavam recebendo de volta a visão, que os aleijados estavam andando novamente, que os leprosos estavam sendo purificados, que os surdos estavam ouvindo, que os mortos estavam sendo ressuscitados dos mortos, e que aos pobres estava sendo anunciado o evangelho. Dificilmente esse era o Messias pelo qual João estava esperando! Ou, pelo menos, muitos pensam assim a respeito de João. Não obstante, naquela mesma ocasião, Jesus afirmou que João estava cumprindo a predição de Mal. 3:1: «Eis que eu envio o meu mensageiro que preparará o caminho diante de mim...» Sim, o caminho fora preparado por João; mas o *caminho* não parecia ser aquele pelo qual João esperava. Não é que o Batista tivesse perdido a fé em sua missão, mas ficou muito desanimado, indagando se Jesus realmente cumpria os requisitos da missão messiânica. Os profetas do Antigo Testamento não sabiam separar a primeira da segunda vindas de Cristo. Pedro alude a isso em I Pedro 1:11: «...investigando atentamente qual a ocasião ou quais as circunstâncias oportunas, indicadas pelo Espírito de Cristo, que neles estava, ao dar de antemão testemunho sobre os sofrimentos referentes a Cristo, e sobre as glórias que os seguiriam». Eles não entendiam que, na primeira vinda haveria os «sofrimentos» de Cristo, e que só em sua segunda vinda haverá as «glórias». Esse era o motivo da perplexidade de João Batista.

6. *O Mistério da Cegueira de Israel*. Paulo falou, profundamente admirado, sobre essa cegueira, em Rom. 11:25 *ss*. Ele explicou que a cegueira de Israel era uma necessidade, a fim de que o evangelho pudesse ser anunciado às nações gentílicas também, para que houvesse uma Igreja formada por judeus e gentios, igualmente. Mas, chegado o tempo certo, e removido o véu que agora tapa os olhos do povo judeu, eles haverão de reconhecer que o Senhor Jesus é o Messias prometido. Não obstante, Israel é responsável pelos seus atos. O poder predestinador do Senhor usa a vontade humana sem destruí-la, embora não saibamos precisar como. O décimo primeiro capítulo de Mateus mostra como a mensagem de João Batista e de Jesus caíram em ouvidos surdos, como eles tocaram para o povo, mas eles não dançaram; como eles lamentaram, mas o povo não chorou. João veio como um asceta; mas Jesus, ao contrário, não era asceta. Todavia, nem João Batista e nem Jesus tinham sido devidamente ouvidos. O povo judeu permaneceu na indiferença (Mat. 11:16-19). Nem mesmo os poderosos prodígios de Jesus levaram o povo judeu a arrepender-se (vs. 20 *ss*). No entanto, um pequeno remanescente acreditou, mediante o poder de Deus; e a esses foram revelados os mistérios do reino de Deus (vs. 25 *ss*). É significativo que dentre esse contexto de rejeição, emergiu aquele belo convite de Jesus, por tantas vezes citado:

Vinde a mim, todos os que estais cansados e opri-
*   midos, e eu vos aliviarei.*
Tomai sobre vós o meu jugo, e aprendei de mim,
*   que sou manso e humilde de coração;*
e achareis descanso para as vossas almas.
     (Mateus 11:28,29).

7. *O Batismo de João*. Sem dúvida a imersão aplicada por João Batista era muito mais que algum

552

JOÃO (O BATISTA)

rito de iniciação, a fim de que membros fossem aceitos em alguma seita (como era o caso entre os *essênios*). Antes, era um sinal de conversão a Deus, um sinal requerido de que uma pessoa havia abandonado seus antigos caminhos pecaminosos, em preparação para acolher ao Messias e ao seu reino. Todavia, o batismo de João não era um batismo cristão, com todo o seu simbolismo e significado. Para tanto, era mister que Jesus morresse e ressuscitasse. Mas, à semelhança do batismo cristão, apontava para o arrependimento, a renovação espiritual e a resolução de viver a vida de um piedoso discípulo da retidão. Também havia um intuito messiânico, pelo que estava aliado bem de perto com a fé cristã, que em breve Jesus haveria de trazer. Supomos que aqueles que foram batizados por João, ao se unirem ao movimento cristão, não eram rebatizados. No entanto, houve casos de pessoas, inteiramente ignorantes sobre Cristo e suas reivindicações, que, embora tivessem sido discípulos de João Batista, mais tarde foram novamente batizadas (ver Atos 19:1 *ss*). Os judeus costumavam batizar os gentios que se convertessem ao judaísmo, imergindo-lhes totalmente o corpo, o que representava uma completa purificação. Não há que duvidar que esse precedente foi o que determinou o espírito e o modo da imersão aplicada pelo Batista. O evangelho de João destaca o ponto que João batizava em Enom, perto de Salim, porque ali havia *muita* água. Teria sido inteiramente fora de ordem, do ponto de vista dos judeus, se João se pusesse à beira de um rio, com algum candidato ao batismo, para então apanhar uma **pequena quantidade** de água a derramar sobre a cabeça do candidato. Isso não seria imersão, mas aspersão. Ver o artigo geral sobre o *Batismo*, o que inclui a maneira como se deve batizar corretamente.

A seita de Qumran (ver Sobre **Khirbet Qumran**) praticava um batismo de arrependimento que assinalava os novos convertidos ao seu grupo, permitindo-lhes o ingresso na seita. Porém, isso era meramente uma adaptação da imersão de prosélitos ao judaísmo. O *Manual de Disciplina* (vide), em seu quinto capítulo, descreve o batismo praticado entre os essênios. Se João Batista estivera, em algum tempo, associado aos essênios, então, naturalmente, teria continuado a prática de batismo, mas o batismo dos essênios não era o verdadeiro precedente de seu batismo, que ia buscar raízes ainda mais longe na história do povo judeu.

V. Elias Redivivo

Era doutrina comum entre os judeus do começo do cristianismo que grandes personagens proféticas do Antigo Testamento, teriam mais de uma missão espiritual terrena. Muitos rabinos pensavam que Jeremias fosse a reencarnação de Moisés. E eles esperavam que Elias voltasse a viver como o precursor do Messias. E do próprio Senhor Jesus chegaram a pensar que ele fosse Jeremias ou algum dos antigos profetas. Ver Mat. 16:14. E os discípulos de Jesus tinham consciência da tradição, promovida pelos fariseus, de que Elias deveria retornar à vida, antes da carreira do Messias, envolvendo-se no drama de sua aparição (Mat. 17:10 *ss*). Jesus, chegado o momento certo, ensinou que Elias já viera a este mundo, na pessoa de João Batista. Alguns intérpretes crêem que João Batista foi uma autêntica reencarnação de Elias; mas outros crêem que o Batista cumpriu *o espírito* daquela profecia, mas que ele não era o próprio Elias. João Batista declarou que ele mesmo não era Elias (João 1:21). Porém, aqueles que acreditam que João Batista era, realmente, a reencarnação de Elias, salientam que a pessoa reencarnada (com algumas

notáveis exceções) usualmente não tem consciência de sua anterior identidade (ou identidades). Eu mesmo não penso que podemos eliminar essa possibilidade sobre bases dogmáticas. Pois o próprio Novo Testamento ensina casos especiais de reencarnação, com vistas a missões terrenas especiais. As duas testemunhas do Apocalipse (cap. 11) aparecem como quem já tinha outras histórias terrenas. — O anticristo, segundo se lê em Apo. 17:8,11, haverá de subir do hades a fim de cumprir ainda uma outra missão diabólica. Os cristãos antigos pensavam que o anticristo seria Nero *redivivo*. E muitos crentes ensinam, até hoje, que Elias terá uma outra missão na terra, antes do segundo advento de Cristo.

João foi cheio do Espírito Santo desde antes do seu nascimento (Luc. 1:15). Deve haver razões imperiosas para uma coisa assim, não meramente dentro da vontade de Deus, mas *no próprio indivíduo*. Os pais da Igreja oriental não encontravam dificuldades com essas idéias. Eles acreditavam na preexistência da alma e, assim sendo, uma alma altamente desenvolvida e poderosa como era João, *já* teria chegado desse modo na terra, não se tendo tornado uma figura espiritual importante somente depois de haver nascido de Isabel. João Batista teria vindo como um *missionário*. Tivera uma longa e espiritualmente próspera história, muito antes do século I A.C. Outro tanto poderia ser dito a respeito de Paulo, que era um vaso escolhido *antes* de seu nascimento, que se deu no século I D.C. Ver Gál. 1:15.

Não há como dizermos, com toda a confiança, que João Batista era a mesma entidade que Elias; mas também não há bases doutrinárias e dogmáticas que nos levem a negar essa possibilidade. O ponto é deveras interessante, embora não seja crítico. Ver o artigo geral sobre a *Reencarnação*, onde mostramos os pontos prós e contras, envolvidos na questão. Há algo de romântico em torno da idéia de que não estamos limitados a uma única vida, obrigatoriamente, para cumprir nossas missões espirituais neste mundo, antes de, finalmente, tomarmos nosso lugar no mundo da luz, a fim de nos ocuparmos de novos aspectos de labor e de desenvolvimento espiritual. Contudo, o romantismo não prova coisa alguma, embora não devamos limitar o poder de Deus, mediante uma visão que pode ser míope. Deus não parece ter pressa, conforme alguns teólogos dão a impressão. A vida é imensa, e não pode ser explicada, no tocante a indivíduos, supondo-se que eles começaram, como entidades, faz apenas alguns anos. A preexistência de todas as almas, por outro lado, faz muito sentido, e é uma idéia que, apesar de especulativa, merece nosso respeito e uma contínua investigação. Ver o artigo geral sobre a *Alma*, em sua primeira seção, *A Origem da Alma*. Naturalmente, a preexistência da alma pode ser uma realidade, mesmo sem o seu corolário, a reencarnação. Só o tempo dirá o quanto há de verdade ou de falsidade nessa idéia.

VI. João Batista e Jesus

Sabe-se que alguns dos primeiros discípulos de Jesus vieram do círculo dos discípulos do Batista (João 1:35 *ss*), embora o movimento resultante da missão de João Batista tivesse continuado por muito tempo depois dos primórdios do cristianismo. Alguns estudiosos crêem que tanto João Batista quanto Jesus estiveram ligados aos essênios, pelo que teriam conexão e amizade antes do ministério público de um e de outro. Como primos em algum grau, também pode ter havido alguma forma de contato doméstico social entre eles, antes de iniciarem seus respectivos ministérios públicos. A história tem ocultado essas coisas de nós; e, a menos que alguma descoberta

553

JOÃO (O BATISTA)

inesperada de documentos antigos lance luz sobre esse ponto, nunca saberemos, por meios naturais, toda a verdade sobre essas coisas. Naturalmente, o Novo Testamento mostra que o ministério dos dois estava relacionado. O ministério de João começou primeiro, reforçando as reivindicações messiânicas de Jesus. O primeiro capítulo do evangelho de João é enfático quanto a isso.

Os autores neotestamentários também fazem de João uma figura profética, especificamente como o precursor do Messias, conforme já vimos sob IV.2. É muito significativo, e sem dúvida autêntico, que João, de certa feita, em um momento de desencorajamento, em seu cárcere, duvidou que Jesus teria cumprido os requisitos da missão messiânica, pela qual ele vinha procurando (Mat. 11:2 ss). Porém, não há razão alguma para supormos daí que nunca houve qualquer reversão nessa dúvida de João. Todos nós experimentamos instantes de dúvida e desencorajamento; e João Batista, afinal de contas, era apenas um homem. Seja como for, é significativo que João Batista e Jesus efetuaram ministérios paralelos, embora distintamente separados. Nunca houve uma completa unificação dos dois esforços, mesmo depois que o cristianismo já estava bem firmado. Porém, sabemos, com base nos registros históricos, que muitos seguidores de João Batista bandearam-se para Jesus, e que o próprio João encorajou isso. Tanto Jesus quanto João reivindicavam autoridade divina para suas respectivas missões, e afirmavam outro tanto um acerca do outro (Mat. 21:23-27).

VII. Seguidores de João Batista

Visto que esse particular já foi bem ventilado nas seções anteriores, fornecemos aqui apenas um sumário:

1. João tinha seguidores que formavam um movimento espiritual crescente, antes mesmo do começo do ministério público de Jesus. O primeiro capítulo do evangelho de João mostra-nos isso.

2. Quando Jesus iniciou o seu ministério público, pelo menos alguns dos principais discípulos de João vieram engrossar o movimento encabeçado por Jesus (João 1:35 ss).

3. O movimento liderado por João continuou, paralelo ao de Jesus, havendo pontos de contato entre os dois movimentos (Mat. 11:2 ss).

4. O movimento de João Batista continuou atuante, mesmo depois da morte dele, e entrou até bem dentro da era apostólica. Apolo fora discípulo de João Batista (Atos 18:24 ss). Outros discípulos de João converteram-se ao cristianismo, e assim uniram-se à Igreja primitiva (Atos 19:1-7).

5. Os *Reconhecimentos Clementinos* (fim do século II D.C.) dão provas de algum conflito entre os posteriores seguidores de João Batista e o cristianismo. Todavia, que certeza se poderia ter se as pessoas que continuaram o movimento Batista eram fiéis às suas idéias? João pode ter sido para elas uma espécie de santo patrono, e não uma figura histórica do movimento deles.

6. O poder de João Batista foi confirmado por Josefo, que disse que muita gente acreditava, em sua época, que os infortúnios de Herodes ocorreram por causa da maldade dele contra João Batista. João conseguira seguidores leais, e o povo comum considerava-o um profeta de grande estatura (*Anti.* 18:5,2). Não é para admirar, pois, que o movimento não tenha morrido, apesar do aparecimento do cristianismo.

7. Os *mandeanos* (vide) são considerados por alguns estudiosos como os continuadores do movimento de João Batista até os nossos próprios dias. Os historiadores, contudo, continuam debatendo o valor de tal reivindicação. Essa seita surgiu séculos depois da época de João, tendo tomado os seus ritos por empréstimo dos cristãos nestorianos (vide). Uma das figuras centrais desse movimento é a pessoa de João Batista, pelo que parece que ele se tornou uma espécie de santo patrono do grupo. Então foram formulados argumentos em favor da antiguidade histórica do grupo. Deve-se admitir, porém, que alguns historiadores vêem certa conexão histórica com movimentos que tiveram sua origem no movimento de João Batista, pelo que deve ter havido alguma forma de conexão antiga, embora indireta. O gnosticismo parece ter maculado as raízes mais primitivas desse grupo.

VIII. Morte de João Batista

O relato da morte do Batista é contado em Mar. 6:17-29. Essa é a única crônica importante dos evangelhos que não gira especificamente em torno de Jesus. E isso mostra a importância que João Batista tinha para o cristianismo primitivo. É perfeitamente possível que o episódio tenha sido preservado tanto pelos discípulos de Jesus quanto pelos discípulos de João. Josefo fornece-nos outros detalhes sobre a questão, conforme observou-se acima. João, sem dúvida, foi tido como uma ameaça política para a autoridade de Herodes. A execução de João Batista, por ordem de Herodes, não se deveu meramente ao fato de que João objetava ao casamento de Herodes com sua própria cunhada, Herodias. Herodes havia encarcerado João no castelo de Marquero, na margem oriental do mar Morto. Foi então que João mandou indagar a Jesus acerca de suas reivindicações messiânicas (Mat. 11). Herodias, amargurada contra João, por achar que este interferia em sua vida particular, foi a mola que levou Herodes a mandar executar o Batista e, sem dúvida, ela ficou muito satisfeita em ver-se livre daquele empecilho. Herodes, por sua vez, sabia que João era homem reto (Mar. 6:20). Não fizera ainda qualquer violência contra ele, por saber que ele era tão estimado pelo povo comum, e não queria se arriscar a provocar qualquer revolta popular (Mar. 6:20). Porém, Herodias acabou ganhando a parada; e podemos ter a certeza de que Herodes não tentou entravar a vontade dela. Herodias exigiu a cabeça de João Batista como prêmio pela dança tão aplaudida de sua filha. A jovem muito agradara a Herodes e aos convivas meio alcoolizados, que participavam de sua festa de aniversário natalício. Herodes mandou um executor cortar a cabeça de João Batista. E a cabeça de João foi exposta ao público.

Quando os discípulos de João souberam o que havia acontecido, obtiveram o seu cadáver e o sepultaram. Em seguida, foram informar Jesus e seus discípulos sobre o que acontecera (Mat. 14:3-12; Mar. 6:17-29). E a notícia teve um profundo efeito sobre o Senhor Jesus. Ao ouvir sobre o acontecido, ele se retirou para a Galiléia, talvez sentindo o perigo contra si mesmo e contra os seus discípulos (Mat. 4:12). E, sabedor da execução de João, retirou-se para um lugar solitário (Mat. 14:3), sem dúvida a fim de orar e meditar, para decidir o que faria em seguida, sob aquelas novas circunstâncias.

Nem mesmo aos mais espirituais dentre os homens lhes são poupadas as dores sofridas na batalha espiritual. Eles passam por seus reveses e tragédias; eles têm os seus momentos de temor; eles precisam de reorientação, de reavaliação e de novas resoluções. Mas esse é o poder que vence o mundo, a nossa fé (ver I João 5:4).

Bibliografia: AM GEY KR KU ND RO(1912) UN Z.

JOÃO (DIVERSOS) — JOÃO (PAPAS)

JOÃO (DIVERSOS)

Esse nome português vem do hebraico, **Iehohanan**, «Yahweh tem sido gracioso». Para chegar à nossa Bíblia portuguesa, passou pela forma grega do nome, *Ioannen*. Há dez homens com esse nome na Bíblia ou em livros apócrifos da Bíblia, a saber:

1. *João Batista*, filho de Zacarias e Isabel (Luc. 1:5-25), e primo de Jesus Cristo (Luc. 1:36). Ver o artigo separado sobre *João Batista*.

2. *João o apóstolo*. Ele era filho de Zebedeu e irmão de Tiago. Ver o artigo separado sobre *João, o Apóstolo*.

3. *João Marcos*, mencionado por dez vezes no Novo Testamento. Ele era primo de Barnabé (Col. 4:10) e é reputado como o autor do evangelho que tem o seu nome. Ver o artigo separado intitulado *Marcos, João*.

4. *João*, ou *Jonas*, pai de André e Simão Pedro (Mat. 16:17; João 1:40-42; 21:15-17). Talvez, à semelhança de Zebedeu, pai de Tiago e João, ele também fosse o exportador de peixes. Vivia em Cafarnaum (Mar. 1:19,20).

5. Um parente do sumo sacerdote Anás. Ele participou do julgamento de Pedro e João, juntamente com Anás, Caifás e Alexandre, depois que aqueles dois apóstolos os assustaram com o notável milagre da cura de um esmoler, no templo de Jerusalém. Ver Atos 4:6.

— Nada de certo se pode dizer com respeito à identificação desse homem, embora alguns eruditos pensem que se tratava de Jochanan ben Zaccai, famoso rabino, que atingiu seu ponto culminante cerca de quarenta anos antes da destruição de Jerusalém, o que ocorreu no ano 70 D.C. e que foi presidente da Grande Sinagoga, após a sua transferência para Jamnia. Esse personagem era membro do sinédrio e parente do sumo sacerdote. Era conhecido como grande mestre, e diversas narrativas lendárias se desenvolveram em torno de sua pessoa, o que geralmente sucede no caso de indivíduos famosos. Foi escrito sobre ele, no Talmude, Jucas, fol. 60: «O rabino Jochanan ben Zaccai, o sacerdote, viveu cento e vinte anos. — Achou favor aos olhos de César. Mas quando ele faleceu, cessou a glória da sabedoria». Uma crônica, concernente à sua pessoa, é relatada em *Yoma*, fol. 39; que pinta o acontecimento bem próximo ao tempo sobre o que esse trecho do livro de Atos foi escrito: «Quarenta anos antes da destruição do templo, as portas do templo se abriram por si mesmas; o rabino Jochanan ben Zaccai as repreendeu, dizendo: 'Ó templo, templo, por que te perturbas? Sei o teu fim, que serás destruído; pois assim profetizou de ti Zacarias, filho de Ido, Zac. 11:1: 'Abre, ó Líbano, as tuas portas, para que o fogo consuma os teus cedros'».

A esperança mundana dos corações dos homens
Vira cinzas __ ou prospera; e imediatamente,
Como a neve, sobre a face poeirenta do deserto,
Após perdurar uma hora ou duas __ desaparece.

(*Rubaiyat*, de Omar Khayyam, estrofe *viii*).

O códex D registra o nome desse homem sob a forma de «Johathon». Se isso representa a verdade, provavelmente ele foi filho de Anás, que sucedeu Caifás como sumo sacerdote no ano de 36 D.C. Porém, a outra variante, muito mais provavelmente, é a que representa o original do livro de Atos.

6. *João*, avô dos Macabeus. Ver sobre os *Hasmoneus*. Era filho de Simeão e pai de Matatias (I Macabeus 2:1). Esse Matatias foi o pai de cinco filhos que se tornaram figuras nacionais e patrióticas dos judeus, na luta contra os dominadores sírios

(168—142 A.C.). Matatias deu início à revolta matando a um judeu apóstata, quando este estava prestes a oferecer uma oferenda pagã sobre o altar dos holocaustos. O resultado foi um período de independência para Israel, período esse que terminou por haverem os judeus apeiado para os romanos.

7. *João* ou *Joanã*, filho de Matatias (ver o ponto sexto, acima), que tinha por sobrenome *Cadis*. Ele era capitão do povo. Foi capturado pelo povo de Medeba e, provavelmente, foi executado pelos filhos de Jambri (I Macabeus 9:35,36).

8. Um outro *João* aparece com proeminência em I Macabeus 8:7. Era filho de Acos e pai de Eupolemo. Obteve sucesso nas negociações com os romanos, com vistas a uma compreensão e amizade melhores.

9. Um outro hasmoneu era chamado *João*. Seu sobrenome era Hircano. Era filho de Simão e sobrinho de Judas Macabeu. Tornou-se, a princípio, capitão do exército judeu e, então, governador de Israel (I Macabeus 13:53). Casou-se com a filha do sumo sacerdote e, finalmente, ele mesmo tornou-se sumo sacerdote. — Assim sendo, combinava o poder político com o poder religioso. A nação judaica prosperou em seus dias, e suas fronteiras se ampliaram até atingirem as mesmas dimensões que tinham tido nos dias de Salomão.

10. Ainda um outro *João* aparece na narrativa sobre os hasmoneus. Juntamente com Absalão, foi enviado por Judas Macabeu em uma missão a Lísias, a fim de firmar com ele um tratado de paz (II Macabeus 11:17).

JOÃO MARCOS Ver **Marcos, João**.

JOÃO (PAPAS)

João é o nome de nada menos de vinte e dois papas, até o presente, como título que assumiram no pontificado. Damos abaixo um sumário sobre cada um deles:

1. João I (santo). Nasceu na Toscana, Itália, em cerca de 470 D.C. Faleceu a 18 de maio de 526 D.C. Foi o sucessor de Hormisdas, em 523 D.C. Foi enviado a Constantinopla, em 525 D.C., a fim de tentar obter tolerância da parte do imperador Justino, para os árabes. Obteve sucesso apenas parcial; e, no decurso dessa missão foi aprisionado por Teodorico (vide), que o havia enviado, em Ravena, na Itália.

2. *João II* (Mercúrio). Não se sabe a data de seu nascimento, embora seja sabido que morreu a 27 de maio de 535 D.C. Seu nome romano era *Mercurius*, que ele obteve como apodo, devido à sua grande eloquência. Conseguiu obter da parte de Atalarico, rei dos ostrogodos, um decreto contra a simonia (vide). Além disso, através de seus esforços, foi regulamentada a eleição dos papas. Em 534 D.C., sob a sua direção, foi aprovada uma confissão de fé escrita, nos dias do imperador Justiniano, do Império Romano do Oriente.

3. João III. Não se sabe qual a data de seu nascimento, mas ele morreu em 13 de julho de 574 D.C., em Roma, Itália. Era romano de nascimento, e tornara-se papa em julho de 561 D.C. Foi durante o seu pontificado que os lombardos invadiram a Itália, por repetidas vezes.

4. João IV. Nasceu em Salona, na Dalmácia, embora em data desconhecida. Faleceu a 11 de outubro de 642 D.C., em Roma. Foi escolhido papa em dezembro de 640 D.C. Era um homem zeloso em geral, fanático pela ortodoxia. Contra os desejos expressos do imperador Heráclio, ele condenou a declaração de fé dos monotelitas. Ver sobre o *Monotelismo*.

JOÃO (PAPAS)

5. João V. Nasceu em Antioquia da Síria, em data desconhecida. Morreu em Roma, a 2 de agosto de 686 D.C. Tornara-se papa em julho de 685 D.C., mas serviu nessa função por pouco mais de um ano. Foi o primeiro dos papas romanos a ter nascido no Oriente.

6. João VI. Não se sabe a data de seu nascimento, mas morreu em Roma, a 11 de janeiro de 705 D.C. Tornou-se papa em 701 D.C. Era de origem grega. A disputa entre Wilfredo de Iorque e a Sé de Canterbury foi decidida em favor desta, por João VI.

7. João VII. A data de seu nascimento é desconhecida, mas ele faleceu a 18 de outubro de 707 D.C., em Roma. Era de origem grega. Tornou-se papa em março de 705 D.C. Virtualmente nada se conhece acerca de sua vida e de seus atos.

8. João VIII. Não se sabe quando nasceu, mas morreu a 16 de dezembro de 882 D.C., em Roma. Era de origem romana. Os sarracenos forçaram-no a pagar tributo, visto que conseguiram invadir a Itália até os portões da própria cidade de Roma. Coroou ao imperador Carlos II (apelidado de O Calvo), em 875 D.C.; e a Carlos III (apelidado de O Gordo), em 881 D.C. Tentou obter a união eficaz dos ramos grego e latino da Igreja Católica, mas não obteve êxito.

9. João IX. Não se conhece a data de seu nascimento. Crê-se que morreu em maio de 900 D.C. Sua cidade nativa era Tivoli, na Itália. Pertencia à ordem dos beneditinos, e foi posto na sé papal através do poder do partido franquista, no começo de 898 D.C. Viveu em um período de muita violência, tendo usado a sua influência para tentar obter alguma paz.

10. João X. Nasceu em Romagna, na Itália, em data desconhecida. Faleceu em Roma, em 929 D.C. Foi homem de grandes virtudes e de profunda religiosidade. Tornou-se arcebispo de Ravena em 905 D.C., e foi eleito papa em 914 D.C. Assumiu o posto de general do exército, e expulsou os sarracenos da Itália, em 916 D.C. Desafortunadamente, imiscuiu-se nas facções políticas em litígio e se tornou malquerido por Marozia, a filha de Teodora, que era a esposa do governante da Toscana. Ela fez o papa ser lançado na prisão, onde, ao que parece, foi assassinado, em 929 D.C.

11. João XI. Nasceu em data desconhecida, mas morreu em 936 D.C. Era filho de Marozia (ver sob João X, acima). Foi eleito papa em 931 D.C. Como ainda não era adulto, governava sob a tutela de sua mãe. Um outro filho dela, Alberico II, aprisionou a própria mãe, tornando-se então o verdadeiro poder por detrás dos bastidores do papado.

12. João XII (apelidado Otávio). Nasceu em data desconhecida, mas morreu em 14 de maio de 946 D.C. Era filho de Alberico II (ver sobre João XI). Tornou-se papa em 955 D.C., com apenas dezoito anos de idade. Foi o primeiro dos papas a mudar de nome, por ocasião de sua ascensão ao trono papal. Envolveu-se em problemas políticos, no começo ao solicitar e receber a ajuda de Oto I, contra Berengário II, que era seu inimigo. João XII coroou Oto como imperador (do Santo Império Romano), mas posteriormente voltou-se contra ele. Em retaliação, Oto depôs o papa. Leão VIII tomou o seu lugar, em 963 D.C. Entretanto, mais tarde, João XII recuperou sua autoridade; e, quando Oto deixou Roma e voltou à sua própria terra, João XII excomungou seu rival, Leão VIII.

13. João XIII. Nasceu em data desconhecida, mas morreu a 6 de setembro de 972 D.C. Fora bispo de Narni; mas, tornou-se papa em 965 D.C., por influência de Oto I. Não demorou muito, porém, para ser deposto pelos nobres romanos. Posteriormente, Oto II o restaurou ao trono papal. E João XIII teve por incumbência coroar ao novo imperador. Durante seu pontificado, os poloneses e os húngaros foram cristianizados.

14. João XIV (apelidado Pedro). Nasceu em Pávia, na Itália, em data desconhecida. Morreu a 20 de agosto de 984 D.C. Foi antes bispo de Pávia. Tornou-se papa em novembro de 983 D.C., através do poder de Oto II. Foi o substituto do antipapa Bonifácio VII. Quando Oto II faleceu, Bonifácio retornou de Constantinopla, em 984 D.C., e lançou João XIV na prisão, nas masmorras do castelo de Sant'Ângelo, onde veio a falecer.

15. João XV. Nasceu em data desconhecida, mas, provavelmente, morreu em abril de 996 D.C. Era filho de um presbítero romano, e foi escolhido papa em 985 D.C. Crescêncio e seu partido conseguiram a façanha, e exerceram domínio sobre o papa durante todo o tempo do pontificado deste.

16. João XVI (apodado Filagato). Nasceu em data desconhecida. Provavelmente, faleceu em abril de 1013 D.C. Era nativo de Rossano, na Calábria. Foi arcebispo de Piacenza. Tornou-se papa em 997 D.C., pela influência poderosa de Crescêncio. Foi antipapa por menos de um ano. Oto III invadiu a Itália, em 998 D.C. O papa João XVI foi capturado, cego e multilado. Então, foi lançado na prisão, embora, finalmente, tivesse sido removido para um mosteiro.

17. João XVII (apelidado Sico). Nasceu em data desconhecida, mas faleceu em Roma, a 6 de novembro de 1003 D.C. Era romano. Fora eleito em 13 de junho de 1003 D.C., mas morreu naquele mesmo ano, após um pontificado que em nada se notabilizou.

18. João XVIII (apodado Fasiano). Nasceu em data desconhecida, mas morreu em junho de 1009 D.C. Foi sucessor de João XVII, tendo chegado à sé romana através da influência de João Crescêncio, filho de Crescêncio, o Velho. Resignou ao papado em maio de 1009, tendo morrido apenas um mês mais tarde. Seu pontificado foi assinalado por uma estrita atenção às questões eclesiásticas.

19. João XIX (apelidado Romano). Nasceu em data desconhecida e morreu em janeiro de 1032 D.C. Sucedeu no papado a seu irmão, Benedito VIII, em abril ou maio de 1024 D.C. Foi persuadido a conceder reconhecimento oficial ao patriarcado de Constantinopla, o que foi obrigado a retirar, posteriormente, devido à oposição havida na Igreja ocidental. Coroou a Conrado II, em 1027, na presença de Rodolfo da Burgúndia e de Canuto, rei da Dinamarca e da Inglaterra.

JOÃO XX

Não há registros da existência de João XX. Pode tratar-se de um simples erro cronológico, a menos que se referia a algum esquecido papa ou antipapa.

20. João XXI, também chamado João XX (apelidado de Pedro). Nasceu em Lisboa, Portugal, em cerca de 1215. Morreu em Viterbo, na Itália, a 20 de maio de 1277. Fora cardeal de Francati, em 1273. Foi eleito papa em setembro de 1276. Era um filósofo erudito, e escreveu vários tratados sobre medicina.

21. João XXII, também chamado João XXI. Seu nome original era Jacques d'Euse. Nasceu em Cahors, na França, em 1249. Morreu em Avignon, na França, a 4 de dezembro de 1334. Foi arcebispo de Avignon, desde 1310. Foi bispo-cardeal da cidade do Porto, em Portugal, desde 1312. Foi eleito papa em Lyon, na França, em agosto de 1316, dois anos após a morte de Clemente V. Embora residisse em Avignon, contava

556

JOÃO (PAPAS) — JOÃO DA CRUZ

com muitos aderentes na Itália. Luís de Bavária (chamado Luíz IV) tentou depô-lo, mas fracassou. Luíz IV queria pôr no trono um antipapa, Nicolau V. O pontificado de João XXII também foi perturbado por controvérsias teológicas. A principal delas foi o caso que envolveu Guilherme de Occam (vide). Além disso, os chamados franciscanos espirituais foram perseguidos por defenderem a idéia de pobreza absoluta.

22. João XXIII. Seu nome real era Ângelo Giuseppe Roncalli. Nasceu em Sotto il Monte, perto de Bérgamo, na Itália, a 25 de novembro de 1881. Morreu em Roma, a 3 de junho de 1963. Nasceu como um dos treze filhos de um agricultor cuja família se ocupara nesse mister durante séculos. Estudou para o sacerdócio católico romano em Bérgamo, tendo começado aos treze anos de idade. Continuou seus estudos em Roma. Foi ordenado padre em 1904. Trabalhou como secretário do bispo de Bérgamo. Dedicou-se aos estudos históricos. Serviu no exército italiano durante a Primeira Grande Guerra, como sargento do corpo médico, e, posteriormente, como capelão.

Tornou-se arcebispo titular. Foi nomeado pelo papa Pio XI como visitador apostólico na Bulgária. Em 1935, na qualidade de arcebispo Roncali foi promovido ao ofício de núncio, e então, tornou-se delegado apostólico na Turquia e na Grécia. Durante alguns anos, na Segunda Guerra Mundial, obteve respeito como mediador neutro, quando residia em Istambul, na Turquia. Nos fins de 1944 foi nomeado núncio na França. Ali cuidou de muitos problemas sociais e religiosos e, terminada a guerra, obteve reputação como homem capaz e virtuoso. Em 1953, tornou-se cardeal, e foi chamado de patriarca de Veneza. Opunha-se com firmeza ao comunismo, e tornou-se conhecido pela maneira graciosa e informal como se misturava com o povo comum, ajudando-os com seus problemas.

Após a morte do papa Pio XII, o cardeal Roncalli foi eleito papa no décimo primeiro escrutínio. Escolheu o título de *João*, que não fora título de nenhum papa por quinhentos anos. João, o amado discípulo de Jesus, o discípulo do amor, servia de inspiração ao papa João XXIII, e ele viveu ocupado em muitos atos de caridade. Teve um pontificado muito ativo, embora não muito longo, de 1958 a 1963, quando então, por motivo de falecimento, foi sucedido pelo papa Paulo VI.

O papa João XXIII precisava cuidar dos interesses de cinqüenta e três milhões de católicos romanos, da melhor maneira possível, por detrás da chamada Cortina de Ferro, ou seja, nos países comunistas. Católicos romanos estavam sendo perseguidos e mortos na China, e havia condições de radicalismo por toda a parte. Ele consternava-se diante da violência e dos sofrimentos provocados pelo homem. Por ocasião de seu primeiro programa radiofônico internacional, declarou: «Por que os recursos do engenho humano e da ira das nações deveriam cada vez mais ser canalizados para a preparação de armamentos—perniciosos instrumentos de morte e destruição—em vez de serem usados para melhoramento do bem-estar de todas as classes, particularmente das classes mais pobres?» Seus atos eclesiásticos incluíram o aumento do número de membros do colégio cardinalício de setenta para setenta e cinco, e a nomeação de vinte e três novos cardeais. No Natal de 1958 ele reviveu o costume (que não vinha sendo observado desde 1870) de visitar a prisão de Regina Coeli, e um dos hospitais da cidade de Roma. A 24 de dezembro de 1961, ele convocou um concílio

ecumênico que se reuniu com o título de Segundo Concílio Vaticano, em outubro de 1962. Esse concílio teria vastas conseqüências sobre a Igreja Católica Romana. Ele morreu de modo corajoso e exemplar a 3 de junho de 1963.

JOÃO XXIII (ANTIPAPA)

c. 1370-1419. Este nome foi adotado por **Baldassare** *Cossa*, antipapa cismático de 1410 a 1415. Promoveu o *Concílio de Pisa* (1408), para acabar com o grande cisma. Eleito papa pelos cardeais do concílio, defendeu Roma contra seu rival Gregório XII. Instado pelo Imperador Sigismundo, convocou o Concílio de Constança em que concordou abdicar, desde que seus dois rivais fizessem o mesmo. Como não cumpriu a promessa, o concílio depôs todos os três (1415). Cossa foi feito cardeal em 1419; morreu no mesmo ano.

JOÃO DA CRUZ (SANTO)

1. Informes Pessoais e Idéias

Suas datas foram 1543—1591. Ele foi um místico carmelita espanhol, do período da contra-reforma católica romana. É considerado um dos maiores escritores sobre o misticismo, de todos os tempos. Compartilha com Teresa de Ávila (vide) o papel de fundador das carmelitas descalças (vide), tendo sofrido ainda mais perseguições do que ela, por causa das idéias e reformas que idealizou. Seus livros, «A Noite Negra da Alma» e «Ascensão ao Monte Carmelo» encontram-se entre os maiores clássicos da literatura mística que o mundo já viu. Em contraste com outros escritores desse tipo de literatura, suas obras são sistemáticas. Exibem uma excelente poesia, posta ao serviço da expressão espiritual. Seu livro sobre *A Noite Negra da Alma* aborda a purgação que se faz necessária para que haja iluminação espiritual. O homem tem o dever de desembaraçar-se de todos os desejos, a fim de que o seu coração se abra para a iluminação divina, que por ele espera. O clímax desse processo é quando desce a noite sobre os sentidos e os desejos humanos, trazendo, finalmente, o alvorecer da luz divina. Depois disso, a alma nada mais cobiça; nada é capaz de cansá-la, quando ela é elevada, e nada é capaz de oprimi-la, mesmo que se sinta abatida, porque então a alma estará no centro de sua humilhação. Seu livro, *Ascensão ao Monte Carmelo*, contém uma explicação sobre a fé que João da Cruz equiparou a uma segunda noite. Em seguida, ele passa a discutir o progresso da meditação, até chegar à contemplação. Ato contínuo, ele expõe um extenso estudo sobre a natureza e o uso das visões e das experiências místicas.

Questões mais incidentais são o uso devocional de imagens de escultura, a ereção de oratórios, a celebração de festas religiosas, o abuso de formalidades religiosas e as qualidades de um sermão. Seus livros, *O Cântico Espiritual* e *A Chama Viva do Amor*, descrevem os mais altos vôos das experiências espirituais e da união com Deus de que a alma humana é capaz. Ele fala sobre um noivado espiritual entre essa alma e o Logos, o Filho de Deus. O segundo desses livros aborda especificamente o estado místico da união com o Ser divino.

2. Problemas na Interpretação das Idéias de João da Cruz

a. Seu austero ensino sobre o desinteresse diante das coisas deste mundo irrita algumas pessoas como se isso fosse uma perversão das experiências humanas normais. No entanto, o interesse (apego) que as

JOÃO DA CRUZ

pessoas têm nas coisas terrestres, ou nas pessoas mortais, deve ser interpretado como uma *ansiedade* em relação a elas. Se confiarmos o suficiente na vontade e bondade de Deus, então podemos nos desligar de tudo. Tendo nos desligado, podemos receber de volta todas as coisas, mas agora através da pessoa de Deus, e não de nós mesmos. Desse modo, chegamos a conhecer as pessoas e as coisas *por meio de Deus*, em vez de fazê-lo através de nós mesmos, o que apenas distorce a realidade e cria ansiedades. Temos aí uma profunda percepção, realmente. Se eu puder me desligar de um filho amado, então minha ansiedade sobre ele cessará. Se eu chegar a conhecer esse filho *por meio de Deus*, então ele me será restaurado de uma maneira mais alta e diferente.

b. *A absorção* nas experiências místicas. É típico da linguagem mística do Oriente ou do Ocidente, falar sobre a absorção da alma no Ser divino, tal como um rio deságua no mar, com a suposta perda de sua identidade pessoal. Algumas tradições místicas realmente ensinam essa doutrina. A grande pergunta é: O misticismo cristão ensina tal coisa, e João da Cruz, em particular, ensinava tal coisa? Aqueles que têm analisado os escritos de João supõem que ele evitou o panteísmo. Assim, há o amor conjugal, que envolve os dois cônjuges; mas, no entanto, eles continuam sendo duas entidades distintas. Também podemos considerar os raios do sol. Os raios são do sol; e, no entanto, formam uma entidade separada dele. O fogo queima no pedaço de lenha; mas o fogo e a lenha são duas entidades separadas. A lenha e as chamas estão intimamente ligadas entre si, mas continuam sendo entidades separadas. Alguns místicos sugerem que a alma assume um tipo de *existência comunal*, unida à família divina. Assim, a alma compartilharia da consciência coletiva; e assim também a vida mental e a vida espiritual estão unidas, embora aquela coletividade consista de indivíduos que a formam.

c. *A Realidade Totalmente Outra de João da Cruz*. Haveria duas maneiras de tomar conhecimento das coisas, que João da Cruz chamava de «conhecimento matutino» e «conhecimento vespertino». No conhecimento matutino, tomamos conhecimento do mundo por meio de Deus e sua luz. No conhecimento vespertino, chegamos a conhecer as coisas mediante nossos poderes de intelecção e intuição, sem a ajuda da luz divina. Quando salientamos o conhecimento matutino, podemos até falar em termos pejorativos sobre os poderes intelectuais humanos normais; mas isso é uma maneira de falar comparativa, e não absoluta. O verdadeiro misticismo, como é óbvio, não exibe qualquer tendência antiintelectual. No entanto, há indivíduos que são inimigos figadais do intelectualismo. Ver o artigo separado *Antiintelectualismo*. É ridícula a atitude de certas pessoas, amadoras no misticismo, cujas experiências místicas são dúbias ou preliminares, que fazem grandiloquentes declarações antiintelectuais, como se tivessem se tornado as únicas depositárias da sabedoria divina. Deus conferiu-nos o intelecto com um propósito, para servir de vigia que nos impeça de cair em muitos erros e exageros. Quando um místico autêntico passou da intelecção para a intuição, e daí para as experiências místicas, tendo encontrado em Deus uma expressão superior, no fim desse processo, então ele pode falar sobre a *debilidade* do intelecto humano. E então podemos dar-lhe ouvidos e podemos, finalmente, imitá-lo, em sua ascensão espiritual. O que representa um perigo é desistir de nossa intelectualidade antes de termos tido qualquer experiência mística autêntica. Portanto, aquilo que podemos aproveitar de pessoas altamente místicas, como João da Cruz, não podemos aproveitar de outras pessoas, cuja experiência seja superficial. Não desprezamos a inteligência humana; e nem a ignoramos. Antes, passamos pela inteligência humana e a ultrapassamos, em nossa ascensão espiritual e união com Deus.

3. O Uso do Misticismo. Platão garantia que o conhecimento aumenta quando passamos de um nível de conhecimento para outro. O mais baixo nível de conhecimento é o da *percepção dos sentidos*. Assim é que os animais tomam conhecimento das coisas, um método naturalmente também utilizado pelos seres humanos. Temos aí uma maneira prática mas distorcida de saber, que a ciência considera inexata, embora útil. O nível mais acima é o *racional* ou intelectual. Nessa esfera há aprimoramento do conhecimento, pelo menos no que se refere a certos itens do conhecimento humano. Podemos chegar a certas verdades éticas meramente através da razão, sem fazer qualquer experiência prática. O intelecto nos foi dado por Deus, e tem poderes de raciocínio que nos podem brindar certas verdades, sem qualquer necessidade de experimentação. Do nível intelectual podemos subir para o nível *intuitivo*. Temos aí um conhecimento imediato, sem a necessidade da mediação dos sentidos ou da razão. Assim como Deus sabe de tudo, sem qualquer necessidade de investigação, assim também o homem pode saber de certas coisas por esse método, porquanto a sua natureza é tal que o homem é uma *criatura conhecedora*. E, finalmente, chegamos ao conhecimento místico, na *contemplação*. Chegamos aí a perceber diretamente a verdade, sem a intervenção de qualquer faculdade humana. Essa é a mais elevada forma de conhecimento, porquanto resulta da união da alma com o Ser divino, mediante as operações do Espírito de Deus.

4. Meios do Desenvolvimento Espiritual

Esses meios consistem no **estudo** (uso do intelecto), o aprendizado de conceitos e como aplicar os mesmos. Está envolvido o estudo de livros sagrados e outras obras literárias que aumentam o nosso conhecimento. Outro meio é a oração, com sua irmã gêmea, a meditação. Na oração, pedimos, e, na meditação, ouvimos a voz divina. A meditação pode ser uma ajuda às experiências místicas. A santificação é um estribo necessário, para livrar-nos das influências prejudiciais da maldade e do pecado, que impedem muito eficazmente a nossa busca por Deus. Esse é um modo de desenvolvimento espiritual. Importantíssimo, também, é *viver a lei do amor*, por meio do qual agimos como Deus age, em sua benevolência universal. Cada vez que realizamos um ato benévolo, sem motivações ulteriores, a nossa espiritualidade se aprimora. Também há o concurso do *toque místico*, que é apenas um outro nome para a comunhão com o Ser divino. A meditação nos ajuda nesse particular, embora haja muitos tipos de experiências místicas, incluindo a possessão e o uso dos dons espirituais. Ver I Cor. 12—14:25, por exemplo. Esses dons podem e devem manifestar-se e ser usados de acordo com o padrão neotestamentário, embora também se possam manifestar de outros modos. Aqueles que têm recebido dons espirituais sabem, por experiência própria, o quanto o crente precisa mantê-los desimpedidos de mistificações humanas! As experiências não somente fortalecem a nossa espiritualidade, mas também aproximam-nos do Poder divino, onde se oculta toda a espiritualidade. O *misticismo* (ver artigo separado a respeito) aborda a questão do toque divino em nossas vidas. Precisamos desesperadamente desse toque divino, neste nosso mundo de materialismo, de dogmatismo e de falsa espiritualidade. Mas,

JOÃO — JOÃO DE SALISBURY

aquilo pelo que mais devemos anelar é pela *iluminação*, conferida pelo Espírito de Deus.

5. *Perseguições, Exílio e Canonização de João da Cruz*. João era homem dotado de muitas experiências espirituais e de grande piedade espiritual. A sua insistência quanto a reformas que outros não desejavam provocou a ira dos carmelitas não-reformados. João acabou detido por eles, embora tivesse conseguido escapar posteriormente. Foi privado de seus ofícios dentro da ordem carmelita, e faleceu em algum lugar remoto da Andaluzia, sem jamais ter sido reintegrado. No entanto, foi canonizado em 1726 e declarado doutor da Igreja, em 1926.

6. *Obras Publicadas*. Uma edição revisada de suas obras (em inglês) foi publicada em três volumes, em 1953, editada por E. Ellison Peers.

JOÃO DAMASCENO

1. *Sua Vida e sua Obra*

O nome dele, em latim, era *Johannes Damascenus*. Ele era de raça árabe. Foi um santo e doutor da Igreja oriental, e foi a maior figura religiosa de seus dias. Nasceu em Damasco, na Síria, em cerca de 675 D.C., e, provavelmente, faleceu em 749 D.C. Era filho de um cristão que ocupava um cargo governamental sob o califa sarraceno. Recebeu educação filosófica e teológica do monge italiano Cosmas. Tornou-se herdeiro da ocupação de seu pai, mas resignou a mesma quando ingressou no mosteiro de São Sabas, perto de Jerusalém. Foi ordenado padre. Compôs hinos magníficos, e tornou-se um dos principais compositores de hinos da Igreja oriental. Conforme diz a tradição, ele foi um dos contribuintes das obras litúrgicas da Igreja oriental, chamada de *Octoechus*. Essa obra inclui muitos hinos excelentes usados por aquela igreja. Sua obra principal intitula-se *Fonte do Conhecimento*. Trata-se de uma obra enciclopédica em três volumes. O terceiro volume é uma apresentação sistemática da fé ortodoxa oriental. Ver o artigo sobre *Ortodoxa Oriental, Igreja*. Essa obra informa-nos sobre as crenças dos pais da Igreja, sendo uma das nossas principais fontes informativas a esse respeito. Essa obra influenciou os labores e os conceitos dos escolásticos (vide) da Idade Média. João Damasceno era homem dotado de grande eloqüência, tendo recebido o apodo de *Chrysorrhoas* (fluxo de ouro).

2. *A Controvérsia Iconoclástica*. Entre seus livros, infelizmente, acham-se três tratados nos quais ele defendeu o uso pio de imagens de escultura, com propósitos devocionais. Seus argumentos filosóficos sutis foram utilizados no apoio ao uso de imagens na Igreja e, finalmente, a controvérsia iconoclástica pendeu em favor do emprego oficial de tais itens. Ver o artigo separado sobre *Iconoclasmo* (*Controvérsias Iconoclásticas*).

3. *Um Evangelho Mais Otimista*. Em seu livro, *Fonte do Conhecimento*, João Damasceno demonstrou que os primeiros pais da Igreja, e a grande maioria dos pais da Igreja Ortodoxa Oriental, criam no ministério de Cristo no hades, após a sua morte e antes de sua ressurreição, com a extensão da oportunidade de salvação naquela dimensão espiritual, que é um lugar de julgamento. A Igreja Ortodoxa Oriental nunca aceitou a idéia do fim da oportunidade de salvação da alma por ocasião da morte física. Nessa convicção, ela segue os ensinos dos primeiros pais gregos da Igreja. Quanto a um estudo completo sobre a questão, ver o artigo *Descida de Cristo ao Hades*.

4. *Definições Filosóficas*. As definições de João Damasceno sobre «ser», «substância», «acidente», «essência», «existência», «pessoa», «indivíduo», «natureza», e muitas outras questões, foram empregadas e refeitas pelos filósofos escolásticos, da Idade Média, especialmente nos séculos XII e XIII D.C. Sua sistematização da filosofia e da teologia foi empregada por Pedro Lombardo, em suas *Sentenças*. Uma obra de João Damasceno, *Sobre a Fé Ortodoxa*, foi usada por Tomás de Aquino.

5. *Canonização*. João Damasceno foi homem de grandes dotes intelectuais. Ele era um erudito com um conhecimento enciclopédico; também era homem de profunda religiosidade e influência religiosa. Em conseqüência, foi canonizado tanto pela Igreja Oriental quanto pela Igreja Ocidental.

JOÃO DE JANDUM

Suas datas foram 1286-1328. Ele nasceu em Jandum, na França, e educou-se em Paris. Tornou-se um dos filósofos liderantes de sua época, e ensinava na Universidade de Paris. Foi seguidor e intérprete de *Averróis* (vide). Suas obras escritas foram usadas por séculos, visto que Averróis foi um dos intérpretes de Aristóteles, e a filosofia aristotélica era o padrão usado pelos pensadores da época. Juntamente com Marsílio de Pádua (vide), João de Jandum escreveu a famosa obra *Defensor Pacis*, que foi condenada pelo papa, e que lhe causou sérios problemas políticos. Não obstante, Luís de Bavária, ao tornar-se imperador do Santo Império Romano, recompensou-o por seu apoio político, e nomeou-o bispo de Ferrara, na Itália. Seus principais escritos foram sobre a *Metafísica*, de Aristóteles; *Física; Sobre a Alma; De Caelo et Mundo* e *Parva Naturalia*.

JOÃO DE LA ROCHELLE

Suas datas foram 1190-1245. Ele foi um filósofo franciscano que ensinava na Universidade de Paris. Ele escreveu o primeiro e o terceiro livros de Alexandre de Hales (vide), a *Summa*, embora essas obras viessem a participar das obras atribuídas a este último. Os principais livros de João de La Rochelle foram: *Tratado sobre a Alma e as Virtudes; Sumário dos Vícios e Pecados; Sumário sobre os Dons; Sumário sobre a Alma*.

JOÃO DE MIRECOURT

Foi um monge cisterciano que viveu no século XIV. Escreveu um comentário nunca publicado sobre as Sentenças de Pedro Lombardo (vide), comentário esse condenado pela Universidade de Paris. Seguia Ockham na declaração de que as provas racionais sobre a existência de Deus não são válidas. Também ensinava o *voluntarismo* (vide), dizendo que o que é certo ou errado depende somente da vontade arbitrária de Deus, e não da avaliação do homem sobre essas coisas. Manifestava-se em favor de duas proposições auto-evidentes: 1. as proposições que dependem do fator da contradição; 2. as proposições que dependem das evidências internas. A crença na própria existência (contra o niilismo e contra o ceticismo radical) é tão forte quanto qualquer proposição. Trata-se de algo auto-evidente pertencendo à primeira categoria do conhecimento.

JOÃO DE SALISBURY

Suas datas foram 1115-1180. Nasceu em Salis-

JOÃO — JOÃO PAULO

bury, na Grã-Bretanha. Foi um filósofo inglês. Educou-se na França, sob os auspícios de Abelardo, Guilherme de Conches, e Gilberto de la Porreé. Ele é lembrado como um dos principais representantes da escola humanista de Chartres (vide). Foi secretário de Teobaldo, arcebispo de Canterbury, e continuou nessa obra, servindo a Tomás Becket, quando este se tornou arcebispo, em 1161. Realizou várias missões para ambos, e isso fê-lo entrar na política da época. Por algum tempo, precisou exilar-se na França, quando Henrique II e Tomás Becket estavam disputando, e ele mesmo falara demais. Becket acompanhou-o nesse exílio. Ambos retornaram à Inglaterra em 1170. Esteve presente por ocasião do assassinato de Tomás Becket. Em 1176, tornou-se bispo de Chartres, na França.

João de Salisbury foi um escritor excepcional, que moldava suas obras escritas segundo o estilo de Cícero (vide). Combinava um ceticismo controlado com a fé, no tocante às verdades centrais da fé, apoiadas na fé. Na sua controvérsia sobre os *universais* (vide), ele defendia o *conceptualismo* (vide). Em 1159, ele completou suas duas obras principais: *Policrático*, um tratado sobre o governo civil e eclesiástico, e suas interações; e *Metalógico*, que censura o escolasticismo e prevê uma pesquisa sobre a vida intelectual daquele período histórico. A primeira dessas duas obras, que é um tratado político, advoga a teoria das *duas espadas*, o poder civil e o poder eclesiástico, lado a lado. Ver uma completa exposição dessa idéia no artigo chamado *Duas Espadas, Doutrina das*. João de Salisbury também escreveu biografias sobre *Becket* (vide) e *Anselmo* (vide). Seus escritos fornecem-nos compreensão sobre a história do seu período. Suas obras coligidas foram publicadas em inglês, em cinco volumes, por J.A. Giles.

JOÃO DE SÃO TOMÁS

Foi um filósofo teólogo que atuou na Espanha. Nasceu em Lisboa, Portugal, em 1589. Educou-se em Coimbra e em Louvain, esta última na França. Ensinou em Alcalá de Hanres e em Alcalá, na Espanha. Foi um dos grandes comentadores de Tomás de Aquino, e a seu crédito diz-se que ele fez importante trabalho no desenvolvimento da lógica formal. Seus escritos principais foram: *Curso de Filosofia* e *Curso de Teologia*. Faleceu em 1647.

JOÃO DUNS SCOTUS Ver sobre **Duns Scotus**.

JOÃO MARCOS Ver **Marcos, João**.

JOÃO PAULO

Esse tem sido o título de dois papas, a saber.

1. *João Paulo I*. Suas datas foram 1912—1978. Seu nome de batismo era Albino Luciani. Era de origem humilde, mas foi subindo os degraus da hierarquia católica romana rapidamente. Serviu como *cardeal patriarca* de Veneza. Foi eleito sucessor do papa Paulo VI, que faleceu em agosto de 1978. Foi eleito papa a 26 de agosto de 1978. Todavia, seu pontificado foi dos mais breves de todos os papas, porquanto faleceu a 9 de setembro de 1978. Previsões diziam que ele teria um pontificado curto e, após sua morte, circularam rumores que especulavam que ele teria sido assassinado, embora as autoridades católicas romanas negassem tal coisa peremptoriamente. Aqueles que o conheciam, testificaram que ele era um homem humilde, simples e sempre alegre.

2. *João Paulo II*. Nasceu em 1920. É o atual papa da Igreja Católica Romana, ao tempo em que este artigo está sendo escrito e traduzido (agosto/setembro de 1987). É de origem polonesa. Assim, ele é o primeiro papa de origem não-italiana, desde o ano de 1522. Seu nome verdadeiro é Karol Josef Wojtyla. Foi cardeal de Cracóvia. Foi eleito papa a 16 de outubro de 1978, como sucessor do papa João Paulo I. É homem erudito, tendo obtido seu doutorado em filosofia. Sua tese foi acerca de Edmundo Husserl (vide). Ele tem escrito certo número de obras eruditas, e também uma novela, que o cinema está aproveitando. Sua vida tem estado envolvida na defesa dos direitos do povo polonês em face do comunismo. Tem mostrado ser um homem muito corajoso, em face de ameaças à sua segurança pessoal. Foi alvo de um atentado, aparentemente por causa de suas atividades anticomunistas. Deu ao mundo um esplêndido exemplo de perdão cristão, ao perdoar pessoalmente o homem que tentara matá-lo, não havendo qualquer razão para duvidarmos da sinceridade desse ato. Mais que qualquer outro papa dos tempos modernos, ele tem viajado muito em deveres pastorais, algo incomum para os intelectuais. Suas maneiras informais e sinceras têm ganho para ele a admiração de milhões de pessoas ao redor do globo, incluindo muitos não-católicos romanos e muitos não-cristãos. Tem tomado posição firme contra a chamada *teologia da libertação* (vide), encarando-a como uma corrupção social da fé cristã, que extrai a teologia da teologia, substituindo-a por idéias filosóficas-políticas e sociais que encorajam o conflito e o desassossego social. Sem dúvida, parte de sua missão tem sido a de fazer deter o avanço do comunismo no seio do catolicismo e no mundo. Contudo, sabemos, pelas predições bíblicas, e outras, que chegará, finalmente, o tempo maduro para o conflito de vida e morte entre o Oriente e o Ocidente, o que será uma das convulsões que abrirá caminho para o período do milênio no mundo.

A encíclica de João Paulo II, *Redemptor Hominis* (1979), tenta definir a missão da fé religiosa no mundo moderno, um mundo onde se fazem presentes muitas teorias e realidades conflitantes, no campo político e social. A ênfase dessa encíclica incide sobre a dignidade do indivíduo e os seus direitos, em um mundo onde imperam injustiças.

Necessidade Histórica do Ofício Papal:

A Igreja Ortodoxa Oriental reconhece o papa como o genuíno *bispo de Roma*, mas não como o Sumo Pontífice ou sumo sacerdote, o bispo de todos os bispos. Muitos grupos protestantes concordam com essa avaliação. Outros desses grupos, mais radicais, consideram o bispado de Roma, com suas pretensões de universalidade, uma pura perversão do governo eclesiástico. Porém, sem importar nossas atitudes acerca desse ponto, pode-se defender com sucesso *a necessidade histórica* do ofício papal, apesar dos abusos que se tenham imiscuído na questão. Os argumentos em favor dessa idéia são os seguintes:

1. A Igreja Católica Romana, durante mil anos de declínio e degradação na história da humanidade ocidental, foi a força que *preservou a civilização* latina e ocidental, como protetora das ciências e das artes, além de ser, para todos os efeitos práticos, a única instituição de ensino no Ocidente. O ofício papal proveu o poder centralizador que tornou possível essa tarefa. Embora os grupos protestantes louvem a pureza doutrinária superior de certos grupos dos movimentos reformadores, tais grupos nunca tiveram atuação que se comparasse com a da Igreja Católica Romana, naqueles campos referidos, mesmo porque passaram a existir em um período histórico em que tal

JOÃO PAULO — JOAQUIM

força não se fazia mais tão agudamente necessária, porquanto havia terminado a Idade Média, e a Europa se recompusera das invasões dos bárbaros e do estilhaçamento do império romano.

2. Papas individuais (apesar dos exemplos em contrário, entre eles) foram homens poderosos, dotados de coragem espiritual, homens de muitos empreendimentos, que deixaram suas marcas na história, evitando a perda total dos valores da civilização latina.

3. A tradição profética tem podido prever, com sucesso, a linha dos papas, com suas qualidades e defeitos específicos. Para que isso tenha acontecido, é apenas lógico pensarmos que o ofício papal fazia parte do plano geral de Deus para o mundo, a despeito de alguns abusos significantes que o sistema papal tem perpetrado. Todavia, isso está longe de reconhecer o papa como vigário ou substituto de Cristo, um dogma que precisou de séculos para desenvolver-se. E um outro papa será assassinado. De acordo com essas previsões, ele será o último da linhagem papal. De acordo com essas previsões, o ofício papal desaparecerá do cristianismo. E, então, o centro da Igreja voltará a Jerusalém, após a conversão de Israel. Naturalmente, quando chegamos a esse ponto, temos de dizer as coisas com extremo cuidado, porque aí já entramos no campo das predições proféticas propriamente bíblicas, que a teologia sistemática estuda sob o título de *Escatologia* (vide). Só o tempo poderá esclarecer se aquelas predições são autênticas ou se apresentam distorções tipicamente humanas. Há aqueles que asseguram que o último papa terá por título Pedro II. Aguardemos, pois, os acontecimentos futuros, com certa ansiedade! Até onde diz respeito ao papa João Paulo II, este autor não tem dúvida de que ele é o homem divinamente apontado para refrear, pelo menos em parte, o poder do comunismo, até que chegue o tempo para um conflito armado que resolva o impasse Oriente-Ocidente. A espiritualidade não obedece a organizações denominacionais!

Acontecimentos notáveis na vida de João Paulo II:

1. Nasceu em Wadovice, Cracóvia, na Polônia, a 18 de maio de 1920.

2. Foi ordenado sacerdote a 1° de novembro de 1946.

3. Foi eleito bispo de Ombi a 28 de setembro de 1958.

4. Designado arcebispo da Cracóvia a 13 de janeiro de 1964.

5. Designado cardeal católico romano a 26 de junho de 1967.

6. Eleito papa a 16 de outubro de 1978.

7. Solenemente entronizado a 22 de outubro de 1978. (DEL DLI)

JOÃO SCOTUS

Ver sobre **Erigena**.

JOAQUIM

No hebraico, «que Yahweh estabeleça». Há outras formas do mesmo nome, formas contraídas, como Jeconias e Conias. Ver esses nomes em I Crô. 3:16 *ss* e Jer. 22:24. Ele foi o décimo nono e penúltimo dos reis de Judá, filho de Jeoaquim. Ver o artigo separado sobre *Judá, Reino de*. Ver também sobre *Rei, Realeza*, que apresenta um gráfico comparativo dos reis de Israel e Judá, juntamente com monarcas contemporâneos dos poderes gentílicos.

1. O Nome. A raiz hebraica é **knn**, de onde se derivam vários nomes próprios, segundo se vê acima. A forma cananéia parece ter sido *yakin-el* (BASOR XCIX, 1945). Também há o nome acádico *Yaukin*, relacionado ao mesmo (BA, 52, 1942). É provável que Jeoaquim e suas variantes fossem nomes de coroa, isto é, de reis e linhagens reais. O nome encontra-se em tabletes de ração babilônica e em um selo de Eliaquim, mordomo de *Aukin* (*ywkn*, uma forma variante). Conias, uma forma abreviada de Jeconias, é usada por Jeremias (22:24; 37:1).

2. Cronologia. Joaquim reinou apenas por três meses e dez dias (II Crô. 36:9). Ele subiu ao trono por ocasião do falecimento de seu pai, e mostrou ter uma autoridade precária, em tempos perturbados (sua autoridade fora concedida pelos babilônios), tendo reinado até à captura de Jerusalém, que tem sido datada em 16 de março de 597 A.C., de acordo com as crônicas babilônicas. Esse evento deu início ao cativeiro babilônico, sobre o qual oferecemos um artigo detalhado, onde há detalhes concernentes ao pano de fundo em Judá e seu último rei. Joaquim faleceu em dezembro de 598 A.C.

3. Reinado. Quando seu pai foi morto, em cerca de 597 A.C., o rei da Babilônia permitiu que Joaquim o sucedesse. Na época, tinha apenas dezoito anos de idade (II Reis 24:8), embora o trecho de II Crônicas 36:9 diga que ele tinha apenas oito anos. (Mas nossa versão portuguesa diz «dezoito» anos em ambas essas passagens). Muitas tentativas têm sido feitas, pelos harmonizadores, para explicar essa discrepância. Talvez a melhor idéia apresentada é que ele reinou por dez anos em parceria com seu pai, pelo que, quando começou a «reinar» sozinho, tinha dezoito anos. Mesmo assim, é muito difícil explicar como um menino de oito anos teria sido co-regente com seu pai. O mais provável é que os «oito anos» de II Crônicas 36:8 seja em erro escribal, requerendo apenas a falta da letra hebraica *yodh* para mudar dezoito para oito. Uma outra discrepância do texto hebraico envolve o tempo da captura. Em II Reis 24:12, lemos que isso teve lugar durante o oitavo ano do reinado de Nabucodonosor. Mas, em Jeremias 52:28, isso teria acontecido no sétimo ano do reinado desse mesmo monarca babilônio. Essa pequena diferença pode ter surgido ou devido a uma maneira diferente de computar os anos de governo de Nabucodonosor, ou devido a um pequeno erro quanto às letras hebraicas, usadas para representar números.

Um outro problema é se Joaquim morreu ou não sem filhos, o que teria sido um julgamento divino proferido contra ele. Essa *falta de filhos* é compreendida por alguns como se isso quisesse dizer que não haveria quem o sucedesse no trono, pertencente à sua linhagem, e não que ele jamais tivesse gerado filhos. O trecho de I Crô. 3:17,18 mostra que ele tinha filhos, usando ali seu outro nome, *Jeconias*. Discrepâncias dessa natureza apenas têm a ver com a fé, e nem nos deveríamos atirar a frenéticas atividades para harmonizar coisas que, agora, não podemos mais harmonizar.

Ele governou apenas por três meses e dez dias (II Crô. 36:9; Josué, *Anti.* 6:9). Esse breve período é descrito em II Reis 24:8-16 e II Crô. 36:9. O trecho de Jer. 32:24-30 observa como, nesse breve período,

JOAQUIM — JOAQUIM DE FLORIS

Joaquim conseguiu praticar o que era mau aos olhos do Senhor, dando motivos morais para o juízo divino que não tardou a recair sobre ele. Josefo informa-nos de que Nabucodonosor, que havia nomeado Joaquim, mudou de parecer sobre a questão e voltou para tornar a cercar Jerusalém. E, então, levou aprisionados ao jovem rei, à sua mãe e a muitos seus compatriotas judeus. A crônica babilônica também narra a história, onde ficamos sabendo que a cidade teve sua queda final e absoluta a 16 de março de 597 A.C.

O jovem tio de Joaquim, Matenias, que recebeu o nome de Zedequias, foi nomeado para sucedê-lo (II Reis 24:17; Jer. 27:1). Porém, ele se tornou apenas governador do pouco que sobrara em Judá, pelo que tanto Jeremias quanto Ezequiel consideraram Joaquim como o último rei legítimo de Israel. Estritamente falando, o último rei de Judá foi Zedequias, embora tudo não tivesse passado de uma farsa. Não obstante, é verdade que houve uma outra invasão de tropas babilônias em seus dias, que desfechou o golpe final e fatal contra Judá.

Na Babilônia, Joaquim tornou-se um hóspede real, sustentado às custas da corte babilônica. Seu nome aparece com a forma de *Ya'u-kin*, nos registros babilônicos, que datam de 595—570 A.C. Ele tinha em sua companhia cinco filhos, aparentemente nascidos no cativeiro. Suas propriedades, em Judá, eram gerenciadas pelo mordomo Eliaquim. Quando Nabucodonosor morreu, as coisas melhoraram bastante para Joaquim. Pois ele foi tirado da prisão e deixado no palácio real da Babilônia (I Reis 25:27-30; Jer. 52:31-34). O benfeitor de Joaquim foi o próprio filho de Nabucodonosor, Evil-Merodaque. Ver o artigo separado sobre *Evil-Merodaque*. Não sabemos dizer por que razão Evil-Merodaque mostrou-se tão generoso. Os escritores rabínicos afiançam que Evil-Merodaque havia sido encarcerado por seu próprio pai, pelo que teve compaixão de um colega de prisão. Presumivelmente, Evil-Merodaque e Joaquim conheceram-se na prisão. Porém, não há como comprovar a veracidade dessa informação. Poderia ser mera criação dos rabinos, que buscavam uma razão para a generosidade de Evil-Merodaque.

4. A Arqueologia e Joaquim. Algumas descobertas notáveis ilustram a vida desse último rei de Judá. Perto do Portão de Istar, na cidade de Babilônia, foram encontrados cerca de trezentos tabletes de argila, com escrita cuneiforme (595—570 A.C.), descrevendo suprimentos de cevada, azeite e outros itens alimentares que foram dados a artesãos e operários cativos, que haviam sido deportados de outras partes para a Babilônia. O rei Joaquim, de Judá, é especificamente mencionado, com o nome de *Yaukin*, rei de *Yahud* (Judá). Cinco de seus filhos também são mencionados, juntamente com o governador ou auxiliar deles, chamado ali pelo nome de *Kenaiah*.

«Esses tabletes, descobertos por E.F. Weidner, apontam para o fato de que diversos dos filhos (do rei Joaquim) lhe nasceram antes de 592 A.C., e que o mais velho, Sealtiel, pai de Zorobabel, nasceu mais tarde, em cerca de 598 A.C., o que faz de Zorobabel, ao tempo da reconstrução do segundo templo (cerca de 520—516 A.C.), um tanto mais idoso do que geralmente se tem pensado» (UN).

Uma outra impressionante descoberta foi a de asas de jarras de barro, encontradas em Bete-Semes e Quiriate-Sefer (ver sobre *Debir*), com um antigo escrito fenício, com as palavras «pertencente a Eliaquim, mordomo de Yaukin». Parece que esse mordomo ficou encarregado das possessões de

Joaquim, em Jerusalém e nas imediações, na esperança de que, finalmente, fosse capaz de retornar à Terra Prometida. Zedequias, seu sobrinho, que se tornou rei em seu lugar, não confiscou essas propriedades, provavelmente na esperança de que as coisas pudessem voltar à normalidade. É possível que os babilônios o considerassem o legítimo rei de Judá, embora o retivessem na prisão. Nesse caso, Zedequias era reputado apenas um regente. Todavia, o profeta Jeremias não compartilhava de tais sentimentos. Pois afirmou que a posteridade de Jeconias (ou Joaquim) não haveria de reinar (Jer. 22:24-30).

JOAQUIM (NOS LIVROS APÓCRIFOS)

Nos livros apócrifos do Antigo Testamento são mencionados quatro homens com esse nome, que nunca figuram no cânon palestino dos livros sagrados, isto é, nos trinta e nove livros correntes do Antigo Testamento, a saber:

1. Um sumo sacerdote dos dias de Baruque (Baruque 1:7).

2. Um sumo sacerdote que vivia em Jerusalém, nos dias de Judite (Judite 4:6,7,14,15; 15:8). Ele veio saudar Judite, depois que esta matou Holofernes.

3. Um filho de Zorobabel, mencionado em I Esdras 5:5.

4. O marido de Susana (*Susana* 1:4,63).

JOAQUIM DE FLORIS

Suas datas foram 1145-1202. Foi um místico italiano. Nasceu em Celico. Foi abade do mosteiro de Corazzo. Fundou o mosteiro de San Giovanni, em Fiore, onde também serviu como abade. A ordem religiosa que ele fundou, a ordem de Floris, foi oficialmente aprovada pelo papa Inocente III, em 1204.

Fez uma peregrinação aos lugares santos do Oriente; e, ao voltar à Europa, retirou-se para o mosteiro cisterciense de Sambucina, onde deu início a um período de vida ascética. Entrou nessa ordem religiosa e tornou-se o superior de Corazzo, perto de Martirano, que pertencia ao mesmo. Durante esse tempo, foi aumentando o seu interesse pelo conhecimento e pelas experiências místicas.

Idéias:

1. Ele pensava em três períodos da história da humanidade: a era da lei (ou do Pai); a era do evangelho (ou do Filho); e a era do Espírito (ou do Espírito Santo). Ele pensava que essa terceira era havia começado em 1260. Provavelmente, essa idéia foi inspirada por suas próprias experiências, que ele considerava derramamentos do Espírito Santo, o que, segundo ele pensava, chegaria à plena fruição no tempo por ele especificado, embora ele mesmo não tivesse chegado a ver tal era, pessoalmente.

2. A terceira era, de acordo com sua doutrina, trazia a purificação da Igreja, com o triunfo mundial do monasticismo e da guarda do sábado para toda a humanidade. Suas expectações eram exageradas, e nunca se cumpriram. Suas predições fracassaram.

3. Suas idéias propalaram-se, e os franciscanos tornaram-se grandes entusiastas em defesa das mesmas, especialmente na Itália e na França. Alguns chegaram mesmo a supor que os franciscanos seriam os arautos da nova era. Porém, um concílio efetuado em Arles, na França, em 1260, condenou a idéia inteira, juntamente com os escritos e os seguidores de Joaquim de Floris, embora ele mesmo não tivesse sido condenado.

JOARIBE — JOATÃO

4. Não obstante, Joaquim de Floris deixou a sua marca. Dante pintou-o como quem conseguira um lugar no paraíso. (AM E P)

JOARIBE

Um antepassado de Matatias (I Macabeus 2:1; 14:29). Essa família é mencionada pela primeira vez na época de Davi (I Crô. 24:7), com a forma de Jeoiaribe. Era uma família sacerdotal, que constituía o primeiro dos vinte e quatro turnos sacerdotais.

JOÁS

Alguns estudiosos pensam que a palavra hebraica é a contração de *Jehoash*, nome esse que significa «dado por Yahweh». Mas outros encontram uma raiz árabe para o nome, com o sentido de «dar», ou uma raiz assíria, com o significado de «força». Albright, por sua vez, defendia a raiz ugarítica *'usn*, sinônimo de *ytnt*, «presente», tendo proposto o sentido do nome como «que o Senhor dê». Esse foi o nome de várias personagens do Antigo Testamento:

1. *O filho de Acazias* e que foi o oitavo rei de Judá. Ele começou a reinar em 878 A.C., com a idade de sete anos, e reinou durante quarenta e um anos.

a. *Salvo da Morte na Infância*. Atalia usurpou o trono por seis anos. Ainda infante, Joás foi salvo do massacre que varreu a família real, mediante um ato corajoso de Jeoseba, esposa do sacerdote Joiada. Joás foi ocultado na casa dela, onde foi criado (II Reis 11:1-3). Atalia, após a morte de seu filho, Acazias, promoveu o massacre; e somente a intervenção divina não permitiu que ela obtivesse sucesso completo.

b. *Posto no Trono*. As coisas foram feitas de modo secreto e habilidoso. Atalia, que era avó de Joás, não tinha consciência da conspiração. Pessoas importantes bandearam-se para a causa de Joás. Ele era o único membro sobrevivente da linhagem real de Davi. Joás foi levado ao átrio do templo no dia marcado e, então, foi ungido e coroado rei. Houve grande entusiasmo popular, e gritos de «Viva o rei». O incidente tomou Atalia inteiramente de surpresa. — Ela foi levada ao templo e executada. Isso teve lugar em 837 A.C., quando Joás tinha apenas sete anos de idade. Ver o relato todo em II Crô. 23.

c. *Reformas Iniciais*. O trecho de II Crô. 23:16 *ss*, mostra-nos que Joás começou bem a sua carreira, sem dúvida por causa da influência e liderança de Joiada, o sumo sacerdote. Os altares de Baal foram derrubados e foi estabelecido um novo pacto com Yahweh. O trecho de II Crô. 24:2 afirma especificamente que Joás agiu direito enquanto Joiada viveu. Foram restaurados o templo do Senhor e as instituições religiosas da nação. Joiada faleceu com a idade de cento e trinta anos e teve um sepultamento solenemente honroso.

d. *Apostasia*. As coisas pioraram rapidamente, na vida e na atuação de Joás, após o falecimento de Joiada. A idolatria foi restaurada. Zacarias, filho de Joiada, que atuava como sumo sacerdote, protestou e foi executado. O mais incrível é que isso foi feito por ordem do rei (II Crô. 24:21). Zacarias, em face da morte, pronunciou uma maldição divina sobre o rei, maldição essa que mostrou ser fatal para o rei.

e. *Dificuldades, Juízo Divino e Morte*. O reinado de Joás prolongou-se por quarenta e um anos (835—796 A.C.). Não foi um governo distinguido, e foi maculado por muitos erros e dificuldades. Seu reino foi devastado pelos sírios, nos dias de Hazael. Seus exércitos foram dizimados por um inimigo muito inferior em número. Joás só conseguiu impedir a destruição de Jerusalém entregando os tesouros do templo aos sírios. Finalmente, Joás foi assassinado, por um de seus próprios oficiais. Seu corpo não foi sepultado nos túmulos reais, embora Joiada tivesse sido sepultado naquele cemitério. Joás, juntamente com Acazias e Amazias, são omitidos na genealogia de Jesus, em Mat. 1:8.

2. *O Filho e Sucessor de Jeoacaz*, no trono de Israel. Esse Joás foi o décimo segundo monarca do reino do norte, Israel. Ele foi o terceiro rei da dinastia de Jeú. Reinou durante dezesseis anos, a partir do trigésimo sétimo ano de Joás, de Judá, até o décimo quinto ano de Amazias (II Reis 13:10-19,25; 14:8-16,23). Ele seguiu o exemplo negativo de seus antecessores, pois manteve a adoração aos bezerros de ouro. Apesar disso, houve algumas coisas boas, feitas por ele. A condenação de seu reinado, segundo está registrado em II Reis 13:11, aparentemente, refere-se à primeira metade de seu governo. Um longo conflito com a Síria quase levou Israel, o reino do norte, ao fim. Porém, logo depois, a maré começou a virar em favor de Israel, principalmente porque os assírios estavam atacando e debilitando a Síria. Nesse conflito, o profeta Elias dava sua ajuda e seu encorajamento constantes. Joás também precisou guerrear contra Amazias, de Judá, o que fez com relutância, embora com sucesso. Joás capturou e assolou Jerusalém, tendo levado reféns para garantir o bom comportamento do rei de Judá. Também levou muitas riquezas da cidade. Todavia, Joás não viveu por muito mais tempo, depois disso. Morreu em paz e foi sepultado em Samaria, conforme o registro de II Reis 13:9-25 e 14:1-17. Jeroboão II (vide) foi o seu sucessor.

3. *O Pai de Gideão*. Joás, pai daquele juiz, foi um homem idólatra, talvez porque quisesse obter o apoio da parte do povo, durante a ocupação midianita. Ele dedicou um altar a Baal (Juí. 6:11,29-31; 7:14; 8:13,29,32). No entanto, protegeu seu filho, Gideão, daqueles que desejavam vingar-se deste, por haver derrubado os altares de Baal. Joás foi sepultado em Ofra, onde residia (Juí. 8:29-32).

4. Um «filho» mais novo de Acabe, que já ocupava uma jurisdição subordinada ou, então, foi nomeado governador, enquanto seu pai desfechava um ataque contra Ramote-Gileade (I Reis 22:26; II Crô. 28:25). Alguns intérpretes pensam que a palavra «filho», que aparece na primeira dessas referências, não deve ser interpretada literalmente. Estaria em pauta um jovem da linhagem real, embora não filho biológico de Acabe. Seja como for, Joás aprisionou a Micaías, o profeta, por haver o homem de Deus denunciado uma expedição conjunta contra Ramote-Gileade. Isso aconteceu por volta de 853 A.C.

5. Um descendente de Selá, filho de Judá (I Crô. 4:22). Ele é mencionado entre aqueles que dominaram Moabe.

6. Um filho de Semaa. Ele era benjamita e um dos guerreiros que se aliaram a Davi, em Ziclague, quando Davi fugia de Saul (I Crô. 12:3). Viveu em torno de 1030 A.C.

7. Um dos oficiais de Davi, encarregado dos armazéns de azeite e de outros produtos de Davi (I Crô. 27:28). Ele continuou a ocupar tal ofício nos dias de Salomão. Viveu por volta de 1000 A.C.

8. Um filho de Bequer, e chefe de um clã de Benjamim, nos dias de Davi (I Crô. 7:8). Viveu em torno de 1020 A.C.

JOATÃO

O filho de Uzias, conforme o registro da genealogia. de Mateus, em Mat. 1:9. Ver também sobre *Jotão*.

JOBABE — JOEL

Esse nome significa «Yahweh é reto». Viveu por volta de 785 A.C.

JOBABE

No hebraico, «uivar», «clamar», «toque de trombeta». Esse foi o nome de várias personagens do Antigo Testamento, a saber:

1. O filho caçula de Joctã (Gên. 10:29; I Crô. 1:23). Os estudiosos não têm conseguido localizar sua tribo, sendo mesmo possível que nenhuma tribo tenha se originado dele. Outros filhos de Joctã deixaram tribos no sul da Arábia.

2. Um dos reis de Edom (Gên. 36:33,34; I Crô. 1:44,45). Ele era filho de Zerá, de Bosra, e residia ali, e é o segundo monarca da lista daqueles reis.

3. Um dos reis nortistas (ou chefes de tribo) que governavam sobre Madom. Josué o derrotou, de acordo com Jos. 11:1. Ele viveu em torno de 1400 A.C.

4. Um benjamita, chefe de clã, o primeiro dos filhos de Seraim a ser chamado por nome. Sua mãe era Hodes (I Crô. 8:9).

5. Um filho de Elpaal, um benjamita que residia em Jerusalém (I Crô. 8:18). Viveu em cerca de 588 A.C.

JOCDEÃO

No hebraico, «queima do povo». Esse era o nome de uma cidade da região montanhosa de Judá (Jos. 15:56). Aparece juntamente com os nomes de Maom, Carmelo e Zife, e é chamada de *Jorqueão*, em I Crô. 2:44. Tem sido tentativamente identificada com Khirbet Raqa' ao sul de Hebrom.

JOCMEÃO

No hebraico, «o povo erguer-se-á». Nome de uma cidade do território de Efraim, e que, finalmente, ficou como possessão dos levitas da família de Coate (I Crô. 6:68). No trecho paralelo de Jos. 21:22, essa mesma cidade aparece com o nome de *Quibzaim* (vide). Ao que parece, devido à sua menção em I Reis 4:12, ela ficava situada no vale do rio Jordão, na fronteira leste do território de Efraim.

JOCNEÃO Ver **Jocmeão**.

JOCNEÃO

No hebraico, «o povo será lamentado». Era uma cidade da tribo de Zebulom, que foi dada aos levitas da família de Merari (Jos. 19:11; 21:34). Em Jos. 12:22 aparece com o nome de *Jocneão do Carmelo*, por causa de sua proximidade daquela região. Na lista das cidades, nas passagens acima mencionadas, provavelmente estão incluídas as principais cidades que participaram na guerra como aliadas de Hazor contra Israel. Jocneão tem sido identificada com o moderno *Tell Quinum*. No hebraico, esse cômoro chama-se *Tel Yoqneam*. Jocneão era uma das praças fortes que guardavam as rotas que atravessavam o Carmelo. Ficava em um dos desvios da principal estrada comercial que corria na direção norte-sul (via Maris). Esse desvio ia desde Megido até à planície de Aco. Jocneão aparece no centésimo décimo terceiro lugar na lista de cento e dezenove cidades que Tutmés III, do Egito, capturou. Napoleão usou a rota que as forças de Tutmés III haviam seguido, em sua marcha contra Acre.

JOCSÃ

No hebraico, «armador de cilada» ou «passarinheiro». Esse era o nome do segundo filho de Abraão e Quetura. Seus filhos, Seba e Dedã, ao que tudo indica, foram os antepassados dos sabeus e dedanitas, que habitavam em certa região da Arábia Feliz (Gên. 25:2,3; I Crô. 1:32). Alguns estudiosos pensam que esse nome deve ser identificado com o *Joctã* de Gên. 10:25,26. Ver sobre *Joctã*.

JOCTÃ

No hebraico, «pequeno». Esse foi o nome do segundo filho de Sem (Gên. 10:25,26,29; I Crô. 1:19). Supõe-se que foi o progenitor de treze tribos do sul da Arábia. Os árabes chamam-no de Catã, reconhecendo-o como um dos patriarcas de sua raça. Traços dos nomes de seus filhos podem ser encontrados em vários lugares da Arábia. As tribos árabes originais viviam sem se misturar com outros povos até que Ismael, filho de Abraão e Hagar, com os filhos dele, também se estabeleceram ali. Houve então a miscigenação, e os povos daí resultantes são conhecidos como mos-árabes ou mostae-árabes, isto é, «árabes mistos».

JOCTEEL

No hebraico, «veneração a Deus». Esse é o nome de duas cidades mencionadas no Antigo Testamento:

1. O rei Amazias deu esse nome à cidade de Petra, ou Sela, capital da Arábia Petrea, quando ele a tomou dos idumeus (II Reis 14:7; II Crô. 25:11-13).

2. No território de Judá havia uma cidade desse nome (Jos. 15:38). Ficava localizada entre Mispa e Laquis. O local exato da mesma é desconhecido atualmente.

JODÁ

Variante do nome «Judá», que significa «louvor», e que, em nossa versão portuguesa, aparece somente em Lucas 3:26,27 como um homem que foi um dos ancestrais de Jesus.

No livro apócrifo de I Esdras 5:58, há menção a um Jodá, filho de Iladum, chefe de uma família levita, após o retorno dos judeus do cativeiro babilônico. Em Esdr. 3:9 ele é chamado «Judá». Em Esd. 2:40 ele é chamado Hodavias, e, em Nee. 7:43, de Hodeva.

Um filho de Josué, filho de Josadaque, segundo I Esdras 9:19. Em Esd. 10:18 ele é chamado Gedalias (vide).

JOEDE

No hebraico, «Yahweh é testemunha». Nome de um homem da tribo de Benjamim, que vivia em Jerusalém, nos dias de Neemias, após o retorno dos judeus do exílio babilônico. Ver Nee. 11:7. Seu nome não aparece na lista paralela de I Crô. 9:7. Ele viveu em torno de 520 A.C.

JOEL (LIVRO DE)

Quanto ao significado do nome **Joel**, ver o artigo **Joel (Não o Profeta)**, na Introdução.

Esboço:

I. Caracterização Geral

II. Joel e a Autoria do Livro de Joel

III. Data

IV. Pano de Fundo Histórico e Propósitos

V. Alguns Pontos Teológicos Distintos do Livro

JOEL

VI. Esboço do Conteúdo
Bibliografia

I. Caracterização Geral

Joel foi um profeta do reino de Judá, que alguns têm pensado ter agido em cerca de 800 A.C., enquanto que outros pensam que ele é dos tempos pós-exílicos. Mas, apesar de suas profecias terem sido escritas especificamente ao reino do sul, Judá, a sua mensagem é universal. Se aceitarmos a data mais antiga, então o seu ministério teve lugar durante o reinado de Joás (II Crô. 22—24). Assim sendo, é possível que tenha conhecido Elias, quando ainda era menino e por certo era contemporâneo de Eliseu. Joel escreveu uma obra-prima poética, falando sobre a devastadora praga de gafanhotos, que havia assolado a Palestina. Todavia, seu poema profético envolve quatro mensagens centrais. Além da espantosa devastação produzida pelos gafanhotos (símbolo da ira divina, além de poder predizer outros juízos divinos), Joel também falou sobre a frutificação renovada da terra, sob a condição de arrependimento; o dom do Espírito, nos últimos dias; e o julgamento final das nações que tenham perseguido ou feito dano à nação de Israel. Os estudiosos conservadores vêem sentidos escatológicos ainda mais profundos em seus escritos, afirmando que eles se aplicam ao final da nossa dispensação. De fato, o esquema profético de Joel é o mais completo do Antigo Testamento, embora apresente-nos esse esquema em largas pinceladas. Só o Novo Testamento vai mais longe, na abrangência de sua visão. Naturalmente, em um livro pequeno como o de Joel, não há detalhes. Os demais livros proféticos se encarregam de preencher esses detalhes. Não foi à toa que Pedro, no primeiro sermão da Igreja cristã, tenha citado diretamente somente a Joel e a Davi! Ver Atos 2:14-36.

Alguns eruditos supõem que o livro de Joel não foi escrito somente por um autor, e dizem que houve uma série de suplementos, da parte de outros autores, que seriam nacionalistas e escatologistas militantes. Esses pensam que tudo o que se lê de Joel 3:1 em diante é suplementar. Além disso, teria havido um editor jeovista (alguém que favorecia o uso do nome divino Yahweh), que fez alguns acréscimos nos caps. 1 e 2, procurando converter a descrição da praga de gafanhotos em uma profecia sobre o dia do juízo divino. Nesse caso, originalmente Joel teria narrado, com grande brilhantismo, a praga de gafanhotos, que havia devastado campos, pomares e vinhedos, além de haver convocado o povo de Judá ao jejum e à oração, para que a devastação dos insetos terminasse. Finalmente, Joel teria registrado o livramento que se teria seguido, mediante ações de graças. Usualmente, quando os eruditos vêem a mão de vários autores em um livro, mormente se o mesmo é pequeno, como o de Joel, eles se estribam sobre meras razões subjetivas, escudando-se naquilo que este ou aquele supõe que o autor sagrado deve ter escrito. E os argumentos contrários são igualmente subjetivos, de tal modo que quase sempre esses debates são inócuos, e não levam a nada. Os eruditos conservadores, como é natural, não gostam de ver os livros da Bíblia perturbados e manipulados, quase como se isso fosse contrário a divina inspiração. Os estudiosos liberais, por sua vez, em seu afã por sondar, examinar e entender pequenos detalhes, quase sempre se acham capazes de encontrar mais de um autor em uma obra escrita qualquer. Mas, se houve mesmo um só ou mais de um autor, em qualquer livro da Bíblia, isso nada tem a ver com a sua espiritualidade, e só deveria tornar-se uma questão de debate se isso puder aprimorar o nosso conhecimento acerca das qualidades históricas e literárias da obra em discussão.

Na lista dos doze profetas menores, segundo o cânon hebreu, Joel aparece em segundo lugar; mas, na Septuaginta (vide), aparece em quarto lugar. O texto massorético exibe os quatro capítulos tradicionais; mas as versões da Septuaginta trazem três, combinando os capítulos 2 e 3 em 2:1-27,28-32. A Vulgata Latina também segue esse arranjo.

A profecia de Joel parte da praga de gafanhotos, agravada por seca e fome subseqüentes. Essa praga se assemelhava a um exército devastador, que atravessou, marchando a região inteira da Palestina. Isso levou o profeta a meditar em termos mais amplos, sobre o juízo divino vindouro. Alguns estudiosos vêem nisso uma predição sobre os cativeiros assírio e babilônico; e, além disso, um quadro escatológico sobre o futuro Dia do Senhor. Tal juízo requer arrependimento da parte dos homens, pelo que lemos: «Rasgai o vosso coração, e não as vossas vestes, e convertei-vos...» (2:13), o que aponta para um autêntico arrependimento, e não para um mero cerimonial religioso. A lamentação também é requerida (1:14; 2:15). Os sacerdotes deveriam tomar a liderança, conclamando o povo ao arrependimento e à retidão de vida; porém, somente uma conversão genuína será capaz de salvar, no dia da tribulação (2:12-17). Deus é misericordioso com os penitentes (2:14).

O estilo de Joel é dramático, e prende a atenção do leitor. Os processos da natureza, bem como aqueles provocados pelos homens, estão sob o controle de Deus, de tal modo que, em todas as vicissitudes da vida, a nossa responsabilidade primária é diante de Deus. O juízo divino não consiste em mera vingança. Antes, é um meio de produzir o bem, visando especificamente esse bem, embora precise preencher o seu ofício retributivo. A salvação é prometida aos humildes e aos arrependidos. É interessante observarmos que Pedro, ao empregar as predições de Joel, convocou o povo judeu a arrepender-se.

Se procurarmos por duas contribuições distintivas desse livro, então poderemos apontar para sua ênfase sobre o Dia do Senhor e sobre o derramamento do Espírito Santo sobre todo o povo de Deus. O Novo Testamento ensina-nos que o cumprimento primário dessas predições teve lugar no dia de Pentecoste (vide), dez dias após a ascensão do Senhor Jesus, conforme se vê no segundo capítulo do livro de Atos. Mas, o cumprimento maior espera pelo próprio Dia do Senhor (vide), aquela série de acontecimentos que culminará com o segundo advento de Cristo e a instalação do reino milenar de nosso Senhor, Jesus Cristo.

II. Joel e a Autoria do Livro de Joel

1. *Joel*. Praticamente nada conhecemos a respeito de Joel, e as próprias tradições não nos ajudam muito. Sabemos que ele atuou como profeta no reino do sul, Judá, e que seu livro era alistado como o segundo dos profetas menores. O nome de seu pai era Petuel (Joel 1:1; Atos 2:16). Ele vivia em Judá, talvez em Jerusalém. A data de seu ministério é disputada. Alguns situam-no tão cedo quanto 800 A.C., pelo que ele seria contemporâneo do rei Uzias e de profetas como Amós e Isaías. Talvez até tenha conhecido Elias e Eliseu. A obscuridade de Joel tem mesmo feito alguns eruditos opinarem que sua realidade histórica é duvidosa.

2. *Autoria*. Temos aqui um problema de integridade. Em outras palavras, uma pessoa só escreveu o livro inteiro, ou, em sua forma presente, o livro é uma compilação? Isso é melhor tratado na primeira seção, *Caracterização Geral*.

JOEL

III. Data

As datas atribuídas ao livro de Joel variam muito. Alguns situam-no pouco depois da divisão de Israel em dois reinos: Israel e Judá, ou seja, algum tempo depois de 932 A.C. Outros pensam que Joel escreveu nos tempos de Malaquias, em cerca de 400 A.C., ou mesmo mais tarde que isso. Se a praga de gafanhotos teve por intuito advertir, metaforicamente, sobre as invasões assíria e babilônica, com os subseqüentes dois cativeiros, então o livro é de origem pré-exílica, talvez nos dias de Joás, rei de Judá, que reinou em cerca de 835—832 A.C.

Argumentos em Favor da Data mais Antiga:

1. O estilo e a atitude geral do livro são diferentes dos livros de Ageu. Zacarias e Malaquias, profetas pós-exílicos. Sua linguagem e estilo pertencem mais ao período da literatura clássica dos hebreus.

2. Joel parece paralelo ao livro de Amós, e este último parece ter feito uso de certas idéias de Joel, como Joel 3:16 (em Amós 1:2) e Joel 3:18 (em Amós 9:13).

3. Os adversários de Israel, no livro de Joel, são os fenícios, os filisteus, os egípcios e os idumeus (3:4), e não os assírios e babilônios, que assediaram Israel e Judá bem mais tarde.

4. A posição de Joel, como o segundo livro da lista dos profetas menores (embora quarto na Septuaginta), indica uma data mais antiga do livro.

5. Joel 1:1—2:7 é similar às profecias de Jeremias, sobretudo as de Isaías (4:2,3).

6. Joel não faz qualquer alusão aos assírios e babilônios, o que parece inconcebível, se ele tivesse vivido quando essas potências se estavam levantando, ameaçadoras. Se o cativeiro assírio e o cativeiro babilônico já tivessem ocorrido, é difícil imaginar por que ele não teceu qualquer comentário sobre os mesmos. E, se certos trechos de Joel, de acordo com alguns, seriam referências a esses cativeiros, então deve-se responder que são trechos proféticos preditivos e não históricos, tal como Osé. 6:11 e Miq. 1:16.

Argumentos em Favor da Data mais Recente:

1. Joel 3:1 é uma clara referência ao cativeiro babilônico, se partirmos da idéia de que temos aí um informe histórico, e não uma profecia preditiva.

2. Os eruditos acham mais de vinte paralelos literários com os profetas posteriores, como Malaquias e Obadias, contradizendo os pontos dois e cinco, acima. As fontes informativas que temos investigado não alistam esses alegados paralelos; porém, devemos supor que são satisfatórios, para alguns estudiosos, como evidências. Todavia, isso enfraquece bastante o argumento, podendo até mesmo invalidá-lo.

3. A descrição de Joel sobre a adoração religiosa parece refletir um país unido, e não dividido, e isso situaria o livro, quanto ao tempo, após o retorno de Judá do cativeiro babilônico. Não há alusões à adoração idólatra nos lugares altos, etc., o que fez parte importante da história de Judá, antes do cativeiro. Nenhuma menção é feita ao reino do norte, provavelmente porque o mesmo não mais existia. Judá, agora, era Israel, as circunstâncias que prevaleciam após o exílio babilônico, e o retorno de Judá transparecem no fato de que «Judá» e «Israel» são nomes usados como sinônimos (2:27; 3:2,16,20).

4. A expressão de Joel, «opróbrio, para que as nações façam escárnio dele» (2:17,19), é uma expressão típica dos tempos pós-exílicos.

5. Os «muros» referidos em 2:9 talvez sejam as muralhas restauradas por Neemias, em Jerusalém, em 444 A.C.

6. Os gregos são mencionados, mas não como o poder mundial dominante (3:6). Esse predomínio grego só ocorreu após Alexandre, o Grande (336—323 A.C.).

7. Sidom ainda haveria de ser julgada (3:4); mas isso não aconteceu senão quando Artaxerxes III realizou o julgamento, vendendo os sidônios à escravidão, em cerca de 345 A.C.

8. Várias palavras hebraicas são de uso tardio, como «ministros» (1:9,13; 2:17); «lanças» (2:8); «vanguarda» e «retaguarda» (2:20); e o pronome pessoal «eu», que Joel dá como *ani*, mas que o hebraico mais antigo dizia *anoki*. Ver 2:27; 3:10,17.

9. A ênfase escatológica é similar àquela dos profetas posteriores, isto é, Ezequiel, Sofonias, Zacarias e Malaquias.

Datas Anteriores e Posteriores:

Alguns estudiosos supõem que a porção original do livro de Joel reflete o período pré-exílico (1:1—2:27), mas que o resto do livro é de origem pós-exílica. Essa teoria poderia explicar os vários argumentos que defendem as datas anteriores e posteriores para o livro.

Na verdade, não há como solucionar o problema da data do livro de Joel; e nem a ausência dessa informação prejudica, em qualquer sentido, a tremenda mensagem divina que esse livro nos oferece.

IV. Pano de Fundo Histórico e Propósitos

A grande praga de gafanhotos e o julgamento divino, ou dia do juízo, simbolizado por aquela praga, foram o que deu origem a esse livro. Grandes pragas de gafanhotos tinham lugar periodicamente, no Oriente Próximo, até onde a história é capaz de registrar, pelo que é impossível identificarmos qualquer praga particular como aquela mencionada por Joel. Se esse livro foi escrito em tempos pré-exílicos, em antecipação ao castigo das nações de Israel e de Judá, pelos assírios e babilônios, respectivamente, então esse foi um dos motivos da escrita do livro. O motivo imediato dos oráculos de Joel foi o incidente da severa praga de gafanhotos. Todavia, uma coisa não podemos esquecer é que Joel antevia um julgamento divino final, no dia do Senhor. E alguns eruditos têm vinculado as profecias de Joel ao Armagedom (vide), através da invasão da Palestina por parte de potências gentílicas do norte (Joel 2:1-10). A destruição desses exércitos invasores aparece em Joel 2:11. O arrependimento da nação de Israel, no fim, é visto em Joel 2:12-17. Também há menção à infusão ou derramamento do Espírito, em bases mundiais, em Joel 2:12-17, nos *últimos dias* (o que para nós ainda parece futuro). Todavia, devemos entender que, para Pedro, o início do cristianismo já marcava os «últimos dias» (ver Atos 2:16,17). O retorno do Senhor Jesus ao mundo (a *parousia*; vide) é visto em Joel 2:30-32, e o recolhimento do disperso povo de Israel, em sua própria terra, em Joel 3:1-16. Em seguida, aparecem as bênçãos do reino milenar (Joel 3:17-21). Quanto desses informes são realmente proféticos, e quanto os cristãos têm lido nessas predições, terá de continuar sendo motivo de debates, até que os acontecimentos preditos realmente aconteçam. Naturalmente, o livro faz do arrependimento a condição *sine qua non* para alguém estar espiritualmente preparado para aqueles momentosos acontecimentos finais.

V. Alguns Pontos Teológicos Distintos do Livro

1. Se admitirmos que o livro de Joel contém predições sobre os últimos dias desta dispensação, então a mensagem do mesmo é crucial para que possamos formar um completo esquema escatológico.

JOEL — JOEL (NÃO O PROFETA)

«É notável que Joel, tendo surgido no começo mesmo da profecia escrita (836 A.C.), seja o livro que nos confere a visão mais completa da consumação de toda a profecia escrita» (SCO, *in loc.*). As observações feitas por Joel, naturalmente, dependem, em grande parte, da data em que o livro foi composto e, em segundo lugar, da aplicação correta das predições em questão. Se Joel só falava sobre uma praga de gafanhotos e sobre a necessidade de Israel se arrepender, em face dessa praga, então o livro é ridiculamente destituído de importância!

2. A posição exclusiva dada à nação de Israel, na economia divina, é muito enfatizada. Joel afunila ainda mais o esboço de sua atenção: somente um remanescente, dentro do povo de Israel, é que será salvo, e não a casa inteira de Israel (2:32). Naturalmente, essa visão é menos abrangente que a de uma restauração universal de todas as coisas, como a que se vê em Atos 3:20,21 e Efé. 1:9,10. Joel vai até onde Paulo também foi (ver Rom. 11:26), pois ambos acreditavam na conversão final de todos os escolhidos dentre o povo de Israel.

3. O derramamento universal do Espírito Santo aparece em Joel 2:28,29. Os cristãos primitivos aplicavam isso ao Pentecoste e seus resultados, conforme se vê em Atos 2:16 *ss*. Mas, não exclusivamente a isso, porque o resto do Novo Testamento prevê um derramamento muito maior e cabal do Espírito Santo, durante o período da grande Tribulação, com uma colheita de almas inigualável em toda a história do mundo: «Depois destas coisas vi, e eis grande multidão, que ninguém podia enumerar, de todas as nações, tribos, povos e línguas, em pé diante do trono e diante do Cordeiro, vestidos de vestiduras brancas, com palmas nas mãos; e clamavam em grande voz, dizendo: Ao nosso Deus que se assenta no trono, e ao Cordeiro, pertence a salvação» (Apo. 7:9,10).

4. Uma figura messiânica toda importante não figura no livro de Joel.

5. Joel via claramente como o propósito e as obras de Deus acompanham e influenciam os processos históricos no mundo, uma visão teísta, em contraste com a posição do deísmo. Ver sobre o *Teísmo* e sobre o *Deísmo*.

6. *O Dia do Senhor*

«As duas grandes contribuições de Joel à religião bíblica encontram-se em suas ênfases sobre o dia do Senhor e o derramamento do Espírito de Deus sobre todos os povos» (AM). Quanto a referências sobre o *Dia do Senhor*, ver Joel 1:15; 2:1,11,31; 3:14. Ver o artigo separado sobre o *Dia do Senhor*.

VI. Esboço do Conteúdo
I. O Dia do Senhor Exemplificado (1:1-20)
  1. O profeta (1:1)
  2. A praga de gafanhotos (1:2-7)
  3. O arrependimento de um povo aflito (1:8-20)
II. O Dia do Senhor nas Profecias Bíblicas (2:1-32)
  1. Os exércitos invasores (2:1-10)
  2. O exército do Senhor no Armagedom (2:11)
  3. O remanescente penitente (2:18-29)
  4. Sinais da vinda do Senhor (2:30-32)
III. O Julgamento das Nações (3:1-19)
  1. A restauração de Israel (3:1)
  2. O julgamento das nações (3:2,3)
  3. Condenação da Fenícia e da Filístia (3:4-8)
  4. Edom e Egito desolados (3:17-19)
IV. As Bênçãos do Milênio (4:20,21)
  1. Judá é restaurada e perpetuada (4:20)

2. O Senhor sobre seu trono, em Sião (4:21)
Bibliografia. AM G HARR I IB PF PU SCO

JOEL (Não o Profeta)
No hebraico, **Yahweh é Deus**; em sua forma abreviada, **Yahu**. Esse é o nome de várias personagens que figuram nas páginas do Antigo Testamento, excetuando o famoso profeta desse nome:

1. O mais velho dos dois filhos de Samuel, que foram nomeados por ele como juízes, em Berseba. Eles perverteram o ofício, aceitavam peitas e, de modo geral, tornaram-se culpados de conduta imoral e injusta (I Sam. 8:3). Esse Joel foi pai de Hemã, que foi cantor, dirigente da música, no santuário de Davi (I Crô. 6:33; 15:17).

2. Um levita coatita, filho de Azarias e pai de Elcana (I Crô. 6:36). Foi um dos antepassados do profeta Samuel. Essa linhagem incluía três homens com o nome de Elcana e dois com o nome de Joel, conforme se vê em I Crô. 6:33-38. Mui provavelmente, ele é o Joel que ajudou Ezequias em suas reformas religiosas (II Crô. 29:12). Viveu por volta de 719 A.C.

3. Um descendente de Simeão, um membro das famílias que emigraram para o vale de Gedor (I Crô. 4:35). Viveu em cerca de 715 A.C.

4. Um descendente de Rúben, que vivia no lado oriental do rio Jordão. Não se sabe que grau de parentesco ele tinha com Rúben. Ver I Crô. 5:4,8.

5. Um dos chefes da tribo de Gade, que residia em Basã (I Crô. 5:12). Viveu em torno de 782 A.C.

6. O terceiro filho de Israías, e que era chefe da tribo de Issacar nos dias de Davi. Viveu por volta de 1000 A.C.

7. Um dos grandes guerreiros de Davi, irmão de Natã (I Crô. 11:38). Ele é chamado de «Jigeal, filho de Natã», em II Sam. 23:36, o que nos deixa **em dúvida** quanto ao grau de parentesco que eles mantinham entre si.

8. Um levita, um dos chefes da família de Gérson. Seu clã consistia em cento e trinta homens. Foi nomeado para ajudar a trazer a arca da aliança até Jerusalém, nos dias de Davi (I Crô. 15:7,11). Viveu em c. de 1000 A.C. Tem sido identificado com o mesmo homem que aparece como o terceiro filho de Ladã (I Crô. 23:8), e também como o filho de Jeiel, que era um dos que guardavam os «tesouros da casa do Senhor» (I Crô. 26:22).

9. Um filho de Pedaías, que era oficial da meia-tribo de Manassés, durante o tempo do reinado de Davi (I Crô. 27:20). Sua época foi cerca de 1000 A.C.

10. Um levita coatita, filho de Azarias, e que ajudou a santificar o templo de Jerusalém, durante as reformas religiosas instituídas por Ezequias (I Crô. 29:12). Viveu em cerca de 726 A.C.

11. Um filho de Nebo, contemporâneo de Esdras. Ele se casara com uma mulher estrangeira durante o cativeiro babilônico, e foi forçado a divorciar-se dela após o retorno do remanescente para Jerusalém. Ver Esd. 10:43. O tempo foi cerca de 456 A.C.

12. Um filho de Zicri, que era um dos superintendentes dos benjamitas que vieram residir em Jerusalém, terminado o cativeiro babilônico (Nee. 11:9). Ele viveu por volta de 536 A.C.

13. O profeta que escreveu o livro de Joel. Quanto àquilo que se sabe sobre ele, pessoalmente, ver o artigo sobre o livro de *Joel*, seção II.

••• ••• •••

JOELA — JOGO

JOELA

No hebraico, «Deus está arrebatando». Um filho de Joroão, de Gedor. Outros estudiosos interpretam seu nome como «outrossim». Quando Davi fugia de Saul e foi para Ziclague (I Crô. 12:7), Joela foi um dos guerreiros que se aliou a Davi, tendo ido com ele para aquela localidade. Ele ou era benjamita ou era judaíta. Viveu na época de Davi.

JOELHO, AJOELHAR-SE

Há uma palavra aramaica, uma palavra hebraica e uma palavra grega envolvidas nesse verbete que fala sobre uma parte do corpo humano, a saber:

1. *Arkubah*, palavra aramaica usada apenas por uma vez, em Dan. 5:6.

2. *Berek*, palavra hebraica empregada por vinte e cinco vezes, como em Gên. 30:3; Deu. 28:35; Juí. 7:5,6; I Reis 8:54; II Reis 1:13; II Crô. 6:13; Esd. 9:5; Jó 3:12; Isa. 35:5; Eze. 7:17; Dan. 6:10; Naum 2:10.

3. *Gónu*, palavra grega que ocorre por doze vezes: Mar. 15:19; Luc. 5:8; 22:41; Atos 7:60; 9:40; 20:36; 21:5; Rom. 11:4 (citando I Reis 19:18); 14:11 (citando Isa. 45:23); Efé. 3:14; Fil. 2:10; Heb. 12:12.

A oração e a homenagem ao Senhor podem assumir muitas formas, incluindo determinadas posições do corpo como símbolos de humildade, súplica e intenso interesse. No Oriente Próximo, era costume pôr-se de pé nas orações públicas, enquanto que o ato de ajoelhar-se confinava-se a atos de obediência e submissão.

Usos Específicos

1. Gênesis 30:3; 50:23 e Jó 3:12 referem-se aos joelhos de uma maneira que dificilmente pode ser compreendida sem informações em um bom comentário. Sendo aparentemente estéril, Raquel deu Bila a Jacó, a fim de que essa serva desse filhos em lugar dela. E o primeiro desses versículos diz: «...e eu traga filhos ao meu colo por meio dela». Assim diz nossa versão portuguesa, mas isso representa uma interpretação, pois o original diz algo como «para que ela (Bila) dê à luz sobre os meus joelhos». Isso poderia significar que Bila se sentaria sobre os joelhos de Raquel, na hora do parto; porém, mais provavelmente ainda, isso significa que ela daria à luz um filho que, mais tarde, seria posto sobre os joelhos de Raquel, para ela segurá-lo como se fosse seu próprio bebê. Isso significaria que Bila estaria dando à luz um filho que seria considerado pertencente a Raquel. Em Gênesis 50:23, lemos que foi sobre os joelhos de Jacó que os filhos de seus descendentes vieram a descansar, o que deve significar que nasceram para que ele os segurasse e reconhecesse como seus, como patriarca que era. Em Jó 3:12, pergunta aquele patriarca: «Por que houve regaço que me acolhesse?» Essa pergunta equivale a «Por que nasci, vindo a descansar nos joelhos de minha mãe?» Outros pensam que seriam os joelhos da parteira, a qual, imediatamente após o nascimento, seguraria a criança no colo. Ou a referência poderia ser ao pai da criança, o qual, segurando o recém-nascido, demonstraria com isso ser ele o pai, o qual estava reconhecendo e recebendo o seu filho.

Alguns supõem que, em Israel, quando um homem acolhia uma criança pequenina em seu colo, estava reconhecendo assim ser o pai daquela criança, como uma futura cidadã de Israel.

2. Ajoelhar-se diante de alguém é um símbolo universal de *submissão*. Quase todas as inúmeras cartas cuneiformes mencionam o ato de ajoelhar-se ou prostrar-se diante de um superior. A arqueologia demonstra o costume na Babilônia, no Egito e entre os cananeus, em suas obras de arte e em seus desenhos. Algumas vezes, o ato consistia, primeiro, em total prostração, e então a pessoa se ajoelhava. Ver Sal. 95:6; Mar. 1:40; 15:19; Mat. 17:14.

3. *Uma postura de oração*. Jesus, em sua agonia no horto, caiu de rosto em terra, orando a Deus. Muitas pinturas exibem-no ajoelhado. Talvez isso também tenha sucedido. Ver Mat. 26:39. Seja como for, no trecho de Atos 20:36, vemos que Paulo ajoelhou-se a fim de orar. Paulo alude ao seu costume de ajoelhar-se, quando orava, em Efésios 3:14.

4. *O senhorio universal de Cristo* é retratado pelo ato de ajoelhar-se, por parte de todos os seres inteligentes, diante dele (Fil. 2:10). Esse ato de ajoelhar-se terá um aspecto restaurador, não sendo apenas uma obediência forçada. Em outras palavras, o senhorio universal de Cristo está alicerçado sobre a idéia da restauração (Efé. 1:10).

JOEZER

No hebraico, «Yahweh é ajuda». Um guerreiro que se aliou a Davi, em Ziclague, quando Davi fugia de Saul (I Crô. 12:6). Não há certeza se ele era benjamita ou judaíta. Viveu na época de Davi.

JOGBEÁ

No hebraico, «outeiro». Esse era o nome de uma cidade de Gileade. Foi fortificada pelos descendentes de Gade (Núm. 32:35). Quando Gideão perseguia aos midianitas, fez um circuito em torno dessa cidade, a fim de atacá-los pela retaguarda (Juí. 8:11). O lugar tem sido identificado com a moderna Khirbet el-Ajbeihat, cerca de onze quilômetros a noroeste de Aman.

JOGLI

No hebraico, «exilado». Foi pai de Buqui. Foi chefe tribal de Dã, e foi escolhido para ajudar na distribuição dos territórios na porção oeste da terra de Canaã, entre as tribos de Israel (Núm. 34:22). Viveu em cerca de 1380 A.C.

JOGO

Ver o artigo sobre o **Acaso**. O jogo envolve a transferência de investimento de algo valioso, na esperança de ganhar mais do que se gastou, com base nas vicissitudes da sorte ou acaso. De acordo com essa definição, muitos atos humanos são jogos, envolvendo questões de dinheiro ou de coisas valiosas. O maior de todos os jogos é a bolsa de valores, embora muitos procurem convencer aos interessados de que não se trata de um jogo. Porém, seus argumentos não são convincentes. É verdade que, em relação a isso, o dinheiro arriscado tem por finalidade desenvolver a indústria e o comércio, como também é verdade que, nas loterias federais e estaduais, muitas obras dignas são promovidas através do dinheiro que as pessoas arriscam. Naturalmente, as chances são sempre favoráveis aos banqueiros, e não aos jogadores. De outra sorte, ninguém haveria de querer bancar o jogo. Portanto, parece melhor afirmar que um jogo é qualquer atividade onde o elemento do acaso ou sorte é o elemento *primordial*. Especialmente se estiver envolvido algum dinheiro, então estará havendo jogo, sem importar se aquela atividade seja ou não chamada, oficialmente, de jogo. As especulações com terras também, por certo, são uma forma de jogo. Um jogo é qualquer tipo de ato em que o resultado

JOGO — JOGO DE DADOS

depende do mero acaso, quando alguma importância ou valor pode ser ganho ou perdido, na dependência exclusiva desse fator. De acordo com essas definições, o amor entre os sexos também é um jogo, conforme muitas pessoas têm descoberto, para sua tristeza.

De acordo com uma definição mais comum, entretanto, um jogo é um risco que envolve dinheiro, que se pode ganhar ou perder mediante uma aposta. A longa história do jogo tem sido praticamente universal. Dados com números em quatro faces têm sido encontrados no Egito, datando de milhares de anos antes da época de Jesus Cristo. Foram descobertas mesas de jogo entre as ruínas de Pompéia. Tácito, historiador romano (cerca de 100 D.C.) afirmou que os jogos eram um divertimento comum entre as tribos germânicas. Na própria Bíblia lemos acerca do lançamento de sortes (Núm. 26:52-56; I Sam. 10:20,21; I Crô. 24:5). Surpreendentemente, e para consternação de alguns estudiosos da Bíblia, os apóstolos resolveram encontrar o substituto de Judas Iscariotes mediante o lançamento de sortes, um jogo. Alguns, todavia, têm refutado essa interpretação, dizendo que nenhum acaso esteve envolvido, pelo que também não teria havido qualquer jogo. Entretanto, outros confessam que não esteve envolvido um ato dos mais nobres, e que, além disso, uma má escolha foi feita, o que teria sido ocasião para mais tarde, Deus ter escolhido Saulo de Tarso como apóstolo. Como é óbvio, isso tem suscitado muitos debates.

Certos jogos, no sentido moderno do termo, não são mencionados na Bíblia, como, por exemplo, os jogos em que são levantados fundos, como as loterias. Por outro lado, podemos ter a certeza de que o lançamento de sortes envolvia apostas pessoais. Formas comuns de jogos de azar, como esses são chamados, são os vários tipos de loteria, aqueles que envolvem números, a roleta, o baralho, as máquinas para arrecadar moedas, os jogos com dados, os cartões de perfurar, os pebolins, as rifas, as corridas de cavalos ou de cães, as lutas entre homens e entre animais, e muitas competições esportivas, onde vultosas somas são apostadas.

As estatísticas mostram que, nos Estados Unidos da América do Norte, cerca de cinqüenta milhões de cidadãos envolvem-se em alguma forma de jogo, de maneira mais do que esporádica. Isso significa cerca de uma quinta parte da população total do país. Dentre esses, calcula-se que cerca de seis milhões são jogadores compulsivos, para quem o jogo é um vício tão difícil de interromper quanto qualquer outro vício.

O jogador é alguém que possui as seguintes características: trata-se de uma pessoa que gosta de se arriscar, divertindo-se com situações arriscadas. Da mesma forma que há pessoas que participam ou assistem feitos esportivos de modo prazenteiro, assim também os jogadores derivam prazer do jogo, torcendo com entusiasmo, mesmo que se saiam perdedores. Para eles, o prazer está no risco de perder, e não tanto na remota possibilidade de ganhar. Tanto é assim que aqueles que ganham algo em um jogo de azar não se satisfazem enquanto não perdem tudo nas apostas seguintes. Contudo, mostram-se sempre otimistas; e suas tristezas, em vista das perdas (sempre muito mais numerosas do que os ganhos), derivam-se do fato de que isso os leva a dívidas, algumas vultosas. Também são supersticiosos, empregando toda a espécie de esquema para tentar ganhar. Alguns jogadores, pois, sentem um estranho prazer no senso de humilhação e derrota, quando se saem perdedores. Isso talvez explique por

que razão o Corinthians, time de futebol de São Paulo, é o maior clube de futebol do Brasil!

Para alguns, o jogo tornou-se tanto uma ciência quanto uma arte, e muitos livros, mais ou menos volumosos, têm sido escritos para ajudar os jogadores a fazerem seus cálculos. Temos de admitir que, para a maioria das pessoas que jogam, só há uma maneira de enfrentar o jogo: ele será bom, se a pessoa sair-se ganhadora; e será mau, se a pessoa sair-se perdedora. A dificuldade é que, usualmente, as pessoas perdem no jogo.

O jogo e a Moralidade. Governos, escolas e até mesmo igrejas têm apelado para o jogo a fim de pagarem suas despesas, construírem instalações, promoverem caridades, dirigirem sistemas escolares, etc. O sucesso desses empreendimentos depende do fator humano em que as pessoas dispõem-se a gastar dinheiro em seu auto-interesse, embora não fossem convencidas, de qualquer outro modo, a *contribuírem* financeiramente para alguma boa causa.

A única coisa que pode ser dita em prol de certos jogos é que muitas obras são assim efetuadas. Quando não há elementos criminosos, envolvendo corrupção presentes nessa forma de atividade, não precisamos considerá-la má em si mesma. Além disso, muitos pensam que é bom que as pessoas dêem dinheiro para causas boas, ainda que, para isso, tenham de ser agitadas por seu auto-interesse e pelo seu prazer de arriscarem-se. Contra o jogo, contudo, pode-se afirmar que a porcentagem de indivíduos que ganha alguma coisa com o jogo é extremamente reduzida, e que, por períodos muitos longos, um dinheiro que poderia ser empregado em coisas úteis, perde-se para sempre. Certo jogador norte-americano calculou que, no decurso de alguns anos, ele já havia gasto cerca de vinte mil dólares no jogo, sem ganhar coisa alguma.

Em alguns casos, o jogo transmuta-se em um vício poderosíssimo, capaz de ser a causa de muitos males, como perda de emprego, separação doméstica, perda de propriedades, etc. Mas, o pior de tudo, é que um jogador inveterado joga até a própria mulher, no seu prazer de arriscar-se sem necessidade. Um forte argumento cristão contra o jogo é que exibe falta de fé no suprimento dado pelo Senhor. No entanto, os aficcionados do jogo retrucam que Deus é capaz de suprir algum dinheiro através do jogo. Mas, não nos devemos esquecer que o Novo Testamento exalta o trabalho árduo e a boa mordomia, o que elimina totalmente a prática do jogo, em qualquer de suas formas. Ver II Tes. 3:10-12; Efé. 4:28; I Cor. 10:23; Gál. 5:13,14; Mat. 22:37; I Tes. 5:22 e Rom. 12:9.

Para benefício dos jogadores compulsivos, que não têm controle nem sobre os seus atos e nem sobre a quantia que estão dispostos a arriscar, foi formada uma instituição na América do Norte, intitulada Jogadores Anônimos, paralela aos Alcoólatras Anônimos quanto a seus propósitos e seu modo de agir. A primeira exigência para quem quiser tornar-se membro dessa organização é o desejo de parar de jogar. As pessoas reúnem-se ali a fim de compartilharem de suas experiências e, mediante o apoio mútuo, procuram alterar sua maneira de pensar e sentir acerca do jogo. Nos países de maioria islâmica o jogo é estritamente proibido. Nos países chamados cristãos, o esforço concentra-se na idéia de exortar os jogadores mediante um bom exemplo, para que cessem a prática.

JOGO DE DADOS

Ver o artigo geral sobre **Jogos.**

••• ••• •••

JOGOS ATLÉTICOS

JOGOS ATLÉTICOS

A mente humana não pode ser continuamente séria. É legítimo, e até mesmo necessário, que as pessoas participem de atividades que sejam mentalmente relaxantes, mesmo que tais atividades não realizem coisa alguma por si mesmas. Alguns jogos atléticos, pois, ajudam as pessoas a aprenderem alguma coisa, que pode ser até mesmo, de natureza positiva. Porém, quase todas essas atividades atléticas visam, tão-somente a entreter. Os esportes melhoram as condições físicas e mentais dos participantes. Os jogos de palavras podem melhorar o vocabulário e o uso da linguagem das pessoas. Porém, um jogo atlético não precisa ser útil e nem preencher um propósito digno, e o simples relaxamento conseguido justifica a prática dos jogos atléticos.

Esboço:

I. Antigos Jogos Atléticos e as Terras Bíblicas
II. A Cultura dos Hebreus e os Jogos Atléticos
III. Os Esportes Entre os Gregos
IV. Esportes e Jogos Atléticos no Novo Testamento
V. Usos Simbólicos

I. Antigos Jogos Atléticos e as Terras Bíblicas

As evidências arqueológicas mostram que os jogos atléticos são tão antigos quanto a própria civilização. Um bom tabuleiro de jogos, de Ur (baixa Mesopotâmia), com data de cerca de 3000 A.C., fornece-nos prova de que desde a mais remota antiguidade havia interesse por coisas assim. Têm sido encontrados dados em todos os locais habitados pelo homem, no mundo antigo. Esses dados eram feitos de vários materiais, como o marfim, cerâmica, madeira, metais, etc. Tabuleiros de jogar têm sido descobertos pertencentes à XVIII Dinastia do Egito (cerca de 1560 — 1350 A.C.). Porém, no Egito, o jogo mais antigo que se conhece é um tabuleiro com homenzinhos feitos de cerâmica. Não sabemos como esse jogo funcionava, todavia. Esse tabuleiro data de cerca de 5000 A.C. Uma outra forma de tabuleiro de jogar foi encontrada em Abidos, de cerca de 2900 A.C. Era feito de alabastro róseo. Estiletes de marfim, com um dos lados pintado de negro, evidentemente, eram usados como se fossem dados. Bolinhas de gude têm sido encontradas pertencentes desde a XVIII Dinastia egípcia. Um completo jogo, com várias peças, foi encontrado em Tell Beit Mirsim (Quiriate-Sefer). Estava em um palácio real, o que mostra que a realeza, algumas vezes, preenchia seus momentos de lazer com jogos. Os hicsos (que invadiram o Egito e, durante algum tempo, dominaram-no) tinham um tabuleiro quadrado de marfim, que usava dados em formato de pirâmide.

As *descobertas arqueológicas* e os *textos literários* demonstram o amor que os egípcios e os babilônios tinham por vários testes de força, como levantamento de pesos e combates corpo a corpo. Porém, é inútil supormos que Jacó, somente porque lutou com um anjo, tivesse treinado qualquer tipo de luta (ver Gên. 32:24-26), embora certos intérpretes bíblicos não concordem com essa avaliação. Outros supõem que a expressão «perna juntamente com coxa», que aparece em algumas versões, como, por exemplo, a Edição Revista e Corrigida da tradução de J.F. de Almeida, da Sociedade Bíblica do Brasil, em Juízes 15:8 (embora não na versão portuguesa que serve de base para esta enciclopédia), reflete alguma espécie de luta técnica. Outros também supõem que o combate em grupo, mencionado em II Samuel 2:14, começou como uma espécie de competição em forma de luta livre. O arco e a flecha, aparentemente, era um jogo

em que a habilidade era desenvolvida com propósitos mais práticos (I Sam. 20:20; Jó 16:13; Lam. 3:12). É verdade que em relevos assírios um dos esportes ilustrado é o do arco e flecha, que os assírios não usavam somente com finalidades guerreiras.

Uma forma de xadrez era jogado no Elão e na Babilônia, desde o terceiro milênio antes da era cristã. Têm sido descobertos tabuleiros de jogos em Nínive, em Tell Half e na Síria, embora não se saiba dizer como esses jogos operavam. Um tabuleiro extremamente elaborado e bem decorado foi descoberto na ilha de Creta. Era trabalhado em ouro, prata, marfim e cristal, o que demonstra que, para algumas pessoas, jogar era uma atividade importantíssima. Brinquedos, bonecas, animais em miniatura e outros objetos eram usados pelas crianças da antiguidade. Bonecas com juntas móveis e cabelos, tipo vida real, têm sido encontradas. Brinquedos encontrados em Tell Beit Mirsim incluem apitos, reco-recos e bonecas. No Egito, os cidadãos mais abastados ocupavam-se na caça, e a pesca era um esporte. O equipamento que usavam era bastante elaborado, incluindo cajados entalhados, bumerangues de madeira, arpões, lanças para pescar e anzóis de bronze.

II. A Cultura dos Hebreus e os Jogos Atléticos

É possível que a luta livre fosse um esporte na antiguidade (ver Gên. 32:24-26; II Sam. 2:14 e Juí. 15:8). O arco e a flecha eram usados na guerra, mas também servia de esporte (I Sam. 20:20; Jó 16:13; Lam. 3:12). As crianças tinham jogos infantis nas ruas (Zac. 8:5), alguns dos quais imitavam coisas que elas viam nos adultos, incluindo casamentos e funerais. Isso é refletido em Mat. 11:16. Há algumas evidências de que as crianças hebréias imitavam os jogos egípcios como jogos de mão, cabo de guerra, lançamento e apanhamento de bolas, o uso de raquetes, folguedos com modelos de animais, carros miniatura e outros brinquedos. As bonecas com juntas móveis podem ter sido objetos de culto e não brinquedos infantis. E talvez a guarda de pássaros mansos (ver Jó 41:5) também fosse considerada um esporte.

A cultura dos hebreus caracterizava-se pelo uso do vinho, pelos banquetes, pelo regozijo, pela dança, pelo regozijo em comunidade, e essas atividades eram muito comuns entre os israelitas. Ver Jer. 21:4; Juí. 9:27; 11:34; 21:21; I Reis 1:40; Êxo. 15:20. Essas atividades celebravam todas as formas de ocasião embora também servissem apenas como diversão, conforme essas referências bíblicas mostram bem. Uma forma de entretenimento entre os adultos consistia em reunir-se e contar piadas (Jer. 15:17; Pro. 26:19). As pessoas fazem coisas assim quando não costumam usar sua imaginação de maneira mais proveitosa; mas tal atividade, até os nossos próprios dias, continua sendo muito comum nas pequenas cidades, onde não há qualquer forma de entretenimento constante.

Parece que os hebreus contavam com certos eventos esportivos públicos, vinculados às atividades militares. Nesses jogos, aos jovens eram ensinadas habilidades militares como o uso do arco e da flecha, ou então da funda (ver I Sam. 20:20; 35:40; Juí. 20:16; I Crô. 12:2). Até hoje os homens se ocupam em jogos de guerra, a fim de que, chegado o momento da necessidade, saibam como ferir e matar com maior eficácia. O Talmude menciona jogos com dados, uma prática provavelmente derivada do Egito. Os jogos públicos, excetuando aqueles com propósitos militares, não faziam parte da cultura dos hebreus, conforme sucedia entre os gregos e os romanos. Os hebreus consideravam os jogos gregos como ativida-

570

JOGOS ATLÉTICOS

JOGOS ROMANOS, O PAVIMENTO ONDE PILATOS SENTOU-SE PARA O JULGAMENTO — Cortesia, Matson Photo Service

JOGOS ATLÉTICOS

Corridas de cavalos

Boxe

Pulos e discos

JOGOS ATLÉTICOS — *Usos Metafóricos*

Pois que estamos rodeados de uma tão grande nuvem de testemunhas, deixemos todo o embaraço, e o pecado que tão de perto nos rodeia, e corramos com paciência a carreira que nos está proposta, olhando para Jesus. (Heb. 12:1,2)

Prossigo para o alvo, pelo prêmio da soberana vocação de Deus em Cristo Jesus. (Fil. 3:14)

Não sabeis vós que os que correm no estádio, todos, na verdade, correm, mas um só leva o prêmio? Correi de tal maneira que o alcanceis. E todo aquele que luta de tudo se abstém; eles o fazem para alcançar uma coroa corruptível, nós, porém, uma incorruptível. Pois eu assim corro, não como a coisa incerta; assim combato, não como batendo no ar. Antes subjugo o meu corpo, e o reduzo à servidão, para que, pregando aos outros, eu mesmo não venha de alguma maneira a ficar reprovado. (I Cor. 9:24-27)

Retendo a palavra da vida, para que no dia de Cristo, possa gloriar-me de não ter corrido nem trabalhado em vão. (Fil. 2:16)

Luta romana

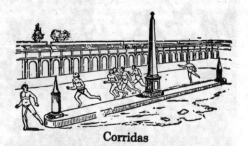
Corridas

JOGOS ATLÉTICOS

des próprias dos pagãos. Assim, quando Jason erigiu um ginásio, isso foi considerado um ato tipicamente helenista (I Macabeus 1:14; II Macabeus 4:12-14). Paulo, em seus escritos, aludiu por várias vezes a eventos esportivos, embora, nos ensinos de Jesus, haja uma notável ausência a menções a essa atividade humana, excetuando a sua alusão aos jogos infantis de rua (ver Mat. 11:16,17). Sem dúvida, isso reflete uma diferença cultural entre os dois. Paulo era um típico greco-romano ao passo que Jesus era um típico palestino.

III. Os Esportes entre os Gregos

O ideal grego era corpo são e mente sã. Os esportes competitivos eram altamente desenvolvidos nas cidades-estados dos gregos. Os jogos gregos mais elaborados e célebres eram quatro: os *jogos istmianos*, efetuados no istmo de Corinto, em um bosque consagrado a Poseidon. Isso começou em 589 A.C., sendo efetuados no primeiro mês da primavera, bem como no segundo e no quarto anos de cada Olimpíada. As Olimpíadas eram efetuadas de quatro em quatro anos, entre duas celebrações sucessivas dos jogos olímpicos. Os gregos antigos calculavam o tempo por meio desses períodos. 2. Os *jogos nemeanos*, celebrados no vale de Neméia, em honra a Zeus. 3. Os *jogos olímpicos*, celebrados em honra a Zeus, em Olímpia. 4. Os *jogos pitianos*, realizados na planície Crisseana, perto de Delfos, a partir de 586 A.C. Estes ocorriam a cada quatro anos, no terceiro ano após cada Olimpíada. Os jogos olímpicos eram celebrados a cada quatro anos.

É claro que os esportes gregos eram efetuados de mistura com a religiosidade pagã. E talvez seja em parte por esse motivo que os hebreus criticavam qualquer coisa assim e não participavam de tal atividade. Esses jogos incluíam oferendas, principalmente a Zeus, mas também a outras divindades. Além disso, havia muitas formas de competição, de corridas, de saltos, de lançamento de lança, de lutas, de boxe, de corridas de bigas e também o pancrácio (um misto de boxe e luta livre), a corrida com armaduras, competições entre arautos e trombeteiros, etc. A princípio, essas competições eram franqueadas aos homens livres de pura ascendência helênica; mas, posteriormente, os romanos começaram a participar. Os jogos eram observados até mesmo por escravos e bárbaros, mas as mulheres não podiam participar dos mesmos. Todos os competidores deveriam apresentar-se bem preparados, após terem treinado, pelo menos, durante dez meses. Juízes oficiais eram nomeados para declarar os vencedores. Os competidores que usassem de ludíbrio, ou que desobedecessem às regras dos jogos, eram desqualificados. Os prêmios incluíam, originalmente, artigos de valor; mas, com a passagem do tempo, os vencedores recebiam apenas uma coroa de louros, feita com folhas da sagrada oliveira brava, que teria sido cultivada, pela primeira vez, por Neracles. Os atletas visitantes também recebiam muitas honras, incluindo prêmios em dinheiro, depois de terem voltado para suas respectivas nações de origem. Herodes, o Grande, introduziu jogos assim na Palestina, tendo-se então tornado comuns teatros e grandes anfiteatros de pedras. A arqueologia tem demonstrado amplamente essa situação na Palestina. À medida que se foi processando a helenização do Oriente Próximo, os jogos e esportes dos gregos foram-se tornando mais e mais comuns nas terras bíblicas. As muitas alusões de Paulo aos esportes demonstram isso. Ver à quarta seção, abaixo. O mundo pagão do período neotestamentário dava grande valor às diversões, tal como sucede em nossos próprios dias.

IV. Esportes e Jogos Atléticos no Novo Testamento

1. Jogos infantis de rua (Mat. 11:16,17).

2. Corridas de bigas (provavelmente) (Fil. 3:13 *ss*).

3. Corridas a pé (mais provavelmente) (Fil. 3:13,14). Temos nesse trecho uma excelente aplicação espiritual relacionada à chamada à salvação, a percorrer o próprio percurso da corrida cristã e à obtenção do prêmio final, isto é, o destino humano, dentro da salvação providenciada por Deus. Essa passagem bíblica tem inspirado muitos sermões, muitas lições.

4. O trecho de I Coríntios 9:24-27 fala sobre a necessidade que todo atleta tem de treinar e de seguir as regras à risca. Essa ilustração também foi usada por Epicteto, um filósofo estóico romano; e, sem dúvida foi tomada por empréstimo do fundo estóico pelo apóstolo Paulo, cujos ensinamentos éticos com freqüência contêm metáforas e lições estóicas. Nessa passagem, Paulo alude a vários esportes, o que tenho anotado no NTI, *in loc*. Ele ilustrou como a vida espiritual precisa ser conduzida com disciplina e treinamento, porquanto, somente dessa maneira, podem ser produzidos vencedores. Nem todos os homens que competem saem-se vencedores. Um atleta precisa tornar-se um *mestre* em seu esporte, para poder triunfar. O crente bem-sucedido também deve ser um mestre de sua fé e da prática da mesma.

5. O trecho de II Timóteo 2:4 frisa que nenhum atleta é coroado, por haver obtido a vitória, a menos que tenha obedecido às regras do jogo. Nesse passo bíblico, o apóstolo exortava a Timóteo para que fosse disciplinado, diligente, capaz de dominar sua fé cristã, a fim de que pudesse viver a vida cristã com poder e sucesso, cumprindo a sua missão.

6. A passagem de II Timóteo 4:8 menciona a «coroa da justiça» que esperava por Paulo, por haver terminado com sucesso a sua carreira. Ele havia guardado a fé e também havia terminado a sua carreira. Na qualidade de atleta espiritual, inevitavelmente, ele haveria de receber a coroa da vitória. O trecho de I Pedro 5:4 repete esse pensamento geral.

7. As passagens de Gálatas 2:2; 5:7; Filipenses 2:16 e Hebreus 12:1,2 referem-se à corrida, para o que um mínimo de vestuário era usado e durante a qual o atleta não transportava nenhum peso. A nuvem de testemunhas refere-se aos espectadores de qualquer corrida. Os pesos a serem evitados são os pecados e os obstáculos à prática apropriada da vida cristã.

8. I Coríntios 15:32 é trecho que alude ao brutal esporte romano que consistia em forçar homens (usualmente criminosos ou prisioneiros de guerra, que eram indesejáveis) a lutar com feras, nas arenas. É possível que as «feras» aludidas no texto fossem os adversários *humanos* de Paulo, animalescos em sua maneira de tratar seus semelhantes; porém, alguns intérpretes pensam que a alusão deve ser entendida literalmente. Todavia, a interpretação metafórica parece ser preferível. Os adversários de Paulo eram quais feras, fortes e brutais, cujo intuito era matar e destruir.

9. Paulo afirma, em I Coríntios 4:9, que os apóstolos eram como um *theatron*, um teatro, um espetáculo para os homens e para os anjos, em face dos abusos que sofriam, o que, provavelmente, incluía a sujeição a diversões brutais dos romanos. Talvez o circo romano esteja em foco. Os lutadores e gladiadores eram forçados a ficar combatendo até à morte. Esses podiam ser cativos de guerra ou criminosos. Algumas vezes, seres humanos eram forçados a lutar com feras. Os espectadores contemplavam tudo entre gritos, e ficavam satisfeitos

JOGOS ATLÉTICOS — JÓIAS

somente quando viam o sangue jorrar e seus semelhantes perderem a vida. Paulo ilustra o sacrifício e os perigos envolvidos em ser um seguidor de Cristo, mediante cenas comuns em seus dias. Muitos viam os sofrimentos dos cristãos com uma alegria perversa.

10. O trecho de I Timóteo 4:8 afirma que o exercício físico tem algum valor, embora bem menor do que o exercício espiritual e moral, que visa ao desenvolvimento da alma, mediante a piedade, ou temor a Deus. Os esportes e os jogos, portanto, estão incluídos nesses valores secundários. Paulo, pois, reconheceu sua relativa utilidade. Porém, ele não se esquece de acautelar-nos para reconhecermos os grandes e duradouros valores da vida, as realidades do Espírito de Deus.

V. Usos Simbólicos

1. O jogo da vida: as vicissitudes, os ganhos, os riscos, as reversões desta vida terrena.

2. Metáforas esportivas abundam nos sonhos e nas visões daqueles que se ocupam em tais atividades, usualmente retratando conflitos, atividades profissionais, esperanças a serem atingidas, alvos a serem obtidos, etc.

3. Os jogos de baralho simbolizam a estratégia que alguém pode empregar em qualquer empreendimento humano.

4. Jogos e esportes simbolizam a vitalidade, o esforço dirigido em busca de alguma vitória ou realização. (FAL MU PM UN Z)

JOIADA

No hebraico, «conhecido por Deus» ou «o Senhor reconheceu». Esse é o nome de várias personagens da Bíblia, a saber:

1. O pai de um dos notáveis guerreiros de Davi, de nome Benaia (II Sam. 8:18; 20:23; 23:20,22; I Reis 1:8,26, etc). Ele viveu em algum tempo antes de 1046 A.C.

2. Um dos filhos de Benaia, um dos principais conselheiros de Davi, conforme somos informados em I Crô. 27:34. É provável que ele tivesse sido a mesma pessoa que aquela acima (número um).

3. Um sumo sacerdote dos tempos de Acazias e Atalia. Seu nome é melhor relembrado por sua participação na reintegração do jovem Joás ao trono. Joás havia sido salvo do massacre com que Atalia, sua avó, quisera exterminar a linhagem real de Davi. Dali por diante, Joiada foi um fiel conselheiro de Joás. Ver II Reis 11 e 12 e II Crô. 23 e 24. A determinação de Joiada foi demonstrada pelo fato de que durante seis anos, ele e sua esposa, Jeosabeate, irmã do rei Acazias, ocultaram o sobrinho dela, Joás, nos recintos do templo. Durante todo esse tempo, Atalia, filha de Acabe e mãe do rei Acazias, reinou como usurpadora. Finalmente, porém, Atalia foi executada, fora do recinto do templo.

Enquanto Joás era menor de idade, Joiada era quem, realmente, governava o país. Ele destruiu os santuários dedicados a Baal e organizou os levitas, a fim de que pudessem dedicar-se devidamente à adoração ao Senhor. Arranjou duas esposas, a fim de garantir que haveria sucessão real (II Crô. 24:3), e reparou o templo de Jerusalém, por insistência de Joás. Joiada faleceu com cento e trinta anos de idade, e foi sepultado no túmulo real, em reconhecimento por seus relevantes serviços prestados à nação, por sua coragem e determinação. O trecho de II Crônicas 24:17 ss mostra que assim que Joiada faleceu, a nobreza do reino não demorou a rebelar-se contra suas estritas tradições religiosas.

4. Um príncipe aaronita que veio aliar-se a Davi, em Hebrom (I Crô. 12:27). Viveu por volta de 1048 A.C.

5. O sumo sacerdote dos tempos de Seraías, mas que foi deposto por Zedequias. Sofonias foi nomeado em lugar dele (Jer. 29:25-29).

6. Um sumo sacerdote de Israel, sucessor de Eliasibe ou Joasibe, que viveu na época de Neemias, isto é, em cerca de 434 A.C. Ver Nee. 12:10,11,22; 13:28.

7. Um filho de Paseia, um sacerdote que ajudou a reparar a Porta Velha, após o cativeiro babilônico, quando Neemias restaurou as muralhas de Jerusalém. Ver Nee. 3:6. Viveu em torno de 435 A.C.

JOIAQUIM

No hebraico, «Yahweh estabelece». Foi sumo sacerdote em Israel. Era filho daquele Jesus (vide), que, em companhia de Zorobabel, liderou o primeiro grupo de exilados que voltou da Babilônia para Jerusalém. Seu filho se chamava Eliasibe (Nee. 12:10,12,16). Viveu em torno de 445 A.C.

JOIARIBE

No hebraico, «Yahweh contentará». Esse foi o nome de três personagens que figuram nas páginas do Antigo Testamento, a saber:

1. Um silonita (descendente de Selá, filho de Judá). Ele é alistado na genealogia de Masséias (Nee. 11:5). Viveu em torno de 445 A.C.

2. Um homem que retornou com Esdras do cativeiro babilônico (Esd. 8:16). Ele atuou como um dos dois mestres que Esdras usou para obter servos do templo, que se ocupariam em trabalhos sagrados.

3. Um fundador de um dos turnos sacerdotais (Nee. 12:6). Terminado o cativeiro babilônico, seus descendentes se mostraram ativos, sob a direção de Neemias. Ver Nee. 11:10 e 12:19. Viveu em torno de 536 A.C.

JÓIAS E PEDRAS PRECIOSAS

Esboço:

   I. Antiga História das Jóias

   II. Uso de Jóias na Bíblia

   III. Jóias Egípcias, Assírias, Babilônias, Fenícias, Gregas e Romanas

   IV. Pedras Preciosas Especificamente Usadas

   V. Uso Metafórico

I. Antiga História das Jóias

Quase até onde a arqueologia nos leva de volta ao passado, há evidências do uso de jóias e pedras preciosas como adorno, em propósitos de culto público ou privado. Alguns metais são considerados preciosos, como o ouro e a prata. E também temos as pedras preciosas e semipreciosas. Porém, antes do uso desses materiais, eram usados vários itens de origem orgânica, como conchas, âmbar, corais, e até mesmo dentes, garras e ossos de animais. Materiais mais primitivos, incluindo pedras, polidas ou não, eram usados na Idade da Pedra. Agulhas e fivelas serviam a propósitos úteis como se fossem colchetes para roupas, mas outros itens, como contas, anéis, pendentes e outros objetos decorativos, eram usados como enfeites pessoais, ou, então, como encantamentos que supostamente protegiam os usuários de poderes misteriosos que, porventura, estivessem vagando ao redor. Os motivos que levaram os homens a fabricar jóias indicam o desejo de obter adorno

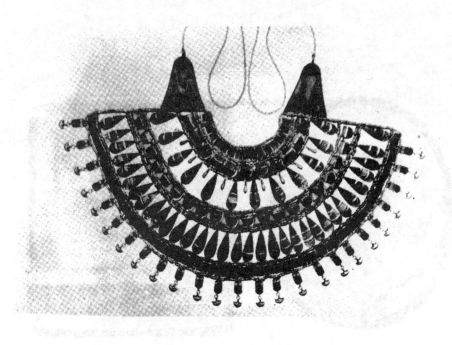

Jóias egípcias (250 A.C.)

Cortesia, Metropolitan Museum of Art

Jóias com retratos miniaturos

Jóias com retratos miniaturos, cultura grega, Cortesia, Boston Museum of Fine Arts

JÓIAS E PEDRAS PRECIOSAS

público ou particular, ou então considerações práticas, como no caso de colchetes e alfinetes. E também devemos pensar nos usos religiosos, como no uso supersticioso de jóias, para efeito de proteção, ou então para atrair o favor de alguma divindade, que era considerada como honrada por alguma jóia. O fabrico de jóias de alta qualidade, no antigo Oriente Médio, até onde nossas evidências o demonstram, começou no quarto milênio A.C., no Iraque e no norte da Síria. Era usada a técnica da roda para a obtenção do polimento, uma técnica que se propagou à Mesopotâmia tão cedo quanto 3000 A.C.

Entre os primeiros objetos de ouro, usados como enfeite, encontram-se aqueles descobertos nos vales dos rios Tigre e Eufrates, pertencentes cerca de 2500 A.C. Muitos itens dessa espécie têm sido encontrados nos túmulos sumérios de Ur. A fundição e a gravação eram técnicas praticadas desde então, com quase incrível habilidade decorativa. Na era pré-histórica do bronze, muitos objetos decorativos e jóias eram feitos desse metal. A prática quase universal de sepultar jóias e pedras preciosas juntamente com os mortos, tem-nos permitido recolher um tremendo acervo de informações sobre as jóias antigas. Os benefícios laterais incluem informações sobre a tecnologia, o comércio, as artes, a cultura e os movimentos migratórios dos povos antigos.

II. Uso de Jóias na Bíblia

Palavras Gerais no Hebraico. a. **Segullah,** que significa «fechado», «tesouro», algumas vezes refere-se, especificamente, a jóias. Ver Mal. 3:17, e quanto a usos figurados, ver Sal. 135:4. b. *Keli,* algo «feito» ou «preparado», como um artigo de ouro ou prata (Gên. 24:53; Êxo. 3:22; 11:2; 12:35; Núm. 31:50,51; Isa. 61:10; Eze. 16:30). Essa palavra tem sentido geral e pode significar decorações e armadilhas, e não, especificamente, jóias. c. *Chali,* um ornamento ou adorno pequeno (Osé. 2:13), embora tal termo também possa ter um sentido geral. d. *Nezem,* especificamente, um «anel», para ser usado em um dedo ou pendurado no nariz (Gên. 35:4; Êxo. 32:2,3; Eze. 16:12; Juí. 8:24,25; Pro. 25:12).

A palavra *jóias* não figura no Novo Testamento, embora haja menção a muitas pedras preciosas e semipreciosas, usadas no fabrico de jóias. Ver sob a quarta seção, abaixo.

Usos dos Hebreus

1. Nos dias do Antigo Testamento, as jóias eram muito apreciadas tanto por homens quanto por mulheres (Êxo. 11:2; Isa. 3:18-21). 2. Jóias eram dadas como presentes (Gên. 24:22,53). 3. Jóias faziam parte dos despojos de guerra (II Crô. 20:25). 4. A riqueza era parcialmente contada sob a forma de jóias, mormente antes do aparecimento das moedas (II Crô. 21:3). 5. As jóias proviam um certo padrão de valor (Jó 28:16; Pro. 3:15; Apo. 21:11). 6. Os tipos de jóias incluíam os braceletes para o pulso (Gên. 24:22,30,47; Eze. 16:11); ornamentos para o tornozelo (Isa. 3:18,20); os colares (Gên. 41:42—comparar com Luc. 15:8). Um colar podia ser feito por uma fieira de moedas presas lateralmente entre si, como o trecho de Luc. 15:8 pode subentender. Também eram usadas coroas (Zac. 9:16); brincos (Gên. 24:22); argolas para o nariz (Isa. 3:21); anéis para os dedos (Gên. 41:42; Est. 3:10; Luc. 15:22). Pedras preciosas também eram usadas como jóias, em selos com inscrições.

2. Havia jóias vinculadas à adoração no tabernáculo. O sumo sacerdote tinha um peitoral adornado de pedras preciosas (Êxo. 28:17-20 e 39:10-13), que é a mais completa coleção de pedras preciosas citada em todo o Antigo Testamento. É provável que essa arte do fabrico de jóias tenha sido uma arte aprendida dos egípcios. Também pode ser percebida a influência dos assírios, dos babilônios e dos fenícios, nas jóias que, posteriormente, foram feitas pelos hebreus. Todavia, as pedras preciosas não eram cortadas facetadas, o que já foi um desenvolvimento europeu posterior. Antes, as pedras preciosas e semipreciosas eram polidas em vários formatos, com superfícies polidas convexas. Esse modo de preparação continua sendo usado no caso de várias pedras, nos dias modernos, como as turquesas, as opalas, os ortoclásios, as granadas, etc. Esse método não produz um brilho tão grande conforme conseguem algumas técnicas modernas de lapidação. Refrações brilhantes resultam de reflexos internos de luz, produzidos pela refração de raios luminosos, partindo de numerosas facetas. Os antigos, entretanto, não conheciam essa técnica. Os antigos apreciavam mais a ornamentação das pedras preciosas por meio de inscrições gravadas nas mesmas. Eles eram excelentes quanto a esse particular, ao ponto que as técnicas mais modernas não podem igualar a nitidez dessas inscrições antigas.

III. Jóias Egípcias, Assírias, Babilônias, Fenícias, Gregas e Romanas

1. *Egípcias.* Certas jóias egípcias eram feitas de material frágil, vítreo, conforme têm sido encontradas nos túmulos egípcios e nas decorações de múmias. No caso de adornos para pessoas vivas, eram empregadas jóias de metais e de pedras preciosas. A cornalina, o jaspe, a turquesa, a esmeralda, o lápis-lazúli são materiais de que foram feitas jóias antigas, descobertas pelos arqueólogos. Sabemos que os antigos egípcios faziam centenas de sondagens, em busca de esmeraldas. A arte do fabrico de jóias atingiu uma admirável precisão e graça, no antigo Egito. Jóias de grande elegância têm sido encontradas com as múmias da XII dinastia egípcia. As jóias encontradas no túmulo de Tutancamom, da VIII dinastia egípcia eram magníficas. O túmulo dele foi aberto em 1922, sem que, antes disso, coisa alguma tivesse perturbado esse túmulo. De algum modo, havia escapado às pilhagens dos ladrões. Colares, braceletes, anéis e vários outros tipos de jóias foram, então, encontrados. As pedras ali usadas eram a cornalina, a pérola (considerada uma pedra preciosa pelos antigos), a esmeralda e o lápis-lazúli. Duas notáveis coroas foram achadas, incrustadas de flores feitas de gemas diversas, e leques de enfeites tipo flores. Os pedúnculos das flores eram fabricados com ouro. Mas, talvez o formato mais familiar de jóias, entre os egípcios, fosse o dos chamados selos escaravelho. O escaravelho (uma vespa grande, que gosta de restos de fezes) era considerado um inseto sagrado pelos antigos egípcios, e as gemas eram moldadas de modo a representar esse inseto.

2. *Assírias e Babilônias.* Mui caracteristicamente, as jóias assírias e babilônias eram grandes e espetaculares. Os formatos mais conhecidos eram os cilindros caldeus, ou selos de rolar. Tinham propósitos práticos, mas também eram usados esses selos como ornamentos. Alguns desses selos, como é claro, eram usados como encantamentos. Heródoto menciona selos cilíndricos, observando que eles faziam parte do vestuário dos cavalheiros babilônios, em ocasiões especiais. Comparar isso com Gên. 38:18. As jóias assírias têm sido ilustradas por jóias achadas no túmulo real da rainha Subade, descoberto em Ur dos caldeus. Os selos cilíndricos eram feitos com pedras semipreciosas gravadas, ou, então, com cerâmica vitrificada, provenientes desde antes de 3200 A.C. Esse itens foram os antepassados das jóias

JÓIAS E PEDRAS PRECIOSAS

produzidas nos tempos clássicos dos gregos e dos romanos.

3. *Fenícias*. Não há que duvidar que joalheiros e obras de arte fenícias, (trabalhadas estas em metais), apareciam em Judá, sobretudo nas cidades maiores. Mas, a maioria desses artesãos eram itinerantes. Eles percorriam muitos lugares, levando fornalhas portáteis e vendendo os seus objetos de arte. As mulheres traziam moedas e metais preciosos, bem como pedras preciosas e semipreciosas que aqueles joalheiros transformavam em belas jóias, como braceletes, pulseiras e anéis. Escavações feitas nos túmulos reais de Biblos, na Fenícia, têm encontrado grande abundância de objetos dos habilidosos joalheiros artesãos fenícios. O Museu Nacional do Líbano exibe muitas jóias e obras de arte dessa natureza, feitas por artesãos fenícios.

4. *Gregas*. A era áurea grega, que foram os séculos V e IV A.C., produziu notáveis obras de arte sob a forma de jóias. A arqueologia tem desenterrado pássaros em miniatura, animais e outros itens decorativos, que tomavam a forma de pendentes, brincos e outros objetos. Flores e folhagem, imitando a natureza, feitas de finíssimas folhas de ouro batido, encontram-se entre os tesouros descobertos pelos arqueólogos. Algumas dessas folhas de ouro eram tão finas que chegavam a mover-se ante o mais leve movimento do ar!

5. *Romanas*. O fabrico de jóias, entre os romanos, caracterizava-se, acima de tudo, pelo uso de pedras semipreciosas, preparadas segundo descrevemos no ponto segundo, acima, *Usos dos Hebreus*. 2. Essas pedras eram moldadas *en cabochon*, ou seja, em forma *ovalada*, seguindo o formato natural das pedras. Também havia jóias preparadas a partir de conchas, sardônio, ônix e ágata. Era empregada uma técnica que aproveitava ao máximo as camadas naturais das pedras. As gemas recebiam desenhos, freqüentemente com filigranas intrincadas, representando animais, membros da família de uma pessoa, ou representações mitológicas e imperiais. Os *camafeus* romanos chegaram a ser copiados pelos joalheiros da Renascença a partir do século XV. Um camafeu é uma pedra ou uma concha com desenhos em relevo, a fim de exibir as diferentes camadas coloridas da pedra. Os romanos não foram os inventores da arte da esmaltagem; mas usavam essa técnica de maneiras inéditas, usando pós de vidro, predominantemente nas cores branco e vermelho, a fim de preencher cavidades feitas a propósito, em ornamentos de bronze. O calor aplicado sobre as peças permitia que houvesse uma fusão permanente de materiais. Muitos broches, fivelas e vários outros objetos têm vindo à luz através das descobertas arqueológicas.

IV. Pedras Preciosas Especificamente Usadas

1. *Metais*: o cobre (II Tim. 4:14); o ouro (Sal. 21:3); o ferro (II Crô. 18:10); a prata (Êxo. 3:22).

2. *Ligas metálicas*: o latão (Apo. 1:15); o bronze (II Crô. 24:12).

3. *Os óxidos*: as ametistas (Apo. 21:20), usualmente de cor púrpura; *os cristais* (Apo. 21:11), claros ou opacos, de variegadas cores, ou mesmo sem cor; a *ágata* (Isa. 43:12), de cor verde ou de outras cores; a *cornalina* (Êxo. 39:13), nas cores vermelha, marrom e azul; a *calcedônia* (Apo. 21:19), também chamada, em algumas traduções, de «ágata», usualmente verde, mas também branco leitoso, com veios azuis. Plínio informa-nos de que certas esmeraldas e jaspes eram também denominadas «calcedônias», por serem provenientes da Calcedônia, região da Ásia Menor. *Os crisóprasos* (Apo. 21:20), também chamados

«berilos», verde bem claro, eram pedras de difícil identificação. O *jaspe* (Êxo. 28:20), provavelmente o jade está em pauta, ou, então, o quartzo esverdeado. O nome jaspe era empregado pelos antigos para indicar pedras de várias cores, ainda que na linguagem moderna esteja em foco uma forma de quartzo opaco, vermelho escuro. O *ônix* (Eze. 28:13) indicava uma pedra esverdeada. A Septuaginta diz «berilo», em vários trechos onde o original hebraico diz ônix. Algumas vezes está em foco uma ágata translúcida, com camadas brancas e pretas. A própria palavra, «ônix», significa «unha», porquanto essa é a aparência dessa pedra. O *sardônio* (Apo. 4:3), que também pode apontar para a cornalina, que já descrevemos acima, era outra dessas pedras. O *sárdio* (Apo. 21:20), que era uma pedra vermelha, no hebraico tem seu nome derivado de *'adam*, que significa «avermelhar». Modernamente, também existe o sárdio, uma forma de cornalina. Era um quartzo de cor vermelha ou marrom profundo. A *sardônica* (não confundir com o «sardônio», acima) também era uma variedade da ágata, com camadas marrons e brancas. Os antigos também usavam a palavra «ônix» para indicar essa pedra.

4. *O alumínio*: o diamante (Êxo. 3:9; Zac. 7:12), conforme o classificamos atualmente, provavelmente não era uma pedra conhecida pelos antigos hebreus e gregos. Todavia, o poeta Manilius, em cerca de 12 D.C., como também Plínio, definidamente descreveram o verdadeiro diamante. O mais provável é que aquilo que a Bíblia chama de «diamante» fosse o *coríndon*, o mais duro dos minerais, depois do diamante. Ver o artigo separado sobre o *Diamante*. Essa palavra significa «invencível», por ser duríssima essa pedra. O *rubi* (Lam. 4:7), que algumas traduções (como a nossa versão portuguesa) chamam de *coral*, indicava a cor vermelha, embora dificilmente esteja em foco a verdadeira pedra rubi. O coral vermelho está em foco, em algumas referências bíblicas. Alguns estudiosos têm sugerido a tradução «pérolas róseas». De fato, essa palavra significa «vermelhidão». É possível que esteja em mira a granada. A *safira* (Êxo. 24:10) é o moderno «lápis-lazúli», uma pedra de azul profundo, porquanto a moderna safira, que é um coríndon azulado, provavelmente não era conhecida pelos antigos.

5. *Carbonatos*: a *malaquita* (Est. 1:6; em nossa versão portuguesa, «alabastro»), que era um carbonato esverdeado.

6. *Sílicas*: o *berilo* (Apo. 21:20), uma pedra verde associada a Társis, na Espanha, que era o verdadeiro berilo ou uma pedra similar a ela, quanto à cor. O *carbúnculo* (Isa. 54:12), uma pedra verde, que a Septuaginta, em algumas de suas ocorrências, traduz por «esmeralda». Pode estar em pauta o berilo verde. O carbúnculo moderno é vermelho. A *crisólita* (Êxo. 28:17) era um topázio amarelo, ou um quartzo amarelado. A *esmeralda* (Apo. 21:19), que, provavelmente, inclui a verdadeira esmeralda, embora também a granada e o carbúnculo. O *feldspato* (Eze. 28:13, em nossa versão portuguesa, «topázio»), que incluía várias rochas cristalinas, silicatos de alumínio com alguma mistura de potássio, sódio ou cálcio. A *granada* (Eze. 27:16; em nossa versão portuguesa, «coral») era um mineral transparente ou translúcido, de várias cores, podendo estar em foco o carbúnculo. O *jacinto* (Êxo. 39:12), um berilo azul ou a safira. O *jade* (Eze. 28:13), que não aparece em nossa versão portuguesa, é uma sílica esverdeada ou branca, bastante dura. O *lígure* (Êxo. 28:19), que nossa versão portuguesa também traduz por «jacinto». O *topázio* (Apo. 21:20), uma pedra amarela ou um cris-

574

JÓIAS — JONADABE

tal de rocha, ou mesmo a crisólita. *A turqueza* (Êxo. 28:19), uma palavra que, geralmente, não aparece nas traduções, como é o caso da nossa versão portuguesa. Mas as descrições dessa pedra apontam para o *teofrasto*, que Plínio chamava de *calais* ou *calaina*. Sua cor era azul ou azul esverdeado.

7. *Materiais orgânicos: o âmbar* (Êze. 1:4; em nossa versão portuguesa, «metal brilhante»), que era uma resina vegetal fossilizada, de cor amarela, amarela avermelhada ou amarela amarronzada. Era um material duro, quebradiço e translúcido. *O coral* (Jó 28:18), que os antigos geralmente conheciam nas cores negra ou vermelha. Consiste na compactação de inúmeros esqueletos de pequenos pólipos marinhos. *A pérola* (Mat. 13:45), que talvez, aponte para pérolas róseas, em Lam. 4:7. Estritamente falando, a pérola não é uma pedra preciosa, embora os antigos a associassem às mesmas. As pérolas são formadas mediante secreções nos corpos de muitos moluscos que vivem no interior de conchas, secreções essas do mesmo material e da mesma cor que as camadas interiores das conchas, onde elas crescem. O próprio material é parcialmente feito de matéria mineral (carbonato de cálcio), e parcialmente de matéria orgânica. Quase todas as pérolas comercializadas procedem da ostra.

N.B.—Os nomes dados pelos antigos às pedras preciosas não seguiam qualquer classificação científica, pelo que ocorrem consideráveis confusões onde os nomes dados são traduzidos pelas modernas traduções. Se algumas identificações são seguras, outras, mui provavelmente, são muito difíceis, ou mesmo impossíveis.

V. Uso Metafórico
Uso Geral. As pedras preciosas e as jóias feitas dessas pedras falam sobre algum tesouro ou sobre algo dotado de beleza especial. Algumas vezes está em vista a abundância material, embora uma jóia também possa simbolizar a integridade de caráter, a individualidade, o valor e a estima pessoais. Uma *jóia* pode ser uma pessoa bem amada; as jóias, em geral, também podem aludir, simbolicamente, aos órgãos sexuais masculino e feminino; uma jóia no interior de um flor pode referir-se à natureza humana, que mistura seu lado carnal com seu aspecto religioso e místico. Em um sonho ou em uma visão, uma jóia que se transforma em mero vidro pode referir-se a ideais, esperanças ou planos frustrados; mas, se ela não sofrer alterações para pior, então fala sobre um caráter bem formado, mediante as operações do Espírito, ou, então, a promessa da segunda vinda de Cristo. A grandeza, a preciosidade e o esplendor da Nova Jerusalém são ilustrados por meio de muitas pedras preciosas (Apo. 21).

Significações Específicas. O *cristal* fala sobre pureza, iluminação e simetria. O *diamante* fala sobre inteireza, preciosidade, ausência de ilusões ou ludíbrios, matrimônio, mas também dureza de coração e persistência no pecado. O pecado de Judá era como um estilete de ferro, com ponta de diamante, de forma a gravar uma inscrição pecaminosa permanente (Jer. 17:1). A *pérola* pode indicar personalidade bem formada, mente sã e corpo hígido. Dentro do contexto religioso, representa a preciosidade do evangelho e do discipulado cristão (Mat. 13:46). O *rubi* alude à beleza feminina, mas também às virtudes e à graça da mulher, o que também é representado pela *rosa*. O preço da mulher virtuosa está acima do valor dos rubis (Pro. 31:10). O *ouro* é emblema daquilo que é precioso, puro, espiritual, raro, divino. O preço da sabedoria é comparado à preciosidade dos *rubis* (Jó 28:18). O *dourado* fala

sobre a verdade e a mente consciente. O fator intuitivo do homem também pode estar em foco. A combinação *ouro* e *prata* refere-se ao relacionamento masculino/feminino. Os juízos do Senhor são comparados ao ouro, visto que são preciosos e desejáveis (Sal. 19:10). Muitas pedras preciosas ilustram as riquezas, a abundância material, mas também a ganância, conforme se vê na descrição do rei de Tiro, em Eze. 28:13. Alguns intérpretes pensam que aquele texto alude ao esplendor maligno de Satanás, tipificado no rei de Tiro. Mas outros estudiosos vêem nisso uma antecipação do *anticristo* (vide), segundo se percebe em Dan. 7:8 e Apo. 19:20. Doze pedras preciosas decoravam os alicerces da Nova Jerusalém, o que talvez aponte para os doze apóstolos (Apo. 21:14,19). A excelência e as qualidades espirituais da Igreja remida também estão em vista, se considerarmos que a Cidade celestial representa o grupo dos remidos, e não alguma cidade literal. O ouro das suas ruas fala sobre a pureza, o caráter ímpar, o grande valor e o caráter divino. O ato de lançar pérolas diante dos porcos fala sobre a loucura que consiste em baratear a mensagem cristã, mediante a tentativa de forçá-la sobre os obstinados (Mat. 7:6). As pedras preciosas do peitoral do sumo sacerdote (Êxo. 28:17-20 e cap. 39) têm recebido inúmeras e variadas interpretações. Alguns chegam a supor que os doze meses do ano e/ou os signos do zodíaco, devem ser incluídos nesse simbolismo. Essa é uma antiga interpretação, encontrada nos escritos de Filo, como *Vita Moses* 2.124 *ss.* O povo de Deus é comparado ao resplendor de jóias existentes em uma coroa (Zac. 9:16). Pedro proibiu o adorno excessivo nas mulheres cristãs, por meio de jóias e outros luxos, dando a entender que isso reflete decadência espiritual e um espírito rebelde. Ele preferia a beleza que transparece de um espírito manso e tranqüilo, o que, aos olhos de Deus, reveste-se de grande valor. Ver I Ped. 3:3-5. (AM DANA ND UN Z)

JONÃ
Provavelmente, esse nome é uma forma de **Joanã** (vide) ou de **Jônatas** (vide). Esse foi o nome de um dos antepassados de Jesus, conforme a genealogia de Luc. 3:30. Ele era filho de Eliaquim.

JONADABE
Algumas versões grafam esse nome com a forma de *Jeonadabe*. Há três homens com esse nome, nas páginas do Antigo Testamento. Esse nome significa «Yahweh impele». Mas outros estudiosos interpretam-no como «Yahweh é nobre» ou «Yahweh é liberal».

1. Um sobrinho de Davi, filho de Siméria, irmão de Davi. Jonadabe era homem inescrupuloso e cheio de truques, pelo que causou muitas dificuldades. Ajudou a seu primo e amigo, Amom, filho de Davi, a obter satisfação para seus desejos incestuosos, o que resultou na violentação de Tamar. Tamar era meio irmã de Amom e irmã de Absalão. Por causa disso, Amom acabou sendo assassinado por ordens de Absalão. Daí resultou uma guerra civil, com a conseqüente brecha política em Israel. Apesar de toda essa participação de Jonadabe, parece que, pelo menos durante algum tempo ainda, ele continuou a desfrutar de intimidade com a casa real (II Sam. 13:1-33).

2. Um descendente de Recabe (ver acerca dos *recabitas*). Ele foi o genitor desse povo nômade, que persistia em viver desse modo a qualquer custo, várias gerações depois dele. Uma das esposas de Davi era recabita (I Crô. 2:55).

JONADABE — JONAS

3. Outro descendente de Recabe (ver acerca dos *recabitas*). Ele era vulto liderante entre os *queneus* (vide) (I Crô. 2:55), aparentado à família de uma das esposas de Moisés (Juí. 4:11). Estabeleceu-se no extremo norte da terra de Canaã (Juí. 4:6,11). Parte de sua gente, contudo, estabeleceu-se na parte sul da Palestina (Juí. 1:16; Núm. 24:21). Os informes sobre Jonadabe (II Reis 10:15 ss) e sobre sua gente (Jer. 35:2,3,5) mostram-nos que gente interessante eles eram. Eles eram um povo nômade ou seminômade, dedicados aos costumes ensinados por Moisés, embora de práticas ascéticas. Jeremias salientou que eles eram um povo obediente às suas tradições de família, provendo um bom exemplo nos dias do ímpio Jeoaquim. Ver Jer. 35:1-10, onde a casa dos recabitas é descrita como totais abstêmios de vinho, que nada plantavam, mas residiam em tendas e peregrinavam entre o resto do povo de Israel. Jonadabe era um zeloso adorador de Yahweh, e ajudou a Jeú a suprimir a adoração a Baal (II Reis 10:15,23).

Em I Crônicas 3:18 encontramos o nome *Nedabias* que é uma forma variante desse nome, mediante a transposição de dois dos fonemas que o constituem.

JONAS (O LIVRO E O PROFETA)

Esboço:

I. Caracterização Geral
II. O Nome
III. O Profeta Jonas e a Autoria do Livro
IV. Historicidade
V. Data
VI. História do Grande Peixe: Sua Historicidade e Tipologia
VII. Ocasião e Propósitos do Livro
VIII. Pontos de Vista Teológicos
IX. Esboço do Conteúdo

I. Caracterização Geral

a. *Idéias dos Intérpretes Liberais*. Os intérpretes liberais supõem que Jonas é o último dos livros proféticos do Antigo Testamento, escrito no século III A.C., por algum autor anônimo. Se isso é verdade, então ele escolheu um meio ambiente de cerca de quinhentos anos antes, para dar colorido de antiguidade ao seu livro. Outrossim, isso significaria que *Jonas* é uma novela religiosa com o propósito de ensinar lições morais e espirituais, mas sem qualquer traço de historicidade. Ver a quarta seção, *Historicidade*, quanto a esses problemas.

b. *Interpretação Alegórica*. De acordo com essa interpretação, em contraste com os sentimentos antiestrangeiros de Jonas, os pagãos são ali apresentados como pessoas ansiosas por arrepender-se de seus pecados e por abraçar novos conceitos religiosos, a fim de evitarem as horrendas predições de condenação feitas por Jonas.

Na verdade, o livro mostra a universalidade da autoridade do Deus do povo de Israel. Jonas não foi capaz de escapar dele meramente fugindo da Palestina. E, de acordo com a interpretação alegórica, o conceito de um Deus nacional e vingativo, que teria Jonas, é substituído no livro pela noção de um Deus gracioso, lento em irar-se e cheio de misericórdia. Destarte, o livro serviria como uma espécie de alegoria que ensina que o povo de Israel precisava ser menos beligerante, mais tolerante, mais ansioso por propagar suas vantagens religiosas, para benefício das nações pagãs. Além disso, o Deus concebido por Jonas também seria pequeno demais, pois o conceito que o profeta fazia de Deus não Lhe faria justiça, fechando-o em uma prisão de orgulho e exclusivismo nacionais.

Alguns estudiosos vêem em tudo isso uma figura das nações de Israel e de Judá, que tiveram de ir para o cativeiro (assírio e babilônico, respectivamente). Antes desses exílios literais, as duas nações escolhidas já se tinham condenado ao cativeiro, devido à sua apostasia. Esses exílios talvez sejam simbolizados pelos três dias que Jonas passou no ventre do grande peixe. Pelo menos, alguns estudiosos pensam que isso é o que o livro está, realmente, ensinando. A interpretação alegórica, naturalmente, ignora o contexto histórico em que o autor do livro põe a personagem principal, Jonas. Se a teoria sobre o exílio está com a razão, então o livro seria apenas uma espécie de sátira acerca das atitudes bitoladas e atrasadas de Israel, ao mesmo tempo em que o profeta Jonas apareceria apenas como uma figura romântica, mas não histórica. Por outro lado, se Jonas foi um profeta autêntico e histórico, essas mesmas lições transparecem claramente no relato, sem qualquer prejuízo. — É claro que essas lições aplicam-se igualmente bem a todos os grupos religiosos ou indivíduos que são prisioneiros de seus próprios preconceitos, que, por assim dizer, impõem sobre si mesmos uma forma de exílio, em relação ao resto da humanidade, merecendo tanta compaixão como quaisquer outros prisioneiros.

c. *Pano de Fundo Histórico*. Essa é a posição que os eruditos conservadores assumem com seriedade; mas que os liberais pensam ser apenas um artifício literário artificial. Dizemos mais a esse respeito na seção IV, *Historicidade*.

Nenhum período histórico é indicado no próprio livro de Jonas; mas, como é evidente, o tempo tencionado é durante ou pouco antes do reinado de Jeroboão II, em que as bem-sucedidas conquistas militares de Israel ampliaram grandemente os seus territórios, e houve grande prosperidade material daquele reino, durante o reinado daquele monarca. Nesse caso, o livro data de cerca de 850 A.C.

Alguns estudiosos supõem que o arrependimento em massa, dos habitantes de Ninive, poderia ter sido facilitado por sua tendência pelo monoteísmo (com uma espiritualidade que se aprimorou naquela geração), o que houve durante o reinado de Adade-Nirari III, cujas datas foram cerca de 810—783 A.C. Outrossim, houve uma grande praga durante o reinado de Assurdã III (cerca de 771—754 A.C.), o que poderia ter impelido os ninivitas a mostrarem-se receptivos para com uma mensagem de condenação, como houve, por meio de Jonas, com o subseqüente arrependimento em massa daquela gente. Apesar de tudo, alguns eruditos argumentam em favor de uma data posterior para o livro de Jonas. Examinamos a questão na quinta seção deste artigo, *Data*.

d. *Caráter Ímpar do Estilo e da Mensagem de Jonas*. O livro de Jonas não consiste em uma coletânea de *oráculos*, conforme usualmente se vê nos livros proféticos do Antigo Testamento. Antes, é uma espécie de esboço biográfico, sobre um importante incidente na vida do profeta Jonas. Outrossim, ele não estava ministrando em favor do povo de Israel, e, sim, em favor de um povo estrangeiro, em contraste com todos os demais escritores proféticos do Antigo Testamento. Em seu simbolismo, o livro repreende os preconceitos do povo de Israel, mas também prevê a experiência crucial de morte e ressurreição de Jesus, o Messias prometido. Pois foi com esse sentido que o próprio Senhor Jesus interpretou a experiência de Jonas, com o grande peixe, em Mat. 12:39-41.

576

JONAS

II. O Nome

Podemos comparar o nome de Jonas com o trecho de Sal. 74:19, onde a nação de Israel é chamada de «rola», o termo hebraico *Jonas* significa «pomba». Esse era um nome próprio pessoal muito comum em Israel. O pai de Simão Pedro tinha esse nome (ver Mat. 16:17 e o artigo intitulado *Barjonas*). No artigo *Barjonas* aprendemos que os tradutores têm confundido, no Novo Testamento, no tocante ao pai de Simão Pedro, os nomes *Jonas e João*. O nome Jonas, *pomba*, era, ao que parece, dado pelas mães a seus filhos, como um título afetuoso. Pois a pomba é uma ave que demonstra muito carinho com outros membros de sua espécie, sobretudo no ato de cruzamento. Modernamente, tornou-se um símbolo bem conhecido da «paz». Nas Escrituras vemos que vários nomes de animais eram dados a pessoas, como são os casos de *Dorcas*, que no grego significa «gazela», ou de *Raquel*, que no hebraico significa «ovelha». Nomes de flores também eram empregados da mesma maneira.

III. O Profeta Jonas e a Autoria do Livro

Muitos eruditos liberais acreditam que nunca existiu um profeta com o nome de *Jonas*, porquanto o livro que traz esse nome seria, na opinião deles, apenas uma *novela* religiosa. Embora Jesus o tivesse mencionado por nome (ver Mat. 12:39-41), eles supõem que nem por isso Jesus afirmou a *existência histórica* de Jonas, mas apenas citou um apropriada passagem do livro de Jonas a fim de ilustrar a sua própria experiência de morte e ressurreição. Mas outros estudiosos insistem que a referência de Jesus a Jonas confirma a sua historicidade. O trecho de II Reis 14:25 registra o cumprimento da profecia de Jonas, chamando-o de' *filho de Amitai*, além de identificar a sua cidade natal como Gate-Hefer. Essa cidade é mencionada em Jos. 19:13. Ficava no território de Zebulom, cerca de oito quilômetros ão norte de Nazaré. Há uma lenda que faz de Jonas o filho da viúva de Sarepta, o jovem a quem Eliseu enviou para ungir a Jeú, para que fosse o próximo rei de Israel. Mas os eruditos não levam essa lenda a sério. Outros estudiosos salientam que embora tenha havido um Jonas histórico, isso não significa que ele escreveu o livro, apesar do fato inegável de que o livro descreve um incidente muito importante de sua vida.

Argumentos Contra Jonas como Autor do Livro:

1. O livro fala sobre um profeta Jonas, mas não afirma que foi ele quem escreveu o livro. O livro seria uma biografia, mas não uma autobiografia.

2. A ligação do livro com um Jonas histórico, que era um profeta conhecido, seria apenas um artifício literário, e não uma séria afirmação histórica. Isso era um expediente extremamente comum na antiguidade. Os livros pseudepígrafos são a melhor demonstração desse fato.

3. As referências a Jonas, no livro, estão na terceira pessoa do singular. Apesar de alguns autores referirem-se a si mesmos na terceira pessoa, isso favorece mais a idéia de biografia (verdadeira ou romântica), e não a idéia de uma autobiografia.

4. Há fortes argumentos em prol de uma *data posterior* (ver a quinta seção, abaixo) para o livro de Jonas. Nesse caso, é impossível que Jonas, filho de Amitai, tivesse sido o autor do livro. Seu nome pode ter sido arbitrariamente escolhido como aquele que experimentou o que o livro descreve; ou então ele não estava em vista, desde o começo da narrativa. Nesse caso, para essa *novela*, o nome de Jonas foi arbitrariamente selecionado, sem que houvesse qualquer tentativa de identificá-lo como uma personagem histórica.

5. Vários argumentos são contrários à historicidade do livro; e essa argumentação também tem sido empregada pelos críticos, contra a historicidade da personagem central,' Jonas. Ver sob a quarta seção, quanto a pormenores sobre esse item. Os contra-argumentos a essas críticas são expostos abaixo.

Respondendo a essas objeções, osbervamos o seguinte:

1. Visto que o próprio livro de Jonas em parte alguma diz quem foi o seu autor, o assunto perde a importância, exceto como uma curiosidade para algumas pessoas. — Dificilmente podemos testar a ortodoxia ou a espiritualidade de alguém defendendo ou atacando Jonas como o autor desse livro. Aquilo que cremos sobre esse ponto demonstra somente o quanto confiamos ou não nas tradições que têm aparecido, através dos séculos, sobre o livro de Jonas.

2. Sem importar se o uso do nome de Jonas (tendo em mente uma personagem histórica) é um artifício literário ou não, isso jamais poderá ser determinado com qualquer segurança. A alusão do Senhor Jesus a Jonas parece afirmar a sua historicidade. Mas, dificilmente alguém poderia argumentar sobre a historicidade da personagem Jonas, meramente com a ajuda de uma citação. Pois é impossível determinarmos o intuito do Senhor Jesus, ao fazer essa citação. Os liberais supõem que o próprio Jesus poderia ter-se equivocado quanto à questão em foco, se é que ele pensava em Jonas como uma figura histórica. Naturalmente, Jesus teria confiado nas tradições judaicas, ou teria pensado que a questão não era importante, e nem merecesse ser discutida.

3. A referência que o autor faz a si mesmo, na terceira pessoa do singular, é uma prática literária comum, e nada pode ser dito a favor ou contra a autoria de Jonas, tomando-se por base referências indiretas a ele. Esse ponto, pois, deve ser considerado neutro.

4. Os argumentos que dizem respeito à data do livro aparecem na quarta seção, chamada *Historicidade*.

IV. Historicidade

Na primeira seção, **Caracterização Geral**, chamamos a atenção para os problemas envolvidos na historicidade do livro de Jonas. Alistamos abaixo os argumentos específicos sobre essa historicidade:

1. Os aramaísmos do livro apontam para uma data posterior, distanciando-o dos dias de Jonas, filho de Amitai. Porém, essa objeção é muito enfraquecida pelo fato de que os aramaísmos também ocorrem em livros antigos do Antigo Testamento, podendo ser encontrados até mesmo nos épicos de Ras Shamra, encontrados em Ugarite, que datam de cerca de 1400 A.C.

2. *Tropeços Históricos*. Um erudito tão respeitável quanto Robert Pfeiffer supõe que a designação do imperador da Assíria como «rei de Nínive» (Jon. 3:6), e que a descrição de Nínive como «cidade muito importante» (Jon. 3:3), são asserções historicamente infundadas. Um autor que pertencesse à época sobre a qual escrevia, sem dúvida saberia melhor que isso, diz ele. Nínive foi local de palácios reais assírios, desde remota antiguidade; mas, alção foi elevada à posição de capital do reino assírio senão já nos dias de Sargão II (722—702 A.C.). Apesar da capital desse império não ser Nínive, na época de Jonas, o que poderia impedir o imperador assírio de ser chamado de seu «rei»? Apesar da designação comum, no Antigo Testamento, ser «rei da Assíria», não há nada de estranho quanto à pequena variante, «rei de Nínive». No tocante às dimensões da cidade, como é óbvio, nos dias de Jonas, Nínive não era tão grande assim. Isso

JONAS

posto, as interpretações que supõem que os «três dias» mencionados no livro de Jonas falam sobre o tempo que Jonas precisou para pregar nas praças da cidade, e não sobre o tempo que ele gastou para atravessar a cidade a pé, como se estivesse a medi-la em sua extensão. Na época, Nínive tinha cerca de seiscentos mil habitantes. E, apesar disso não parecer muito grande, de acordo com os padrões modernos, significa uma gigantesca cidade, de acordo com os padrões antigos. Quando muito, o autor sagrado «exagerou» sobre o tamanho da cidade. Os pregadores sempre calculam as dimensões de suas audiências mais do que elas, realmente, são! Deve-se admitir, porém, que o trecho de Jonas 3:3 parece afirmar claramente que seriam necessários três dias de caminhada para que um homem atravessasse a cidade, apesar dos esforços de alguns eruditos para verem a questão sob outro prisma. Quanto a mim, não me preocupo com o tamanho de Nínive, e nem se o autor exagerou um pouco ou não. Mesmo que ele tivesse exagerado as dimensões da cidade, isso não provaria nada contra a historicidade do relato bíblico. Apenas mostraria que o autor caiu em algumas poucas inverdades, muito próprias da exagerada linguagem oriental.

Há duas estranhas atividades que surgem em discussões dessa natureza. A *primeira* delas é que os estudiosos liberais, em sua ansiedade por descobrir problemas na Bíblia, dão imensa importância a pequenos detalhes, a fim de tentarem consubstanciar sua posição. E a *segunda* é que os eruditos conservadores não hesitam em distorcer os textos sagrados, a fim de que digam coisas que, na verdade, não dizem, porquanto eles são incapazes de tolerar (psicologicamente) a idéia de que, nas Santas Escrituras, podem ser encontrados quaisquer equívocos, de qualquer natureza. Ambas essas atividades são bastante infantis, e nada têm a ver com a fé e com a espiritualidade.

3. *O Relato sobre o Grande Peixe.* Os estudiosos liberais simplesmente não vêem como um homem poderia sobreviver por três dias no ventre de uma baleia, ou de qualquer peixe. Não crêem que qualquer espécie de peixe seja capaz de engolir vivo a um homem. Daí, pensam que essa porção do relato sobre Jonas deve ser apenas uma ficção divertida; e que, por causa disso, deveríamos pôr em dúvida a história inteira, como uma produção literária destituída de seriedade. Histórias sobre peixes, dizem eles, fazem parte das lendas e do folclore. E os eruditos conservadores, pensando que os liberais conseguiram marcar um tento, chegam ao extremo de dizer que Deus criou um *peixe especial*, para engolir Jonas. Para exemplificar isso, vemos que até a prestigiosa enciclopédia *Zondervan* precisou apelar para o sobrenatural, a fim de dar foros de autenticidade ao relato sobre o grande peixe de Jonas. Lemos ali: «Aceitando o sobrenatural—preparou o Senhor um grande peixe (1:17)—teremos removido toda a dificuldade». Há outros estudiosos conservadores que apelam para a dogma. Assim, Jesus falou sobre o peixe. Logo, teria de ser um peixe real, e não uma mera lenda. No entanto, ambas essas abordagens são desnecessárias. Há incidentes, fartamente documentados, que mostram que algumas espécies de baleias são capazes de engolir um homem; e também que alguns homens, realmente, têm sobrevivido a tão bizarra experiência. Ver a seção sexta, abaixo, onde há uma demonstração desse fato.

4. *Poder Demasiado na Pregação de Jonas.* Alguns eruditos não podem crer que qualquer judeu cheio de preconceitos, ao pregar sua mensagem de condenação, fosse capaz de fazer os orgulhosos ninivitas se

vergarem. Há uma canção popular norte-americana que exalta a cidade de Chicago. Uma das coisas que se diz nessa canção é que Chicago é cidade tão incomum que nem Billy Sunday foi capaz de fechá-la. Billy Sunday foi um pregador tão poderoso que, em certas cidades onde ele pregava, havia mudanças tão radicais na conduta do povo que as forças policiais podiam ter o seu número reduzido. Não obstante, ele não teria conseguido vergar Chicago! E assim também, os liberais não vêem como Jonas teria podido submeter os ninivitas! Os conservadores, por sua parte, apelam para o poder de Deus. É possível que Nínive tenha passado por uma melhoria espiritual, tendo abraçado o monoteísmo, depois que seus habitantes sofreram uma praga devastadora. Essa praga poderia ter abrandado o fanatismo pagão dos ninivitas, preparando a cidade para a pregação de Jonas. Já comentamos sobre isso em I. c., *Pano de Fundo Histórico*. Devemos observar, porém, que toda essa discussão é fútil e supérflua. O que acreditamos sobre o que Jonas poderia ter feito depende apenas de nossos sentimentos subjetivos, sobre o poder de sua prédica. Nada há de estranho, porém, quanto a conversões em massa, ou quanto a multidões se deixarem influenciar por uma retórica inflamada. Consideremos como Hitler conseguia arrebatar multidões de seus ouvintes alemães, com alguns poucos discursos.

5. *O Livro de Jonas tem um Escopo Universal.* A leitura do Antigo Testamento dá-nos a impressão de que o povo de Israel era exclusivista. O livro de Jonas, todavia, reflete uma atitude universalista, que caracteriza os tempos posteriores daquela nação. Assim, na opinião de alguns, não passa de um *anacronismo* o interesse de Deus pelos ninivitas. Isso no caso de insistirmos sobre uma data mais antiga para o livro. Mas, contra isso, frisa-se o fato de que o pacto estabelecido com Noé (Gên. 9:9) tinha em mira todos os povos; e também que o pacto abraâmico (Gên. 12:1 *ss*) apresenta-o claramente como pai espiritual de muitas nações; ou, pelo menos, em Abraão todas as famílias da terra seriam abençoadas. Isso pode ser confrontado com Isa. 42:6,7 e 49:6. Talvez houvesse muitos judeus exclusivistas, mas a própria Bíblia não assume tal posição!

Seja como for, os judeus, desde os tempos mais remotos, consideram o livro de Jonas uma obra histórica. Ver alusões a isso em III Macabeus 6:8; Tobias 14:4,8; Josefo (*Anti.* 9:10,2). Jesus também considerou Jonas uma personagem histórica (Mat. 12:9 *ss*; 16:4 *ss*; Luc. 11:29). É verdade que alguns eruditos modernos pensam que a passagem de Mat. 12:9 é uma interpolação posterior. Porém, não há qualquer evidência disso, nos manuscritos.

V. Data

Se partirmos do pressuposto que foi Jonas, filho de Amitai, quem escreveu o livro que tem seu nome, então essa obra foi produzida em cerca de 750 A.C. Tudo depende, porém, da historicidade do livro (o que é ventilado no ponto quarto, acima), e com base na suposição de que o autor foi o Jonas que é a figura central do livro. Uma data tão recente quanto 200 A.C. poderia ser aceita, se o livro não passasse de uma novela religiosa, segundo alguns têm dito. Pelo menos sabe-se que o livro deve ter sido escrito antes do livro apócrifo de Eclesiástico (49:10), que alude à existência dos livros dos doze profetas menores. O trecho de Tobias 14:4,8 tece referências ao livro de Jonas, e a maioria dos estudiosos pensa que o livro de Tobias foi escrito antes do ano 200 A.C.

Argumentos em Favor de uma Data Mais Recente: Vários dos pontos expostos na quarta seção,

JONAS

Historicidade, que afirmam que o livro não está ligado ao período histórico que a tradição aceita, também se aplicam à questão de uma data mais recente do livro. A isso, adicionamos:

1. O trecho de Jonas 3:3 parece falar sobre Nínive como cidade que não mais existia quando o autor sagrado escreveu. O texto diz ali: «...Nínive era...» Porém, contra esse argumento tem sido salientado que há uma construção gramatical similar, no caso de Emaús, quando a cidade continuava existindo (ver Luc. 24:13). Admite-se, todavia, que é estranho dizer-se que Nínive «era», quando ela continuava existindo quando o autor sagrado escreveu.

2. O autor do livro de Jonas parece ter tido conhecimento de profetas posteriores, e ele chega a aludir aos escritos deles. Assim, conforme alguns estudiosos pensam, o trecho de Jon. 3:10 reflete Jer. 18:1 *ss*; o de Jon. 3:5 reflete Joel 1:13 *ss*; o de Jon. 3:9 reflete Joel 2:14, e o de Jon. 4:2 reflete Joel 2:13. Todavia, o que sentimos sobre essa questão depende, em muito, daquilo que quisermos ler nas entrelinhas do texto sagrado, ou deixar de fora das passagens envolvidas.

3. O salmo de ação de graças (Jon. 2:1-9) reflete os salmos canônicos, alguns dos quais, segundo se supõe, foram compostos posteriormente, não tendo sido da autoria de Davi. Mas, os estudos mostram que os salmos, a grosso modo, refletem a antiga literatura cananéia, devendo ser reputados como antiqüíssimos.

A atribuição do livro de Jonas a uma data mais recente repousa sobre o tipo de mensagem que o leitor percebe no livro. Se a obra é alegórica e reflete um período quando o judaísmo estava se universalizando, então a data posterior faz sentido. Mas, se o livro é de natureza histórica, então precisamos afirmar que houve alguma universalização nos sentimentos de Israel, desde bem antes do período helenista (vide). Os argumentos em favor e contra uma data mais recente, como se vê, não são conclusivos.

VI. A História do Grande Peixe: Sua Historicidade e Tipologia

Uma das características interessantes do livro de Jonas, se não a mais notável, é o relato de como Jonas foi engolido por um grande peixe (presumivelmente, uma baleia), mas foi capaz de sobreviver à prova, apesar do fato de ter permanecido no ventre do peixe por três dias! Há possibilidades científicas de uma coisa assim realmente suceder?

1. *Historicidade da Narrativa*. Ver sob a quarta seção, *Historicidade*, em seu terceiro ponto, *O Relato Sobre o Grande Peixe*. Ali damos uma boa descrição sobre como os liberais e os conservadores têm argumentado sobre esse item. O material que se segue mostra que, de fato, tal coisa pode acontecer.

Será possível ser engolido por uma baleia e continuar vivo para contar a história? A ciência responde «Não», mas a resposta correta é «Sim». Os registros oficiais do Almirantado Britânico provêm evidências documentadas sobre a espantosa aventura de James Bartley, um marinheiro britânico que foi engolido por uma baleia, e escapou com vida para contar a história! O Sr. Bartley estava fazendo sua primeira viagem (que terminou também por ser a única), como marinheiro de um navio baleeiro, cujo nome era *Estrela do Oriente*, em fevereiro do ano de 1891. Estavam a algumas centenas de quilômetros a leste das ilhas Falkland, no Atlântico Sul.

Em certo momento foi arpoada uma grande baleia, que então mergulhou às profundezas abissais. Quando ela subiu para respirar, ocorreu que seu corpanzil esmigalhou o bote, e muitos homens caíram no mar. Dois homens não puderam ser encontrados e um deles era o Sr. Bartley. Depois de muito serem procurados, foram dados, finalmente, por perdidos.

Pouco antes do por-do-sol, naquele mesmo dia, a baleia moribunda flutuou até à superfície. A tripulação rapidamente prendeu uma corda na baleia e a arrastou até o navio-mãe. Posto que era tempo de verão, foi necessário despedaçar imediatamente o gigantesco animal. A baleia foi sendo cortada em pedaços. Pouco depois das onze horas da noite, os exaustos tripulantes removeram o estômago e o enorme fígado da baleia. Esses pedaços foram levados para a coberta e notou-se que havia algum movimento no interior do estômago da baleia.

Fizeram uma grande incisão no estômago da baleia, e apareceu um pé humano. **Era James Barley**, dobrado em dois, inconsciente, mas ainda vivo. Bartley soltava grunhidos incoerentes ao recuperar um pouco mais a consciência, e durante cerca de duas semanas pendeu entre a vida e a morte. Passou-se um mês inteiro antes que pudesse contar perfeitamente a história do que lhe acontecera.

Lembrava-se de que quando a baleia atingiu o bote, ele foi atirado no ar. Ao cair, foi engolfado pela gigantesca boca da baleia. Passou por fileiras de minúsculos e afiados dentes, e sentiu uma dor lancinante. Percebeu que estava escorregando por um tubo liso, e então desapareceu na escuridão. De nada mais se lembrava, senão depois de ter recuperado a consciência, uma vez **libertado** do estômago da baleia.

Muitos médicos de vários países vieram examiná-lo. Viveu mais *dezoito anos* depois dessa experiência. Sua pele ficara com uma desnatural coloração esbranquiçada, mas não sofreu outros maus efeitos além desse. Na lápide de seu túmulo foi escrito um breve relato de sua experiência, com o acréscimo: «James Bartley, 1879 a 1909, um moderno Jonas». (Extraído do livro *Stranger Than Science*, por Frank Edwards, págs. 11-13).

2. *Tipologia*. A experiência de Jonas é um tipo de como Jesus, o Cristo, haveria de ficar retido em um sepulcro, mas ressuscitar dentre os mortos, três dias mais tarde. Esse símbolo era um «sinal» para os mestres judeus incrédulos, os quais estavam submetendo Jesus a teste, quanto às suas reivindicações messiânicas. Jesus repreendeu aqueles que queriam receber o sinal, como necessário, porque isso comprovava que aqueles homens perversos estavam espiritualmente cegos. Em tal estado de trevas, precisavam de sinais e não eram capazes de reconhecer as realidades espirituais. Jesus recusou-se realizar algum grande milagre, a fim de autenticar suas reivindicações. Ele já havia feito isso, com abundância. E eles já tinham rejeitado todos os sinais que ele fizera. Portanto, o Senhor lhes ofereceu um sinal bíblico. Por assim dizer, Jonas *morreu* e então retornou à *vida*. Por semelhante modo, Jesus morreria, de fato, mas ressuscitaria. Ver os artigos separados sobre *Ressurreição* e *Ressurreição de Cristo*. O Senhor ressurrecto tornou-se o doador da vida eterna àqueles que nele confiam, que passam a ser moldados segundo a sua imagem. Parte da condenação de Jesus aos mestres incrédulos consistiu no fato de que os ninivitas, habitantes de uma cidade pagã, se tinham arrependido em face da pregação de Jonas. E no entanto, Aquele que era muito maior do que Jonas pregara e mostrara sinais aos teimosos mestres judeus, mas estes tinham-se recusado a arrepender-se. Isso significava que Deus haveria de tratar com eles com grande severidade. A ressurreição de Jesus Cristo, como é claro, foi o *sinal*

JONAS — JÔNATAS

final e definitivo da autenticidade das reivindicações de Jesus, como Messias prometido e Salvador.

VII. Ocasião e Propósitos do Livro

O livro de Jonas é uma ilustração veterotestamentária da verdade contida em João 3:16: «Deus amou o mundo de tal maneira», que tomou as providências para que houvesse uma missão de misericórdia, com a finalidade de prover remédio para o pecado e para a degradação moral e espiritual. Se Deus teve tanto interesse pela sorte de Nínive, então todos os povos devem ser vistos como objetos de seu amor.

Se os estudiosos liberais estão com a razão, então um dos propósitos do livro de Jonas era atacar os preconceitos judaicos, mostrando que Deus está interessado pelos pagãos, e não meramente pelo povo de Israel. Nesse caso, teríamos um propósito polêmico no livro. Também poderíamos encarar esse propósito como didático. O autor não estaria sendo beligerante. Estava meramente procurando ensinar Israel acerca do interesse de Deus pelos demais povos da terra. O perdão divino é muito amplo; seu amor vai desde os mais altos céus até os mais profundos infernos.

Um outro propósito possível era o de mostrar que a própria nação de Israel deveria interessar-se pelas missões às nações. Nesse caso, o livro é uma espécie de antigo evangelho, cujo intento é impelir à atividade missionária.

O Julgamento é Remedial. Deus não tem prazer na destruição e na dor. Contudo, destruição e dor podem ser aplicadas quando se fazem necessárias. O juízo divino tem por escopo produzir nos homens o arrependimento. O trecho de I Ped. 4:6 mostra que esse princípio continua atuante no após-túmulo, e não apenas durante a vida biológica do indivíduo.

VIII. Pontos de Vista Teológicos

1. *Deus é o governante universal*, razão pela qual ele tem o direito de convocar qualquer nação ao arrependimento.

2. Na qualidade de governante universal, Deus também é *o juiz universal*. Se os homens não derem ouvidos à sua chamada ao arrependimento, então Deus os julgará (Jon. 3:4).

3. Contudo, Deus é *o Salvador universal*. Jonas foi enviado para salvação de Nínive, e não para obter a destruição da cidade. O próprio profeta sentiu-se contrariado, quando Nínive se arrependeu e foi poupada. Ele gostaria de ter visto o cumprimento de sua profecia de condenação. Deus, porém, não concordou com essa atitude. Ver Jon. 4:10,11.

4. *O abundante amor de Deus*. O amor de Deus é permanente e abundante (Jon. 4:2). Chega mesmo a envolver os animais irracionais! (ver o vs. 11). Assim, chegou aos pagãos. Não era coisa pequena, se Nínive viesse a perecer. Vemos aí, novamente, a mensagem de João 3:16, o que é contrário a uma aplicação exclusivista do amor de Deus, a qualquer grupo exclusivo. Isso se volta contra qualquer tipo de exclusivismo, incluindo o *calvinismo* radical (vide)!

5. *Os preconceitos exclusivistas são um erro*. É moralmente errado alguém ser um bitolado religioso, que nada pode ver de bom além de seu próprio grupo ou denominação. É bom o homem ter uma visão mais universal, reconhecendo que Deus é, verdadeiramente, o Pai de todos os povos, embora haja uma paternidade divina e especial, no caso dos remidos (que podem ser de qualquer raça, nação, seita ou denominação, não nos esqueçamos disso).

6. *A motivação missionária*. — Deveríamos preocupar-nos com a propagação da mensagem espiritual e com a salvação das almas.

7. *O propósito remedial do julgamento divino* já foi abordado, na seção sétima, em seu último parágrafo.

IX. *Esboço do Conteúdo*

1. Chamada ao Profeta Desobediente (cap. 1)
   a. A fuga de Jonas (1:1-3)
   b. A confissão de Jonas (1:8-12)
   c. Jonas engolido pelo grande peixe (1:13-17)
2. Jonas Livrado pela Misericórdia Divina (cap. 2)
3. Nova Comissão Divina e Obediência de Jonas (cap. 3)
   a. Jonas em Nínive (3:1-4)
   b. Os ninivitas se arrependem (3:5-9)
   c. A cidade de Nínive é poupada (3:10)
4. A Consternação de Jonas e os Cuidados de Deus (cap. 4)
   a. A indignação de Jonas (4:1-4)
   b. A história da trepadeira (4:6-10)
   c. O amor de Deus por todos os homens (4:11)

Bibliografia: AM I IB LAE PR PU YO Z

JÔNATAS

No hebraico, «dado por Deus». Foi sempre um nome comum entre os israelitas, em todos os períodos de sua história. Na Bíblia há vários homens assim chamados.

1. *Um filho de Gérson*, neto de Moisés (Juí. 18:30). Ele era levita. Sua história é contada em Juí. 17 e 18. Esses relatos formam uma espécie de apêndice ao livro de Juízes, sendo provável que os eventos ali registrados ocorreram após a morte de Josué. Jônatas residia em Belém. Os levitas estavam recebendo uma manutenção insuficiente. E parece que Jônatas, querendo melhorar de vida, foi para o monte Efraim e, no caminho, hospedou-se na casa de Mica. Ali, tornou-se uma espécie de diretor do culto religioso, o que lhe deu a oportunidade de exercer o seu ofício, ao mesmo tempo em que ganhava mais dinheiro (Juí. 17:7-13). Não muito depois que ele iniciou sua nova carreira, espias danitas, em busca de regiões que pudessem ocupar mais ao norte, chegaram à casa de Mica. Foram bem recebidos ali. Mais tarde, um grupo de seiscentos danitas, a caminho de Laís, pararam na casa de Mica. E levaram os itens pertencentes ao culto recém-instalado, como a estola sacerdotal, os terafins e a imagem de escultura. Jônatas foi convidado a acompanhá-los; e a idéia foi a de estabelecer aquele tipo de adoração idólatra no lugar para onde estavam indo. Jônatas aceitou o convite que lhe fizeram, e se tornou o sacerdote dos danitas. Mica protestou contra o «furto», mas sem que fosse ouvido. E foi assim que, desse tempo em diante, até à época do cativeiro assírio, Jônatas e seus descendentes continuaram sendo sacerdotes dos danitas, na cidade de Laís, que acabou tendo seu nome mudado para Dã. Alguns intérpretes supõem que essa adoração envolvia a apostasia contra *Yahweh*; mas há aqueles que negam isso, supondo que a adoração danita foi antes uma adaptação do culto a *Yahweh*. O que é inegável é que havia três pontos condenáveis: 1. Foi estabelecido um rito religioso que diferia do original; 2. esse novo rito era uma forma idólatra; 3. o sacerdócio danita não era autorizado, pois um levita não tinha o direito de arrogar-se à posição de sacerdote, oficiando sobre um sistema separado de adoração. Além disso, finalmente, esse culto danita acabou mesclando-se com a adoração aos bezerros de ouro, que Jeroboão estabeleceu naquele lugar.

Discrepância? Jônatas era um autêntico descendente de Moisés, pelo que se indaga: Por que ele foi

JÔNATAS

chamado de «filho de Manassés», em Juí. 18:30? Esse versículo foi modificado para dizer «filho de Moisés», em muitas traduções. É provável que o nome Moisés (no hebraico, *Mosheh*) tenha sofrido uma interpolação mediante a qual foi adicionado um *num* (a letra *m*, em hebraico), o que alterou o nome para «Manassés». E tal alteração pode ter sido feita a propósito por algum escriba que queria salvar Moisés da desgraça de ter um de seus descendentes como criador de uma adoração idólatra estranha.

2. *Jônatas, o filho mais velho de Saul*, rei de Israel, e herdeiro presuntivo do trono de Israel. Mas, por decisão divina, Davi foi rei em lugar dele. Ver I Sam. 14:8; I Crô. 8:33; 9:39.

a. *Circunstâncias Históricas*. Israel guerreou contra os filisteus, e isso deu a Jônatas a oportunidade de mostrar sua coragem e suas qualidades de príncipe em Israel. Somos informados como ele, com a ajuda única de seu escudeiro, surpreendeu e derrotou uma guarnição de filisteus em Micmás, um dos atos de maior coragem no relato do Antigo Testamento. Ver I Sam. 14:1-14. Visto que se dava então tanto valor ao poder militar e a atos de audácia, certamente isso qualificou Jônatas para suceder a seu pai no trono. Saul, ansioso pela vitória, havia votado tolamente que qualquer um que comesse qualquer coisa antes da noite seria executado. Jônatas, não sabendo disso, ao entrar no bosque, encontrou algum mel silvestre e comeu do mesmo. Saul, aderindo ao seu estúpido voto, esteve a pique de executar seu próprio filho heróico; mas outros israelitas impediram que tal coisa acontecesse (I Sam. 14:16-52). Quanto a votos infelizes, ver também o artigo sobre *Jefté*.

b. *Um Querido Amigo de Davi*. Davi também demonstrou ser homem de extraordinária coragem pessoal. Seu ato de coragem, ao enfrentar o gigante Golias, e ao obter sobre ele a vitória, impressionou profundamente a Jônatas, e isso deu início a uma duradoura e fiel amizade entre os dois.

c. *A Intercessão de Jônatas*. Jônatas aceitou com boa atitude a nomeação de Davi para ser rei; mas Saul resolveu matar o candidato escolhido por Deus. Naturalmente, Saul ficou muito aborrecido diante da amizade entre Davi e seu próprio filho, Jônatas; e isso fez com que não só Davi mas também Jônatas ficassem sujeitos à morte. Davi, afinal, foi forçado a fugir; mas a amizade entre Davi e Jônatas prosseguiu. Eles se encontraram em Ezel e estabeleceram um segundo pacto, comprometendo-se a lutar pela segurança um do outro. Davi também jurou que demonstraria bondade para com a família de Jônatas. Mas, quando Saul tomou conhecimento do que ocorria, certo dia quase matou seu próprio filho, Jônatas, ao lançar contra ele uma lança. É que Jônatas tentara reverter os maus intentos de seu pai contra Davi. Por isso, Davi teve de permanecer exilado, e Jônatas só se encontrava com ele quando as circunstâncias o permitiam (I Sam. 20:1-42). O último encontro entre os dois foi na floresta de Zife, durante a busca de Saul por Davi. Eles, porém, fizeram um acordo perante o Senhor, e separaram-se novamente (I Sam. 23:15-18).

d. *A Batalha de Gilboa*. A Bíblia nada mais nos revela sobre Jônatas, até chegar a descrever a batalha de Gilboa. Jônatas, Saul e dois irmãos de Jônatas foram mortos ali, pelos filisteus (I Sam. 31:2,8). Seu cadáver foi transportado para Jabes de Gileade, onde também foi sepultado (vs. 13). Posteriormente, o corpo de Jônatas foi levado para Zela, juntamente com o cadáver de seu pai, e ali foi sepultado, no território da tribo de Benjamim (II Sam. 21:12-14).

e. *A Lamentação de Davi*. A lamentação de Davi por seu amigo, Jônatas, fornece-nos uma das mais belas páginas da poesia dos hebreus. Ver II Sam. 1:17 ss.

f. *Mefibosete, filho de Jônatas*, tinha apenas cinco anos de idade quando seu pai foi morto (II Sam. 4:4). Davi mostrou favores especiais a Mefibosete, quando subiu ao trono, cumprindo assim o pacto estabelecido com Jônatas. Ver I Sam. 20:15; I Crô. 9:40. As propriedades de Saul foram devolvidas a Mefibosete, e ele era convidado diário à mesa real, em Jerusalém (II Sam. 9).

g. *O Caráter de Jônatas*. Os estudos modernos feitos sobre a herança genética mostram-nos que devemos receber menos crédito quando nossos filhos se saem bem, e menos culpa quando não se saem bem. Jônatas era o oposto de seu pai. Jônatas era homem generoso, justo e completamente destituído de inveja. Em contraste com o espírito traiçoeiro de Saul, Jônatas era leal. Era homem dotado de grande coragem e determinação, capaz de amar verdadeiramente. Uma outra característica significativa sua era que, a despeito de todos os erros cometidos por seu pai, ainda assim ele se pôs ao lado de seu pai, combatendo junto com ele até o fim. Os dois foram companheiros na morte.

3. *O Filho de Abiatar*, o sumo sacerdote. Foi esse outro Jônatas quem comunicou a Adonias e a seus apoiadores, perto da fonte de Rogel, que Davi havia nomeado Salomão como seu sucessor ao trono (I Reis 1:42,43). Quando Davi fugia de Absalão, Jônatas foi com seu pai até o monte das Oliveiras (II Sam. 15:36), a fim de aliar-se à causa de Davi. Juntamente com Aimaás, filho de Sadoque, ele atuou como mensageiro de Davi, durante seu exílio, mantendo-o informado sobre a situação. Ele residia em En-Rogel (II Sam. 17:17), e recebia informações de Jerusalém, que, ato contínuo, transmitia a Davi. Quando eles foram descobertos ali, fugiram para Baurim, e esconderam-se em um poço (I Sam. 17:17-21). Ele viveu em cerca de 966 A.C.

4. *O Filho de Simei* (II Sam. 21:21). O nome de seu pai aparece com a forma de Siméia, em I Crô. 20:7. Esse Jônatas era sobrinho de Davi, visto que Simei ou Siméia era um dos irmãos de Davi. Ele matou um gigantesco parente de Golias, e se tornou um dos principais guerreiros de Davi (II Sam. 21:21; I Crô. 20:7). Parece que ele foi nomeado como secretário do gabinete real (I Crô. 27:32). Alguns estudiosos supõem que ele foi o guerreiro do exército de Davi descrito abaixo, no número cinco. Todavia, segundo outros, pode ter sido idêntico à pessoa que aparece em oitavo lugar nesta lista, abaixo.

5. *Um Filho de Sama, o Hararita*. Ver II Sam. 23:33. Foi um dos trinta mais valentes guerreiros do exército de Davi. Em I Crô. 11:34, ele aparece como filho de «Sage, o hararita».

6. *O Filho de Jada*, irmão de Jeter. Ele era sobrinho de Samai, pai de Pelete e Zaza. Descendia de Jerameel, que se tornara aliado da tribo de Judá (I Crô. 2:32 ss). Visto que Jeter não teve filhos, sua linha continuou através dos dois filhos de Jônatas, Pelete e Zaza (I Crô. 2:32,33).

7. *O Filho de Uzias*. Esse Jônatas atuou como superintendente dos armazéns provinciais, durante o reinado de Davi (I Crô. 27:25).

8. *Um Tio de Davi* (I Crô. 27:32). Esse Jônatas mostrou ser um homem sábio e excelente conselheiro. Dava a Davi boa orientação e conselhos. Também trabalhou como escriba. Alguns traduzem a palavra hebraica *dod*, não como «tio», e, sim, como «parente». Ver II Sam. 21:21 e I Crô. 20:7. Nesse caso, ele foi o

JÔNATAS — JOPE

mesmo homem que é chamado filho de Simei, um irmão de Davi e, portanto, seu «sobrinho».

9. *O Pai de Ebede*. Esse homem era dos filhos (ou descendentes) de Adim. Esse Jônatas retornou do cativeiro babilônico junto com Esdras, acompanhado por cinqüenta homens (Esd. 8:6). Isso ocorreu por volta de 457 A.C. Esse Jônatas também é mencionado em I Esdras 8:32.

10. *Um Filho de Asael*. Juntamente com Jaséias, filho de Ticvá, esse Jônatas ajudou a divorciar os homens de Judá de suas esposas estrangeiras, com quem se haviam casado no tempo do cativeiro babilônico. Isso fez parte das reformas religiosas que foram efetuadas quando o remanescente judeu retornou a Jerusalém e reiniciou a prática seguida pelos antigos hebreus. Isso ocorreu em cerca de 457 A.C. Nossa versão portuguesa, seguindo a tradução inglesa Revised Standard Version, traduz a passagem onde ele aparece na Bíblia (Esd. 10:15), como se ele se opusesse a esses divórcios, em vez de implementá-los. Ver também I Esdras 9:14, que o menciona.

11. *O Filho de Joiada*. Esse Jônatas foi pai de Jadua. Ambos foram sumos sacerdotes (Nee. 12:1). Em Nee. 12:22, ele é chamado «Joanã». Josefo (*Anti.* 11:7,1,2) revela-nos que ele assassinou a seu próprio irmão, Jesus, no templo, porque este último estava procurando arrebatar-lhe o sumo sacerdócio. Jesus agia sob a influência de Bagoses, o general persa. Coisas incríveis acontecem no campo religioso! Seja como for, ele retornou do cativeiro babilônico em companhia de Zorobabel e Josué.

12. *Um Sacerdote da Família de Maluqui*. Ele serviu no sacerdócio levítico durante o sumo sacerdócio de Joiaquim (vide) (Nee. 12:14). Ele atuou, aproximadamente entre 549 e 536 A.C.

13. *Um Filho de Semaías*. Esse Jônatas era pai de Zacarias, um sacerdote que tocou a sua trombeta por ocasião da dedicação da muralha que foi construída em redor de Jerusalém, após o cativeiro babilônico, em cerca de 536 A.C. Ver Nee. 12:35. Talvez ele seja o mesmo Jônatas referido em Nee. 12:18, pelo que não abrimos espaço para outro Jônatas, mas identificamos as duas menções como a um único indivíduo.

14. *O Secretário de Zedequias, Rei de Judá*. Sua casa serviu de prisão, onde ficou detido o profeta Jeremias (Jer. 37:15,20; 38:26). Isso ocorreu por volta de 589 A.C.

15. *Um Filho de Careá* (Jer. 40:8). De acordo com o texto massorético, que é seguido por várias traduções, como é o caso da nossa versão portuguesa, «Jônatas» aparece depois de «Joanã». No entanto, há outras traduções, como a Revised Standard Version, que omitem o nome, como uma ditografia ou repetição do nome «Joanã». Esse nome também é omitido pela Septuaginta, nesse trecho, bem como na passagem paralela de II Reis 25:23. Se esse Jônatas realmente existiu, então ele esteve entre aqueles que tiveram uma conferência com Gedalias, o governador nomeado pelos babilônios sobre o remanescente de Judá, ainda no começo do cativeiro babilônico.

16. *Um Filho de Matatias*. Seu apodo era Afus (I Macabeus 2:5). Ele foi o sucessor de Judá, e foi um dos principais líderes da revolta dos judeus, conforme a narrativa dos livros dos Macabeus. Todavia, não tinha tanta habilidade estratégica quanto Judá, embora sua capacidade como diplomata fosse maior. Foi aprisionado por Trifo, em um ato de traição; e embora Simão tenha pago resgate, acabou sendo assassinado (I Macabeus 12:48 *ss*).

17. *Um dos filhos de Absalão*, a quem (Jônatas) Simão enviou com um exército judeu a Jope. Jônatas

foi capaz de conquistar a cidade (I Macabeus 13:11).

18. *Um sacerdote* que liderou o povo em oração de ação de graças, no culto religioso que teve lugar quando da dedicação do templo reconstruído em Jerusalém (II Macabeus 1:23).

JONATH ELEM REHOKIM

Ver sobre **Música; Instrumentos Musicais**.

JÔNIA (FILOSOFIA JÔNICA)

A Jônia era a região costeira e as ilhas adjacentes da porção ocidental da Ásia Menor, que foi colonizada pelos gregos. Foi ali que teve início a investigação da filosofia ocidental; e os filósofos envolvidos por isso mesmo foram chamados jônios. Os filósofos mais notáveis dessa escola foram Tales, Anaximandro e Anaxímenes, sobre os quais esta enciclopédia contém artigos. A atividade deles teve lugar no século VI A.C.

JOIO

No grego, **zizánion**, «joio». Essa palavra ocorre por oito vezes no Novo Testamento, sempre no evangelho de Mateus, em seu décimo terceiro capítulo (vs. 25-27,29,36,38,40).

O joio, também chamado loio, é uma planta daninha extremamente parecida com o trigo, antes da espiga amadurecer. De fato, somente os especialistas são capazes de distinguir o joio do trigo verdadeiro. Nos estágios finais de amadurecimento, entretanto, as diferenças são notáveis. Portanto, é quase impossível arrancar o joio, sem danificar seriamente o trigo, no meio do qual se desenvolveu.

O joio é uma planta que floresce uma vez por ano. Cientificamente, o seu nome é *Lolium temulentum*. Tem muito menor número de grãos de que o trigo. Dizem os entendidos que se esses grãos forem pilados até formarem uma farinha, esta é venenosa. Talvez esse veneno seja devido a algum fungo particular que aparece nas próprias sementes do joio. Por conseguinte, essa farinha não serve para coisa alguma, senão para ser jogada fora. Ver o artigo sobre *Sementes*.

JOPE

1. *O Nome*. No hebraico, esse nome significa «bela». As tradições dizem-nos que esse nome foi dado a essa cidade por causa do brilho do sol que suas casas e edifícios refletiam. Além disso, Jope ficava situada em um pitoresco porto de mar, cerca de cinqüenta e seis quilômetros a noroeste de Jerusalém, o que, sem dúvida, contribuiu para a cidade receber tal nome. Em nossa versão portuguesa, em Jos. 19:46, também encontramos a grafia *Jope*, enquanto que outras versões dizem algo como *Jafo*.

2. *História Antiga*. Jope é uma cidade antiqüíssima. É enumerada na lista de cidades conquistadas por Tutmés III (século XV A.C.). Também é mencionada nas cartas de Tell el-Amarna (vide), dos primórdios do século XIV A.C. Depois que Israel conquistou a Terra Prometida, foi aquinhoada à tribo de Dã (Jos. 19:46). Seu porto tornava Jope o porto natural de Jerusalém. Até Jope é que Hirã fazia flutuar as toras de madeira que ele cortava no Líbano (II Crô. 2:16). No entanto, nada mais lemos a respeito dessa cidade, até que o nome aparece novamente em Jonas 1:3. Quando Jonas decidiu que seria melhor deixar Nínive sem a sua presença, então fugiu para *Jope*. Ali, apanhou um navio que estava de partida para Társis, provavelmente uma cidade na costa atlântica da

Foto por Alistair Duncan

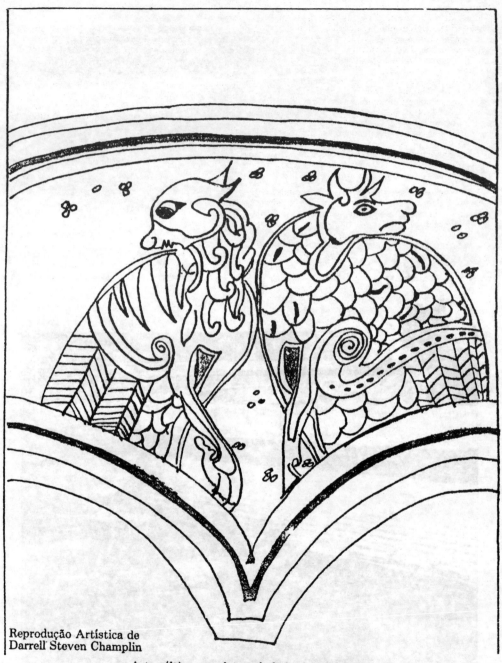

Reprodução Artística de Darrell Steven Champlin

Arte céltica — o leão, símbolo do evangelho de Marcos, e o boi, símbolo do evangelho de Lucas

JOPE — JOQUEBEDE

Espanha, e, por conseguinte, na direção diametralmente oposta para quem deveria ir da Judéia a Nínive. Isso ocorreu em cerca de 743 A.C., nos tempos de Salmanesar III. Supõe-se que quando Tiglate-Pileser III invadiu a Palestina, tendo capturado Gaza e outros lugares, que Jope aparecia entre as suas conquistas. Posteriormente, Senaqueribe chegou à Palestina e abafou uma revolta, na qual o reino de Judá esteve envolvido, nos dias do rei Ezequias. E Jope foi uma das cidades a ser destruída pelos assírios. Todavia, mais tarde, a cidade foi reconstruída, embora não se saiba quem a fez. Seja como for, nos dias de Esdras, Jope servia de porto comercial para onde eram trazidas toras de cedro do Líbano, para a reconstrução do templo de Jerusalém. Ver Esd. 3:7. No século IV A.C., parece ter sido dada pelos persas ao rei Esmunazar, rei de Sidom. Mas, quando Sidom revoltou-se, e, então, arrasada por Artaxerxes III, Jope parece ter-se tornado uma cidade livre.

Jope não escapou à atenção de Alexandre, o Grande. Ele fez de Jope o centro de sua autoridade na região. Foi ele quem alterou o nome da cidade de Yapho para Jope, um novo nome que tinha por intuito honrar a filha do deus grego dos ventos. E foi ali que ele começou a cunhar moedas. Os sucessores de Alexandre lutaram por causa da cidade. Em 301 A.C., Ptolomeu tomou a cidade, e os egípcios passaram a controlá-la, o que o fizeram até 197 A.C. Depois disso, Jope tornou-se porto pertencente ao império selêucida. Durante o período dos macabeus, a sua importância se devia ao fato de que era uma base militar. Antíoco IV usou seu porto quando tentou helenizar a Palestina à força. Judas Macabeu incendiou as instalações portuárias e passou a exercer controle sobre Jope; mas Jônatas Macabeu acabou perdendo o controle da cidade. Simão Macabeu transformou-a em uma cidade inteiramente judaica. Os romanos chegaram à região e, em 63 A.C., Pompeu fez dela uma cidade livre. Foi devolvida ao controle dos judeus por Júlio César, e Herodes, o Grande, governou-a a partir de 37 A.C. Porém, os habitantes judeus da cidade lhe faziam forte oposição, o que o inspirou a construir um novo porto, em Cesaréia, cerca de sessenta e quatro quilômetros ao norte de Jope.

(Ver João 1:3; Atos 9:36; 10:5; 11:5,13).

Modernamente, esta cidade, se chama Jafa e é cidade portuária de Jerusalém. No trecho de Jos. 19:46 é denominada «Jafo». Sua forma grega é Loppe, e no árabe é Yafa, de onde procede a forma moderna da palavra «Jafa». Essa cidade fica a cinqüenta e seis quilômetros de Jerusalém, e tem servido como sua cidade portuária há muitos séculos. É o único porto natural entre a baía de Aco (isto é, a baía de Haifa) e a fronteira com o Egito. Sua história é longa, e já era cercada de muralhas nos dias de *Tutmés* III (mencionada nas listas de suas cidades). Nos dias dos Macabeus, era guarnecida por tropas sírias, até que foi capturada por Simão Macabeu. Pompeu devolveu-a à Síria em 63 A.C., mas, dentro de vinte anos, voltara novamente à posse dos israelitas. Durante a guerra judaico-romana, Vespasiano a capturou. E assim, durante a sua história, tem trocado de mãos por muitas vezes.

Nos dias que correm, ela foi ultrapassada por sua vizinha maior, Tel Aviv, e na realidade se transformou apenas em um subúrbio sulino da mesma. As duas cidades, juntas, formam uma só municipalidade. Aos turistas geralmente se mostra uma mesquita que supostamente assinala o local da casa de Simão, o curtidor; mas essas identificações ordinariamente são fictícias.

De conformidade com as lendas gregas, era famosa como o local onde Andrômeda fora amarrada, ao ser entregue por Perseu. (Ver *Estrabão* xvi, pág. 759; e Josefo, *Guerras dos Judeus*, i.6 §2).

Na narrativa do profeta Jonas, a cidade aparece como porto de onde partiam navios em direção a Társis e Espanha (ver Jon. 1:3).

3. *No Novo Testamento.* Tabita, também chamada Dorcas, residia ali (Atos 9:36-42). Ela era uma excelente obreira cristã, a quem Pedro ressuscitou dos mortos. Pedro esteve residindo em Jope por algum tempo, hospedado na casa de um certo Simão, o curtidor. Durante essa sua permanência em Jope, ele recebeu a sua crucial visão sobre o lençol cheio de animais imundos e nessa visão o apóstolo ouviu palavras que lhe ensinavam a não considerar imundo o que Deus havia purificado, aceitando os gentios convertidos a Cristo como iguais aos judeus convertidos, como membros da novel Igreja cristã. Na verdade, tornara-se mister resolver a questão mediante uma direta intervenção divina, concedendo iluminação a Pedro (Atos 9:36-42). Partindo de Jope, Pedro foi pregar a Cornélio e seus familiares e amigos, no porto rival de Cesaréia (Atos 10:1-48). E foi assim que teve começo oficial a missão gentílica da Igreja apostólica, embora, como é óbvio, gentios já tivessem sido evangelizados antes daquela oportunidade.

4. *Jope e a Revolta dos Judeus.* Jope foi um dos lugares onde os judeus rebelados estabeleceram-se militarmente, quando buscavam obter independência do domínio romano. Eles fortificaram a cidade; mas os judeus não encontraram dificuldades para destruir as fortificações, assumindo controle da cidade. O procônsul sírio, Céstio Galo, passou a comandar o poder romano na cidade. Tempos depois, os judeus tornaram a fortificar a cidade, que, novamente, entrou em choque com os romanos. Os romanos invadiram de novo a área, transformando-a em um acampamento militar, em 68 D.C. Moedas romanas eram cunhadas ali. Os arqueólogos têm descoberto moedas que pintam a vitória de Roma sobre a flotilha judaica, que foi destruída em Jope.

5. *Informes Geográficos e Topográficos.* Jope, como já dissemos, servia de porto de mar para Jerusalém. Ficava cerca de sessenta e quatro quilômetros a noroeste de Jerusalém. Era o único porto natural em toda a área que medeia entre o Egito e Aco (no Novo Testamento, Ptolemaida). O porto era formado por um cabo rochoso que se projeta mar adentro. A elevação maior dessa formação rochosa natural é de cerca de 38 m. Há recifes que formam um semicírculo malfeito, localizados entre cerca de noventa e cento e vinte metros distantes da praia. Isso significa que as embarcações tinham de entrar vindas do norte, porquanto os recifes impediam o acesso vindo de qualquer outra direção. Havia praias arenosas, que recebiam pequenos barcos. Atualmente, a cidade se chama Jafa, sendo um subúrbio da moderna cidade israelense de Tel Aviv. Tel Aviv e Jafa, na verdade, formam uma única municipalidade. Há uma mesquita no suposto local onde ficava a residência de Simão, o curtidor.

6. *Na Mitologia Grega.* Há uma rocha que emerge à entrada do porto de Jope. Segundo a lenda, esse foi o lugar onde Andrômeda estava acorrentada, quando Perseu matou o monstro.

JOQUEBEDE

No hebraico, «glorificada por Deus» ou «Yahweh é a glória». Esse era o nome de uma filha de Levi, irmã de Coate, esposa de Anrão, mãe de Aarão, irmão de

JOQUEBEDE — JORDÃO

Moisés e Miriã (Êxo. 6:20; Núm. 26:59). Alguns eruditos põem em dúvida o sentido desse nome, que parece ser composto com o nome divino Yahweh (ver sobre *Yahweh* e sobre *Jeová*). Isso eles alegam, porque estão convencidos de que o uso do nome divino *Yahweh* vem de antes da época de Moisés. Há evidências, porém, de que esse nome divino realmente pré-datava os dias de Moisés e que era usado entre os povos semitas antigos. Ver o artigo sobre *Jetro*. Em Êxo. 6:20, está registrado que Joquebede era irmã do pai de Anrão, pelo que era a tia de seu próprio marido. Visto que casamentos entre parentes assim chegados foram posteriormente proibidos (ver Lev. 18:12), várias tentativas têm sido feitas para anular essa informação, interpretando-a de alguma outra maneira. O exemplo de Abraão (Gên. 20:12), todavia, mostra que essas tentativas são anacrônicas. Joquebede viveu em cerca de 1520 A.C. A Septuaginta, em Êxo. 6:20, faz dela prima de seu marido, mas isso deve refletir uma antiga modificação feita por copistas, com base no que dissemos acima acerca de casamentos proibidos por motivo de parentesco muito próximo.

JOQUIM

No hebraico, «Yahweh estabelece». Esse nome é uma forma contraída de *Joaquim* (vide). Um homem com esse nome era filho de Selá e neto de Judá (I Crô. 4:22). Jerônimo (*Quast. in Paral.*) dizia que ele era o mesmo Elimeleque (vide), esposo de Noemi.

JORA

No hebraico, «aspersão». Nome de família dos descendentes do Jora original. Esses descendentes alcançavam o número de cento e doze pessoas, que retornaram do exílio babilônico à Palestina, em companhia de Zorobabel (Esd. 2:18; I Esdras 5:16). Em Nee. 7:24, esse mesmo homem é chamado de Harife (vide). Essa volta dos descendentes de Jora a Jerusalém ocorreu em cerca de 536 A.C.

JORAI

No hebraico, «aspersão» ou «chuvoso». Trata-se de uma forma variante do nome *Jora* (vide). Um homem desse nome, um gadita, residia em Gileade, na região de Basã. Sua genealogia foi registrada nos dias de Jotão, de Judá (I Crô. 5:13), em cerca de 782 A.C. Jorai foi um dos chefes dos gaditas.

JORÃO

No hebraico, «exaltado por Yahweh», ou então «Yahweh é exaltado». Esse nome é uma forma abreviada de Jeorão (vide). O nono rei de Israel tinha esse nome. Temo-lo descrito com o nome mais longo, Jeorão.

Também houve um rei de Judá cujo nome era Jeorão (vide), filho de Josafá (I Reis 22:50). Além desses dois homens, houve outros que sempre são chamados «Jorão», a saber:

1. Um filho de Toí, que foi enviado para congratular a Davi por sua vitória sobre Hadadezer, rei de Zobá (II Sam. 8:9-12). Ele também é chamado *Hadorão* (vide), em I Crô. 18:10. Viveu por volta de 986 A.C.

2. Um levita, antepassado de Selomite, que viveu na época do rei Davi (I Crô. 26:25).

3. Esse era o nome de um sacerdote dos dias de Josafá, cuja incumbência era a de instruir o povo quanto à lei mosaica. Seu trabalho foi desenvolvido nas cidades de Judá (II Crô. 17:8).

4. Um capitão do exército, nos tempos do rei Josias (I Esdras 1:9). Em II Crô. 35:9 é chamado pelo nome de «Jozabade» (vide).

JORDÃO (RIO)

Esboço:

   I. O Vale do Jordão
   II. Caracterização Geral
   III. O Nome
   IV. Formadores
   V. Curso do Rio
   VI. Pontes e Vaus
   VII. Tributários
   VIII. Informes Históricos
   IX. Cidades do Vale do Jordão
   X. Nos Tempos Modernos
   XI. Usos Simbólicos

I. O Vale do Jordão

Ver o artigo separado sobre **Jordão (Vale)**. Ao que ali foi dito, adiciono aqui alguns detalhes. Uma fenda natural, na direção norte-sul, separa as montanhas do Líbano das montanhas do Antilíbano. Um pouco mais ao sul, essa fenda é cheia pelo rio Jordão e pelo mar Morto, numa extensão total de cerca de duzentos e quarenta quilômetros. De fato, a fenda continua para o sul, mediante o wadi Arabá, o golfo de Ácaba do mar Vermelho, e entra na África, sempre para o sul, até Tanganica. E o vale do Jordão é a formação geológica mais espetacular dessa região inteira. As montanhas que ladeiam o vale do Jordão chegam até 1200 m de altura, o que faz tremendo contraste com as partes mais baixas do vale, que descem até cerca de 396 m abaixo do nível do mar, no fundo do mar Morto.

O rio Jordão, em seu curso superior, passa por canhões. Um pouco mais abaixo fica o *Zor*, ou seja, a **planície de aluvião** que costumava ser inundada nos períodos de cheia do rio, conforme somos informados em Josué 3:15. Nessa área havia uma vegetação luxuriante. Nos tempos antigos, leões percorriam toda aquela região (Jer. 49:19). Através dos séculos, o rio foi mudando de curso, conforme o demonstram as modernas fotografias aéreas. A maior parte do vale não se presta para a agricultura. Ali chove pouco, e a temperatura da parte sul do rio Jordão é extremamente elevada durante boa parte do ano. Até mesmo a noite, a temperatura cai pouquíssimo.

II. Caracterização Geral

O rio Jordão nasce nos montes do Antilíbano, a oeste do monte Hermom. O rio dirige-se para o sul, passando pelo mar da Galiléia e, finalmente, deságua no mar Morto. No seu curso superior, ao norte, forma as fronteiras sírio-israelense e jordano-israelense.. Seu curso sul fica completamente dentro do vale do Jordão. Na guerra dos Seis Dias, em 1967, que houve entre Israel e os países árabes coligados, toda a porção do vale do Jordão, na margem ocidental do rio, veio a ser ocupada pelas tropas de Israel. O rio Jordão tem uma extensão de cerca de trezentos e vinte quilômetros no total. Seu curso vai de 70 m acima do nível do mar até 396 m abaixo do nível do mar. Seu principal tributário é o Iarmuque. O vale do Jordão, ao sul do lago da Galiléia, é uma grande depressão, com cerca de cento e cinco quilômetros de extensão. Essa depressão chama-se *Ghor*.

O rio Jordão não é navegável. Porém, possui um tremendo potencial hidrelétrico. Há várias característi-

O Rio Jordão — Cortesia, John F. Walvoord

Arcaria da Cúpula da Rocha, área original do templo de Salomão — Cortesia, John F. Walvoord

VALE DO JORDÃO E O MAR MORTO — Cortesia, Matson Photo Service

JORDÃO

ticas desse rio que o tornam sem igual no mundo. Além de ser o rio que fica em nível mais baixo, em relação ao nível do mar, tem conhecido a ocupação humana, em ambas as suas margens, desde os tempos mais remotos. É o principal rio da Terra Santa. De fato é o maior rio perene da Palestina. A história bíblica tornou o rio Jordão um rio mundialmente conhecido, e o incidente do batismo de Jesus, em suas águas, deu-lhe uma notoriedade inteiramente em desproporção com suas dimensões e sua utilidade.

III. O Nome

Jerônimo (em cerca de 400 D.C.) mencionou uma tradição que dizia que o nome Jordão deriva-se dos nomes de dois outros rios: o *Jor*, que nasceria em Banias, e o *Dã*, que se originaria em Tell el-Kadi, ou seja, «Jor» + «Dã». Mas isso é extremamente fantasioso. De acordo com Gên. 13:10, o rio já era conhecido por *Jordão* muito antes da tribo de Dã ter dado seu nome a Lesém (Jos. 19:47) ou Laís (Juí. 18:29). A palavra hebraica é *hah-yordane*, «o Jordão», que significa *aquele que desce*. O rio desce rapidamente de nível desde suas cabeceiras até o mar Morto; e esse fato, sim, deu origem ao nome do rio. O artigo definido (no hebraico, *hah*) sempre faz parte integrante do nome desse rio, exceto em Sal. 42:6 e Jó 40:23. Os árabes chamam o rio de *esh-Sheriah*, «lugar irrigado». O verbo correspondente ao substantivo, no hebraico, significa «descer». Todavia, alguns eruditos têm proposto uma outra possível origem do nome. A palavra hurriana para «água» é *iar*, que é semelhante à primeira parte do nome do rio Jordão. E a segunda parte da palavra assemelha-se ao hurriano para «juiz». Daí obtemos o significado de «o rio é o juiz», o que poderia refletir a antiga prática de lançar um suspeito de crime dentro do rio. Se sobrevivesse, então era declarado inocente da acusação. É muito difícil avaliar a validade dessa suposição. Por isso mesmo, a outra explicação é mais aceita geralmente.

IV. Formadores

O Jordão nasce nos montes do Antilíbano, e é formado por quatro riachos principais: 1. O *Hasbani*, que mana de uma grande fonte, chamada *'Ain Furar*, localizada perto de Haabeya. Ali a altitude é de cerca de 520 m acima do nível do mar. A laguna ali existente é muito profunda, talvez quanto 300 m de profundidade. 2. O *Banias*, que nasce perto das ruínas de Banias (antiga Cesaréia de Filipe; Mat. 16:13), no sopé do monte Hermom, onde a elevação é de 348 m acima do nível do mar. 3. O *Ledã*, que nasce em uma grande fonte de água, no lado ocidental do Tell el-Kadi, «cômoro do juiz», situado no local da antiga cidade de Dã. Uma poderosa nascente brota do solo, naquele ponto. Josefo chama essa nascente de «pequeno Jordão», sendo essa'o caudal mais poderoso dos quatro formadores do Jordão. 4. O *Esh-Shar* ou *Bareighit*, que é um pequeno tributário. Além desses quatro principais formadores, há um grande número de pequenos riachos, provenientes de nascentes dos montes do Líbano. Também há um alagadiço acima do lago Hulé, que também contribui para formar o rio Jordão.

V. Curso do Rio

Como já dissemos, o rio Jordão nasce nos montes do Antilíbano. Atravessa, então, dezenove quilômetros vale do Jordão abaixo, e então penetra em uma área turbulenta e poluída, pelo espaço de pouco mais de onze quilômetros. Em seguida, atravessa um alagadiço com cerca de dezesseis quilômetros de extensão. Então, desemboca no lago Merom, também chamado Hulé. Continua seu curso na direção sul e, após mais dezenove quilômetros e meio, entre o lago ou mar da Galiléia. Sai novamente na parte sudeste desse lago

e, então, flui por cerca de noventa e sete quilômetros, até desaguar no mar Morto. Seu comprimento total é de cerca de trezentos e vinte quilômetros. Desce de uma altitude de 70 m até uma depressão de 396 m abaixo do nível do mar.

VI. Pontes e Vaus

Nenhuma ponte foi construída para travessia ao rio Jordão, senão já nos dias dos romanos. Por essa razão, era preciso vadear o rio em cerca de uma dúzia de lugares diferentes, onde as águas eram suficientemente rasas para permitir a travessia de homens e animais, a pé. Visto que havia tantos lugares onde era possível vadear o rio, esse rio nunca serviu de fronteira defensiva. Podemos supor que Abraão vadeou o rio um pouco acima ou um pouco abaixo do mar da Galiléia, ao entrar na Terra Prometida. No Antigo Testamento há algumas alusões a vaus. Conforme somos informados em Jos. 2:7, os oficiais de Jericó procuraram pelos espias de Israel em todos os vaus do Jordão. Os efraimitas, liderados por Eúde, derrotaram os moabitas, nos vaus do Jordão (Juí. 3:28). Os melhores lugares para tais travessias eram nas desembocaduras dos tributários principais, porque, nesses trechos, o entulho depositado pelos tributários criava uma espécie de baixio, permitindo a travessia a pé. Mas o Jordão, em quase todo o seu curso, é de pouca profundidade e de corrente bastante rápida, impróprio para a navegação.

Pontes. Os engenheiros romanos construíram várias pontes, atravessando o rio Jordão. As ruínas de algumas dessas pontes podem ser vistas até hoje. Há três pontes principais: 1. na desembocadura do Iarmuque; 2. no local onde o rio deixa para trás o mar da Galiléia; 3. em Damiya. Nos tempos modernos, seis pontes foram construídas para cruzar o rio. Elas são a ponte Allenby, a leste de Jericó; a ponte Damiya, abaixo da boca do Jaboque; a ponte Xeque Hussein, a leste de Bete-Seã; a ponte das Filhas de Jacó, ao norte do mar da Galiléia; e mais duas pontes ao sul do mar da Galiléia.

VII. Tributários

O rio Jordão recebe águas de outros rios menores, ao longo de seu curso. Aquele que fica mais ao norte é o Iarmuque. Embora menos extenso, traz quase o dobro do volume de águas em relação ao Jordão, até aquele ponto. Drena grande parte de Gileade e de Basã (na moderna Síria e no norte da Transjordânia). Os gregos chamavam-no de *Ieroumaks*. Nos tempos modernos, os jordanianos desviaram boa parte de suas águas para fazer funcionar uma usina hidrelétrica. E essas mesmas águas, uma vez usadas, são empregadas em um canal de irrigação que corre paralelo ao Jordão. A antiga cidade de Gadara, uma das cidades de Decápolis, ficava acima onde deságua o Iarmuque.

O *wadi Bira* (também chamado Nahal Tavor) entra no Jordão, vindo do Ocidente, cerca de seis quilômetros e meio abaixo do Iarmuque. Mais ou menos à mesma altura, mas vindo do Oriente, o *wadi Arab* deságua no Jordão. Mais abaixo, encontramos então, a leste, o *wadi Tayibeh* e, a oeste, o *Nahal Harod* (Jalude). Esse último tributário foi onde os homens de Gideão beberam água, e onde Gideão escolheu seus homens, dependendo da maneira como bebessem (Juí. 7:1 ss). O *wadi Jurm* flui diante de Pela e vai adiante, entrando no rio Jordão vindo do leste, cerca de oito quilômetros abaixo da ponte de Xeque Hussein. Isso não fica longe de Harode, que fica ligeiramente mais abaixo. Então, mais oito quilômetros rio abaixo encontramos o *wadi Yabis*. Na Bíblia há menção a Jabes-Gileade, que deu a esse riacho o seu nome. Descendo mais oito quilômetros

JORDÃO

topamos com o *wadi Malih*, que contribui com bem pouca água; e, um pouco mais abaixo, outros dois riachos, o *wadi Kufrinji* e o *wadi Rajib*.

Cerca de sessenta e cinco quilômetros acima do mar da Galiléia, o rio *Jaboque* deságua no rio Jordão, vindo do Oriente. Esse rio tem suas nascentes perto de Aman, e servia de fronteira oriental para os antigos amonitas. Flui através do vale que separa a porção norte da porção sul de Gileade. Perto de sua desembocadura ficava a antiga cidade mencionada na Bíblia, Adã (que agora se chama Damija; Jos. 3:16). Foi ali que as águas estancaram, para Josué e o povo de Israel atravessarem. Atualmente existe uma ponte no local. O *wadi Far'ah* é o próximo tributário do Jordão. Fica perto da cidade que a Bíblia chama de Tirza (I Reis 15:21; 16:8). Fica localizada cerca de onze quilômetros ao sul do Jaboque.

Descendo um pouco mais, achamos o *wadi Malha*, que drena as regiões a oeste do rio Jordão. Oito quilômetros abaixo aparece o *wadi Nimrin*, localizado imediatamente acima da moderna ponte Allenby. E, a quase cinco quilômetros acima do mar Morto, flui para o Jordão o *wadi Abu Gharaba*. Portanto, há um total de onze riachos perenes que fluem para o rio Jordão, vindos da Transjordânia. E há um certo número de tributários que fluem apenas parte do ano.

VIII. Informes Históricos

Além de sua situação geográfica incomum, que tem distinguido o rio Jordão, há muitos episódios históricos a serem considerados, que tiveram lugar em regiões associadas a esse rio. Esses acontecimentos têm dado a esse rio uma notoriedade universal.

1. *As evidências arqueológicas* demonstram que a região em volta do rio Jordão vinha sendo habitada desde os tempos pré-históricos, desde a Idade da Pedra Média. Também houve habitações ali no período do Bronze Médio. Que as condições têm mudado muito é evidenciado pela descoberta de ossos de elefantes e rinocerontes, além de outros animais que, há milênios, desapareceram das proximidades do rio Jordão. Uma antiqüíssima cidade neolítica, que desconhecia a cerâmica, foi descoberta em escavações arqueológicas feitas em Tell Es-Sultan, a Jericó referida no Antigo Testamento. Ver sobre *Jericó*, onde se explica que várias cidades, nos tempos antigos, foram construídas naquela área, e que a Jericó do Antigo Testamento e a Jericó do Novo Testamento não eram a mesma cidade, embora ocupassem praticamente o mesmo local. No vale do rio Iarmuque têm sido encontrados artefatos pertencentes a antigas civilizações.

2. *Nos Tempos do Antigo Testamento*:

a. Ló preferiu residir na planície do Jordão, porque ali havia água abundante (Gên. 13:10). Essa é a primeira menção que a Bíblia faz a esse local, em cerca de 2000 A.C.

b. Jacó vadeou o rio Jordão (Gên. 32:10), provavelmente acima ou abaixo do mar da Galiléia. Naquele tempo, Jacó estava tendo dificuldades com seu irmão, Esaú, e precisou fugir dele.

c. *Durante e após a conquista da Terra Prometida*, por Israel, a área do rio Jordão tornou-se parte importante da história de Israel, a partir de cerca de 1400 A.C. Quando houve a divisão do território entre as tribos de Israel, o rio Jordão passou a ser usado como limite natural entre as tribos. Manassés ocupou a fronteira mais extensa, na parte ocidental e na parte oriental do rio, chegando quase da Galiléia até Jericó. O território de Naftali se estendia para o sul do mar da Galiléia, e também para o norte, até chegar a incluir as cabeceiras do rio Jordão. A oeste, Benjamim

e Judá tinham um pequeno trecho das margens do rio Jordão. E, na parte oriental, Gade também contava com um pequeno trecho. Detalhes sobre essas questões aparecem em Núm. 32 e 34 e em Jos. 13—19.

d. *A Memorável Travessia de Josué*. Esse relato aparece em Jos. 3:14-17. Em Adã teve lugar um milagre que possibilitou a travessia do Jordão. Provavelmente, o prodígio esteve relacionado ao transporte da arca para o outro lado do rio. Explicações naturalísticas falam até em uma deslocação de terreno como causa do milagre. E a história tem demonstrado que isso, realmente, ocorre periodicamente, fazendo ao rio represarem-se temporariamente. Alguns estudiosos pensam que o *momento exato* desse deslizamento de terras foi a parte miraculosa. Nada existe de incomum na suposição de que Deus usa acontecimentos naturais de maneiras incomuns.

e. *Várias travessias* são mencionadas, que dizem respeito ao rio. Os gileaditas atravessaram o Jordão quando perseguiam um inimigo (Juí. 12:5 *ss*); Absalão atravessou o rio quando procurava se refugiar (I Sam. 17:24); Elias atravessou o rio quando fugia de Acabe e Jezabel (I Reis 17:3,5).

f. Eliseu recomendou que o general leproso, Naamã, mergulhasse no Jordão por sete vezes, o que curou o homem (II Reis 5:10).

g. A parte metálica de um machado se perdeu nas águas revoltas. E o machado flutuou a mando de Eliseu (II Reis 6:1-7).

h. O *hipopótamo* de Jó não temia flutuar nas águas do Jordão (Jó 40:23).

i. *Leões* que habitavam em regiões adjacentes às áreas do Jordão foram mencionados por Jeremias (49:19) e por Zacarias (11:3). Nenhum leão tem sido visto naquela área, durante muitos e muitos séculos.

3. *Nos Dias do Novo Testamento*:

a. *O ministério público de Jesus* começou às margens do rio Jordão, quando foi ali imerso por João Batista (Mat. 3:13-17). E, naturalmente, o próprio João Batista fez história ali, em sua missão de precursor do Messias. O lugar do batismo de Jesus tem ocasionado muita discussão, embora sem resultados certos. Nada menos de sete santuários diferentes, alegadamente, assinalam o lugar desse acontecimento. Pelo menos sabe-se que João batizava perto de Enom, nas proximidades de Salim, que fica a poucos quilômetros ao sul de Bete-Seã (João 3:23).

b. Sem dúvida, Jesus atravessou o Jordão por muitas vezes, a caminho de Nazaré, se ele, a exemplo dos residentes de Nazaré e da Galiléia em geral, evitasse atravessar a Samaria, quando ia a festas religiosas em Jerusalém. Isso talvez explique a presença de Jesus, em Jericó, quando ele curou o cego (Mat. 20:29-34). Lucas nos diz que ele estava atravessando a cidade de Jericó. Ver Luc. 19:1 *ss*.

c. A grande confissão messiânica de Simão Pedro, em Cesaréia de Filipe (Mat. 16:13 *ss*; Mar. 8:27 *ss*), teve lugar perto das cabeceiras do rio Jordão.

IX. Cidades do Vale do Jordão

1. Conforme já se notou, várias cidades pré-históricas, de várias raças, existiram nesse lugar, antes de qualquer informe bíblico a respeito. Só podemos indagar quantas cidades devem ter aparecido e desaparecido, com suas diferentes culturas e civilizações! Ver o artigo sobre os *Antediluvianos*, quanto a especulações sobre tais raças. Alguns até pensam que devemos incluir raças pré-adâmicas!

2. Existem nomes nativos para *cômoros*, o que pode indicar a existência de aldeias ali em tempos pré-históricos.

JORDÃO

3. *Jericó* e *Bete-Seã* têm histórias que remontam aos tempos calcolíticos. Ambas as cidades eram lugares importantes, segundo a história do Antigo Testamento. Ver os artigos separados sobre esses lugares. Houve muitas cidades com o nome de Jericó. Destruições e reconstruções eram o que mais acontecia ali. Jericós do Antigo e do Novo Testamentos, embora construídas na mesma área geral, não eram uma mesma cidade, mas uma sucessão de cidades. Bete-Seã (chamada *Sitópolis* por Heródoto; é a mesma *Beisan* dos tempos modernos) ficava na bacia do Nahal Jalude, perto da extremidade suleste do vale de Jezreel.

4. *Bete-Ierá*, uma localidade que não é mencionada no Antigo Testamento, contava com uma considerável população, a julgar pelos artefatos que os arqueólogos têm conseguido trazer à luz ali. Ficava perto da desembocadura do rio Jordão, ao sair do lago da Galiléia, e vinha sendo habitada desde tempos tão antigos quanto a era do Bronze.

5. Os textos de execração egípcios mencionam *Reobe* (perto de Bete-Seã, um pouco mais para o sul; ver Núm. 13:21), e também *Zaretã* (ver Jos. 3:16), que ficava ao norte de Adão, na desembocadura do Jaboque, um dos tributários do Jordão. *Adã* é a moderna Pela, que também é mencionada nos textos egípcios, embora o lugar não seja mencionado no Antigo Testamento. Veio a tornar-se uma das cidades de Decápolis (vide).

6. *Sucote* é mencionada em Gên. 33:17, em conexão com as viagens de Jacó. Salomão fundiu os objetos de bronze para o templo, nesse lugar (I Reis 7:46; II Crô. 4:17). Tem sido identificada com o moderno Tell Deir-Alla.

7. *Zafom*, mencionada em Jos. 13:27, também figura nas cartas de Tell el-Amarna (vide). Ficava ao norte de Zaretã.

8. *Gilgal*, um subúrbio de Jericó, foi usada como base de operações, por Josué (Jos. 4:19).

9. *Jabes-Gileade*, identificada como o Tell el-Meqbereh (ver II Sam. 2:4), ficava perto da boca do wadi Yabis.

10. Bete-Arabá (Jos. 16:6,61; 18:22) tem sido identificada como 'ain el-Gharabeh.

11. *Lo-Debar* foi residência temporária de Mefibosete, o neto aleijado de Saul, e a quem Davi favoreceu, ao tornar-se rei. Lo-Debar tem sido tentativamente identificada com a moderna *Umm ed-Debar*, localizada ao sul de Umm Qeis, na margem oriental do Jordão. Ver II Sam. 9:3-6.

12. As cidades do vale do Jordão, mencionadas nas páginas do Novo Testamento são: *Jericó* (Mat. 20:29; Mar. 10:46; Luc. 10:30; 18:35; 19:1); *Betabara*, um lugar perto de onde João Batista batizava, na margem oriental do Jordão (João 3:23). O mesmo texto menciona *Enom*, perto de Salim (Umm el-'Amdan). Ficava ao sul de Bete-Seã. *Betsaida*, na margem norte do mar da Galiléia, também pode ser considerada uma cidade do vale do Jordão.

X. Nos Tempos Modernos

No decurso da história, Judá entrou novamente em cativeiro, em face do poder romano, após o ano 70 D.C. Daí por diante o rio Jordão não mais assinalou as fronteiras políticas de Israel, ou de qualquer outro país, até os tempos em que vivemos. A partir da época dos romanos, ambas as margens desse rio passaram a constituir uma só unidade.

Terminada a Primeira Grande Guerra, em 1918, o rio Jordão, porém, uma vez mais se tornou uma fronteira política. Passou a dividir o reino hasemita da Transjordânia (no Oriente), do Mandato Britânico sobre a Palestina (no Ocidente). E mesmo após as decisões de 1947 e 1948, acerca da divisão da terra entre judeus e árabes, e a subseqüente Guerra dos Seis Dias, de 1967, pelo menos, parcialmente, o rio continuava servindo de divisão entre esses dois Estados. Terminada a guerra árabe-israelense, o rio Jordão, desde a Galiléia até o mar Morto veio a ser a linha do cessar fogo entre os dois Estados. Desse modo, o nome *Jordão* reapareceu, uma vez mais, nos cabeçalhos dos jornais.

XI. Usos Simbólicos

1. Alguns intérpretes vêem no curso do rio Jordão um quadro sobre a vida humana. Começa como uma nascente; chega a ser uma torrente, descendo rapidamente terreno abaixo; passa por muitas vicissitudes; chega à maturidade no mar da Galiléia; faz muitas circunvoluções e meandros; e chega à morte no mar Morto.

2. Esse rio tem sido usado em canções e na literatura, para indicar a divisão entre a vida física e a vida do após-túmulo, divisão essa que todos precisamos atravessar, por ocasião da morte. Por isso mesmo, há um hino que diz: «Não terei de cruzar sozinho o Jordão». E também há uma canção popular, que diz com grande entusiasmo: «O rio Jordão é profundo e largo; esfria o corpo, mas não a alma». Então vem a linha triunfal: «Miguel remou o barco e atravessou. Aleluia». Além disso, há aquele hino que fala sobre o crente, de pé «sobre as margens agitadas do Jordão», com olhares saudosos e anelantes pela Terra Prometida.

Nos sonhos e nas visões, os rios simbolizam a vida; e as curvas e meandros de um rio indicam as reviravoltas da vida, até que a pessoa chegue ao seu destino. E, naturalmente, a travessia de um rio indica a transição da vida para a morte.

Bibliografia. AM BAL CHE GL(1960) GL(1946) SMI UN Z

JORDÃO (VALE)

A palavra hebraica significa «decaimento», «aquele que desce» (Jos. 18:18; Deu. 11:30; Eze. 47:18). Essas várias referências dão ao vale diferentes nomes, como «planície» e «deserto». Seu nome moderno é *El Ghor*. O vale do Jordão é uma fissura (uma brecha que apareceu em face de uma falha geológica). Tem mais de duzentos e sessenta quilômetros, e começa imediatamente ao sul do lago Hulé, onde começa a fissura abaixo do nível do mar, e vai até à ponta da Arabá, no extremo sul. Nesse ponto final, o terreno já se elevou novamente ao nível do mar. O vale do Jordão varia em largura de três a vinte e quatro quilômetros. Seu curso leva o vale até tão baixo quanto 86 m abaixo do nível do mar. E o fundo do mar Morto chega até 396 m abaixo do nível do mar. O rio Jordão (vide) corre na garganta formada por esse vale.

Características especiais desse vale, se excetuarmos o próprio rio Jordão, são os dois grandes lagos, o Hulé e o da Galiléia. O primeiro tem dezenove quilômetros de comprimento e o segundo tem oitenta e cinco quilômetros. Há grandes extensões de terra arável, no vale do Jordão, especialmente nas imediações de Genezaré de Belém e de Jericó. A ação vulcânica foi a principal força geológica que criou esse vale. Podemos imaginar que os abalos sísmicos também tiveram sua devida participação, visto que duas longas dobras de pedra calcária foram forçadas para cima, na direção norte-sul, com uma crista diagonal que fecha o mar Morto do mar Vermelho, isolando o primeiro e transformando-o em um lago extremamente salgado. Essa elevação da crista originalmente engolfou um

JORDÃO – JORNADA

trecho do mar, e o conteúdo salino do lago assim formado tem sido mantido por não haver saída para as águas do lago, com o resultante acúmulo dos sais que se vão depositando lentamente.

O vale do Jordão está dividido em seis seções distintas: 1. o vale de Beka'a, ou vale entre os Líbanos; 2. o Jordão superior, desde suas cabeceiras, no sopé do monte Hermom, atravessando o lago Hulé e chegando até o lago ou mar da Galiléia; 3. o próprio lago da Galiléia; 4. a porção média e baixa do rio Jordão, até Jericó; 5. o mar Morto (vide); 6. do mar Morto até o golfo de Ácaba, que é o wadi 'Arabah.

A Mais Funda Depressão na Terra. O vale do Jordão forma a mais funda depressão que existe no planeta Terra. O fundo do mar Morto chega a nada menos de 400 m abaixo do nível do mar. Por causa desse grande declive geográfico é que se deu a esse vale o seu nome, que, no hebraico, significa «aquele que desce». Ver outros detalhes a respeito no artigo Jordão (Rio), primeira seção.

Diagrama

FENDA DO VALE DO JORDÃO

JORIM

Forma grega do nome hebraico **Jorão** (vide), que, por sua vez, é abreviação de *Jeorão*. No hebraico, essa palavra significa «Yahweh exaltou» ou «Yahweh é exaltado». Todavia, há estudiosos que pensam que esse nome seja uma variante de *Joiarim*, um nome nunca encontrado na Bíblia. Seja como for, Jorim foi um dos antepassados de Jesus (Luc. 3:29). Ele era filho de Matá e pai de Eliezer.

JORNADA, VIAGEM

Uma jornada ou viagem é a remoção de uma pessoa de um lugar para outro. No caso dos judeus, isso tinha importância em relação às leis estritas que governavam a guarda do dia de sábado. Uma *jornada de dia de sábado* era considerada legítima, pelos israelitas, como uma distância de dois mil côvados, ou seja, pouco menos de um quilômetro. Se qualquer judeu jornadeasse mais do que isso, para longe de uma cidade, em dia de sábado, estava sujeito a um castigo corporal. Naturalmente, se a sinagoga que ele freqüentava ficasse mais distante do que isso, então fazia-se uma exceção, porquanto, antes de mais nada, todas as caminhadas naquele dia deveriam ter o propósito específico de chegar à sinagoga. Ver II Reis 4:23 e Atos 1:12.

Uma *jornada de um dia*, ao que tudo indica, era de cerca de vinte e cinco a trinta e dois quilômetros, dependendo da resistência de cada um. As codornizes que Deus permitiu que os israelitas juntassem, para delas se alimentarem, tinham-se espalhado em redor do acampamento de Israel essa distância (Núm. 11:31). Provavelmente foram necessários cerca de onze dias de jornada para os israelitas cobrirem a distância do Sinai a Cades-Barnéia, uma distância de cerca de cento e oitenta quilômetros (ver Deu. 1:2). Quando os romanos construíram suas famosas e bem-feitas estradas, a jornada de um dia aumentou, embora animais continuassem sendo o principal meio de viajar. Essas estradas foram extremamente úteis para a disseminação do evangelho, dentro do império romano. E assim, lugares distantes do império romano (que tinha, mais ou menos a mesma área do Brasil, se incluirmos no mesmo o mar Mediterrâneo) puderam ser alcançados facilmente, em uma época em que não havia locomoção rápida.

JORNADA DE UM SÁBADO

Expressão que aparece somente uma vez na Bíblia, em Atos 1:12. No grego é *sabbáton odós*, «estrada de um sábado». Muitos estudiosos pensam que se trata de uma medida de distância, algo similar à unidade egípcia de mil passos duplos, e que era o limite da distância que uma pessoa podia percorrer durante o descanso do sábado. A expressão tornou-se comum, para indicar uma distância relativamente curta. Os estudiosos, geralmente, pensam em um quilômetro. Essa é, mais ou menos, a distância entre o monte das Oliveiras e Jerusalém, isto é, do portão Oriental de Jerusalém ao atual local da Igreja da ascensão, no monte das Oliveiras.

Crê-se que isso teve origem no período mosaico, na injunção que proíbia os israelitas deixarem o acampamento para colherem o maná em dia de sábado (ver Êxo. 16:29). No Targum de Jerusalém esse mandamento lê: «Que nenhum homem caminhe desde seu lugar mais de dois mil côvados, no sétimo dia». Ora, o côvado é calculado em cerca de 46 cm. Outro cálculo baseava-se na área pertencente às cidades levíticas, que envolviam as terras ao redor das muralhas, por dois mil côvados de todos os lados (ver Núm. 35:5). Um outro cálculo alicerçava-se sobre a suposta distância entre a arca e o povo, tanto no acampamento como quando em marcha (ver Jos. 3:4). Sem importar qual o cálculo exato, a proibição dizia respeito somente à distância dos portões da cidade

JORNADA — JOSAFÁ

para fora. Dentro da própria cidade, sem importar quão extensa fosse ela, não havia qualquer limitação de distância.

O intuito da provisão era assegurar um sábado tranqüilo, sem azáfama e bulha (ver Êxo. 16:29). Também tinha o propósito de manter os adoradores israelitas dentro da área do centro de sua adoração. O motivo era nobre, mas, infelizmente, transformou-se em um estéril legalismo. Por isso, houve tentativas casuístas para evitar o preceito. Entretanto, havia uma exceção legítima. Se alguém fosse apanhado a certa distância, estando de viagem, poderia caminhar até o abrigo mais próximo sem temor. Todavia, havia esquemas simples mas engenhosos para multiplicar a distância que podia ser percorrida. Um desses esquemas consistia em escolher uma árvore ou uma rocha, a certa distância, pôr ali algum alimento, e declarar: «Que aqui seja a minha residência». Ah! a astúcia dos homens!

JORQUEÃO

No hebraico, «dotado por Yahweh». Alguns supõem que, em I Crô. 2:44, haja menção a um judaíta, descendente de Calebe. Outros pensam que a alusão é a uma localidade que deve ser identificada com a *Jocdeão* (vide), de Jos. 15:56. A nossa versão portuguesa, à semelhança de outras, é bastante vaga: «Sema gerou a Raão, pai de Jorqueão». Mas a impressão que daí se colhe é que o avô se chamava Sema, o filho, Rema, e Jorqueão, o neto.

JOSA

No hebraico, «presente de Yahweh». Esse foi o nome de um chefe simeonita (I Crô. 4:34). Ele atacou os pastores camitas, em Gedor, sem provocação, e os exterminou, ocupando suas terras. Isso sucedeu em cerca de 711 A.C.

JOSAFÁ

Esse nome, que significa «Yahweh julgou», é o nome de cinco personagens das páginas do Antigo Testamento, a saber:

1. Um oficial da corte de Davi que trabalhava como cronista. Ver II Sam. 8:16; 20:24; I Crô. 18:15. Continuou a trabalhar para Salomão, quando este sucedeu a seu pai, Davi. Sua época de atividades foi entre cerca de 984 a 965 A.C. Era filho de Ailude.

2. Um dos doze intendentes do rei Salomão. Josafá era filho de Parua (I Reis 4:17). Controlava o distrito de Issacar. Viveu por volta de 960 A.C.

3. O pai do rei Jeú, e filho de Ninsi (II Reis 9:2,14). Ele viveu por volta de 842 A.C.

4. Um sacerdote que teve a missão de tocar a trombeta, perante a arca, quando esta estava sendo transportada da casa de Obede-Edom para Jerusalém, em cerca de 982 A.C. Ver I Crô. 15:24.

5. O quarto rei de Judá, reino do sul, e sexto da linhagem real de Davi. Ele era filho do rei Asa, quando o sucedeu no trono, com a idade de trinta e cinco anos. Continuou reinando por vinte e cinco anos, ue 873 a 849 A.C. Foi contemporâneo de vários reis de Israel, a saber, Onri, Acabe, Acazias e Jeorão. Os profetas Elias e Eliseu estiveram ativos durante o seu reinado, posto que atuaram muito mais no reino do norte, Israel.

Uma curiosidade bíblica é que o seu notável governo foi quase inteiramente omitido nas narrativas dos livros de Reis. Os trechos de I Reis 15:24; 22:1 *ss*; II Reis 1:17; 3:1; 7:27; 8:16,24,25 e 12:18 dão detalhes meramente incidentais sobre ele, quando se referem ao que estava acontecendo, paralelamente, no reino do norte, Israel. Entretanto, as Crônicas nos fornecem quatro longos capítulos sobre Josafá (ver II Crô. 17—20). Além disso, I Crô. 3:10 e II Crô. 22:9 nos dão mais algumas informações sobre Josafá. As Crônicas frisam o caráter piedoso de Josafá, e como ele reviveu antigas práticas e costumes do judaísmo. A estranha omissão que se vê nos livros de Reis poderia dever-se ao fato de que, naqueles livros, o autor ou autores estavam mais ocupados com a descrição de como o reino do norte, Israel, estava se precipitando em sua queda, pelo que qualquer outra coisa, ao que parece, era muito secundário em suas mentes.

Itens Interessantes e História Geral:

a. **Governo de Josafá.** Os três primeiros anos de seu governo ele os fez em substituição a seu pai, cuja doença nos pés o deixava incapacitado (I Reis 14:24 e 22:41-50). Desde o começo, ele mostrou ser zeloso na defesa de uma fé hebraica pura. Resistiu à idolatria que se avultara em Judá. Tentou derrubar os bosques dos lugares altos e, de maneira geral, eliminou a idolatria. Em tudo isso, porém, obteve êxito apenas parcial (I Reis 22:43; II Crô. 17:6 e 20:33). Escolheu mestres, dentre os sacerdotes e os levitas, e os enviou para que instruíssem ao povo, nas cidades de Judá. O propósito disso foi levar os judaítas a aderirem aos ensinamentos da lei (II Crô. 17:7-9).

b. *Atos de Coragem.* Os atos de Josafá tornaram-no alvo da proteção divina, e houve muita prosperidade em seu reinado. Uma parte disso consistiu em sua vitória sobre os filisteus, que foram forçados a pagar-lhe tributo, o que também aconteceu com os árabes. Ele dispunha de um considerável poder militar. II Crônicas 17:10 *ss* nos fornecem detalhes sobre essas questões.

c. *Normas Militares.* Ver II Crô. 17:1,2. Ele levantou defesas contra os ataques de Onri, rei de Israel, reino do norte. Seu pai, Asa, tivera choques constantes com Israel (II Crô. 16:11 *ss*, I Reis 15:32). Quando Josafá e Acabe tiveram de enfrentar os sírios, um inimigo comum, eles estabeleceram um acordo de proteção mútua. O profeta Micaías opôs-se a essa aliança; mas Josafá insistiu quanto ao pacto. A batalha de Ramote-Gileade quase mostrou ser fatal a Josafá, provando assim a veracidade das palavras daquele profeta. Acabe foi morto durante essa batalha com os sírios, os quais ganharam a batalha com facilidade. Mas Josafá conseguiu escapar, e voltou para Jerusalém. Ver I Reis 22:1 *ss;* II Crô. 18—19:1.

d. *Reformas Religiosas.* O profeta Jeú repreendeu a Josafá por sua tolice. Sem dúvida, a questão inteira lhe ensinou uma profunda lição, e ele procurou compensar por seu erro mediante outras reformas, de natureza religiosa. Então, ele estabeleceu agências que promoviam a fé religiosa, no estilo da antiga e unificada nação de Israel. Ele examinou e aprimorou as administrações locais, com vistas às questões tanto seculares quanto religiosas. Ele estabeleceu um supremo concílio de sacerdotes, levitas e outros líderes, que solucionavam problemas advindos dos tribunais provinciais. Ver II Crô. 19:4-11.

e. *Comércio.* Josafá restabeleceu um considerável comércio marítimo, que havia sido iniciado por Salomão. Judá mantinha controle sobre os portos do golfo Elanítico, portos esses usados no comércio com Ofir. O reino do norte, Israel, desejou participar desse negócio e, finalmente, isso azedou a questão inteira. As embarcações naufragaram. Uma nova tentativa foi feita, em aliança com o reino do norte. Essa vez as coisas funcionaram um pouco melhor; mas o

589

JOSAFÁ — JOSAFÁ, VALE DE

empreendimento não perdurou por longo tempo. Ver II Crô. 20:35-37; I Reis 22:49.

f. *Muitas Guerras*. Um detalhe consternador nos registros bíblicos é a ocorrência de guerras contínuas. Como é óbvio, isso caracteriza a história humana inteira. A suposta *teocracia* esteve continuamente envolvida nessa atividade, dando-nos razões para indagar por que motivo os ensinamentos divinos não fizeram grande diferença quanto a essa questão. Depois da morte de Acazias, rei de Israel, o seu sucessor, Jorão, persuadiu Josafá a unir-se a ele em uma expedição contra os moabitas. Os exércitos aliados, da nação do norte e da nação do sul, foram salvos por um miraculoso suprimento de água, e eles obtiveram a vitória. Ver II Reis 3:4-27. Essa questão, embora tivesse obtido sucesso inicial, só provocou a ira dos moabitas, os quais persuadiram aos amonitas, aos sírios e aos idumeus a retaliarem contra Judá. Tudo isso causou a Josafá uma profunda consternação, visto que ele supunha que a nova ameaça significaria a sua derrota inevitável. Por isso mesmo, ele muito orou e clamou ao Senhor. Jeaziel, um levita, recebeu do Espírito Santo a informação de que Judá obteria a vitória, sem receber muitos golpes. A vitória de Judá começou a esboçar-se quando os inimigos aliados começaram a lutar entre si, com o resultado que acabaram se autodestruindo. Isso permitiu que Josafá terminasse seu reinado e a sua vida em paz. Ver II Crô. 20.

g. *Morte*. Josafá viveu até os sessenta anos, e morreu após ter reinado por vinte e cinco anos. Isso ocorreu em cerca de 896 A.C. Jeorão, seu filho, que havia atuado como co-regente nos últimos anos de sua vida, sucedeu-o no trono. Uma declaração de Josefo, grande autor judeu da época dos apóstolos de Cristo: «Ele (Josafá) foi sepultado com magnificência, em Jerusalém, porquanto havia imitado os atos de Davi» (*Anti.* 9:3,2). Ver também o relato em I Crô. 21.

h. *Caráter Espiritual*. A espiritualidade de Josafá avulta entre as mais bem formadas, entre os monarcas de Judá. Ele incorreu em erros; mas a sua vida, considerada como um todo, foi espiritualmente positiva. Ele se mostrou leal para com a fé de seus antepassados, puro em seus motivos e em seus atos. Todavia, quando se sujeitou à influência de terceiros fracassou. Não foi bem-sucedido em todas as suas reformas, embora tenha enviado para isso seus melhores esforços. Também errou no tocante à sua política de casamentos mistos com a família reinante do reino do norte, visando a vantagens políticas e militares. E isso produziu muitos frutos amargos. Ver I Reis 2:48,49 e II Crô. 20:35-37.

JOSAFÁ, JEOSAFÁ

1. Um mitenita que era um dos guardas especiais de Davi, ou seja, um dos trinta poderosos guerreiros ao seu serviço. Evidentemente, ele veio do território a leste do Jordão (I Crô. 11:43). Viveu em torno de 1000 A.C.

2. Um sacerdote que recebeu a incumbência de tocar a trombeta diante da arca da aliança (I Crô. 15:24). Também viveu em cerca de 1000 A.C.

Deve-se observar que, no hebraico, há ligeira modificação na grafia do nome, em relação aos outros cinco homens com esse mesmo nome na Bíblia.

JOSAFÁ, VALE DE

No hebraico, «vale onde Yahweh julga». Esse vale limitava Jerusalém em sua porção leste, separando essa cidade do monte das Oliveiras. O trecho de Joel 3:2-12, diz-nos que o Senhor, no futuro, haverá de reunir os exércitos de todas as nações nesse vale, e ali contenderá com aquelas nações. Muitos intérpretes, com base nessas referências bíblicas, supõem que essa seja uma profecia sobre uma espécie de julgamento contra as nações, naquele lugar. Mas outros pensam que se trata de uma alusão histórica, pensando estar em pauta alguma grande vitória militar dos judeus, talvez com a ajuda de Nabucodonosor, que teria derrotado a velhos inimigos de Israel, similar à vitória de Josafá, quando ele derrotou a liga formada pelos amonitas, moabitas e idumeus (II Crô. 22:22-26). Ainda há outros que pensam que a questão inteira é *simbólica* apenas, como se ali houvesse tão-somente uma alusão metafórica, ao «vale da decisão», quando estaria em jogo alguma questão crucial, do que poderia resultar ou a vitória ou a derrota. Em Joel 3:14, de fato, lemos que esse profeta falou sobre o «vale da decisão». A passagem de Zac. 14:2 também alude a esse vale. Muitos estudiosos pensam que se trata do vale de Cedrom (vide).

Identificações. Desde o século IV D.C., a identificação comum do vale de Josafá, ou vale da decisão, tem sido o vale de Cedrom. Eusébio e Jerônimo referiram-se a isso, em suas obras enciclopédicas. Mas Eusébio chamou esse vale de «vale de Hinom» (em um artigo, em sua obra *Onomasticom*; vide). Jerônimo, porém, prefere pensar no vale de Cedrom. Mas outros, pensando que aquela referência do livro de Joel é apenas simbólica, pensam que é inútil tentar qualquer identificação geográfica real.

O Vale e o Julgamento. As tradições judaicas, islâmicas e cristãs referem-se a esse vale em termos do julgamento final. Por causa disso, membros de todas essas três fés têm organizado cemitérios nas faldas do vale. O livro pseudepígrafo de I Enoque (53:1) localiza o juízo final em um profundo vale, perto de Hinom. Tudo isso, porém, é fantasioso. O conceito do juízo final, associado a um vale próximo de Jerusalém, ficou perpetuado em um dos portões das muralhas orientais dessa cidade. O portão que dá para o vale de Cedrom passou a ser conhecido como Porta do Vale de Josafá. A Vulgata Latina identifica esse portão com a Porta da Revista de Tropas (em nossa versão portuguesa, «Porta da Guarda», segundo Nee. 3:31). No hebraico, essa porta é chamada *Miphkad*, «lugar apontado». Na Vulgata Latina encontramos *Porto Judicialis*, «porta do julgamento». Dois pórticos da Porta de Ouro estão associados, dentro das tradições islâmicas, à «misericórdia» e à «contrição». Parte do vale do Cedrom, que dá de frente para esse portão, é chamada pelos islamitas de *Djahannum*, «Geena» (vide). O vale em questão, foi chamado Vale de Josafá depois que Josafá morreu. Em II Sam. 18:18, também é denominado de «vale do rei» (vide).

Coisas Interessantes no Vale de Josafá. Foi ali que Absalão erigiu uma coluna, e alguns estudiosos supõem que ele foi sepultado nesse vale. O túmulo que tem sido considerado pertencente a Absalão aparece como adjacente ao de Tiago e ao de Zacarias; mas tudo isso data de um período posterior, pelo que sua autenticidade é muito precária. A fonte de Geom, o poço de Siloé, o túnel de Ezequias e a fonte de En-Rogel, o jardim do Getsêmani, a basílica da Agonia e o campo do Oleiro são locais associados a esse vale.

Uso Cristão Figurado. A profecia de Joel, onde esse vale é mencionado, segundo a tradicional opinião

JOSAVIAS – JOSÉ

cristã, representa o lugar do juízo das nações, imediatamente depois do segundo advento de Cristo, advento esse que inaugurará a era do reino milenar.

JOSAVIAS

No hebraico, «Yahweh é suficiente». Era filho de Elnaal. Foi um dos guerreiros especiais de Davi (I Crô. 11:43), chamados de «os trinta». Sabe-se dele apenas que era filho de Elnaão. Viveu por volta de 1000 A.C.

JOSBECASA

No hebraico, «sentado na dureza». Era um dos filhos de Hemã, o principal líder da música, no tempo de Davi. Seu nome aparece em I Crô. 25:4,24. Viveu em cerca de 1015 A.C.

JOSÉ

Esse é o nome de um dos patriarcas hebreus, o primeiro filho de Jacó e Raquel. Várias outras personagens do Antigo Testamento também têm esse nome. No Novo Testamento, esse era o nome do marido de Maria. Nos tempos modernos, tornou-se um dos nomes pessoais masculinos de maior divulgação. Quatorze pessoas na Bíblia têm este nome.

A. No Antigo Testamento
1. *José, o Patriarca*
Esboço:
I. Nome e Caracterização Geral
II. A Família de José
III. Informes Históricos
IV. Cronologia
V. Arqueologia
VI. Caráter de José e Lições Espirituais
VII. José do A.T. no Novo Testamento

B. No Novo Testamento: Josés do N.T.

I. Nome e Caracterização Geral
José vem de uma palavra hebraica que significa «Yahweh acrescentará», ou, então, «que Yahweh adicione». Muitas pessoas tiveram esse nome, no Antigo Testamento. Porém, o mais conhecido e mais significativo desses personagens foi o patriarca José, o décimo primeiro filho de Jacó e sua esposa favorita, Raquel. Provavelmente, José viveu em cerca de 1678—1570 A.C., embora essas datas continuem sendo disputadas. Parece que ele viveu na época dos reis hicsos, dominadores do Egito. Ver Gên. 37—50. José, filho favorito de Jacó e sua esposa, Raquel, sonhou que receberia ascendência sobre os seus irmãos. Eles foram tomados de inveja, por causa disso e do favoritismo demonstrado por Jacó por José, e acabaram vendendo-o como escravo. — Mas, no decurso dos acontecimentos, José se tornou o superintendente da casa de Potifar, alto oficial egípcio. A mulher de Potifar, em várias ocasiões, tentou seduzir José, ao que ele resistiu resolutamente. Para vingar-se, ela o acusou falsamente de ter tentado violentá-la. E Potifar mandou lançar José no cárcere.

Na prisão, José mostrou que era vidente, e isso chegou aos ouvidos de Faraó, que precisou que seus estranhos sonhos fossem interpretados. José mostrou que era o homem talhado para a ocasião, e salvou o Egito (e muitos povos ao derredor), em um período de fome que perdurou sete anos. E o Egito se tornou fornecedor de víveres durante aquele período crítico, até mesmo para Jacó, seus onze filhos e as famílias deles, por causa das habilidades proféticas de José. José tornou-se conhecido como homem sábio, e foi nomeado como uma espécie de primeiro-ministro com amplos poderes, estando sob as ordens exclusivas do próprio monarca egípcio. — A fome forçou os irmãos de José a buscarem provisões alimentícias no Egito. Sem que soubessem disso, os irmãos de José negociaram com ele. Mediante ameaças bem colocadas, José conseguiu reunir todos os seus irmãos, incluindo Benjamim, filho de Raquel, o único que era seu irmão verdadeiro, além de Jacó, no Egito. Antes da descida de Jacó ao Egito, José perdeu a paciência com o drama que estava criando e revelou a verdadeira identidade aos seus irmãos. A consternação deles, diante de suas anteriores injustiças contra José, foi aliviada pelo amor demonstrado por José, pois o amor cobre multidão de pecados. Ver I Ped. 4:8.

O relato foi registrado pelo autor do livro de Gênesis a fim de explicar como Israel veio a ser um povo escravizado no Egito. Isso pavimentou o caminho para a libertação da servidão no Egito, por intermédio de Moisés. Os ossos de José foram levados para fora do Egito, nos dias de Moisés, por ocasião do êxodo e foram novamente sepultados em Siquém. Naturalmente, o espírito de José muito antes disso fizera sua jornada para o mundo dos espíritos e da luz celestial.

II. A Família de José
Ver o artigo sobre **Jacó**, onde apresentamos um gráfico que mostra o crescimento da família patriarcal de Israel, bem como a origem das suas doze tribos. José foi o primeiro filho de Jacó e Raquel. Raquel era a esposa amada e favorita de Jacó. O único irmão de pai e mãe de José era Benjamim. O relato do romance de Jacó e Raquel aparece em Gên. 29:1-20. Ver o artigo sobre *Jacó*, quanto a detalhes. Naturalmente, Jacó se mostrava parcial em favor de José. E uma das provas disso foi a «túnica talar de mangas compridas» (Gên. 37:3). Isso despertou o antagonismo dos irmãos mais velhos de José, contra ele. Esse antagonismo piorou diante dos sonhos proféticos de José, que mostravam que ele teria ascendência sobre seus irmãos. Ver o artigo geral sobre os *Sonhos*, onde se mostra que até os sonhos das pessoas comuns exercem uma função precognitiva. Vários irmãos de José resolveram tirar-lhe a vida; mas Rúben interveio e fê-lo ser lançado em um poço seco, de onde tencionava retirá-lo mais tarde, quando houvesse oportunidade para isso. Mas, antes que ele pudesse livrar a José, um grupo de ismaelitas surgiu; e, enquanto Rúben estava ausente, os outros irmãos venderam José aos ismaelitas, como escravo. E os ismaelitas levaram José ao Egito. Esses incidentes mostram que o caráter da família patriarcal estava longe de ser ideal, a própria família que seria a origem das doze tribos de Israel. A Bíblia nunca oculta as faltas e os pecados de seus heróis. Por outro lado, o desígnio divino consegue operar, a despeito das falhas e dos defeitos humanos; e isso explica como sucedeu que essa família foi escolhida para a tarefa de produzir uma nação que seria fonte de mensagem espiritual ao mundo inteiro, a nação da qual haveria de nascer o Messias.

III. Informes Históricos
Nas seções I e II, temos oferecido o esboço dos eventos históricos da vida de José, além de uma série de incidentes que acabou levando-o ao Egito. A partir desse ponto, continuamos aqui o exame da narrativa bíblica.

1. *Adversidades de José no Egito*. No Egito, José foi vendido ao capitão da guarda pessoal de Faraó, Potifar. Ele agiu corretamente, e mereceu a confiança

591

JOSÉ

de Potifar. Mas a esposa de Potifar observou que ele era um rapaz atraente, e resolveu seduzi-lo. O texto bíblico nos mostra que os ataques da mulher eram persistentes, exigindo uma resistência permanente da parte de José. José não cedeu; mas, por causa disso, acabou sendo lançado na prisão, visto que Potifar acreditou na mentira de sua esposa, acerca das supostas intenções de José. Os bons nem sempre se dão bem! Mas, seja como for, na prisão, José teve uma nova oportunidade. Ele interpretou sonhos que indicavam que o copeiro-mor seria reintegrado por Faraó em suas funções, mas que o padeiro-mor seria executado. Todavia, o copeiro-mor só se lembrou de José quando Faraó teve, por sua vez, o sonho que muito o deixara perturbado, e queria saber sua interpretação. Foi assim que José foi convocado à presença de Faraó. E foi capaz de interpretar o duplo sonho, de que haveria sete anos de fartura, seguidos de sete anos de fome. José foi tirado da prisão e, em seguida, tornou-se o segundo mandante do reino. Ver Gên. 41:1-45, quanto à narrativa inteira.

2. José apodreceu na prisão por dois anos; mas um bom desígnio divino estava em andamento. Uma boa lição que podemos extrair desse período da vida de José é que o livramento dele, de uma série de acontecimentos adversos, não foi algo imediato e automático. Durante muito tempo (treze anos), desde que ele tinha dezessete anos de idade, José sofreu uma série de reveses. Por ter agido corretamente, tornou-se um encarcerado. Por dois longos anos mofou na prisão, embora inocente. Contudo, o plano de Deus a seu respeito estava em andamento. O tempo favorável a José ainda chegaria. As coisas não estavam sucedendo por mero acidente. As próprias coisas más têm um propósito, com aplicações legítimas, segundo se aprende em Rom. 8:28: «Sabemos que todas as cousas cooperam para o bem daqueles que amam a Deus, daqueles que são chamados segundo o seu propósito». Assim sendo, quando nos achamos em meio a uma situação adversa, poderá parecer-nos que essa situação perdurará para sempre; mas Deus faz com que as coisas terminem redundando em nosso favor, afinal de contas. As próprias adversidades são elementos do destino determinado por Deus para nosso bem e para a nossa utilidade. José mesmo jamais teria planejado ser vendido ao Egito como escravo. Mas isso fazia parte vital de seu final e glorioso destino.

3. Os irmãos de José foram forçados a descer ao Egito. É interessante a observação de que foi a *fome* que abriu a oportunidade de José subir ao poder, no Egito, e também foi o que forçou os seus irmãos a irem buscar ali alimentos. Foi então que José deu início à sua charada, que terminou quase em um drama. Como a fosse um oficial egípcio rígido (pois seus irmãos não o reconheceram, após se ter passado treze anos), José tratou seus irmãos com muito rigor. José fez indagações sobre a família deles. A fim de que tivesse Benjamim (seu único irmão de pai e mãe) à sua frente, José reteve Simeão como refém. Então, quando Benjamim estava retornando à Palestina com eles, José criou um artifício para fazer Jacó vir ao Egito, no episódio da taça de prata. De acordo com José, essa taça de prata era por ele usada em adivinhações (talvez funcionasse como uma espécie de bola de cristal, uma vez cheia de água), foi escondida na sacola de Benjamim. E os irmãos de José foram alcançados no caminho por um grupo enviado por José, a fim de que se verificasse quem teria «furtado» a taça. Judá acabou se oferecendo para permanecer como escravo, em lugar de Benjamim, a quem José queria reter no Egito, a fim de que Benjamim pudesse

retornar a Jacó. No entanto, no caso de José, Judá sentira tão pouca consciência, quando José estava no poço e rogava para não ser vendido como escravo a estrangeiros.

4. *Fim da Charada*. José estava fazendo o papel de um oficial egípcio inflexível. Subitamente, porém, foi dominado pela emoção. Ordenou que todos os assessores egípcios saíssem do salão, e seus soluços foram ouvidos pelo palácio inteiro. Ele, então, revelou a seus irmãos a sua verdadeira identidade, os quais ficaram perplexos diante da mudança de sorte de José. O austero oficial egípcio não era outro senão o próprio irmão deles, José, a quem tinham vendido como escravo, aos mercadores ismaelitas. Eles temiam que ele quisesse tirar vingança; mas a verdade é que José não era homem vingativo.

5. *O Mal Acabou Redundando em Bem*. O trecho de Gên. 50:20 encerra uma declaração clássica sobre as operações da vontade de Deus, uma espécie de Romanos 8:28 do Antigo Testamento. Aquilo que os irmãos de José planejaram como uma *maldade*, Deus transformou em *bem*. As vidas de um certo número de pessoas foram assim preservadas, em tempos dificílimos, porque os eventos, ainda que pareçam improváveis, cooperam juntamente tendo em vista algum resultado positivo.

6. *Vindicação dos Sonhos de José*. Os irmãos de José chegaram a dizer-lhe: «Eis-nos aqui por teus servos» (Gên. 50:18). E, ao proferirem essas palavras, se prostraram diante dele. Destarte, teve cumprimento o sonho preditivo de José acerca de seu predomínio sobre seus irmãos, embora ele mesmo não estivesse querendo qualquer posição, ostentação ou dominação. Não obstante, é algo ótimo quando Deus vindica os nossos sonhos e faz as coisas operarem em nosso favor, de acordo com esses sonhos preditivos.

7. *Provisões para os Patriarcas de Israel*. José cuidou de seus irmãos e de seus «filhos» (Gên. 50:21). A graça e a provisão de Deus são suficientemente amplas para todos. O Banco Celeste cuida de todas as nossas necessidades, apesar de nossas falhas e defeitos.

8. *A Vida Útil e a Morte de José*. José e toda a sua família ficaram unidos no Egito, e muitos anos felizes se passaram. No entanto, os filhos de Israel eram estrangeiros exilados no Egito. O desígnio de Deus haveria de alterar finalmente essa situação. José foi capaz de predizer o livramento do povo de Israel do Egito (Gên. 50:24). A preocupação de José era a de que os israelitas não deixassem seus ossos no Egito, por ocasião do futuro êxodo. José faleceu com a idade avançada de cento e dez anos, e o livro de Gênesis termina com a melancólica observação que «o puseram num caixão no Egito» (Gên. 50:26). Isso ocorreu em cerca de 1800 A.C.

9. *A Promessa a José Foi Cumprida*. O trecho de Êxo. 13:19 informa-nos de que Moisés levou os ossos de José, quando o povo de Israel deixou o Egito. Os ossos de José foram sepultados em Siquém (Jos. 24:32). Os ossos de José ficaram no Egito cerca de trezentos anos, antes de serem levados para a terra Santa.

IV. Cronologia

Se seguirmos as indicações do texto massorético, então teremos de situar o relato sobre José em cerca de 1871 A.C., ou seja, durante a XII Dinastia do Egito. Muitos eruditos modernos, porém, têm alegado certo número de razões, negando tal possibilidade. Eles pensam que seria muito improvável que um jovem estrangeiro semita tivesse obtido tal autoridade no Egito, conforme sucedeu a José. Por isso, pensam que

JOSÉ

o mais provável é que sua época coincidiu com o período de dominação dos hicsos, que eram *semitas*. Porém, a história revela-nos bem pouco acerca desse período; e, por esse motivo, é difícil tomar decisões firmes a respeito da questão. Seja como for, o período de 1750 — 1550 A.C. foi um período agitado e confuso no Egito. Nesse caso, o *novo rei*, o Faraó que *não conhecera a José* (Êxo. 1:8) poderia referir-se a um dos Faraós do Novo Império, depois que os odiados hicsos asiáticos foram expulsos do Egito. Uma outra evidência possível para essa conjetura é que os israelitas residiam na planície de Tanis, que era chamada «campo de Zoã» (Sal. 78:12). Essa era a capital hicsa no Egito. Visto que os hicsos eram um povo semita, podemos facilmente imaginar como José, um semita, poderia ter recebido tão grande autoridade. Os registros egípcios mostram a presença de muitos semitas no Egito, na época atribuída a José. Em um registro de nomes de prisioneiros, quarenta e cinco são nomes semíticos, pertencentes cerca de 1740 A.C. Essa lista se acha no chamado *papiro Brooklyn* (35.1446). Nomes semíticos familiares aos nossos ouvidos são ali achados como Jacó, Issacar, Aser, Jó e Menaém. Além disso, temos os túmulos dos Beni Hassã, com suas pinturas, que retratam negociantes semitas que entraram no Egito. O relato egípcio, «Conto dos Dois Irmãos», encerra um paralelo da história de José e da mulher de Potifar, relatada em Gên. 39:7-23. Esses diversos paralelos da história de José, favorecem essa data posterior para a sua carreira na terra dos Faraós.

V. Arqueologia

Sob a seção IV, temos mencionado vários itens de interesse arqueológico, que poderiam indicar que a história de José teve lugar no tempo do domínio hicso no Egito. Alguns estudiosos têm posto em dúvida a essência do relato, ou seja, que Jacó e seus filhos desceram ao Egito, somente porque José os convidou para virem residir ali. Porém, o arqueólogo W.F. Albright não vê qualquer dificuldade quanto a isso, porque sua história pessoal está por demais entretecida com a história dos primeiros tempos do povo de Israel. Em favor do exílio dos israelitas no Egito encontram-se registros de nomes semíticos naquele lugar, segundo já se mencionou acima, na quarta seção. Apesar dos nomes ali achados pertencerem, essencialmente, a nomes típicos da tribo de Levi, é realmente muito precário o argumento daqueles que dizem que somente indivíduos da tribo de Levi estiveram exilados no Egito Esse fato certamente ter-se-ia refletido na história do povo hebreu.

Além desses informes, temos pequenos indícios, no Pentateuco, que nos fornecem informações sobre a vida egípcia. Esses indícios têm sido confirmados pelas descobertas arqueológicas. Um desses itens é a expressão «copeiro-chefe»,em Gên. 40:2. Esse era um ofício revestido de muita honra, conforme os documentos egípcios confirmam. As inscrições tumulares egípcias, em muitas pinturas, ilustram as condições de fome pelas quais os egípcios passaram. Uma dessas inscrições menciona, especificamente, sete anos de escassez, nos dias do Faraó Zozer, da III Dinastia, ou seja, cerca de 2700 A.C. Também há provas abundantes que ilustram o interesse dos egípcios pela interpretação de sonhos e outras formas de adivinhação. Mágicos e videntes eram figuras importantes na cultura egípcia. Certas informações têm seu paralelo em Gên. 39:4; 41:40; 41:42,43. A mumificação (Gên. 50:2) é um item sobre o qual o relato bíblico concorda com os registros históricos egípcios. É bem provável que o corpo de José tenha

sido mumificado, o que talvez explique por que, cerca de trezentos anos mais tarde, ele pôde ser levado do Egito para a Palestina. Os monumentos egípcios falam sobre o número cento e dez como o ideal para uma vida longa e feliz (ver Gên. 50:22), e é bem possível que esse número específico seja um reflexo desse ideal, e não o tempo real da vida de José. O trecho de Gên. 47:11 se refere ao «melhor da terra», como o lugar onde a família de José se estabeleceu. Isso foi na porção oriental do delta do Nilo, em redor do wadi Tumilat, havendo evidências históricas que confirmam essa assertiva. No túmulo de um dos oficiais de Senwosrete II, cujo nome era Khnumhotep, existente em Beni Hassã, há uma cena esculpida de imigrantes semitas, ocupados no comércio com o Egito. Os cabelos negros dos semitas descem, compridos, até os ombros, e suas barbas terminam em ponta, o que se sabe corresponder à verdade, no caso dos povos semitas. Eles traziam pintura para os olhos e conduziam lanças, arcos e flechas. Além disso há nomes cananeus (semitas) para certas localidades do delta do Nilo. Entre esses nomes podemos citar Sucote (Êxo. 12:37), Baal-Zefom (Êxo. 14:2), Migdol (Êxo. 14:2), Zilu (o cômoro de Abu Zeifah) e Gósen (Êxo. 8:22; 9:26). É claro, pois, que houve uma mescla de culturas, a semítica e a egípcia, durante o tempo de José no Egito, do que a Bíblia testifica em tão interessante narrativa.

VI. Caráter de José e Lições Espirituais

Tipo de Cristo. Este artigo enfatiza várias lições que podemos extrair da vida de José. Abaixo damos um sumário dessas lições:

1. *O Caráter de José.* José sofreu perseguições e tremendas reviravoltas na vida, mas não ficou amargurado com essas coisas, e nem com a maneira como a vida o maltratou.

2. José combinava em si as qualidades de uma elevada moral, de grande simplicidade, de inteligência e de vontade férrea, tudo o que o impulsionava fortemente para a frente.

3. Sua vida foi a vida de um homem. Ele foi vendido como escravo, e precisou reverter a sua situação. Ele foi um homem do destino. Os próprios acontecimentos negativos contribuíram para fazê-lo progredir, bem como para abençoar àqueles que viviam ao seu derredor.

4. Por meio dele, houve provisão alimentar para muitas outras pessoas. Através dele, os propósitos espirituais se desdobraram, afetando para melhor os destinos de outras pessoas, incluindo a nação inteira de Israel, em seus primórdios.

5. Ele foi capaz de cumprir o propósito de sua vida, contra grandes forças de oposição, e por meio de acontecimentos muito improváveis, como aquele de ter-se tornado o primeiro ministro do Egito, saído diretamente do cárcere.

6. José foi um homem místico. Parte de seu sucesso se deveu ao fato de que ele era capaz de exercer dons espirituais. O toque místico é um dos meios do desenvolvimento espiritual. Ver o artigo sobre o *Misticismo*.

7. De maneira suprema, José se identificou com o desígnio espiritual que atuava através do povo de Israel. Ele nem ao menos queria que seus ossos permanecessem no lugar do exílio. Ele aguardava um país melhor, um destino mais alto, celestial.

VII. José do A.T. no Novo Testamento

Em Atos 7:9, dentro do discurso final de Estêvão, José é mencionado. Estêvão menciona como José, em um ataque forte de ciúmes e inveja de seus irmãos,

JOSÉ

foi vendido como escravo e levado para o Egito. Mas Estêvão se apressou a adicionar: «...mas *Deus* estava com ele». Por isso é que tudo terminava bem para José e ele acabou sendo o governador da terra. O vs. 18 do sétimo capítulo de Atos menciona um Faraó que não conhecera a José. Isso produziu uma grande modificação para pior na sorte dos israelitas no Egito. Todavia, em ato de grande fé, José havia predito que Israel sairia, afinal, do Egito, e pediu que seus ossos fossem levados pelos descendentes dos patriarcas. O trecho de Apo. 7:8 faz de «José» uma das doze tribos de Israel, uma estranha designação. Na lista das doze tribos, daquela passagem, as tribos de Dã e de Efraim são omitidas. E *José* ocupa o lugar de Efraim. A razão para isso, talvez, fosse que o autor sagrado queria incluir, especificamente, uma tribo descendente da esposa favorita de Jacó, *Raquel*. Além disso, José era nome mais famoso que o de Efraim, que foi o segundo filho de José e Asenate, filha de Potífera (ver Gên. 46:20). Também é possível que, no tempo em que o Apocalipse foi escrito, a tribo de Efraim tenha deixado de existir como uma unidade distinta, pelo que o nome «José» veio a ocupar a tradicional tribo de Efraim. Mas, por que motivo «Dã» foi omitida da lista do Apocalipse, é comentado no NTI nos comentários sobre Apo. 7:6.

2. *José, pai de Igal*. Ele foi um espião enviado da parte da tribo de *Issacar*, a fim de explorar a terra de Canaã. Estava entre aqueles que trouxeram um relatório negativo, baseado na incredulidade (Núm. 13:7). Ele viveu em cerca de 1209 A.C.

3. Um membro da família de Bani, que esteve entre aqueles que tiveram de separar-se de suas esposas estrangeiras, com quem se tinham casado durante o cativeiro babilônico (Esd. 10:42), em cerca de 536 A.C.

4. Um sacerdote da família de Sebanias, que viveu na segunda geração depois que o remanescente de Judá voltou do cativeiro babilônico para fixar residência em Jerusalém. Ele viveu após 536 A.C.

5. Um filho de Asafe, que foi nomeado como um dos chefes dos músicos do culto sagrado, ao tempo de Davi (I Crô. 25:2,9). Ele viveu em cerca de 960 A.C.

B. No Novo Testamento: Josés do N.T.

1. *José, Marido de Maria e Pai-Guardião de Jesus, o Cristo*.

a. *Informes Bíblicos*. José não é mencionado no evangelho de Marcos, e é aludido apenas em João 1:45 e 6:42. Mateus declara que ele descendia de Davi (1:20). Alguns eruditos supunham que a genealogia de Lucas segue a linhagem de Maria, e não a de José. Porém, a maioria dos estudiosos modernos não continua defendendo essa antiga idéia. Ver sobre a *Genealogia de Jesus, o Cristo*. Tanto Mateus quanto Lucas frisam o nascimento virginal de Jesus. Ver sobre *Nascimento Virginal de Jesus*. Isso significa que José foi o pai guardião de Jesus, e não o seu pai biológico. Muitos estudiosos liberais, entretanto, têm posto esse fato em dúvida. Nosso artigo sobre o assunto examina ambos os lados da questão. Seja como for, Mateus e Lucas afirmam que Maria ficou grávida antes de qualquer atividade sexual com José (Mat. 1:18; Luc. 1:27,35). Isso é o que diz a Bíblia; mas a Igreja Católica Romana ajunta a isso o dogma que diz que Maria permaneceu virgem antes, durante e depois do parto. Todavia, o fato de que José teve uma família, que consistia em Maria, Jesus e seus irmãos e irmãs, demonstra que essa opinião católica romana não passa de uma lenda piedosa, posta a serviço da doutrina de que a virgindade é mais santa que o estado matrimonial.

José atuava como pai de Jesus. Ele o levou a Jerusalém, para as cerimônias da purificação (ver Luc. 2:22); fugiu para o Egito, a fim de protegê-lo, ainda menino pequeno, dos maus propósitos de Herodes (Mat. 2:13). Essa fuga foi inspirada por um sonho que lhe foi dado divinamente. Terminado o perigo, José voltou para a Palestina, tendo fixado residência em Nazaré. Mui provavelmente, Jesus cresceu ajudando José na carpintaria (ver Mat. 2:19 *ss;* 13:55; Mar. 6:3). Além disso, José levava Jesus anualmente a Jerusalém, durante os festejos da páscoa (Luc. 2:41). Alguns estudiosos supõem que o trecho de Luc. 2:49 indica que, aos doze anos de idade, Jesus já reconhecia sua origem celeste, e que não era filho biológico de José.

b. *A Morte de José*. Visto que não há qualquer menção a José, durante o período do ministério terreno de Jesus, muitos estudiosos supõem que José já havia falecido, antes de Jesus atingir os trinta anos de idade. E, embora isso seja uma especulação (pois a Bíblia nada declara a respeito), trata-se de uma especulação válida, porquanto, já crucificado, Jesus instruiu ao apóstolo amado, João, para que cuidasse de Sua mãe (João 19:26), o que teria sido desnecessário se José ainda estivesse vivo. E, por que não a entregou aos cuidados dos filhos de José e de Maria, cujos nomes são até dados na Bíblia (ver Mar. 6:3)? O motivo mais provável disso é que eles permaneciam ainda na incredulidade, embora se tivessem convertido após a ressurreição do Senhor. Ver João 7:5.

c. *As tradições cristãs* apresentam José como um homem já idoso quando se casou com Maria (Epif. *Haer*. 79,7). O casal teve, então, quatro filhos e duas filhas. No entanto, com a passagem do tempo, segundo o dogma da perene virgindade de Maria, que se foi firmando em certos círculos cristãos, esses irmãos foram sendo considerados meros «primos» de Jesus. Há uma tradição, do século IV D.C., *História de José, o Carpinteiro*, que perpetuou a idéia de que José já era viúvo ao contrair matrimônio com Maria, e que ela se teria casado com ele quando tinha apenas doze anos de idade! Ver o artigo separado sobre essa obra, nesta enciclopédia, intitulado, *José, o Carpinteiro, História de*.

d. *A tradição católica romana* fez de José um de seus «santos». Mas a verdade é que o cristianismo primitivo e antigo não deu muita importância a José, durante os primeiros quinhentos anos de sua história, e certamente não o venerou durante todo esse tempo. A veneração a José começou e prosperou em certos mosteiros, sendo, por isso mesmo, uma invenção fradesca. Mas, somente no século XV D.C. é que começaram a aparecer na Europa as primeiras missas e ofícios em honra a São José. Em 1479, Pio IV introduziu a festa de São José, em Roma. Pio IX, em 1870, declarou que José era o patrono da Igreja Universal. Em 1955, o papa Pio XII estabeleceu a nova festa católica romana de *José, o Trabalhador*. Essa nova festa é celebrada a 1º de maio, o Dia do Trabalho dos europeus. A missa associada a isso é celebrada em setembro, no Canadá, e nos Estados Unidos da América. A Igreja Ortodoxa Oriental começou a celebrar uma festa em honra a José em cerca do ano 1000 D.C., mas a Igreja Cóptica Monofisista parece ter tido tal festa desde tão cedo quanto o século VII A.C.

2. Um antepassado de Jesus, o Cristo (Luc. 3:26). Ele era filho de Jodá (ou Abiúde) e neto de Joanã, que, por sua vez, era neto de Zorobabel.

3. Outro antepassado de Jesus, o Cristo (Luc. 3:24). Ele era filho de Matatias, da sétima geração antes de

JESUS COM 12 ANOS INDO PARA JERUSALÉM

O anjo e os pastores

Isabel recebe Maria

A fuga para o Egito

JOSÉ — JOSÉ DE ARIMATÉIA

José, marido de Maria.

4. *José, chamado Barsabás*. Ver o artigo separado sobre ele.

5. *José de Arimatéia*. Ver o artigo separado sobre ele.

6. José. cujo sobrenome era *Caifás* (vide).

7. Um dos irmãos de Jesus (Mat. 13:55; Mar. 6:3), filho de José e Maria.

. 8. Um irmão de Tiago, o menor, cuja mãe, Maria, esteve ao pé da cruz do Senhor Jesus e observou o seu sepultamento (Mar. 15:40,47). Alguns identificam esse José com o anterior; mas erroneamente, porque, nesse caso, Tiago, o menor, também seria irmão de Jesus, o que não é verdade, apesar de Jesus também ter tido um irmão de nome Tiago (Mar. 6:3).

9. Nome original de Barnabé, de acordo com Atos 4:36. Ver o artigo sobre *Barnabé*.

JOSÉ BARSABÁS

Alguns pensam que o seu nome significa **José** = «Yahweh aumenta», e **Barsabás** = «filho de Sabá». Porém, outros interpretam Barsabás como «nascido no sábado». Se devemos pensar em «Sabá», como o significado desse nome, então alguns interpretam que isso significaria «filho de um ancião». Ele é mencionado em Atos 1:23 *ss*, em conexão com a substituição a Judas Iscariotes, como apóstolo de Cristo. Ele era um dos dois candidatos disponíveis. A regra a seguir é que o novo apóstolo teria de ter acompanhado os demais discípulos de Jesus desde o começo, ou seja, precisava ser testemunha ocular das obras de Jesus, um discípulo experiente de Cristo. Um aspecto estranho dessa narrativa, e que tem consternado grandemente a muitos intérpretes, é que uma decisão tão importante quanto essa precisou ser determinada pelo lançamento de sorte, uma forma de *adivinhação* (vide). Naturalmente, eles esperavam que o Espírito de Deus determinasse o resultado. *Matias* (vide) foi o escolhido, mas podemos ter a certeza de que José foi um notável discípulo de Cristo, pois, doutro modo, não poderia ter sido um dos candidatos. Ele tinha o honroso apodo de «Justo», o que, provavelmente, lhe foi dado em vista de seu caráter bem formado. Também é possível que José Barsabás fosse um dos setenta discípulos especiais de Cristo, enviados em trabalho missionário especial (Luc. 10:1 *ss*). Eusébio confirma essa informação em sua *História* I.12.

Alguns poucos manuscritos antigos, como 1 (lect), as versões saídicas e o Si(p) dizem *Joses*, em vez de José. Com base nessa circunstância, alguns têm suposto que se pode identificar esse personagem com o *Joses* de Atos 4:36. Mas, o próprio nome *Joses* pode ser uma abreviação (no grego) ou uma variante de *José*. A identificação dos dois indivíduos não é muito provável; pois, — apesar de seus nomes se assemelharem, os seus sentidos são diferentes. O Barnabé de Atos 4:36 parece ser apresentado como uma personalidade nova.

JOSÉ, IRMÃS DE SÃO

Ver sobre as freiras da **Sociedade de São José para** *Missões Estrangeiras*.

JOSÉ, O CARPINTEIRO, HISTÓRIA DE

Ver o artigo *Livros Apócrifos; Novo Testamento*.

Este livro é uma pseudonarrativa que, alegadamente nos conta a vida e a morte de José, o pai de criação de Jesus. Há detalhes que falam, inclusive, sobre sua profissão de carpinteiro. Ele seria viúvo, homem muito mais idoso do que Maria. Ele já tinha quatro filhos e duas filhas. Maria teria apenas doze anos de idade, por ocasião de seu «casamento». Mas, como o livro está interessado em promover a idéia da perpétua virgindade de Maria, por isso mesmo José casou-se com ela já pai daqueles seis filhos. Assim, Maria seria madrasta dos seis filhos de José, e José seria o padrasto do filho único de Maria, uma situação que, naturalmente, nunca foi explorada por aqueles que acreditam no dogma da perpétua virgindade de Maria, porque a situação é das mais ridículas!

Esse livro também relata a enfermidade e o falecimento de José, com nada menos de cento e onze anos de idade. Visto que, com trinta anos de idade, quando Jesus iniciou sua carreira pública, José já era falecido, isso significa que houve um casamento em que o marido (José) teria, no mínimo, oitenta e dois anos, e a mulher (Maria) seria uma criança de doze anos! E, quem fez o panegírico de José? Jesus Cristo! No entanto, mui estranhamente, os ritos do sepultamento de José seguiram o cerimonial egípcio a Osíris!

Ver o artigo separado sobre *José*, B. 1. *José, Marido de Maria e Pai-Guardião de Jesus, o Cristo*. Esse artigo acompanha a glorificação gradual de José, de tal modo que, finalmente, ele veio a tornar-se o patrono da Igreja Católica Romana. A história de *José, o Carpinteiro*, é a mais antiga das obras escritas, que deram início a esse processo de exaltação de José. Foi escrita no Egito, talvez no século IV D.C. O gnosticismo transparece claramente ali, como também várias idéias das religiões egípcias. Provavelmente teve um original grego; mas, as cópias que chegaram até nós são versões para o copta e para o árabe. Também há uma tradução para o latim, do século XIV, feita a partir da versão copta. Há materiais já existentes em anteriores evangelhos apócrifos, que são repetidos nesse livro. O que admira é que foi mister no religiosos basearem-se em obras dessa baixa natureza, para arquitetarem doutrinas como a da perpétua virgindade de Maria!

JOSÉ, ORAÇÃO DE

Essa obra já fez parte da coletânea das obras pseudepígrafas do Antigo Testamento. Ver sobre os *Pseudepígrafos*. A obra não mais existe, embora seja parcialmente conhecida por meio de citações em outras obras. Nosso principal informante é Orígenes. Está reunida no livro *Stichometra*, de Nicéforo, uma lista dos livros canônicos e de obras apócrifas, onde aparece o número de versículos de cada uma dessas obras.

A Oração de José aparece como o terceiro dos livros ali mencionados, onde somos informados de que tinha mil e cem versículos. Orígenes conta a história de como Jacó teve de lutar com o anjo Uriel. No mesmo livro, Uriel aparece como o maior dos arcanjos. Jacó é exaltado até acima de Abraão e de Isaque. De fato, Jacó aparece como o primogênito de todas as criaturas vivas! Orígenes pensava que um livro desses é útil para instruir aos cristãos e menciona que os judeus usavam o mesmo, o que, provavelmente, indica que foi escrito por algum judeu desconhecido.

JOSÉ DE ARIMATÉIA

Ver o artigo separado sobre **Arimatéia**. Esse José foi membro do *Sinédrio* (vide). O título *de Arimatéia* diz-nos onde José residia ou onde ele nasceu, sendo

JOSÉ DE ARIMATÉIA — JOSEFO

usado para distingui-lo de outros indivíduos com o mesmo nome, pelo que atuava como um sobrenome. Arimatéia era uma cidade localizada no território de Benjamim, na serra de Efraim, não muito longe de Jerusalém, um pouco mais para o sul (Jos. 18:25; Juí. 4:5). Gibeá ficava nas proximidades, conforme somos informados em Juí. 19:13; Isa. 10:29 e Osé. 5:8. O trecho de Mar. 15:43 mostra que José era homem religioso, que esperava pelo aparecimento do Reino de Deus (vide), o que refletia a sua piedade pessoal, e, talvez o seu discipulado (secreto) cristão. O fato de que ele era seguidor de Cristo só se tornou de conhecimento público quando ele solicitou a permissão de sepultar o corpo de Jesus, e então o fez. E podemos ter a certeza de que ele se opusera à decisão do Sinédrio, que condenou o Senhor Jesus à morte. Lucas afirma especificamente isso, em Luc. 23:51.

Antigas tradições cristãs faziam de José de Arimatéia um dos setenta discípulos especiais de Jesus (ver Luc. 10). Mas, como é óbvio, isso é incorreto, porque, nesse caso, o discipulado de Arimatéia desde há muito que seria uma questão publicamente conhecida. Nenhum membro do Sinédrio teria permissão de ocupar-se em tal atividade. Essa mesma tradição faz dele o apóstolo enviado às ilhas Britânicas. Já sobre isso não podemos dizer muito coisa, nem contra e nem a favor, pois não há como testar tal afirmativa pelas Escrituras. Essas tradições estão contidas em Ittig. Diss. de Pat. Apostol. sec. 13; Assemani, Blioth. Orient. iii.1,319 ss.

Era um *homem justo* segundo Mat. 27:57, bem provavelmente um amigo dos apóstolos, depois da ressurreição de Jesus. Mediante a ação de sepultar Jesus, declarou abertamente a sua lealdade a Jesus, o que até então vinha ocultando. A ousadia de tal ato ficou demonstrada pelo fato de que os outros discípulos continuavam escondidos, e também por temor aos judeus. Todos os discípulos se tinham ocultado, exceto João, que ficou diante da cruz em companhia de Maria, mãe de Jesus.

A tradição assevera que José de Arimatéia foi enviado à Grã-Bretanha pelo apóstolo Filipe, em 63 D.C. e que se estabeleceu com um grupo de discípulos em Glastonbury, Somersetshire. Porém, não temos qualquer informe exato sobre tal notícia.

Na história em Mat. 27:57 ss, naturalmente, encontramos um triste comentário. Poderíamos ter suspeitado que Maria, sua mãe, ou Pedro, ou algum outro de seus discípulos íntimos viria, naquelas horas, a fim de mostrar seu amor por Jesus, cuidando do seu corpo. Porém, quem veio? José de Arimatéia. E quem o ajudou? Nicodemos, que também era membro do sinédrio. (Ver o artigo sobre o *Sinédrio*, o superior tribunal judaico. Ver Mat. 22:23). Ambos esses homens eram discípulos secretos, mas as crises produzem estranhos resultados. Para muitos significou uma demonstração de covardia. Para outros, como no caso desses dois homens, incendiou-lhes a coragem. Conforme diz o ditado comum: «...*a história é mais estranha do que a ficção*».

O discipulado secreto de José de Arimatéia fora uma lição para ele; foi uma lição trágica, mas a sua alma tirou proveito disso. Ele revelou-se, e sob circunstâncias perigosas, deixou claro o seu discipulado. Mas em realidade já fizera isso, quando se opusera à decisão do concílio. De certa feita, um rei francês cavalgou até o campo de batalha clamando: «Que aquele que me ama me siga» (Francisco I, quando da batalha de Marignano, 1515). José de Arimatéia, por motivo *de amor*, seguiu a Jesus, embora sem saber da grande vitória que estava a menos de três dias, no futuro. Abundam lendas a

respeito de sua pessoa. Uma delas diz que ele usou o cálice da Ceia do Senhor a fim de apanhar um pouco do sangue de Jesus, no Calvário e que esse cálice se transformou no Santo Graal. Outras aludem aos seus muitos ministérios na Grã-Bretanha. Outra lenda conta como ele enfiou seu bordão no chão, e este floresceu com flores brancas como a neve, no período do Natal, (Anne Taxter Eaton, «*The Animal's Christmas*»). Disse Buttrick (*in loc.*): «Essas lendas têm algum elemento de verdade. Aquele que corajosamente sepultou o corpo de Jesus, pensando que ele estivesse morto para sempre, tornou-se porta-voz do evangelho. Há muitas ocasiões em que Jesus parece liquidado; porém, se lhe somos fiéis, então nossa lealdade se ilumina como uma nova tocha de fé». Alguns reputam José de Arimatéia como o santo guardião dos ricos.

O Trabalho de José

Mat. 27:59: *E José, tomando o corpo, envolveu-o num pano limpo, de linho,*

Envolveu-o num pano limpo de linho. Não um envoltório, nem uma peça de roupa e, sim, *tiras* envolventes, panos de linho (ver João 19:40, onde se lê que o corpo de Jesus foi envolvido). Provavelmente era — uma única peça — de tecido, no princípio, e que foi dividida em tiras menores, com o propósito de envolver o corpo de Jesus. As tiras de linho tinham de ser enroladas de tal modo a envolver também as especiarias, que haviam sido postas sobre o corpo de Jesus em forma de pó, a fim de servirem como agentes embalsamadores. A primeira unção, temporária, e a intenção da segunda unção, que era mais completa, passam ambas sem qualquer menção por parte de Mateus. A segunda unção foi o propósito da visita das mulheres, na manhã bem cedo de domingo. A segunda unção cumpriria as exigências cerimoniais da lei, o que era muito importante para os judeus devotos. Não houvera tempo para essa unção, na sexta-feira à tarde, porque o dia de sábado já estava muito próximo. Mirra e aloés eram empregados nesse processo, e as mulheres teriam dificuldades em encontrar esses materiais para comprá-los, em dia de sábado. Contudo, devem tê-los obtido, de tal maneira que no primeiro dia da semana, bem cedo, já estavam preparadas para fazer o que era necessário. O pano de linho limpo concorda com os costumes rabínicos. José de Arimatéia, sem dúvida, preservara o túmulo para ele mesmo e para sua família. Certamente foi-lhe impossível usá-lo posteriormente, porque era proibido a alguém usar um túmulo onde jazera um homem condenado e ele não o teria mesmo feito por respeito a Jesus. Aprendemos, em João 19:39,40 que cerca de cem libras da mistura de mirra e aloés haviam sido supridas para o corpo de Jesus. Não é impossível que o pano ainda exista, o mesmo que conteve o corpo de Jesus. (Ver o artigo sobre o *Sudário de Turim*). (AM I IB ND NTI S Z)

JOSEBE-BASSEBATE

Ver sobre **Jasobeão**. Ele matou, em uma única ocasião, trezentos homens.

JOSEFO

Essa é a forma como aparece o nome **José**, de acordo com algumas versões, em I Esdras 9:34. O trecho paralelo de Esd. 10:42, diz *José*.

JOSEFO, FLÁVIO

O que Eusébio foi para a história eclesiástica, Josefo

JOSEFO

foi para a história secular da época dos apóstolos de Jesus. Ele não comentou a história do cristianismo, embora mencione muitas coisas interessantes para os estudiosos do Antigo e do Novo Testamentos.

1. Caracterização Geral. Suas datas foram aproximadamente, 37/38—110 D.C. Josefo foi um famoso historiador judeu, de origem sacerdotal, bem instruído no Antigo Testamento e nas tradições judaicas, profundo conhecedor das disciplinas estudadas pelos gregos. Na juventude, viveu por três anos como um rígido asceta. Posteriormente, uniu-se ao partido dos fariseus. Em 64 D.C., viajou a Roma, em missão religiosa, com o propósito de obter a liberdade de alguns sacerdotes que haviam sido encarcerados.

Josefo opunha-se à dominação romana e, por ocasião da guerra judaico-romana recebeu a tarefa de tentar organizar e pôr em ordem a revoltada Galiléia. Josefo levantou um exército e organizou a província. Teve algum sucesso inicial; mas Roma lhe parecia intolerável. Josefo escapou à morte, e fugiu. Anos depois, entretanto, rendeu-se a Vespasiano, general romano. Foi suspeito de traição. Mas, talvez, ele não aguentasse mais tanta guerra, destruição e derramamento de sangue. Prevendo com clareza o que aconteceria, ele predisse que Vespasiano seria o próximo imperador de Roma. Isso impressionou profundamente ao futuro imperador, obtendo isso para Josefo certo favor da parte de Vespasiano. Josefo esteve em campanha militar juntamente com Tito, filho de Vespasiano, tornando-se assim um adversário de seu próprio povo judeu, que defendia uma causa perdida—resistir ao império romano! No entanto, Josefo tentou desempenhar um duplo papel, conservando a amizade com os romanos, ao mesmo tempo em que procurava ser útil e bondoso para com o seu próprio povo judeu. Em certo sentido, pois, ele se viu na mesma posição do profeta Jeremias, que percebia o inevitável poder da Babilônia e aconselhou aos judeus que aceitassem a situação, em vez de provocarem a própria destruição total, por meio da resistência aos babilônios. Jeremias também foi considerado um traidor; mas, às vezes, é melhor estar no lado certo do que mostrar-se rebelde e temerário. Assim também a Josefo foi conferida a cidadania romana, devido à sua cooperação. Foi nessa oportunidade que ele adquiriu o nome pessoal Flávio, de origem latina, e se tornou Flávio Josefo.

Após a queda de Jerusalém, Josefo voltou sua atenção para o registro escrito de suas memórias. Ele escreveu em árabe. Mas esses escritos foram traduzidos para o grego. Isso explica por que motivo o grego de Josefo é tão difícil de ser entendido pelos estudiosos do grego helenista. Conforme disse um de meus colegas: «A gente lê Josefo em grego quando quer sentir-se humilhado». Foi assim que Josefo produziu suas obras imortais: *Guerras dos Judeus; Antiguidades* e uma *Autobiografia*. Além desses livros, ele escreveu *Contra Ápion*, uma apologia do judaísmo contra o paganismo. Apesar de não se poder confiar sempre no que Josefo afirma em seus escritos, com freqüência ele é a única fonte informativa sobre muitos pontos acerca do século I D.C. Foi a Igreja cristã que preservou as suas obras, por conterem muitos informes relativos ao período do desenvolvimento inicial do cristianismo. Em *Anti.* 18:3,3, Josefo dá um relato favorável a respeito de Jesus, o Cristo, embora alguns estudiosos pensem que isso foi interpolado por algum autor subseqüente.

2. Seu Ofício de Mediador. Os radicais nunca buscam a ajuda de um mediador, procurando reconciliação. Josefo se interpôs entre dois poderes: o nacionalismo radical dos judeus e o poder militar dos romanos, em constante expansão. Ele procurou reconciliar e obter a concórdia; mas sua missão foi considerada uma traição, por parte dos judeus, tal e qual sucedera a Jeremias. O fato de que ele foi favorecido por importantes figuras romanas, como Vespasiano, Tito e Domiciano não contribuiu em nada para ele ser bem acolhido pelos seus compatriotas. No entanto, deixou-nos uma memorável contribuição.

Escritores modernos têm-no chamado de egoísta, motivado por interesses próprios. Talvez ele tivesse lisonjeado aos romanos; mas nem sempre é favorável a um povo seguir a vereda da traição, em defesa de uma causa perdida. Essas avaliações desfavoráveis perdem um tanto de sua contundência quando nos lembramos de que as obras literárias de Josefo exibem um elevado grau de patriotismo, formando uma elaborada narrativa e defesa do povo de Israel e suas idéias religiosas. De fato, Josefo produziu uma brilhante apologia do *judaísmo* (vide).

3. Obras. Josefo obteve pouco sucesso como militar, e um efeito duvidoso como mediador; mas suas obras literárias foram um retumbante e duradouro sucesso.

a. *Guerras dos Judeus.* Essa obra foi escrita entre 75 e 79 D.C., em sete volumes. Foi Tito quem instou com Josefo para que escrevesse a obra. Ela narra, com pormenores, como os judeus e os romanos entraram em choque, e como os romanos obtiveram a vitória. Foi escrita inicialmente em aramaico, e, então, traduzida para o grego. Sobrevive em sua cópia grega. A obra é extremamente valiosa, pois contém muitas narrativas em primeira mão, do próprio Josefo, incluindo atuações e palavras de Vespasiano e Tito. É uma espécie de história *feita no local*, com algumas distorções, mas também grande riqueza de material valiosíssimo.

b. *Antiguidades dos Judeus.* Essa gigantesca obra, em vinte volumes, foi escrita em 93 ou 94 D.C. Começa com o relato e o comentário sobre a *criação*, e vai até o irrompimento da guerra com os romanos. É obra *sui generis*, uma realização literária nunca antes empreendida. Combina aspectos históricos, apologia e edição de muitas fontes informativas. Termina como uma *apologia do judaísmo.* Sua primeira parte, do Gênesis ao exílio, depende bem de perto de dados bíblicos; mas mesmo ali há comentários valiosos, citações e pequenas informações extraídas de outras fontes. No tocante ao tempo após o exílio, foi compilada com base em muitas fontes informativas, incluindo muito material dos rabinos.

c. *Vida de Josefo*, uma autobiografia. Essa obra, originalmente, era uma espécie de apêndice da obra *Antiguidades*. Além de seu material autobiográfico, contém uma apologia contra as acusações do historiador judeu rival, *Justus*.

d. *Contra Ápion*. Trata-se de uma defesa formal da religião judaica, conforme ela existia nos tempos de Josefo.

4. Contribuição Especial de Josefo. Josefo é nossa principal fonte informativa sobre o mundo greco-romano do período entre 100 A.C. e 100 D.C. Ele nos oferece muitas informações geográficas que, desde então, a arqueologia tem consubstanciado. Descobertas feitas em Qumran e Massada têm demonstrado que ele se mostrava exato nas descrições que fazia. Ele confere aos leitores muitas informações sobre diversos assuntos, como religião, teologia, filosofia, agricultura, indústria, táticas militares, política, etc. Josefo comentou sobre figuras importantes, do ponto de vista religioso e histórico como João Batista, Jesus, Herodes, Pilatos, os dois imperadores de nome Agripa, Félix, o governador, e outros. Como é óbvio,

597

JOSEFO – JOSIAS

ele demonstrou preconceitos e erros (como, de resto, sucede a todos os historiadores), mas a sua exatidão geral tem sido confirmada por outras fontes informativas. Tonybee, grande historiador norte-americano deste século, considerava-o um dos cinco maiores historiadores do período helenista, juntamente com Heródoto, Tucídides, Xenofonte e Políbio.

Para nós, reveste-se de interesse todo especial o seu comentário sobre Jesus Cristo: «...(ele era) um homem bom (se é legal chamá-lo um homem), com quem se associavam homens bons» (*Anti*. 18:3,3). Alguns estudiosos modernos sentem que as palavras «se é legal chamá-lo um homem», que lemos nessa citação, na verdade seria uma interpolação cristã posterior. É, realmente, surpreendente que ele não tivesse mais para dizer sobre Jesus. Porém, as circunstâncias especiais de Josefo, e suas vinculações com Roma, sem dúvida não o encorajavam a falar muito sobre Jesus Cristo.

Bibliografia. AM SHU THA WHI Z

JOSIAS

No hebraico, «fundado por Yah», ou «Yah sustenta». Ele foi o décimo sétimo rei de Judá. Ver o artigo geral sobre o *Reino de Judá*. A forma grega do nome, que transliterada para o português é *Iosías*, encontra-se em Mat. 1:10,11.

Esboço:
I. Caracterização Geral
II. Sumário de Informes Históricos
III. História Contemporânea

I. Caracterização Geral

Era filho de Amom, a quem sucedeu no trono como o décimo sétimo monarca de Judá, a nação do sul. Seus anos de governo real foram cerca de 639—609 A.C. Tornou-se rei com a tenra idade de oito anos. A Bíblia diz a seu respeito: «Fez ele o que era reto perante o Senhor, andou em todo o caminho de seu pai Davi e não se desviou nem para a direita nem para a esquerda» (II Reis 22:2). Josias iniciou a reforma do culto no templo de Jerusalém, aboliu a idolatria por todo o seu reino e começou a restaurar, materialmente, o templo. Durante o seu governo foi achado o livro da lei (o que, na opinião de alguns eruditos modernos, tornou-se posteriormente o âmago do nosso livro de Deuteronômio), por Safã, o escriba. Esse documento, com a ajuda do sumo sacerdote Hilquias, foi utilizado por Josias como a base e a inspiração de suas reformas religiosas. Josias foi morto por ocasião de uma batalha, em Megido, onde tentara cortar a marcha do exército egípcio para o norte. Foi sucedido no trono por seu filho, Jeoacaz II.

II. Sumário de Informes Históricos

a. **Josias sucedeu a seu Pai, Amom**, como rei de Judá, em cerca de 639 A.C. (II Reis 22:1). Desde o começo ele governou com um propósito reto, não se desviando do Senhor em coisa alguma (vs. 2). Foi contemporâneo do profeta Zacarias (Zac. 6:10).

b. Seu governo veio depois do reinado aterrorizante de Manassés, de que se tornou culpado seu pai, Amom. Mas o anterior desgoverno de seu avô e de seu pai foi corrigido por Josias (II Crô. 34:2; ver também II Reis 21:1,2).

c. *Purificação religiosa de Judá*. Sem dúvida, nos seus primeiros anos de governo, Josias foi monarca apenas de nome. Mas, tão cedo quanto os seus dezesseis anos de idade, ele já começara a impor sua vontade, com a eliminação da idolatria e a purificação geral das formas religiosas e práticas. Quando ele estava com vinte anos de idade, esse era um fenômeno generalizado em Judá. Ele chegou mesmo a execrar as sepulturas dos sacerdotes idólatras que tinham participado da apostasia das gerações anteriores. E os ossos deles foram consumados nos altares e, então, esses altares foram derrubados. Ver II Crô. 34:3-7.

d. *O templo é reparado*. Isso teve lugar no décimo oitavo ano de seu reinado. A tarefa foi deixada ao encargo de Safã, o secretário de Estado, a Maaséias, governador de Jerusalém, e ao cronista Joá. Ver II Reis 22:3-7; II Crô. 34:8-13.

e. *Descobrimento do livro da lei*. Não se sabe qual a natureza exata e o conteúdo dessa descoberta. Hilquias, o sumo sacerdote, enquanto fazia reparos no templo de Jerusalém, descobriu um volume que continha pelo menos uma parte dos livros de Moisés, o Pentateuco. Visto que o povo se surpreendeu diante das coisas que ouviu, é claro que o sistema da guarda das Escrituras havia falhado, mantendo o povo na virtual ignorância da herança escrita da fé dos hebreus. Alguns estudiosos supõem que, por esse tempo, o livro de Deuteronômio ainda não havia sido escrito, e que o que foi encontrado foi o âmago que veio a produzir esse livro. Nesse caso, a descoberta não foi de nenhum desses volume. O décimo segundo capítulo de Deuteronômio fala em favor da centralização do culto religioso; e visto que as reformas religiosas de Josias visavam precisamente isso, alguns estudiosos associam esse achado com o livro de Deuteronômio. Porém, isso não serve de evidência conclusiva dessa opinião, sendo melhor admitirmos que não sabemos qual o conteúdo do livro que foi achado por Hilquias.

Josias sentiu-se alarmado diante das penalidades impostas pela lei quanto a diversas transgressões, e consultou a profetisa Hulda. Ela afirmou que dias de intenso sofrimento estavam a caminho, mas que Josias, pessoalmente, não haveria de viver o bastante para ser testemunha dos mesmos. A leitura da lei levou ao estabelecimento de um solene pacto, o que foi ratificado pela observância da páscoa, no tempo determinado. Ver II Reis 22:8—23:3; II Crô. 34:29-33.

f. *O juízo divino continuaria de pé*. A ira do Senhor ainda cumpriria seus propósitos (II Reis 23:21-23,26; II Crô. 35:1-19), e isso sobreviria sob a forma do cativeiro babilônico. Os capítulos segundo a sexto de Jeremias indicam que apesar de Josias ser homem sincero diante do Senhor, entre o povo as reformas foram apenas superficiais. Naturalmente, isso não bastou para impedir a iminente invasão da parte de potências estrangeiras, com os tremendos efeitos que isso teria para Judá. Seja como for, as reformas instituídas por Josias foram mais profundas que as de Ezequias; porém, ocorreram tarde demais, e não conseguiram impedir o desastre nacional de Judá.

g. *Morte de Josias*. Josias morreu por ocasião da batalha de Megido, em 609 A.C. Essa morte tanto foi trágica quanto desnecessária, pelo menos do ponto de vista humano. Neco II, Faraó egípcio, marchava pela Palestina, a fim de ajudar aos assírios, que estavam a pique de ser derrotados pelos babilônios, em Harã. Josias, talvez pensasse que o avanço das forças egípcias, cruzando o território de Judá, fosse uma invasão contra a própria nação de Judá. E ofereceu oposição aos egípcios (II Reis 23:29,30; II Crô. 35:20-24). Foi assim que ele foi morto em batalha (II Reis 33:25). A morte de Josias foi lamentada tanto por Jeremias quanto por Sofonias. O livro de Jeremias menciona Josias por dezoito vezes, conforme se vê, por exemplo, em Jer. 1:2,3; 3:6; 22:11,18, e o livro de Sofonias menciona Josias uma vez (Sof. 1:1).

JOSIAS – JOSUÉ

III. História Contemporânea

Quando Josias começou a reinar, o poder dos assírios já estava em franco declínio. Psamético I, Faraó do Egito, estava fortalecendo suas forças, especialmente nas costas marítimas da Filístia. Quando Nabopolassar tornou-se o rei da Babilônia (novembro de 626 A.C.), isso predisse, de forma definida, o fim do império assírio, que os babilônios não demoraram a derrubar. Porém, o Egito, procurando evitar a extinção final da Assíria, por temer ao inimigo comum, a Babilônia, aliou-se aos assírios. Isso ocorreu em cerca de 616 A.C. Nínive caiu em 612 A.C. Não obstante, as forças assírias ainda não estavam mortas, e controlavam diversos lugares. A Alta Mesopotâmia, com a ajuda dos egípcios, foi mantida por algum tempo pelos assírios. Mas a derrota final da Assíria ocorreu em *Carquemis* (vide). À proporção que a Assíria declinava, maior era a independência de Josias e de seu reino, Judá. A renovação do pacto (622 A.C.) pode ser encarada como um desafio à Assíria e às suas formas religiosas. É possível que a morte de Josias tenha ocorrido em resultado de seu desejo de obter uma independência ainda maior de qualquer dominação estrangeira, na esperança de restabelecer o reino de Davi. Porém, o poder dos babilônios era uma força imbatível e que nunca desistia, conforme o profeta Jeremias não se cansava de salientar, e que os líderes de Judá teimavam em não acreditar. O resultado final, para Judá, como todos sabemos, foram os setenta anos de exílio na Babilônia.

JOSIAS (CONTEMPORÂNEO DE ZACARIAS)

Esse Josias era filho de Sofonias. Zacarias fez da casa de Josias o lugar onde se reuniram os principais líderes judeus que haviam retornado do cativeiro babilônico. A assembléia fora convocada a fim de coroar a *Josué* (ou *Jesua*, vide), o sumo sacerdote. Isso ocorreu por volta de 519 A.C. Ver Zac. 6:10.

JOSIBIAS

No hebraico, «Yahweh fará habitar». Ele foi um chefe simeonita (I Crô. 4:35). Viveu em torno de 800 A.C.

JOSUÉ (LIVRO)

Ver o artigo separado sobre *Josué* (*Pessoa*), onde se discute sobre o sentido do nome pessoal *Josué*.

Esboço:
- I. Caracterização Geral
- II. Pano de Fundo Histórico
- III. Autoria e Data
- IV. Destino e Propósito
- V. Canonicidade; Texto; Traduções
- VI. Problemas Especiais
- VII. Problemas Arqueológicos
- VIII. Teologia Distintiva do Livro
- IX. Tipologia
- X. Esboço do Conteúdo
  Bibliografia

I. Caracterização Geral

Josué é um dos livros históricos do Antigo Testamento, incluído entre os *Profetas Anteriores*, dentro do cânon hebreu. Outras vezes, é agrupado juntamente com os primeiros cinco livros da Bíblia, o Pentateuco, formando então o *Hexateuco*. Muitos eruditos crêem que esses seis livros formam uma unidade, por estarem alicerçados sobre fontes comuns

de informação. O livro de Josué contém a narração da invasão da Terra Prometida pelo povo de Israel, com o resultado que a maior parte da Palestina foi conquistada e colonizada pelas doze tribos de Israel. Os caps. 1—12 de Josué contam a invasão; os caps. 13—21 relatam a divisão da terra entre as doze tribos; os caps. 22—24 nos dão os atos e discursos finais de Josué. Josué foi o sucessor de Moisés. As tradições judaicas dão-no como o autor do livro que tem seu nome (*Baba Bathra* 14v). Muitos eruditos, porém, supõem que narrativas anteriores foram entremeadas, formando uma obra composta, mediante o trabalho de algum editor ou editores posteriores. Em sua forma atual, muitos pensam ser um produto essencial da escola deuteronômia de historiadores, também chamada fonte informativa *D*. Material tradicional mais antigo, proveniente das fontes *J* e *E*, também teria sido entretecido na narrativa. Ver o artigo sobre *J. E. D. P.*(*S.*) quanto a uma completa discussão sobre essas supostas fontes informativas. Cada uma dessas fontes também é examinada em separado, sob cada uma dessas quatro letras.

A posição padrão acerca da conquista da Terra Prometida é que essa conquista foi executada por Israel como uma nação unificada, e não pelo esforço de tribos separadas, em diferentes épocas. Além disso, a conquista é considerada como tendo sido um sucesso imediato. Esse, pelo menos, é o quadro que nos é apresentado pelo livro de Josué, não havendo quaisquer fatores históricos contrários a essa opinião geral. Um grande número de descobrimentos arqueológicos tem confirmado a exatidão geral do livro de Josué. Naturalmente, os capítulos 15—17 de Josué, como também o trecho de Juízes 1—2, exibem algumas falhas, algumas das quais só foram sanadas com a passagem dos séculos, enquanto que outras só conseguiram ser remediadas plenamente nos dias de Davi e Salomão. Estamos falando acerca de falhas na conquista da Terra Prometida, e não falhas no relato histórico dos livros de Josué e Juízes.

A autoria do livro, sem importar se de Josué ou de alguma outra pessoa, que teria agido como historiador, é essencialmente a autoria de uma só pessoa. Não obstante, à semelhança de qualquer historiador, ele contou com várias fontes históricas. Talvez as teorias envolvidas no conceito do *J. E. D. P.*(*S.*) (vide) consigam explicar de modo genuíno a questão. Seja como for, Josué pertence àquele grandioso corpo de literatura judaica que inclui livros como Deuteronômio, Josué, Juízes, I e II Samuel e I e II Reis. Essa coletânea narra a história do povo de Israel desde Moisés até à queda de Jerusalém, em 587 A.C. O escritor escreveu do ponto de vista do código deuteronômico (ver Deu. 4:44—30:20), que incorporou corajosamente logo no início de seu livro. Juntamente com a narrativa, pois, ele teria incorporado a idéia de *D*, que mostra que as vitórias e a prosperidade de Israel sempre dependem da obediência espiritual às exigências da lei divina. Esse conceito dominou o judaísmo desde então. Em conseqüência disso, a história da conquista da terra tornou-se uma espécie de alegoria sobre como um homem espiritual, ou uma nação espiritual, pode realizar grandes coisas e cumprir um significativo destino, uma vez que as condições espirituais para tanto estejam sendo observadas.

Alguns datam o livro na época do próprio Josué, cerca de 1440 A.C. Porém, outros pensam que o livro só foi escrito após o cativeiro babilônico. Os estudiosos liberais parecem sempre preferir uma data mais recente. Todavia, podemos admitir que o livro recebeu alguma contribuição editorial, depois do

JOSUÉ

retorno do exílio babilônico. Ver uma completa discussão sobre o problema da *data* do livro, na terceira seção deste artigo.

Uso Proposto de Fontes Informativas

1. *D*: Temos aí o uso de matéria já existente, oral e/ou escrita. A história geral de Josué, além do propósito teológico de ilustrar como um homem (ou uma nação) espiritual pode obter sucesso, é questão bem destacada.

2. Nos caps. 13—21 de Josué, o historiador *D* continua a empregar várias listas que descreviam as fronteiras das tribos, tendo descrito, de modo generalizado, como foi a distribuição de terras entre as tribos. Essas listas não pertenciam às novas divisões políticas e gerenciais criadas por Salomão, conforme alguns estudiosos têm, erroneamente, pensado (ver I Reis 4:7-19). Todavia, há quem pense que a questão das cidades de refúgio e das cidades dos levitas, nos capítulos 20 e 21, refletem uma época posterior, talvez tão tarde quanto o século X A.C.

3. Outros estudiosos supõem que os itens pertencentes às fontes informativas *J* e *E* foram entretecidos nos primeiros doze capítulos do livro. Nesse caso, os editores posteriores de *J* e *E* talvez tenham reescrito certas porções do livro. Contudo, essa teoria não tem sido bem recebida pelos eruditos mais recentes.

4. Alguns estudiosos vêem *P* nas listas das tribos e das terras que lhes foram alocadas (conforme se vê em Jos. 15:20-62). Porém, com igual propriedade esse tipo de material poderia ser atribuído a *D*. Ver detalhes sobre a questão da fonte informativa *D* sob a seção VI.1. *Problemas Especiais*.

Embora o livro de Josué conte sua história do ponto de vista teológico, não há razão alguma para duvidarmos da historicidade essencial de sua narrativa.

«Após longos anos de vagueação pelo deserto, finalmente foi dada permissão aos israelitas para que conquistassem a Terra Prometida. A história de Josué é a história da conquista da Palestina. Tal como quase todos os relatos sobre batalhas, não é uma história agradável. E muitos sentem—sem dúvida, com razão—que o Deus de Josué estava infinitamente distante do Deus de Jesus. Nesse livro, o Deus de Israel parece uma deidade puramente nacional, um Deus das Batalhas, cujo poder manifestar-se-ia, principalmente, no desfechamento de guerras santas» (*Introduction to Joshua*, RSV, edição comentada, Oxford).

O conceito de Deus, que os homens fazem, foi melhorando com o desdobramento gradual da revelação divina; e é fácil os homens atribuírem a Deus as suas próprias atrocidades. Isso não significa, porém, que Deus estivesse ausente ou inativo, mas tão-somente que é precário atribuir a Deus tudo quanto fazemos, ou as maneiras pelas quais as fazemos.

II. Pano de Fundo Histórico

a. Os patriarcas estiveram jornadeando na terra de Canaã, durante a idade do Bronze Média (2100—1550 A.C.). Abraão chegou em Siquém e Betel (Gên. 12) em cerca de 2000 A.C. Desde então, os genitores da nação de Israel passaram a viver na Palestina ou no Egito.

b. Vem, então, o relato sobre *José*, que foi vendido ao Egito. Ele acabou assumindo a segunda posição de maior mando no Egito (cerca de 1991—1785 A.C.), durante o tempo da XII Dinastia egípcia. Porém, esse ponto é muito disputado pelos estudiosos. Há eruditos que preferem pensar que José governou o Egito durante o tempo dos intrusos semitas, os reis hicsos.

Nesse caso, o período de José foi cerca de 1750 A.C., ou mesmo mais tarde. E o rei que não conhecera a José pode ter sido o primeiro rei que se elevou ao trono do Egito, depois da expulsão dos hicsos (Êxo. 1:8), não pertencendo à raça semita. Quanto a maiores informações sobre essas conjecturas, ver o artigo sobre *José*, seção IV, *Cronologia*. Se a data posterior para a carreira de José está correta, então ele deve ter falecido em cerca de 1570 A.C.

c. *O Cativeiro de Israel no Egito*. Os descendentes de Jacó, pois, após José, foram escravizados no Egito, visto que, então, José tornou-se um fator desconhecido ali. O cativeiro no Egito parece ter durado entre duzentos e trezentos anos.

d. *O Êxodo*. A data desse grande evento também é intensamente debatida pelos intérpretes. Alguns pensam que o mesmo ocorreu em cerca de 1445 A.C., ou seja, cerca de quinhentos anos antes de Salomão ter erigido o templo de Jerusalém. Mas há quem pense que o êxodo teve lugar na XIX Dinastia do Egito (135—1200 A.C.). Ver os artigos sobre *Cronologia* e o *Êxodo*. Seja como for, Moisés foi levantado pelo Senhor, a fim de pôr fim ao cativeiro de Israel no Egito.

e. Vieram, então, os *quarenta anos de vagueação de Israel* pelo deserto, que atuaram como uma espécie de resfriamento e de período de planejamento, um tempo de preparação para a conquista da Terra Prometida. Em parte, isso foi uma espécie de retorno à pátria, uma renovação dos antigos modos de viver. Parece que, por essa altura dos acontecimentos, as doze tribos de Israel já estavam bem formadas, podendo ser distinguidas claramente uma das outras, e eles entraram assim na Terra Prometida. Josué e seus exércitos encontraram o país dividido em muitas pequenas cidades-estado, sempre se hostilizando mutuamente, mas unindo-se umas às outras, quando tinham de combater contra algum intruso comum. As cartas de Tell el-Amarna (vide), fornecem-nos esse tipo de quadro, o que concorda com os detalhes que achamos no livro de Josué.

f. *Josué* é livro que conta a história de como Israel invadiu a terra de Canaã, apossou-se dela (com várias falhas, deixando muitos nativos sem terem sido deslocados), e então dividiu o país em regiões, cada qual pertencente a uma tribo. Quanta coisa precisou ser corrigida mais tarde, e se as conquistas precisaram de um tempo mais dilatado do que aquilo que nos é dito (pois pode ter havido uma espécie de condensação das narrativas), não sabemos dizê-lo. Porém, podemos confiar na mensagem geral que ali nos é exposta, sem nos preocuparmos muito com detalhes cronológicos.

III. Autoria e Data

1. Josué Como autor

Se aceitarmos Josué como o autor do livro que tem seu nome, conforme assevera uma antiga tradição cristã, então a data que atribuímos ao livro pode variar entre c. de 1400 e c. de 1200 A.C., ou um pouco mais, conforme temos sugerido nas especulações sob o ponto II, que tratam sobre o pano de fundo histórico do livro. Entretanto, quase todos os eruditos modernos acreditam que o livro, na verdade, é uma obra anônima. Nesse caso, um autor desconhecido compilou-o em alguma data após a conquista da Palestina ser fato inteiramente consumado. Nesse caso, a questão seria esta: *Quão mais tarde*, o livro de Josué foi escrito, após a conquista de Canaã? As próprias fontes históricas, sem dúvida, são anteriores à escrita do livro, por algum tempo. A maioria dos eruditos liberais parte do pressuposto de que o livro

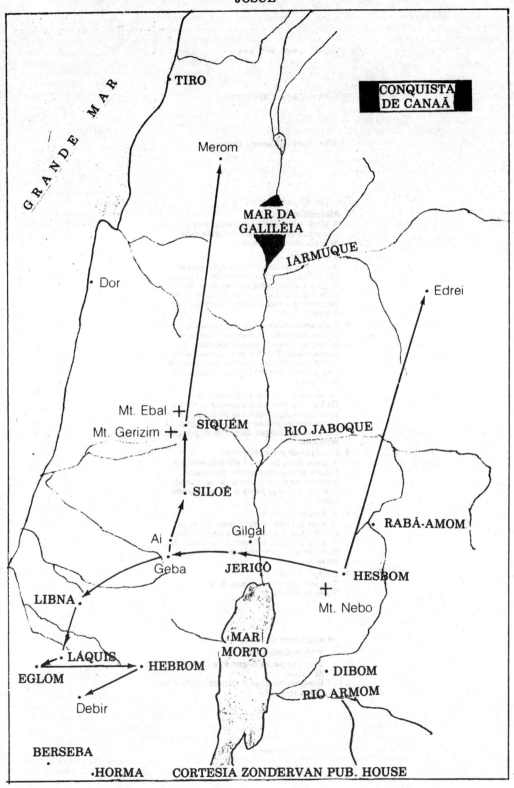

••• ••• •••

VITÓRIA ESPIRITUAL

Conquista de Terreno Espiritual

Estágios da Inquirição

1. *Materialismo*
A alma é imersa no bem-estar físico; dominada pelo egoísmo; afligida pelo agnosticismo e ateísmo.

2. *Superstição*
As evidências de poderes super-humanos são suficientes para convencer a alguns de que a abordagem materialista não pode explicar todos os fenômenos. Mas bem pouco é reconhecido acerca de tais forças.

3. *Fundamentalismo Rígido, Farisaico*
Livros Sagrados tornam-se objetos de adoração. Credos rígidos dominam o pensamento. Porções dos Livros Sagrados são distorcidas ou omitidas na tentativa de criar um credo sem conflitos ou problemas.

4. *A Mente Inquiridora, Iluminada*
Os homens começam a pensar por si; as convicções espirituais são mantidas, mas há menos dependência ao mero dogma. O intelecto é posto por detrás da inquirição espiritual.

5. *Perseguição e Perseverança*
A alma do indivíduo é afligida por profundos anelos espirituais. Há tensão interior, ou mesmo angústia espiritual. O amor de Deus passa a ser enfatizado acima de tudo.

6. *A Vereda Mística*
A alma esforça-se por desvencilhar-se dos muitos dogmas e sistemas parciais. A alma procura a Presença de Deus. A iluminação é procurada com todo o coração.

7. *Estágio Final*
Transformação à imagem do *Logos* na Visão Beatífica.

Artigos para Consultar
Vitória Espiritual
Transformação Segundo a Imagem de Cristo
Desenvolvimento Espiritual, Meios do
Visão Beatífica

•••

JOSUÉ

foi escrito ou algum tempo antes do cativeiro babilônico (586 A.C.), ou pouco depois do mesmo. Estão envolvidos nisso problemas como autoria e de fontes, conforme se vê na teoria *J. E. D. P.(S.)* (vide), sobre o que discutimos na seção VI. *Problemas Especiais*, ponto primeiro, onde se procura examinar a fonte informativa *D*, que é considerada por alguns como a principal fonte informativa do livro de Josué. Alguns pensam que os capítulos 1 e 2 de Josué estribaram-se sobre a fonte E; que a maior parte dos capítulos 1—12 está alicerçada sobre *D*; e, então, nesses doze capítulos, em alguns trechos, transparecem informes derivados da fonte *S*. A fonte informativa *J*, por sua vez, seria vista em Jos. 5:13,14; 9:6 e 17:14-18. Adições baseadas em *D*, que não representam grande volume, são vistas nos caps. 1; 10:17-43; 11:10-12:24; 21:43-22:6 e cap. 23. Esse tipo de análise, porém, é rejeitado por outros *críticos*, para nada dizermos sobre os eruditos conservadores. Também têm sido sugeridas as mais arbitrárias divisões para o livro. A teoria mais simples a que se chegou é que é inútil tentar deslindar tão grande complexidade de fontes informativas, embora a fonte informativa *D* seja a mais pesadamente envolvida no livro. Por essa razão é que o livro de Josué tem sido chamado de «inteiramente deuteronômico» em sua natureza.

2. Um Autor Antigo Desconhecido?

Mesmo que suponhamos que um autor desconhecido foi o autor do livro de Josué, é perfeitamente provável que ele tenha incorporado material antiquíssimo, que remontava à época do próprio Josué, ou de alguém intimamente ligado a ele. Josué ordenou que se fizesse uma descrição do território, por escrito (Jos. 18:9). Ele poderia ter escrito pessoalmente as palavras do pacto renovado, com vários estatutos e ordenanças para o povo de Israel, no livro da lei de Deus, em Siquém (Jos. 24:25,26). Talvez, ele também tenha escrito pessoalmente o juramento acerca de Jericó e a maldição que sobreviria a qualquer reconstrutor futuro daquela cidade. Comparar Jos. 6:26 com I Reis 16:34. Além disso, devemos observar que o trecho de I Reis 16:34 diz que a maldição foi proferida pelo Senhor, «por intermédio de Josué, filho de Num». E isso pode indicar que uma forma escrita da maldição foi redigida pelo próprio Josué. Naturalmente, Josué não pode ter sido o autor final do livro. Pois Jos. 24:29,30 registra a sua morte, o que evidencia a atividade de algum editor ou autor posterior. O Talmude afirma que foi Eleazar, o sumo sacerdote, quem adicionou esse apêndice, e que o seu filho, Finéias, acrescentou o último versículo (Jos. 24:33), a fim de dar o toque final ao livro (*Baba Bathra* 14b-15).

3. As Narrativas de Testemunhas Oculares.

O material mais antigo deve ter incorporado algum relato de *testemunhas oculares* diretas. O trecho de Jos. 5:1 diz que o Senhor bloqueou o rio Jordão «até que passamos». O pronome «nós» é empregado em Jos. 5:6, embora isso não apareça em nossa versão portuguesa, que prefere usar a terceira pessoa do plural. Há itens que indicam condições anteriores a Davi, como o fato de que os cananeus ainda estavam na posse de Gezer (Jos. 16:10; cf. I Reis 9:16). Saul massacrou a muitos gibeonitas, e queria destruir a todos eles (II Sam. 21:1-9). Nos dias de Josué, Sidom, e não Tiro, era a principal cidade fenícia, uma situação que só foi revertida bem mais tarde. Ver Jos. 11:8; 13:6 e 19:28. Os cananeus dominavam a Palestina nos dias de Josué. Mais tarde, os filisteus é que tiveram essa distinção. O território que Josué queria tomar era essencialmente cananeu. (Jos.

13:2-4). Depois de 1200 A.C., os filisteus entraram armados na planície costeira da Palestina, conforme os registros egípcios de Ramsés III nos informam. Esses dados históricos mostram que há material antiquíssimo no livro de Josué, embora não possam mostrar-nos quando eles foram incorporados no livro, e nem quando o livro foi publicado pelo próprio Josué ou outro autor.

4. Um Autor Sacerdotal?

O sacerdote Finéias pode ter sido o autor de certas partes do livro de Josué. Ele era filho e sucessor de Eleazar, o sumo sacerdote, e foi uma das colunas de Israel, naquele tempo (Núm. 25:7-13). Ele, e não Josué, foi a figura mais proeminente no solucionamento das disputas em torno do altar que foi erigido pelas duas tribos e meia que preferiram residir na parte oriental do vale do Jordão (Jos. 22:10-34). Ou, então, algum sacerdote, associado a Finéias, poderia ter feito contribuições para o livro. Isso tem sido suposto por alguns, devido ao interesse todo especial que se dá, no livro de Josué, às cidades de refúgio (vide; ver Jos. 20:7; 21:13), bem como às questões atinentes às quarenta e oito cidades dos levitas (Jos. 21:11-13). Há uma longa lista das fronteiras e cidades de Judá (Jos. 15:1-63), o que pode indicar que era ali o território dos sacerdotes envolvidos. Outras fronteiras e territórios são abordados apenas de passagem. Ver os caps. 16 e 17. Tais especulações, entretanto, são curiosas e podem refletir a verdade da questão; mas é difícil julgar tais coisas.

5. Dependência Literária

Seja como for, o autor sagrado parece ter dependido dos livros de Números e Deuteronômio quanto a algum de seu material, que Josué pode ter utilizado, se é que, realmente, *Moisés* escreveu o Pentateuco. Porém, se temos nisso, igualmente, um produto das fontes informativas *J. E. D. P.(S.)* (vide), então, teremos voltado a uma data posterior para o *hexateuco* (vide) inteiro. Seja como for, visto que o livro de Josué, embora trazendo o seu nome, não afirma que teria sido o seu autor (pelo que é uma obra anônima), isso significa que não podemos dizer que é teste de ortodoxia alguém afirmar ou negar a autoria do livro a Josué, filho de Num. Outrossim, nem sempre a palavra *ortodoxia* é sinônimo de *veracidade*. *Tradições*, e não fatos, compõem uma boa porção daquilo que, em teologia, se tem chamado de *ortodoxia*. A isso sinto-me na obrigação de adicionar que as disputas sobre questões como essas pouco ou nada têm a ver com a espiritualidade. Pois essas questões não são cruciais e em nada afetam a fé de quem quer que seja. Ao mesmo tempo, se quisermos entender as situações históricas dos livros que formam a Bíblia, é bom que as examinemos, se pudermos evitar atitudes hostis para com aqueles que de nós discordem.

IV. Destino e Propósito

Duas características distinguiam o antigo povo de Israel: a preocupação com a história; e a preocupação com material religioso escrito, que agisse como guia nas crenças e na conduta. As palavras de Moisés (o Pentateuco) foram postas sob forma escrita desde o começo, como testemunho escrito sobre o relacionamento entre Yahweh e o povo de Israel. A esses escritos mosaicos foram adicionados os registros das vitórias de Israel, na conquista da terra de Canaã, o que envolve significados tanto históricos quanto teológicos. O livro de Josué foi escrito tendo em vista a edificação moral e espiritual do povo de Israel, como parte de sua herança histórica e religiosa. As Escrituras eram lidas diante do povo, e a substância delas era explicada por sacerdotes eruditos. Mui

601

JOSUÉ

provavelmente, bem poucas pessoas sabiam ler; e os poucos que podiam fazê-lo, não tinham obras manuscritas. Os manuscritos existentes tornaram-se um dos principais tesouros da nação, sendo guardados ciosamente pelos sacerdotes. O trecho de Nee. 8:9 reflete esse costume de fazer leituras bíblicas em público, o que, segundo supomos, é um costume antiqüíssimo em Israel. Historicamente falando, Josué é livro cujo intuito é dar continuação à história sagrada da nação de Israel. Essa história é sagrada porque, segundo a crença de Israel, o processo histórico entre eles era controlado por forças divinas. E, naturalmente, concordamos com isso. Portanto, a história, para Israel, era um aspecto importante da teologia. A mensagem do livro de Deuteronômio, de que Israel seria abençoado enquanto estivesse obedecendo a Deus, mas amaldiçoada quando fosse desobediente ao Senhor, é o conceito mais central da teologia histórica do livro de Josué.

O registro sagrado tinha por finalidade instruir e inspirar o povo de Israel em sua inquirição espiritual e em sua expressão como nação escolhida pelo Senhor Deus, a fim de que pudesse cumprir seus propósitos especiais e seu destino ímpar no mundo. Nos livros proféticos posteriores do Antigo Testamento, encontramos a exortação, dirigida a Israel, para que voltasse a aderir ao pacto mosaico (ver Nee. 9:30; Zac. 7:8-12). Portanto, o respeito pelas raízes era tido como a chave para a correta conduta. Deus é capaz de cumprir todas as suas promessas (ver Jos. 21:45), mas ele precisa encontrar uma reação favorável por parte de seu povo, que assim preencha as condições divinamente impostas. Deus envolve-se diretamente na história da humanidade, e isso até os menores detalhes (ver sobre o *Teísmo*, em contraste com o *Deísmo*). Isso é abundantemente ilustrado no Antigo Testamento. Consideremos, só para exemplificar, o incidente em que Acã esteve envolvido. Ele cometeu um erro, e a comunidade inteira sofreu por causa desse erro. Ver Jos. 7:1,18-20,24 e 11:1-15. A história era muito importante, nos escritos sagrados dos hebreus. Mas essa história nunca foi escrita somente como finalidades históricas. As lições morais e religiosas estão sempre à base de todos os escritos históricos dos hebreus.

«O livro de Josué demonstra a fidelidade de Deus às suas promessas, que guiou Israel até à terra de Canaã, conforme também os tirara do Egito (Gên. 15:18 e Jos. 1:2-6). A narrativa da conquista é altamente seletiva e abreviada. Aqueles acontecimentos que são enumerados foram considerados suficientes para servir aos propósitos que os autores sagrados tinham em mente» (UN).

V. Canonicidade; Texto; Traduções

1. Canonicidade. O livro de Josué era classificado na coletânea de livros sagrados dos hebreus como parte dos *Profetas Anteriores*. Esses informes cobrem o período da história que vai da conquista da Terra Prometida ao exílio babilônico. Isso é o que encontramos nos livros de Josué, Juízes, I e II Samuel e I e II Reis. Naturalmente, a porção mais fundamental desse cânon são os cinco livros de Moisés, o Pentateuco (vide). Todavia, a história teológica de Israel começa no livro de Deuteronômio, mas como parte integrante do Pentateuco. Josué dá continuidade a esse relato, e, pelo menos em parte, depende do mesmo.

Alguns eruditos supõem que a fonte informativa *D* seja a mais saliente no livro de Josué e no livro de Deuteronômio, razão pela qual haveria tão íntima vinculação entre eles. Josefo falava sobre os Cinco Livros, distinguindo-os dos treze livros proféticos que vinham em seguida. O tempo atribuído por Josefo a esses treze livros era desde a morte de Moisés até o reinado de Artaxerxes. Ver *Contra Ápion* 1:7,8. Apesar de muitos estudiosos considerarem a suposta unidade de seis livros (o hexateuco) como uma teoria inventada (porquanto nem os judeus e nem os samaritanos reuniram assim esses seis livros), torna-se claro que Josué demonstra certa dependência ao livro de Deuteronômio. Ver a seção VI. *Problemas Especiais*, primeiro ponto. O livro de Josué fornece uma apropriada conclusão para o Pentateuco. As condições adversas ali relatadas, quando Israel estava cativo no Egito, são inteiramente revertidas na Terra Prometida, restaurando assim as esperanças dos tempos patriarcais. Por isso mesmo, a canonicidade do livro de Josué era comumente aceita em Israel, embora os samaritanos, e, posteriormente, os saduceus, reconhecessem como autoritários somente os cinco livros de Moisés, o Pentateuco. Josué, porém, obteve posição sólida no cânon reconhecido pelos fariseus. E essa era a posição mais popular e aceita entre o povo de Israel. E a primitiva Igreja cristã, concordando com a maneira farisaica de pensar, acerca dessas questões canônicas, aceitava o cânon do Antigo Testamento inteiro (o cânon Palestino, como era chamado). Na Igreja antiga também foram aceitos livros que faziam parte do cânon chamado Alexandrino (vide), que incluía vários dos livros apócrifos. Ver o artigo sobre os *Livros Apócrifos*, quanto a uma discussão sobre problemas canônicos relativos a esses livros. Ver também o artigo separado intitulado *Hexateuco*, quanto a pormenores atinentes a essa teoria, onde também alistamos as objeções levantadas contra a mesma.

2. Texto. O texto hebraico do livro de Josué é essencialmente puro. Alguns poucos e óbvios erros escribais penetraram no texto, — que foram perpetuados pelo texto massorético. — Ver o artigo sobre a *Masorah*. Entre os manuscritos achados em Qumran (ver sobre *Khirbet Qumran*), chamados popularmente *Manuscritos do Mar Morto*, havia fragmentos do livro de Josué. A Septuaginta mostra ser uma boa tradução do texto hebraico do livro de Josué, o que também tem sido demonstrado no que concerne ao resto do Antigo Testamento. *Algumas vezes*, porém, a Septuaginta exibe um texto superior ao do texto massorético, que antecede aos manuscritos massoréticos típicos. Tal fenômeno, porém, precisa ser averiguado individualmente, visto que nenhuma declaração geral envolve todos os casos possíveis. Ver o artigo separado sobre *Mar Morto, Manuscritos*.

3. Traduções. No parágrafo anterior, vimos a importância da tradução da Septuaginta, no caso do livro de Josué. A tradução da Septuaginta não difere do texto hebraico em nenhum sentido apreciável. No entanto, é fraca quanto à tradução dos nomes geográficos, pelo que os nomes hebraicos (translitera-dos, e não traduzidos) quase sempre são preferidos. Há versões mais longas e mais breves da Septuaginta, do livro de Josué. Os escribas tendem muito mais por alongar os livros do que por abreviá-los, visto que os comentários escribais aumentam o texto. As primeiras versões latinas baseavam-se quase inteiramente na Septuaginta, e não no texto hebraico. A versão de Jerônimo, porém, foi feita diretamente do hebraico. As traduções modernas dependem essencialmente do texto massorético, embora os textos críticos tenham a vantagem de contar com a evidência representada pelas versões, mormente a Septuaginta.

VI. Problemas Especiais

1. Fontes Informativas. Deve-se pensar na teoria J.

JOSUÉ

E. D. P.(S.) (vide), e, especialmente, na relação entre *D* (vide) e Josué. Sob as seções I e III. 4. e 5, damos as informações essenciais sobre essas questões das fontes propostas para o livro de Josué. Temos visto que, excetuando a fonte informativa *D*, as teorias que cercam essa questão são bastante incertas e mesmo contraditórias. Que o livro de Josué é *deuteronômico* é fato que se pode demonstrar até com certa facilidade.

Josué em Relação a Números e a Deuteronômio:
1. Comissão de Josué. Comparar Jos. 1:1-9 com Deu. 31.
2. Extensão das promessas. Comparar Jos. 1:3,4 com Deu. 11:24.
3. Informações sobre as tribos orientais. Comparar Jos. 1:12-15 com Núm. 32 e Deu. 3:18 *ss*.
4. Ebal. Comparar Jos. 8:30-35 com Deu. 27.
5. Conquistas na Transjordânia. Comparar Jos. 12:1-6 com Núm. 21:21-35 e Deu. 2 e 3; 4:45-49.
6. Divisão da Terra Prometida. Comparar Jos. 13:6,7 com Núm. 24:7 e Deu. 1:38.
7. Fixação na Transjordânia. Comparar Jos. 13:8-14 com Núm. 32:33-42 e Deu. 2:32 *ss*.
8. Josué e Eleazar. Comparar Jos. 14:1 com Núm. 34:7 e Deu. 1:28-36.
9. A herança de Calebe. Comparar Jos. 14:6 *ss* com Núm. 14:24 e Deu. 1:28-36.
10. A fronteira sul. Comparar Jos. 15:1-4 com Núm. 34:3-5.
11. As filhas de Zelofeade. Comparar Jos. 17:3—6 com Núm. 27:1-11.
12. Comissão sobre o alocamento de terras. Comparar Jos. 18:4-10 com Núm. 34:17 *ss*.
13. Cidades de refúgio. Comparar Jos. 22 com Núm. 35:9 *ss* e Deu. 19:1-13.
14. As cidades dos levitas. Comparar Jos. 21 com Núm. 35:2-8.

Alguns intérpretes têm chegado ao extremo de propor uma *história deuteronômica*, onde Josué aparece como o segundo livro dessa história. Mas outros estudiosos repelem terminantemente essa teoria que diz que houve uma fonte informativa comum para os livros de Deuteronômio e Josué, supondo somente que, em certo número de casos, houve material paralelo de diferentes autores. Os desacordos entre os críticos têm fortalecido a causa dos conservadores, que relutam em considerar que aquela teoria é necessária, visto que, seu intuito consiste em tentar demonstrar uma data posterior para o Pentateuco e para o livro de Josué, a fim de que nem Moisés e nem Josué possam ser autores dos livros que lhes são atribuídos. Além disso, alguns eruditos preferem manter o Pentateuco como uma unidade separada para estudos, sem se deixarem envolver nas controvertidas teorias que circundam a idéia do *Hexateuco* (vide).

Parece-me que seria mister um erudito do Antigo Testamento e do idioma hebraico muito profundo para que fizesse um juízo inteligente sobre essas questões. Com base no que tenho lido, eu diria o seguinte: A teoria do *J. E. D. P.(S.)* (vide), considerada como um todo, não parece explicar as fontes informativas do livro de Josué. Mas a fonte informativa D parece figurar fortemente nesse livro. Alguns críticos dizem que o livro de Josué tem um estilo deuteronômico, mas outros negam tal estilo. Pelo menos a teologia deuteronômica se evidencia no livro de Josué: se alguém obedecer à lei de Deus, prosperará, o que envolve tanto indivíduos quanto nações.

2. O Tratamento Dado aos Cananeus

Tal como todas as narrativas sobre guerras, o relato de Josué é bastante brutal e selvagem. Os antigos intérpretes cristãos tiveram dificuldades em explicar a questão, e não somente os estudiosos modernos. Podemos atribuir a Deus toda aquela matança, tantas coisas feitas das maneiras mais violentas? Deus é, realmente, o Deus dos exércitos? Não há uma diferença muito grande entre o Deus retratado no livro de Josué e o Deus retratado no Novo Testamento, que se manifestou em Jesus Cristo?

Em defesa da visão de Deus no livro de Josué, temos argumentos que dizem que a ira divina contra o pecado faz parte necessária da teologia. Às vezes, os homens chegam a extremos de maldade que merecem um tratamento muito severo. Além disso, há intérpretes que assumem a posição extremada do *voluntarismo* (vide), ensinando que aquilo que Deus quer é correto, sem importar a nossa atitude para com a questão. Mas essa posição se parece muito com a antiga teoria grega, que dizia: «O poder é direto». Mas essa teoria deveria ser rejeitada com base em uma revelação mais iluminada sobre a natureza de Deus. Sabemos que os cananeus eram excessivamente malignos (ver Lev. 18:21-24), e também sabemos que existe tal coisa como contaminação pelo mau exemplo (ver Deu. 7:1-5). Sabemos que a religião dos cananeus era tremendamente imoral (o que tem sido demonstrado pelas escavações arqueológicas em Ras Shamra). O principal deus dos cananeus, *El*, era uma espécie de Zeus brutal e imoral. Seu filho, *Baal* (vide), também não servia de bom exemplo para homens piedosos. Ao admitir tudo isso, indagamos até que ponto podemos fazer uma comparação entre Yahweh, por um lado, e El e Baal, por outro lado. Outrossim, não podemos evitar de ver que as representações de Yahweh, no Antigo Testamento, em certos trechos não se diferenciam grandemente das representações de El na literatura antiga não bíblica. Além disso, tanto *El* quanto *Yahweh* são nomes compartilhados pelas culturas dos assírios, dos babilônios e dos hebreus. Não admira, pois, que também houvesse compartilhamento de idéias religiosas, e não meramente de nomes divinos. De fato, sabemos que havia essa herança comum de idéias. Até hoje em dia, os homens se deleitam em culpar Deus em tudo quanto eles pensam e fazem; e até mesmo homens bons são culpados dessa atribuição. Pessoalmente, tenho cuidado com o uso de nomes divinos, relutando em juntar a palavra «Senhor» a tudo quanto penso ou faço. Em contraste com isso, há pessoas que vivem dizendo: «O Senhor me disse isto». «O Senhor levou-me a fazer isto ou aquilo». O «Senhor», pois, quase se tornou um bichinho de estimação da família, sendo envolvido pelas pessoas em todas as coisas tolas que os homens pensam ou fazem, como a cor do automóvel que alguém comprou, ou o lugar a ser visitado na próxima viagem de verão. E assim, os homens envolvem o nome de Deus em coisas que o Senhor não está interessado nem um pouco, por serem extremamente triviais.

Alguns problemas no A.T., — não são nada triviais. Em primeiro lugar, gostaria de frisar que a própria revelação bíblica é algo progressivo, não sendo de admirar que as idéias dos homens acerca de deus se tenham aprimorado, à medida que eles se vão espiritualizando e se vão tornando capazes de ter uma concepção mais nítida da deidade. É inútil imaginar que Josué se encontrava no mesmo nível de compreensão que Jesus, ou que os vários autores do Novo Testamento, quando falavam a respeito de Deus. Sabemos que, por muitas vezes, não menos que

603

JOSUÉ

os gregos e muitos outros povos, Israel agiu como qualquer tribo selvagem e saqueadora. Como poderíamos negar esse fato? A história fala por si mesma!

Consideremos o Caso de Davi. A época de Davi deve ter sido mais iluminada que os dias de Josué. No entanto, quando Davi fugia de Saul e se refugiou em Ziclague, que lhe fora dada como residência por Aquis, rei de Gate, ele iniciou uma série de ataques de terror e de matanças, nas áreas circunvizinhas. Por que ele agiu assim? O trecho de I Sam. 27:10 *ss* nos revela o motivo. Ele fazia isso a fim de impressionar a Aquis, dando a impressão de que estava atacando à sua própria gente, quando, na verdade, atacava inimigos de Israel. I Sam. 27:9 nos diz que ele a ninguém deixava vivo, nem homem, nem mulher e nem animal. Aquis aceitava a mentira, supondo assim que Davi se alienara totalmente de Israel, pelo que seria seu servo (de Aquis) para sempre.

As palavras de Jesus por certo devem ter um peso decisivo em qualquer discussão desse tipo. Quando os seus discípulos quiseram invocar fogo do céu para consumir os samaritanos, que tinham negado hospitalidade a Jesus e seu grupo, imitando assim uma figura nada menor que Elias, Jesus os repreendeu e declarou: «Vós não sabeis de que espírito sois. Pois o Filho do homem não veio para destruir as almas dos homens, mas para salvá-las» (Luc. 9:51-56). A ignorância e a falta de maturidade espiritual continuam afirmando que não há qualquer diferença entre as atitudes refletidas no Antigo Testamento e aquelas refletidas no Novo Testamento, no tocante à pessoa de Deus. Mas, o que poderíamos ganhar com a hipótese de que as idéias dos homens não melhoram, conforme os homens são iluminados e sua espiritualidade se desenvolve? Poderíamos asseverar que não há qualquer diferença entre o Antigo e o Novo Testamento sobre uma questão tão importante quanto é a natureza de Deus? Deus não mudou, mas nossa compreensão sobre a natureza de Deus melhorou.

A ira de Deus é uma realidade, mas é um dedo de sua amorosa mão. Ele julga os homens a fim de melhorá-los. O juízo divino é remedial, e não apenas retributivo. Ver o artigo sobre a *Ira de Deus*, e também aquele chamado *Ira*. Ver I Ped. 4:6 quanto à natureza remedial do julgamento divino. Notemos que, nessa passagem petrina, os perdidos estão em foco. A cruz do Calvário foi um julgamento, mas também serve de medida do amor que Deus tem pelos homens perdidos.

Conclusão. Temos que admitir o propósito de Deus, atuante através da entrada dos patriarcas hebreus na Palestina, segundo o registro de Gênesis. Também devemos admitir que o propósito de Deus se manifestou no cativeiro egípcio. Outrossim, seria ridículo dizer que Deus não estava com Moisés, e nem realizou uma obra grandiosa, tirando Israel do Egito. Além disso, dentro do plano de Deus era necessário que Israel, uma vez mais, ocupasse a Palestina, a fim de preparar o caminho para o Messias e para os futuros desenvolvimentos espirituais, em escala mundial. Porém, quase não podemos desculpar a maneira como a conquista da Terra Prometida foi efetuada, com excessos de brutalidade. Em tempos menos selvagens, Deus poderia ter feito a mesma coisa de maneira diferente, sem tanto morticínio. Mas, se tribos e nações selvagens começarem a lutar, então teremos um registro como aquele do livro de Josué. Isso não significa, todavia, que tais atos concordavam com a natureza de Deus, mas somente que essas coisas, naturalmente, tiveram lugar em face

do tipo de material humano com o qual Deus teve de tratar, diante do primitivismo e da violência dos tempos em que aqueles acontecimentos ocorreram. Em outras palavras, faz-se uso do material que se dispõe; mas isso não significa que aquilo que é feito reflete a natureza e os ideais divinos.

O Testemunho do Livro de Jonas. O livro de Jonas é o João 3:16 do Antigo Testamento. Jonas foi enviado para salvação de um povo pagão, e o verso final do seu livro mostra-nos que Deus estava interessado até pela vida dos animais, para nada dizermos sobre os seres humanos. Acresça-se a isso o próprio trecho de João 3:16, no Novo Testamento. Deus enviou o seu Filho amado para salvar os pecadores, e não para destruí-los. A destruição física faz parte do programa de purificação de Deus, mas as matanças violentas e excessivas, que acontecem por ocasião das guerras, dificilmente se coadunam com a natureza de Deus.

3. O Longo Dia de Josué (Jos. 10:13)

A palavra de ordem de Josué realmente fez o sol parar? Ver o artigo separado sobre esse assunto, intitulado *Bete-Horom, Batalha de* (*O Dia Longo de Josué*).

4. O Represamento das Águas do Jordão (Jos. 4:15 *ss*).

Temos aí uma divisão, em miniatura, das águas do mar Vermelho, uma reiteração daquele prodígio. Houve, realmente, uma intervenção divina, que fez as águas do rio se avolumarem, ou um deslizamento de terras, convenientemente, ocorreu no momento crucial?

VII. Problemas Arqueológicos

As evidências arqueológicas que nos podem ajudar sobre o livro de Josué permanecem incertas. Quanto a Jericó, sabemos que no local foram erigidos diversas cidades com esse nome. Alguns arqueólogos, como Kathleen M. Kenyon, acreditam possuírem provas da assertiva de que ali não havia qualquer habitação na idade do Bronze Média (1550 a 1400 A.C.). As evidências acerca da idade do Bronze Posterior foram apagadas. Túmulos e outros itens testificam acerca da ocupação do lugar na idade do Bronze Posterior II, pertencente ao século XIV A.C. Essa evidência pode favorecer uma data mais remota para a composição do livro de Josué, embora as questões atinentes a isso sejam muito incertas.

Ai até hoje não foi localidade identificada com certeza. As ruínas de et-Tell a três quilômetros e pouco a leste-suleste de Betel, têm sido consideradas como um local possível; mas as escavações ali feitas não têm mostrado que o local tenha sido ocupado durante as idades do Bronze Médio e Posterior, quando devemos datar o livro de Josué. Restos de fortificações têm sido encontrados, pertencentes a um período ainda mais antigo (cerca de 2900—2500 A.C.), da idade do Bronze Anterior, ou de um período mais recente (cerca de 1200 a 1000 A.C.), de tal modo que a Ai dos dias de Josué ainda não foi encontrada pelos arqueólogos. Ver Jos. 8:1-29. Outras escavações, feitas nas vizinhanças de Khirbet Haiyan e em Khirbet Khudriya não têm produzido quaisquer provas de ocupação humana que corresponda à época de Josué. Talvez *Ai* fosse apenas um posto militar avançado, e não uma cidade, o que poderia explicar a ausência de evidências arqueológicas correspondentes aos dias de Josué. Outros supõem que a destruição de Betel é que está em pauta, nos capítulos sétimo e oitavo de Josué, e não de Ai. E as dúvidas que cercam a verdadeira data do livro de Josué, apenas adicionam às incertezas que circundam toda a questão. Ver os artigos separados sobre *Jericó* e *Ai*.

JOSUÉ — JOSUÉ (PESSOAS)

VIII. Teologia Distintiva do Livro

1. O problema da matança dos cananeus, pelos israelitas, foi abordado na seção VI. 2. Isso nos envolve na visão de Deus que o livro de Josué nos dá.

2. O livro de Josué certamente apresenta-nos uma grande fé no destino determinado por Deus. Mesmo enfrentando grandes forças contrárias, Israel entrou em uma nova terra que, para aquela geração, era-lhes desconhecida, e venceu. Eles creram que era Deus quem estava ordenando suas vidas e suas obras. E assim cumpriram, com sucesso, os propósitos que lhes foram dados.

3. O tema do *teísmo* (vide) é bem destacado. Deus é quem controla a história humana, e nela intervém. Ele não é uma figura distante, divorciada de sua criação, conforme diz o *deísmo* (vide).

4. A fidelidade de Deus ao seu pacto é um dos temas dominantes. Ver o artigo sobre *Pactos*. Comparar com Deu. 7:7 e 9:5,6.

5. O *monoteísmo* (vide) é ilustrado no livro, especialmente através da determinação de extirpar os cananeus *e* a religião deles. Comparar com Gên. 15:16; Êxo. 20:2-6; Deu. 7.

6. A necessidade de um discipulado autêntico e resoluto é o tema geral do livro de Josué; pois sem isso, a conquista da Terra Prometida teria sido impossível.

7. Vários tipos simbólicos podem ser encontrados no livro de Josué. Ver a seção IX, quanto a isso.

IX. Tipologia

1. *Tipos Cristológicos*

«Estas cousas lhes sobrevieram como exemplos, e foram escritas para advertência nossa...» (I Cor. 10:11). O trecho de Heb. 4:1-11 usa o relato da conquista da terra de Canaã para ilustrar como entramos no descanso de Deus, ou seja, na vida eterna, que é a grande Terra Prometida. Josué não deu ao povo o final e verdadeiro descanso (Heb. 4:8), pelo que resta um descanso espiritual (vs. 9). Compete-nos esforçarmo-nos por entrar nesse estado bem-aventurado (vs. 11). A desobediência e a dureza de coração são nossos inimigos. Moisés (representante da lei), não foi capaz de conduzir o povo de Israel até o interior da Terra Prometida. Josué (representante de Cristo e da graça divina) foi quem conseguiu fazer isso. Como é sabido, *Josué* foi um tipo de *Jesus*, o Cristo. E Cristo é o comandante que vence a batalha, batalhando juntamente com seu povo, com o seu exército. No sentido cristão, Jesus, o Cristo (cujo nome é o equivalente neotestamentário de *Josué*, Salvador) é aquele que provê um lar na Terra Prometida celestial, provendo descanso para nós, após as vitórias espirituais que obtivermos neste mundo.

2. *Lutas e Vitórias Espirituais*

A vida de todo homem espiritual e sério é uma luta em busca da vitória, e cada vitória é uma espécie de conquista da Terra Prometida.

3. *A experiência da redenção* é prefigurada pelo fato de que o povo de Israel foi batizado em Moisés, na nuvem e no mar (I Cor. 10:2). Os homens obtêm posição espiritual quando o Espírito os imerge no corpo de Cristo (I Cor. 12:13; Efé. 1:3; Rom. 6:2,3). Essa posição espiritual consiste na união com Cristo e na participação na redenção que há em seu sangue.

4. *A travessia do Jordão* é uma figura simbólica da morte física, através da qual chegamos à vida plenamente espiritual.

5. *A terra de Canaã* pode tipificar o nosso encontro com os adversários espirituais e a nossa subseqüente vitória sobre os mesmos; ou, então, pode apontar para

o céu, os mundos da luz, visto que esses mundos celestes são equivalentes à Terra Prometida.

6. Os vários povos inimigos, em volta da Terra Prometida, como os cananeus, os fariseus, os heveus, etc., aludem aos nossos adversários espirituais, aos quais precisamos vencer (Efé. 6:12).

7. *As cidades de refúgio* (Jos. 20). Há segurança espiritual em Cristo, abrigando-nos do pecado e seus efeitos.

8. *A divisão do território* (Jos. 13:1—21:45). Em nossa herança espiritual há variedade e abundância. Vale a pena seguir a santidade. Há grande abundância espiritual para todos, em nossa herança eterna.

X. Esboço do Conteúdo

A. *A Conquista de (Canaã* (caps. 1—12)
  1. *Preparação* (1:1—5:12)
    a. Josué é comissionado (1:1-9)
    b. Josué dá orientações (1:10-18)
    c. Os espias são enviados (2:1-24)
    d. A travessia do Jordão (3:1—5:1)
    e. O povo é circuncidado em Gilgal (5:2-12)
  2. *Várias Campanhas Militares* (5:13—11:15)
    a. Jericó e Ai são capturadas (5:13—8:29)
    b. Um altar é erigido no monte Ebal (8:30-35)
    c. O logro dos gibeonitas (9:1-27)
    d. Conquista do sul de Canaã (10:1-43)
    e. A campanha no norte de Canaã (11:1-15)
    f. Sumário das conquistas (11:16—12:24)
B. *Fixação de Israel na Terra de Canaã* (caps. 13—24)
  1. Josué é instruído (13:1-7)
  2. As tribos orientais recebem sua herança (13:8-33)
  3. As tribos ocidentais recebem sua herança (14:1-19:51)
  4. As cidades de refúgio (20:1-45)
  5. Designação das cidades levíticas (21:1-45)
C. *Consagração do Povo Escolhido* (caps. 22:1—24:28)
  1. Concórdia com as tribos orientais (22:1-34)
  2. Admoestações finais de Josué aos líderes (23:1-16)
  3. Um pacto nacional estabelecido em Siquém (24:1-28)
D. *Epílogo:* Morte de Josué e Conduta Subseqüente de Israel (cap. 24:29-33).

Bibliografia. AH ALB AM BRI IB ROW ROW(1950) YAD YO

JOSUÉ (PESSOAS)

Ver o artigo separado sobre o livro de Josué, relacionado ao primeiro homem que, na Bíblia, recebeu esse nome. Houve um total de quatro homens com esse nome, nas páginas do Antigo Testamento:

1. *Josué, filho de Num*, assistente e sucessor de Moisés.

a. *Nome*. Esse nome deriva-se do hebraico, *Yehoshua*, «Yahweh é salvação». Moisés mudou o nome dele de Oséias («salvação») para *Yehoshua*. Ver Núm. 13:16 e 13:8. Esse é o equivalente veterotestamentário de Jesus. A Septuaginta traduziu aquele nome hebraico para o grego, *Iesous*, a forma grega do nome hebraico.

b. *Família*. Ele era filho de Num, que era filho de Elisama, príncipe da tribo de Efraim (Êxo. 33:11; Núm. 1:10).

c. *Informes Históricos* 1. Considerando-se a

JOSUÉ — JOTÃO

habilidade de Josué como estrategista militar, é possível que ele tivesse sido um soldado profissional, treinado no Egito. A arqueologia dá-nos conta de que estrangeiros eram contratados pelo exército egípcio. Moisés usou Josué como seu comandante militar, contra o ataque dos amalequitas, em Refidim (Êxo. 17:8-16). A tarefa de Josué era organizar aquele bando de ex-escravos, que tão recentemente haviam obtido a liberdade, organizando com eles um exército respeitável. A tarefa, pois, não era nada pequena. 2. Josué era o ministro pessoal e assistente de Moisés, quando este recebeu a lei (ver Êxo. 24:13; 32:17). 3. Josué foi um dos espias enviados para obter uma visão geral da terra a ser conquistada. Ele foi um dos dois únicos que deram um relatório bom, e encorajaram o ataque (Núm. 14:6-9). 4. O povo de Israel, como um todo, foi proibido de entrar na Terra Prometida em face de desobediência e incredulidade. Somente Josué e Calebe tiveram permissão, dentre aquela geração inteira, de entrar na Terra Prometida (Núm. 26:65; 32:12; Deu. 1:34-40). 5. Josué foi comissionado para ocupar a liderança, após o falecimento de Moisés. Josué, pois, tornou-se o novo pastor de Israel (Núm. 27:12—17). Ele recebeu a autoridade divina de Moisés (Núm. 27:20). Foi ordenado por Moisés para assumir seu novo posto (Núm. 27:21-23; Deu. 3:21-28). 6. A tarefa de Josué consistia em liderar Israel na conquista da terra de Canaã (Jos. 1—12). Se excetuarmos uma comunidade que, através de engodo, conseguiu assinar um acordo de não agressão com Josué, ele conseguiu exterminar os habitantes de Canaã até o último homem, excetuando aqueles lugares onde obteve vitórias apenas parciais. 7. Quando a totalidade da Palestina havia sido conquistada, Josué recebeu a tarefa de averiguar que a mesma fosse dividida entre as doze tribos (Jos. 13—21). 8. Josué foi homem de notável habilidade como líder, conforme se vê em seu trabalho, capaz como o general dos exércitos de Israel (Jos. 1—12), em sua capacidade de conduzir espiritualmente os israelitas, estabelecendo os acordos apropriados (Jos. 8:30-35), ao orar pedindo poder e orientação espirituais, e recebendo as mesmas (Jos. 10:10-14), em seu respeito pela mensagem espiritual e pelo uso que fazia da mesma, o que tanto o ajudou a conduzir corretamente o povo de Deus (Jos. 1:13-18; 8:30-35, 11:12,15; 14:1-5; 23:6). Quando da divisão da terra, ele mostrou ser um hábil administrador (Jos. 13—21). 9. Foi Josué quem deu ao sistema tribal dos israelitas sua forma fixa, impondo o elemento do acordo para fixação de terras específicas entre as diversas tribos (Jos. 24:1-28). 10. Idade avançada e morte. Quando o fim de sua vida terrena aproximava-se, Josué quis consolidar os ganhos que obtivera. Convocou uma assembléia, com representantes de todo o povo de Israel, e apresentou um solene discurso e incumbência, relembrando-os sobre o que fora realizado, e exortando-os a guardarem a aliança e continuarem na fé de seus pais. Em Siquém, foi renovada a aliança com o Senhor. Josué faleceu com a idade de cento e dez anos, e foi sepultado em sua cidade, Timnate-Sera, pertencente à tribo de Efraim, (Jos. 24:29). Isso ocorreu em cerca de 1365 A.C.

d. *Tipos*. Na seção IX, no artigo sobre *Josué* (*Livro*), em seu primeiro ponto, mostramos como Josué é símbolo de Cristo. Ele foi o Jesus do Antigo Testamento. Ambos conduzem à Terra Prometida, e ambos receberam uma autoridade acima da de Moisés. Aquela seção sublinha certo número de outros tipos que se encontram no livro de Josué, e que nos são instrutivos.

e. *Caráter de Josué*. Foi Josué quem disse a Israel: «...escolhei hoje a quem sirvais... Eu e a minha casa serviremos ao Senhor» (Jos. 24:15). Isso exprimiu a atitude que Josué teve durante toda a sua vida. Ele foi uma personagem das mais fulgurantes do Antigo Testamento, a quem o próprio Moisés não fez muita sombra. Sentimo-nos infelizes diante de tanta matança que houve na conquista da terra de Canaã. Ver sobre *Josué* (*Livro*), seção VI. *Problemas Especiais*, segundo ponto, *O Tratamento Dado aos Cananeus*, quanto a uma discussão sobre essa questão. É óbvio que Josué sempre cumpriu o seu dever, sem nenhum grande desvio, sem nunca haver cometido qualquer grave infração, o que também se vê no caso de todos os outros grandes vultos do Antigo Testamento. Josué serve de ilustração do homem que confronta alguma imensa dificuldade, mas a vence, porquanto nele não havia nem dúvida e nem hesitação, de tal modo que, com coragem e resolução, ele foi capaz de realizar a tarefa que o Senhor lhe deu.

2. *Josué, um nativo de Bete-Semes*. Esse foi um israelita, proprietário do campo onde chegou a carruagem que trazia a arca da aliança, ao retornar da terra dos filisteus. Ver I Sam. 6:14,18. Ele viveu em cerca de 1076 A.C.

3. *Josué, governador de Jerusalém*, no começo do reinado de Josias. Um dos portões da cidade recebeu nome com base em seu nome. Ver II Reis 23:8. Ele viveu em cerca de 621 A.C.

4. *Josué*, também chamado Jesus, filho de Jeozadaque. Ver sobre *Jesua*, terceiro item.

JOSUÉ, DIA LONGO DE

Ver sobre *Bete-Horom, Batalha de* (*O Dia Longo de Josué*)

JOTÃO

No hebraico, «Yahweh é perfeito» ou «Yahweh é reto». Esse é o nome de três personagens que aparecem no Antigo Testamento:

1. *O mais jovem dos setenta filhos legítimos de Gideão*. Ele foi o único filho de Gideão que escapou ao massacre da família, determinado por Abimeleque (Juí. 9:5). Jotão avisou os habitantes de Siquém acerca da maldade de Abimeleque, mediante a parábola das árvores que escolheram o espinheiro como rei. Essa honra havia sido declinada pelas nobres espécies, como o cedro, a oliveira e a videira. Ver Juí. 9:5 ss. Mas a advertência foi ignorada pelos siquemitas, e a calamidade sobreveio três anos mais tarde (vs. 57). Após ter bradado essa corajosa parábola ou apólogo, diante do perigo que corria, Jotão fugiu; e não mais se ouve falar dele nas Escrituras. Supomos que ele viu o julgamento divino cair contra Abimeleque, embora não possamos ter certeza disso. Seja como for, em uma batalha, em Tebez, Abimeleque morreu quando uma mulher jogou muralha abaixo uma pedra superior de moinho, que caiu sobre sua cabeça. A pancada não o matou instantaneamente. Então, ele ordenou que o seu escudeiro acabasse de matá-lo com a sua espada, a fim de que não se dissesse que uma mulher o havia matado. A lei da colheita segunda a semeadura estava novamente em funcionamento.

2. *O décimo rei de Judá, filho de Uzias*, e que sucedeu a seu pai no trono em 758 A.C. Na época, ele tinha vinte e cinco anos de idade. Reinou por dezesseis anos. Seu pai ficara leproso e fora excluído da vida pública, pelo que seu filho, Jotão, tornara-se monarca virtual. Ver II Reis 15:5. Tornou-se rei único cerca de dez anos mais tarde. Ver o artigo geral chamado *Reino de Judá*.

JOTBÁ — JOZABADE

a. *Aprendendo pela força do exemplo*. Jotão não conseguiu corrigir todas as práticas corruptas que haviam sido implantadas no meio do povo, em Judá; mas, pelo menos, fez o esforço.

b. *Um governo próspero*. Jotão, como quase todos os reis, também teve de guerrear. Suas campanhas militares foram bem-sucedidas. Uzias fizera os amonitas pagarem tributo a Israel. Quando adoeceu, porém, esse tributo foi descontinuado; mas Jotão conseguiu subjugar novamente os amonitas. Ver II Crô. 26:8; 27:5,6. Esse predomínio tinha valor comercial. Jotão recebia, como tributo, prata, trigo e cevada.

c. *Obras públicas*. Jotão reconstruiu o portão principal do templo de Jerusalém, tornando-o mais magnificente do que antes. Novas fortificações foram construídas na cidade. Várias outras cidades foram edificadas e fortificadas em Judá, e também foram erigidas torres e outras obras de defesa, no deserto. Ver II Crô. 26. A reconstrução de Jerusalém pode ter feito parte de um plano mais ambicioso, para ampliar as muralhas da cidade de forma a engolfarem os bairros mais distantes, aumentando assim a capacidade de resistência da cidade. Posteriormente, Ezequias construiu uma nova muralha norte; e, Manassés completou o circuito, o que pode ter sido feito em continuação do plano original de Jotão.

d. *Profetas contemporâneos*. Estiveram ativos, nos dias de Jotão, os profetas Isaías, Oséias e Miquéias.

e. *Morte de Jotão*. Jotão foi muito lamentado pelo povo, e foi sepultado no sepulcro dos reis (II Reis 15:28; II Crô. 27:3-9). Morreu em cerca de 735 A.C.

3. *Jotão, filho de Jadai*, um descendente de Calebe, segundo todas as aparências.

JOTBÁ

No hebraico, «bondade» ou «coisa agradável». Esse era o nome da cidade onde residia Haruz, cuja filha, Mesulemete (vide), tornou-se a mãe do rei Amom, conforme o registro de II Reis 21:19. Essa cidade tem sido identificada com Jotapata, chamada modernamente Khirbet Jefat, a onze quilômetros ao norte de Seforis. O Talmude refere-se a uma cidade de nome Jotbate, a catorze quilômetros e meio de Nazaré; e alguns estudiosos têm-na identificado com Jotbá, embora isso seja improvável. O mais provável é que sejam lugares diferentes um do outro.

JOTBATA

No hebraico, «deleite», «coisa agradável». Esse era o nome do vigésimo nono acampamento de Israel no deserto, entre Hor-Gidgade e Abrona (Núm. 33:33, 34; Deu. 10:7). Era um lugar onde havia água potável, abundante, «terra de ribeiros de águas», diz-nos a passagem de Deuteronômio. Interessante é que, em nossa versão portuguesa, Jotbata aparece como «Jotbatá», e Hor-Gidgade como «Gudgodá», na passagem de Deuteronômio. Alguns estudiosos têm identificado Jotbata com a moderna 'Ain Tabah, ao norte do golfo de Ácaba.

JOVINIANO

Faleceu em 390 D.C. Ele foi um importante monge pré-Agostinho, que supunha que a transmissão do Espírito Santo estaria ligada aos atos eclesiásticos do batismo e da penitência. Isso emprestava àqueles atos um caráter sacramental, vinculado à realização dos ritos da Igreja. Isso, naturalmente, fortaleceu a autoridade das ordenanças eclesiásticas. Entretanto,

ele não acreditava que o ascetismo fosse capaz de adicionar qualquer coisa à vida controlada pelo Espírito. Outrossim, ele afirmava que o estado celibatário não é superior à vida marital. Outrossim, o jejum não seria melhor do que uma boa refeição, contanto que não se caísse na gula.

JOWETT, BENJAMIM

Suas datas foram 1817-1893. Foi um importante teólogo e classicista. Foi grande educador, tendo ensinado como diretor do Balliol College, em Oxford, Inglaterra, durante muitos anos. Ensinava grego ali, e produziu uma tradução dos *Diálogos de Platão*, que se tornou um padrão para os leitores em língua inglesa. Teologicamente, ele era muito generoso e liberal em seus pontos de vista. Seus ensaios sobre a Bíblia criaram intensa controvérsia. Tal como acontece com tantas figuras importantes, muitas lendas desenvolveram-se em redor de sua pessoa.

JOZABADE

No hebraico, «Yahweh dotou». Essa é a forma contraída do nome *Jeozabade* (vide). — Houve nada menos de dez homens com esse nome, nas páginas do Antigo Testamento:

1. Um filho de Somer e de Sinrite, a moabita. Ele conspirou com Jozacar a fim de assassinar a Joás, rei de Judá (837—800 A.C.). Queria fazer isso por causa das vantagens políticas. Assassinou o filho do sacerdote Joiada, cuja esposa havia protegido o infante Joás dos planos homicidas de Atalia (II Reis 12:21; II Crô. 24:26). Esteve de algum modo envolvido no assassinato de Joás, por seus próprios oficiais. É provável que algum parente deles tenha sido executado, e eles quisessem vingar-se da morte dele. Isso ocorreu em cerca de 839 A.C.

2. Três homens que se aliaram a Davi, em seu exílio, em Ziclague, quando ele fugia de Saul, tinham o nome de *Jozabade*. Eram hábeis no manejo do arco e flecha e da funda. Um deles era benjamita, de Gederá (I Crô. 12:4). Os outros dois eram da tribo de Manassés (I Crô. 12:20). É possível, entretanto, que tantos indivíduos houve com esse nome, que um deles surgiu nas cópias por ditografia, no vigésimo versículo.

3. Um benjamita que se mostrou ativo durante o reinado de Josafá. Ele comandava dezoito mil homens armados (II Crô. 17:18).

4. O segundo filho de Obede-Edom, um coraíta. Davi nomeou-o porteiro (I Crô. 26:40). Viveu em torno de 1000 A.C.

5. Um chefe levita dos dias do rei Ezequias. Serviu sob Conanias e Simei, na questão dos dízimos e das contribuições (II Crô. 31:13). Viveu em cerca de 719 A.C.

6. Um chefe dos levitas, que serviu durante o reinado de Josias (II Crô. 35:9). Foi superintendente das ofertas e das coisas dedicadas ao templo. Viveu em cerca de 623 A.C.

7. Um filho de Jesua, um levita, que serviu em Jerusalém terminado o cativeiro babilônico, sob a direção de Esdras (Esd. 8:33). Alguns identificam-no como o homem do mesmo nome, mencionado em Esd. 10:23, que se casou com uma mulher estrangeira durante o cativeiro, e da qual precisou divorciar-se depois que o remanescente de Israel voltou a Jerusalém. Além disso, ele pode ter sido o homem, do mesmo nome, que instruiu o povo na lei de Moisés, conforme o registro de Nee. 8:7. Uma outra referência a esse mesmo homem encontra-se em Nee. 11:16.

JOZACAR — JUBILEU

8. Um filho de Pasur, um sacerdote, que se casara com uma mulher estrangeira, durante o cativeiro babilônico, mas teve que se divorciar dela após o retorno do remanescente de Judá a Jerusalém (Esd. 10:22). Ele viveu em torno de 456 A.C.

JOZACAR

No hebraico, «lembrado por Yahweh». Era filho da amonita Simeate e de um dos assassinos do rei Joás, de Judá (II Reis 12:21). Em II Crô. 24:26, ele é chamado pelo nome de Zabade. Muitos eruditos pensam que esse nome, Zabade, representa um erro escribal. Seu companheiro no assassinato foi *Jozabade* (vide, número um). Isso ocorreu em cerca de 839 A.C.

JOZADAQUE

Uma forma contraída de **Jeozadaque** (que aparece em I Crô. 6:14, etc.). A forma contraída aparece em Esd. 3:8; 5:2; 10:18 e Nee. 12:26. Esse nome significa «Yahweh é grande». Ver o artigo sobre *Jeozadaque*.

JUBAL

No hebraico, «riacho». Era descendente de Caim, filho de Lameque e Ada. Ele aparece na Bíblia como o inventor da *kinnor* e do *ugab*, que alguns traduzem, respectivamente, por *harpa* e *órgão*, enquanto que outros preferem traduzir por *lira* e *gaita*. Ver Gên. 4:21. O nome dele, talvez, tinha alguma vinculação com o *Yobel*, o chifre de carneiro. Nesse caso, como músico que era, tinha um nome associado àquele instrumento de sopro.

JUBILEU, ANO DE

Esboço:
I. Caracterização Geral
II. O Nome
III. Referências Bíblicas
IV. Provisões da Lei
V. Propósitos da Lei a Respeito
VI. Relação com o Ano Sabático
VII. O Problema do Ano Bissexto
VIII. Tipologia

I. Caracterização Geral

Segundo a analogia do descanso semanal do último dia da semana, cada *sétimo ano* foi designado como um período de descanso para as terras agricultáveis, que deveriam ser deixadas por cultivar (Êxo. 23:10,11). Um *sábado de sábados* (49 anos) deveria anteceder o *ano de jubileu*. Portanto, passavam-se cinqüenta anos para que houvesse um novo *ano de jubileu*. Naquele qüinquagésimo ano, pois: 1. a terra teria de ser deixada sem cultivo; 2. a terra deveria voltar ao seu anterior proprietário; 3. os escravos hebreus deveriam ser postos em liberdade. Há muitos eruditos modernos que pensam que essa legislação foi observada raramente e que ela existia mais como um ideal do que como uma realidade. Ver os preceitos em Lev. 25:10 *ss.* Seja como for, é verdade que a lei judaica posterior rescindiu alguns elementos das provisões bíblicas, ao mesmo tempo em que confirmou outros desses elementos.

II. O Nome

A palavra portuguesa «jubileu» corresponde ao termo hebraico *yobel,* que também indica a «clarinetada» tirada de um corno de carneiro. Essas clarinetadas anunciavam as festas religiosas e os dias

santificados. A palavra acabou indicando o próprio chifre de carneiro. O termo *jubileu*, em português, indica o regozijo do dia; vem do latim, *jubilum*, um *grito* de alegria. Sua presença nas traduções modernas, referindo-se ao *ano de jubileu* vem do nome que lhe dá a Vulgata Latina, *annus jubilei* ou *jubileus*.

III. Referências Bíblicas

A lei do ano do jubileu acha-se registrada em Lev. 25:8-55, cujo trecho se deve comparar com Lev. 27:16-25. Uma judia herdeira deveria casar-se somente com algum homem de sua própria tribo, pois, do contrário, sua propriedade não reverteria à sua tribo, nem mesmo no *ano de jubileu* (Núm. 36:4). É curioso que o *ano de jubileu* não é mencionado em nenhuma outra porção das Escrituras canônicas ou dos livros apócrifos, o que confirma a suposição de que as leis atinentes ao *ano do jubileu* não eram praticadas, mas somente permaneceram como um ideal que nunca foi plenamente atingido.

IV. Provisões da Lei

1. **As Provisões de Levítico 25:8-17.** a. **O ano de jubileu** deveria ser anunciado no dia da expiação, no qüinquagésimo ano; b. as terras deveriam reverter aos seus proprietários originais; c. os escravos hebreus deviam ser libertados; d. a semeadura, a vindima e a colheita eram proibidas no *ano de jubileu*; e. provisões adequadas tinham de ser feitas com antecedência para o *ano de jubileu*.

2. *As Provisões de Levítico 25:25-38.* a. As terras podiam ser remidas no período do *ano de jubileu*; b. a remissão de terras, nas cidades, era limitada a um ano. Se a oportunidade não fosse aproveitada, não mais poderia haver remissão de terras nas cidades. c. As terras pertencentes aos levitas não estavam sujeitas a essa legislação. d. Os pobres podiam tornar-se casos de caridade de uma comunidade, se necessário, a fim de que houvesse uma distribuição melhor das riquezas materiais, beneficiando toda a sociedade.

3. *As Provisões de Levítico 25:39-55:* a. Os escravos hebreus deviam ser postos em liberdade; mas, mesmo antes do *ano de jubileu*, os escravos hebreus não podiam ser sujeitos aos rigores da servidão, por parte de seus compatriotas. b. Os hebreus que tivessem ficado obrigados a servir a estrangeiros, poderiam remir a si mesmos, ou um parente podia remi-los. Nesse caso, parte do preço tinha de ser pago, dependendo dos anos que ainda restassem até o *ano de jubileu*. Doutra sorte, só poderiam ser libertados no *ano de jubileu*. Ao que parece, os estrangeiros precisavam respeitar às leis de Israel, tendo de libertar seus escravos hebreus, mesmo sem compensação adequada, se isso fosse necessário.

V. Propósitos da Lei

1. **Esses Preceitos Tinham um Lado Econômico.** O equilíbrio de riquezas materiais era restaurado com a reversão das terras aos seus proprietários e com a libertação dos escravizados. O monopólio de alguns, embora não fosse totalmente evitado, pelo menos ficava bastante restrito.

2. *Esses Preceitos eram Humanitários.* A opressão econômica reduz a varonilidade e o auto-respeito dos indivíduos, para nada dizermos sobre o potencial que cada homem tem de trabalhar e produzir. Era bom libertar os escravos e reverter as propriedades aos seus antigos donos. Leis como essa do *ano de jubileu* tendem por reduzir a agressão dos ricos contra os pobres e por refrear a ganância.

VI. Relação com o Ano Sabático

O trecho de Lev. 25:1-7 vincula a lei do ano do jubileu ao sétimo ano. Ver também Êxo. 23:10,11.

608

JUBILEU — JUBILEUS

Damos um artigo pormenorizado sobre o *Ano Sabático*. Os escravos, de acordo com o ano sabático, eram libertados após seis anos contínuos de serviço (Deu. 15:1-19). Mas, nesse mesmo período de sete anos, as terras não eram devolvidas aos seus proprietários originais. Como é patente, havia outras leis de libertação, às quais Jeremias se referiu. Ver Jer. 34:14. O trecho de Nee. 10:31 também parece aludir a alguma lei que não estava sendo observada. Se essa lei era, especificamente, a lei do ano sabático e a lei de jubileu, ou não, é algo muito difícil de determinar. Parece que outras estipulações legais tinham sido feitas, além dessas. É significativo que tanto Alexandre, o Grande, quanto Júlio César cancelaram o tributo relativo aos anos sabáticos. Josefo (*Anti*. 16:2; 15:1,2) alude à observância das leis pertinentes. Ele também menciona o *ano de jubileu* (*Anti*. 3:12,3), e, aparentemente, considerava que cada qüinquagésimo ano era o ano seguinte ao sétimo ano sabático. O ponto de vista oficial da Mishna (vide) é que o ano de jubileu foi abolido após o exílio babilônico (*Sebi'it*. 10:3). Várias razões são oferecidas para essa abolição. É que haviam outros abusos. As pessoas incorriam em dívidas, sabedores de antemão que poderiam evitar pagá-las; ou, então, vendiam terras, sabendo que poderiam recuperá-las de novo.

VII. O Problema do Ano Sem Cultivo

O trecho de I Macabeus 6:49 subentende a natureza antiprática de um ano nacional sem cultivo das terras. Muitos eruditos supõem que, com frequência, isso não era praticado, apesar de menção ao costume por parte de autores como Josefo. Mas, é possível que essa suspensão do cultivo fosse alternado de distrito em distrito, de tal modo que em nenhuma época havia uma suspensão nacional do plantio, exceto nos primeiros anos da história do povo de Israel. As passagens bíblicas que se referem à suspensão do plantio têm deixado os intérpretes em dificuldades, e não sabemos dizer quão rigorosa e regularmente essas leis eram observadas.

VIII. Tipologia

O *ano de jubileu* refere-se à redenção que há em Cristo, e aos benefícios advindos de sua missão terrena, de modo geral. Todos os homens, ricos e pobres, beneficiam-se com base nessa missão, e nenhum homem é esquecido, porquanto Deus amou ao mundo de tal maneira que fez provisão adequada para o bem-estar espiritual e material dos homens. Em Cristo encontramos provisão e herança (ver Rom. 8:17). E deveras significativo que há passagens bíblicas que aludem, em primeiro lugar, à escravidão espiritual da qual somos libertados, a fim de que cheguemos a desfrutar dos privilégios próprios de filhos de Deus.

JUBILEU (CATÓLICO ROMANO)

De acordo com a Igreja Católica, um ano de jubileu é um ano de *indulgência* (vide) *especial*. Um ano desses só pode ser decretado pessoalmente pelo papa. Para eles, nesse ano, certas condições de confissão, comunhão, boas obras, etc., obtêm a remissão das conseqüências penais terrenas dos pecados. Um ano desses também é conhecido como *Annus Sanctus*, ano santo.

JUBILEUS, LIVRO DE

Esboço:

  I. Caracterização Geral
  II. Autoria
  III. Origem e Propósito

  IV. Conteúdo e Manuscritos
  V. Teologia do Livro

I. Caracterização Geral

Ver os artigos gerais sobre *Livros Apócrifos* e *Apocalípticos, Livros*. O *Livro de Jubileus* é um livro apocalíptico que se encontra entre os *pseudepígrafos* do Antigo Testamento (vide). Também é conhecido como *O Pequeno Gênesis*, ou, então, como *Apocalipse de Moisés*. Foi originalmente escrito em hebraico e subseqüentemente foi traduzido para o grego, para o etíope, para o latim e para o siríaco. Afirma ser uma revelação dada a Moisés, alegadamente recebida no monte Sinai. Um anjo do Senhor ter-lhe-ia aparecido, dando-lhe as leis e as práticas religiosas que são mencionadas na Bíblia desde o primeiro capítulo de Gênesis até o décimo capítulo do livro de Êxodo.

Na verdade, esse livro foi produzido por uma seita desconhecida, algum tempo nos fins do século III A.C., ou, quando mais tarde, em cerca de 100 A.C. O livro inteiro é ajustado a uma cronologia considerada de acordo com os anos de jubileu, o que explica um de seus títulos. Contém várias curiosidades e características místicas. Ensina a preexistência da Tora, que, presumivelmente, foi escrita em tabletes celestiais, antes mesmo da criação do homem. Além disso, diz que a festa de Pentecoste é regularmente observada no céu. Então, a Tora (lei) teria sido entregue aos homens, no devido tempo. Essa obra é aparentada de I Enoque e outras porções, mais antigas, do Testamento dos Doze Patriarcas, havendo similaridades com matéria escrita pertencente à comunidade de Qumran. De fato, alguns estudiosos pensam que esse livro foi publicado por aquela comunidade, ou então, por alguma seita similar.

II. Autoria

Não há como determinar a autoria de um livro como esse. Como é óbvio, Moisés nada teve a ver com o mesmo, embora escrito em seu nome, o que significa que se trata de uma obra pseudepígrafa. O verdadeiro autor pode ter pertencido à comunidade de Qumran, ou a alguma comunidade parecida. Alguns pensam que ele seria um fariseu, mas isso é debatível. Comparar o cap. 30 desse livro com Gên. 49:5-12. Parece que ele apoiava os governantes macabeus. Ele chamava os sucessores de Levi de «sacerdotes do Deus Altíssimo», um título que apareceu inicialmente no período dos hasmoneanos (ver 32:1).

III. Origem e Propósito

O livro divide a história do mundo, desde a criação até à outorga da lei, no monte Sinai, em períodos iguais de quarenta e nove anos. O autor afirma que Israel entrou na terra de Canaã ao término do qüinquagésimo jubileu, ou seja, no ano 2450 da criação. Visto que o livro reproduz as Escrituras desde o começo de Gênesis até o décimo segundo capítulo de Êxodo, foi chamado de *Pequeno Gênesis*. E visto que o livro é situado dentro do contexto do Antigo Testamento, então, o autor pede-nos para supormos que foi *Moisés* quem forneceu detalhes extras, tendo escrito essa obra antiqüíssima. Porém, o uso que o autor faz de obras pseudepígrafas mostra *quando*, realmente, ele escreveu. Assim, encontramos o anacronismo crasso dos patriarcas que seriam observantes estritos da lei mosaica. E essa discrepância é explicada pelo expediente de dizer que a Torá já estava escrita no céu, antes mesmo da criação, pelo que estava disponível aos homens desde o começo da humanidade. Essa obra assemelha-se muito ao livro de I Enoque, parecendo refletir o período dos Macabeus, conforme mostramos sob a seção II.

JUBILEUS

Autoria. Portanto, a origem real do livro é bastante tardia, talvez pertencente cerca de 100 A.C. Na realidade, o livro era uma peça de propaganda, que promovia certos ideais e conceitos teológicos da época.

Propósito. «O livro de Jubileus é uma produção pseudepígrafa, escrita em hebraico, talvez por um ex-fariseu, algum tempo entre a inauguração do sacerdócio de Hircano, em 135 A.C., e o seu rompimento com o farisaísmo, em 105 A.C. Trata-se de uma tentativa de reescrever a história de Israel, incluindo grande acúmulo de informes tradicionais... Conforme afirmou Robert Henry Charles, o objetivo do autor era defender o judaísmo dos ataques das atitudes helenistas, que tinham estado em ascendência uma geração antes, e continuavam poderosas, e também provar que a lei tem uma perene validade» (AM).

IV. Conteúdo e Manuscritos

O livro tem cinqüenta capítulos, reproduzindo desde o primeiro capítulo de Gênesis até o décimo segundo capítulo de Êxodo, e adicionando muito material tradicional dos judeus. Introduz a esperança messiânica de Israel, em um tempo (o período dos Macabeus) quando essa doutrina já andava bem desenvolvida em certos livros pseudepígrafos, especialmente em I Enoque. A narrativa foi inicialmente escrita em hebraico e, então, foi traduzida para o grego e quiçá, para o aramaico. Quatro manuscritos do livro preservam-no no etíope. Assim sendo, a despeito de seu claro caráter pseudepígrafo, desfrutou de larga divulgação. Uma tradução para o etíope, de cerca do século VI D.C., foi encontrada e publicada em meados do século XIX. Fragmentos de manuscritos em latim datam de cerca do século V D.C. As versões latina e etíope foram traduzidas da versão grega. Fragmentos da versão grega foram encontrados entre os chamados *Manuscritos do Mar Morto* (vide). Os estudiosos pensam que o texto grego mostra-se fiel ao texto hebraico original.

O transmissor da mensagem do livro, alegadamente, seria um anjo do Senhor. Esse anjo levou Moisés a escrever uma reiteração do trecho de Gên. 1—Êxo. 12, mas, dessa vez, adicionando tradições judaicas posteriores! O propósito principal do autor do livro foi o de estabelecer a autoridade eterna da lei mosaica, protegendo o povo de Israel das intrusões do helenismo. O anjo contaria com fontes infalíveis para seu *ditado*, a saber, «as tabelas das divisões em anos, desde o tempo da criação, até a outorga da lei, e incluindo o testemunho das semanas de jubileus, de acordo com anos individuais, seguindo o número dos jubileus...» (1:29). A autoridade da lei mosaica (que repousa sobre a sua aplicação eterna) é ali enfaticamente asseverada; e contra aqueles que ousassem ignorar essa autoridade, foi ameaçado o juízo divino. A seção V., chamada *Teologia*, adiciona detalhes sobre o conteúdo do livro.

V. Teologia

1. **A ênfase sobre a lei mosaica**, incluindo sua alegada origem anterior à humanidade, nos céus, e sua eterna aplicação, é um ponto principal do livro.

2. *A esperança messiânica*, um tema que também é desenvolvido em outras obras produzidas no período helenista, especialmente I Enoque, é outro ponto destacado. Entretanto, esse tema, no livro de Jubileus, não é bem desenvolvido. Seja como for, é significativo que o Messias seja ali apresentado como quem procederia da tribo de Judá. Provavelmente isso foi dito com base nas profecias atinentes à eternidade do trono de Davi.

3. *O milênio*. O reino messiânico, segundo se esperava, inauguraria uma era áurea de mil anos. Isso seria um tempo de paz e prosperidade. Mas, o juízo final ocorreria no final desse período de mil anos. Os leitores do Novo Testamento surpreendem-se de fatos dessa natureza, se é que não têm familiaridade com a literatura judaica do período intertestamentário. A verdade é que o esboço em grandes pinceladas, das predições do Novo Testamento, acerca do fim, está alicerçado sobre o esquema traçado nos livros pseudepígrafos. — Por causa disso, muitos estudiosos bíblicos duvidam que haja qualquer mensagem verdadeiramente *profética*, tanto nos livros pseudepígrafos quanto no Novo Testamento. Alguns estudiosos conservadores radicais evitam o problema, permanecendo na ignorância acerca das obras pseudepígrafas, preferindo que ninguém saiba coisa alguma a respeito delas. Um pensamento mais equilibrado é o daqueles que supõem que a tradição profética é um desenvolvimento, como se dá com todos os pontos teológicos, e que essa tradição pode ser autêntica quanto à sua substância, embora talvez não quanto aos detalhes, apesar do fato de que uma importante porção dessa tradição se tenha desenvolvido nas obras pseudepígrafas. Essa posição é fortalecida diante da observação de que os estudos mostram que a mente humana, mesmo à parte da iluminação divina, é capaz de prever o futuro. Aqueles que se têm envolvido na escrita de composições espirituais, a despeito das tolices que têm inventado, podem ser sensíveis o bastante para traçar um esboço geral das coisas vindouras. Tendo dito isso, — mostraríamos grande ignorância se disséssemos que eles nunca erram.

Um polemista poderia dizer que as profecias bíblicas também não são perfeitas. Por exemplo, a expectativa do autor do livro de Apocalipse, de que o império romano em breve chegaria ao fim, e que a *parousia* (vide) poria fim, em breve, ao império romano (ver a afirmação cuidadosamente verbalizada, em Apo. 17:7 *ss*), não tiveram cumprimento. Houve muito mais do que oito imperadores em Roma, do que aquele livro fala. De fato, o império romano continuou ainda por vários séculos, sem ser afetado pelas predições feitas pelo vidente João. Isso não significa que ele não tenha percebido o esboço geral das coisas vindouras, a despeito de suas dificuldades com os detalhes. Todavia, esse argumento pode ser respondido quando nos lembramos que o relógio profético da Bíblia parou por ocasião da morte de Cristo, no Calvário, e só começará a tiquetaquear novamente quando tiver início a septuagésima semana de Daniel, o que, segundo alguns estudiosos, começará quando o anticristo surgir em cena como aquele que fará um acordo com «muitos» (ver Dan. 9:27). E isso significa que, do ponto de vista do Apocalipse, quando suas predições sobre o fim começarem a ocorrer, então o império romano renovado (o império do anticristo) estará apenas a poucos anos de seu ponto final!

No livro de I Enoque, a era áurea perdura por apenas trezentos anos. Talvez os mil anos de que fala o livro de Jubileus alicerce-se sobre a suposição de que a criação seguiria um ciclo de sete mil anos, assim distribuídos: seis mil anos desde a criação até o fim da presente dispensação do ciclo humano e, então, os mil anos, um sábado espiritual de descanso, controlado pelo poder divino, que porá fim a esta dispensação e completará o ciclo da história da humanidade.

4. *A imortalidade da alma*. No livro de Jubileus não há qualquer menção à ressurreição dos mortos, embora haja uma firme expectação quanto à

JUBILEUS — JUDÁ

imortalidade da alma.

5. *Espíritos angelicais e demoníacos*. O livro de Jubileus apresenta um certo esquema sobre esses assuntos, bastante parecido com o ensino do Novo Testamento, dando apoio à teologia dos fariseus e opondo-se vigorosamente à doutrina dos saduceus. Por isso mesmo, alguns estudiosos pensam que o autor era do partido dos fariseus. Ver Atos 23:7.

6. *Ritos e cerimônias estritamente judaicos*. O livro de Jubileus mostra-se ainda mais estrito do que o Talmude, em sua insistência sobre o cerimonial. Os estatutos sobre a observância do dia de sábado, sobre os dízimos, sobre o casamento, sobre a circuncisão, sobre a páscoa, sobre as primícias e sobre outras coisas de uso tipicamente judaico são enfaticamente salientados.

7. *O fim do ofício profético*. Tão fanático mostrou ser o autor do livro de Jubileus, em favor da lei mosaica, que ele não via qualquer necessidade para o ofício dos profetas. De fato, ele asseverou ousadamente que em vista de termos a lei de Moisés, qualquer livre exercício de um ofício extra seria uma ofensa contra Deus. Presume-se que ele esperava que alguma forma de *inovação* seria produzida pelo ofício profético, e ele temia muito essa possibilidade. De fato, ele se opunha às inovações impulsionadas pela influência do helenismo, motivo pelo qual ele assumia posição tão conservadora. É isso que sempre acontece entre os ultraconservadores. Eles temem qualquer coisa que cheire à novidade. Primeiro, eles declaram que a revelação terminou nas Escrituras, e que não pode mais haver Escrituras. Isso é uma dogma, e não um ensino das próprias Escrituras. Em seguida, o impacto da Palavra escrita torna-se tão poderoso e fanático que as pessoas chegam a temer que o ofício profético, ou o uso dos dons espirituais, de alguma maneira se torne competidor da Palavra escrita.

8. *Nenhuma esperança para os gentios*. O livro de Jubileus reflete um judaísmo exclusivista. Não oferece qualquer esperança de redenção para os povos gentílicos. De fato, determina que os judeus se separem totalmente deles. Por meio de outras fontes, ficamos sabendo que essa era a atitude típica da comunidade de Qumran; e, assim, isso pode ser uma pequena prova em favor da suposição de que o autor do livro esteve vinculado àquela comunidade, em algum tempo de sua vida. Naturalmente, isso representa uma compreensão distorcida do Antigo Testamento, que não era compartilhada por todos os israelitas, porquanto o povo de Israel deveria ser testemunha, diante de todos os povos, acerca do verdadeiro Deus. E o cristianismo, embora seus primeiros líderes (excetuando Cristo, naturalmente), se tivessem mostrado antigentílicos (ver Atos 10:9-16), terminou revertendo totalmente essa atitude, ensinando que «Deus amou o mundo de tal maneira que...» (João 3:16). Cristo deu à sua Igreja a comissão de pregar o evangelho a todos os homens, de todos os lugares (Mat. 28:18 *ss*). Quanto a Paulo, que gostava de pregar primeiramente ao judeu, e então, ao grego, houve tempo em que, ao que tudo indica, acabou invertendo essa norma. Isso aconteceu na Macedônia. «Opondo-se eles (os judeus) e blasfemando, sacudiu as vestes e disse-lhes: Sobre a vossa cabeça o vosso sangue! eu dele estou limpo, e desde agora vou para os gentios» (Atos 18:6).

Bibliografia. Ver as bibliografias gerais que há no final dos artigos sobre *Livros Apócrifos* e sobre *Pseudepígrafos*.

••• ••• •••

JUCAL

No hebraico, «Yahweh é capaz». Ver Jer. 37:3 e 38:1. Ele é descrito como um dos príncipes que o rei Zedequias enviou a Jeremias, a fim de pedir conselhos e rogar suas orações pelo reino (Jer. 37:3). Entretanto, quando de sua volta, Jucal uniu-se àqueles que exigiam a morte daquele profeta. No original hebraico, nessas duas passagens de Jeremias, há uma diferença na grafia de seu nome, razão pela qual algumas traduções dão seu nome como *Jeucal*, em Jer. 37:3, mas como *Jucal* em Jer. 38:1. Nossa forma portuguesa dá uma só forma, *Jucal*, em ambas essas referências. Jucal viveu em torno de 589 A.C.

JUDÁ

No hebraico, **Yehudah**, «seja Ele (Deus) louvado» ou «seja Ele celebrado». Esse foi o nome de várias personagens bíblicas, como também de uma das doze tribos de Israel, do território pertencente àquela tribo, e, finalmente, do reino que tinha esse nome, depois de Salomão, desde os dias de seu filho, *Roboão* (vide).

Esboço:

I. Indivíduos de Nome Judá
II. A Tribo de Judá
III. O Território Ocupado por Judá
IV. O Reino de Judá

I. Indivíduos de Nome Judá

1. *Judá, o Patriarca*
a. *Nome*. Ver acima, sob *Judá*.
b. *Família*. Ele foi o quarto filho de Jacó e Lia. Seus irmãos de pai e mãe foram Rúben, Simeão e Levi (mais velhos que ele), e Issacar e Zebulom (mais novos que ele) (Gên. 29:35). Viveu em torno de 1950 A.C. De acordo com a Bíblia, Judá casou-se com uma mulher cananéia, com a qual teve três filhos: Er, Onã e Selá. Com a passagem dos anos, conforme nos mostra o relato bíblico, ele gerou dois filhos, gêmeos, com sua nora, Tamar, a saber, Peres e Zera.

c. *Informes Históricos*. Foi Judá quem sugeriu aos outros nove irmãos que José fosse vendido aos ismaelitas, em vez de ser morto. Não temos razão para acreditar que ele não tenha agido movido por um espírito humanitário. Ver Gên. 37:26,27. Entretanto, alguns pensam que ele agiu assim por puro egoísmo. É como se ele tivesse pensado: «Se o matarmos, que vantagem isso nos dará? Vamos vendê-lo. E, então, obteremos algum dinheiro». O relato sobre seu casamento e sobre os seus filhos aparece no capítulo trinta e oito de Gênesis. Após vários acontecimentos importantes com seus filhos e uma nora, ele acabou gerando dois filhos (gêmeos) com sua própria nora, por astúcia desta, que se disfarçara de prostituta. Assim, sem consciência do que estava fazendo, Judá acabou praticando incesto. Tamar queria filhos a qualquer custo; e, ao escolher seu próprio sogro (então ela vivia como viúva, quando deveria estar casada com o filho mais novo de Judá, Selá, mediante a lei do casamento levirato, vide), provavelmente estava pensando que, dessa maneira, ele tomaria conta dela e dos filhos. Er, o filho mais velho de Judá, o que se casara com Tamar, havia falecido, não deixando filhos. Presume-se que o costume do casamento levirato já operava, antes mesmo de sua formalização, em Deu. 25:6. Assim, ela, uma vez viúva, casou-se com o segundo filho de Judá, Onã. Mas este também morreu. E Selá, que ainda era muito jovem, teria que crescer um pouco para casar-se com ela. Todavia, Selá cresceu, mas Judá, temendo a morte de seu terceiro filho, foi adiando indefinidamente o terceiro casamento. E foi isso que

611

JUDÁ

armou o palco para o incesto de Judá e Tamar.

O caso de Onã. Tendo-se casado com sua cunhada, por força do casamento levirato, Onã praticava o *coitus interruptus*, derramando o sêmen no chão. Daí se originou a expressão «pecado de Onã», que é a *masturbação* (vide). Ver Gên. 38:8 *ss*. E Deus lhe tirou a vida, igualmente. Por promessa de Judá, Tamar ficou esperando que Selá se tornasse adulto, para casar-se com ela. Mas, como Judá não cumprisse nunca a sua palavra, ela traçou um plano astuto. O que nos chama aqui a atenção foi a facilidade com que ela conseguiu seduzir seu sogro, a patriarca Judá, ao fingir-se de prostituta! Judá lhe havia dito, anos antes: «Permanece viúva em casa de teu pai, até que Selá, meu filho, venha a ser homem» (Gên. 38:11). O pai dela residia em Adulão. As mulheres rejeitadas por muitas vezes se desesperam, e dispõem-se a fazer qualquer coisa!

d. *Liderança*. Embora Judá não tivesse sido o primogênito de Jacó, foi «poderoso entre seus irmãos, e dele veio o príncipe» (I Crô. 5:2). Por essa razão, assumiu a posição de liderança. Vemos aspectos dessa liderança nas jornadas ao Egito, por ocasião da prolongada fome de sete anos (Gên. 43:3-10). Ele desempenhou o papel de mediador, quando a taça de José foi encontrada entre as coisas pertencentes a Benjamim. Foi o apelo eloqüente e intenso de Judá, diante de José, em favor da família, que levou José a não mais poder conter-se, o que o levou a revelar a seus irmãos a sua verdadeira identidade, pondo fim à charada que ele vinha planejando e executando com tanta maestria. Ver Gên. 44:16-34. Judá também enviou Jacó para preparar o caminho diante dele, para que se instalasse na terra de Gósen (Gên. 46:28). Porém, nada mais nos é dito no livro de Gênesis, acerca de Judá, senão na descrição final das bênçãos de Jacó a seus doze filhos, no trecho de Gên. 49:1-12.

Naturalmente, foi de Judá que se originou a tribo de Judá e, finalmente, o reino de Judá. E foi da linhagem de Judá, por meio de Peres, filho de Judá, e de Tamar, que veio o Senhor Jesus. E o termo *judeu*? Essa designação também se deriva do nome daquele patriarca. Ver o artigo sobre *judeu*, quanto à origem e aos usos desse vocábulo.

2. *Um levita que voltou a Jerusalém*, terminado o cativeiro babilônico, em companhia de Zorobabel, também se chamava *Judá*. Ver Nee. 12:8. Isso ocorreu em cerca de 536 A.C. Talvez ele seja o mesmo homem cujos filhos são mencionados em Esd. 3:9, como pessoas que também ajudaram na reconstrução do templo de Jerusalém.

3. *Um filho de Senua*, um benjamita, que foi oficial do governo em Jerusalém, «o segundo sobre a cidade» (Nee. 11:9). Talvez esse Judá fosse o prefeito de Acra, a Cidade Baixa. Ele viveu em cerca de 445 A.C.

4. *Um sacerdote ou levita* que é descrito como quem seguia os líderes judeus em torno da porção sul das muralhas reconstruídas de Jerusalém, depois que Judá voltou do cativeiro babilônico, e que seu remanescente fixou residência em Jerusalém. Ver Nee. 12:34. Talvez ele seja o mesmo músico mencionado em Nee. 12:36. Deve ter vivido em torno de 445 A.C.

II. A Tribo de Judá

1. *Descendência*. O genitor dessa tribo foi Judá. A tribo de Judá era uma das seis tribos (metade das tribos) que descendiam diretamente de Lia, esposa de Jacó. As demais seis tribos descendiam de Raquel, Bila e Zilpa (duas de cada uma dessas três mulheres).

2. *Informes Históricos*. Nada de especial é dito acerca da tribo de Judá, no relato atinente ao êxodo e

às vagueações pelo deserto, antes da conquista da Terra Prometida. O trecho de Núm. 2:9 informa-nos de que Judá era a tribo líder vanguardeira. Os números dos dois recenseamentos (Núm. 1:27 e 26:22) não apresentam aumentos significativos na população judaíta.

ACÃ, que pertencia à **tribo de Judá**, causou um incidente desagradável, provocando com isso (como causa espiritual) a derrota militar de Israel diante da cidade de Ai (Jos. 7). *Calebe* foi o representante da tribo de Judá, como um dos espias enviados a explorar a Terra Prometida (Núm. 13:6). Quanto à porção da terra que coube à tribo de Judá, ver o terceiro ponto, abaixo. Durante o tempo dos *juízes* (vide), a tribo de Judá manteve uma certa independência das outras tribos. Os homens da tribo aceitaram Saul, o benjamita, como primeiro rei da nação de Israel, embora, ao que pareça, com uma certa atitude de resistência passiva. Isso pode ficar subentendido pelo fato de que eles supriram um miserável contingente para o exército de Saul, quando este combatia contra os amalequitas (I Sam. 15:4). *Davi*, que pertencia à tribo de Judá, desagradou aos efraimitas, quando removeu a capital e o centro da adoração religiosa para Jerusalém. Esse foi um dos fatores da subseqüente divisão da nação em Israel (dez tribos) e Judá (duas tribos). As duas nações assim formadas, por várias vezes, se hostilizaram. Destarte, a tribo de Judá tornou-se no *reino de Judá*, unida somente a uma outra tribo, Benjamim, além de alguns elementos de *Simeão* e *Levi* (ver os artigos sobre essas duas tribos). Essa divisão em duas nações ocorreu durante o começo do reinado de *Reoboão* (vide), filho de Salomão, que nascera em cerca de 975 A.C., e que o sucedera no trono. Seguiram-se muitos conflitos e guerras, tanto com a nação do norte, Israel, como com certas nações estrangeiras, como o Egito, a Síria, e, finalmente, a Babilônia, que assolou o território de Judá, e levou para o cativeiro a maior parte de sua população. Isso aconteceu em cerca de 586 A.C. Ver o artigo separado sobre o *Cativeiro Babilônico*.

3. *Território*. Ver a seção III quanto a maiores detalhes. Judá foi a primeira das tribos de Israel a receber os territórios que lhe foram alocados, a oeste do rio Jordão. Seu território incluía cerca de uma terça parte da Terra Prometida a oeste do rio Jordão. Suas fronteiras aparecem em Jos. 15:20-63. O trecho de Jos. 19:1,9 registra que uma parte desse território, mais ao sul, foi dado à tribo de Simeão. A tribo de Judá ocupava as terras altas da Palestina, estando elas limitadas ao norte, por porções de Dã e de Benjamim; a oeste e a leste pelo mar Mediterrâneo e pelo mar Morto, respectivamente; e a fronteira sul estendia-se até onde era possível o plantio. Os conflitos com os filisteus fizeram os judaítas retrocederem de parte de seu território, permitindo assim que os homens da tribo de Simeão ocupassem uma faixa do território, que, ao que parece, atuava como tampão contra ataques estrangeiros.

4. *Uma Invasão Anterior por Judá? A Independência da Tribo de Judá*. Alguns estudiosos têm pensado que a tribo de Judá teria capturado seus territórios antes da invasão geral da Terra Prometida, sob a liderança de Josué. O trecho de Juí. 1:1-20 conta a conquista de territórios por parte de Judá e Simeão. Todavia, a arqueologia moderna tende por mostrar que a opinião daqueles estudiosos está equivocada. Seja como for, o fato de que os judaítas não conseguiram conservar Jerusalém, no princípio (ver Juí. 1:8,21), bem como o outro fato da existência da tetrápolis dos gibeonitas, que se manteve em estado de semi-independência (ver Jos. 9; II Sam. 21:1,2),

JUDÁ — JUDAÍSMO

criaram uma espécie de barreira psicológica entre Judá e as tribos centrais, mais ao norte. É possível que isso tenha sido um dos fatores que, posteriormente, levaram à divisão de Israel em duas nações, ainda que, durante várias gerações, todas as tribos continuassem unidas, e até aceitassem Jerusalém, em Judá, como a capital do reino unido. Também pode-se dizer, com muita razão, que a topografia montanhosa de grande parte do território de Judá proveu uma espécie de barreira geográfica entre Judá e as demais tribos. Nos dias de Davi, Judá tornou-se a tribo dominante em Israel, embora a tribo de Efraim disputasse essa hegemonia. Estavam sendo semeadas sementes que, finalmente, provocaram a divisão do povo de Israel em duas nações.

III. O Território Ocupado por Judá

O trecho de Jos. 15:1-63 fornece-nos detalhes sobre o território conferido à tribo de Judá. Na verdade, a tribo nunca ocupou efetivamente todas as terras que lhe foram outorgadas. Sob a seção II. 3., *Território*, mostramos quais as fronteiras de Judá, em largas pinceladas. O território de Judá era caracterizado por montanhas e colinas. Trata-se de um planalto semidissecado, que se projeta, mais ou menos, na direção norte-sul. Primariamente, era um território próprio para atividades pastoris, embora com trechos bons para a agricultura. Suas fronteiras naturais proviam defesas em todas as direções, excetuando o norte. Nas colinas ocidentais havia vales profundos; ao sul havia o deserto do Neguebe; e a leste havia o deserto da Judéia.

As informações bíblicas sobre as cidades do território de Judá referem-se também às suas fronteiras (Jos. 15:1-12). Os lugares ocupados no Neguebe são aludidos em Jos. 15:21-32; os lugares ocupados nas terras baixas são mencionados nos vss. 33-47 daquele mesmo capítulo; os lugares na região montanhosa aparecem nos vss. 48-60 do mesmo capítulo; e os lugares ocupados no deserto são mencionados nos vss. 61 e 62 do mesmo capítulo. Uma parte da fronteira norte era com o território de Benjamim (Jos. 18:11-28), e outra parte era com o território de Dã (Jos. 19:40-48).

IV. O Reino de Judá

Ver o artigo separado sob esse título.

JUDÁ (HISTÓRIA)

Ver sobre **Reino de Judá**.

JUDÁ (PESSOAS)

Ver sobre **Judá, I. Pessoas Chamadas Judá**.

JUDÁ, REINO DE

Ver sobre **Reino de Judá**.

JUDÁ (Território e Lugares Ocupados)

Ver sobre *Judá*, II. 3. *Território*, e também seção III. *O Território Ocupado por Judá*.

JUDÁ (TRIBO DE)

Ver sobre **Judá**, II. **Tribo de Judá**.

JUDÁ HALEVI

Ele também se chamava Judah Ben Samuel Halevi. A forma árabe de seu nome é *Abul Hasan*. Suas datas aproximadas foram 1085—1140 D.C. Nasceu em Toledo, na Espanha, e faleceu na Palestina. Foi um renomado poeta, filósofo e médico, praticante judeu. Abandonando a prática da medicina, dedicou-se à poesia e à filosofia, vindo a tornar-se um dos maiores poetas hebreus da Idade Média. Seus poemas refletem o anelo pela terra dos judeus, a Terra Santa. Finalmente, ele a visitou (em 1140); e, conforme as coisas sucederam, ele acabou falecendo ali, naquele mesmo dia. Sua principal obra filosófica intitulava-se *Kuzari*. Nessa obra, ele expôs os princípios das três grandes religiões, o judaísmo, o cristianismo e o islamismo. Também procurou afirmar e reavaliar a filosofia de Aristóteles. Edições de sua filosofia e de seus poemas têm aparecido em inglês e em alemão.

JUDÁ IBN GABIROL

Ver sobre **Avicebron**.

JUDAÍSMO

Sob o título **Israel**, temos apresentado mais de vinte artigos atinentes aos hebreus, sua cultura, história, governo e fé religiosa. Assim, o que poderíamos dizer sobre o *judaísmo*, já foi coberto em outros artigos. Portanto, este artigo aborda as *filosofias* que se desenvolveram dentro do arcabouço do judaísmo. Também temos provido um artigo separado que se intitula *Filosofia Judaica*. As definições e usos do termo *Israel* aparecem na primeira seção do artigo intitulado *Israel, História de*. Ver também sobre *Judaísmo Conservador; Judaísmo Reformado* e *Judaísmo Ortodoxo*.

Definições do Judaísmo:

O termo **judaísmo** deriva-se de **Judá**. O cativeiro assírio marcou o fim do reino do norte, Israel (cerca de 722 A.C.); e isso deixou Judá em ascendência, porquanto o reino do sul (Judá) permaneceu intacto como nação por cerca de mais de cento e cinqüenta anos. Mas, então, veio o *cativeiro babilônico* (cerca de 586 A.C.), que pôs fim temporariamente ao *reino de Judá* (vide). Passados setenta anos, voltou à Palestina um remanescente, composto quase inteiramente de pessoas pertencentes à tribo de Judá. Para todos os propósitos práticos, pois, Judá tornou-se a nação de Israel. E, então, os termos *judeu* (vide) e *israelita* (vide) tornaram-se intercambiáveis. Isso posto, o termo *judaísmo* veio a designar tudo quanto diz respeito a Israel. A história judaica, a sociedade judaica, a sua forma específica de governo (a teocracia), e as crenças e costumes religiosos, fazem parte do que se chama *judaísmo*. No que concerne à fé religiosa, o *judaísmo* é uma palavra que se refere àquele sistema que se tornou a religião que deu origem ao cristianismo e que também forneceu muitos elementos ao islamismo. — Dentro do próprio judaísmo desenvolveu-se todo um conjunto de idéias filosóficas, embora o judaísmo não fosse, especificamente, uma filosofia. Este artigo, pois, desenvolve esse tema.

I. Origens e Idéias Religiosas do Judaísmo

Historicamente, o **judaísmo** veio à existência quando foi firmado o *pacto abraâmico* (vide). Ver o artigo geral sobre *Pactos*. Desde o começo, o judaísmo foi uma religião revelada e não uma religião natural ou filosófica. Em outras palavras, tal como o cristianismo, o judaísmo repousa sobre o *misticismo* e sobre a sua subcategoria, a *revelação*. Ver os artigos separados sobre *Misticismo* e *Revelação*. Os triunfos e as derrotas do povo de Israel sempre foram medidos em termos de sua espiritualidade e lealdade a

JUDAÍSMO

Yahweh. A história de Israel sempre esteve intimamente ligada à vontade de Deus, tudo dependendo das reações do povo de Israel, em anuência ou desobediência. Os monarcas de Israel foram sempre aquilatados, essencialmente, não por seu desempenho militar ou econômico, e, sim, pela retidão deles diante de Yahweh, ou pela ausência dessa retidão. Os judeus, portanto, sempre foram o *Povo do Livro*, porquanto, para eles, a Bíblia sempre foi o grande padrão (embora não exclusivo) de leis e de conduta coletiva e pessoal. Dentro desse arcabouço, do ponto de vista filosófico, poderíamos alistar vários importantes conceitos que se foram desenvolvendo.

1. O Monoteísmo. É bem provável que o clã que se tornou no povo israelita foi subindo do **politeísmo** para o *henoteísmo*, e daí para o *monoteísmo*. Ver os artigos sobre essas questões. Seja como for, o *monoteísmo* veio a ser o conceito central do judaísmo. Não há Deus fora de Yahweh. Esse único Deus é Alguém que se revela a si mesmo. Ele é a base própria do conhecimento espiritual e das normas éticas. A justiça pessoal é requerida pelo judaísmo, como o caminho da salvação. O judaísmo original não tinha uma visão clara sobre a imortalidade da alma e sobre a vida após-túmulo. Esses conceitos faziam parte de desenvolvimentos que só surgiram bem mais tarde. Quanto a esse aspecto, o judaísmo chegou a ficar atrasado em relação a certas religiões orientais e às filosofias ocidentais, porquanto a revelação que Israel recebeu foi gradual, à medida que os profetas recebiam suas revelações e escreviam os seus livros e ministravam seus ensinamentos.

2. O Cânon Bíblico e os Documentos Judaicos de Apoio.

O *cânon da Bíblia* provia um padrão sólido para a cultura, para a religião e para as filosofias que apareceram no seio do judaísmo. Várias outras obras, porém, foram surgindo, a fim de interpretar as Escrituras, conforme se vê abaixo. A eclosão do cristianismo forçou a fixação do cânon do Antigo Testamento. Porém, mesmo, então, surgiram vários padrões canônicos. Os saduceus e os samaritanos aceitavam como canônicos somente o Pentateuco, os cinco livros de Moisés. O chamado «cânon protestante», que consiste nos trinta e nove livros do Antigo Testamento, coincide com o consenso de opinião na Palestina, sobretudo entre os fariseus. E também há o «cânon alexandrino», refletido na versão da Septuaginta do Antigo Testamento, que inclui os livros apócrifos. Esse se tornou a Bíblia dos judeus da dispersão. Ver o artigo geral sobre *Cânon do Antigo Testamento*, quanto a maiores detalhes.

Mas, em qualquer desses casos, a autoridade central, no judaísmo, sempre foi o livro da Lei, a *Tora* (vide). O texto da lei parece ter-se fixado em torno do século V A.C. (Os eruditos conservadores modernos, todavia, insistem sobre uma data bem anterior a essa). O texto da lei requeria interpretação, razão pela qual vieram à existência o *Talmude* (vide) e a *Midrash* (vide). O Talmude inclui as estipulações civis e religiosas que não se acham na Tora, além de explicações e ampliações das leis da Torá e do próprio Talmude. A *Mishnah* (vide) é parte integrante do Talmude, como uma espécie de sumário da lei oral que havia entre os séculos V A.C. e II D.C. A Mishnah está ligada à *Gemara* (vide), que amplia e explica a Mishnah. Também deveríamos observar que o próprio Talmude pode ser dividido no *Talmude Palestino*, completado aí pelo século V D.C., e o *Talmude Babilônico*, que só foi terminado no século VII D.C. O material exegético, chamado Midrash, foi desenvolvido entre os séculos IV e XII D.C. A Midrash é constituída pela *Halakha*, que contém as leis judaicas tradicionais, juntamente com preceitos minuciosos, que não se encontram na lei escrita, e pela *Haggadah*, composta pelas interpretações livres que incluem certo número de parábolas ilustrativas, com base em ensinos e sugestões das Escrituras. Ver os artigos separados intitulados, nesta enciclopédia, *Halacá* e *Hagadá*.

3. A Importância Crucial da Lei

A lei mosaica predominava em Israel. Mas ela exigia interpretação, conforme vimos no segundo ponto, acima. Para tanto, havia necessidade de uma estrutura eclesiástica que fornecesse *intérpretes* autorizados. No começo, Moisés foi o supremo legislador. Aarão, seu irmão, foi nomeado sumo sacerdote. Mais tarde houve a descentralização, sob a forma de autoridades civis e autoridades religiosas. Ver o artigo separado sobre *Israel, Constituição de*. O judaísmo posterior produziu o ofício formal dos *rabinos* (vide). Os rabinos eram juízes civis e mestres religiosos, ao mesmo tempo. Acima deles havia o *Sinédrio* (vide), o corpo governante máximo do judaísmo, bem atuante na época do surgimento do cristianismo. Esse tribunal superior tinha autoridade tanto civil quanto religiosa. O *sumo sacerdote* (vide) era tanto o chefe de Estado quanto o chefe religioso, porquanto essas duas funções eram inseparáveis em Israel. Os *escribas*, por sua vez, trabalhavam com os textos bíblicos, copiando-os e fixando a forma da lei e das Sagradas Escrituras, além de também serem os mestres populares. Finalmente, no judaísmo surgiram partidos, como o dos fariseus e o dos saduceus, que lutavam pela hegemonia no tocante à liderança civil e religiosa, e cujas idéias religiosas e filosóficas por muitas vezes entraram em choque. Nesse conflito, os fariseus, finalmente, levaram a melhor, pois o judaísmo moderno é apenas uma versão do farisaísmo. Não restaram documentos produzidos pelos mestres saduceus. Pode-se comparar os saduceus com as modernas *Testemunhas de Jeová* (vide), porquanto, tais como estas, negavam as realidades espirituais, como a existência de espíritos, de anjos, etc., pois a posição deles era a do negativismo.

4. A Lei Escrita; A Dominação Romana; a Diáspora; a Universalização do Judaísmo.

Esses foram importantes estágios do desenvolvimento do judaísmo. A diáspora, ou dispersão dos judeus, por mais desagradável que tenha sido para eles, foi uma força que universalizou o judaísmo. A destruição do templo de Jerusalém provocou a descentralização. A escola do rabino Johanan ben Zakkai foi importante no desenvolvimento de um sistema legal. O *Talmude*, entre outras coisas, finalizou a universalização do judaísmo. Apareceu então o conceito do Messias, inicialmente ventilado no livro de *Daniel*, e, então, nas obras *pseudepígrafas* (vide). Esse conceito concebia o aparecimento da era áurea, um período de paz universal, dentro do qual Israel tornar-se-ia a cabeça das nações.

II. Instituições e Tradições Judaicas e a Tradição Filosófica Judaica

5. Filo de Alexandria. Ver o artigo separado sobre ele. Notemos que continuamos com o *quinto ponto*, a fim de preservar pontos distintivos, embora, daqui por diante, esses pontos estejam mais especificamente ligados à tradição filosófica de Israel, e não às suas tradições religiosas. Alguns estudiosos têm dito que Filo era um Moisés que falava grego; mas outros opinam que ele se parecia mais como Platão falando em hebraico. Seja como for, temos aí uma verdade. Ele representava a tentativa de harmonizar o judaísmo com a filosofia grega. A fim de atingir o seu

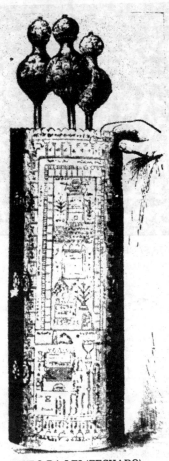

LIVRO DA LEI (FECHADO)

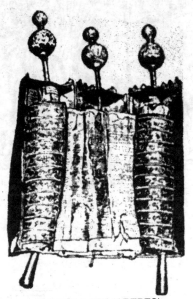

LIVRO DA LEI (ABERTO)

Tabernáculo — Reconstrução de Dr. Conrad Schick

BEZERRO; CARNEIRO E JAVALI, ANIMAIS SACRIFICIAIS

PEITORAL DO SUMO SACERDOTE

JUDAÍSMO

desideratum, ele precisou apelar para a interpretação alegórica do Antigo Testamento. Ele usava motivos neoplatônicos, vistos do ponto de vista dos ideais judaicos. Suas datas foram 30 A.C.—50 D.C.

6. Saadia ben Joseph Fayyumi. Suas datas foram 892-942 D.C. Ele pretendia harmonizar a filosofia à religião. Opunha-se ao sistema dos *caraítas* (vide). Esses esforçavam-se por retornar à Tora como a única autoridade em matéria religiosa, pelo que eles formavam um tipo de movimento de *volta à Bíblia*. Saadia respeitava e defendia a Tora, mas também promovia as idéias do Talmude e dos rabinos. Seus escritos incorporam a defesa do uso da *razão*, como algo necessário à fé religiosa. Portanto, por assim dizer, ele não guardava todos os seus ovos na cesta da revelação. Isso é típico dos filósofos religiosos. É claro que qualquer chamada *autoridade única* deve ser *interpretada*, devendo haver alguma forma de autoridade interpretativa. Em caso contrário, obtém-se a *fragmentação*, porquanto cada indivíduo torna-se a sua própria autoridade. Nesse processo de fragmentação, surgem muitos grupos religiosos, cada qual afirmando ser o melhor intérprete (ou mesmo o único intérprete) da autoridade bíblica. A razão, a filosofia e a comparação entre religiões, portanto, precisam tornar-se parte do processo, a fim de ser preservada a sanidade. *Saadia ben Joseph* (ver esse título) foi um gênio que estudou e escreveu sobre leis rabínicas, astronomia, liturgia, gramática, lexicografia e apologética. Em sua época, ele foi a maior autoridade sobre o judaísmo. Os intelectuais não se sentem à vontade diante de autoridades exclusivas e de sistemas restritos.

7. Harmonia Entre a Religião e o Conhecimento Geral, Através da Razão. Os filósofos judeus sefarditas do século XI D.C. em diante, buscavam obter a harmonização entre a fé religiosa e o raciocínio filosófico. Uma figura fulgurante, dentro desse movimento, foi *Bahya ben Joseph ibn Paqudah* (vide). Ele desenvolveu uma teologia racional. O seu sistema ético alicerçava-se sobre o princípio da gratidão a Deus. Ele procurou sistematizar a ética judaica por via da expressão filosófica. Ele era influenciado pelo *neoplatonismo* (vide) e proveu um certo número de provas racionais da existência de Deus.

8. Avicebron (vide). Suas datas foram 1020-1070. Nasceu em Málaga, na Espanha. Era muito mais um filósofo do que um rabino. Desenvolveu o seu sistema sem considerar quaisquer razões religiosas. Sua obra era, essencialmente, neoplatônica, e os filósofos posteriores, com freqüência, o citavam.

9. Judah Halevi (vide). Suas datas foram 1085—1143. Ele nasceu em Toledo, na Espanha, e deu prosseguimento à filosofia judaica sefardita (dos judeus do sul da Europa, norte da África e Oriente Próximo). Ele se opunha à doutrina aristotélica da eternidade da matéria e à doutrina platônica das emanações, defendendo o ensino bíblico da criação. Também combatia a doutrina do livre-arbítrio sem limites. Ele ensinava que a vontade do homem é restringida a certas esferas e escolhas possíveis. Dentro dessas esferas, o homem seria livre. Mas, haveria outras grandes esferas que estão fora da vontade humana. O poder do bem ou do mal, entretanto, está debaixo do controle humano, pelo que o homem é responsável pelos seus atos. Ele se opunha ao grupo dos caraítas (ver o sexto ponto, acima), apoiando os esforços dos rabinos e as tradições que eles desenvolviam. Halevi é considerado um grande poeta, além de ter sido notável filósofo.

10. Ibn Ezra (ver sobre **Ibn Ezra, Abraham Ben Meier**). Ele e sua família contribuíram para a filosofia, para a poesia, para a gramática e para as ciências. Moisés ben Jacó Ibn Ezra nasceu em Granada, na Espanha, e suas datas aproximadas são 1070—1138. Ele se tornou famoso por suas orações e por seus poemas; mas também era muito respeitado como filósofo. Abraham Ben Meir Ibn Ezra (1092-1167) nasceu em Toledo, na Espanha, e tornou-se o mais bem conhecido dos eruditos judeus da Idade Média.

11. Moisés ben Maimon, conhecido também como Maimônides (vide). Nasceu em Córdoba, na Espanha. Suas datas foram 1135—1204. Foi filósofo, teólogo, cientista e médico. No campo da filosofia, ele promovia a causa tanto da revelação quanto da razão, procurando encontrar o ponto de equilíbrio entre essas duas coisas. Ele favorecia a combinação da razão e da revelação contra o misticismo subjetivo; mas devemos lembrar-nos que a própria revelação é uma subcategoria do *misticismo* (vide). As coisas podem perder o devido equilíbrio, e Maimônides interessava-se por restaurar o equilíbrio perdido quando os fanáticos diziam: «Eu vi!» Seu tratado filosófico mais famoso chamava-se *Guia para os Perplexos*. Ele também compilou uma obra gigantesca chamada *Segunda Tora*, ou então, *Mishnah Tora*. O alvo dessa obra era sistematizar o judaísmo inteiro. Incluía um credo dividido em treze artigos. Essa famosa obra *halakhica* (ver o segundo ponto, acima), teve imenso valor para o judaísmo e continua sendo estudada e citada pelos eruditos atuais.

12. A Cabala. Algumas pessoas pensam que a **letra** (com apoio em argumentos, como única autoridade) e a *razão* (escudada na argumentação filosófica), são ambas meios muito deficientes quando se trata de obter a verdade. De fato, alguns pensam e estão convencidos de que a verdade é encontrada na pré-lógica, ou mesmo em proposições ilógicas, mas que não se afastam dos padrões ou modos de expressão dos homens. A Cabala exprimia o misticismo judaico. Ver sobre o *Misticismo*. O misticismo gnóstico já se fazia presente na Haggadah. Desenvolveu-se como uma revolta contra a lógica. As pessoas buscavam a *presença* de Deus. Essa presença substituiria toda a intelecção e todo esforço humanos. A alma humana entraria assim em harmonia e união com o Ser divino. As pessoas andavam atrás da perfeição, da santidade e da autopurificação, como maneiras de chegarem à presença divina. O instrumento usado nessa inquirição era a Cabala, que, naturalmente, incorporava muitas idéias pagãs, no campo dos conceitos, como a adivinhação. Não obstante, foi esse um esforço para permitir que o espírito dos homens se desenvolvesse e buscasse a verdade através do contacto imediato com o Ser divino, e não mediante a manipulação de textos de prova autoritativos e de raciocínios filosóficos.

13. Misticismo Versus Razão. Maimônides tem sido citado a defender a razão. A Cabala era usada como a Bíblia do misticismo. As duas escolas de pensamento faziam oposição uma à outra, até o ano de 1305, quando o sínodo de Barcelona proibiu tanto o estudo secular quanto a leitura das obras de Maimônides, um ato duvidoso, apesar de espetacular! Isso provocou uma contraproibição, expedida quando do sínodo de Montpellier. Esse sínodo excomungou aqueles que proibiam o estudo das ciências, ou que ousavam abusar das idéias de Maimônides. Os sínodos judaicos, em contraste com os de origem católica, tinham uma autoridade meramente local, pelo que os teólogos continuavam a disputar, cortar e queimar, o que é uma das grandes desgraças

JUDAÍSMO

associadas à história religiosa, tanto no judaísmo quanto no cristianismo.

14. Levi ben Gershon (ver sobre **Gersonides; Gerson, Levi Ben**). Suas datas foram 1288-1340. Ele foi um sucessor aristotélico de Maimônides. Salientava o princípio da razão na determinação da verdade. Foi um filósofo judeu francês, nascido em Bagnols, no Languedoque. Também foi matemático e médico. Além das investigações filosóficas, ele promoveu as ciências em geral. A Igreja cristã, através 'do papa Clemente VI, fez com que alguns de seus escritos fossem traduzidos para o latim, para que pudessem ser investigados pelos pensadores católicos. Spinoza adotua a teoria dos milagres de Gershon. Ele defendia a realidade dos milagres, embora limitasse severamente o papel deles na fé religiosa.

15. Hasdai ben Abraham Crescas revoltou-se contra a expressão da fé religiosa através de modos aristotélicos, promovendo a revelação como a base de qualquer sistema religioso. Suas datas foram 1340—1410. Parte de seu argumento repousava sobre a demonstração da insuficiência da razão como a única (ou mais importante) base da fé. Ele acreditava que a revelação é necessária para que saibamos qualquer coisa sobre as realidades espirituais.

16. O Talmude Versus a Cabala. Esse conflito era muito agudo no século XVII. Perturbou comunidades judaicas tanto na Europa quanto na Ásia. Por detrás desse conflito havia o ceticismo de alguns, no tocante às crenças judaicas tradicionais e uma reação contra os excessos do cabalismo. *Uriel da Costa* (vide) promoveu o *deísmo* (vide) como uma alternativa para modos judaicos usuais de pensamento. Suas datas foram 1548—1647. *Spinoza* (vide) não era um judeu tradicional, religiosamente falando, embora muitas de suas idéias tivessem raízes no pensamento judaico. Ele opinava que o judaísmo tradicional deveria ter terminado juntamente com a destruição do templo de Jerusalém, em 70 D.C. Promovia o panteísmo filosófico. Temos provido um artigo detalhado sobre o seu pensamento. Suas datas foram 1632—1677.

17. Moisés Mendelssohn. Suas datas foram 1729-1786. Ver o artigo intitulado **Mendelssohn, Moisés.** Ele obteve a reputação de ser um hábil filósofo, na Alemanha onde vivia, e também um importante rabino, dentro da comunidade judaica. Frisava os usos da lei cerimonial; requeria a tolerância e também total liberdade de opinião. Empregava vários argumentos em defesa da idéia da imortalidade da alma e da existência de Deus. O homem busca, mas nunca obtém a unidade na variedade, porquanto o segredo da unidade é conhecido exclusivamente por Deus. Na busca pela verdade, precisamos da razão e do bom senso. Respeitamos os sistemas religiosos, mas não nos deveríamos limitar por nenhum desses sistemas.

18. O Movimento Reformado no Judaísmo. Um dos produtos do **Iluminismo** europeu foi o movimento de reforma no judaísmo. Punha-se ênfase sobre a razão e sobre a reformulação da liturgia. Os serviços religiosos eram efetuados nos idiomas vernáculos, e não no hebraico bíblico ou no aramaico. *Moisés Mendelssohn* foi uma figura importante que encorajou a eclosão desse movimento. O movimento propagou-se por toda a Europa oriental, renovando a vida cultural do povo judeu. Houve uma espécie de emancipação dos judeus no Ocidente, e isso despertou sentimentos anti-semitas. Ver sobre o *Anti-semitismo*. Nasceu o idioma hebraico moderno, e floresceu a literatura em *yiddish* (vide). A interpretação científica das Escrituras, dentro do judaísmo, também surgiu nesse tempo. Foi criada uma ciência do judaísmo por Krochmal, Rapoport e Zunz, e foram implantadas as

sementes da distinção entre judaísmo ortodoxo, judaísmo reformado e judaísmo neo-ortodoxo. Ver o artigo separado sobre *Judaísmo Reformado*, quanto a mais detalhes. Ver também sobre *Judaísmo Conservador*.

19. Assidismo. Temos preparado um artigo com esse título. Esse movimento influenciou muitos aspectos da cultura judaica. Foi apenas uma renovação da tradição mística do judaísmo, tendo influenciado a teologia, a música, a literatura e a filosofia dos judeus. A imanência de Deus, conforme ela é experimentada pelo homem, era a sua ênfase principal. Os líderes desse movimento foram perseguidos nos séculos XVIII e XIX, porquanto os judeus *ortodoxos* temiam o entusiasmo e os abusos do misticismo. *Martin Buber* (vide) foi um produto desse movimento, que acabou declinando, na segunda metade do século XIX.

20. O Neokantianismo e o Existencialismo. Hermann Cohen (vide) promoveu uma escola que ensinava o neokantianismo, em Marburgo; e o seu aluno, Franz Rosenweig (1886—1929), trabalhou juntamente com Buber, em uma tradução da Bíblia hebraica para o alemão. A filosofia deles era uma expressão do *existencialismo* (vide).

Bibliografia. AM COH(2) E EP JE JOH JUN P PHIL MOR MP MW

JUDAÍSMO CONSERVADOR

Ver os vários artigos relacionados ao **Judaísmo**, alistados sob o título *Israel*. Ver também sobre *Judaísmo; Judaísmo Ortodoxo* e *Judaísmo Reformado*.

1. *Definição*. O judaísmo conservador não é uma seita específica dentro do judaísmo. Antes, é uma escola de pensamento, uma série de atitudes e doutrinas dentro da comunidade judaica. Há · uma espécie de consenso geral sobre as coisas que são vitais ao pensamento judaico. Nenhuma conferência adotou algum credo que distinguisse os judeus conservadores dos judeus liberais; mas há uma espécie de consenso de pensamento que faz esse tipo de distinção.

2. *Primeiros Líderes*. Os primeiros exponentes foram Isaque Bernays (1792—1849), Zacarias Frankel (1801—1875) e a faculdade e os graduados do Seminário Breslau, fundado em 1854. Nos Estados Unidos da América, o Seminário Teológico Judaico da América (fundado em 1885) provia liderança ao movimento.

3. *Conceitos*:

a. A autoridade da fé judaica, conforme exibida na Bíblia e interpretada pelo Talmude, e pelos principais rabinos conservadores dos últimos tempos.

b. A lei mosaica é necessária e universal em sua aplicação.

c. Ocorrem inevitáveis mudanças, mas a verdade encontra-se em meio ao fluxo, podendo ser sempre determinada pela lógica interior e pela interpretação sensata da lei.

d. O consenso de opinião entre pessoas espirituais sérias pode resolver diferenças de opinião em favor da verdade, quando estiverem envolvidos pontos essenciais.

e. O uso do idioma hebraico é fundamental para o judaísmo conservador. Apesar das orações e das exortações poderem ser feitas na língua de qualquer região particular, o idioma hebraico deve predominar no culto da sinagoga e no currículo das escolas. Seu uso na literatura é encorajado.

f. A esperança da restauração da comunidade

JUDAÍSMO — JUDAÍSMO ORTODOXO

judaica na Palestina sempre foi afagada com zelo, o que em nossos dias, se tem concretizado no estado de Israel. Como é óbvio, muitos elementos judeus conservadores têm apoiado o movimento sionista. Essa esperança e sua concretização não deviam (nem devem) interferir com a lealdade do indivíduo ao país onde ele vive.

g. O conhecimento da história inteira de Israel é fundamental para essa escola de pensamento. Isso tem encorajado a pesquisa e a erudição na cultura judaica, bem como na história, na língua e na fé religiosa dos judeus. Muitos eruditos notáveis têm vindo à tona, produzindo boa e abundante literatura.

4. *Relação com o Pensamento Moderno*. Apesar do judaísmo conservador não se opor às ciências e às pesquisas em qualquer campo, capaz de produzirem idéias contrárias às suas crenças básicas, nem por isso sente-se forçado a fazer dos resultados desses estudos diretrizes para a sua fé. E quando tais descobertas mostram estar acima de qualquer dúvida, então o judaísmo conservador incorpora as mesmas dentro de seu arcabouço já existente.

JUDAÍSMO HELENISTA

1. *Definição*. O *helenismo* (termo derivado do verbo grego *hellenízo*) pode aludir até a povos ou culturas que, embora não originalmente gregos, adotaram idéias e formas culturais dos gregos. Trata-se da assimilação da língua, das maneiras, da cultura e dos ideais helênicos por parte de outros povos, como os romanos ou os judeus da diáspora, que são os exemplos mais notáveis dessa absorção. Temos provido um artigo detalhado sobre o *Helenismo*, que fornece todas as informações essenciais sobre a questão, incluindo detalhes sobre o período histórico envolvido, o seu relacionamento com os judeus e o Novo Testamento.

2. *O Processo da Helenização*. Esse processo foi efetuado por meio da conquista militar, mediante o estabelecimento de cidades gregas que se tornaram centros de propagação da cultura helênica, mediante literatura e escolas, em todas as partes do mundo então conhecido.

3. *Circunstâncias Históricas*. As conquistas de Alexandre, o Grande, (que foi pupilo de Aristóteles), que morreu em 323 A.C., armaram o palco para a helenização do mundo conhecido da época. Damos informes sobre isso no artigo sobre o *Helenismo*, no tocante à propagação da língua grega (seção II), além de um esboço dos eventos históricos (seção III). Os elementos sobre a cultura helenista, incluindo o aspecto religioso, são discutidos na seção IV. Os sucessores de Alexandre estabeleceram dinastias que promoviam o movimento helenizador. Antíoco IV Epifânio fez ingentes esforços por helenizar aos judeus, no que resultou a sangrenta guerra encabeçada pelos heróis macabeus. — Ver o artigo geral sobre os *Hasmoneanos*. Após um período de independência que só foi ganha a custo de muitas vidas, os romanos intervieram. Apesar disso ter introduzido na Palestina um novo elemento cultural, não podemos esquecer que a própria Roma já havia sido muito intensamente helenizada, antes mesmo disso.

4. *Literatura e Idéias Envolvidas*

O Antigo Testamento foi traduzido para o grego em uma famosa versão conhecida como *Septuaginta* (ou LXX). Ver o artigo separado sobre o assunto. Em certo sentido, a fé dos hebreus foi assim helenizada, visto que essa versão permitiu que muitos povos tivessem acesso direto ao pensamento dos hebreus,

com uma resultante amálgama de maneiras de pensar. Como é óbvio, a cidade de Alexandria, onde foi preparada aquela tradução, tornou-se o centro do judaísmo helenista. Os livros apócrifos, que fazem parte dessa tradução da Septuaginta, embora não fizessem parte do cânon palestino (equivalente ao nosso cânon veterotestamentário de trinta e nove livros), incluía relatos históricos sobre aquele período, como é o caso dos livros dos Macabeus, além de muitas adaptações de idéias gregas, como a literatura de sabedoria. Esse processo não teve aspectos somente negativos, como é claro, especialmente no tocante a idéias mais sensíveis sobre a imortalidade da alma, a natureza universal de Deus e ensinos gerais sobre a existência após-túmulo, que foram incorporadas no judaísmo por esse tempo. Essas eram as áreas onde o judaísmo mais antigo mostrava-se deficiente, precisando de muitos melhoramentos. Em Alexandria, que foi o foco do judaísmo helenista, este mostrou ser tão dominante que acabou afetando todo o judaísmo dali por diante. Foi, então, que apareceram figuras como Filo (vide), que, aberta e corajosamente, se lançaram à tarefa de procurar harmonizar o pensamento grego com as idéias religiosas dos hebreus. Fragmentos de escritos de historiadores judeus helenistas (como Demétrio, Eupolemo, Artapano e outros) podem ser encontrados em citações de Eusébio e de Clemente de Alexandria, ambos escritos cristãos antigos. Além disso, a filosofia judaica helenista pode ser percebida nas obras de Aristóbulo; na poesia de Ezequielos, em seu drama sobre o êxodo, e também em inserções nos oráculos sibilinos e nos escritos de Focílides (vide). Josefo (vide), naturalmente, foi o mais importante historiador judeu da cultura greco-romana. Ver os artigos separados intitulados *Filosofia Helenista; Filosofia Judaica* e *Período Intertestamental*, quanto a maiores detalhes sobre a situação do judaísmo sob a influência da helenização.

5. *Do Judaísmo Para o Cristianismo*. O cristianismo, é claro, emergiu do judaísmo helenizado. No nosso artigo sobre o *Helenismo*, seção V, damos informações sobre como elementos da cultura grega penetraram no cristianismo. Em certo sentido, o próprio Novo Testamento foi a última das produções literárias importantes do movimento religioso helenista.

JUDAÍSMO ORTODOXO

1. **Definição**. O judaísmo ortodoxo é aquele movimento e escola de pensamento, no seio do judaísmo, que tem por base a autoridade das tradições judaicas, alicerçadas sobre o código mosaico, do Pentateuco, com a ampliação produzida por três mil anos de vida e interpretação judaicas, embora sempre de acordo com diretrizes conservadoras. Não há nenhuma organização mundial que o represente, embora conte com grupos locais, como a União das Congregações Judaicas Ortodoxas da América, nos Estados Unidos da América do Norte. Também não dispõe de qualquer organização eclesiástica autoritária, visto que, teoricamente, todo rabino devidamente consagrado tem autoridade idêntica à de qualquer outro rabino. Numericamente falando, o judaísmo moderno é *ortodoxo*.

2. **Codificação**. O judaísmo ortodoxo, em sua expressão maior, não é um movimento rígido que pregue o retorno à Bíblia, que nunca permite a produção de livros interpretativos, dotados de autoridade. Não são muitos os judeus que se apegam à Bíblia como seu grande Livro. A expansão da lei mosaica escrita foi provida pela *Mishnah* (vide), terminada perto do fim do século II D.C. Posterior-

JUDAÍSMO — JUDAÍSMO REFORMADO

mente, isso se expandiu no *Talmude* (vide). E, durante a Idade Média, houve a expansão ainda maior e ordeira dos detalhados códigos de Yad Ha-Hazakah, de *Maimônides* (vide), e de Shulhan Aruch, de *José Caro* (vide). Ver o artigo geral sobre o *Judaísmo*, pontos 2 e 11, que desenvolve esse pensamento. Mas, apesar dessas codificações terem sido aceitas e promovidas como obras úteis, por detrás das mesmas permaneceu sempre de pé a lealdade à autoridade divina de Moisés; e, mesmo quando uma lealdade e uma prática literais não podem ser mantidas, por causa de modificações nos tempos e nos costumes, as *idéias* religiosas e éticas, contidas nos escritos de Moisés continuam sendo honradas e celebradas de maneiras simbólicas, como se dá, por exemplo, no caso dos sacrifícios de animais.

3. Fluidez do Judaísmo Ortodoxo. A disposição por aceitar a codificação e a observância simbólica dos preceitos mosaicos, além da autoridade investida nos rabinos, como indivíduos, tem mantido o judaísmo ortodoxo em estado de fluidez, a fim de que possa adaptar-se às modificações impostas pela passagem do tempo. Em contraste com isso, temos a seita dos *caraítas* (vide), que, em seu rígido conservantismo (com doutrinas baseadas *unicamente* na Bíblia), estagnou a fé religiosa. Para exemplificar, as antigas leis que governavam a observância do dia de sábado, não são possíveis nas sociedades modernas, de tal modo que apesar do sábado ser fielmente observado, certas leis a respeito do mesmo são ignoradas.

4. Bases Essenciais. A força unificadora do judaísmo ortodoxo, como um movimento mundial, é a aceitação de seus códigos literários básicos como autoritários, a começar pela própria Bíblia e, então, descendo às codificações mencionadas no segundo ponto, acima. Entretanto, nas situações locais, os costumes e os preceitos que se têm desenvolvido são respeitados. E é aí que encontramos a diversidade dentro da unidade. A força do judaísmo ortodoxo reside em seu intenso e inquebrantável tradicionalismo, que se tem mantido a despeito das dispersões, perseguições, guerras e tentativas de extermínio. O hebraico é considerado, entre os judeus ortodoxos, um idioma divino; a lei mosaica é reputada como básica; as admoestações dos profetas e as mensagens dos salmos são tidas como essenciais.

5. Obrigações Pessoais. De todo judeu ortodoxo espera-se que seja um estudioso das Sagradas Escrituras e das tradições judaicas. A esperança messiânica e o retorno à Palestina são doutrinas que tanto os judeus ortodoxos, como indivíduos, quanto as comunidades a eles pertencentes, sempre fizeram questão de manter.

6. Elementos Cardeais:

a. A unidade de Deus, e Deus como o grande Revelador. Esse é o único Deus, e ele está interessado nos homens, tornando-os dispostos a tomar conhecimento da revelação divina. Ver sobre o *Teísmo*. O *monoteísmo* (vide) é o começo da revelação divina.

b. A lei de Moisés como a autoridade básica de todas as crenças e práticas religiosas.

c. A prática dos ritos e cerimônias essenciais da fé judaica, como costumes que unificam um povo e sua expressão religiosa.

d. A aceitação e uso das codificações que fazem parte da tradição judaica.

e. A esperança messiânica e a volta à Terra Santa são pontos essenciais para a maioria dos judeus ortodoxos.

f. A autoridade de todo rabino devidamente ordenado possibilita a aplicação local da fé entre as congregações individuais.

Bibliografia. Ver sob *Judaísmo*.

JUDAÍSMO REFORMADO

Ver os artigos sobre *Judaísmo; Judaísmo Conservador; Judaísmo Ortodoxo*, e os muitos artigos sobre *Israel*, alistados nesse título.

1. Origem do Movimento. O judaísmo reformado surgiu como uma tentativa das comunidades judaicas da Europa ocidental por ajustarem-se intelectual, cultural e espiritualmente ao *Iluminismo* (vide). Também houve a influência de levantes políticos e sociais, nos fins do século XVIII. Assim, o judaísmo reformado é produto indireto do iluminismo europeu. É como se fosse a reforma protestante do judaísmo. A ênfase recaía sobre a razão e a reformulação da liturgia.

2. Uma Influência Renovadora. Foi obtida uma espécie de emancipação dos seguidores do judaísmo. Passaram a florescer as modernas literaturas em hebraico e em iídiche, e a interpretação científica das Escrituras teve começo. Os cultos religiosos começaram a ser efetuados nas línguas vernáculas locais, e não no hebraico bíblico ou no aramaico. *Moisés Mendelssohn* foi uma figura importante nos primórdios desse movimento. Ver o artigo a seu respeito. Ele ganhou a reputação de ser um habilidoso filósofo, na Alemanha, como também uma importante figura religiosa na comunidade judaica. Ele frisava a tolerância e a liberdade de opinião. Desenvolveu argumentos filosóficos em favor da existência de Deus e da alma humana. Respeitava os sistemas religiosos, mas não se sentia obrigado a qualquer deles. Foi criada uma ciência do judaísmo, por Krochmal, Rapoport e Zuns. E isso lançou as sementes da distinção entre o judaísmo ortodoxo, o judaísmo reformado e o judaísmo neo-ortodoxo.

3. O Judaísmo Reformado e os Direitos Humanos. A doutrina política dos direitos humanos, que culminou com a Revolução Francesa (vide), derrubou por terra as barreiras que haviam sido erigidas pelo Estado e pela Igreja, a fim de segregarem os judeus das comunidades gentílicas. Em 1791, a assembléia nacional da França conferiu direitos iguais a todos os cidadãos franceses, incluindo os judeus franceses. Quatro anos antes disso, em 1787, a Constituição norte-americana fizera a mesma coisa, visto que nenhuma distinção racial foi reconhecida como existente entre os cidadãos daquele país. E assim, pela primeira vez, desde a dispersão, os judeus adquiriram condições sociais iguais às de seus vizinhos gentios. Outro tanto tornou-se o alvo social na Alemanha. Os judeus ultraconservadores, entretanto, não ficaram satisfeitos diante das novas liberdades e da mistura social entre os judeus e os outros povos, supondo que seus compatriotas judeus abandonariam a lealdade a Moisés, a esperança de retorno à Palestina e a esperança messiânica. Os extremistas continuavam a agitar, supondo que o judaísmo, em qualquer de suas formas, fosse incompatível com as novas liberdades. Muitos religiosos forçaram a completa assimilação dos judeus nas comunidades cristãs, na esperança da extinção das comunidades judaicas. O judaísmo reformado tem-se esforçado por evitar extremismos, e continua mantendo a defesa das liberdades individuais e coletivas.

4. Unidos, Embora Diferentes. Moisés Mendelssohn levou a sua comunidade judaica à filosofia que se identifica com seus vizinhos gentios quanto à política, à economia, à indústria e à vida cultural, embora mantendo uma religião distinta. As questões culturais

JUDAÍSMO — JUDAIZAR

diretamente afetas à questão religiosa também deveriam manter o seu aspecto distintivo.

5. Pontos de Vista Religiosos Modificados e Mudanças nas Formas Religiosas.

As principais forças modificadoras do judaísmo foram o *deísmo* (vide) e a *filosofia kantiana* (vide). As novas liberdades e as trocas de idéias, na verdade, debilitaram as estruturas do antigo judaísmo, embora não sua forma antiga e fixa. Os resultados desse esforço foram o templo reformado, edificado por Israel Jacobsohn, em Seesen, em 1810, e o templo de Hamburgo, na Alemanha, construído em 1818, que serviram de modelos para outros templos posteriores. Salientou-se a modernização dos serviços religiosos, mediante a revisão da liturgia. Idiomas locais começaram a ser usados na adoração, instrumentos de música foram adotados, e começou a haver a confirmação religiosa de moças, e não só de rapazes. Em seguida, surgiu a reinterpretação dos alicerces teológicos do judaísmo, à luz do conhecimento, da ciência e da filosofia presentes. Leopoldo Zunz (1794—1886), Samuel Holdheim (1806—1860) e Abraham Geiger (1810—1874) foram os grandes líderes dessas reformulações.

6. A Propagação do Movimento.

Os discípulos dos homens acima mencionados tomaram sobre si mesmos a tarefa de propagar essa nova e progressista forma de judaísmo. A América do Norte, a terra da democracia e das ciências, proveu um lar muito acolhedor para a fé reformada judaica. Isaque M. Wise (1819-1900) foi uma figura central desse movimento. Outras figuras importantes foram David Einhor (1809—1879) e Kaufman Kohler (1843—1926). O Colégio Hebreu União, organizado por Isaque Wise, em 1875, tornou-se um centro de erudição e uma força poderosa por detrás do movimento. O Instituto Judaico de Religião, organizado por Estêvão S. Wise, em 1922, foi uma valiosa adição a essa organização.

7. Bases do Judaísmo Reformado.

Conforme já vimos, esse movimento foi uma conseqüência indireta do Iluminismo, na Europa. Isso não significa que o judaísmo reformado tenha rompido com suas raízes hebréias. O judaísmo tradicional continua sendo a pedra fundamental do judaísmo reformado. Porém, o judaísmo tem sido ali reinterpretado mediante a razão e a interpretação científica das Escrituras, as tradições orais e os códigos legais tradicionais. A fé reformada é mais universalista, em seu ponto de vista, que a fé do judaísmo mais antigo. Não ignora os aspectos tradicionais e cerimoniais do judaísmo, mas esses elementos são menos enfatizados do que se verifica no judaísmo ortodoxo (vide). As questões éticas revestem-se de grande importância, dentro desse movimento. A reafirmação do judaísmo como uma religião mundial é uma das ênfases do judaísmo reformado. A esperança messiânica é ali espiritualizada, sendo encarada como o esforço do judaísmo por cooperar com todos os homens no estabelecimento do reino de Deus à face da terra. As doutrinas da fraternidade universal, da justiça para todos e da busca pela verdade e pela paz na terra encontram-se entre suas características mais preciosas.

Bibliografia. AM COH(2) E EP JE JOH JUN P PHIL MOR MP MW

JUDAIZAR, JUDAIZANTES

Essas palavras derivam do verbo grego (no original grego), em Gál. 2:14, que, em nossa versão portuguesa, é traduzido por «viverem como judeus». O termo aparece novamente nas cartas de Inácio (*Maq.* 8:1; *Phil.* 5). Na qualidade de bispo de Antioquia, ele se opunha àqueles que insistiam sobre a necessidade da circuncisão, da observância do sábado e de outros costumes tipicamente judaicos, incluindo a guarda da lei como uma forma de vida meritória, a fim de se obter a salvação.

A mensagem do Paulo combatia aqueles **cristãos judeus** que ensinavam que a Igreja cristã, incluindo seus segmentos gentios, deveriam observar os ritos da legislação hebréia, a fim de obterem a salvação. Por isso foi que Paulo os combateu em termos tão contundentes, em sua epístola aos Gálatas. Na verdade, os judaizantes eram pessoas simples, sem um claro entendimento espiritual, que tentavam fazer a Igreja cristã voltar à posição de uma simples sinagoga. Eles aceitavam as reivindicações messiânicas de Jesus, mas não entendiam que a doutrina paulina da salvação pela graça, mediante a fé, havia anulado a lei como método de obtenção da salvação. É muito instrutivo que a epístola de Tiago, no Novo Testamento, que só veio a ser aceita como canônica após muito tempo, na realidade é um livro com tendências judaizantes, conforme o segundo capítulo, com sua insistência sobre a fé e as obras da fé, como bases para a justificação, prova amplamente. Afinal, não nos deveríamos surpreender diante disso. Pois o décimo quinto capítulo de Atos mostra-nos claramente que esse tipo de filosofia foi fortíssimo na Igreja primitiva, devido à preponderância numérica dos judeus sobre os gentios. O primeiro versículo daquele capítulo mostra-nos que alguns ensinavam que a circuncisão era necessária à salvação. E o quinto versículo do mesmo capítulo diz que, na Igreja primitiva, houve muitos convertidos dentre os fariseus. Naquele versículo, eles são chamados de «fariseus, que haviam crido». Naturalmente, esses fariseus ensinavam, conforme aquele versículo o mostra, que tanto a circuncisão quanto a observância da lei eram necessárias à salvação da alma. Aqueles homens também insistiam que essa obrigação pesava não somente sobre os judeus, mas também sobre os gentios que se convertessem. Visto que eles tentavam fazer os cristãos tornarem-se judeus por religião (embora reconhecessem Jesus como o Messias), eles foram apodados de *judaizantes*. Mas o concílio apostólico de Jerusalém (o primeiro e único verdadeiro concílio ecumênico, que realmente representava o cristianismo como um todo), cuja menção histórica se acha no décimo quinto capítulo do livro de Atos, decidiu que os costumes judaicos, incluindo a circuncisão, não eram obrigatórios para os cristãos, quer judeus, quer gentios, por não fazerem parte da dispensação do evangelho.

Dizer que os judaizantes não eram verdadeiros crentes por não estarem convencidos quanto à doutrina paulina da justificação pela fé, e até se opunham à mesma, para dizermos o mínimo, é um anacronismo. O Novo Testamento reflete um período de transição, e foi preciso um longo tempo para que a Igreja cristã se tornasse essencialmente paulina, quanto à sua perspectiva, até abandonar a perspectiva refletida na epístola de Tiago. Obviamente, outro tanto está acontecendo em grandes segmentos da cristandade atual. Também deve ser dito que nem todos os eruditos concordam que a Igreja cristã foi inicialmente tiaguina, e só mais tarde, paulina, embora admitam que esses dois apóstolos encaravam as mesmas verdades de dois ângulos diversos.

Temos provido vários outros artigos que fornecem aos leitores detalhes variegados sobre a questão. Ver sobre *Legalismo; Circuncisão, Partido da*; o artigo sobre *Tiago*, especialmente em sua sexta seção, *O*

JUDAS

Cristianismo Judaico. A declaração introdutória do artigo sobre aquele livro também fornece detalhes sobre a questão. Ver também os artigos sobre os *Ebionitas* e sobre os *Nazarenos*.

JUDAS

Existem diversas pessoas no Novo Testamento que têm esse nome.

1. *Judas Tadeu ou Labeu*, segundo pensam alguns intérpretes, seria irmão de um dos irmãos de Jesus, chamado Tiago (por conseguinte, seria um dos irmãos do Senhor). Entretanto, parece mais acertado dizer que nenhum dos irmãos carnais de Jesus seguiu-o desde o princípio de seu ministério; bem ao contrário, não o seguiram senão após a ressurreição, quando as provas de seu caráter messiânico se tinham tornado indiscutíveis e esmagadoras. A maioria dos intérpretes modernos pensa que esse Judas era «filho» de Tiago; e Tiago era então um nome extremamente comum, o que significa que não precisamos de forma alguma identificá-lo com o meio-irmão do Senhor Jesus, que atendia por esse nome. A única referência a este Judas, em todo o N.T., à parte dos trechos que meramente dão o seu nome, na lista dos apóstolos, é esta, em João 14:22. Por conseguinte, possuímos pouquíssima informação sólida a respeito dele. A tradição revela-nos que ele partiu para Edessa, para Abgarus, rei de Osroene (ver Jerônimo, Anotações sobre Mateus), e que ele pregou na Síria, na Arábia, na Mesopotâmia e na Pérsia. Neste último país, segundo essas tradições, ele teria sido martirizado. Porém, não podemos ter certeza alguma sobre qualquer dessas informações. Na igreja ocidental ele é comemorado, juntamente com o apóstolo Simão (não confundi-lo com Simão Pedro), no dia 8 de outubro. À base das Escrituras (Atos 15:22,27-33), que falam de um certo Judas, irmão de Barsabás, e que andava em companhia de Silas, alguns têm chegado à conclusão de que esse Judas era irmão de Tiago e João. Pois, segundo essa interpretação, «Barsabás», significaria «filho de Sabas». Por sua vez, «Sabas» (ou «Zabas») seria uma forma abreviada de «Zebedeu», o qual é declarado pai dos apóstolos Tiago e João. Porém, uma vez mais estamos palmilhando simplesmente o terreno das conjecturas e não possuímos qualquer informação de natureza indiscutível sobre a questão. Alguns pensam que esse Judas foi o autor da epístola de Judas; mas isso também não expressa uma opinião isenta da possibilidade de ser contradita.

João 14:22: *Perguntou-lhe Judas (não o Iscariotes): O que houve, Senhor, que te hás de manifestar a nós, e não ao mundo?*

Judas, não o Iscariotes. Esse esclarecimento foi dado a fim de distinguir esse apóstolo do traidor, o qual já se retirara do meio dos demais; e, além disso, o autor do quarto evangelho queria deixar patenteado que esse Judas nada tinha contra o Senhor, mas antes, era um de seus discípulos autênticos. Outrossim, mediante esse esclarecimento, ele novamente alude ao traidor com desdém, sabendo que todos os leitores do texto sagrado de imediato haveriam de relembrar-se do caráter envilecido de Judas Iscariotes. Pois o autor sagrado queria que entendêssemos que os outros apóstolos de Cristo não possuíam essa natureza traiçoeira e carregada de suspeita, segundo ficava evidenciado nas ações de Judas Iscariotes.

Este Judas é também chamado de *Tadeu ou Labeu* (ver Mar. 3:18 e Mat. 10:3), sendo irmão de Tiago (Luc. 6:16 e Atos 1:13); embora alguns estudiosos preferiram reputá-lo como filho de Tiago. O apelativo «Judas», sem dúvida, significa «célebre» ou «louvado»,

embora a origem desse nome não seja indiscutível. Existem diversos indivíduos com esse nome nas páginas do N.T. A forma *Judas* é a modalidade grega do nome que, em hebraico, é «Judá».

2. *Judas Iscariotes.* (ver as seguintes referências: João 6:70; Luc. 6:12 e Mat. 26:14-16).

Mat. 26:14: *Então um dos doze, chamado Judas Iscariotes, foi ter com os principais sacerdotes;*

Um dos doze, chamado «Judas Iscariotes». As tentativas para fazer com que esse nome signifique *assassino*, relacionando-o a uma palavra aramaica semelhante, têm sido fúteis. A referência mais provável é a *Queriote*, localidade de Moabe (Jer. 48:24), ou então a Queriote-Hezron (Jos. 15:25), cerca de vinte quilômetros ao sul de Hebrom. Esse Judas sempre aparece em último lugar nas listas dos apóstolos, sendo sempre identificado pelo adjetivo *o traidor*. Era o tesoureiro do grupo apostólico. Aprendemos, em João 12:6, que ele não ficou perverso repentinamente; pelo contrário, durante o tempo todo vinha surrupiando da «sacola» do tesouro comum, a fim de satisfazer sua cobiça pessoal. Pelas narrativas tiramos a conclusão de que, juntamente com os demais, ele fora dotado de certos poderes miraculosos; mas isso não mostra que ele se tenha convertido verdadeiramente. Sendo da região de Judá, ele era o único dos apóstolos que não era nativo da Galiléia. Sua carreira levou-o, finalmente, à apostasia e ao suicídio (ver Atos 1:18,25; Mat. 27:5).

Não há que duvidar que Judas Iscariotes foi o responsável pelo aprisionamento de Jesus. Sua *traição* consistiu em fornecer informações às autoridades religiosas, sobre onde Jesus poderia ser encontrado, tendo mesmo chegado ao cúmulo de ter acompanhado o bando até o local, a fim de guiá-los. Evidentemente, Jesus *se retirara* do ministério público, possivelmente para sua própria proteção, bem como para segurança de seus discípulos íntimos, que também seriam objetos do ódio dos chefes eclesiásticos. Não podemos precisar todos os motivos por detrás desse ato de traição. Sabemos que o dinheiro foi uma consideração importante nesse ato, e a tradição de Marcos salienta definidamente esse elemento (ver Mar. 14:11). Porém, é provável que também houvessem outras razões. Mui provavelmente Judas esperava a vinda de um governante terreno, como o esperavam os demais apóstolos e o povo comum. Jesus jamais aceitou esse papel, segundo as condições que o povo julgava serem necessárias. O Senhor nunca deixou de ser um reformador espiritual, e a reforma política só ocorreria através e em decorrência de uma mudança espiritual. O povo — no que certamente era acompanhado por Judas Iscariotes — ansiava por ver a derrubada de Roma, e não encontrava muita utilidade para o lado «espiritual» dos planos de Jesus. E assim vieram gradualmente a perceber que Jesus jamais viria a ser um rei no sentido em que pensavam. E isso levou-os a perderem as esperanças quanto a todos os seus planos de um Israel renovado, independente, reinante com as glórias anteriores dos tempos de Davi e Salomão. Suas esperanças e seu respeito para com Jesus começaram a transformar-se em *ressentimento* e ódio. Esse ódio visava especialmente a pessoa de Jesus, resultante de muitas ansiedades mentais e frustrações por causa da situação, sem falar no mais puro desapontamento. Judas feriu ao Senhor Jesus, entregando-o às autoridades traiçoeiramente. O povo comum atingiu ao Senhor Jesus anuindo ante os desejos das autoridades religiosas, e isso até com satisfação. Gostariam de ter-se livrado do poder dominante de Roma; já que não podiam fazê-lo, voltaram-se contra

Rockefeller-McCormick Ms 965, Mat. 26:47 ss
A Traição de Jesus
Cortesia, University of Chicago

Códex Gigas, Latim, ilustração do diabo. Este manuscrito é o maior (em tamanho) de todos os mss do N.T., medindo quase 1 por 1/2 metros. Cortesia, Kungliga Biblioteket, Estocolmo.

JUDAS

Jesus, para destruí-lo, porque, supostamente, ele não conseguira livrá-los de Roma.

As passagens paralelas deste texto são Mar. 14:10,11 e Luc. 22:3-6. A fonte informativa é o «protomarcos».

Marc. 14:10: *Então Judas Iscariotes, um dos doze, foi ter com os principais sacerdotes para lhes entregar Jesus.*

Pensemos na tragédia que foi Judas!

Um homem privilegiado acima de outros e em grau extraordinário. Um homem com inacreditáveis oportunidades nas mãos. Mas também um homem com profundas veias maléficas. Poderia ter vencido, mas recusou-se a lutar contra suas más tendências. A vereda do crente requer uma luta resoluta. Exige santificação por meio da renúncia. Aqueles que se recusam a entrar por esse caminho, com freqüência alimentam seus vícios e fracassos espirituais. Algum tipo de tragédia é o resultado inevitável. Judas queria seguir a Jesus, mas recusou-se a tomar a cruz. A igreja da «crença fácil», tão comum nos dias de hoje, está infeccionada com essa atitude do Iscariotes. Quando chega a crise, a pessoa falha e cai, porquanto sua moralidade íntima está apodrecida, apesar de sua bela aparência externa.

A Temível Queda

1. A Judas Iscariotes fora conferido o mais elevado ofício. Deve ter possuído características de caráter que justificassem sua escolha. Jesus deve tê-lo selecionado com boas intenções. Poderia ter sido um Pedro ou um Paulo.

2. Alguma profunda perversão o *desviou*. Algum defeito básico de caráter resistiu a todo efeito transformador.

3. Com *angústia* e perplexidade é que a igreja primitiva dizia: «Um dos *doze* é que traiu a Jesus!» Essa perplexidade continua entre nós. De algum modo Satanás descobriu um meio para reduzi-lo a nada. Por quê? Por ter encontrado na natureza de Judas alguma afinidade com a *malignidade*. (Ver João 6:70).

4. É possível que alguns poucos anos de experiência tenham levado Judas àquele ponto; ou seria ele uma alma pervertida de antemão, desde alguma pre-existência? (Quanto a essa idéia, e o que nela está implícito, ver Gál. 1:15). Alguns pais alexandrinos da igreja olhavam essa idéia favoravelmente.

5. O futuro haverá de trazer Judas de volta, em alguma nova missão maligna? Alguns têm pensado assim, identificando-o com o *anticristo* (vide).

«Fica aqui novamente assinalado o trágico contraste entre o que poderia ter sido e o que realmente aconteceu. *Um dos doze*, um diabo! um dos doze, um *traidor?*» (Ellicott em João 7:71). «Ficou demonstrado o caráter monstruoso e diabólico de sua incipiente infidelidade» (Lange em João 7:71). «O horror eterno de tudo isso!» (Robertson, *idem*).

Mas eis que podemos meditar em seguida sobre a graça de Deus, que é estendida aos remidos e lhes impede de cometerem crimes dessa natureza. Pois «...se somos infiéis, ele permanece fiel, pois de maneira nenhuma pode negar-se a si mesmo» (II Tim. 2:13).

Ó Salvador, nada tenho para pleitear,
Na terra abaixo ou nos céus acima,
A não ser minha grande necessidade,
E o teu amor sem igual.

(Jane Crewdson)

Por que Judas falhou? Oferecemos algumas respostas tradicionais:

1. Sua *ambição* perseguiu-o o tempo todo. Ele realmente queria aquelas poucas moedas da traição. 2. Ficou *desapontado* porque não se cumpriram suas expectações messiânicas; o fato de que Jesus não incluía a *política* em suas reivindicações messiânicas levou-o, finalmente, ao desespero. 3. Ele não queria realmente trair a Jesus, mas tão somente forçá-lo a *declarar-se* o Messias. Essa opinião, na realidade, não se encaixa nos fatos do evangelho. 4. Judas era homem de *profundos vícios* desde o princípio, e os maus atos, finalmente, atingem a superfície, a despeito de nosso suposto discipulado. 5. Ele foi inspirado por *Satanás* (ver João 13:2,27). Assim sendo, podemos ver que nunca experimentara real conversão; bem pelo contrário, vivia perto da possessão demoníaca, e sua maldade íntima era facilmente encorajada pelo poder espiritual maligno. 6. Nunca foi crente *verdadeiro*. A teoria do ceticismo de Judas é tão antiga quanto a obra de Irineu, «*Contra Heresias*», V.33.4. Mas há aqueles que pensam que Judas fora crente, embora mais tarde tivesse apostatado. E isso não é impossível.

O que Judas «revelou» em sua triação?

1. Alguns dizem: Revelou o *segredo messiânico*. Em outras palavras, apesar de Jesus sentir ser o Messias, não o declarava publicamente, talvez por esperar uma boa oportunidade ou circunstâncias favoráveis (ver Mar. 7:36; 8:26,30 e 9:9, quanto ao «segredo messiânico»). Porém, apesar de ser verdade que havia algum segredo, muito antes da semana final Jesus já o tinha revelado. Portanto, não foi a «reivindicação messiânica» de Jesus que Judas revelou às autoridades religiosas.

2. Nem podemos pensar que Jesus realmente tivesse quaisquer intenções *revolucionárias*, que Judas revelou às autoridades, levando-o a tornar-se um «mártir político».

3. A verdade simples parece ter sido a de que Jesus se ocultara e que Judas revelou *onde* poderiam achá-lo e detê-lo. Ele foi o guia dos soldados que detiveram a Jesus (Atos 1:16). O fato de que Jesus se tornou impopular ante os líderes religiosos (ele era uma ameaça para o poder deles, e era blasfemo contra suas doutrinas, fazendo extravagantes reivindicações messiânicas e tornando-se politicamente perigoso), levou-o a ocultar-se por algum tempo, a fim de proteger a si mesmo e aos seus discípulos. Judas, conhecendo os hábitos de Jesus, revelou onde ele estava. É difícil saber se Judas — meditou maduramente — em sua ação inicial; isto é, se ele previu que isso terminaria na morte de Jesus, ou se apenas as autoridades o poriam na prisão, ou simplesmente ordenariam que ele cessasse sua atividade. É impossível saber a resposta. Mas é significativo que quando ele viu que Jesus seria morto, imediatamente sentiu remorsos pelo que fizera. Isso parece sugerir que ele esperava que algo menor fosse o resultado. Mas é claro que ele quis *sair* do movimento iniciado por Jesus e que parte de seu propósito foi de fazer Jesus *parar*. Mas como ele pensava que Jesus deveria ser parado, é outra questão.

O Suicídio de Judas

Atos 1:18: *Ora, ele adquiriu um campo com o salário da sua iniqüidade; e precipitando-se, caiu prostrado e arrebentou pelo meio e todas as suas entranhas se derramaram.*

A notícia da morte trágica de Judas Iscariotes havia desencadeado um grande interesse, e, em resultado disso, várias versões vieram à existência sobre a

JUDAS

maneira como ele morreu. Existem essencialmente três tradições diversas sobre a questão:

1. A narrativa do livro de Atos parece indicar que a morte de Judas Iscariotes foi *violenta*, produzida por alguma espécie de *queda* incontrolável, evidentemente por algum precipício abaixo.

2. Há também a narrativa de Mat. 27:3-10, segundo a qual Judas Iscariotes *enforcou-se*.

3. Por semelhante modo, há uma história, preservada por *Papias*, discípulo do apóstolo João (ou do «presbítero») de que Judas Iscariotes foi atacado por alguma *enfermidade* asquerosa, que causou uma excessiva *inchação* de seu corpo e que, estando ele nessas condições físicas, foi esmagado por uma carroça, em um lugar de estreita passagem, por onde ordinariamente poderia ter passado com sucesso, se não tivesse inchado tanto. (Ver J.A. Cramer, *Catanae in Evangelia, S. Matthaei et S. Marci*, Oxford: Typographeo Academico, 1884, sobre o vigésimo sétimo capítulo do evangelho de Mateus). Alguns intérpretes têm sugerido que essa história, preservada por Papias, na realidade é a mesma que aparece historiada nas páginas do livro de Atos e que a tradução que aqui aparece como *«precipitando-se»* (comum, de resto, a todas as traduções), traduz um termo médico obscuro (no grego *prestheis*), que indicava inchação excessiva. (Essa teoria é exposta na obra *«The Beginnings of Christianity»*, editores F.J. Foakes Jackson e Kirsopp Lake: Londres, The Macmillan Co. 1933, V. págs. 22-30).

Além das idéias acima expostas, várias outras interpretações têm aparecido, ou de natureza inteiramente apócrifa, ou como variações das tradições já existentes. Alguns intérpretes têm asseverado que as palavras «...foi enforcar-se...», da passagem de Mat. 27:5, na realidade deveriam ser traduzidas por *sufocou-se*, deixando um tanto *vago* o modo real de sua morte. Outros estudiosos têm pensado que essas palavras significam que ele foi consumido pelo remorso de consciência. Mui provavelmente essas explicações vieram a lume na tentativa de reconciliar a narrativa do livro de Atos com o relato do evangelho de Mateus, posto que, mediante tais interpretações, nenhum modo específico de morte pode ser atribuído à narrativa de Mateus. Tais tentativas, não obstante, não são bem fundadas, e nem têm sido bem recebidas pelos estudiosos em geral.

Uma outra tentativa de reconciliação entre essas duas narrativas, é aquela que diz que as narrativas do evangelho de Mateus e do livro de Atos são descrições de *várias etapas* da morte de Judas. — A idéia é que Judas pendurou-se por uma corda ou em um ramo, o qual ter-se-ia *partido*, precipitando-se para baixo e propiciando as condições descritas em Atos. Essa interpretação tem deixado a vários estudiosos satisfeitos; mas outros têm-na considerado como mera tentativa de *harmonizar* os relatos bíblicos *a qualquer custo*, até mesmo ao preço da honestidade.

É justo dizermos que o problema permaneceu praticamente *sem solução* nos tempos antigos; e para muitos intérpretes, é nesse ponto de insolubilidade que o problema se encontra até hoje. Mas todas as narrativas, até mesmo as lendárias, concordam sobre o ponto de que Judas Iscariotes sofreu alguma forma de *morte violenta e horrenda*. Isso parece apropriado, considerando-se que seu crime inominável, o que sem dúvida foi paralelo ao horror de sua morte. Tanto o evangelho de Mateus como esta narrativa lucana do livro de Atos, vê em tudo isso o cumprimento de profecias bíblicas concernentes ao traidor de Cristo. A passagem de Mat. 27:9 menciona a profecia de Zac. 11:13, que diz: «Tomei as trinta moedas de prata, e as

arrojei ao oleiro, na casa do Senhor», é inexatamente identificada como uma predição de Jeremias. O autor sagrado do primeiro evangelho talvez tivesse em mente os trechos de Jer. 18:1-4; 19:1-3 e 32:6-15, mas a profecia é distintamente aquela feita por Zacarias. (Quanto a uma discussão sobre esse problema, ver as notas relativas a Mat. 27:9 no NTI). Lucas (em Atos 1:20) cita os trechos de Sal. 69:25 e 109:8; e assim todo incidente da morte de Judas Iscariotes é vinculado às profecias messiânicas, o que é visto como prova da validade das reivindicações messiânicas de Jesus, porquanto ele cumpriu, em sua vida terrena, até mesmo profecias obscuras e de ordem secundária. (Quanto às diversas provas neotestamentárias do caráter messiânico de Jesus, ver o sumário apresentado em João 7:45 no NTI).

3. Judas, *o patriarca*, um dos filhos de Jacó, — que é mencionado em Mat. 1:2,3, nas genealogias dos ancestrais do Senhor Jesus.

4. Há *um dos antepassados* do Senhor Jesus que recebe esse nome, embora algumas traduções digam *Judá*, em Luc. 3:30.

5. Judas, *irmão do Senhor* (ver Mat. 13:55 e Mar. 6:3). Talvez tenha sido esse Judas o autor da epístola de Judas, ainda que outros estudiosos opinem que Judas Tadeu é que foi o autor desse breve livro do N.T. Esse Judas é igualmente chamado de irmão de Tiago, outro dos irmãos de Jesus, segundo pensam alguns.

Judas v.1: *Judas, servo de Jesus Cristo, e irmão de Tiago, aos chamados, amados em Deus Pai, e guardados em Jesus Cristo*:

No tocante a Judas, irmão do Senhor, temos pouquíssima informação. Ver Mat. 13:55 quanto à lista dos irmãos de Jesus. Evidentemente ele era filho de José e Maria, ainda que alguns estudiosos neguem isso, com base em um preconceito *a priori*, que defende, sem base, a idéia da perpétua virgindade de Maria. Ver o artigo sobre a *Família de Jesus* e o trecho, Mat. 12:46,47. Dentre seus muitos irmãos, dois se tornaram «apóstolos», isto é, dotados de estatura especial apostólica, Tiago e Judas. O trecho de Atos 1:14 mostra-nos que muitos, e talvez todos os irmãos de Jesus, se converteram após a ressurreição. E talvez exatamente devido à sua ressurreição. O trecho de I Cor. 15:7 evidentemente dá a entender que Tiago, irmão do Senhor, foi uma das pessoas privilegiadas pelo aparecimento pessoal do Senhor ressurrecto.

Há uma tradição, preservada por Hegesipo (conforme foi registrado por Eusébio, em sua *História Eclesiástica* III.20.1,2), que mostra que os netos de Judas continuaram na fé, e que seu íntimo relacionamento com Jesus lhes trouxe dificuldades perante o governo imperial, até que Domiciano viu que eram humildes de aparência, um tanto rústicos, pobres, certamente não servindo de ameaça ao império, como traidores em potencial.

6. Judas, *o Galileu*. Esse homem provocou um movimento rebelde contra os romanos, conforme ficou registrado no trecho de Atos 5:37, fato esse que também é mencionado pelo historiador judeu, Josefo. Ele nos diz que esse Judas nasceu em Bamala, e data a rebelião em 6 D.C., nos tempos de Quirínio, governador da Síria. No choque que houve, Judas, o Galileu, foi derrotado e morto.

7. Judas, *um judeu* em cuja casa, em *Damasco*, Paulo ficou hospedado por algum tempo (ver Atos 9:11).

8. Judas, *—certo profeta cristão*, de sobrenome *Barsabás*, — que, juntamente com Silas, foi escolhido

622

JUDAS — JUDAS (LIVRO)

pela igreja de Jerusalém a fim de acompanhar Paulo e Barnabé até Antioquia, para entregarem a decisão escrita dos apóstolos, acerca da natureza não obrigatória da circuncisão (ver Atos 15:22-33). Alguns têm procurado identificar esse Judas com Judas Tadeu, ou então como irmão de Tiago e João. (Como é feita essa identificação, o leitor pode inteirar-se nas notas sobre Judas Tadeu (1) mais acima).

Um profeta e líder cristão, cujo nome, ao que tudo indica, significa «nascido no sábado», ou, então, «filho de Sabá». Talvez ele tenha sido irmão de José, chamado Barsabás, conforme se vê em Atos 1:23, que foi um dos dois candidatos a substituto de Judas Iscariotes, no apostolado. Foi homem de dotes espirituais excepcionais.

9. *Um cidadão de Jerusalém*, que se aliou a outros judeus, ao enviarem um missiva aos judeus que residiam no Egito, em 165 A.C. Eles anunciavam ali a iminente rededicação do templo de Jerusalém. Esse relato é contado em II Macabeus 1:10.

10. *Um filho de Simão*, irmão de Judas Macabeu. Ele e seu irmão, João, derrotaram um exército sírio invasor, comandado por Candebaeus. Porém, em 135 A.C., Simão Judas e seu irmão, Matatias, foram assassinados por Ptolomeu, genro de Simão. Essa história de traição é contada no décimo sexto capítulo de I Macabeus.

11. *Judas Macabeu*. Esse homem era apelidado «martelador» (*macabaios*) por causa de sua capacidade militar e seu espírito invencível. Ele foi o terceiro filho de Matatias, o sacerdote hasmoneano. Tornou-se o sucessor de seu pai, como líder da guerra santa contra Antíoco IV Epifânio, do que resultou um período de independência de Israel, antes que os romanos, finalmente, tomassem conta da região. Ver o artigo geral sobre os *Hasmoneanos*, que narra a história dessa influente e corajosa família, que assinalou um marco na história geral dos judeus. A revolta contra Antíoco IV Epifânio começou em 167 A.C. Vários membros da família dos *hasmoneanos* (que atendiam pelo apodo de Macabeus) estiveram envolvidos nessa revolta dos judeus. Quando a independência foi obtida, então, os membros dessa família formaram uma dinastia governante, até que o décimo segundo descendente direto foi executado por Herodes, o Grande, em 29 A.C. A resistência passiva dos *hasidim* (ou «piedosos») transformou-se em violência, quando editos contrários, expedidos pelo poder dominante, tornaram-se insuportáveis para o ânimo dos judeus.

Matatias, pai de Judas, em sua indignação, matou um oficial judeu que fora enviado para estabelecer um culto pagão em Modein, perto de Jerusalém. Antíoco IV Epifânio estava seguindo as normas que levariam à helenização de Israel, o que, naturalmente, haveria de modificar a fé dos hebreus, antes que se pudesse helenizar mais profundamente os judeus. Matatias, entretanto, não morreu muito depois desse incidente, pelo que Judas levou adiante a resistência judaica, na forma de guerrilheiros. Depois disso, ele conseguiu destruir, quase imediatamente, um destacamento do inimigo, surpreendendo e dizimando forças ainda maiores, em Bete-Horom. Em vista disso, Antíoco nomeou Lísias para pôr fim à revolta; mas, em Emaús, Judas Macabeu derrotou o exército de Lísias, que estava sob as ordens de Ptolomeu, Nicanor e Górgias. E Judas foi novamente o vitorioso, em Bete-Zur, quando precisou enfrentar o próprio Lísias. Entrementes, na Terra Santa, muitos judeus cooperavam com os esforços helenizadores de Antíoco. Por isso mesmo, as vitórias de Judas parecem ainda mais impressionantes. O conflito não foi fácil para os judeus, visto que uma guarnição síria permanecia entrincheirada na Acra, a cidadela de Jerusalém. Apesar disso, em 165 A.C., Judas foi capaz de purificar o templo de Jerusalém e remover dali os itens pagãos, que os helenizadores tinham posto naquele lugar sagrado. Um altar fora erigido em honra a Zeus, e ritos pagãos, durante algum tempo, haviam dominado o culto. Judas, porém, desvencilhou-se de todos os sinais do paganismo. A festa religiosa que celebra esse acontecimento chama-se Festa da Dedicação, ou, no hebraico, *Hanukkah*. Ver o artigo separado sobre *Dedicação, Festa da*, quanto a detalhes sobre a questão.

A purificação do templo cumpriu o propósito imediato da revolta; mas Judas Macabeu e seus aliados tinham idéias mais amplas do que isso. O que eles almejavam era a independência da Judéia. Isso posto, a revolta que era apenas religiosa, no começo, tornou-se um movimento que visava à obtenção da independência nacional. Lísias, então, assediou a cidade, e quase conseguiu que seus habitantes se rendessem, pressionados pela fome. Porém, foi exatamente por essa altura dos acontecimentos que morreu Antíoco IV Epifânio, um homem muito amado por sua família e por sua gente, embora um dos piores inimigos históricos de Israel. Em vista da morte de Antíoco, Lísias precisou voltar para sua terra. Foi então que Judas Macabeu conseguiu obter liberdade religiosa do governo sírio. E desde então os sírios começaram a enfrentar toda forma de problemas, sem nada ter a ver com o que estava sucedendo em Israel, o que somente ajudou à causa de Judas Macabeu. Judas firmou um pacto com os romanos; mas a ajuda que ele esperava que viesse dos romanos reduziu-se a nada. A despeito disso, Judas obteve, finalmente, uma espetacular vitória sobre os sírios. Pouco tempo depois, porém, sofreu uma humilhante derrota, tendo sido morto em Elasa, em 161 A.C. Pelo menos em parte, isso deveu-se a intrigas promovidas por sua própria gente.

Seu irmão, *Jônatas*, tomou a peito a causa. Finalmente, *Simão*, o último sobrevivente dos cinco filhos do velho Matatias, assumiu a liderança, ao obter a independência política que fora cobiçada durante tantos anos sangrentos. Os livros de I e II Macabeus (nome derivado de Judas, que tinha por apodo «macabeu») contam a história toda. Desde então, essa narrativa tornou-se inspiradora do indomável espírito judaico, que tem promovido a luta dos judeus contra muitos inimigos muitas vezes mais poderosos do que eles. O cânon do Antigo Testamento da Igreja Católica Romana, confirmado por ocasião do concílio de Trento, em 1546, recebeu I e II Macabeus (e outros dos chamados livros *apócrifos*) em seu cânon oficial dos livros do Antigo Testamento. Todavia, para os grupos protestantes e evangélicos, esses livros continuam fora do cânon veterotestamentário. Ver o artigo sobre os *Livros Apócrifos*. Quanto a uma bibliografia acerca dessa época da história, ver o artigo intitulado *Hasmoneanos*.

JUDAS (LIVRO)

Introdução:

    I. Confirmação Antiga
    II. Autoria
    III. Data
    IV. Proveniência e Destino
    V. Relação Entre II Pedro e Judas
    VI. Motivo e Propósitos
    VII. Conteúdo

JUDAS (LIVRO)

VIII. Bibliografia

A preservação da epístola de Judas, epístola tão breve e sobre assuntos que para nós parecem remotos, se deveu ao fato de que é defesa do cristianismo contra os assédios do gnosticismo, questão bem vívida na igreja primitiva pelo espaço de cerca de cento e cinqüenta anos. Apesar de não termos mais perturbações diretas com o gnosticismo, contudo, problemas similares sempre houve na igreja, pelo que esta epístola sempre será atual. Assim, se a heresia enfrentada é para nós apenas uma nota de rodapé na história eclesiástica, os princípios ímpios que ela representava se renovam a cada geração.

De fato, até mesmo alguns crentes têm tendências para o gnosticismo. Uma das principais idéias dos gnósticos era sua negação da humanidade de Cristo, pois não podiam perceber como seria metafisicamente possível a um ser espiritual (uma emanação angelical, um «aeon» ou mesmo o «Logos») encarnar-se. Eles viam a matéria como o princípio mesmo do pecado; e se um ser espiritual se encarnasse fá-lo-ia somente para contaminar-se. Hoje em dia, apesar da encarnação ser vigorosamente defendida, contudo, quando muitos crentes começam a dizer como Cristo era capaz de realizar aquilo que fez, sempre atribuem tudo à sua «natureza divina»; nada deixam para sua humanidade, senão a sua morte. Não vêem claramente a tremenda significação ética e metafísica da vida de Jesus. Como homem ele se tornou o Pioneiro do caminho que conduz de volta a Deus. Mostrou ele como um homem, cheio e transformado pelo Espírito, pode viver não apenas vitoriosamente sobre o pecado, mas como pode operar maravilhas, milagres e prodígios. Foi o homem Jesus de Nazaré quem fez todas estas coisas, dotado pelo Espírito e por ele transformado; e isso está franqueado a todos os homens, conforme fica claro em João 14:12. (Ver as notas expositivas completas sobre a «importância da humanidade de Jesus, em Fil. 2:7 no NTI).

Deveria ser lembrado que os homens, dotados pelo Espírito, apesar de serem «instrumentos» de seu poder, são mais do que isso. O próprio poder que usam os *espiritualiza*, — para que venham a compartilhar da imagem e da natureza de Cristo; e assim chegam a participar da natureza divina (ver II Ped. 1:4). Desse modo, assim como Cristo assumiu humanidade e foi transformado como homem, na qualidade de *Pioneiro* do caminho, assim tomamos a sua essência, a sua natureza de Filho, o Deus-homem. Esse é o grande designio do evangelho (comentado em Col. 2:10 no NTI). Quão importante, pois, foi sua autêntica identificação com os homens, em sua humanidade, e quão gloriosa é a nossa identificação com ele, em sua divindade!

Jesus, como homem, ensinou-nos o imperativo moral do evangelho. Os gnósticos faziam da imoralidade parte oficial de seu sistema ético. (Ver os comentários sobre isso na seção VI deste artigo). Jesus contradiz tudo isso. Sua humanidade tem tremenda importância ética, e a veracidade de sua experiência é infundida em todos os seus verdadeiros discípulos. Judas ensina-nos claramente essa lição, sendo essa uma das razões porque sua epístola foi preservada, por que ela mereceu lugar no «cânon» do N.T.

I. CONFIRMAÇÃO ANTIGA

Judas é um daqueles livros (juntamente com Tiago e II Pedro) menos confirmados pelos antigos pais da igreja. Ou era desconhecido ou foi ignorado por Policarpo, Irineu e Inácio, do começo do século II D.C.. Há frases e declarações similares nos escritos de Policarpo (115 D.C.), conforme se vê em sua epístola aos Filipenses 3:2. que se parecem com o que diz Judas 3 e 20 ao usar a figura simbólica da «edificação na fé». O trecho de Filipenses 1:10, de Policarpo, é similar a Jud. 21; e Filipenses 11:4 é similar a Jud. 20,23. Porém, a maioria dos eruditos acredita que essas instâncias nada provam senão que houve um «fundo de frases» que era comum ao ensinamento cristão primitivo, que encontrou lugar em muitos documentos antigos, sem que isso envolva qualquer «dependência literária». Também há similaridades verbais entre as doxologias de I Clemente 20:12 e 65:2 (95 D.C.) e Jud. 25; e entre *Hermas, Sim.* V, 7.2 (130 D.C.?), na alusão à contaminação do corpo, e Jud. 8. Uma vez mais, porém, nada de muito convincente pode ser dito para mostrar qualquer dependência literária entre essas obras e esta epístola de Judas. Outrossim, nesses primeiros escritos, Judas nunca é mencionado como quem escreveu algo.

A dependência de II Pedro a esta epístola de Judas, todavia, é algo universalmente reconhecido, embora alguns poucos eruditos pensem que Judas é que depende de II Pedro. (Essa questão é discutida na seção V do artigo sobre a segunda epístola de Pedro). Mas, visto que a segunda epístola de Pedro foi aceita depois da de Judas, a única coisa que essa dependência prova é que a epístola de Judas foi escrita primeiro.

A primeira menção indisputada à epístola de Judas, na igreja antiga, aparece no cânon Muratoriano (que reflete a aceitação por parte da igreja romana, em cerca de 190 D.C.). Até mesmo nesse caso, entretanto, a menção a Judas é fraseada de tal modo que mostra que tal livro não era reconhecido como canônico em certas seções da igreja cristã. Esta epístola é omitida no cânon Monseniano, um catálogo africano de livros sacros, feito em cerca de 350 D.C., pelo que até cerca dos meados do século IV, a posição desta epístola não estava garantida no «cânon», em algumas porções da igreja. Todavia, quando do terceiro concílio de Cartago (397 D.C.), Judas foi incluída na lista das Escrituras canônicas.

Tertuliano (197 D.C.) aceitava a epístola de Judas; e visto que o trecho de Jud. 14,15 usa o livro de Enoque, ele inferiu disso a posição bíblica daquele livro também. Isso mostra que a questão do cânon ainda era fluida naquele tempo e que a epístola de Judas fora traduzida para o latim, sendo conhecida nessa forma, mui provavelmente, na província romana da África.

Clemente de Alexandria (200 D.C.) não somente aceitava esta epístola como canônica, mas também dizia que Judas, o meio-irmão do Senhor Jesus, fora o seu autor. (O Instrutor III.8; comparar com Miscelâneas III.2). No seu Paed. iii.8.44, Clemente cita Judas 5 e 6 por nome, e na próxima seção (45), ele cita Jud. 11; embora sem identificar o autor. Em seu Strom. iii.2,11 ele cita Judas 8-10 por nome (identificando a citação como de Judas).

Orígenes (250 D.C.) trata Judas mais ou menos como fez com II Pedro. Ele reconheceu as dúvidas que circundavam o livro, mas não parecia entreter pessoalmente tais dúvidas. Em sua versão latina de Judas, ele dá o título de «apóstolo» a Judas. Cita Jud. 6 em seu *«In Matth.»*, vol. XVII,30. Na mesma obra (x.17), ele menciona diretamente a Judas como autor, reconhecendo assim a sua autoridade; em sua versão latina ele cita Jud. 6 (em ad Rom. iii.6). Em sua «Epíst. *ad Alex.*», ele cita o trecho de Jud. 8 e 9.

Eusébio (340 D.C.) dá-nos sua própria opinião, pensando que a epístola de Judas era «falsa», com base no fato de que poucos pais antigos menciona-ram-na ou citaram-na por nome. Diz ele que a

JUDAS (LIVRO)

aceitação dessa epístola, por parte de Clemente, se deveu ao fato de que ele não hesitava em usar o testemunho de escritos disputados, entre os quais ele situava vários livros apócrifos do A.T., como a «Sabedoria de Salomão», a «Sabedoria de Jesus, filho de Siraque», além de alguns livros apócrifos do N.T., como a Epístola aos Hebreus, e as epístolas de Barnabé, Clemente e Judas. (Ver História Eclesiástica VI.13:6; VI.14.1). Em alguns lugares, Eusébio chama de «espúria» a esta epístola, ou então de «disputada» (ver História Eclesiástica II.23.24-25; III.25.3; VI. 13:6; 14:1). Isso mostra que até os meados do século IV D.C. a canonicidade desta epístola era questão debatida, devida, principalmente, ao fato de que poucos dos pais da igreja a aceitavam, entre os quais não havia nenhum dos fins do primeiro e do começo do segundo séculos.

Atanásio (366 D.C.) incluía Judas sem nenhuma dúvida, em seu «cânon». A sua lista foi a primeira lista canônica a incluir todos os vinte e sete livros do N.T. que atualmente são aceitos.

Jerônimo (392 D.C.) também incluía esta epístola sem qualquer laivo de dúvida, embora admitisse que, em seus próprios dias, alguns a rejeitavam, especificamente por ser ela citada no livro apócrifo de Enoque (Sobre Homens Famosos, IV).

Pode-se ver, pois, que somente nos fins do século IV D.C. é que parte da igreja cristã veio a aceitar a epístola de Judas; mas até mesmo no fim desse século alguns ainda duvidavam da autenticidade da mesma, julgando não ter ela o direito de fazer parte do «cânon» das Escrituras. (Ver o artigo sobre *Cânon*).

II. *AUTORIA*

Apresentamos aqui os argumentos, pró e contra a idéia que Judas, o apóstolo, ou Judas, irmão do Senhor, escreveu este livro.

Dúvidas e disputas. Argumentos contrários, típicos de escritos e livros.

A confirmação antiga (ver as notas anteriores) naturalmente tem uma relação direta com a questão da autoria. Poder-se-ia crer, indagam alguns, que se Judas, um apóstolo, ou se Judas, um irmão autêntico do Senhor, tivesse escrito algo, que a igreja dos primeiros séculos teria ignorado ou duvidado de sua autenticidade? O autor parece tentar identificar-se como irmão do Senhor (presumivelmente ligando-se a Tiago, que supomos devemos entender como irmão do Senhor). Mas o testemunho antigo é que as coisas não foram realmente assim, pelo que teríamos à frente uma pseudepígrafe, isto é, um livro cujo autor não é aquele declarado na introdução. Isso surpreende os leitores modernos, porque imediatamente pensam em «obra forjada», «fraude» e «desonestidade». Mas isso é ignorar o fato de que os antigos aceitavam tais escritos com naturalidade, pois eram freqüentemente produzidos em honra a algum mestre, como tributo prestado a algum professor bem conhecido, com propósitos de fomentar seu prestígio e suas doutrinas. Muitos escritores anônimos, que ligavam o nome de algum mestre a seus escritos, provavelmente, faziam-no em atitude humilde, e com nobres propósitos. Os antigos simplesmente não viam a questão do modo como a vemos. O advento de Cristo produziu grande atividade literária, pelo que muitos evangelhos, atos, epístolas e apocalipses, que trazem nomes de famosos cristãos primitivos, como apóstolos e outros, não foram realmente escritos pelos tais. Ver o artigo, *Livros Apócrifos do N.T.* e outra literatura cristã primitiva. Não se deve estranhar, pois, se nosso cânon final do N.T., que precisou de alguns séculos para atingir sua fruição, tenha incluído um ou mais

desses escritos «pseudepígrafes». Além disso, a investigação no campo da autoria dentro dos estudos neotestamentários, é algo plenamente justificado. Se afirmarmos que um ou mais dos livros do N.T. não foram escritos pelos autores cujos nomes aparecem na introdução dos mesmos, não afirmamos mais do que o fizeram quase todos os pais mais antigos da igreja, cuja fé cristã estava acima de reprimenda, e que estavam em melhor posição para julgar essas coisas que nós, os modernos.

Vários eruditos, não aceitando que Judas, o apóstolo, ou Judas, irmão do Senhor, escreveu o livro, mas não querendo dar-lhe o título de *pseudepígrafe*, têm procurado vinculá-lo a certo bispo de Jerusalém, conforme se lê em Eusébio; e alguns têm identificado com ele o autor sagrado. Todas essas conjecturas, porém, não têm qualquer possibilidade de prova, e quando muito são tentativas precárias. Outros, esperando preservar o título «Judas», conjecturam que as palavras «irmão de Tiago» são uma interpolação antiga, que visa a identificar o livro com o «círculo apostólico». Nesse caso, algum «Judas» desconhecido escreveu o livro, e isso explicaria por que a igreja primitiva essencialmente o ignorou, até o século IV D.C. Porém, não há qualquer evidência textual em favor dessa idéia, e ela não se recomenda a nós como válida.

É interessante notar que Hegesipo tinha alguma prova do fato de que dois netos de Judas foram levados perante Domiciano, pois as autoridades se tinham alarmado ante o fato de que se diziam descendentes de Davi, estando diretamente aparentados com o próprio Cristo. Porém, quando aqueles homens mostraram suas mãos calejadas, e tendo descrito quão pouco possuíam, e tendo falado do «reino» pelo qual esperavam, que «não é deste mundo», foram despedidos entre zombarias (ver Eusébio, *História Eclesiástica* iii.20). Os descendentes de Judas viveram até o reinado de Trajano (até 117 D.C.) e morreram homens idosos (Eusébio, *História Eclesiástica* iii.32.5). Isso subentende que o Judas original era homem não muito mais jovem que Jesus, mas também subentende que o próprio Judas morreu relativamente cedo (provavelmente antes de 70 D.C.) Sendo esse o caso, não é provável que Judas, irmão do Senhor, tenha escrito o livro à nossa frente, porquanto parece envolver um ataque ao gnosticismo do século II D.C. Outrossim, se tais detalhes como os ditos acima foram preservados acerca de indivíduos remotos, meramente por estarem relacionados com Judas, como se pode imaginar que qualquer escrito genuíno seu pudesse ter sido totalmente ignorado pela igreja primitiva?

Apresentamos agora uma típica defesa da idéia que Judas, irmão do Senhor, foi autor deste livro. O leitor, munido das informações acima, será capaz de ver os pontos fracos e fortes dos argumentos dados abaixo (extraídos do Comentário de Lange):

«1. Quanto ao testemunho antigo, vemos que essa epístola fora recebida no cânon das Escrituras no século IV D.C. Jerônimo reconhece seu caráter genuíno, mas observa que em consequência de citar do livro apócrifo de Enoque, era repelida pela 'maioria' — tal rejeição, pois, não tinha bases objetivas e históricas... Eusébio a classifica entre as *antilegômena*, e adiciona que embora muitos dos antigos não a tenham mencionado, era publicamente usada pela maioria das igrejas. Orígenes alude a ela respeitosamente (Comentário em Mat. 13:55,56, par. 17: 'Judas escreveu uma epístola de poucos versículos, embora dotada de palavras vigorosas de graça celestial'), citando-a repetidamente, e só em um lugar

625

JUDAS (LIVRO)

dúvida de sua genuinidade. É mencionada no antigo fragmento muratoriano (cerca de 170 D.C.). Clemente de Alexandria teceu comentários a seu respeito, atribuindo-a expressamente ao apóstolo Judas; e Orígenes também chama-o de apóstolo em dois lugares... Não aparece na antiga versão siríaca Peshitta... O testemunho dos pais não recua mais do que isso... A razão talvez esteja na brevidade da epístola, em sua afinidade com II Pedro e, conforme ficaremos convictos, em sua origem não apostólica... Sumariando o testemunho, descobrimos que prepondera em favor do caráter genuíno da epístola».

«2. Quanto às bases 'internas', os críticos não têm podido firmar objeções válidas. De Wette nota que a autoria de Judas não é afetada pelo uso do livro de Enoque, nem por sua provável familaridade com a epístola aos Romanos, nem por sua dicção dura, a qual, apesar disso, mostra familiaridade com o idioma grego. Huther rebate com razão a suposição superficial de Schwegler de que os vss. 17 e 18 atribuem a epístola a uma data pós-apostólica, dizendo que aqueles versículos de modo algum frisam uma era pós-apostólica, pois antes supõem que os leitores da epístola tinham ouvido a pregação dos apóstolos; e que se, conforme ainda supõe Schwegler, a epístola visava a servir aos interesses do judaísmo contra o paulinismo, certamente isso deveria transparecer na epístola; um forjador, outrossim, dificilmente teria atribuído seu escrito a um homem de tão pouca proeminência quanto esse Judas...»

«A epístola transpira um espírito moral estrito, brilhando de zelo contra o erro e o vício, cuidando amorosamente da salvação das almas, mostrando profunda reverência por Deus e sua Palavra. Assim, pois, em tudo é digna de ter-se originado de um primitivo cristão, que estava tão intimamente relacionado ao Senhor».

«Não devemos permitir que nosso juízo seja afetado pelo uso do livro apócrifo de Enoque, da tradição de Enoque e do 'ascensio Mosis', visto que Paulo também dá os nomes dos mágicos egípcios, Janes e Jambres, embora nada seja dito acerca deles nos livros históricos do A.T. (ver II Tim. 3:8). Antes, admiremos a reserva com que o autor de nossa epístola usa o livro de Enoque, o qual contém tantas coisas fantásticas, a fim de nessa reserva reconhecermos a orientação do Espírito de Deus. Além de depender decididamente da segunda epístola de Pedro, a de Judas contém muitas características originais, comparações notáveis (por exemplo, os vss. 12,13), delineações características em poucas palavras (vs. 19), exortações sábias e bem pensadas (vss. 20-23). Como prova da originalidade do autor sagrado deve-se mencionar que os 25 versículos desta epístola contêm nada menos que dezoito 'apaks legomena', nos vss. 3,4,7,10,11,12,13,15,17,19 e 23».

O comentário de Lange prossegue, dando razões por que Judas, o apóstolo, não é o autor, principalmente porque o próprio livro parece não ter o cuidado de não nos dar essa impressão. Argumenta ele que o «Tiago» mencionado deve ter sido indivíduo bem conhecido, já que o autor se identifica com ele (como seu irmão), como se isso fosse significativo para seus leitores. Quem, pois, são esses irmãos? A história de Eusébio (H.E. 3,19,20) é citada para mostrar que Judas (irmão do Senhor) tinha um irmão de nome Tiago. Eusébio também menciona um certo «Tiago» um irmão do Senhor, o qual, juntamente com os apóstolos, era líder da igreja de Jerusalém, trazendo a alcunha de «Justo». Josefo informa-nos de que o sumo sacerdote Anano fez Tiago, irmão 'do chamado Cristo', ser apedrejado (62 D.C.), descrevendo-o

como um homem reto. «Os pais chamam-no claramente de bispo de Jerusalém; assim fazem-no Eusébio, Jerônimo, Nicéforo... A igreja antiga, pois, considerava o Judas e o Tiago aqui referidos como irmãos do Senhor segundo a carne. Em que isso concorda com o N.T.? Paulo, em Gál. 1:19 apresenta-nos Tiago, irmão do Senhor, e evidentemente o distingue, por aquela designação, do apóstolo Tiago, o Menor; e descreve-o como um apóstolo em sentido mais lato (cf. II Cor. 8:23; Rom. 16:7; Fil. 2:25 e Atos 14:14). Portanto, não precisamos ficar surpreendidos que alguns dos pais, como Jerônimo, Epifânio e Agostinho, também o tivessem chamado de apóstolo... (ver Mat. 13:55 e Mar. 6:3). Os nomes dos irmãos do Senhor eram Tiago, Joses, Simão e Judas...» (Neste ponto Lange expõe razões para crer que estão em foco «irmãos» autênticos, e não «primos», material esse fora do escopo de nossa investigação).

«Entre os irmãos do Senhor, após se terem tornado crentes, Tiago veio logo a ocupar lugar de destaque. Ele é apresentado como representante da tendência judaico-cristã da igreja-mãe (ver Atos 12:17). Seu íntimo parentesco com o Senhor, sua vida piedosa e seus hábitos austeros logo o elevaram à dignidade apostólica. No concílio dos apóstolos sobre a obrigatoriedade da lei, seu parecer mostrou ser decisivo (ver Atos 15:13). O concílio dos anciãos reunia-se em torno dele (ver Atos 21:18). Entre as colunas da igreja, ele é mencionado em primeiro lugar (Gál. 2:9), ao passo que em outros lugares Pedro é o príncipe dos apóstolos. Provavelmente ele é o autor da epístola de Tiago do cânon; pois os princípios ali contidos concordam com o que se sabe de sua vida, noticiado pelos pais; e ele, tal como Judas, descreve-se não como apóstolo, mas apenas como servo de Deus e do Senhor Jesus Cristo (ver Tia. 1:1). Tem-se objetado que Lucas não distingue claramente o Tiago não apostólico do apóstolo Tiago, o qual é aludido em Atos 1:13, porém, podemos responder, juntamente com Huther, que a familiaridade que então os cristãos tinham com todas as circunstâncias não exigia que tal distinção fosse feita de modo especial, o que também sucede no caso dos dois Filipes (ver Atos 1:13 e 8:5). A assertiva de Wiesler de que a igreja de Jerusalém não reconheceria como seu cabeça quem não fosse apóstolo, não pode ser consubstanciada por qualquer razão. Nosso Judas foi irmão daquele reverenciado líder de Jerusalém, tendo a mesma relação de família com o Senhor. O fato de não se ter descrito como irmão do Senhor, tal como Tiago faz em sua epístola, pode ter-se motivado na modéstia, ou em seu senso de relação que mantinha com Cristo, espiritualmente falando, o que prevaleceu sobre a relação física, tal como se deu no caso de nosso Senhor mesmo (ver Mat. 12:48-50)».

Conclusão:

1. Se nossa disposição é concordar com os primeiros pais da igreja (antes dos meados do século III D.C.), então rejeitaríamos Judas (apóstolo ou irmão do Senhor) como autor deste livro. Se nossa inclinação é concordar com a igreja do século IV D.C. e depois, provavelmente aceitaríamos Judas, irmão do Senhor, como autor deste livro.

2. O nome «Judas» era comum, tal como o de «Tiago» (no grego, «Jacó»). O Judas deste livro não afirma ser irmão do Senhor. Vários intérpretes, antigos e modernos, sugerem vários «Judas» como autor desta epístola. Apesar de podermos dizer que «provavelmente» o autor queria identificar-se como «irmão do Senhor», mas a humildade não o deixou asseverar tão alta posição, o único «fato» que podemos

JUDAS (LIVRO)

afirmar é que o livro à nossa frente é anônimo. Portanto, sem importar o que cremos sobre a identidade de seu autor, se foi «este» ou «aquele» Judas, assim cremos por causa da aceitação de uma ou outra tradição. Não se pode acreditar nisso devido a qualquer declaração constante na própria epístola de Judas.

3. Nenhum dos pais realmente antigos da igreja identificou o livro com Judas, irmão do Senhor, e vários pais posteriores negaram vigorosamente que pudesse ter sido escrito por ele. Isso se deve, em parte, porque há ali citações extraídas de dois livros apócrifos, *Enoque* e a *Assunção de Moisés*; e alguns dos pais da igreja, pensando que esses livros não eram dignos de ser citados, automaticamente pensaram que Judas era indigno de ser considerado livro «canônico», por ter-se utilizado de tal material em suas citações.

4. Este livro se acha entre os mais «debatidos» do N.T., e tem retido essa posição até hoje. Essa «disputa» tange à sua autoria e à sua canonicidade. Minha própria opinião é que Deus teve parte na formação do cânon, e embora isso tenha ocupado vários séculos, certos livros foram preservados para nós. «A mão de Deus sobre o livro de Judas» subentende sua inspiração, de tal modo que qualquer discussão de autoria humana se torna secundária, sobretudo quando nenhuma conclusão certa é exeqüível, nos tempos antigos ou modernos. Nosso problema, pois, é «como obedecemos» ao que foi escrito neste livro, como participamos de seu zelo na defesa da fé, contra os erros satânicos, representados pelo gnosticismo (a heresia aqui atacada).

5. A questão da autoria do livro dificilmente pode ser usada como prova de ortodoxia ou de fé cristã, considerando-se o seu manuseio pelos pais mais antigos da igreja, cuja fé cristã está acima de reprimenda.

III. *DATA*

Se Judas, irmão do Senhor, escreveu a carta, então não pode ser datada posterior a 70 D.C. Provavelmente Judas não viveu mais que isso. Se esse Judas não a escreveu, então supomos que foi escrita nos começos do século II D.C., como um tratado contra o gnosticismo da época. Visto que é mencionado no cânon muratoriano, da última porção do século II D.C., o livro não pode ter sido escrito muito depois dos meados daquele século. Já que II Pedro incorpora grande parte do mesmo, então sua data deve ter precedido tal escrito. Se II Pedro pertence genuinamente a Pedro, então Judas teve de ser escrita realmente cedo. Em caso contrário, então o começo do século II D.C. é uma boa conjectura acerca da data da epístola de Judas, tão boa quanto qualquer outra conjectura.

IV. *PROVENIÊNCIA E DESTINO*

Proveniência. Não se pode afirmar, com qualquer certeza, onde essa epístola foi escrita. Porém, se argumentarmos que a 2ª epístola de Pedro teve proveniência romana, então seria razoável a suposição de que Judas proveio dali também, já que aquele livro de Pedro incorpora muito da epístola de Judas. E se a epístola de Judas foi conhecida primeiramente em Roma e cercanias, então poderia ser copiada ali. Outrossim, a primeira menção dessa epístola aparece no «cânon Muratoriano», e isso reflete um uso romano, perto do final do século II D.C. Já que essa epístola foi pela primeira vez usada e reconhecida nessa área, é razoável supormos que ali foi ela composta. Seu reconhecimento, da parte de Tertuliano e da igreja de língua latina, antes de qualquer confirmação proveniente de outras áreas, parece apontar para a mesma conclusão. Outras sugestões relativas à proveniência têm sido Jerusalém, a Palestina (na suposição que seu autor foi Judas, irmão do Senhor), a Síria, o Egito e a Ásia Menor. (Ver a segunda epístola de Pedro, em sua introdução, no ponto IV, quanto a outros argumentos que talvez dêem a entender a proveniência romana para ambas essas epístolas—Judas e II Pedro).

Destino:

A saudação é «...aos chamados, amados em Deus Pai e guardados em Jesus Cristo...» Essa é uma saudação muito geral, sem que qualquer indicação seja dada acerca de seus leitores originais. Provavelmente essa epístola tenha sido verdadeiramente «católica» ou «universal» não visando qualquer comunidade em particular, pois se destinava à igreja inteira, em todos os lugares, onde quer que houvesse dificuldades com o ataque gnóstico. A Ásia Menor estava infestada com o ensino gnóstico, sendo possível que esta carta tenha sido enviada originalmente para aquela região, tal como o foram as epístolas joaninas e aquela dirigida aos Colossenses — (todas elas combatem o gnosticismo). A segunda epístola de Pedro também parece ter sido enviada para a Ásia Menor, por razões declaradas na seção IV da introdução daquele livro. Isso poderia servir de pequena indicação que Judas foi epístola que originalmente também foi posta a circular naquela região do mundo, pois, em algum sentido, a segunda epístola de Pedro é companheira desta epístola de Judas.

V. *RELAÇÃO ENTRE II PEDRO E JUDAS*

Reconhece-se universalmente que há certa dependência entre essas duas epístolas, e a maioria dos eruditos supõe que o trecho de II Ped. 2:1-18 foi copiado de Jud. 3-18, apenas com leves modificações. Esse problema é amplamente discutido, com ilustrações, na seção V da introdução à segunda epístola de Pedro.

VI. *MOTIVO E PROPÓSITOS*

Motivo. Quase todos os estudiosos, com razão, concordam que Judas foi epístola escrita para combater a heresia gnóstica que floresceu no segundo século da nossa era. A crise de falsos ensinamentos, que cercou a igreja, levou o autor a lançar um tratado que fora planejado para defender «...a nossa comum salvação...» Em seu lugar, ele pensou ser bom compor um violento ataque contra o gnosticismo. As doutrinas gnósticas específicas, que transparecem (sob ataque), nesta epístola de Judas, são as seguintes:

1. *Imoralidade* dos mestres gnósticos (ver o quarto versículo). Os gnósticos faziam da licenciosidade uma parte oficial de sua ética. Criam eles que a matéria é o princípio mesmo do mal; e assim, por participar da matéria, o corpo físico é o princípio do mal no homem. Também acreditavam que o sistema do mundo visa destruir a matéria, finalmente, libertando o espírito para seu vôo até à realidade espiritual e final. Supunham que devemos «cooperar» com o mundo nesse intuito, abusando do corpo. Isso faziam mediante ascetismo extremo (tipo de ética gnóstica combatida em Col. 2:15 e *ss*) ou mediante a imoralidade extremada (tipo combatido nas epístolas pastorais, nas três epístolas joaninas e neste livro de Judas). Acreditavam os gnósticos que o espírito não se corrompe com aquilo que é feito através do corpo, tal como o ouro não perde sua essência e pureza se mergulhado na lama. Portanto, a imoralidade não somente era aceita, mas era encorajada. Isso contradizia radicalmente com o ponto de vista judaico

JUDAS (LIVRO)

cristão da moralidade, pelo que os livros no N.T. que combatem o gnosticismo licencioso (mencionados acima), assediam fortemente as imoralidades gnósticas.

2. Os gnósticos *negavam a expiação* pelo sangue de Cristo (implícito no quarto versículo). Eles «negavam» a Deus e a nosso Senhor, Jesus Cristo. Criam eles que o *«Espírito-Cristo»* (o «aeon» ou emanação angelical, embora não o grande «Logos») meramente viera possuir o corpo do homem Jesus de Nazaré, quando de seu batismo, não se tendo «encarnado» realmente. Repeliam a encarnação como algo metafisicamente impossível e moralmente prejudicial. Se um espírito viesse a encarnar-se, ficaria corrompido pela matéria, o princípio do mal. Já que Cristo não se encarnara e, por conseguinte, não sofrera e nem morrera, como poderia ter feito expiação? Quando o homem Jesus morreu, o «aeon» ter-se-ia afastado dele; e sua morte, portanto, teria sido meramente humana, sem qualquer valor expiatório. (Ver o trecho II Ped. 2:1 que diz: «...até ao ponto de renegarem o Soberano Senhor que os resgatou, trazendo sobre si mesmos repentina destruição», o que é clara alusão à *expiação*). — Pode-se supor que em Judas 4 há a mesma alusão.

3. Os gnósticos *negavam a Deus Pai* (ver o quarto versículo). Tinham um conceito **deísta** de Deus. Em outras palavras, Deus teria criado a tudo, mas seria tão **transcendental** que nada mais teria a ver com a sua criação. Teria deixado sua criação entregue às leis naturais, não interferindo e nem recompensando e punindo. O cristianismo autêntico, porém, toma a posição **teísta**, isto é, Deus não somente existe e criou a tudo, mas também **intervém** na história humana, recompensando e punindo. O fato de que os gnósticos negavam a Deus, provavelmente também inclui a idéia de que tinham vidas ímpias e imorais. Isso negava qualquer pretensão que tivessem de ser inspirados e guiados por Deus.

4. A *imoralidade e perversão* dos gnósticos era algo profundo (ver os versículos quinto e décimo nono). Essa porção da epístola descreve, nos termos mais horrendos, a natureza moral dos falsos mestres, fortalecida tal descrição com alusões ao A.T. e aos livros apócrifos do A.T. Foi a fim de combater tal imoralidade, que se fazia passar por «cristã», que esta epístola foi escrita.

5. Os gnósticos negavam que a *salvação plena* fosse oferecida aos homens (o que talvez fique refletido nos versículos vinte e um a vinte e três). Os gnósticos dividiam os homens em três classes: a. Os *«hílicos»* ou terrenos, que estariam tão mergulhados na matéria que nunca poderiam escapar, pelo que haveriam de perecer na grande conflagração que assinalaria o fim das «emanações», quando a criação retornaria ao seu «fogo central», Deus. A maioria dos homens pertenceria a essa classe, pelo que seriam eles totalmente incapazes de receber a redenção. b. Os *psíquicos*. Estes seriam espirituais até certo ponto, como os profetas do A.T., os quais poderiam receber uma forma secundária de salvação, com base na «fé», que seria inferior ao «conhecimento». Todos os homens bons que não fossem «gnósticos» pertenceriam a essa classe. c. Finalmente, haveria os *pneumáticos*, que seriam os indivíduos realmente espirituais, remidos através do «conhecimento» e, portanto, «gnósticos» (termo que procede do vocábulo grego «gnosis», «conhecimento»). Os indivíduos dessa última classe seriam, finalmente, reabsorvidos pelo Espírito divino, com a perda de sua identidade pessoal, em que o «ego» se tornaria em «superego».

Quase todos os gnósticos eram *docéticos* ou «semidocéticos». Supunham que Jesus, o Cristo, não teria corpo humano, mas tão-somente «pareceria» ser humano (do que se deriva o termo «docetismo», no grego, *dokeo*, «parecer»). Isso expressa o «docetismo puro», a total negação de qualquer tipo de humanidade associada à pessoa de Cristo. Todavia, a maioria dos gnósticos era «semidocética». Acreditavam na teoria da «possessão». Um «aeon» (emanação angelical — o *Espírito-Cristo*) teria vindo possuir o homem Jesus de Nazaré quando de seu batismo, tendo-o abandonado por ocasião de sua morte. Não era humano e nem jamais se «encarnara». Mediante essa forma estranha de «cristologia», pois, os mestres gnósticos negavam o verdadeiro Cristo. (Ver o quarto versículo. Ver o artigo sobre o *Gnosticismo*).

Propósitos: Pelo que é dito nas notas acima, o «propósito» do autor sagrado é claro. Ele escrevia contra a heresia do gnosticismo, esperando quebrar o encantamento exercido pelo mesmo sobre os crentes, trazendo-os de volta ao evangelho apostólico. Ao longo do caminho também queria dar instruções positivas sobre a natureza da verdadeira fé; e isso faz ao mencionar várias crenças cristãs, contrastando-as com a heresia que havia ao redor. Também os encorajou a «lutarem» pela fé cristã que vinha sendo atacada pelos hereges (ver o terceiro versículo) e isso «diligentemente», porquanto grande crise sobreviera à igreja cristã. Se o gnosticismo houvesse ganho nessa batalha, o cristianismo ter-se-ia transformado apenas em um outro culto misterioso. Contudo durou somente cento e cinqüenta anos; e a fé cristã triunfa até os nossos dias.

Além desse propósito polêmico, o autor sagrado também quis consolar aos verdadeiros crentes (ver os versículos vinte em diante). Há uma fé revelada, na qual devemos confiar, e há orações a serem feitas no Espírito Santo. Também há o amor de Deus, que nos guarda e no qual nos devemos resguardar. E há a «vida eterna», a qual será obtida pelos fiéis, os que permanecerem na esfera da graça divina. E Deus é capaz de conservar-nos, impedindo-nos a queda, não nos deixando perecer, arrastados pelo encantamento de qualquer heresia. E, finalmente, ele nos apresentará diante de si mesmo sem falha e com inexcedível alegria. Por conseguinte, àquele que é o único Deus sábio, o nosso Salvador, seja a glória, a majestade, o domínio e o poder, tanto agora como para sempre. Assim seja.

Em contraste com a bem-aventurança de que desfrutam os verdadeiros crentes, temos a «condenação» em que incorrem os falsos mestres. O autor sagrado mostra que assim como Deus julgou, no tempo passado, haverá de julgar novamente; e que o juízo divino inevitavelmente recairá sobre os que rejeitarem a Cristo (ver os versículos 5-7, 14,15).

A apostasia sobreviera à igreja com poder repentino e eficaz. Isso poderia ter deixado confusos a alguns, em dúvida acerca da mensagem cristã. O autor sagrado mostra (sendo esse um dos propósitos desta epístola) que tudo isso fora predito (ver os versículos décimo sétimo e décimo oitavo), e que a apostasia era apenas um dos sinais dos «últimos tempos», nos quais a igreja cristã (conforme acreditava o autor sagrado) já vivia.

VII. *CONTEÚDO*

I. Saudação (vss. 1,2)

II. Propósito central da Epístola (vss. 3,4)

III. A apostasia não é nova: exemplos históricos (vss. 5-7)

IV. Descrição dos hereges gnósticos (vss. 8-13)
   a. Tinham objetos santos (vss. 8-13)

JUDAS — JUDÉIA

b. São denunciados (vss. 11-13)

V. A profecia inspirada já descrevera a eles e sua condenação (vss. 14-16)

VI. Os apóstolos do N.T. nos advertiram sobre eles de antemão (vss. 17-19)

VII. Os verdadeiros crentes triunfarão a despeito deles (vss. 20-23)

VIII. Bênção (vss. 24-25)

VIII. *BIBLIOGRAFIA:* AM E EN I IB ID LAN MOF NTI R TRA TIN VIN Z

JUDAS, GALILEU

Ver o sexto item do artigo sobre **Judas**.

JUDAS, IRMÃO DO SENHOR

Ver o quinto item do artigo sobre **Judas**.

JUDAS ISCARIOTES

Ver o segundo item do artigo sobre **Judas**.

JUDAS MACABEU

Ver o décimo primeiro ponto do artigo sobre **Judas**.

JUDAS TADEU (LABEU)

Ver o primeiro item do artigo sobre **Judas**.

JUDÉIA

1. *Nome.* O nome do território de *Judá* veio do patriarca desse nome e da tribo que tomou o seu nome. Ver o artigo sobre *Judá.* Ver a segunda seção do artigo, *A Tribo de Judá,* bem como a terceira seção do mesmo, *O Território de Judá. Judéia* é a designação greco-romana de uma área que, antes, incluía o reino de Judá. Na literatura judaica, esse nome aparece, pela primeira vez, em Tobias 1:18, como nome do reino de Davi. Pode indicar a parte ocidental da Palestina (ver Luc. 23:5 e Atos 10:37). Estritamente falando, porém, indica a região mais sulista das três divisões tradicionais da antiga Palestina, do norte para o sul: Galiléia (ao norte), Samaria (no centro) e Judéia (ao sul).

2. *A Terra.* A expressão «terra da Judéia» indica a região de Judá, em contraste com sua capital, Jerusalém (ver Mar. 1:5; João 3:22). A Judéia era a porção do extremo sul das três principais divisões da Terra Santa (conforme se viu acima). Também denotava o reino de Judá, para distingui-lo do reino de Israel. Ver o artigo sobre *Judá.* Terminado o cativeiro babilônico, a Judéia tornou-se, essencialmente, o território ocupado pelo remanescente judeu, que voltara da Babilônia para a Palestina. Então, o nome *Judéia* passou a significar a totalidade da Palestina, a oeste do rio Jordão (Ageu 1:1,14 e 2:2).

3. *Dimensões.* De acordo com os padrões modernos, essa região da Judéia era minúscula. Mesmo que incluamos toda a planície marítima e o deserto, a sua área não tinha mais de 5.200 km(2). Entretanto, nunca incluía a totalidade daquela planície marítima. À parte da Sefelá e da planície, a Judéia tinha apenas oitenta e oito quilômetros e meio, de Belém a Berseba, no sentido norte-sul, e apenas cerca de quarenta e quatro quilômetros na direção leste-oeste. Isso significa que tinha cerca de três mil e novecentos quilômetros quadrados apenas, metade

deserto. A leste dessa região ficava o rio Jordão e seu vale; mais para oeste vinha a região montanhosa; e, mais para oeste ainda, a Sefelá ou colinas baixas. Finalmente, seguindo nessa mesma direção, vinha a planície marítima. Ao norte, a Judéia fazia fronteiras com a Samaria; e, estendendo-se para o sul da Judéia, ficava o grande deserto que era apenas uma continuação do deserto do Sinai.

4. *O Deserto da Judéia.* João Batista pregava e imergia ali (Mat. 3:1). E o Senhor Jesus foi ali tentado (Mat. 4). O local exato pode ter sido ao norte dessa área, perto de Jericó. Certas porções desse deserto eram virtualmente desabitadas. O que se chama de «deserto da Judéia» fica ao longo da fronteira oriental da Judéia, já aproximando-se do mar Morto. Seis cidades localizadas naquela área, são mencionadas em Jos. 15:61 *ss.* O maior proveito da área era como terras de pastagem. Os viajantes que atravessam esse deserto, enfrentam algumas extensões de território inteiramente destituídas de água. Porém, há pontos bem servidos por água, na sua fronteira oriental: Jericó; 'Ain Feshkah, a dezesseis quilômetros mais ao sul; 'Ain Jegi, Engedi, a vinte e nove quilômetros mais adiante.

5. *Estradas.* Três estradas partem de Jericó, e seguem na direção noroeste, até Ai e Betel, a sudoeste de Jerusalém, e para o sul e para o sudoeste, até o baixo Cedrom ou até Belém. A última dessas estradas, após cruzar o Cedrom, faz junção com a estrada que vem de 'Ain Feskah. A estrada que parte de Engedi bifurca-se em duas. Um dos ramos corre para noroeste, até Belém e Jerusalém. Essa estrada não era muito usada, visto que a região não era bem desenvolvida. O outro ramo parte para sudoeste, até Yuttah e Hebrom.

6. *Topografia.* A Judéia é assinalada por três características principais: o seu deserto, as suas colinas e os seus vales. As colinas são separadas umas das outras por vales e correderias. Essas colinas são de altitude moderada, mas são muito íngremes. A rocha de que se compõem transforma-se facilmente em solo, sendo então arrastado pelas águas das chuvas, formando terraços. Isso torna as colinas muito úteis para a agricultura, em longas e estreitas faixas de terra arável. Nos tempos antigos, as videiras e as oliveiras eram as espécies vegetais mais intensamente cultivadas. Mas, finalmente, as chuvas provocaram a erosão do solo, e daí resultou que ficaram somente rochas áridas, nuas e desoladas. Certas porções ainda contam com bosques, mas a quantidade de vegetação vem-se reduzindo cada vez mais.

Dois profetas nasceram no deserto da Judéia: Amós (em Tecoa) e Jeremias (em Anatote). O coração da Judéia sempre foi a região montanhosa, um planalto que se estende desde Betel até Berseba. Essa área inclui Jerusalém, Belém e Hebrom. Próximo de Jerusalém, o planalto eleva-se até cerca de 820 m. Em Hebrom, atinge os 1020 m de altitude. Esse era o centro da vida na Judéia, desde os tempos antigos, como até hoje também. Esse planalto tem vertentes que descem na direção do Ocidente, através da Sefelá e daí até à planície marítima, até chegar às margens do mar Mediterrâneo. No seu lado oriental, aquele planalto vai descendo também, na direção do mar Morto e do rio Jordão. É justamente a leste dessa área que fica o chamado deserto da Judéia. Jericó era a região habitada mais importante da região. Ao longo das costas do Mediterrâneo, mas ainda dentro do território da Judéia, ficava a mais poderosa das cidades da Filístia. Após a conquista da Terra Prometida, essa área continuou a perturbar os habitantes de Judá. Em tempos posteriores, Jabneel

JUDÉIA

(mais tarde chamada Jamnia) ficava localizada aí. Esse veio a tornar-se um importantíssimo centro da erudição rabínica.

7. *Informes Históricos*. As descobertas arqueológicas mostram que povos primitivos, de tempos pré-históricos, ocuparam o território que, posteriormente, veio a chamar-se *Judéia*. Porém, dentro da história conhecida, temos o seguinte:

a. A conquista da Terra Prometida, nos dias de Josué, deu à tribo de Judá esse território. Alguns eruditos supõem que essa parte da conquista foi efetuada antes de outras partes; mas as evidências demonstram justamente o contrário, em favor de uma invasão generalizada, da parte de todas as tribos de Israel. Contudo, o relato dessa conquista pode não ter chegado até nós em sua inteireza, pelo que contaríamos somente com alguns lances da mesma. O relato aparece em Jos. 15:1-63. Judá, naturalmente, nunca ocupou todo o território que lhe foi alocado e os filisteus, que ocupavam a faixa marítima, foram, durante séculos, uma constante irritação para os homens da tribo. As informações sobre as fronteiras do território e sobre os locais ocupados aparecem em Jos. 15:1-22.

b. Quanto a uma narrativa detalhada da história desse território, ver o artigo separado sobre o *Reino de Judá*. Durante o tempo da nação unida de Israel, encontramos a história de Davi, que estabeleceu sua capital em Jerusalém, uma antiga fortaleza dos jebuseus. Seu neto, Roboão, viveu no tempo da divisão de Israel em dois países, Israel (ao norte) e Judá (ao sul); e, daí por diante, encontramos a história do reino de Judá. Isso começou em cerca de 934 A.C.

c. O reino de Judá continuou por cerca de trezentos e cinqüenta anos, como unidade distinta da nação do norte, Israel. Houve muitas guerras durante esse período, tanto contra inimigos estrangeiros como contra a nação do norte, Israel. Os adversários estrangeiros foram o Egito, a Síria, e, finalmente, a Babilônia. O reino de Judá chegou ao seu fim pela brutal invasão e exílio, chamado de cativeiro babilônico. Jerusalém caiu em 586 A.C. Ver o relato a respeito no artigo intitulado *Cativeiro Babilônico*.

d. *Ciro*, o primeiro imperador persa, deu permissão aos cativos hebreus para retornarem à sua terra nativa. O templo de Jerusalém foi reconstruído e a nação teve prosseguimento. Judá e Israel tornaram-se, desde então, termos sinônimos, pois aqueles que retornaram pertenciam, essencialmente, à tribo e ao reino de Judá, com elementos esparsos das demais tribos, dentre as quais preponderavam indivíduos das tribos de Benjamim, Simeão e Levi.

e. *Alexandre, o Grande*. Um dos resultados a longo prazo das conquistas militares de Alexandre foi o governo da dinastia *Selêucida* (vide) sobre Israel.

f. Sob os *Hasmoneanos* (vide), Israel obteve um período de independência. Em 165 A.C., o templo foi purificado; e, não muito depois, foi obtida a independência política. Judas Macabeu foi o instrumento usado nessa vitória religiosa; e seu irmão, Simão, foi o instrumento usado na outra vitória, política. Os livros apócrifos, I e II Macabeus, narram a história toda.

g. *O Domínio Romano*. A independência de Israel, obtida pelos Macabeus, perdurou somente por cerca de cem anos. A dinastia hasmoneana continuou até o décimo segundo descendente direto de Matatias, o pai dos cinco filhos originais que encabeçaram a revolta. Herodes, o Grande, executou esse último membro da família, em 29 A.C. A Palestina caiu sob o controle dos romanos em 63 A.C., e Antípater, com o título de procurador, foi designado para governar pelos romanos. O imperador romano era então Júlio César. Herodes reconstruiu o templo de Jerusalém e proveu um lindo exemplar de construção para fins religiosos. Ele governou a Palestina inteira de 40 A.C. até 4 A.C. Seus filhos, Herodes e Arquelau, governaram a Palestina de 4 A.C. a 6 D.C. Finalmente, foram depostos pelos romanos, que passaram a dirigir a Palestina por uma série de governadores. Em tudo isso estiveram envolvidos os três territórios da Judéia, Samaria e Iduméia. Esse tipo de governo, mediante governadores nomeados, perdurou de 6 a 41 D.C.

O mais bem conhecido desses governadores, para os leitores da Bíblia, foi Pôncio Pilatos, aquele que precisou julgar a causa de Jesus. Ele governou de 26 a 36 D.C. Então começou a governar Herodes Agripa I, neto de Herodes, o Grande, e Agripa governou a Palestina entre 41 e 44 D.C. Então os governadores romanos nomeados passaram a controlar novamente Israel, até que os judeus rebelaram-se contra os romanos. Essa rebelião durou de 66 a 73 D.C., e o ano de 70 D.C. assinalou a destruição de Jerusalém. Os judeus, porém, não desistiram, e forçaram os romanos a destruir Israel, da maneira mais brutal e definitiva, em 135 D.C. E isso iniciou o grande exílio de Israel, a diáspora, que só foi revertida em nossos próprios dias, quando foi formado o estado de Israel, em 1948. Todavia, ainda durante o período de dominação romana, Jerusalém foi reconstruída, mas sem a presença de judeus, pelo imperador Adriano, que a rebatizou com o nome latino de Aelia Capitolina (132—135 D.C.).

h. *Cristianismo*. Jerusalém foi a primeira capital do cristianismo. As primeiras missões cristãs visavam apenas à Judéia. Centros foram estabelecidos em Belém, Eleuterópolis (Beit Jibrin) e Messana ('Auja el-Hafir).

i. *Constantino*. Esse imperador romano reorganizou a Palestina, e reuniu a Judéia e a Samaria sob um único nome, *Palestina Prima*.

j. *O Poder Islâmico*. A Judéia foi conquistada pelos árabes em 637 D.C., e eles continuaram dominando a região até que a mesma tornou-se parte do mandato britânico da Palestina, terminada a Primeira Grande Guerra. De 1099 a 1187 D.C., potências européias cristãs controlaram temporariamente o território, em resultado das *cruzadas* (vide).

l. *Partição*. Em 1948, o território da antiga Palestina foi dividido entre judeus e árabes.

m. *Guerra dos Seis Dias*. Esse conflito, que teve lugar em junho de 1967, resultou no controle dos judeus sobre todo o território que havia pertencido à antiga Judéia.

Bibliografia. Ver no fim do artigo sobre o *Reino de Judá*.

Judéia em Atos 2:9

A inclusão da Judéia, na lista preparada por Lucas, tem deixado alguns intérpretes perplexos, visto que esse autor sagrado vinha dando uma descrição geral de supostos povos estrangeiros, que falavam diferentes idiomas da língua dos galileus. Mas o mais provável é que isso foi feito não meramente porque o aramaico da Galiléia fosse levemente diferente do aramaico judaico, mas mais certamente para que a lista ficasse mais completa. Pois seria indesculpável que Lucas, ao mencionar todas as nações representadas, não mencionasse os nativos da Palestina. O termo Judéia, neste caso, provavelmente tem seu emprego mais amplo como indicação de todos os habitantes da Palestina, e não meramente da Judéia, em distinção às demais regiões da Palestina. Além

O deserto de Judéia

Foto por Alistair Duncan

Vale do Jezreel
Foto por Alistair Duncan

JUDÉIA — JUDEUS

disso, os leitores do livro de Atos, sendo romanos ou provenientes de países vizinhos, considerariam a Judéia como uma nação estrangeira, que falava um idioma diferente do das demais nações, o qual também foi ouvido naquele dia.

Mas também é possível que *Judéia*, neste caso, signifique a região da Palestina onde se falava o aramaico, que também incluía certas partes da Síria, conforme o termo é utilizado algumas vezes. Em diversos manuscritos e versões, a palavra «Judéia» é omitida, havendo muitas substituições, como Síria, Armênia, Índia, Lídia, Iduméia e outras. Mas tais substituições foram feitas por escribas, os quais, por propósitos interpretativos, não viam razão para a inclusão da Judéia. Diversos dos pais da igreja também fizeram essa alteração, como Tertuliano; e Agostinho preferia substituir Judéia por «Armênia». Não obstante, em outras oportunidades Agostinho deixou ali «Judéia». Jerônimo conjecturou que se trataria da «Síria», ao passo que Crisóstomo favorecia a *Índia*. Porém, nenhuma dessas substituições têm autoridade como representante do original, e «Judéia» sem dúvida alguma aparecia no texto original do livro de Atos.

Adjetivo com o sentido de *«judaico»*. Depois da conquista pelos romanos, em 63 A.C., a palavra passou a ser usada para indicar toda a Palestina, incluindo a Samaria e a Galiléia. Às vezes, naquele tempo, era usada para indicar a Palestina inteira, com exceção da Samaria e da Galiléia. O reino de Herodes, o Grande, incluía toda a Palestina e certas regiões a leste do rio Jordão, e se chamava «Judéia» (37-4 A.C.). O tetrarca Arquelau (4 A.C. — 6. D.C.) reinava sobre uma região mais estreita, isto é, a oeste de Jordão, ao sul e a oeste do mar Morto, e ao sul de Samaria, que também foi chamada «Judéia», mas que não incluía a Samaria. O distrito da Judéia e esses limites também constituíam a província romana da Judéia (6—41 D.C.). Após 44 D.C. o nome passou a incluir também a Galiléia.

JUDEU

1. *O Nome.*

No hebraico, esse adjetivo pátrio é *Yedudi*, um judaíta, um descendente de Judá, pertencente à tribo de Israel por ele originada. O patriarca Judá (vide) foi o quarto filho de Jacó e Lia. Seus irmãos de pai e mãe foram Rúben, Simeão e Levi (que eram mais velhos do que ele), e, então, Issacar e Zebulom (que eram mais novos que ele). (Ver Gên. 29:35). Ele viveu em torno de 1950 A.C. Seu nome, segundo muitos estudiosos, significa «seja Ele (Deus) louvado». A raiz desse nome é *ydh*, que significa «louvar». Todavia, alguns estudiosos duvidam da derivação do nome *Judá* dessa raiz hebraica, embora nenhuma idéia melhor do que essa tenha sido apresentada pelos estudiosos.

2. *Usos da Palavra*

a. A tribo de Judá (II Reis 16:6).

b. Nos textos assírios, pelo menos por volta do século VIII A.C., era um apelativo comum usado por não judeus a fim de se referirem aos hebreus em geral, ou seja, aos descendentes de Abraão. Assim, em Jer. 34:9, esse nome é sinônimo de hebreu.

c. Posteriormente, após a divisão dos reinos de Israel em reino do norte e reino do sul, esse termo veio a aludir ao reino do sul, composto por um núcleo básico das tribos de Judá e Benjamim, com misturas com Levi e com membros de outras tribos, em número mais reduzido. Ver II Reis 16:6; 25:25; Jer. 32:12; 38:19; 40:11; 41:3; 52:28.

d. Essa palavra também era usada para indicar o dialeto semita local falado em Judá, ou, conforme diz a nossa versão portuguesa, o «judaico» (II Reis 18:26,28; Isa. 36:11 e Nee. 13:24).

e. A partir da época do cativeiro babilônico, visto que aqueles que retornaram à Palestina pertenciam, em sua maioria, à tribo de Judá, o povo inteiro de Israel veio a ser conhecido como os *judeus*. Isso também aparece em II Macabeus 9:17; João 4:9; Atos 18:2,24. Os termos *hebreu* e *judeu*, por conseguinte, tornaram-se sinônimos.

f. No Novo Testamento, «judeus» indica todo o povo de Israel. Judia também era um adjetivo usado, conforme se vê em I Crô. 4:18 e Atos 16:1. Ver a forma adjetivada em Gál. 2:14 e Tito 1:14. Ver esse uso em Rom. 1:16; 2:9; 10:12; Gál. 2:14; 3:28 e Col. 3:11.

g. Algumas vezes, nos evangelhos (no grego, *ioudaioi*), o termo «judeus» não se refere a todos os judeus, mas somente aos seus líderes religiosos, especialmente o partido dos fariseus. Nesse caso, o termo pode ter um certo sentido pejorativo, porque os líderes religiosos do povo judeu rejeitaram a Cristo. Ver João 7:11,13; 11:8; 18:12.

3. *Uso Metafórico e Espiritual*

Paulo considerava verdadeiro judeu aquele que tivesse não somente a circuncisão física, mas também a circuncisão espiritual, mediante a regeneração. Ver Rom. 2:29; Fil. 33:3; Col. 3:11 *ss*; Deu. 10:16; Jer. 4:4. Isso reitera uma distinção que vinha sendo feita desde a antiguidade. Os verdadeiros judeus, pois, são os descendentes de Abraão que se convertem ao Messias, Jesus Cristo (Gál. 3:29).

4. *Uso Moderno*

Em nossos dias, um judeu é um membro da nação de Israel. ou, então, alguém que descende de genitores judeus. Feita uma enquete em Israel, a opinião mais prevalente entre os cidadãos do estado de Israel foi que judeu é aquele que se sente judeu no coração. Os rabinos, contrariamente às genealogias bíblicas, que traçam a descendência sempre através do pai, dizem que judeu é aquele que tem «mãe» judia. Se aplicarmos essa regra então nem Isaque e nem Jacó eram judeus! E muitas figuras tidas na mais alta conta, como grandes vultos judeus do passado, eram gentios, porque seus pais eram judeus, mas suas mães não o eram! As restrições religiosas, aplicadas a esse nome, em Israel moderno, desapareceram quase inteiramente, excetuando no caso dos ultraortodoxos. Contudo, um convertido ao judaísmo, naquela nação, sem importar qual a sua etnia original, é considerado um judeu.

5. *Uso Pejorativo*

Uma pessoa que empresta dinheiro (um agiota), ou, então, um indivíduo desonesto e cheio de truques em questões financeiras, por muitos é chamado de «judeu». O verbo *judiar*, que é de origem popular, em português, dá a idéia de maltratar fisicamente. Essa idéia, bastante infeliz, deriva-se da idéia de que os judeus maltrataram fisicamente a Cristo.

JUDEUS

Os artigos que tratam sobre os judeus, a história, a religião, a filosofia deles, etc., aparecem sob o título *Israel* (onde alistamos mais de vinte artigos interessantes). Ver também sobre *Judá, Reino de* e sobre *Israel, Reino de*. O artigo sobre o *Judaísmo* fornece uma detalhada descrição sobre os aspectos históricos da fé judaica, como uma das grandes religiões mundiais.

••• ••• •••

JUDITE — JUDITE (LIVRO)

JUDITE

No hebraico, «judia». Duas personagens vinculadas à Bíblia tinham esse nome, a saber:

1. Uma das esposas de Esaú, filha de Beei, o heteu (Gên. 26:34).

2. A figura principal do livro de Judite, um dos livros apócrifos. Ela matou Holofernes, general de Nabucodonosor, e assim Jerusalém foi poupada. Ver sobre *Judite (Livro)*, em sua segunda seção.

JUDITE (LIVRO)

Esboço:

I. Caracterização Geral
II. Judite, a Heroína
III. Historicidade do Livro
IV. Holofernes
V. Autoria e Data
VI. Propósitos do Livro
VII. Esboço do Conteúdo
    Bibliografia

I. Caracterização Geral

O livro de **Judite** é um dos chamados **livros apócrifos** (vide), de acordo com a definição protestante; ou então, um dos livros *deuterocanônicos*, segundo os conceitos católicos romanos. Seu nome deriva-se da heroína do livro, que à semelhança dos livros de Daniel e de Ester, celebra o livramento dos judeus da perseguição movida por estrangeiros. Seu propósito era o de infundir encorajamento através do exemplo excepcional da heroína. Esse livro tem sido datado com boa variedade de datas: desde o período dos Macabeus (vide), até o tempo do imperador Adriano (130 D.C.)! Foi originalmente escrito em hebraico, embora tenha sido preservado para nós em suas versões grega, siríaca e latina. Porém, é impossível situar os nomes pessoais e locais mencionados no livro dentro de qualquer período conhecido da história, embora alguns estudiosos tenham tentado o feito. A maioria dos eruditos concorda com o fato de que o livro é uma narrativa fictícia, uma espécie de novela religiosa, pseudo-histórica. O propósito do livro, conforme já dissemos, foi o de mostrar um grande exemplo de coragem pessoal, a fim de encorajar os judeus para enfrentarem qualquer período de opressão, por parte de seus inimigos estrangeiros.

II. Judite, A Heroína

O nome dela, no hebraico, significa «judia». Nos livros pertencentes ao cânon palestino (vide), esse nome pessoal ocorre somente em Gên. 26:34, onde aparece como apelativo de uma das esposas de Esaú, uma pessoa totalmente diferente da heroína do livro de Judite. O nome era um nome judaico bastante comum, apesar do fato de que os livros canônicos do Antigo Testamento só falam sobre uma «Judite», a esposa de Esaú, que não era judia.

Na história judaica, encontramos poucas heroínas. A posição social da mulher, na antiguidade, não era muito invejável. Todavia, houve algumas notáveis exceções, como no caso da juíza Débora. A heroína do livro de Judite aparece como a viúva de Manassés, um cidadão da fictícia cidade de Betúlia. Quando, de acordo com o livro, o general de Nabucodonosor, Holofernes (vide), cercou Betúlia, Judite foi até à tenda do general, armada somente com sua fé e coragem. Ela foi admitida à tenda dele em face de sua grande beleza física. De fato, ela teria ido até ali a fim de enganar aquele general, como se quisesse oferecer-lhe favores sexuais. Holofernes caiu no logro,

e, enquanto dormia, Judite decepou a cabeça dele com a própria espada do general. Então, Judite retornou a Betúlia. Os habitantes ficaram entusiasmados diante do ato heróico dela, e, inspirados pelo mesmo, saíram a campo e derrotaram o inimigo.

Essa narrativa tem-se tornado um dos temas favoritos de poetas e artistas, tendo sido retratada e recontada das mais diferentes maneiras. É o tema de um grupo de estátuas esculpido em bronze, por Donatello, na Loggia dei Lanzi, em Florença, na Itália. Lucas Cranach retratou a história na Galeria Dresden. Horácio Vernet pintou várias cenas inspiradas no relato, intituladas *Judite Vai a Holofernes* e *Judite na Tenda de Holofernes*.

Há algo de intrigante quando uma *mulher* se torna a heroína, em tempos de perigo, quando os homens, devido ao temor, não enfrentam o adversário com a determinação necessária. E a história torna-se ainda mais atrativa quando a mulher em foco é linda e faz o papel de sedutora. Isso posto, o relato sobre Judite combina aqueles elementos que arrebatam as mentes dos homens; e, dessa narrativa, as lições religiosas emergem com facilidade.

III. Historicidade do Livro

Lutero aceitava o livro como uma novela pseudo-histórica, dizendo que a sua principal lição é que a nação da Judéia ficaria segura enquanto obedecesse à lei mosaica. Isso, naturalmente, é um tema comum ao Antigo Testamento, embora seja essa uma visão simplista do processo histórico. Entretanto, alguns eruditos pensam que algum evento histórico esteja, realmente, por detrás do livro, embora disfarçado pelo uso fictício de personagens e lugares. Uma das aplicações desse ponto de vista é que o rei Nabucodonosor realmente representa Antíoco IV Epifânio, ou, talvez, Artaxerxes Ocus. Esse tipo de teoria já esteve em muita voga. Pfeiffer produziu uma lista de nada menos de dezessete monarcas, que, supostamente, Nabucodonosor representaria dentro dessa narrativa. Os nomes sugeridos também abarcam um largo segmento de tempo, começando com Adade-Nirari III (810—783 A.C.), até Adriano (117—138 D.C.). Entretanto, esse exercício de adivinhação histórica é inteiramente inútil. O livro está repleto de muitos erros cronológicos, geográficos e históricos para ser levado a sério, como uma genuína produção histórica.

IV. Holofernes

Esse general teria acampado na planície de Esdrelom (Judite 1:3). De acordo com o livro, os judeus teriam retornado do cativeiro babilônico ainda recentemente. O templo de Jerusalém e seu culto, porém, já haviam sido restaurados. Entretanto, Holofernes traçou maus desígnios, ameaçando perturbar a nova ordem de coisas entre os judeus. O sumo sacerdote dos judeus, em vista disso, enviou cartas aos habitantes de Betúlia e de Betomestã, ambas perto da planície de Esdrelom (4:6), encarregando-os de guardarem as passagens entre as montanhas. Holofernes ficou boquiaberto diante da audácia daquela gente tão fraca, e fez indagações a respeito deles. Aquior, o chefe dos amonitas, informou-o então que aqueles eram *os judeus*, sempre invencíveis, enquanto obedecessem a seu Deus. Se fossem desobedientes, entretanto, poderiam ser derrotados. Essas palavras, postas nos lábios de Aquior, é a grande lição do livro, segundo Lutero observou.

Holofernes não ficou impressionado. Ele adentrou as passagens entre as montanhas, cortou o suprimento de água e, de vários modos, dificultou extremamen-

JUDITE (LIVRO)

te a sobrevivência dos judeus. Ao fim de trinta e quatro dias, a condição dos judeus chegara a um ponto extremamente difícil. Foi, então, que se deu a intervenção de Judite. Para começar, ela disse aos líderes judeus que se esquecessem totalmente da idéia de rendição. Em seguida, vestiu-se ricamente, e foi à presença de Holofernes, dizendo certo número de mentiras, a fim de convencê-lo de que ela fugira dos judeus, os quais teriam desobedecido a Deus e estavam prestes a ser julgados. Então, ela exibiu sua beleza plástica; e o coitado do Holofernes, a quem ninguém ainda vencera, foi dominado por uma simples mulher! Holofernes organizou um grande banquete, onde todos os convivas acabaram alcoolizados. Holofernes, intoxicado, foi para a sua tenda. E ficou caído ali, bêbado, em grande estupor. Foi essa a oportunidade para Judite brandir a espada do próprio general e decepar-lhe a cabeça, que levou de volta para Betúlia. Esse ato de bravura de Judite impeliu os judeus ao ataque. Obtiveram o mais retumbante êxito.

Holofernes como Tipo Simbólico. Ele representa qualquer perigo, obstáculo ou problema que os piedosos tenham de enfrentar. Esse perigo pode ser transposto mediante a obediência ao Senhor, sem importar quão impossível pareça ser o caso.

V. Autoria e Data

O autor do livro é anônimo, e coisa alguma se sabe a respeito dele. Sem dúvida, foi algum judeu piedoso que encarava a história e todos os lances da vida como envolvidos no relacionamento com um Deus que requer obediência e castiga àqueles que não são suficientemente sábios para anuírem à sua vontade. Os eruditos não concordam quanto à época histórica em que ele deve ter vivido, conforme se vê abaixo.

Data. Apesar das opiniões diferirem muito, a maioria dos estudiosos pensa que o livro de Judite foi escrito no século II A.C., provavelmente inspirado pela vitória de Israel em seu conflito contra Antíoco IV Epifânio e os sírios. O livro transpira de entusiasmo pela ortodoxia judaica, pela invencibilidade dos judeus contra inimigos muito mais poderosos, atitudes essas características do tempo dos Macabeus. Onias, o suposto sumo sacerdote judeu, aparece como uma figura mista de rei e sacerdote, o que também se ajusta ao período dos Macabeus. O próprio livro propõe-se pertencer à época pouco depois do tempo de Nabucodonosor, rei da Babilônia. No entanto, ele figura como rei dos assírios, em Nínive; mas sabe-se que Nínive havia sido destruída em 612 A.C., e desde há muito deixara de ser uma potência mundial.

Outros estudiosos pensam que o livro foi escrito já dentro da era cristã. Nesse caso, pode ter tido o intuito de inspirar os judeus a revoltarem-se contra os dominadores romanos, e, talvez, especificamente, da época de Adriano. A segunda revolta dos judeus (contra Adriano) fracassou, tanto quanto a primeira (ocorrida no ano 70 D.C.), pelo que é possível que o livro de Judite tenha sido escrito no período entre esses dois acontecimentos, isto é, entre 70 e 132 D.C. Também há argumentos em favor de uma data pós-macabéia, embora antes do início da era cristã. Visto que o livro de Judite glorifica a cidade de Siquém, há quem identifique Siquém com Betúlia. Devemo-nos lembrar que João Hircano (vide) destruiu o templo do monte Gerizim, em cerca de 120 A.C. E ele também reedificara a cidade de Samaria, em cerca de 109 A.C. A glorificação de Siquém ajusta-se, mais logicamente, dentro do período depois que aquelas destruições já tinham tido lugar. Porém, conjecturas dessa ordem têm de permanecer na dúvida; e, juntamente com elas, a data da composição do livro.

VI. Propósitos do Livro

1. Em primeiro lugar, o livro foi escrito para *entreter*. A história encerra vários elementos que contribuem para a formação de uma boa estória. Antes de tudo, há aquela crise dos obstáculos intransponíveis, que augura a extinção dos judeus. Também há uma força brutal e irresistível, mas que precisava ser destruída. Em seguida, temos o elemento da bela mulher dotada de maior poder de sedução do que se julgaria ser possível. Em histórias dessa natureza, tais mulheres podem ser boas ou más. Judite aparece como uma boa mulher, embora, a exemplo de muitas mulheres bonitas, fosse uma mentirosa e sedutora. Holofernes, que jamais fora derrotado pelo mais poderoso inimigo, assim que conheceu Judite, foi vencido. Essa é uma antiga história; mas o aspecto espantoso da mesma é que, com freqüência, isso corresponde à realidade dos fatos. Holofernes perdeu a cabeça ante a beleza física de Judite; e, logo em seguida, perdeu literalmente a cabeça! E houve algo de consternador na cena que Judite saiu da tenda dele com a cabeça do invencível general inimigo, levando-a para o interior da cidade de Betúlia, que estava sendo assediada e estava à beira da rendição!

2. Todavia, o livro de Judite também tem um propósito sério. Pretende ensinar que Israel é capaz de vencer a qualquer obstáculo, crise ou ameaça *contanto que permaneça obediente a Deus*. Talvez, também, haja um propósito secreto. O autor queria que o povo de Israel se revoltasse contra o inimigo que os estava ameaçando.

3. O mais provável, todavia, é que o livro seja uma *celebração* das vitórias de Israel durante o período dos Macabeus. Isso posto, teria sido escrito a fim de celebrar, e, ao mesmo tempo, encorajar os israelitas a agirem conforme tinham feito os líderes Macabeus.

4. A *obediência à lei mosaica* destaca-se sobremaneira.

5. Talvez o livro tenha sido escrito por um fariseu, que desejava usá-lo a fim de ensinar os *ideais do fariseísmo*. Na verdade, os ideais salientados no livro coincidem com os ideais dos *fariseus* (vide), mencionando regras concernentes ao templo, ao dízimo, a alimentos, a preceitos de toda variedade, a orações, a jejuns e a abluções cerimoniais.

VII. Esboço do Conteúdo

1. Nabucodonosor, rei dos assírios (um erro, evidentemente), conquistou Arfaxade e lançou-se à conquista da Ásia, na região a ocidente de Nínive. Holofernes era o seu braço direito. Mediante suas vitórias militares, foram subjugadas a Síria, a Líbia, a Cilícia e a Iduméia.

2. As costas marítimas também não conseguiram oferecer-lhe resistência; mas, embora se tivessem rendido sem oferecer resistência, Holofernes só se divertiria se destruísse, incendiasse e matasse, pelo que assolou e arrasou aquelas cidades da faixa marítima, apesar de terem cooperado com ele.

3. Nabucodonosor exigiu ser tratado como uma divindade. E isso quer dizer que, em certo sentido, as guerras encabeçadas por Holofernes eram guerras santas.

4. Holofernes chegou à planície de Esdrelom (Judite 1:3). Betúlia e outras cidades, que ficavam no trajeto de sua marcha, estavam em grave perigo. Israel assim sendo, preparou-se para a defesa. Joaquim, o sumo sacerdote judeu, em Jerusalém, enviou um recado aos habitantes de Betúlia e de Betomestraim, duas cidades nas vizinhanças da planície de Esdrelom, para que defendessem as passagens montanhosas,

633

JUDITE — JUDSON

a fim de que, ao menos, entravassem um pouco o avanço dos exércitos de Holofernes.

5. Holofernes não gostou dessa preparação bélica, e convocou todos os líderes de Moabe, de Amom e das áreas costeiras, a fim de informar-se sobre o povo que estaria fazendo toda aquela inútil preparação. Foi dentro desse contexto que Holofernes foi informado de que Israel era invencível, se obedecesse a seu Deus, embora nada representasse, podendo ser facilmente dominado, se fosse desobediente. Naturalmente, Holofernes não ficou impressionado diante dessa lição teológica, e jactou-se de que em breve varreria a nação de Israel do mapa.

6. Holofernes preparou um exército de cento e setenta mil infantes e de doze mil cavalarianos, a fim de conquistar Israel. E atravessaram as passagens montanhosas e bloquearam o suprimento de água dos judeus.

7. Após um assédio de trinta e quatro dias, a água potável acabou-se e o alimento sólido tornou-se muito escasso. Israel fora reduzida a nada, e agora teria de render-se.

8. Foi por essa altura dos acontecimentos que a bela Judite resolveu intervir. E sua atuação valeu mais do que todo o esforço dos exércitos de defesa de Israel.

9. Então vieram as mentiras, os truques e a sedução empregados por Judite, que só buscava ocasião para tirar a vida a Holofernes, conforme já foi descrito. De mistura com tudo isso, temos descrições sobre a grande devoção religiosa de Judite, sempre de acordo com as idéias dos fariseus.

10. O ato extremado. Um toque interessante do relato é que Judite, antes de degolar Holofernes, teve de orar pedindo forças para executar o seu intento. A sua oração foi respondida, tanto que, com apenas dois golpes da espada, conseguiu decepar fora a cabeça de Holofernes. Então, ela puxou o cadáver dele para fora do leito e fechou as cortinas. E saiu calmamente da tenda dele, com a cabeça de Holofernes nas mãos, e entregou-a à sua criada, que a pôs em uma sacola de mantimentos.

11. A cabeça de Holofernes foi levada até Betúlia, onde ficou exposta à apreciação pública. E Judite ordenou que a cabeça do general inimigo fosse encravada em uma parede, a fim de ser contemplada por todos os passantes. E o livro esclarece que, afinal, Judite não cometeu nenhum pecado sexual com Holofernes. E, isso, por si só, foi um feito notável, considerando-se que ela teria passado vários dias em seu acampamento militar. Sem dúvida, aquele guerreiro pagão tinha maior respeito pelas mulheres judias do que se poderia esperar! É evidente que o livro é uma novela pseudo-histórica!

12. *Aquior*, o líder amonita, foi um dos chefes convocados por Holofernes, a fim de informá-lo sobre os judeus, que se preparavam para a resistência. E foi ele quem falou sobre a invencibilidade dos judeus. Os soldados israelitas queriam executá-lo, mas ficou resolvido (convenientemente) que ele seria levado para Betúlia, a fim de que morresse *juntamente* com o povo de Israel. Ele se escondera nas vizinhanças, mas alguns judeus acharam-no e levaram-no para a cidade. Judite, em seu triunfo, ordenou que Aquior fosse trazido para ver a cabeça decepada de Holofernes. Ao vê-la, caiu desmaiado. Mas, ao recuperar os sentidos, confessou o poder do Deus de Israel, foi circuncidado e tornou-se judeu!

13. Em seguida, os assírios foram derrotados e o acampamento deles foi saqueado. Em celebração da vitória, o povo da Judéia reuniu-se. As mulheres iniciaram uma dança, lideradas por Judite. Os homens também vieram participar, brandindo suas armas de guerra, em meio a grande regozijo. Em seguida, os habitantes dirigiram-se a Jerusalém, para continuarem as celebrações. Vários itens e objetos que haviam pertencido a Holofernes foram dedicados a Deus, incluindo as cortinas que ela tirara do leito onde ele fora assassinado. Em Jerusalém, as festividades duraram por nada menos de *três meses*. Somente, então, foi que Judite retornou a Betúlia. Porém, permaneceu viúva e faleceu com a idade de cento e cinco anos. Ela deu liberdade à sua criada, até então escrava, e distribuiu suas riquezas entre seus parentes, tanto os dela mesma quanto os de seu falecido marido.

Bibliografia. Ver o fim do artigo sobre os *Livros Apócrifos*.

JUDSON, ADONIRÃO

Suas datas foram 1788-1850. Foi um dos missionários pioneiros dos batistas. Nasceu em Malden, Massachussets, e faleceu em alto-mar. Foi membro da primeira Junta de Missões Estrangeiras norte-americanas, que consistia em cinco membros. Foi a Londres conferenciar com a Sociedade Missionária Londrina, mas foi capturado, durante a viagem, por um aventureiro francês, e ficou prisioneiro em Bayonne, na França. Ao ser solto, completou sua viagem até Londres. Voltou à América do Norte, e, juntamente com quatro outros missionários, foi enviado à Índia (Burma), pela Junta Norte-Americana de Missões no Estrangeiro. Isso teve lugar em fevereiro de 1812.

Em Calcutá, já na Índia, ele e sua esposa juntaram-se aos batistas, em suas atividades, do que resultou a formação da União Missionária de Batistas Norte-Americanos, organizada em 1814. Iniciou-se, então, um período de viagens, que terminou quando a família Judson estabeleceu-se em Rangum, em Burma em 1813. Nos primeiros anos foram feitos bem poucos convertidos, e as relações entre Judson e o governo indiano não eram muito boas. Irrompeu a guerra entre Burma e a Companhia das Índias Orientais. Judson foi aprisionado a 8 de junho de 1824, tendo ficado encarcerado pelo espaço de um ano e quatro meses, até que o general Sir Archibald Campbell ordenou sua soltura. Então, os Judsons passaram um ano em Amherst, na Baixa Burma, e, em seguida, mudaram-se para Maulmain. Ali tiveram bom êxito na fundação de uma igreja. Mas Judson teve de voltar à América do Norte, em 1845, por motivo de má saúde. Em 1847, Judson voltou a Rangum. Sensível para com a necessidade de literatura evangélica, ele preparou um dicionário na língua nativa. Esse foi o dicionário burmês-inglês, inglês-burmês. Em seguida, conseguiu reunir uma equipe de nativos, que o ajudaram a traduzir a Bíblia e diversas obras evangélicas, para o burmês. Auxílios essenciais nessa obra foram o dicionário e uma gramática, que, mais tarde, ele publicou. Essas obras, naturalmente, foram preparadas a interesse da propagação da mensagem espiritual da Bíblia, embora também tivessem servido como ajudas utilíssimas no estudo do idioma burmês.

Tolerância Religiosa. Além de sua obra literária, Judson muito fez para produzir a atitude de tolerância religiosa na área onde ele trabalhava; e isso ajudou no avanço das missões cristãs naquela região do mundo. Judson trabalhou por um total de trinta e sete anos como missionário evangélico e, finalmente, foi sepultado no mar.

JUGO

Adonirão Judson foi um facho luminoso que se levantou na América e coriscou brilhantemente nos céus do Oriente, antes de desaparecer tragado pelo mar. Sua vida tem inspirado a milhões de pessoas, e nenhuma denominação cristã no mundo inteiro, mostrou-se mais ativa, na causa das missões evangélicas em âmbito mundial, como os *batistas* (vide).

JUGO, CANZIS

No hebraico, **motah**. Com o sentido de «jugo», «ligadura», essa palavra aparece por oito vezes nas páginas do Antigo Testamento: Isa. 58:6,9; Jer. 27:2; 28:10,12,13; Eze. 30:18. O significado literal dessa palavra hebraica é «barra». No entanto, os tradutores de nossa versão portuguesa mostraram-se muito pouco uniformes na tradução dessa palavra. Assim, em Isa. 58:6 e 9 encontramos a tradução «jugo». Em todos os versículos de Jeremias, «canzis», a tradução mais feliz. E, novamente, no trecho de Ezequiel, achamos «jugo». Vale a pena citar uma dessas referências: «Porventura não é este o jejum que escolhi, que soltes as ligaduras da servidão, deixes livre os oprimidos e despedaces todo jugo?» (Isa. 58:6). A idéia de despedaçar o jugo ficaria ainda mais clara se nossa versão dissesse aqui: «...e despedaces todos os canzis». Os canzis eram barras de madeira onde eram amarrados os braços da vítima, em posição estendida ao longo dessas barras. A barra era passada por cima do pescoço e apoiada sobre o mesmo, e a pessoa era obrigada a andar como se estivesse crucificada somente nos braços. O simbolismo é o de uma servidão pesada e incômoda. Visto que, na época, muitos israelitas oprimiam seus compatriotas, até mesmo através de medidas econômicas desonestas e exploradoras, é perfeitamente compreensível essa exigência do profeta em favor de melhores igualdades sociais. Todo o contexto mostra a violência reinante contra o ser humano, lançando luz sobre a passagem citada. Essa interpretação é confirmada em Jeremias, onde lemos: «Assim me disse o Senhor: Faze brochas e canzis, e põe-nos ao teu pescoço» (Jer. 27:2).

O verbo correspondente a *motah*, isto é, *mot*, significa «tropeçar», «cambalear», e até mesmo no substantivo há a transmissão da idéia de um movimento cambaleante, como de alguém que transportasse pesado fardo. Por isso mesmo, com o tempo, o substantivo veio a significar «barra», conforme dissemos acima; e daí foi um pequeno salto para indicar «canzis».

Há uma outra palavra hebraica que deve ser levada em conta, e que nos permite fazer a transição para o Novo Testamento. Esse termo hebraico é *tsemed*, que significava, originalmente, «par» ou «junta de bois», e, com o tempo, veio a indicar *jugo*, porque os animais envolvidos ficavam presos um ao outro pela barra de madeira que os unia pelo pescoço. Assim, com o sentido de «par», essa palavra ocorre por quatro vezes nas páginas do Antigo Testamento, em Juíz. 19:3; II Sam. 16:1; Isa. 21:7,9. E, com o sentido de «jugo» ou «canzil», por sete vezes, em I Sam. 11:7; 14:14; I Reis 19:19,21; Jó 1:3; 42:12 e Jer. 51:23. Lemos em Jó 1:3: «Possuía sete mil ovelhas, três mil camelos, quinhentas juntas de bois...», onde nossa versão portuguesa, de acordo com a índole de nosso idioma, diz «juntas», apegando-se à idéia de «par», que está à raiz dessa palavra.

Quando chegamos ao Novo Testamento, encontramos a palavra grega **zeûgos**, que também significa «par» e «jugo», porquanto o desenvolvimento do termo deve ter sido o mesmo que sucedeu no hebraico. Esse vocábulo hebraico foi usado por duas vezes, ambas no evangelho de Lucas (2:24 (citando Lev. 12:8) e 14:19). Em seguida, encontramos a palavra grega *zugós*, «barra», «jugo», «balança», que ocorre por seis vezes: Mat. 11:29,30; Atos 15:10; Gál. 5:1; I Tim. 6:1 e Apo. 6:5. A mais conhecida dessas passagens é a primeira, onde se lê: «Tomai sobre vós o meu jugo, e aprendei de mim, porque sou manso e humilde de coração; e achareis descanso para as vossas almas. Porque o meu jugo é suave e o meu fardo é leve».

Os conquistadores romanos compeliam os prisioneiros de guerra a marchar passando por baixo de algum arco triunfal, a fim de simbolizar a derrota e a servidão a que o povo daquela gente havia sido reduzido. A circuncisão, quando imposta aos gentios, era considerada um *jugo* pelos apóstolos de Jesus, o que demonstra que eles entendiam que Cristo nos libertou dessa imposição: «Agora, pois, por que tentais a Deus, pondo sobre a cerviz dos discípulos um jugo que nem nossos pais puderam suportar, nem nós? Mas cremos que fomos salvos pela graça do Senhor Jesus, como também aqueles o foram» (Atos 15:10,11). Os crentes da Galácia se tinham deixado cativar pelas idéias dos judaizantes, que ensinavam que o crente do Novo Testamento deve guardar a lei de Moisés e ser circuncidado, a fim de poder salvar-se (ver Atos 15:1,5). Nas instruções que o apóstolo Paulo deu àqueles crentes gálatas, ele chega a dizer: «Para a liberdade foi que Cristo nos libertou. Permanecei, pois, firmes e não vos submetais de novo a jugo de escravidão. Eu, Paulo, vos digo que, se vos deixardes circuncidar, Cristo de nada vos aproveitará. De novo testifico a todo homem que se deixa circuncidar, que está obrigado a guardar toda a lei. De Cristo vos desligastes, vós que procurais justificar-vos na lei, da graça decaístes» (Gál. 5:1-4). Essa citação é longa, mas é extremamente esclarecedora, porquanto mostra-nos que, em Cristo, não temos mais qualquer obrigação de guardar a lei como meio de salvação. Pelo contrário, buscar a justificação, por esse meio, é demonstração de que a pessoa está desvinculada de Cristo, de que a sua fé não é vital.

É significativo que Clemente de Roma, em sua epístola, descreve os crentes como aqueles que ficaram sujeitos ao jugo da graça. A única maneira de entender isso é que ele estava pensando nas palavras de Jesus, registradas em Mateus 11:29,30, que já citamos.

Visto que uma balança com pratos equilibrados era feita mediante uma barra horizontal, lembrando assim os «canzis» (ver acima), por isso mesmo, no grego, uma balança também tinha o nome de *zugós*, conforme se vê em Apocalipse 6:5: «Então vi, e eis um cavalo preto, e o seu cavaleiro com uma balança (no grego, *zugós*) na mão». Esse jugo do terceiro selo será o flagelo da fome, provocada por salários baixíssimos, segundo também é explicado no versículo seguinte: «E ouvi uma como que voz no meio dos quatro seres viventes, dizendo: Uma medida de trigo por um denário; três medidas de cevada por um denário; e não danifiques o azeite e o vinho».

Várias espécies de animais de tração eram postas a trabalhar juntas, embora, geralmente, esses animais fossem de gado vacum. É interessante observar que a legislação mosaica proibia que se fizessem parelhas compostas de espécies diferentes, como um boi e um jumento. «Não lavrarás com junta de boi e jumento» (Deu. 22:10). E isso devido às características tão diferentes desses animais, em relação um ao outro, como tamanho, força, regime de trabalho, etc. Sem a menor dúvida, esse pensamento está à raiz de uma determinação como aquela apresentada pelo apósto-

JUIZ

los dos gentios, aos crentes, em II Cor. 6:14,15: «Não vos ponhais em jugo desigual com os incrédulos; porquanto, que sociedade pode haver entre a justiça e a iniqüidade? ou que comunhão da luz com as trevas? Que harmonia entre Cristo e o Maligno? ou que união do crente com o incrédulo?» A primeira frase, «Não vos ponhais em jugo desigual...» encerra uma palavra grega composta, *eterozugoûntes*, particípio presente do verbo *eterozugéo*, «pôr sob jugo com espécie diferente». Entretanto, estamos vivendo em uma época em que muitos crentes não observam esse princípio espiritual; mas fazem-no somente para sua própria infelicidade futura. Só o Senhor Jesus é capaz de livrar os crentes que assim fazem das más conseqüências do ato. Se o crente tem por pai espiritual a Deus, e o incrédulo tem por pai espiritual ao diabo (ver 8:44), se um crente jovem chegar a contrair matrimônio com alguém que é incrédulo, qual será o seu sogro espiritual? Ora, no ensino de Jesus, o incrédulo é impelido a satisfazer aos caprichos de seu pai espiritual: «Vós sois do diabo, que é vosso pai, e quereis satisfazer-lhe aos desejos...» Por conseguinte, Paulo ordenava que os crentes não entrassem em «jugo desigual» com os incrédulos a fim de que os mesmos não fossem as grandes vítimas de suas impensadas escolhas.

Animais acostumados ao jugo (conforme nós dizemos no Brasil, à «canga»), eram usados para puxar arados, pedras, carroças e para fazer outros trabalhos pesados nos campos e nas cidades. Os arqueólogos têm descoberto que, no mundo antigo, eram empregadas muitas cangas, de formatos e utilizações diferentes; e isso desde os tempos mais remotos. Quanto mais recuado o período histórico, mais simples e toscos eram esses jugos. A complexidade só foi aparecendo com a passagem de muitos séculos.

JUIZ

Ver também sobre **Juiz, Eclesiástico**, e também uma completa lista dos *juízes* de Israel, no artigo sobre o livro de *Juízes*, oitava seção.

1. As Palavras Originais e seus Significados. A palavra hebraica para «juiz» é **shaphat**. Ocorre por cento e dezoito vezes no Antigo Testamento, desde Gên. 16 até Miq. 4:3. O termo grego é *kritês*. Esse substantivo ocorre por dezoito vezes no Novo Testamento: Mat. 5:25; 12:27; Luc. 11:19; 12:14,58; 18:2,6; Atos 10:42; 13:20; 18:15; 24:10; II Tim. 4:8; Heb. 12:23; Tia. 2:4; 4:11,12 e 5:9.

Além de designar os indivíduos que tomam decisões sobre questões civis e religiosas, as palavras envolvidas falam sobre a tentativa de determinar causas (ver Êxo. 18:13). Entre os povos, as decisões judaicas são anunciadas de várias maneiras. Os juízes de Israel faziam-no verbalmente: «Tu és culpado!» ou «Tu és inocente!» Entre os romanos, marcava-se alguma espécie de material, como um tablete de argila ou um pedaço de papel, com um *A* (absolvido) ou com um *C* (condenado). Entre os gregos havia o costume de apresentar uma pedra branca ao acusado, para indicar sua inocência, ou uma pedra negra, para indicar sua culpa.

Outros Significados. Considerar (Atos 16:15); governar (Sal. 58:11); punir, em conseqüência de julgamento condenatório (Heb. 13:4; Eze. 7:3-8; 22:2); censurar acerbamente (Mat. 7:1).

2. No Antigo Testamento

a. Yahweh é chamado, antes de todos, de Juiz dos homens. «Não fará justiça o Juiz de toda a terra?» (Gên. 18:25). Deus julga os indivíduos e as nações com base em sua justiça absoluta (Gên. 3:14 *ss;* 6:3 *ss;* 11:5 *ss;* 15:14; 16:5; 20:3; 31:53).

b. *O chefe patriarcal* de uma casa, na antiguidade, era o juiz de seus familiares e de seu clã (Gên. 21, 22 e 27).

c. *Moisés* era o único juiz da nação de Israel, depois que esta saiu da servidão, no Egito; mas Jetro, seu sogro, encorajou-o a distribuir tal responsabilidade escolhendo juízes secundários. Disso resultou a primeira instituição dos juízes. Ver Êxo. 18:13-17; Deu. 1:9-18.

d. Na codificação que se seguiu, conforme se vê no livro de Deuteronômio, houve a nomeação de juízes e oficiais, de tal modo que cada cidade contasse com o seu próprio juiz (Deu. 16:18 *ss*). Se o caso assim o exigisse, os sacerdotes podiam ser convocados para atuar como juízes (Deu. 17:8-13).

e. *Nos dias de Josué,* houve juízes que atuavam nas cidades, mas que também eram membros de um concílio geral (Jos. 8:33 *ss;* 24:1).

f. *Após a morte de Josué* (conforme se vê no livro de Juízes), os juízes, na realidade, eram reis com autoridade limitada, e nem sempre o juiz supremo de Israel era a autoridade judiciária principal em *todo* o Israel. Às vezes, a questão era tribal, e não nacional. A autoridade dos juízes é descrita como proveniente de Yahweh (Juí. 2:16). Eles eram autoridades civis e religiosas, que decidiam casos, protegendo Israel da idolatria. Ocasionalmente, também tinham de tornar-se comandantes militares que livravam o povo de Israel de alguma opressão estrangeira (Juí. 3:9,15). Por isso mesmo, o título «juiz» é aplicado a quinze pessoas diferentes que presidiram sobre Israel, de uma forma ou de outra, por um período de cerca de trezentos e cinqüenta anos, de acordo com a cronologia do bispo Usher, embora por um período mais breve, se houve juizados que se justapuseram. O período coberto por esses juízes vai da morte de Josué à ascensão de Saul ao trono.

g. *Entre os juízes* houve personagens notáveis, cujas histórias são interessantes e mesmo dramáticas. Poderíamos falar sobre os feitos de Otniel (Juí. 3:9); de Sansão (Juí. 13—16); de Débora, a profetisa (Juí. 4:4 *ss*); de Samuel, que também era profeta, que também ungiu (sob seu protesto), o primeiro rei de Israel, Saul (I e II Samuel). A opressão de adversários estrangeiros, contra quem os diversos juízes tinham obtido êxito apenas parcial, sempre foi a principal motivação por detrás do desejo que os israelitas tinham de ter um rei (I Sam. 8:5; Deu. 17:14-20).

h. *Sob a monarquia,* o ofício dos juízes continuou, posto que de forma modificada. Entretanto, o rei era o Juiz supremo, dotado de autoridade quase ilimitada (II Sam. 15:2 *ss*). Josafá nomeou juízes para todas as cidades fortificadas de Judá (II Crô. 19:5 *ss*), e em todas as demais cidades havia alguém dotado de autoridade civil e religiosa, com a responsabilidade de manter a ordem e tomar decisões.

i. *Terminado o exílio,* Esdras nomeou juízes e magistrados, que tomariam conta das questões civis; mas também certificou-se de que o reavivamento das antigas crenças e dos antigos costumes religiosos fosse protegido (Esd. 7:25 *ss*).

j. *Prestígio e Autoridade dos Juízes.* Algo do prestígio e da autoridade dos juízes pode ser entendido pelo fato de que eles também eram chamados «deuses» (no hebraico, *elohim*), por atuarem sob a direção de Deus (*Elohim*). Ver Sal. 82:1,6; João 10:34 *ss*.

3. No Novo Testamento

a. **Idéias Gerais.** Para facilitar as coisas, sempre foi

JUÍZES (LIVRO DE)

norma dos romanos preservar, tanto quanto era praticamente possível, as estruturas governamentais dos povos conquistados. Na Palestina, em muitas aldeias, a vida continuou praticamente a mesma coisa que sempre fora. O juiz, em uma dessas aldeias, era homem revestido de grande autoridade, e agia conforme achava melhor, a menos que fosse pressionado. A história da viúva e do juiz que cedeu às exigências dela, com relutância, ilustra bem esse ponto. Ver Luc. 18:2 *ss*. Os *sinédrios* (vide) existiam, dotados de tal autoridade que podiam ordenar o espancamento dos considerados culpados de infrações, embora não tivessem o poder de impor a punição capital (Mat. 27:1 *ss*). Entretanto, nem sempre essas decisões eram cumpridas. E, por outro lado, pressões sobre as autoridades romanas locais podiam distorcer a justiça. O caso clássico, quanto a isso, foi o simulacro de julgamento do Senhor Jesus.

b. *A doutrina cristã* requer a obediência dos crentes a todos os governantes terrestres, incluindo os juízes (Rom. 13:1 *ss*). Essas autoridades são determinadas por Deus, mesmo que sejam pagãs. Ver I Ped. 2:13, uma das principais passagens neotestamentárias sobre a autoridade dos oficiais do governo humano. Os *indivíduos* não podem arvorar-se em juízes (Mat. 7:1 *ss*; Rom. 2:1); nem podem tirar vingança (Rom. 12:19-21). Deus é o Juiz Supremo (Rom. 3:6; Heb. 10:30; 12:23; Tia. 4:12; 5:9).

c. Cristo foi nomeado para ser o futuro Juiz Supremo de toda a humanidade (Mat. 25:31-46; João 8:16; Atos 10:42; 17:31; II Tim. 4:1; I Ped. 4:5; I Cor. 15:24,28).

d. Os crentes também atuarão como juízes (II Cor. 5:10 *ss*).

e. *Os conflitos entre crentes* devem ser resolvidos por juízes nomeados com essa finalidade, e não apresentando os casos às autoridades civis (pagãs) (I Cor. 6:1 *ss*).

f. *Durante o reino milenar*, os crentes atuarão como juízes e governantes, uma autoridade que lhes será dada pelo Rei (Luc. 22:30; I Cor. 6:2 *ss*; Apo. 20:4; ver também Dan. 7:9,22,27, quanto a essa conexão).

JUÍZES (LIVRO DE)

Esboço:
I. Caracterização Geral
II. Pano de Fundo Histórico
III. Arqueologia
IV. Propósito e Plano do Livro
V. Autoria e Data
VI. Integridade e Unidade
VII. Os Juízes de Israel
VIII. Esboço do Conteúdo
IX. Principais Idéias Teológicas
Bibliografia

I. Caracterização Geral

O título «juízes» é conferido às quinze pessoas que presidiram aos israelitas durante um período de trezentos e cinqüenta anos (ou pouco menos), entre o falecimento de Josué e a subida de Saul ao trono, como primeiro rei de Israel. Há estudiosos que pensam que esse período consistiu em apenas duzentos anos. As diferenças nos cálculos devem-se quase totalmente à possibilidade de justaposição entre os períodos em que os juízes governaram Israel. Ver o artigo geral chamado *Cronologia*, pontos 4 e 5, quanto a uma discussão sobre os problemas envolvidos. O período dos juízes tem deixado perplexos os cronologistas. O livro de Juízes é o sétimo livro do

Antigo Testamento. Israel havia escapado da servidão no Egito; havia conquistado, com sucesso, a Terra Prometida, mas muitos adversários tinham permanecido instalados em derredor, e gostariam de expelir os israelitas dali. Assim, Israel esteve em turbulência constante, e sob ameaça de extinção. Os juízes, pois, foram, entre outras coisas, libertadores de várias opressões estrangeiras. O livro de Juízes foi incluído entre os *Profetas Anteriores*, no cânon hebraico. Esse livro narra um período crítico da história de Israel.

O livro de Juízes consiste em três blocos bem definidos de material: um breve repasse da ocupação de Canaã pelos israelitas (Juí. 1:1—2:5). A história dos juízes (2:6—16:31). E, finalmente, um apêndice, que fala sobre a migração dos danitas e o conflito interno contra os benjamitas (Juí. 17—21). Esse livro está envolvido na controvérsia sobre a teoria *J.E.D. P.(S.)* (vide), que trata da questão das supostas fontes informativas dos primeiros livros da Bíblia. Aqueles que advogam essa teoria supõem que o bloco principal do livro (Juí. 2:6—16:31) procedeu da escola deuteronômica de historiadores, que teriam tido acesso a informes históricos mais antigos, relacionados a um período muito antigo, e que seriam as fontes informativas J. e E. Presumivelmente, os relatos sobre os juízes teriam sido preservados em uma espécie de arcabouço estereotipado. Esse material informativo teria sido manipulado e incluído no relato geral do livro. Em cada um dos casos, temos a história de alguma opressão estrangeira, o clamor dos israelitas a Yahweh, pedindo livramento, e, então, o próprio livramento. Os autores envolvidos encararam a história de Israel como uma série ou ciclos de apostasias e livramentos, devido ao julgamento divino contra a transgressão, seguido pelo arrependimento do povo e sua restauração ao favor divino.

Os eruditos que defendem a teoria do *J. E. D. P.(S.)* supõem que a introdução do livro de Juízes (1:1—2:5) foi adicionada posteriormente, derivada de material informativo mais antigo, paralelo de certos trechos do livro de Josué, especialmente em seus capítulos quinze a dezessete. Presumivelmente, o apêndice do livro de Juízes também estaria alicerçado sobre tal material. Além disso, sentem que o relato sobre Abimeleque (Juí. 9) e sobre certos juízes menores (Juí. 10:1-5; 12:8-15), que seriam não deuteronômicos, foi adição posterior. Uma porção especial do livro seria o cântico de Débora (cap. 5). Essa é uma obra-prima da poesia hebréia primitiva, que mostra consideráveis habilidades literárias.

Os juízes foram líderes militares e religiosos, usualmente em defesa de tribos (uma ou duas), e nunca da nação inteira. Pois, até então, não havia qualquer governo centralizador em Israel. O livro está permeado pela crença, comum aos livros históricos do Antigo Testamento, de que Israel prosperava quando obedecia à lei de Deus; mas caía em desgraça, decadência e destruição, quando não obedecia a essa lei. Muitos historiadores consideram simplista esse ponto de vista *teológico* da história. Seja como for, esse é um conceito fundamental que persiste tanto nos livros canônicos do Antigo Testamento quanto em seus livros apócrifos.

Muitos estudiosos supõem que o livro de Josué dá um relato muito otimista a respeito da conquista da Terra Prometida, dando a entender uma completa conquista daquele território. Na verdade, porém, muitos inimigos ferozes foram deixados. Esses inimigos nunca perderam certos territórios como também até tentaram apossar-se novamente dos territórios que haviam perdido. O primeiro capítulo do livro de Juízes deixa claro que a conquista militar,

637

JUÍZES

por parte de Israel, teve sucesso apenas parcial. Talvez os relatos de como Israel se defendeu dos ataques posteriores desses vários inimigos, antes de se haver tornado um reino unido sob Saul, tenham sido preservados como tradições das tribos envolvidas nos conflitos. O livro de Juízes, nesse caso, seriam as histórias de como certos heróis locais derrotaram os vários adversários, tendo de enfrentar grandes dificuldades. Historicamente, é muito difícil determinar até que ponto Israel se sentia como uma única nação, e não um grupo de tribos frouxamente relacionadas entre si, antes que houvesse um governo centralizador, representado pelo rei.

O livro de Juízes reveste-se de capital importância para entendermos esse período de transição, dentro da história de Israel. O comentário dos editores finais do livro de Juízes, acerca dos frouxos laços que unificavam o povo de Israel, com suas doze tribos, é o seguinte: «Naqueles dias não havia rei em Israel: cada um fazia o que achava mais reto» (Juí. 21:25). Não tivessem surgido aqueles heróis locais, que se levantaram para defender o que a conquista da Terra Prometida havia ganho, e Israel, como nação, bem poderia ter desaparecido durante aquele período. Para piorar ainda mais a situação, as tribos de Israel, com freqüência, entraram em conflito interno, umas contra as outras. O livro de Juízes é a história da sobrevivência de um pequeno e ameaçado povo, que gradualmente se solidificou para formar uma nação que deixou uma marca perpétua na história da humanidade.

II. Pano de Fundo Histórico

a. Os *patriarcas hebreus* estiveram jornadeando na terra de Canaã, durante a idade do Bronze Média (2100—1550 A.C.). Abraão chegou em Siquém e Betel (ver Gên. 12), em cerca de 2000 A.C. Desse tempo em diante, os genitores da nação de Israel viveram na Palestina.

b. Em seguida, ocorreu o incidente no qual *José* foi vendido como escravo e foi levado para o Egito. Ele chegou ao segundo posto de autoridade naquele país, em cerca de 1991—1786 A.C., durante a XII Dinastia egípcia. Porém, esse ponto é intensamente disputado; e alguns preferem pensar que seu governo foi exercido durante o tempo dos intrusos semitas, os reis hicsos. Nesse caso, seu período foi cerca de 1750 A.C., ou mesmo depois. O rei que não conhecera a José pode ter sido o primeiro dos reis hicsos (ver Êxo. 1:8), ou, então, o monarca egípcio que pôs fim ao domínio dos hicsos. Quanto a maiores informações sobre essas conjecturas, ver o artigo sobre *José*, em sua quarta seção, *Cronologia*. Se a data posterior para a vida de José é a correta, então José deve ter falecido em cerca de 1570 A.C.

c. *O Cativeiro Egípcio*. Os descendentes de Jacó acabaram sendo escravizados no Egito, como minoria ameaçadora, porquanto José se tornara, nesse tempo, um fator desconhecido. O cativeiro no Egito pode ter durado entre duzentos e trezentos anos.

d. *O Êxodo*. A data desse evento é muito debatida. Alguns pensam que ocorreu em cerca de 1445 A.C., ou seja, perto de quinhentos anos antes de Salomão haver construído o templo de Jerusalém. Mas outros estudiosos opinam que o êxodo teve lugar na XIX Dinastia egípcia (1350—1200 A.C.). Ver os artigos sobre *Cronologia* e sobre o livro de *Êxodo*. Seja como for, Moisés foi levantado como profeta do Senhor no fim do grande cativeiro egípcio de Israel.

e. Vieram, então, os *quarenta anos de vagueação pelo deserto*, que atuaram como um período de resfriamento e preparação para a invasão da antiga terra dos patriarcas hebreus, a Palestina. Seja como for, foi uma espécie de retorno genético e uma renovação da antiga confiança própria dos hebreus. Parece que as doze tribos de Israel eram formadas por unidades distintas umas das outras, mesmo quando estavam no Egito. Sem dúvida, isso foi confirmado quando a invasão da Terra Prometida teve começo. Josué e seus exércitos encontraram o país dividido em muitas cidades-estado do regime tipo feudal, sempre guerreando umas contra as outras, — embora também sempre dispostas a aliarem-se para expelir qualquer invasor de fora. As cartas de Tell el-Amarna (vide) contam aspectos da história, e fornecem-nos pormenores que concordam com o relato do livro de Josué.

f. *Josué* é livro que relata como o povo de Israel invadiu a terra de Canaã. Israel conquistou essencialmente o território, embora tivessem ficado bolsões por conquistar. Há estudiosos que pensam que o relato do livro de Josué é excessivamente otimista. O primeiro capítulo do livro de Juízes deixa claro que muito território ficou sem ser conquistado. Seja como for, muitos nativos da terra foram deixados sem serem molestados. Apesar dessa falha, o território foi dividido entre as doze tribos de Israel. Os eruditos disputam se a terra foi conquistada em uma única e prolongada campanha, ou se aconteceu em ondas sucessivas. O livro de Josué, de fato, pode fornecer-nos a condensação da questão, uma espécie de esboço histórico, e não uma narrativa contínua do que sucedeu. De qualquer modo, podemos confiar na historicidade geral do livro, não nos preocupando com detalhes dessa natureza.

g. *Juízes*. Esse livro relata o período que vai da morte de Josué até à unção de Saul como primeiro rei de Israel. Se esse período dos juízes durou trezentos e cinqüenta anos, conforme alguns dizem, então, deve ter começado em cerca de 1350 ou 1375 A.C. Alguns limitam esse período em apenas duzentos anos; e, nesse caso, começou em cerca de 1225 ou 1250 A.C. Ver a primeira seção deste artigo, *Caracterização Geral*, quanto a uma declaração sobre a natureza desse período.

III. Arqueologia

A ocupação da Terra Prometida, por parte de Israel, foi obtida em um período relativamente curto, e também foi uma conquista contínua. As explorações arqueológicas não mostram qualquer interrupção no processo da conquista. As evidências colhidas nessas escavações indicam que os israelitas não eram nômades, que já haviam desenvolvido uma sociedade permanente e bem estruturada, ainda que, no período coberto pelos livros de Josué e de Juízes eles não formassem uma nação estreitamente solidificada. Todavia, não eram bons arquitetos e construtores. As culturas que eles destruíram eram bem superiores a deles, no tocante à arquitetura e às artes. A invasão israelita baixou o nível de vida e acabou com muitas atividades artísticas. No entanto, os hebreus eram superiores quanto às noções religiosas, como também no registro dos fatos históricos e na produção literária. A arqueologia também tem ilustrado o fato de uma contínua ocupação cananéia, sobretudo das terras baixas (em Megido e Bete-Seã). Os cananeus contavam com exércitos melhor preparados que os hebreus, incluindo carros de combate. Os israelitas, pois, muito aprenderam deles quanto a esses armamentos. Os trechos de Jos. 11:13; 13:1 *ss*; 17:16 e Juí. 1:19,27 admitem que muitas áreas da terra de Canaã não foram ocupadas, porquanto os adversários dos israelitas eram simplesmente mais fortes que eles, e estavam muito bem entrincheirados em suas fortalezas locais.

JUÍZES

A falta de água restringia os cananeus a certas áreas da Palestina. As descobertas arqueológicas mostram que Israel trouxe do Egito, ou, então, desenvolveu grandemente, o conceito de armazenar água potável em *cisternas* (vide). Era usada a forração das paredes das cisternas, tornando-as estanques. Essa invenção possibilitou a ocupação dos israelitas em áreas que, antes disso, haviam sido ocupadas muito esparsamente.

A ausência de santuários antigos, nos lugares ocupados pelos israelitas, é conspícua, segundo as descobertas arqueológicas. Mas isso talvez se deva à falta de durabilidade dos materiais usados, ou, então, à proibição divina acerca da ereção de santuários. Ver Êxo. 20:24-26; Deu. 12:1-7.

Artefatos pagãos, entretanto, têm sido encontrados pelos arqueólogos com relativa abundância. Figurinhas de argila, representando mulheres despidas, têm sido encontradas em conexão com as deusas da fertilidade, dos cananeus. Talvez essas figurinhas fossem amuletos de boa sorte, pelo que serviriam a um duplo propósito. Nunca foram encontradas figurinhas representando homens despidos.

Megido e Taanaque. As evidências arqueológicas mostram que essas cidades não foram ocupadas ao mesmo tempo. Ficavam cerca de oito quilômetros de distância uma da outra. Quando Débora e Baraque obtiveram a vitória, na batalha de Taanaque, Megido já jazia em ruínas. O trecho de Juí. 5:19 talvez reflita isso, porque Megido não é mencionada como uma localidade habitada então.

Pequenos reinos da Transjordânia continuaram a fustigar os israelitas, especialmente Moabe e Amom. A arqueologia tem mostrado que esses lugares eram bem habitados. Além disso, a ocupação do Neguebe (em sua porção mais ocidental) tem sido confirmada e ilustrada por várias descobertas. Outro tanto se pode dizer quanto à Sefelá (vide). Figuras representando divindades e peças de cerâmica têm sido ali encontradas, fornecendo-nos diversas informações. Uma das divindades filistéias era Dagan, uma antiga deidade dos amorreus.

Silo. O culto ali existente foi destruído. Esse fato não é mencionado no livro de Juízes, mas a tradição israelita confirma o fato em Sal. 78:60; Jer. 7:12 e 26:6 Foi destruída mediante um incêndio, conforme as evidências o demonstram, em cerca de 1050 A.C. Sem dúvida, isso resultou da derrota sofrida por Israel, em Afeque (ver I Sam. 4). Nessa mesma época, os filisteus destruíram outras cidades dos israelitas, o que demonstra como o poder dos filisteus permanecia, apesar de todos os esforços das tropas israelitas. Ver o artigo separado sobre *Silo.*

IV. Propósito e Plano do Livro

O autor sagrado, como é óbvio, tinha um plano bem definido ao escrever o livro. O trecho de Juí. 2:11-23 demonstra isso. É nessa passagem que ele diz quais os pontos principais de sua narrativa, segundo se vê nos dois pontos abaixo:

1. No primeiro capítulo do livro, ele diz até que ponto progrediu a guerra contra os cananeus; quais tribos de Israel tinham obtido êxito, e quais haviam falhado, não conseguindo dominar regiões alocadas; e também como se conseguiu impor tributo a alguns filisteus. O trecho de Juí. 2:1-10 fornece-nos algumas informações nesse sentido.

2. Em seguida, ele afirma a tese de sua teologia histórica, a saber, que o povo de Israel ia bem quando obedecia a Yahweh; mas que ia mal, quando não obedecia ao Senhor. A apostasia aparece como o principal impedimento ao pleno sucesso de Israel:

«Porquanto deixaram o Senhor, e serviram a Baal e a Astarote» (Juí. 2:13). O castigo era imposto, portanto, aos desobedientes: «Por onde quer que saíam, a mão do Senhor era contra eles para seu mal, como o Senhor lhes havia dito e jurado: e estavam em grande aperto» (Juí. 2:15). Mas, quando se arrependiam, novamente as coisas lhes corriam bem (ver Juí. 2:16,23). Presume-se que o desígnio do autor sagrado não era fornecer uma narrativa definitiva sobre o período dos juízes, e, sim, prover um esboço que ilustrasse a sua tese. Ele não queria apenas ser um cronista, e, sim, explicar por que motivo houve um declínio moral, religioso e político, em Israel; e por que motivo, finalmente, impôs-se o surgimento da monarquia. E ele concluiu com a melancólica observação de que, durante aquele período predominava o caos, pois cada um fazia o que lhe parecia melhor, não havendo um governo central que unificasse as coisas. Ver Juí. 21:25.

V. Autoria e Data

Os eruditos liberais pensam que é inútil tentar descobrir um único autor do livro de Juízes, visto que crêem que a principal fonte informativa do livro seja *D* (a escola deuteronômica), e que também há contribuições feitas pelas fontes informativas *J e E.* Ver sobre a teoria chamada *J. E. D. P.(S.)*, nesta enciclopédia. Todavia, o livro não inclui qualquer menção a seu autor ou autores, pelo que é uma obra anônima. Segundo alguns teóricos, *D* teria sido uma escola de editores ou historiadores que viveram no século seguinte ao da publicação do livro de Deuteronômio, que, segundo eles, teria sido lançado em 621 A.C. Esses homens teriam empregado o mesmo vocabulário e o mesmo estilo usados naquele livro. Presumivelmente, também foram os responsáveis pelas edições dos livros de Josué, I e II Reis e Jeremias, além do livro de Juízes, e além de outras porções de outros livros, possivelmente. Naturalmente, os eruditos conservadores consideram que essa data é tardia demais. No entanto, o próprio livro não nos fornece qualquer declaração direta quanto ao tempo em que foi escrito, embora haja alusões que nos ajudam no tocante à questão, posto que somente parcialmente. O cântico de Débora (Juí. 5:2-31) afirma ser uma composição contemporânea. Isso deve ter ocorrido em cerca de 1215 A.C. Mas o livro como um todo, não pode ter sido compilado senão aproximadamente dois séculos mais tarde. Pois refere-se à captura e destruição de Silo (ver Juí. 18:30,31), o que teve lugar durante a juventude de Samuel (I Sam. 4). E isso ocorreu aí por volta de 1080 A.C. O último evento registrado no livro de Juízes é a morte de Sansão (ver Juí. 16:30,31), e isso teve lugar poucos anos antes da inauguração de Samuel como juiz, ou seja, em cerca de 1063 A.C. E a alusão ao fato de que não havia rei em Israel, deixa claramente inferido que a monarquia, então, já havia começado, visto que o autor sagrado parece estar comparando um tempo em que não havia rei, com o tempo então presente, em que já havia sido inaugurada a monarquia. *Não* parece que o autor sagrado estivesse *predizendo* sobre a monarquia. Ver Juí. 17:6; 18:1 e 26:25.

Saul tornou-se rei em cerca de 1043 A.C., pelo que a compilação do livro de Juízes deve ter sido depois disso, embora tenham sido incorporados materiais mais antigos, orais e escritos. O livro parece ter sido composto antes que Davi capturasse Jerusalém, o que sucedeu em 1003 A.C. (II Sam. 5:6,7), porquanto não há qualquer indício, no livro, que Israel tenha conquistado aquela cidade. Por todos esses motivos, muitos estudiosos supõem que o autor sagrado

JUÍZES

escreveu durante os primeiros anos de Saul como rei, chegando mesmo a asseverar que *Samuel* foi o mais provável autor do livro. Naturalmente, ao assim precisarem, já estão conjecturando. Mas não há como negar ou confirmar essa conjectura, pois o próprio livro nada diz quanto à identidade do autor. É verdade que o Talmude (Baba Bathra 14B) assim afirma, mas não há nenhuma comprovação histórica dessa afirmação. A mesma tradição afirma que Samuel também escreveu o livro de Rute e os livros que têm o seu nome, uma informação que também não há como confirmar ou negar.

O trecho de Juí. 1:21 declara que os jebuseus estavam residindo em Jerusalém lado a lado com os filhos de Benjamim, até o dia em que o material sobre essa informação foi escrito, ou seja, antes da época de Davi. Todavia, é possível que isso inclua material mais antigo, e que um compilador posterior (de depois dos tempos de Davi) deixou intacto. Mas, se aceitarmos essa informação como dada pelo autor compilador do livro de Juízes, então torna-se plausível pensarmos em uma data que coincida com os dias de Saul, antes da época de Davi. Se o autor falava do ponto de vista da época de Saul, então é patente que sua obra consiste, em sua maior parte, em compilações, pois ele registrou coisas que haviam acontecido muito tempo antes. Isso posto, ele deve ter tido acesso a tradições antigas, de natureza oral e escrita. Essas tradições podem ter sido preservadas por certas tribos de Israel, cujos heróis (juízes) eram decantados, e cujas narrativas mereceram ser preservadas.

VI. Integridade e Unidade

O ponto de vista dos liberais envolve-nos na teoria *J. E. D. P.(S.)* (vide), conforme eu já disse na primeira seção, *Caracterização Geral*. Ali dou um esboço das idéias concernentes aos vários *materiais* que um editor-autor teria reunido, para formar o livro de Juízes. Os eruditos conservadores, apesar de defenderem a idéia de um único autor essencial (ou seja, a unidade do livro), admitem que ele deve ter sido mais um compilador do que um autor, conforme dissemos no último parágrafo da seção V, acima. A unidade de propósito do livro é salientada como prova de que houve um único autor, embora não se possa ver qualquer razão pela qual um editor não possa ter reunido e dado unidade ao trabalho de vários autores. Infelizmente, questões dessa natureza têm-se tornado, desnecessariamente, o centro de debates e querelas, embora se revistam de pouca importância comparativa, exceto que é bom que saibamos o máximo possível a respeito dos livros da Bíblia. Pelo menos, nesses debates, nenhuma questão de fé é envolvida, e também não deveriam tais questões tornar-se padrão de julgamento sobre a espiritualidade de quem quer que seja.

Os estudiosos têm salientado que o livro de Juízes divide-se em três partes naturais: 1. a natureza incompleta da conquista da Terra Prometida, com descrições sobre como cada tribo se saiu na empreitada. 2. Os repetitivos ciclos de apostasia, perda de liberdade e restauração das tribos de Israel. 3. Um quadro de desorganização, no qual Israel caiu antes do estabelecimento da monarquia, uma espécie de Idade das Trevas de Israel. Alguns estudiosos pensam que um único autor foi o responsável por essas três seções do livro. Mas outros vêem a terceira dessas seções como um trabalho distinto, e até com idéias conflitantes com a primeira seção. Porém, o que tenho lido a respeito mostra-se muito vago a esse respeito; e os eruditos conservadores não se sentem impressionados diante desses argumentos. Outros

dizem que os capítulos 9, 16 e 17—21 são destituídos de conteúdo religioso, pelo que não refletiriam um único e constante propósito do autor-editor, que sempre quis lembrar-nos de que Israel passou bem quando seguiu a retidão, mas deu-se mal quando se desviou do Senhor. Esses capítulos, pois, para esses intérpretes, seriam adições ou interpolações posteriores. Alguns deles vêem dois trabalhos editoriais distintos, o primeiro no século VII A.C., que teria envolvido os capítulos 9, 16 e 17—21; e, então, teria havido uma segunda edição, presumivelmente no século VI A.C., quando os capítulos que haviam sido omitidos na primeira edição, foram devolvidos ao livro. Desse modo, esses citados capítulos teriam escapado aos comentários editoriais que caracterizam o resto do livro. Supostamente, a forma final do livro teve de esperar pelos primeiros anos do cativeiro babilônico. Porém, as evidências acerca de todas essas conjecturas são apenas subjetivas, faltando-lhes consubstanciação histórica.

VII. Os Juízes de Israel

O livro de **Juízes** alista catorze juízes diferentes. Os nomes deles e as referências bíblicas atinentes a cada um aparecem na seção VIII., *Conteúdo*. A essa lista deve-se adicionar os nomes de Eli e Samuel. Débora deve ser contada juntamente com Baraque, em Juí. 4:1—5:31. E Gideão e Abimeleque também devem ser associados um ao outro, formando um único juizado. E isso nos daria doze períodos de juizado no livro de Juízes. Mas, se contarmos os juízes, individualmente, então acharemos catorze deles. E alguns estudiosos pensam que Abimeleque foi um usurpador, pelo que não deveria ser contado como um dos juízes.

Os nomes dos juízes representam heróis locais, que se tornaram lendários na história das tribos de Israel. Os governos deles poderiam ter coberto um período de nada menos de quatrocentos anos. Os eruditos liberais crêem que muitas lendas, ou mesmo mitos, penetraram nessas narrativas, tal como sucede em muitas outras obras literárias do mundo, quando se trata de glorificar heróis nacionais. De fato há eruditos que pensam que Sansão representa o deus sol, e que Débora, Samuel e ainda outros, seriam tipos tradicionais de líderes semi-religiosos, semi-tribais, que talvez tenham mesmo existido, mas cujos relatos chegaram até nós de mistura com muitas lendas. Contra essa opinião pode-se salientar que uma das grandes características do povo de Israel sempre foi a sua sensibilidade diante da história. Acima de qualquer outro povo, os israelitas sempre trataram a história como uma questão séria, incluindo suas genealogias e seus registros históricos. Por essa razão, apesar de admitirmos que o livro de Juízes pode representar um esboço da história, ainda assim não há razão alguma para duvidarmos da veracidade desse esboço histórico. N.B. — Temos provido um artigo separado sobre cada um dos *juízes* de Israel.

Cronologia. Quanto a especulações sobre a cronologia do livro de Juízes, o que representa inúmeras dificuldades, ver a seção V. e. 4, do artigo *Cronologia do Antigo Testamento*.

VIII. Esboço do Conteúdo

A. O Período Antes dos Juízes (1:1—2:5)
  1. Condições sociais e políticas (1:1-36)
  2. Condições religiosas (2:1—5)
B. Descrição de Juízes Específicos (2:5-16—31)
  1. Otniel (3:7-11)
  2. Eúde (3:12-30)
  3. Sangar (3:31)
  4. Débora e Baraque (4:1—5:31)
  5. Gideão e Abimeleque (6:1—9:57)

JUÍZES — JUÍZO ANALÍTICO

6. Tola (10:1,2)
7. Jair (10:3-5)
8. Jefté (10:6—12:7)
9. Ibsã (12:8-10)
10. Elom (12:11,12)
11. Abdom (12:13-15)
12. Sansão (13:1—16:31)
C. Apêndices (17:1—21:25)
   1. A idolatria de Mica e Dã (17:1—18:31)
   2. O crime em Gibeá e seu castigo (19:1—21:25)

IX. Principais Idéias Teológicas

Poucos historiadores, ou mesmo nenhum, escrevem sem qualquer preconceito ou sem propósitos subjetivos, que deixam transparecer em seus escritos. Toda história é acompanhada de interpretação. Os historiadores bíblicos não formam exceção a essa regra. O autor do livro de Juízes ansiava por destacar ideais espirituais e juízos morais, e tornou-os parte integrante de suas narrativas, mas com o intuito de mostrar-nos que certas coisas sucederam, ou não sucederam, em face das condições espirituais do povo de Israel. Isso posto, o livro de Juízes apresenta-nos uma história teológica, e não apenas um relato sobre condições sociais e políticas.

1. *A ira de Deus volta-se contra o pecado* (Juí. 2:11,14). Israel era abençoado quando obedecia a *Yahweh*, mas era castigado quando se rebelava. Israel só podia sobreviver, cercada como estava essa nação por poderosos adversários, mediante a graça divina. Esforços de cooperação que rendiam resultados positivos, tinham de estar alicerçados sobre a lealdade coletiva a Deus (Juí. 5:8,9, 16-18). Os juízes corretivos de Deus tocavam tanto sobre cada indivíduo como sobre a sociedade israelita como um todo.

2. *O arrependimento produz a misericórdia divina* (Juí. 2:16). As opressões de povos estrangeiros serviam de meios para corrigir as condições de decadência moral, e isso tinha em vista o bem de Israel (Juí. 3:1-4).

3. *O homem é, verdadeiramente, um ser decadente.* Após cada livramento descrito no livro de Juízes, Israel escorregava novamente para a idolatria, o que exigia ainda outro ato de juízo divino e outro libertador. Parece que essa lição nunca foi absorvida, ou, então, que tinha de ser aprendida de novo a cada geração. Ver Juí. 2:19, que diz: «Sucedia, porém, que, falecendo o juiz, reincidiam e se tornavam piores do que seus pais, seguindo após outros deuses, servindo-os e adorando-os eles; nada deixavam das suas obras, nem da obstinação dos seus caminhos». Um sociedade individualista por excelência estava repleta de erros, pessoais e coletivos. «Naqueles dias não havia rei em Israel: cada qual fazia o que achava mais reto» (Juí. 17:6 e 21:25).

4. *Os sistemas centralizados no homem fracassam.* Essa é a lição geral ensinada pelo livro de Juízes. Na história de Israel, aprende-se que a única esperança reside na espiritualidade. Os políticos mostram-se corruptos, quando não antes, pelo menos depois que galgam a posições de autoridade.

Bibliografia. ALB(1936) AM I IB ID KR(2) ND PAY(2) PF UN YO Z.

JUÍZES, ECLESIÁSTICOS

No latim, **judex ecclesiasticus**. Os dignatários da Igreja Católica Romana recebem esse título. Um desses juízes tem a autoridade de sentar-se em tribunal e passar sentença. Sua jurisdição pode ser: a. *ordinária*, quando está vinculada por lei a algum ofício eclesiástico; ou b. *delegada*, quando a sua autoridade lhe é conferida por alguma autoridade eclesiástica superior competente. A jurisdição do papa é considerada universal. E a autoridade de um bispo, em comparação, confina-se à sua própria diocese. A *Sagrada Rota Romana* é o tribunal papal, uma espécie de corpo eclesiástico supremo, na qual está investida a autoridade do papa. Entretanto, pessoalmente o papa exerce uma autoridade superior, de tal modo que algumas decisões podem ser tomadas exclusivamente por ele. Um *juiz diocesano*, intitulado *oficial*, usualmente age em nome de um bispo qualquer. Algumas vezes, é mister reunir um tribunal de três ou cinco juízes eclesiásticos, para tratar de casos difíceis. Os juízes são supremos em suas decisões, visto que as leis canônicas não provêem a existência e atuação de júris.

JUÍZO ANALÍTICO

Uma proposição em que o predicado é logicamente subentendido no sujeito e portanto, que nos dá novas informações sobre o sujeito. Exemplo: 2 2 4, e todas as proposições matemáticas. Ou então: «Os raios de um círculo são todos do mesmo comprimento». Se não o fossem, não seriam os raios de um círculo, mas de uma elipse ou de um oval. O termo analítico é usado para contrastar com *sintético*, que indica que o predicado acrescenta algo ou descreve o sujeito, dando novas informações, não contidas no sujeito. O predicado dos juízos sintéticos não são necessários ou logicamente implícitos no sujeito. Ver o artigo sobre *juízos sintéticos*.

Leibniz distinguia verdades da razão (matemática e lógica, por exemplo) das verdades de fatos observados. Kant e Hume partiram desse raciocínio e o desenvolveram. Recentemente, alguns filósofos têm objetado à rigidez da distinção entre declarações analíticas e declarações sintéticas, supondo que as primeiras são apenas partes do esquema conceptual, remoto da periferia experimental. Outros têm argumentado que algumas afirmações não podem ser claramente classificadas como analíticas ou sintéticas. Por exemplo: «Vejo com os meus olhos». Poderíamos considerar esse juízo como analítico, visto que a palavra «olhos» necessariamente inclui o ato de ver. Também, qualquer coisa com que eu vejo, pode ser chamada de *olhos*. Porém, pode estar envolvida uma situação empírica, sintética, no uso dos olhos. Assim, dizer: «Vejo com meus olhos» pode ser uma afirmação sintética. Os filósofos, porém, têm ressaltado que o que se sucede nesse caso é apenas o uso da mesma sentença de ambos os modos, e isso não demonstra que uma única proposição tenha ambas aquelas qualidades.

As afirmações analíticas são tautologias sem sentido, mas não são desarrazoadas. Por serem sem sentido, não alteram nosso ponto de vista do mundo, mas, visto que não são desarrazoadas, fazem parte de nosso simbolismo. Os juízos analítico podem transmitir fatos, com aplicações práticas, como se dá no campo da matemática, a mais fundamental de todas as ciências.

Afirmações analíticas e a teologia. O argumento de Anselmo em prol da existência de Deus, com base na própria definição de Deus como um ser perfeito (argumento ontológico), é considerado por muitos como uma afirmação analítica, e assim sendo, um argumento que não pode demonstrar existência. A perfeição requer a existência, pois um ser não existente não poderia ser chamado perfeito. Mas, a perfeição que criamos é apenas uma questão de definição

JULGAMENTO

verbal. Dizer que Deus é perfeito, e assim sendo, que deve existir, não pode fazer Deus vir à existência, se, de fato, Ele não existir. Temos apenas uma *afirmação* analítica, cujo sujeito, *Deus*, requer as idéias de perfeição e existência. Por outra parte, o sujeito, *perfeição*, requer um perfeito ser que exista, pois, de outro modo, não será perfeição. A mim, porém, parece que o argumento de Anselmo também é, se não primariamente sintético, primariamente místico, sem dúvida. Mediante as experiências místicas, sutis ou claras (por meio da comunicação com o Espírito), somos levados a postular Deus mediante a definição de Sua perfeição. É a experiência que nos leva a isso, e não alguma mera afirmação analítica. Ver o artigo sobre *o argumento ontológico*, e o artigo geral sobre *Deus, provas de Sua existência*. (E EP MM)

JULGAMENTO — JULGAMENTOS

Esta enciclopédia apresenta um número de artigos sobre julgamentos da Bíblia, da filosofia e da teologia, sendo:

Julgamento a *Priori* (Analítico)
Julgamento a *Posteriori* (Sintético)
Julgamento, Cadeira de
Julgamento da Cruz
Julgamento das Nações
Julgamento de Cristo, Tribunal De
Julgamento de Deus dos Homens Perdidos
Julgamento de Jesus
Julgamento de Israel
Julgamento de Paulo
Julgamento de um Crente por Outro Perante a Lei
Julgamento (Censura) de Uma Pessoa Contra Outra
Julgamento do Crente por Deus
Julgamento do Próprio Ser
Julgamento do Trono Branco
Julgamento dos Anjos
Julgamento na Filosofia
Julgamento que Cega (Cegueira Judicial)
Julgamento Segundo as Obras
Julgamento Sintético a *Priori*
Julgamentos das Escrituras

A ordem dos artigos segue a ordem desta lista.

JULGAMENTO A PRIORI (ANALÍTICO)

Ver o artigo separado sobre **Julgamento (na Filosofia)**, especialmente em seu quarto ponto. Um *juízo a priori* é uma asserção sobre um assunto qualquer que existe antes mesmo de qualquer percepção dos sentidos, repousando sobre a razão, a intuição ou as experiências místicas. A matemática é um ótimo exemplo de *juízos a priori*, porquanto suas verdades são *analíticas*. Em outras palavras, esses juízos dependem da análise de conceitos mentais, e não de informes dados pela percepção dos sentidos. Alguns filósofos supõem que toda verdade pertence a essa natureza, como nas categorias mentais de Kant, que são forçadas sobre o mundo experimental, levando-a a ser compreendida de maneiras específicas. Alguns estudiosos alicerçam a ética sobre os *juízos a priori*, supondo que a mente conhece e diz-nos no que consiste a verdade, sem qualquer necessidade de experimentação. Para muitos outros, a teologia também depende de tais proposições; mas a realidade é que, na teologia também há o concurso do que é místico e das revelações (vide), e esse concurso é que nos fornece as principais informações da teologia. Aqueles que dizem que a teologia depende dos *juízos a priori* estão defendendo um modo racionalista de pensar. Ver sobre o *Racionalismo*. Para esses, a razão

é a grande fonte informativa (ou, pelo menos, a principal fonte informativa) da verdade.

JULGAMENTO A POSTERIORI (SINTÉTICO)

Trata-se das assertivas sobre um assunto qualquer que adicionam descrições à sua definição mais simples, e que ocorrem *depois* da atuação da percepção dos sentidos, dependendo dos informes dados pelos sentidos. Isso deve ser contrastado com os *juízos a priori* (vide). Esses julgamentos são sintéticos, ou seja, originam-se da síntese provida pela experiência; e são assim chamados porque acrescentam algo às definições originais. As proposições *sintéticas* são aquelas que são firmadas e averiguadas empiricamente. As proposições *analíticas* dependem unicamente da razão, e são verdadeiras diante dos fatos, por simples definição. A expressão «juízo sintético» é associada a Kant, que afirmava que, nesse tipo de julgamento, o predicado não está contido no seu sujeito. Isso posto, o predicado *adiciona* algo ao sujeito, e o descreve, tornando-se assim uma síntese. Os julgamentos sintéticos, visto que dependem dos nossos sentidos, carecem do elemento certeza, e entram no terreno das probabilidades, ao passo que pelo menos alguns julgamentos analíticos, ou *a priori*, como os da matemática, são certos. Entretanto, Quine rejeitava qualquer distinção firme ou rígida entre as declarações sintéticas e as declarações analíticas, supondo que, dessas duas formas, a variedade sintética é meramente aquela que mais se aproxima da periferia experimental da ciência.

JULGAMENTO, CADEIRA DE

Ver o artigo geral sobre **Cadeira**, quinto ponto. O termo grego *bema*, que significa, basicamente, «degrau», também era usado para indicar uma «plataforma elevada», de onde os juízes e outros oficiais julgavam. Com base nisso, o *bema* veio a indicar qualquer trono de juízo. Ver Mat. 27:19; João 19:13; Atos 18:12,16 *ss*; 25:6. Em Rom. 14:10 e II Cor. 5:10, o vocábulo é especificamente usado para indicar o tribunal de Cristo, onde ele julgará a todos os crentes. Herodes mandou construir uma estrutura que se assemelhava a um trono, no teatro de Cesaréia. Era dali que ele assistia aos jogos atléticos e fazia discursos ao povo (Atos 12:12). A palavra grega *bema* também foi usada para aquela estrutura.

JULGAMENTO DA CRUZ

A teologia da cruz ensina que a cruz foi, ao mesmo tempo, um julgamento contra o pecado, e o meio de livrar os homens desse julgamento. Isso é característico de todos os juízos divinos, incluindo o julgamento dos perdidos. Ver I Ped. 4:6, quanto a essa afirmação. Ver o artigo separado sobre o *Julgamento de Deus dos Homens Perdidos*. Quanto a amplos detalhes sobre a cruz como um julgamento, e também como meio de salvar do juízo divino, ver o artigo *Cruz de Cristo, Efeitos*. O nono ponto desse artigo aborda, especificamente, a cruz como um julgamento.

JULGAMENTO DAS NAÇÕES

1. Ponto de Vista Dispensacional

O texto quanto a isso é Mat. 25:31-46. Os irmãos dispensacionalistas supõem que o julgamento das nações ocorrerá após o período da tribulação (ver o artigo sobre *Tribulação, A Grande*). As nações seriam tratadas à base de como trataram a nação de Israel durante aquele período crítico. Haveria as ovelhas (os

JULGAMENTO

justos) e os cabritos (os maus) que seriam nações, cada qual de acordo com sua conduta específica, mormente em relação a Israel. As nações cabritas iriam para o juízo eterno. As profecias do Antigo Testamento mostram que certas nações gentílicas terão parte no milênio, juntamente com a nação de Israel (Isa. 6:3; 61:6 e 62:2). Os dispensacionalistas, além disso, acreditam que Israel tornar-se-á a cabeça das nações, durante esse período milenar, e que quando for inaugurado o estado eterno, terminado o milênio, as nações gentílicas continuarão à face da terra, enquanto que a Nova Jerusalém será a capital dos céus e da terra. Ver Apo. 21:24 e 26.

2. Ponto de Vista Não Dispensacional

Muitos intérpretes acreditam que o trecho de Mat. 25:31 ss é apenas uma descrição de um julgamento geral. Nesse caso, as *nações* seriam os indivíduos, considerados coletivamente, e não nações que tenham favorecido ou desfavorecido a Israel, durante o período atribulado do fim. Essa passagem, pois, seria uma maneira vaga e generalizada de descrever como todos os homens enfrentarão o julgamento final. O contexto mostra-nos que está em foco como os homens terão respondido a Cristo e à sua mensagem, e não meramente a questão de ter fé ou não. Também estaria sendo julgado como cada qual atuou, de acordo com a lei do amor, o que deve fazer parte da espiritualidade de cada indivíduo, se é que essa espiritualidade é genuína. Ver os dois artigos que abordam, com detalhes, essas questões, a saber: *Julgamento de Deus dos Homens Perdidos* e *Julgamento do Crente por Deus*.

JULGAMENTO DE CRISTO, TRIBUNAL DE

Ver o artigo geral sobre **Cadeira**, quinto ponto. Em II Cor. 5:10 somos informados de que todos os crentes haverão de comparecer diante do tribunal de Cristo. Ali é empregado o termo grego *bema*, «degrau», «tablado elevado». Esse é um pensamento extremamente solene. Ver o artigo *Julgamento do Crente por Deus*, que dá detalhes sobre a questão. Apesar da salvação da alma não estar ali em vista, serão submetidos a escrutínio severo a espiritualidade e as obras de cada crente, em consonância com as exigências da lei da colheita segundo a semeadura, da qual ninguém está isento. Ver Gál. 6:7 *ss*. Todavia, é inútil supor que o julgamento dos crentes haverá de deixar estagnada a posição deles no céu. Bem pelo contrário, a menos que ele possa progredir até tornar-se possuidor da plenitude de Cristo, como membro de seu corpo místico, o corpo de Cristo haveria de tornar-se sempre enfermiço. E isso significa que Cristo permaneceria fraco e enfermiço, porque o seu corpo místico continuaria nessa condição. Dentro do plano de Deus não existe tal coisa como a estagnação, nem em suas obras e nem em seu relacionamento com os homens, sejam eles crentes ou não. Contudo, o crente haverá de possuir a plenitude de Deus (ver Efé. 3:19), o que não permite qualquer estagnação. O artigo acima mencionado fornece detalhes e ilustrações suficientes acerca do julgamento dos crentes.

JULGAMENTO DE DEUS Dos Homens Perdidos

No meu comentário sobre o Novo Testamento (*O Novo Testamento Interpretado*) expressei minhas opiniões essenciais sobre este assunto. Aqui dou um sumário das idéias, mas sob ponto 12, acrescento algumas adições.

1. O juízo dos perdidos será *eterno*, mas o *tipo* de julgamento envolvido se modificará, dependendo da reação e aproveitamento do ser que está sendo julgado. O *Universalismo* (vide), embora uma idéia atraente, não tem um alicerce muito sólido nas Escrituras. Não podemos considerar algumas passagens, como o primeiro capítulo de Éfesios isoladamente.

2. O juízo será de acordo com *as obras* de cada um, ou seja, será administrado de acordo com *graus* de gravidade. Ver Rom. 2:6 e Apo. 20:12 e também o artigo intitulado, *Julgamento, Segundo Obras*. O trecho de Mat. 23:14 fala da *maior condenação* de alguns, que tiveram maiores privilégios e oportunidades, mas agiram de modo contrário a isso.

3. O julgamento será *preciso*, obedecendo à lei da colheita segundo a semeadura. Ver Gál. 6:7,8.

4. O juízo, se não conduz os perdidos ao es*t*ado da salvação, *melhorará* o estado deles, levando-os a um nível completo de lealdade e confiança no *Logos* (chamado Cristo na sua encarnação). Isto lhes conferirá uma existência útil e cheia de propósito, o que redundará na glória de Cristo, e no bem-estar das almas. Esta doutrina podemos inferir da missão de Cristo no hades, bem como dos efeitos necessários da restauração prevista no mistério da vontade de Deus, Efé. 1:9,10. Ver especialmente a declaração de I Ped. 4:6, que é a conclusão da história da descida de Cristo ao hades. Os homens serão *julgados* segundo *homens na carne*, com o propósito específico de «viverem segundo Deus no espírito», ou então, *segundo Deus vive no espírito*, dando a entender uma vida espiritual *útil*, posto que inteiramente diversa da vida que os redimidos têm na sua participação na natureza divina (II Ped. 1:4). Por conseguinte, o julgamento não será *apenas* «retributivo» (como a Igreja Ocidental tem ensinado, tradicionalmente), mas também terá finalidades disciplinadoras e *restauradoras* (como a Igreja Oriental, tradicionalmente, tem ensinado).

5. O primeiro capítulo de Éfesios certamente ensina que *todas* as coisas, por toda a parte, de todos os tempos, serão levadas *à unidade com Cristo*. Ver Efé 1:9,10 e o⋅ artigo separado sobre o *Mistério da Vontade de Deus*. Essa *unidade* não poderá efetivar-se com a *exclusão* de alguns (uma *eisegese*, (vide) não uma exegese). A unidade deve incluir *todas as coisas* como o texto declara. Da mesma maneira que o Logos (Cristo) é o *Criador* de tudo, assim deve ser também o *restaurador* de tudo. Isto fica claro em Col. 1:16. Todas as coisas foram criadas *em Cristo*, isto é, tiveram sua pessoa como *padrão*, modelo e *razão* de ser (estando em foco sua glória e benefício). Todas as coisas também foram criadas *por ele*, ou seja, através de sua energia criadora. Todas as coisas foram criadas *para ele*, isto é, para sua glória e utilização. Essa criação *para* ele é definida no primeiro capítulo de Éfesios. Exige a *unidade de tudo*. A unidade encontrará no *Logos* o seu centro, de tal modo que tudo achará o *propósito* de sua existência na sua pessoa. Por conseguinte, há uma *restauração* universal envolvida na expressão *para ele*. O mistério da vontade divina é justamente esta restauração que incluirá tanto a *redenção* dos eleitos como a *restauração* dos não eleitos. Portanto, a missão de Cristo é vasta e tocará todos, afinal. O cântico do Cordeiro ascenderá até mesmo do hades, conforme se lê em Apo. 5:13. Tal cântico não será o cântico dos redimidos, embora seja um cântico de louvor pela bondade de Cristo, a qual se dispensará, finalmente, por toda a parte e para todos. O julgamento será *um* dos meios para garantir este resultado feliz.

O julgamento será exatamente tão *severo* como *deve* ser para efetuar o mistério da vontade de Deus.

JULGAMENTO

As eras futuras da eternidade serão envolvidas no processo da realização deste *mistério*.

6. Isso, naturalmente, eleva em muito nossa estimativa sobre a eficácia da missão de Cristo, em sua realização final. Erramos por observar somente os versículos que falam sobre o sofrimento eterno, negligenciando aqueles aspectos mais elevados da missão de Cristo. De fato, insultamos ao Senhor por querer seguir apenas certas passagens bíblicas, negligenciando outras, e assim reduzindo as realizações de sua missão a quase nada.

7. A tragédia maior do juízo não é que os perdidos sofrerão, pois certamente isso lhes sucederá. Mas é antes, que terão perdido o *destino* que poderiam ter obtido, sendo transformados segundo a imagem de Cristo e participando de sua natureza (ver Rom. 8:29 e II Cor. 3:18), participando da «plenitude de Deus» (ver Efé. 3:19 e Col. 2:10) e, portanto, participando da própria divindade (ver II Ped. 1:4). A tragédia consistirá do que vierem a sofrer, e sem importar ao nível — de lealdade a Cristo a que vierem a ser levados; não poderão jamais obter a vida dos eleitos; que é a própria vida de Cristo. Sem dúvida, essa é uma *perda infinita* — e essa é a tragédia da perdição. Erramos quando não questionamos esse aspecto da «perdição». Ver item 12 que modifica esta declaração.

8. *O hades é uma sociedade.* O mundo dos perdidos é uma sociedade. Não está destituída da presença de Deus, mas antes, é governada por Deus. Tem e terá propósito, conforme é esclarecido acima. Mas seus habitantes jamais poderão atingir a bem-aventurança dos eleitos.

9. As fronteiras eternas não são traçadas quando da morte física do indivíduo e, sim, serão traçadas quando da segunda vinda de Cristo, segundo se comenta nas notas expositivas acerca de I Ped. 4:6 no NTI com muitas outras referências. O «lago do fogo» não será instituído senão após o milênio, conforme se aprende no vigésimo capítulo do livro de Gênesis. A missão de Cristo, até seu segundo advento, pode penetrar no próprio hades, conforme se vê quem lê bem em I Ped. 3:18-20. A interpretação que diz que Cristo não desceu ao hades, mas que Noé por meio do espírito de Cristo, pregou aos perdidos dos tempos imediatamente anteriores ao dilúvio (em lugar de Cristo), os quais morreram, mas estavam vivos nos dias de Noé, nem ao menos foi concebida senão já nos tempos de Agostinho. Todos os pais e concílios anteriores proclamaram a *realidade da descida* de Cristo ao hades, com os benéficos resultados disso dados ao espíritos confinados. — A maioria dos intérpretes da igreja cristã continua firmada nesse ponto de vista, em graus variados. Dentre os dezessete comentários consultados sobre a questão, doze concordam que Cristo fez algo para os perdidos do hades, a fim de melhorar-lhes o estado. A maior parte dos comentadores concorda que Cristo ali desceu a fim de oferecer a salvação a seus habitantes. Alguns insistem na idéia de *melhoramento no lugar da oferta de salvação*. E a maior parte também crê que isso estabeleceu um precedente, que continuará até que a segunda vinda de Cristo trace barreiras eternas.

10. Os três pontos de vistas sobre o julgamento:

a. Em um dos extremos, encontramos aqueles intérpretes que supõem que o julgamento consistirá exclusivamente de retribuição, e que as condições das almas perdidas jamais serão modificadas em qualquer sentido. Esse ponto de vista resulta da aderência tenaz a alguns poucos textos de prova, que se prestam para provar tal noção incompleta.

b. No extremo oposto, encontram-se aqueles estudiosos que imaginam que todos os homens se acharão, finalmente, entre os eleitos de Deus e que a única diferença entre os homens será o «ponto dentro do tempo» em que tiverem de ser remidos. Essa é a posição do universalismo, uma bela idéia, sem dúvida, mas que não se acha nas Escrituras.

c. O terceiro ponto de vista é o daqueles que declaram que os eleitos serão poucos, comparativamente falando, mas que a missão de Cristo terá efeitos universais, chegando a aprimorar a condição até mesmo dos perdidos, embora sem levá-los à salvação dos remidos. Essa interpretação se fundamenta sobre trechos bíblicos como Efé. 1:10, onde é prometida a restauração geral de todas as coisas; como João 12:32, que parece indicar uma obra universal, deflagrada pela expiação e pelo missão de Cristo; como Rom. 11:32, que indica que os julgamentos divinos sempre estarão envolvidos na misericórdia e terão propósitos beneficentes. A narrativa da descida de Cristo ao hades, naturalmente, também exerce papel preponderante nessa interpretação (ver I Ped. 3:18 — 4:6). O trecho de I Ped. 4:6 quase certamente ensina que o julgamento divino terá aspectos restauradores em sua natureza, e não meramente retributivos. Por conseguinte, podemos antecipar (juntamente com a mensagem de Efé. 1:10) que a restauração de todas as coisas ficará aquém da redenção dos eleitos. Todavia, a restauração emprestará propósito e bem-estar aos perdidos, porquanto Cristo haverá de tornar-se tudo para todos (ver Efé. 1:23). Sem embargo, sem importar o que os perdidos venham a ganhar por meio disso, em comparação com a redenção dos eleitos, tais vantagens terão de ser reputadas uma perda infinita. (Quanto a detalhes sobre esses conceitos, ver as notas nas referências oferecidas no NTI. Ver também sobre a «universalidade da missão de Cristo», explicada nas notas referentes a João 14:6). Apressemo-nos a ajuntar que essa restauração de tudo será efetuada por intermédio do julgamento. Não deixará este para um lado. O julgamento é o dedo da mão amorosa de Deus; mas o amor pode ser severo. O julgamento será severo, mas não será destituído de propósito. E visto que os perdidos não venham jamais a alcançar a salvação — embora sua condição venha a ser melhorada — isso significa que eles permanecerão debaixo da condenação para sempre, porque o julgamento é, essencialmente, aquele *estado* próprio de quem *não atingiu* a salvação. Todas as demais considerações concernentes a natureza do julgamento divino, em comparação com esse fator, são meramente triviais.

11. *Sete são os grandes princípios do julgamento divino, segundo Rom. cap. 2.*

1. O julgamento de Deus é 'segundo a verdade' (ver o segundo versículo).

2. É de conformidade com a culpa acumulada (ver o quinto vs).

3. É de conformidade com as obras (ver o sexto versículo).

4. É sem fazer acepção de pessoas (ver o décimo primeiro versículo).

5. É segundo as obras realizadas, e não segundo o conhecimento (ver o décimo terceiro versículo).

6. Atinge os segredos do coração (ver o décimo sexto versículo).

7. É de acordo com a realidade, e não com a profissão religiosa (ver os versículos décimo sétimo a vigésimo nono).

12. Meus amigos, os comentários sobre o julgamento dos ímpios, dos pontos 1 a 11, foram escritos (essencialmente) por mim na minha obra, *O Novo*

644

Julgamento

••• ••• •••

O julgamento é um dedo da mão amorosa
de Deus. O julgamento efetua aspectos
importantes do trabalho do amor de Deus. O
amor de Deus escreverá o último capítulo
da história humana.

•••

O Amor de Deus é Real
Todo-Poderoso
e será
Absolutamente Efetivo
Universalmente
Afinal

O Amor de Deus é Real Universalmente
— Não meramente potencial.
O amor de Deus desce
ao mais baixo inferno.
Porque também Cristo padeceu uma vez
pelos pecados, o justo pelos injustos,
para levar-nos a Deus; mortificado, na
verdade. na carne, mas vivificado
pelo Espírito. No qual também foi
e pregou aos espíritos em prisão.
    (I Ped. 3:18,19)
A missão de Cristo era e é
    — *tridimensional*—
na terra, em hades, e nos céus.
...
Porque por isto foi pregado o evangelho
também aos mortos para que, na verdade,
fossem julgados segundo os homens na carne,
mas vivessem segundo Deus em espírito.
    (I Ped. 4:6)

••• ••• •••

JULGAMENTO DE JESUS

Testamento Interpretado, que foi publicado em 1980. Hoje, dia 29 de outubro de 1986, estou acrescentando alguma coisa que modifica, em parte, as minhas opiniões sobre o *Julgamento*. Uma teologia estagnada fala que pensamos que já aprendemos tudo que há para aprender. Mas somente Deus realmente sabe a *teologia*. Nossos conhecimentos são imperfeitos e inexatos. Portanto, podemos progredir e melhorar no conhecimento. Triste é o dia quando alguém chega à arrogância de pensar que sabe toda a verdade.

> *Da covardia que teme novas verdades,*
> *Da preguiça que aceita meias verdades,*
> *Da arrogância que pensa saber toda a verdade*
> *Ó Senhor, livra-nos!*
> *(Arthur Ford)*

Eis algumas modificações no meu modo de pensar sobre o julgamento:

a. Embora, restritamente, seja correto falar da posição dos perdidos, na restauração como uma *perda infinita*, (como falei sob ponto 7), em comparação com aquela dos redimidos, hoje percebo que uma linguagem deste tipo degrada a obra restauradora do *Logos*, portanto me arrependo em ter falado isto. No artigo sobre *Restauração* procuro esclarecer melhor este assunto. Apresento também um artigo detalhado sobre a *Descida de Cristo ao Hades* que esclarece o assunto da larga missão de Cristo em favor dos homens perdidos. Efé. 4:7 *ss* mostra que a *descida* teve o *mesmo* propósito da *ascensão* de Cristo, isto é, de fazer Cristo tudo para todos, para que ele possa encher tudo e todos. Assim, o *Logos*, chamado Cristo na sua encarnação, tinha três missões que formam uma unidade: a missão na terra; a missão no hades; a missão nos lugares celestiais. Nada ficou fora do alcance de seu poder salvador-restaurador. Estas missões levam sua mensagem de graça, amor e bondade para todas as três esferas.

b. Sob ponto 9, declaro que o dia da oportunidade para a salvação é terminado pela *Parousia* de Cristo, não pela morte biológica de cada pessoa. Esta é uma posição da igreja histórica. Hoje acho que não podemos aplicar um dogma a este assunto. Especulo que a oportunidade é terminada para cada pessoa individualmente nas eras futuras da eternidade, através da evolução espiritual de cada uma. Os espíritos se tornarão em muitas espécies diferentes, assim fechando a porta contra a participação na natureza divina, do mesmo modo que os redimidos, através de muitos estágios de evolução espiritual, participarão mais e mais na natureza e atributos divinos, II Cor. 3:18. Haverá muitos estágios de glória. Pelo menos, é claríssimo para mim que uma única vida física é incapaz de determinar o destino de uma alma eterna.

c. O julgamento será um dedo da mão amorosa de Deus, e de fato, operará através do amor. Será tão severo, e durará o tempo que for necessário (entrando nas eras da eternidade), para efetuar o mistério da vontade de Deus, Efé. 1:9,10; isto é, promover e efetuar uma unidade gloriosa ao redor do Logos. Deus pode fazer algumas coisas melhor através do julgamento do que em qualquer outra maneira. Portanto, traga logo o julgamento! O julgamento, portanto, é uma medida de esperança, não de desespero final, embora, trará desespero e sofrimento para *afinal* restaurar. Certamente I Ped. 4:6 apresenta este tipo de julgamento.

d. A visão do julgamento como somente desespero e somente retributivo, e também de fogo literal, é a visão dos Livros Pseudepígrafos (vide) do Velho Testamento. O Novo Testamento, em alguns lugares, emprestou esta visão. Mas em outros lugares, ultrapassou, consideravelmente, aquela visão pessimista. A missão de Cristo, em todas as suas dimensões, anulou aquela visão inadequada do julgamento. Grandes foram o amor e a misericórdia de Deus! Lá descanso minha fé.

Se estas dimensões diferentes do julgamento não sejam a verdade, então o evangelho de Cristo trouxe péssimas prospectivas para a humanidade. Declarando-se em favor da salvação de todos os homens, falhou miseravelmente no seu propósito. É impossível pensar que o evangelho seja tão fraco.

O oposto de injustiça não é justiça — é *amor*.

Julgamento de Israel Ver depois de **Julgamento de Jesus**.

JULGAMENTO DE JESUS

Esboço:
Introdução
I. O Julgamento Judaico
II. O Julgamento Romano

Introdução

Dois dos grandes campeões dos direitos humanos, a legislação judaica e a legislação romana, combinaram-se nessa mais colossal e trágica de todas as injustiças — o injusto julgamento de Jesus Cristo.

Os judeus, tão confiantes nas suas leis reveladas por Deus, não tiveram o discernimento necessário para identificar a pessoa de Cristo. Além disso, cegos por sua determinação de se livrarem de Cristo a qualquer custo, distorceram o direito passo a passo e cometeram o mais tremendo de todos os erros judiciários: a condenação de Jesus à pior das mortes, quando ele era perfeitamente inocente. De nada adianta declarar que o povo judeu não foi culpado da morte de Cristo. A última geração de judeus haverá de reconhecer seu erro e rejeição. E então, sim, será corrigida a injustiça: «E sobre a casa de Davi, e sobre os habitantes de Jerusalém, derramarei o espírito de graça e de súplicas; olharão para mim, a quem traspassaram; pranteá-lo-ão como quem pranteia por um unigênito, e chorarão por ele, como se chora amargamente pelo primogênito» (Zac. 12:10). A culpa da nação de Israel, como um todo — amados como eles são pelo Senhor — não será jamais expiada por frases piedosas, que busquem isentá-las. Mas um arrependimento verdadeiro fará isso.

Os romanos, orgulhosos de seus jurisconsultos e últimos descendentes das antigas leis codificadas por Hamurabi (vide), nesse lamentável erro judiciário, representados pelo governador romano, Pôncio Pilatos, ainda perceberam a inocência de Jesus. Foi Pilatos quem declarou: «Apresentastes-me este homem como agitador do povo; mas, tendo-o interrogado na vossa presença, nada verifiquei contra ele dos crimes de que o acusais» (Luc. 23:14). E Pilatos ainda insistiu nessa tese por mais duas vezes (vs. 15 e 22). Mas, sendo homem fraco e covarde, pressionado pelas autoridades religiosas judaicas, acabou entregando Jesus à sanha deles: «Mas eles (as autoridades eclesiásticas dos judeus) estavam com grandes gritos, pedindo que fosse crucificado. E o seu clamor prevaleceu. Então Pilatos decidiu atender-lhes o pedido: soltou aquele que estava encarcerado por causa da sedição e do homicídio (Barrabás), a quem eles pediam; e, quanto a Jesus, entregou-o à vontade deles» (Luc. 23:23-25). E os soldados romanos, barbarizados como estavam pelas durezas da vida militar, não pouparam esforços para humilhar a Jesus, esbofeteando-o, zombando dele, tripudiando de sua aparente impotência. «Igualmente os soldados

JULGAMENTO DE JESUS

o escarneciam, e, aproximando-se, trouxeram-lhe vinagre, dizendo: Se tu és o rei dos Judeus, salva-te a ti mesmo» (Luc. 23:36,37). Os interesses mesquinhos de Pilatos, a crueldade dos soldados romanos e a cegueira e ódio dos judeus incrédulos, aliaram-se para declarar a falência da justiça humana, do modo mais eloqüente possível.

I. O Julgamento Judaico

O propósito declarado dos líderes religiosos judeus era, conforme se lê em Mateus 26:4: «...prender Jesus, à traição, e matá-lo. Mas, diziam: não durante a festa, para que não haja tumulto entre o povo». Isso posto, o que interessava a eles não era a legalidade, e, sim, desfazerem-se de Cristo de qualquer modo. Por essa razão, eles toleraram tantas e tão graves irregularidades, durante o julgamento. Essas irregularidades, por si só, teriam anulado o julgamento. Porém, as coisas foram feitas com tanta precipitação que não houve tempo para corrigir qualquer abuso da parte dos juízes judeus. Consideraremos três lances decisivos desse simulacro de julgamento: 1. o exame preliminar; 2. o julgamento noturno ilegal; 3. a decisão matinal, adredemente determinada.

1. *O Exame Preliminar*. Enquanto os membros do Sinédrio se iam reunindo, Jesus ficou detido na casa de Anás, que era apenas um ex-sumo sacerdote, embora compartilhasse da dignidade do ofício com seu genro, Caifás. Como procedimento inteiramente à parte do julgamento regular, Jesus foi interrogado a respeito de seus discípulos e de sua doutrina (ver João 18:19). O propósito desse interrogatório era reunir evidências contra ele. Na verdade, o Senhor Jesus não aceitou pacificamente essa irregularidade, insistindo que apresentassem testemunhas de acusação contra ele (João 18:20,21). Afinal, as acusações devem ser feitas antes de qualquer interrogatório. Como se vê, antes mesmo do julgamento começar, os juízes já estavam resolvidos a condenar o inocente. Bastaria isso para desqualificar os juízes, diante de qualquer tribunal sério.

2. *O Julgamento Noturno Ilegal*. Julgar Jesus às pressas era importante para os adversários dele, assentados por engano na cadeira de Moisés. Era preciso condenar e executar a Jesus, antes que houvesse qualquer reação da parte dos que com ele simpatizavam. Segundo uma estipulação da própria lei judaica, não se podiam fazer julgamentos à noite. Mas, ou as autoridades religiosas judaicas passavam por cima dessa proibição, ou correriam o risco de não conseguir condenar a Jesus. O julgamento judaico era de caráter religioso. Entretanto, os portões do templo ficavam fechados à noite. Mas, no pátio central aberto, havia uma sala separada do mesmo apenas por colunas. Ali, pois, reuniram-se os juízes de Jesus, o Sinédrio, o Superior Tribunal dos judeus. Do outro lado desse pátio ficavam os aposentos de Anás. Enquanto o Sinédrio se reunia, os principais sacerdotes trabalhavam freneticamente, na tentativa de encontrar testemunhas contra Jesus, dispostas a mentir. Mas, embora cuidadosamente instruídos sobre o que deveriam dizer, e embora obrigados sob juramentos solenes, as testemunhas arranjadas não concordavam umas com as outras (Mar. 14:56; ver também Deu. 19:15). Jesus, pois, enfrentou essa fase do simulacro de julgamento com silêncio e desdém. Por mais condescendente que ele tivesse querido ser, aquele tribunal se precipitara em um ridículo à toda prova, eliminando qualquer senso de dignidade humana; e o Senhor Jesus jamais compactuaria com isso, embora tivesse vindo a este mundo justamente para dar a sua vida em resgate por muitos (ver Mat. 20:28).

Em atitude de desespero, o sumo sacerdote pôs Jesus sob juramento (ver Mat. 26:63,64). E o Senhor Jesus admitiu francamente a sua reivindicação de ser o Cristo, o Filho de Deus (Mat. 26:65,66), embora soubesse que isso lhe custaria a vida. A questão, a partir daí, tornou-se clara. De acordo com o ponto de vista do tribunal judaico, a condenação de Jesus dependia única e exclusivamente dessa questão. Mediante sua astúcia, Caifás fez de cada membro do Sinédrio, incluindo ele mesmo, uma testemunha credenciada. De acordo com a doutrina judaica, sendo Jesus um homem, ao declarar-se ele Filho de Deus, tornou-se blasfemo, digno de morte. Todavia, Jesus foi condenado, mas não sentenciado. Isso os judeus não podiam fazer. Ver João 18:31: «A nós não nos é lícito matar a ninguém». Não podiam nem sentenciá-lo e nem executá-lo. Para isso, era preciso comprar o governador romano, pois a execução era privilégio dos romanos. O problema dos judeus era de que a lei romana não aceitasse a acusação de blasfêmia. Diante de Pilatos, as autoridades judaicas teriam de inventar outra coisa que pudesse incriminar gravemente a Jesus. Por isso mesmo, o Sinédrio despediu-se em estado caótico, desordenado. Alguns cuspiam em Jesus, e outros lhe davam bofetadas (Mar. 14:65).

3. *A Decisão Matinal, Adredemente Determinada*. A reunião da sexta-feira pela manhã, do Sinédrio judaico, teve o propósito de emprestar um ar de legalidade à decisão tomada na noite anterior, e planejar como a questão seria apresentada à apreciação de Pilatos. Assim, o sumo sacerdote iniciou novamente todo o julgamento, mas apenas tendo o cuidado de eliminar aqueles pontos que não se tinham mostrado frutíferos para suas finalidades. Jesus foi novamente interrogado por seus juízes, e novamente testificou acerca do fato de ser ele o Filho de Deus. Não houve nenhum avanço real no processo. Não surgiu nenhum fato novo, incriminador, que se prestasse para ser exposto diante de Pilatos. Taosomente todos concordaram que Jesus havia blasfemado. Então disseram todos: «Logo tu és o Filho de Deus? E ele lhes respondeu: Vós dizeis que eu sou. Clamaram, pois: Que necessidade mais temos de testemunho? porque nós mesmos o ouvimos da sua própria boca» (Luc. 22:70,71). O problema dos judeus, dali por diante, era tirar proveito do momento de fraqueza política de Pilatos, que não vinha fazendo um bom governo, descontentando aos judeus, razão pela qual ele não podia arriscar-se a não os atender. Contudo, lembremo-nos que até ali a acusação contra Jesus havia sido de natureza religiosa. Diante de Pilatos, a acusação teria de ser de natureza política. Essa foi a pior falha judicial de todo o julgamento do Senhor Jesus. Pois, no julgamento judaico não ficou provado que Jesus estava blasfemando — que ele não era o Filho de Deus. Essa sua afirmativa ficaria reivindicada na manhã do domingo da ressurreição: «...e foi designado Filho de Deus com poder, segundo o espírito de santidade, pela ressurreição dos mortos...» (Rom. 1:5). Portanto, Deus *reverteu* a decisão dos juízes judeus. Eles é que deveriam ter sido condenados, por tão flagrante falha na justiça, por tão lamentável falta de discernimento — eles que eram os guias espirituais e religiosos da nação. Não obstante, naquela sexta feira de manhã, Deus ainda não se havia manifestado — ressuscitando gloriosamente a Jesus — e os membros do Sinédrio se levantaram e conduziram Jesus à presença do governador romano.

II. O Julgamento Romano
Enquanto o tribunal romano não se manifestasse,

JULGAMENTO DE JESUS

Jesus estava condenado pelo Sinédrio, mas não sentenciado. Como um júri, os membros do Sinédrio haviam chegado ao veredito de culpado; mas somente Roma podia determinar legalmente a sentença e a execução de Jesus. Desejamos considerar agora sete lances que mostram o quanto o julgamento romano de Jesus foi um lamentável e ridículo erro judiciário: 1. tentativa de evasão; 2. acusações sem fundamento; 3. exame e absolvição; 4. o parecer de Herodes; 5. Jesus ou Barrabás? 6. «Eis o homem»!: 7. a sentença.

1. *Tentativa de Evasão*. Os judeus deram fortemente a entender que queriam que Pilatos cedesse à vontade deles, encarregando-se o governador somente da execução do réu, mas deixando com eles o direito de sentenciá-lo à morte. Algumas vezes, governadores romanos tinham tido tal condescendência diante das autoridades religiosas judaicas, ou por pura indolência ou como um favor especial, sobretudo quando estavam em foco questões de cunho religioso. Porém, Pilatos não parecia disposto a conceder esse privilégio a eles. Todas as propostas dele, a princípio, é como se ele tivesse dito: «Quero ter o privilégio de julgar e executar o réu, se culpado, ou então, vocês terão de satisfazer-se em aplicar a ele somente as penas de que são capazes de aplicar». (Ver João 18:29-31). O motivo principal de Pilatos, nessa sua atitude, nos é dado no Novo Testamento: «Pois ele bem percebia que por inveja os principais sacerdotes lho haviam entregado» (Mar. 15:10). Todas as razões dos sacerdotes judeus eram subjetivas. Não havia coisa alguma pela qual Jesus pudesse ter sido condenado, ou que agora obrigasse o governador a sentenciá-lo e mandá-lo executar.

2. *Acusações Sem Fundamento*. Se Jesus tivesse de ser julgado e sentenciado pela lei romana, era mister começar toda uma nova série de acusações. Roma nunca se interessaria em alguma mera acusação de blasfêmia. Portanto, forçados pelas circunstâncias, os líderes judeus começaram a derramar contra Jesus fortes acusações. Essas giravam em torno de três questões básicas. Segundo eles, Jesus pervertia a nação, impedia o pagamento de impostos a César e se declarava rei (ver Luc. 23:2). As duas primeiras acusações foram automaticamente descartadas pelo governador. Somente a terceira chegou a impressioná-lo, pois ele não poderia ser considerado como governador que permitira que um sedicioso contra o governo imperial — no caso, Jesus — ficasse sem a devida punição. Os romanos desconheciam pior crime do que o de traição política. Foi por esse motivo que Pilatos resolveu examinar pessoalmente a Jesus.

3. *Exame e Absolvição*. O diálogo entre Pilatos e Jesus foi breve. O quarto evangelho é o que mais nos permite entender esse diálogo. Diante da pergunta de Pilatos, «És tu o rei dos judeus?», Jesus mostrou-lhe que não se interessava por qualquer poder político deste mundo, quando respondeu: «O meu reino não é deste mundo» (João 18:33-38). Bastou isso para Pilatos ficar plenamente convencido da inocência de Jesus. Por isso lemos que Pilatos, terminado o diálogo com Jesus, «...voltou aos judeus e lhes disse: Eu não acho nele crime algum» (João 18:38b). Ora, esse veredito deveria ter posto fim àquele burlesco julgamento, se tivesse havido a resolução de se fazer justiça. Porém, Pilatos sentia que deveria agradar aos judeus de alguma maneira, pois sua relação com eles não andava nada boa. E isso deu início a uma nova fase do julgamento.

4. *O Parecer de Herodes*. Em vista dos braaos indignados dos judeus, Pilatos temeu que ocorresse um impasse, o que ele não queria. Quando ouviu a palavra «Galiléia», isso lhe sugeriu uma idéia: Já que

Herodes Antipas, que governava a Galiléia, estava na cidade, por que não entregar o caso de Jesus às mãos de Herodes, livrando-se assim o governador romano de uma tremenda batata quente? O gesto agradou a Herodes, de tal modo que ele e o governador romano, diante dessa cortesia, fizeram as pazes, pois antes não estavam em boas relações. Entretanto, Herodes era por demais experimentado e astuto para se deixar envolver em um julgamento que envolvia uma acusação de traição contra o governo imperial. O máximo que Herodes fez foi ridicularizar a Jesus, para então mandá-lo de volta a Pilatos. A tentativa de Pilatos, pois, fracassou; e novamente voltou aos seus ombros a responsabilidade de dar o seu parecer. Pilatos, pois, agora dispunha de um argumento mais forte sobre a inocência de Jesus, e usou desse argumento: «Apresentastes-me este homem como agitador do povo; mas, tendo-o interrogado na vossa presença, nada verifiquei contra ele dos crimes de que o acusais. Nem tão pouco Herodes, pois no-lo tornou a enviar. É, pois, claro que nada contra ele se verificou digno de morte» (Luc. 23:14,15). Uma vez mais, toda a questão poderia ter sido arquivada, conforme se diz atualmente. Mas, querendo ainda agradar aos judeus, Pilatos apelou para duas outras alternativas: castigar com açoites a Jesus, embora julgado inocente, ou, então, mandar executar a Barrabás e deixar Jesus. Talvez se os judeus, uma multidão ululante diante do palácio, vissem sangue, se acomodassem e se satisfizessem. E, contra todos os mais comezinhos preceitos da justiça, o Senhor Jesus foi açoitado. Ora, os açoites já eram uma preparação para a crucificação, pois debilitava muito o réu sentenciado à cruz, onde deveria morrer por pura exaustão, pois os ferimentos nos pés e nas mãos não eram suficientes para provocar a morte dos crucificados.

5. *Jesus ou Barrabás?* Lemos que o criminoso Barrabás, já preso por sedição e homicídio, foi solto. Mas que Jesus, inocente de qualquer acusação, foi entregue ao cruel castigo de açoites. É incrível como a natureza humana, representada naquele momento pelas autoridades judaicas e pela multidão de judeus que se tinham reunido diante do palácio do governador, se voltou tão ferozmente contra o seu próprio Criador. Em altos brados eles exigiram a soltura de Barrabás e a crucificação de Jesus. Pilatos procurou eximir-se de sua responsabilidade lavando as mãos diante do povo, como que a dizer: «Estou limpo do sangue deste inocente». Mas a reação do povo foi: «Caia sobre nós o seu sangue, e sobre nossos filhos!» (Mateus 27:17-26). Aquela escolha errada foi trágica para o povo judeu. O sangue do inocente Jesus, realmente, caiu sobre as cabeças deles e de seus descendentes. Cerca de quarenta anos mais tarde, os romanos destruíram Jerusalém, sob as ordens de Tito, filho do imperador da época. Josefo informa-nos de que faltou madeira em redor, para fazer cruzes e crucificar a tantos judeus, que tiveram de ser executados pelo exército romano. Pior ainda, os judeus foram dispersos da Judéia por todos os países do mundo. A saga do povo judeu, em suas peregrinações durante mais de dezenove séculos, é um dos capítulos mais tristes da história da humanidade.

A rejeição final a Jesus veio quando Pilatos indagou: «Hei de crucificar o vosso rei?» e a multidão retrucou: «Não temos rei, senão César!» (João 19:15). Destarte, rejeitaram o herdeiro do trono de Israel, constituído por Deus, e se puseram sob a proteção dos césares. Quão diferente teria sido a sorte do povo judeu se, naquele momento em que Pilatos lhes apresentou a alternativa — Jesus ou Barrabás — eles

647

JULGAMENTO DE ISRAEL — DE PAULO

tivessem agido com justiça, concordando com a soltura de Cristo e deixando Barrabás receber o seu merecido castigo!

6. «*Eis o Homem!*» Em um último apelo aos sentimentos de humanidade dos judeus, Pilatos apresentou Jesus, sangrando com as chicotadas recebidas, com a coroa de espinhos na cabeça e com o manto púrpura, com que os soldados romanos haviam zombado e tripudiado dele. As palavras de Pilatos, ao exibir Jesus à furiosa multidão, devem ter soado extremamente fora de lugar e sem sentido: «Eis o homem!» (João 19:5).

7. *A Sentença*. E, pela última vez, Pilatos sentenciou: «Tomai-o vós outros e crucificai-o; porque eu não acho nele crime algum» (João 19:6). E também pela última vez, os judeus incrédulos sentenciaram: «Temos uma lei, e, de conformidade com a lei, ele deve morrer, porque a si mesmo se fez Filho de Deus» (João 19:7). Então Pilatos entregou Jesus às mãos das autoridades judaicas, desistindo de sua própria autoridade superior, para que ele fosse crucificado. Estava terminado o julgamento. Os dois maiores tribunais do mundo tinham acabado de decretar a maior *injustiça* que já se cometeu oficialmente à face da terra. Nem o tribunal religioso e nem o tribunal civil serviram, realmente, à justiça! Foi somente para tentar aplacar aos judeus que Pilatos permitiu a crucificação de Jesus! Alguns anos mais tarde, Pilatos foi tirado do governo da Judéia, e acabou se suicidando, embora, para isso, só contemos com tradições um tanto duvidosas. Mas, antes disso, ele deve ter tido muitos pesadelos que envolviam um obscuro carpinteiro da Galiléia, a quem não se fizera justiça! Ver o artigo sobre a *Crucificação de Jesus*, e também sobre *Jesus, o Juiz*.

JULGAMENTO DE ISRAEL

Israel, como nação, terá de ser submetida a julgamento, antes de poder ser restaurada. Esse é o claro ensino do trecho de Eze. 20:33-44. Daí aprende-se o princípio geral que diz que os julgamentos divinos não são meramente retributivos, não são meras medidas de punição. Antes, são meios de restauração, pelo que sempre são potencialmente remediais. Isso sucedeu no caso do julgamento da cruz; será verdade no caso do julgamento dos incrédulos (I Ped. 4:6); e também é a verdade no caso do julgamento dos crentes nesta vida (Heb. 12:5 *ss*).

Fazia parte do mistério da vontade de Deus que Israel rejeitasse ao seu próprio Messias. Isso tinha a ver com a necessidade de propalar a salvação pelo mundo inteiro, para que fosse chamada uma Igreja composta, igualmente, por judeus e gentios, conforme Paulo deixa claro em seu estudo especial, nos capítulos nono ao décimo primeiro da epístola aos Romanos. Chegado o tempo certo, a atenção de Deus voltar-se-á para a restauração de Israel. E, uma vez convertida, essa nação fará parte integrante da última geração da Igreja, juntamente com um incontável número de gentios convertidos, na maior colheita de almas de todos os tempos. Ver Apo. 7:2-10. Para tanto, porém, a nação de Israel será preparada, em meio a intensos sofrimentos. Deus pode fazer, por meio do julgamento, coisas que não poderia fazer melhor por qualquer outro meio. E nisso estão envolvidas Israel e a Igreja do fim, cujos destinos confundir-se-ão, afinal, porquanto quem quer que se converta, judeu ou gentio, torna-se parte da Igreja de Cristo. Durante o período da Grande Tribulação (vide), a nação de Israel será oprimida pela força quase insuportável do anticristo. Mas, quando sua própria existência estiver sendo ameaçada, o Senhor Jesus voltará e será visto entre os soldados de Israel. Isso haverá de inspirá-los à vitória, e Israel tornar-se-á uma nação cristã, realmente convertida, por decreto oficial. Isso fará parte daquilo que Paulo disse em Rom. 11:26: «E assim todo o Israel será salvo, como está escrito: Virá de Sião o Libertador, ele apartará de Jacó as impiedades». Todavia, não devemos imaginar que isso indica mera libertação da opressão dos inimigos, pois destaca-se ali a salvação eterna da alma. Ver o artigo chamado *Restauração de Israel*. Ver também *Queda e Restauração de Israel*.

JULGAMENTO DE PAULO

Sobre o Julgamento de Paulo Perante César

O livro de Atos dos Apóstolos não nos dá qualquer informação sobre o julgamento de Paulo, nem quaisquer outros detalhes dos últimos anos da vida do apóstolo, incluindo a sua execução. Provavelmente esses detalhes foram deixados por escrever, a fim de que não servissem de obstáculo e escândalo na disseminação do evangelho pelo império romano. As evidências arqueológicas, existentes nos papiros, indicam que nos tempos de Cláudio e de Nero, os casos eram ouvidos pessoalmente pelo imperador, juntamente com um conselho de amigos selecionados, ainda que tal autoridade pudesse ser delegada a outros. Nenhum judeu acusador apareceu em Roma para fazer carga contra Paulo (ver Atos 28:21), pelo que se acredita que esse caso inicial foi arquivado e que, depois de dois anos de espera, Paulo *recuperou* a sua liberdade. Durante esse período de confinamento, o apóstolo provavelmente escreveu suas epístolas aos Filipenses, aos Colossenses, a Filemom e aos Efésios. A sua libertação teria ocorrido em cerca de 63 D.C. Jerônimo data a morte de Paulo em 68 D.C., pelo que Paulo ainda teve cerca de mais quatro anos de atividade missionária. As circunstâncias do segundo aprisionamento de Paulo são desconhecidas. Semelhantemente, nada sabemos sobre seu julgamento final.

Sobre os últimos anos da vida de Paulo — suas outras viagens missionárias e sua execução.

Muitas especulações se têm multiplicado quanto às atividades de Paulo durante seus últimos anos de vida. Alguns crêem que houve apenas um período de aprisionamento, o qual terminou com a execução de Paulo. Lucas não menciona os detalhes finais, e assim fez para que o livro de Atos e o cristianismo, promovido por essa obra escrita, não fossem rejeitados no império romano. — Essa teoria, no entanto, quase nos obrigaria a rejeitar as epístolas a Timóteo e a epístola a Tito, como se fossem meros pseudônimos (escritos sob falso nome), e não como de autoria paulina, posto que indicam lugares que Paulo visitou após o seu primeiro aprisionamento. Mui provavelmente, Paulo foi solto cerca de dois anos após ter ficado prisioneiro em Roma, mais ou menos em 63 D.C., após ter sido arquivada qualquer acusação porventura feita contra ele.

Após receber a liberdade, o apóstolo Paulo visitou a *Espanha*, segundo desejava fazer (ver Rom. 15:24). Além disso, visitou a área do mar Egeu, o Oriente Próximo, a ilha de Creta (ver Tito 1:5), a Ásia Menor (ver II Tim. 4:23), a Macedônia (ver I Tim. 1:3) e a Grécia (ver II Tim. 4:20). Depois disso, é bem possível que Paulo tenha sido novamente aprisionado, em Nicópolis, no Epiro (ver Tito 3:12), e que dali foi enviado para a cidade de Roma, onde foi encarcerado na prisão Mamertina, de onde teria escrito a epístola II Tim. (I Tim. e Tito foram escritas no intervalo). A

648

JULGAMENTO DE PAULO

Epístola de Clemente (5:5-7), escrita em 95 D.C., o *Cânon Muratoriano*, de cerca de 170 D.C., e o apócrifo *Atos de Pedro* (1:3, de cerca de 200 D.C.) falam todos de uma visita que Paulo fez à Espanha.

Conforme se demonstrou acima, as epístolas a Timóteo e a Tito fornecem-nos pouquíssimos informes sobre o ministério de Paulo, depois que ele esteve em Roma. — Seu aprisionamento final levou-o à morte. De conformidade com a tradição, Paulo foi decapitado à espada na Via Ostiana, o que foi um método de execução coerente com a posição que tinha de cidadão romano. Nada sabemos dizer com respeito aos detalhes de seu aprisionamento final, de seu julgamento e de sua execução; mas, evidentemente, tudo resultou do ódio cego de Nero, o imperador. Eusébio diz-nos que a morte de Paulo ocorreu em 67 D.C., ao passo que Jerônimo fala em 68 D.C. Se essas especulações têm foros de verdade, possivelmente é bem apropriado que o grande apóstolo dos gentios tenha morrido às mãos do cabeça dos poderes gentílicos, e não executado pelos judeus.

Aprisionamentos de Paulo

Alguns estudiosos mostram insatisfação ante a teoria dos *dois aprisionamentos*. Se aceitarmos as epístolas *pastorais* como obras autênticas do apóstolo Paulo, ou mesmo de algum discípulo seu, que estava bem informado sobre as suas atividades, antes de sua execução, certamente teremos de aceitar a idéia dos dois períodos de aprisionamento, juntamente com um intervalo de alguns anos entre esses dois períodos. A passagem de II Tim. 4:16,17 se refere à sua «primeira defesa», o que subentende uma *segunda defesa*, onde também, lemos que ele foi «...libertado da boca do leão...» Ora, isso nos dá a entender um livramento do aprisionamento descrito no capítulo final do livro de Atos. Alguns eruditos crêem, entretanto, que houve tão-somente um período de aprisionamento, e abaixo expomos os argumentos por eles apresentados, em favor dessa teoria:

1. Certa diferença de estilo, de vocabulário e temas que refletem condições mais eclesiásticas na igreja cristã (que talvez não estivessem tão desenvolvidas no tempo de Paulo), indicam-nos que as epístolas pastorais não são de autoria paulina, mas devem ter sido escritas por *algum discípulo seu*, em data posterior, em nome de seu mestre e herói. Se isso é verdade, então todas as referências bíblicas a qualquer soltura de Paulo e a um segundo aprisionamento, ficam automaticamente eliminadas.

2. As referências, existentes nos escritos dos pais da igreja, referentes a dois aprisionamentos, se alicerçam sobre as epístolas pastorais, o que significa que tais alusões não possuem autoridade independente.

3. Alguns estudiosos têm visto, na narrativa sobre o avanço de Paulo de Corinto a Jerusalém, uma *marcha para o martírio*, o que, de conformidade com a mentalidade dos primitivos cristãos, era um triunfo, e não uma derrota. Pode-se observar, em Atos 20:37,38, como os anciãos da igreja de Éfeso derramaram lágrimas, crendo que jamais veriam ao apóstolo Paulo novamente, mas a quem devem ter visto outra vez, se porventura Paulo foi solto de seu primeiro aprisionamento. (No que diz respeito a uma discussão sobre esse assunto, ver no NTI, as notas expositivas sobre aquela referência bíblica).

4. Há um suposto completo silêncio sobre a declaração de inocência de / Paulo, dentro da narrativa sobre o aprisionamento descrito no vigésimo oitavo capítulo de Atos.

5. Se Paulo foi finalmente exonerado, no julgamento diante de César, seria inconcebível que Lucas não nos tivesse prestado tal informação, especialmente se lembrarmos que um de seus grandes temas é que o cristianismo jamais foi pressionado pelas autoridades romanas, porquanto todas as dificuldades dos cristãos eram causadas por seus antagonistas judeus.

No entanto, podemos responder a essas objeções com os seguintes argumentos:

1. Ainda que as epístolas pastorais não tivessem sido produto da mão do apóstolo Paulo, contudo não temos razão alguma para crer que algum discípulo bem informado dele não tenha podido escrevê-las. Tal discípulo teria tido o cuidado de informar-nos *corretamente* sobre as atividades posteriores de Paulo.

2. Já no ano de 95 D.C., não muito tempo depois que foi escrito o livro de Atos, Clemente de Roma (ver Epístola 5:5-7) diz-nos que Paulo «...*tendo chegado ao ocidente... foi libertado do mundo e partiu para o lugar santo*». Encontramos aqui uma alusão definida à tradição que fala sobre as viagens de Paulo à Espanha e áreas em derredor, em regiões ao ocidente da Itália. Mas dificilmente poderíamos imaginar que Clemente de Roma assim escreveu baseado nos informes das epístolas pastorais. Pois nem mesmo é provável que as epístolas pastorais já circulassem então geralmente na igreja, antes dessa data. Portanto, o informe de Clemente é um relato independente.

3. Não há necessidade alguma de considerarmos a viagem de Paulo, de Corinto para Roma, como uma *marcha para o martírio*. Mesmo admitindo-se que tal marcha seria um *triunfo*, conforme a mentalidade da igreja cristã primitiva, os versículos finais do livro de Atos parecem preparar-nos para uma exoneração de Paulo, de todas as acusações feitas contra ele e para uma execução. A liberdade e a ousadia de Paulo são enfatizadas. *Evidentemente*, não corria perigo algum.

4. Se as epístolas pastorais são genuínas (isto é, de Paulo) ou mesmo que algum discípulo de confiança de Paulo as tenha escrito, e se Clemente de Roma nos deixou uma informação autêntica, bastariam esses fatores para contradizer a tese que diz que há um completo silêncio sobre a exoneração de Paulo. Pois a liberdade de viajar à Espanha e outros lugares diversos naturalmente pressupõe que ele foi declarado inocente.

5. Pensar que é *inconcebível* que Lucas não tenha contado coisa alguma acerca da exoneração de Paulo, *se* é que ele foi realmente libertado, não é um pensamento bem consubstanciado, a menos que possamos professar saber todos os motivos por detrás da composição da narrativa de Lucas. Alguns estudiosos asseveram que o autor sagrado planejava escrever um terceiro volume histórico, tendo deixado tais informes para essa terceira composição. Não sabemos dizer se isso é verdade, mas pelo menos, é uma alternativa para o suposto *inconcebível silêncio* de Lucas. Devemos admitir, entretanto, que esse quinto ponto é o mais forte dos argumentos apresentados em defesa da teoria que diz que só houve um aprisionamento de Paulo, quando ele foi declarado culpado e executado.

JULGAMENTO DE UM CRENTE POR OUTRO PERANTE A LEI

Contra os processos legais entre os crentes (I Cor. 6:1-8).

Gradualmente Paulo foi repreendendo os muitos vícios, as práticas condenáveis, os males de toda a sorte, na igreja cristã de Corinto. Já havia condenado o problema das divisões partidárias, a ênfase sobre a

JULGAMENTO DE UM CRENTE

sabedoria mundana, a diminuição da importância da palavra da cruz, a veneração aos *heróis*, e a degradação de ministros autênticos de Cristo. (Ver os capítulos primeiro a terceiro de I Cor.). Também havia mostrado como os verdadeiros devem ser avaliados (ver o quarto capítulo de I Cor.). Por igual modo, havia atacado os baixos padrões morais, tendo destacado especialmente um caso de abuso sexual dos mais abomináveis, dentre tudo o que já se ouvira falar. E exigira ação por parte da igreja cristã de Corinto nesse caso, bem como a exclusão do indivíduo culpado, sua entrega a Satanás, para que o mesmo perdesse a sua vida física.

Mas, a partir deste ponto, Paulo ataca um diferente tipo de abuso, a saber, o de julgar a outros, em sentido legal, na presença de incrédulos, em seus tribunais de justiça. Paulo considerava que a igreja cristã tem a capacidade de efetuar os seus próprios julgamentos, a despeito das questões que porventura fossem encontradas. Essa ação, naturalmente, pressupõe o caso de dois crentes que discordassem e entrassem em conflito por algum motivo, e não os casos em que um crente fosse envolvido em querela com um incrédulo. Não é provável, neste caso, seja como for, que o incrédulo concordasse em ser julgado em um tribunal cristão .eclesiástico. Paulo continuava procurando regulamentar a conduta no seio da igreja,. e não entre crentes e incrédulos. Preocupava-se o apóstolo com a ordem correta no seio da igreja cristã, e em que o espírito de Cristo fosse aplicado a todas as suas ações.

Paulo raciocina aqui que se os crentes não devem **julgar aos de fora**, conforme se lê em I Cor. 5:12,13, então não deveriam os de fora ter qualquer coisa a ver com o julgamento de crentes, naqueles casos em que dois crentes, em conflito um com o outro, podem ser julgados pela igreja local. Paulo deixava subentendido que a consciência cristã e a influência do Espírito Santo contribuem para fazer da igreja cristã local um tribunal melhor e mais sábio do que qualquer tribunal secular poderia sê-lo. Mui provavelmente a idéia geral em que esse pensamento se alicerça vem da cultura judaica, pois dentro da sinagoga e do templo havia provisão para todas as formas de julgamento, incluindo os julgamentos de natureza inteiramente secular. O próprio governo romano permitiu aos judeus continuarem essa prática, até que caiu no mais total abuso. Os rabinos costumavam usar o trecho de Êxo. 21:1 a fim de mostrar que era ilegal apresentar uma queixa perante juízes idólatras. Entre os judeus, ordinariamente três eram os juízes nomeados para cuidarem de tais casos. (Ver Strack e Billerbeck, *Kommentar zum N.T. aus Talmud und Midrasch*, III, págs. 364-365).

O mais provável é que Paulo não estivesse pensando que a igreja cristã devesse assumir qualquer *posição legal*, a fim de julgar questões dessa natureza, posição essa que fora atribuída à sinagoga judaica por permissão do governo romano. Não obstante, a igreja deveria cuidar de si mesma quanto a essas questões, quando dois de seus membros entrassem em conflito um com o outro. Pois Paulo era da opinião que a sabedoria espiritual deve ser suficiente para cuidar de tais casos, sobretudo em face do fato de que os crentes estão destinados a serem juízes universais (6:2), em sentido escatológico. O terceiro versículo deste mesmo capítulo mostra-nos que tal juízo envolverá até mesmo aos «anjos», acerca de cujo assunto dispomos de bem escassa informação, mas que indica o tema que tem sido constantemente abordado nesta obra, i.e., que mediante a transformação dos remidos segundo a imagem de Cristo, em cujo assunto há a formação da

sua natureza moral e metafísica, os homens são elevados a uma estatura espiritual muito superior à dos próprios anjos. De fato, assim deverá ser, pois os remidos participarão da própria «natureza divina», no dizer de II Ped. 1:4. Sendo essa a realidade, certamente que as pequenas questões que atualmente surgem entre os irmãos na fé podem ser solucionadas sem a ajuda dos incrédulos, os quais, presumivelmente, possuem muito menor sabedoria, ou pelo menos, sabedoria espiritual muito inferior.

Paulo nos permite entender que os crentes devem viver *acima da lei*, já que possuem a lei superior de Cristo para obedecerem. Isso, entretanto, fará dos remidos excelentes súditos, cidadãos exemplares e cumpridores das leis de seus respectivos países. (Ensino esse bem esclarecido no décimo terceiro capítulo da epístola aos Romanos). O crente deve preocupar-se com suas responsabilidades espirituais, e não meramente com os seus *direitos*. Por essa exata razão é que disse Aristófanes (444-380 A.C.): «*Os sábios, ainda que todas as leis fossem abolidas, levariam o mesmo tipo de vida*».

I Cor. 6:1: *Ousa algum de vós, tendo uma queixa contra outro, ir a juízo perante os injustos, e não perante os santos?*

A palavra **Aventura-se** também poderia ser traduzida por «ousa» ou «tem a audácia». O vocábulo grego *tolmao* significa «ousar», —ter a coragem», «mostrar-se à altura de», dando sempre a entender alguma audácia no íntimo. Paulo usa aqui essa palavra em sentido negativo. Alguns crentes como que brincavam com os princípios básicos do cristianismo, mostrando-se ousados, presunçosos. Notemos que Paulo escrevia para crentes gentios, sem grande conhecimento dos costumes judaicos, ou, pelo menos, não bem versados nesses costumes. Qualquer judeu teria compreendido de imediato a repreensão de Paulo aqui, porquanto teria sido instruído desde a infância que não se deve apelar para juízes pagãos e idólatras quanto a questões de natureza religiosa. Os judeus consideravam que tais juízes eram totalmente inidôneos para julgarem a um israelita.

Embora os leitores de Paulo talvez não se aferrassem aos mesmos princípios aceitos pelos judeus, como formação cultural, contudo esse apóstolo esperava que aqueles crentes, como convertidos a Cristo que eram e, portanto, dotados de sabedoria divina e de compreensão espiritual, entenderiam quão impróprio seria levar questões de ordem espiritual a tribunais seculares. Aqueles crentes deveriam ao menos usar de bom senso, percebendo a impropriedade dessa ação. O oitavo versículo deste capítulo mostra-nos que Paulo não tinha algum caso isolado em mente. O número de casos semelhantes deve ter sido regular, o que explica a severidade da repreensão.

Questão. No grego original a palavra é *pragma*, que era usada, de maneira geral, para indicar «feito», «coisa», «acontecimento», «ocorrência», «ocupação», «questão», «assunto»; contudo, também havia um sentido forense ou judicial de *questão legal*, de «processo legal», de «disputa legal» de qualquer espécie. Paulo todavia, não esclarece aqui a natureza exata dos casos acerca dos quais tinha conhecimento, mas não há que duvidar que tais casos eram variegados. Talvez as disputas girassem em torno de questões de dinheiro, de propriedade, de transações comerciais, de testamentos de contratos, etc.

Contra outro. Essas palavras significam o próximo, em sentido tipicamente cristão. (Comparar com I Cor. 10:24; 14:17; Rom. 2:1 e Gál. 6:4).

JULGAMENTO

Submetê-la. Isto é, «apelar para a lei» (no grego, *krinesthai*, que aparece na voz média), palavra usada com freqüência em sentido forense. «Levar a juízo», entregar queixa a um juiz, desejando que seja baixada uma decisão judicial a respeito.

Perante os injustos. Paulo não falava pejorativamente aqui, como se os juízes incrédulos jamais buscassem chegar a soluções justas, acompanhadas de sabedoria. — O termo *injusto* era comumente usado para referir-se aos gentios, em contraste com os judeus; e isso fo. aproveitado pelo vocabulário cristão para indicar os incrédulos, os quais são reputados como quem não está «justificado» diante de Deus, sujeitos à condenação divina. Paulo não quis dizer que os juízes pagãos são sempre injustos; tão-somente salientava que os incrédulos são pagãos, não tendo realmente direito para tomar decisões acerca de conflitos entre crentes, porque, moralmente falando, isso estava fora de sua jurisdição e do alcance de sua sabedoria. Por semelhante modo, Paulo não quis dizer que havia pouca ou nenhuma oportunidade de um crente obter um julgamento justo em tribunal secular, somente porque chama a todos os juízes pagãos de «injustos».

Os gregos apreciavam muito os litígios, e os membros da igreja de Corinto que se inclinavam para os pontos de vista dos sofistas, sem dúvida, não teriam hesitado em apresentar casos perante a lei, talvez deleitando-se em apresentar as suas queixas contra outros. (Ver Aristófanes, *Rhet.* II xxiii.23, acerca do gosto que os gregos tinham nessa forma de atividade). Não havia «tribunais cristãos» (conforme havia tribunais judaicos). Os cristãos que se inclinavam para o litígio, portanto, apelavam para os tribunais pagãos, — em vez de aplicarem o bom senso, a sabedoria cristã, conservando os casos de querelas entre os crentes dentro da própria igreja cristã. Paulo não estabelece quaisquer regras quanto ao número de juízes, funções, etc., e nem determina qualquer conjunto de regras, mas antes, dá a entender que isso poderia ser adequadamente arranjado mediante acordo mútuo. Os tribunais judaicos para solucionar tais casos, geralmente eram constituídos de três juízes.

Santos. É palavra que faz contraste com os juízes «injustos». Ora, sendo os crentes «santos», possuidores de sabedoria divina, eram capazes de encontrar solução para os conflitos entre os irmãos na fé, porquanto também exerciam a devida jurisdição sobre a comunidade religiosa, dos cristãos. O termo «santos» é largamente aplicado, nas páginas do N.T., a todos os crentes, e não meramente apenas a alguns poucos indivíduos, conforme esse vocábulo é usado em certos círculos da cristandade.

Findlay (*in loc.*) comenta a respeito da atitude dos crentes de Corinto, quanto a esse particular, como, segue: «Tratais a igreja, que é a sede do Espírito Santo (ver I Cor. 3:16 e *ss*), como se ela não tivesse autoridade ou sabedoria; e apresentais os vossos casos ao tribunal comparativamente mais inferior». Naturalmente, Paulo também apelou para tribunais humanos, mas jamais em qualquer caso que envolvesse irmãos na fé (ver Atos 28:19). (Quanto às proibições rabínicas, que impediam os judeus de apresentarem queixa contra outros judeus, em tribunal pagão, *ver Sulchan Aruch, Chosen Hummishpat*, 29. Maimônides, *Hilch, Sanhedrin*, cap. 26, seção 7; *Talmude Babilônico Bittin*, fol. 38:2; *Rabino Abraham Seba*, sobre *Tzeror Hammor*, fol. 80.4; Rabino Bechai em *Kad Hakkmemach*, fol. 21.4; Maimônides, *Talmud Tora*, cap. 6, seção 4; *Zohar* sobre Êxodo, fol. 103.3). Por conseguinte, tudo isso

era tema explorado pelo Talmude e pelo ensino dos rabinos.

Na primeira dessas referências judaicas mencionadas, lê-se o seguinte: «Aquele que julga uma causa perante os juízes gentílicos, e perante os seus tribunais, ainda que as decisões sejam idênticas às de um tribunal israelita, eis que tal homem é ímpio; e é como se tivesse blasfemado e fosse réprobo, tendo levantado a mão contra a lei de Moisés, o nosso mestre, conforme aparece em Êxo. 21:1: 'São estes os estatutos que lhes proporás... perante eles, e não perante gentios... perante eles... e não perante idiotas, homens privados e iletrados'». Na opinião dos judeus, pois, levar um caso de natureza religiosa a um tribunal secular era medida equivalente a *profanação* contra o nome de Moisés e contra o Deus por ele representado, que baixara provisões acerca dessas questões, no teor da lei mosaica.

Ou não sabeis vós que os santos hão de julgar o mundo? Ora, se o mundo há de ser julgado por vós, sois porventura indignos de julgar as coisas mínimas? I Cor. 6:2

Julgar o mundo. Quando do estabelecimento do reino messiânico (o que é identificado com o **milênio**, por alguns estudiosos), os remidos compartilharão da autoridade de Cristo; e, assim sendo, serão juízes entre os homens. Isso concorda com antigas tradições judaicas, conforme se aprende no livro de *Sabedoria de Salomão* 3:8: «Julgarão às nações, e terão domínio sobre os povos». (Ver igualmente o trecho de Ecl. 4:15). I Enoque 108:12 diz: «Farei aparecer revestidos de luz brilhante aqueles que tiverem amado ao meu Santo Nome; e a cada um deles farei assentar-se no trono de sua honra».

Os crentes haverão de participar da glória de Cristo, segundo aprendemos em I Cor. 4:8 (o que inclui também a idéia que eles *reinarão* com Cristo); Rom. 8:17; Dan. 7:22; Apo. 2:26,27; 3:21 e 20:4. A última dessas diversas referências fala especificamente sobre o fato de que reinaremos com Cristo por mil anos. A passagem de Mat. 19:28 promete aos doze apóstolos que exercerão domínio e governo sobre as doze tribos de Israel, quando for inaugurado o reino *messiânico*. Não parece haver no trecho que ora comentamos qualquer alusão ao governo e julgamento dos anjos, para além desse reinado milenar de Cristo, embora isso também seja possível, considerando-se o fato de que os crentes julgarão até mesmo os *próprios anjos* (I Cor. 6:3). Ora isso subentende a altíssima *exaltação* dos remidos em Cristo, o que lhes permitirá, igualmente, desempenharem grandes serviços *no estado eterno*.

Sois acaso indignos de julgar as coisas mínimas? Quanta incongruência era praticada por aqueles crentes de Corinto! Os crentes estão destinados a compartilhar do reinado universal de Jesus Cristo, tanto na esfera terrena como na esfera celestial (Efé. 1:23). No entanto, aqueles crentes se sentiam *incapazes* de julgar até mesmo as suas questões *terrenas*, e portanto, comparativamente, *triviais*, preferindo entregar a solução de seus casos a *juízes injustos*. Esse é o âmago do argumento aqui apresentado pelo apóstolo os gentios, sendo um argumento de grande efeito. Quanto ao seu espírito, segue a mentalidade judaica, conforme se explicou nas notas expositivas mais acima.

Alguns estudiosos consideram a última porção deste versículo como se dissesse: «Sois indignos de assentardes nos menores tribunais?» Outros traduzem: «Sois indignos de julgar questões *triviais?*» Esta última possibilidade é preferível, embora se devam

651

JULGAMENTO (CENSURA)

incluir ambas essas idéias. Os crentes estão destinados a participarem de grandes e *cósmicos* tribunais; no entanto, na sua própria igreja, são incapazes de formar um tribunal de três homens, para julgar casos de interesse exclusivo aos crentes, não podendo julgar nem mesmo *trivialidades*.

Ou não sabeis... É como se Paulo tivesse indagado: «Vós, que sois tão sábios, tão hábeis no sofisma e na retórica, tão excelentes oradores, tão admiráveis expositores da sabedoria humana, desconheceis esta verdade simples, subentendida no fato de que os crentes haverão de julgar tanto o mundo, como até mesmo os próprios anjos?

As coisas mínimas. Estão aqui em foco diversos negócios, como contratos, heranças, testamentos, disposição de propriedades, e outras questões mundanas. Ou então, se está em vista a idéia de *tribunais*, — a alusão seria a tribunais que cuidam de questões de natureza *trivial*.

Não sabeis vós que havemos de julgar os anjos? Quanto mais as coisas pertencentes a esta vida? I Cor. 6:3.

As palavras *não sabeis* nos permitem entender como se Paulo estivesse indagando: «Vós que sois tão sábios, tão orgulhosos de vossos dons espirituais, de vossos discursos eloqüentes, de vossa elevada capacidade como mestres e líderes: não sabeis qual é o vosso elevado destino? *Havemos de julgar os próprios anjos.* Não possuímos muita informação sobre essa particularidade. *Várias* interpretações são possíveis. Mas, nenhuma delas pode ser afirmada com qualquer certeza. Os anjos (sem importar se estão em foco os bons ou os maus) são mencionados como as criaturas mais elevadas e importantes do universo, sobre as quais Deus exerce controle absoluto. Orígenes não postulava qualquer diferença essencial entre o espírito humano e os anjos. Também acreditava que o homem fazia parte da criação original, pertencendo à mesma categoria dos anjos, antes da queda no pecado. Não obstante, por sua própria natureza, é potencialmente igual aos anjos. Na *redenção* em Cristo, o crente participará, finalmente, na própria *natureza divina*. Assim, o destino do homem redimido será mais elevado do que o estado dos anjos, pelo menos, o estado que têm atualmente. Não nos deveria surpreender, portanto, que os homens, redimidos e transformados na imagem de Cristo, sejam elevados acima dos anjos e realmente se tornem seus juízes e governantes. Devemos antecipar aqui não meramente o julgamento dos anjos *caídos*, mas também uma forma de domínio que tornará os anjos sujeitos aos remidos, tal como estão sujeitos ao próprio Cristo. Obviamente, esse é um conceito extremamente sublime, cuja própria magnificência serve para obscurecê-lo. Não devemos pensar que esteja aqui em foco somente o reino messiânico. Estas condições caracterizarão o estado eterno.

Certa expectação dessa natureza já podia ser vista no judaísmo, embora tal idéia não tivesse sido ali desenvolvida. Que os homens remidos serão superiores aos anjos é uma verdade que também aparece em II Baruque 51:12, que diz: «Haverá então os justos, uma excelência superior à dos anjos». Apesar do fato de que Paulo provavelmente inclui aqui a idéia dos *anjos caídos* (ver Judas vs. 6 e II Ped. 2:4) como seres que serão envolvidos no julgamento presidido pelos santos (um direito que lhes será delegado por Cristo), incluindo, talvez, também a idéia de que os anjos estarão sujeitos ao seu domínio (embora nada detalhadamente saibamos sobre as condições que prevalecerão no estado eterno) não há motivo algum para limitarmos essa referência somente a isso. A

passagem de I Cor. 15:24 mostra-nos que Cristo virá governar com *todo o domínio*, autoridade e poder. Em Efé. 1:21, Cristo é visto acima «...de todo principado, e potestade e poder e domínio, e de todo nome que se possa referir, não somente no presente século, mas também no vindouro» (estado eterno).

Quando da glorificação final é que os crentes virão a participar de tudo quanto Cristo tem e é, o que, certamente, envolverá também esse domínio, citado em Efé. 1:21. Rejeitamos aqui a idéia de alguns intérpretes que dizem que o julgamento aqui descrito é a derrubada dos poderes malignos, mediante a propagação do evangelho, durante esta dispensação da graça. Também, não podem ser aceitas aquelas interpretações que dizem que o vocábulo *anjo* aqui se refere a poderes *humanos*. Estão em foco aqui os anjos de Deus que são seres imortais e muito exaltados.

Julgar. Esse verbo precisa ser compreendido em um sentido *lato*, para incluir a idéia de condenação, mas também aquela de *domínio*, ou seja, o exercício do juízo, que é um dos direitos atribuídos a um governante.

JULGAMENTO (CENSURA)
De Uma Pessoa Contra Outra

1. *Como Testar os Falsos Mestres*:
Ensinou Jesus. «Pelos seus frutos os conhecereis» (Mat. 7:16). E, assim dizendo, ele acautelou aos crentes para que não dêem crédito a qualquer indivíduo que chegue anunciando alguma mensagem religiosa. Esse teste, a ser aplicado, é o teste da espiritualidade. É fácil proferir palavras imponentes, avassalando às pessoas com mensagens eloqüentes e inspiradoras. Porém, o verdadeiro teste consiste naquilo que a mensagem de uma pessoa tem feito, espiritualmente, em favor dela. Existem falsos ministros de Cristo, para não dizermos ministros do diabo. O trecho de Mat. 7:21 *ss* mostra-nos que alguns desses falsos ministros chegam até a realizar milagres e obras impressionantes. Esses «sinais» são feitos com o intuito de autenticar ou uma mensagem falsa, ou um falso crente.

2. *Um Dom Espiritual para Testar a Outras Pessoas*:
Tão crítica é essa questão de determinarmos os falsos mestres, que podem estar sendo impulsionados por entidades espirituais malignas que, na Igreja primitiva, havia um dom espiritual especial, conferido com o propósito de outorgar discernimento espiritual aos crentes. Os imitadores são muito habilidosos, e somente um especialista cristão (impelido pelo Espírito de Deus) é capaz de determinar a autenticidade ou falsidade de quem se apresenta como mestre cristão. Ver I Cor. 12:10, bem como o artigo separado e detalhado, intitulado *Discernimento de Espíritos*.

3. *Atacando os Gnósticos*:
O *gnosticismo* (vide) foi uma antiga heresia que mesclava ensinos do judaísmo, do cristianismo e de religiões orientais misteriosas, sem falarmos sobre a filosofia grega e a mitologia. Tudo isso formava uma salada, que era então exposta como se fosse uma avançada forma de cristianismo. Nada menos de oito dos livros do Novo Testamento têm algo a dizer contra o gnosticismo, embora de forma indireta. Quando João ordenou que os crentes não aceitassem cegamente a qualquer pregador, dizendo: «não deis crédito a qualquer espírito» (I João 4:1), mui provavelmente tinha os gnósticos em mira. As várias descrições sobre os falsos mestres, naquela epístola, fornecem-nos algum discernimento sobre o tipo de

JULGAMENTO DO CRENTE POR DEUS

gnosticismo que os crentes da Ásia Menor estavam tendo de enfrentar. Esse sistema falso, pois, representa qualquer sistema religioso falso que procure intrometer-se nas fileiras cristãs. O efeito desses falsos ensinos é moral, doutrinário, ou ambas as coisas.

Limites da Censura Eclesiástica. João não estava advogando que um grupo cristão qualquer se pusesse a censurar outro grupo. I João é epístola que nos ensina claramente sobre o que o apóstolo estava falando. Os gnósticos negavam a doutrina básica de Cristo, não aceitando a validade da encarnação, conforme se vê em I João 4:2 *ss*. Eles também negavam que Jesus Cristo viera em carne. Além disso, eram indivíduos moralmente corruptos. Portanto, nessa epístola não recebemos licença para, como denominação cristã, começarmos a censurar outras denominações. No entanto, os cristãos mostram-se muito arrogantes quanto a essa questão, pois cada denominação promove, entre seus próprios membros, a ilusão de que é superior às demais denominações. E indivíduos pertencentes às várias denominações, arrogam-se a tarefa de cortar e criticar a outros cristãos, a fim de satisfazerem à necessidade que têm de se sentirem superiores.

Por outra parte, as regras da correta censura não eliminam a pesquisa, o exame das coisas a serem criticadas. De fato, quanto mais investigamos, mais somos capazes de apreciar a grandiosidade da missão de Cristo. A minha própria experiência tem-me ensinado que, quanto mais aprendo, maior é o poder que vejo na missão de Jesus Cristo, e maior aplicação universal espero da parte dessa missão. Não há como exagerar a imensidade de sua realização. As obras de Cristo atingiram a terra, o céu e o inferno; e, desse modo, os homens, onde quer que estejam, estão sujeitos ao seu poder e à sua graça remidora.

4. *Os Julgamentos Civis e a Condenação*:

A passagem de Rom. 13:1 *ss* deixa bem claro que as autoridades civis podem passar julgamento sobre outros homens, pois o seu ofício foi determinado pelo Senhor Deus, tendo em vista a preservação da boa ordem entre os homens. Uma passagem paralela a essa é a de I Ped. 2:13 e seu contexto. Ver o artigo intitulado *Governo*, que descreve amplamente essa doutrina.

5. *A Atitude Censuradora é Condenada*:

Apesar de haver formas de juízo que não somente se espera que os homens exerçam, mas também que lhes são ordenadas, a *atitude censuradora* é condenada. As duas passagens centrais a esse respeito são Mat. 7:1 *ss* e Rom. 2:1 *ss*. Citamos ambas: «Não julgueis, para que não sejais julgados. Pois com o critério com que julgardes, sereis julgados; e com a medida com que tiverdes medido vos medirão também...» (Mat. 7:1,2). «Portanto, és indesculpável quando julgas, ó homem, quem quer que sejas; porque no que julgas a outro, a ti mesmo te condenas; pois praticas as próprias cousas que condenas. Bem sabemos que o juízo de Deus é segundo a verdade, contra os que praticam tais cousas. Tu, ó homem, que condenas aos que praticam tais cousas, e fazes as mesmas, pensas que te livrarás do juízo de Deus?» (Rom. 2:1-3). Dessas duas passagens básicas, podemos extrair os seguintes princípios:

a. *Está envolvida a questão da hipocrisia*. Vemos algum erro em um nosso semelhante, e condenamos nosso próximo. No entanto, durante todo o tempo também incorremos no mesmo erro. Isso afeta, principalmente, os defeitos morais e espirituais. Deveríamos mostrar-nos cautelosos antes de condenar a outras pessoas quanto a esse aspecto, porque todos

estamos sujeitos a errar. Na verdade, erramos quase o tempo todo. Na verdade, — quase tudo que condenamos em outras pessoas, já as praticamos nós mesmos, em um período ou outro de nossas vidas. É fato conhecido que os pregadores mostram-se mais vocíferos contra os vícios que, ocasionalmente, os dominam. O trecho de I Cor. 5:9 *ss* mostra que existem pecados que, quando são praticados com persistência, condenam eternamente aos seus praticantes, pelo que os culpados dessas coisas deveriam ser expulsos da igreja local, como medida disciplinar. Essa medida visa à restauração, e não meramente à retribuição. Entretanto, tais pessoas devem ser retiradas da igreja local, embora somente após cuidadoso exame, para que não haja qualquer injustiça. Ver o artigo separado sobre *Exclusão*. Devemo-nos lembrar que todas as pessoas religiosas são hipócritas em certo sentido, porquanto ninguém cumpre os ideais que estabeleceu para si mesmo, e muito menos os ideais que outras pessoas estabelecem para alguém. Cada qual sempre quer parecer melhor do que realmente é. Naturalmente, há muitos graus de hipocrisia, maiores e menores. Não obstante, quanto a essa questão da hipocrisia, quem está livre de culpa? Portanto, é claro que deveríamos ter cuidado, antes de censurarmos a outras pessoas.

b. *Aquele que censura ao próximo* precisa se corrigir antes de censurar, e assim pode ter o *direito* de censurar a outros. Um censurador que não se corrige é uma aberração.

c. No segundo capítulo de Romanos, Paulo mostra claramente que a *censura religiosa está fora de ordem*. Ele condenou aos judeus que censuravam aos gentios. Uma das razões para isso é que ele via que apesar da superioridade dos judeus, por terem recebido a lei mosaica, de maneira nenhuma os judeus estavam mais livres de pecado do que os gentios. Um *conhecimento maior* não dá a ninguém o direito de censurar a quem sabe menos, a menos que seu conhecimento *tenha-o libertado* das coisas que aquele conhecimento condena. Porém, mesmo que alguém tenha liberdade para tanto, por causa de seu desenvolvimento espiritual superior, ainda assim deverá usar de um espírito gracioso, que reflita sua maior espiritualidade, e não de um espírito censurador.

d. *Deus é o verdadeiro Censor e Juiz*. Deus sempre faz um trabalho bem feito, quanto a essa questão de ajuizar. Ele não precisa da ajuda humana para tanto.

e. Em vez do espírito de censura, deveríamos fazer *um sincero esforço de ajudar ao próximo*, procurando reformar seus costumes e suas idéias. Jesus é o Juiz supremo; mas ele não veio a fim de condenar aos homens, mas a fim de salvá-los. Ver João 3:16 *ss*.

JULGAMENTO DO CRENTE POR DEUS
Texto Principal — I Coríntios 3:12

Se alguém sobre este fundamento (Cristo) *levanta um edifício de ouro, prata, pedras preciosas, madeira, feno, palha...*(etc.)

Um templo, por motivos decorativos, pode incluir ouro, prata, e pedras preciosas entre seu material de construção. Alguém poderia levantar um *barraco* ou cabana como lugar onde abrigar-se; e aqueles que têm visto as favelas de algumas grandes cidades, sabem que as pessoas muito pobres erguem barracos feitos de quase qualquer material, por mais frágil que seja. Mas, um *templo* exige o uso de materiais *nobres*. O templo se torna um lugar de honra, onde se venera um poder superior, um elevado espírito, um deus, ou mesmo o *Deus verdadeiro*, como era o caso do templo

JULGAMENTO DO CRENTE POR DEUS

de Jerusalém. Quanto mais preciosos e raros forem os materiais empregados, tanto maior será a *honra atribuída* ao ente, real ou imaginário, que é venerado ali. Os vários templos que foram erguidos durante a história da nação de Israel, foram construídos com materiais *caríssimos*, importados de vários países estrangeiros, para que tais templos fossem edifícios sem-par e exaltados. Desnecessário é dizer que muitos templos pagãos eram da mesma forma suntuosos; pois, nas culturas antigas, grandes riquezas eram usadas nesses edifícios religiosos.

O apóstolo Paulo, portanto, não pensou, meramente, em usar uma metáfora capaz de sugerir o emprego de *materiais duráveis*, embora, certamente, essa idéia esteja envolvida aqui, mas também capaz de sugerir o uso de *materiais preciosos*. A vida cristã pode ser construída com o material próprio da debilidade da carne, do orgulho humano, da satisfação dos desejos profanos; mas também, pode ser levantada com todas as riquezas do ser, com muito maior durabilidade.

No tocante aos materiais usados na construção desse edifício *espiritual*, várias coisas específicas podem ser ditas: o *feno*, capim seco de qualquer variedade, poderia ser usado para preencher as fendas, em uma construção apressada de adobe; a *palha*, ou canas de vários grãos, com as folhas cortadas, poderiam ser usadas para fazer telhados de palha. A *madeira* poderia ser usada como material de construção de portas e até mesmo paredes. Reunindo todos esses elementos, uma coisa se torna perfeitamente *óbvia*: a construção assim levantada é extremamente *temporal*, pobre e com grande risco de incêndio. Em contraste com isso aparece o *templo*. Ali, as *pedras preciosas* poderiam ser os mármores e também as gemas. Pedras de qualidade formariam as paredes, ao passo que as pedras preciosas, o *«ouro»* e a *«prata»*, podiam ser usados como materiais de ~onstrução ou toques decorativos. O resultado seria um edifício de grande duração, um encanto para os olhos, algo não facilmente sujeito ao fogo e à destruição.

Tais interpretações são legítimas, mas diversos intérpretes têm ido ainda mais longe, procurando identificar cada material como se houvesse um sentido específico para cada um. Assim sendo, o ouro significaria as doutrinas mais excelentes do evangelho, ao passo que a prata e as pedras preciosas seriam outros aspectos dessa doutrina, mostrando os valores da pessoa de Cristo. Outros pensam que o ouro representa a *divindade* de Cristo, ao passo que a prata representaria a sua *humanidade*, e que as pedras preciosas mostram suas várias «virtudes e graças». Por semelhante modo, a madeira, a palha e o feno representariam as doutrinas heréticas, as heresias condenáveis, que são diametralmente opostas e procuram desvirtuar o fundamento... «doutrinas de demônios, coisas vazias, corriqueiras, inúteis...fábulas, genealogias intermináveis, tradições humanas, ritos e cerimônias próprias do judaísmo; o que, através dos preconceitos da educação, e através da ignorância e da inadvertência, sem qualquer mau desígnio, pode ser introduzido por alguns em seus próprios ministérios, conforme sucedera no caso da religião judaica; e estaria também em vista a sabedoria do mundo, a filosofia dos gentios, as oposições da chamada ciência, as especulações curiosas, as noções inúteis e vãs, que ainda eram retidas por alguns elementos educados segundo o sistema grego, os quais muito apreciavam essas coisas. Através disso, sentiam a coceira da vanglória, de mistura com suas ministrações evangélicas. Numa

palavra, está em foco tudo quanto agora se pode introduzir no ministério do evangelho que não é tão honroso para a graça de Deus e nem tão apropriado à pessoa, ao sangue e à justiça de Cristo, e nem tão coerente com a obra graciosa do Espírito de Deus». (John Gill, *in loc.*).

Tais interpretações, embora sem dúvida contenham grandes verdades identificam mui precariamente os materiais mencionados aqui por Paulo com algumas idéias específicas. Mas, mesmo que esse apóstolo tivesse em mente dar a entender alguma identificação assim, não há meio para sabermos o que ele poderia querer dizer.

A linguagem simbólica aqui usada, evidentemente, tem por intuito indicar os **ensinamentos** que eram propagados por diversos ministros do evangelho ou por crentes particulares, embora também indique o padrão geral de vida e o desenvolvimento espiritual de tais pessoas; e isso certamente envolve também o «poder dos ensinamentos bíblicos» sobre as suas vidas. Paulo falava especificamente para os «mestres» e seus respectivos labores, conforme o contexto certamente nos sugere; o apóstolo igualmente incluía os padrões de vida possíveis para todos os crentes, os quais constroem suas vidas sobre o grande fundamento, que é Cristo. Por conseguinte, os materiais significam aquilo que os crentes, ministros ou não, ensinam, bem como a influência exercida por esses ensinamentos sobre eles mesmos, o que modifica, para melhor ou para pior, a conduta deles, amoldando essa conduta sobre o alicerce, que é *Cristo*.

«Paulo tinha dois contrastes em mente. O primeiro diz respeito àquilo que é *digno* e àquilo que é *indigno*, sem importar se esses materiais eram ou não realmente empregados nas construções. O outro contraste é entre o que é inflamável e o que é à prova de fogo, porque, perante os seus olhos. estava o dia do juízo». (C.T. Craig, *in loc.*).

«Alguns homens edificam com o ouro da fé, com a prata da santidade e com as imperecíveis pedras preciosas do amor; mas outros edificam com a madeira morta de esterilidade nas boas obras, com a palha vazia da falta de espiritualidade, com a ostentação do conhecimento, e com a cana quebradiça do espírito continuamente em dúvida». (Schrader, *in loc.*).

Tais interpretações têm algum valor, ainda que Paulo talvez não tencionasse designar os sentidos específicos para cada material mencionado. Alford (*in loc.*) sumaria o sentido essencial desses materiais como segue:

1. A símile não envolve muitos edifícios... mas um apenas (ver o décimo sexto versículo), aquele que tem a Cristo por seu fundamento; mas diferentes porções do mesmo vão sendo construídas pelos ministros que trabalham sob as suas ordens, alguns trabalhando bem e substancialmente, mas outros trabalhando mal e sem consistência.

2. O ouro, a prata, etc., se referem ao *material* do ensino apresentado por esses ministros, primariamente; e, por inferência, se referem àqueles em quem esses ensinamentos penetram, edificando-os em Cristo, os quais devem ser as pedras vivas do templo. Não há aqui a alusão aos meros frutos morais, produzidos pela pregação sobre os membros individuais da igreja (conforme pensavam Orígenes, Crisóstomo, Teodoreto, Teofilacto, Agostinho e Jerônimo).

3. Os construtores que usam materiais inúteis e inconsistentes, ainda assim, 'no fim', são 'salvos' e isso nos mostra que sua prédica anunciava a pessoa de Cristo e que eles mesmos eram sinceros em seus

JULGAMENTO DO CRENTE POR DEUS

esforços.

4. Aquilo que é dito aqui não se refere, senão por acomodação, à vida religiosa do crente, em geral (como vários comentadores têm dito), mas antes, alude ao 'dever e galardão' dos pregadores. Ao mesmo tempo, tal acomodação é legítima, porquanto cada indivíduo é o mestre e o edificador de si mesmo.

5. Os vários materiais mencionados não devem ser imaginosamente comparados com as 'doutrinas particulares' ou com as 'graças' de Deus. Ver os versículos dezesseis e dezessete, deste mesmo capítulo, onde esse ensinamento envolve todos os crentes, e não meramente os mestres.

A obra de cada um se manifestará; pois aquele dia a demonstrará, porque será revelada no fogo; e o fogo provará qual seja a obra de cada um. I Cor. 3:13.

A tradução inglesa RSV grava a palavra *Dia*, com inicial maiúscula, a fim de mostrar que está em vista aqui o dia do juízo. E esse dia é sempre metaforicamente relacionado ao fogo, à consumação, à purificação, à eliminação da escória, mostrando a qualidade real das coisas e dos indivíduos (ver também os trechos de Mal. 4:1; II Tes. 1:10; Heb. 10:25 e II Cor. 5:10). A passagem de II Baruque 48:39 mostra-nos como isso era imaginado, ao dizer; «Portanto, o fogo consumirá seus pensamentos, e nas chamas serão testadas todas as meditações de suas' mentes».

Certos materiais, com que os homens edificam as suas vidas, não são inflamáveis em sentido espiritual (ver I Ped. 1:7); mas outros materiais empregados pelos homens serão consumidos pelo fogo, por não possuírem natureza resistente e permanente (ver Mat. 7:19). A salvação pela graça não elimina a necessidade de julgamento, conforme nos é solenemente ensinado em trechos como II Cor. 5:10 e Rom. 3:6 (ver no NTI as notas expositivas a respeito na referência da segunda epístola aos Coríntios). Perante o «tribunal de Cristo» seremos julgados de conformidade com o que tivermos feito de bom ou de mau. Assim será determinada a nossa posição nos lugares celestiais, a nossa medida de transformação segundo a imagem de Cristo, conforme é descrito nas notas expositivas sobre I Cor. 3:8 no NTI. Ali seremos o que fomos espiritualmente neste mundo, e isso é o que significa a expressão *receber o que tivermos feito*.

Isso não significa, contudo, que se estabelecerá um estado de estagnação no estado eterno que impeça todo outro progresso espiritual. Isso é uma idéia totalmente contrária à maneira divina de fazer as coisas, pois certamente Deus nunca se estagnará. Não obstante, o julgamento da vida do crente, que ele teve neste mundo, é uma questão da maior gravidade. Os crentes serão então abalados até os próprios alicerces de seus seres, embora estejam seguros em Cristo, sendo-lhes permitido prosseguirem na direção das perfeições do Senhor, na participação de sua natureza moral e metafísica, que é o alvo de toda a existência humana, porquanto ele é o «padrão» ou modelo tanto da vida presente como daquela que há de ser.

A reprovação de certos labores, que talvez tenham ocupado a vida inteira de um crente, não significa a destruição do ser desse crente, o que Paulo deixa bem claro nesta passagem. Outros trechos bíblicos, entretanto, falam sobre o perigo real que representa o desvio ou queda. Não obstante, faz parte das promessas eternas de Cristo que nenhuma de suas ovelhas se perderá finalmente. Como isso poderá cumprir-se é especulado nas notas expositivas sobre o trecho de Rom. 8:39 no NTI.

Purgatório? Os intérpretes da Igreja Católica Romana vêem, na seção que ora comentamos, uma confirmação de sua doutrina do «purgatório», sendo esta a melhor passagem neotestamentária que supostamente dá apoio a tal idéia. Essa doutrina medieval geralmente é apresentada de forma a — levar os homens a imaginarem que o purgatório indica algum *lugar distinto*, alguma esfera da existência dos espíritos separada dos lugares celestiais; antes, seria um local de purificação das almas. Não obstante, conforme esta passagem bíblica deixa bem claro, nos lugares celestiais é que o juízo e a purificação terão lugar. Assim é que alguns crentes serão reduzidos a apenas sua salvação básica; e isso significa que estarão nos lugares celestiais, libertados desta dimensão terrestre e de qualquer outro lugar de julgamento severo (como o hades), onde ainda assim serão potencialmente capazes de serem transformados segundo a imagem de Cristo. Em outras palavras, Deus ainda assim permitirá tal privilégio para os que forem salvos como que «através do fogo», prometendo-lhes a total concretização desse privilégio. Não nos enganemos, entretanto: uma espécie de *purgatório*, ou outro nome qualquer que queiramos aplicar a tal processo, terá lugar nos lugares celestiais, sendo essa uma *solene necessidade*, ensinada na Bíblia. A vida cristã descuidada, pecaminosa, errônea, em que o crente tenha ensinado doutrinas falsas para detrimento de outros, não pode deixar de receber sua devida retribuição, não podendo passar despercebida e sem julgamento, o que fica perfeitamente claro nesta passagem e no trecho de II Cor. 5:10. O erro doutrinário envolvido na idéia romanista do «purgatório» consiste em pensar que o mesmo se segue imediatamente à morte física, ou que as penas sofridas ali pelas almas possam ser aliviadas ou abreviadas por «missas» e orações que os vivos façam aqui em favor delas, a troco de dinheiro. Esse juízo terá lugar no «*dia*» referido neste versículo; envolverá todo o povo de Deus, que então já terá passado para a outra existência, e não haverá meio de suavizar ou abreviar qualquer pena ali imposta, porquanto esse «tribunal de Cristo» não terá por fito aplicar castigos, e sim, aquilatar o valor da vida cristã de cada remido e determinar os galardões que cada um receberá ou deixará de receber, tendo em vista o seu grau de transformação segundo a imagem moral e metafísica de Cristo, conforme já temos mostrado em outras porções deste artigo.

A vida terrena do crente, a história da alma neste mundo, aquilo que cada remido houver feito com as oportunidades que lhe tiverem sido oferecidas, aquilo que o crente tiver ensinado, a quem ele realmente glorificou, tudo isso será submetido à luz do julgamento de Cristo. Naquele dia, pois, muitos crentes verdadeiros serão abalados até os alicerces da alma, quando contemplarem a «história terminada de suas vidas», e então virem a choupana que construíram sobre o glorioso fundamento que é Cristo.

O tribunal de Cristo será uma ocasião de avaliação, de nova determinação e dedicação, um período de conflito de alma e, finalmente, uma oportunidade de avanço. E assim Cristo, uma vez mais, se tornará o alvo de toda a existência humana. Mas esse novo progresso não se efetuará enquanto não houver sido expurgados da alma toda a madeira, palha e feno deterioradores, isto é, enquanto não for eliminado da personalidade do crente tudo quanto lhe impede o avanço espiritual. E esse pensamento nos permite ver que o pensamento paulino inclui um certo «expurgo», embora tal doutrina, como outras doutrinas neotesta-

JULGAMENTO DO CRENTE POR DEUS

mentárias, tenha sido sujeitada aos exageros e perversões dos homens.

Pensando sobre o Julgamento dos Crentes

1. Tal como se dará no caso dos incrédulos, os crentes também serão julgados de acordo com as suas obras (ver Gál. 6:7,8, trecho que ensina sobre a lei da colheita segundo a semeadura).

2. Esse julgamento será baseado naquilo que tivermos praticado, «de bom ou de mau», segundo diz II Cor. 5:10. Ver o artigo sobre o *Julgamento do Crente*.

3. «O bem e o mal» darão o «meio termo do caráter espiritual», bem como das «realizações espirituais»; e com base nesse «meio termo» é que cada um obterá certo grau de participação na natureza e nos atributos de Cristo. Dotado dessa participação, pois, o crente entrará no estado eterno, e sua capacidade de agir e realizar ali, dependerá desse caráter.

4. As «coroas» falam de atributos específicos dos espíritos dos remidos. Ver o artigo sobre *Coroas*.

5. Todavia, não pensamos que haverá qualquer *estagnação* envolvida no estado eterno, pois se algum membro do corpo de Cristo pudesse *permanecer* fraco, o próprio Cristo permaneceria fraco, pois o seu corpo seria fraco. Além disso, a promessa feita para cada crente é que, finalmente, haverá de atingir a perfeição em Cristo, pois o Filho terá de tornar-se «tudo para todos», segundo se aprende em Efé. 1:23. Obteremos, fatalmente, a *plena filiação*, embora essa plenitude não venha a ser atingida por todos ao mesmo tempo. O crente terá, finalmente, a plenitude de Deus (ver Efé. 3:19), e dificilmente isso ocorreria se o crente ficasse em estado de estagnação, dotado de uma glória comparativamente inferior.

6. Quanto ao «julgamento dos crentes», ver Apo. 14:11 e Efé. 1:10.

Podemos estar perfeitamente seguros de que o Senhor não nos deixará ficar como estamos; antes, Cristo continuará sendo formado em nós. Esse processo será, certamente, eterno e infinito, e poderá ser um processo agonizante aquele ao qual seremos levados, para que isso tenha lugar.

A obra de cada um. Assim como a salvação da alma é uma questão individual, assim também será a questão do julgamento perante o «tribunal de Cristo». A transformação dos remidos segundo a imagem de Cristo é uma questão individual; o progresso na direção das perfeições de Cristo é uma tarefa que cabe ao crente individual, conduzido pelo Espírito Santo de Deus. Até que ponto haverá tal transformação e com que prontidão, tudo depende do crente individual, embora a influência constante da graça de Deus garanta a concretização final desse grande alvo.

Maus mestres. Comenta John Short (*in loc.*), como segue: «uma das grandes notas dominantes do ensino paulino é a da responsabilidade pessoal de cada indivíduo, quanto à sua vida e, além disso, o fato de que, em algum lugar, em algum tempo, o crente terá de prestar contas a Deus. As grandes linhas escritas por Mílton, indignado como estava ele contra os falsos pastores e contra o trabalho desleixado que os mesmos faziam, continua soando como um sino, aos ouvidos daqueles que estão dispostos a ouvir».

*As ovelhas famintas olham, mas não são alimenta-
das,*
Mas, batidas pelo vento e pela unidade se arrastam,
Corroídas por dentro; espalhando um mau
contágio:
Além do que o lobo voraz, com patas sedentas,
Devora a cada passo, e nada lhe é dito em
contrário.

Mas a máquina de duas mãos, à porta,
Sempre está pronta para ferir uma vez, e não mais.
(Milton, em *Licidas*).

A Importância do Exemplo

1. Cristo estabeleceu o exemplo supremo da vida santa e produtiva. Seu exemplo foi perfeito (ver Heb. 7:26).

    a. Exibiu a santidade (ver I Ped. 1:15,16).

    b. Foi demonstração de como se deve seguir a lei do amor (ver Efé. 5:2).

    c. Caracterizou-se pela obediência (ver João 15:10) e pela abnegação (ver Mat. 16:24).

2. Paulo deu um claríssimo exemplo de como deve ser a conduta cristã (ver I Cor. 11:1).

3. Se seguirmos a esses grandes exemplos, seremos «aprovados» por Deus, o que não é coisa sem importância.

4. Um pai deve a seu filho, e um mestre deve a seus estudantes três coisas: exemplo, exemplo, exemplo.

O próprio fogo o provará. Devemos notar que, imediatamente antes destas palavras, Paulo escreveu, «...está sendo revelada pelo fogo...», referindo-se ele à obra de cada homem. As metáforas utilizadas por Paulo parecem severas demais, inesperadas para aquilo que poderíamos imaginar envolvido no julgamento dos «crentes», mas envolvido somente no julgamento dos perdidos. Não nos devemos olvidar que a metáfora do «fogo» é usada para indicar tanto o julgamento dos crentes como o dos perdidos. Isso é instrutivo, no sentido de que é algo suficiente para mostrar que temos à frente uma linguagem simbólica. Deus não está se preparando para torrar seres humanos em um forno, para sempre, conforme as chãs interpretações humanas têm dado a entender. Deus não é o maior Monstro dos séculos, segundo alguns intérpretes fazem dele. Não obstante, o julgamento, tanto aquele que envolverá os crentes como aquele que envolverá os perdidos, não será algo insignificante, motivo pelo qual o «fogo» é usado como símbolo de ambos. Esse simbolismo é usado, portanto, por causa dos seguintes motivos:

1. Por causa da severidade do juízo de Deus. A questão é seriíssima.

2. Por causa de seu caráter completo, o que é simbolizado pelo fato de que o fogo consome algo até o fim, extinguindo toda a escória, purificando os materiais imperecíveis de tudo quanto não convém.

3. Por causa do elemento purificador do julgamento. O julgamento não visa apenas a retribuição destruidora, nem mesmo no caso dos incrédulos, e muito menos ainda no caso dos crentes.

Orígenes observou que somente as mentes símplices e sem imaginação vêem apenas «retribuição» no julgamento divino. Pois o juízo de Deus, apesar de certamente incluir um aspecto de «retribuição», porquanto cada indivíduo receberá segundo aquilo que tiver praticado, sendo julgado conforme as suas obras, também terá um efeito *disciplinador e remidor.*

Eis os meios do Desenvolvimento Espiritual

1. **A oração:** É um ato criativo, que pode alterar as pessoas e as circunstâncias. (Ver Efé. 6:18).

2. *O estudo.* Entreguemos nosso intelecto a Cristo. A mente é capaz de muitas maravilhas. A mente dedicada a Deus, pode transformar-nos a vida.

3. *A meditação.* A meditação pode ser o portal da iluminação espiritual. (Ver Efé. 1:18).

4. *A santificação.* Pouco progresso espiritual pode ser obtido sem a santidade de vida (ver I Tes. 4:3).

JULGAMENTO DO CRENTE POR DEUS

5. *A prática da lei do amor* (as boas obras realizadas em favor do próximo). O amor é a comprovação da espiritualidade (ver I João 4:7).

6. *O uso dos dons espirituais.* Isso ajuda no cumprimento da missão do crente nesta vida (ver I Cor. capítulo 12).

O símbolo do fogo é coerentemente associado nas Escrituras ao **dia do Senhor**, conforme verificamos nesta passagem; e esse dia é igualmente simbolizado por uma súbita explosão de luz e chamas ardentes, que se despejarão sobre a terra. (Ver os trechos de Mal. 3:1-3; 4:1; II Tes. 1:8 e 2:8). Embora Paulo certamente soubesse de determinada diferença entre o julgamento dos crentes e o julgamento do mundo incrédulo, usou ele praticamente os mesmos símbolos. A expressão «dia do Senhor», embora envolva quase exatamente a idéia do julgamento, pode ser aplicada, de maneira mais ampla, a diversas ações divinas «decisivas», e não meramente ao segundo advento de Jesus Cristo, quando ele houver de aparecer como o grande Juiz que dirigirá o juízo final. Pois o vocábulo *dia* sugere tanto o aparecimento da luz, que expele as trevas e os seus males, — como também uma «nova dispensação», um novo período em que Deus tratará com os homens de certa forma particular, o que, ao mesmo tempo, fará reverter e renovar o processo histórico (ver o artigo sobre *Dia do Senhor*). Ver I Cor. 1:8 quanto ao termo «dia», naquilo em que o mesmo se aplica ao segundo advento de Cristo e ao julgamento dos crentes.

«O apóstolo Paulo não tencionava descrever os detalhes do segundo advento de Cristo; pelo contrário, declarava de maneira figurada aquilo que afirmaria, sem qualquer linguagem simbólica, em I Cor. 4:5, isto é, que por ocasião da grande crise do dia do Senhor será perscrutadoramente testado o valor real do trabalho de cada crente individual. Esse teste, pois, é simbolizado pelo apóstolo como o fogo do segundo advento, que envolverá o edifício inteiro, reduzindo a cinzas todo o seu material inútil». (Robertson e Plummer, *in loc.*).

Existem outras interpretações acerca do presente versículo, conforme se vê na lista abaixo:

1. Conforme já tivemos ocasião de observar, vários exageros têm sido impingidos aos homens sobre essa passagem que descreve um certo «purgatório», em estado intermediário entre o céu e o inferno e a preparação para o céu dos eleitos. Essa dogmatização da idéia paulina deve ser rejeitada. Não obstante, o «fogo» aludido aqui é um «expurgo» bem definido, tendo uma finalidade claramente «penal» e «disciplinar», e não meramente testadora. Portanto, se usarmos o vocábulo «purgatório», ou alguma outra expressão em seu lugar, ainda que tal vocábulo inclua muitas idéias prejudiciais, ainda assim estaremos descrevendo um conceito paulino. Na verdade, porém, esse julgamento terá lugar nos *lugares celestiais*, e não em algum estado intermediário. Naturalmente que alguém poderia postular o argumento que isso ocorrerá em níveis inferiores dos lugares celestiais, como se esses níveis inferiores fossem, de fato, os lugares «intermediários». É possível que assim seja, mas, mesmo admitindo-se tal possibilidade, ainda estaremos dentro dos limites da teologia paulina, embora disponhamos de informações extremamente escassas sobre os «lugares celestiais», acerca dos quais Paulo fez alusões. (Ver o artigo sobre *Lugares Celestiais*. Ver João 14:6 e Efé. 2:6). Nessas passagens, o «fogo» aparece ligado ao segundo advento de Cristo, e não à morte física dos crentes.

2. Completamente errônea é aquela interpretação que vê, nesta passagem, apenas a destruição de Jerusalém e o ponto final das instituições judaicas.

3. Por igual modo, a palavra *fogo*, neste caso, não se refere à «purificação progressiva» da igreja, por toda a dispensação do N.T. Trata-se de uma referência definidamente escatológica, tendo conexões com o segundo advento de Jesus Cristo. Há aqui alusão a algum tempo futuro de julgamento dos crentes, o que Paulo esperava que ocorresse durante seu próprio período de vida terrena (ver I Cor. 15:51).

4. Outros intérpretes (como Calvino), fazem com que este versículo se prenda à propagação da mensagem pura do evangelho pela terra, como um dos efeitos da era da igreja. Essa interpretação é inconcebível aqui, por ser essencialmente não escatológica.

5. A despeito do uso do símbolo do «fogo», o juízo geral da humanidade inteira não é focalizado aqui, como o *hades*, etc. Pois o julgamento aqui anunciado envolverá exclusivamente os crentes.

6. Este versículo não nos encoraja a orar em favor dos mortos. Pois tais orações não fariam a menor diferença quanto ao que sucederá aos crentes, no seu julgamento. Alguns oram em favor dos mortos incrédulos com base na opinião que o julgamento final será determinado não quando da morte do indivíduo e, sim, quando da segunda vinda de Cristo. Talvez haja algum valor nessas orações, mas o N.T. faz completo silêncio sobre a questão. (Ver I Ped. 4:6 quanto à missão de Cristo além-túmulo, e o que a mesma envolve). Entretanto, seja como for, é verdade que o julgamento é sempre situado para quando ocorrer a segunda vinda de Cristo, ou após o milênio, e jamais quando da morte física de cada pessoa.

Se permanecer a obra que alguém sobre ele edificou, esse receberá galardão. I Cor. 3:14.

Podemos estar certos de que o julgamento dos crentes será perscrutador. Ninguém será ali capaz de enganar o Juiz, nas esferas eternas, conforme tantos agora podem enganar aos homens quanto ao caráter real e ao valor do trabalho que fazem. Não é um erro supormos que alguns dos supostos «maiores» cristãos, que realizaram aparentemente uma tarefa mais magnificente, serão desvendados como «últimos», naquele dia. Esses serão aqueles cujas realizações foram efetuadas mediante a força da carne, da capacidade humana, dos dotes naturais, e não através do Espírito de Deus. Além disso, alguns daqueles que agora são reputados como *últimos*, serão então primeiros. Esses serão aqueles que tiverem sido humildes em sua vida de oração e de trabalho cristão, embora aparentemente tenham contribuído bem pouco para os destinos da vida humana. Somente o Senhor Jesus pode fazer o julgamento preciso e apropriado (ver I Cor. 4:4,5), do que podemos estar certos que ele o fará.

Além disso, haverá alguns casos que não constituirão surpresa. Aqueles que tiverem trabalhado com diligência, mediante os meios espirituais, o que se tornou conhecido pelos homens, receberão sua devida recompensa. E outros, que obviamente não se importaram grandemente com as realidades espirituais, mas antes, viveram para a carne, virão que o pouco que pensaram ser valioso, será consumido pelo fogo, transformando-se em nada, e os seus seres serão desnudados de toda a pretensão de desenvolvimento em Cristo.

JULGAMENTO DO CRENTE POR DEUS

Devo partir de mãos vazias,
Para encontrar assim meu Redentor?
Sem dar-lhe um dia sequer de serviço,
Sem depositar um só troféu a seus pés?

....

Oh, se pudesse recuperar os anos de pecado,
Se pudesse tê-los devolvidos agora.
Eu os daria para meu Salvador,
E me inclinaria humilde à sua vontade.
   (C.C. Luther)

«Não é um tolo aquele que dá aquilo que não pode reter, a fim de ganhar aquilo que não pode perder». (*James Elliott*, missionário evangélico martirizado por índios do Equador).

Como seremos julgados, nós, os crentes? Mediante a consideração da maneira como tivermos consumido nossas vidas. Quais foram as nossas esperanças, os nossos desejos, os nossos motivos, as nossas ambições, ao trabalharmos no evangelho? Qual foi a nossa atitude espiritual, nossas intenções mais secretas, ao nos ocuparmos do nosso serviço prestado a Jesus Cristo. Temos amado aos irmãos e temos procurado servi-los sinceramente, ou temos amado *tão-somente* a nós mesmos? Temos amado a Jesus Cristo, ou ele tem sido para nós apenas alguma forma de princípio religioso ou idéia abstrata? Uma avaliação verdadeira dessas perguntas, e as respostas que elas provocam em nós, nos darão uma boa idéia do que poderemos esperar perante o *tribunal de Cristo*.

Um grande político do sul dos Estados Unidos da América do Norte estava moribundo. Um amigo íntimo se aproximou de seu leito e lhe perguntou: «Devo orar por você?» E ele respondeu: «Não. A minha vida deve ser a minha oração. Este momento não é tão significativo como os anos solenes que se passaram. Que eles permaneçam». E nessa resposta encontramos uma profunda verdade. Não importa o momento da transição a que denominamos de morte, mas o que importa é a inteireza da vida antes da morte. Para o crente a morte é tão inconseqüente como o sono. Mas o pensamento de irmos ao encontro do Senhor de mãos vazias deveria fazer-nos franzir o cenho, preocupados.

Galardão, (ver o artigo sobre **Recompensa**).

1. O galardão não é a mesma coisa que a salvação eterna, no sentido ordinário da palavra. Em outras palavras, não significa que um indivíduo galardoado irá para os lugares celestiais, mas que aquele que não será galardoado irá para o «hades», ou para algum outro lugar qualquer de julgamento severo e eterno.

2. Porém, visto que a *glorificação* é uma parte integrante da salvação, e que os galardões têm muito a ver com a natureza e a natureza da glorificação, os galardões, na realidade, fazem parte da salvação. A extensão em que tivermos de ser transformados segundo a imagem de Cristo, quando assumirmos suas qualidades morais e metafísicas, será determinada pela extensão em que formos galardoados.

3. Parte dessa glorificação envolve o conceito inteiro das «coroas», as quais não devem ser encaradas como objetos físicos e literais, mas antes, como realizações espirituais, como «graus de glória», como a níveis de participação em tudo quanto Jesus Cristo tem e é.

4. O conceito *materialista* dos galardões, como se estes fossem «bens» nos lugares celestiais, como mansões, etc., é uma idéia completamente antibíblica. Possessões materiais serão realmente nossas, mas não são elas os galardões que nos cumpre conquistar. O que está envolvido nos galardões é sermos semelhantes a Cristo, é compartilharmos mais plenamente do que ele é, e realizar mais plenamente aquilo que ele realiza. Também está envolvido o recebimento de sua imagem moral e metafísica, o que nos transformará em seres muito superiores aos próprios anjos, porquanto seremos participantes da própria natureza divina (ver II Ped. 1:4). Isso é o que está envolvido nos galardões.

5. Quando formos transformados em seres dotados de grande poder, então nos serão dadas tarefas de grande magnitude, para cumprirmos nos lugares celestiais e eternos. Nossa futura capacidade de realizar essas grandiosas tarefas resultará do nosso galardão em Cristo, o que, por sua vez, resultará de nossos esforços conscientes por sermos transformados segundo a sua imagem.

6. Seja como for, não devemos supor que os galardões, uma vez recebidos, importarão em um estado fixo, estagnado; porque não há razão para imaginarmos que o céu seja mais estagnado do que a terra. Portanto, o grande alvo da total perfeição dos remidos, em Cristo, prometido para todos os crentes, é um alvo firme, que finalmente terá o seu cumprimento no caso de todos eles, embora alguns crentes atrasem grandemente esse processo, através da perversidade de suas próprias vontades livres. Isso porque o *avanço espiritual*, nos lugares celestiais, igualmente dependerá da reação positiva da vontade humana, porque assim determinou Deus. Mediante essa reação positiva da vontade do crente é que todo o avanço espiritual é obtido. Tal aperfeiçoamento não é conferido a meros autômatos, que nada mais podem fazer senão obedecer ao seu comando. Até mesmo quando o pecado é removido de uma vida crente, pode haver reações mais rápidas ou mais lentas perante o plano e os impulsos divinos. Seremos sempre responsáveis por aquilo que somos, recebendo plena ou parcialmente a graça de Deus, aproveitando-nos total ou parcialmente de nossas oportunidades, ou mesmo desconsiderando inteiramente a vida espiritual que Deus nos tem proporcionado.

Se a obra de alguém se queimar, sofrerá ele prejuízo; mas o tal será salvo, todavia como que pelo fogo. I Cor. 3:15.

As palavras *sofrerá ele dano*, significam que o crente cujas obras forem consumidas perante o «tribunal de Cristo», não receberá os plenos benefícios de uma completa transformação segundo a imagem de Cristo, não sendo beneficiado pelos «galardões» descritos em I Cor. 3:14. Tal crente sofrerá atraso em sua transformação moral segundo a imagem de Cristo; e apesar de não mais possuir pecado positivo algum, também não possuirá o amor verdadeiro, a bondade, a justiça, a nobreza de caráter de Cristo, tudo o que, supostamente, deveria ser característica sua, por ser um remido pelo sangue de Cristo.

Sofrendo a Perda

1. O crente pode sofrer detrimento, não obtendo aquilo que poderia ter obtido, isto é, se a sua vida tivesse produzido obras espirituais.

2. Por certo isso significa que a sua transformação segundo a imagem de Cristo não será tão completa quanto poderia ter sido — e que assim ele terá menor porção das virtudes positivas de Cristo, como o amor, a bondade, etc. (embora o próprio crente não possua mais a natureza pecaminosa, uma vez que chegue nos lugares celestiais). Outrossim, ele terá menor participação nos atributos e poderes de Cristo. A salvação consiste da participação na natureza do Pai e seus atributos (ver Efé. 3:19), conforme essa natureza e esses atributos são vistos no Filho (ver Col. 2:10). O crente de pouco êxito espiritual, portanto, não

JULGAMENTO DO CRENTE POR DEUS

crescerá grande coisa dentro dessa estatura divina, pelo que a sua perda será imensa.

3. O crente pode perder aquilo que já tiver obtido mediante um viver pecaminoso e descuidado (ver II João 8).

4. O que está positivamente vedado a pensarmos é que o crente terá menor acúmulo de bênçãos celestiais, como uma mansão celestial menor, menores riquezas, etc., conforme a questão é explicada popularmente. O que está em foco é o que cada crente será em si mesmo, nos lugares celestiais.

5. Não obstante, essa perda terá vinculações diretas com a missão de cada crente. Andou um crente como devia? Seus motivos foram corretos? Trabalhou ele para Cristo, ou para si mesmo? As respostas a essas perguntas é que determinarão quanto ganho ou perda estarão envolvidos.

6. Naturalmente, essa «perda» não pode significar «estagnação» permanente. A recuperação não somente será possível, mas também será absolutamente necessária, a fim de que o plano divino sobre cada crente possa ter, finalmente, o mais cabal cumprimento.

Posso meditar sobre o dia em que estarei perante o *tribunal de Cristo*, nos lugares celestiais. Então a minha alma será repassada diante do Senhor. Olharei para as minhas mãos e lamentarei as criancices feitas por mim. Olharei para os meus pés, e pensarei sobre as veredas desviadas por onde andei. Pensarei em minha mente, na inteligência que Deus me deu, e me envergonharei do uso escasso que fiz de meus recursos intelectuais. Também me entristecerei por causa do pouco uso que fiz do dom da fala, para glória do Senhor Jesus Cristo. Por igual modo, ficarei coberto de pejo por causa das palavras que proferi impensadamente, precipitadamente, por muitas vezes ofendendo até a outros. Minha consciência requeimará em face de coisas deixadas por fazer e de palavras deixadas de dizer, por causa de cargas que eu poderia ter aliviado para outros, mas não o fiz, por causa do sofrimento que eu poderia ter suavizado, mas que negligenciei em cumprir, devido a meu egoísmo. Compreenderei então quão justo será o meu julgamento, e não poderei proferir uma única sílaba em defesa própria. Talvez então eu pense, «Oxalá pudesse eu recuperar os anos desperdiçados no pecado!»

«Quando o Senhor vier assim ao seu templo, qual chama consumidora, todas as porções desse edifício que não puderem resistir ao fogo, serão consumidas; e os que edificaram com esses elementos consumidos escaparão apenas com a salvação pessoal, embora percam toda a sua obra, em meio àquela conflagração. (Alford, *in loc.*)

Aqueles que sofrerem tal «dano» é que serão os «últimos», muitos dentre os quais pensaram que eram os «primeiros», de acordo com as palavras do Senhor Jesus, em Mat. 20:16 e Mar. 10:31. Outrossim, é possível a um crente perder um galardão já conquistado, mediante o descuido e a negligência em sua vida cristã, segundo o que aprendemos no trecho de II João 8; e exatamente a mesma verdade fica subentendida na passagem que ora comentamos.

«Esse mesmo será salvo, todavia, como que através de fogo». Comenta Fausset (*in loc*), acerca dessas palavras: «Quando o Senhor vier repentinamente ao seu templo, como se fora fogo ardente, todas as partes desse edifício que não resistirem ao fogo, serão consumidas; os próprios construtores escaparão, com sua salvação pessoal, mas perderão tudo quanto tiverem feito. Uma vez mais podemos reputar a sobrestrutura como representação de questões menos

essenciais, sobrepostas sobre as questões realmente essenciais; um homem pode errar quanto àquelas questões menos essenciais, passando pela mortificação de ver a perda de grande parte de seus labores e no entanto, ser salvo; mas outro tanto não poderá ocorrer no tocante à questões essenciais. (Comparar com Fil. 3:15)».

Trata-se de uma expressão quase proverbial «ser salvo como que através do fogo». Essa expressão indica ter alguém escapado por pouco de um grande perigo, e equivale mais ou menos ao dizer de Amós 4:11, «...um tição arrebatado da fogueira...» (Ver também Zac. 3:2). A idéia que se tem é que o fogo se mostrará tão rápido na execução de seu serviço que o obreiro deverá apressar-se, «através» do incêndio, a fim de ficar em segurança. Mas, fazer desse «fogo», aqui citado, representação do inferno, é usar de uma exegese monstruosa; por semelhante modo, não está aqui em foco algum lugar do julgamento dos crentes, como um «purgatório», ainda que não possamos escapar do ensinamento claro desta passagem que esse julgamento não será meramente retributivo, mas também será disciplinador e, em certo sentido, até mesmo remidor, porquanto, através do mesmo, o crente será capaz de avançar mais celeremente para as riquezas de Cristo, tendo aprendido uma excelente lição sobre como não lhe compete servir ao Senhor.

Salvo. Diversas interpretações têm sido dadas a esse vocábulo, na presente passagem:

1. Alguns pensam que essa palavra significa a «preservação» do crente a fim de que não sofra as penas infernais, o que quer dizer que tal crente não será aniquilado, mas antes, conservado vivo em tormentos eternos. É óbvio que essa interpretação peca pela base, sendo uma distorção do que significa alguém ser «salvo».

2. Outros torcem a frase como se ela dissesse, «poderá ser salvo», como se o próprio julgamento pudesse levar tal indivíduo à salvação, embora não necessariamente. Mas essa é uma interpretação claramente desonesta.

3. Além disso, não há qualquer indício que a «obra» aqui referida signifique os seus «discípulos», os quais, embora venham a perecer, ele mesmo não perecerá, porquanto se trata de alguém bem firmado em Cristo, apesar de só poder escapar por um triz.

4. Pelo contrário, está aqui em foco a *salvação em sua totalidade*, no sentido que tal crente realmente se achará nos lugares celestiais, tendo escapado do «hades», isto é, do lugar onde ficarão os incrédulos, embora certamente não esteja aqui em vista a plena salvação, no sentido do recebimento até mesmo da glorificação. Não obstante, nem mesmo um crente nessa situação terá uma existência estagnada, nos lugares celestiais; antes, poderá obter e realmente obterá sua completa glorificação em Cristo, porquanto todos os escolhidos deverão ser verdadeiramente redimidos.

Quanto a essa passagem em geral, John Gill (**in loc.**), comenta como segue: «...**será salvo**... como uma eterna salvação; não por seus labores ministeriais, e muito menos ainda por sua madeira, feno e palha, tudo o que será queimado; mas devido ao fato de que o seu ser, apesar das imperfeições de seu ministério, está alicerçado sobre o fundamento, que é Cristo. Contudo, será salvo 'como através do fogo', ou seja, com grande dificuldade, por margem mínima (ver Zac. 13:9), isto é, com grande perda e vergonha. Está aqui em foco o homem que perde em um incêndio a sua casa e o seu lar, consegue escapar com a própria vida, mas perde tudo o mais... Tal homem será testado pelo fogo da Palavra, ficará convencido pela

JULGAMENTO DO CRENTE POR DEUS

luz lançada pela mesma sobre os seus erros, irregularidades e incoerências em seu ministério; e isso quer durante seu período de vida e saúde, quer já no leito de morte; e assim verá queimados a sua madeira, o feno e a palha...».

Esse comentário tem pontos recomendáveis, exceto que não está aqui focalizado o leito de morte, porquanto esta referência é de natureza escatológica, estando associada ao segundo advento de Cristo.

O Tribunal de Cristo

Porque é necessário que todos nós sejamos manifestos diante do tribunal de Cristo, para que cada um receba o que fez por meio do corpo, segundo o que praticou, o bem ou o mal. II Cor. 5:10.

No grego encontramos o vocábulo «*bema*», que originalmente significava apenas um «degrau»; dessa idéia passou a indicar uma «plataforma elevada» qualquer, como aquela usada pelos oradores, pelos árbitros das competições esportivas, ou pelos juízes, em seus julgamentos formais. A tentativa feita por alguns estudiosos de despir o «tribunal de Cristo» de qualquer ação judicial verdadeira, ou «julgamento», no caso dos crentes, como se tudo que ali tivesse de ser feito fosse uma revisão da maneira de competir dos remidos entre si, é contradito pelo próprio vocábulo, que indica certa variedade de significados, incluindo o de um tribunal formal, como também é contradito pela mensagem geral deste versículo. Essa palavra é empregada por onze vezes nas páginas do N.T., isto é, em Mat. 27:19; João 19:13; Atos 12:21; 18:12,16,17; 25:6,10,17; Rom. 14:10 e II Cor. 5:10. As duas referências nos evangelhos indicam o tribunal de Pilatos. O trecho de Atos 12:21 fala sobre o tribunal de Herodes. A referência no décimo oitavo capítulo do livro de Atos se refere ao tribunal de Gálio, e as de vigésimo quinto capítulo ao tribunal de Félix. Já os trechos de Rom. 14:10, II Cor. 5:10 e o versículo presente, aludem ao «tribunal de Cristo».

Pode-se observar, por conseguinte, que o uso ordinário do termo diz respeito a algum lugar formal de julgamento. O uso que Paulo fez do termo provavelmente se deveu ao conhecimento que ele tinha do fato de que seus leitores, familiarizados com os tribunais romanos, compreenderiam instantaneamente algo da solenidade da questão; pois enfrentar um juiz humano é uma coisa, mas comparecer perante o Juiz de toda a humanidade é outra coisa inteiramente diversa.

O Julgamento dos Crentes Segundo este Trecho

1. **Nós** teremos de **comparecer** perante o tribunal de Cristo. É ele quem nos vigia, quem contempla nossa carreira, e ele é quem terá de julgar os resultados disso. Ele estabeleceu os padrões, e ele foi quem determinou as regras. Ele é o Juiz (ver Atos 17:31). Portanto, se o simbolismo está baseado na vida atlética (o *bema*, ou tribunal, era o assento do juiz das competições esportivas), ou em uma cena forense, o Rei está assentado em seu trono e passa em revista os méritos ou deméritos de seus servos, e a realidade retratada vem a ser a mesma. O julgamento dos crentes é inevitável, e o Juiz sabe de tudo.

2. *Nós*, os crentes, é que seremos julgados. Trata-se de um «coletivo», mas também é um «nós» individual. «Todos nós, e eu, pessoalmente, seremos julgados». Por conseguinte, esse julgamento será *universal* e *particular*, no que tange aos crentes.

3. *Isso ensina o teísmo*. Grande e profundo é o pensamento que, embora esse julgamento venha a mesclar tanta dor com prazer, Deus sabe que eu existo e está interessado naquilo que faço. Ele tanto recompensará quanto punirá. Contraste-se isso com a

frieza do «deísmo», o qual afirma que desde há muito o Senhor abandonou a sua criação, não estando mais interessado por ela e nem pretendendo recompensar ou castigar.

4. *Esse julgamento será meticuloso*. Levará em conta todos os meus atos e palavras, e não apenas o caráter geral da minha vida. (Ver no NTI as notas sobre a lei da colheita segundo a semeadura, em Gál. 6:7,8, e sobre o princípio de todo o julgamento divino, isto é, «segundo as obras» de cada um, em Rom. 2:6). Esses princípios se aplicam tanto aos crentes quanto aos incrédulos.

5. *Esse julgamento* será revelador. Ele *nos* revelará, tornando-nos manifestos diante de Deus, naquilo que tivermos praticado de bom ou de mal. Ora, isso envolve certo temor natural (ver II Cor. 5:11). Não é coisa pequena ter a própria vida desvendada diante do Senhor, o qual passará sentença sobre cada coisa que tiver sido feita, dita ou pensada.

6. *Esse julgamento será moral*. Se esse julgamento não fosse revelador e meticuloso, a justiça não seria feita; e a alternativa única da justiça é o caos. O mundo criado por Deus não pode ser caracterizado pelo caos. Portanto, a justiça terá de ser feita.

7. *Esse julgamento será determinador*. Do equilíbrio geral que será conseguido, é que se derivará nosso galardão. Esses galardões não consistirão essencialmente daquilo que recebermos, mas daquilo que seremos e que poderemos fazer no estado eterno. Isso significa que o grau a que seremos transformados segundo a imagem de Cristo, o grau de glória que atingiremos (ver II Cor. 3:18), é algo determinado.

8. *Esse julgamento será recompensador*. As coroas ser-nos-ão conferidas em resultado do julgamento. Essas coroas falam de realidades espirituais, qualidades e poderes, como uma elevada retidão, uma elevada vida de glória (a coroa da glória, a coroa da vida, etc.). (Ver II Cor. 4:8). Este ponto é essencialmente idêntico ao anterior, exceto que as «coroas» são usadas como símbolos do estado de existência ou qualidades do estado espiritual e metafísico, na vida posterior.

9. *Esse julgamento não será um fator de estagnação*. É impossível pensarmos que o crente, por ter-se saído mal em sua missão terrena, possa ficar estagnado por toda a eternidade. De fato, esse é um pensamento impossível, porquanto é destino de todo o crente atingir as perfeições de Cristo, participante como será de sua imagem e natureza (ver Rom. 8:29 e Col. 2:10). Todos os crentes terão necessariamente a plenitude de Cristo, segundo nos mostra o trecho de Colossenses. Portanto, o julgamento dos crentes apenas assinalará o *começo* da posição do crente, na eternidade, e não um estado final. Por certo, não poderá haver fim no processo da glorificação, pois esse será um processo eterno, e não uma ocorrência isolada, por ocasião da morte física. O corpo místico inteiro de Cristo, e cada um de seus membros individuais, chegarão à sua perfeição, pois, do contrário, o próprio Cristo seria enfermiço e débil.

10. Apesar do julgamento dos crentes marcar somente o começo do estado eterno, será um começo solene! Todos os crentes haverão de compartilhar da plenitude de Deus, de sua natureza, dotados de expressões de todos os seus atributos (de maneira finita, é verdade, mas de forma crescente), e não podemos conceber aqui qualquer idéia de estagnação. A salvação do crente (a entrada nos lugares celestiais) não está aqui em mira; antes, a posição que o crente ocupará ali.

11. Não nos olvidemos, por nenhum instante, da grandiosidade da nossa salvação. Nem mesmo o

JULGAMENTO DO CRENTE POR DEUS

julgamento poderá apagar esse pensamento de nossas mentes. Porém, teremos de enfrentar um solene começo! É trivial falar em «lágrimas» nos céus, em «remorso» e coisas semelhantes. Porém, é bem possível que essas coisas venham assinalar esse começo, determinado pelo julgamento dos crentes. Porém, o que estará em jogo não serão coisas triviais como um mau sentimento por causa de uma conduta terrena deficiente. O que estará sendo pesado, é a própria natureza de nossa espiritualidade, o lugar que ocuparemos, na participação, na natureza e nos atributos de Cristo. A porta estará perenemente aberta, mas será um passo solene entrar pelos portais da eternidade!

12. As Escrituras situam constantemente esse julgamento para a ocasião da segunda vinda de Cristo, e não para o momento da morte física de cada um de nós. Nesta última oportunidade, evidentemente, o espírito desencorporado receberá certa orientação, certa revisão preliminar, por assim dizer. Mas o julgamento terá lugar quando do início do estado imortal quando os crentes serão revestidos por seu corpo ressurrecto. (Ver I Ped. 4:6, no tocante ao tempo desse julgamento).

«Teria parecido quase impossível, não fosse o engenho perverso dos criadores de sistemas teológicos, escaparmos da força dessa assertiva sem qualificativos sobre a atuação da lei universal da retribuição. Nenhuma fórmula de justificação pela fé, ou retidão imputada, ou perdão selado pelo sangue de Cristo, ou absolvição sacerdotal, é permitida, pelo apóstolo Paulo, misturar-se com as expectações sobre aquele grande dia, que revelará os segredos dos corações dos seres humanos, e que conferirá a cada indivíduo o que suas obras merecem. '...aquilo que o homem semear, isso também ceifará' (Gál. 6:7); para o apóstolo, era uma lei eterna e imutável. A revelação de tudo quanto tem estado em secreto, de bom ou de mau; a aquilatação perfeitamente eqüitativa de cada elemento de bem ou de mal; a determinação de cada indivíduo, segundo essa medida, do que cada um merece, pelo bem ou pelo mal que houver praticado, isso é a súmula e a substância da escatologia paulina». (Plumptre, *in loc.*).

Nem ante a morte poderei hesitar,
Pois meu Salvador salva-me agora;
Mas, encontrar-me com Ele de mãos vazias,
Só de pensá-lo, fico preocupado.

    (C.C. Luther)

    Invictus

Dentre aquela noite que me envolve,
Negra como o abismo de pólo a pólo,
Agradeço a quaisquer deuses que existam,
Pela minha alma inconquistável

Nas manoplas duras das circunstâncias
Não tenho titubeado e nem gritado.
Sob os golpes terríveis do acaso
Minha cabeça tem sangrado, mas não pendido.

Para além do lugar da ira e lágrimas
Paira tão-somente o horror das sombras,
Todavia, a ameaça dos anos me acha
E sempre me achará destemido.

Não importa a estreiteza do portão,
E nem os castigos postos no rolo,
Sou o senhor da minha sorte,
Sou o capitão perene de minha alma.

    (William Ernest Henley, 1849 — 1903).

Este poema é um tanto ou quanto beligerante, não caracterizado por uma fé sazonada e completa. Não obstante, há nele uma grande e profunda verdade. O Senhor Deus resolveu que o nosso avanço na direção dele deve ocorrer mediante desenvolvimento espiritual; e este é de tal natureza que sempre requer a anuência da nossa vontade, porquanto Deus não transforma ninguém em autômato. O Espírito de Deus nos ajuda, mas não nos força. Uma vez que ceda aos impulsos do Senhor, o indivíduo experimenta uma transformação de cunho celestial que ultrapassa aos seus próprios poderes; mas, repetindo, isso acontece somente aos submissos. Em certo sentido, pois, ainda que com freqüência seja olvidado, um homem é senhor da sua sorte, e o capitão perene de sua própria alma, embora isso aconteça por força de um decreto divino. No entanto, esse decreto confere aos remidos um poder verdadeiramente assombroso, que envolve uma altíssima responsabilidade. Podemos estar certos de que, no juízo da eternidade, somente os verdadeiros valores serão levados em consideração; e isso serve de advertência para nós todos.

Importar que todos nós. É importante que nosso propósito seja **agradar** ao Senhor, visto que esse é um aspecto central das questões eternas, ¡isto é, aquilo que fazemos exerce efeito decisivo sobre o nosso estado eterno. A palavra *«todos»* se refere aqui aos remidos, naturalmente.

Compareçamos. Alguns intérpretes preferem entender aqui essa palavra como «seremos manifestados»; em outras palavras, não seria questão de mero comparecimento perante o «tribunal de Cristo», mas antes toda a nossa vida seria revelada perante o Senhor, de tal modo que nenhum segredo venha a ser guardado. Haverá completa e perfeita avaliação de cada vida. Os crentes não serão julgados coletivamente, em massa, mas antes, individualmente, conforme os méritos de cada um. Esse juízo incluirá a revelação do ser do crente exatamente como ele é; e os galardões serão distribuídos para cada um nos termos exatos dessa aquilatação.

Para que... receba. A idéia dessas palavras é «receba cada um o que merece». O julgamento do «tribunal de Cristo» como que virará o indivíduo pelo avesso. Nenhuma dúvida restará. A salvação eterna, contudo, não será perscrutada; —tão-somente a aquilatação da vida do crente, para efeito do recebimento de galardões. E isso está vinculado à segunda vinda, ao «dia de Cristo», e não com a morte física de cada um, visto que o julgamento não ocorrerá enquanto não houver a eliminação do presente mundo *intermediária*.

Por meio do corpo. Essa declaração é totalmente contrária à idéia gnóstica, que dizia que não importa o que um homem faça com seu corpo, por ser este a própria sede do princípio pecaminoso, visto que participa da materialidade. A verdade, porém, é que o corpo não é pecaminoso por si mesmo, embora se torne um instrumento fácil do pecado, conforme se aprende no sexto capítulo da epístola aos Romanos. Contudo, embora se torne o corpo um veículo fácil para o pecado, temos a responsabilidade de usá-lo apropriadamente, de discipliná-lo, de utilizá-lo para a glória de Deus. O corpo é nosso veículo, nesta esfera da existência. Se usarmos dele como um meio para a prática do mal, seremos julgados por isso. Tudo quanto fazemos aqui deve ser feito através do uso do corpo, e isso fala de tudo quanto praticamos, da nossa vida diária, de nosso serviço cristão, do bem ou do mal que fizermos. Em suma, seremos julgados, perante o «tribunal de Cristo», por tudo aquilo que tivermos praticado como seres mortais.

Neste texto, o corpo aparece como o símbolo da nossa mortalidade, de nossa vida mortal, de nossa vida terrena. É interessante que alguns estudiosos

JULGAMENTO DOS ANJOS

antigos (como também alguns poucos modernos) têm pensado que a palavra «*corpo*», neste caso, se refere ao corpo ressurrecto. Mas tal interpretação é completamente estranha às exigências do próprio versículo. Tal idéia compreende que o sentido dessa declaração é que «seremos recompensados por meio do corpo ressurrecto», recebendo galardões ou não. Alguns outros eruditos têm imaginado até mesmo certas diferenças entre corpos, cada corpo de conformidade com um grau de glória. É possível que essa opinião seja correta; e a idéia expressa acerca do recebimento de galardões, como algo manifesto na expressão do corpo ressurrecto, provavelmente também é correta, embora não seja isso que Paulo tinha em mente dizer aqui.

«As ações morais de um homem estão depositadas com Deus, nos céus, e deverão ser novamente recebidas, com uma retribuição correspondente. (Comparar com os trechos de Efé. 6:8 e Col. 3:25). Uma figura simbólica similar é expressa pela comparação com a semeadura e colheita, em Gál. 6:7, bem como com o tesouro ajuntado, em Mat. 6:20 e I Tim. 6:19. Uma expressão mais completa pode ser encontrada nos trechos de I Ped. 1:9; 5:4 e II Ped. 2:13». (Kling, *in loc.*). Sobre *Cristo como juiz*, ver Atos 17:31.

Este versículo não aborda problemas tais como o julgamento de infantes batizados ou não, indivíduos mentalmente incapacitados, etc., considerações essas que alguns estudiosos têm especulado quanto a esta passagem.

JULGAMENTO DO PRÓPRIO SER

Isso envolve o **autojulgamento** e a **autocensura**. Apesar de não termos o direito de julgar a nossos semelhantes (ver o artigo intitulado *Julgamento* (*Censura de uma Pessoa Contra Outra*), faz parte das responsabilidades de cada indivíduo julgar a si mesmo. O trecho de I Cor. 11:31,32 mostra-nos que deveríamos julgar a nós mesmos. Desse modo, não seremos julgados por outras pessoas. O autojulgamento, naturalmente, pode ser errôneo e preconcebido. Cada um de nós ama a si mesmo e inclina por desculpar-se de seus erros, ao mesmo tempo que condena aos outros, por causa daquilo que são ou fazem. Paulo, ao ser condenado por seus oponentes, em Corinto, afirmou que «...de nada me argüi a consciência...» (I Cor. 4:4). Mas, nem por isso, ele se sentia inocente. Pois reconhecia que o Senhor é o Juiz que faz avaliação final quanto a cada indivíduo, conforme aquele mesmo versículo assevera. Finalmente, Deus trará à plena luz todas as coisas (vs. 5), desvendando quais os propósitos dos corações, isto é, os *motivos* mais secretos por detrás de toda ação, boa ou má. E, então, cada indivíduo será declarado inocente ou culpado, diante de Deus. Essas palavras são muito acauteladoras, ensinando-nos que, sob hipótese alguma, devemos censurar ao próximo, e nem devemos fazer um juízo muito favorável sobre nós mesmos. O trecho de I João 1:7-9 ensina a necessidade de conhecermos no que consiste o pecado, de abandonarmos o pecado, e de entrarmos na luz, e assim desfrutarmos de companheirismo com Deus.

Meios para Alcançarmos um Melhor Autojulgamento. À medida que vamos crescendo espiritualmente, empregando os meios espirituais de desenvolvimento (a oração, a meditação, a santificação, o estudo dos documentos sagrados e de outros livros que nos ajudem a obter maior poder intelectual e de discernimento, a prática da lei do amor e das boas obras, e o toque místico, como se dá no uso dos dons

espirituais e das experiências místicas), vamo-nos tornando capazes de melhor avaliar a nós mesmos, fazendo-o com maior sabedoria e precisão. Quanto maior for a nossa espiritualidade, menor será a nossa inclinação para censurar ao próximo.

JULGAMENTO DO TRONO BRANCO

Ver o artigo separado e detalhado chamado *Trono Branco, O Grande*.

JULGAMENTO DOS ANJOS

Esse julgamento é referido em passagens como I Cor. 6:3; II Ped. 2:4; Jud. 6 e Apo. 20:10. O trecho de I Coríntios afirma que os crentes (de alguma maneira ali não definida), farão parte desse julgamento, como juízes. Os anjos caídos serão julgados tal e qual os homens caídos. Alguns estudiosos acreditam que isso será um dos aspectos do julgamento do Grande Trono Branco (vide), ou seja, do julgamento geral dos incrédulos. A Bíblia não nos fornece dados suficientes para fazermos essa identificação. Contudo, devemos supor que os anjos estão sujeitos à *restauração* (vide), através do julgamento, tal como sucederá aos homens; mas também não temos informações suficientes sobre a questão, excetuando as indicações gerais de Efé. 1:9,10, onde é afirmada a necessidade de uma restauração universal. A passagem de I Ped. 3:18—4:6, que alude à descida de Cristo ao hades, em favor dos *homens perdidos*, para que ali lhes anunciasse o evangelho (ver I Ped. 4:6), é bastante similar a certos trechos de I Enoque. Naquele livro estão em pauta os *anjos caídos*. Ver o artigo sobre a *Descida de Cristo ao Hades*, onde apresentamos um longo estudo sobre esse importante assunto, que ensina que a missão remidora de Cristo deve incluir todos os lugares onde houver almas perdidas. Assim sendo, a missão de Cristo é tríplice: na terra, nos céus e no hades. Somente assim Cristo tornar-se-á Salvador e Senhor universal, e somente assim poderá exercer corretamente o seu ofício de Juiz do universo.

O julgamento e restauração dos anjos deixa implícita a redenção deles. Não se sabe dizer em que isso diferirá da redenção dos homens. Orígenes, contudo, não fazia qualquer diferença entre a *essência* dos espíritos angelicais e a essência dos espíritos humanos. De acordo com sua maneira de pensar, a única diferença entre anjos e homens fora determinada pela queda no pecado. Se isso exprime a verdade, é perfeitamente possível que estejamos equivocados ao estabelecer diferença entre o julgamento dos homens e dos anjos, no que diz respeito ao plano de redenção. Há muitos mistérios. Todavia, muitos estudiosos sentem ser impossível a redenção dos anjos. Em primeiro lugar, eles usam o argumento do silêncio, o qual, convenhamos, não é muito forte. Ou seja, a Bíblia, é silente quanto à redenção dos anjos que caíram. O argumento mais forte deles é que Cristo tornou-se homem para remir aos homens, mas não se tornou anjo para remir aos anjos. Ver Heb. 2:14: «Visto, pois, que os filhos (os crentes) têm participação comum de carne e sangue, destes também ele (Cristo), igualmente, participou, para que, por sua morte, destruísse aquele que tem o poder da morte, a saber, o diabo». Sim, há muitos mistérios, e qualquer especulação arrisca-se a não acertar com a vontade e o plano eterno de Deus.

Seja como for, sabemos que a redenção eleva o espírito humano muito acima da posição dos arcanjos, visto que os homens já são participantes da natureza divina, posto que, por enquanto, somente no nível do espírito deles (ver II Ped. 1:4; Col. 2:9,10;

JULGAMENTO QUE CEGA

Rom. 8:29), mediante a transformação gradual segundo a imagem de Cristo (II Cor. 3:18). Por ocasião da ressurreição, os crentes compartilharão, juntamente com Cristo, de toda a plenitude de Deus, o que envolve a sua natureza e os seus atributos, posto que em proporções sempre finitas, mas sempre crescentes. Afirmamos, pois, que talvez os anjos também tenham esse mesmo destino, *se* a essência do ser deles não difere grandemente da essência dos homens. Mas, confessamos que a questão deve permanecer na esfera das idéias nebulosas, enquanto não recebermos maiores luzes a respeito. Contudo, o fato de que, uma vez ressurrectos e glorificados, seremos superiores aos anjos, parece indicar que em nós, os crentes em Cristo, haverá uma evolução espiritual, uma passagem para um nível superior na escala do ser, ao passo que os anjos e arcanjos terão sua posição atual apenas confirmada, sem qualquer subida na escala do ser. A Bíblia deixa patenteada a misericórdia e graça especiais de Deus para com os seus escolhidos, os filhos de Abraão segundo a fé.

JULGAMENTO NA FILOSOFIA

Essa palavra portuguesa, «julgamento», vem do latim *jus*, «direito», e *dicere*, «dizer», «determinar».

Usos:

1. No uso moderno, «julgamento» é sinônimo de «proposição», ou seja, uma afirmação na qual algo (o sujeito) é afirmado ou negado, em termos de outra coisa qualquer (o predicado), em que essas coisas, geralmente, estão relacionadas por um verbo declarativo. Um exemplo simples: «A erva é verde»; ou: «A erva não é azul». O termo «postulado» veio a indicar alguma forma de juízo que repousa sobre alguma inferência lógica, ou sobre algo dito e baseado sobre a intuição, a razão ou as experiências místicas, em vez de algo baseado sobre o método científico, ou sobre a percepção dos sentidos. Os *postulados* podem ser reputados como declarações auto-evidentes, como os postulados da matemática. Mas também pode indicar uma declaração cuja veracidade é pressuposta, a fim de explicar alguma outra coisa. Um exemplo disso é o argumento moral de Kant em prol da existência de Deus e da alma humana. Mas, para ele, as *proposições* não podiam ser usadas no tocante a esse tipo de argumentação. Ver os artigos sobre *Proposição* e *Postulado*.

2. *Nos Escritos de Platão.* Ele negava que houvesse um verdadeiro juízo, no tocante a qualquer tipo de descrição, quando alicerçado sobre os informes da percepção dos nossos sentidos, como se isso pudesse servir de base à verdade. Nesse caso, ele preferia depender daquelas idéias que se originam na razão, na intuição e nas experiências místicas, onde o *universal* (vide) pode ser percebido mais diretamente, algo que a percepção dos sentidos jamais poderá atingir.

2. *Nos Escritos de Aristóteles.* Em sua obra, *De Interpretatione*, uma «proposição» é alguma assertiva importante, falsa ou verdadeira, que resulta de um *juízo*. Ele acreditava que os verdadeiros julgamentos, com uma descrição absoluta (através da observação, do método científico, etc.), podem produzir a verdade. Ele pensava que a percepção dos sentidos é adequada para esse processo, com a ajuda de certos impulsos intuitivos ou «lampejos de luz». Portanto, ele defendia uma forma de realismo engenhoso.

3. *Nos Escritos de Tomás de Aquino.* Ele fazia dos julgamentos a unidade fundamental do conhecimento, mas afirmava que a verdade reside no *intelecto*, o qual compõe e divide, e assim chega a conclusões

acerca de qualquer questão. Essa é a abordagem racionalista do descobrimento da verdade. Ver sobre o *Racionalismo*.

4. *Nos Escritos de Emanuel Kant.* Ele fazia dos juízos o centro de sua filosofia. Ele falava sobre *juízos a priori*, ou seja, aqueles que não dependem de investigações e provas, através do uso dos sentidos. Pois são *anteriores* à percepção dos sentidos. Além disso, há os *juízos a posteriori*, que são formulados *depois* da percepção dos sentidos e repousam sobre as informações que nos são dadas pelos mesmos. Os *juízos a priori* partem da razão ou da intuição. Mas Kant criou um terceira categoria de juízos. Ele supunha que podiam existir os *juízos sintéticos a priori*, e não meramente *juízos sintéticos a posteriori*. «Sintético», nesse caso, indica algo que se origina na síntese, ou investigação, repousando sobre os sentidos. Um juízo sintético adiciona conteúdo ou descreve um assunto qualquer que foi declarado. Um *juízo sintético a priori* pode existir, visto que as categorias da mente existem *a priori*, embora se tornem práticas e sejam experimentadas na vida diária, tornando-se então sintéticas, e não meramente analíticas. As categorias começariam *a priori*, porquanto pertencem à mente humana, antes mesmo de qualquer investigação. Tornam-se sintéticas através da experiência, e seus informes dependem da percepção dos sentidos.

Para Kant, o emprego da mente nos juízos é algo indispensável, para a construção mental do mundo dos fenômenos. A mente força suas categorias *a priori* sobre a experiência e dá-lhe forma. Trata-se de uma espécie de *idealismo subjetivo*. Com base em categorias *a priori* encontramos toda forma de julgamentos, incluindo aqueles de natureza estética, teológica e até mesmo as idéias que temos de Deus e da alma. Ver os artigos separados sobre *A Priori; A Posteriori; Proposição; Postulado; Julgamento a Priori; Julgamento a Posteriori; Julgamento Sintético A Priori*.

JULGAMENTO QUE CEGA (CEGUEIRA JUDICIAL)

Há três tipos de cegueira:

1. *A cegueira física.* Ver sobre esse tipo no artigo *Cegueira*.

2. *A cegueira espiritual.* Ver sobre *Cegueira, Usos Metafóricos*.

3. *Cegueira judicial.* Aquilo que os homens recusam-se a fazer de direito e certo torna-se para eles moralmente impossível, se persistirem em sua teimosia. Isso sucedeu a Israel, antes da vinda do Messias. As duas nações formadas com base na nação unida de Israel, ou seja, Judá (ao sul) e Israel (ao norte), sofreram os severos juízos dos cativeiros (babilônico e assírio, respectivamente). A rejeição do Messias, por parte de Israel (João 1:12), foi pecado ainda mais sério, e levou à cegueira judicial de Israel, como nação (Rom. 11:7). Deus lhes deu um espírito de estupor e olhos que não podem ver e ouvidos que não podem ouvir, conforme nos mostra aquele versículo de Romanos, citando trechos do Antigo Testamento como Deu. 29:4 e Isa. 19:10. Ver também Isa. 6:9,10.

Predestinação? O contexto do décimo primeiro capítulo de Romanos sem dúvida penetra na inescrutável vontade de Deus, inteiramente à parte de qualquer consideração humana. Nesse caso, a cegueira judicial depende tão somente da vontade divina, como parte da *reprovação* (vide). Muitos intérpretes, apelando para outros trechos bíblicos que

JULGAMENTO SEGUNDO AS OBRAS

aludem ao problema, supõem que a cegueira judicial é provocada pela rebeldia obstinada dos homens. Seja como for, o trecho de Rom. 11:26 promete restauração e salvação para aqueles que estavam judicialmente cegos. É difícil crer que «todo o Israel» pode significar apenas um pequeno remanescente final, embora muitos estudiosos pensem exatamente assim.

A passagem de II Cor. 3:14-16 diz-nos que o véu que cobre os corações dos judeus, mesmo quando Moisés é lido, de tal maneira que não conseguem entender a mensagem que há ali, será finalmente retirado. Esse texto mostra-nos que a fé, finalmente, derrotará a incredulidade, no caso da última geração viva do povo de Israel, e aquele véu será tirado, e os israelitas aceitarão a Jesus Cristo como o Messias há muito tempo prometido.

JULGAMENTO SEGUNDO AS OBRAS

Rom. 2:6: *que retribuirá a cada um segundo as suas obras*;

De acordo com o ensino deste segundo capítulo da epístola aos Romanos, o juízo de Deus opera mediante sete princípios, dentre os quais o presente versículo apresenta o terceiro, a saber, «segundo as obras». (Ver no NTI as notas introdutórias a este capítulo, onde aparece uma lista desses sete princípios. Isso é repetido nos comentários sobre o décimo primeiro versículo deste capítulo).

Deus julgará a cada um *segundo as suas obras*, conforme o que cada um praticou. E não poderia mesmo seguir outro critério. Essa é outra maneira de reiterar o ensinamento bíblico sobre a lei da colheita segundo a semeadura, conforme a lemos declaradamente em Gál. 6:7,8. Essa lei é universal, e se aplica a todos os seres humanos, sem importar se se trata de crentes ou de incrédulos. Existem muitos graus diferentes de punição, como também muitos graus de recompensa.

O julgamento será de acordo com as obras de cada um. O leitor pode examinar as seguintes referências bíblicas, que afirmam a mesma verdade: Sal. 62:12; Jer. 17:10; Mat. 16:27; II Cor. 5:10; I Ped. 1:17; Apo. 20:12 e 22:12. Isso também pode ser comparado com trechos como Gál. 6:7; Efé. 6:8; Col. 3:24 e Apo. 2:23). Quando essas referências são lidas e meditadas, transparece nelas, como verdade óbvia, que algumas vezes tal declaração é aplicada aos incrédulos, —mas outras vezes ela é aplicada aos crentes; o que nos leva forçosamente a concluir que essa regra se aplica a ambos os grupos. Todavia, para alguns comentadores, esse fato tem criado o que lhes parece uma contradição, face à doutrina da justificação; e esse aspecto da questão é abordado nos pontos abaixo discriminados:

Como Essa Regra se Aplica aos Incrédulos?

1. O indivíduo incrédulo é capaz de praticar boas obras que modificam o seu julgamento final, embora a maioria dessas obras seja de natureza maligna, do ponto de vista da espiritualidade. Deus pesará tudo na balança. Haverá muitos graus de punição.

2. Apesar das boas obras dos incrédulos não resultarem na salvação evangélica (porquanto esta só vem pela graça, ver Efé. 2:8), são capazes de conferir-lhes uma melhor posição no após-vida, em relação àqueles que não tiverem boas obras.

3. A despeito disso, todas as obras más dos incrédulos serão levadas a juízo com exatidão absoluta (ver Gál. 6:7,8), e eles serão condenados com justiça. A incredulidade é o pior dos males, levando os homens a ficar sob a ira de Deus (ver João 3:18).

4. Os juízos divinos não são meramente retributivos, mas também disciplinadores e restauradores. Isso se aplica até mesmo aos perdidos, conforme se aprende em I Ped. 4:6. Esse pensamento abre um novo caminho para meditarmos sobre o julgamento; mas isso não é uma novidade, pois é algo tão antigo quanto as Escrituras! Devemos fazer a distinção entre a *restauração* (da qual todos os homens haverão de participar, ver Col. 1:16) e a *redenção* (que envolverá exclusivamente os eleitos).

5. Os juízos de Deus fazem parte de seus esforços por produzir a unidade em torno da pessoa de Cristo. No que concerne aos perdidos, esses juízos tornar-se-ão parte dessa unidade (portanto, harmonia, bem-estar); mas isso, não por haverem escapado à condenação e, sim, por terem passado pelo julgamento (ver Efé. 1:10).

6. Contudo, apesar de se beneficiarem com a missão de Cristo (ver no NTI, notas em João 12:32), se deixarem de tornar-se autênticos crentes, antes de Deus cerrar a cortina da oportunidade, padecerão uma perda infinita, a despeito de qualquer outro bem que a missão de Cristo possa fazer em favor deles. E isso por haverem perdido o ganho infinito da participação na própria imagem e natureza de Cristo (ver notas em Col. 2:10 no NTI), e cerne mesmo da salvação: ver o artigo sobre *Missão Universal do Logos* (*Cristo*). Essa é a grande tragédia do julgamento, e não o quanto alguém terá de sofrer.

7. Se a perda será infinita, então quão grande será a aflição do pecado! Não obstante, não existe juízo sem misericórdia, e o amor já fez sua intervenção.

8. O estado de perdição deve ser considerado como algo que incorpora muitas dimensões da existência. As obras praticadas pelo indivíduo — boas ou más — haverão de situá-lo em seu devido lugar. Porém, nada ficará estagnado. A misericórdia divina (através do julgamento) conduz cada indivíduo até o lugar onde poderá redundar em glória positiva para Cristo, embora não possa tornar-se um eleito de Deus, uma vez estabelecidas as fronteiras eternas. Na verdade, tornar-se-á uma espécie de ser totalmente diferente, uma espécie muito inferior. Os eleitos, por sua vez, virão a participar da natureza divina (II Ped. 1:4). Os perdidos não poderão embalar jamais a esperança de participar de uma glória dessa ordem. No entanto, Cristo haverá de ser tudo para todos, finalmente, conforme por certo se aprende em Efé. 1:23.

9. Os perdidos acabarão compreendendo o que perderam, e que fazia parte de seu destino em Cristo, por causa de sua estúpida rebelião. Isso fará parte do castigo que receberão. Se pudermos ao menos entrever a imensidade da salvação, compreenderemos melhor o que significa estar perdido.

10. Enquanto, podemos falar *comparativamente* numa perda infinita das almas perdidas, considerando a imensa glória das almas redimidas que participarão na natureza divina (II Ped. 1:4; Col. 2:10), devemos nos lembrar que a obra *restauradora* do Logos será muito grande e dará para os não eleitos uma vida útil, de fato, *afinal*, gloriosa, uma vez que o julgamento completar sua tarefa. Ver o artigo separado sobre a *Restauração* que explica conceitos relacionados a este assunto.

Como essa Regra se Aplica aos Crentes

Não há contradição alguma entre a doutrina da salvação pela graça e a idéia de alguém ser julgado segundo as suas próprias obras, no sentido mais estrito. Isso fica claro após as seguintes considerações:

1. Os esforços humanos, à parte da ação do Espírito, não têm mérito algum, e só contribuem para

JULGAMENTO SEGUNDO AS OBRAS

condenar ao indivíduo, exceto no sentido anteriormente explanado, o de que o homem injusto, por meio de tais ações, se feitas com honestidade (ainda que honestidade meramente humana), pode sofrer uma punição menor: No caso do crente, entretanto, os meros atos humanos não podem redundar em sua glória, ainda que as ações egoístas possam diminuir-lhe a glória futura.

2. A lei da semeadura e da colheita se aplica ao crente em termos exatos. Isso transparece tanto em Gál. 6:7,8 como em II Cor. 5:10. Esta última referência mostra que tanto as obras «boas» quanto as «más», têm seus respectivos efeitos. O julgamento do crente determinará seu nível de glória. Deus estabelecerá o devido «equilíbrio». É óbvio que tal equilíbrio terá algo a ver com a totalidade das obras de um homem. As obras malignas diminuirão o lado positivo dessa balança; as boas obras, todavia, aumentarão o nível de glória. A alma de um homem pode ser salva até mesmo como que «através do fogo» (ver I Cor. 3:5), ou «com dificuldade» (ver I Ped. 4:18).

3. Isso não quer dizer, entretanto, que o crente terá uma posição estagnada no estado eterno, como se fora uma espécie de castigo por não ter sido melhor crente na sua vida terrena. Isso seria mesmo impossível, porquanto todos os crentes terão de progredir, até o ponto de adquirirem a plena imagem e natureza de Cristo, com todos os seus atributos. Os crentes haverão de ir perpetuamente progredindo na direção desse alvo infinito, pelo que também não poderá haver estagnação. A glorificação será algo infinito, e glorificação é salvação, quando contemplada do ponto de vista de seu conceito mais elevado (ver Rom. 8:30). As obras do crente, neste mundo, entretanto, colocam-no em uma situação de desvantagem inicial, a qual poderá ser ultrapassada, entretanto.

4. Consideremos a questão das *Coroas* (ver o artigo). As diversas coroas evidentemente indicam qualidades e poderes espirituais, que a alma redimida possuirá, para expressar-se no estado eterno. Alguns dos primeiros pais da igreja supunham que, nos muitos lugares celestiais, os próprios crentes haverão de possuir diferentes tipos de corpos ressurrectos, capacitando-os para dimensões superiores ou inferiores daquela existência. Provavelmente essa idéia é correta, apesar de ser apenas uma especulação. Todos os *lugares celestiais* (ver o artigo) fazem parte da mansão celeste de Deus (os seus céus), mas há muitas regiões de glória, menores e maiores. Se a glorificação é eterna, então, presume-se que haverá uma sucessão de corpos espirituais, que acompanharão esse desenvolvimento da alma. Isso é pura especulação, mas é um pensamento digno de nele meditarmos. Seja como for, o que o crente fizer aqui, determinará a qualidade de sua alma do outro lado da existência, e isso é simbolizado pelas coroas. Mas, por que pensaríamos que a realidade simbolizada pelas coroas se aplica somente ao labor de cada um nesta vida física? Pelo contrário, pensamos que sempre será possível conquistar coroas celestes.

O princípio que há por detrás da conquista das coroas são as obras; mas obras realizadas no poder e pela inspiração do Espírito, e não por mérito humano, coisas feitas pela força humana e para a glória do homem.

5. Se considerarmos que as obras do crente são atuações do Espírito em nós e através de nós, então essas obras serão sinônimas da graça, mas graça em ação. (Ver o artigo sobre *Graça*). Não há contradição alguma entre a graça e as obras, uma vez que as obras

sejam definidas dessa maneira (ver Fil. 2:13).

6. Os próprios galardões são conferidos pela graça, porque nenhum homem tem qualquer poder sobre Deus. Todavia, ele achou por bem recompensar as boas obras e, de fato, nossa própria salvação tem por intuito produzir tais obras, como sua própria conseqüência natural (ver Efé. 2:10 quanto a esse conceito).

Interpretações Errôneas Deste Versículo

1. Alguns supõem que Paulo nem sempre era coerente com os seus próprios ensinamentos. Usualmente ele ensinava a salvação pela graça divina, mas aqui teria escorregado de volta a uma idéia judaica. Isso é extremamente improvável!

2. Outros pensam que a proposição deste versículo, «retribuirá a cada um segundo o seu procedimento», foi apresentada como mera hipótese, em razão do argumento que Paulo armava, a fim de finalmente demonstrar que nada pode derivar-se dessas obras; mas tal idéia é contrária a muitos trechos escriturísticos, que ensinam o mesmo princípio aqui exposto.

3. É um erro supormos aqui, que a fé é considerada como «a grande obra», e que, com base nisso é que o indivíduo será julgado. Isso exprime uma verdade, mas não é o que está em foco no presente versículo.

É verdade, todavia, que Paulo empregava aqui esse argumento principalmente a fim de *combater* as falsas esperanças dos judeus, os quais inutilmente imaginavam que a observância da lei, por parte deles, lhes redimia a alma. Paulo, entretanto, estava prestes a demonstrar que ninguém observa a lei meramente como um princípio legal, sem a ajuda da graça divina. Não obstante, mediante a graça, a lei é levada à perfeição no caso do crente, em todas as suas exigências, mas não apenas judicialmente e, sim, como algo que, finalmente, se realizará plenamente no crente, o qual, por fim, participará da santidade perfeita de Deus. Ora, é exatamente isso que a lei exige, de um ponto de vista não meramente literal, mas espiritual. Tais pessoas poderão ser verdadeiramente julgadas segundo as suas obras, pois serão aprovadas nesse teste.

Os Oito Princípios que Norteiam o Juízo de Deus, por Conseguinte, São Estes

1. De conformidade com a verdade (segundo versículo).

2. De conformidade com a culpa acumulada (versículo quinto).

3. De acordo com as obras.

4. Sem fazer acepção de pessoas (versículo décimo primeiro). E daqui por diante veremos:

5. Segundo a realização de cada um e não apenas conforme seu conhecimento (versículo décimo terceiro).

6. Tem o poder de sondar os segredos do coração (versículo décimo sexto).

7. Segundo a realidade, e não a mera profissão religiosa (versículos décimo sétimo a vigésimo nono). Por conseguinte o julgamento de Deus, conforme os princípios quarto e sétimo, não será efetuado segundo a acepção de pessoas.

«Os ricos, os educados, os viajados, os cultos, os proeminentes, os influentes, os agradáveis, os fortes, todos são procurados. Os pobres, os ignorantes e os fracos, porém, são desprezados e negligenciados. Não é assim com Deus, entretanto. Ele vê os homens através de seus olhos santos, sempre verazes. Ele 'não vê como o homem vê'. — Isso é um pensamento aterrorizante para os grandes da terra mas é um pensamento infinitamente consolador para toda a

665

JULGAMENTO — JULIANO

alma humilde e temente ao Senhor Deus, aquele que mostra que existe um Ser imparcial, que não faz acepção de pessoas e com quem temos de tratar!» (Newell, *in loc.*).

«Os homens serão julgados de acordo com as suas obras, sem importar se têm recebido ou não qualquer revelação especial sobre a vontade divina, conforme ela foi dada a Israel». (James Denny, *in loc.*).

8. O julgamento de Deus tem efeitos *remediais* e *restauradores*, não meramente punitivos. I Ped. 4:6 declara isto enfaticamente. Devemos nos lembrar também que a crucificação de Jesus era ao mesmo tempo um ato divino de julgamento contra o pecado e um ato salvador. É óbvio que o julgamento do crente (castigo) tem o propósito de disciplinar e melhorar a pessoa, não meramente de dar uma recompensa negativa por atos errados, Heb. 12:8. Grande parte da Igreja Histórica também vê o mesmo princípio operando no julgamento de homens no hades e na eternidade no caso dos homens perdidos. Esta interpretação é mais sana do que a doutrina que diz que o julgamento é somente punitivo. Ver o artigo sobre *Julgamento de Deus dos Homens Perdidos*. Ver sobre *Restauração* e a *Descida de Cristo ao Hades*.

Não há nenhuma contradição entre o *amor* de Deus e sua *ira*. A ira de Deus opera os ideais do amor de Deus, sendo um dedo na mão amorosa de Deus. O julgamento é tão severo e duradouro como deve ser para cumprir a obra restauradora-redentora de Deus. Eu explico estes princípios detalhadamente nos artigos separados.

JULGAMENTO SINTÉTICO A PRIORI

O tipo de julgamento que aqui ventilamos é a grande contribuição de Kant ao pensamento humano. Ver sobre *Julgamento* (*na Filosofia*), em seu quarto ponto. Kant opinava que a mente já vem equipada com categorias, mediante o que todas as coisas podem ser conhecidas e descritas. Essas categorias existem *a priori*. Não dependem de quaisquer experiências, e já existem antes de qualquer experiência provida pela percepção dos sentidos. Tais categorias também são *analíticas*, ou seja, são (alegadamente) verdadeiras em si mesmas, sem a necessidade de qualquer adição feita através dos dados fornecidos por nossos sentidos. Essas categorias seriam impostas ao mundo, pela mente, levando-nos a compreendê-lo das maneiras adredemente determinadas pela mente. Na prática, porém, aparentemente adicionamos algo a qualquer juízo mental, através da experiência empírica. Dessa maneira, os juízos analíticos, *a priori*, que são providos pela mente, tornam-se sintéticos ou empíricos. A mente é um instrumento indispensável, tanto para dar ao mundo a forma que o mesmo tem, como também para examinarmos o mundo. Na mente, temos um estado de coisas analítico, *a priori*; mas na experiência, fazemos esses juízos tornarem-se sintéticos. Em certo sentido, os homens usam as categorias *a priori* em suas experimentações, e assim *acrescentam-nas* à sua experiência.

JULGAMENTOS DAS ESCRITURAS

1. Na pessoa mesma de **Cristo**, que levou nossos pecados. O resultado desse julgamento é a vida para o crente (ver Rom. 5:9; 8:1; II Cor. 5:21).

2. *Autojulgamento*, pelo qual o crente melhora suas relações tanto com Deus como com os homens (I Cor. 11:31).

3. Julgamento no seio *da igreja*, mediante a disciplina de crentes que laboram em erro (I Cor. 5:1-5).

4. Julgamento futuro *de Israel* (Sal. 50:1-7; Eze. 20:33-44). Esse julgamento determinará quais israelitas receberão os privilégios e a glória do reino milenar de Cristo.

5. Julgamento *dos anjos* que caíram (Judas 6).

6. Julgamento *dos crentes* e de suas obras (II Cor. 5:9,10).

7. Julgamento *dos ímpios* (Apo. 20:11-15), também chamado de julgamento do Grande Trono Branco.

8. Julgamento *de Satanás* (Apo. 20:10).

9. Julgamento *das nações*, especialmente condicionado pela maneira como trataram a Israel, durante seu período de grande tribulação, quando o remanescente crente surgirá. Esse é o julgamento que a passagem de Mateus 25:33 está frisando, embora vejamos que as descrições sejam gerais, incluindo princípios de julgamento em geral. Aqueles que — tratam os filhos de Deus, — seus semelhantes, com misericórdia e generosidade, sempre poderão esperar o favor de Deus, sem importar a dispensação em que tiverem vivido. A íntima identificação de Cristo com todo aquele que agrada a Deus, faz com que tanto eles como ele também, sejam os recebedores do tratamento conferido pelos homens ao seu povo. Isso é evidenciado nas palavras de Cristo a Saulo de Tarso: «Saulo, Saulo, por que me persegues?» (Atos 9:4), quando em realidade Saulo perseguia à igreja. A recompensa do tratamento certo conferido a Israel parece ser uma bênção e um privilégio especiais, durante o milênio, para algumas nações e indivíduos. Entretanto, seria impossível negar que a salvação pessoal dos indivíduos também está indicada nestes versículos de Mateus, e parece claro que essa idéia também está incluída. Os vss. 34 e 46 parecem indicar exatamente isso, pelo que não pode estar em foco apenas o julgamento das nações. Não há razão pela qual tanto as bênçãos nacionais como as bênçãos pessoais não possam estar em vista, porquanto que é uma nação senão a congregação de muitos indivíduos, que se chamam por um nome comum? Não obstante, muitos elementos são vistos como diferentes daqueles elementos que pertencem ao julgamento do Grande Trono Branco, onde serão julgados os ímpios.

JÚLIA

Essa é a forma feminina de **Julius**, que deu, em português, Júlio, proveniente do latim. No latim significa «dotado de barba penugenta». Refere-se à penugem que aparece no rosto dos adolescentes do sexo masculino. Com base nisso, a palavra veio a indicar «jovem», visto que os jovens é que apresentam essa penugem no rosto. Esse era o nome de um dos clãs romanos. Vários membros desse clã obtiveram grande fama, como Júlio César, seu filho adotivo, Otávio (que era seu sobrinho), e Júlia, filha de Augusto e esposa, sucessivamente, de Marcelo, Agripa e Tibério. Além disso temos os *mensis julius*, ou seja, o mês de julho, assim chamado em honra a Júlio César.

No Novo Testamento há menção a uma certa «Júlia», em Rom. 16:15. Ela foi incluída nas saudações de Paulo, naquele capítulo. Visto que seu nome aparece junto com o de Filólogo, ela pode ter sido sua esposa ou sua irmã. Os nomes *Júlio* e *Júlia* eram comuns entre os romanos.

JULIANO DE ECLANO

Ele foi bispo de Eclano, na Apúlia, Itália, em cerca de 417 D.C. Acabou expulso da Itália, em 421 D.C. É lembrado em face de sua oposição a Agostinho e sua

JULIANO — JÚLIO (PAPAS)

defesa de *Pelágio* (vide). Ele objetava particularmente à doutrina do *pecado original* (vide).

JULIANO, O APÓSTATA

Damos uma ampla descrição dele no artigo **Gregos Primitivos, Religião dos**, em seu quinto ponto. Suas datas foram 331—363 D.C. Foi sucessor de Constâncio como imperador romano, e reinou de 361 a 363 D.C. Ele despediu os cristãos de todos os postos oficiais e aplicou medidas repressivas contra os cristãos, como proibi-los de ensinar os clássicos. O seu propósito era restaurar o paganismo no império romano, e eliminar a influência do cristianismo. Ele representou uma espécie de último estertor das religiões pagãs do passado, que estavam morrendo. Os esforços de Juliano não tiveram qualquer efeito duradouro, e suas repressões limitaram-se ao período de seu curto governo. Quando ele tinha apenas seis anos de idade, seu pai e vários outros membros de sua família foram assassinados por soldados a serviço de seu primo, o imperador Constâncio. Sem dúvida, isso proveu o impulso para seu ódio contra a fé cristã, que Constantino promovera. Interessante é que ele foi criado como cristão, estudou filosofia e letras, residiu durante algum tempo em Atenas. E foi ali que tomou a decisão de abraçar o paganismo, tendo procurado impô-lo novamente ao império romano. Embora seja melhor conhecido por sua rebeldia contra o cristianismo, os historiadores dizem-nos que ele foi um hábil general, um governante justo. Deixou obras literárias, incluindo discursos, cartas e peças satíricas que exibem considerável espirituosidade e inteligência. Naturalmente, entre seus escritos, há aqueles que atacam a fé cristã.

JÚLIO

Quanto ao significado e à origem desse nome pessoal, ver o artigo sobre *Júlia*. É interessante, para os estudiosos da Bíblia, que só existem dois Júlios, mencionados nas páginas do Novo Testamento, e um deles pertencente à família dos Césares.

1. *Júlio, um centurião romano*. Ele e suas tropas estavam estacionados em Cesaréia. Paulo foi entregue aos cuidados dele, quando teve de viajar, prisioneiro, a Roma, onde haveria de ser julgado diante de César. Ver Atos 27:1,3,43.

2. *Júlio, da Família dos Césares*. Ver o artigo separado sobre *César*. Os Césares do Novo Testamento foram: *Augusto* (Luc. 2:1); *Tibério* (Luc. 3:1); *Cláudio* (Atos 11:28) e *Nero* (Atos 25:8). Damos artigos separados sobre cada um deles. Ver o artigo sobre *Júlio César*, no terceiro ponto do artigo sobre *César*.

JÚLIO (PAPAS)

1. Júlio I. Ele nasceu em Roma, mui provavelmente, e ali faleceu, a 12 de abril de 352 D.C. Pontificou de 337 a 352 D.C. Atanásio, bispo de Alexandria, fora deposto pelos arianos (335 D.C.). Atanásio, pois, apelou a Roma, pedindo ajuda. Júlio I convocou os vários disputantes, mas os opositores orientais de Atanásio não quiseram comparecer, embora, originalmente, tivessem concordado com a convocação. Júlio reuniu um concílio de cinqüenta bispos da Itália (em cerca de 340 ou 341 D.C.). O resultado do concílio foi que Atanásio e suas doutrinas foram vindicadas. Um outro resultado foi que o concílio de Sárdica (341 D.C.) asseverou que as decisões locais, em casos de questões controvertidas sérias, poderiam ser revisadas por Roma. Atanásio foi restaurado como bispo de Alexandria, em 346 D.C. Júlio, ao que tudo indica, foi o construtor de dois importantes templos católicos: a Igreja dos Santos Apóstolos, em Roma, e a Igreja de Santa Maria, em Trastevere, também na Itália. Ele foi sepultado no cemitério da via Aurélia, em Roma.

2. Júlio II. Seu nome secular era Giuliano Della Rovere. Nasceu em Albissola, perto de Savona, na Itália, em 1443. Faleceu em Roma, a 20 ou 21 de fevereiro de 1513. Foi papa de 1503 a 1513. Seu tio, Francesco della Rovere, um cardeal franciscano, tornou-se papa antes dele, tendo tomado o nome de Xisto IV. Xisto IV pontificou de 1471 a 1484. Foi esse tio de Júlio II quem o interessou para que estudasse com os franciscanos, em Perúgia, e quem o tornou bispo de Carpentras, em outubro de 1471. Júlio tornou-se padre cardeal de São Pedro, em Vincoli. Não mantinha bom relacionamento com Alexandre VI (papa que governou entre 1492 e 1503); mas, posteriormente, reconciliou-se com ele. Esteve presente ao conclave que elegeu Pio III, em 1503. Porém, Pio III morreu um mês mais tarde e Júlio II foi eleito como seu substituto.

Júlio II pontificou com considerável habilidade; mas também tornou-se conhecido como quem oferecia peitas e fazia barganhas duvidosas. Fez muitas promessas aos cardeais, de que não agiria sem o consentimento deles; mas, ao tornar-se senhor da situação, não observou as restrições com as quais havia concordado. Contudo, foi capaz de restaurar à sé de Roma boa parcela de independência. Acabou envolvendo-se em guerras, primeiramente aliando-se à França, a fim de dominar Veneza; mas, posteriormente, voltou-se contra os franceses. Expulsou os franceses da Itália. Então Luíz XII, o monarca francês, tentou levantar um partido contrário ao papa, através de figuras importantes da época, como o cardeal Bernardino López de Carvajal, Guillaume Briçonnet, Filipe de Luxemburgo e Francesco Boriga. Esses convocaram o papa para que comparecesse a um concílio que haviam arranjado, mas ele reagiu, declarando-os destituídos de autoridade, e convocando ele mesmo um concílio, que lhe foi favorável, o concílio Laterano, em 19 de abril de 1512. Júlio II saiu-se vencedor nessa refrega, e a Espanha e a Inglaterra tomaram partido contra a França. No entanto, por ocasião da morte de Júlio II, os franceses reconquistaram parte do poder anterior de que gozavam.

Realizações. Júlio II tornou-se conhecido como hábil e poderoso político e militar. Também foi patrono das artes e empregou artistas famosos como Miguelângelo e Rafael, a fim de que adornassem o Vaticano. Embora ele mesmo se tivesse envolvido em algumas negociações duvidosas, em seu *De Fratrum nostorum*, ele declarou que qualquer eleição pontifical que fosse efetuada dentro da atmosfera da simonia estaria, automaticamente, anulada. Também afirmou que quaisquer acordos, ou barganhas, a que se apelasse, a fim de obter uma eleição para cargos eclesiásticos, anulariam automaticamente tal escolha.

3. Júlio III. Seu verdadeiro nome era Giovanni Maria Ciocchi del Monte. Nasceu em Roma, a 10 de setembro de 1487 e ali faleceu, a 23 de março de 1555. Governou como papa de 1550 a 1555. Distinguiu-se nos estudos de literatura e direito. Foi feito prelado por Júlio II. Tornou-se arcebispo de Manfredônia (1512); governador de Roma, e, finalmente, cardeal (1536). Serviu como bispo cardeal de Palestrina (1543). Foi legado de Paulo II, e, como tal, serviu como um dos presidentes do concílio de Trento,

JUMENTINHO — JUNCO

convocado em 1545. Interessava-se por reformar a Igreja Católica Romana, no esforço por anular os efeitos da *Reforma Protestante* (vide). Quando foi eleito papa, promoveu essa causa e designou os cardeais Reginaldo Pole, Giovanni Morone e Marcelo, para serem seus principais assessores. Eles fizeram parte de importantes sessões daquele concílio, que examinou as doutrinas da *eucaristia* (vide) e da *penitência* (vide).

Júlio III imiscuiu-se na política. Procurou reconciliar o imperador do Santo Império Romano, Carlos V, com o rei Henrique II, da França. Reconciliou a Inglaterra à Santa Sé, durante o reinado da rainha Maria I. Favoreceu aos jesuítas e aumentou o poder deles. Foi ele quem assinou a bula que resultou na construção do Colégio Germânico, em Roma, em 1552. Encorajou Francisco Xavier em sua evangelização do Japão.

Por seu lado melhor, ele foi um homem habilidoso, culto, religioso e eloqüente. Mas, peio seu lado pior, apelou para o nepotismo. E também faltava-lhe firmeza e tenacidade. (AM CE PAS)

JUMENTINHO

No hebraico encontramos duas palavras, e no grego, uma, a saber:

1. *Ben*, «filho», mas com esse sentido em Gên. 32:15 e 49:11.

2. *Ayir*, «jumentinho». Palavra hebraica que aparece por quatro vezes: Juí. 10:4; 12:14; Jó. 11:12; Zac. 9:9.

3. *Pôlos*, «jumentinho». Palavra grega que ocorre por doze vezes: Mat. 21:2,5 (citando Zac. 9:9); Mat. 21:7; Mar. 11:2,4,5,7; Luc. 19:30,33,35; João 12:15.

Na Bíblia, pode estar em foco o filhote de um jumento ou de um camelo. Fora da Bíblia, a palavra também é usada para indicar um pônei. Ver o artigo geral sobre o *Asno*. A mais notável passagem bíblica que fala sobre um jumentinho é a de Zacarias 9:9, que prediz a vinda do rei de Israel montado sobre um desses animais. Todos os quatro evangelhos falam sobre o cumprimento dessa predição: Mat. 21:1-11; Mar. 11:1-10; Luc. 19:28-49 e João 12:12-19. Alguns eruditos têm pensado que o ato de Jesus, ao procurar um jumentinho para entrar em Jerusalém, montado nesse animal, foi um ato deliberado, alicerçado sobre a consciência que ele tinha de ser o Messias, quando chegou o momento de cumprir aquela profecia bíblica. O asno foi escolhido por ser um animal pacífico, usado no trabalho de tração, empregado em misteres humildes. O cavalo, por sua vez, era usado como animal de guerra. Seja como for, o asno era o animal 'comumente empregado no transporte de pessoas ordinárias. Jesus mostrou a sua humildade através dessa escolha. Quanto a comentários completos sobre a narrativa bíblica, ver a exposição no NTI, em Mat. 21:1-11.

JUMENTO SELVAGEM

Três palavras hebraicas estão envolvidas neste verbete, a saber:

1. *Pere*, «jumento selvagem» ou «jumento livre». Esse termo aparece por nove vezes: Jó 6:5; 11:12; 24:5; 39:5; Sal. 104:11; Isa. 32:14; Jer. 2:24; 14:6 e Osé. 8.9.

2. *Arad*, «jumento selvagem ou livre». Esse termo aparece somente por uma vez em todo o Antigo Testamento, em Dan. 5:21.

3. *Arod*, «jumento selvagem ou livre». Outro

vocábulo hebraico que só figura por uma vez na Bíblia, em Jó 39:5.

Ao que tudo indica, essa tradução é correta. Dizemos isso porque é muito difícil interpretar nomes de animais, plantas, objetos do reino mineral, etc., sobretudo do Antigo Testamento, porquanto os antigos não classificavam cientificamente essas espécies, mas davam-lhes nomes segundo a aparência geral das mesmas. Jumento selvagem ou onagro (segundo a classificação científica, *Equus hermionus*), essa espécie é classificada como um «meio-asno» pertencente a uma espécie distinta do verdadeiro asno selvagem, do qual se deriva o nosso burro.

Houve tempo em que o onagro era largamente distribuído, embora dividido em várias áreas geográficas, desde as fronteiras da Europa e da Ásia, ao sul, estendendo-se para o Oriente, passando pela Índia e daí até à Mongólia. Jó descreveu com toda a precisão o seu habitat, ao dizer: «Quem despediu livre o jumento selvagem, e quem soltou as prisões ao asno veloz, ao qual dei o ermo por casa, e a terra salgada por moradas?» (Jó 39:5,6).

Pelos meados do século XIX, os jumentos selvagens já haviam sido extintos na Palestina, embora até hoje sobrevivam, em números mais ou menos regulares, no Iraque. Também há sobreviventes na Índia e na Ásia central. Embora o onagro, por muito tempo tenha sido considerado um animal que não pode ser domesticado, há evidências indiscutíveis sobre o fato de que esse animal era usado pelos sumérios para puxar carroças, o que é amplamente demonstrado no cemitério real de Ur (de cerca de 2500 A.C.). A identificação desse animal, entre eles, tem sido confirmada pelo estudo e comparação de ossos e carcaças, encontrados em Tell Asmar, embora não seja possível determinarmos se eles chegaram a ser plenamente domesticados ou se simplesmente foram capturados quando jovens, mais ou menos como acontecia aos elefantes.

O onagro tinha de ser arreado de uma maneira bem diferente dos cavalos. E isso sugere que o uso dos jumentos selvagens, como animais de tração, se baseava no uso de bois como animais de tração, e não que os que se utilizavam dos onagros estivessem acostumados com o uso de cavalos. No entanto, fora da Palestina, outros países próximos já usavam o cavalo. O fato é que assim que o cavalo era introduzido em alguma região, o jumento selvagem era deixado de lado, devido à eficiência muito maior do cavalo. O onagro era um animal quase branco, com os flancos amarelados e uma estreita faixa negra dorsal. A cauda terminava em tufo. Ver também sobre o *Asno*.

JUNCO

No hebraico temos duas palavras: **Agmom** usada por cinco vezes (por exemplo: Isa. 58:5); e *gome*, usada por quatro vezes (por exemplo: Êxo. 2:3; Isa. 18:2). Esta última palavra corresponde ao «papiro». O junco era uma planta alta, com colmo fino, que cresce nos alagadiços e ao vento facilmente dobra. Além do papel, a planta também era usada para o fabrico de pequenas embarcações e cestos (Êxo. 2:3). O colmo usualmente tem três metros de altura, e de cinco a oito centímetros de diâmetro na base. Uma área recoberta de papiro, que com suas belas plumas, chega a tornar-se bela. Dessa planta é que se deriva o nome do nosso *papel*.

Uso Figurado: Inclinar a cabeça como um junco é demonstrar o sentimento de tristeza, real ou

JUNG

imaginário. Em Isaías 58:5 está em foco apenas a demonstração externa de tristeza, sem a correspondente tristeza interior.

JUNG, CARL GUSTAV

Ele nasceu a 26 de julho de 1875 e faleceu a 6 de junho de 1961. Nasceu em Kesswil, Thurgau, na Suíça, e morreu em Kussnacht, no mesmo país. Era filho de um clérigo evangélico e filólogo. Foi educado em Batel e formou-se em medicina. Ainda no começo de sua carreira, ficou sob a influência de *Freud* (vide), tendo-se tornado um de seus mais brilhantes colaboradores. Em 1912, separado de Freud, Jung publicou o livro, com título em alemão *Wanlungen und Symbole der Libido*. Isso mostrou que, mesmo nesse tempo, ele já havia desenvolvido sua própria maneira de pensar. Então, fundou sua própria escola de psicanálise, em parte devido a experiências quase místicas que teve, que o levaram a rejeitar algumas das idéias de Freud, tentando novos caminhos de investigação. Era homem dotado de profundos dons intelectuais, o que combinava com uma forte fé religiosa.

Jung foi o primeiro homem a desenvolver o conceito de um *complexo psíquico*, uma constelação de idéias ou tendências, completa com um conjunto de arquétipos que, segundo ele, seriam herdados através da raça, desde os tempos mais remotos, que influenciam toda a nossa maneira de pensar e de agir. Ele pensava que esses arquétipos, ou conceitos principais, podem ser descobertos ou desenterrados da mente inconsciente, através de sonhos, mitos e símbolos religiosos. Foi ele, igualmente, quem cunhou as palavras *introversão* e *extroversão*, a fim de descrever tipos básicos de personalidade. E, juntamente com essas palavras, podemos enumerar uma série de outros vocábulos que vieram a fazer parte do vocabulário padrão da psicologia. Ele acreditava que a distinção mais básica, nas personalidades, consiste ou na orientação para com a realidade objetiva ou na orientação para com os determinantes subjetivos. Ele desenvolveu o teste de associação discreta, uma abordagem ao estudo da personalidade que a examina pelo lado introspectivo, mediante as reações verbais do indivíduo.

Seu verdadeiro desacordo com Freud ocorreu em 1913. Ele seguia teorias que davam muito menor peso ao sexo do que Freud estava fazendo, e mesclava isso com discernimentos comuns às religiões orientais. Parte disso devia-se às suas próprias experiências espirituais e místicas. Ele possuía dons psíquicos e obtinha discernimentos com base na intuição e em suas experiências pessoais. Chamava o seu sistema de *Psicologia Analítica*. Publicou muitos livros, que são uma espécie de relato das aventuras que ele realizava no campo da psicologia. A começar em 1932, tornou-se professor de psiquiatria da Universidade Federal Politécnica de Zurique, na Suíça. A partir da década de 1950, a Fundação Bolingen começou a publicar suas obras, traduzidas para o inglês, em dezoito volumes.

Seu método terapêutico é designado pelo nome de **prospectivo**. Procura guiar o paciente até à auto-realização, mediante a perseguição a alvos cheios de propósito. As obras de Jung têm tido imensa importância no estudo da literatura, dos mitos e das religiões, e não meramente da psiquiatria. Entre os fundadores do movimento psicanalítico, ele foi a figura mais religiosamente sensível de todas. Mostrou ser realmente universal em sua abordagem mental e em seu método, construtivo em seus ideais e simpático para com o poder das verdades e idéias religiosas, dentro da psicanálise. Ele não temia falar sobre a alma e sobre Deus, mas também fazia da alma e de Deus partes importantes de seus esforços por compreender o homem. Seus rivais fustigavam-no, chamando-o mais de filósofo do que psiquiatra. Porém, aí residia precisamente um dos segredos de seu sucesso. Jung tem sido uma fonte de inspiração para a guilda dos psicólogos pastorais britânicos, os quais estão interessados, acima de tudo, na promoção e compreensão da psicoterapia entre os ministros religiosos.

Obras principais: *Dementia Praecox; Psychology of the Unconscious; Studies in Word Association; Psychological Types; Modern Man in Search of a Soul; Psychology of Religion; The Integration of the Personality; Archetypes and the Collective Unconscious; Aion; Contributions to the Symbolism of the Self; The Spirit of Man in Art and Literature; The Practice of Psychotherapy; The Development of the Personality; Memories, Dreams, Reflections*; e, em dezoito volumes, a coletânea de suas obras, sob o título *The Symbolic Life, Miscellaneous Writings*.

Idéias:

1. Os tipos básicos de personalidade, os *introvertidos* e os *extrovertidos*. Porém, mais importantes ainda seriam os *arquétipos* da mente humana inconsciente, que são as forças poderosas que fazem de um homem o que ele é. Ver o artigo sobre *Arquétipo*.

2. *A análise da natureza humana* pode ser obtida mediante o exame dos padrões *arquétipos*, também chamados de *mandalas*. Os arquétipos (modos básicos de pensar, ocultos na mente inconsciente) projetam-se à mente consciente, através de representações simbólicas nos sonhos, nas fantasias, nos mitos e nos símbolos religiosos. Alguns arquétipos específicos são mencionados nos pontos abaixo.

3. *O Ego*. Esse é o nível consciente do homem, o homem conforme o conhecemos. A *persona* é a maneira como um indivíduo apresenta-se ao mundo, o que pode ser uma distorção daquilo que ele realmente é.

4. *A Ânima*. O ego masculino tem uma contraparte feminina, chamada *ânima*. E o ego feminino tem uma contraparte masculina, chamada *ânimo*. Ambas as coisas são arquétipos. O *amor* consiste em uma dupla projeção da mente inconsciente; e aqueles que amam algum membro do sexo oposto, possuem assim o *ânimo/ânima* do outro, o que explica por que essa emoção pode ser tão forte. Por essa razão é que o amor seria ao mesmo tempo cego e idealista. Chega aos arquétipos básicos do ser e expressa-os de maneira toda especial.

5. *A Sombra*. Essa é outra projeção do arquétipo. Trata-se de um princípio negativo no homem, correspondendo àquilo que é negro, misterioso e destrutivo. É algo semelhante ao desejo de morrer, postulado por Freud, embora mais amplo ainda, pois envolve outras negatividades. Explica aqueles desejos estranhos, por meio dos quais as pessoas atraem o infortúnio contra si mesmas. É aquilo que é mau, negativo e destrutivo, dentro da personalidade humana.

6. *O Eu*. Essa é a projeção do «eu» ideal, e também é um arquétipo. Origina-se em nossa natureza mais desenvolvida. Inclui outros arquétipos que já foram bem integrados na personalidade emergente. A conversão religiosa pode ser, pelo menos em parte, responsável pela integração dessas forças. E esse é o motivo pelo qual, algumas vezes, algumas pessoas desabrocham em diferentes tipos de personalidade,

JUNG

através desse processo. A conversão religiosa mostra que as forças interiores da personalidade podem ser integradas, a fim de formar-se uma pessoa superior.

7. *Arquétipos Simbólicos*. Essas são realidades mentais que são representadas por animais, coisas ou pessoas:

a. *O profeta*. Essa é a porção sábia de um homem, aquela parte que participa da eterna sabedoria dos séculos. Uma figura religiosa, um profeta, um antigo sábio pode aparecer-nos em um sonho, dizendo-nos o que devemos pôr no coração, visto que essa figura simbólica nunca mente. Tal figura sempre nos transmite alguma mensagem importante. O profeta aparece-nos em sonhos, visões, fantasias, imagens mitológicas, símbolos religiosos, mas também pode assumir uma existência muito pessoal e quase independente. Essa função pode estar vinculada à idéia do anjo da guarda, do cristianismo e de outras religiões.

b. *A serpente* (sabedoria, se positiva: ou atos enganadores, se negativa; e também as funções sexuais). *O sol* (surgindo ou desaparecendo no horizonte; vida e morte, e também iluminação). *A estrela* (a verdade divina e a iluminação).

c. *A grande mãe*. Também chamada de *Mãe Terra*. Essa é o equivalente feminino do Profeta, representando integralidade na mulher, um desenvolvimento em potencial até à grandeza. Não deve ser confundida com o arquétipo da *mãe* (vide, abaixo). Com base nesse arquétipo pode proceder a atenção que algumas religiões têm dado às deusas, ou, então, à Virgem Maria, na Igreja Católica Romana. O desejo que os homens têm de idealizar e deificar uma figura feminina, provavelmente vem de um arquétipo profundamente arraigado, a Grande Mãe, que faz parte de todos nós.

d. *A mãe*. Ela também pode ser a *Mãe Terrível*. Essa é a porção maternal e protetora da mulher, que tem tanto poder em nosso mundo, que faz os jovens adolescentes quase enlouquecerem, buscando a reprodução e a maternidade. Esse poder pode ser tão grande que chega a obscurecer o «eu», na mulher, o que já é um ideal bem mais amplo. A Mãe Terrível é aquele lado possessivo, devorador e destrutivo da maternidade. Essa é a mãe que mantém os filhos presos a ela a qualquer custo, procurando abafar a individualidade deles e praticando toda espécie de coisa destrutiva, em nome do amor maternal. Essa parte da maternidade pode ser representada nos sonhos como um *porco* (a forma final do egoísmo e da auto-indulgência), como um *lobo* (que devora os seus próprios filhotes). Outrossim, a Mãe Terrível é aquela que dá à luz a todas as abominações da terra, porquanto as mães, neste mundo, são originárias de tudo quanto existe de bom e de ruim nesta vida terrena.

e. *A princesa/sedutora*. Essa bela mulher, real e poderosa, pode fazer com os homens quase qualquer coisa que ela queira. Apesar de arquitetar casamentos felizes, também pode desbaratar famílias e, desmanchar casamentos. Em sua forma mais dramática, ela é o *súcubo*, um demônio feminino que tem poderes ilimitados sobre os homens.

f. *A feiticeira*. Essa é a intuição não desenvolvida que corta uma mulher da esfera espiritual inteira, mostrando-se destrutiva e indigna de confiança. A feiticeira, pois, pode apontar para os aspectos primitivos da mulher, para os poderes primitivos e, algumas vezes, malignos, que uma mulher pode possuir.

g. *O pai/ogre*. Esse arquétipo do homem corresponde à mãe terrível da mulher. Essa figura é a personificação da autoridade, da *lei*, da boa ordem, das convenções sociais, do impulso protetor masculino, do pai opressivo que procura estampar sua própria individualidade sobre os filhos, dominando todos os auto-interesses que eles possam ter. Esse arquétipo pode ser representado falsa e ignorantemente pelo amor.

h. *O jovem/safado* e *caçador*. No homem, esse arquétipo equivale ao da *Princesa/Sedutora* da mulher. Pode ser negativo, como um jovem ainda sem maturidade. Pode disfarçar-se de Herói ou de Sábio. Pode ser um safado que vaga de uma coisa para outra, sem nada criar nem desenvolver. Quando ele se faz de *caçador*, então torna-se um sedutor, um amante de aventuras e de conquistas sexuais.

i. *O mágico cheio de truques*. Suas mágicas são mágicas negras. Equivale à *Feiticeira*, na mulher. Ele é o lado negro dos poderes intuitivos do homem. Pode mostrar-se ajudante; mas, na maioria das vezes é destrutivo, astucioso e imprevisível.

j. *O vilão*. Esse é o arquétipo masculino do egoísmo, que pode chegar a atingir proporções de megalomania. Busca aquilo que deseja sem ser refreado por qualquer escrúpulo, sem deixar-se impedir por quaisquer limitações impostas pela sociedade. A parte agressiva de um homem pode adaptar quase qualquer coisa para que se torne uma arma, mediante a qual queira obter suas finalidades egoístas.

8. *As Mandalas*. Essa palavra pode referir-se aos padrões arquétipos e suas porções constitutivas. Tipicamente, têm quatro partes. Jung pensava em termos de quaternidade, e não de trindade. A *mandala* simboliza a totalidade. Por exemplo, consideremos os quatro aspectos do «eu» de uma mulher: a. a amazona/caçadora; b. a sacerdotisa/feiticeira; c. a princesa/sedutora; e d. a mãe/mãe terrível. Esses aspectos formam o «eu» inteiro, que produz a *Grande Mãe* (vide, acima).

9. *A Vida Semi-autônoma dos Arquétipos*. Jung acreditava que a atuação dos arquétipos é tão poderosa dentro de nós que chega a assumir uma vida semi-autônoma em nosso homem interior. Isso posto, um indivíduo seria uma espécie de comunidade de pessoas, e não uma única pessoa. Ele procurava integrar todos esses aspectos do homem em suas atividades, em sua religião, em seus sonhos, em suas experiências místicas, em suas artes e em sua ciência.

10. *A Cura da Alma*. Dentro dessa comunidade de pessoas que é cada indivíduo, surgem muitos conflitos, derrotas e vitórias, matanças e curas. O objetivo da psicoterapia-filosofia de Jung era a cura das almas. Sabemos que a alma humana está enferma em face de sua rebeldia e pecado contra Deus. A verdadeira cura da alma, pois, é aquela promovida pelo evangelho: a volta da alma, de todo coração, de todas as forças, de todo o entendimento para Deus, na pessoa de Jesus Cristo. O Espírito Santo, então, faz o que Lhe é mister, transformando-nos, gradual e progressivamente, à imagem do Homem perfeito, Jesus Cristo, o Logos, o Filho de Deus, o grande arquétipo de toda personalidade humana. Ver II Cor. 3:18. (AM CHE DRE E EP IRA P)

JÚNIAS

Não há certeza se essa é a forma masculina ou feminina de *Juninus*, o nome de um clã latino. Sabe-se, porém, que a palavra está relacionada a *Juno* (*onis*), a deusa, filha de Saturno, que era irmã e esposa de Júpiter. O nome do mês de *junho* deriva-se

JÚNIAS — JURAMENTOS

desse nome. No Novo Testamento, Júnias era um cristão (em Roma, ou, talvez, na Ásia Menor), a quem Paulo enviou saudações. Ver Rom. 16:7. Não há certeza se *Júnias* era homem ou era mulher. Se foi um homem, então talvez fosse irmão de Andrônico, mencionado juntamente com ele. Se era mulher, então os dois podem ter sido irmã e irmão, ou, então esposa e esposo. Seja como for, ambos são identificados como parentes de Paulo (o que talvez deva ser interpretado como compatriotas judeus), que tinham sido aprisionados juntamente com Paulo. Eram cristãos de considerável reputação, que se haviam convertido a Cristo antes do apóstolo dos gentios. Ver o artigo separado sobre *Andrônico*.

JUNÍPERO (ARBUSTO SOLITÁRIO)

A palavra «junípero» não aparece em nossa versão portuguesa, em Jer. 17:6 e 48:6, onde ocorre a palavra hebraica *arar* ou *aroer* (esta última forma, em Jer. 48:6). Nossa versão portuguesa prefere traduzir por «arbusto solitário». A Edição Revista e Corrigida, em co-edição com a Sociedade Bíblica do Brasil, diz ali «tamargueira». O sentido literal da palavra hebraica é «objeto nu» ou «objeto destituído». Junípero talvez seja a tradução mais provável, porquanto parece que se trata do junípero anão que está em foco, e que cientificamente se chama *Juniperus sabina* ou *juniperus phoenicia*, que medra bem no deserto, embora não seja comum na Palestina. Esse arbusto tem folhas pequenas, parecidas com escamas, e cresce no lado ocidental das montanhas de Edom. A espécie *Erica verticillata* é uma outra identificação possível. Essa é uma espécie de junípero que se acha no Líbano.

JUNTAS

1. A junção de ossos em qualquer corpo animal, como um corpo humano (Dan. 5:6). 2. As partes de uma armadura, que se justapõem (II Crô. 18:33). 3. Figuradamente temos a expressão «todo o corpo, suprido e bem vinculado por suas juntas e ligamentos, cresce o crescimento que procede de Deus» (Col. 2:19; ver também Efé. 4:16). Em foco estão os ofícios do Espírito e as graças da fé e do amor, das quais compartilham todos os crentes. Esses fatores são necessários para o desenvolvimento e o bom funcionamento do corpo místico de Cristo.

Em Hebreus 2:14, a expressão «juntas e medulas» aponta para as disposições secretas dos homens. A Palavra de Deus, na qualidade de *espada* de Deus, penetra nessas disposições secretas e as revela. Essa mesma passagem alude à divisão entre alma e espírito, através da mesma função da Palavra de Deus. Isso se tornou um dos fatores dentro da controvérsia *Dicotomia-Tricotomia* (vide).

JUNTURAS

No hebraico, **dabeq**, «junta», «ligação», palavra usada somente por três vezes: I Crô. 22:3; Deu. 4:4 e Pro. 18:24. Com o sentido literal de algo que ligava as portas aos batentes, no caso do templo de Jerusalém, temos a primeira dessas referências. Nas outras há um sentido metafórico da palavra, que aparece, em nossa versão portuguesa, nas frases «vós que permanecestes fiéis» e «há amigo mais chegado do que um irmão». Não se sabe qual a natureza exata da juntura, em seu sentido literal.

JÚPITER

1. O Nome e os Mitos:

O latim por detrás desse nome significa «pai do céu». Portanto, equivale ao Pai celeste do cristianismo. Júpiter, para os romanos, equivalia a *Zeus*, para os gregos. De acordo com os mitos greco-romanos, Zeus/Júpiter era o governante supremo dos céus. Dentro da religião pagã romana, Júpiter era originalmente representado como um espírito celeste, o controlador dos dias (*jovis*). Daí foi que ele teria subido para a posição superior de chefe de todas as divindades. O raio, tal como também se dava com o Zeus dos gregos, era sua arma mais letal, diante da qual nenhum ser, celeste ou terrestre, era capaz de resistir. Ele era o protetor do povo, mormente em tempos de guerra; além disso, era o deus da justiça e dos juramentos. Em seu desenvolvimento completo, ele recebeu o título de *Jupiter Optimus Maximus*, e, como tal, equivalia ao Zeus dos gregos. Era ele o originador de todas as modificações do firmamento, e também era o guardião das propriedades de todos os cidadãos romanos. Animais de cor branca lhe eram oferecidos em holocausto, e seus sacerdotes usavam gorros brancos. Sua carruagem seria puxada por quatro cavalos brancos celestiais. Sua árvore era o carvalho e seu pássaro era a águia. Seu templo mais célebre ficava na colina Capitolina, em Roma.

2. No Novo Testamento:

As populações da época do Novo Testamento sem dúvida acreditavam em *epifanias* ou aparições. O trecho de Atos 14:12 registra que Paulo e Barnabé foram erroneamente identificados como Hermes e Júpiter, pelos habitantes de Listra. Paulo foi chamado de Hermes, por ser o orador principal. Pois, para os gregos e os romanos, Hermes era o mensageiro dos deuses. Havia um culto local a Júpiter (vs. 13), entre o povo de Listra, que falava a língua licaônica. É claro que aquela gente ansiava por ver alguma manifestação de sua principal divindade entre eles. O prodígio efetuado e as palavras ditas pelos missionários cristãos proveram a oportunidade para aquelas pessoas «verem» tal manifestação. A mente religiosa está sempre disposta a inventar e exagerar coisas, a fim de obter alguma forma de confirmação para sua fé e teologia. Paulo e Barnabé, pois, tiveram de protestar contra a adoração às suas pessoas, para evitarem os sacrifícios que já começavam a ser oferecidos, como se eles fossem mesmo Júpiter e Hermes. No entanto, judeus rebeldes, não muito tempo depois, conseguiram modificar totalmente o ânimo dos habitantes da cidade, que se transformaram de excitados adoradores em quase linchadores. Paulo foi apedrejado e deixado como morto. No dia seguinte, ele e Barnabé partiram para Derbe.

JURAMENTO DE HIPÓCRATES

Ver **Hipócrates, Juramento de.**

JURAMENTOS

Esboço:

    I. Definição e Sentidos; Palavras Envolvidas
    II. Os Juramentos de Deus
    III. O Ensino de Jesus sobre os Juramentos
    IV. Gestos e Atos Acompanhantes
    V. Juramentos e Provas
    VI. O Perjúrio
    VII. Juramentos Tolos e Pecaminosos
    VIII. Juramentos Judiciais, Antigos e Modernos

I. Definição e Sentidos; Palavras Envolvidas
Um **juramento** é uma solene **confirmação**, em apoio

JURAMENTOS

a alguma declaração, ou então, uma *promessa*, reforçada por um apelo a Deus, a alguma coisa sagrada, a alguma elevada autoridade, a alguma testemunha, que garanta a sinceridade e a intenção de quem jurou de que cumprirá a sua declaração. Nos tribunais, tal confirmação da veracidade de uma declaração torna a pessoa passível de punição por perjúrio, se ficar provado que uma declaração importante sua é falsa.

Um juramento também pode ser uma imprecação que, presumivelmente, tenha o poder de prejudicar àquele contra quem a imprecação é proferida. Utiliza-se um juramento para afirmar a veracidade de uma declaração qualquer, quando não há evidências presentes com esse propósito. A credibilidade de uma assertiva é fomentada por um juramento (ver Êxo. 22:10,11; Núm. 5:16 *ss*). Jesus fez um juramento quando o Sinédrio duvidou de suas reivindicações messiânicas (Mat. 26:63). Outrossim, um juramento submete aquele que jura ao escrutínio de Deus. Presume-se que ninguém juraria e mentiria, ao mesmo tempo. A Bíblia ensina-nos que Deus sempre tem consciência de nossos atos e de nossas palavras; e um juramento torna-nos responsáveis diante de Deus ainda com mais força.

Os juramentos fazem-nos lembrar do fato de que os atos e as palavras que dizemos são questões sérias, mormente quando estão em jogo questões importantes. Em certas oportunidades, houve regozijo no caso dos juramentos, porquanto é satisfatório conclamar Deus como testemunha, nessas ocasiões (ver II Crô. 15:14,15). O próprio Deus deu-nos exemplo disso. Embora suas palavras nunca requeiram confirmação, os autores do Antigo Testamento encastoaram-nas em juramentos divinos, conforme se vê, por exemplo, em Gên. 22:16-18; Sal. 110:4 e Heb. 6:13. As promessas de Deus são irrevogáveis (Núm. 23:19). Era questão muito séria um hebreu proferir o nome divino, usando-o em um juramento, para dar maior solenidade a uma declaração.

Palavras Envolvidas:

No *hebraico* são usadas duas palavras referentes aos juramentos, a saber:

1. *Alah*, «imprecação». Essa palavra é baseada sobre o nome divino *El*. Essa palavra é usada por trinta e cinco vezes com o sentido de «juramento», «maldição», «imprecação», etc. Por exemplo: Gên. 24:41; 26:28; Lev. 5:1; Núm. 5:23; Deu. 29:12,14; I Reis 8:31; Isa. 24:6; Eze. 16:59; Zac. 5:3. Essa palavra também indica um *acordo* feito sob juramento (Gên. 26:28; II Sam. 21:7), ou um apelo a Deus, para que seja testemunha de algo (Nee. 10:29; Êxo. 22:11).

2. *Shebuah*, «juramento». Essa palavra hebraica está baseada na palavra que significa *sete*, o número sagrado. Algumas vezes, os juramentos eram feitos com o acompanhamento de um ato em sete fases ou repetido por sete vezes, como se fosse uma enfática afirmação. Abimeleque deu a Abraão sete ovelhas, como juramento (Gên. 21:29,30).

No grego, temos o substantivo *órkos*, «promessa», «juramento». Em Heb. 6:17, vemos que os juramentos eram usados como garantia de uma declaração qualquer. Jesus objetou à feitura frívola de juramentos, uma prática que se tornara muito comum entre os judeus (ver Mat. 5:33 *ss*), uma proibição reiterada em Tia. 5:12. Outras referências no Novo Testamento são: Mat. 14:7,9; 26:72; Mar. 6:26; Luc. 1:73; Atos 2:30; Heb. 6:16,17. Também temos a considerar o verbo grego *omoióo*, «jurar», que ocorre por quinze vezes no Novo Testamento: Mat. 6:8; 7:24,26; 11:16; 13:24; 18:24; 22:2; 25:1; Mar. 4:30; Luc. 7:31;

13:18,20; Atos 14:11; Rom. 9:29 (citando Isa. 1:9); Heb. 2:17.

II. Os juramentos de Deus

Esse é um ponto comumente destacado em ambos os Testamentos. Deus é retratado na Bíblia como quem jurou, a fim de garantir a veracidade de suas declarações (Núm. 23:19), a fim de que todos confiassem em suas promessas (Isa. 45:20—24). Deus jura por si mesmo, visto não ter ninguém maior que ele, por quem jurar (Heb. 6:13). Deus jura pela sua santidade (Sal. 89:13), por seu grandioso nome (Jer. 44:26), por sua vida (Eze. 33:11). Deus jura a fim de reforçar as suas ameaças de castigo contra os desobedientes (Sal. 110:4-6). E Deus também jurou, garantindo a sua promessa de salvação, por meio de Cristo (Heb. 7:20-28).

Pontos de Vista sobre os Juramentos de Deus. Realmente, estranhamos que Deus precise fazer juramentos, para ser crido pelos homens. Por essa razão, muitos intérpretes pensam que isso é uma demonstração do ponto de vista antropomórfico de Deus, e não algo que devamos aceitar em termos literais. Mas outros estudiosos, não tendo medo dos antropomorfismos, insistem em que Deus, literalmente, jurou. Parece que podemos aceitar a questão como *símbolo* de profundas verdades, isto é, símbolos usados pelos autores sagrados para falarem sobre verdades fixas. Se a questão é simbólica, então não há razão para supormos que Deus jurou, literalmente, diante de suas criaturas. Esses símbolos, porém, refletem grandes verdades relacionadas ao trato de Deus com os homens.

III. O Ensino de Jesus Sobre os Juramentos

É deveras significativo que a questão dos juramentos foi abordada por Jesus, em seu doutrinamento sobre como devemos compreender a lei por um ângulo mais espiritual. Na qualidade de segundo Moisés, ele reinterpretou algumas importantes questões. No seu Sermão da Montanha, Jesus abordou os juramentos, juntamente com outras questões importantes. O texto básico para isso é Mat. 5:33-37.

1. *A Palavra do Primeiro Moisés*

Mat. 5:33: *Outrossim, ouvistes que foi dito aos antigos: Não jurarás falso, mas cumprirás para com o Senhor os teus juramentos.*

Jesus prossegue com as ilustrações sobre a espiritualidade da lei, em contraste com a interpretação estrita das autoridades judaicas. Ele já ilustrara a mesma questão com três outras coisas: 1. o sexto mandamento: Não matarás; 2. o sétimo mandamento: Não adulterarás; 3. a lei do divórcio. Agora usaria a quarta ilustração (vss. 33:37): os juramentos.

Não jurarás falso (Lev. 19:12 e Êxo. 20:7) «...não tardarás em cumprí-lo...» (Deu. 23:22; ver Núm. 30:1-16). O costume de jurar era mais antigo que a lei. Foi adotado pela lei civil como algo necessário (Êxo. 22:11). O que Jesus condena não é a simples idéia da lei, e, sim, como nos casos do sexto e do sétimo mandamentos, os abusos ao princípio. Os judeus classificavam os juramentos, e alguns eram reputados mais importantes, de acordo com o *objeto* sobre o qual o juramento era feito. Juravam pelo céu, pela terra, por cidades como Jerusalém, por partes do corpo humano, como a cabeça, pela sinagoga, pelo templo, e muitas vezes pelo nome de Deus (ou por respeito ao nome de Deus), modificando o som, às vezes fazendo o nome de Deus significar outra coisa, pelo modo de sua pronúncia. Às vezes usavam os nomes dos deuses dos gentios em seus juramentos. Até hoje, em questão de profanação e juramentos,

JURAMENTOS

não há povo como os orientais. As formas de juramento e profanação são infinitas. Os judeus consideravam que só o juramento feito em nome de Deus era importante e exigia cumprimento. Maimônides disse: «*Se quis jurat per coelum, per terra, per solem, non est juramentum*». (Se alguém jura pelo céu, pela terra, pelo sol, não é juramento). Filo também mostra a atitude dos judeus quando afirma que os juramentos pela terra, pelo céu, e outros tantos juramentos, não eram obrigatórios. O desenvolvimento do costume de juramentos debilitou a moral da honestidade e da sinceridade entre o povo. A multiplicação de juramentos criou um espírito superficial, inclinado à mentira. Foi principalmente isso que Jesus censurou.

2. A Palavra de Jesus, o Segundo Moisés.

Mat. 5:34: *Eu, porém, vos digo que de maneira nenhuma jureis; nem pelo céu, porque é o trono de Deus;*

De modo algum jureis. Provavelmente Tia. 5:12 foi diretamente copiado desse texto. Quatro são as interpretações dessa expressão: 1. Não jurar, se o juramento não estiver de acordo com a reverência devida a Deus. 2. Não jurar ignorantemente, como os judeus. 3. Não jurar de maneira superficial, como os judeus, ficando excluídos, entretanto, os juramentos civis, neste ensino. 4. Trata-se de uma proibição *absoluta* para qualquer tipo de juramento, sob qualquer circunstância.

3. O Ideal

Como ideal mais elevado, provavelmente seria melhor não jurar, especialmente na comunidade cristã. O homem honesto, aprovado por Deus e que vive no espírito da lei, jamais teria necessidade de jurar, bastando o simples *sim* ou *não*. Jesus interpreta o espírito da lei, o ideal da humanidade. Lembrandonos disso, podemos afirmar que a simples interpretação das palavras de Jesus, seria exatamente esta, «De modo algum jureis, nem pelo céu...» etc. Contudo, infelizmente a sociedade *não regenerada* não pode atingir tal ideal perfeito, porque há grande número de indivíduos indignos de confiança, e não seriam suficientes as simples palavras «sim» ou «não» para inspirar e garantir confiança nos tribunais de justiça. Assim, pôsto que a sociedade humana é imperfeita, tornam-se necessários os juramentos. Jesus não insistiria, por exemplo, para que o indivíduo que se irasse contra outrem fosse morto (vs. 22) e nem que o homem que cobiçasse outra mulher que não a sua arrancasse (literalmente) o seu olho direito. Assim sendo, Jesus também não proibiria juramentos exigidos pela lei, que fazem parte do costume legal em muitos lugares. Cristo proíbe o espírito *imprudente e orgulhoso* com que faziam grandiosas mas falsas declarações em nome de Deus, em nome do lugar onde Deus habita (os céus), ou em nome de algum lugar associado ao seu nome, como o templo de Jerusalém. Deus não é obrigado a apoiar esses juramentos inprudentes, e o homem santo não pode esperar que Deus o faça. O emprego do nome de Deus, nessas condições, não passa de uma forma de profanação. Como ideal perfeito, a proibição absoluta contra qualquer forma de juramento deve ser a interpretação correta; mas esse ideal não impediria o fato de ser esse o costume dos tribunais, que trata com homens imperfeitos e desonestos. Provavelmente Cristo expunha o ideal para o indivíduo, não incluindo os costumes próprios dos tribunais, isto é, não estava legislando.

Alguns comentaristas mostram que o *próprio Jesus* respondeu sob juramento (ver Mat. 26:63,64). E os apóstolos usaram juramentos nas Escrituras (Gál.

1:20; II Cor. 1:23; Rom. 1:9; Fil. 1:8; I Cor. 15:31,. O Anjo do Senhor também jurou (Apo. 10:6). Essas referências mostram que a lei dos juramentos não é norma absoluta para todas as circunstâncias.

4. Juramentos Específicos

Nem pelo céu. Não podemos jurar pelo céu, porque está associado ao nome e à pessoa de Deus. O juramento pelo céu, portanto, é uma maneira de jurar pelo nome de Deus. Tal juramento foi e ainda pode ser uma forma de profanação. Deus não está obrigado a cumprir os desejos só porque usam o seu nome, especialmente quando profanam o seu nome.

Mat. 5:35: *nem pela terra, porque é o escabelo de seus pés; nem por Jerusalém, porque é a cidade do grande Rei;*

Nem pela terra. Porque a terra também está diretamente ligada a Deus, por ser o «estrado de seus pés» (ver Isa. 66:1). A cidade de Jerusalém é a cidade do grande Rei, isto é, Deus. (Ver Sal. 48:2). Jurar por Jerusalém, pois, é uma maneira indireta de jurar pelo nome de Deus. Jesus diria que o cumprimento de todos esses juramentos seria obrigatório porque estão vinculados ao nome de Deus; mas também diria que, especificamente, o homem não tem o direito de usar o nome de Deus para garantir a validade de qualquer juramento. Outrossim, o homem honesto não tem necessidade de confirmar o juramento com qualquer outro nome além do seu.

Mat. 5:36: *nem jures pela tua cabeça, porque não podes tornar um só cabelo branco ou preto.*

Nem jures pela tua cabeça. Esse juramento provavelmente não era reputado como vinculado a Deus; por isso era usado como meio de jurar sem cometer profanação. Mas mesmo assim alguns opinam que tal juramento inclui profanação do nome de Deus, por ser o homem uma criatura feita por Deus à sua própria imagem. Essa é uma verdade, mas o restante do versículo mostra que não foi por essa razão que Jesus destacou esse juramento como exemplo. Cristo ilustra que o juramento feito pela própria cabeça constitui uma forma de *profanação*, apesar de não usar o nome de Deus, pois em realidade ninguém exerce controle sobre a própria vida e não pode mudar, pela sua vontade, nem mesmo a cor de seus cabelos. Se o homem não pode nem ao menos mudar a cor de seus cabelos, como seria possível a ele confirmar ou garantir qualquer juramento feito por sua cabeça? Portanto, isso é uma tolice. Não podemos tratar de coisas sérias, como os juramentos, de maneira superficial (e a despeito do fato de que alguém pode pensar não se tratar de questão séria). Além disso, a simples palavra do homem honesto deve ser suficiente. A cor de seus cabelos está fora do controle do homem, e por isso não pode servir de base para juramento algum

5. A Santidade da Linguagem

Mat. 5:37: *Seja porém, o vosso falar: Sim, sim; não, não; pois o que passa daí, vem do Maligno.*

Sim, sim... não, não. Ver Tia. 5:12; II Cor. 1:17,18. A repetição da palavra é a confirmação ou não da verdade. A garantia da honestidade do indivíduo deve ser a confiança na sua *simples palavra*. Provavelmente Jesus insistiria que tal honestidade deve ser inspirada pela consciência da presença de Deus e a relação do homem para com o Senhor. O homem cônscio da presença de Deus e que sente responsabilidade para com Deus, não mente. Tal honestidade não requer a confirmação de qualquer juramento. E o juramento feito—pelo homem desonesto—não tem valor. A desonestidade de nossa natureza se expressa não apenas na tendência em nos

JURAMENTOS

desviarmos da verdade pura, mas também na esperança de que nossos semelhantes façam a mesma coisa. A prática dos juramentos apenas agrava essa situação, porque o próprio juramento é usado para enganar, conformando de maneira séria uma desonestidade.

6. A Perversidade da Linguagem

Vem do maligno. Alguns interpretam *«do diabo»*, que é o ser maligno (Eut., Zig., Cris., Teof., Beza, Zwínglio, Fritzche, Meyer e outros). Ninguém negaria que, segundo as idéias básicas do N.T., todo mal tem origem na pessoa do diabo, direta ou indiretamente; mas a referência aqui é à perversidade dos homens que empregam o juramento com o fito de enganar e cumprir propósitos desonestos, profanando o nome de Deus nesse processo. Dificilmente tais homens usam de juramentos sem algum tipo de maldade. O próprio juramento tende a provocar a maldade. Não jures. Aquele que jura, mente. Aquele que mente, rouba. Que mais não faria o homem?

IV. Gestos e Atos Acompanhantes

As palavras, por mais solenes que sejam, não eram consideradas suficientes, por aqueles que faziam juramentos. Certo ritual desenvolveu-se em torno dos juramentos, conforme se vê nos cinco pontos abaixo:

1. A mão era estendida (Eze. 17:18).

2. A mão era erguida para o céu, como que apelando para Deus como testemunha (Deu. 32:40). Nesse caso, quem jurava erguia sua mão direita (Dan. 12:7; Apo. 10:5,6). O próprio Deus aparece fazendo esse gesto (Isa. 62:8), o que é um puro antropomorfismo.

3. Aquele que recebia o juramento punha a mão sob os órgãos genitais de quem jurava. Como eufemismo, é usada a palavra «cexa» (Gên. 24:2; 47:29). Alguns intérpretes pensam que isso já representa um exagero!

4. Aquele que proferia o juramento podia reforçá-lo dando um presente àquele a quem era feita a promessa (Gên. 21:25-32).

5. Sacrifícios de animais podiam ser oferecidos, para solenizar ainda mais os juramentos (Gên. 15:9,10).

V. Juramentos e Provas

A questão das águas amargas, no caso de supostas mulheres adúlteras (ver Núm. 5:11-31), era uma maneira de submeter à prova o juramento de inocência delas. Água benta era misturada com a poeira do chão do tabernáculo, e a isso adicionavam-se as imprecações (juramentos negativos). Isso era uma mistura de água não fervida, poeira retirada de onde tantas pessoas caminhavam, e alguma espécie de tinta de escrever. Não admira que, ao beberem a mistura, as mulheres se sentissem mal, o que, presumivelmente, mostraria que elas eram culpadas! Porém, na verdade, devemos pensar muito mais no aspecto psicossomático da questão. Uma mulher, premida por sua consciência culpada, haveria de reagir negativamente. Naturalmente, a crença da época era que Deus protegeria a mulher inocente, ao passo que a mulher culpada sentiria tremenda dor de estômago. Verdadeiramente, palmilhamos aqui sobre um terreno religioso primitivo. Sabemos, pela história antiga, que coisas perigosas eram requeridas da parte daqueles que faziam juramentos, sempre com a idéia de que Deus protegeria aos inocentes. Na Idade Média, era assim que os hereges (ou acusados de heresia) eram submetidos à prova. Lançavam um homem em um tanque de água, fazendo-o submergir. Se ele voltasse à tona, era inocente, e não morreria afogado! Ou, então, faziam-no caminhar sobre brasas

vivas. Se fosse inocente, não se queimaria! Não admira que Jesus tenha proibido terminantemente os juramentos, considerando os abusos que geralmente vêm-se misturar aos juramentos. Seja como for, há algo de ridículo quando um homem invoca a Deus para confirmar suas palavras, como se Deus tivesse de satisfazer os caprichos dos homens. Todavia, no caso da prova pela água amarga, Deus prometeu intervir, desmascarando a culpada e inocentando a inocente!

Provas Pela Água e Acordos Feitos Sob Juramento. Podemos pensar no dilúvio de Noé; na passagem de Israel em seco, pelo mar Vermelho; e na travessia do rio Jordão, por Josué e o povo de Israel. Essas foram provas pela água, que funcionaram como confirmações do pacto estabelecido por Deus com o seu povo. Ver esse conceito comentado no Novo Testamento, em trechos como I Cor. 10:2; I Ped. 3:21; II Ped. 3:5-7; Luc. 12:50; Mar. 10:38.

A *ressurreição* de Jesus pôs ponto final à prova da cruz do Calvário. E tanto a prova como o triunfo obtido por Cristo tornaram-se confirmações do valor da missão salvatícia de Cristo.

VI. O Perjúrio

Era questão seriíssima profanar o nome de Deus, se tivesse sido proferido em um juramento (Lev. 19:12). Os trechos de Êxo. 20:7; Jer. 34:18 e Eze. 17:16-19 mostram que tal perjúrio não ficava sem o devido castigo. Por estranho que pareça, a questão dos juramentos foi distorcida de tal modo que alguns pensavam que era correto mentir, contanto que a pessoa não escudasse a mentira em um juramento! O Senhor Jesus, em contraste com isso, condenou terminantemente os juramentos, afirmando que a palavra de um homem deve ser suficiente. Se um crente disser «sim», então que seja «sim»; e se disser «não», então que seja «não» (Mat. 5:37). Jesus insistia sobre a necessidade de integridade em nosso linguajar, embora os homens gostem de profanar sua linguagem de maneira frívola.

VII. Juramentos Tolos e Pecaminosos

Algumas vezes os homens fazem juramentos que os põem em situações ridículas e dolorosas. Jefté (vide), o nono juiz de Israel, fez um juramento *tolo* e pecaminoso, quando prometeu oferecer um sacrifício humano, se obtivesse a vitória militar sobre o inimigo. Ele jurou que sacrificaria a primeira pessoa que viesse saudá-lo, ao retornar vitorioso. Infelizmente, sua filha única foi quem veio ao seu encontro. Alguns meses mais tarde, ao que tudo indica, ele a sacrificou. Ver Juí. 11:34 *ss*. Pedro negou ao seu Senhor com juramento (Mat. 26:72). O juramento feito por Herodes à filha de Herodias, resultou na decapitação e morte de João Batista (Mat. 14:6-10). Os adversários de Paulo reforçaram suas intenções assassinas com juramentos (Atos 23:12-15). O juramento precipitado de Saul quase custou a vida a Jônatas (I Sam. 14:24,25).

VIII. Juramentos Judiciais, Antigos e Modernos

1. **Nos Tempos do Antigo Testamento**. quando não havia evidências sobre alguma questão grave, e pessoas inocentes poderiam ser prejudicadas, ou pessoas culpadas poderiam nada sofrer, então a lei mosaica requeria juramentos, para que houvesse esclarecimento. As situações assim envolvidas eram as seguintes: a. quando os bens que alguém deixara sob a guarda de outrem eram furtados ou destruídos (Êxo. 22:10,11). b. Quando alguém que achara alguma propriedade perdida, fosse acusado de furto (Lev. 6:3). c. Quando se suspeitava do adultério de uma esposa (Núm. 5:11-28). d. Quando, sem sabê-lo, uma comunidade abrigasse um criminoso (Lev. 5:1).

JUROS — JUSTIÇA

Também havia juramentos que prometiam o cumprimento do dever ou a satisfação de condições, em um negócio (I Reis 2:43). A lealdade de um vassalo a um senhor qualquer podia envolver um juramento (Ecl. 8:2).

2. *Nos Tempos Modernos*. Os juramentos podem envolver problemas morais e civis. Aqueles que aceitam os ensinos de Jesus talvez se recusem a fazer qualquer tipo de juramento, até mesmo em tribunais de lei. Os quacres nunca fazem juramentos de qualquer espécie. Alguns intérpretes suavizam a proibição de Jesus, dizendo que ele apenas se opunha aos abusos; mas Mat. 5:37 é contrário a essa interpretação. Por outro lado, se a lei de um país requer que se façam juramentos em tribunal, então, cada um deve resolver a questão à luz de sua consciência. O indivíduo poderá jurar, obedecendo à lei do país, segundo o ensino de Rom. 13:1 *ss*; ou, então, pode não jurar, observando a estrita palavra de Cristo. Nesse caso, terá de sofrer as sanções impostas pela lei, por sua recusa. Em favor dos juramentos judiciais, porém, temos o caso do próprio Deus. O raciocínio é que se o próprio Deus jurou, então, seu povo também pode jurar. Além disso, em seu julgamento, Jesus atendeu a um apelo, com juramento (Mat. 26:63). Se Jesus sentiu-se obrigado diante de um juramento, outro tanto pode suceder com os seus seguidores, se a lei de um país assim o requerer. (B DD H ID KLI UN Z)

JUROS

Esse é o lucro calculado sobre determinada taxa de dinheiro emprestado ou de capital empregado; rendimento; interesse. O termo hebraico usado no Antigo Testamento é *nasa*, «conceder um empréstimo» (Deu. 24:11; Isa. 24:2; Jer. 15:10). Mas esse vocábulo também é usado para indicar juros ou usura (Êxo. 22:25). Uma outra palavra hebraica, *massa*, também pode ser usada com ambos esses sentidos. Assim, em Neemias 10:21 significa *dívida*; mas, em Neemias 5:7, *usura*. A raiz verbal de nasa é *nasak*, «reivindicar interesse» (Deu. 23:19), que vem de *nesek*, ou seja, «extorquir» (Sal. 109:11). A palavra grega correspondente, usada no Novo Testamento, é *tókos*, «nascimento», «prole», envolvendo a idéia de que dinheiro gera dinheiro, um princípio bem conhecido da economia.

Quando discutimos a questão dos empréstimos entre os hebreus primitivos, deveríamos lembrar que um empréstimo podia ser pedido a fim de sustentar a própria vida física, considerando a profunda pobreza em que viviam muitos hebreus de vida nômade ou seminômade. Isso ilustra a seriedade dos empréstimos e das dívidas. O comércio escravagista era sustentado, pelo menos em parte, por pessoas que não podiam pagar as suas dívidas, as quais então eram vendidas como escravas, com essa finalidade. Apesar das pessoas que faziam empréstimo raramente poderem esperar alguma misericórdia da parte de seus credores, havia estipulações veterotestamentárias pondo à disposição dos interessados os empréstimos (Deu. 15:7-11). Paralelamente, um israelita não podia cobrar juros de um seu compatriota (Êxo. 22:25; Lev. 25:36,37; Deu. 23:19,20). De fato, os israelitas não deveriam tornar-se agiotas (Sal. 15:5). No entanto, muitos deles praticam a agiotagem, a despeito disso ser-lhes vedado pela lei mosaica, onde é condenada como desonesta e imoral (ver Pro. 28:28; Eze. 18:13; 22:12). Todavia, juros podiam ser legitimamente cobrados de estrangeiros que pedissem empréstimos (Deu. 23:20). Sabemos que, nos dias do Novo Testamento, os juros cobrados sobre os empréstimos eram a regra econômica da época (Mat. 25:27; Luc. 19:23; Josefo, *Guerras* 2.17). Supõe-se que, na sociedade hebréia, a lei contra a cobrança de juros de algum «irmão» (compatriota israelita) prevalecia de modo geral, embora com abusos ocasionais.

Em outras culturas, conforme se vê em documentos provenientes da Babilônia, as taxas de juros cobradas eram elevadas. Esses empréstimos de alimentos e produtos vários eram pagos com o acréscimo de uma terça parte, como juros; e os empréstimos feitos a dinheiro (moedas de prata) tinham uma taxa de vinte por cento. Em Nuzi (vide), as taxas de juros subiam até cinquenta por cento. Poderíamos supor corretamente que essas taxas de juros nada tinham a ver com a inflação, porquanto estavam alicerçadas sobre a pura cobiça, que é sempre um importante fator em todos os cálculos econômicos. Em outras palavras, a inflação sobe artificialmente, e não por causa de imposições naturais do mercado.

Historicamente, os ensinos do judaísmo, do cristianismo e do islamismo condenam a usura. O terceiro concílio laterano (em 1179 D.C.) proibiu especificamente a prática dos usurários. As posturas da Bíblia e de Aristóteles são que «o dinheiro é estéril», ou seja, dinheiro não deve produzir dinheiro. Vale dizer, os bens é que devem ser considerados a riqueza de uma pessoa ou de uma sociedade. Quão contrário a isso é o sistema capitalista! Foi durante a Idade Média que a prática da agiotagem se tornou praticamente universal e que as antigas idéias a respeito se desintegraram. Ver o artigo separado intitulado *Dívida, Devedor*, que acrescenta muitos detalhes omitidos pelo presente artigo. Além disso, aquele artigo inclui vários usos metafóricos acerca da questão das dívidas e dos devedores.

Onde o Dinheiro Prevalece, Aí Surgem Abusos. A prática de hipotecar terras, às vezes a juros exorbitantes, cresceu entre os judeus, durante o cativeiro babilônico, o que violava diretamente a antiga lei mosaica. Assim, Neemias precisou arrancar um juramento da parte de seus compatriotas, que é que esse abuso tivesse ponto final (Nee. 5:3-13). Abusos são feitos até mesmo contra as leis mais humanas, e, com exagerada freqüência, as leis mesmas não são nada justas e humanas. A lei cristã do amor poderia dar solução a todos esses problemas, se, realmente, fosse aplicada. O homem, em sua degeneração moral, não pende por ser generoso.

JUSABE-HESEDE

No hebraico, «devolvedor da bondade». Os estudiosos não têm certeza sobre seus laços de família, devido à incerteza de interpretação dos textos que o envolvem. Alguns pensam que ele era filho de Pedaías (I Crô. 3:20), mas fazem dele o último dos filhos de Zorobabel a ser chamado por nome. Talvez as duas diferentes listas de filhos, dos vs. 19 e 20 daquele capítulo, tivessem mães diferentes, ambas esposas de Zorobabel.

JUS NATURALE

Forma latina de **lei natural** (vide).

JUSTIÇA

Esboço:
I. Definições
II. Na Filosofia e na Ética

JUSTIÇA

III. Na Bíblia
IV. A Justiça Divina
V. A Justiça de Deus

O oposto de justiça
não é injustiça
— é *amor*.

I. Definições

A palavra portuguesa «justiça» vem do latim, **jus**, «direito», «lei». A justiça consiste na preocupação exata e escrupulosa pelos direitos alheios e pelo relacionamento do indivíduo com o Juiz Supremo, Deus. A justiça requer atos de retidão, e não meras palavras ou aceitação de certos ideais. O homem justo age corretamente, de forma altruísta. De acordo com a teologia cristã, ninguém pode ser justo por si mesmo. A justiça é um dos atributos comunicáveis de Deus, sendo investida no homem através de Cristo, por meio da conversão, da santificação e do contínuo ministério do Espírito Santo. É assim que o homem vai absorvendo a forma de justiça e da santidade divinas, não sendo mera produção humana, imitação daquela justiça e santidade. A justiça também consiste em *conformidade com uma reta conduta*. Mas a reta conduta é definida, em última análise, segundo padrões divinos de conduta e de ideais. Envolve qualidades de caráter, como a retidão, a eqüidade, a santidade, a correção, a razoabilidade. A justiça é uma *excelência moral*, cujo modelo ou padrão é Deus, e cujo agente é o Logos, o Filho de Deus. Quanto aos vocábulos bíblicos envolvidos, e seus respectivos significados, ver a seção III. 13.

II. Na Filosofia e na Ética

1. Os *sofistas* definiam a justiça como mera convenção social. Mudando os costumes sociais, muda também a justiça, porque esta seria dependente das condições prevalentes. *Trasímaco*, membro dessa escola, pensava que «poder é direito». Em outras palavras, quem tem autoridade, determina as normas da sociedade. Isso seria uma forma de *voluntarismo*, mas no nível humano.

2. *Platão* objetava à visão relativista e voluntarista dos sofistas, afirmando que há o *universal* da justiça. Em outras palavras, a justiça é uma realidade dos mundos imateriais, invisíveis; e a justiça que se vê em nosso mundo é apenas uma pobre imitação da verdadeira justiça, que é a divina. Em seu diálogo sobre as *Leis*, Platão singularizava os *universais* (vide) em *Deus*, pelo que, para ele, a justiça é um dos atributos de Deus. Deus, pois, é o supremo padrão da conduta correta, e somente em Deus reside a verdadeira justiça. Em sentido secundário, para Platão, a *justiça* é aquele estado que ocorre quando cada um ocupa a sua devida função, fazendo assim a sua contribuição para o todo, da melhor maneira possível.

3. *Sócrates* entendia as questões éticas em termos de conceitos da Mente Universal. Esse armazém mental e divino de idéias envolve o conceito da verdadeira justiça. Os homens imitam esse modelo, e aproximam-se do mesmo através da razão, mediante o uso de diálogos. O homem teria, em si mesmo, os conceitos da *Mente Universal*, podendo descobrir aquilo que já sabe, mediante a disciplina mental apropriada. A filosofia, por sua vez, seria a ciência que sonda a verdadeira teoria ética, procurando conhecê-la e pô-la em prática.

4. *Aristóteles* opinava que a justiça é o *meio termo* entre a injustiça que consiste em interferir com aquilo que pertence a outrem, e o sofrer a interferência alheia naquilo que nos pertence. Ele se referia a duas manifestações da justiça: para que se faça justiça, o indivíduo precisa compartilhar dos recursos da coletividade, ou Estado. Em outras palavras, deve ser-lhe conferida uma partilha eqüitativa. Além disso,

as ofensas precisam ser devidamente punidas. Aos homens não deveria ser permitido que fossem injustos e prejudiciais, sem pagarem à altura por causa disso.

5. *Tomás de Aquino* e *Locke* concordavam que, para poder haver justiça, é necessário que haja uma ordem de coisas natural e racional, e que a razão pode conduzir-nos a essa situação, de uma maneira adequada. Naturalmente, Tomás de Aquino mostrava-se sensível para com a realidade da justiça divina, como o verdadeiro padrão por detrás da ordem que os homens conseguem estabelecer em sociedade. Locke preferia apelar para a abordagem empírica. Para ele, descobre-se a justiça mediante a experimentação, guiada pela razão.

6. O *pragmatismo* assevera que aquilo que funciona bem é justo e bom, e que podemos chegar a esse estado mediante a experimentação. Visto que as sociedades diferem umas das outras, por isso mesmo a justiça, como todos os princípios éticos, é algo relativo (ver sobre o *Relativismo*). Para os pragmáticos, não existe tal coisa como valores éticos fixos, e nem verdade absoluta. A praticalidade ou função é a única prova de que algo é justo e bom, na opinião deles.

7. O *positivismo lógico* supõe, juntamente com o pragmatismo, que não existem valores fixos; mas enfatiza mais o papel da ciência no estabelecimento de valores relativos e funcionais. Não se apela, ali, para qualquer coisa divina, pertencente ao mundo espiritual. Para os positivistas lógicos, a justiça é algo meramente humano, determinado dentro de um contexto humano.

8. A *ética situacional* afirma que a justiça, ou seja, aquilo que é bom para ti e para mim, depende das vicissitudes das circunstâncias e das exigências que essas circunstâncias nos impõem. Mudando as circunstâncias, mudam os padrões. Outrossim, o que é bom para mim, neste momento, não é necessariamente bom para ti e o que é justo para uma sociedade (dentro do contexto de suas experiências) não é necessariamente bom para outra sociedade (dentro do contexto de experiências diferentes). E até mesmo aquilo que para mim é bom, neste momento, mais tarde poderá não ser bom para mim. Tudo é relativo, dependendo do fluxo permanente das coisas e das circunstâncias.

9. A *ética absoluta* ou *rigorosa* supõe que existem padrões éticos absolutos. Os homens não desenvolveriam o que é certo por meio da experimentação. Antes, eles sempre descobrem o que é direito. Uma forma de ética absoluta é o imperativo categórico de Kant: «Faça somente aquilo que gostaria que se tornasse uma lei universal». As religiões, de modo geral, visto que apelam para uma justiça e uma bondade divinas, dão apoio à idéia da justiça absolutista, embora, usualmente, valham-se das revelações e livros sagrados como padrões autoritários. O cristianismo ortodoxo representa um sistema ético rigoroso e o *Novo Testamento* é sua autoridade.

••• ••• •••

III. Na Bíblia

1. A *base* do conceito da justiça vem *através da revelação*. A revelação foi preservada, em forma escrita, nas Sagradas Escrituras. Elas nos foram dadas para nossa instrução, para ensinar-nos quais devem ser os padrões de nossa conduta, conforme se aprende em II Tim. 3:16,17: «Toda Escritura é inspirada por Deus e é útil para o ensino, para a repreensão, para a correção, para a educação na justiça, a fim de que o homem de Deus seja perfeito e perfeitamente habilitado para toda boa obra». Isso

676

JUSTIÇA

permite que o homem espiritual seja equipado para poder pôr em prática todas as boas obras, com a mente esclarecida.

2. O *teísmo* (vide) é um importante e constante conceito ensinado na Bíblia. Há um Deus que se faz conhecido dos homens, que determina o que é certo e o torna conhecido, e que impõe a conduta própria, por meio da promessa de galardões ou da ameaça de julgamento.

3. A justiça é um produto das *operações do Espírito Santo*, que cultiva em nós os vários aspectos de seu fruto (Gál. 5:22,23). Dessa forma, os atributos da justiça, que pertencem a Deus, são reproduzidos nos crentes. Ver a quinta seção do presente artigo, que aborda essa questão com detalhes.

4. A justiça, bem como os demais valores éticos, são entravados ou mesmo anulados pela rebeldia e carnalidade dos homens (Gál. 5:19-21). Assim como o Espírito de Deus transmite sua bondade aos homens, assim também o *espírito do mal*, que se deriva de seres infernais, opera nos homens sem Deus (Efé. 6:11 ss). Nenhum ser humano peca sozinho; nenhum ser humano é injusto sozinho. Ele age prestando lealdade ao reino espiritual ao qual pertence e sob a influência do qual se encontra, seja o reino da luz, seja o reino das trevas. Ver Gál. 1:12,13.

5. Os *crentes* são derrotados espiritualmente pela *carnalidade*, podendo tornar-se instrumentos ou agentes da injustiça (I Cor. 3:1 e Rom. 8:5-8).

6. *Jesus Cristo é o agente da justiça*, porquanto em sua imagem é que estamos sendo gradativamente transformados (Rom. 8:29; II Cor. 3:18), de modo a virmos compartilhar de seus atributos morais e espirituais, porquanto nos estamos tornando partícipes de sua natureza metafísica (Col. 2:9,10; II Ped. 1:4). É segundo se lê em I Cor. 1:30: «...Cristo Jesus, que se nos tornou, da parte de Deus, sabedoria, e justiça, e santificação, e redenção». Outrossim, ele é o justificador dos crentes: «...para ele mesmo ser justo e o justificador daquele que tem fé em Jesus» (Rom. 3:26).

7. *Atitudes e Ações Específicas de Justiça*:

a. Devemos honrar, reverenciar e respeitar aos nossos superiores, governantes, etc. Essa conduta é justa. Ver Rom. 13:1 ss; Efé. 6:1,3; I Ped. 2:17; I Tim. 5:17.

b. Mostrar bondade para com o próximo é um ato de justiça (Pro. 17:17).

c. A prática da lei do amor é a base de toda a justiça humana (Gál. 4:15; 5:22; I João 4:7 ss).

d. No tocante às questões práticas, deveríamos pagar o que é direito ao próximo, tanto na questão do dinheiro (como os impostos), quanto na questão do respeito e da honra. O amor é a maior de todas as obrigações. Ver Rom. 13:7,8. Ver também Deu. 24:14.

e. Deveríamos ajudar ao próximo em momentos de necessidade (Tiago cap. 2).

f. Não basta sermos *justos*, no sentido de exatos, mas também devemos ser bondosos, isto é, generosos, em nosso trato com o próximo (Rom. 5:7).

g. Os caminhos de Deus são verdadeiros e justos, e os homens devem imitá-Lo, como o maior e mais elevado padrão de conduta (Apo. 15:3. Ver também Jó 9:2; 37:23; Sof. 3:5; Sal. 84:14; 36:6). Esses versículos descrevem atos de Deus que estabelecem padrões para a conduta humana.

h. O *voluntarismo* (vide) é um ensino refletido no nono capítulo da epístola aos Romanos. Uma coisa é boa porque assim o determinou a vontade de Deus, sem importar o que pensemos a respeito. Porém,

outros trechos bíblicos contrabalançam esse ensino, afirmando que o Juiz de todas as coisas faz somente aquilo que é direito (como Gên. 18:25). E podemos pressupor que nossa intuição e nossa razão diz-nos o que realmente é direito, visto que ambas essas funções dependem da comunhão com a presença divina e são sensíveis a ela.

8. A justiça de Deus requer a *retribuição*. Mas o próprio juízo divino também tem um aspecto *remedial*. Ver o artigo separado sobre *Julgamento de Deus dos Homens Perdidos*. Os dois pólos da justiça divina são declarados em Rom. 1:32, em comparação com I Ped. 4:6.

9. Há *atos de vindicação*, que contrabalançam a injustiça. Esses são atos de justiça (Juí. 5:11; II Sam. 15:4; Sal. 82:3; Isa. 58:2,3; Ecl. 7:15 e 8:14).

10. A justiça, embora vindicativa e retributiva, também deve manifestar-se temperada pela misericórdia. Não há tal coisa como *justiça divina crua*, ou seja, retribuição não condicionada pelo amor. O primeiro capítulo de Romanos mostra-nos que Deus não estaria errado se aplicasse uma justiça nua, constituída somente por vingança e retribuição. Porém, a partir do terceiro capítulo de Romanos, Paulo mostra-nos que, de fato, a justiça divina não opera dessa maneira inflexível. A intervenção do evangelho serve de prova desse fato. Àqueles a quem Deus tem de julgar, também procurou salvar, através da elaborada missão de Cristo, uma missão com um aspecto terreno, outro no hades, e outro no céu (I Ped. 3:18-4:6).

11. Deus confere a justiça a quem nada merece; mas, então, espera que eles correspondam, buscando a justiça e a bondade (Isa. 1:17).

12. *O justo viverá pela fé* (Hab. 2:4; Rom. 1:17; Gál. 3:11). Essa fé, por sua vez, é produto da atuação do Espírito. Ao viverem pela fé, os homens são reputados justos, em todo o seu relacionamento uns com os outros. A fé produz a *justificação* (vide); e a vida da fé obrigatoriamente envolve a *santificação* (vide).

13. *Palavras Bíblicas para Indicar a Justiça*:

Os termos bíblicos, no hebraico, *tsedeq* e *tsadaqah*, como também o vocábulo grego *dikaiosune*, são traduzidos em português por «justiça» ou «retidão». Essas palavras são usadas no tocante a Deus e aos homens. A justiça aponta para uma conduta reta, um governo justo, o pagamento de dívidas a quem tem direito, a retribuição, a retidão nos atos, a regra da lei e o respeito à lei. Deus é justo quando julga, porque a sua retidão moral não pode permitir que a injustiça permaneça sem a devida resposta. Mas os atos de Deus nunca consistem apenas em retribuição, visto que a idéia inteira dos julgamentos divinos é a de restaurar aos ofensores (I Ped. 4:6). Além dessas palavras, temos o vocábulo hebraico *yoser*, que indica a probidade ou retidão moral (Deu. 9:5). No contexto físico, essa palavra significa «reto». *Tsedaqah* também pode envolver a idéia de «conformidade». A conduta do homem precisa amoldar-se a retos padrões (Gên. 30:33). A forma adjetivada do termo grego *dikaioo* é usada em Col. 4:1 (ou seja, *dikaios*), onde a referência é sobre como os proprietários de escravos deveriam tratar equanimemente os seus escravos. Deus é justo (no hebraico, *tsadiq*) e Salvador (ver Isa. 45:21). Essas duas qualidades divinas nunca se manifestam isoladas uma da outra, pois, do contrário, não haveria justiça, segundo o conceito escriturístico.

O termo grego **dikaiosúne** pode indicar a «probidade de Caráter», conforme se esperaria, por exemplo, da parte de um juiz (ver I Clemente 13:1; Apo. 19:11; Rom. 9:28; Isa. 10:22; na LXX), ou, então, «retidão»

677

JUSTIÇA

da parte de Deus ou dos homens (ver Mat. 3:15; 5:6; Atos 10:35; Fil. 1:11; Heb. 12:11; Is. 56:1, na LXX; II Clemente 19:2). A *retidão outorgada por Deus* é um outro uso dessa mesma palavra. Ver a quinta seção deste artigo, onde há uma ampla descrição a respeito; ver também Rom. 5:17. Visto que essa palavra constitui uma virtude específica dos regenerados, torna-se um sinônimo virtual do cristianismo (Mat. 5:10; I Ped. 3:14).

IV. A Justiça Divina

Com «justiça divina» indicamos o fato de que a justiça de Deus *deve julgar* ao pecado e aos pecadores. Isso deve ser contrastado com a seção V, *A Justiça de Deus*, que fala sobre como a justiça de Deus é conferida ao indivíduo regenerado. Em outras palavras, o atributo divino da justiça é transmitido aos homens, a fim de que se tornem justos, na qualidade de «filhos de Deus», compartilhando das qualidades morais de Deus. Os remidos chegam a compartilhar das qualidades morais de Deus porque também compartilham de sua natureza metafísica, posto que em um sentido secundário, apesar de perfeitamente real. Temos provido um artigo separado, intitulado *Julgamento de Deus dos Homens Perdidos*, que procura mostrar que os juízos de Deus tanto são *retributivos* (pois corrigem as injustiças e causam sofrimentos onde esses são merecidos) quanto são *remediais*. Os próprios sofrimentos têm por finalidade restaurar (ver I Ped. 4:6). Deus não faria qualquer injustiça se meramente aplicasse a parte retributiva do juízo, sem qualquer misericórdia, de forma final e sem qualquer esperança. O primeiro capítulo de Romanos mostra-nos isso. Mas, a começar pelo terceiro capítulo de Romanos, o apóstolo mostra-nos que a justiça de Deus nunca é aplicada cruamente, e, sim, sempre revestida de misericórdia e amor. O evangelho tempera o julgamento de Deus com a sua misericórdia e o seu amor. De fato, o julgamento divino é apenas um dedo da sua mão amorosa. A justiça e o julgamento são lados diferentes do mesmo amor. É que Deus pode fazer certas coisas melhor, através do juízo, do que através de qualquer outro meio. A cruz do Calvário foi um julgamento, mas também foi uma medida restauradora. Ver o artigo sobre *Cruz de Cristo, Efeitos da*. Ver também sobre *Descida de Cristo ao Hades*, acerca de como o julgamento divino dos injustos incluirá certa medida de misericórdia, tendente à redenção deles, sempre com base nas condições inarredáveis do arrependimento e da fé em Cristo. Isso teve lugar na própria dimensão da condenação, o que parece mostrar que a morte biológica não é o fim da oportunidade de salvação.

V. A Justiça de Deus

Rom. 1:17: Porque no evangelho é revelada, de fé em fé, a justiça de Deus, como está escrito: Mas o justo viverá da fé.

1. Essa *justiça* designaria a natureza intrinsecamente santa de Deus, o seu próprio caráter justo (ver Rom. 3:5).

2. Talvez seja usada no sentido de que Deus vindica a sua justiça, ou seja, torna conhecida qual seja essa justiça.

3. Todavia, essa justiça não é meramente a descrição de um atributo divino, mas também subentende uma espécie de natureza que ele injeta nos remidos. Os homens, uma vez transformados segundo a imagem de Cristo, em sentido bem real e literal participam da santidade de Deus (ver Mat. 5:48). A passagem de Isa. 46:13 também contribui para esclarecer esse aspecto, onde lemos: «Faço chegar a minha justiça, e não está longe; a minha salvação não tardará; mas estabelecerei em Sião o livramento e em Israel a minha glória». Isso indica a doação das perfeições morais aos remidos. E é a agência do evangelho que produz essa natureza moral nova nos homens.

A santidade de Deus se desenvolve nos homens por meio da atuação do Espírito Santo, e essa atuação tem prosseguimento até que os remidos atinjam a perfeição absoluta, quando então os crentes serão santos como é santo o seu Pai celestial. Isso pode envolver a eternidade inteira, mas o processo tem *início* quando do primeiro exercício da fé em Cristo e em seu evangelho, continuando nas experiências da conversão, da santificação, da regeneração e da glorificação. Essa modificação moral produz a modificação metafísica.

4. Essa justiça de Deus se manifesta por intermédio da fé, porquanto tem início através do princípio da fé, como também tem continuação e é sustentada pela fé, tudo o que é obra do Espírito Santo, que leva a alma humana a depender de Cristo. Por conseguinte, a justiça de Deus não se torna realidade por meio de alguma disciplina mental, e nem através de qualquer resolução intelectual, e nem mesmo por qualquer cerimônia religiosa. Mas depende exclusivamente da operação *do Espírito de Deus*. E, quando a alma de um indivíduo é sintonizada com essa operação, passa a exercer fé. Assim, pois, a fé consiste na sintonização da alma com Deus e seu Cristo, uma total entrega da personalidade inteira a Jesus Cristo, a fim de que possa ser operada na alma a elevada obra divina, descrita no presente versículo.

5. A justiça de Deus no homem, pois, não é apenas uma declaração legal, que afirma que um homem está perfeito em Cristo; antes, é a produção real dessa retidão no indivíduo. Pois estar perfeito em Cristo é a mesma coisa de ter sido transformado por ele. É a esse aspecto de nossa salvação que denominamos de «santificação».

6. O adjetivo grego «*dikaios*» (reto, justo), vem da mesma raiz que deu a palavra «*justiça*», que aparece no presente versículo; e isso ilustra o sentido dessa palavra.

a. Esse adjetivo é usado com relação a Deus e a Jesus Cristo. Com relação a Deus: I João 1:9; João 17:25; Apo. 16:5 e Rom. 3:26. Com relação a Cristo: I João 2:1; 3:7; Atos 3:14; 7:52 e 22:14. No presente versículo esse vocábulo indica a norma eterna da santidade divina.

b. Esse adjetivo, «justo», também é usado com referência aos homens, não meramente para denotar um caráter reto, mas também dando a entender alguma forma de atribuição ou participação na própria santidade essencial de Deus. O termo *justiça* é utilizado como algo *possível* para a personalidade humana, na passagem de Rom. 6:13,16,18,20. Nesse trecho, o contexto mostra-nos que essa justiça decorre de nossa união espiritual com Cristo, na forma de um batismo espiritual, que é a identificação dos crentes com a morte e a ressurreição de Jesus Cristo, em condições místicas. Em outras palavras, os benefícios da morte de Cristo — morte para o pecado, desvencilhamento completo do poder e efeito do reino das trevas — e os benefícios de sua ressurreição, são produzidos por uma forma de contacto real com o Espírito Santo.

7. Portanto, por *justiça* devemos compreender o que é feito tanto na justificação como na santificação, —os resultados dessas medidas divinas, operados na alma do crente. A forma verbal de «justificar», no grego, é «*dikaioo*», o que, nas páginas do N.T., pode

JUSTIÇA — JUSTIÇA PRÓPRIA

algumas vezes significar alguma forma de pronunciamento judicial acerca dos direitos que um homem tem de ficar diante de Deus, em Cristo Jesus. Todavia, perderemos inteiramente de vista a idéia da justificação se ignorarmos o fato de que isso também significa *fazer justo*, não se resumindo a uma mera declaração sobre aquela retidão que decorre da posição correta do crente, diante de Deus, em Cristo.

Por meio da justificação, o indivíduo recebe o «dom da justiça». E é a pessoa que recebe esse dom que reina em Cristo, conforme aprendemos em Rom. 5:17. Assim sendo, a justificação não consiste em uma simples declaração estéril que reconhece a legítima posição de alguém em Cristo, mas antes, requer que tal indivíduo se torne verdadeiramente justo. Essa verdade tem sido vista com muita clareza pela igreja cristã moderna, ainda que, felizmente, aquilo que aqui é comentado sobre a justificação, é transferido para a doutrina da *santificação*, segundo a maioria dos sistemas teológicos.

«A retidão absoluta, tal como a graça e a verdade absolutas, revelou-se pela primeira vez no cristianismo. Trata-se daquela justiça que não somente instaura a lei da letra, e requer a retidão da parte dos homens e que, em seu caráter de juiz, profere a sentença e mata; mas é igualmente aquilo que finalmente se manifesta na união com o amor, ou seja, a graça divina em forma de retidão, produzindo essa retidão no homem... ou ainda, em suma:

«A justiça de Deus é a autocomunicação da retidão que procede da parte de Deus, que se torna justiça na pessoa de Cristo, o qual, em seus sofrimentos, como nossa propiciação, satisfez a justiça da lei (em consonância com as exigências da consciência) e que, mediante o ato da justificação, aplica ao crente, para santificação de sua vida, os méritos da expiação de Cristo». (Lange em Rom. 1:17).

Bibliografia. B DAVI I IB ND NTI QS

JUSTIÇA CRUA

1. A justiça, informam-nos os capítulos um e dois de Romanos, exigiria que todos os homens fossem condenados e severamente julgados por seus atos. Isso exprime uma verdade onde somente a consciência serve de guia para o homem (como é o caso dos gentios, no primeiro capítulo); ou quando a lei mosaica serve de regra (como é o caso dos judeus, no segundo capítulo). Ambos os esquemas fracassaram miseravelmente. Deus mostrar-se-ia justo se julgasse a ambos sem misericórdia alguma.

2. Porém, não existe tal coisa como justiça crua, sem o condimento do amor e da misericórdia. Eis por que existe o evangelho. Esse tempera e contém o julgamento.

3. O evangelho haverá de confrontar, finalmente, a *todos os homens*, obrigando-os a fazerem a escolha? A narrativa da descida de Cristo ao hades encoraja-nos a responder afirmativamente. (Ver o artigo sobre a *Descida de Cristo ao Hades*).

4. A misericórdia divina estabelecerá alguma diferença universal, na direção da melhoria do estado de todos os homens, afinal de contas, embora o número dos eleitos seja pequeno? O trecho de Efé. 1:10 encoraja-nos a responder que *«sim»!* Grande é o amor de Deus — imensa é a sua misericórdia!

5. Os capítulos um e dois de Romanos, asseguram-nos que Deus seria justo, mesmo que julgasse aos homens sem o tempero da misericórdia. Por certo que eles merecem tal julgamento. E quem pode disputar isso, quando passa em revista o caos da história da humanidade? Mas o evangelho responde a isso: «A misericórdia temperará o julgamento». E também: «O amor abrirá o caminho de escape».

6. O oposto de injustiça não é justiça. É o *amor*.

JUSTIÇA DE DEUS, A

Ver **Justiça**, seção V.

JUSTIÇA DIVINA, A

Ver sobre **Justiça**, seção IV.

JUSTIÇA NA BÍBLIA

Ver sobre **Justiça**, seção III.

JUSTIÇA NA FILOSOFIA E NA ÉTICA

Ver sobre **Justiça**, seção II.

JUSTIÇA ORIGINAL Ver, **Original, Justiça.**

JUSTIÇA PRÓPRIA

Nas Escrituras não encontramos nenhum vocábulo isolado, hebraico ou grego, com esse sentido. O conceito deriva-se, primariamente, de um quadro negativo sobre os fariseus, encontrado nos evangelhos (cf. o termo francês *pharisaisme*, equivalente à nossa expressão «justiça própria»). Essa expressão refere-se à atitude mediante a qual qualquer pessoa religiosa considera-se justa moralmente, ou então aos olhos de Deus, em face de sua aderência aos requisitos legais que ela aceita, mas sem levar em conta o seu verdadeiro estado espiritual.

Tecnicamente, o termo pode ser aplicado, em sentido religioso, ao indivíduo que procura tornar-se aceitável diante de Deus, mediante a sua «própria justiça», talvez através de sua observância de estatutos divinos. Assim foi que Paulo referiu-se aos judeus nestes termos: «Porquanto, desconhecendo a justiça de Deus, e procurando estabelecer a sua própria, não se sujeitaram à que vem de Deus. Porque o fim da lei é Cristo para justiça de todo aquele que crê» (Rom. 10:3,4). E também testificou sobre si mesmo, como «...não tendo justiça própria, que procede de lei, senão a que é mediante a fé em Cristo, a justiça que procede de Deus, baseada na fé» (Fil. 3:9). Em uma maneira mais distante, esse tipo de «justiça própria» era a acusação de Eliú contra Jó (cf. Jó 32:2; 33:8-12).

Mais freqüentemente, porém, o conceito reveste-se de implicações morais. O Senhor Jesus referiu-se aos fariseus como «os justos», em contraste com os coletores de impostos e os pecadores notórios (Mar. 2:15-17 e paralelos). E, quase certamente, havia fariseus que tinham o mesmo ponto de vista (Luc. 18:9). Mas, como é claro, Jesus deixou bem entendido que os «justos» não eram, realmente, tais, quando disse: «Porque vos digo que, se a vossa justiça não exceder em muito a dos escribas e fariseus, jamais entrareis no reino dos céus» (Mat. 5:20). A «justiça» dos fariseus era meramente externa, com ênfase sobre a conformidade com um padrão legal e sobre a quantidade de obras (cf. Mat. 23:1-36, especialmente 23:28, que diz: «Assim também vós exteriormente pareceis justos aos homens, mas por dentro estais cheios de hipocrisia e de iniqüidade»). A justiça requerida por Jesus era interna, com ênfase sobre a qualidade (cf. Mat. 5:21-48), embora também envolvesse ações compatíveis com isso (cf. Mat. 7:21,24; 25:31-40).

Conclui-se que, de acordo com os ensinamentos bíblicos, a pessoa justa aos seus próprios olhos, não é justa nem no sentido moral e nem mesmo no sentido

JUSTIFICAÇÃO

religioso. Seus auto-esforços ou sua aderência aos preceitos da lei não a tornam reta diante de Deus. E também não é moralmente reta, visto que somente a sua conduta externa é afetada, mas não as suas atitudes e os seus motivos. Mas, quando Deus julgar aos homens, trará à tona os motivos de cada um. «Portanto, nada julgueis antes do tempo, até que venha o Senhor, o qual não somente trará à plena luz as cousas ocultas das trevas, mas também manifestará os desígnios dos corações; e então cada um receberá o seu louvor da arte de Deus» (I Cor. 4:5).

JUSTIFICAÇÃO

Esboço:

I. Usos Clássicos da Palavra
II. Usos do Termo no Novo Testamento
III. Justificação — A Doutrina
IV. Justificação é Mais do que Perdão
V. Justificação Gratuita
VI. Pela Graça
VII. Para Tiago: Do que Consistia a Justificação?
VIII. Considerações em Torno da Justificação
IX. A Justificação Que Dá Vida
X. Justificação nos Sistemas Eclesiásticos

Rom. 3:24: *sendo justificados gratuitamente pela sua graça, mediante a redenção que há em Cristo Jesus.*

A idéia da *justificação*, que aqui transparece no vocábulo *«justificados»*, pode ser dissecada conforme seus dois usos principais, a saber:

I. Usos Clássicos da Palavra

1. O sentido primitivo desse termo é **fazer justo**, e isso tanto em sentido relativo como em sentido absoluto. Como uma modificação, podia significar também, «tornar justo no juízo de alguém». (Ver Tucídides, ii, 6,7: «Os atenienses julgaram certo retaliar contra os lacedemônios». Assim também diz Heródoto i.89, onde encontramos Creso dizendo a Ciro: «Penso que é correto mostrar-te tudo que penso que te é vantajoso»).

2. Também pode significar *julgar ser esse o caso*. Assim lemos em Tucídides iv.122. «A verdade concernente à revolta foi antes que os atenienses deveriam julgar qual era o caso».

3. Porém, essa palavra também pode significar apenas *julgar*, conforme lemos nos escritos de Tucídides (v.26): «Se alguém concordar que o intervalo da trégua deva ser suspenso, não estará julgando corretamente». Esse uso do termo foi transferido para os concílios eclesiásticos, com o sentido de julgar quais as coisas retas, ou de decidir quanto a certas deliberações.

4. Na obra de Aristóteles, «Ética» (v.9), essa palavra com freqüência se reveste do sentido de *tratar de alguém eqüitativamente*, onde não temos qualquer exemplo do sentido de formar alguma coisa intrinsecamente correta, ainda que esse vocábulo claramente tenha o sentido de tornar algo direito, de alguma maneira relativa.

5. Na obra de Ésquilo, *Agamenon* (390-393), essa palavra tem o significado de *testar* ou *provar* a natureza de alguma coisa, como quando o cobre de má qualidade se torna negro quando é sujeito à fricção, ao passo que o cobre de boa qualidade não sofre tal modificação. Isso, pois, é aplicado ao teste a que é submetido o caráter dos homens.

6. Esse vocábulo também pode tomar um sentido negativo, o de *condenar*, quando os julgamentos feitos são negativos. Ver Tucídides (iii.40). De conformida-

de com Cícero (*Contra Verres*, v.57), os sicilianos empregavam essa palavra como termo que denota a punição capital.

O sentido da raiz dessa palavra no grego koiné (e no grego clássico), é *tornar justo*, ainda que no uso comum pudesse significar «fazer um juízo», a respeito de algo, tachando-o de correto ou errado, julgando, condenando, punindo, ou mesmo executando.

II. Usos do Termo no N.T.

A palavra «justificar» ocorre por trinta e nove vezes no N.T., vinte e sete das quais nas epístolas de Paulo. Usualmente está vinculada ao sentido do adjetivo paralelo, *«dikaios»*, que significa «reto», «justo», e que, nas passagens que falam sobre a justificação, indica um homem que possui essas qualidades, *à vista de Deus*, ou seja, «correta posição». É por essa razão que a tradução inglesa de Williams diz *right standing* («correta posição») na passagem de Rom. 3:24, em vez da usual tradução, «justificados». Essa palavra, pois, pode indicar a correta posição forense, ou pode também subentender aquela correta posição que é declarada porque o indivíduo envolvido é realmente justo ou reto, *participando*, de fato, da santidade de Deus. Assim, pois, no N.T. encontramos os seguintes usos do termo:

1. No grego bíblico a forma verbal «justificar» pode significar *demonstrar justiça* para com alguém (ver Sal. 81:3 e Isa. 1:17).

2. Pode significar também *vindicar*, tratar como justo, mostrar que alguém é justo (ver Gên. 44:16 e Luc. 7:29). E, nesse caso, envolve alguém que já é justo, mas que precisa ser vindicado como tal.

3. Pode ser usada essa palavra em pronunciamentos *forenses*, sem que isso indique, necessariamente, a condição real da pessoa envolvida (ver Mat. 12:37 e Gál. 2:16). E é dessa maneira que a maioria dos intérpretes protestantes considera ser o uso dessa palavra, no segundo e terceiro capítulos da epístola aos Romanos.

4. Também pode significar *tornar puro*, justo, santo, de conformidade com o seu uso original (ver Sal. 73:13; Rom. 6:7 e I Tim. 3:16). Esta última referência diz respeito a Cristo, parecendo dar a entender que, em sua humanidade, assim ele foi feito; contudo, não por ter sido corrigida qualquer suposta conexão sua com o pecado e, sim, porque, como homem, sua humanidade se desenvolveu até assumir a natureza moral positiva de Deus. Rom. 3:24, entretanto, bem poderia ser classificado dentro da terceira posição, acima.

5. Quando essa palavra é usada com referência a Deus, obviamente significa *provar ser justo*, e não fazer justo. Assim dizem os textos de Rom. 3:4; I Cor. 4:4 e, segundo a opinião de alguns estudiosos, também I Tim. 3:16 no que concerne à pessoa de Cristo.

III. Justificação — A Doutrina

Qual é o sentido bíblico da doutrina da «justificação»? Com base no sentido das palavras podemos deduzir o intuito de várias doutrinas, ainda que, em alguns casos pelo menos, o sentido das palavras bíblicas é que seja deduzido daquilo que entendemos ser o sentido do contexto, — o que faz que certas palavras, que são ambíguas, tenham determinados sentidos. Portanto, abaixo damos as principais possibilidades.

1. A interpretação mais comum, entre os intérpretes protestantes, é aquela que dá a essa palavra um sentido *forense*. Em outras palavras, a «justificação» é reputada como uma «declaração» de que alguém ocupa correta posição diante do Senhor, exibindo

JUSTIFICAÇÃO

uma «modificação de posição judicial», e não a modificação do caráter do indivíduo assim declarado. Trata-se de uma *declaração judicial* de que agora este ou aquele indivíduo está em «correta posição» perante Deus, à base da expiação efetuada por Cristo e da fé no sangue vertido de Cristo. De acordo com os intérpretes que assim dizem, a «santificação» é que representa a modificação do caráter do crente, sendo esta uma doutrina inteiramente diferente daquela.

É de conformidade com esta primeira interpretação que Hodge (*in loc.* no Comentário de Calvino) diz: «Jamais participou da doutrina da reforma, ou dos sábios luteranos e calvinistas, que a imputação da retidão afeta o caráter moral daqueles que estão envolvidos. É verdade que aquele a quem Deus justifica, também santifica; mas a justificação não é a mesma coisa que a santificação, e a imputação da justiça não é a doação da retidão».

Não obstante, essa interpretação puramente *forense*, de que Hodge serve aqui de porta-voz, não é aceita por certos eruditos, sob a alegação de que se trata de uma «espécie de *ficção legal*, de uma imputação fria e sem vida», que separa a doutrina da justificação «...a doutrina mais lata e mais profunda da 'união de vida' entre o crente e Cristo» (conforme Lange diz, *in loc.*). A grande verdade é que se por um lado a justificação visa apenas ao pronunciamento forense, as passagens bíblicas que empregam esse vocábulo vão muito mais *além* do que a idéia estéril desse pronunciamento; e essa doutrina, na forma como ela é definida por determinados homens, ainda que homens de Deus, é estéril.

2. Alguns teólogos católicos romanos e racionalistas cambam para o extremo oposto do da posição da interpretação forense, supondo que «justificar» significa *tornar justo*; e a explicação de *como* isso sucede cria uma mistura de «obras e de fé». Em outras palavras, através de obras *humanas* sinceras, inspiradas pelo Espírito Santo (o que usualmente é explicado como o cumprimento apropriado da lei, o que significa a intrusão do elemento legal), em combinação com a fé, é que é produzida a «justificação». Esse tipo de justificação, porém, envolve em sua própria definição, a doutrina da santificação, e o resultado esperado consiste em uma posição diante de Deus em santidade essencial, que deve ser agradável ao Criador. Através disso, por semelhante modo, é que teria sido prometida a absolvição no juízo divino. Tal ponto de vista, entretanto, nega frontalmente o que Paulo ensina em toda epístola aos Romanos, porquanto inclui uma forma de doutrina legalista, ao mesmo tempo em que esquece inteiramente a atuação da graça gratuita de Deus, em Cristo Jesus.

3. A «justificação», conforme os escritos paulinos, que se evidencia quando examinamos os versículos que contêm essa palavra, bem como os respectivos contextos dos mesmos, tem um sentido *mais* do que forense, apesar de não legalista sob hipótese alguma. Não se trata de mero pronunciamento formal da parte do Senhor, como se fora um decreto judicial de que alguém, que continua em sua natureza pecaminosa, agora é pronunciado justo em Cristo, pois, através da fé, foi aceito no Amado. A verdade é que o ponto de vista forense está correto, ainda que incompleto. Porquanto, segundo diz a posição da interpretação forense, o crente é judicialmente declarado justo, em Cristo, inteiramente à parte de seu próprio caráter, de quaisquer modificações em seu caráter. Todavia, isso não inclui tudo quanto a verdadeira doutrina da «justificação» nos ensina. Assim, pois, vejamos:

a. A justificação envolve o perdão de pecados (ver Rom. 4:7,8), mas é mais do que isso.

b. Quando se diz que ela se relaciona às obras (ver Rom. 2:13), devemos pensar num caso meramente hipotético, sustentado por Paulo por um pouco, para somente mais adiante demonstrar a futilidade de toda a idéia. Além disso, entretanto, Paulo talvez encarasse a justificação como algo que incluísse obras espirituais, segundo anotamos no NTI em Rom. 3:20, sob o título «Relação entre as obras, a justificação e a graça», pontos segundo, terceiro e quarto. A justificação, pois, desse ponto de vista, está envolvida nos galardões futuros, embora, como doutrina, esteja desvinculada dos tais.

c. A justificação «dá vida» (Rom. 5:18). A vida eterna está em foco, pelo que a justificação é vista como algo que resultará na glorificação. A glorificação é a justificação em sua operação final.

d. A justificação também resulta na santificação, já que é sua fonte e que a santificação é apenas outro nome para indicar como o princípio justificador é exercido. Paulo, asseveramos, não fazia distinção clara entre a justificação e a santificação, e chegava mesmo a ver a glorificação embebida potencialmente na mesma. Diversas citações abaixo ilustram essa linha de pensamento.

IV. Justificação é mais do que Perdão

O perdão é um ato que livra o ofensor da penalidade da lei, que ajusta as suas relações externas para com a lei, mas que não afeta necessariamente a sua personalidade, em nada a modificando. O perdão é necessário para a justificação, mas não é idêntico a ela. A justificação tem por escopo direto o caráter. Tem por intuito tornar o homem um indivíduo reto, a fim de que a nova e correta relação com Deus, na qual a fé o colocou, tenha o seu resultado natural e legítimo, na forma de retidão pessoal. A expressão bíblica «...*a sua fé lhe é atribuída como justiça...*» não significa que a fé seja substituta da retidão e, sim, que a fé é retidão ainda em forma de gérmen, para dizer a verdade, mas, apesar disso retidão *'bona fide'*. O ato da fé inaugura a vida reta e o caráter reto. O indivíduo não se torna inerentemente santo, porque a sua justiça é derivada de Deus, nem é ele meramente declarado justo, através de alguma ficção legal, sem qualquer vinculação com o seu caráter pessoal; mas o decreto justificador, a declaração de Deus que o declara reto, é literalmente veraz, no que diz respeito ao fato de que ele está em verdadeira e simpática relação com a fonte eterna e a norma da santidade, bem como com a inspiração pessoal e divina do caráter. A fé contém todas as possibilidades da santidade pessoal. Une o homem ao Deus santo e, através dessa união, o homem torna-se participante da natureza divina, escapando da corrupção que há no mundo, através da concupiscência (ver II Ped. 1:4). O intuito da justificação é expressamente declarado por Paulo como a conformidade com a imagem de Cristo (ver Rom. 8:29,30). A justificação que de fato não remove a condição errada do homem, condição essa que, em sua raiz, consiste na sua inimizade com Deus, não pode ser chamada de justificação. Na ausência disso, uma mera declaração legal de que o homem é justo, não passa de uma ficção. A declaração da justiça deve ter sua base real e substancial na condição moral verdadeira do indivíduo.

«É por essa razão que a justificação é chamada de 'justificação que dá vida' (ver Rom. 5:18). A justificação está vinculada à *operação salvadora* da vida do Cristo ressurrecto (ver Rom. 4:25 e 5:10). E aqueles que estão em Cristo Jesus não andam

JUSTIFICAÇÃO

'segundo a carne, mas segundo o Espírito' (ver Rom 8:4). E demonstram possuir as qualidades da paciência, da aprovação, da esperança e do amor (ver Rom. 5:4,5). A justificação indica a apresentação da própria vida a Deus, como um sacrifício vivo, como a não conformidade com o mundo; como a renovação espiritual; como a correta — auto-estima — toda aquela gama da prática correta e dos sentimentos corretos que é retratada no décimo segundo capítulo da epístola aos Romanos. Ver, igualmente, Rom. 4:5». (Vincent, *in loc.*).

«O pecador não é justificado fora de Cristo, mas somente em Cristo, à base do sacrifício perfeito de Cristo e sob a condição da fé verdadeira, mediante o que esse pecador, purificado de seu pecado, torna-se realmente unido a Cristo, passando a ser participante de sua vida santa. Por conseguinte, quando Deus declara que alguém é *justo*, esse alguém se torna potencialmente justo, sendo uma 'nova criação em Cristo'; as coisas antigas passaram, e tudo se fez novo (ver II Cor. 5:17). E Deus, que vê o fim desde o princípio, vê também, ainda que por enquanto seja em gérmem, o fruto maduro e desenvolvido e, por sua promessa graciosa, assegura o seu crescimento. A fé justificadora é por si mesma uma obra da graça divina em nós, bem como a fonte frutífera de todas as nossas boas obras. Da parte de Deus, pois, e como uma realidade, o *actus declaratorius* não pode, realmente, ser abstratamente separado do *actus officiens*... A justificação, tal como a regeneração (que é a operação íntima, correspondente, simultânea ou anterior, do Espírito Santo), é um ato isolado, ao passo que a santificação é um processo contínuo; estão relacionadas entre si como o nascimento e o crescimento. A justificação, além disso, de forma alguma depende daquilo que o homem é ou fez e, sim, daquilo que Cristo tem feito por nós, em nossa natureza; e, finalmente, as boas obras não são a causa e nem a condição e, sim, uma conseqüência e uma manifestação da justificação» (Lange, *in loc.*).

«Quando Deus justifica ao ímpio, ao mesmo tempo e instantaneamente, pelo poder de sua graça, faz dele inerente e subjetivamente santo». (Owen, *in loc.*).

V. Justificação Gratuita

Justificação gratuita é, «como um presente», e não como algo merecido pelo homem, devido as suas boas obras. Também poderíamos traduzir essa palavra por «em troca de nada», isto é, no que diz respeito ao que deve ser dado pelo pecador. A doação absolutamente gratuita da justificação é aqui salientada e enfatizada. A justificação do pecador custou um preço tremendo, tanto para Deus Pai como para o Filho de Deus, mas somente a deidade poderia satisfazer as condições que permitem que um pecador seja perdoado e justificado. Esse preço é mencionado em Rom. 4:25, onde se lê «...a quem Deus propôs, no seu sangue, como propiciação, mediante a fé, para manifestar a sua justiça, por ter Deus, na sua tolerância, deixado impunes os pecados anteriormente cometidos...» A palavra sobre a qual ora comentamos, elimina qualquer tipo de sistema legal na justificação, quer nos tempos antigos, quer nos modernos. A base da justificação é, exclusivamente, o amor espontâneo de Deus. Ver João 3:16. (Quanto ao uso dessa palavra, no N.T., comparar com os trechos de Mat. 10:8; João 15:25; II Cor. 11:7 e Apo. 21:6).

«Sem qualquer merecimento que se derive de ações meritórias de nossa própria realização». (Alford *in loc.*).

VI. Pela Graça

A palavra **graça** é continuamente usada pelo apóstolo Paulo, em ligação com a doutrina da salvação. O sentido elementar desse vocábulo, no grego, é «atração», «encanto», conforme se vê em Ecl. 10:12 (versão da Septuaginta): «Nas palavras do sábio há favor...» E a idéia é similar àquilo que foi dito com referência às «...palavras de graça...» do Senhor Jesus, em Luc. 4:22. Desse sentido, a palavra passou a significar também «gentileza», «boa vontade», graciosidade». Com freqüência, dentro do uso que dela fazem as Escrituras, essa palavra significa «boa vontade» ou «graciosidade», que os homens podem obter de algum poder mais elevado, como da parte de um rei, de quem, entretanto, nada poderiam receber devido a quaisquer «direitos», pois não os possuem. Assim sendo, se qualquer coisa tivesse de ser recebida, teria de sê-lo devido à «graça gratuita» dessa pessoa ou poder superior.

Portanto, no que diz respeito à sua associação ao evangelho, a *graça* passou a significar «...a bondade espontânea e desmerecida de Deus conosco, a sua misericórdia e o seu amor; ainda que se possa estender isso para incluir uma alusão aos próprios benefícios conferidos, sobretudo a salvação em Cristo, que, em face de sua amorosa disposição, ele nos confere. No versículo, Rom. 3:24, a significação essencial do termo 'graça', que de forma alguma é medido ou depende do merecimento de quem recebe tal favor, é acentuada pela adição do vocábulo grego *dorean*, que significa 'como um presente', *gratuitamente*, ou então, conforme tanto Moffatt como Goddspeed traduziram, 'em troca de nada'». (John Knox, *in loc.*). (Ver o artigo sobre *Graça*).

VII. Para Tiago, Do que Consistia a Justificação? Tiago Capítulo 2

1. Aquilo que Abraão fez, fê-lo para agradar a Deus e obter o seu favor. Não há em Tiago qualquer indício de que a justificação de Abraão tivesse sido «diante dos homens», e não diante de Deus. Dizer-se que a justificação, no livro de Tiago, era «diante dos homens» (para comprovar a justificação já realizada na alma), ao passo que a de Paulo era «diante de Deus», e que, portanto, o tipo ensinado por Tiago precisava das obras «para provar sua realidade», ao passo que essa necessidade não existia no caso de Paulo, é uma interpretação extremamente defeituosa e desonesta do segundo capítulo da epístola de Tiago. Baseia-se em «harmonia a qualquer preço», ainda que esse preço se deva à honestidade interpretativa.

2. Notemos como o versículo vinte e três relaciona a justificação, segundo as idéias de Tiago, à questão da «retidão imputada». Por certo, a retidão imputada trata da própria salvação, e não sobre como poderei comprovar, diante dos homens, que sou um homem justo. A abordagem paulina, no quarto capítulo da epístola aos Romanos, tem a mesma espécie de declaração (ver Rom. 4:3). Em ambos os casos, essa imputação da retidão tem a própria salvação em mira..

3. Por conseguinte, embora Tiago e Paulo tivessem conceitos diferentes sobre «como» se realiza a justificação, o alvo da justificação era o mesmo para ambos, a saber, a «redenção humana».

4. Também é falsa aquela distinção que supõe que a justificação, segundo Tiago, contempla «o curso inteiro da salvação», ao passo que Paulo via somente a declaração forense da justificação. A justificação, para Paulo, também contemplava o curso inteiro da salvação, por ser ela a semente tanto da justificação quanto da glorificação. (Ver o artigo sobre *Glorificação*).

Ainda que Paulo tivesse querido salientar somente o ato forense inicial, contudo ele mostra que a «santificação» deve dar prosseguimento àquilo que é

JUSTIFICAÇÃO

iniciado na conversão e na justificação. (Ver II Tes. 2:13 e as notas expositivas ali existentes no NTI). Pois tudo isso, considerado juntamente, é que nos dá a «salvação».

«Justificar» pode significar *pronunciar reto*, «mostrar ser reto», ou «tornar reto». Tanto Tiago como Paulo combinam a primeira e a terceira dessas idéias. A santificação consiste em «tornar reto»; e é ela a fruição da justificação, que conduz à vida eterna (ver Rom. 5:18).

«O sentido da palavra «justificação», nos escritos paulinos, não difere do uso que ele já encontrou corrente em seus dias, embora sua doutrina teológica da justificação, que ele expôs com a ajuda desse termo, fosse altamente original. E o sentido de Tiago 2:2 não se afasta de modo algum do que era ordinário... A afirmativa que vem 'das obras' corresponde ao ponto de vista judaico usual, de acordo com um sentido comum um tanto superficial... Que Abraão foi justificado e salvo, naturalmente, era algo reconhecido por todos; por causa, sua justificação dependeu não meramente do ato inicial de fé, mas também de sua manifestação confirmatória, sob o teste, é o que Tiago assevera. Isso, pensa ele, se torna mais claro ao tecer alusões ao grande incidente do sacrifício de Isaque (ver Gên. 22:2 e *ss*), mediante o qual foi testada a realidade vital da fé de Abraão, e ao que se seguiu a renovação da promessa (divina) (ver Gên. 22:15-18). Se Abraão não tivesse passado nesse teste, ficaria demonstrado que sua fé era fraca e, sem dúvida, teria impedido a sua justificação; portanto, é inevitável a inferência extraída do grande caso representativo de Abraão. Ao mesmo tempo, a real contenção de Tiago, nos versículos vigésimo e vigésimo segundo, não é tanto a necessidade das obras, mas quão vitalmente inseparável é a combinação da fé e das obras. Tudo isso é dito em resposta à sugestão, levantada no décimo oitavo versículo, que a fé e as obras são funções separáveis na vida cristã». (Ropes, *in loc.*, que expressa uma correta interpretação, em contraste com muitos, que corrompem essa passagem a fim de tentarem uma reconciliação forçada com os escritos paulinos).

Alguns intérpretes reduzem a **justificação**, neste ponto, à idéia que as boas obras «sempre estão vinculadas» à fé. Porém, como pode isso significar «justificação»? Não corresponde nem ao sentido da palavra e nem ao seu emprego. Também não há aqui qualquer idéia de que as obras meramente «provam» que a fé existe. *O uso judaico* em geral labora contra isso, e o próprio cristianismo nunca concebeu tal uso do vocábulo, em todo o N.T. Não há qualquer motivo para que se entenda esta palavra em qualquer sentido diferente daquele que era usado nos tempos de Tiago, nas comunidades religiosas cristãs. A justificação, pois, deve significar «favor diante de Deus», a fim de que sua aceitação e aprovação sejam obtidas. Não há qualquer dúvida e quem pode demonstrar o contrário? que o judaísmo sempre creu que as obras são necessárias para a correta posição diante de Deus. No judaísmo nunca houve a idéia de que «basta a fé para a justificação». Tiago simplesmente refletiu a tradição judaica de seus dias, que foi aproveitada pelo cristianismo legalista (ver Atos, capítulo 15).

Alguns intérpretes, usando de sutilezas, mostram que o ato de fé de Abraão, por causa do qual foi chamado justo (ver Gên. 15:6), procedeu, por considerável período, o seu ato de obediência, referido em Tiago 2:21. E assim supõem que seu ato posterior de obediência foi apenas uma «prova» da retidão que já possuía. Porém, esse sutil raciocínio nunca fizera parte das explicações judaicas sobre o assunto, e nem

é o que está em foco no presente texto. Bem pelo contrário, a ordem cronológica dos acontecimentos foi revertida pelo autor sagrado. O vigésimo primeiro versículo fala do ato de obediência, e o vigésimo terceiro versículo fala do ato inicial de fé. Isso mostra que o autor sagrado não punha a fé em primeiro lugar. De fato, ele não estava fazendo qualquer distinção cronológica. Para ele, ambos os lados são juntamente considerados — a fé e as obras são inseparáveis, e é isso que justifica ao homem. Essa é a única interpretação possível da passagem de Tiago 2:21, sem perversões, e nisso é que os judeus sempre creram e sempre ensinaram. Por que pensaríamos que é estranho encontrar aqui a simples representação do cristianismo legalista? E o que é aqui ensinado corresponde à verdade, se pensarmos misticamente, e não legalisticamente, nas obras. Infelizmente, o autor sagrado expôs a questão sob moldes legalistas. Podemos rejeitar sua maneira de exprimir o assunto, mas mesmo assim somos obrigados a aceitar a verdade na direção da qual ele se esforçava por chegar.

VIII. Considerações em torno da Justificação

1. Trata-se de um ato divino, o qual pode ser contrastado com os muitos ritos e cerimônias da economia veterotestamentária (ver Rom. 8:33).

2. O homem não pode obter a justificação por meio da lei, Rom. 8:3; Gál. 2:16 e 3:11.

3. Ela vem pela fé, independentemente das obras, Atos 15:1 e Rom. 3:28.

4. Ela é imputada, lançada na conta corrente espiritual do indivíduo, Rom. 3:22.

5. É conferida ao homem mediante a expiação pelo sangue, Rom. 5:9. (Ver o artigo sobre a *Expiação*).

6. Ela produz a bem-aventurança espiritual. Rom. 4:6-8.

7. Ela confere a vida, pelo que envolve mais que apenas o perdão dos pecados. Nos escritos de Paulo ela inclui a santificação e a glorificação, em sua definição mais ampla. Portanto, não envolve o mero decreto divino de que certos homens são tidos por justos. Mas também torna-os justos, ou seja, opera neles tudo quanto Cristo tenciona fazer neles. Paulo não separa estritamente a justificação dos processos de santificação e glorificação, conforme a teologia reformada tem feito.

8. Ela estabelece a paz com Deus (ver Rom. 5:1).

9. Em certo sentido, obras e fé são termos sinônimos. A fé é um princípio ativo que se deriva de nossa união com Cristo. É uma força vital, e não mera crença em um credo. (Ver o artigo sobre a «fé»). As obras espirituais são produto do Espírito Santo, e não esforços humanos meritórios. Portanto, quando falamos em «obras», compreendemos que elas se realizam quando «Deus opera em nós», mediante o nosso exercício da fé — «a reação humana positiva que possibilita essa operação». Esses são aspectos de uma só operação, o que mostra que obras e fé, para nós, são sinônimos que não envolvem qualquer contradição. Esse tema é desenvolvido mais elaboradamente em Efé. 2:8 e Fil. 2:12,13 no NTI. Este último trecho afirma: «...desenvolvei a vossa salvação com temor e tremor; porque Deus é quem efetua em vós tanto o querer como o realizar, segundo a sua boa vontade».

É justamente por essas razões que o apóstolo Paulo queria que os seus ouvintes soubessem quão *grandiosa realidade* é a salvação e como nenhuma porção da mesma pode concretizar-se por alguma espécie de observação de alguma lei, ainda que essa lei seja a

683

JUSTIFICAÇÃO

honrada «lei de Moisés». Na verdade, longe de justificar aos homens, a lei de Moisés só serve para condená-los, porquanto lhes aponta um caminho que não podem de forma alguma seguir. Em contraste com isso, Cristo, apesar de mostrar-nos mais ou menos o mesmo caminho, pelo menos no que concerne aos preceitos morais, porquanto nos apresenta as mesmas exigências que aquelas feitas pela lei mosaica, e até mesmo exigências mais severas, por outro lado ao mesmo tempo nos confere a capacidade de caminhar com sucesso por esse caminho.

Essa capacidade nos é dada através do seu Santo Espírito, recebido por todos quantos confiam em Cristo Jesus. O ato da fé (que é também originado pelo Espírito Santo, ainda que em cooperação com a vontade humana) conduz os homens aos estágios iniciais da regeneração e da conversão; e uma vez que o crente ali se encontre, torna-se capaz de andar no Espírito, pois a regeneração é obra do Espírito de Deus. O mesmo Espírito que confere aos homens a fé em Cristo e lhes transforma a natureza, também é o guia da vida espiritual, bem como a força moral que perenemente vai transformando os remidos segundo a imagem de Cristo. A lei de Moisés não poderia oferecer tal coisa, porquanto não lhe cabia oferecer tal bênção. Cristo, entretanto, prometeu e realmente enviou o seu Santo Espírito, e uma vida nova e mais elevada nos é outorgada por meio do Espírito Santo, o qual realiza todas aquelas coisas que a mera observância da lei jamais poderia realizar.

«Aquela era uma nova e estranha doutrina para aquela gente de Antioquia». (Robertson, *in loc.*). Ver o trecho de Rom. 8:3 onde há uma declaração direta do apóstolo Paulo, que diz essencialmente o que encontramos em Tia. 2:22.

«Essas palavras são cheias de significação, com gérmen de tudo quanto é mais característico no ensino do apóstolo Paulo. A lei 'mosaica', com seu elevado padrão de retidão (ver Rom. 7:12), com sua exigência de total obediência, com os seus sacrifícios que davam testemunho sobre a gravidade do pecado, contudo não tinha o poder de liberar a consciência de seu cativeiro (ver Heb. 8:1-3), havia ensinado ao apóstolo que a sua função dentro da vida espiritual do homem, consistia em infundir-lhe o conhecimento do pecado (ver Rom. 7:7), e não emancipá-lo do pecado. O senso de liberdade da culpa e, por conseguinte, uma vida verdadeira, haveria de ser encontrado, conforme já pudemos entender, através de sua experiência de fé em Cristo. *...mas o justo viverá pela sua fé* (Hab. 2:4); ver também Rom. 1:17 e Gál. 3:11)». (E.H. Plumptre, *in loc.*).

IX. A Justificação Que Dá Vida - Rom. 4:25

1. A justificação é mais do que um decreto legal de que o crente se acha em boa situação diante de Deus.

2. De acordo com o uso paulino, envolve a santificação e a glorificação, pois é um princípio vivo, e não mera doutrina ou item da teologia. O Espírito, tal como no caso de todas as graças espirituais, é o poder por detrás da justificação.

3. Assim sendo, no presente versículo, vê-se que a ressurreição é uma das forças espirituais por detrás da justificação. A ressurreição serve de símbolo de poder, no N.T. Para que um homem seja justificado se faz necessário o poder para tanto. A mesma força espiritual que levantou a Jesus dentre os mortos, dando-lhe sua exaltada posição que ele agora tem, é o poder da justificação.

4. A ressurreição não é mera confirmação da validade da expiação de Jesus, no que diz respeito à justificação, mas é uma força espiritual que torna um homem justo.

5. Jesus, em sua ressurreição, tornou-se as primícias da vindoura vida espiritual, que haverá de ser outorgada aos demais filhos de Deus. É a isso que nos leva a justificação.

6. Notemos, em Rom. 5:18, a frase «justificação que dá vida». Esse versículo demonstra a latitude da doutrina paulina, em contraste com a daqueles que fazem da justificação mero decreto forense, que dá em resultado a correta posição do crente diante de Deus, em face do perdão de seus pecados.

7. A vida doada pela justificação é a participação na natureza e imagem de Cristo (ver as notas em Rom. 8:29 no NTI).

Existem vários níveis de existência animada, começando com a célula única, que já tem o poder de reproduzir-se. Em seguida há a vida dos insetos, que é um tanto mais complexa que a das células, embora muito inferior à vida de formas superiores. Há ainda a vida dos mamíferos, muito mais maravilhosa. Por igual modo, há a vida humana, que já é uma combinação tanto da vida física como da vida espiritual, porquanto o homem tem alma, e esta sobrevive à morte física. Não obstante, a imortalidade da alma humana é dependente. Pois depende dos contínuos poderes regenerativos da Palavra eterna, que é Cristo. Acima do homem há a vida angelical, que é superior à vida da alma dos homens, embora os anjos ainda não possuam a verdadeira imortalidade de Deus. A vida final e absoluta se encontra em Deus, que é a fonte originária de toda a forma de vida. Deus é eterno, mas não somente no sentido que não teve princípio e nem terá fim e, sim, no sentido de que se reveste de uma modalidade especial de vida majestática.

Ora, essa vida de Deus foi dada ao *homem* Jesus, quando de sua ressurreição, e é essa mesma modalidade de vida que Deus oferece aos homens, por meio do Senhor Jesus. Assim, pois, os remidos participam da vida verdadeiramente imortal de Deus, chegando assim a serem participantes da própria divindade (ver II Ped. 1:4).

Ó Cristo ressurrecto, ó Flor da páscoa! Quão
cara a tua
Graça se tornou! De Oriente a Ocidente, com
Poder amante, faz do mundo inteiro a tua
possessão.
(Philips Brooks).

Gloriosa é a coroa
Daquele que nos trouxe a salvação,
Por humildade chamado de Filho:
Tu que creste em verdades estupendas,
E agora obtiveste feitos inigualáveis,
RESOLUTO! OUSADO! e CUMPRIDO!
(Christopher Smart).

X. A Justificação nos Sistemas Eclesiásticos

1. *No Judaísmo*. O trecho de Lev. 18:5 estabelece o tom da fé judaica: «Portanto meus estatutos e os meus juízos guardareis; cumprindo os quais, o homem viverá por eles: Eu sou o Senhor». Antes de tudo, poderíamos indagar o que significa, nessa passagem, o verbo *viverá*. No Pentateuco não há qualquer ensino claro sobre a sobrevivência da alma diante da morte biológica, como também não há ali qualquer apelo à vida após-túmulo, ou como o lugar onde seremos galardoados pelo bem que tivermos feito, ou como o lugar onde seremos castigados por causa de nossas maldades. Por isso mesmo, muitos eruditos opinam que o livro de Levítico não promete a *vida*

JUSTIFICAÇÃO

eterna, ém uma passagem como essa. Seja como for, pode ser demonstrado, com muitas provas avassaladoras, que o *judaísmo* compreendia a lei mosaica como a chave para uma vida próspera temporal, e também para a vida eterna. É inútil tentar negar a natureza *revolucionária* da doutrina paulina da justificação pela fé. O judaísmo encarava Paulo como um herege e como um apóstata, e essa doutrina da justificação contradizia claramente a antiga fé judaica.

2. *No Cristianismo Primitivo.* Não há que duvidar que a epístola de Tiago transferiu para o modo de pensar cristão muito dos conceitos judaicos acerca da justificação. A tentativa de reconciliar Paulo e Tiago é anacrônica e fútil. Precisamos reconhecer que o cristianismo primitivo tinha seu partido legalista e judaizante, que jamais se deixou convencer pela doutrina paulina da justificação somente pela fé. Ver sobre *Tiago*, seção VI. *O Cristianismo Judaico*; e na seção VII. *Paulo e Tiago*, quanto a uma discussão pormenorizada sobre a questão. Mas havia um gordo segmento da Igreja primitiva que seguia os ensinamentos paulinos sobre a questão. O primeiro capítulo de Gálatas e o décimo quinto capítulo de Atos mostram que a *maioria* dos primeiros líderes cristãos acompanhava a Paulo. Mas é perfeitamente possível, até onde é possível julgar as evidências históricas, que *Tiago* não seguia as idéias de Paulo. Os intérpretes cristãos, em sua necessidade de obter harmonia a qualquer custo, têm produzido muitas interpretações desonestas, a fim de reconciliar Tiago e Paulo; mas esses esforços são *anti-históricos*. Uma teoria dogmática sobre a *inspiração* divina leva esses intérpretes a distorcerem os textos sagrados, a fim de removerem a discordância entre Paulo e Tiago. Não há razão alguma para supormos que os documentos inspirados não possam conter desarmonias e até mesmo abertas contradições. Consideremos o Antigo e o Novo Testamentos. Na verdade, são bem diferentes entre si, quanto a várias questões teológicas fundamentais. Não obstante, conseguimos preservar ambos sob uma mesma capa, no volume a que chamamos de Bíblia, considerando a ambos Escrituras inspiradas. A harmonia a qualquer preço não honra a Deus. Somente satisfaz à necessidade humana de obter conforto mental. Essa é uma teologia infantil. Grandes questões confrontam-nos na Bíblia, reflexos de profundos mistérios. Os homens transformam a teologia em mera humanologia!

Nota do Tradutor e Co-autor: Quando aceitei cooperar com o querido irmão e professor Champlin, concordamos em que eu deixaria intacto o que ele dissesse, mas ajuntaria meu parecer, naquilo em que eu não concordasse com ele. Essa questão da suposta discrepância entre Paulo e Tiago é uma dessas questões em que discordamos. Para mim, ambos viam a verdade por este prisma: a justificação do pecador tem um aspecto da fé e um aspecto das obras produzidas pela fé. Todavia, em vários de seus escritos, Paulo salientou mais a justificação *até* o momento da regeneração, ao passo que Tiago salientou a experiência do crente *a partir do* momento da regeneração. Sumariando: Antes da regeneração, Deus não leva em conta as nossas obras, mas somente a nossa fé (quando a recebemos do alto). É o que Paulo destaca quando diz, por exemplo: «Concluímos, pois, que o homem é justificado pela fé, independentemente das obras da lei» (Rom. 3:28). Mas, depois de regenerado, as obras de fé são contadas como motivos de justificação; e Paulo nunca ocultou isso. Na própria epístola aos Romanos lemos: «Agora, porém, libertados do pecado, transformados

em servos de Deus, tendes o vosso fruto para a santificação, e por fim, a vida eterna» (Rom. 6:22). Isso é apenas um exemplo, pois o tema recorre por muitas vezes, nessa e nas demais epístolas de Paulo. Por sua vez, Tiago enfrentava uma questão teológica diferente, isto é, a daqueles que se diziam crentes, mas cuja conduta não correspondia à fé que diziam ter (ver Tia. 2:14). Tiago, concordando plenamente com Paulo quanto a *essa* questão, escreveu: «Vês como a fé operava juntamente com as suas obras; com efeito, foi pelas obras que a fé se consumou, e se cumpriu a Escritura, a qual diz: Ora, Abraão creu em Deus, e isso lhe foi imputado para justiça» (Tia. 2:22,23). Não podemos jogar um desses apóstolos contra o outro, somente porque, em certos trechos, Paulo frisou a justificação *antes* da regeneração (embora também a tenha frisado *depois* da regeneração), ao passo que Tiago, em sua única epístola, frisou a justificação *depois* da regeneração. Assim, no tocante à justificação depois da regeneração, Paulo e Tiago falaram em uníssono. Mas, quanto à justificação *antes* da regeneração, isso não faz parte do escopo da epístola de Tiago. Aos intérpretes cabe averiguar de que ângulo este ou aquele escritor sagrado escreveu. Isso resolve a suposta desarmonia entre Paulo e Tiago.

Além disso, por que a Igreja primitiva não resolveu a discordância entre Paulo e Tiago, quando do concílio historiado em Atos 15? Paulo e Tiago estavam presentes, e todos concordaram em torno de uma mesma decisão. Se a Igreja primitiva não aceitou a posição dos judaizantes, como aceitaria uma brecha ainda mais profunda, dessa vez entre dois apóstolos, e acerca de um tema tão fundamental como é a justificação do homem diante de Deus? Tivesse Tiago escrito do mesmo ângulo de Paulo, quanto a certos trechos de suas epístolas, podemos ter certeza de que não discordaria em nada com Paulo. Nem Tiago nem Paulo eram antinomianos. Ver o artigo sobre o *Antinomianismo*. Eles concordaram quanto à justificação *depois* da regeneração. E podemos ter a certeza de que também concordavam com a justificação olhada do ângulo de *antes* da regeneração! Somente que Tiago não teve oportunidade de mostrar isso, em sua epístola; mas fê-lo por ocasião do concílio de Jerusalém! Fim da nota do Tradutor e Co-autor.

3. *A antiga Igreja Católica* (pelo menos importantes membros da mesma), antes que se dividisse em dois ramos, um dos quais se tornou a Igreja Católica Romana e o outro se tornou a Igreja Ortodoxa Oriental, defendia a doutrina paulina da justificação, embora a sacramentalizasse, tornando o batismo necessário à justificação.

4. *A Justificação para os Grupos Protestantes.* Não que esses grupos concordem em tudo uns com os outros, mas o fato é que a *Reforma* (vide) renovou a ênfase sobre a teologia paulina. Lutero, que era mónge agostiniano, reenfatizou a interpretação de Agostinho (vide), que era essencialmente paulina.

O próprio Lutero falava sobre a justificação como a «regeneração para uma nova vida», e não meramente como um pronunciamento judicial de Deus, como uma retidão meramente lançada na conta. Tenho concordado com a posição de Lutero em vários artigos desta enciclopédia. No entanto, no protestantismo posterior, a justificação passou a ser concebida como o mero perdão e a não imputação do pecado, como a segurança posicional em Cristo, dando a entender que a vida renovada pelo Espírito (a santificação) é uma operação inteiramente distinta, sem qualquer ligação com a justificação. Paulo não fazia essa distinção, porquanto deixou bem claro que a justificação é uma

685

JUSTIFICAÇÃO — JUSTINO MÁRTIR

experiência transformadora da vida, e não mera declaração forense. Lutero declarou que: «Somente a fé justifica; mas a fé nunca se manifesta sozinha». Essa é uma declaração bem arquitetada, que encerra profundas verdades. É claro que esse foi o ponto tocado por Tiago, em sua epístola; como também foi o ponto tocado por Paulo, em vários trechos de suas epístolas. Lutero também disse: «Onde não há amor, não há fé, mas somente hipocrisia». Isso posto, no pensamento de Lutero havia uma experiência dinâmica, dentro da justificação, que alguns teólogos modernos preferem pôr dentro da santificação, como se não fizesse parte da justificação. Antes, deveríamos ver a santificação como uma parte integrante da justificação, que se manifesta a partir do momento em que o indivíduo é regenerado pelo poder do Espírito! Tanto isso é verdade que, sem a justificação, não pode haver a santificação. E a santificação é a confirmação da justificação!

A obra do Espírito tem muitas facetas, embora tudo seja operado por um único Espírito. Os teólogos costumam dividir essas operações em categorias estanques. Fazem isso para efeito de análise. Mas se esquecem de salientar que todas essas operações do Espírito de Deus são interdependentes. Portanto, aquelas distinções artificialmente criadas pelos teólogos sistemáticos algumas vezes obscurecem a verdade, em vez de esclarecê-la. Os intérpretes protestantes, de modo geral, desvinculam toda atuação humana da justificação. No entanto, há obras que fazem parte da justificação. São as obras impelidas pela fé, impulsionadas pelo Espírito. O indivíduo regenerado recebeu uma nova natureza, que produz essas obras. Essas obras não devem ser reputadas como meros *resultados* da fé (conforme muitos têm dito). Antes, elas são a *substância* mesma da fé. Antes da regeneração, o homem está morto em seus pecados, e não pode ter obras meritórias. Depois da regeneração, ele ficou espiritualmente vivo, e, naturalmente, dá mostras dessa nova vida, mediante suas obras da fé. Diz Tia. 2:26: «Porque, assim como o corpo sem espírito é morto, assim também a fé sem obras é morta».

5. *A Justificação Católica Romana.* De acordo com a teologia católica romana, a justificação não se dá pela *fé somente*, e, sim, pela *fé forjada pelo amor* (no latim, *fides caritate formata*). Para essa teologia, a fé é o começo, é a raiz e a base de toda justificação; porém, ela nunca se manifesta isolada, porque tem essência e substância espiritual. No ato de fé, «o homem é impelido e atraído pela graça de Deus. Em outras palavras, é *capacitado* a crer o que foi divinamente revelado, particularmente no tocante às doutrinas da redenção e do perdão dos pecados. Assim crendo, ele se volta para Deus em esperança, amando-o e dispondo o coração à penitência, afastando-se do pecado. Então, fica preparado para o dom da graça santificadora, mediante o qual não somente seu pecado é perdoado e expurgado, mas também torna-se aceitável diante de Deus. Esse dom é inicialmente conferido por meio do batismo. Então, mais tarde, se for perdido, poderá ser restaurado pelo sacramento da penitência. O batismo e a penitência são sacramentos justificadores» (F).

Como vemos, para a teologia católica romana, as obras da fé são sempre sacramentais. No entanto, para Tiago e para todos os demais escritores do Novo Testamento, as obras da fé consistem naqueles atos exigidos pelas circunstâncias, que demonstram a realidade da fé. De acordo com Tiago, no caso de Abraão, ele mostrou ter obras de fé quando se prontificou a oferecer Isaque como holocausto, sobre o altar, porquanto assim Deus lhe havia determinado. E, no caso de Raabe, ela exibiu obra de fé quando recolheu os espias de Israel, porquanto compreendeu que eram representantes do verdadeiro Deus. Ver Tia. 2:20-6. E, para Paulo, as obras de fé consistem na conduta moralmente transformada dos verdadeiros regenerados, em cujo parecer ele é acompanhado por todos os escritores do Novo Testamento. Mas, quando um homem não foi regenerado pelo Espírito, então apela para o sacramentalismo ou cerimonialismo, isto é, para uma religião de externalidades. Essa religiosidade externa substitui, convenientemente, a realidade interior que ele não possui!

Para os católicos romanos, os sacramentos pressupõem um genuíno exercício da fé. Isso cria problemas no caso dos infantes batizados! Assim, a fé do infante a ser batizado, na verdade, é a fé de seus padrinhos! Uma fé por procuração, algo que simplesmente não existe na Bíblia! Quando aquele infante cresce, e perde a graça inicial, então, conforme foi dito acima, pode recuperá-la mediante a penitência! O erro católico romano consiste em uma justificação sacramental. Todavia, a doutrina católica romana está com a razão quando diz que Deus, ao justificar um pecador, *torna-o justo*, e não somente declara-o justo. Pensar de outra maneira é defender uma ficção teológica. Ajuntamos aqui que a justificação injeta amor no indivíduo regenerado e justificado, e é assim que ele passa a cumprir os preceitos da lei.

Os grupos protestantes precisam reexaminar seus conceitos teológicos, aproximando-os mais da Bíblia. Poderíamos pensar sobre dois pontos necessários. *Primeiro*, a justificação é um princípio vital, que contém em si mesmo as sementes da santificação e da transformação interior. Assim sendo, a justificação envolve o *tornar* um homem justo, e não meramente declará-lo posicionalmente justo, em Jesus Cristo. *Segundo*, visto que o amor é a concretização e a prova mesma da espiritualidade (ver I João 4:7 ss), então a justificação também deve infundir no homem o poder do amor, que é uma das operações do Espírito (ver Gál. 5:22). Mas, rejeitamos a sacramentalização da justificação, isto é, fazer do batismo e da penitência medidas justificadoras!

No *catolicismo romano popular*, muito distanciado da melhor base teológica do catolicismo romano erudito, por causa da ignorância em que as massas católicas vivem das Sagradas Escrituras, vemos que um crasso merecimento humano entra no quadro, como parte da justificação.

6. *Nas Religiões Orientais* é costumeiro haver algum sistema de reencarnação e *karma* (vide). Esse processo todo faria parte integrante da justificação da alma, embora não haja ali nenhuma doutrina que se aproxime da justificação aos moldes neotestamentários. Para mim, caso a reencarnação (vide) seja uma verdade, então só posso encará-la como oportunidade abundante para a transformação espiritual, e não como um meio de salvação, por si mesma. Além disso, visto que os que acreditam na reencarnação dizem que a necessidade da mesma seria o aperfeiçoamento da alma, o que, para eles, só se processa em meio a inúmeras voltas a esta vida terrena, para o crente, esse ciclo se torna desnecessário, porquanto ele encontra sua perfeição em Cristo, que, com uma única oferta, aperfeiçoou para sempre a quantos estão sendo separados para Deus. Ver Heb. 10:14.

Bibliografia. AM B E F GSM HC LA(1954) NTI Z

JUSTINO MÁRTIR

Suas datas aproximadas foram 100-165 D.C.

JUSTINO MÁRTIR — JUSTO: HOMENS

Nasceu em Flávia Neápolis (atual Nablus, na Jordânia), e faleceu em Roma. Foi um filósofo platônico. Seus estudos profundos do platonismo, do pitagoreanismo, do estoicismo e do aristotelianismo convenceram-no de que nem toda a verdade está contida na filosofia, e que ele precisava continuar inquirindo pela verdade. Converteu-se ao cristianismo, em Éfeso, na Ásia Menor. Todavia, não se desfez das vestes próprias de filósofo, a marca registrada de sua profissão. Tomou sobre si a tarefa de encaminhar pagãos educados a Cristo, mediante o método filosófico. Foi assim que ele obteve grande sucesso, em contraste com Paulo (ver Atos 17:16 ss), que, com seu treinamento rabínico, sentia-se fora de seu elemento, ao tentar a abordagem filosófica, e justamente em Atenas.

Subseqüentemente, Justino mudou-se para Roma, que transformou em seu grande centro de atividades. Justino atacou de modo muito eficaz o gnosticismo, mostrando ser um dos heróis do cristianismo bíblico, do qual nunca se cansou de ser defensor. Ele fazia da doutrina do *Logos* o centro doutrinário de sua abordagem filosófica à teologia. A filosofia grega era por ele adornada com a doutrina do Logos, conforme esta é apresentada pela fé cristã. Ele acreditava que o Logos divino, o Filho de Deus, implanta as suas sementes em muitos lugares, dentro e fora da religião cristã; e também que a filosofia grega (em seus melhores aspectos, como nos escritos de Platão) servia de aio para os pagãos, para conduzi-los a Cristo, mais ou menos como a lei mosaica faz no caso dos judeus. Sua *Apologia* continha a sua defesa formal do cristianismo, e também muitas de suas próprias idéias. Justino escreveu uma *Segunda Apologia*, que endereçou ao imperador Marco Aurélio. Em sua obra, *Diálogo com Trifo, o Judeu*, ele comparou a superioridade do cristianismo, em relação ao judaísmo. Foi martirizado por causa de sua fé. A Igreja celebra a sua data a 14 de abril. Justino Mártir foi morto em algum tempo entre 163 e 167 D.C.

Algumas Idéias Distintivas de Justino Mártir:

1. A **lata atividade do Logos**. Justino evitava o exclusivismo ao asseverar que o *Logos* não limita as suas atividades a qualquer escola ou organização religiosa ou filosófica. As sementes do Logos, ou *lógoi spermatikoi*, vão sendo implantadas por toda a parte, embora no cristianismo é que encontremos o melhor plantio e cultivo feitos pelo Logos de Deus.

2. Juntamente com a maioria dos pais gregos da Igreja, Justino acreditava na *preexistência* da alma, como também em uma contínua oportunidade de salvação, até depois da morte física do indivíduo. Os gregos viam essa questão como um círculo. Ninguém pode marcar onde um círculo começa ou termina. Assim também ninguém sabe determinar o começo de uma alma. E também ninguém pode marcar um ponto, em um círculo, para então dizer: «Aqui cessa a oportunidade de redenção». Na Igreja Ortodoxa Oriental, onde as idéias gregas sobre essas questões prevaleceram, a vida após-túmulo continua sendo reputada como condição em que as almas podem preparar-se para a vida eterna, e não como estado em que as almas permanecem estagnadas. Ver I Ped. 4:6 que ensina o conceito oriental. A Igreja Ocidental, entretanto, não herdou essas idéias gregas, e tem preferido limitar a oportunidade de salvação a esta única vida terrena. A Bíblia encarece a necessidade do arrependimento «agora», no tempo que se chama «hoje» (ver Heb. 3:7,13,15).

3. *Provas da Doutrina Cristã*:

a. *A tradição profética* do Antigo Testamento, muito mais antiga que a filosofia grega, predisse muitas coisas que ocorreram dentro da era cristã.

b. *A excelente qualidade dos ensinos morais do cristianismo*, superiores que são aos ensinos de outros sistemas, serve de prova da inerente veracidade da doutrina cristã.

c. *As vidas transformadas* dos crentes confirmam a veracidade do cristianismo.

4. Com o surgimento dos pais da Igreja grega e latina, que nos legaram seus escritos, a filosofia tornou-se serva da fé religiosa, e, por longo tempo, deixou de ser um sistema separado. Justino Mártir acreditava na viabilidade e desejabilidade de defender a fé cristã por meio da erudição filosófica, e também afirmava que essa forma de erudição pode ser usada para levar os homens a compreenderem melhor a fé cristã. (AM E EP P)

JUSTO: HOMENS

Nas páginas do N.T. existem vários indivíduos que atendiam pelo nome próprio de «Justo», a saber:

1. Esse era o nome de *José Barsabás*, um dos dois discípulos que poderiam servir de sucessores de Judas Iscariotes, o traidor, dentro do círculo apostólico. Evidentemente, ele vinha sendo discípulo do Senhor Jesus desde os tempos de João Batista. Papias, segundo está registrado nos escritos de Eusébio, *His.* iii.39.9, assevera como esse discípulo sobreviveu a uma tentativa de envenenamento, que lhe armaram os pagãos. É bem possível que Judas Barsabás fosse seu irmão (ver Atos 15:22).

2. *Justo*, que também tinha o nome de Jesus, foi um dos *cooperadores do apóstolo Paulo*, em seu trabalho missionário (ver Col. 4:11). Mas, acerca desse indivíduo nada mais se sabe além disso.

3. O «Justo» do livro de Atos, é *Tício Justo*. Evidentemente ele era um cidadão romano. Não se trata de Tito, um outro dos companheiros de Paulo (ver Gál. 2:1). «Tício Justo» era um homem «temente a Deus», isto é, prosélito do judaísmo, cuja casa evidentemente era contígua à sinagoga, e que, de alguma maneira estava ligada à mesma. Seguindo a possível indicação do trecho de Rom. 16:23, Ramsay e, posteriormente, Goodspeed (ver *Journal of Biblical Literature*, LXIX, 1950, pág. 328 e ss), identificam-no com Gaio, de Corinto, traduzindo assim o seu nome como «Gaio Tício Justo». Porém, a opinião de que ele teria sido o «Tito» das epístolas de Paulo não tem qualquer autoridade real e conta somente com sua antiguidade como um ponto em seu favor.

Na controvérsia na sinagoga, Tito evidentemente havia aderido ao apóstolo Paulo, e lhe fez um convite para permanecer em sua casa. Era estranho que Paulo tivesse querido estar tão perto do lugar onde ele acabara de entrar numa amarga controvérsia; mas provavelmente aquele era o único lugar que se lhe abriu naquela ocasião. Além disso, ele, sem dúvida, gostava da companhia de Tito. Isso também lhe proporcionou um lugar estratégico para encontrar-se com os vários gentios que vinham adorar nas sinagogas.

«Até aquele tempo, aparentemente, o apóstolo Paulo estivera hospedado na casa de um judeu, em alguma região de Corinto análoga ao 'ghetto' da moderna Roma, na esperança de conciliar os seus irmãos de acordo com a carne. Agora, em vista dos fanáticos frenéticos e selváticos, ele entrou numa casa que eles teriam evitado, embora na porta contígua à sinagoga, e ainda que o homem que ali vivia fosse um adorador devoto». (E.H. Plumptre, em Atos 18:7).

••• ••• •••

JUSTOS — JUVENTUDE

JUSTOS, LIVROS DOS

A **Septuaginta** diz «livro do Justo», uma tradução do hebraico *sepher jashar*. Trata-se de um antiqüíssimo escrito, que não mais existe, mencionado em Jos. 10:13 e II Sam. 1:18. A passagem do décimo capítulo de Josué informa-nos que o incidente da parada do sol ficara registrado no livro dos Justos. Quanto a esse evento, e suas muitas tentativas de explicação, ver o artigo sobre *Astronomia* 5.b.

Com base nos minúsculos fragmentos que possuímos, mediante citações, desse antiqüíssimo livro, podemos supor que se tratava de uma composição poética e histórica, ou uma espécie de crônica que louvava os eventos e vitórias da vida nacional do povo de Israel. Esse livro deve ter sido muito bem conhecido na antiguidade, a julgar pelas referências ao mesmo, sem qualquer elaboração ou explanação. Josefo (*Anti*. 5.1,17) refere-se a esse livro como um dos rolos guardados no templo de Jerusalém. Jerônimo conjecturava que Jasar seria, na verdade, um outro nome aplicado ao livro de Gênesis; mas isso não se ajusta às citações com que contamos. Conforme outros acreditam, talvez fosse uma espécie de crônica contínua, que foi recebendo adições com a passagem dos anos, fazendo parte dos arquivos literários de Israel.

As tradições e as lendas não gostam de deixar hiatos. pelo que esse livro foi «reproduzido» pelos escritores rabínicos, como se fora a última composição da literatura hagádica do judaísmo, onde aparece um livro de Jasar que nada tem a ver com a composição original. Essa obra rabínica foi escrita em um bom hebraico, cobrindo o tempo desde Adão até os juízes de Israel, dentro de um contexto cronológico. Todavia, há muitas invenções e interpolações feitas com elementos extraídos do Antigo Testamento. Além disso, muitos mitos são adicionados acerca de várias personagens veterotestamentárias, como duas jornadas feitas por Abraão, a fim de visitar o exilado Ismael, juntamente com o aparecimento de uma estrela miraculosa. Também há um relato pormenorizado do assassinato de Abel por Caim. É possível que essa posterior versão rabínica do livro tenha tido uma origem italiana, visto que o seu autor demonstra conhecer nomes e itens próprios daquele país.

Essa obra foi publicada sob forma impressa, pela primeira vez, em 1625. Uma outra obra, posto que com o mesmo título, foi escrita pelo rabino Tam, no século XIII. Essa outra obra era um tratado sobre leis judaicas. Em 1751, em Londres, Inglaterra, ainda uma outra obra atribuída a Jaser foi publicada. Tinha o fantástico título (próprio da época) de «O Livro de Jaser, com Testemunhas e Notas Explicativas do Texto ao qual são Prefixadas Diversas Variantes». Mui curiosamente, essa obra, pelo menos em parte, voltava-se contra Moisés. Reivindicações e narrativas fantásticas foram atreladas ao livro. Porém, tudo não passava de uma forja de mau gosto, e logo caiu no mais bem merecido olvido. Wycliffe, um dos primitivos tradutores da Bíblia para o inglês, aparece ali como alguém que louvava a obra; mas isso também fazia parte da fabricação.

JUTÁ

No hebraico, «fechada», «enclausurada». Era uma cidade no território de Judá (Jos. 15:55), localizada perto do Carmelo. Foi alocada aos sacerdotes (Jos. 21:16). Tem sido identificada com a moderna *Yatta*, cerca de oito quilômetros a sudoeste de Hebrom. Essa cidade não é mencionada no texto paralelo de I Crô. 6:59.

JUVENTUDE

Os antigos conceitos sobre a infância e a juventude são muito imprecisos para nós. Não existe qualquer termo, no hebraico ou no grego, para indicar o período da puberdade e da adolescência, o que significa que os conceitos sobre a idade juvenil são, realmente, vagos. Todavia, pode-se dizer que as mulheres eram chamadas de «virgens» ou «donzelas» enquanto não se casassem, sem importar a idade; e um homem era considerado jovem desde a infância até à idade adulta, a que, conforme a concepção dos antigos, chegava aos vinte e um anos.

Há uma certa variedade de vocábulos hebraicos que podem ser traduzidos por «jovem», conforme se vê na lista abaixo (damos apenas os termos principais).

1. *Bachur*, «jovem», «solteiro». Palavra que é empregada por quarenta e cinco vezes no Antigo Testamento, conforme se vê, por exemplo, em Deu. 32:25; Juí. 14:10; Rute 3:10; I Sam. 8:16; II Crô. 36:17; Sal. 78:63; Pro. 20:29; Ecl. 11:9; Isa. 9:17; Jer. 6:11; Lam. 1:15; Eze. 9:6; Joel. 2:28; Amós 2:11.

2. *Naar*, «jovem», literalmente, «em crescimento». Palavra usada por cerca de cento e oitenta vezes com esse sentido, porquanto também significa «servo», «criado», conforme se vê, por exemplo, em Gên. 14:24; 18:7; Êxo. 10:9; Núm. 11:27; Deu. 28:50; Jos. 6:21; Juí. 8:14; I Sam. 1:24; II Sam. 1:5; I Reis 11:28; II Reis 4:22; I Crô. 12:28; II Crô. 13:7; Est. 3:13; Jó 1:19; Pro. 1:4; Isa. 13:18; Jer. 51:22; Lam. 2:21. A forma feminina dessa palavra hebraica, *naarah*, aparece por sessenta e duas vezes, conforme se vê, para exemplificar, em Gên. 24:14; Deu. 22:15,16; Juí. 19:3-6,8,9; Rute 2:5,6, I Sam. 25:42; I Reis 1:3,4; Juí. 21:12; Ester 2:2,3; Jó 41:5; Pro. 9:3,27; Amós 2:7.

3. *Neurim*, «jovens», «juventude». Esse termo ocorre por quarenta e seis vezes, conforme se vê, por exemplo, em Gên. 8:21; Lev. 22:13; Núm. 30:3; I Sam. 17:33; II Sam. 19:7; I Reis 18:12; Jó 13:26; Sal. 25:7; 71:5,17; Pro. 2:17; Jer. 2:2; Lam. 3:27; Joel 1:8.

4. *Alumim*, «jovens», «juventude». Palavra que aparece por quatro vezes no Antigo Testamento: Jó 20:11; 33:25; Sal. 89:45; Isa. 54:4.

Embora outros termos também possam ser interpretados como «jovem» ou «juventude», eles têm outros significados mais primários, pelo que não os mencionamos aqui.

No Novo Testamento, por igual modo, temos várias palavras gregas envolvidas, a saber:

1. *Neótes*, «juventude». Esse vocábulo foi usado por quatro vezes: Mar. 10:20; Luc. 18:21; Atos 26:4 e I Tim. 4:12.

2. *Neanías*, «jovem». Palavra empregada por quatro vezes: Atos 7:58; 20:9; 23:17,18.

3. *Neanískos*, «jovem, na flor da vida». Vocábulo que ocorre por onze vezes: Mat. 19:20,22; Mar. 14:51; 16:5; Luc. 7:14; Atos 2:17 (citando Joel 3:1); 5:10; 23:18,22; I João 2:13,14.

O primeiro desses vocábulos gregos, *neótes*, literalmente significa «novato», e, por extensão, «juventude», no sentido de «moço», «adolescente». Foi comumente empregado pela Septuaginta para traduzir os termos hebraicos alistados acima. O homem que veio indagar de Jesus o que fazer para obter a vida eterna, ao ser instruído que deveria guardar os mandamentos, comentou: «Mestre, tudo isso tenho observado desde a minha juventude». E o trecho paralelo de Mateus 19:20 acrescenta a esse comentário do homem, uma pergunta: «...que me falta ainda?» Tal pergunta é extremamente importante em nossa consideração, porquanto mostra que o homem

JUVENTUDE

imediatamente percebeu que a guarda dos mandamentos não era suficiente para a salvação de sua alma. É como se ele tivesse dito: «Tenho observado os mandamentos por toda a minha vida adulta, e isso não me salvou!»

Paulo mostrou que era bom conhecedor da cultura e dos costumes judaicos, desde a sua «mocidade», conforme diz nossa versão portuguesa, em Atos 26:4.

Timóteo, encarregado da liderança cristã, pelo apóstolo Paulo, tinha uma desvantagem material, a sua pouca idade. Por isso é que Paulo recomendou: «Ninguém despreze a tua mocidade; pelo contrário, torna-te padrão dos fiéis na palavra, no procedimento, no amor, na fé, na pureza» (I Tim. 4:12). Em outras palavras, ele deveria lutar contra aquelas tendências que, usualmente, caracterizam aos jovens, quanto ao seu lado pior — um procedimento leviano, o egoísmo quase infantil, uma fé pouco desenvolvida e a tendência natural para as questões sexuais, com pouca pureza de pensamentos. Paulo repete esses conselhos a Timóteo, em sua segunda epístola a esse jovem, conforme se lê em II Tim. 2:22: «Foge, outrossim, das paixões da mocidade. Segue a justiça, a fé, o amor e a paz com os que, de coração puro, invocam o Senhor. E repele as questões insensatas e absurdas, pois sabes que só engendram contendas».

Há uma grande potencialidade nos jovens de ambos os sexos, quando se tornam servos de Deus. Disso as Escrituras nos dão abundantes provas. Basta que nos lembremos de jovens como José, Samuel, Davi, Maria, o próprio Timóteo, e tantos outros, para termos ilustrações preciosas dessa grande verdade. Do alto de sua grande experiência, escreveu o apóstolo João aos jovens crentes: «Jovens, eu vos escrevo porque tendes vencido o maligno... Jovens, eu vos escrevi, porque sois fortes, e a palavra de Deus permanece em vós, e tendes vencido o maligno» (I João 2:13 e 14). Isso mostra-nos do que um jovem, impulsionado e ensinado pelo Espírito de Cristo, é capaz.

Os jovens, geralmente, são acusados de pouco juízo e de muitas infantilidades, e isso, na maioria das vezes, com toda a razão. Sabedor desse fato foi que Paulo recomendou a Tito: «Quanto aos moços, de igual modo, exorta-os para que, em todas as cousas, sejam criteriosos» (Tito 2:6). Mas, se for vencida essa tendência para a falta de sobriedade mental, um jovem pode ser de grande utilidade no reino de Deus. De fato, todas as melhores qualidades de caráter podem chegar a residir em um jovem, embora, nos anos de maior maturidade, ele venha a tornar-se um servo de Deus ainda mais bem preparado. Foi o caso, por exemplo, de Daniel e seus três companheiros judeus de exílio, Hananias, Misael e Azarias. Verdade é que eles eram seletos, porquanto pertenciam à linhagem real de Judá. Mas, o grande segredo daqueles quatro jovens judeus encontra-se em Daniel 1:17: «Ora, a estes quatro jovens Deus deu o conhecimento e a inteligência em toda cultura e sabedoria; mas a Daniel deu inteligência de todas as visões e sonhos». Eles destacavam-se dos demais jovens, e até mesmo sobressaíam a sábios de mais idade, porque o Espírito de Deus estava com eles. «Em toda matéria de sabedoria e de inteligência, sobre que o rei (Nabucodonosor) lhes fez perguntas, os achou dez vezes mais doutos do que todos os magos e encantadores que havia em todo o seu reino» (Dan. 1:20). E a fortaleza de fé daqueles jovens judeus também foi notável. De certa feita, ameaçados de serem mortos na fornalha de fogo, três deles, Hananias, Misael e Azarias, responderam com grande maturidade e com uma fé que não vacilava: «Se o nosso Deus, a quem servimos, quer livrar-nos, ele nos livrará da fornalha de fogo ardente, e das tuas mãos, ó rei. Se não, fica sabendo, ó rei, que não serviremos a teus deuses, nem adoraremos a imagem de ouro que levantaste» (Dan. 3:17,18). Bem poucas pessoas adultas teriam demonstrado tão corajosa e inflexível decisão em sua fé. E sabemos que o Senhor honrou a fé daqueles jovens, deixando uma profunda lição objetiva para pessoas de todas as idades. Deus jamais se mostra indiferente para com aqueles que se põem ao seu lado, com fé e coragem.

De conformidade com o conceito grego de educação e disciplina, expresso pelo vocábulo grego **paidéia**, esse treinamento é uma parte inseparável da formação de um indivíduo. Assim, lê-se em Hebreus 12:11: «Toda disciplina (no grego, *paidéia*), com efeito, no momento não parece ser motivo de alegria, mas de tristeza; ao depois, entretanto, produz fruto pacífico aos que têm sido por ela exercitados, fruto de justiça».

O conceito de imaturidade aparece, com bastante freqüência, nas páginas do Novo Testamento, e isso sob a figura de juventude ou criancice, conforme se vê, por exemplo, em I Coríntios 3:1: «Eu, porém, irmãos, não vos pude falar como a espirituais; e, sim, como a carnais, como a crianças em Cristo». Por semelhante modo, o período inicial da monarquia israelita figura como a juventude ou infantilidade da nação escolhida, segundo se vê em Oséias 2:15: «E lhe darei, dali, as suas vinhas, e o vale de Acor por porta de esperança: será ela obsequiosa como nos dias da sua mocidade, e como no dia em que subiu da terra do Egito». Fazendo contraste com isso, a congregação dos remidos, no Novo Testamento, aparece como uma comunidade madura, que não mais precisava das lições objetivas do antigo pacto. É o que Paulo ensina-nos em Gálatas 3:23-25: «...antes que viesse a fé, estávamos sob a tutela da lei, e nela encerrados, para essa fé que de futuro haveria de revelar-se. De maneira que a lei nos serviu de aio para nos conduzir a Cristo, a fim de que fôssemos justificados por fé. Mas, tendo vindo a fé, já não permanecemos subordinados ao aio».

Um dos mais difíceis problemas da teologia é a questão da chamada «idade da responsabilidade». Segundo muitos estudiosos, uma pessoa só se tornaria responsável por seus pecados, diante de Deus, ao atingir essa idade. Antes disso, teríamos a idade da inocência. Mas outros eruditos encontram aí um problema, afirmando, e com toda a razão, que ninguém vai para o céu somente porque morre jovem. É possível que essa questão, como muitas outras, tenha de ser deixada nas mãos de Deus, que preferiu não nos dar informações mais precisas a esse respeito. O fato é que a «idade da responsabilidade» não se pode determinar por meio de leis promulgadas. Porquanto, entre os seres humanos, há grandes diferenças de desenvolvimento, desde quase o momento da fertilização do óvulo feminino, até à decadência física, devido à idade, e à morte. É bem sabido que algumas pessoas permanecem em um estado relativamente imaturo e infantil até bem tarde; mas outras pessoas já são perfeitamente maduras, física, mental e moralmente, com emoções e sentimentos perfeitamente assentados e equilibrados desde o fim da puberdade (o início da adolescência). Parece que isso tanto se deve a uma espécie de relógio biológico quanto às crises que um jovem precisa enfrentar na vida. Alguns jovens órfãos de um ou de ambos os genitores, talvez por pura necessidade, amadurecem mais cedo do que os jovens que contam com a proteção da família. O paternalismo exagerado

JUVENTUDE

não é conducente à maturidade e ao senso de independência. Ver o artigo intitulado *Infantes, Morte e Salvação dos*, que entra, detalhadamente, no problema da *idade da responsabilidade*.

A *Igreja Ortodoxa Oriental* e os *Anglicanos* comumente não interpretam a morte biológica como um fim à oportunidade, e usam como textos de prova a história da *descida de Cristo ao hades* (ver) — o Evangelho foi pregado aos *mortos* — (I Ped. 4:6) e a promessa da *restauração* (ver), em Efé. 1:9,10. Este trecho fala sobre *o mistério da vontade de deus* (ver). Essa interpretação faz sentido.

Na época neolítica, segundo as pesquisas dão a entender, não era incomum que os pais tivessem de arranjar as coisas para o casamento de um filho já com quarenta anos de idade! Atualmente, porém, as crianças parece que já nascem sabendo de muitas coisas. E muitos jovens de hoje são mais maduros e experientes do que os adultos de gerações passadas. Talvez a razão seja a nossa cultura, onde há grande facilidade para que os homens adquiram cultura e informações gerais, em todos os campos do conhecimento humano.

Nos países de população jovem (como é o caso do Brasil, onde cinqüenta por cento dos seus habitantes têm vinte anos ou menos) surgem muitos problemas sociais mais ou menos graves. Um desses problemas é de ordem econômica, pois os jovens, até mesmo por falta de treinamento, são improdutivos. E os adultos é que precisam trabalhar para fornecer os meios de subsistência aos jovens que ainda não se integraram à força de trabalho da nação a que pertencem. Um outro problema social · grave, que cada vez mais preocupa os interessados na boa ordem da sociedade, é a questão da delinqüência juvenil. É fato sabido que são os jovens, desde o começo da vida adulta, até dos vinte e cinco anos de idade, que se metem em enrascadas e se tornam os transgressores da lei. Talvez seja em reconhecimento desse fato que o livro de Provérbios, — e também a Bíblia em geral, têm tantos conselhos aos jovens. Se todas as passagens bíblicas de conselho aos jovens fossem reunidas em um único bloco, segundo as estimativas de alguns estudiosos, essas passagens ocupariam cerca de vinte e três páginas da Bíblia impressa, o que indica uma elevada porcentagem, se considerarmos que as Bíblias comuns têm cerca de novecentas páginas no Antigo Testamento e de trezentas páginas no Novo Testamento. Para encerrar, citemos uma dessas passagens dos Salmos, endereçadas aos jovens: «De que maneira poderá o jovem guardar puro o seu caminho? observando-o segundo a tua palavra» (Sal. 119:9)!

••• ••• •••

Dê de seu melhor ao Mestre,
Dê de sua força e de sua juventude;
Lance o ardor radiante e fresco de sua alma
Na batalha pela verdade.

Jesus deu o exemplo;
Ele não tinha medo,
Era Jovem e corajoso;
Dê-lhe sua devoção leal.
Dê-lhe o melhor de si.
(Mrs. Charles Barnard)

JUVENTUDE

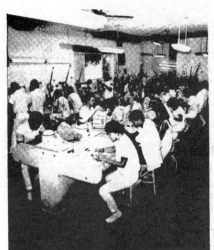

••• ••• •••

A JUVENTUDE

por Samuel Ullman

Uma redação sobre a juventude escrita por um americano que prendeu a imaginação dos japoneses. Muitos industrialistas e empresários japoneses portam uma cópia dessa redação em suas carteiras. A *juventude* é uma jornada espiritual e não uma questão de idade biológica.

•••

A *juventude* não é uma época da vida; é um estado de *espírito*; não é uma questão de bochechas rosadas, lábios vermelhos e joelhos flexíveis; é uma questão de *desejo*, emoções vigorosas; é o frescor das profundas nascentes da vida.

A juventude significa a predominância temperamental *da coragem* sobre a timidez de apetite, por aventura sobre o amor às coisas *fáceis*. Isso normalmente existe mais em um homem de mais de 60 anos do que em um rapaz de 20. Ninguém envelhece meramente em *número* de anos. Envelhecemos por desertarmos os nossos *ideais*.

Os anos podem enrrugar a pele, mas desistir do *entusiasmo* enrruga a *alma*. Preocupação, medo, e falta de autoconfiança rendem o coração e transformam a alma em poéira.

Seja 60 ou 16, em *todo* coração humano o desejo pelo desconhecido, o infalível apetite infantil que vem depois e a felicidade do *jogo da vida*. No centro de seu coração, e do meu, existe uma estação sem fio: enquanto ela receber as mensagens da beleza, da esperança, da felicidade, da coragem e da força dos homens e do *Infinito*, serás sempre jovem.

Quando as antenas estiverem no chão, e quando sua alma estiver coberta com as neves do cinismo e com o gelo do pessimismo, então você estará velho, mesmo se tiver 20 anos; mas enquanto suas antenas estiverem erguidas, para captar as ondas do *otimismo*, há esperança de que você morra jovem aos 80.

••• ••• •••

1. Formas Antigas

fenício (semítio), 1000 A.C.   grego ocidental, 800 A.C.   latino, 50 D.C.

2. Nos Manuscritos Gregos do Novo Testamento

3. Formas Modernas

K *K* k *k*   K *K* k k   K *K* k *k*   K *k*

4. História

K é a décima primeira letra do alfabeto português, embora usado somente no caso de palavras estrangeiras. No português, suas funções são efetuadas pelas letras *C* e *Q*. Historicamente, deriva-se da letra semítica consonantal *kaph*, «palma da mão». No grego, essa letra tornou-se o *kappa*, quando então adquiriu o formato dado a essa letra. No grego tinha o fonema «k». No latim, esse fonema era representado pelo *C* e pelo *K* (entre outros). Quando a conquista normanda levou o idioma francês a misturar-se ao inglês (no século XI D.C.), o K foi restaurado ao alfabeto, substituindo, em alguns casos, ao C, embora ambas as letras continuassem a ser comumente usadas. Naturalmente, isso não sucedeu ao espanhol, e, nem mais tarde, ao português.

5. Usos e Símbolos

Km representa quilômetro; KO é nocaute (no boxe); KW é o quilowatt; KW-H é o quilowatt-hora. Em todas as abreviações de fundo matemático, o K representa 1000. *K* é usado como símbolo do *Codex Cyprius*, descrito no artigo separado *K*.

Caligrafia de Darrell Steven Champlin

Reprodução Artística de
Darrell Steven Champlin

Arte céltica, a águia, símbolo do evangelho de João, Livro de Kells

K

K

K. O Códex Cyprius, é um dos mais importantes membros da Família Pi de manuscritos, os quais variam desde o tipo de texto bizantino anterior até o posterior. Acha-se na Bibliothèque Nationale, em Paris. Data do século XI-X D.C. e contém os evangelhos. Os estudos sobre a Família Pi foram iniciados por Silva Lake, tiveram prosseguimento com Russell N. Champlin e foram continuados por Jacob Geerlings, que estudaram, respectivamente: Marcos, Mateus, Lucas e João. Foi reconstituído o arquétipo da família, um manuscrito de cerca do século V D.C. de texto tipo posterior, mas um tanto parecido com o *Alexandrinus*. A Família Pi é o maior grupo de manuscritos que se conhece, descendente de um ancestral comum, incluindo cerca de cem membros. Ver o artigo geral sobre *Manuscritos do Novo Testamento*.

KA

No Egito antigo era tido como o espírito guardião e companheiro que acompanha a alma humana, enquanto a alma vive no corpo físico e também no além-túmulo. Essa doutrina parece-se com o conceito hebreu-cristão do anjo da guarda. Ver o artigo geral sobre *Anjo*, e também sobre *Anjo da Guarda*. Nas religiões orientais há o conceito do «superego», considerado como a dimensão superior do próprio indivíduo. Ali, o ensino sobre essa entidade é similar ao da idéia do anjo da guarda. Ver sobre o *Sobre-ser*.

KABIR

Foi Ramananda (vide) quem deu o ímpeto inicial à forma *Bhakti-Sufi* do misticismo hindu, com seu ensino da existência de uma inspiração direta, que é parte importante da doutrina desse sistema místico. Kabir (1400 A.C.) foi seu mais importante discípulo. Nanaque (que vide) foi o fundador da religião Sikh, e sofreu influências da parte de Kabir. Ver o artigo geral sobre o *Hinduísmo*, especialmente sob 5c.

KAEHLER, MARTIN

Foi um teólogo protestante alemão. Nasceu em Neuhausesn, na Prússia Oriental, em 1835. Foi professor de Teologia Sistemática em Bonn, e então em Halle. Foi influenciado por R. Rothe e J.T. Beck (ver os artigos). Ao desenvolver uma forma de pietismo neoluterano, ele exibiu considerável originalidade e profundidade, procurando combinar a teologia experimental com o cristianismo bíblico. Sua idéia central e normativa era a indissolúvel unidade do histórico e do supra-histórico, dentro dos eventos bíblicos. Reprovava a teologia que contrastava o Jesus histórico com o Jesus teológico, segundo faziam os protestantes liberais. Seu ensino era primariamente soteriológico. Tinha como suas autoridades a tríada Bíblia-Igreja-experiência pessoal. Porém, sua redação era um tanto desajeitada e obscura, o que impediu que sua teologia se tornasse mais influente. Apesar disso examinou com clareza e perspicácia os problemas com que se defrontam a Igreja e a sociedade. Os desenvolvimentos teológicos na Alemanha, desde a sua época, refletem a sua influência. Foi autor de muitos livros e artigos, incluindo o *Dogmatische Zeitfragen*, em três volumes.

KAFIR

Essa palavra vem do árabe, onde significa «infiel». Sua raiz é *kafara*, «ser cético». Esse é o epíteto que os islamitas dão a todos os incrédulos em seu sistema religioso. É possível que o termo persa que significa incrédulo ou infiel, *gabar* (que vide), derive-se dessa palavra.

KAFTAN, THEODOR

Suas datas foram 1847-1932. Foi superintendente geral eclesiástico em Schleswig. Desenvolveu uma versão moderna do luteranismo que substituía o elemento metafísico da fé viva, opondo-se àqueles que estavam tendo dificuldade com um ponto de vista sobrenatural da fé cristã. Seu principal adversário foi Troeltsch (que vide).

KAHNIS, KARL FRIEDRICH AUGUST

Suas datas foram 1814-1888. Foi professor em Breslau e Leipzig. Procurou eliminar a oposição entre o Novo Testamento e o dogma da Trindade ao conceber o Filho e o Espírito como Deus em posição subordinada, fazendo a divindade Deles assumir um sentido secundário e terciário. Ele exerceu o papel de mediador dentro das disputas dogmáticas. Foi autor de certo número de livros e artigos, incluindo uma teologia em três volumes, *Lutherische Dogmatik*.

KAIBARA EKKEN

Nasceu em 1630 e faleceu em 1714. Foi um filósofo japonês. Nasceu em Fukuoka e se educou em Kyoto. Era neoconfucionista, salientando o amor cósmico como o princípio fundamental de todas as coisas, ampliando a interpretação cósmica do *jen* (que vide). Seus principais escritos foram *The Great Doubt* e *The Great Learning for Womem*.

KAIRÓS

Palavra grega que significa «tempo», o tempo determinado para algum propósito específico, um tempo favorável ou certo, um tempo de crise, como os últimos dias. O termo acha-se em Marcos 1:15 como o «tempo determinado» para o cumprimento do propósito divino. Nas obras de Paul Tillich (que vide) o termo obteve lugar proeminente na teologia. Ele usava a palavra para indicar aqueles tempos de crise, tempos críticos, que exigem decisões existenciais específicas, enquanto ainda há oportunidade para tais decisões. A vinda de Cristo e a sua futura *parousia* (que vide) são duas oportunidades assim. Em conexão com essa palavra temos a considerar as decisões existenciais de cada indivíduo. Há decisões que a pessoa deve fazer, de acordo com os requisitos de sua missão. São decisões importantes, que produzem efeito sobre o curso da vida do próprio indivíduo.

KALAM

Esse é o termo árabe que significa «fala». Na filosofia islâmica aponta para o uso de provas filosóficas em justificação às doutrinas religiosas. Nisso há uma espécie de teologia escolástica islâmica. Os que se ocupam dessa atividade são chamados *mutakallimun*. Ver o artigo sobre o *Escolasticismo Islâmico*. Essa prática inclui debate público e

KALEVALA — KANT

particular dentro do islamismo e com membros de outras convicções religiosas. Em outras palavras, os teólogos-filósofos muito se divertem, debatendo idéias. Os meros teólogos perdem muito da diversão.

KALEVALA

Esse é o nome do épico nacional da Finlândia. Contém cinqüenta divisões com cerca de quinhentas linhas cada. Foi compilado com base em canções populares de patriotas finlandeses, sendo reputado como um dos grandes épicos da civilização humana. Muitos compositores estiveram envolvidos na seleção, alguns deles desconhecidos na atualidade. Os cânticos de heróis remontam a tempos pré-cristãos. Alguns dos poemas lendários são relatos sobre Cristo, sem base na vida real. O compilador da Kalevala foi Elias Lonnrot, que percorreu a Finlândia em busca de material. A obra foi publicada, pela primeira vez, em 1835. Publicações posteriores adicionaram considerável material, fazendo a obra crescer de doze mil para vinte e duas mil, setecentas e noventa e três linhas.

KALI

Esse é o nome de uma deusa hindu, esposa de Shakti ou Shiva (que vide). Ela era representada de forma espantosa, com um colar de cabeças humanas, um cinto feito de vários braços humanos, segurando uma espada tinta de sangue em uma de suas muitas mãos. Algumas vezes ela aparece de pé, com um dos pés sobre o seu marido caído ao solo. Apesar disso, ela é reverenciada como «a mãe». Até hoje lhe são oferecidos holocaustos de animais, a única divindade hindu a ter essa distinção. No hinduísmo mais sofisticado (que vide) ela é referida como a personificação das forças cósmicas. Por essa razão, ela é reputada criadora de todas as coisas, inclusive de Shiva, seu marido. A trindade hindu (que vide) consiste em Saiva (destruidor), Brahma (criador) e Vishnu (preservador). Ver o artigo separado sobre *Saiva*.

KALPA

De acordo com o hinduísmo, um período mundial, o tempo que passa entre a criação de um mundo e a sua destruição. Algumas escolas do hinduísmo supõem que haverá uma eterna sucessão de «kalpas». Ver no Bhagavad-Gita IX, 7; VIII,17-19; Svetasvatara UP III,2, quanto a declarações por detrás dessa idéia. Essa noção, naturalmente, aproxima-se da idéia estóica dos ciclos cósmicos, bem como de uma possível aplicação da teoria astronômica do *big bang* (grande explosão). Ver o artigo sobre a *Astronomia*, sétimo ponto.

KAMI

Palavra japonesa que significa **divindade, deus** ou *deusa*. Em sua origem, a palavra tem um sentido similar ao *mana* (que vide) ou seja, poder oculto.

KANADA

A obra literária **Vaiseshika Sutra** foi composta por Kanada, algum tempo depois de 300 A.C. A *Vaiseshika* (que vide) é um dos seis sistemas do pensamento hindu, que teria surgido após o período dos Vedas.

K'ANG YU-WEI

Suas datas foram 1858-1927. Filósofo chinês, nativo de Kwangtung. Era um neoconfucionista. Obteve o grau de erudito, em Pequim, em 1891. Mostrou-se ativo propositor de programas reformistas. Em 1898, com a ajuda do imperador, impôs a Reforma dos Cem Dias. Mas o movimento entrou em colapso, e K'ang foi exilado por dezesseis anos. Voltou à China em 1912, quando a república foi estabelecida. Em 1914, advogou o confucionismo (que vide) como a religião oficial da China. Nos anos de 1917 e 1924, tentou reempossar o deposto imperador Hsuan-T'ung. Seu principal escrito foi o *Livro da Grande Unidade*.

Idéias:

1. A história do mundo evolui mediante três fases: a. a fase da desordem; b. a fase da paz crescente; c. a fase da grande unidade. Vários subciclos estão envolvidos nas três fases principais. Confúcio teria nascido em um período de desordem; daí a sua missão. Estamos em um período de paz crescente, e ainda esperamos pela era da grande unidade. Sem dúvida esse é um conceito comum nas religiões, embora expresso variegadamente.

2. A vida humana consiste, essencialmente, em sofrimento, quase sempre produzido por divisões e distinções como aqueles de estados, classes sociais, distinções entre os sexos, distinções no seio da família, sistemas injustos discriminadores e distinções de espécies.

3. A paz será estabelecida quando as distinções cessarem. Então haverá uma humanidade unida, de uma só raça, de uma só família, com um único amor por todos, com uma só qualidade.

4. Os atos próprios da fase da desordem serão eliminados, pois as ações concorrerão para promover a harmonia e a unidade. O valor subjacente em todos os atos é o *jen* (que vide) ou seja, atos humanos impelidos pelo amor. O amor é a força por detrás da unidade.

5. O *jen* também seria o poder de atração no universo, a força unificadora. Todos os elementos físicos estão envolvidos nessa força, de um amplo ponto de vista.

KANT, EMANUEL

Esboço:

Introdução
1. Seu Problema Filosófico
2. Teoria do Conhecimento
3. Noções de Metafísica
4. Noções de Ética
5. Noções de Estética
6. Influências e Reações Contrárias
7. O Três Mundos de Kant

Introdução:

Suas datas foram 1724-1804. Foi filósofo alemão, nascido em Konigsberg, um dos centros do pietismo alemão, cuja influência ele sentiu na juventude. Educou-se na Universidade de Konigsberg, onde mais tarde ensinou como professor de lógica e metafísica. Ainda em seus dias gozou de grande reputação, e poucos anos após a publicação de sua *Crítica da Razão Pura*, suas teorias estavam sendo discutidas nas principais universidades alemãs. Konigsberg tornou-se um refúgio de jovens filósofos. Kant era

KANT

homem de grande erudição, conforme já seria de esperar. Estudava muito. Despertava às cinco da madrugada e estudava durante duas horas; dava duas horas de preleções e retornava aos seus estudos até uma hora da tarde. Comia com freqüência em restaurantes, trocando freqüentemente de restaurante, para não ser alvo de olhares curiosos. Uma parte de cada tarde era passada no preparo de suas preleções. Recolhia-se ao leito às nove ou dez da noite. Seu criado, que o serviu durante toda a vida, afirmou que, em trinta anos, nunca Kant deixou de acordar às cinco horas da madrugada. A cada manhã ele fazia uma caminhada, no que ele se mostrava tão regular que as pessoas eram capazes de acertar seus relógios conforme o momento em que ele passava diante de suas casas.

Kant era homem dotado de mente muito curiosa, interessando-se por grande variedade de assuntos. Um de seus alunos afirmou que «nada do que é digno de ser sabido era indiferente para ele». Sua ênfase filosófica sobre a insistência da experiência, como base do conhecimento, ligada ao pressuposto que os sentidos físicos não nos concedem um conhecimento seguro, derivou-se de sua leitura das obras de David Hume (que vide) o qual, conforme disse o próprio Kant: «Interrompeu minha sonolência dogmática e me deu uma direção inteiramente diferente para minhas pesquisas no campo da filosofia especulativa». Contudo, aquilo que ele retirou, por meio de suas *proposições* empíricas, restaurou por meio de seus *postulados* da razão prática, especificamente a crença nos valores morais, em Deus e na alma.

Kant não era dotado de robustez física, razão de sua vida tão ordeira. Ele nunca deixou Konigsberg. Chegava a ser neurótico quanto às doenças, e andava de boca bem fechada, porque pensava que nada convida tanto às enfermidades como andar de boca entreaberta. Em seus dias, Konigsberg ficava na Prússia Oriental; mas, em nossos dias, fica dentro da União Soviética, com o nome de Kaliningrado.

Kant escreveu quase todos os seus livros e tratados já nos últimos anos de vida. Escreveu muito. Sua obra-prima foi a *Crítica da Razão Pura*. Outras obras importantes: *Crítica da Razão Prática; Crítica do Juízo*. Essas eram as suas três críticas. A primeira dessas obras é uma das jóias da filosofia, embora seja de leitura difícil. O próprio Kant dizia que ela é «seca, obscura e longa demais». A segunda *crítica*, embora mais agradável à fé religiosa, é inferior quanto ao poder mental e à força de expressão. Não obstante, essa obra tem exercido grande influência sobre a filosofia moral. A terceira crítica aborda a natureza da estética e dos juízos teológicos, dotado do toque de um mestre, como nas duas primeiras.

••• ••• •••

Na **Crítica da Razão Pura**, Kant provê um extenso exame da tese básica de que a metafísica, que fora a rainha das ciências, poderia ser reposta em seu devido lugar. As escolas estavam sendo abaladas por intermináveis controvérsias teológicas e metafísicas. Ele procurou encarar isso por outro ângulo, levando em conta as evidências e os avanços do pensamento científico. O título *Crítica da Razão Pura* envolve a idéia de um «raciocínio a priori», provocando a pergunta: «Que se pode obter com base na razão isolada?» Nessa obra, ele põe-se ao lado dos empiristas, negando a validade das idéias inatas, anteriores à experiência pessoal. O antigo pressuposto do empirismo era que o nosso conhecimento deve conformar-se à percepção dos objetos. Porém, ele não estava satisfeito com esse esquema. Isso posto, partiu da idéia que os objetos devem conformar-se ao nosso conhecimento. Então ele descobriu esse conhecimento nas *categorias mentais*. Desse modo podemos chegar a um conhecimento empírico, *a priori*, visto que tudo, em nossa experiência, deve moldar-se às categorias já existentes na mente humana. Desse modo, temos um idealismo *subjetivo* (que vide). Kant chegou à conclusão de que o conhecimento através dos sentidos não pode provar a existência de Deus, da alma e de outras proposições metafísicas, porquanto faltam-nos sentidos capazes de perceber essas realidades, pois são transcendentais à percepção de nossos sentidos físicos. Mas, admitindo a razão, a intuição e a experiência mística como meios pelos quais chegamos aos postulados, isto é, crenças e conhecimentos necessários para um sistema de idéias lógico e bem-ordenado, ele restaurou aquilo que eliminara em sua primeira crítica, alicerçando sobre bases *não-empíricas* a crença nessas realidades.

Esboço de Idéias:

1. Seu Problema Filosófico

a. O **racionalismo** (como aquele expresso por Wolf) e o *empirismo* inglês influenciaram o seu modo de pensar. As principais correntes de pensamento de seus dias, o empirismo, o ceticismo e o misticismo exerceram sobre ele a sua influência.

b. Ele tentou dar crédito ao *ceticismo* de Hume, naquilo que o mesmo tem valor. Porém, limitou o alcance do ceticismo, por admitir que o conhecimento metafísico não pode ser obtido através do empirismo. Apesar de admitir isso, pretendia Kant destruir o materialismo, o fatalismo e o ateísmo, embora sobre bases não-empíricas. Também queria garantir uma base para a teoria do conhecimento, compreendendo melhor seus meios e limitações, e sua extensão possível.

2. Teoria do Conhecimento

Segundo Kant, o conhecimento deve ser universal e necessário.

a. Juntamente com os racionalistas, ele pensava que esse conhecimento deve girar em torno da física e da matemática.

b. Juntamente com os empiristas, ele pensava que o conhecimento é aquilo que nos chega através da experiência adquirida pelos sentidos físicos.

c. Também juntamente com os empiristas, ele cria que só *sabemos* quando percebemos, um tipo de conhecimento que ele chamava de *proposições*.

d. Juntamente com os racionalistas, ele concordava que a verdade universal e necessária não pode derivar-se do empirismo.

e. Com base no seu ângulo particular de ver as coisas, ele ensinava que apesar do conhecimento chegar-nos através dos sentidos, ainda assim somos possuidores de uma mente que já possui todas as categorias do conhecimento, o que nos provê um arcabouço para a operação da percepção dos sentidos, e do qual os sentidos são totalmente dependentes. A mente arruma a experiência de acordo com essas categorias. Portanto, temos um conhecimento empírico, *a priori*. Podemos pensar sobre as coisas, embora sem saber os fatos do mundo empírico (ceticismo).

f. Portanto, não conhecemos a natureza das *coisas em si mesmas*, ou seja, sua natureza verdadeira e metafísica.

g. *As categorias da mente*. Essas foram classificadas por Kant formando quatro grupos de três elementos cada:

Quantidade	Relação
Unidade	Substância-acidente
Pluralidade	Causa-efeito
Totalidade	Reciprocidade ou Comunidade

KANT

Qualidade	Modalidade
Positiva	Possibilidade-Impossibilidade
Negativa	Actualidade-Não-actualidade
Limitada	Necessidade-Contingência

A mente operaria através dessas categorias, impondo à experiência, em todas as suas nuances, esses modos de pensar. O conhecimento, portanto, seria, ao mesmo tempo, tanto *a priori* (analítico) quanto *a posteriori* (sintético).

Ver o artigo geral sobre *Categorias*, que envolve uma atividade filosófica com longa história; ver também o artigo sobre Aristóteles, quanto ao primeiro sistema bem-desenvolvido de categorias mentais.

h. Por meio da *razão prática*, que envolve o raciocínio, a intuição e as experiências místicas, estabelecemos *postulados* que nos conferem um conhecimento metafísico e moral. Com bases morais, cremos na existência de Deus e da alma. Devemos postular que este mundo é governado pela lei, e não pelo caos. Assim raciocinando, devemos afirmar que a alma sobrevive à morte, porquanto, se assim não for, então o caos é que reina, visto que a justiça nunca é plenamente servida na terra. Visto que a justiça não é servida neste mundo, então deve ser servida na vida *além* desta. Segundo Kant, a alma terá de sobreviver ao menos até que toda boa ação tenha sido recompensada, e até que toda má ação tenha sido punida. Além disso, torna-se necessária a existência de um Juiz capaz de recompensar e de punir. E somente o conceito da divindade pode assegurar-nos a justiça absoluta. Portanto, Deus deve existir. Porém, chegamos a esse conhecimento por vias não-empíricas. Isso significa que os argumentos em prol da existência de Deus, como os argumentos cosmológico e teleológico (ainda que eles sejam impressionantes) não são argumentos válidos. Ver sobre os artigos separados, *Argumento Cosmológico*, e *Argumento Teleológico*. Além disso, também fica invalidado o *Argumento Ontológico* (que vide). Porém, aquilo que esses argumentos não conseguem provar, o *Argumento Moral* (que vide) o faz. A essa altura, entretanto, já teremos abandonado o conhecimento empírico, baseado em proposições, e teremos adotado os postulados da razão prática.

i. *As antinomias*. Ver sob 3,h.

j. *Tipos de juízo*. Esses são o *analítico* e o *sintético*. O juízo analítico é aquele que a razão nos oferece sem qualquer investigação empírica, como se dá no campo da matemática, cujas proposições são verdadeiras, mesmo sem qualquer prova empírica. Os juízos sintéticos são aqueles que nos chegam através da experiência, com o acúmulo de informes dados pela percepção dos sentidos. Usualmente, esses tipos de juízos são separados na filosofia, visto que o primeiro pertence ao racionalismo, e o segundo ao empirismo. Porém, nos escritos de Kant eles são reunidos, visto que todos os juízos sintéticos precisam originar-se nas categorias analíticas da mente. Portanto, o conhecimento *a priori* impõe sobre o mundo os seus juízos a posteriori.

O conhecimento, isso posto, consiste em juízo sintético *a priori*. É uma idéia grandiosa, mas é verdadeira? Temos aí o *idealismo subjetivo*.

A. **Idealismo Subjetivo**. Dentro da teoria do conhecimento (gnosiologia), o idealismo significa que o mundo é conhecido através das idéias, e não através dos sentidos. O idealismo subjetivo é a idéia de que o mundo é a *minha* idéia. As categorias de Kant levam-nos a essa conclusão. A minha idéia é comprovada no mundo através da experiência, porquanto a minha idéia é imposta sobre o mundo, conferindo-lhe a sua forma. Um idoso rabino disse a mesma coisa de outra maneira, quando afirmou: «Não vemos as coisas como elas são. Vemos as coisas conforme *nós* somos».

Porém, poderíamos indagar: O mundo realmente existe de forma independente, ou apenas conforme a minha (ou a nossa) idéia? Para alguns idealistas, a resposta deve ser negativa. O mundo consistiria somente em idéia. Mas, para outros, a resposta deve ser positiva, embora com o reparo de que aquilo que posso *saber* do mundo é a minha própria idéia. Seja como for, para Kant não podemos conhecer as coisas em sua verdadeira natureza (as coisas em si mesmas, conforme dizem os filósofos). Nossas mentes impõem sobre o mundo as formas que ali experimentamos, mas não podemos afirmar que essa imposição nos revela qualquer coisa sobre a natureza real das coisas que experimentamos. A ciência, naturalmente, adiciona evidências a isso, demonstrando que o átomo continua sendo uma entidade misteriosa, a despeito de todo o nosso progresso científico, e a despeito de que o átomo é básico em todo o nosso mundo físico.

B. **O Idealismo Metafísico**, por sua vez, afirma que a realidade consiste em mente-substância, — e não em substância material. Isso significa que a realidade última não é o átomo físico, porquanto o próprio átomo compor-se-ia da concentração de energias psíquicas, originárias da Idéia. E, conforme o teísmo, a idéia origina-se na mente de Deus.

3. Noções de Metafísica

a. Idealismo. Ver sob o segundo ponto, item j.

b. Sobre Deus. Já vimos que Kant desistiu dos argumentos tradicionais sobre a existência de Deus, preferindo o argumento moral. Ver segundo ponto, h.

c. Sobre a alma. Ver a mesma seção.

d. A vontade, e não a razão, seria a base de nossas faculdades, bem como das coisas. O verdadeiro Deus, segundo Kant, consistiria em *liberdade*, posta a serviço do ideal.

e. A razão prática é dotada de grande autoridade, sendo superior à razão teórica.

f. A religião, dentro dos limites da razão, consiste em moralidade. E o cristianismo, excluídos os seus dogmas complexos, exprime a moralidade eterna.

g. A teleologia é um importante princípio metafísico, ao qual chegamos mediante a razão prática. É uma teoria acerca de fenômenos. É *subjetiva* por criar prazer e harmonia; e é *objetiva* por criar condições apropriadas, através das conseqüências de nossas experiências. Kant respeitava o argumento teleológico, embora opinasse que, quando muito, pode provar o universo tem um arquiteto, e não um Criador no seu sentido absoluto.

h. Na especulação metafísica, vemo-nos envolvidos em *antinomias*, que seriam quatro, a saber:

Antinomia da quantidade. O universo é uma quantidade, sem limites quanto ao tempo e o espaço, infinito e eterno. Ou seria limitado?

Antinomia da qualidade. A matéria compõe-se de elementos simples ou átomos (chamados *teses*). A matéria é infinitamente divisível (o que se chama *antítese*).

Antinomia da relação. Aquilo que chamamos de mundo não é o mundo propriamente dito. Antes, é o mundo que nos é imposto pela sensibilidade e pelo pensamento, resultante das funções combinadas do intelecto — dois fatores desconhecidos.

Antinomia da modalidade. No mundo, e acima do

KANT — KAPLAN

mundo, existe um Ser necessário, uma causa absoluta do universo. Nesse ponto, porém, temos a discussão sobre os argumentos tradicionais em prol da existência de Deus, os quais fracassam em seu intuito.

Tudo isso significa que a *antinomia* consiste em duas proposições contraditórias, a tese e a antítese, cada uma das quais pode ser provada como verdadeira.

Uso das antinomias. Quando tentamos ampliar nosso conhecimento para além do campo da experiência, vemo-nos envolvidos na *dialética*, e essa dialética nos leva a contradições. As quatro antinomias são o âmago das contradições para onde somos então conduzidos.

4. Noções de Ética

a. A única coisa boa não-qualificada é a boa vontade. Uma vontade é boa se segue o princípio da autonomia, isto é, se sua lei é ela mesma apenas, o que repousa sobre a razão. Se, sobre a vontade, houver qualquer imposição externa, então ela já será heterônoma, ficando assim sacrificada a verdadeira moralidade. É a vontade divina (noumenal) que empresta à vontade humana a sua qualidade, porquanto Deus é a própria essência da vontade moral.

b. O eudemonismo (que vide). O homem bom merece ser feliz, mas somente Deus pode garantir a conexão entre a virtude e a felicidade.

c. A ênfase fanática sobre o *dever*, dentro da moralidade.

d. O homem jamais deve ser tratado como um mero meio, porquanto ele é uma finalidade em si mesmo, uma entidade que merece todo o respeito.

e. Os imperativos hipotéticos. Uma pessoa chega a certas finalidades agirdo com prudência, mediante as habilidades que tiver desenvolvido. Essas são medidas práticas de todas as nossas ações.

f. *O imperativo categórico.* Acima dos imperativos práticos e hipotéticos, temos a Regra Áurea da ação humana, que tem o título de *imperativo categórico.* Essa é a grande lei moral que deve governar todas as coisas. O seu poder consiste em sua universalidade. Há três pontos a serem considerados: Primeiro. Devemos agir sempre de tal modo que possamos querer que aquilo que *fazemos* se torne uma *lei* universal. Devemos agir de tal maneira que nossas ações determinem o que todas as pessoas sempre devem fazer. Segundo. Sempre tratemos a humanidade, existente em nós mesmos e nas outras pessoas como um fim, e jamais como um meio apenas. Esse é o imperativo prático que constitui parte do primeiro conceito. Terceiro. Sempre devemos agir como se fôssemos membros de um reino meramente possível de fins, o que nos manterá sempre humildes.

g. Argumentos morais. Ver 2.h. Ver um desenvolvimento mais detalhado da *ética de Kant* no artigo sobre *Ética*, seção VIII.

5. Noções de Estética

a. O juízo estético (qual é o sentido das artes?) não está vinculado ao desejo, não tendo mais do que uma universalidade subjetiva.

b. O juízo estético não é teórico e nem prático em seu caráter. Antes, é um fenômeno que repousa sobre uma base subjetiva.

c. O juízo estético (o que isto significa? o que isto comunica?) origina-se da harmonização entre o objeto de arte e as nossas faculdades da vontade e do entendimento. Quando há o senso de harmonia, então dizemos: Isto é *agradável*. E quando um objeto de arte adapta-se às nossas faculdades, dizemos: isto é *belo*.

d. Quando as nossas faculdades são forçadas a adaptar-se a algum objeto, devido à sua grandiosidade, então experimentamos o *sublime*.

e. A criação estética é o produto não da regra ou da técnica, e, sim, do gênio.

f. Os juízos estéticos não são morais. Não julgamos os objetos de arte. Os juízos estéticos também não são práticos. Antes, são subjetivos. Esses juízos são desinteressados. Neles há um elemento de universalidade. Isso é o que excita nas pessoas os sensos de agradável, de belo, de nobre e de sublime. O sublime é o belo, dentro de uma espécie de atmosfera sem limites. É algo *sui generis*. É a experiência de um momento de grandiosidade, mediante a influência de algum objeto de arte.

6. Influências e Reações Contrárias

É inegável que Emanuel Kant foi um dos maiores filósofos de todas as épocas. Nem por isso, deixou de haver oposição e críticas acerbas contra ele. Se não tivesse havido tal oposição, diríamos que nenhum filósofo lera as suas obras. Suas idéias metafísicas eram contrárias às da Igreja Católica Romana, segundo a concepção de Tomás de Aquino. Porém, muitos protestantes adotaram seus pontos de vista, sem esperança de encontrar provas da existência de Deus na natureza, o que significa que faziam seu caso depender somente da fé e das Escrituras (revelação). Poderíamos mesmo fazer a seguinte equação: o que Tomás de Aquino é para a Igreja Católica Romana, Kant o é para o protestantismo. Naturalmente, isso é uma exagerada simplificação, porquanto a influência de Kant, entre os protestantes, não pode ser comparada com a influência de Tomás de Aquino entre os católicos romanos.

Também precisamos considerar esta outra questão: Herder (que vide) opunha-se ao dualismo kantiano das faculdades mentais, salientando a unidade da vida-alma. O pensamento e a vontade, no dizer dele, originam-se na mesma fonte. Jacobi (que vide) percebia claramente que a Crítica da Razão Pura, de Kant, termina em um idealismo subjetivo, rejeitando assim todas as conclusões dele. Os moralistas cristãos preferem o ponto de vista heterônomo, que diz que Deus impõe a sua vontade e as atitudes morais por meio da revelação, e não, principalmente, por meio da vontade moral do homem, como na consciência, embora admitam que essa idéia tem algum valor. Os materialistas, por sua vez, objetam ao truque de Kant de retirar todas as especulações sobre Deus e a metafísica, em sua *Crítica da Razão Pura*, somente para restaurá-las em sua *Crítica da Razão Prática*. Os filósofos sempre usaram esquemas deste tipo, mas esse truque de Kant parece demais para os materialistas. Os cientistas objetam às nebulosas categorias mentais de Kant, preferindo ficar com o empirismo simples ou sofisticado. A despeito de tantas críticas, não há como predizer quando a influência de Kant terminará, ou se ao menos terminará algum dia. (AM BE E H MM P)

7. Os Três Mundos de Kant

Ver o artigo geral sobre **Ética**, seção VIII.

KAPILA

Teria sido esse o nome do fundador da escola *Sankhya* da filosofia hindu, um dos seis sistemas ortodoxos daquela fé. Ele viveu no século VII A.C. Ver os detalhes no artigo sobre a escola *Sankhya*.

KAPLAN, MORDECAI M.

Nasceu em 1881. Ele é um dos expositores do judaísmo moderno, promotor de um sistema intitulado *reconstrucionismo*. Seus pensamentos centrais são

KARAÍTAS — KARMA

os seguintes: A religião é a consciência de valores de grupos. As aspirações universalísticas do judaísmo, do cristianismo e do islamismo são ilusórias. A vitalização da religião judaica requer a intensificação da consciência nacional judaica. O judaísmo é uma civilização, e não apenas uma religião. A religião é uma reação saudável diante da vida. O ponto central da crença religiosa é a fé de que os ideais da humanidade, finalmente, concretizar-se-ão. Deus está limitado aos esforços realmente observados dos homens. Kaplan acreditava que os princípios tradicionais do judaísmo precisam ser reinterpretados, requerendo uma modificação que passe de uma simples religião para um sentimento nacionalista.

KARAÍTES Ver **Caraítes**.

KARMA

No sânscrito, **krl** significa «feito», «ação». A idéia é que tudo quanto fazemos deve ser acompanhado por sua devida recompensa ou por seu devido castigo, ou seja, por seu resultado apropriado. A idéia inclui a noção da *reencarnação* (que vide) porquanto é tão perfeitamente óbvio que uma única vida terrena não provê a oportunidade adequada para a recompensa ou para a punição adequada. O princípio de causa e efeito não pode ser limitado a uma única vida. Por conseguinte, a alma deve existir. A idéia também inclui, necessariamente, o conceito da *preexistência* (que vide) da alma.

1. *No hinduísmo*. Ver o artigo separado a respeito. O *karma vidhi*, o «caminho das obras», é um importante conceito desse sistema, requerendo justiça absoluta, de acordo com os atos de cada um.

2. *No jainismo*. Ver o artigo separado a respeito. O princípio do *karma* está envolvido em tudo, descendo até o nível do átomo, de tal modo que ali existe o conceito da *matéria kármica*.

3. *No budismo hinayana* (Theravada). Ver o artigo sobre o *Budismo*, terceiro ponto. Temos aí um tipo diferente de conceito. Nessa variedade do budismo, não se acredita que a alma vá de um corpo para outro, em uma série de reencarnações. Antes, crê-se que o que se reencarna são tipos de campos mentais e suas respectivas atitudes, que se apegam a um novo corpo humano, e ali exercem seus efeitos. Nesse caso, um novo corpo convive com antigas atitudes mentais, talvez encaradas como uma espécie de campo de força, mas não como um espírito eterno, autoconsciente. Esses campos mentais poderiam fazer alguém lembrar-se de uma vida passada, quando a pessoa pensa que aquilo diz respeito a uma sua vida anterior. No entanto, tudo quanto acontece é que no computador de cada um ficam registrados dados passados, mas que não equivalem a um ser vivo. Outras formas de budismo, como a mahayana (ver o quarto ponto do artigo sobre o *Budismo*) ensinam a realidade da alma. Devemo-nos lembrar que o *Buda* não cultivava a metafísica, e nem especulava sobre a alma ou sobre Deus. O budismo que o acompanha mais de perto continua como ele era, essencialmente um sistema ético. Nessa variedade de budismo não há pesquisas metafísicas, mas a idéia do *karma* está pesadamente envolvida na metafísica.

4. *A liberação*. O conceito do *karma* alude à necessidade de contrabalançar o mal praticado com alguma sorte de pagamento, satisfazendo assim à justiça. A alma que tiver conseguido prestar essa satisfação é liberada dos ciclos terrenos. De acordo com vários sistemas, a alma continua a existir livre,

sempre evoluindo; e normalmente há alguma doutrina de participação finita em alguma forma de divindade. Ou então concebe-se uma reabsorção final na divindade, com a perda da individualidade. A doutrina do karma acompanha essas idéias, embora não requeira uma delas mais do que outras quaisquer. Outrossim, a doutrina do karma não requer o conceito de perfeição, mas apenas de vitória coerente, com o pagamento correspondente das dívidas.

5. *A lei da colheita segundo a semeadura*. Em princípio, como é óbvio, a idéia do karma corresponde à lei neotestamentária da colheita segundo a semeadura (Gál. 6:7,8), segundo a qual cada indivíduo recebe aquilo que tiver praticado (Rom. 2:6; Apo. 20:12). Porém, de acordo com o cristianismo ocidental, a colheita, por ocasião do juízo final, não terá qualquer valor remidor ou restaurador, e nem envolverá qualquer reencarnação. Todavia, nas igrejas orientais e anglicana, seguindo ensinos dos pais gregos da Igreja, o julgamento final aparece como uma espécie de karma, porquanto teria efeitos retributivos e restauradores. O trecho de I Pedro 4:6 quase certamente afirma isso. Lemos ali que os homens serão *julgados* com o propósito específico de que *vivam* conforme Deus vive. Além disso, o trecho de Efésios 1:10 fala sobre a restauração geral de todas as coisas, segundo a qual haverá um ajuste de todas as coisas, aos moldes de uma satisfação kármica. Naturalmente, de acordo com o cristianismo a missão de Cristo entra no quadro, porquanto ele pagou as dívidas dos homens, em sua expiação. Isso faz parte da idéia do karma, pelo menos do ponto de vista cristão. Apesar disso, os trechos de I Coríntios 3 e Apocalipse 20 mostram que todo homem, salvo ou perdido, terá de receber sua recompensa ou seu castigo. Isso acompanha a missão de Cristo, em nada contrário a ela. Também devo acrescentar aqui que não pode haver idéia de estagnação na teologia bem pensada. Haveremos de subir sempre para maiores realizações, para uma mais plena espiritualidade. E isso, necessariamente, envolverá a lei da colheita segundo a semeadura, embora o problema do pecado, finalmente, não esteja envolvido nisso. Porém, visto que a salvação envolve um *processo eterno*, mediante o qual iremos participando crescentemente na natureza divina (ver II Cor. 3:18 e II Ped. 1:4), então o karma sempre será uma lei atuante, embora assuma formas diferentes, a fim de adaptar-se aos diferentes estados da alma de cada um.

6. *Karma sem reencarnação*. Os pais gregos da Igreja acreditavam que há oportunidade de salvação para além-túmulo, — bem como o prosseguimento da lei da colheita segundo a semeadura. No entanto, somente em casos especiais ensinavam a operação dessa lei mediante uma série de encarnações terrenas. Mas, de acordo com a opinião deles, a alma, em um outro estado, dá prosseguimento ao programa da colheita segundo a semeadura, e, portanto, de acordo com a idéia do karma.

7. *Reencarnações ao molde do karma, no Novo Testamento*. No judaísmo helenista, cria-se que todos os grandes profetas retornam para cumprir outras missões terrenas. Assim, os rabinos identificavam Moisés e Jeremias como uma mesma entidade. A questão de João Batista, que veio no poder e espírito de Elias, está alicerçada sobre essa crença (ver Mat. 17:10 e seu contexto). Esperava-se a reencarnação futura de Elias. Por semelhante modo, os poderes malignos reencarnar-se-iam a fim de cumprir suas missões diabólicas, que Deus usa para seus propósitos específicos. Nesse contexto, encontramos o ensino que

KARMA — KAUTSHY

diz que o *anticristo* (que vide) seria a reencarnação de um dos imperadores romanos, talvez Nero (Apo. 17:10,11). Acerca dele, lemos que haveria de *subir do hades*, com o propósito de cumprir uma outra missão maligna. E isso, incidentalmente, ensina que o hades não representa um estado fixo da alma, e que as almas podem sair daquele lugar e voltar à vida terrena, mesmo que, sob permissão de Deus, em casos excepcionais. Ver Apo. 11:7 e 17:8. Os judeus, especulando sobre Jesus, chegaram a pensar que ele seria reencarnação de Jeremias, ou, mais vagamente, de algum profeta antigo. E isso estava em harmonia com a crença popular entre os judeus do começo do cristianismo (Mat. 16:14). As duas testemunhas do décimo primeiro capítulo do Apocalipse são identificadas, segundo a natureza de seu trabalho, com profetas do Antigo Testamento, sendo doutrina comumente aceita que ali temos dois casos de reencarnação.

Sabemos que as escolas dos fariseus ensinavam a idéia generalizada da reencarnação, juntamente com o conceito da preexistência da alma. As referências dadas acima mostram que esses ensinamentos permearam a sociedade judaica em geral. O Novo Testamento incorpora a questão como uma *crença popular* (no caso da reencarnação geral) ou como um *dogma* (no caso de instâncias especiais). O Novo Testamento não endossa a idéia de uma reencarnação geral, como um dogma. Isso não significa, entretanto, que a reencarnação não seja uma doutrina verdadeira, mas somente que é uma doutrina inferior, ignorada na Bíblia porquanto a fé cristã nos apresenta uma esperança mais radiosa. Um ensino inferior como é o da reencarnação, mesmo que fosse verdadeiro, poderia obscurecer a revelação bíblica, se fosse ensinada paralelamente. Uma das razões da missão de Cristo poderia ser a de libertar os homens de suas intermináveis reencarnações. Contudo, o impacto dessa liberação poderia ser embotado se a revelação bíblica, juntamente com o seu ensino sobre a missão de Cristo, tentasse ensinar uma contínua *oportunidade* de salvação, por meio da reencarnação.

Os pais gregos da Igreja ensinavam uma contínua oportunidade de salvação, na existência imaterial após-túmulo, mas rejeitavam o conceito da reencarnação (exceto em casos especialíssimos) porque tal doutrina não figura nos escritos apostólicos. Quando ocorreu o episódio registrado em João 9:1 *ss* (a cura do cego de nascença, por Jesus), os apóstolos ainda acreditavam na reencarnação, segundo quase todos os intérpretes admitem. Porém, chegado o tempo deles produzirem o Novo Testamento, não incorporaram o conceito nos seus escritos. Os apóstolos, pois, não deram continuação a um ensino comum no judaísmo de sua época. — Por que motivo não o fizeram? As respostas podem ser muitas, — mas há duas respostas mais prováveis: 1. O ensino da reencarnação não era considerado como verdadeiro, pelos escritores do Novo Testamento, pelo que eles não o promoveram. 2. O ensino da reencarnação é verdadeiro, mas não era possível ensiná-lo paralelamente à verdade cristã superior da liberação *nesta vida*, sob pena do impacto dessa revelação ser muito debilitado. Minha opinião pessoal, como autor desta enciclopédia, é que me inclino mais em prol da segunda dessas respostas. Todavia, confesso que não tenho certeza sobre esta questão. Preciso de maior iluminação espiritual a respeito. Considero a questão importante porque uma de minhas obcecações sempre tem sido todo o mistério que circunda a *alma* — e a questão da reencarnação está envolvida na questão. Muito tenho estudado sobre o assunto. O artigo geral sobre a *Reencarnação*

é bastante extenso, e a questão inteira é ali comentada, e não somente o problema do karma. Como um princípio, a reencarnação não é contrária à missão de Cristo, se for vista apenas como um meio de *oportunidade* — não como um meio de salvação. Salvação, só em Cristo, mediante a obra regeneradora do Espírito. (E EP H NTI)

KARMA-MARGA

No hinduísmo, isso indica **salvação pelas obras**, em contraste com a salvação pela fé ou pelo conhecimento. De acordo com o mestre específico que ensina esse conceito, difere também o tipo de obras envolvidas. Nos tempos védicos, indicava, essencialmente, o sistema de sacrifícios. No jainismo, com freqüência aparece associado ao ascetismo (que vide). Também está associado aos esforços morais, envolvendo até mesmo a lei do amor. O karma em si mesmo, pode indicar uma renovada oportunidade para a continuação pela busca espiritual, não envolvendo quaisquer obras realizadas para efeito da salvação.

KATHENOTHEÍSMO

Esse vocábulo vem dos termos gregos *katá* (conforme), *hen* (um) e *Theós* (Deus). Ou seja, «um deus de cada vez». Max Muller cunhou esse termo para exprimir o teísmo um-de-cada-vez. O vocábulo representa a prática monoteísta védica, de acordo com a qual, a posição dos deuses foi arranjada de tal modo que cada deus, considerado individualmente, é considerado supremo. Essa prática tende por fazer cada descrição tornar-se um atributo ou atributos de um único Deus; mas, ao serem considerados os diversos atributos, fala-se sobre deuses separados. É algo similar aos *universais* ou *idéias* de Platão, o qual, finalmente, veio a referir-se coletivamente a essas idéias como *Deus*, em seu diálogo intitulado *Leis*.

KAUTILYA

Viveu entre os séculos IV e III A.C. Foi um filósofo indiano, ministro do primeiro imperador mauriano. Contribuiu para o desenvolvimento do brahmanismo ortodoxo (que vide) mediante o seu *Artha-Sastra*; um estudo da sociedade do ponto de vista da norma e da utilidade.

Idéias:

A principal finalidade na vida seria a **artha**, ou riqueza. Todos os demais valores dependem desse fator econômico. O poder de um rei depende de muitos fatores, e a felicidade de seus súditos não é o fator menos importante. Portanto, um rei deveria estar vitalmente interessado na promoção do bem-estar de todo o seu povo. Essa é uma das principais obras que podem ser realizadas por um supremo mandatário.

KAUTSHY, KARL

Suas datas foram 1854-1939. Nasceu em Praga, na Checoslováquia. Educou-se em Viena, na Áustria. Tornou-se um marxista aos moldes alemães. Sentiu a influência de Haeckel, Karl Marx e Engels. Foi um expositor clássico do materialismo dialético. Foi um seguidor ultraconservador de Marx e de Engels. Publicou certo número de livros, na promoção das suas crenças, tendo coberto assuntos políticos, éticos e religiosos, mas sempre guiado pelas suas idéias políticas. Ver o artigo geral sobre o *Comunismo*.

KEBLE — KEPLER

KEBLE, JOHN

Suas datas foram 1792-1866. Foi clérigo inglês, erudito e poeta. Ele trouxe ao século XIX a tradição da Alta Igreja dos divinos carlones (que vide). Foi um dos líderes do Movimento de Oxford (que vide) e tradutor das obras de Irineu. Tornou-se melhor conhecido por sua habilidosa poesia, de considerável qualidade devocional. Sua mais importante publicação, onde também essa qualidade pode ser melhor observada, chama-se *The Christian Year*, que obteve imensa popularidade. Keble era homem de grande piedade pessoal, e assim encorajou o aprimoramento das ordens religiosas, dentro da Igreja Anglicana. (C E)

KEMPIS, THOMAS À

Ver sobre **Thomas à Kempis** e sobre a **Imitação de Cristo**.

KENOSIS

Palavra grega que significa «esvaziamento». A teologia aplica o termo ao ato de Cristo, o Filho de Deus, ao tornar-se homem, o que significa que ele se esvaziou de seus atributos e poderes divinos, embora não de sua natureza divina. Exatamente até que ponto ocorreu esse esvaziamento é ponto disputado, como também como Cristo o fez. Todavia, não se pode chegar a uma resposta adequada, porque, ao tocarmos nessa questão, estamos abordando um dos grandes mistérios divinos. Se, por um lado, não dermos a essa doutrina o seu respectivo peso, estaremos obscurecendo o ensino sobre a humanidade de Cristo (que vide). Se, por outro lado, a enfatizarmos em demasia, estaremos reduzindo Cristo a um mero homem. O principal texto de prova bíblico dessa doutrina é Filipenses 2:7 *ss* , onde é usada a palavra grega (em nossa versão portuguesa, dentro da frase «...a si mesmo se esvaziou...»).

Contudo, aplicar esse esvaziamento somente à morte humilhante de Jesus e não à encarnação do Filho de Deus, é apelar para um truque, na tentativa de evitar o problema envolvido na questão de como Deus pôde encarnar-se como homem, e de como encontrar o pónto de equilíbrio entre a natureza divina e a natureza humana, em Jesus Cristo. Envolvida na idéia da kenosis está a noção de ter o Filho de Deus assumido a *forma* de homem, conforme esse texto de Filipenses diz claramente.

O Logos, ou Verbo celeste, desistiu de aferrar-se ao que possuía, quando de seu esvaziamento, em uma atitude contrária à de Adão, que procurou obter algo que ele não tinha (o conhecimento do bem e do mal). Ver II Cor. 8:9. O termo kenosis, portanto, deve ser aplicado à idéia de *autolimitação* do Logos (o Filho de Deus) quando de sua encarnação (que vide).

Essa doutrina é importante para os teólogos que buscam reconciliar o chamado Jesus teológico com o chamado Jesus histórico. Se falarmos em termos de *autolimitação*, então o Cristo divino pode ser reconciliado, em nossas mentes, com o Cristo humano. No entanto, até que ponto houve a limitação dos atributos divinos, em Jesus Cristo, é algo que não sabemos precisar. Jesus *usualmente* realizava os seus milagres como uma alma humana altamente desenvolvida, através do poder do Espírito? Ou ele apelava para seu poder divino apenas *ocasionalmente*? Ou *nenhum* de seus milagres foi realizado através de sua divindade? Ou *todos* eles foram realizados através de sua divindade? Entre os evangélicos admitem-se todas essas possibilidades, que dizer sobre a Igreja universal! Quanto mais conservador for um grupo cristão, mais se crerá ali que a divindade de Cristo é que explica a vida de Jesus. Porém, isso esquece a doutrina da *kenosis*, fazendo-nos cambar para o *docetismo* (que vide). É impossível supormos que a natureza de Cristo *apenas* parecia real, quando, por detrás de tudo, havia um poder divino ou angelical em operação. Por outra parte, se supormos que Cristo nunca empregou a sua natureza divina, naquilo que ele fez, corremos o perigo de anular qualquer doutrina razoável da divindade de Cristo (que vide). No Novo Testamento há declarações explícitas no sentido que Jesus Cristo reteve a sua natureza divina, quando da encarnação, conforme se vê em Mateus 1:23; 11:27; Marcos 1:1; João 1:14; 3:13; 14:9; Romanos 1:4 e a idéia inteira da encarnação, que ensina que Deus se fez homem, sem que ficasse anulada a natureza divina. Além disso, tal anulamento é impossível. Como é que Deus poderia deixar de ser Deus? Por outro lado, explicar a *kenosis* como mera adição da humanidade a Deus, sem um esvaziamento de alguma espécie, no que diz respeito à condição divina e seus atributos, anularia, para todos os propósitos práticos, a idéia inteira do *esvaziamento*. Portanto, nossa melhor solução consiste em falarmos em termos de *autolimitação*, de *obscuratio* (conforme os reformadores diziam), e jamais em termos de remoção da divindade.

Todas as discussões teológicas sobre a questão terminam em becos sem saída. Jesus percebeu, desde o princípio, que ele era o Cristo, ou essa convicção foi crescendo em sua consciência? A resposta a essa pergunta revela até que ponto aplicamos a doutrina da *kenosis*. No artigo sobre a *Consciência de Cristo*, ofereço uma explicação mais ampla sobre a questão. Ver também o artigo sobre a *Humilhação de Cristo*. Aqueles que se manifestam de modo ousado sobre essa questão parecem não perceber a dificuldade envolvida no fato de ser alguém divino e humano, ao mesmo tempo. Nenhuma explicação adequada sobre essa dificuldade foi jamais oferecida, embora haja evidências cabais para crermos que foi exatamente isso que aconteceu na pessoa de Jesus Cristo. Porém, *como* tudo sucedeu, e como isso operava, são questões que deixarão os teólogos sempre perplexos. Ver o artigo geral sobre a *Cristologia*, quanto a uma visão sobre como os homens têm lutado com essa doutrina do Cristo divino-humano. (B C E P R)

KEPLER, JOHANN

Suas datas foram 1571-1630. Ele é considerado o fundador das modernas ciências exatas. Foi astrônomo alemão, nascido em Weil. Educou-se em Tubingen e ensinou em Graz. A princípio foi assistente de Tycho Brahe, ocupando o seu lugar, quando da morte de Brahe. Kepler foi o primeiro astrônomo a defender, abertamente, os pontos de vista tão controvertidos de Copérnico, sobre a natureza do universo e do nosso sistema solar. Suas leis do movimento tornaram-se um aspecto indispensável do sistema de Newton (que vide).

Idéias:

1. Religioso-filosóficas. O neopitagoreanismo e o neoplatonismo que ele defendia capacitaram-no a descobrir uma iluminadora prova de sua teologia cristã, revestida de idéias animísticas e alegórico-naturalistas. Ele concebia Deus como o criador do mundo, de acordo com o princípio pitagoreano dos números perfeitos. O mundo real seriam as harmo-

KEPLER — KEYSERLING

nias matemáticas discerníveis nos fenômenos. As harmonias matemáticas, na mente de Deus, seriam as causas genuínas de todas as coisas.

2. Kepler aprimorou as idéias de Copérnico, tendo chegado às três leis básicas dos movimentos dos planetas: a. Os planetas movem-se em torno do sol formando elipses. b. Os planetas percorrem distâncias iguais em tempos iguais, o que significa que, quanto mais próximos do sol, mais rapidamente se movem. c. Os quadrados dos períodos de quaisquer dois planetas são proporcionais aos cubos de suas distâncias médias do sol, sendo o período o tempo requerido para que um planeta complete uma translação em torno do sol. Essas leis concordam com os informes descobertos, mas permanecia em aberto a pergunta que indagava *por que* assim sucede.

3. As explicações de Kepler dão a entender que as forças podem atuar à distância, o que é uma idéia anti-aristotélica Ele referia-se ao sol como a *alma móvel* do sistema planetário, cuja força de atração é maior à pequena, do que à grande distância. Posteriormente, Kepler desistiu da idéia de *alma*, falando apenas de uma força que emanava do sol, difundindo-se por todo o universo, diminuindo gradativamente conforme a distância aumenta, o que pode ser calculado matematicamente.

Portanto, Kepler entrou em controvérsia com a Igreja Católica Romana, acerca da centralidade da terra (atualmente idéia totalmente abandonada), o que também envolve a idéia se a terra se move ou não no espaço. A idéia de movimento estava associada às idéias de desintegração e imperfeição e as pessoas relutavam em falar dessa maneira sobre a criação de Deus (como se Deus tivesse criado somente o globo terrestre). Kepler ilustra, conforme sucede no caso da maioria dos pioneiros de qualquer campo do conhecimento humano, que as novas idéias, embora verdadeiras, sempre sofrem oposição quando proferidas pela primeira vez. Usualmente, as novas idéias não são aceitas pela geração que vive quando elas são expostas pela primeira vez. É mister que morra aquela geração e que uma nova geração a substitua, que cresça juntamente com a nova idéia. A Igreja, como o resto de todos os demais sistemas tradicionais, sempre se opõe a novas idéias. Mas acaba encontrando uma maneira de acomodar-se, em sua teologia, às novas idéias, quando isso se torna necessário.

Principais Escritos: Mysterium Cosmographicum; A New Astronomy; The Harmony of the World. (E P)

KERYGMA

No grego, essa palavra significa «a coisa pregada», o que alude ao evangelho de Cristo. Está em foco a *proclamação* do evangelho. A palavra aparece por oito vezes no Novo Testamento, duas delas acerca da pregação de Jonas (Mat. 12:41 e Luc. 11:32). As outras seis ocorrências envolvem a proclamação do evangelho (Rom. 16:25; I Cor. 1:21; 2:4; 15:14; II Tim. 4:17 e Tito 1:3), onde são enfatizadas a morte e a ressurreição de Cristo, com todas as suas implicações teológicas. Rudolph Bultmann (que vide) reenfatizou esse termo quando distinguiu essa *pregação* do mero *mito* que se desenvolveu, supostamente, em torno da história de Cristo, com a conseqüente necessidade de *demitizar* (que vide) essa narrativa. Bultmann acreditava que até mesmo grande parte do *kerygma* estaria envolvido em vários graus mitológicos. As atividades de Bultmann resultaram em um *kerygma* existencialista, o que significa que ele desviou-se do cristianismo histórico e

inventou um outro evangelho, que nem evangelho é. Com base em tal atividade surgiu toda uma atitude de incredulidade para com os milagres e as maravilhas registrados nos evangelhos e na Bíblia inteira, por não refletirem historicamente os acontecimentos ali narrados. Tudo isso envolve uma dificuldade teológica, igualmente. O grande mistério que circunda a doutrina de Cristo, como um ser divino-humano, fica anulado. Essa doutrina é explicada por Bultmann como um reflexo dos épicos nacionais greco-romanos, em que meros homens aparecem como heróis divinos, fazendo parte da mera literatura mitológica.

Como é que o divino opera através do que é humano é um problema difícil. Porém, há evidências perfeitamente convincentes a esse respeito, inteiramente à parte da história de Jesus. Consideremos, só para exemplificar, o caso de Satya Sai Baba, um santo homem indiano, que está duplicando, em nossos próprios dias, certos milagres feitos por Jesus, perante milhares de testemunhas, incluindo cientistas. Ver o artigo sobre ele. Se um simples homem pode fazer coisas assim, que dirá o próprio Filho de Deus, embora em seu estado de esvaziamento? Acontecimentos como esses, sem importar *como* eles acontecem, livram-nos completamente da idéia *mitológica* que alguns teólogos têm lançado sobre o Novo Testamento, como uma máscara. Afirmamos, pois, que aquilo que os autores do Novo Testamento disseram que sucedeu, aconteceu realmente. Resta somente abordar a questão do *como*, mas é sobre isso que a *cristologia* trata. Ver o artigo sobre o *Jesus Histórico*.

KESHUB, CHUNDER SEN

Suas datas foram 1838-1884. Um distinguido líder da religião hindu, da variedade Brama-Samaj (que vide). Desacordos com Devendra Nath Tagore levaram à formação do grupo Adi Brahma ou Original Brahma Samaj, que ficou com Tagore, bem como à formação do Bharatvarshiya Brahma Samaj, ou seja, o Brahma Samaj da Índia, o partido mais numeroso, que permaneceu com Keshub. Seu grupo tem sofrido considerável influência por parte do cristianismo. Ele foi um mestre muito popular, que atraía grandes multidões onde quer que ele fosse. Porém, seu poder desvaneceu-se quando ele permitiu que sua filha de treze anos se casasse com o rajá hindu de Cooch Behar. Keshub lutara contra a prática do casamento infantil e dos ritos hindus idólatras. Mas muitos de seus seguidores simplesmente não podiam reconhecer esses princípios no incidente que envolveu sua própria filha. Não obstante, ele fundou a Navha Vidhan ou Igreja da Nova Dispensação, continuando assim o seu ministério. — Sua principal contribuição foi que tanto em sua vida como em seus ensinos, ele associou a consciência mística da raça indiana com os ideais de Cristo, demonstrando haver certa base comum e certa busca comum, apesar de flagrantes diferenças. (F)

KEYSERLING, HERMANN

Nasceu em 1880. Foi um escritor independente sobre tópicos religiosos e filosóficos. Exerceu considerável poder como mestre, sendo seguido por muitos. A sua conferência semi-anual em Darmstadt, chamada *Schule der Weisheit*, atraía hábeis conferencistas. Ele insistia sobre uma abordagem intuitiva dos problemas da verdade e do valor, com ênfase sobre o caráter ímpar de cada indivíduo e a necessidade de estabelecer a distinção èntre a nossa própria

KHIRBERT — KIDDUSH

habilidade e a habilidade de outras pessoas. A sua máxima era: «Aquele que sempre age em acordo com sua mais profunda natureza necessariamente age certo». Suas principais obras foram: *Travel Diary of a Philosopher; Book of Marriage; Europe; Criative Understanding; Immorality*. (AM E)

KHIRBERT KERAK

Palavras árabes que significam «ruína da fortaleza». O nome hebraico desse lugar é Beth Yerah, que significa «casa da lua». Trata-se de um grande e importante local arqueológico, nas praias sudoestes do mar da Galiléia, a pouca distância da atual foz norte do rio Jordão. Nos tempos antigos, ficava localizada na conjunção de duas importantes rotas de caravanas. Cobre cerca de 420 km(2). As escavações tiveram início em 1941, com o envolvimento de vários arqueólogos. As evidências demonstram que o lugar vem sendo habitado desde a era Calcolítica Posterior, passando pela era do Bronze Média II, mas com um hiato de ocupação nos tempos helenistas. A antiga cidade de Filotéia, assim chamada em honra à irmã de Ptolomeu Filadelfo, existia nesse mesmo local, Khirbet Kerak sendo uma das cidades principais da região. Uma imensa muralha de fortificação, com cerca de nove metros de espessura, foi desenterrada, juntamente com cerâmica proveniente de vários períodos, além de inúmeros outros itens de interesse para a arqueologia. (ALB SMI Z)

KHIRBET QUMRAN

1. *História e Arqueologia*. No árabe, Kirbet Qumran, «ruína do wadi Qumran», um local perto da praia noroeste do mar Morto, onde o wadi Qumran flui das colinas da Judéia para o mar Morto. Há muito se conhece o lugar, mas só atraiu a atenção após 1947, quando, nas cavernas das proximidades, foram descobertos os manuscritos do mar Morto (vide). Escavações foram efetuadas em Khirbet Qumran entre 1951 e 1955. Acredita-se agora que o complexo de edificações que veio à tona formava a sede da comunidade a que pertenciam esses manuscritos. Um cemitério, entre a localidade e o mar Morto, escavado originalmente em 1873, provavelmente era o cemitério da comunidade. Contém cerca de mil sepulturas. O local fica em um platô cerca de oitocentos metros da praia. Os edifícios mais antigos ali escavados datam dos séculos VIII e VII A.C., provavelmente ligados ao rei Uzias (II Crô. 26:10). Esse local tem sido identificado com a Cidade do Sal (Jos. 15:62). O local fora abandonado, e somente no século II A.C. foi reocupado, em seu nível 1a. Mas somente em cerca de 110 A.C. (nível 1) o local tornou-se mais densamente habitado. Há indícios de um elaborado sistema de suprimento de água, trabalho de cerâmica, ferrarias, lavanderia, padaria, moinho, cozinhas, salão de refeições e salões de reuniões. Essa fase terminou em cerca de 30 A.C., evidentemente devido a um incêndio, e, poucos anos mais tarde, por causa de um terremoto, o que é mencionado por Josefo (*Anti.* 15:5,2). Em cerca de 4 A.C. o local foi reconstruído (nível 2), com a restauração das características da ocupação anterior. O local foi destruído pelos romanos, em 68 D.C., quando da primeira revolta judaica. Então o local foi transformado em uma fortaleza romana (nível 3), assim prosseguindo até o fim do século I D.C. O local foi novamente usado como centro de uma rebelião judaica, quando da segunda revolta dos judeus (132-135 D.C.), embora

sem nenhum sério programa de reconstruções.

2. *As Cavernas*. As cavernas circundantes, onde foram encontrados os manuscritos do mar Morto, evidentemente estão associadas aos níveis 1b e 2. Foi encontrado um escritório em Khirbet Qumran que, quase certamente, envolvia a produção de manuscritos das Escrituras. Acredita-se que esses manuscritos foram depositados nessas cavernas, quando os romanos estavam prestes a destruir o local, em algum tempo antes de 68 D.C.

3. *A Comunidade*. A identidade da natureza exata da comunidade ali existente é um ponto em dúvida, mas a maioria dos eruditos acredita que eles eram essênios (que vide). É possível que Plínio, o Velho tenha-se referido a esse lugar em *História Natural* v.17, onde ele se refere à En-Gedi dos essênios. Ver o artigo separado sobre *Mar Morto, Manuscritos do*.

KHNUM

Esse era o nome do deus-carneiro de Elefantina, no Egito. No Egito antigo, o *carneiro*, juntamente com outros animais, era considerado divino. Cada um desses animais, por sua vez, foi associado a alguma cidade egípcia.

KHORDA AVESTA

Esse é o título de uma das cinco porções em que se constitui o Avesta (que vide), as escrituras sagradas do *Zoroastrismo* (que vide).

KIBLA

Essa palavra árabe indica a direção da Caaba (que vide), em Meca, na direção da qual os islamitas voltam o rosto, quando oram. Em uma mesquita (que vide), isso é indicado por meio de um nicho feito em uma parede, chamado a *mihrab*. Supõe-se que Maomé foi o iniciador desse costume, no começo de sua carreira, ao voltar-se na direção da rocha sagrada (a Caaba), ao orar.

KIDD, BENJAMIN

Suas datas foram 1858-1916. Ele afirmava que tal como sucede na evolução das espécies animais, em que cada passo custa um enorme preço, incluindo o extermínio de muitas vidas, assim também se dá em qualquer progresso na história e na cultura humanas. Para que algumas poucas pessoas imponham o progresso, muitas vidas humanas precisam ser sacrificadas. Segundo ele pensava, a religião tem sido um dos fatores responsáveis pelo progresso. O *altruísmo* (que vide) é necessário ao progresso, e a religião promove essa atitude. Quanto mais socialmente orientada for uma religião, melhores serão as suas chances de sobrevivência. A religião é responsável pela atitude de aceitação do homem diante do progresso, além de ser um fator que o encoraja a pagar alto preço pelo mesmo. (E)

KIDDUSH

Termo hebraico que significa «santificação». A expressão indica a oração do sábado, bem como as festividades que santificam algum dia ou dias. Segundo o Talmude (Berakot 33), a cerimônia do *kiddush* foi instituída pelos homens da Grande Sinagoga (que vide). O costume já estava firmemente estabelecido no primeiro século da era cristã, o que se evidencia pelas várias regras atinentes à cerimônia

KIDDUSH — KIERKEGAARD

que foram criadas nas escolas de Hillel e Shammai (ver os artigos).

KIDDUSH HASHEM E HILLUL HASHEM

Essas duas expressões hebraicas indicam, respectivamente, a «santificação» e o «sacrilégio» contra o nome de Deus. Elas denotam os aspectos positivo e negativo de um conceito que sempre foi muito importante no judaísmo ético. A primeira refere-se a qualquer ato que reflita a glória que o nome de Deus merece receber, encontrando sua mais alta expressão no martírio, em prol da fé religiosa. A segunda indica qualquer ato que lance no descrédito o nome de Deus, o que deve ser evitado a todo custo. Notemos que essas expressões estão envolvidas no que alguém faz, e não meramente no que alguém declara, como parte do seu credo. É inútil bendizer a Deus em orações e sermões se, na vida do indivíduo, Deus está sendo ofendido.

KIERKEGAARD, SOREN AABYE

Suas datas foram 1813-1855. Um filósofo-teólogo dinamarquês, considerado fundador e patrono do *existencialismo* (que vide). Nasceu em Copenhague. Educou-se na Universidade de Copenhague, além de dois anos de instruções em Berlim, Alemanha, sob a orientação de Schelling. Sua saúde era fraca, e, como seu pai, era dotado de disposição melancólica. Entretanto, era dotado de uma mente poderosa e incisiva e com uma fértil imaginação. Passou a maior parte de sua vida em Copenhague. Suas habilidades e contribuições não foram reconhecidas, em seus dias, pelos seus próprios compatriotas. Somente quando Karl Barth (que vide) o reinterpretou, como parte de sua exposição sobre a epístola aos Romanos, foi plenamente percebida a grande significação de Kierkegaard.

A princípio ele queria ser um luterano ortodoxo, mas, com a passagem dos anos, suas idéias desviaram-no desse ideal. Ele observava que podemos evitar de cometer certo pecado, *não* freqüentando a igreja. A pessoa não será forçada a dizer uma mentira, afirmando que sua igreja representa a Igreja do Novo Testamento. Ele escreveu muitos artigos sobre uma igreja que ele considerava ímpia, e isso, juntamente com outras polêmicas e os ataques desfechados contra ele por uma revista literária de Copenhague, lançando-o no ridículo, tornaram infelizes os últimos anos de sua vida.

Apesar de sua disposição melancólica e de uma leve deformação física, ele conquistou o amor de Regina Olson. Porém, ele não pôde manter o relacionamento por causa de muitos escrúpulos negativos. Muitos rapazes, sérios em sua inquirição espiritual, passam por um período quando são incapazes de ajustar-se a um íntimo relacionamento com uma mulher, mas Kierkegaard não era capaz de ajustar-se a essa condição. Parece que o rompimento de seu noivado deu início a uma fantástica produtividade intelectual, com o intuito de expor um vívido quadro sobre o que significa alguém ser um cristão. Produziu vinte e um livros em doze anos. Defendia uma religião intensamente pessoal, em oposição à religião institucional, o que o pôs em choque com a igreja dinamarquesa. Ele acusava a igreja oficial de não refletir o cristianismo genuíno, por haver acomodado a religião ao poder social.

Subitamente, foi ferido por uma afecção na coluna vertebral. Restava-lhe apenas um mês de vida. Então sua alma passou por grande transformação. Ele passou aquele mês em grande júbilo espiritual. Isso nada tinha a ver com seu problema de coluna. Mas o Senhor estava próximo. Um dia, ele perdeu os sentidos na rua. Suas últimas palavras foram curiosas: «A bomba explode e a conflagração tem lugar». Sem dúvida elas se referiam à sua desintegração física final. Mas a alma humana sobrevive a tudo.

Idéias:

1. *Existencialismo*. Esse é um sistema filosófico baseado especialmente na idéia de que a *existência* é anterior à essência, e que a *vontade* tem o poder de formar a natureza. Não há uma natureza fixa, e um homem pode fazer o que quiser, tornando-se aquilo que seus recursos internos fazem dele. Kierkegaard opunha-se ao racionalismo dialético de Hegel, que faz o determinismo controlar todas as coisas, originário em um Espírito Absoluto, que controla todas as manifestações da existência. O existencialismo enfatiza o poder da vontade, e não o poder da razão, no confronto com os problemas criados em uma existência aparentemente amoral e absurda. O homem foi por ele definido como a súmula de seus *atos voluntariosos*, e não como aquilo que ele é forçado a ser, por meio de forças externas. Esse sistema enfatiza a irracionalidade do ser, o poder do medo. O existencialismo ateu presume que a própria vida é uma espécie de piada da natureza, e que não existem forças controladoras e planejadoras. Mas o existencialismo teísta injeta esperança naquilo que parece inútil, impondo aos homens a necessidade deles usarem a vontade na busca pelo Divino Desconhecido, o que insufla significado naquilo que, de outro modo, não tem qualquer sentido. Neste mundo, o homem é um ser criativo, e não um autômato, manipulado por forças externas. Sem Cristo, o homem é um ser solitário, que bóia sobre as ondas de uma existência aterrorizante. O existencialismo cristão faz a missão de Cristo ocupar posição central no livramento do homem. Esse livramento é da falta de significação. O cristão espera por atos misericordiosos de Deus, bem como pela sua graça, a fim de ser revertida qualquer situação insustentável.

2. Kierkegaard opunha-se ao sistema hegeliano, segundo o qual a verdade está espremida dentro de um sistema de *idéias*. Em vez disso, ele defendia o conceito da verdade encarada *subjetivamente*. A verdade, quando manipulada por idéias apenas nos envolve em uma interminável série de aproximações. Mas a verdade, quando é encarada subjetivamente, oferece-nos a orientação da promessa.

3. *As três abordagens da vida*. a. A abordagem *estética*. Os homens geralmente enfrentam a vida como se o prazer fosse a essência da mesma. Essa forma de vida parece envolver o máximo de liberdade, mas, na verdade, falta-lhe propósito. Aquele que segue essa trilha acaba sem valores que possa seguir, desintegrando-se em torno de desejos que nunca encontram real satisfação. b. A abordagem *ética*. Seguindo essa outra trilha, o homem ultrapassa o princípio hedonista, e começa a buscar um propósito na vida. Metaforicamente falando, ele busca uma esposa, e não uma amante passageira, e a autodeterminação começa a fazer-se sentir. c. A abordagem *religiosa*. Essa é a vereda superior. A certa altura de sua vida, parece que Kierkegaard experimentou o ideal socrático de que o homem contém, em si mesmo, todas as respostas, pelo que tudo de quanto uma pessoa precisa é um bom mestre ou guia, que faça vir à tona o que já existe inerentemente em seu homem interior. Mas, ao longo do caminho, Kierkegaard deixou Sócrates e começou a seguir a Cristo. — Ele descobriu que um homem precisa do

KIERKEGAARD — KITTEL

Salvador, e não apenas de um mestre. Foi então que ele começou a usar o método da *comunicação indireta*.

4. *A comunicação indireta* consiste no método de ir eliminando, progressivamente, todas as alternativas de um problema qualquer. Finalmente, com a eliminação de todas as supostas respostas às coisas, ao indivíduo resta um *vazio*. Dentro desse vazio, o homem percebe a sua necessidade de *revelação*. A essa altura, o indivíduo está se aproximando da *abordagem religiosa* da vida. Ele o faz com sentimentos de temor, porquanto sabe que está tratando com um grande poder. É por essa altura das coisas que Deus pode intervir, elevando o indivíduo acima daquilo que é meramente ético. A isso, Kierkegaard chamava de «suspensão teológica do que é ético». Ele usou a história de Abraão como ilustração. Dispôs-se ele a eliminar meras considerações éticas, partindo para o sacrifício de seu próprio filho, sob as ordens de Deus. Nesse ponto, entramos no campo do *voluntarismo* (que vide), quando a vontade de Deus aparece suprema e as definições da bondade absoluta são formuladas em consonância com a vontade divina. A abordagem religiosa não está sujeita a explicações lógicas. Está eivada de paradoxos (que vide). O paradoxo supremo é o próprio Deus.

5. *Angst*. Essa palavra é muito usada por Kierkegaard. Ela significa «angústia». Um homem aproxima-se de seu alvo, por meio da abordagem religiosa, em meio a temor e ansiedade. Esses sentimentos acompanham-nos a cada instante. Vivemos dentro do tempo, e perdemo-nos dentro do conteúdo da vida. Esse conteúdo perturba-nos e obscurece a nossa visão. Temíveis forças agitam-nos. Porém, em meio a tudo isso, há aquela possibilidade de que podemos irromper na eternidade, encontrando Deus no momento *eterno*. Ver o artigo sobre a *Angst*.

6. *O salto da fé*. A pessoa religiosa busca a repetição do momento da eternidade, que é obra da liberdade. O salto da fé ajuda-nos a continuar repetindo o momento da eternidade, pelo que isso torna-se uma realização, e não um mero ato. Porém, o indivíduo deve recuperar esse terreno, por muitas e muitas vezes, mediante a vida diária intensa e apaixonada. Percebo aqui que Kierkegaard estava falando sobre as experiências místicas, o que significa que a abordagem religiosa, da qual ele tanto falava, é a abordagem mística. Ele buscara a Deus, e, finalmente, entregara sua alma a uma direta comunhão com Deus, e não tanto a uma abordagem meramente intelectual. Ver o artigo sobre o *Misticismo*.

7. *O herói trágico e o homem de fé*. O herói das tragédias renuncia a si mesmo a fim de expressar o que é universal. O homem de fé renuncia ao que é universal a fim de obter a si mesmo. O homem de fé segue pelo caminho superior.

8. *Elementos teológicos*. A busca humana, pela senda da *angst*, só se torna tolerável por causa da certeza que o indivíduo, que assim faz, tem da existência da graça de Deus e do perdão de seus pecados. Ultrapassado somente por Agostinho e Pascal, Kierkegaard nos forneceu o mais completo escrutínio sobre a psicologia da fé e sobre a antropologia cristã.

9. *Elementos éticos*. Já vimos que Kierkegaard considerava o caminho ético superior ao caminho estético. Mas ele cria ainda mais na senda superior da abordagem religiosa, onde o misticismo se torna uma realidade. Porém, ele objetava à simples religião ética, segundo a qual tantas pessoas se entregam a atividades beneficentes, mas sem qualquer real transformação da alma. Ele acusava a ortodoxia cristã de tornar fácil demais a vida cristã, porquanto insiste sobre sistemas de crença superficial, e não sobre a transformação da alma, com a eliminação de defeitos e o cultivo de virtudes. Aquele que busca somente regras éticas e uma conduta racionalmente ordeira, jamais encontrará o momento eterno.

10. *Influência de Kierkegaard*. O sistema inteiro do existencialismo está em grande dívida para com Kierkegaard. Seu pensamento afetou muitos teólogos e filósofos protestantes. Poderíamos citar Barth, Heidegger, Jaspers, Marcel e Buber. Até mesmo o existencialismo ateu, como aquele preconizado por Jean Sartre (que vide), fez muitos empréstimos de suas idéias. (AM C E F H MM P)

KILWARDBY, ROBERT

Viveu na segunda metade do século XIII, na Inglaterra, onde nasceu. Foi um notável filósofo escolástico. Ele ensinava teologia em Oxford; serviu como arcebispo de Canterbury e, finalmente, foi feito cardeal. Era agostiniano e opunha-se ao tomismo. Argumentava em favor de uma pluralidade de formas, e não em prol de uma unidade de formas, conforme dizia Tomás de Aquino. Em 1277, condenou trinta proposições tomistas, que ele considerava errôneas. Dividia as ciências em divinas e humanas. As primeiras incluíam as ciências naturais, metafísicas e matemáticas. As últimas incluíam a ética, as artes mecânicas e a lógica.

Escritos: *On the Origin of Science; On the Imaginative Spirit; On Conscience; On Time; On the Trinity*.

KINDI, AL

Ver sobre **Al-Kindi**.

KING, HENRY CHURCHILL

Suas datas foram 1858-1934. Formou-se no Colégio e Seminário de Oberlin. Estudou nas Universidades de Harvard e de Berlim. Tornou-se professor de filosofia no Colégio e Seminário de Oberlin e mais tarde, presidente desse instituto. Foi professor e escritor razoavelmente bem-sucedido, influenciado por Lotze (que vide). Muito contribuiu para fomentar a filosofia e a teologia cristãs, e promoveu a reverência à personalidade.

Escritos: *Reconstruction of Theology; Theology and the Social Consciousness; The Seeming Unreality of the Spiritual Life; The Ethics of Jesus*, além de várias outras obras.

KISMET

Palavra árabe que significa «fé». Essa palavra é comumente usada como uma exclamação, pelos islamitas, quando querem expressar sua crença de que Deus reina supremamente em todas as questões humanas, de tal modo que todos os golpes de sorte ou de adversidade, os feitos humanos e suas conseqüências futuras, etc., são encarados como inevitáveis, por terem sido predeterminados por Deus.

KITTEL, GERHARD

Ele foi o editor do imenso e imortal *Theological Dictionary of the New Testament*, traduzido do

KITTEL — KNUTZEN

original alemão *Theologisches Worterbuch Zum Neuen Testament*, mediante os labores do tradutor e editor G.W. Bromiley. Essa obra deriva-se dos labores de Hermann Cremer e Julius Kogel, a cujos labores foram acrescentados os esforços de vários outros, a fim de serem produzidos os oito volumes dessa excelente série. O vocabulário inteiro do Novo Testamento é tratado em extensos artigos, além de nomes próprios e expansões de trechos do Antigo Testamento. Gerhard Kittel (1888-1948) foi professor do Novo Testamento em Greifswald e Tubingen. Ele assumiu a direção editorial dessa imensa obra em 1928. Bromiley assumiu a mesma responsabilidade quanto à edição em inglês.

KITTEL, RUDOLF

Suas datas foram 1853-1929. Foi professor em várias universidades alemãs, incluindo a de Leipzig. Como tradutor e editor ele proveu, em três edições, a edição crítica da *Bíblia Hebraica*, usada praticamente por todos os eruditos modernos. Essa obra talvez seja a maior autoridade sobre a história e a religião de Israel.

KLAGES, LUDWIG

Nasceu em 1872 e faleceu em 1956. Foi um filósofo alemão. Nasceu em Hanôver e educou-se em Munique. Nesta última cidade, estabeleceu um centro para o estudo da *caracterologia*; mediante tal termo ele entendia uma ciência do espírito, com base em sua classificação dos tipos psicológicos. Mais tarde, esse centro de pesquisas foi transferido para Kilcheberg, perto de Zurique, na Suíça. Ele era um estudioso dos escritos de Theodor Lipps, e foi influenciado também por Nietzsche. Ele concebia a vida como uma luta do espírito contra o corpo e a alma. Ele identificava o espírito à racionalidade, ao passo que as forças vitais criativas seriam equiparadas à alma. Procurava identificar os homens de conformidade com certos tipos, dependendo do equilíbrio entre a alma e o espírito, que eles haviam conseguido obter. O objeto de seu estudo era prover o ressurgimento da ênfase sobre a alma, contra os efeitos mortíferos das ciências.

Escritos: *Principles of Characterology; The Science of Character; On the Cosmogonic Eros; The Spirit as Adversary of the Soul; The Psychological Discoveries of Nietzsche; Language as the Scourge of Soul Knowledge.*

KLEUTGEN, JOSEPH

Suas datas foram 1811-1883. Foi um jesuíta alemão. Era filósofo e teólogo, que influenciou o Concílio do Vaticano (que vide) tendo servido de instrumento no reavivamento da filosofia escolástica, dentro das escolas de orientação católica romana.

KLIEFOTH, THEODOR

Suas datas foram 1816-1895. Foi pastor protestante em Ludwigslust, executivo e administrador eclesiástico. Interessava-se pela promoção da antiga teologia protestante, mais do que nos escritos de Lutero, cujos excessos subjetivos ele repudiava. Aceitava em seu sistema elementos católicos e anglicanos. Interessava-se pela escatologia e por definir, de uma nova maneira, a relação entre a fé e a história.

••• ••• •••

KNOX, JOHN

Suas datas podem ter sido 1505, 1513, 1515 até 1572. Foi o principal eclesiástico da Reforma escocesa, embora não o seu originador. Nasceu em Haddington, em East Lothian, e estudou na escola de gramática dessa cidade, antes de ingressar na Universidade de Glasgow. Todavia, abandonou a universidade antes de formar-se, por razões desconhecidas. Tornou-se padre católico romano em 1530, embora esse período inicial de sua vida esteja perdido na obscuridade. Na Universidade de Saint Andrew caiu sob a influência de John Major. Em 1545 uniu-se a George Wishart, que acabara de retornar de Zurique para Cambridge, a fim de pregar a reforma na Escócia. Wishart foi queimado na fogueira, e o cardeal Beaton foi assassinado. Esses eventos parecem ter impelido Knox a tomar posição aberta em favor da reforma (que vide). Em face disso, começou a ser alvo de intensas perseguições, pelo que buscou refúgio no castelo de Saint Andrews. A frota francesa conquistou o castelo um ano mais tarde, em 1547, e, para vingar a morte do cardeal Beaton, Knox foi feito prisioneiro e condenado à servidão nas galés. Por esse motivo, foi mantido acorrentado pelo espaço de dezoito meses, mas foi finalmente solto, por intervenção dos ingleses. Em seguida, Knox passou cinco anos na Inglaterra (de 1549 a 1554), principalmente em Berwick e Newcastle, com algumas visitas a Londres.

Knox fazia a sua presença ser sentida, dando a conhecer a sua teologia, mediante a prédica. Foi por meio de sua influência que o Livro de Oração, de 1552, declarava que o ato de ajoelhar-se, por ocasião da celebração da eucaristia, não era um ato de adoração de qualquer presença corpórea de Cristo nos elementos da Ceia. Foi também um dos principais fundadores do puritanismo inglês.

Quando a rainha Maria Tudor, católica romana que ela era, subiu ao trono, Knox fugiu para o continente europeu. Seguiu-se um período de migrações, que incluiu uma breve visita a Genebra, um encontro com Calvino, e um breve pastorado em uma congregação inglesa, em Genebra. Em seguida ele dirigiu-se para Berwick, onde se casou. Finalmente, voltou à Escócia, onde era capaz de pregar abertamente. Sua pregação foi a principal responsável pelo estabelecimento da Reforma Protestante naquele país. Ele não era um teólogo inovador, mas era poderoso pregador de idéias alheias. Foi principalmente por meio dos seus esforços que o protestantismo tornou-se a religião oficial da Escócia.

Escritos: *On Predestination; On Prayer; Epistles and Admonition; On Affliction; The First Balst of the Trumpet Against the Monstrous Regiment of Women; The History of the Reformation in Scotland; An Answer to a Scottish Jesuit.*

••• ••• •••

KNUTZEN, MARTIN

Suas datas foram 1713-1751. Foi um filósofo alemão, educado em Konigsberg. Mais tarde, ensinou naquela cidade. Era seguidor de Wolff e de Priest. Tornou-se conhecido principalmente por haver sido um dos mestres de Emanuel Kant. Todavia, disputa-se sobre a sua influência sobre Kant (que vide).

Escritos: *Metaphysical Dissertation on the Impossibility of an Eternal World; Philosophical Commentary on the Relation Between Mind and Body.*

KOINÉ — KOSHER

KOINÉ

Palavra grega que significa «comum». O termo indica a fala grega comum, que gradualmente se desenvolveu e foi substituindo dialetos locais, por todo o Mediterrâneo oriental, a partir dos dias de Alexandre, o Grande. O *koiné* é a variedade de grego que se acha em obras literárias desse período em diante, até bem dentro da era cristã, bem como na Septuaginta, no Novo Testamento, em muitíssimos papiros, em inscrições e em ostraca ou inscrições em cacos de barro. É mais simples e menos sutil do que o grego ático, porquanto estava rapidamente transformando-se em uma linguagem puramente analítica, e não mais sintética, como era o caso do grego clássico. O período em que foi falado o grego «koiné» estende-se mais ou menos de 300 A.C. a 330 D.C. Quanto a um artigo especial sobre o grego «koiné» do Novo Testamento, ver o verbete *Língua do Novo Testamento*.

KOINONIA

Termo grego que tem vários significados no Novo Testamento, embora com a idéia básica de *participação*. Assim, encontramos as traduções «comunhão» (que vide), «companheirismo», «participação», «contribuição» (como oferta em dinheiro), etc. A palavra aparece por vinte vezes no Novo Testamento, por exemplo: Atos 2:42; Rom. 15:26; I Cor. 1:9; Gál. 2:9; Efé. 3:9; File. 6; Heb. 13:16; I João 1:3,6,7.

Essa palavra envolve fortes implicações éticas, a saber: 1. a participação é a idéia fundamental da palavra, tanto nos benefícios do evangelho como quanto às coisas materiais. Compartilhar com o próximo é uma das expressões da lei do amor, que é fundamental à espiritualidade (I João 4:8). 2. A generosidade é um espelho do homem, afinal de contas. Essa é uma virtude cristã, razão pela qual Paulo recomendou que as igrejas gentílicas contribuíssem para os santos pobres de Jerusalém (Rom. 15:28; II Cor. 9:13). Todas as pessoas dependem uma das outras, e isso não é diferente no seio da Igreja cristã.

Sentidos Teológicos. 1. Participação na salvação (I Cor. 1:9). 2. Participação na Ceia do Senhor (I Cor. 10:16). 3. Participação na experiência dos sofrimentos (II Cor. 1:7; Heb. 10:33; Apo. 1:9). 4. Participação na comunhão com o Espírito (II Cor. 13:14; Fil. 2:1).

KOJIKI

Esse é o nome original da *Crônica de Acontecimentos Antigos*, o mais antigo documento histórico do Japão, compilado em 712 D.C. Começa com mitos da criação e termina o seu relato nos eventos de 628 D.C. É uma obra necessária para o estudo do xintoísmo primitivo. Ver o artigo sobre *Religião e Filosofia Xintoístas*.

KOL NIDRE

No hebraico, uma expressão que significa «todos os votos». Indica uma oração recitada nas sinagogas, no começo do culto vespertino do Dia da Expiação (que vide). Essa oração foi composta para aliviar os sentimentos de tristeza dos judeus devotos, que sentiam as inadequações e falhas de suas vidas religiosas.

KORN, ALEJANDRO

Suas datas foram 1860-1936. Foi um filósofo argentino nascido em Buenos Aires. Originalmente era médico psiquiatra, diretor do hospital de alienados mentais e professor de anatomia do Colégio Nacional de La Plata, na Argentina. Posteriormente, tornou-se professor de filosofia da Universidade de Buenos Aires, tendo servido como seu deão, durante algum tempo.

Idéias:

1. Todas as filosofias que assumem posição dogmática, recusando-se a reconhecer os discernimentos de outros sistemas, como o positivismo, o idealismo romântico ou o realismo eram combatidas por ele. Ele mesmo, porém, subscrevia a uma forma de positivismo (que vide) que aceitava tanto a liberdade quanto os valores humanos.

2. O principal problema da filosofia consiste em tomar consciência dos sistemas contrários, procurando a reconciliação dos mesmos, como os sistemas subjetivos e os objetivos, como o determinismo e a liberdade humana, como os sistemas cientificamente orientados e os sistemas humanisticamente orientados.

3. A liberdade humana não é algo que nos é conferido, mas é algo obtido mediante a sua luta contra o determinismo. A liberdade tem aspectos éticos e econômicos. Nenhum desses aspectos pode ser eliminado às custas do outro.

4. O valor faz parte da luta pela liberdade. Os valores não são absolutos, mas têm certos relacionamentos com todos os campos, científicos ou humanísticos. Os valores, em qualquer campo dado, têm sua própria história e os seus próprios ideais.

5. Há nove tipos de avaliação: econômica, instintiva, erótica, vital, social, religiosa, ética, lógica e estética. De acordo com sua personalidade, cada pessoa inclina-se mais para este ou aquele tipo de avaliação. Todos os valores têm polaridades, como útil-inútil, agradável-desagradável, amável-odioso, seleto-vulgar, lícito-ilícito, santo-profano, bom-mau, verdadeiro-falso, belo-feio.

6. Os sistemas específicos destacam valores específicos, ao mesmo tempo em que ignoram outros valores. Assim, o hedonismo valoriza aquilo que é capaz de dar prazer; o estoicismo salienta os valores quando lhes parecem bons; o utilitarismo destaca o bem-estar material, etc.

7. Os valores finais incluem: bem-estar material, felicidade, amor (dentro do misticismo), poder (dentro do pragmatismo), justiça (dentro dos sistemas sociais), santidade (dentro do escolasticismo), a bondade, a verdade e a beleza (dentro do intuicionismo).

8. Embora Korn tivesse sido um positivista, ele retinha as especulações metafísicas dentro de seu sistema, como meio para a obtenção de certos valores, conforme foi sugerido acima.

Escritos: Influências Filosóficas da Evolução Nacional; Liberdade Criadora; Esquemas Epistemológicos; O Conceito de Ciência; Axiologia e Notas Filosóficas.

KOSHER

Essa palavra hebraica significa «próprio», «apto». No iídiche e no hebraico moderno, seguindo o uso do hebraico da Mishna do século II D.C., essa palavra era e é empregada para indicar aquilo que é próprio para a alimentação, bem como a maneira correta de preparar os alimentos. Ficam vedados os alimentos proibidos pela legislação mosaica; até a maneira de abater os animais é prescrita; não se pode misturar

KOTARBINSKI — KROPOTKIN

carne com leite, em cada refeição, e toda carne precisa ser lavada de seu sangue superficial, antes de ser ingerida. São seguidos os modos de preparação dos alimentos, segundo as prescrições do Talmude (que vide).

KOTARBINSKI, TADEUSZ

Nasceu em 1886. Deconhece-se a data de seu falecimento. Nasceu em Varsóvia. Educou-se em Lvov. Ensinou em Varsóvia, como membro do chamado Círculo de Varsóvia, similar ao Círculo Vienense de Positivismo (que vide).

Idéias:

1. Só existem os objetos concretos, sujeitos aos nossos sentidos físicos, o que corresponde a uma posição chamada *concretismo* (que vide). Todos os termos que designam idéias abstratas são considerados *aparentes*.

2. O concretismo ontológico é a noção de que todo objeto é algo que está sujeito à percepção dos sentidos. Essa doutrina era chamada *somatismo*, por Kotarbinski. No grego, *sôma* é «corpo».

3. As proposições psicológicas não seriam conhecidas pela introspecção, e, sim, por mera imitação, isto é, emulando-se o comportamento de outras pessoas.

4. As ações eficazes, que se originam da imitação, são chamadas *praxiologia*.

Obras: Elements of the Theory of Knowledge; Formal Logic and Methodology of Science; Praxiology: An Introduction to the Science of Efficient Action.

KOZLOV, ALEXEY A.

Suas datas foram 1831-1901. Foi filósofo russo, nascido em Moscou. Ensinou em Kiev e São Petersburgo. Foi influenciado pela filosofia de Leibniz, por intermédio de Teichmuller. Desenvolveu um sistema de *pampsiquismo* (que vide), que fala sobre mônadas que reagem entre si, originárias de Deus.

KRAUSE, KARL CHRISTIAN FRIEDRICH

Suas datas foram 1781-1832. Nasceu em Eisenberg, na Alemanha. Estudou em Jena, sob Hegel e Fichte. Considerava o universo um organismo vivo, um ponto de vista que ele intitulava *panenteísmo* (que vide). Ensinava que a realidade está progredindo para unidades internas mais elevadas. Deus incluiria, em seu Ser tanto a natureza quanto a humanidade, embora transcendendo aos mesmos. O homem seria o mais elevado componente da natureza, e o progresso deve ser aquilatado em termos de como os valores internos do homem se vão disseminando pela sociedade, e, finalmente, por toda a humanidade.

KRAUTH, CHARLES PORTERFIELD

Suas datas foram 1823-1883. Foi um teólogo luterano conservador, que muito lutou para preservar uma fé plenamente conservadora, em oposição a seu mestre, S.S. Schmucker (que vide) que estava introduzindo certas idéias liberais. Krauth serviu como professor de teologia sistemática, no seminário luterano de Mount Airy, estado de Filadélfia, nos Estados Unidos da América, uma escola fundada a fim de opor-se a outra escola, mais liberal, que havia em Gettysburg. Foi professor de larga influência, cujos escritos exerceram considerável influência em

seus dias. Serviu a Universidade de Pensilvânia como professor e administrador. Tomou parte ativa da Comissão Americana de Revisão para a produção da Revised Standard Version, em inglês, sobre o Antigo Testamento.

KRIKORIAN, YERVANT

Esse homem publicou, em 1944, o livro cujo título em inglês é *Naturalism and the Human Spirit*. O *naturalismo* (que vide) pode ser contrastado ao materialismo, pois, apesar de afirmar que toda a realidade deve ser explicada em termos de objetos e de eventos dentro do contexto do espaço-tempo, ainda assim admite que não pode haver realidades não-materiais.

KRISHNA

Esse é o nome de uma das divindades mais largamente veneradas do hinduísmo (que vide). Juntamente com Rama (que vide) teria sido uma das últimas encarnações de Vishnu, sendo considerada a maior de todas essas encarnações. Nas lendas, Krishna é variegadamente interpretado como um herói guerreiro, como um criador de vacas, como um rapaz traquinas, como um amante sem igual, como um matador de dragões, etc. Porém, na Bhagavad-Gita, Krishna já aparece como o próprio Deus, o próprio Brahman. Em todas as religiões, o conceito de Deus atravessa uma completa evolução, de tal forma que, conforme dizia um de meus professores: «O conceito de Deus vai sendo purificado». Na verdade, os homens retratam Deus à sua própria imagem, havendo idéias realmente cruas acerca da divindade. Na Bhagavad-Gita, Krishna aparece como o supremo objeto do *bhakti*, ou amor. Quando os homens servem a Deus, impelidos pelo amor, podem obter a salvação. Isso diz a verdade no tocante a todos os homens, sem importar castas ou condições sociais.

KROPOTKIN, PETER

Suas datas foram 1842-1921. Foi um russo que agiu como autor e filósofo social. Nasceu em Moscou. Estudou os enciclopedistas franceses (que vide). Trabalhou como geógrafo. Uniu-se ao partido revolucionário russo. Tornou-se um anarquista e foi aprisionado, mas conseguiu fugir da prisão. Foi para Paris, onde contribuiu para o movimento socialista francês. Publicou um jornal revolucionário na Suíça. Após a Revolução Francesa, mudou-se para a Inglaterra. Retornou à Rússia e denunciou a ditadura bolchevista, que ali havia adquirido o poder.

Idéias:

1. Kropotkin modificou a doutrina da competição na evolução, proposta por Darwin, injetando a idéia de que a *ajuda mútua* tem igual peso no processo evolutivo.

2. A moralidade derivar-se-ia da ajuda mútua, o que gera uma boa vontade desinteressada, e que ultrapassa os requisitos da lei.

3. As instituições autoritárias corrompem o princípio da ajuda mútua, que é tão natural para os homens. Isso leva às perversões sociais como desigualdades, crimes e violência.

4. Em seu comunismo-anarquista, ele salientava o valor da comuna, com o armazém de livre distribuição em seu âmago.

Escritos: Words of the Revolutionary; The Conquest of Bread; The State, Its Part in History; Mutual

KUENEN — KULTURKAMPF

Aid; The Great Revolution; Ethics.
Ver também o artigo geral sobre o *Comunismo*.

KUENEN, ABRAHAM

Suas datas foram 1838-1891. Foi um erudito holandês e professor da escola de teologia da Universidade de Leyden. Foi um dos líderes da moderna escola de críticos do Antigo Testamento. Sua obra principal foi a tentativa para interpretar a história da religião hebréia. Ele defendia a teoria da origem tardia da legislação sacerdotal, chamada *P(S)*, do Antigo Testamento. Em português, essa teoria pode ser chamada de Código Sacerdotal. Provi um artigo sobre o assunto, que faz parte da teoria dos documentos *J.E.D.P.*(S.) (vide) (jeovista, eloísta, deuteronômica e sacerdotal). Ver o artigo geral sobre a *Crítica da Bíblia*, onde há uma discussão mais completa sobre questões e pontos afins.

KUHN, THOMAS S.

Nasceu em 1922. Foi um filósofo norte-americano e historiador da ciência. Nasceu em Cincinnati, estado de Ohio, e educou-se nas Universidades de Harvard e Berkeley. Foi professor em Princeton.

Idéias:

1. As teorias científicas desenvolvem-se em torno de paradigmas básicos, como, por exemplo, a teoria atômica.

2. A comunidade científica determina o que é ortodoxo e o que é heterodoxo. As mudanças ocorrem em períodos de convulsão, na comunidade científica, e isso traz à tona novos paradigmas, e, portanto, uma nova ortodoxia. Os campeões de interpretações heterodoxas algumas vezes tornam-se os pioneiros de alguma nova ortodoxia.

Aquele que lê a história da fé religiosa percebe exatamente o mesmo processo em operação. Geralmente olvidamo-nos que a maioria dos grandes líderes religiosos, que deram início a novos sistemas, foram chamados hereges em seus próprios dias. Muitos morreram no processo. Jesus é o mais conspícuo exemplo de todos. Contudo, os homens, de qualquer dado sistema, dentro de qualquer período específico da história, sempre se mostram suficientemente insensatos para dizer que as revelações ou discernimentos que receberam são finais ou que o grupo a que pertencem é melhor ou mais correto, em contraste com outros sistemas. Esses sistemas sempre são comunhões fechadas. Mas a verdade nunca pode ser limitada dentro dos parâmetros de qualquer denominação evangélica.

KU-KLUX-KLAN

Evidentemente, esse nome vem do termo grego *kyklos*, «círculo», pelo que tem o sentido de «círculo (sociedade) do clã». Trata-se do nome de uma sociedade secreta, organizada após a Guerra Civil, no sul dos Estados Unidos da América, nos anos de 1866 e 1867, para combater exploradores vindos dos estados do norte daquele país, que estavam pilhando os estados do sul, perdedores da guerra civil. Acabou tendo também o propósito de impedir a ascensão social dos negros. Em 1871, o congresso norte-americano ilegitimou o movimento, o que capacitou o presidente da nação a enviar tropas para suprimir o movimento. Com a restauração da supremacia branca, nos estados do sul, a organização foi gradualmente desaparecendo. Porém, em 1915, foi organizado um novo movimento, com o mesmo nome. Foi então organizada pelo coronel William J. Simmons. A princípio, pouco aconteceu; mas, as campanhas com o intuito de aumentar o número de membros, na década de 1920, elevou o número de adeptos a vários milhões. Sua norma consistia em combater tudo que não fosse branco, protestante e nativo. Denunciava os estrangeiros, os negros e os católicos romanos com igual vigor. O símbolo era uma cruz que se incendiava, porque, quando alguém via, diante de sua casa, uma cruz assim, era sinal de que o morador daquela casa fora escolhido para sofrer violência e perseguição, o que era um fator aterrorizante. Os membros usavam robes e capuzes brancos, e marchavam em grupos com suas cruzes incendiadas. Essa organização tornou-se uma força política que os políticos dos estados do sul dos Estados Unidos da América não podiam ignorar. Líderes corruptos e violentos chegaram a controlar o movimento, de tal modo que aquilo que já era mau, tornou-se pior. Porém, em 1928 o entusiasmo radical do movimento havia esfriado bastante, e o número de membros começou a diminuir drasticamente. Até hoje a organização existe, mas é apenas uma sombra do que costumava ser.

A inclusão dessa organização, nesta enciclopédia deve-se, antes de tudo, ao fato de que, no começo, ela foi definida mediante «ideais» religiosos. Em segundo lugar, ela simboliza qualquer organização ou indivíduo que, com base em crenças religiosas ou políticas, sente que deve apelar para as ameaças e a perseguição, sem importar a forma dessa opressão. Todos os perseguidores e exclusivistas se assemelham, em alguma coisa, à Ku-Klux-Klan. Há muitos imitadores, sem dúvida. A intolerância assume muitas formas diferentes. Os motivos são as arrogância, a hostilidade, a ausência do amor cristão. Por isso mesmo, a pior intolerância de todas é a de natureza religiosa, perpetrada em nome de Deus.

KULPE, OSWALD

Suas datas foram 1865-1915. Homem dotado de mente penetrante, que deixava os defensores de sistemas muito mal à vontade. Foi assistente de Wundt, no Instituto Psicológico em Leipzig. Ensinou em Wurzburg, Bonn e Munchen. Foi fundador da Escola de Psicologia Experimental de Wurzburg, onde investigou o processo do pensamento humano. Era representante de um novo realismo (que vide) de inclinações críticas e racionais, que procurava contrabalançar as tendências neokantianas e anti-realistas. Ele era incomum, porquanto ocupava-se em atividades polêmicas como um fato, embora não pessoalmente. Opunha-se ao *naturalismo* (que vide) como algo inadequado. Contrariando Kant, ele ensinava que a metafísica pode envolver um verdadeiro estudo. Rejeitava o voluntarismo (que vide) e o intelectualismo como inadequados. Ele ensinava que o ateísmo (que vide) é teoricamente irrefutável, embora também dissesse que devemos incorporar um ponto de vista moral e religioso em nossas crenças, a fim de termos um sistema de pensamento adequado. O *teísmo* (que vide) era por ele considerado como uma necessidade prática.

KULTURKAMPF

Palavra alemã que significa «luta pela civilização», um termo que designava um movimento anticatólico na Alemanha, na década de 1870, em vista do que a influência do catolicismo foi grandemente reduzida

KUMARAJIVA — KYRIE ELEISON

naquele país. A principal causa disso foi o decreto do Concílio do Vaticano (que vide) de 1870, que formulava a doutrina da infalibilidade papal (que vide). O governo alemão expulsou os jesuítas da Alemanha e baixou uma série de leis (Leis de Maio), a fim de controlar melhor a Igreja Católica. O conflito continuou até à morte de Pio IX, em 1878. Por essa altura, Bismarck estava seguindo um programa de conciliação com a Sé de Roma, o que terminou anulando as Leis de Maio.

KUMARAJIVA

Suas datas foram 344-413 D.C. Foi um filósofo budista chinês. Foi professor popularíssimo, e de grande poder. Ele era meio-indiano, meio-chinês. Tornou-se monge com a idade de sete anos. E na juventude era tão influente como mestre que reis convidavam-no aos seus palácios para ouvirem-no expor a sua fé. Recebeu o título de Mestre Nacional. Mais de cem monges budistas atendiam suas conferências diárias. No decurso de dez anos, traduziu setenta e dois livros budistas para o chinês. Introduziu na China a doutrina média do *Nagarjuna* (que vide). Não somente ele pôs nas mãos dos leitores chineses os livros dos mais importantes escritores budistas, mas também sistematizou a filosofia budista.

KUNDALINI YOGA

Ver o artigo sobre a **Yoga**, décimo ponto.

KUNG-SUN LUNG

Foi um filósofo chinês que viveu no século IV A.C. Foi chamado lógico chinês e foi autor do *Kung-Sun Lung Tzu*, obra de grande influência. Apresentou uma série de paradoxos que envolviam nomes que usamos para designar objetos, procurando demonstrar que os nomes devem ser distinguidos das realidades que eles designam, mas que a nossa linguagem desleixada cria dificuldades para a compreensão dos conceitos. Para exemplificar, um cavalo *branco* não é um cavalo. Isso é possível quando usamos a palavra «cavalo» para designar coisas diferentes, que nada têm a ver com esse conhecido animal. Se pensarmos que cavalos não-brancos pertencem a uma espécie e cavalos brancos a outra, então aquela declaração é possível, embora tal tipo de linguagem dificilmente possa ser considerado legítimo. No entanto, os homens lançam mão dessa atividade com muita freqüência, e o ponto crucial de um argumento, às vezes, depende dessa atividade distorcedora.

KUO HSIANG

Foi um oficial do governo chinês, dos séculos III e IV D.C. Foi um taoísta (que vide) entusiasmado.
Idéias:
1. Cada coisa tem sua natureza individual e seu propósito final e destino, aos quais cada coisa se adapta.
2. Ou não existe nenhum Criador (e todas as coisas ter-se-iam criado a si mesmas), ou então ele é incapaz de materializar todas as formas. Essas formas materializam-se a si mesmas, pelo que se criam a si mesmas, sem a orientação de qualquer Criador geral.
3. As coisas acontecem impelidas pela necessidade. Se deixarmos as coisas entregues a si mesmas, elas cumprirão os seus propósitos.
4. O céu não é algo por detrás do processo da natureza, mas é apenas um vocábulo que usamos para indicar a totalidade da natureza.
5. Quando uma pessoa não está tensa, — o seu espírito pode atingir o seu mais elevado potencial, permanecendo em silenciosa harmonia com suas capacidades mais profundas.
6. No campo do governo, as coisas funcionam melhor quando permitimos que as pessoas atuem de acordo com os seus princípios.

KURTZ, BENJAMIN

Suas datas foram 1795-1865. Foi associado e amigo de S.S. Schmucker (que vide). Os dois estabeleceram o Seminário Teológico de Gettysburg, no estado da Pennsylvania, nos Estados Unidos da América, uma instituição mais liberal que aquela existente em Mount Airy, naquele mesmo estado. Charles Porterfield Krauth (que vide) estudante de S.S. Schmucker, foi o fundador dessa outra escola teológica. E assim a antiga história das lutas entre os teólogos conservadores e os teólogos liberais, recebeu um outro capítulo. Kurtz foi um poderoso porta-voz de suas crenças liberais. Foi editor do *Lutheran Observer*, o que lhe dava meios para atingir outras pessoas com a sua mensagem.

KUYPER, ABRAHAM

Suas datas foram 1837-1920. Foi um teólogo e estadista holandês da Igreja Reformada. Nasceu em Maasshuis, na Holanda. Converteu-se ao calvinismo estrito (que vide). Foi professor de teologia sistemática na Universidade Livre de Amsterdam, onde serviu até à sua morte. Foi um importante líder da ortodoxia calvinista da Holanda. Defendia os direitos das escolas religiosas, e formou a Igreja Cristã Reformada. Além de suas atividades como clérigo e escritor, também foi político, tendo-se tornado um líder do Partido Histórico Cristão, representante das tendências conservadoras, de inclinações intensamente sociais. De 1902 a 1905 foi Primeiro-Ministro da Holanda. Seu método teológico combinava o intelectualismo com uma base bíblica e confessional, par a par com a ênfase sobre a aplicação prática da fé. Sua influência fez-se sentir tanto na Alemanha quanto nos Estados Unidos da América.

KYRIE ELEISON

No grego, uma expressão que significa «Senhor, misericórdia!» Uma das frases gregas incorporadas à missa católica romana e nos cultos da comunhão anglicana, além de ser usada nas litanias das igrejas orientais. Uma variante, usada na missa da Igreja Católica Romana é «Christe eleison». A expressão ocorre por nove vezes na missa, após o intróito (que vide). Sua presença no rito latino pode ter sido um simples uso grego que não foi traduzido, ou pode apontar para alguma litania comum, atualmente perdida.

1. Formas Antigas

fenício (semítico), 1000 A.C.　　　　grego ocidental, 800 A.C.　　　　latino, 50 D.C.

2. Nos Manuscritos Gregos do Novo Testamento

3. Formas Modernas

4. História

L é a décima segunda letra do alfabeto português (ou décima primeira, se deixarmos de lado o K). Historicamente, deriva-se da letra semítica *lamed*, que alguns estudiosos pensam significar «chicote» ou «cacete», conforme seu formato parece sugerir. Mas outros pensam em «boi», «corda» e «gancho». O grego adotou essa letra, chamando-a *lambda*. A letra passou daí para o latim, e daí para muitos idiomas modernos.

5. Usos e Símbolos

L era usado no latim como símbolo numérico para 50. No sistema monetário inglês representa a libra, a unidade padrão daquele sistema. *L* é usado como símbolo do *Codex Regius*, descrito no artigo separado *L*.

Caligrafia de Darrell Steven Champlin

Reprodução Artística de
Darrell Steven Champlin

Arte céltica — Jesus é detido

L

L

Esse é o símbolo do manuscrito chamado **Codex Regius**, que contém os evangelhos e pertence ao século VIII D.C. Acha-se na Bibliothèque Nationale, em Paris. Foi editado pela primeira vez por Tischendorf, em 1846, sendo uma cópia quase completa dos quatro evangelhos. O tipo de texto é excelente, bem parecido com o texto do manuscrito do Vaticano (B). Porém, o copista mostrou-se descuidado, tendo cometido muitos erros. A característica mais notável desse manuscrito é que apresenta dois finais do evangelho de Marcos. Um desses finais é o tradicional (mas não original) trecho de Mar. 16:9-20, o chamado *final mais longo*, que não se encontra nos testemunhos mais antigos, e parece ser uma compilação de itens sugeridos nos outros evangelhos. Além desse final tradicional, há um outro, mais breve, que diz como segue:

«Mas elas deram breve notícia a Pedro e aos que estavam com ele sobre tudo quanto lhes fora dito. E, depois disso, o próprio Jesus enviou, por meio deles, de leste a oeste, a sagrada e imperecível proclamação da eterna salvação».

Esse final mais breve é uma óbvia fabricação, em nada contribuindo para resolver o problema de por que motivo o evangelho de Marcos termina de maneira tão estranha (no oitavo versículo). No NTI, *in loc.*, abordo de modo completo essa questão.

L

Essa letra é usada para designar os materiais com que Lucas contou para compor o seu evangelho, mas que os demais evangelistas não tinham. Se incluirmos nessa categoria os informes sobre a *infância de Jesus*, então isso já representará cerca da metade do evangelho de Lucas. Isso significa, pois, que quase a metade do terceiro evangelho é diferente dos dois outros evangelhos sinópticos, Mateus e Marcos. As especulações afirmam que o material *L* teve origem em Cesaréia, e que data de cerca de 60 D.C. Provavelmente, dependeria de tradições orais de mescla com algum material escrito, conforme Lucas parece indicar no prefácio do evangelho que tem seu nome. Presume-se que Lucas escreveu o seu evangelho contando com três principais fontes informativas: Marcos, *Q* e *L*. Além disso, em seus primeiros esforços, no proto-Lucas, ele teria usado as fontes *Q* e *L*. Depois, ao tomar conhecimento do evangelho de Marcos, alternou material do proto-Lucas com material do evangelho de Marcos. Quanto a uma completa exposição de teorias dessa espécie, ver o artigo chamado *Problema Sinóptico*.

Como sempre sucede no caso de todas as teorias que são apresentadas, os eruditos subseqüentes encontraram muitos motivos para criticar essa teoria. Todavia, uma coisa é certa: houve distintas fontes informativas que cada um dos autores dos quatro evangelhos tiveram para usar. Os estudiosos, pois, falam acerca de muitas dessas fontes, algumas delas bastante fragmentárias. A grosso modo, haveria o material conhecido como *M* (peculiar a Mateus); *L* (peculiar a Lucas); *Q* (materiais com que contaram Mateus e Lucas, mas desconhecidos para Marcos, e que consistiriam, principalmente, em informes sobre os ensinamentos de Jesus); e o próprio evangelho de Marcos (o evangelho original).

••• ••• •••

L(ap)

Sigla de um manuscrito também conhecido como L(2). Seu nome é *Codex Angelicus*. Trata-se de uma cópia do livro de Atos, das epístolas católicas (vide) e das epístolas paulinas, pertencente ao século IX D.C. Encontra-se na Biblioteca Antelicana, em Roma. Seu texto é essencialmente bizantino. Ver o artigo geral sobre os *Manuscritos do Novo Testamento*.

LÃ

No hebraico devemos considerar duas palavras, e no grego, uma, isto é:

1. *Amar*, palavra aramaica que aparece somente por uma vez, em Dan. 7:9, onde se lê: «Continuei olhando, até que foram postos uns tronos, e o Ancião de dias se assentou; sua veste era branca como a neve, e os cabelos da cabeça como a pura lã...»

2. *Tesemer*. Esse vocábulo hebraico foi usado por dezesseis vezes nas páginas do Antigo Testamento: Lev. 13:47,48,52,59; Deu. 22:11; Juí. 6:37; II Reis 3:4; Sal. 147:16; Pro. 31:13; Isa. 1:18; 51:8; Eze. 27:18; 34:3; 44:17; Osé. 2:5,9.

3. *Érion*, «lã». Palavra grega que figura por apenas duas vezes no Novo Testamento: Heb. 9:19 e Apo. 1:14.

Na Palestina, os carneiros eram, algumas vezes, negros ou amarronzados, uma característica recessiva que apareceu, mui providencialmente, entre o rebanho de Jacó, com muito maior freqüência do que seria normal esperar, de acordo com as leis de hereditariedade, descobertas pelo monge Mendel. Ver Gên. 31:10. Ocasionalmente, porém, a lã era tingida de escarlate (ver Heb. 9:19). A tosquia, feita em uma única peça, era a maneira ideal de se conseguir uma boa lã. A lã assim tosquiada era, primeiramente, lavada em água corrente, geralmente em algum riacho, e, em seguida, com sabão, até deixá-la quase branca. Após esse a lã, vinham os vários processos de bobinagem, fiação e tecitura. A lã de qualidade secundária era, geralmente, usada para estofar colchões e cobertores grossos. Muitas vezes a lã assim usada era aquela que sobrava nos vários processos de industrialização.

A lã era tecida para com ela serem fabricadas vestes mais externas. Entre os israelitas, no fabrico de tecidos para uso como vestes humanas, nunca se misturava a lã com o linho (ver Deu. 22:11), mormente no caso das vestes sacerdotais. Lê-se em Levítico 19:19: «...nem usarás roupa de dois estofos misturados». Lê-se em Provérbios 31:10 e 13: «Mulher virtuosa quem a achará?... Busca lã e linho, e de bom grado trabalha com as mãos». A lã, em certas passagens do Antigo Testamento, também é símbolo de riquezas materiais, como em Ezequiel 27:19. E também servia como pagamento de taxas e tributos. Assim, o rei de Moabe entregava a Israel, anualmente, «...cem mil cordeiros, e a lã de cem mil carneiros» (II Reis 3:4). E a liberalidade do Senhor é poeticamente fraseada como segue: «...dá a neve como lã, e espalha a geada como cinza» (Sal. 147:16). O povo da nação de Israel foi condenado porque, à semelhança de uma meretriz, ela recebia lã da parte de seus amantes, conforme se vê em Oséias 2:5: «Irei atrás de meus amantes, que me dão o meu pão e a minha água, e minha lã e o meu linho, o meu óleo e as minhas bebidas». No entanto, logo adiante (vs. 9), o Senhor afirmou que, como castigo, haveria de tomar de volta essas coisas: «Portanto, tornar-me-ei, e reterei a seu tempo o meu grão, e o meu vinho; e

708

LAADE — LABÃO

arrebatarei a minha lã e o meu linho, que lhe deviam cobrir a nudez».

Na cerimônia de purificação do tabernáculo e seus vasos e utensílios, em adição ao sangue e à água, foram usados lã tingida de escarlate e hissopo, por ocasião das aspersões cerimoniais (ver Heb. 9:19). O mais provável é que essa lã consistisse em um estofo tingido de escarlate (ver Núm. 1:96), queimado juntamente com a novilha, e usado na purificação dos leprosos (ver Lev. 19:6). Aos sacerdotes cabia, por direito, a primeira porção, ou primícias, de muitos produtos, conforme se aprende em Deuteronômio 18:4: «Dar-lhe-ás as primícias do teu cereal, do teu vinho, e do teu azeite, e as primícias da tosquia das tuas ovelhas». Um certo ato de Gideão tornou-se famoso, isto é, o de pedir que Deus umedecesse ou deixasse seca a lã que ele deixaria ao relento, conforme se vê em Juízes 6:37.

Deus promete que as injúrias e ofensas dos ímpios, contra os seus servos, serão reduzidas a nada, porque «...a traça os roerá como um vestido, e o bicho os comerá como à lã...» (Isa. 51:8).

A brancura da lã, que é símbolo da pureza de alma, é contrastada com o carmesim dos nossos pecados (Isa. 1:18). E também serve de comparação quanto a certas coisas, como a neve (Sal. 147:16), ou os cabelos de Deus, quando apareceu a Daniel como o Antigo de dias (Dan. 7:9), o qual reapareceu a João, na ilha de Patmos. «...no meio dos candeeiros, um semelhante a filho de homem, com vestes talares, e cingido à altura do peito com uma cinta de ouro. A sua cabeça e cabelos eram brancos como a alva lã, como neve...» (ver Apo. 1:13-16, de cujo trecho essas palavras são apenas uma parte).

LAADE

No hebraico, «opressão». Era o segundo dos dois filhos de Jaate, descendente de Judá (I Crô. 4:2). Viveu em cerca de 1210 A.C.

LAAI-ROI

No hebraico, «aquele que vive e me vê». Em algumas versões temos «poço de Laai-Roi», em Gên. 24:62 e 25:11. E em Gên. 16:14, Beer Laai-Roi. Mas nossa versão portuguesa, em todas essas três referências diz «Beer-Laai-Roi». Ver o artigo intitulado *Beer-Laai-Roi*.

LAAMÁS

No hebraico, «parecido com alimento». Nome de uma cidade existente na área de Laquis (vide), na planície da Judéia (no distrito da Sefelá; vide). Ver Jos. 15:40. Tem sido identificada com a Khirbet el-Lahm, que fica cerca de quatro quilômetros ao sul de Beit Jibrin (Eleuterópolis).

LAANAH

Essa é a palavra hebraica para «fel» ou «absinto». Ocorre em várias passagens do Antigo Testamento. Geralmente é usada em sentido metafórico. Ver o artigo sobre *Absinto*.

LAAS, ERNST

Suas datas foram 1837-1885. Foi um importante filósofo alemão. Antecipou a expressão do *positivismo lógico* (vide). Ele estudou em Trendelenburgo e ensinou na cidade de Estrasburgo. Acreditava que todo transcendentalismo derivava-se das idéias de Platão, e atacou a forma de transcendentalismo existente na filosofia de Kant. Ele falava em favor do *positivismo* como uma filosofia superior, chamando-o de *indutivo*, e não de dedutivo, e de *natural*, em vez de *artificial*. As filosofias dedutivas e artificiais, segundo ele pensava, abordam questões transcendentais. No campo da ética, ele promovia o interesse social, e não os sistemas que enfatizam o ascetismo. Ele cria que a ética não pode ser governada por qualquer forma de lei moral inflexível. Tal como tudo se encontraria em estado de fluxo, outro tanto sucederia à lei moral.

LABÃO

1. *Nome.* A palavra hebraica assim traduzida para o português significa «branco»; e, conforme alguns, também quer dizer «glorioso». Presumivelmente, o indivíduo assim chamado na Bíblia recebeu esse nome devido à brancura de sua tez, desde que nasceu.

2. *Família.* Ele era filho de Betuel e irmão de Rebeca (Gên. 24:29; 25:20; 28:5) e, portanto, tio de Esaú e Jacó (Gên. 28:2; 37:43). Foi o idoso e astuto homem que tanto teve a ver com a juventude de Jacó. Esse ramo da família de Abraão permanecera em Harã, depois que Abraão e Ló continuaram sua migração até à terra de Canaã. Tanto Isaque quanto Jacó receberam esposas das mulheres da família que tinha ficado em Harã. Naturalmente, Labão foi uma importante figura nas negociações que tiveram lugar para que Rebeca se tornasse esposa de Isaque (ver Gên. 24). Também foi Labão quem enganou mais tarde a Jacó, dando-lhe Lia como esposa, em lugar de Raquel, pela qual Jacó já havia trabalhado para Labão pelo espaço de sete anos. O logro, contudo, foi reparado, quando Raquel também lhe foi dada como esposa, uma semana mais tarde, em troca de mais sete anos de serviços prestados. A paixão de Jacó por Raquel não conhecia limites, e ele serviu outros sete anos, em um total de catorze anos, por causa dela. Não fora a intervenção divina, talvez ele acabasse servindo ainda por mais tempo, por amor a ela.

3. *Os Dois Enganadores Engalfinham-se em Duelo de Astúcia.* Todo menino de Escola Dominical sabe quantas contorsões Jacó teve de fazer para libertar-se de Labão, com suas esposas, filhos e possessões materiais. Labão, que havia defraudado a Jacó, viu-se assim defraudado (Gên. 29 e 30). Jacó fugiu, mas Labão saiu em sua perseguição. E poderia mesmo tê-lo matado, não fora uma divina advertência, que recebeu por meio de um sonho. E os dois terminaram firmando um acordo (ver Gên. 31) e, então, se separaram. Contamos o relato com detalhes, no artigo intitulado Jacó, pelo que não o repetimos aqui.

4. *A Perda dos Ídolos da Família.* Essas imagens não existiam meramente para efeito de adoração idólatra. Na antiguidade oriental, aquele que possuísse os «ídolos do lar» poderia tornar-se o chefe da família e o herdeiro principal. O aspecto «econômico» da questão, sem dúvida, fez parte do desejo que Raquel exibiu por manter a posse daqueles objetos. Labão também muito ansiou tê-los de volta, mas Raquel ocultou-os, assentando-se sobre eles (que ficaram escondidos debaixo da sela de seu camelo) e afirmando que não podia levantar-se por estar em seu período de menstruação. E havia costumes antigos que impediam que ela fosse revistada. Esse relato ilustra a forma primitiva da religião que os hebreus tinham na época. Esse primitivismo é mantido por grandes segmentos da cristandade, onde se usam imagens de santos, quadros, ícones, gravuras, etc. O lado melhor do incidente aparece quando Jacó, ao retornar a Betel, onde se encontrara antes com o Anjo

LABARUM — LABOR

do Senhor (vide) ordenou que todos os ídolos que estivessem com seus familiares fossem enterrados debaixo de um carvalho, perto de Siquém (Gên. 35:2-4). Todos precisamos aprender essa lição. Se quisermos desfrutar da presença do Senhor, temos de sepultar todos os nossos ídolos, todos os nossos «deuses estrangeiros».

5. *Labão Desaparece da Narrativa Bíblica*. Depois que Jacó e Labão separaram-se, não mais se ouve falar em Labão, nas páginas da Bíblia. Sem dúvida, ele foi ali mencionado em função de Jacó, e não por seus próprios méritos.

6. *Os Tabletes de Nuzi*. O estudo dos *tabletes de Nuzi* (vide) tem projetado muita luz sobre a história dos patriarcas hebreus, incluindo a época de Jacó. Esse material esclarece, entre outras coisas, o furto dos *terafins* ou deuses do lar. Ver Gên. 31:17-35.

LABARUM

O pendão do imperador romano, Constantino, tinha esse nome. Foi criado a fim de comemorar a visão da cruz, que ele vira antes da batalha da ponte Mílvia. Ele teria ouvido as palavras latinas «In hoc signo vinces» (Com este sinal vencerás), e considerou que as mesmas eram uma mensagem da parte de Cristo. E foi assim que ele se tornou cristão. O *labarum* era uma lança com uma cruzeta, com uma coroa e gemas preciosas na ponta. As letras IHS (as letras gregas que dão início ao nome de *Jesus*), em uma bandeira de cor púrpura, pendurada na cruzeta, podiam ser lidas.

LABEU

Esse nome representa uma variante textual para *Tadeu*. Em ambos os casos, a referência é ao apóstolo Judas (ver Mat. 10:3 e Mar. 3:18). *Labeu* aparece no manuscrito grego *D* e em vários códices em latim antigo dos séculos IV e V D.C. Muitos manuscritos em siríaco e em copta também contêm essa variante. Alguns estudiosos pensam que o nome Labeu é de origem judaica, podendo ser um antigo sobrenome da família do apóstolo Judas. O sentido desse apelativo parece ser «corajoso». Ver o artigo geral sobre os *Apóstolos*, bem como artigos em separado sobre cada nome individual.

LÁBIO

1. *Palavras Empregadas*

a. No hebraico, *saphah*, «lábio», «beira». Com o sentido de lábios formadores da boca humana, essa palavra ocorre por cento e doze vezes. Dando a idéia de «linguagem», catorze vezes. Nas outras quarenta e quatro vezes, a palavra aparece com outros sentidos, relativos a «beira», «beira-mar», «extremidade», etc. Ver Gên. 22:17; 41:3; Êxo. 6:12,30; Núm. 30:6,8; Deu. 23:23; Jó 2:10; Sal. 12:2,3; Pro. 4:24; Ecl. 10:12; Can. 4:3,11; Isa. 6:5,7; Mal. 2:6,7 como alguns exemplos.

b. No grego temos o vocábulo *cheílos*, «lábios», que aparece por sete vezes no Novo Testamento. Mat. 15:8 (citando Isa. 29:13); Mar. 7:6; Rom. 3:13 (citando Sal. 140:4); I Cor. 14:21 (citando Isa. 28:11); Heb. 11:12; 13:15; I Ped. 3:10 (citando Sal. 34:14). Dessas sete vezes, seis referem-se aos lábios bucais humanos, e uma vez (em Heb. 11:12), à beira-mar.

Há também uma outra palavra hebraica, *sapham*, que se refere ao lábio superior, ou bigode, nos contextos em que o ato de cobrir o mesmo aparece como um sinal de pejo ou lamentação (ver Lev.

13:45).

2. *Atos Atribuídos aos Lábios*

Esses atos podem ser literais ou metafóricos. Os lábios são cobertos em ocasiões de vergonha ou lamentação, conforme se vê acima. Os lábios falam (Jó 27:4); regozijam-se (Sal. 71:23); tremem de medo (Hab. 3:16); guardam o conhecimento (Pro. 5:2); louvam (Sal. 63:3); pleiteiam (Jó 13:6); emitem qualidades éticas, refletindo o que se acha na mente e no coração (Jó 12:20); possuem a capacidade de falar (Gên. 11:1; Isa. 19:18); ocupam-se em maledicência e conversação fútil (Pro. 17:4; Eze. 36:3); mentem (Sal. 120:3); mostram-se incircuncisos, refletindo defeitos morais e espirituais de seus donos, quando esses defeitos podem ser expressos por meio da linguagem humana (Êxo. 6:12,30); e são perversos (Sal. 4:24).

Abrir os lábios significa falar (Jó 11:5); refrear os lábios é calar-se (Sal. 40:10; Pro. 10:19); os lábios requeimando é estar ansioso por dizer ou afirmar algo (Pro. 26:23); afrouxar os lábios significa demonstrar desprezo ou zombaria (Sal. 22:7); ter os lábios impuros indica não estar apto para transmitir a mensagem do Senhor (Isa. 6:5,7).

O mesmo padrão é seguido nas referências neotestamentárias. Os lábios exprimem louvor e honra a Deus, embora muitas vezes sem refletirem as verdadeiras condições do coração, distante de Deus (Mat. 15:8); os lábios enganam (Rom. 3:13); têm a capacidade de proferir a Palavra de Deus, no dom de línguas (I Cor. 14:21); produzem o fruto do louvor (Heb. 13:5); e deveriam ser controlados para não falarem o que é errado (I Ped. 3:10).

LABIRINTO

Essa palavra vem do termo grego **laburinthos**, «confusão», «entrelaçado». Aplica-se a alguma estrutura ou edificação complicada, com passagens confusas e serpenteantes. Muitas igrejas da era medieval tinham labirintos em seus pavimentos, simbolizando as dificuldades que o cristão precisa enfrentar na vida e a necessidade de orientação divina. Talvez simbolizassem também questões místicas, que agora desconhecemos, por haverem sido esquecidas.

LABOR

Ver o artigo separado intitulado *Trabalho, Dignidade e Ética do*. Ver também sobre *Preguiça e Ócio*, que contém certo número de citações úteis sobre a questão do labor e do lazer.

1. *Palavras Envolvidas*. O termo hebraico *avodah*, usualmente, indica a realização de alguma tarefa específica. Outras palavras hebraicas, como *melaka* (Gên 2:2; Êxo. 20:9; I Crô. 4:23) e *maaseh* (Gên. 5:29; Êxo. 5:13; Pro. 16:3) indicam toda forma de labor, trabalho e canseira. Não nos podemos esquecer do termo hebraico *yegia*, «labor», «canseira», que ocorre por dezesseis vezes: Gên. 31:42; Deu. 28:33; Nee. 5:13; Jó 10:3; 39:11,16; Sal. 78:46; 109:11; 128:2; Isa. 45:14; 55:2; Jer. 3:24; 20:5; Eze. 23:29; Osé. 12:8; Ageu 1:11. No grego, devemos pensar em palavras como *kópos*, «trabalho exaustivo», que aparece por dezoito vezes no Novo Testamento: Mat. 26:10; Mar. 14:6; Luc. 11:7; 18:5; João 4:38; I Cor. 3:8; 15:58; II Cor. 6:5; 10:15; 11:23, 27; Gál. 6:17; I Tes. 1:3; 2:9; 3:5; II Tes. 3:8; Apo. 2:2; 14:13; e, então, *érgon*, que ocorre por cento e cinqüenta e duas vezes, desde Mat. 5:16 até Apo. 22:12. Estão envolvidas todas as formas de trabalho e esforço, físicas ou espirituais, mundanas e religiosas do dia-a-dia ou idealistas.

LABOR — LACEDEMÔNIOS

2. A Maldição Primeva. O trecho de Gên. 3:19 parece indicar que o trabalho, pelo menos como uma atividade cansativa, resultou do pecado, aparecendo como algo desagradável e indesejável. Há pessoas que vivem como se essa fosse a palavra final sobre o trabalho, e assim, evitam-no totalmente. Porém, o resto das Escrituras exalta o trabalho produtivo e refere-se com desdém à preguiça e à inatividade.

3. Principais Conceitos Bíblicos Sobre o Trabalho

a. *O trabalho é produção.* Aos homens foram dadas as tarefas originais da gerência e mordomia, da produção, da preservação e da reprodução. Ver Gên. 1:28; 2:5.

b. *O trabalho com disciplina.* A alienação resultante da queda no pecado deveria ser parcialmente revertida pelo trabalho do homem. Ao que se presume, o trabalho árduo faz o homem pensar mais corretamente, e também menos tendente a ocupar-se em atividades duvidosas. O trabalho, pois, é uma espécie de preparo para que o homem dê atenção aos valores espirituais. Ver Gên. 3:16-24 e Gál. 3:24,25. A lei não podia justificar, mas podia guiar. O labor, por igual modo, não faz expiação pelo pecado, mas pode dirigir os pensamentos dos homens para coisas mais nobres e construtivas. O labor foi imposto aos homens como uma disciplina, por causa do pecado, e as modernas instituições de correção têm demonstrado o valor e a razão desse conceito.

c. *O conceito sócio-econômico.* Um dia de *descanso* foi dado com o propósito de recuperação física e de culto religioso. Porém, seis dias são dedicados ao trabalho. Ver Êxo. 20:8,9; Heb. 4:9,10. A estrutura da sociedade e qualquer benefício social dependem da correta utilização dessa provisão. Os empregadores têm a responsabilidade de recompensar devidamente àqueles que trabalham (Luc. 10:7; I Tim. 5:19). Aqueles que não trabalham são condenados (Tia. 5:4). As *injustiças* praticadas pelos homens, nesse campo, têm criado a necessidade de guildas e uniões trabalhistas. No mundo do Novo Testamento, e também antes e depois, a *escravidão* (vide) foi o meio inventado por homens opressores, que queriam obter a realização de serviços de maneira barata. Apesar do cristianismo não ter tornado ilegal a escravidão (mesmo porque no começo não tinha força para tanto), pelo menos fez aplicar o princípio do amor a essa instituição, a qual, finalmente, em meio a muitas marchas e contramarchas, foi descontinuada.

d. *A preguiça é condenada.* As palavras de Paulo: «Se alguém não quer trabalhar, também não coma» (II Tes. 3:10), tornaram-se famosas. Ele acreditava que o ócio conduz a toda forma de pecado, conforme o demonstra o contexto daquele versículo.

e. *Não devemos tirar proveito do próximo.* Paulo ensinou que o crente deve trabalhar, não somente para sustentar-se a si mesmo, mas também para ajudar a outros, com o que lhe sobejar (ver Efé. 4:28). O *Didache* (vide), obra cristã antiga, também chamado *Ensinos dos Doze Apóstolos*, mostra-se muito severo sobre essa questão. Um profeta professo, que permanecesse com seu hospedeiro por mais de três dias (e, especialmente, se pedisse dinheiro), ficava automaticamente desqualificado de seu ofício. Quem inveja um parasita que evita o trabalho?

4. O Princípio Espiritual. Há galardões, em sentido espiritual, para o homem que cumpre a vontade de Deus, realizando bem as suas tarefas. Essa realização ele fará por si mesmo, mas também a fim de poder beneficiar a outras pessoas. Isso inclui as missões espirituais, mas estas podem envolver tarefas seculares, sob a vontade do Senhor. Ver os artigos separados chamados *Coroas* e *Galardões*. Ver trechos bíblicos como I Cor. 3:11 *ss;* 15:48 e Apo. 14:13.

5. A Espiritualidade do Labor. Um homem pode ser ricamente abençoado com dons naturais e espirituais; mas tudo será vão se tais habilidades não forem usadas visando à glória de Deus e ao serviço ao próximo, como expressões da lei do amor. Ver Efé. 6:5 *ss,* I Tim. 6:1,2. O verdadeiro labor, de alguma maneira, também consiste em servir ao Senhor, embora esse labor seja aquilo que denominamos de «secular» (ver Rom. 12:11; I Cor. 10:31).

6. A Tarefa Divinamente Determinada. Devemos ter em mente que as vidas humanas têm certo propósito. Cada vida envolve um plano, e vários propósitos devem ser cumpridos por cada indivíduo, mediante o seu labor. Por esse motivo, cada pessoa, sem importar o *tipo* de trabalho que esteja desempenhando, cumpre uma tarefa e um propósito divinamente determinados, se estiver cumprindo a vontade de Deus (Efé. 6:5 *ss*). Todo trabalho é honroso, devendo ser realizado como uma comissão divina (Apo. 14:13). Costumamos separar o *secular* do *espiritual*, mas, visto que o homem é um ser espiritual, que recebe missões específicas para realizar, por isso mesmo, todo trabalho, se for honesto e estiver dentro da vontade de Deus para cada pessoa, tem um aspecto espiritual.

LAÇADAS

No hebraico **lulaoth** (ver Êxo. 26:4,5,10,11; 36:11,12,17). A palavra hebraica significa, literalmente, «enrolamento». As cortinas do tabernáculo eram seguras no lugar por meio de «laçadas». Supõe-se que essas laçadas eram feitas com pêlos de cabra, transformadas em cordas. Eram tingidas de azul, a cor celeste (Êxo. 26:4; 36:11). O tabernáculo tinha cortinas de linho de cerca de 14 m de comprimento por 2 m de largura. Essas cortinas foram costuradas uma ao lado da outra, a fim de formar cinco jogos, e, nos lados de cada um desses jogos é que foram postas as laçadas. Havia cinqüenta laçadas em cada jogo desses. Esses jogos de cortinas ficavam presos um ao outro mediante as laçadas, presas a ganchos de ouro. Ver o artigo geral sobre o *Tabernáculo*.

LACEDEMÔNIOS

Esse era o adjetivo pátrio dos habitantes da Lacedemônia. O nome mais conhecido deles era «espartanos», devido à cidade de Esparta, sua cidade principal, no sul da Grécia. Eles foram importantes na história da Grécia, e, no tocante à cultura judaica, eles tiveram alguma importância para os judeus no começo do século III A.C. Nesse tempo, o rei deles era Ário (309—265 A.C.), e Onias I era o sumo sacerdote de Jerusalém (320—290 A.C.). Jasom fez a tentativa baldada de tomar Jerusalém, e foi forçado a fugir. E foi para Esparta, onde julgou que poderia encontrar refúgio entre seus compatriotas judeus (II Macabeus 5:9). Isso significa que ali havia uma colônia judaica, na época. Jônatas (145 A.C.) escreveu aos espartanos, expressando seu desejo de renovar as relações de amizade que haviam prevalecido em tempos antigos. Ver I Macabeus 12:6-18. Essa correspondência sugere que os espartanos eram descendentes de Abraão, mas tal idéia é simplesmente ridícula. Os trechos de I Macabeus 14:20-22 e 15:16-22 dão outras informações sobre a alegada correspondência com Esparta e outras cidades, que alguns eruditos pensam ser historicamente genuínas. Isso significa que, na época, os judeus mantinham relações amistosas tanto com

LACHELIER — LAESTADIANOS

Esparta quanto com Roma. Nesse tempo, Roma ainda não fizera sentir sua presença dominadora na Palestina.

LACHELIER JOÃO

Suas datas foram 1834-1918. Ele nasceu em Fontainebleau, na França. Foi professor da *Ecole Normale Superieure*, de Paris, através da qual fez sua influência tornar-se sentida. Seus escritos influenciaram um largo círculo de pessoas, e ele foi mestre de Boutroux e de Bergson, que, por sua vez, exerceu larga influência sobre círculos filosóficos.

Idéias:

1. Ele fundou o que se chamou de *realismo espiritual*, na França, que exerceu influência opositora ao *materialismo* e ao *mecanicismo*.

2. Lachelier foi homem inteligente, dotado de espontaneidade criativa, ultrapassando às expectações de um mundo meramente mecânico.

3. As próprias ciências, para ele, seriam aspectos dessa atividade espiritual espontânea do homem, longe estão elas de serem favoráveis ao materialismo.

4. O espiritualismo dele independia tanto do antigo espiritualismo quanto das religiões organizadas.

5. O dever é o cumprimento de nosso destino. Deus é real e operativo no homem.

6. Deus é imortal no homem, pelo que o homem é um ser imortal.

7. A vida religiosa é a mais alta expressão da intelectualidade humana.

Obras: On the Grounds of Induction; Psychology and Metaphysics; Studies on The Syllogism.

LACORDAIRE, JEAN-BAPTISTE HENRI

Suas datas foram 1802-1861. Conforme sucede a muitos jovens estudiosos, ele perdeu sua fé católica como estudante universitário. Mas, em 1824 reacendeu-se sua chama religiosa. Deixou sua prática de advocacia e começou a estudar para o sacerdócio católico romano. Ordenado, juntou-se à ordem dos Dominicanos (vide), — e esforçou-se por restabelecer essa ordem religiosa na França. Foi assim que chegou a ocupar o púlpito de Notre Dame, em Paris, embora viajasse, a intervalos, a Roma. Tornou-se famoso como orador de púlpito.

Fez a ordem dos dominicanos tornar-se uma grande força educadora na França. As suas *conférences*, postas em forma escrita, tornaram-se a sua contribuição mais permanente para o pensamento católico romano dominicano francês. Faleceu em Sorèze, a 21 de novembro de 1861.

LACTÂNIO

Não se sabe quando ele nasceu, mas faleceu em cerca de 330 D.C. Ao que parece, ele era romano de nascimento. Educou-se como retórico com Arnóbio, no norte da África. Diocleciano nomeou-o como professor de eloquência latina, na Nicomédia. Porém, em 301 D.C., converteu-se ao cristianismo. O imperador Constantino nomeou-o tutor de seu filho, Crispo. Sua eloquência no discurso falado e escrito mereceu-lhe o título de *Cícero cristão*. Ele escrevia tanto em poesia como em prosa. Tornou-se um dos maiores apologistas cristãos, tendo escrito sete volumes intitulados *Institutiones divinae*. Era quiliasta (vide) fanático, e manifestava certos pendores maniqueus em seu pensamento. Ver o artigo sobre o *Maniqueísmo*.

LACUM

No hebraico, «castelo», «defesa». Esse era o nome de uma cidade na fronteira do território de Naftali. Evidentemente, não ficava longe da extremidade sul do lago Merom (Jos. 19:33). A moderna tentativa de identificar essa cidade diz que seria Khirbet el-Mansurah, localizada no alto do wadi Fejjas.

LACUNO

Ver sobre **Quelal**, nome dado a um homem, em Esd. 10:30. No livro apócrifo de I Esdras 9:31, seu nome aparece como *Lacuno*.

LADA

Desconhece-se o sentido desse vocábulo hebraico. Todavia, alguns estudiosos arriscam o significado «tempo fixo» ou «festividade». Ele foi o segundo filho de Selá, filho de Judá. Foi o pai (ou fundador) de Maresa (I Crô. 4:21). Viveu em torno de 1400 A.C.

LADÃ

Alguns estudiosos pensam que o sentido dessa palavra é incerto. Outros, acham que significa «nascido em dia de festa». Há dois homens com esse nome, nas páginas do Antigo Testamento:

1. Um efraimita, filho de Taã e avô de Elisama. Este último foi um dos chefes efraimitas, ao tempo do êxodo. Ladã viveu em cerca de 1540 A.C.

2. Um dos filhos de Gérson, filho de Levi. Ver I Crô. 23:7-9 e 26:21. Há uma nota marginal que o chama de *Libni*. Porém, alguns eruditos, pensam que esses nomes apontam para dois indivíduos diferentes, e que Ladã foi um descendente de Gérson mais distante do que Libni. Simei, que aparece em I Crô. 23:7 e 9, segundo alguns estudiosos, seria um descendente de Libni.

LADRÃO

Ver sobre **Crimes e Castigos**.

LADRÃO, ROUBO

Ver **Crimes e Castigos**.

LAEL

No hebraico, «consagrado a El (Deus)». Era pai de Eliasafe, e foi um dos chefes gersonitas, na época do êxodo do Egito (Núm. 3:24). Viveu em torno de 1510 A.C.

LAESTADIANOS

O nome dessa seita luterana deriva-se de seu fundador, Lars Levi Laestadius. Ele foi um cientista natural de nota, que publicou obras aprovadas pela Academia Sueca de Ciências. Como é evidente, ele nasceu na Suécia. Além de suas obras de cunho científico, ele publicou muitas obras teológicas e muitos sermões. Seus seguidores apreciavam de tal modo as suas obras que, com freqüência, liam-nas em seus cultos religiosos.

Seu movimento desenvolveu-se no norte da Suécia, de onde espalhou-se para a Noruega e para a Finlândia. Recebeu uma pitada de sabor internacional, ao espalhar-se também para a América do Norte. Ao que parece, historicamente, o movimento estava ligado ao movimento morávio-zinzendorfiano de

LAETARE — LAGARTO

Hernnhuter. Laestadius converteu-se de uma vida que ele chegou a odiar, e começou a pregar. Por meio de seu movimento, ele se tornou representante daquelas seitas cristãs que inventam doutrinas estranhas que enfeitiçam a alguns. Algumas de suas idéias são as seguintes:

1. Ninguém pode aproximar-se diretamente de Deus. Cada indivíduo precisa de uma congregação de cristãos (sem dúvida formada por laestadianos), para ajudá-lo nessa aproximação.

2. Saber a data da própria conversão (que deve ter sido uma experiência radical e definitiva) e quem foi a *parteira* (algum crente leigo, que ajudou o convertido a tomar sua decisão) seriam questões de suprema importância.

3. Parte integrante do rito é o abraço caloroso, sinal de comunhão, e sempre seguido pela absolvição de pecados.

4. Eles supõem que o diabo entra no céu através da porta do batismo. Assim sendo, a seita abandonou qualquer forma de batismo. Eles se opõem especialmente ao batismo infantil.

5. Os pregadores leigos são ali mais valorizados que os pregadores profissionais, embora a seita não torne ilegais os pregadores que se juntam a eles, vindos de outras denominações cristãs.

6. O aspecto comunal da fé cristã sempre é enfatizado, de forma que eles preferem falar na primeira pessoa do plural, «nós», em lugar da primeira pessoa do singular, «eu».

7. Eles usavam uma roupa distintiva e austera, para se identificarem mutuamente.

8. A confissão auricular é feita a algum leigo, e da maneira mais detalhada possível.

LAETARE (DOMINGO)

Esse nome é aplicado ao quarto domingo da quaresma. O nome origina-se da primeira palavra, *laetare* (no latim, «regozijai-vos») do *Intróito* (no latim, *introitus*, «entrada»), a antífona entoada quando o padre católico romano aproxima-se do altar, no começo da *missa* (vide).

Dessa forma, a Igreja Católica Romana exprime sua alegria pelo batismo dos candidatos e essa cerimônia. Quando modos mais antigos de batismo caíram em desuso, esse rito continuou, e outras razões foram então encontradas como motivos de regozijo. E uma dessas razões é o simples fato de que o período da quaresma estava na metade! Antigamente, o rito era praticado na véspera da Páscoa, quando os candidatos ao batismo eram batizados.

LAGAR

Ver o artigo sobre o **Vinho**.

LAGARDE, PAUL ANTON DE

Suas datas foram 1827-1891. Seu nome original de família era *Botticher*. Foi professor na Universidade de Gottingen, na Alemanha. Sua erudição nos estudos orientais e na filosofia proveu instrumentos para o desenvolvimento da teologia histórica e crítica. Ele era um crítico severo, que assumiu algumas posições nada populares. Ele acreditava que o evangelho cristão original de Jesus se perdera na teologia de Paulo, e exibia forte aversão por Paulo e por Lutero. Criticava o desenvolvimento histórico inteiro do cristianismo e seu produto final, tanto católico quanto protestante. Sua erudição proveu

produtos úteis, como a reconstituição do texto da Septuaginta, com base em estudos de' traduções do Antigo Testamento para línguas orientais.

Além de sua aversão por Paulo e por Lutero, também estiveram sob a sua mira as idéias de Agostinho, o Iluminismo, a educação universal, a emancipação dos judeus e o parlamentarismo, como coisas antigermânicas e anticristãs. Infelizmente, ele também era um anti-semita radical.

LAGARTO

Esboço:
1. Palavras Empregadas
2. Espécies de Lagartos e Descrições
3. Informes Bíblicos
4. Espécies de Lagartos da Palestina
5. Simbolismo

1. *Palavras Empregadas*

Seis palavras hebraicas são usadas no Antigo Testamento, presumivelmente cada uma das quais denotando uma espécie diferente, a saber:

1. *Tsab*, «tartaruga», embora esteja em pauta o lagarto grande (Lev. 11:29). Nossa versão portuguesa, corretamente, traduz a palavra por «lagarto».

2. *Anaqah*, «furão», segundo algumas versões. Nossa versão portuguesa traduz acertadamente essa palavra por *geco*, ou seja, a lagartixa comum. É a única espécie que pode emitir algum som. Lev. 11:30.

3. *Koach*, «camaleão». Nossa versão portuguesa traduz essa palavra por «crocodilo da terra». Literalmente, a palavra hebraica significa «leão da terra», um nome derivado de sua aparência física. Essa espécie tem a capacidade de mudar de coloração, adaptando-se às sombras gerais do ambiente em que estiver. Aparece também por uma só vez, em Lev. 11:30.

4. *Letaah*, «lagarto». Esse é o nome dado no Talmude para a espécie *Lacertílio*. Ver Lev. 11:30.

5. *Chomet*, que algumas versões traduzem por «lesma» ou «caracol», indica o «lagarto da areia», conforme também diz, acertadamente, a nossa versão portuguesa. Ver Lev. 11:30.

6. *Tinshemeth*, que aparece por três vezes: Lev. 11:30; 11:18 e Deu. 14:16. Nossa versão traduz essa palavra por «camaleão» e «gralha». Há quem a tenha traduzido por «toupeira» e até por «cisne». No entanto, os eruditos opinam que está em foco alguma espécie de camaleão.

Talvez o «geco», sobre o qual se lê em Pro. 30:38 (no hebraico, *semanith*), também pertença ao gênero. No entanto, há traduções que dizem «aranha». Conforme é fácil observar, identificações exatas não são possíveis. Os estudiosos têm comentado sobre quatro dessas seis palavras como de sentido incerto.

2. *Espécies de Lagartos e Descrições*

Os lagartos são répteis da subordem *lacertílio*. Juntamente com a subordem das *Serpentes* (cobras), formam a ordem científica chamada *Squamata*. Existe um total de cerca de três mil espécies de lagartos. Eles preferem viver em lugares quentes. Somente uma variedade é capaz de sobreviver no círculo Ártico. Mas são muito abundantes nos desertos. Cento e vinte e sete espécies vivem nos Estados Unidos da América do Norte; trezentas no sudoeste asiático e sessenta na Europa. Seus corpos praticamente não produzem calor, pelo que precisam do calor do meio ambiente para a manutenção de sua vida. Buscam abrigar-se para evitar os extremos de calor ou frio, e, a baixas temperaturas, entram em hibernação. Vivem em buracos no solo, em árvores e

LAGARTO — LAGO DO FOGO

em arbustos. Há uma espécie que entra no mar a fim de alimentar-se de algas. Os lagartos variam muito de tamanho, desde os mais minúsculos gecos, que não chegam bem aos 5 cm, até o gigantesco *Varanus komodoensis*, que pode atingir três metros de comprimento. Eles se alimentam de insetos, plantas, cadáveres em decomposição, outros lagartos, cobras, pequenos animais, anfíbios, e até pequenos mamíferos. Reproduzem-se por meio de ovos. Algumas espécies deitam logo seus ovos, mas outras conservam esses ovos em seus corpos até estarem prontos para serem chocados. Os lagartos usam vários esquemas de proteção, incluindo grande velocidade (algumas espécies correm até à velocidade de 24 km por hora (quase sete metros por segundo). Usam suas caudas como defesa contra pequenos animais, sacudindo-as como chicotes. Outras espécies sabem disfarçar-se, mudando de cor conforme o meio ambiente. Há algumas espécies que fazem certas projeções de pele levantar-se, dando a impressão de que seu tamanho aumenta, ou, então, emitindo sangue dos olhos, a fim de distrair algum inimigo. Há espécies que mordem. Mas o único lagarto venenoso que se conhece é o monstro gila, que vive nos desertos mexicanos e norte-americanos.

Os inimigos dos lagartos são os pássaros, os animais mamíferos, e várias espécies de répteis, outros lagartos, parasitas internos, acarinos, carrapatos, e principalmente, o homem. Eles têm todos os cinco sentidos admiravelmente aguçados. Os lagartos são úteis porque destroem os insetos. Além disso, certas espécies têm sua pele tratada para transformar-se em couros finos. Em certas regiões do mundo, os homens chegam a comer lagartos..

3. *Informes Bíblicos*

O trecho de Lev. 11:30 proíbe a ingestão de lagartos, por parte dos israelitas. Nessa referência há seis diferentes espécies mencionadas, todas proibidas. Tocar em um lagarto morto era tornar-se cerimonialmente impuro até o cair do sol, quando o início de um novo dia (entre os hebreus o dia terminava e começava ao cair do sol no horizonte) libertava o indivíduo (vs. 32). Na Palestina, as espécies incluem a lagartixa (*Zootica muralis*); o lagarto da areia (*Lacerta agilis*); o lagarto verde (*Lacerta viridis*); o geco e o camaleão.

4. *Espécies de Lagartos da Palestina*

Embora a Bíblia mencione somente sete espécies (e, talvez, nem todas as palavras envolvidas indiquem lagartos), há cerca de quarenta espécies conhecidas de lagartos na Palestina. As lagartixas e os lagartos verdes são muito abundantes, podendo ser vistos por toda a parte. Excetuando as aves, esses são os vertebrados mais conspícuos naquela região do mundo.

5. *Simbolismo*

Os estudos clínicos têm mostrado que, nos sonhos, um lagarto pode significar «pensar de maneira bitolada», ou seja, ver somente um dos lados de uma questão que tem mais de um lado. Além disso, forças primitivas podem estar em foco, porquanto há uma aparente ligação entre os lagartos e os *dinossauros*, nome este que significa «lagartos terríveis».

LAGNEAU, JULES

Suas datas foram 1851-1884. Foi um importante filósofo kantiano, que desenvolveu a poderosa filosofia moral de Kant, dando-lhe algumas novas aplicações. Ele ensinava que o homem entra em contato direto com Deus através de atos morais e, desse modo, enfatizava o instrumento da moralidade

como um meio de desenvolvimento espiritual. Deus seria o denominador comum de todas as ordens práticas e especulativas, como também de todo conhecimento e ação. Ele ensinava que crer em Deus consiste em agir de modo moral.

LAGO

No grego, **limne**. Essa palavra aparece por onze vezes no Novo Testamento, a saber: Luc. 5:1,2; 8:22,23,33; Apo. 19:20; 20:10,14,15 e 21:8. As referências no evangelho de Lucas aludem especificamente ao lago de Genezaré, também chamado lago da Galiléia ou mar da Galiléia. Ver sobre *Galiléia, Mar da*. As referências no livro de Apocalipse aludem ao «lago do fogo» (vide).

Há muitos lagos na Síria e na Palestina. O mais importante deles é o chamado *mar da Galiléia*. Também devemos pensar nas «águas de Merom» (Jos. 11:5,7), nò Yammuneh, no Lebanon, a oeste de Baalbeque, e, finalmente, no mar Morto. Há algumas lagoas a leste de Damasco, na Síria.

Em um lago cujas águas não sejam estagnadas, isto é, que tenha um manancial qualquer que o alimente, e então um vazadouro, temos uma ilustração da *vida*. Nos sonhos e nas visões, um *lago* pode representar um céu especial que o sonhador ou vidente esteja tendo por alvo. Se um lago encontra-se rodeado por uma floresta, então pode indicar um lugar de iniciação e mistério, onde o indivíduo é capaz de receber novos discernimentos ou ser completamente transformado. Se um lago aparece em um vale, então é que a mente inconsciente foi relegada a uma posição inferior, abaixo da mente consciente. Peixe abundante em um lago, onde se faça pesca, pode representar a possibilidade de avanço, nutrição e crescimento espirituais. Quanto ao lado negativo, um lago pode representar, nos sonhos e nas visões, aquilo que é misterioso, perigoso e desconhecido, visto que não se pode ver o fundo de um lago profundo, o que representa uma ameaça potencial à continuação da vida, se a pessoa ali cair.

LAGO DE GENEZARÉ

Ver sobre **Galiléia, Mar da.**

LAGO DO FOGO

Esboço:

   I. Origem da Doutrina
   II. Desenvolvimento Histórico da Doutrina
   III. Ensinos Específicos da Doutrina
   IV. Um Ponto de Vista Mais Otimista

I. Origem da Doutrina

Os estudantes que limitam suas investigações ao cânon palestino (que corresponde ao cânon protestante) das Escrituras, supõem que é no livro de Apocalipse que temos a origem do conceito do *lago do fogo*. Porém, aqueles que estudam também os *livros pseudepígrafos* (vide) sabem que as chamas do inferno foram acesas pela primeira vez no livro de I Enoque, um livro que pertence àquela coletânea. Outrossim, esses estudiosos sabem que o próprio conceito do lago do fogo originou-se naqueles livros e não é uma idéia original ao Novo Testamento. Ver o artigo geral sobre o *Inferno*, quanto a um completo estudo sobre essa doutrina. Ver também o artigo *Julgamento de Deus dos Homens Perdidos*, onde apresentamos nossos pontos de vista sobre o assunto geral do *julgamento* divino.

LAGO DO FOGO — LÁGRIMAS

II. Desenvolvimento Histórico da Doutrina

O lago de fogo, aludido no Novo Testamento (ver Apo. 19:20; 20:10,14,15 e 21:8), é uma idéia tomada por empréstimo dos livros pseudepígrafos (ver I Enoque 9:6; 21:7-10). O livro de II Enoque (ou Enoque Eslavônico), em seu décimo capítulo, é obra que encerra um quadro similar, isto é, o de um *rio de fogo*. O *Expositor's Greek Testament* diz, pitorescamente, que «o lago de fogo foi aceso, pela primeira vez, em Enoque» (referindo-se ao livro de Enoque I, ou Enoque Etíope). A idéia de um julgamento mediante fogo é criação dos livros apocalípticos e pseudepígrafos, o que se evidencia pelo fato de que tal idéia não faz parte do Antigo Testamento, embora seja muito proeminente na literatura do período intertestamental. Ver I Enoque 21:7-10; 54:1,2; 90:26,27; II Esdras 7:36; II Baruque 85:13; Oráculos Sibilinos 2:196-200,252,253 e 286; II Enoque 10:2. Essa idéia, pois, entrou nos escritos dos rabinos. Ver *Mekhilta* sobre Êxo. 14:21 e *Hagigah* 13:5. Daí passou para os livros apócrifos do Novo Testamento, como, por exemplo, o Apocalipse de Pedro. E, naturalmente, há versículos, nos próprios livros canônicos do Novo Testamento, que preservam essa tradição. Ver Mat. 5:22; 28:30; Mar. 9:43,45,47, além das menções específicas ao «lago do fogo», no livro de Apocalipse. Não é de admirar que o próprio Novo Testamento tenha herdado certa variedade de pontos de vista sobre o julgamento e coisas relacionadas, incluindo o lago do fogo, o julgamento por meio do fogo, a intervenção divina no hades, mediante a descida de Cristo àquele lugar, a fim de pregar o evangelho aos desobedientes, ali encerrados (ver I Ped. 3:18—4:6).

Essa doutrina também era comum na literatura do período intertestamental, e, de fato, é uma idéia universal, que se encontra em quase todas as culturas. Os grupos cristãos têm suposto, tolamente, que a doutrina neotestamentária sobre o inferno (o julgamento) é homogênea. Mas, para tanto, precisam aceitar certos versículos e rejeitar outros, para que contém com uma doutrina sobre o julgamento que se coadune com a sua teologia. Em tudo isso, é incrível que a Igreja ocidental (católica e protestante) tenha-se esquecido daqueles versículos bíblicos que oferecem *esperança*, concentrando toda a sua atenção sobre os versículos que só oferecem desesperança aos perdidos. Isso, em minha opinião, é uma maneira impensada e inferior de estabelecer proposições teológicas. Pois deixa de reconhecer que certas partes do Novo Testamento ultrapassam a outras porções quanto a essa questão do julgamento dos perdidos, da mesma maneira que Paulo ultrapassou a Pedro e a outros apóstolos, quando revelava seus vários *mistérios*. O trecho de I Ped. 4:6 certamente ensina que o julgamento divino é *remedial*, e não apenas retributivo. E o primeiro capítulo da epístola aos Efésios espera pela restauração final de todas as coisas, que deve ocorrer *através* do julgamento, que atuará como *um* dos meios para se atingir essa restauração. Ver o artigo sobre a *Restauração*.

III. Ensinos Específicos da Doutrina

Seja como for, no que concerne ao **lago do fogo**, o autor sagrado do livro de Apocalipse ensina-nos as seguintes idéias:

a. O lago de fogo equivale à *segunda morte* (vide). Ver Apo. 20:14.

b. Todos os inimigos de Deus, a besta e o seu falso profeta, e todos os seus seguidores, além de todos os homens não-remidos, serão lançados no lago do fogo (Apo. 19:20 e 20:10).

c. A morte e o hades serão lançados no lago do fogo (Apo. 20:14).

d. Todos aqueles cujos nomes não estiverem inscritos no «livro da vida», terminarão encerrados no lado de fogo (Apo. 20:15).

e. Todas as variedades de pecadores, por causa de seus pecados específicos, serão lançados no lago do fogo, onde permanecerão (Apo. 21:8).

f. É dito, no tocante ao diabo, à besta e ao seu falso profeta, que aquele será o lugar eterno de sua habitação, onde sofrerão de forma consciente (Apo. 20:10). E muitos intérpretes, comparando isso com outras passagens das Escrituras, dizem que outro tanto sucederá a todos os perdidos.

IV. Um Ponto de Vista Mais Otimista

Essas comparações e idéias são representações legítimas de certa tradição ensinada no Novo Testamento. Porém, deveríamos recordar que elas não dizem tudo quanto o Novo Testamento tem a dizer sobre o assunto. De fato, há uma esperança para os perdidos, conforme tenho expressado acima. Isso não os equiparará jamais aos remidos, mas, pelo menos, conferir-lhes-á uma restauração, uma posição secundária, fruto da obra gloriosa do Logos, o Redentor-Restaurador. Nos artigos referidos acima, desenvolvo esses temas, pelo que não entro aqui nos detalhes que ali já foram ventilados. Todavia, devo dizer que a mensagem final do Novo Testamento é muito mais otimista do que a antiga doutrina do julgamento que também se reflete no Novo Testamento, mediante empréstimos tomados dos livros pseudepígrafos. Outrossim, considero uma teologia triste e deficiente aquela que reteve o ponto de vista mais negro e sem qualquer laivo de esperança para os perdidos, ao mesmo tempo que ignora que o próprio Novo Testamento nos brinda com uma visão mais esperançosa do julgamento divino. Ademais, não consigo perceber como honraríamos a Deus apegando-nos tão fanaticamente a um ponto de vista pessimista, quando existem textos de prova, no próprio Novo Testamento, que nos oferecem um ponto de vista mais otimista sobre a missão de Cristo, em tudo quanto ela realizará, *finalmente*. Largos segmentos da Igreja cristã, como a Igreja Ortodoxa Oriental e a comunidade anglicana têm aderido ao ponto de vista mais otimista, ao mesmo tempo em que a Igreja ocidental (a Igreja Católica Romana e os grupos protestantes e evangélicos) têm preferido aderir ao ponto de vista mais pessimista da questão.

LÁGRIMAS

No hebraico, **dimah**, palavra que ocorre por vinte e três vezes: II Reis 20:5; Sal. 6:6; 39:12; 42:3; 56:8; 80:5; 116:8; 126:5; Ecl. 4:1; Isa. 16:9; 25:8; 38:5; Jer. 9:1,18; 13:17; 14:17; 31:16; Lam. 1:2; 2:11,18; Eze. 24:16 e Mal. 2:13.

No grego, *dákruon*, um vocábulo que aparece por onze vezes no Novo Testamento: Mar. 9:24; Luc. 7:38,44; Atos 20:19,31; II Cor. 2:4; II Tim. 1:4; Heb. 5:7; 12:17; Apo. 7:17; 21:4. O verbo grego, *dakrúo*, ocorre somente por uma vez, em João 11:35.

As lágrimas são secreções das glândulas lacrimais. São duas, do tamanho de uma amêndoa e mais ou menos do mesmo tamanho, localizadas, cada uma, na porção lateral superior de cada órbita. As lágrimas são um fluido sem coloração, compostas de sais de sódio e de cálcio, principalmente cloreto de sódio e albumina, dissolvidos em um fluido aquoso, derivado do soro do sangue. Essas secreções são vertidas para o exterior entre o globo ocular e as pálpebras, a fim de facilitar os movimentos das partes envolvidas, e a fim de ajudar na remoção de qualquer partícula irritante.

LÁGRIMAS — LAISSEZ-FAIRE

A secreção das lágrimas pode aumentar através do estímulo nervoso das glândulas lacrimais, como reação a alguma irritação nos olhos, ou devido a certos tipos de carga emocional. Depois que as lágrimas banharam o globo ocular e o lado interior das pálpebras, são drenadas para fora no lado nasal de cada olho, através de minúsculos orifícios para os dois canais lacrimais (superior e inferior), que, por sua vez, derramam o fluido no saco lacrimal, localizado sobre e dentro da estrutura óssea do nariz, de onde o fluido passa para as passagens nasais, através do ducto nasal. É quando as lágrimas são secretadas de forma por demais abundante, acima da capacidade imediata dos canais lacrimais drenarem tão grande quantidade de fluidos, que elas se derramam dos olhos e escorrem pelas bochechas.

Nas Escrituras, o aspecto emocional da formação das lágrimas ocupa posição proeminente. Assim foi que Davi, ao referir-se à sua situação de premência, perante Aquis (I Sam. 21:10-15), solicitou de Deus que guardasse as suas lágrimas em Seu odre (Sal. 56:8), sem dúvida como um memorial perpétuo ou um lembrete acerca de seu zelo e sofrimento, em favor da justa causa de Deus, ao recusar-se, continuamente, a fazer qualquer malefício contra Saul, o ungido de Deus, a despeito do fato de que Saul se mostrava tão perseguidor contra Davi.

Sem dúvida isto usando uma linguagem hiperbólica que Davi afirmou que alagava seu leito com suas lágrimas, e nadava em sua cama, todas as noites (Salmos 6:6). Jó também referiu-se ao fato de que suas lágrimas eram derramadas diante de Deus (Jó 16:20). Ezequias orou com lágrimas, e foi recompensado com a adição de quinze anos extras à sua vida (Isa. 38:5). Jeremias também fez freqüentes referências aos seus olhos, que vertiam lágrimas (por exemplo, Jer. 13:17 e 14:17). Uma pecadora arrependida utilizou-se de suas lágrimas para lavar os pés de seu Salvador (Luc. 7:38). Lágrimas derramadas acentuaram o patético apelo feito por um pai, em favor de seu filho, que tinha um espírito surdo e mudo (Mar. 9:24). Por muitas vezes, Jesus orava com lágrimas (Heb. 5:7); e Paulo também verteu lágrimas, em suas preces diante de Deus (Atos 20:19,31), o que também aconteceu no caso das orações de Timóteo (II Tim. 1:4).

LAINEZ, JAMES

Suas datas foram 1512-1565. Ele foi um teólogo espanhol, que exerceu uma forte influência sobre o concílio de Trento (vide), de importância histórica decisiva. Foi sucessor de Inácio de Loyola como geral dos *jesuítas* (vide). Ele foi um dos sete membros originais da Sociedade de Jesus. Em 1559, recusou-se a ser considerado candidato a sucessor do papa Paulo IV. Subitamente, desapareceu da cidade de Roma, a fim de que não pudesse ser apresentado como candidato à sé papal. Lainez era um hábil teólogo e administrador, e insuflou no movimento dos jesuítas sua forte ênfase sobre a educação, o que tem persistido até os nossos próprios dias.

LAÍS

No hebraico, «leão». Nome de uma pessoa e de duas cidades, nas páginas do Antigo Testamento, a saber:

1. O pai de Paltiel, um benjamita, era assim chamado. Ver I Sam. 15:44, onde Paltiel é chamado de Palti. Saul deu Mical, esposa de Davi, a esse homem (I Sam. 25:44; II Sam. 3:15). Viveu em cerca de 1060 A.C.

2. Laís era uma cidade cananéia do norte da Palestina (Juí. 18:7,14), que ficava cerca de seis quilômetros e meio de Panéias, às margens do rio Jordão. Os danitas capturaram o lugar e mudaram seu nome para Dã (vide). Um outro nome dessa cidade era Lesém (vide; Jos. 19:47; Juí. 18:7,19; Jer. 8:16). Laís tem sido identificada com o Tell el-Kady, que significa «cômoro do juiz». Fica imediatamente ao norte das «águas de Merom» (Jos. 11:5). No artigo intitulado *Dã* damos mais detalhes sobre esse lugar.

3. Um lugar mencionado em Isa. 10:30, que tem sido identificado com a moderna el-Isawiyeh, que fica cerca de um km e meio a nordeste de Jerusalém.

LAISSEZ-FAIRE

Essa palavra vem do francês, onde tem o sentido de «deixar fazer». Refere-se ao princípio econômico da «não-intervenção», por parte dos governos, sobre os negócios e as indústrias. Na prática, isso significa que os governos devem exercer um mínimo de interferência nas atividades dos empresários.

A filosofia do *laissez-faire* originou-se na França, mas foi aproveitada por Adam Smith (vide) e outros economistas e estudiosos que queriam ver mudanças na Inglaterra industrializada. Essa norma do *laissez-faire* escuda-se sobre a crença de que os homens que realmente buscam a justiça e a harmonia, haverão de encontrar meios apropriados para equilibrar a economia, sem a necessidade do intervencionismo governamental. Alguns chegaram a defender a versão teológica da idéia, que supõe que a mão invisível de Deus provê a liderança certa quanto a essas questões. Desse modo, conceberam-se princípios que seriam universais e necessários. A variedade mais secular dessa filosofia, chamada de utilitarismo (vide) seria uma filosofia conveniente, que atuaria como fundamento de toda a teoria. Mas, tanto uma forma quanto outra defendiam o individualismo e eram contrárias ao controle governamental. O darwinismo social também mostrou-se favorável ao *laissez-faire* como uma base filosófica, com sua ênfase sobre as leis naturais e a competição entre os seres humanos, como aspectos essenciais à vida da sociedade.

Herbert Spencer, da Inglaterra, e William Graham Sumner, dos Estados Unidos da América do Norte, mostraram-se fortes defensores da liberdade de qualquer intervencionismo governamental sobre os negócios. Ambos ensinavam que qualquer interferência deveria ser alicerçada sobre leis econômicas cientificamente estabelecidas, fundamentadas sobre a livre competição, e jamais sobre os caprichos dos políticos. Durante algum tempo essa filosofia floresceu na América do Norte democrática, até que os abusos exigiram algumas modificações. As legislações tiveram de criar leis antitrustes, determinando salários mínimos, programas de bem-estar social e regulamentação quanto às competições econômicas. Por meio dessas medidas regulamentadoras, foi lançado um alicerce tendente a uma melhor distribuição de rendas e a uma superior justiça social. Mas, quando essa mão regulamentadora é demasiada, conforme se tem visto em vários países, incluindo o nosso Brasil, então dá-se a estatização de muitos empreendimentos básicos que funcionam melhor quando deixados ao encargo da iniciativa privada. E isso é assim porque o Estado se torna monopolizador, quando arreda para um lado a iniciativa privada. E os monopólios são um mal bem reconhecido desde os tempos da coroa portuguesa, em Portugal e suas colônias. Esse monopólio governamental não anda longe dos métodos usados nos países comunistas (ver

LAMAÍSMO

o artigo intitulado *Comunismo*), onde, em contraste com a filosofia do *laissez-faire*, todo o poder econômico fica nas mãos de alguns poucos governantes, abafando assim toda e qualquer iniciativa privada. Essa sufocação da iniciativa privada é tão ruim para a economia dos povos que até nos países comunistas se tem conferido alguma medida de liberdade para a iniciativa privada, na tentativa de melhorar o quadro econômico e social daquelas · nações, entre as quais podemos destacar a China e a União Soviética, que têm apelado para métodos próprios do *capitalismo* (vide), o que, até não muito tempo atrás, seria considerado uma heresia para longe da filosofia comunista!

LAMAÍSMO

Esboço:
1. História
2. Crenças
3. Escrituras
4. Influência

1. História. Lamaísmo é o nome ocidental dado ao complexo sistema de ensinamentos budistas e às praticas devocionais desenvolvidas no Tibete. Dessa palavra é derivado o título tibetano *lama* (*blama*), que os europeus usualmente aplicam ao clero budista. Os próprios tibetanos, porém, reservam esse título do Dalai Lama, para os abades dos mosteiros e para outros elevados oficiais do sistema, dotados da reputação de serem eruditos e santos.

Antes do budismo ser levado ao Tibete, seus habitantes seguiam o antigo culto a Bon (Pon), sobre o que bem pouco se conhece, exceto que era uma forma de crença xamanista. O budismo já tinha mais de mil anos de existência quando penetrou no Tibete, vindo de duas regiões diferentes, o Nepal e a China, o que sucedeu durante o reinado do rei Song-tsen Gampo (cerca de 620—650 D.C.). Um dos resultados disso foi que o idioma do Tibete passou a ter uma forma escrita, mediante a adaptação de um alfabeto baseado na escrita indiana, parecido com o alfabeto sânscrito. Isso proveu o instrumento para a tradução de milhares de textos budistas indianos, formando-se assim, rapidamente, uma literatura tibetana que garantiu a profunda implantação do budismo no Tibete. Um século mais tarde, o rei tibetano Ti-song De-tsen (740—786 D.C.), tornando-se budista, muito fez para encorajar essa fé no Tibete. O erudito budista mahayana Shanta Rakshita foi convidado para ensinar no Tibete, e ali se tornou sumo sacerdote do budismo. Outros grandes mestres budistas chegaram, e essa fé cresceu ali. O primeiro mosteiro budista importante do Tibete foi construído em 749 D.C. Disso resultou a primeira ordem monástica tibetana, chamada *Nying-ma-pa*. Os monges formados naquele mosteiro continuaram ensinando e produzindo a literatura budista, grande parte traduzida de obras budistas estrangeiras.

Outros mosteiros foram erguidos, e o budismo floresceu cada vez mais no Tibete. Um monge budista indiano fundou a ordem Ka-dam-pa, como um movimento de reforma, em cerca de 1039 D.C. Ele queria restaurar o budismo mediante maior disciplina, temperança e a introdução do celibato. Sua obra, intitulada *Lâmpada sobre a Vereda da Perfeição Santificada*, tornou-se um importante manual-guia para aqueles que buscam a vereda espiritual superior.

Depois houve a fundação da ordem Ka-gyu-pa, cujo originador foi o lama tibetano Mar-pa, o Tradutor. Um de seus discípulos, Milarepa, tornou-se o mais famoso dos santos eremitas budistas de toda a história tibetana. Uma outra ordem budista, de nome Sa-kya-pa, que recebeu o nome devido ao mosteiro de Sa-Kya, construído em 1071 D.C., teve vasta influência. Vários eruditos aumentaram a biblioteca de livros sagrados do budismo, pertencentes a essa ordem. Em cerca de 1357, Tsong-kha-pa tornou-se uma espécie de Buda secundário. Tornou-se conhecido pela alcunha de Chefe Precioso. Foi um líder espiritual, erudito e autor de muitos livros. Ele reconstruiu três grandes mosteiros, e o número dos lamas budistas aumentou para mais de dezesseis mil.

O Dalai Lama, o sumo sacerdote do lamaísmo, é considerado como a reencarnação reiterada de uma figura, e era o tradicional chefe do Tibete, até que a invasão dos comunistas chineses destruiu o sistema. Essa figura ainda vive, mas acha-se exilado e sem qualquer autoridade política.

O poder ficou dividido entre dois governantes, um deles cuidando das questões seculares, e o outro cuidando das questões religiosas. O governante temporal era o Panshen Lama, e o governante religioso era o Dalai Lama. Os dois grandes lamas são tidos como a encarnação de seres celestiais: o Panshen Lama de Amitabha, e o Dalai Lama de Avalokitesvara. Quando um dos dois lamas morre, então, segundo se acredita, logo ocorre uma reencarnação, e começa a ser feita uma intensa busca por uma criança que seria a reencarnação do lama morto. Os nomes de todos os meninos nascidos pouco depois da morte do lama são registrados, e isso, conforme crêem, ajuda na busca. A criança tem, então, de ser submetida a vários testes, a fim de ser reconhecida como a reencarnação do lama morto. O Dr. Ian Stevenson, da Universidade de Virgínia, nos Estados Unidos da América do Norte, tem investigado algumas dessas alegadas reencarnações com surpreendentes resultados. Se a reencarnação não está envolvida, então pelo menos é certo que algum conhecimento paranormal é obtido por algumas das crianças envolvidas, conforme as evidências parecem comprovar.

2. Crenças. As doutrinas tradicionais do budismo tibetano incluem os ideais, os ensinos e as práticas dos três principais grupos do budismo indiano, a saber: o *hinayana*, o *mahayana* e o esotérico *vajrayana*. Ver o artigo sobre o *budismo*, que explica essas questões e mostra as crenças essenciais envolvidas. O próprio Buda era um filósofo religioso ético, que não especulava sobre questões metafísicas. Por isso mesmo, a forma mais antiga do budismo (*hinayana*) pode ser considerada atéia, visto que não contém qualquer doutrina fixa de Deus. Além disso, a forma de reencarnação que esse budismo ensina na verdade não envolve a real transmissão de uma entidade espiritual de um corpo para outro, mas apenas as atitudes mentais de uma entidade para outra entidade, uma espécie de transferência de bagagem, e não uma migração da entidade propriamente dita. Portanto, não há no budismo hinayana a crença real na imortalidade da alma. O *karma* passa adiante, mas não a entidade espiritual.

A variedade *mahayana* do budismo acrescenta a metafísica, pelo que expõe assim uma teologia menos deficiente. Essa é a forma mais popular de budismo. Todavia, um *lama* erudito sente ser sua obrigação estar familiarizado com todas as formas de budismo, extraindo benefícios de suas idéias e instituições. No budismo há um *tríplice refúgio*: o *Buda*, que é o principal mestre e exemplo; a *doutrina* do sistema; e o *clero*, aqueles que guiam a outros em sua inquirição espiritual e asseguram a transmissão apropriada do sistema, através das gerações. O budismo tibetano utiliza-se de pinturas e imagens sagradas como

717

LAMAÍSMO — LAMENTAÇÃO

lembretes de suas idéias e práticas. A redenção consiste em passar para além das rodas do *karma* (vide), e chegar ao *nirvana* (vide). Esse estado transcendental, para o budismo mais primitivo, consiste na total extinção do ser. Porém, de acordo com o sistema mahayana, essa cessação consiste apenas na extinção do veículo material e mundano, para que, então, se passe para uma variedade de existência divina e indescritível, que desafia qualquer descrição por parte do homem mortal.

O budismo tibetano enfatiza o governo das leis cósmicas, onde cada coisa ocupa adredemente o seu devido lugar, e com um absoluto *karma* na existência. De acordo com esse sistema, Deus nunca lança dados.

3. Escrituras. No século VII D.C., e, então, entre os séculos IX e XIII D.C., os principais textos budistas indianos foram traduzidos para o tibetano. Em seguida, houve extensas revisões, e foram formadas duas grandes coletâneas. Os textos considerados diretamente produzidos por Buda chegam a cem volumes ou mesmo mais, os quais se revestem de suprema autoridade. Os tratados expositivos sobre várias questões atingem mais de duzentos e vinte e cinco volumes. Em seguida, vêm os escritos e as declarações dos Dalai Lamas e dos Panshen Lamas, que se vão acumulando cada vez mais, visto que sempre há mudança dessas figuras, reputadas aos sumos sacerdotes do sistema. Além disso, outros homens, reconhecidos quanto à sua santidade e erudição, têm contribuído para avolumar ainda mais as escrituras sagradas do budismo.

4. Influência. Talvez o Tibete seja a única nação que se possa comparar à antiga nação de Israel como um Estado inteiramente *teocrático*, embora não exatamente no mesmo sentido. O Tibete é o único Estado que sempre se apegou à reencarnação como uma teoria importante para todos os aspectos da vida: religioso, social e político. O Tibete tem uma cultura lamaística. Cada aspecto da vida tibetana é controlado ou influenciado pelos ideais religiosos do budismo, em sua variedade tibetana. A versão tibetana do budismo também é poderosa na Mongólia, na Mandchuria, no Siquim e em Butã. Sua influência é menor, embora ainda grande, no Nepal e no norte da Índia, e também no norte e oeste da China, e em algumas partes da União Soviética. Quanto a uma completa bibliografia sobre o *Budismo*, ver o final do artigo com esse nome. (AM BEL P)

LÂMEDE

No hebraico, «aguilhão». Esse é o nome da décima segunda letra do alfabeto dos hebreus. Ver sobre o *Hebraico*. Corresponde à letra grega *lambda* e ao português 1. Em Salmos 119, essa letra hebraica aparece no começo de cada linha da décima segunda seção.

LAMENTAÇÃO

Esboço:
I. Palavras Envolvidas
II. Razões para Lamentação
III. Alguns Modos e Costumes de Lamentação
IV. Significações da Lamentação

I. Palavras Envolvidas

A palavra portuguesa «lamentação» vem do latim, *lamentum*, que indica o ato de chorar, deplorar, carpir. E as palavras hebraicas envolvidas indicam o senso interior de tristeza, lamentação, bater no peito, rasgar, cortar. O vocábulo grego *threneo* significa

«entristecer-se», «lamentar-se». E outro termo grego, *pentheo*, significa «lamentar», «levantar a voz», «chorar em voz alta». Ao todo, há cerca de quinze palavras na Bíblia, que indicam o ato de lamentar, cada qual com a sua nuance própria de significado. O vocábulo grego *threneo* ocorre por quatro vezes no Novo Testamento: Mat. 11:27; Luc. 7:32; 23:27 e João 16:20. A forma nominal do verbo ocorre por uma vez, em Mat. 2:18. *Pentheo* aparece por dez vezes no Novo Testamento: Mat. 5:4; 9:15; Mar. 16:10; Luc. 6:25; I Cor. 5:2; II Cor. 12:21; Tia. 4:9; Apo. 18:11,15,19.

II. Razões para Lamentação

1. **Tristeza pelos Mortos.** Abraão lamentou por Sara (Gên. 23:2); Jacó por José (Gên. 37:34,35); os egípcios por Jacó (Gên. 50:3,10); Davi por Abner (II Sam. 3:31,35); Maria e Marta por Lázaro (João 11:31).

2. *Em Face das Calamidades.* Estão inclusas as calamidades já sofridas ou apenas antecipadas. Ver Jó 1:20,21. Israel foi ameaçada pelo juízo divino (Êxo. 33:4). Os ninivitas foram ameaçados pelo juízo divino (Jonas 3:5; Jer. 14:2; Nee. 1:4; Est. 4:3).

3. *Por Causa do Arrependimento pelo Pecado.* Ver Jonas 3:5. O povo de Israel, no dia da expiação (Lev. 23:27; I Sam. 7:6; Zac. 12:10,11 e Atos 26:9).

4. *Lamentações Culturais.* Os profetas de Baal, no monte Carmelo, lamentavam-se e laceravam-se, na tentativa de agradar ao seu deus e provocar a intervenção dele em favor deles (I Reis 18:28). O culto de Israel, em determinadas ocasiões, também estava associado à lamentação (Jer. 41:5). Ezequiel deixou registrado um caso de lamentação cúltica pagã (Eze. 8:14); e outro tanto fez Isaías (Isa. 45:4), ainda que, nesse último caso, os israelitas estiveram envolvidos em ritos pagãos.

III. Alguns Modos e Costumes de Lamentação

1. *Uma Expressão Universal.* Algumas raças humanas são mais reservadas e menos demonstrativas em suas lamentações. Mas o ato de chorar e lamentar, por várias razões possíveis, conforme se sugeriu acima, na primeira seção, é universal. Além disso, há evidências de que alguns animais, especialmente os primatas superiores, sentem tristeza, e demonstram isso por vários gestos físicos.

2. *Choro e Clamor em Voz Alta.* Esses atos são mencionados em conexão com a lamentação, em Gên. 50:10; Rute 1:9 e II Sam. 13:36. Davi, naturalmente, usava de uma hipérbole ao dizer que inundava seu leito com lágrimas (Sal. 6:6). E também exagerou quando disse que suas lágrimas eram sua alimentação (Sal. 42:3), mas essas duas expressões ilustram o ponto. Os egípcios eram bastante vocíferos em suas lamentações, conforme nos mostra o trecho de Êxo. 12:30, quando se levantou grande clamor por todo o Egito, em face da morte dos seus primogênitos.

3. *Lágrimas de Alegria.* Quem já não verteu lágrimas em face de alguma grande vitória obtida, após uma intensa e prolongada luta? ou por causa de algum benefício inesperado? Uma emoção forte, positiva ou negativa, provoca lágrimas. As lágrimas provêm alívio para alguma situação tensa e dolorosa de qualquer tipo, seja por trabalho exaustivo, por causa de tristeza ou por causa de intenso júbilo.

4. *Lágrimas Diante da Morte.* Até para muitas pessoas de nossos dias, parece apropriado chorar muito em face da morte. Lembro-me de que a esposa de um pastor chegou a ser criticada por não haver chorado bastante por ocasião das cerimônias fúnebres de seu marido. Os orientais antigos davam tanta importância a essa questão que chegavam a alugar

LAMENTAÇÃO

carpideiras profissionais para garantirem as lamentações apropriadas, com gestos e lágrimas, nos funerais. Ver II Crô. 35:25; Ecl. 12:5. Ver o artigo sobre *Sepultamento, Costumes de.* Unger, em seu artigo sobre a *Lamentação*, descreveu graficamente a disposição dos povos orientais para o choro e a lamentação: «Os orientais também não se contentam com meros soluços, a excitabilidade deles transparece em gritos de tristeza, mesmo em meio às solenidades da adoração» (Joel 1:13; Miq. 1:8).

5. *Desfiguramentos.* Havia demonstrações externas nas lamentações. Uma pessoa assentava-se sobre cinzas e salpicava cinzas sobre o rosto (II Sam. 13:19; 15:32; Jos. 7:6; Est. 4:1; Jó 2:12; Isa. 61:3; Jer. 6:26; Apo. 18:19). A barba era raspada, os cabelos eram aparados, ou eram arrancados tufos de cabelos da cabeça ou da barba (Lev. 10:6; II Sam. 19:24; Eze. 26:16; Esd. 9:6; Jó 1:20; Jer. 7:29). Sob a segunda seção, quarto ponto, temos mostrado que alguns povos pagãos praticavam a laceração do corpo, quando lamentavam profundamente. Tal prática foi proibida pela lei mosaica (Lev. 19:28). A calva parcial provocada (os cabelos cortados rentes) era sinal de luto e lamentação, uma prática igualmente vedada aos hebreus (Deu. 14:1). Esse costume incluía o raspar das sobrancelhas e a extração das pestanas.

6. *As Roupas Rasgadas.* Esse ato, que em tempos posteriores seguia um modo certo prescrito, representava consternação, lamentação ou ira. Ver Gên. 37:29,34; 44:13; II Crô. 34:27; Isa. 34:27; 36:22; Jer. 36:24; Mat. 26:65; Mar. 14:63.

7. *Roupas de Pano de Saco.* Os antigos vestiam-se com roupas feitas de tecido grosseiro e negro, a fim de expressarem a sua tristeza. Ver Gên. 36:34; II Sam. 14:2; Jer. 8:21; Sal. 38:6 e 42:9.

8. *A Cabeça Coberta.* Esse ato exprimia tristeza, como um ato instintivo que pede proteção ou que oculta a pessoa da atenção alheia. Algumas pessoas lamentam-se melhor quando sozinhas, e podem controlar melhor sua emoção de tristeza sem a presença de outras pessoas. Ver Lev. 13:45; II Sam. 15:30 e Jer. 14:4.

9. *Remoção das Roupas; Nudez; Falta de Higiene Corporal.* Ser surpreendido despido em público é uma vergonha, embora seja um tema comum nos sonhos. Assim expressa-se a própria vulnerabilidade. Alguns pensam que sonhos desse tipo exprimem, na verdade, o desejo de exibir-se em público, visto que as crianças podem andar nuas sem sentir qualquer vergonha. E assim, conforme alguns pensam, nos seus sonhos os adultos retornam à liberdade da infância. Para mim, o sonho com a própria nudez sempre é uma questão de exposição indesejável. O sentimento de consternação pode ser demonstrado por tal exposição. Os antigos, às vezes, tiravam suas vestes e negligenciavam sua higiene pessoal, quando se lamentavam. Ver Êxo. 33:4; Deu. 21:12,13; II Sam. 14:2; 19:24; Eze. 26:16; Dan. 10:3 e Mat. 6:16,17.

10. *Lamentadores Profissionais.* Sabe-se que um bom ator ou atriz pode produzir sentimentos profundos, tanto de alegria quanto de tristeza. Quando um desses profissionais derrama lágrimas de verdade, pode-se ter a certeza de que está sentindo a emoção que provoca aquelas lágrimas. Nos tempos antigos, pois, havia lamentadores profissionais, ou carpideiras, que eram pagos, e que emprestavam aos funerais a atmosfera apropriada de clamores, lamentações e lágrimas. Ver Jer. 9:17; II Crô. 35:25; Amós 5:16; Mat. 9:23. Essa última referência mostra-nos que eram usados instrumentos musicais para ajudar às carpideiras. O trecho de Jer. 9:20 mostra que essa arte passava de mãe para filha! Tal profissão chegou a formalizar-se de tal modo que cânticos e lamentações fúnebres foram inventados para adaptarem-se a qualquer situação que merecesse ser lamentada. O lamento de Davi por Saul e Jônatas é um exemplo bíblico de um desses cânticos. Ver II Sam. 1:17-27. Outro caso acha-se em II Sam. 3:33,34, acerca de Abner. E o trecho de Isa. 14:4-21 satiriza, em lamentação, o rei da Babilônia.

IV. Significações da Lamentação

1. A lamentação ilustra a fraqueza e a vulnerabilidade humanas.

2. Ela demonstra o poder do aspecto emocional do ser humano. O homem, e, mais especialmente a mulher, é muito influenciado por suas emoções, com freqüência, mais do que pela razão.

3. A tensão emocional é liberada por meio da lamentação. É um fenômeno bem conhecido que a pessoa sente-se melhor depois de desabafar suas emoções, especialmente quando a lamentação e a tristeza são compartilhadas por outrem. Aqueles que são incapazes de manusear a tristeza, mas continuam pairando em torno da mesma, a despeito da passagem do tempo, ou tornam-se mentalmente enfermos ou estão convidando desordens mentais.

4. O reconhecimento dos erros e defeitos morais é devidamente demonstrado por meio de emoções fortes, na lamentação, e isso é um sinal do desejo da pessoa de modificar os seus caminhos.

5. Além de expressar a tristeza diante das calamidades, a lamentação também é uma maneira de *relembrar*, exprimindo saudades. O senso de perda, diante da morte de um ente querido, traz subitamente à memória da pessoa os «bons dias» quando a pessoa, agora falecida, vivia e fazia parte da vida de quem ficou. A fé segreda-nos que o valor humano aqui perdido foi transferido para alguma dimensão imaterial ou celeste, e que tanto a vida terrena quanto o seu sentido têm prosseguimento.

6. Em algumas religiões primitivas, a lamentação é um ato de defesa. Os espíritos dos desincorporados, por ocasião da morte, desejariam saber se foram devidamente valorizados. Se não houver lamentação suficiente, então esses espíritos poderão retornar a este mundo para perseguir e ferir. Nesse caso, a lamentação é encarada como um ato de submissão aos espíritos, uma espécie de apelo para que esses espíritos tenham misericórdia e mostrem-se favoráveis.

7. Nos tempos patriarcais, antes que houvesse qualquer noção clara de imortalidade, podemos estar certos de que a lamentação se dava devido ao senso de *perda* irremediável, jamais recuperada nem mesmo em alguma esfera espiritual. Nós, mesmo quando dotados de uma firme fé na *imortalidade*, lamentamos pela perda de algum ente amado ou de algum amigo, conforme se vê também em I Tes. 4:13. Uma perda pessoal continua sendo uma perda, embora temporária.

8. A lamentação, algumas vezes, fala sobre o *desperdício.* Costumamos afirmar: «Foi um desperdício tão grande, quando aquela pessoa foi morta!» Sentimos a perda do que aquela pessoa ainda poderia ter sido e feito, bem como a remoção da contribuição que ela estava fazendo aos seus semelhantes.

9. Uma tristeza não-racionalizada. A lamentação fala de uma tristeza que ainda não foi racionalizada, examinada, explicada. Muitas coisas podem provocar essa forte emoção.

10. A lamentação escatológica. Aqueles que se lamentam por alguma razão espiritual, podem esperar que o seu clamor transformar-se-á em alegria

LAMENTAÇÕES (LIVRO)

(Mat. 5:4). Jesus é o grande Mensageiro da alegria, e não da tristeza; mas o discipulado cristão pode provocar lamentação, visto que nos tornamos partícipes de sua tristeza (Rom. 8:17; Col. 1:24; I Ped. 5:1).

11. A lamentação é um dos aspectos do problema do mal. Entre as muitas coisas que não podemos explicar de modo adequado, encontra-se a necessidade do sofrimento. Abordamos esse problema, com abundância de detalhes, no artigo intitulado *Problema do Mal*.

LAMENTAÇÕES (LIVRO)

Esboço:
- I. Caracterização Geral
- II. Nome do Livro
- III. Autoria e Data
- IV. Propósitos e Teologia do Livro
- V. Estilo Literário
- VI. Conteúdo

I. Caracterização Geral

Este livro faz parte da **terceira divisão** do cânon do Antigo Testamento hebraico, que os judeus chamavam de «escritos» ou «rolos». O livro de Lamentações consiste em cinco poemas que correspondem ao que, modernamente, chamamos de «capítulos». Esses poemas foram escritos segundo a métrica *kina*, ou de *lamentação*. Provavelmente, esse livro foi escrito no século V A.C., provocado pela grande calamidade que se abateu sobre Jerusalém, com o conseqüente cativeiro babilônico. Esses poemas foram escritos na própria cidade de Jerusalém, ou, então, já na Babilônia. Os primeiros quatro poemas são *acrósticos alfabéticos*, o que significa que cada grupo de versículos começa por uma diferente letra do alfabeto hebraico, que consistia em vinte e duas letras. A quinta estância tem o mesmo número de versículos que o alfabeto hebraico. Todos esses poemas foram compostos ou adaptados para a recitação pública em dias de jejum e lamentação (ver Jer. 2:15-17; Sof. 7:2,3), notavelmente no nono dia de Abe (agosto), que comemorava, especificamente, o desastre babilônico. O primeiro, o segundo e o quarto poemas foram compostos como lamentações fúnebres. Jerusalém é apresentada como o falecido. O terceiro poema foi composto no estilo de uma lamentação individual, com a característica usual de que uma figura masculina (e não feminina) é que personifica o povo ou a própria cidade. O quinto poema consiste em uma lamentação coletiva. Esse poema faz lembrar as liturgias usadas em tempos de tristeza nacional, conforme se vê nos Salmos 74 e 79. O tema comum de todos esses cinco poemas é a agonia da nação judaica e o aparente abandono de Sião por parte de seu Deus, bem como a esperança de que Deus ainda haveria de restaurar uma nação humilhada e arrependida.

Antigas tradições têm atribuído esse livro ao profeta Jeremias, porém, muitos eruditos modernos encontram razões para duvidar dessa opinião. O próprio livro é anônimo, pelo que aquilo que cremos sobre sua autoria depende de nossa confiança ou desconfiança nessa tradição, bem como de outras evidências que pesam sobre a questão. Ver a terceira seção quanto à discussão a respeito.

II. Nome do Livro

No hebraico, esse livro chama-se **ekah**, «como», a primeira palavra do livro, no original hebraico. Mas também tinha o título de *qinah*, «lamentação». Naturalmente, isso alude ao caráter de deploração do livro inteiro. Conforme disse certo autor: «...cada

letra foi escrita com uma lágrima; cada palavra com o pulsar de um coração partido». O título do livro, na Septuaginta, é «Cânticos Fúnebres». O título do livro nas modernas línguas européias—como em português—vem da Vulgata Latina, com base no vocábulo latino *lamentum*, «clamor», «choro», «lamentação». Na Vulgata Latina o título específico é *Lamentationes*.

III. Autoria e Data

A tradição que atribui o livro de Lamentações a Jeremias é antiqüíssima. O trecho de II Crô. 35:25, embora não aluda às lamentações que compõem esse livro, mostra-nos que Jeremias compôs esse tipo de material literário. Alguns eruditos percebem a dicção de Jeremias nesse livro, mas outros pensam que o estilo é bastante parecido com o dos capítulos quarenta a sessenta e seis do livro de Isaías, o que já aponta para um outro autor. O trecho de Lam. 3:48-51 parece similar às expressões de Jer. 7:16; 11:14; 14:11-17 e 15:11. Alguns sentem o espírito de Jeremias no livro, o mesmo temperamento sensível, uma profunda simpatia para com as tristezas de Israel, e as mesmas emoções soltas a respeito do desastre provocado pela invasão dos babilônios.

Contra a autoria de Jeremias, temos os seguintes argumentos:

1. Os paralelos alistados acima, entre Lam. 3:48-51 e certos trechos do livro de Jeremias, certamente indicam uma narrativa feita por uma testemunha ocular daquilo que os babilônios fizeram contra o povo de Israel. Contudo, essa testemunha ocular não precisa ser identificada obrigatoriamente com Jeremias, porquanto o autor do livro pode ter sido outra testemunha ocular daqueles fatos.

2. O quinto poema reflete uma espécie de lassidão induzida por anos de ocupação estrangeira, o que é contrário àquilo que sabemos sobre a história envolvida. Jeremias permaneceu apenas algumas poucas semanas na Palestina, após a captura de Jerusalém.

3. *O argumento literário*. Os extensos escritos de Jeremias (no livro que sabemos ser de sua autoria), não apelaram para a poesia, e muito menos para a forma específica de poemas acrósticos.

4. *O argumento histórico*. Em tempos posteriores, muitos oráculos foram coligidos em nome de Jeremias, quando, como é óbvio, esses escritos não foram de sua autoria. Os poemas do livro de Lamentações poderiam estar entre esses oráculos. Se, realmente, eram de sua lavra, por que motivo Jeremias não os identificou como seus? E por que motivo não foram incluídos como parte de suas profecias? No livro de *Jeremias*, o autor identificou-se claramente (ver Jer. 1:1).

5. *Diferenças de pontos de vista*. As declarações de Lam. 2:9; 4:17 e 5:7, de acordo com certos estudiosos, diferem dos pontos de vista da profecia de Jeremias. Porém, muitos outros estudiosos vêem nisso mera avaliação subjetiva, e, portanto, sem grande valor.

6. *O argumento lingüístico*. O estilo, o vocabulário e a dicção dos livros de *Jeremias* e de *Lamentações* são por demais diferentes para que se suponha que um mesmo autor tenha escrito ambas essas obras. Contra esse argumento, alegam outros que a *poesia*, naturalmente, difere da prosa em que são escritos os oráculos e as advertências proféticas. Todavia, grandes trechos do livro de Jeremias consistem em poemas, embora nossa versão portuguesa oculte isso, imprimindo o livro como se tudo fosse prosa. Mas, ver por exemplo, a Revised Standard Version. Muitos escritores em prosa, ocasionalmente, escrevem em

MURO DAS LAMENTAÇÕES — Cortesia, Matson Photo Service

Templo de Abriano, 117-138
— Cortesia, Fate Magazine

Via Ápia

Estrada romana

Denário de prata com a imagem de Tibério

LAMENTAÇÕES — LAMEQUE

poesia, o que requer um estilo, uma dicção e um vocabulário diferentes.

Conclusão. Não há como se fazer uma declaração firme sobre a questão. O livro de Lamentações não indica quem foi o seu autor—a obra é anônima.

Data:

No livro não há qualquer menção à reconstrução do templo de Jerusalém, que teve lugar em 538 A.C. Porém, o livro foi escrito, sem a menor sombra de dúvida, por uma testemunha ocular da invasão de Jerusalém pelos babilônios e do subseqüente exílio de Judá. Por conseguinte, o livro deve ter sido escrito em algum tempo depois de 586 A.C., mas antes de 538 A.C.

IV. Propósitos e Teologia do Livro

1. *A Justiça de Deus é Celebrada e os Efeitos Ruinosos do Pecado são Lamentados.* Um homem espiritual contemplou o que acontecera a um povo rebelde, que quisera dar ouvidos às advertências do Senhor, e que, por isso recebeu tão grande castigo nacional. Tudo aquilo ocorrera por motivo de desobediência e de insensibilidade espiritual. A calamidade foi tão grande que fez uma nação chegar ao seu fim. O santuário, que fora estabelecido em honra a Yahweh, bem como a teocracia (embora muito modificada pela monarquia) foi aniquilada pelos pagãos. O poeta, pois, celebrou a retidão e a justiça de Deus, porquanto, afinal, o que acontecera era apenas justo. A nação de Judá foi convocada ao arrependimento, visto que o mesmo poder que produziu a destruição, com a igual facilidade poderia produzir a restauração. A profunda iniqüidade da nação de Judá é lamentada no livro, mas reconhece-se também que a graça de Deus é suficientemente ampla para reverter qualquer situação, e o autor sagrado contempla, ansioso, essa possibilidade bendita. Em suma, o propósito do livro é o de celebrar a justiça de Deus, lamentar pela iniqüidade do povo de Judá e suas horrendas conseqüências, e, então, conclamar ao arrependimento, em face da possibilidade de restauração.

2. *Aplicação Cristológica.* Alguns intérpretes evangélicos vêem no livro de Lamentações um lamento pela alma de Jesus, em face da ira de Deus que sobre ele se descarregou, quando levou, sobre si o pecado do mundo.

3. *A Trágica Reversão.* Havia em Israel uma tradição que falava sobre a suposta inviolabilidade de Sião (Sal. 46:6-8; 48:2-9; 76:2-7), o que aparece como uma idéia com a qual o autor do livro de Lamentações estava familiarizado (Lam. 3:34 e 5:9). Entretanto, o autor sagrado mostrou que nenhuma coisa boa perdura necessariamente para sempre. Reversões trágicas podem destruir até mesmo as coisas melhores e mais excelentes, se permitirmos que o pecado venha maculá-las.

4. *Confirmação do Ponto de Vista Deuteronômico da História.* O autor de Deuteronômio sustenta, como uma de suas teses primárias, que Israel ia bem enquanto obedecia a Deus, mas caía em ruína quando se mostrava rebelde. Embora, por certo, essa seja uma perspectiva simplista da história, não é um fator que deva ser ignorado. Esse tema também pode ser encontrado em outros livros do Antigo Testamento, além do Deuteronômio, e o livro de Lamentações é um daqueles livros que promove essa tese.

5. *A Esperança Nunca Morre no Coração Humano.* Grandes tragédias sobrevêm as pessoas insensatas. Mas aquelas mesmas pessoas, se agirem sabiamente, poderão contemplar a concretização de suas esperanças de melhoria, quando seu triste estado é revertido

pela misericórdia divina.

V. Estilo Literário

Esse estilo é descrito na primeira seção, *Caracterização Geral.*

VI. Conteúdo

1. As Lamentáveis Condições de Jerusalém (cap. 1)
2. A Manifestação da Ira de Deus (cap. 2)
3. Reconhecimento da Justiça de Deus (cap. 3)
4. Reconhecimento da Fidelidade de Deus (cap. 4)
5. Confiança na Fidelidade de Deus (cap. 5).

Bibliografia. AM E GOT(1954) I IB ROB(2) YO

LAMENTO PELOS MORTOS

Há dois excelentes exemplos desse lamento, nas páginas do Antigo Testamento, atribuídos a Davi (ver II Samuel 1:19-27 e 3:33-34). O livro de Lamentações de Jeremias é uma espécie de longo lamento, diante das desolações de Jerusalém. Pequenos trechos de lamentações encontram-se nos escritos dos profetas, como se vê em Amós 5:2 e Isaías 14:4-11. Este último exemplar é uma lamentação irônica, porquanto fala da destruição de opressores estrangeiros. Algumas lamentações eram musicadas, ou somente com instrumentos de música, ou acompanhadas por cantores. O termo pode apontar para um hino fúnebre ou para uma composição coral que lamenta em face da morte.

LAMEQUE

No hebraico, o sentido desse nome é incerto. Alguns opinam «homem forte», «jovem forte», ao passo que outros preferem algo como «selvagem» ou «derrubador». Há dois homens com esse nome, nas páginas do Antigo Testamento:

1. Um filho de Metusael, pai de Jabel, Jubal, Tubalcaim e Naamá (Gên. 4:18-24). Ele tinha duas esposas, Ada e Zilá. De acordo com a Bíblia, foi o primeiro homem a apelar para a poligamia. Os filhos de Lameque teriam sido inventores de artes úteis. É em conexão com Lameque que temos o primeiro exemplo de poesia hebréia. Curiosamente, esse poema fala sobre a bigamia:

«E disse Lameque às suas esposas:

Ada e Zilá, ouvi-me;
vós, mulheres de Lameque,
escutai o que passo a dizer-vos:
Matei um homem porque ele me feriu;
e um rapaz, porque me pisou.
Sete vezes se tomará vingança de Caim,
de Lameque, porém setenta vezes sete» (Gên. 4, 23,24).

Esse poema exibe o paralelismo e outras características que chegaram a distinguir a poesia dos hebreus. Alguns estudiosos pensam que esse poema foi extraído de algum poema mais antigo e, então, adaptado, mas, se um homem tem duas esposas, sem dúvida precisa refugiar-se na poesia! Parece que alguém o havia atacado violentamente, e Lameque tivera de matar o homem—o primeiro caso, na Bíblia, de autodefesa, e que, ao que tudo indica, não foi vingado. Talvez, o poema tenha servido para consolar suas esposas, assegurando-lhes que nenhum dano lhe ocorreria, em face de seus atos violentos. Pode-se presumir que, naqueles tempos primitivos, o direito de autodefesa era uma lei reconhecida pela sociedade. Porém, uma outra interpretação do incidente é que Lameque não corria perigo, não porque a lei o protegesse, mas porque, sendo habilidoso no uso de

LAMEQUE — LÂMPADA

armas, ninguém ousaria atacá-lo.

A lex talionis. Ver o artigo separado sobre o assunto. A antiga lei da **vingança do mesmo tipo**, conforme o título latino indica, não exigia a pena de morte e nem encorajava a vingança, em casos de autodefesa. Se Caim, que fora um real assassino, e que havia premeditado o seu crime, fora protegido por uma palavra da parte de Deus, então Lameque, que agira em autodefesa, nada tinha com o que se preocupar. Caim recebeu, por assim dizer, uma condenação perpétua, pois ficou sujeito a uma perene maldição; mas sua vida fora poupada. Todavia, a lei mosaica posterior certamente teria exigido a sua execução.

2. Um filho de Matusalém. Esse Lameque foi o pai de Noé. Ele era descendente de Sete, filho de Adão. Ver Gên. 5:25-31; I Crô. 1:3; Luc. 3:6. Faz parte da linhagem do Messias. O fato de que os nomes *Lameque* e *Enoque* ocorrem tanto na genealogia de Caim quanto na genealogia de Sete (além de outras similaridades) tem dado margem à conjectura de que essas são meras variações de uma única lista original de nomes. Mas, contra essa opinião encontramos o fato significativo de que também há diferenças significativas. O Lameque descendente de Caim é aludido no quarto capítulo de Gênesis, ao passo que o Lameque descendente de Sete aparece no quinto capítulo desse livro. E, se os dois derivam-se de uma só fonte informativa, então haveria alusão a um único homem. Presumivelmente, a fonte informativa *J* teria preservado uma das variantes, ao passo que a fonte informativa *S* teria preservado a outra variante. Não há como resolver o problema. Ver sobre a teoria das fontes informativas, chamada *J.E.D.P.(S.)*.

LA METTRIE, JULIAN OFFRAY DE

Suas datas foram 1709-1751. Ele foi um filósofo e médico francês. Nasceu em Saint Malo. Estudou medicina em Rheims e na Universidade de Paris. Faleceu a 11 de Novembro de 1751, em Berlim, na Alemanha. Primeiramente, estudou teologia, e, então, se tornou médico, tendo-se formado como tal em Rheims. Praticou a medicina no exército francês, tendo participado de várias batalhas. Publicou documentos eruditos sobre questões de medicina. Suas observações convenceram-no de que os chamados distúrbios psíquicos têm bases físicas, e essa filosofia permeava o seu pensamento, com alguns estranhos resultados.

Idéias:

1. Os animais são meros mecanismos que operam através dos instintos.

2. Os homens não são melhores que os animais, embora sejam mais inteligentes que aqueles. O cérebro é que determina a inteligência, e o termo «mente» não indica qualquer entidade separada. Ver o artigo separado intitulado *Problema Corpo-Mente*.

3. Os chamados fenômenos psíquicos na verdade são *epifenômenos* (vide) de condições fisiológicas, e nada mais.

4. As atividades racionais dependem da linguagem, e a linguagem, por sua vez, não passa de sons físicos regulamentados pelo cérebro. A chamada «alma» é apenas uma coleção de imagens que o cérebro físico promove, de uma maneira ou de outra.

5. A ética deveria alicerçar-se sobre condições totalmente humanas. A ética, para ele, não era uma questão espiritual, e, sim, prática. O alvo da vida seria o prazer, e a virtude não passa de amor-próprio, e isso dirigido na direção de nossos semelhantes, sob a forma de serviço humanitário.

6. Podemos ter fé na existência de Deus, mas essa crença é bastante irrelevante para a vida humana. De fato, visto que a crença na existência de Deus promove o temor, e visto que o temor não é um sentimento desejável, por isso mesmo é melhor que os homens vivam sem fé em qualquer tipo de ser divino. Outrossim, não há razão alguma em crermos em uma vida após-túmulo, com todos os seus mistérios, ameaças e incertezas.

La Mettrie provocou muita oposição por causa de suas idéias, e viu-se forçado a exilar-se da França. Refugiou-se, então, com Frederico II, da Prússia, que o nomeou leitor da corte.

É deveras significativo que a medicina está, atualmente, produzindo uma de nossas melhores maneiras de demonstrar a existência da alma e sua sobrevivência ante a morte biológica. Ver o artigo sobre *Experiências Perto da Morte*.

LAMI

No hebraico, «belemita». O trecho de I Crô. 20:5 diz que esse homem era irmão do gigante Golias, e que foi morto por Elanã. Mas o trecho de II Sam. 21:19 afirma que Elanã matou Golias, o geteu. Por isso mesmo, os estudiosos supõem que o texto de II Sam. 21:19 contém alguma forma de erro textual primitivo, o que teria dado margem à contradição. Todavia, outros estudiosos pensam que o erro pode ter sido do escritor original, e não de algum escriba subseqüente. Ver o artigo sobre os livros de Samuel, no comentário abreviado sobre II Sam. 21:19.

LÂMPADA (CANDEEIRO)

Esboço:

  I. Palavras Envolvidas
  II. Tipos e Formatos
  III. Usos
  IV. Simbologia

I. Palavras Envolvidas

Há duas palavras hebraicas e duas palavras gregas principais, que devemos considerar quanto a este verbete:

1. *Lappid*, «tocha», «chama». Esse termo hebraico aparece por quinze vezes no Antigo Testamento, conforme se vê, por exemplo, em Gên. 15:17; Juí. 7:16,20; Jó 12:5; 41:19; Isa. 62:1; Eze. 1:13; Dan. 10:6.

2. *Ner*, «lâmpada», «luz». Esse outro vocábulo hebraico é mais comum, ocorrendo por quarenta e três vezes no Antigo Testamento. Ver, por exemplo, Êxo. 25:37; 27:20; 30:7,8; 35:14; Lev. 24:2,4; Núm. 4:9; 8:2,3; I Sam. 3:3; I Reis 7:49; I Crô. 28:15; II Crô. 4:20,21; 13:11; 29:7; Sal. 119:105; 132:17; Pro. 6:23; 13:9; 20:20; Zac. 4:2.

3. *Lampás*, «lâmpada», «tocha». Esse vocábulo grego aparece por nove vezes nas páginas do Novo Testamento: Mat. 25:1,3,4,7,8; João 18:3; Atos 20:8; Apo. 4:5; 8:10.

4. *Lúchnos*, «candeeiro», «luz». Vocábulo grego que foi usado por catorze vezes no Novo Testamento: Mat. 5:15; 6:22; Mar. 4:12; Luc. 8:16; 11:33,34,36; 12:35; 15:8; João 5:35; II Ped. 1:19; Apo. 18:23; 21:23; 22:5.

II. Tipos e Formatos

1. *Tigela aberta*. O tipo mais primitivo de lâmpada parece ter sido uma simples *tigela aberta*, que, talvez, tivesse um pequeno bico em uma das extremidades. Esse tipo de lâmpada tem sido descoberto pelos arqueólogos pertencente desde à era do Bronze. Esse tipo continuou a ser usado na era do Ferro, embora as

Lâmpadas da Antiguidade

Lâmpas da Antiguidade
A — grega
B — cretense
C — egípcia
D — grega
E — cipriota
F — romana
G — romana

Cortesia, Metropolitan Museum of Art

LUZ
Versículos-Chaves

••• ••• •••

Toda a boa dávida e todo o dom perfeito
vem do alto, descendo do Pai da Luzes.
   (Tiago 1:17)

Está é a mensagem que dele ouvimos, e vos
anunciamos: que Deus é luz, e não há nele
trevas nenhumas. (I João 1:5)

Eu sou a luz que vim ao mundo, para que
todo aquele que crê em mim não permaneça
nas trevas. (João 12:46)

Porque noutro tempo ereis trevas, mas
agora sois luz no Senhor; andai
como filhos da luz.
   (Efé. 5:8)

Vós sois luz do mundo; não se
pode esconder uma cidade edificada sobre
um monte. (Mat. 5:14)

Assim resplandeça a vossa luz diante dos
homens, para que vejam as vossas boas obras e
glorifiquem a vosso Pai, que está nos céus.
   (Mat. 5:16)

••• ••• •••

LÂMPADA

lâmpadas desse período já tivessem um bico um tanto mais pronunciado.

2. *Tigela com biqueira*. Esse tipo de lâmpada apareceu nos tempos helenistas. Naquele tempo, tais lâmpadas eram produzidas em massa, mediante o uso de moldes. As lâmpadas gregas, com freqüência, eram mais oblongas, e as romanas, mais redondas. As lâmpadas feitas pelos cristãos tinham símbolos religiosos, como a cruz, o Alfa e o Ômega, etc.

3. *Tochas* serviam, às vezes, de lâmpadas (Juí. 7:16,20). As tochas eram usadas especialmente para iluminação exterior, ou para cortejos e marchas à noite.

4. *Pavios de linho retorcido* começaram a ser usados nas lâmpadas em formato de tigela, e o combustível era o azeite de oliveira (Êxo. 25:26; 27:20; Mat. 25:3,4).

5. *Lâmpadas de cerâmica* (e não de metal) eram comuns. Algumas dessas lâmpadas eram meras taças rasas, com beiradas erguidas. Um pavio, posto na beirada, servia de fonte luminosa.

6. *Lâmpadas de quatro bicos*. Parece que os amorreus introduziram a lâmpada com quatro bicos. Na beirada havia quatro bicos, em cada um dos quais havia um pavio, o que, naturalmente, fazia a lâmpada dar mais luz.

7. *Lâmpadas de um só bico ou biqueira*. Depois de cerca de 1850 A.C., as lâmpadas usualmente mostraram a tendência de ser fabricadas assim, embora fossem maiores.

8. *Lâmpadas com base*. Devido ao risco das lâmpadas virarem, o azeite entornar e o perigo de incêndio, as lâmpadas (tanto as de metal quanto as de cerâmica) começaram a ser equipadas com base. As lâmpadas descobertas em Judá tinham bases.

9. *Lâmpadas redondas e fechadas*, o que eliminava o perigo de virarem. A essas lâmpadas eram adicionados bocais, de onde emergia o pavio. Essas lâmpadas procedem do período romano, e também são chamadas de *lâmpadas herodianas*. Talvez esse tipo de lâmpada esteja em foco em Luc. 15:8 e Mat. 25:7. A mulher ficou procurando por sua moeda com a ajuda de uma lâmpada. As dez virgens levantaram-se à meia-noite a fim de apararem os pavios. As lâmpadas geralmente continham uma quantidade de azeite suficiente para ficarem queimando a noite inteira, mas era necessário ajustar o pavio de tantas em tantas horas. Por isso mesmo é que lemos que a mulher virtuosa levantava-se ocasionalmente, a fim de que a sua lâmpada não se apagasse de noite (Pro. 31:18).

10. *Velas*. Embora essa palavra apareça em algumas versões da Bíblia, velas de estearina eram desconhecidas na antiguidade. A palavra *velas* entrou no texto das traduções da Bíblia porque, quando essas traduções foram feitas, as velas se tinham tornado comuns na Europa.

11. *Veladores*. Esses objetos, onde as lâmpadas eram postas, eram feitos de madeira, de metal ou de cerâmica. Têm sido encontrados principalmente nos santuários. Eram de vários formatos e podiam servir de base para uma única lâmpada ou para várias lâmpadas ao mesmo tempo. Ver Mat. 5:15; Luc. 8:16.

12. *O candeeiro do Tabernáculo e do Templo*. Esse candeeiro tinha uma base e uma haste principal. Dessa haste procediam seis extensões, e o alto da haste era munido de uma lâmpada, que ficava no meio das demais, dispostas em redor dela. Portanto, esse candeeiro contava com sete lâmpadas. Essas sete lâmpadas representavam a perfeita luz de Deus, a iluminação espiritual, etc. Ver Êxo. 25:31 *ss;* I Reis 7:49; I Crô. 28:15; Apo. 1:12,13; 2:1. Essa estrutura repousava sobre uma base ornamentada. O candeeiro usado no templo de Herodes aparece em um relevo esculpido no Arco de Tito, em Roma. Esse candeeiro era todo feito de ouro. Aparece representado nas moedas cunhadas pelos Macabeus. O templo de Salomão contava com dez desses candeeiros.

Os intérpretes cristãos têm encontrado muitos símbolos no candeeiro de ouro. Fala sobre a iluminação divina; sobre a presença e a manifestação do Espírito de Deus; sobre a presença da deidade (no ouro); sobre a revelação divina, dada mediante a lei mosaica, com suas provisões e ritos simbólicos. Alguns vêem no candeeiro de ouro um tipo de Cristo como a Luz do mundo, que brilha no fulgor de sua luminosidade mediante o poder dos sete espíritos de Deus (Isa. 11:2; Heb. 1:9; Apo. 1:4). A luz natural era excluída do interior do tabernáculo, pelo que o candeeiro servia de principal fonte luminosa, tipificando a luz divina que é conferida aos homens. Ver I Cor. 2:14,15. Precisamos da iluminação divina para entendermos a mensagem espiritual. Ver o artigo separado sobre o *Candeeiro de Ouro*.

13. *Lâmpadas penduradas*. Lâmpadas penduradas, muito ornamentadas, pertencentes ao período do império romano e depois disso, têm sido encontradas pela arqueologia.

III. Usos

1. As lâmpadas tinham um uso **doméstico**, que era o principal. A lâmpada correspondia às modernas lâmpadas elétricas. Os orientais não dormiam às escuras. A presença da lâmpada simbolizava vida, alegria e paz (Sal. 18:28). O apagar de uma lâmpada era um acontecimento cuidadosamente evitado. Pois indicava melancolia e desolação (II Sam. 21:17; Jó 18:5,6). As evidências arqueológicas têm demonstrado que os antigos sofriam de enegrecimento dos pulmões, devido ao costume de deixarem acesa uma lâmpada, a noite inteira, o que servia de tremendo fator poluidor.

2. O uso *cúltico*. Os hebreus e quase todas as culturas antigas tinham lâmpadas em seus santuários. Em alguns templos, as chamas eram mantidas perenemente acesas, o que exigia cuidados constantes.

3. As *tochas* eram usadas para a iluminação exterior, em marchas militares, em cortejos matrimoniais e em outros tipos de cortejos. O trecho de Mat. 25:1 refere-se a esse costume. A história de Gideão (ver Juí. 7:16,20) ilustra o uso de tochas com propósitos militares.

4. *Finalidades decorativas*. Lâmpadas eram acesas no interior e no exterior das residências, com propósitos decorativos. As lâmpadas penduradas dos templos romanos são exemplos especiais desse costume.

IV. Simbologia

1. Quanto ao candeeiro de ouro, temos alistado vários símbolos, em seção II.13.

2. Vida, alegria e paz eram simbolizadas pela lâmpada (Sal. 18:28).

3. Uma lâmpada que se apagasse indicava melancolia e desolação (II Sam. 21:17).

4. O apagar da lâmpada simbolizava o final da vida física. O pavio de um homem ímpio apaga-se porque lhe falta a vida de Deus (Pro. 20:20).

5. Uma lâmpada simboliza a posteridade, o meio através do qual o indivíduo continua a viver (I Reis 11:36; 15:4; II Reis 8:19).

6. O antigo costume de deixar uma lâmpada no

LANÇA — LANGER

interior de um túmulo servia de sinal da crença na imortalidade, na esperança da vida após a morte.

7. Uma lâmpada simboliza a Palavra de Deus (Sal. 119:105; Pro. 6:23).

8. A onisciência da mente divina (Dan. 10:6; Apo. 1:14).

9. A salvação dada por Deus (Gên. 15:17).

10. A orientação dada por Deus (II Sam. 22:29).

11. O espírito do homem (Pro. 20:27).

12. O governo de governantes sábios (João 5:35).

13. O azeite representa o Espírito Santo, necessário para que tenhamos uma autêntica espiritualidade (Mat. 25:1 e seu contexto).

14. O candeeiro de ouro, dentro do Novo Testamento, representa Cristo e a sua Igreja, por meio de quem a plenitude do Espírito manifesta-se a todos (Apo. 1:12,13,20).

LANÇA

Ver sobre **Armas e Armadura**.

LANÇADEIRA

No hebraico, **ereg**. Essa palavra ocorre exclusivamente em Jó 7:6. Tratava-se de um carretel ou bobina que levava o fio para frente e para trás, quando do fabrico do tecido. Embora algumas versões também estampem a palavra «lançadeira», em Juízes 16:14, ali ocorre outra palavra hebraica que também se usa em outros trechos, a saber, *yathed*, «pion» (vide).

LANDRANC

Uma importante figura na história da Igreja da Inglaterra. Não se sabe qual a data de seu nascimento, mas ele morreu em 1089. Originalmente, ele era um jurista, mas tornou-se famoso como prior e renovador do mosteiro de Bed. Foi um grande mestre e se opôs com sucesso a Berengar de Tours (vide). Tornou-se abade de Santo Estêvão, em Caen e, então, foi eleito arcebispo de Canterbury. E foi nesse ofício que fez reformas na vida eclesiástica da Inglaterra.

LANGE, FRIEDRICH ALBERT

Suas datas foram 1828-1875. Ele foi um filósofo, um economista político e um reformador social alemão. Nasceu em Wald, na Alemanha, e faleceu em Marburgo, a 21 de novembro de 1875. Educou-se em Duisburgo, Zurique e Bonn; foi professor em Bonn, em 1855 e depois. Ele expunha as tendências liberais alemãs que, finalmente, perderam terreno para Otto Von Bismarck e o prussianismo, que foram importantes na formação do moderno Reich. Ele apoiou a emergente classe trabalhadora e introduziu certas doutrinas sociais que Marx e outros desenvolveram mais tarde. Lange não era um socialista tipo marxista. Mas, finalmente, foi forçado a resignar como mestre-escola em Duisburgo, em 1858, quando o governo prussiano proibiu os professores de se ocuparem em atividades políticas. Em seguida, ele se ocupou com o jornalismo, atacando a filosofia de Bismarck. Entrou em exílio auto-imposto e continuou em suas atividades jornalísticas perto de Zurique, na Suíça. Ali, tornou-se professor, mas foi forçado a resignar ao cargo por razões políticas, após ter servido apenas por breve período. Quando Bismarck triunfou, Lange abandonou a política. Retornou a Marburgo, onde ensinou durante três anos, até que faleceu.

Na *filosofia*, ele era representante de várias idéias,

que o tornaram lembrado, a saber:

1. Ele não considerava os sistemas metafísicos como *verdadeiros*, mas apenas como cristalizações de propósitos e ideais humanos.

2. O *idealismo*, para ele, dirigiria a vida humana, da mesma maneira que a poesia e a religião.

3. Sua obra, *História do Materialismo*, é um valioso estudo da história e certos aspectos do materialismo. Para ele, essa filosofia só era justificada como um método, e não como uma visão do mundo que pretenda dizer no que consiste a realidade. Além disso, a metafísica, para ele, revestia-se de um valor prático, apesar de não conseguir descrever a verdadeira natureza das coisas.

4. Os *ideais* não seriam valores finais, mas apenas expressões legítimas da moral humana, da estética e dos valores e aspirações religiosos. Os erros surgiriam quando os ideais são tomados como se fossem realidades palpáveis, e não como guias práticos da conduta.

Obras: The Labor Question; History of Materialism and Critique of its Present Significance; Logical Studies.

LANGE, JOHANN PETER

Suas datas foram 1802-1884. Ele foi editor e contribuidor do *Lange's Commentary*, cuja publicação teve início em 1864. Vinte e dois volumes foram impressos sob o título, em alemão, de *Theologische-homiletisches Biblework*. Philip Schaff, famoso historiador e erudito, fez anotações, juntamente com outros, para a edição dessa obra traduzida para o inglês. Algumas dessas notas são melhores do que os comentários originais. Para mim, esse comentário tem sido um dos mais úteis, pelo qual tenho um profundo respeito. *O Novo Testamento Interpretado*, de minha autoria, tem muitas citações dessa obra. Lange era um clérigo luterano, que nem sempre sentia ser necessário seguir a linha luterana de teologia. Um ponto interessante, é que ele enriqueceu a teologia bíblica mediante a especulação, quando essa era possível.

Além de sua contribuição para o comentário que leva o seu nome, ele publicou um certo número de outras obras sobre história eclesiástica, teologia e assuntos relacionados à Bíblia. Também escreveu hinos sacros, alguns dos quais foram preservados em hinários alemães. O *Lange's Commentary*, no prefácio sobre o evangelho de Mateus, alista vinte e oito obras, algumas das quais de considerável volume. Seus escritos refletem uma posição evangélica universal, e não sectarista. Ele era conservador, embora progressista, com a tendência de chegar a novas maneiras de pensar.

Meu primeiro contacto com o *Lange's Commentary* ocorreu em meus dias de seminarista. Um colega e amigo meu adquiriu uma coletânea de um amigo seu, que tinha dificuldades em seguir os pensamentos do autor. É verdade que o *Lange's Commentary* destina-se a estudantes sérios, e não para pessoas que folheiam as páginas somente para encontrar alguma coisa espirituosa para dizer na Escola Dominical ou nos sermões. Lange ilustra o tipo de homem que deixou uma grande contribuição para a Igreja cristã, mas que não se limitou às idéias de seu próprio grupo denominacional, e cuja mente inquisitiva não se deixou estagnar pelos dogmas alheios.

LANGER, SUSANNE K.

Ela nasceu em 1895, e ainda não tive notícias de seu

LANGER — LAODICÉIA

falecimento. Nasceu em Nova Iorque, nos Estados Unidos da América do Norte. Foi professora em Viena, no Radcliffe College e no Connecticut College. Talvez ninguém tenha exercido tanta influência isolada sobre ela, no campo da filosofia, quanto Cassirer. Ela sempre se interessou pela lógica simbólica, e sua principal contribuição à filosofia consistiu em apresentar essa disciplina através de símbolos. No simbolismo, pois, ela encontrou uma nova chave para a filosofia.

Idéias:

1. O homem é um animal simbólico, e sua filosofia naturalmente, pode ser expressa por meio de *símbolos*.

2. Ela distinguia entre *sinais* (generalizados no reino orgânico) e *símbolos* (presentes na consciência humana).

3. Os empiristas se esquecem do quanto os informes que nos são dados pelos sentidos estão entremeados de símbolos. Em certas disciplinas, como a psicanálise, ou a lógica simbólica, há um uso e transformação de símbolos.

4. Nas belas artes, os símbolos fazem-se abertamente presentes; nas ciências, símbolos representativos estão vinculados aos significados do vocabulário especial de cada ciência.

5. No campo da estética temos símbolos *não-consumados*, que permitem que os completemos com nossas próprias invenções, percebendo nas obras de arte aquilo que nós mesmos vemos, embora os artistas não tenham antecipado nossas reações particulares. O próprio artista não sente necessariamente as emoções representadas por seus símbolos; porém, é muito habilidoso na manipulação dos símbolos, e, com base em seu repertório, ele traz à tona os símbolos apropriados para uma obra sua específica. A arte é a linguagem do valor, mas esse valor não é, principalmente, o próprio objeto, mas a *reação* subjetiva do indivíduo que contempla o objeto. Ver o artigo geral sobre a *Arte*, segundo ponto, *Principais Teorias da Estética*. (EP MM P)

LANGTON, STEPHEN

Langton foi cardeal e arcebispo de Canterbury de 1207 a 1228. Foi amigo do papa Inocente III, a quem conhecera nos dias deles como estudantes, na Universidade de Paris. Ele foi um influente clérigo e estadista, e co-autor da *Magna Carta* (vide). Foi ele quem criou o sistema de divisões da Bíblia em capítulos. Convocou o sínodo provincial de Osney, em 1222, de grande importância para a história da Igreja da Inglaterra.

Em agosto de 1212, Langton uniu-se aos barões insurgentes, o que, finalmente, forçou o rei João a assinar a Magna Carta (1215). Após várias vicissitudes e um período de exílio, Langton foi o instrumento na reconciliação entre os barões e a realeza. Também foi capaz de diminuir a autoridade papal sobre a Inglaterra, obtendo assim boa parcela de autonomia para a Igreja da Inglaterra. Por ocasião do sínodo de Osney, Langton promulgou as *Constituições*, que se tornaram parte importante das leis canônicas da Igreja da Inglaterra.

Langton foi um dos mais eruditos estudiosos da Bíblia em seu tempo, tendo-se tornado muito conhecido em face de suas exposições do Antigo Testamento. Foi em conexão com essas exposições que ele criou o sistema de divisões da Bíblia em capítulos. Essas divisões apareceram, inicialmente, na Vulgata Latina, e daí passaram para outras versões. A divisão da Bíblia em versículos só apareceu

muito mais tarde, por Stephanus (vide), em sua edição do Novo Testamento Grego impresso, no ano de 1551. E, então, o sistema dos versículos numerados apareceu, pela primeira vez, na Bíblia Poliglota de Antuérpia (1569—1572).

LANTERNA

No grego, **phános**. Essa palavra encontra-se somente em João 18:3 em todo o Novo Testamento. O grupo de homens que saiu para deter a Jesus no jardim do Getsêmani, estava munido de lanternas e tochas. Sabemos que os romanos da época de Jesus tinham lanternas feitas de material translúcido, pelo que não precisamos conjecturar que simplesmente está em pauta alguma outra espécie de *tocha*. As ruas das cidades antigas, no Oriente Médio e Próximo, não eram iluminadas durante a noite, pelo que não havia lanternas ou lampiões para a iluminação das ruas. Um desenho egípcio mostra um vigia noturno levando uma espécie de lanterna, uma lâmpada portátil, para iluminar o seu caminho. O desenho mostra que a lanterna era pendurada na ponta de uma longa vara, vergada com o peso da mesma. Na Ásia ocidental, usava-se uma grande lanterna de dobrar, feita de pano encerado, esticado em arames. Tinha o topo e o fundo de cobre, e tinha um diâmetro de cerca de um metro. Uma lanterna, pois, é uma lâmpada dotada de proteção, que protege a chama, para não ser apagada pelo vento. Sem dúvida, as tochas de Gideão eram lanternas. O trecho de Salmos 119:105 fala sobre a *lâmpada* que ilumina nossos pés, para avançarmos no escuro. Ver o artigo geral sobre *Lâmpada*.

LAODICÉIA, (LAODICENSES)

1. *O Nome*

A forma grega dessa palavra é *Laodikia* (Laodikeia), que indicava a cidade da Ásia Menor desse nome, e seus habitantes. Essa palavra significa «justiça do povo», dando a entender alguma forma de governo democrático. Todavia, a referência poderia ser a algum *juiz do povo*, conforme outros têm opinado. O adjetivo pátrio para os habitantes da cidade, no grego, é *laodikoi*.

2. *Várias Laodicéias na Antiguidade*

Três eram as cidades desse nome, na antiguidade bíblica:

a. Laodicéia ad Mare, atual Lataquia, o principal porto de mar da Síria.

b. Laodicéia Combusta, atual Ladique, na Turquia, a cinqüenta e três quilômetros a sudoeste de Samsun.

c. A Laodicéia do Novo Testamento (ver Apo. 3:14-22), onde havia uma das sete igrejas para onde foram endereçadas as cartas do Apocalipse. Ver a descrição sobre essa cidade no terceiro ponto, abaixo.

Havia ainda outras três cidades que tinham esse nome na antiguidade, mas que não se revestem de qualquer interesse bíblico.

3. *A Laodicéia do Novo Testamento*

Ver Apo. 3:14-22 e o artigo separado *Laodicéia, Carta do Apocalipse*.

Essa cidade era chamada Laodicéia ad Lycum e ficava próxima da moderna cidade de Denizli, na atual Turquia ocidental. Ficava cerca de cento e oitenta quilômetros a suleste de Esmirna, atual Izmir, na Turquia. Supõe-se que Laodicéia foi fundada em cerca de 250 A.C., por Antíoco II. Posteriormente, tornou-se a sede de uma das igrejas cristãs primitivas da Ásia Menor. Seu nome lhe foi dado em honra a

LAODICÉIA — LAODICÉIA, CARTA

Laodice, esposa de Autíoco II.

A mensagem da carta aos laodicenses tem sido vista, tradicionalmente, como uma advertência clássica contra uma igreja corrupta e míope, dotada de uma fé cristã superficial. O desafio contido em Apo. 3:20,21 não tem igual na literatura religiosa, considerando-se a brevidade dessa passagem.

Aí pelo século IV D.C., essa cidade era a sede episcopal central da Frígia, porém, foi destruída e abandonada durante as sangrentas guerras que houve entre os islamitas da Idade Média. As ruínas chamadas *Eski Hissar*, são tudo o que resta da cidade de Laodicéia, antes tão orgulhosa e auto-suficiente. *Eski Hissar*. no turco, significa «castelo antigo».

4. *Descrições*

Essa era uma cidade da província romana da Ásia Menor, na parte ocidental da moderna Turquia' Asiática. No século III A.C., foi fundada uma cidade no local, por Selêucida Antíoco II, quando então recebeu nome baseado no nome próprio de sua esposa, «Laodice». Nos tempos romanos, sua posição geográfica favorecia seu desenvolvimento e prosperidade. Jazia na importante intersecção de estradas principais da Ásia Menor, que de Laodicéia ia para o ocidente, até os portos de Mileto e Éfeso, cerca de cento e sessenta quilômetros de distância. Para o oriente, essa mesma estrada conduzia ao planalto central e, dali, até à Síria. Uma outra estrada, que atravessava Laodicéia, corria para o norte, para a capital principal, Pérgamo, e também para o sul, até às costas de Ataléia. Essas estradas encorajavam o comércio em Laodicéia, que se tornou um centro bancário e comercial. Várias indústrias surgiram ali, como a da lã, a de tabletes medicinais e a de fabrico de roupas. Após os tempos neotestamentários, aumentou mais ainda a prosperidade material de Laodicéia. Até mesmo durante os dias da república, e nos dias dos primeiros imperadores, já era uma das mais importantes e florescentes cidades da Ásia Menor. Laodicéia, na qualidade de *cidade-mãe*, veio a incorporar uma área onde havia nada menos que vinte e cinco aldeias, de tal modo que era uma autêntica «metrópole», conforme é chamada em inscrições daquele lugar, que sobreviveram até nós.

A cidade estava sujeita a constantes terremotos, o que, finalmente, forçou o seu abandono. Atualmente, é um lugar desértico, mas muitas ruínas testificam sobre sua antiga grandeza. A arqueologia tem conseguido recuperar uma pista de corridas, três teatros (um dos quais tem cento e trinta e seis metros de diâmetro), além de numerosos outros itens.

O trecho de Col. 4:15,16 mostra-nos que, nos tempos de Paulo, Laodicéia já contava com uma comunidade cristã. Poderia ter sido iniciada mediante o trabalho de evangelistas enviados de Éfeso, a capital cristã daquela região, talvez um trabalho patrocinado pela igreja de Colossos. Alguns estudiosos têm pensado que a epístola chamada *aos Efésios*, na realidade foi a carta mencionada naqueles versículos da epístola aos Colossenses, mas essa teoria não tem muita coisa que a recomende. (Quanto a esse problema, ver o artigo sobre a epístola aos Efésios, sob o título «Destino»).

Já que *Laodice* era um nome feminino comum, nos tempos do N.T., seis cidades receberam tal nome, no período helenista. Por essa razão, a Laodicéia de Apo. 3:14 era chamada de Laodicéia do Lico, isto é, do rio Lico, conforme assevera *Estrabão* (578). Ficava localizada na margem sul desse rio, a dez quilômetros ao sul de Hierápolis e a dezesseis quilômetros a oeste de Colossos.

Existe uma epístola apócrifa de Paulo aos laodicenses. Ver sob o título, *Laodicenses, Epístola aos*.

LAODICÉIA, CARTA DO APOCALIPSE
Ver Apo. 3:14-22.

A última carta das sete cartas do Apocalipse, é a mais lamentável, porque a igreja, imediatamente antes do segundo advento de Cristo, estará na fase mais corrompida. Cristo se achará do lado de fora dessa igreja, e não do lado de dentro. Simbolicamente, devemos entender que a igreja que merece somente ser vomitada da boca de Cristo pode ser qualquer igreja, qualquer denominação, qualquer indivíduo que encontrou satisfação em uma coisa que não o Senhor. Por igual modo, a congregação local ou pessoa que apóstata de Cristo, está nessa situação. As pessoas podem seguir o ateísmo ou a heresia nas crenças ou na prática diária. Existem muitos crentes professos que são *ateus práticos*, porquanto «agem como se Deus não existisse». Em seu credo, afirmam que «Deus existe». Mas em suas vidas asseveram que «Deus não existe». Esses são os filhos espirituais da igreja de Laodicéia. Historicamente, cremos que a igreja em Laodicéia, no fim do século II D.C., provavelmente poupada de qualquer grande perseguição, após ter atingido boa situação financeira, tornou-se uma igreja com o caráter descrito nestes versículos. Profeticamente falando, essa igreja pode representar:

1. Qualquer igreja que, na doutrina ou na prática, não tem a Cristo como Senhor;

2. Mais especificamente ainda, a igreja como um todo, antes da «parousia» ou segundo advento de Cristo, que será apóstata.

Cremos que o remanescente fiel de Filadélfia existirá lado a lado com a igreja de Laodicéia. A «sinagoga de Satanás», aludida na carta à igreja de Filadélfia (ver Apo. 3:9), pode ser o equivalente à igreja de Laodicéia. Em seu aspecto profético, a igreja laodicense representa mais do que a indiferença ou a frieza espiritual. Representa a apostasia. Nos dias anteriores à volta de Cristo as condições serão péssimas, a tal ponto que, mediante a pessoa do anticristo, a chamada cristandade adorará ao próprio Satanás, o poder espiritual por detrás do anticristo. A verdadeira igreja, porém, composta de crentes de todas as denominações, terá de viver subterraneamente, porquanto haverá a pior perseguição religiosa de todos os tempos. Nós, e certamente os nossos filhos, veremos o cumprimento desses tremendos acontecimentos. (Ver o artigo *Profecia: A Tradição Profética e a Nossa Época*, que descreve as condições daquela época futura, mas não muito distante). Espera-se o cumprimento dessas predições para antes do fim do nosso século XX.

A partir da carta à igreja de Tiatira, há elementos nas sete cartas do Apocalipse que falam sobre a natureza da igreja dos últimos dias, mas esta carta à igreja de Laodicéia contém a plena descrição dessa igreja. *Profeticamente* falando, essa é a principal revelação de que dispomos acerca da natureza da igreja dos tempos do fim. A carta à igreja de Filadélfia descreve a natureza do remanescente daquela igreja, que não esquecerá do seu Senhor, e que recebeu promessas prodigiosas de bem-estar eterno.

«Soren Kierkegaard, que com tanta freqüência se mostrou violentamente egoísta, amargo e psicopata, algumas vezes escreveu com singular penetração. Quando ele discutia sobre o fracasso da igreja em tornar real o cristianismo, estava levantando uma

LAODICÉIA, SÍNODO — LAODICENSES

questão que os crentes de todos os séculos têm tido de enfrentar. A igreja de Laodicéia perdera o poder de fazer distinções morais e espirituais. Até mesmo quando usava grandes vocábulos, perdera o sentido dos mesmos. E já que ninguém pode gloriar-se com entusiasmo por uma verdade de cuja existência já nem temos mais consciência, os eclesiásticos dessa cidade se achavam na trágica posição de quem tem uma bandeira, mas não um país sobre o qual fazer drapejá-la. Eram, literalmente, cidadãos sem pátria, pois tinham perdido aquela terra do espírito, em que se acha a pátria da alma. O que precisavam era recuperar o lar da alma». (Hough, *in loc.*).

Cada igreja local de todos os séculos exibe algo de todas as sete igrejas do Apocalipse. Mas a igreja do fim dos tempos, com exceção do remanescente fiel, será dominada pela horrenda condição que havia na igreja de Laodicéia. Não terá coisa alguma do calor espiritual de Éfeso, do destemor de Esmirna, da lealdade ao nome de Cristo e à sua fé de Pérgamo, da fé e das boas obras crescentes de Tiatira, do remanescente imaculado de Sardes e da observância da Palavra e dos labores de Filadélfia.

«Chegamos agora ao triste e terrível final do testemunho da igreja. O fato de ter sido abandonado o primeiro amor, em Éfeso, resulta agora no abandono do Senhor». (Newell, *in loc.*).

Podemos estar certos de que a igreja de Laodicéia, em vez de incorporar em si mesma qualquer bem que havia nas demais igrejas, está investida somente de todos os seus males. Não tem amor, pois abandonou seu primeiro amor (maldade em Éfeso). Habita onde está o trono de Satanás, tendo sido apanhada na imoralidade de Balaão (como sucedia em Pérgamo). Tolera e entroniza a Jezabel, por ser abertamente maligna e entregue ao paganismo (como se via em Tiatira). Poderá ter nome de ser uma igreja viva, mas na realidade está morta (como em Sardes). Não compartilha das características do remanescente fiel de Filadélfia, mas antes, na realidade, é a «sinagoga de Satanás», que perseguia aos fiéis crentes filadelfianos. Mostra-se distintamente miserável, pobre, cega e nua. Esqueceu-se da fonte de águas vivas. Haverá algum vencedor nessa igreja?

LAODICÉIA, SÍNODO (CONCÍLIO) DE

Esse foi um concílio eclesiástico local, efetuado em cerca de 364 D.C., para tratar, principalmente, com questões de organização eclesiástica. Fixou um cânon das Escrituras que omitia o livro do Apocalipse. Isso refletiu atitudes próprias da Ásia Menor, que persistiram por vários séculos. Ver o artigo geral sobre o *Cânon*, na porção relativa ao Novo Testamento. Esse concílio também procurou regulamentar a questão da *penitência* (vide). Declarou errada a adoração aos anjos, provavelmente tendo em mente a refutação às práticas de certas seitas gnósticas. É curioso que esse concílio tenha proibido o uso de hinos sacros não-autorizados. Com base nisso, vemos que a música, nas igrejas, era um problema desde aquele tempo, não sendo apenas um fenômeno moderno. Ver o artigo sobre a *Música*.

A esse concílio estiveram presentes trinta e dois bispos da província da Ásia. Teve lugar em Laodicéia *ad Lycum* (a Laodicéia do Novo Testamento), na antiga Frígia, que, atualmente, faz parte da moderna Turquia. Esse concílio produziu sessenta cânones, principalmente sobre questões disciplinares, como tratar com os hereges, sobre questões de penitência, ritos, etc. Esses cânones foram publicados no primeiro volume da obra de Jean Hardouin, *Collectio*

Conciliorum, impresso em 1715. Ver o artigo geral sobre os *Concílios Ecumênicos*. (AM E)

LAODICENSES

Esse adjetivo foi usado para indicar qualquer igreja que professe ter fé e seja bombástica em suas declarações, mas dotada de pouca espiritualidade genuína. Deriva seu nome da carta do vidente João aos laodicenses (ver Apo. 3:14 *ss*). Essa carta é uma vigorosa denúncia da falsa espiritualidade. Ver o artigo separado sobre *Laodicéia, Carta do Apocalipse*.

LAODICENSES, EPÍSTOLA AOS

I. A Epístola de Paulo aos Laodicenses

O trecho de Col. 4:16 menciona uma carta que Paulo enviou aos cristãos de Laodicéia, recomendando que ela também fosse lida em Colossos.

Abaixo transcrevemos a chamada *Epístola aos Laodicenses*, para satisfazer à curiosidade dos leitores. É óbvio que, originalmente, foi escrita em grego, embora tenha chegado até nós em sua tradução latina. Sixtus Sememsis menciona dois manuscritos que a continham, um existente na Sorbonne, Paris, uma cópia antiqüíssima, e o outro na biblioteca de um certo Joannes a Virdário, de Pádua. Uma antiga tradução da mesma se acha no Museu Britânico, entre os manuscritos Harleianos, códice 1212. Naturalmente, não se trata de uma epístola genuína do apóstolo Paulo. Foi compilada com base em outras epístolas paulinas, principalmente a epístola aos Filipenses, por um autor desconhecido.

1. Paulo, um apóstolo, não da parte de homens e nem pelo homem, mas por Jesus Cristo, aos irmãos que estão em Laodicéia.

2. Graça a vós e paz, da parte de Deus, nosso Pai, e da parte do Senhor Jesus Cristo.

3. Agradeço a Cristo, em todas as minhas orações, porque continuais e perseverais nas boas obras, aguardando a promessa do dia do juízo.

4. Não vos perturbeis com os vãos discursos de certos, que pretendem dizer a verdade, para que possam desviar os vossos corações da verdade do evangelho, que foi pregado por mim.

5. E que Deus conceda que aqueles que pertencem a mim, sejam levados até à perfeição da verdade do evangelho, realizando a benignidade de obras que se torna a salvação da vida eterna.

6. E agora minhas cadeias são manifestas que eu sofro em Cristo, e nelas regozijo-me e estou alegre.

7. E isso redundará em minha perpétua salvação, por meio de vossas orações e da assistência do Espírito Santo, quer sejam elas para a vida ou para a morte.

8. Pois a minha vida consiste no viver em Cristo; e morrer será jubiloso.

9. E que o próprio Senhor nosso vos conceda a sua misericórdia, para que tenhais o mesmo amor e sejais de uma mesma atitude mental.

10. Portanto, meus amados, assim como tendes ouvido da vinda do Senhor, assim pensai e agi, no temor do Senhor, e isso vos será vida eterna.

11. Pois é o Senhor quem opera em vós.

12. Tudo quanto fizerdes, fazei-o sem pecado, e fazei o que é melhor.

13. Amados, regozijai-vos no Senhor Jesus Cristo, e tende cuidado com o lucro imundo.

14. Que todas as vossas orações sejam manifestas diante de Deus.

LAODICENSES — LÁPIS-LAZÚLI

15. E sede firmes nos sentimentos que tendes sobre Cristo. E tudo quanto for perfeito, verdadeiro, modesto, casto e justo e amável, isso fazei.

16. E tudo quanto tiverdes ouvido e recebido, retende em vossos corações, e isso tenderá para vossa paz.

17. Todos os santos vos saúdam.

18. Saudai a todos os irmãos com ósculo santo.

19. A graça de nosso Senhor Jesus Cristo esteja com vosso espírito. Amém.

20. E fazei que esta epístola seja lida aos colossenses; e aquela dos colossenses que seja lida por vós. (Aos Laodicenses, escrita de Roma, por meio de Tíquico e Onésimo).

II. Epístola aos Laodicenses em Latim

Alguns dos primeiros pais da Igreja avisaram aos cristãos acerca dessa carta, por ser uma obra obviamente forjada em nome de Paulo. Jerônimo (Vir 3.5) lançou um aviso nesse sentido, embora os cristãos da época não tivessem dado muita atenção ao mesmo. Por isso, a epístola propagou-se muito pelo mundo ocidental antigo. Isso se deveu, em parte, ao fato de que o papa Gregório, o Grande, afirmou que Paulo havia escrito quinze epístolas, e essa declaração foi tomada pelo povo como autenticação da epístola aos laodicenses, que passou a ser vista como a décima quinta epístola do apóstolo dos gentios.

Sabe-se que essa epístola aos laodicenses costumava ser lida no Oriente, durante o século oitavo D.C., o que transparece nas advertências do segundo concílio de Nicéia (787 D.C.) contra ela. O cânon Muratoriano (vide) menciona uma carta aos Laodicenses, forjada em nome de Paulo, usada pela seita gnóstica de Márcion, e alguns eruditos supõem que se trata da mesma epístola de que estamos falando. A verdade, entretanto, é que essa breve carta nada contém que pudesse ser de grande utilidade para os gnósticos, e, por isso, identificá-la com a carta atacada no cânon Muratoriano é precário, para dizer o mínimo. Supõe-se que a carta atacada nesse cânon foi escrita em algum tempo entre o século II e o século IV D.C.

Os pais gregos da Igreja tinham conhecimento de uma versão grega dessa carta, mas todos os manuscritos gregos estão atualmente perdidos. Essa carta nada tem de notável, sendo apenas uma espécie de compilação frouxa de idéias e frases, encontradas nos escritos paulinos autênticos. Começa com as palavras introdutórias da epístola aos Gálatas, e depende muito da epístola aos Filipenses. A tradição não gosta de deixar espaços em branco em nosso conhecimento, razão pela qual muitas personagens neotestamentárias têm seus nomes adornados com muitas lendas. Era apenas natural, pois, que alguma pessoa sem grande imaginação tomasse sobre si a incumbência de produzir uma carta aos Laodicenses, tentando assim preencher o hiato deixado pelo trecho de Col. 4:16 em nosso conhecimento sobre as epístolas paulinas.

LAO TZU

Ele viveu no século VI A.C. Ao que se presume, ele foi o fundador da filosofia chinesa do taoísmo (vide). Ele foi o autor da obra Lao Tzu, também chamada Tao-Te Ching (Clássico do Caminho e sua Virtude). Essa é uma obra poética que dá substância ao taoísmo. Praticamente nada se sabe sobre a vida de Lao Tzu, mas Su-ma Ch'ien, em seu livro, Registros do Historiador, apresenta-o como um líder religioso que se impacientava diante dos princípios do confucionismo, e buscava alguma verdade adicional.

Lao Tzu é por ele apresentado como guardião dos arquivos reais. Pensa-se que Confúcio o visitou, pedindo-lhe conselhos sobre várias questões. Quando Lao Tzu estava prestes a aposentar-se, o porteiro dos arquivos reais pediu-lhe para preparar um tratado de cinco mil palavras sobre a sua filosofia; e esse documento, uma vez produzido, tornou-se a famosa obra Tao-Te Ching. Alguns eruditos aceitam essa tradição como essencialmente autêntica, mas outros não a aceitam. Alguns situam Lao Tzu nos fins do século III A.C., o que anula a data anterior e suas tradições. Seja como for, suas idéias levaram ao estabelecimento de uma das grandes religiões do mundo, o taoísmo. Ver o artigo separado sobre esse assunto, bem como o artigo intitulado Tao-Te Ching, o livro sagrado dessa religião.

LAPIDADORES

Ver o artigo geral **Artes e Ofícios**. Os pedreiros e cavouqueiros são mencionados em II Reis 12:12; I Crô. 22:2,15 e I Reis 5:15 ss. Sabe-se que Salomão empregou milhares de homens que talhavam pedras, na construção do templo de Jerusalém. Ver o artigo sobre Pedra, onde damos outros detalhes. Os fenícios tornaram-se famosos por sua habilidade em lavrar pedras (ver II Sam. 5:11; I Reis 5:18). Quase tudo quanto os hebreus sabiam a esse respeito foi aprendido da parte de outros povos. Além de pedras para templos, edifícios e casas particulares, também eram talhadas pedras para forrar pavimentos (ver II Reis 16:17), para fechar entradas de cavernas (ver Jos. 10:18), túmulos (ver Mat. 27:60), para servir de marcos fronteiriços (Deu. 19:14), pesos e medidas (Deu. 25:13), e, finalmente, máquinas de guerra (I Sam. 17:40,49). Metaforicamente, devemos pensar nas pedras vivas, das quais Cristo é a principal pedra angular, pedras essas que fazem parte do templo espiritual (I Ped. 2:5,6). As pedras preciosas indicam valor, beleza, durabilidade, etc. (Can. 5:14; Isa. 54:11; Lam. 4:7; Apo. 4:3; 21:11,21).

LAPIDÁRIOS

Esse vocábulo refere-se aos livros que descrevem as alegadas propriedades sobrenaturais das pedras preciosas. Dois nomes são proeminentes quanto a essa questão, Epifânio de Chipre, que morreu em cerca de 403 D.C., e Marbode de Rennes (que faleceu em cerca de 1123). Alguns místicos modernos e alguns poucos que estudam o ocultismo acreditam que as pedras preciosas, por causa de suas vibrações específicas, sendo capazes de capturar certas vibrações, podem produzir efeitos sobre nós. Esses efeitos incluem até mesmo a saúde física. Assim, eles usam pedras preciosas no tratamento de várias enfermidades. Além disso, segundo presumem, os poderes intuitivos ou místicos, ou mesmo a iluminação espiritual, podem ser ajudados com o uso das pedras preciosas. Sabe-se muito pouco sobre essas coisas, e são necessários mais estudos para ver se há nelas qualquer parcela de verdade, ou se tudo não passa de fantasias.

LAPIDOTE

No hebraico, **tochas**, nome do marido da profetisa Débora (Juí. 4:4), que viveu em cerca de 1120 A.C. Aparentemente, o casal morava nas vizinhanças de Ramá e Betel.

LÁPIS-LAZÚLI; LÁPIS LAZULITE

Esses nomes referem-se ao mineral de coloração

LAPSARIANISMO — LAPSO

íntensamente azul, que vem sendo usado como pedra ornamental por excelência, desde tempos antiqüíssimos. Trata-se de um mineral de azul profundo. Sua cor é produzida por uma mistura de minérios. Originalmente era usado para produzir o azul ultramarino, e era empregado pelos povos antigos com propósitos de decoração. Alguns estudiosos modernos pensam que está em foco a pedra que se chama «safira». Êxo. 28:18 e Apo. 21:19 são referências a essa pedra. Trata-se de um silicato de alumínio de sódio, que pode ser cortado e polido, ou, então, usado como parte de mosaicos. É mole demais para ser muito usado na joalheria, mas os egípcios faziam amuletos dessa pedra. Encontra-se em pedras calcárias adjacentes a intrusões graníticas no Irã, no Turquestão, no Afeganistão e na Mongólia. Ver o artigo geral sobre as *Jóias*.

LAPSARIANISMO (A Controvérsia Lapsária)

Esse termo refere-se a uma controvérsia, havida entre os calvinistas, sobre quando houve o decreto divino da eleição. Esse decreto ocorreu *após* a queda no pecado, e em face dessa queda (infra ou sublapsarianismo), ou antecedeu à queda no pecado, não tendo em mira essa queda (supralapsarianismo)? A eternidade da predestinação é ensinada por ambas as posições, e o resultado da predestinação também não difere em nada, de acordo com ambas as posições. A única diferença diz respeito ao tempo exato em que o decreto da eleição foi feito pelo Senhor Deus.

O termo «lapsarianismo» refere-se, coletivamente, aos vários pontos de vista sobre essa questão, porquanto ali trata-se da *queda* ou *lapso* do homem no pecado. Se o decreto divino ocorreu antes da queda, então Deus estava contemplando a exaltação do homem (porquanto torná-lo-ia membro da família divina) inteiramente à parte da queda, ou anterior à mesma. Mas, se o decreto divino teve lugar após a queda no pecado, então Deus estava contemplando a *redenção* de um ser caído, em seu decreto eletivo. A teologia arminiana, naturalmente, adotou a posição infralapsariana, embora, de fato, esse sistema não tenha qualquer tipo de eleição divina, porquanto essa palavra, por si mesma, subentende que o Senhor estabeleceu uma seleção entre os homens, inteiramente à parte da escolha e do livre-arbítrio humanos. Ver os artigos sobre o *Calvinismo* e sobre o *Arminianismo*.

LAPSO

O fato de que o crente pode cair, e realmente cai, em um grau mais ou menos grave, de sua fé ou de sua prática cristã, sempre perturbou os teólogos. Muitas teorias têm surgido para explicar esse fenômeno espiritual.

Em termos amplos, temos aí a controvérsia entre os calvinistas e os arminianos acerca da questão se um verdadeiro crente pode cair ou não de sua fé, ou mesmo se pode abusar violentamente de seus privilégios cristãos, mediante a prática de pecados e vícios. Quanto ao problema, temos apresentado um longo e detalhado artigo chamado *Segurança Eterna do Crente*. Apresentando aqui um breve sumário do que acredito pessoalmente sobre a questão, afirmo o seguinte: um crente autêntico pode cair tanto da fé quanto da prática cristã (a posição arminiana), mas também creio que tal pessoa, finalmente, será trazida de volta ao seu estado anterior, em face da promessa feita por Deus de que não perderia a nenhum dos seus. Ver João 10:28. Isso representa a fé calvinista. E

eu vou além da posição calvinista comum, porquanto penso que essa restauração pode ocorrer no além-túmulo, isto é, após a morte biológica do crente, não estando limitada à vida física do indivíduo. De fato, suponho que isso pode precisar de um longo tempo da eternidade futura. Não obstante, creio que esse *fato* é garantido, mesmo que o elemento tempo seja incerto. Outrossim, no caso dos incrédulos, não creio que a morte física marque o fim da oportunidade de salvação, e creio que a missão de Cristo no hades garante uma oportunidade *post-mortem*. Ver o artigo sobre a *Descida de Cristo ao Hades*. Até onde posso ver as coisas, essa é a única interpretação lógica e verdadeira de I Pedro 4:6.

Classes Distinguidas no Lapso:

1. *O Estado Fluido*. Alguns dizem que é mais correto afirmarmos: *Estamos sendo salvos* do que dizer: «Estamos salvos». Já abordei de passagem o problema da possibilidade da perda da salvação, o que constitui uma das posições teológicas cristãs. De acordo com essa posição, os perdidos podem ser salvos, e os salvos podem perder-se. Ora, se considerarmos a salvação como um *processo eterno* (visto que seu ponto culminante só será atingido na glorificação, quando a alma humana houver de obter a natureza divina, daí por diante participando crescentemente nos atributos divinos), então não será muito difícil aceitar o conceito de que não existe qualquer estado fixo da alma, dentro e fora da graça divina. De acordo com essa posição, ninguém *já* estaria salvo. Antes, alguns estariam sendo salvos, o que poderia incluir muitas vicissitudes espirituais. Mas, se nossa teologia requer que os destinos eternos sejam fixados por ocasião da morte biológica, ficando esses destinos estagnados para sempre depois da passagem desta vida para a outra, então ser-nos-á muito difícil aceitar o conceito de um *estado fluido* da salvação ou da perdição. A tendência de alguns teólogos é mostrar precipitação quanto a tudo isso. Estou convencido, entretanto, que Deus não tem pressa, embora certos textos de prova bíblicos possam ser apresentados que pareçam indicar tal coisa. Há outros textos de prova, como o primeiro capítulo da epístola aos Efésios, que mostram que Deus não tem pressa. A salvação é produto de um complexo e magnificente trabalho de tapeceiro, e não uma xícara de café instantâneo.

A Reencarnação.

Muitos religiosos orientais e alguns poucos teólogos cristãos têm pensado que a reencarnação faz parte dessa questão de um estado fluido da salvação e da perdição. De acordo com esse ponto de vista, um indivíduo, tendo sido salvo, se vier a cair de novo, simplesmente poderá ser enviado de volta para ter outra vida na terra, a fim de renovar seus votos e reentrar no rebanho dos remidos. Quanto àquilo que tenho a dizer sobre essa questão, a favor e contra, ver o artigo geral sobre a *Reencarnação*.

Devo dizer que os pais gregos da Igreja, seguidos pela Igreja Ortodoxa Oriental e pelos anglicanos, tradicionalmente têm favorecido o programa de ampla oportunidade de salvação, preferindo um conceito de estado fluido no tocante à salvação. A Igreja ocidental (católica romana e suas filhas históricas, os grupos protestantes e evangélicos) é que sempre mostrou estar com pressa, presumindo que essa precipitação venha de Deus. Pessoalmente, concordando com a posição da Igreja Oriental quanto a esse particular, chego à conclusão de que, para a maioria das almas, é difícil determinar um destino eterno, em um único período de vida. Pelo menos, não penso que Deus requeira isso. Desse modo, não limito a graça de Deus. Antes, tomo um ponto de vista realista da resistência e hostilidade do homem para

729

LAPSO — LAQUIS

com a graça divina (por causa da radicalidade da queda no pecado), de tal modo que Deus precisa seguir uma estrada *longa*, quando redime a maioria das almas. Deus vence a resistência oferecida por elas, mas sem destruir o livre-arbítrio delas, embora não saibamos explicar de que modo.

Naturalmente, nem todos os crentes concordam com essa posição. Há muitos, como este co-autor e tradutor, que pensam que Deus é poderoso para salvar quem quer que seja em apenas uma vida terrena, vencendo qualquer resistência, por parte das almas, com o poder de seu Espírito e de sua Palavra. Esses escudam-se em passagens como Heb. 9:27,28: «E, assim como aos homens está ordenado morrerem uma só vez e, depois disto, o juízo, assim também Cristo, tendo-se oferecido uma vez para sempre para tirar os pecados de muitos...», trecho esse que ensina uma única oportunidade de salvação, seguida pelo juízo, e ilustrada pelo fato de que também Cristo não precisou morrer segunda vez para salvar aos escolhidos. Entre os cristãos sempre haverá diferenças de pontos de vista, pelo menos enquanto estivermos deste lado da existência. Uniformidade teológica só conseguiremos na própria presença do Senhor, quando todos os mistérios forem esclarecidos, e pudermos ver as coisas conforme também somos vistos. Ver I João 3:2.

2. *Os Sacrificati*. Temos aí um problema histórico. Que poderia ser dito a respeito dos cristãos que se desviaram ao ponto de voltar a sacrificar aos deuses pagãos, sem importar a influência que os levou a esse retorno? Dois problemas estão envolvidos: a. a salvação deles; b. a readmissão deles no seio da Igreja visível, se chegarem a arrepender-se de sua idolatria. Com base no texto de Hebreus, sexto capítulo, alguns estudiosos têm pensado que o desvio de tais cristãos é *irremediável*, e que eles devem ser rejeitados. Mas outros pensam que qualquer pecado pode ser perdoado, sob a condição do arrependimento. As antigas posições dos crentes calvinistas e arminianos não eram diferentes das modernas posições. Muitos cristãos foram forçados a tomar partido, sendo considerados traidores se não aceitassem esta ou aquela posição radical. Porém, devemos reconhecer que o nosso conhecimento é muito parcial, mantendo posição de humildade, sem forçar a quem quer que seja a aceitar pontos de vista.

3. *Os Turificati*. Assim eram chamados aqueles que queimavam incenso aos deuses, após terem-se convertido a Cristo, o que era considerado um crime menos grave do que no caso anterior. Contudo, outros cristãos antigos consideravam que até mesmo isso era um pecado sério. Sabe-se que muitos cristãos foram forçados a oferecer tal incenso, pelas autoridades civis.

4. *Os Libellatici*. Esses eram aqueles que obtinham imunidade contra as perseguições contra os cristãos, mediante favores políticos, suborno, etc. Essas pessoas *enganavam* às autoridades, e assim escapavam da perseguição, ou mesmo da morte e, «oficialmente», participavam do culto imperial, embora não cultuassem, realmente, ao imperador. Quanta culpa deveria ser atribuída a tais atos, quando um homem age em defesa própria, sob circunstâncias prementes?

5. *Os Traditores*. Esses eram os traidores, que entregavam os livros sagrados e os vasos santos da Igreja às autoridades do império, e assim destruíam a base do culto público cristão.

O que fazer diante desses vários casos de *lapso* já deu azo a muita controvérsia entre os antigos cristãos. A opinião e a providência que, finalmente, prevaleceu, é que todos os culpados desses atos poderiam ser readmitidos às igrejas, se fizessem confissão pública de seus pecados e cumprissem os atos apropriados de penitência, evidenciando assim um autêntico desejo de se arrependerem de seus lapsos.

6. *A Aplicação Moderna*. — É claro que, em um sentido espiritual, tudo isso continua sendo praticado por cristãos professos e praticantes. De fato, a adoração nas modernas igrejas evangélicas pode ser considerada corrompida, até mesmo pela música sensual, que não exibe o devido respeito pela dignidade e santidade da Igreja de Cristo. Qualquer lapso, entretanto, é passível de perdão, sob a condição de arrependimento e mudança de atitude e conduta.

LAQUIS

Esboço:

   I. Localização Geográfica
   II. Referências Literárias
   III. Informes Históricos
   IV. A Arqueologia e Laquis

I. Localização Geográfica

Laquis era uma cidade real e fortificada dos cananeus. Ficava nas terras baixas do território de Judá e guardava a estrada principal que levava a Jerusalém. Ficava a quarenta e oito quilômetros a noroeste daquela cidade. Ficava nos sopés da *Sefelá* (vide), mais ou menos a meio caminho entre Jerusalém e Gaza. A antiga localização tem sido identificada como o moderno Tell ed-Duweir, um grande cômoro que cobre cerca de dezoito acres de território, a vinte e quatro quilômetros a oeste de Hebrom e a oito quilômetros a sudoeste de Beit Jibrin. Sabe-se que Laquis, em seu período de maior importância, era maior do que Jerusalém ou Megido.

II. Referências Literárias

Laquis é mencionada por mais de vinte vezes no Antigo Testamento. Algumas instâncias são: Jos. 10:3,5,31-35; 12:11; 15:39; II Reis 14:19; 18:14,17; II Crô. 11:9; 25:27; 32:9; Nee. 11:30; Isa. 36:2; Jer. 34:7; Miq. 1:13. Ela é mencionada por diversas vezes nos tabletes de Tell el-Amarna. Ver sobre *Tell el-Amarna*. Um papiro hierático, dos dias de Tutmés III, menciona Laquis, sob o nome de *Rakisa*. Uma tigela de cerâmica, encontrada no Egito, foi fabricada em Laquis, e traz o nome dessa cidade. Um relevo em uma parede no palácio de Senaqueribe, em Nínive, menciona essa cidade. Essas poucas mas importantes referências a Laquis, de origem egípcia ou assíria, mostram a importância da cidade em relação àqueles poderosos países de então. Os tabletes de Tell el-Amarna mencionam Laquis por cinco vezes (com data entre 1400 e 1360 A.C., aproximadamente). O Egito fez de Laquis uma fortaleza sua, uma espécie de posto avançado para a sua expansão territorial. Esteve envolvida nas intrigas que envolveram os *Habiru* (vide). Outras cidades, leais aos egípcios, escreveram ao Faraó, pedindo ajuda em face da ameaça dos habiru. Uma dessas cartas lança a culpa sobre Jerusalém, Laquis, Asquelom e Gezer, por haverem suprido os habiru com mercadorias e azeite. A peça de cerâmica acima mencionada fala sobre o «rei de Latisa (Laquis)». A inscrição do palácio de Senaqueribe retrata Laquis sob cerco. Outras cenas mostram alguns cativos judeus em marcha, ou sendo espancados e pedindo misericórdia a Senaqueribe. Muitos despojos teriam sido tomados de Laquis, conforme essas cenas gravadas.

III. Informes Históricos

1. Descobertas feitas em cavernas, fora da cidade de Laquis, mostram que essa cidade vinha sendo

Os filhos de Israel cativos pelos assírios em Láquis

LAQUIS

ocupada pelo menos do começo da era do Bronze (cerca de 3000 A.C.).

2. Durante o período dos hicsos, no Egito (cerca de 1720—1550 A.C.), Laquis foi uma fortificação militar.

3. As cartas de Tell el-Amarna afirmam que seu rei ajudou os *habiru* (os hebreus) seminômades, conforme já vimos na segunda seção, acima.

4. As primeiras referências bíblicas informam-nos que Laquis era governada por um rei amorreu de nome Jafia, que formou uma coligação com quatro outros reis amorreus (encabeçada por Adoni-Zedeque, de Jerusalém). Josué derrotou esses cinco aliados em Gibeom. Essa vitória de Josué foi obtida apesar da ajuda oferecida pelo rei de Gezer (Jos. 10:31-33). O ataque durou apenas dois dias. Josué incendiou a cidade (Jos. 11:10-13). A arqueologia demonstra que essa cidade jazeu incendiada em cerca de 1220—1200 A.C., que alguns eruditos associam à vitória de Josué.

5. Laquis tornou-se, então, parte das possessões territoriais da tribo de Judá (Jos. 15:19).

6. Reoboão fortificou a cidade (II Crô. 11:9). Desse modo, Laquis tornou-se um dos quinze centros de defesa que foram construídos para proteger Judá dos ataques dos filisteus e dos egípcios (II Crô. 11:5-12).

7. Amazias, rei de Judá, buscou refúgio em Laquis, quando alguns conspiradores procuraram matá-lo. Mas acabou sendo assassinado nessa cidade (II Reis 14:19).

8. Senaqueribe invadiu Judá, nos dias de Ezequias (701 A.C.). Na ocasião, a primeira coisa que fez foi lançar cerco a Laquis (II Reis 18:13-17). Desse modo, Jerusalém ficou isolada e não pôde receber qualquer ajuda de alguma potência estrangeira, como o Egito. Um cemitério comum, que continha cerca de mil e quinhentos esqueletos, — ilustra essa invasão assíria. Ossos de porcos foram encontrados de mistura com os ossos humanos, o que sugere que os sepulcros dos judeus foram profanados.

9. Cerca de cento e vinte e cinco anos mais tarde, Laquis e Azeca foram os últimos centros provinciais a resistir ao avanço dos exércitos de Nabucodonosor (ver Jer. 34:7). O portão da cidade e a cidadela foram parcialmente destruídos, na mesma época em que Jerusalém era atacada. O golpe final contra Laquis teve lugar em cerca de 589—587 A.C., quando Jerusalém também foi finalmente demolida. As descobertas arqueológicas mostram a grande extensão da destruição sofrida por Laquis, incluindo o incêndio de que já falamos.

10. Após o exílio babilônico, Laquis foi reocupada pelos judeus (ver Nee. 11:30).

11. Em cerca de 400 A.C., uma espaçosa vila persa foi construída no antigo local de Laquis. Entretanto, não parece que Laquis tenha voltado jamais a ser uma cidade importante.

IV. A Arqueologia e Laquis

Nos parágrafos acima, são mencionadas várias descobertas arqueológicas. Abaixo oferecemos uma lista sumária dessas descobertas:

1. Da época do começo da era do Bronze, foram feitas descobertas em cavernas existentes fora das muralhas da cidade, ilustrando algo da vida da cidade, naquela época (cerca de 3000 A.C.). As escavações na própria cidade foram efetuadas pela Expedição de Pesquisas Arqueológicas Wellcome-Marston, entre 1932 e 1938. O diretor da mesma foi James L. Starkey, que, muito tragicamente, foi assassinado por bandidos, em 1938. E seu trabalho foi concluído por Charles H. Inge e Lankester Harding.

As descobertas exibem uma vida primitiva, ilustrada por peças de cerâmica, pilões de pedra, artefatos de bronze e implementos de pedra lascada.

2. Quanto ao período dos hicsos (cerca de 1720—1550 A.C.), os arqueólogos têm mostrado que a cidade era fortificada. Profundos fossos foram cavados em redor das muralhas de Laquis, com essa finalidade, juntamente com elevadas muralhas de tijolos. Um pequeno templo pagão, ali encontrado, ilustra o culto religioso dos finais da era do Bronze (1600—1200 A.C.). Tinha altares para oferecimento de incenso e para sacrifícios de animais. Esse templo é chamado de Templo do Fosso, por haver sido erigido sobre os detritos acumulados sobre o fosso, que lhe ficava abaixo. Esse pequeno templo consistia em uma sala única, equipada com uma mesa de ofertas, um altar para holocaustos defronte da mesa, e um altar de tijolos, com três degraus que levavam ao alto do mesmo. Foram encontrados ossos dos mais diferentes animais, como também de peixes e aves. Os animais, em sua maioria, eram ovelhas, cabras, bois e gazelas. A maior parte de tais ossos era da coxa, a porção que os sacerdotes deveriam receber, de acordo com os estatutos de Lev. 7:32. Não havia estátuas ou ídolos nesse templo, mas foi encontrada uma estatueta de bronze, representando uma divindade masculina, no lado de fora do templo, confirmando assim a natureza pagã do culto que ali se processava. Não se obtém uma idéia exata da adoração dos cananeus, através desse material encontrado, mas parece haver algum paralelismo com o sistema de sacrifícios de animais, dos hebreus.

3. *Várias inscrições* sobreviveram até nós, pertencentes à era do Bronze Posterior. Uma adaga de bronze (de cerca de 1600 A.C.) tinha quatro sinais gravados, como também uma cabeça humana esculpida. Alguns fragmentos de sinais alfabéticos (cerca de 1350—1200 A.C.); uma tampa de incensário, com três inscrições em cor vermelha; uma taça com onze sinais, com figuras de animais; e símbolos religiosos têm sido algumas das mais comuns descobertas ali feitas. Um selo com quatro faces, com o nome de Amenhotepe II (cerca de 1450—1425 A.C.), em um dos lados, e uma representação de Ptá, e oito sinais em um outro lado, foi uma descoberta interessante e curiosa. Parte de um esquife de barro (de cerca de 1200 A.C.) foi encontrada, com alguns sinais hieroglíficos, que foram decifrados. Peças de cerâmica, com inscrições, datam de cerca de 1200 A.C., ou de um pouco mais tarde. A começar em cerca de 800 A.C., inscrições hebréias têm sido encontradas ali, incluindo diversos selos ou impressões de selos, com nomes escritos na antiga escrita dos hebreus (séculos VIII a VI A.C.). Uma dessas inscrições diz: «Pertencente a Gedalias, que está sobre a casa», o que poderia aludir a Gedalias, filho de Aicão, que foi nomeado governador de Judá por Nabucodonosor, para que governasse o remanescente de Judá, que ali ficou durante o período babilônico de Judá (cerca de 587 A.C). Ver II Reis 25:22. Muitas jarras têm sido desenterradas, contendo as mais variadas inscrições. Um altar de pedra, contendo a palavra hebraica para *incenso*, e um outro, com a inscrição *Yah* (forma abreviada de Yahweh), *o Senhor do Céu*.

4. **Cartas de Laquis em Ostraca**. Esses escritos foram descobertos nas escavações que tiveram lugar entre 1935 e 1938. Cerca de vinte cartas, escritas em hebraico antigo, várias das quais datadas de 589 A.C., fornecem valiosas informações sobre os tempos de Jeremias. Essas cartas foram achadas entre o lixo existente em um pequeno depósito de uma das torres

731

LAQUIS — LASA

da porta externa da cidade. Essas cartas ilustram as condições caóticas que prevaleciam em Judá, durante a campanha babilônica de 587 A.C. Questões pessoais sobre as pessoas envolvidas na produção desse material, transparecem nessas cartas, e muita coisa é dita sobre assuntos militares. Uma dessas cartas menciona um profeta cujo nome termina em *iah*, e que poderia ser Urias (Jer. 20:20), ou o próprio Jeremias, ou mesmo alguma pessoa para nós desconhecida. Em uma dessas cartas há o tetragrama sagrado, *YHWH* (*Yahweh*). Ali espera-se que Deus faria algum bem resultar do caos dominante. Quase todas as cartas foram escritas por um homem de nome Hosaías, estacionado em um posto militar avançado e, então, foram enviadas a um homem de nome Jaós, que, ao que tudo indica, era um oficial importante de Laquis.

5. A arqueologia tem demonstrado *a presença de guerreiros citas* em Laquis, no século VII A.C. e, talvez, isso mostre por que razão a cidade não foi imediatamente reconstruída, após a invasão de Senaqueribe.

6. *Manassés* (II Crô. 33:11-14), com a passagem do tempo, reedificou as defesas de Laquis. Uma nova muralha de pedra substituiu a muralha interior, e outras fortificações foram construídas (cerca de 690 A.C.).

7. Pela época de Jeoaquim, a cidade havia recuperado sua capacidade anterior de defesa. Porém, há evidências de que ela foi novamente destruída por duas vezes, no século VI A.C. Na primeira dessas duas vezes, a destruição foi aquela causada pelo exército babilônio. Um segundo ataque, em 587 A.C., concluiu a destruição.

8. Laquis ficou praticamente abandonada de 586 a 450 A.C. Há algumas evidências arqueológicas de que havia ali uma modesta vila persa, em cerca de 400 A.C. O lugar foi reocupado pelos judeus, após o retorno do exílio babilônio (ver Nee. 11:30), mas nunca mais foi lugar importante.

9. *Níveis de exploração arqueológica*, distinguidos no cômoro da antiga cidade de Laquis:

Nível VIII — 1567—1450 A.C.

Nível VII — 1450—1350 A.C.

Nível VI — 1300—1225 A.C. (era do Bronze Posterior)

Um hiato na história, séculos XII e XI A.C.

Nível V — Dias de Davi e Reoboão, 1000—900 A.C.

Níveis IV e III — 900—700 A.C.

Nível II — 700—586 A.C.

Um hiato na história, quando a área foi abandonada.

Nível I — 450—150 A.C.

Bibliografia. AM E FIN HAU ND Z

LARES

Ver o artigo separado sobre **Religiões Romanas**. A palavra latina *lar* refere-se à «lareira», e, por extensão, ao «lar». A raiz original da palavra parece ter significado «senhores», aludindo aos muitos deuses do panteão romano. A forma plural, lares, veio a referir-se, com o tempo, aos deuses domésticos. A doutrina dos lares, pois, tornou-se muito complexa, havendo muitos tipos de lares. Os intérpretes mais antigos supunham que os lares eram os fantasmas deificados dos mortos, que personificavam as energias vitais e os poderes misteriosos do além-túmulo. Isso pode indicar um certo aspecto da verdade, visto que o *animismo* (vide), provavelmente, é a mais antiga das

religiões do mundo. Esses deuses não permaneceriam no lar, porquanto esses «lares», segundo se acreditava, vieram a ter muitas manifestações em todos os segmentos da sociedade, conforme mostramos abaixo:

1. *Lares domestici* (deuses domésticos). Alguns estudiosos pensam que o vocábulo latino *lar* originalmente não significa a «lareira» ou o «lar», mas que veio a adquirir tal sentido quando os deuses se tornaram ídolos domésticos. Talvez os ídolos postos sobre a lareira tenham dado a essa estrutura o nome de *lar*, no latim. De acordo com um de meus professores de latim, o português é o único idioma romance que preservou a palavra «lar» para indicar a residência, o lar, a casa. Não sei quão exata é essa observação.

As imagens dos deuses domésticos eram feitas de madeira, de pedra ou de metal. Eram dirigidas preces a esses ídolos, geralmente em horários regulares, isto é, pela manhã, antes das refeições, à noite, em eventos familiares especiais, como os aniversários, os casamentos e os falecimentos. O culto envolvia sacrifícios oferecidos aos *lares*. Os romanos davam grande importância ao culto doméstico, e essas imagens desempenhavam um importante papel nesse culto. Usualmente, essas imagens representavam figuras humanas.

2. *Lares compitales*. Esses eram espíritos guardiães das encruzilhadas e, geralmente, tinham santuários nesses pontos. Sacerdotes e festividades serviam a tais divindades.

3. *Lares hostilii*. Esses eram divindades que tinham por incumbência defender o Estado.

4. *Lares militares*. Esses eram divindades que defendiam os soldados.

5. *Lares permarini*. Esses eram os guardiães dos marinheiros e dos que viajavam por via marítima.

6. *Lares praestites*. Eles eram os guardiães das terras públicas e do Estado. Esse culto consistia em cerimônias elaboradas, efetuadas em santuários. O templo principal ficava na Via Sacra, perto da colina Palatina, em Roma. Moedas mostram cenas com Rômulo e Remo, os irmãos gêmeos, que teriam fundado a cidade de Roma. Eles seguram uma lança e estão sentados ao lado de um cão, símbolo da vigilância. Moedas cunhadas posteriormente também mostram ali o imperador. Augusto foi o primeiro imperador a ser assim retratado. Ele queria ser considerado o segundo fundador de Roma.

7. *Lares rurales* (ou *rustici*). Essas divindades eram concebidas como guardas das fazendas e áreas rurais e, supostamente, interessavam-se pelo bem-estar dos animais.

8. *Lares salutares*. Esses eram os defensores da saúde das pessoas.

9. *Lares semitales*. Esses guardavam as estradas e as veredas.

10. *Lares viales* (ou *viatorii*). Esses eram os guardiães dos que viajavam pelas estradas.

11. *Lares victores*. Essas eram as divindades que dariam a vitória na guerra. Ver o artigo geral sobre a *Idolatria*. (AM E OS)

LARGURA DA MÃO

Ver **Pesos e Medidas**.

LASA

Esse nome deriva-se de uma palavra hebraica que parece significar «irrompimento». Talvez o nome

Carta de Láquis
Cortesia, Matson Photo Service

LASALLE — LATÃO

refira-se às águas que irrompiam de um manancial, borbulhando. Era o nome de uma cidade que assinalava um ponto fronteiriço do território dos cananeus (ver Gên. 10:19, único trecho bíblico que menciona essa cidade). Desconhece-se atualmente a sua localização, embora várias identificações tenham sido sugeridas, como Callirrboe, a leste do mar Morto, onde há muitas fontes termais. Outros estudiosos têm pensado em Lusa ou Elusa, mais ou menos eqüidistante do mar Morto e do mar Vermelho. — A história informa-nos que Herodes foi até ali por razões de saúde, a fim de banhar-se nas águas termais da localidade. Esse lugar ficava localizado no que agora se conhece por wady Zerka Ma'in.

LASALLE, FERDINANDO

Suas datas foram 1825-1864. Ele obteve a reputação de ser importante filósofo da história. Ver o artigo intitulado *Filosofia da História*. Nasceu em Breslau, na Alemanha. Educou-se em Breslau e em Berlim. Sua abordagem geralmente era hegeliana. Ver sobre *Hegel*. Sua tríada da história consiste em: 1. Solidariedade sem liberdade (representada na história antiga e feudal). 2. Liberdade sem solidariedade (representada na história desde o ano de 1789). 3. Liberdade com solidariedade (representada na história como um alvo a ser atingido idealmente). Ele acreditava que esse alvo ideal pode ser obtido quebrando-se o poder daqueles que manipulam todo o dinheiro, através da organização e funcionamento de associações de trabalhadores, que participam das riquezas, e não apenas da produção de outras pessoas. Ele também ensinava que o Estado tem a responsabilidade de estabelecer e promover tais associações, financiando-as. Todos os trabalhadores deveriam ter o direito ao voto, para serem capazes de vencer aos capitalistas em número de votos. Na Alemanha, uma associação dessa ordem foi organizada por Lasalle, e ele devotou a ela os últimos anos de sua vida. E essa organização veio a tornar-se genitora do nazi-socialismo alemão!

Obras. The Philosophy of Heraclitus the Dark of Ephesus; The System of Acquired Rights; The Worker Program, e muitos artigos e ensaios.

LA SALLE, JOÃO BATISTA DE (SANTO)

Suas datas foram 1651-1719. Ele foi um padre católico romano, fundador do Instituto dos Irmãos da Escola Cristã, em Rheims, na França, em 1648. Em vista de seus brilhantes esforços no campo das instituições e da reforma educacional, ele tem sido chamado de Pestalozzi da França. Ver sobre *Pestalozzi, J. H.*

LASAROM

No hebraico, «pertencente a Sarom». Por sua vez, *Saron* significa «planície». Esse era o nome de uma cidade cananéia, localizada a oeste do rio Jordão, que Josué foi capaz de capturar (Jos. 12:18). A Septuaginta (vide), diz nessa passagem: «o rei de Afeque (que pertence) a Sarom», o que, talvez, corresponda ao texto original. Nesse caso, a palavra em questão não se refere a qualquer cidade, mas seria meramente parte da frase que fala sobre o rei de Afeque. Essa declaração, pois, distinguiria o rei de Afeque dos outros reis, mediante a localidade onde exercia a sua autoridade, isto é, Sarom.

••• ••• •••

LASCÍVIA

Ver o artigo geral sobre os **Vícios**. Essa palavra portuguesa vem do termo latino *lascivia*. Sua raiz é *lascivus*, «esportivo», «sensual». Esse termo aponta para todas as variedades de pecados e atitudes sexuais. A palavra grega correspondente é *asélgeia*, que ocorre por dez vezes no Novo Testamento: Mar. 7:22; Rom. 13:13; II Cor. 12:21; Gál. 5:19; Efé. 4:19; I Ped. 4:3; II Ped. 2:2,7,18; Jud. 4.

Platão e os escritores áticos usavam essa palavra para indicar a licenciosidade e a violência libertina. Em sua forma adjetivada, a palavra pode significar «ultrajante». Josefo (*Guerras* 1:22,3) usou a palavra dessa maneira. Aparentemente, a raiz grega da palavra era *thélgo*, que significa «enganar», «armar ardil». Pode ser significativo que o trecho de Gál. 5:19, onde há uma longa lista de vícios, faz seguir a palavra grega *asélgeia* pela palavra grega *pharmakeía*, «feitiçaria», pouco adiante. Porém, nas outras menções da palavra há alusão a alguma forma de sensualidade. O uso dessa palavra grega, nos papiros, ilustra o fato de que esse vocábulo podia ter a idéia de linguagem e de atos abusivos. Nas várias listas de vícios do Novo Testamento, os pecados sexuais quase sempre são mencionados em primeiro lugar, talvez porque dentre todos os problemas enfrentados pelas pessoas, esses pecados sejam os mais difíceis de controlar.

LASÉIA

Desconhece-se a derivação da palavra grega por detrás dessa transliteração. Esse era o nome de uma cidade da ilha de Creta, próxima de Bons Portos, mencionada em Atos 27:8. O nome continua sendo aplicado a certas ruínas a poucos quilômetros a leste daquele local. Paulo parou ali em sua última viagem a Roma, quando, como prisioneiro, para ali era levado a fim de apelar a César. Virtualmente nada se conhece sobre a história dessa cidade. Talvez seja a localidade mencionada por Plínio, o Velho, em sua *História Natural* (4:12,59), onde a chama de *Lasos*. Essa era uma das muitas cidades importantes da ilha de Creta. Plínio revela-nos que Creta tinha nada menos de cem cidades importantes.

LATÃO

No hebraico temos quatro palavras muito parecidas, *nachush, nechusah, nechash* e *nechoseth*, todas elas com o mesmo sentido de «latão». A primeira aparece somente em Jó 6:12. A segunda figura por dez vezes; por exemplo: Lev. 26:19; Jó 28:2; 41:27; Isa. 45:2. A terceira ocorre por nove vezes; por exemplo: Dan. 2:32,35. Essa palavra só ocorre no livro de Daniel. E a quarta ocorre por cento e trinta e nove vezes; por exemplo: Gên. 4:22; Êxo. 25:3; 26:22; 38:29; Núm. 21:9; Deu. 8:9; Jos. 6:19; I Sam. 17:5; II Sam. 8:8; I Crô. 15:19; Sal. 107:16; Isa. 60:17; Jer. 7:28; Eze. 1:7; Zac. 6:1.

No grego, a palavra é *chalkós* e *chalkolíbanon*, «latão» e «bronze polido», respectivamente. A primeira aparece em Mat. 10:9; Mar. 6:8; 12:41; I Cor. 13:1; Apo. 18:12. A segunda figura em Apo. 1:15 e 2:18.

O latão é uma liga de cobre e zinco, com a mistura de outros metais, como o chumbo e o estanho, um tanto mais tendente à correção e às manchas do que o bronze (que vide). Seu ponto de fusão é entre 858 e 1050 graus centígrados, dependendo do conteúdo de zinco, que baixa o ponto de fusão. O latão de cerca de 1500 A.C. compunha-se de cerca de 23 por cento de zinco e 10 por cento de estanho. No começo,

LATÃO — LATIMER

obtinha-se o latão aquecendo o cobre ao fogo de carvão-de-pedra e de carbonato de zinco, um mineral que se sabe ter existido nas antigas minas de prata de Laurion, na Grécia. O uso do latão antecede aos dias do Antigo Testamento. Ver as referências em Núm. 21:9; I Reis 7 e Êxo. 26:11, onde as traduções dão latão ou bronze. É mesmo possível que algumas das primeiras referências bíblicas na realidade indiquem o cobre. O bronze é a liga de cobre com o estanho. Alguns intérpretes duvidam da existência do verdadeiro latão nos tempos bíblicos, pensando que sempre devemos pensar no bronze ou no cobre. Ver sobre *Bronze* e *Mineração de Metais*.

Usos Figurados. 1. Ignorando a distinção entre o latão e o bronze, a palavra hebraica pode indicar a obstinação pecaminosa (Isa. 48:4; Jer. 6:28). 2. Força (Sal. 107:16; Isa. 48:4; Miq. 6:13). 3. Um forte e duradouro oponente (Jer. 1:18; 15:20). 4. O império macedônico (Dan. 2:39), provavelmente referindo-se ao fato de que quase todas as armas, na antiguidade, eram feitas de bronze, pelo que a Macedônia representava muita guerra e destruição. 5. Montes de bronze, em Zac. 6:1, indicam os decretos de Deus que governam a terra. (Ver Sal. 36:6). 6. Os pecadores empedernidos são comparados ao latão, ao estanho, ao chumbo e ao ferro, a fim de ser denotada a sua imprudência e persistência no pecado (Isa. 48:4; Jer. 6:28; Eze. 22:18). (G ID LAN S)

LATERANOS (CONCÍLIOS)

Ver os artigos intitulados *Concílios Lateranos* e *Concílios Ecumênicos*.

LATIM

Essa palavra vem de **Latinus**, que significa «do Lácio». Essa era uma região e um antigo país na porção central da península italiana, onde residiam os latinos originais. Dentro do grupo de línguas indo-européias, os idiomas mais próximos do latim eram aqueles também falados na Itália, ou seja, o *falisco*, o *osco-umbriano* e o *venético*. Essas línguas, juntamente com o latim, originalmente faziam parte de um subgrupo de línguas indo-européias, que poderíamos chamar de *itálicas*. Foi o latim que sobreviveu na história, mediante um processo de eliminação. E, então, o próprio latim tornou-se a mãe de um grande número de idiomas, atualmente chamadas de línguas romances. Fora da Itália, as línguas aparentadas mais próximas são os idiomas celtas e germânicos. As similaridades com o grego também são consideráveis, sugerindo um prolongado contacto entre o latim e o grego. Ver o artigo separado sobre *Língua*, segunda seção, *Línguas Indo-européias*, quanto à posição do latim dentro dessa grande família de idiomas, as línguas indo-européias.

O latim era usado pelos antigos romanos, e disseminou-se largamente por toda a Europa ocidental. Com a passagem do tempo, a principal agência dessa disseminação foi a Igreja Católica Romana. Na antiguidade, antes e ainda algum tempo depois de Cristo, o latim era a segunda língua franca do império romano, perdendo em importância somente para o grego. Mas, em tempos posteriores, tornou-se a primeira língua franca daquela vasta região, mormente como o grande veículo da teologia, do culto religioso e das ciências. Sua influência sobre as línguas modernas é incalculável.

Nos tempos do Novo Testamento, essa era a língua oficial do império romano, e também era usada extensamente na província da Judéia, em atos e documentos oficiais. No entanto, nessa época, o grego era mais universal, por ser a língua do comércio e da filosofia. Na Palestina, o aramaico era a língua falada mais popular, chegando mesmo a dominar inteiramente nas áreas rurais. Porém, nas cidades havia uma generosa mistura do aramaico com o grego. — Com base nessas circunstâncias, podemos compreender a acusação assacada contra Jesus, afixada à sua cruz, escrita em hebraico, latim e grego (Mat. 27:37; Luc. 23:38).

A palavra *latim* acha-se por duas vezes no Novo Testamento, em Luc. 23:38 e em João 19:20, onde temos a transliteração para o grego, *romaikos*. Existe um total de vinte e cinco palavras de origem latina, no Novo Testamento grego, além de um número bastante grande de nomes próprios, incluindo o de Paulo (no latim, *Paulus*). Outras palavras são *charta, census, centurio, colonia, custodia, denarius, forum, flagellum, grabbatus, legio, lenteum, libertini, lolium, praetorium, quadrans, macellum, membrana, modius, raeda, semicinctium, sicarius, speculator, sudarium, taberna, titulus* e *zizanium*.

LATIM ECLESIÁSTICO

Durante muitos séculos, a Igreja Católica Romana achou conveniente usar o idioma latino em suas missas, documentos oficiais escritos, etc. Essa tem sido a língua oficial e internacional dessa organização religiosa. Quanto à função, o latim eclesiástico deve ser diferenciado do latim clássico, embora não lhe seja inferior quanto à qualidade. Através dos séculos tem havido uma adaptação ao desenvolvimento do vocabulário, de acordo com as funções administrativas e as necessidades literárias, visando propósitos especiais. O Concílio Vaticano II, porém, livrou a missa da necessidade do uso do latim, para grande consternação dos católicos romanos conservadores.

LATIMER, HUGH

Suas datas foram 1485-1555. Ele foi um reformador protestante inglês. Latimer nasceu em Thurcaston, Leicester, na Inglaterra, e faleceu como mártir, por ordem da rainha Maria Tudor, em Oxford, a 16 de outubro de 1555. Morreu juntamente com o bispo Ridley, igualmente martirizado. Quando a fogueira estava a ponto de ser acesa, Latimer gritou para Ridley: «...neste dia acenderemos uma chama tal que, pela graça de Deus, na Inglaterra nunca será apagada, segundo confio».

Latimer recebeu uma boa educação. Ele recebeu o grau de mestre, em Cambridge e, então, tornou-se sacerdote. Mas, através da influência de seu amigo, Thomas Bilney, converteu-se à causa protestante. As autoridades olhavam para Latimer com preocupação. Para começar, ele se recusava a pregar contra Martinho Lutero. As obras de Lutero haviam sido proibidas na Inglaterra, e Latimer pôde asseverar, em sua defesa, que não as havia lido. Naturalmente, ele conhecia a substância dos escritos de Lutero, com eles concordava em princípio. Um exame a que foi submetido, perante os capelães do cardeal Thomas Wolsey resultou em sua liberdade para pregar. Porém, por volta de 1529, havia caído sob as suspeitas das autoridades. Deu apoio a Henrique VIII em seu divórcio, e muitos clérigos ficaram insatisfeitos diante disso. Ele era um pregador poderoso, entregando sermões incisivos, que eram muito eficazes entre o povo comum. Embora desfrutando do favor real, caiu no desprazer de muitos, quando se recusou a aceitar o Ato de Seis Artigos, que fazia a negação da transubstanciação, da confissão auricular e do celibato clerical, crimes puníveis com a pena capital.

LATIMER — LATRINA

Latimer tornou-se arcebispo de Worcester, em 1535, mas resignou ao ofício em 1539, por causa do Ato de Seis Artigos, acima mencionado. Começou a sofrer uma série de aprisionamentos. Depois, tornou-se o pregador da corte, durante o reinado de Eduardo, quando então passou a exercer vasta influência na Inglaterra, em favor do pensamento protestante. Sua pregação, porém, não se limitava apenas às questões eclesiásticas e teológicas. Também criticava com destemor as autoridades eclesiásticas e os males sociais e governamentais. Continuou em segurança enquanto Eduardo Seymour esteve no trono. Mas, quando Maria Tudor, uma católica romana, subiu ao trono, ele compreendeu que seu tempo estava terminando. Maria Tudor subiu ao trono em 1553. Apesar de Latimer ter podido fugir e escapar à detenção, não o fez. É assim, foi encarcerado na Torre de Londres. Foi removido para Oxford, onde teve de enfrentar várias acusações de heresia. Juntamente com ele, Nicholas Ridley, bispo de Rochester, e Thomas Cranmer, arcebispo de Canterbury, foram citados para comparecerem ao julgamento. Ele e Ridley foram condenados e, subseqüentemente, foram executados na fogueira. Cranmer foi forçado a ser testemunha do martírio dos dois, e, então, foi forçado a retratar-se por seis vezes em seguida. Em 1556, porém, renegou sua retratação, e também foi executado na fogueira, naquele mesmo ano. Cranmer morreu heroicamente, para dizermos o mínimo. Manteve sua mão direita (aquela com a qual assinara suas retratações) nas chamas, até vê-la consumida pelo fogo. Não sabemos dizer como criaturas humanas são capazes de atos tão heróicos, mas, de alguma maneira, as crises profundas produzem grandes feitos de coragem. Ver o artigo separado sobre *Cranmer*. É com Cranmer que a Igreja da Inglaterra reivindica a sua idéia de sucessão apostólica (vide). (AM E P)

LATITUDINÁRIOS

Esse foi o nome de um movimento de eruditos e clérigos anglicanos, no século XVII, assim apelidados por seus oponentes. Eles se originaram na chamada *Igreja Baixa* (vide). Ver os artigos separados sobre *Comunhão Anglicana* e *Episcopalismo*. A Igreja Baixa é o segmento menos formal da Igreja Anglicana, e, em muitos aspectos, parece-se muito com os batistas, excetuando que preferem a forma episcopal de governo eclesiástico. De fato, os batistas originaram-se da Igreja Baixa Anglicana. Seja como for, o movimento latitudinário originou-se dessa porção da Igreja Anglicana. Eles ensinavam o princípio da *compreensão*, e não meramente a tolerância, em nosso trato com outras pessoas e seus credos. O que almejavam era uma maior *latitude*, evitando assim os extremos promovidos por outros sistemas, como o calvinismo rígido, com sua estreiteza de visão e sua ausência de sentimentos, no tocante à esmagadora maioria da humanidade, ou como o rígido catolicismo romano, com seus dogmas todo-poderosos e sua intolerância. O apelido «latitudinários» foi dado, inicialmente, aos anglicanos que se ajustaram aos acordos eclesiásticos de Cromwell. Mas o grande período deles começou em 1688, sob a liderança do arcebispo Tillotson (1630—1694).

Os escritos de Chillingworth (1602—1644) também foram muito importantes dentro desse movimento, tal como o platonismo de Whichcote (que faleceu em 1683). O movimento também incluía anglicanos pendentes para o *arminianismo* (vide) e para o *platonistas de Cambridge* (vide). Eles foram os precursores de um racionalismo mais radical, que

surgiu no século seguinte (século XVIII). E também anteciparam, em certo sentido, o movimento do liberalismo, no seio da Igreja. Eles foram os genitores espirituais do que se tornou conhecido, posteriormente, por Igreja Ampla da Comunhão Anglicana. Arthur Penrhyn Stanley e Thomas Arnold foram importantes figuras entre os últimos representantes dessa atitude. Sem importar o que pensemos sobre algumas das posições doutrinárias desses homens, a grande verdade da necessidade dos primeiros, *tolerância*, e então *compreensão*, é algo que muitos cristãos da atualidade recusam-se teimosamente a aprender, provindo daí muitos conflitos, ódio, atitudes preconcebidas e divisões, tudo o que é muito mais destrutivo para a Igreja do que diferenças de opinião doutrinária. Ver outros detalhes no artigo intitulado *Eclesiásticos Latitudinários*. (AM B E F)

LATOEIRO

No grego, **chalkeús**. Provavelmente era uma palavra de uso bastante geral, incluindo ferreiros, latoeiros e trabalhadores em metal em geral. Essa palavra aparece somente em II Tim. 4:14. O termo grego *chalkós*, «cobre», também podia indicar o bronze e o metal amarelo, mas a referência em Deu. 8:9 certamente está em vista o cobre. Na época de Salomão, Hirão, de Tiro, sabia trabalhar muito bem com o bronze. O metal era muito procurado para ser usado em edificações, ídolos e o fabrico de todas as variedades de vasos e utensílios. Paulo mencionou um certo Alexandre, um latoeiro, que muito dano lhe fizera (II Tim. 4:14). No que concerne a detalhes sobre esse ofício, além de outros, ver o artigo sobre *Artes e Ofícios*.

LATRIA

Esse termo vem do grego, **latreía**, que, originalmente, significava «serviço» e «adoração» prestados aos deuses, embora também pudesse ter o sentido geral de qualquer tipo de serviço e culto. A forma verbal, *latreuo*, significava «trabalhar por um salário», «servir», e até mesmo «ser escravizado». De fato, *latreuma* era uma palavra grega para *escravidão*, e até hoje, no grego moderno, *latréia* significa «adorar», «cultuar».

Dentro do vocabulário teológico, *latria* veio a indicar aquela adoração que deve ser prestada, exclusivamente a Deus, ao passo que a veneração prestada à Virgem Maria é referida como *dulia* (que vem do grego *douleía*, «serviço»). Encontramos aqui uma outra palavra grega que significa escravo, *doûlos*. Seja como for, os teólogos católicos romanos dizem que a *dulia* é um tipo inferior de adoração em relação à *latria*, pelo que a *dulia* poderia ser apropriadamente conferida a Maria, aos santos e aos anjos, contanto que seja evitada a *latria*, nesses casos. Os protestantes e evangélicos rejeitam todas essas distinções como mera questão de palavras, como um abuso contra a questão inteira da adoração. De fato, vêem nessas práticas uma forma velada de *idolatria*. Uma possível solução seria reduzir toda dulia e veneração a mero *respeito*, reservando qualquer forma de adoração e veneração exclusivamente a Deus.

LATRINA, LUGAR ESCUSO

No hebraico, *motsaoth*, palavra usada somente por uma vez, em II Reis 10:27. No grego, *aphedrón*, «assento externo», «latrina». Palavra grega usada somente em Mat. 15:17 e Mar. 7:19, e que nossa

LAUD — LAVAGEM CEREBRAL

versão portuguesa traduz por «lugar escuso», uma tradução possível dessa palavra, sinônimo de «assento externo».

Alguns têm dito que uma das maravilhas do mundo moderno é o sistema de esgotos da cidade de Chicago, nos Estados Unidos da América. A arqueologia tem mostrado algumas tentativas muito respeitáveis de criação de um sistema de esgotos, nos tempos antigos. Porém, quase sempre se praticava o sistema de fossas, o que se verifica até hoje, em muitas nações ao redor do globo. Por mais primitivo que isso seja, ainda é melhor do que lançar os dejetos, por meio de tubulação, nos rios, sem qualquer tratamento, conforme se verifica na maioria das cidades interioranas do Brasil.

Ao expurgar de Israel a adoração a Baal, Jeú primeiramente derrubou o templo a ele dedicado, e então converteu o lugar em uma latrina (II Reis 10:27). O simbolismo assim tencionado é óbvio. Era a pior profanação possível. Os trechos de Esd. 6:11 e Dan. 2:5 falam em um «monturo», algumas vezes usado para indicar um lugar onde se acumulava esterco de animais, embora também pudesse ter o sentido de latrina. Ver também Isa. 24:10 e Lucas 14:35. Ver o artigo sobre *Estrume*.

LAUD, WILLIAM

Suas datas foram 1573-1645. Ele foi um eclesiástico inglês que, antes da Igreja da Inglaterra tornar-se uma espécie de unidade separada e independente, entre o catolicismo romano e o protestantismo, promovia a causa da Igreja Católica Romana na Grã-Bretanha e procurava impor seus pontos de vista e suas práticas mediante a força. Primeiro ele foi bispo de Londres, — e, então, arcebispo de Canterbury. Durante os dias perturbados da monarquia Stuart, sendo ele arcebispo, mostrou-se leal aos princípios católicos romanos e se opôs aos puritanos e aos calvinistas. Sua política de força criou mais dificuldades para a Inglaterra, e para ele mesmo, do que conseguiu resolver. Finalmente, foi impedido, foi julgado por motivo de traição e foi executado a mando do parlamento inglês, em algum tempo entre 1640 e 1645.

Laud é melhor lembrado como defensor da causa católica romana na Igreja Anglicana. Ele publicou uma *Apologia* em defesa de seus pontos de vista, que foi a sua produção literária mais importante. Sua perseguição contra os puritanos foi uma das causas primárias da Guerra Civil Inglesa; e foi principalmente em face de suas imposições que vinte mil emigrantes uniram-se às colônias puritanas da Nova Inglaterra (posteriormente, parte nordeste dos Estados Unidos da América do Norte). Ele ilustra aquela atitude de intolerância que tem sido uma das pragas constantes da cristandade. Ver o artigo sobre *Tolerância*.

LAUDES

Essa palavra vem diretamente do latim, **laudes**, «louvor». Faz parte da liturgia católica romana. Consiste em cânticos de louvor, que fazem parte do sistema das *Horas Canônicas* (vide). Normalmente, esses cânticos são entoados por um coro, imediatamente após as *matinas* (vide). Esse nome deriva-se do uso que a tradução latina da Vulgata faz da palavra *laudate* para designar os Salmos 148—150. Esses salmos começam com a palavra *Aleluia!* (transliteração do hebraico, que significa «Louvai a Yah», ou seja, «Louvai ao Senhor»). E, no latim, essa palavra é *laudate*.

LAVABO

Essa palavra significa, no latim, «lavarei». Trata-se da primeira palavra do trecho de Salmos 25:6-12 (em nossa versão portuguesa, Sal. 26:6-12, «Lavo»): «Lavabo inter innocentes manus meas». O celebrante da missa católica romana profere essas palavras após ter lavado e enxugado seus dedos, após o ofertório da *missa* (vide). Por essa razão, a própria cerimônia é chamada de *lavabo*. Esse ato originou-se da necessidade prática de limpar os dedos, após o manuseio do oferecimento de pão, frutas, etc. É o ato acabou assumindo funções litúrgicas, simbolizando o caráter sagrado dos mistérios e a reverência com que os adoradores católicos romanos deveriam aproximar-se desses elementos, de coração limpo e puro.

LAVAGEM

Ver sobre **Ablução**.

LAVAGEM CEREBRAL

Consiste em tortura física e mental, uma espécie de violência mental que tem o propósito de destruir o «eu» psíquico de um indivíduo, com suas idéias, a fim de substituí-las por um novo código de crenças e atos. — Embora haja menção a vários métodos de lavagem cerebral, através da história, como um instrumento utilizado por homens cruéis, tornou-se um artifício mentalmente conhecido quando dos expurgos comunistas soviéticos, — em 1936, antigos elementos bolchevistas confessaram, através desse processo, que se tinham tornado traidores do bolchevismo, — que, por tanto tempo vinham servindo.

Lavagens cerebrais também foram empregadas pelos nazistas, durante a Segunda Guerra Mundial, para conseguir confissões de traição por parte de elementos leais ao regime, embora inconvenientes. Os comunistas de pós-guerra usaram o processo para extrair confissões falsas, como no caso do cardeal Mindszenty, da Hungria. Os comunistas chineses também lançaram mão do método durante a Guerra da Coréia. Muitos militares norte-americanos declararam que preferiam permanecer na Coréia, obviamente vítimas da lavagem cerebral. Alguns deles, posteriormente, puderam voltar às funções psíquicas normais, com a plena restauração de seus antigos sistemas de crenças.

O processo. 1. Assalto à identidade da pessoa, através de interrogatórios e formas de abuso mental e físico. 2. Estabelecimento do senso de culpa. O prisioneiro é levado a sentir que é apenas um criminoso. 3. Autotraição. O prisioneiro denuncia seus amigos, sua família e sua pátria, tornando-se psicologicamente dependente de seus captores, a interesse da sobrevivência. 4. Um *ponto crucial* é atingido mediante total conflito e medo básico, baseados na ameaça de aniquilamento, provocada pela tortura e pela tensão mental e física. A essa altura, muitos sofrem ilusões, alucinações e têm pensamentos suicidas. 5. Afrouxamento da tensão e oportunidade, que é uma isca para atrair a total mudança de atitudes. 6. Então vem a confissão, pois agora a vítima é um transgressor arrependido, sendo perdoado e sendo absorvido por uma nova vida. Agora ele é um imperialista culpado que busca renovação. 7. Reeducação. Precisa dedicar-se a uma nova causa. 8. A vítima passa a agir em grande cooperação com os seus captores. 9. O reeducado faz sua grande confissão purificadora. 10. Em seguida, é considerado renascido, sendo exortado a dedicar todas as suas antigas aptidões à nova causa, o

LAVAGEM DOS PÉS — LAVA-PÉS

comunismo. Foi assim forçado a converter-se ao comunismo, sua nova religião. 11. Então é solto como missionário do comunismo, tornando-se livre para retornar à sua pátria de origem. Usualmente, isso provoca uma nova crise de identidade.

Aqueles que têm resistido às técnicas opressivas da lavagem cerebral geralmente são pessoas dotadas de firmes convicções religiosas e/ou políticas. Palavras chaves nessa resistência são oração, fé e convicção. Crentes sujeitados a essa tortura têm apelado para as Escrituras que conhecem, repetindo-as para si mesmos, como uma ajuda especial. A lavagem cerebral é uma forma de violação e homicídio, empregada por indivíduos de natureza depravada e abusiva. (H)

LAVAGEM DOS PÉS
Ver **Lava-Pés.**

LAVANDEIRO
Ver o artigo geral sobre *Artes e Ofícios*, em seu quarto ponto, intitulado, *Alguns Ofícios Específicos*. h. *Os Lavandeiros*.

LAVANDEIRO, CAMPO DO
Um lugar próximo da cidade de Jerusalém (II Reis 18:17; Isa. 36:2; 7:3), bastante próximo das muralhas da cidade, de tal modo que quem ali dialogasse, seria ouvido do alto das muralhas (II Reis 18:17,26). Ali havia um poço que, provavelmente, deve ser identificado com o moderno Birket-el-Mamilla, no começo do vale do Hinom, a oeste do portão de Jafa. Era ali que os lavandeiros lavavam e alvejavam roupas.

LAVANDEIROS; POTASSA DOS
Os lavandeiros precisavam usar poderosos agentes limpadores e embranquecedores, a fim de obterem os resultados desejados. O trecho de Malaquias 3:2 usa essa circunstância em sentido figurado, para referir-se aos efeitos purificadores da vinda do Messias. Ver o trecho de Marcos 9:3 que fala sobre a glória da transfiguração de Jesus Cristo. Esse texto emprega a metáfora das vestes embranquecidas. Havia uma lixívia natural, extraída de certas plantas de origem asiática como a *Mesembrianthemum cristallinum*, a *Salicornia solacea*, a *Salsala kali*, e outras. Essas plantas eram reduzidas a uma massa pastosa, mediante o processo da queima, tornando-se um poderoso sabão, quando misturado com óleo de oliveira.

LAVA-PÉS
Esboço:
    I. No Contexto Bíblico
    II. Cerimônia ou Ordenança do Lava-pés
    III. Argumentos Contrários e Favoráveis à Obrigação do Lava-pés na Igreja
    IV. Significação da Cerimônia do Lava-pés

I. No Contexto Bíblico
João 13:5: *Depois deitou água na bacia e começou a lavar os pés aos discípulos, e a enxugar-lhos com a toalha com que estava cingido.*

Essa declaração mostra-nos que, contrariamente ao costume comum do lava-pés, que observa essa cerimônia antes do começo da festa ou Ceia do Senhor, Jesus realizou o ato algum tempo depois do começo da mesma. Esse serviço — a lavagem dos pés

dos convivas — comumente era efetuado pelos escravos, e certamente jamais era feito pelo anfitrião, posição essa que Jesus, mui naturalmente, ocupava durante a festa da páscoa com seus discípulos. Na ausência de escravos, entretanto, essa ação mui naturalmente cabia ao membro mais humilde do grupo festivo, e certamente não ao de maior honra.

Alguns estudiosos acreditam que a disputa relacionada com as circunstâncias da festa da páscoa, conforme se verifica no vigésimo segundo capítulo do evangelho de Lucas, talvez tenha sido provocada em parte pela necessidade de nomear um dos discípulos para cuidar dessa questão da lavagem dos pés dos convidados, e nada seria mais natural pensarmos que nenhum deles tenha querido aceitar a incumbência, especialmente em face do fato de que se preocupavam muito mais com qual deles porventura seria o maior personagem, uma vez que Jesus se estabelecesse firmemente no trono político que os discípulos esperavam que ele ocuparia, em harmonia com as expectações judaicas sobre o Messias, que era por eles reputado como figura política que livraria de vez o povo de Israel de todos os seus inimigos e dominadores.

Para a lavagem dos pés dos convidados, os escravos costumavam tirar a sua veste mais externa, para em seguida se cingirem com uma toalha em torno da cintura, a fim de tê-la à mão, chegado o momento de enxugar os pés dos convidados, à proporção que os iam lavando. Dessa maneira, pormenorizadamente, o autor sagrado mostra-nos como o Senhor Jesus tomou o lugar de um mero escravo. Por conseguinte, sendo ele o maior de todos os homens, em estatura moral e espiritual, tomou o lugar de um simples escravo, servo de todos, porque esse era justamente o desígnio de sua missão, ao encarnar-se, segundo vemos claramente na passagem de Fil. 2:7,8, que diz: «...*a si mesmo se esvaziou...a si mesmo se humilhou...*»

Deitou água na bacia. Tudo isso fazia parte das obrigações dos escravos mais humildes, quando da lavagem dos pés dos convivas em um banquete. Na literatura rabínica encontramos o fato de que era considerado sinal de reverência um discípulo lavar os pés de seu mestre. Mas jamais teria pensado em um mestre a lavar os pés a seus próprios discípulos. E certamente a nenhum rabino jamais teria ocorrido tomar tal posição.

Entretanto, John Gill (*in loc.*) mostra que era ensino comum dos rabinos que apesar de ser exigido que os discípulos demonstrassem muitos sinais de respeito e humildade para com seus mestres, todavia, *uma coisa* que não lhes era requerido era desamarrarem os seus sapatos, e *muito menos*, lavar os seus pés. Provavelmente **essa era a regra comum,** apesar de que também havia exceções. (Ver Talmude Bab. Cetubot, fol. 96:1). Isso expressa a verdade, embora dos discípulos (de acordo com as idéias judaicas) fosse esperado que honrassem aos seus mestres mais do que aos seus próprios genitores. John Gill (*in loc.*), que foi profundo conhecedor das questões religiosas dos judeus, também frisa o fato de que o lava-pés não era uma prática associada à festa da páscoa, embora fosse sinal muito comum de hospitalidade entre os judeus.

Podemos ver à base dessas circunstâncias históricas, portanto, quão grande não deve ter sido a surpresa causada por essa ação do Senhor Jesus, entre os seus discípulos, e também por que razão Pedro tentou evitar que o Senhor lhe lavasse os pés. Pois essa ação parecia inteiramente descabida em relação aos vínculos que geralmente prevaleciam entre um mestre e os seus discípulos, como sucedia no caso do Senhor Jesus e seus apóstolos. Isso deve ter-lhes parecido

LAVA-PÉS

tanto mais estranho devido ao fato de que o Senhor tornou essa prática uma parte da festa pascal. Através do lava-pés, portanto, o Senhor ensinou uma lição suprema de humildade, que provavelmente os apóstolos jamais puderam olvidar, especialmente em razão do fato, sugerido por alguns estudiosos, de que a controvérsia sobre qual deles seria o maior no reino de Deus é que teria provocado essa providência do Senhor, com a intenção de dar-lhes uma lição definitiva sobre o assunto.

II. Cerimônia ou Ordenança do Lava-pés

No Oriente, essa cerimônia, desde os tempos mais remotos, tinha lugar entre os deveres próprios da *hospitalidade*, e era reputada como sinal de respeito pelos hóspedes, como característica de atenção humilde e afetuosa por parte do hospedeiro. O costume teve origem nas circunstâncias das localidades orientais, onde as estradas eram poeirentas e o clima era opressivamente quente. Também parece haver alguma evidência de que a prática do lava-pés, além de ser um costume que visava a hospitalidade e a higiene, também era considerada como uma ajuda na prevenção de certas enfermidades que poderiam infeccionar os pés. Nos países do oriente, por motivo do tipo de calçados usados, os pés geralmente eram muito menos protegidos da sujeira e de outros elementos deletérios do que o tipo de calçados usados nos modernos países ocidentais. — O calçado comum no Oriente era a sandália. Mas até mesmo essa parca proteção dos pés era usualmente posta de lado, quando alguém estava em uma casa.

O costume do lava-pés é mencionado nas páginas do A.T. em trechos como Gên. 18:4; 19:2; 24:32; Juí. 18:21 e I Sam. 25:41. O rito podia ser realizado pelos escravos, mas, em determinadas ocasiões, também o era pelos filhos ou filhas menores da casa. Tratava-se de um costume que se vinha transmitindo de geração em geração desde os tempos dos primeiros patriarcas hebreus. Não obstante, no A.T. também podemos observar que além de servir de sinal de hospitalidade e de atenção afetuosa, o lava-pés também servia como sinal de humildade.

Dentro do N.T., parece que o rito do lava-pés era comumente realizado antes da refeição (sendo essa também a prática geral por todo o Oriente). Todavia, na passagem bíblica neotestamentária mais conspícua que se refere ao lava-pés (ver João 13), é óbvio que o Senhor Jesus a realizou *durante* a refeição, aparentemente ou por haver interrompido a refeição, ou por ter terminado de comer antes dos seus discípulos. Ver Mat. 15:2 e Luc. 11:38, versículos esses que, apesar de não mencionarem especificamente a prática do lava-pés, provavelmente incluem essa prática, e nesses trechos vemos que a cerimônia teve lugar antes do início da refeição.

Posto que a passagem de João 13:14 parece indicar que essa prática do lava-pés era observada pela igreja primitiva, como espécie de ordenança adicional à Ceia do Senhor e ao batismo, assim também, dentro da história eclesiástica, há indícios de que assim se considerava que fosse, *em algumas localidades* e em determinados períodos, embora seja impossível acompanhar a prática com clareza, pelos registros históricos primitivos, senão já nos tempos de Agostinho, ou seja, no século V D.C.

Em alguns lugares, na época de Agostinho, o *pedilavium* se tornara parte de certa observância «anual» que incluía: 1. a festa ou banquete; 2. o lava-pés; 3. a comunhão, com participação no pão e no cálice. Contudo, essa prática era levada a efeito apenas de *ano em ano*, em imitação à *páscoa* anual, segundo o costume judaico. Nossas informações

históricas são por demais escassas para sabermos quão generalizada era essa prática, ou mesmo se era praticada como uma ordenança de observância mais freqüente, conforme as palavras de Agostinho parecem dar-nos a entender. O que é indiscutível, entretanto, é que sempre foi uma *pequena minoria* da igreja cristã que observava esse costume, quer como uma ordenança separada, quer como ordenança observada em conjunto com a Ceia do Senhor. (Quanto às informações que nos são fornecidas por Agostinho sobre essa ordenança do lava-pés, conforme ela era praticada em alguns círculos da igreja cristã, em seus dias, ver *Epístola* 118 *ad Januarium*). Essa prática era observada pela igreja de Milão, na Itália; e Ambrósio (bispo daquele lugar), o pai espiritual de Agostinho, deu continuação à mesma, tendo defendido essa prática como uma das ordenanças da igreja.

Em tempos posteriores, *Bernardo de Clairvaux* (1100 D.C.), fundador da ordem religiosa dos cistercianos, que era homem de grande piedade mística, desejou elevar a estatura desse rito, para que fosse instituído como um sacramento, mas os seus desejos jamais tomaram corpo. Não obstante, como cerimônia ou ordenança, tem conservado um papel importante na Igreja Católica Romana, posto haver-se tornado costume dos monarcas católicos e até do próprio Papa, lavar os pés a seus inferiores. O dia determinado para essa prática, segundo a Igreja Católica Romana, é a *quinta-feira*, o dia anterior à Sexta-Feira da Paixão. Naturalmente a data é bem própria, porquanto foi justamente numa quinta-feira que o Senhor Jesus observou pela primeira vez o lava-pés pelo menos em uma observância simbólica e semi-oficial. A prática católica romana de alguma forma está vinculada a uma expressão latina, *dies mandati*, que significa *dia da ordem*. A própria expressão se alicerça na primeira palavra da oração que é dita imediatamente antes da cerimônia, e esta, por sua vez, se fundamenta na idéia do texto do décimo terceiro capítulo do evangelho de João, onde se vê que o Senhor baixou «ordem» ou instrução, para que se fizessem os preparativos para a páscoa.

Lutero não instruiu as igrejas reformadas a que observassem a prática do lava-pés, antes, aconselhou que a mesma fosse substituída por um *banho* aplicado aos pobres, que realmente necessitavam dessa medida maior de higiene. Isso refletia uma prática já consagrada pelo uso que demonstrava superiores a lavarem os pés a seus inferiores, como demonstração de humildade, ao passo que, nas páginas neotestamentárias, o rito aparece como uma prática mútua, como ação recíproca e fraternal, e não como mera condescendência da parte dos socialmente elevados para com os socialmente humildes.

Cláudio lamentou, em belas palavras, a abandono da prática do lava-pés por parte da igreja cristã, observando acerca de algumas cerimônias afins que haviam sido descontinuadas: «são elas como pequenas bandeiras, drapejando acima da superfície das águas, mostrando onde naufragou alguma embarcação pesadamente carregada».

No que tange à posição da prática do lava-pés dentro do próprio N.T., conforme observamos antes, a *única passagem* que a ensina diretamente é o décimo terceiro capítulo do evangelho de João. Mas também é mencionada indiretamente em I Tim. 5:10, como parte dos atos de humildade, graça e benevolência, que devem caracterizar uma viúva que houvesse de ser sustentada por qualquer igreja local. Todavia, essa referência em I Tim. 5:10 diz respeito, obviamente, a uma *hospitalidade doméstica*, e não a alguma ordenança realizada pela igreja. Por outro lado, o

738

JESUS LAVANDO OS PÉS DOS DISCÍPULOS

C. L. Eastlcke, R. A.
Jesus lamenta sobre Jerusalém

Bida.
A mulher lava os pés de Jesus

S. Del Piombo.
A ressurreição de Lázaro

Eu sou a ressurreição e a vida;
Quem crê em mim, ainda que
esteja morto, viverá.
(João 11:25)

LAVA-PÉS

trecho do décimo terceiro capítulo de João definidamente subentende que a igreja cristã primitiva, pelo menos *em algumas* de suas seções, observava essa prática, e o versículo catorze desse mesmo capítulo parece ordenar a sua perpetuação como rito ou cerimônia a ser observada pela igreja cristã.

III. Argumentos Contrários e Favoráveis à Obrigação do Lava-pés na Igreja

Segundo geralmente sucede no caso de tais questões, especialmente aquelas que não são claramente delineadas em diversos trechos do N.T., surgiram diferenças de opinião e de maneira de prática, em torno da indagação se esse rito deve ser observado ou não pela igreja cristã, como uma espécie de ordenança, juntamente com as ordenanças do batismo e da Ceia do Senhor. Abaixo oferecemos um sumário das discussões que têm havido:

A. Os contrários à sua obrigação, dizem:

1. Somente essa passagem do décimo terceiro capítulo de João menciona a prática do lavapés. Se tivesse de ser considerada como uma ordenança *obrigatória* para a igreja cristã, e não uma instância isolada na vida de Jesus, certamente outros trechos bíblicos indicariam a sua necessidade. Em parte alguma o apóstolo Paulo a ordena, e isso parece indicar que na grande maioria das igrejas gentílicas, pelo menos, a prática não era observada nem mesmo nos dias desse apóstolo. E também podemos concluir, à base dessa circunstância, que a questão não era muito importante para Paulo. Já o batismo e a Ceia do Senhor, por outro lado, são firmemente estabelecidos como ordenanças, nos escritos desse apóstolo. Semelhante a essa consideração é aquela outra que diz que os demais evangelhos nem ao menos mencionam a instituição do lava-pés

2. Poderíamos julgar, à base das próprias Escrituras e das práticas prevalentes na igreja cristã primitiva, que alguns segmentos da igreja praticavam o lava-pés, mas que outros segmentos *não* o faziam; por conseguinte, talvez seja mais aconselhável deixar a questão sujeita às *práticas e preferências locais*, em vez de tentarmos estabelecer qualquer obrigação quanto à mesma. Essa idéia se alicerça na suposição de que nas próprias páginas do N.T. a questão não se reveste de notável importância, como algo que não era considerado primordial por toda a cristandade primitiva, durante o tempo dos apóstolos, pois, se houvesse sido reputado um assunto importante, então haveria alusões e mandamentos relativos ao mesmo, não somente no décimo terceiro capítulo do evangelho de João. Por exemplo, o apóstolo Paulo certamente teria instruído os crentes gentios a respeito, mas não existem instruções dessa natureza em suas muitas epístolas.

3. No que concerne ao próprio texto sagrado, e especialmente aos vss. 4-14 do décimo terceiro capítulo de João, que parecem *ordenar* a sua perpetuação, essa não é a única interpretação *possível*, porquanto o que Jesus exortou que seus discípulos fizessem não foi tanto que observassem uma cerimônia ou ordenança (paralelamente ao batismo e à Ceia do Senhor), mas antes, uma humildade e um serviço mútuo entre os discípulos. Ora, essa humildade e esse serviço condescendente mútuos não requerem a realização habitual de qualquer tipo de rito.

4. Desenvolvendo mais ainda esse tema, alguns estudiosos têm observado que a explicação dada pelo Senhor Jesus, nesse texto do décimo terceiro capítulo de João, parece mostrar que ele queria estabelecer *um símbolo sem-par* (através de uma explanação de

caráter ético), e não por meio de alguma cerimônia literal de lava-pés.

5. O espírito do rito do lava-pés é cumprido na *confissão preparatória* do pecado, antes dos cristãos participarem da Ceia do Senhor.

6. A presença desse mandamento sobre o lava-pés em um único evangelho, ainda que o seu autor tenha querido que o mesmo se tornasse obrigatório para a igreja cristã inteira, *não é base suficiente* para que se torne uma prática universal; pelo contrário, na opinião de muitos, isso reflete mera preferência de um autor ou as práticas prevalecentes numa única localidade cristã, que talvez não fossem compartilhadas por outras comunidades cristãs ou mesmo por outros mestres cristãos.

7. É óbvio, na leitura do Novo Testamento, que algumas práticas na igreja eram reflexos diretos de costumes da sociedade, costumes considerados «apropriados» para a conduta humana. A mudança de práticas na sociedade naturalmente modifica as mesmas na igreja, se nenhuma ética eterna está envolvida. A lavagem de pés não representa nenhuma ética eterna, portanto, não deve ficar uma prática eterna.

B. Os favoráveis à prática literal do lava-pés, dizem:

1. Argumentar que apenas *uma* passagem bíblica fala sobre a questão do lava-pés, serve somente para *nublar* a questão. Precisamos aceitar ou rejeitar a inspiração da Bíblia; e se aceitamos a realidade da inspiração, então estamos obrigados a aceitar TODOS os mandamentos contidos nesses livros canônicos, quer esses mandamentos se encontrem ou não em todos os livros do *cânon* das Escrituras. O mandamento de Cristo, neste décimo terceiro capítulo do evangelho de João, é bastante *claro*; e devemos notar que foi reputado como de suficiente importância, pelo autor do quarto evangelho, para que tivesse devotado uma parte inteira do seu evangelho ao assunto, ao mesmo tempo em que deixa inteiramente de lado qualquer descrição sobre uma instituição como a Ceia do Senhor, a instituição que acompanha bem de perto o *lava-pés*. Ora, se esta cerimônia do lava-pés parecia tão importante para o autor do evangelho de João e se aceitamos esse evangelho como uma obra inspirada por Deus, estamos no dever de considerar essa cerimônia tão obrigatória como pensava o autor sagrado, por motivo de consciência. E essa consideração faz, automaticamente, com que o lava-pés seja considerado uma ordenança da igreja cristã.

2. O fato de que «algumas comunidades cristãs» têm preservado o lava-pés como uma ordenança, juntamente com o batismo e a Ceia do Senhor, através da história da igreja, é prova suficiente do fato de que homens bons, dotados de sensibilidade religiosa, dispostos a obedecer ao Senhor Jesus, têm reconhecido a necessidade de praticar a doutrina do lavapés e o fato de que esses têm estado em posição de minoria pode ser contado como um ponto em favor do reconhecimento da prática, e não um argumento contrário, posto que com facilidade se observa, tanto na igreja como no mundo, que é a massa dos homens, a multidão, que não dá a atenção devida às questões atinentes à piedade, mas, pelo contrário, quase sempre isso é atendido por uma pequena minoria.

3. O fato de que a cerimônia do lava-pés tem sido encarada como algo tão importante, inclusive pela igreja Católica Romana, a ponto dos monarcas e dos papas a terem observado, e que até hoje os papas a observam uma vez por ano, — na quinta-feira imediatamente anterior a Sexta-Feira da Paixão, mostra que essa tradição *tem permanecido forte* nos

LAVA-PÉS

círculos da cristandade, a despeito do fato de que esse costume —há muito tem sido abandonado na maioria dos segmentos da igreja cristã. E apesar de não podermos concordar com todos os pontos tradicionais da Igreja Católica Romana, contudo, o fato de que esta doutrina é ali conservada, chegando mesmo a afetar a conduta dos papas, serve de poderoso argumento de que a prática é razoável e tem alicerces bíblicos e na tradição da igreja cristã primitiva.

4. Os versículos catorze e quinze deste décimo terceiro capítulo do evangelho de João parecem admitir uma *única* interpretação honesta, pelo menos o autor do quarto evangelho (mediante a ênfase dada por ele a essa prática, dedicando uma parte inteira de seu evangelho, deixando fortemente subentendido que o exemplo do Senhor Jesus deve ser seguido literalmente, e afirmando que realmente se trata de uma doutrina obrigatória) indicou que devemos compreender o lava-pés como doutrina perpétua e obrigatória, como a terceira ordenança da igreja cristã.

Comentário do autor desta enciclopédia. — O intérprete sincero, após exame dos versículos catorze e quinze do capítulo treze do evangelho de João sente-se forçado a admitir que, pelo menos, o autor sagrado tencionava ensinar que a cerimônia do lava-pés é perpétua, ocupando a posição de ordenança dentro da igreja cristã. Por conseguinte, a questão da prática depende das seguintes considerações:

1. A disposição do indivíduo em seguir *todas* as injunções do N.T. sem racionalizações, contanto que as considere todas obrigatórias, pois o autor sagrado obviamente tencionava que assim pensássemos acerca do lava-pés.

2. No caso de alguém pensar que *nem todas* as injunções do N.T. são necessariamente obrigatórias, então é mister que em seu próprio íntimo, em sua própria consciência, considere suas relações pessoais para com Deus, preparando-se para prestar *esclarecimentos* sobre por que *razão* observa algumas práticas e não observa outras. Esse tipo de defesa, contudo, só serviria para exibir atitudes diferentes para com a inspiração dos diversos livros das Escrituras, ou, pelo menos, para com a canonicidade e autoridade dos vários livros pertencentes ao N.T., em distinção à posição comumente expressa pela igreja evangélica.

3. Se alguém aceita o ponto de vista comum sobre a canonicidade e a inspiração das Escrituras, comum na igreja evangélica, mas, no entanto, não aceita que o lava-pés é uma ordenança perpétua e obrigatória para os cristãos, então, após examinar os versículos catorze e quinze do capítulo treze do evangelho de João, deverá apresentar uma *interpretação válida* negando que o autor sagrado pretendia que a prática do lava-pés fosse algo perpétuo e universalmente obrigatório para a igreja cristã. Queremos adiantar, contudo, que é muito difícil para alguém encontrar uma interpretação alternativa honesta. As objeções apresentadas acima (ver «A», *Os contrários à sua obrigação*) não são muito convincentes em face das declarações enfáticas do próprio texto sagrado, nesses dois vss. citados, sem falarmos da importância que o rito obviamente tinha na estimativa do autor sagrado, que dedicou uma seção inteira do seu evangelho ao mesmo, ao passo que não separou qualquer espaço para qualquer descrição acerca de uma doutrina tão importante nas Escrituras como é a instituição da Ceia do Senhor.

4. Também devemos levar em conta que *muitas outras coisas*, perfeitamente claras nas páginas do N.T., não estão sendo praticadas pela moderna igreja evangélica. Por exemplo, as instruções do apóstolo Paulo sobre os cabelos compridos e o véu, para as mulheres crentes, no décimo primeiro capítulo de sua primeira epístola aos Coríntios, é uma dessas questões.

5. Geralmente se considera uma insensatez torcer a interpretação das Escrituras a fim de que se adaptem às nossas práticas comuns, no entanto, isso é comumente feito pela igreja moderna. É muito melhor que o crente seja honesto e diga: «Isto é o que esta passagem da Bíblia ensina. Pratico ou não isso, pelas seguintes razões...» E nesse caso, o mesmo indivíduo deveria prosseguir: «O décimo terceiro capítulo do evangelho de João ensina a natureza universal e obrigatória do lava-pés. Pratico ou não o lava-pés pelas seguintes razões...» E as razões então expostas devem ser satisfatórias tanto para a consciência como |ante as crenças (de modo geral e no que tange à inspiração e ao *cânon* do N.T.) daquele que as apresenta.

6. O argumento que nos lembra que *costumes* comuns nas sociedades antigas (como lavagem dos pés de visitantes em casa), têm mudado, portanto, têm mudado também *certas práticas* na igreja moderna, porque elas não têm mais «bases sociais», têm certa força. É possível que o autor do evangelho de João, no contexto moderno (que não tem mais o costume da lavagem de pés) não insistiria na continuação da mesma na igreja, mas sim, na ênfase sobre serviço humilde em favor dos outros, o que é o «significado espiritual» deste trecho.

IV. Significação da Cerimônia do Lava-pés. Nos seis pontos discriminados abaixo oferecemos amplos detalhes sobre o sentido da cerimônia do lava-pés formando uma espécie de sumário:

1. Temos aqui um ensino de *humildade mútua*, e não mera demonstração de humildade, da parte de superiores para com seus inferiores (embora essa idéia também faça parte do sentido), segundo o rito tem sido algumas vezes usado, embora erroneamente. Pelo contrário, deve ser uma prática fraternal, em que haja reciprocidade. Jesus estava ensinando uma profunda lição de unidade, eliminando as rivalidades, como aquela que acabara de surgir no meio dos discípulos, que discutiam sobre qual deles porventura seria o maior no reino dos céus.

2. A purificação física obtida no lava-pés provavelmente serve de símbolo da *purificação* parcial dos crentes, isto é, na regeneração, o indivíduo é inteiramente purificado no tocante às exigências da lei, em sua identificação com Cristo Jesus, mas, como ele ainda está sujeito a atos de pecado, precisa de purificação diária — seus pés (e os pés são um símbolo da conduta diária) se sujam durante a caminhada neste mundo e precisam ser limpos.

3. Alguns estudiosos vêem no rito do lava-pés uma referência ao *batismo*, e essa posição, apesar de estranha, é compreensível, porquanto o batismo também fala em parte da purificação, ainda que o seu simbolismo principal consista na identificação do crente com Cristo, em sua morte (para com a vida antiga) e em sua ressurreição (participação na vida de Cristo, a vida imortal). Entretanto, não parece ter sido esse o intuito do autor sagrado, embora tenha sido uma interpretação bastante popular nos círculos eclesiásticos de séculos passados.

4. Outros acreditam que o lava-pés age como *substituto* do rito da Ceia do Senhor, ou, pelo menos, que seja o equivalente joanino da Ceia do Senhor. Mas não há que duvidar que não foi essa a intenção do autor sagrado ao fazer o registro sobre o episódio da lavagem dos pés dos discípulos, por parte do

LAVA-PÉS — LAVRADORES

Senhor Jesus. E isso porque a Ceia do Senhor está presente no texto, embora não tenha sido tão claramente delineada, conforme se vê em outros evangelhos ou nos escritos de Paulo.

5. A lição sobre a necessidade de humildade entre os crentes se destaca, aparecendo claramente à superfície, para que todos a percebam, porém, o ensino bíblico se aprofunda bem mais do que isso, atingindo mesmo a *verdadeira santificação*. O que se tenciona ensinar ali é que o crente deve estar de tal modo transformado em sua natureza moral que, mui naturalmente, manifeste a humildade que Cristo requer da parte dele. Ora, essa manifestação requer santificação, a saber, a transformação da natureza moral do crente. É exatamente à base desse princípio que alguns intérpretes têm visto, no rito do lava-pés, uma alusão ao batismo, o que, contanto que limitemos isso a uma *alusão* (e não substituição) à idéia do batismo, pode ser uma interpretação correta.

6. A idéia expressa no quinto ponto (imediatamente acima) pode ser aprofundada (ver o vs. 8 deste mesmo capítulo) até o ponto em que o lava-pés se torna um símbolo da *purificação da alma*, embora o batismo possa simbolizar esse aspecto com maior aptidão. A regeneração total é aqui subentendida e simbolizada.

7. Este rito simboliza *serviço mútuo*, o cumprimento da lei do amor. Ver os vss. 14 e 15.

Necessidade da Humildade

1. Ela é necessária no serviço de Deus (ver Miq. 6:8).
2. Cristo é o exemplo supremo da humildade (ver Fil. 2:5-8).
3. Precisa ser uma característica dos santos (ver Sal. 34:2).
4. Empresta grandeza espiritual (ver Mat. 18:4).

LAVATER, JOHANN

Suas datas foram 1741-1801. Ele foi pensador, autor e líder protestante. Nasceu em Zurique, na Suíça. Fez muitas e extensas viagens pela Alemanha, e assim chegou a conhecer a maioria dos líderes religiosos importantes de sua época, naquele país. Serviu como pastor protestante em Zurique, onde também veio a falecer. Ele foi o primeiro a afirmar expressamente que o trabalho pastoral, na realidade, é uma *cura de almas*. Seu ministério de aconselhamento era intenso, e mantinha correspondência com muita gente. Enfatizava sempre a necessidade do contacto pessoal no ministério pastoral. Sua fé religiosa era, essencialmente, bíblica e emocional, mas não abandonava o aspecto do raciocínio filosófico desempenhado no exame, acolhimento ou rejeição de idéias religiosas. No entanto, de modo geral, seu ministério e seu exemplo levaram ao racionalismo religioso, como um dos fatores no desenvolvimento do idealismo alemão. Ele costumava escrever diários morais, e o seu *Diário Secreto* veio a tornar-se um modelo de auto-exame, de auto-avaliação.

Ele concebia a natureza como manifestação direta do Espírito de Deus; e assim, com base na natureza, muito poderíamos aprender sobre a mente divina e os seus intuitos. Lavater também foi um notável escritor de assuntos místicos. Ver o artigo intitulado *Misticismo*.

LAVATÓRIO   Ver **Mar de Fundição; Lavatório.**

LAVELLE, LOUIS

Suas datas foram **1883-1951. Foi um filósofo** francês. Nasceu em Saint-Martin-de-Villéreal. Foi professor no Collège de France. Tornou-se mais conhecido por causa de sua filosofia acerca da natureza da *liberdade*. Cumpre-nos considerar os cinco pontos abaixo, sobre ele:

1. Os homens devem participar do Ato de Ser. Para tanto, devemos disciplinar nossos instintos espontâneos por meio da razão. E é assim que começamos a atingir toda a nossa potencialidade como pessoas humanas. O alvo de tudo isso é a consecução da verdadeira liberdade, interna e externa, pessoal e social.

2. Em nossos exercícios racionais e espirituais, chegamos a relacionar-nos ao Ato Absoluto que é o Ser Absoluto. E ele também é a Liberdade Absoluta. Cada indivíduo, à sua própria maneira, é capaz de participar nesta liberdade. Uma participação crescentemente maior no Ser e na Liberdade Absolutos é o alvo próprio de toda a existência.

3. Distinguindo-se de filósofos como Sartre, que *desintegrava* o universo humano, herdado pelas tradições, Lavelle, à semelhança de Jaspers e Barth, tentava *reintegrar* as experiências fundamentais da humanidade. Ele interpretava o homem espiritualisticamente, e não materialisticamente.

4. Para ele, a metafísica era a ciência da interiorização espiritual. Sondando nossos seres interiores, por meio da razão e da intuição, descobrimos as nossas relações com o Absoluto. Todas as experiências humanas, pois, emergem dessa participação no Absoluto. O mundo separa os atos puros da porção limitada que cada indivíduo desempenha; mas é possível um processo de reintegração. A consciência individual faz parte da consciência absoluta.

5. No campo da ética, ele ensinava que a liberdade é a essência do ser moral do homem, além de ser o alvo principal a ser buscado. A nossa tarefa consiste em nos ajustarmos à nossa melhor parte, a verdadeira essência de nosso ser, porque, assim fazendo, corresponderemos melhor ao Absoluto.

Obras. On Being; Self-Awareness; The Ego and its Destiny; On the Act; Evil and Suffering; Of Time and Eternity; Introduction to Ontology; The Powers of the Ego; On the Human Soul; Treatise on Values; Spiritual Inwardness.

LAVRADORES

No Antigo Testamento:

1. No hebraico, *ikkar* (no acádico, *ikkar*, «homem do arado»). Desconhece-se qual a condição social desses indivíduos. O código de Hamurabi (vide) parece indicar que era uma espécie de capataz agrícola. O trecho de Isaías 61:5 contrasta-o com os pastores. Ver II Crô. 26:10; Jer. 31:24; Joe. 1:11; Amós 5:16.

2. *Yogeb*, que vem de uma palavra que significa «escavar» (no hebraico, *gub*), o que alude ao trabalho com a enxada, envolvido na agricultura, bem como ao trabalho manual pesado dos lavradores. Ver II Reis 25:12 e Jer. 52:16.

3. *'Is adama*, que significa «homem do solo». Todavia, essa expressão pode indicar tanto um lavrador do solo quanto um criador de gado. Ver Gên. 9:20.

No Novo Testamento:

1. No grego, *georgós*, «fazendeiro», «agricultor». Essa palavra ocorre por dezenove vezes: Mat. 21:33-35,38,40,41; Mar. 12:1,2,7,9; Luc. 20:9,10,14, 16; João 15:1; II Tim. 2:6; Tia. 5:7.

Havia agricultores que possuíam suas próprias terras, mas havia outros que alugavam a terra e

741

LAW — LÁZARO

pagavam o aluguel com os produtos agrícolas colhidos.

2. *Usos Metafóricos*:

a. O próprio Deus é comparado com um agricultor. Ele semeia, planta, cultiva, colhe e espera fruto da parte daqueles que estão seriamente interessados pelas realidades espirituais (João 15:1 ss).

b. Os líderes religiosos de Israel eram os lavradores ao encargo dos quais Deus deixara a sua vinha, mas eles abusaram dos profetas de Deus e do seu próprio Filho, o que só serviu para arruiná-los espiritualmente (Mat. 21:33-41).

c. Há uma metáfora calcada sobre questões agrícolas, em Gálatas 5:22, onde as virtudes espirituais são comparadas com os frutos cultivados pelo Espírito em nossas vidas. Ver o artigo separado intitulado *Agricultura, Metáfora da*. Ver também *Agricultor* e *Agricultura*.

LAW, WILLIAM

Suas datas foram 1686-1761. Ele foi um teólogo, moralista e místico inglês. Nasceu em King's Cliffe, Northamptonshire. Era filho de um lojista de boa família. Ingressou no Emmanuel College, em Cambridge, em 1705. Foi eleito membro da Universidade. Foi ordenado ao clero anglicano. Entretanto, por motivos políticos, perdeu aquela posição de membro da Universidade. Sustentava-se ensinando a particulares e em capelas. Viveu uma vida devota, caracterizada pelo estudo, pela oração, pelas boas obras, e como escritor. Escreveu vários livros influentes, entre os quais *A Treatise of Christian Perfection*; e *A Serious Call to a Devout and Holy Life*. Esses livros influenciaram importantes figuras da Igreja, como João Wesley, e até hoje são lidos. Um outro livro dele, *The Case of Reason*, foi uma obra polêmica com o intuito de contradizer o *deísmo* (vide) de Tindal, uma figura importante na época. Em cerca de 1733, Law começou a familiarizar-se com os escritos de Jacob Boehme, o famoso místico; e, desde então, tanto a sua vida quanto os seus escritos mostraram marcante influência da tradição mística. As crescentes experiências místicas pessoais que teve, obtiveram para Law o título de «o místico inglês».

LAYA IOGA

Ver sobre **Ioga**, décimo primeiro ponto.

LÁZARO (Ver também, **Lázaro, Ressurreição de**).

Esse nome chegou ao português como transliteração, para o grego, do nome próprio hebraico, *Eleazar*, que significa «Deus ajuda». Há dois homens com esse nome, nas páginas do Novo Testamento.

1. Na parábola de Jesus, em Luc. 16:19-31, encontramos a descrição sobre um homem rico, e sobre um certo *Lázaro*, que vivia de pedir esmolas daquele homem rico. O nome do rico não aparece no relato bíblico, mas a tradição atribui-lhe o nome de *Dives*. O fato de que isso apenas corresponde à palavra latina para «rico» mostra que não passa de uma invenção essa tradição do nome do rico. De acordo com o relato, ambos os homens morreram. E, no outro mundo, suas situações foram invertidas. O rico encontrou-se em castigos atormentadores, ao passo que Lázaro desfrutava da alegria e de exaltação, no seio de Abraão, a porção melhor do sheol (vide).

Ver também sobre o *Hades*. Alguns pesquisadores têm encontrado o original desse relato, na literatura egípcia. Mas a verdade é que o tema era comum, sendo apenas natural que mais de uma história semelhante, com a sua mensagem, tivesse sobrevivido. Os estudiosos salientam que o relato harmoniza-se bem com os interesses sociais de Lucas (comparar com Luc. 6:20-26). Alguns intérpretes pensam que as «chagas» de Lázaro eram produzidas pela lepra. E é por isso que Lázaro foi escolhido como santo patrono dos leprosos. A palavra «lázaro» tem sido adaptada para vários idiomas, indicando o mal de Hansen ou outra enfermidade cutânea de mau aspecto. Essa palavra vem do latim, *lazarus*, uma referência à personagem bíblica desse nome. A palavra italiana *lazaretto* indica um hospital, especialmente os hospitais públicos, onde os pobres, com enfermidades infecciosas, são mantidos segregados e são tratados. Consideremos ainda os pontos abaixo:

a. *Importância da parábola na teologia*. — Esse relato de Jesus assumiu certa importância na *teologia*. Ele ensina definidamente uma existência consciente no após-túmulo, tanto no caso dos salvos quanto no caso dos condenados. Também ensina um sofrimento consciente no hades, e júbilo consciente no caso dos remidos. Naturalmente, nesse relato, encontramos terreno tipicamente judaico, no tocante à doutrina do após-vida. E o quadro assim obtido seria muito lamentável, se o resto do Novo Testamento nada mais tivesse a adicionar a esse quadro. De fato, um trecho muito iluminador é o de I Ped. 3:18—4:6, que mostra que Jesus, o Cristo, teve uma missão remidora no hades, tendo anunciado o evangelho naquele lugar. Isso resultou no fato de que a oportunidade de salvação, além-túmulo, tornou-se uma realidade. O evangelho foi pregado aos mortos (ver I Ped. 4:6). Temos preparado um longo e detalhado artigo sobre essa missão de Cristo, intitulado *Descida de Cristo ao Hades*. Uma missão dessa natureza é exatamente o que se poderia esperar do grande amor de Deus, através do Filho, aquele que se identificou como Irmão de toda a humanidade e, em sentido espiritual, de todos os remidos.

b. *A doutrina do hades* envolve uma longa e complexa história. Tem passado por considerável desenvolvimento, no decurso dos séculos. Ver o artigo sobre o *Hades*, quanto a completas descrições.

c. *Uma significativa misericórdia*. O homem rico tinha cinco irmãos, e anelava que Lázaro fosse enviado como missionário a eles, a fim de que não terminassem encerrados naquele mesmo horrendo lugar. Mas o pedido foi negado por Abraão, sob a explicação de que os irmãos do rico contavam com os escritos de Moisés e dos profetas. Encontramos aí duas importantes lições: A primeira salienta a importância das Sagradas Escrituras. A segunda é que, embora essa petição não tenha sido atendida na ocasião, ela o foi mais tarde, devido ao fato de que Jesus abriu o hades como campo missionário, anunciando ali o evangelho. E isso foi muito melhor do que enviar de volta, ao mundo dos vivos, alguém que já havia falecido. Além disso, conforme foi ordenado pela graça de Deus, *o próprio Jesus* pregou no hades, após a sua morte expiatória. E isso, por certo, indica uma misericórdia deveras significativa. Notemos como Jesus *ultrapassou* em muito ao pedido do rico, pedido esse não atendido por Abraão. Mas Cristo, longe de não atender ao pedido, foi muito além do que o rico poderia ter esperado. É a questões assim que podemos chamar de «o amor de Deus». Entristecemo-nos diante do fato de que a maioria dos evangélicos, hoje em dia, perdeu completamente a

CASA DE LÁZARO, E ALDEIA DE BETÂNIA — Cortesia, Matson Photo Service

RUÍNAS DA CASA TRADICIONAL DE MARTA E MARIA Cortesia, Matson Photo Service

LÁZARO — LÁZARO E DIVES

força do amor de Deus quanto a seus aspectos mais amplos. De fato, muitos chegam a usar a parábola do rico e de Lázaro na tentativa de provar que Deus realmente não amou muito ao mundo, e que o estado dos que se encontram no hades é ao mesmo tempo terrível e fixo para sempre. Em contraste com isso, a comunidade anglicana e a Igreja Ortodoxa Oriental têm percebido essa dimensão maior da missão de Cristo, e, por essa razão, são capazes de falar de modo mais significativo sobre o amor de Deus, do que muitos de seus irmãos evangélicos. Ver o artigo separado, sobre *Lázaro e Dives*.

2. Lázaro de Betânia. A narrativa sobre a ressurreição de Lázaro, residente em Betânia, é uma das maiores narrativas do Novo Testamento, ao mesmo tempo que deixa consternados a muitos estudiosos, por haver sido registrada somente pelo apóstolo João. E eles indagam: Como pode ter acontecido isso? Ver o artigo separado chamado *Lázaro, Ressurreição de*, que discute todos os ângulos do problema. De acordo com uma antiga tradição, registrada por Epifânio (*Haer.* 66.34), Lázaro tinha trinta anos de idade quando o Senhor Jesus o ressuscitou, e então viveu ainda por mais trinta anos.

João 11:1: *Ora, estava enfermo um homem chamado Lázaro, de Betânia, aldeia de Maria e de sua irmã Marta.*

Lázaro. Têm sido feitas diversas tentativas para identificá-lo com o jovem rico do trecho de Mat. 19:16, mas não há qualquer evidência em favor dessa posição. Naturalmente, lendas e tradições foram criadas em torno de sua pessoa, mas nada disso é caracterizado pela certeza. Tudo o que sabemos de Lázaro é justamente aquilo que encontramos nas referências a ele, neste capítulo, bem como no décimo segundo capítulo do evangelho de João (ver João 12:1,2,9,10 e 17). Lázaro era irmão de Maria e Marta, provavelmente filho ou cunhado de Simão, o Leproso (ver Mat. 26:6 e Mar. 14:3), em cuja casa todos viviam. Qual teria sido o parentesco exato, não sabemos com certeza, embora alguns comentadores conjecturem que Simão fosse marido ou irmão de Marta. Seja como for, deve ter havido algum laço de família que envolvia a todos eles — Simão, Lázaro, Maria e Marta. Parece que Jesus se utilizava da casa da família como lugar de retiro, quando se encontrava na área de Jerusalém. Visto que Betânia ficava a apenas cerca de três quilômetros de Jerusalém, podemos conjecturar que Lázaro era um bom amigo do Senhor Jesus. Em conformidade com a tradição (ver *Epifânio Haer.* 66), Lázaro viveu ainda trinta anos após ter sido ressuscitado por Jesus, tendo morrido com a idade de sessenta anos. Outros detalhes, além desses poucos, desconhecemos por completo, o que é belamente ilustrado pelo poema que diz:

Eis um homem ressuscitado por Cristo!
O resto permanece sem revelação;
Ele não contou; ou algo selou
Os lábios do evangelista.

(In memoriam, Alfred Lord Tennyson)

Existem tradições que fazem de Lázaro um ministro do evangelho, em anos posteriores, em Marselha, na Gália, onde ele teria fundado uma igreja e onde, finalmente, teve morte de mártir, mas essas são lendas totalmente destituídas de base histórica, sem qualquer valor, exceto como ficção religiosa. Não obstante, os «lazaristas», uma socieda-de missionária de padres, na França, recebeu seu nome como derivação do nome de Lázaro de Betânia.

O nome *Lázaro* é uma forma abreviada do apelativo *Eleazar*, que significa «Deus é auxílio». Sendo Lázaro um homem obscuro, por haver sido beneficiado de maneira toda especial pela obra de Cristo, tornou-se um excelente símbolo de toda a humanidade, composta, em sua grande maioria, de pessoas comuns e obscuras, mas que, não obstante, são objetos do amor e do cuidado de Deus (ver João 3:16) e que, em potencial, são recebedoras da própria vida e da natureza de Deus (ver II Ped. 1:4).

O único outro **Lázaro** das páginas do N.T. é o de Luc. 16:19-31, na história do **rico** (a quem a tradição deu o nome de «Dives») e Lázaro, um esmoleiro, seu ex-conhecido, os quais são pintados juntos no hades, um deles em sofrimentos perenes e o outro em descanso e aprazimento. Naturalmente não há qualquer conexão entre esses dois «Lázaros».

LÁZARO DE BETÂNIA

Ver sobre **Lázaro**, segundo ponto.

LÁZARO E DIVES

Na parábola sobre Lázaro e o rico, a versão latina diz: *homo quidam erat dives*. A palavra latina *dives*, nesse trecho, significa «rico». A partir daí, essa palavra aparece, em algumas versões, como um nome próprio, *Dives*. Nos dramas cristãos, Dives é o nome do homem rico do relato. A história veio a tornar-se um poderoso texto de prova sobre o perigo e a futilidade das riquezas. Aquele homem possuía aquilo que outros buscam com tanta diligência; mas, que benefício as riquezas lhe trouxeram, afinal de contas? A espiritualidade deve ocupar o lugar supremo, em nossas considerações. Todas as demais condições desintegram-se e podem ser revertidas. As primeiras tradições cristãs referem-se, pois, a esse homem pelo nome de Dives. Mas isso repousa sobre uma tradução latina, malfeita para outras versões, e não tem autoridade alguma. Outros nomes para esse mesmo homem têm sido encontrados nas versões sírias e coptas.

Fontes Presumíveis da Narrativa:

1. Jesus usou sua onisciência como Filho de Deus, a fim de narrar esse caso. Pois, de outra sorte, como poderia ter sabido o que ocorria no hades?

2. Jesus deu-nos essa «parábola» como se fosse outra qualquer de suas parábolas, e não querendo indicar que dois homens como o rico e Lázaro realmente existiram. Há quem não concorde com esse ponto, dizendo que nas verdadeiras parábolas ninguém é chamado por nome, dando a entender que as personagens que porventura apareçam são fictícias.

3. Jesus tomou conhecimento do caso de um pobre esmoler, que teve alguma relação com um homem rico, como aquele descrito nessa história. E, então, utilizou-se desse conhecimento, adicionando os informes sobre o após-túmulo com base em sua própria autoridade.

4. Lucas inventou a história, embora calcada sobre caracteres conhecidos, cujos nomes reais foram ocultados. Tertuliano sugeriu que estavam em pauta Herodes e João Batista — uma idéia fantástica, sem dúvida nenhuma.

5. Alguns identificam Lázaro de Betânia com o Lázaro daquela parábola contada por Jesus, fazendo a história aplicar-se a ele, e fazendo dele, além disso, um leproso. Porém, isso é especulação desnecessária. Quanto aos aspectos teológicos da história, ver sobre *Lázaro*, primeiro ponto.

••• ••• •••

LÁZARO, RESSURREIÇÃO DE

LÁZARO E O RICO
Ver **Dives** e **Lázaro** e **Dives**.

LÁZARO, RESSURREIÇÃO DE — JOÃO 11:1-57

O autor do quarto evangelho nos informa (20:31-32): «Na verdade fez Jesus diante dos discípulos muitos outros sinais que não estão escritos neste livro. Estes, porém, foram registrados para que creiais que Jesus é o Cristo, o Filho de Deus, e para que, crendo, *tenhais vida* em seu nome». (Quanto a mais amplas particularidades sobre o sentido dessa declaração, o leitor pode examinar as notas expositivas referentes a esse trecho mencionado no NTI).

Por conseguinte, vemos que um dos propósitos centrais deste evangelho, se não mesmo o seu propósito central, era a tentativa de demonstrar, especialmente através de *sinais* (termo esse que visa os «milagres» que Jesus operou com propósitos pedagógicos), que Jesus é o verdadeiro Messias, o Filho de Deus (divino), e que a fé depositada nele (a fé corretamente compreendida, segundo é definida na passagem de João 3:16), é a fonte da vida eterna. Esse propósito tem sido criteriosamente seguido, pelo que vemos um número sempre crescente de provas apresentadas em prol do caráter messiânico de Jesus. Ora, a prova mais freqüentemente reiterada é que os milagres por ele operados tinham o fito de demonstrar a sua autoridade, derivada do Pai, a sua missão divina, o seu caráter messiânico, a sua união com o Pai — e, portanto, que ele é o agente da vida eterna: primeiramente tendo recebido a *vida necessária* da parte do Pai (em sua natureza humana), isto é, aquela vida que não pode deixar de existir, e, em seguida, dispensando essa vida eterna aos homens, fazendo-os assim seres verdadeiramente imortais, tal como Deus é imortal, porquanto passam a compartilhar da vida e da natureza divinas. (Ver II Ped. 1:4. Sobre a «vida necessária» ou «vida independente», ver as notas relativas aos trechos de João 5:26 e 6:57 no NTI).

As provas apresentadas em prol do caráter **messiânico** de Jesus são sumariadas neste quarto evangelho em João 7:45. Jesus contava a seu favor com o testemunho de João Batista, com o testemunho dos discípulos de João, com o testemunho de muitos habitantes da área geral de Jerusalém, com o testemunho de Moisés, nas Escrituras do A.T., com o testemunho de Nicodemos (e outras autoridades), que era membro do sinédrio, o mais alto tribunal e corpo governante dos judeus, composto dos homens mais eruditos nas Escrituras do A.T. Além desses e acima de tudo, havia o testemunho do Pai, o testemunho de sua autoridade, o testemunho de sua união com o Pai, na qualidade de Filho de Deus, a qual era particularmente exibida através dos *sinais* ou milagres, aqueles feitos prodigiosos que visavam atrair a atenção dos homens, fazendo as suas almas se voltarem para Deus, porquanto os milagres operados pelo Senhor Jesus eram sempre compassivos, sempre benéficos, sempre surpreendentes em sua magnitude. (Ver no NTI, as notas em trechos como João 5:19,20; 7:17; 9:32,33; 10:21,32,37,38, todos os quais enfatizam as obras realizadas pelo Senhor Jesus, e a significação das mesmas).

E dessa maneira, o autor sagrado chega aqui finalmente ao ponto de preparar-se para narrar a mais avultada de todas as obras de Jesus (excetuando o caso de sua própria ressurreição), associada com a questão da transmissão de vida eterna. Este décimo primeiro capítulo registra o grande milagre da ressurreição de Lázaro, o qual é o registro mais longo de qualquer milagre historiado nas Escrituras. E o feito prodigioso mais importante dentre todos os

milagres já registrados neste quarto evangelho, sendo igualmente o mais espantoso e significativo. Jesus pode conceder a vista física e a visão espiritual (ver o nono capítulo de João), mas também pode devolver a vida física, até mesmo para alguém já morto há quatro dias, como sucedeu a Lázaro, tal como pode outorgar a vida eterna ou vida espiritual aos pecadores, mortos em seus delitos e pecados.

A narrativa aqui apresentada, pois, é o clímax de uma série de sinais operados pelo Senhor Jesus, e descreve o dom supremo que o **Logos** pode propiciar aos homens. Jesus já fora exposto como a fonte da água viva, como o pão do céu, como a luz do mundo e como o Bom Pastor, mas aqui ele aparece como a «ressurreição e a vida», como o dispenseiro da «vida necessária», a vida de Deus, aos homens, repetindo, em forma gráfica, a mensagem que já pudemos observar no trecho de João 6:57 (ver também João 5:26, quanto a detalhes).

Muitos têm feito a indagação por que um tão grande milagre não foi registrado nos evangelhos sinópticos (Mateus, Marcos e Lucas). Para tal pergunta não temos resposta adequada. O evangelho de João, quanto às suas fontes informativas, evidentemente dependeu principalmente da comunidade cristã em Éfeso ou, pelo menos, não fazemos idéia melhor do que essa. Mui provavelmente, portanto, esta narrativa faz parte dessa tradição. A fonte informativa central do evangelho de Marcos (o evangelho original), era a comunidade cristã da cidade de Roma. Lucas e Mateus acrescentaram o auxílio de outras fontes informativas, talvez baseadas nas igrejas cristãs de Jerusalém e de Antioquia, além de narrativas que dependiam do testemunho de algumas ou mesmo de uma só pessoa. (Quanto a informação sobre as *fontes informativas*, ver os artigos sobre cada evangelho, sob o título «Fontes Informativas». — Ver também o artigo intitulado o *Problema Sinóptico*, que aborda com mais amplidão a fonte informativa de material encontrado nos evangelhos sinópticos, bem como outros problemas próprios desses três evangelhos).

Mas, retornando à pergunta feita no princípio do parágrafo acima, não sabemos dizer como tão grande milagre *escapou* de ser registrado nas fontes informativas dos evangelhos sinópticos. Contudo, as obras realizadas pelo Senhor Jesus foram extremamente numerosas, tendo sido preservadas em diversas comunidades da igreja cristã, estando além de qualquer dúvida que nenhuma delas preservou todos os prodígios realizados por Jesus, como também o autor deste evangelho nos diz distintamente, em João 20:30 e 21:25, tendo apresentado tão-somente uma seleção do material que tinha à sua disposição, como material representativo do que Jesus fizera e dissera. Assim, pois, muitos outros milagres devem ter sido realizados, mas que não ficaram registrados em qualquer dos quatro evangelhos, acerca dos quais não temos conhecimento algum. Isso não precisa surpreender-nos, embora seja um problema que nos deixa perplexos, pois um milagre dessa magnitude escapou de ser registrado por três dos evangelhos, tendo ficado historiado em apenas um deles. Para isso, pois, não encontramos razão adequada, e as respostas que têm sido oferecidas não passam de especulações. Assim sendo, esse problema pode ser meramente mencionado, mas não solucionado. No presente não encontramos resposta alguma para o mesmo.

As seguintes razões para essa ausência da narrativa da ressurreição de Lázaro, nos três evangelhos sinópticos, têm sido apresentadas (e o leitor pode

LÁZARO, RESSURREIÇÃO DE

fazer o seu próprio julgamento sobre a questão):

1. As razões da tradição *liberal*. O milagre não teria sido realmente um acontecimento histórico, mas antes uma espécie de alegoria vívida, escrita a fim de demonstrar as virtudes doadoras de vida, possuídas por Cristo, embora não deva ser aceita como uma narrativa séria, história real. Teria certo valor espiritual, demonstrando uma importante verdade, mas sem base alguma nos fatos históricos. Assim é que os evangelhos sinópticos não teriam tomado conhecimento da história, posto ser uma composição alegórica do autor do evangelho de João. Respondemos que é possível termos uma verdade espiritual destituída de alicerces históricos, mas nada parece mais claro do que o fato de que este autor narra, com pormenores, um evento que realmente aconteceu, aceito como algo ocorrido na vida de Jesus. Não contamos com outro testemunho além deste do quarto evangelho, e, encontrando-nos nessa posição, não podemos encontrar melhor explicação para o fato.

2. A narrativa pode ter sido omitida pelos demais evangelistas simplesmente porque ela *não cabia* dentro do plano que traçaram para escrever seus respectivos livros. Admitimos que esse argumento é fraco. Parece certo de que se os outros evangelistas tivessem conhecimento do fato, tê-lo-iam registrado.

3. Alguns têm pensado que posto que a maioria dos familiares de Lázaro sobrevivia ainda, quando os evangelhos sinópticos foram escritos, e posto que a sua família era tão significativa, devido às suas conexões com o Senhor Jesus, e posto que a igreja primitiva vinha sendo intensamente perseguida, os autores dos evangelhos sinópticos propositalmente omitiram a história, a fim de não provocarem qualquer perseguição especial a ser infligida contra aquela família. Já o evangelho de João, por ter sido escrito mais tarde, pôde conter a narrativa com toda a segurança, porque se supõe nesse caso que todos os principais participantes da narrativa já teriam morrido por essa altura dos acontecimentos. Esse é o melhor argumento que dispomos, porém, segundo a minha opinião, *sua probabilidade* não é muito grande.

4. Os evangelhos sinópticos centralizam suas narrativas quase inteiramente no ministério de Jesus na Galiléia, pelo que não contavam com material informativo acerca das atividades do Senhor Jesus na área de *Jerusalém*. Essa explicação é possível, e é difícil julgar a possibilidade da mesma. A pergunta, pois, parece continuar essencialmente sem resposta.

Quanto à natureza do milagre da ressurreição de Lázaro, diversos pontos de vista têm sido tentados, a saber:

1. O ponto de vista *racionalista*. Lázaro não teria realmente morrido, mas teria sido despertado de um transe ou de um estado cataléptico, ou de alguma forma de coma profunda, que de morte só teria tido a aparência. Naturalmente, casos assim têm ocorrido; mas não é provável que o escritor tivesse escrito o detalhe de que o corpo já tinha mal cheiro, após quatro dias de sepultamento. Por semelhante modo, um corpo meramente enfermo não poderia ter sobrevivido ao processo de envolvimento e embalsamamento, que os antigos judeus usavam. Essa explicação é apresentada por aqueles que acham difícil crer no que é miraculoso, e para quem qualquer explanação é mais aceitável que um milagre qualquer. Mas nos dias que correm, quando os milagres se tornam mais comuns, tais interpretações são menos seriamente consideradas.

2. O ponto de vista *mítico*. Uma primitiva lenda

cristã, possivelmente baseada na história de «Lázaro» (no capítulo dezesseis do evangelho de Lucas), ou simplesmente a invenção do autor deste quarto evangelho, explicando por que razão os outros evangelhos não incluíram essa narrativa. A narrativa teria sido criada com o propósito de ensinar certas lições espirituais, por terem valor religioso, embora à própria narrativa falte qualquer base histórica.

3. O ponto de vista de *impostura ou fraude*. Que a família de Betânia, por razões desconhecidas, teria inventado a história inteira, e que o autor deste evangelho, tendo chegado a conhecê-la de alguma maneira, a incluiu neste evangelho. Alguns estudiosos, que tomam essa posição, chegam ao extremo de afirmar que Jesus fez parte da impostura, cooperando com ela, com o propósito de se engrandecer por meio da mesma.

4. O ponto de vista *simbólico ou alegórico*. Seria uma alegoria que demonstra como a morte pode ser vencida, embora não se trate de história que deva ser compreendida como uma ocorrência histórica, apesar de ser prenhe de valor espiritual, assim como qualquer alegoria ou parábola pode ter valor espiritual (muitas parábolas ou alegorias aparecem nos evangelhos sinópticos, duas das quais encontramos neste quarto evangelho, a saber o Bom Pastor e a Vinha Verdadeira).

5. O ponto de vista da *ocorrência histórica*. Essa é a posição tomada pela maioria dos intérpretes, e certamente os intérpretes de doutrina conservadora. Assim é que Philip Schaff (*in loc.*, no Lange's Commentary) diz: «Todas essas teorias devem a sua origem à descrença no que é sobrenatural. Mas elas se neutralizam umas às outras, e nada explicam em absoluto. A única alternativa é a verdade histórica versus a ficção desonesta. A verdade histórica é abundantemente confirmada por sua própria simplicidade, vivacidade e circunstâncias da narrativa, como os quatro dias que Lázaro já havia passado sepultado (ver o vs. 39), bem como o bom senso e a honestidade moral, para dizermos o mínimo, de Lázaro e suas irmãs, do evangelista e do próprio Cristo». As explicações que admitem o elemento miraculoso em geral, podem ser classificadas nesta categoria.

A narrativa se divide mui naturalmente em três seções, com suas respectivas subdivisões, a saber: 1. A preparação, cujo assunto é a morte de Lázaro (ver os vss. 1-16). 2. A própria ressurreição de Lázaro, que foi um notável triunfo sobre a morte física (ver os vss. 17-44). 3. Os efeitos ou reações que pertenceram a duas categorias: a. *efeitos positivos*: a confirmação da fé dos discípulos (ver o vs. 45); e b. *efeitos negativos*: a excitação e oposição dos membros do sinédrio, que deu em resultado um ódio mortal contra Jesus (ver os vss 47-57).

As principais mensagens da narrativa da ressurreição de Lázaro são as seguintes:

1. A realidade do *problema do mal*, isto é, da natureza má e da moral pervertida, atingia até mesmo os melhores discípulos de Cristo. Lázaro, alguém que era amado e querido por muitos, com ternos laços de família, havia falecido: temos de passar por tempos difíceis. Ver o artigo sobre o *Problema do Mal*.

2. Em tais tribulações, Jesus (com seu auxílio celestial) pode parecer *afastado*, distante, aparentemente inatingido.

3. Contudo, a fé produz *ótimos dividendos*, porquanto Jesus finalmente apareceu e deu solução ao problema que surgira. Como crença a longo prazo, isso é algo que consola — ou mais cedo ou mais tarde,

745

LÁZARO, RESSURREIÇÃO DE — LEÃO

Deus cuida dos seus, e realiza os seus desígnios em favor de cada um. (Ver o artigo sobre a *Providência·de Deus*).

4. Jesus pode realizar um milagre poderoso, um prodígio de *beneficência*, em favor dos seus discípulos.

5. O *caráter messiânico* de Jesus é novamente demonstrado através de suas obras, e, juntamente com isso, fica comprovada a autoridade que recebeu da parte do Pai, a sua missão divina, a sua unidade com o Pai, que lhe conferia o poder.

6. O poder sobre a morte física subentende o poder sobre a morte espiritual, e isso subentende o poder de Cristo para dispensar a vida espiritual ou eterna. (Ver no NTI as notas em João 5:19,20; 7:45; 8:58).

7. O bem pode vencer o mal até nos casos aparentemente mais *impossíveis*. O princípio dominante é a *vida*, não a morte. A morte é meramente uma curiosidade no caminho do desenvolvimento espiritual.

8. Dentro da *polêmica cristã*, o autor sagrado demonstra quão sem razão, quão obstinada e maliciosa era a incredulidade dos judeus, e, por extensão, quão desarrazoada é a incredulidade de qualquer indivíduo de qualquer raça, porquanto a vida e o ministério de Jesus eram bem autenticados pelos «sinais» por ele operados.

LEABIM

No hebraico, «chamejantes» ou «fogosos». Esse é o nome dos descendentes do terceiro filho de Mizraim, que aparece em Gên. 10:13 e I Crô. 1:11. Alguns estudiosos supõem que o termo aplica-se aos atuais líbios, um dos mais antigos povos da África. O termo *Lubim* (talvez uma variante) aparece em Naum 3:9 e Dan. 11:43, que a Septuaginta e a Vulgata traduzem por «líbios». E, nessas mesmas duas referências há a tradução alternativa *núbios*, que já indica colônias de egípcios. E alguns eruditos pensam que eles seriam os *Re Bu* ou *Le Bu* dos monumentos egípcios, de origem midianita ou de origem cognata aos egípcios.

Os leabim eram descritos como líbios de cabelos claros e olhos azuis, que, desde as dinastias egípcias XIX e XX vinham sendo incorporados ao exército egípcio. Os leabim parecem ter saído do Egito juntamente com outros povos, como os ludim (vide), ou, talvez, fossem os mesmos, ou, então, os anamim, naftuim, patrusim, casluim e caftorim (ver Gên. 10:13,14 e I Crô. 1:11). Porém, nada se sabe com certeza a respeito deles.

LEALDADE

1. A fidelidade dos cidadãos a seu país e a seu soberano. Sem essa lealdade, seria impossível qualquer governo. Vemos que o crime não pode ser controlado, nem mesmo pelas mais severas medidas supressivas, onde os homens não sentem lealdade às autoridades. A Bíblia é favorável a essa lealdade, segundo se vê em Rom. 13:1 ss. Naturalmente, isso é limitado pelo fato de que a lealdade a Deus provoca um conflito de interesses (ver Atos 5:29).

2. A fidelidade do indivíduo a Cristo e ao princípio espiritual. Cristo é o Senhor supremo dos cristãos (Atos 4:19,29; 5:29; Mat. 10:17-25; Dan. 3). A verdadeira lealdade alicerça-se sobre a transformação espiritual, regulada pela lei do amor, que é a prova da espiritualidade (I João 4:7). Ver notas completas sobre isso no NTI.

Ser *leal* é ser fiel em qualquer relacionamento, é confiar e ser digno de confiança, é oferecer e receber verdadeira lealdade e devoção. A lealdade consiste em devotamento. Esse devotamento pode ser a uma pessoa, a um grupo, a uma nação, a um conjunto de princípios, a convicções e a instituições. A lealdade é reputada como uma virtude cardeal humana. Historicamente, tem desempenhado importantes funções nas tribos, nos clãs, nas organizações (seculares e religiosas) e na estrutura das nações. Envolve obrigações ao que é considerado como superior no indivíduo, na organização ou no credo. Aquele que é leal também serve aos outros, visto que a lealdade não é mera questão de crença. A lealdade medra quando se instala um espírito de equipe, quando o indivíduo faz parte de algo que ele respeita e deseja promover. Trata-se de uma virtude comunal, coletiva. Muitos problemas morais resultam de conflitos de lealdade.

A *lealdade* não é uma das palavras da Bíblia, embora certamente seja um conceito bíblico claríssimo, expresso através de vocábulos como «fé», «fidelidade», «confiança», «devoção», «dedicação», «consagração», «santidade», etc. Ver Rom. 2:1 *ss* quanto à lealdade dos crentes.

Josias Royce (vide) dava lugar especial à lealdade, em sua filosofia. Ele supunha que o ideal da lealdade é uma qualidade ética universal, uma idéia constante da mente humana. A lealdade é capaz de obter a harmonia entre dedicações que competem entre si. Para ele, a lealdade é o maior princípio ético que existe. Disse ele: «Sê leal à lealdade». Royce também abordou o conflito entre lealdades diversas, que, algumas vezes, deixam os homens tão angustiados. No cristianismo, destaca-se a lealdade a Deus, a Cristo, ao Espírito Santo e à Bíblia, e, então, secundariamente, a outras coisas. E isso fornece-nos uma hierarquia que nos ajuda a resolver questões conflitantes. Royce pensava que o homem tem, em sua consciência, o *ideal* que pode lançar luz nos casos de lealdade conflitante. O seu *ideal* seguia o imperativo categórico de Kant, que assevera: «Vive de tal modo, como se a tua vida e a vida do teu próximo fossem uma só para ti». Isso nos faz lembrar da declaração de Aristóteles, no sentido de que a verdadeira amizade é uma mente só em dois corpos.

LEANOTE

Essa palavra aparece no título do Salmo 88, em algumas versões. Aparentemente refere-se a algum instrumento musical. Nossa versão portuguesa interpreta esse instrumento como «cítara». Ver o artigo sobre *Música, Instrumentos Musicais*.

LEÃO

1. Palavras e Referências Bíblicas

Seis palavras hebraicas e uma palavra grega estão envolvidas:

a. *Gor*, «mamador». No hebraico, indica um leão jovem (Gên. 49:9; Deu. 33:20; Jer. 51:38).

b. *Kephir*, «felpudo», «hirsuto». No hebraico, um leão jovem que acabou de tornar-se independente (Eze. 19:2,3; Sal. 19:13; Pro. 19:12).

c. *Ari*, «que despedaça». Um leão adulto, caçador e destruidor (Naum 2:12; II Sam. 17:10; Núm. 23:24). No Antigo Testamento, esse é o nome mais comum desse grande felino.

d. *Schachal*, «rugidor». O leão que assusta com suas ameaças; algumas vezes, o «leão negro» (Jó 4:10; 10:16; Pro. 26:13; Osé. 5:13; 13:7).

e. *Layish*, «forte». No hebraico, o leão feroz (Jó 4:11; Pro. 30:30; Isa. 30:6).

LEÃO

f. *Labiah*, «rugidora». No hebraico, a leoa (Jó 4:11).

Sob essas diversas formas, a palavra «leão» aparece por cerca de cento e cinqüenta e cinco vezes no Antigo Testamento.

g. No grego, *léon*. Aparece por nove vezes no Novo Testamento: II Tim. 4:17; Heb. 11:33; I Ped. 5:8; Apo. 4:7, 5:5; 9:8,17; 10:3 e 13:2.

2. Descrição e Características

O leão é o maior e mais formidavelmente armado de todos os animais carnívoros. Somente o tigre da Índia lhe oferece competição. Um leão adulto da Ásia pode chegar até os 205 kg de peso, e um leão africano, aos 230 kg de peso. Um leão pode matar um homem com um simples golpe de pata; suas garras podem causar talhos de dez centímetros de profundidade, em uma fração de segundo. Com um único golpe de pata, um leão pode quebrar as vértebras de um novilho. Um leão geralmente chega aos 3,60 m de comprimento. O recorde é 3,90 m de comprimento, da ponta do focinho à ponta da cauda. As leoas são menores e mais leves que os leões. Os leões vivem, em média, trinta anos. As fêmeas não têm juba, mas a cabeça dos machos tem pêlos luxuriantes, que descem até o pescoço, ao que chamamos de juba. São necessários cerca de sete anos para que a juba se forme por completo em um leão adulto. A reprodução e a concepção podem ocorrer em qualquer época do ano, e a fêmea dá à luz a três ou quatro filhotes, uma vez por ano.

Os leões comem muitas espécies de animais, pequenos e grandes, além de também caçarem certas aves. O leão usualmente mata vítimas quebrando-lhes o pescoço, o que pode fazer facilmente, devido às suas poderosas queixadas. Há leões que se tornam devoradores de seres humanos. O leão tem excelente audição, como também visão e olfato muito bem desenvolvidos.

O leão é famoso por seu espantoso rugido, que, usualmente, solta para advertir a outros leões para que se mantenham longe de seu território e de suas fêmeas. Alguns estudiosos dizem que os leões são polígamos, mas outros insistem que eles são monógamos. Talvez ambas as condições existam entre eles, dependendo do estilo de cada macho. Seja como for, os leões brigam muito entre si e por causa das fêmeas.

Além do homem, que é o inimigo mais perigoso do leão, este tem de enfrentar parasitas e certas enfermidades. Quase todos os leões, selvagens ou mansos, vivem infectados por vermes, havendo uma elevada taxa de mortalidade entre os filhotes.

Há cerca de dez espécies conhecidas de leões africanos. Também há várias espécies de leões asiáticos, ligeiramente menores que seus primos africanos. Em nossos dias, o habitat dos leões anda muito reduzido, em comparação com o que sucedia na antiguidade. Na remota antiguidade, os leões vagueavam por grande parte do suleste europeu, por todo o continente africano, pela parte ocidental da Ásia e pelo subcontinente indiano. Os romanos entretinham-se lançando aos leões os criminosos e os cristãos. Quando esse cruel esporte se popularizou, havia grande demanda pelo rei dos felinos. Lê-se que os romanos chegaram a cruzar leões em cativeiro, para garantir que seu feroz entretenimento tivesse continuidade. As referências bíblicas são muito numerosas no tocante ao leão e com base nisso, sabe-se que essa espécie de animal era muito comum nas terras bíblicas.

3. O Leão e a Arte

A antiga arte egípcia muito retratava o leão, mostrando que ele fora dedicado ao deus Shu e à deusa Sechmete. Ambas as divindades eram simbolizadas pela cabeça de um leão. Visto que as inundações do rio Nilo ocorriam quando o sol se encontrava na constelação zodiacal do *Leão*, o leão era símbolo da água. Por causa dessa circunstância, muitos receptáculos para conter ou transportar água eram decorados com pinturas ou esculturas representando um leão. Entre os assírios e os gregos, o leão representava a deusa Cibele (Rea). Os assírios, os gregos e os romanos esculpiam figuras de leões em seus edifícios públicos, como símbolos de guardiães. Na arte cristã, o leão tornou-se símbolo de Cristo, que é chamado de *Leão de Judá*. Esse animal também tem sido associado a Daniel, Marcos e Jerônimo. Um ótimo exemplo de gravura mostrando a caça aos leões foi encontrado nos relevos do palácio de Assurbanipal, de cerca de 650 A.C., em Nínive. Um relevo representando um dragão-leão alado, foi encontrado em Susã.

4. Cativeiro, Procriação e Caça

O trecho de Dan. 6:7 *ss* mostra-nos que, na antiguidade, os leões eram conservados em cativeiro para se multiplicarem. Já vimos que os romanos, séculos mais tarde, faziam a mesma coisa, com suas razões especiais. Porém, muito antes disso, segundo se sabe, os egípcios criavam leões e os treinavam para ajudá-los na caça. É conhecido que Ramsés II tinha um leão como seu bicho de estimação, que o acompanhava às batalhas. A caça aos leões era um esporte perigoso, mas o favorito, entre os reis e nobres da Assíria. Os antigos acreditavam que o caçador que matasse um leão adquiria seus atributos.

5. Usos Figurados

a. Deus é comparado a um leão, devido ao seu poder, direito de julgar, etc. (Osé. 5:14; Amós 1:2; 3:8).

b. Cristo é o Leão da tribo de Judá. Ver o artigo separado sobre o *Leão de Judá*. A referência bíblica principal é Apo. 5:5.

c. A comunidade religiosa de Deus é comparada a um leão, por ser fortalecida por Deus, uma vencedora, portanto, terrível para os que lhe fazem oposição (Miq. 5:8).

d. Os santos do Senhor são leões, em face de sua ousadia e poder no serviço que prestam a Deus (Pro. 28:1).

e. A tribo de Judá era chamada de leão, em face de seu poder e coragem, o que resultou em muitas notáveis conquistas (Gên. 49:9). Outro tanto foi dito acerca de Gade (ver Deu. 33:20) e de Dã (ver Deu. 33:22).

f. Inimigos cruéis e poderosos são chamados leões (Isa. 5:29; Jer. 49:19).

g. Os temores imaginários dos preguiçosos são quais leões que caçam e ameaçam (Pro. 22:13).

h. Um leão amansado simboliza o homem natural, subjugado pela graça divina (Isa. 11:7; 65:25).

i. A paz será estabelecida na terra quando o leão e o boi puderem habitar juntos, e o leão comer erva, em vez de ser um animal carnívoro (Isa. 11:7).

j. Um leão alado simbolizava Nabucodonosor, rei da Babilônia, em certa visão de Daniel (Dan. 7:4).

l. *Nos sonhos e nas visões*. O leão pode simbolizar apetites ferozes e devoradores; a força brutal, os instintos incontrolados. Entrar em luta com um leão indica contender com algum problema ou força poderosa e potencialmente destrutiva. O leão pode indicar orgulho e coragem, ou perigos à espreita, ou o temor imposto por problemas destruidores. Um leão e

LEÃO I — LEÃO III

um cordeiro indicam união e compatibilidade, a união de opostos, como os instintos e o espírito.

m. Satanás é um leão que vive cercando e prejudicando aos santos do Senhor (I Ped. 5:8).

LEÃO I, PAPA

Também chamado Leão, o Grande. Esse nome vem do latim, *leo*, «leão». Foi o título de treze papas e de seis imperadores bizantinos. Todos os papas com esse nome são descritos neste e nos doze artigos seguintes.

Leão I, o Grande, nasceu em cerca de 390 e morreu em 461 D.C. Foi o primeiro bispo de Roma a obter reconhecimento geral para sua reivindicação à supremacia como sucessor de Pedro. Essa supremacia foi fomentada pelo fato de que Leão I defendeu a cidade de Roma contra Átila e seus bárbaros invasores. A definição de Cristo, dada por Leão I, foi adotada pelo concílio de Calcedônia, em 451 D.C., tendo permanecido como a posição ortodoxa. Ver o artigo separado sobre os *Concílios Ecumênicos* e sobre *Calcedônia, Concílio de*.

Leão I nasceu, provavelmente, em Roma, aparentemente de origem toscana. Os historiadores não têm conseguido descobrir muita coisa sobre seus primeiros anos de vida, e nem sobre o tempo de sua ordenação. Seus escritos mostram que ele recebera boa educação, embora desconhecesse o grego. Serviu como diácono ao tempo dos papas Celestino e Xisto III. Em 440 D.C., foi enviado à Gália a fim de ser o mediador na querela entre os generais imperiais Aécio e Albino, e continuava ali quando foi informado sobre a morte de Xisto III, e de que ele mesmo fora eleito papa. Foi consagrado papa a 29 de setembro de 440 D.C. Levava a sério os seus deveres sacerdotais, conforme se vê por quase cem sermões feitos ao povo de Roma. Além disso, cento e quarenta e três de suas cartas sobreviveram, além de trinta que foram escritas a ele. Essa literatura dá-nos uma noção das suas idéias e ansiedades sobre os cristãos espalhados por todo o império romano.

Contra as Heresias. Leão I tomou medidas contra os maniqueus, em Roma, contra os seguidores de Pelágio, em Aquiléia, e contra os priscilianistas, na Espanha. Temos provido artigos sobre todas as três seitas. Suas atividades envolveram-no em toda espécie de questão eclesiástica, por todo o império, demonstrando isso que, em sua época, o bispo de Roma era tido como uma posição dominante na Igreja organizada, merecendo o título de *papa*, «papai». Mas, ver Mat. 23:9.

Em 448 D.C., *Êutico* (vide) escreveu a Leão, queixando-se do reavivamento do *nestorianismo* (vide). Êutico foi desligado por Flaviano, patriarca de Constantinopla, mas pediu que Leão o reintegrasse. As investigações feitas por Leão desvendaram o fato de que na verdade, Êutico estava ensinando a heresia que nega a genuinidade das naturezas humana e divina de Cristo. Êutico contava com o apoio do imperador Teodósio II e por ocasião do chamado Sínodo de Latrão, em Éfeso, fez Flaviano ser removido, e ele mesmo ser reinstalado. Porém, Leão I declarou tudo isso nulo, e protestou contra o papel do imperador, na questão. Dois anos mais tarde, no concílio de Calcedônia, Flaviano foi vindicado, e Dióscuro, patriarca de Alexandria, e Êutico foram depostos. Leão I escreveu uma carta dogmática, lida perante seiscentos bispos. Ele falou sobre a genuinidade da *encarnação* de Cristo, defendendo tanto a sua natureza humana quanto a sua natureza divina.

Os Hunos. Átila e suas hordas invadiram a Itália em 452 D.C. O imperador, Valentiniano III, pediu

que Leão negociasse com Átila. Os dois encontraram-se perto da cidade atualmente chamada Peshiera del Garda, na parte central-norte da Itália. Átila concordou em suspender sua invasão, sob a condição de que receberia tributo. Porém, somente três anos mais tarde, outro bárbaro, o chefe vândalo Genserico, voltou a Roma. Novamente, Leão I tentou aplacar o invasor, dessa vez, porém, com menos sucesso. E Roma foi pilhada durante catorze dias. Passado o pesadelo, Leão I lançou-se à tarefa da reconstrução de Roma.

Um Longo Pontificado. Leão I foi papa durante vinte e um anos, e obteve imenso prestígio entre os cristãos e entre os bárbaros. Era homem dotado de grande energia, magnanimidade e devoção aos seus deveres. Foi declarado Doutor da Igreja pelo papa Benedito XIV, em 1754. O dia de sua festa religiosa, na Igreja Católica Romana, é 11 de abril, e na Igreja Ortodoxa Oriental é a 18 de fevereiro. Suas relíquias estão preservadas na Basílica do Vaticano.

LEÃO II, PAPA

Desconhece-se a data de seu nascimento, embora seja sabido que ele nasceu na Sicília. Morreu em Roma, a 3 de julho de 683 D.C. Foi papa entre 682 e 683 D.C. Embora eleito papa em janeiro de 681 D.C., só foi consagrado ao papado a 17 de agosto de 682 D.C. Não teve tempo para fazer muita coisa, mas tornou-se conhecido principalmente por haver confirmado os atos do Sexto Concílio Ecumênico, em Constantinopla, em 680 — 681 D.C. Esse concílio anatematizou o papa Honório I (que governara em 625 — 638 D.C.), por não haver feito oposição adequada aos monotelitas, que afirmavam que Cristo não tinha vontade humana própria, mas apenas a vontade divina.

Leão II pode ser considerado um erudito. Ele conhecia bem o grego; foi mestre e pastor zeloso, e tinha profundo conhecimento da liturgia romana. Sua festa é comemorada a 3 de julho.

LEÃO III, PAPA

Nasceu em Roma, embora em data desconhecida. E morreu também nessa cidade, a 12 de junho de 816 D.C. Pontificou de 772 a 795 D.C., como sucessor de Adriano I. Foi eleito no dia da morte de Adriano I e foi consagrado ao papado no dia seguinte. Coisa alguma se sabe sobre sua vida, antes disso, a não ser que fora cardeal-sacerdote de Santa Susana, em Roma. O sobrinho de Adriano I aspirava o papado; mas, quando não foi eleito tal, tornou-se o líder de uma facção hostil a Leão III. Por ocasião da procissão do dia de São Marcos, partidários daquele homem agarraram o papa e tentaram cegá-lo e cortar-lhe a língua. Sua recuperação quase imediata do ataque foi tomada como sinal de sua autoridade divina, por parte do povo. Porém, Leão III teve de exilar-se temporariamente de Roma, e procurou refúgio em Paderborn, em companhia de Carlos Magno. Então, o papa retornou a Roma. E, por ordens de Carlos Magno, foram feitas investigações para aclarar os fatos do ataque. Os conspiradores fizeram acusações ao papa, mas foram exilados e aprisionados na França. As acusações contra o papa foram apresentadas no sínodo efetuado na Basílica do Vaticano, mas esse sínodo desqualificou a si mesmo, ao afirmar que não tinha o poder de investigar um papa. Entrementes, Leão III mantinha a sua inocência.

Por ocasião da missa do Natal, no ano 800 D.C., o papa Leão III coroou o rei dos francos, Carlos Magno,

LEÃO IV — LEÃO VII

estando este ajoelhado diante do confessionário de São Pedro, o que inaugurou o império carolíngio, predecessor do *Santo Império Romano* (vide). Ao mesmo tempo, Leão III ajoelhou-se diante de Carlos Magno, como sinal de sua homenagem ao poder temporal. Desse modo, foi confirmada a doutrina católica das *duas espadas*, interligadas. Até parecia que o ideal de Agostinho da Igreja como o poder maior dos dois poderes, como mestre do Estado, parecia estar-se tornando uma realidade. A partir daí, Igreja e Estado mesclaram-se livremente, e o Estado chegou a intervir em questões doutrinárias. Mas, ver Mat. 22:21, que ensina que não devemos misturar as atribuições da Igreja e do Estado.

Leão III resistiu às pressões de Carlos Magno para introduzir o *filioque* (vide) no credo Niceno. Ele sentia que a inovação ofenderia à Igreja Ortodoxa Oriental. Mas, esse acréscimo foi feito naquele credo, e a parte oriental da Igreja Católica ofendeu-se deveras, tendo sido essa uma das razões (embora não a mais importante, que era uma questão de rivalidade) do rompimento entre o segmento Oriental e o segmento Ocidental da Igreja Católica, em 1054 D.C.

A Igreja Católica, agora intimamente ligada ao Estado, obteve de volta parte de seus patrimônios perdidos. Controvérsias perturbadoras foram temporariamente acalmadas, e o poderes papais foram fortalecidos, até mesmo em terras distantes. Quando Carlos Magno morreu, em 814 D.C., os sarracenos invadiram as regiões costeiras da Itália, e houve novos conluios contra o papa. Mas, finalmente, a ordem foi restaurada. Leão III faleceu em 816 D.C., e seu nome foi adicionado ao martirológio romano oficial, em 1673.

LEÃO IV, PAPA

A data de seu nascimento é desconhecida, mas sabe-se que nasceu em Roma, onde também morreu, a 17 de julho de 855 D.C. Governou como papa entre 847 e 855 D.C. Serviu em ofícios eclesiásticos menores, antes de sua eleição ao papado; tendo sido subdiácono da basílica laterana; então foi cardeal-sacerdote da igreja do Quatuor Coronati. Sucedeu no trono papal a Sérgio II. Uma de suas primeiras tarefas consistiu em reparar os danos causados pela invasão dos sarracenos. A fim de proteger os interesses da Sé romana, ele mandou construir um elevado muro em redor da colina do Vaticano e da sé de São Pedro. Isso criou o que se tornou conhecido como a Cidade Leonina.

Leão IV teve uma longa lista de realizações, de tal modo que elas ocupam vinte e oito páginas do chamado *Liber Pontificalis*, «Livro dos Pontífices». Em 850 D.C., ele coroou a Luís II, demonstrando que continuava em vigência a doutrina católica das duas espadas, a eclesiástica e a temporal.

Leão IV teve de enfrentar um rival, o cardeal Anastácio, que tinha ambições papais. Em um sínodo, em 853 D.C., foram tomadas medidas contra essa tentativa. Nesse tempo, um legado seu foi assassinado por João, arcebispo de Ravena (de cujo homicídio também participou o seu irmão, o duque de Emília). Finalmente, os dois foram condenados à morte, com a ajuda pessoal do papa. Entretanto, os culpados não foram executados, porquanto era o tempo da páscoa, e a lei proibia punições capitais durante esse período. Leão IV também esteve envolvido em vários outros conflitos e lutas, de natureza eclesiástica e temporal. Há uma lenda que afirma que Leão IV, pelo poder da cruz, foi capaz de extinguir um incêndio no Bargo (bairro inglês) de Roma. Esse alegado evento (do que muitos duvidam) foi celebrado por um grande pintor do passado, Rafael, em algumas pinturas murais, que ainda. podem ser vistas na Sala dell'Incendio, no palácio do Vaticano. Finalmente, cabe-nos dizer que Leão IV é relembrado como papa que muito se interessava pela música e liturgia eclesiásticas. A introdução da *asperges* (vide) na missa católica romana tem sido erroneamente atribuída a ele. Contudo, Leão IV promoveu o uso do cântico gregoriano.

LEÃO V, PAPA

Não são conhecidas as datas de seu nascimento e de sua morte. As circunstâncias do papado de Leão V foram, realmente, estranhas. Ele foi eleito papa a fim de suceder a Benedito IV, embora não fosse nem cardeal e nem especialmente proeminente entre o clero. Servia como reitor de uma pequena igreja, perto de Ardea, na Itália. O que o distinguia era sua santidade e devoção pessoais. Todavia, isso não bastou para que ele pudesse resistir ao movimento que se organizou com o propósito de depô-lo. Apenas um mês após a sua eleição (o que teve lugar em agosto de 903 D.C.), ele foi deposto por Cristofer, um cardeal-sacerdote romano. Leão V foi lançado em uma prisão. Mas o próprio Cristofer (que assumira os poderes papais) foi destronado no ano seguinte, por Sérgio III. Os historiadores informam-nos, em seguida, que Sérgio III cuidou de tirar a vida tanto de Leão V quanto de Cristofer, a fim de fortalecer sua própria posição, sem dúvida alguma. Há uma lenda bretã que identifica Leão V com São Tugdual, que era o patrono de Greguier, na França, mas dificilmente há nessa lenda alguma verdade.

LEÃO VI, PAPA

Não se sabe a data de seu nascimento, embora seja conhecido que ele morreu no ano de 929 D.C. Pontificou apenas por oito meses. Esse papa foi estabelecido no papado pela rainha Marozia, que depusera e aprisionara o papa João X em vista de sua insistência em governar independente. A única peça informativa de que dispomos sobre os atos de Leão VI é uma carta que ele escreveu, requerendo dos bispos da Dalmácia que respeitassem os direitos do arcebispo de Espalato, na Iugoslávia.

LEÃO VII, PAPA

Nasceu em Roma, em data desconhecida. Mas morreu nessa cidade, a 13 de julho de 939 D.C. Governou a Sé romana de 936 a 939 D.C. Ao que tudo indica, ele era beneditino. Sucedeu a João XI, e obteve o trono papal, pelo menos em parte, porque era favorecido pela rainha Marozia. Esse papa fazia notável contraste com os seus antecessores imediatos, corruptos e intrigantes. Os historiadores dizem-nos que ele era homem piedoso e generoso. Interessava-se em reformas eclesiásticas e aprimorou as condições nos mosteiros, promovendo as chamadas reformas de Cluny, que tinham sido iniciadas por Odo, abade de Cluny. Odo ajudou o papa Leão VII a aplacar a Alberico e a Hugo, que tinham intenções de assediar a cidade de Roma. Frederico, arcebispo de Mainz, foi nomeado vigário papal, e ajudou Leão VII a consolidar seus poderes na Alemanha. Ele contribuiu para o começo da reforma que floresceu cerca de um século depois, no seio da Igreja Católica Romana.

••• ••• •••

LEÃO VIII — LEÃO X

LEÃO VIII, PAPA

Não se sabe quando nasceu, mas morreu em alguma data entre 20 de fevereiro e 13 de abril de 965 D.C. Pontificou de 963 a 965 D.C. O imperador Oto I depusera irregularmente ao papa João XII (que governara entre 955 e 963 D.C.), e pôs a Leão VIII no trono. Ele fora oficial curial e arquivista romanc. mas, quando foi eleito papa era apenas um leigo. Por esse motivo, teve de receber as ordens necessárias, como padre, para estar qualificado para o ofício papal. Mas, quando Oto I deixou Roma, João XII depôs a Leão VIII e anulou a sua ordenação sacerdotal. João XII morreu a 14 de maio de 964 D.C., e Benedito V tornou-se o próximo papa. Porém, quando Oto I retornou a Roma, reinstalou a Leão VIII. E Benedito V deixou o papado para ser arcebispo de Hamburgo. E ali morreu, dois anos mais tarde.

Leão VIII é melhor lembrado por seus envolvimentos políticos, e não em vista de suas atividades religiosas. Com seu *Privilegium Ottonis*, ele conferiu ao imperador todos os privilégios exercidos por seus antecessores carolíngios. Destarte, o imperador recebeu autoridade para aprovar ou rejeitar àqueles que fossem nomeados para ofícios eclesiásticos. Alguns pensam que esse documento é apenas uma forja posterior, mas, mesmo que o fosse, provavelmente reflete exatamente as condições vigentes na época.

LEÃO IX, PAPA

Ele nasceu em Eigisheim, perto de Colmar, na Alsácia, a 21 de junho de 1002, e morreu em Roma, a 19 de abril de 1054. Seu nome era Bruno. Era parente do imperador Conrado II, pelo lado paterno. Nasceu em uma família próspera. Foi educado sob a direção de Bertoldo, bispo de Toul. Foi nomeado cônego de Santo Estêvão, em 1017. Serviu como diácono e acompanhou o imperador à Itália, em 1026, a fim de ajudar a abafar uma rebelião na Lombardia, e comandou tropas. Elevou-se rapidamente ao poder, e foi eleito ao ofício de bispo de Tours, tendo tomado posse do cargo no dia da Ascensão, em 1027. Então, manteve-se no cargo por mais de vinte anos. Impôs uma disciplina mais rígida entre o clero; promoveu reformas; edificou grandes mosteiros; fez o trabalho de um pastor católico romano. Quando o papa Damasco II morreu, em 1048, foi eleito papa em seu lugar. Seu primo, o imperador Henrique III, foi instrumental nessa nomeação, embora ele contasse com largo apoio entre o clero. Foi coroado a 12 de fevereiro de 1049, quando, então, assumiu o título de Leão IX. Imediatamente tomou providências para eliminar certos abusos. Voltou-se contra a simonia; sublinhou o celibato do clero; promoveu as comunidades religiosas como um bom lugar para se viver; pregou a reforma moral; promoveu uma música sacra de melhor qualidade; atacou as heresias; ampliou os domínios papais; declarou guerra aos normandos, e foi criticado por tomar parte por demais ativa na guerra, não deixando a mesma às mãos do imperador. Todavia, Leão IX foi derrotado pelos normandos, em Astagnum, perto de Civitella, a 18 de junho de 1053, durante algum tempo esteve aprisionado em Benevento. Com o tempo, porém, teve permissão de regressar a Roma, embora não mais tivesse nem saúde e nem autoridade. Ordenou que seu leito e um esquife fossem postos um ao lado do outro, na basílica de São Pedro. Ali morreu, diante do grande altar, a 19 de abril de 1054, no mesmo ano em que a Igreja Ortodoxa Oriental separou-se do segmento ocidental da Igreja Católica. Ver os artigos intitulados *Grandes Cismas* e *Ortodoxa Oriental, Igreja*, sob o título *O Grande Cisma*. Leão IX esteve envolvido nessa questão, mas não viveu o bastante para levar qualquer coisa à sua conclusão.

Curas Milagrosas e Canonização. Mais de cento e setenta curas milagrosas, alegadamente, foram produzidas por sua intercessão (no outro lado da existência), quarenta dias após a sua morte, o que demonstra como ele capturou a imaginação das pessoas comuns. Isso conferiu-lhe uma espécie de canonização popular. Em 1087, o papa Vítor III canonizou-o oficialmente, e ordenou que seus restos mortais fossem guardados em um santuário.

Talvez o ato isolado mais importante do pontificado de Leão IX tenha sido a promulgação da proposta que a futura eleição dos papas estivesse sob o total controle dos cardeais de Roma. Isso veio a tornar-se uma lei, quatro anos após a sua morte.

LEÃO X, PAPA

Ele nasceu em Florença, na Itália, a 11 de dezembro de 1475, e faleceu em Roma, a 1º de dezembro de 1521. Seu pontificado deu-se de 1513 a 1521. Seu nome verdadeiro era Giovanni de Médici. Ele era o segundo filho de Lourenço, o Magnífico, o qual, desde o começo, garantira para ele algum elevado ofício eclesiástico, senão mesmo o mais elevado. Foi por isso que, com a incrível idade de sete anos, Giovanni já fora nomeado prelado. Em 1486, com apenas onze anos de idade, tornou-se abade do monte Cassino, e somente três anos mais tarde já era cardeal. Estudou teologia e lei canônica na Universidade de Pisa. Dificuldades políticas levaram à expulsão de sua família de Florença, onde ele então servia como legado papal, e ele também foi obrigado a exilar-se. Viajou pela Alemanha, pela Holanda e pela França, e obteve muita educação e experiência, além de amigos influentes. Quando voltou a Roma, tornou-se parte do círculo dos eruditos, artistas e membros distinguidos da sociedade. Em 1506, tornou-se governador de Pergia e, posteriormente, serviu como legado papal em Bolonha. Por algum tempo serviu como comandante do exército, em união com a Espanha. Então, foi feito prisioneiro, por ocasião da batalha de Ravena, mas escapou e, finalmente, foi capaz de restaurar sua família ao poder político. A 11 de março de 1513, com apenas trinta e sete anos de idade, foi eleito papa, para suceder ao papa Júlio II, e pontificou de 1513 a 1521.

Conforme já seria de esperar, com base na posição de sua família na política, e em sua própria história pregressa, Leão X teve um pontificado constantemente envolvido em intrigas políticas, a começar por sua tentativa de impedir que o rei da França interviesse na Itália. As lutas com a França resultaram em uma transigência, de acordo com a qual o rei da França tinha autoridade para nomear bispos e outros oficiais eclesiásticos em seus próprios domínios. Alfonso Cardinal Petrucci esteve envolvido em uma trama para assassinar ao papa, mas ele mesmo foi executado, antes que pudesse cumprir os seus propósitos.

Leão X conseguiu aplacar as facções em luta, no seio da Igreja Católica Romana; reorganizou a Universidade de Roma, começou a pagar melhores salários aos professores, encorajou a impressão de livros e estabeleceu grandes bibliotecas. Nomeou a trinta e um novos cardeais e produziu algumas outras mudanças no seio de sua igreja.

A Reforma Protestante. O maior acontecimento histórico dos dias de Leão X, e que o envolveu pessoalmente, foi o começo da Reforma Protestante.

LEÃO XI — LEÃO XIII

em 1517. Os historiadores garantem que Leão X não percebeu a imensa significação desse evento. Apesar de concordarem que ele era homem de brilhante inteligência, dotado de treinamento acadêmico para iluminar sua mente brilhante, apesar de ter sido ele um homem magnânimo, que dirigiu muitas modificações culturais e educacionais, para melhor, apesar de ter sido homem generoso, que exibia considerável piedade pessoal, faltava-lhe a visão e a força necessárias para efetuar as reformas que desde há muito se impunham, na vida religiosa, política e moral da Sé romana e de toda a Igreja Católica Romana, o que poderia ter evitado esse grande cisma. Porém, ele andava muito preocupado com as artes, com a política e com o bem-estar de seus próprios familiares para ser capaz de ver claramente a magnitude dos acontecimentos, que o pegaram inteiramente despreparado.

LEÃO XI, PAPA

Ele nasceu em Florença, na Itália, a 2 de junho de 1535, e faleceu em Roma, a 27 de abril de 1605. Era filho de Attaviano de Médici e Francesa Salviati, sobrinha de Leão X. Portanto, com ele témos a continuação da família Médici na política e na Igreja Católica Romana. Seu verdadeiro nome era Alessandro Ottaviano. Tornou-se bispo de Pistóia e arcebispo de Florença. Serviu como embaixador na corte papal, enviado pelo grão-duque da Toscana. Em dezembro de 1583, tornou-se cardeal. Tentou restaurar a ordem na Igreja Católica Romana, e foi capaz de fazer voltar a essa igreja a muitos huguenotes franceses. Quando morreu o papa Clemente VIII, Leão XI tornou-se papa, embora já estivesse então com quase setenta anos de idade. Foi eleito a 10 de abril de 1605, embora tivesse morrido somente dezessete dias mais tarde. Mas, naquele brevíssimo período, foi capaz de resolver a disputa entre os jesuítas da Espanha e clérigos de outras ordens, naquele mesmo país.

LEÃO XII, PAPA

Nasceu em Castello della Genga, perto de Espoleto, na Itália, a 22 de agosto de 1760, e morreu em Roma, a 10 de fevereiro de 1829. Pontificou de 1823 a 1829. Seu nome de batismo era Annibale Sermattei della Genga. Formou-se em estudos superiores em Osimo e em Roma. Foi ordenado padre em 1783. Tornou-se arcebispo de Tiro em 1793; serviu como núncio, em Lucerna; e, então, na Diega Alemã; serviu como embaixador papal diante de Napoleão I. Depois da queda desse imperador, voltou àquele lugar a fim de congratular Luís XVIII por sua restauração ao poder. Tornou-se cardeal em 1816, e foi eleito papa a 5 de outubro de 1823. Grande parte de seu pontificado esteve ocupado no estabelecimento de concordatas (acordos entre a Igreja Católica Romana e os poderes seculares), com vários países. Ele opunha-se à política e às idéias religiosas de tendências liberais. Enriqueceu a biblioteca do Vaticano; removeu funcionários ineficientes da Cúria Romana; condenou a atitude de inferença quanto às questões religiosas, em seu *Ubi Primum*; condenou a maçonaria livre em seu *Quo Graviora Mala*. Também prestou ajuda aos cristãos armênios, dentro do império otomano, conseguindo a ajuda de várias nações; estabeleceu uma sede metropolitana para eles, e consagrou um prelado que dirigisse a recém-estabelecida sede.

LEÃO XIII, PAPA

Seu nome verdadeiro era Vincenzo Gioaccino Pecci. Nasceu a 2 de março de 1810, em Carpineto, e morreu em Roma, a 20 de julho de 1903. Governou como papa de 1878 a 1903. Foi educado pelos jesuítas, em Viberto, no Colégio Romano e na Academia dos Nobres, em Roma. Foi ordenado padre e tornou-se prelado doméstico em 1831. Então foi nomeado legado apostólico a Espoleto e Perúgia, em 1843, e núncio papal à Bélgica, em 1843. Encontrando ali problemas políticos, retornou a Roma, em 1846. Viajou muito por vários países da Europa e obteve assim uma visão social e cultural de âmbito internacional, qualidade essa que soube usar em seu ofício papal. Foi nomeado bispo de Perúgia, por Gregório XVI, e foi feito cardeal *in petto* (não-publicado); fez oposição às leis anticlericais do governo italiano. Foi nomeado cardeal por Pio IX, em 1853. Atuou como camerlengo da Cúria Romana. Quando Pio IX morreu, foi eleito papa, a 20 de fevereiro de 1878.

Seu pontificado foi assinalado por lutas políticas entre a Igreja e o Estado. Publicou muitas encíclicas, a fim de mostrar como os princípios cristãos são compatíveis com formas justas de governo. Ele favorecia a liberdade pessoal; a propriedade privada; os direitos das classes trabalhadoras compatíveis com a dignidade cristã e com as leis naturais. Escreveu vários tratados contra o socialismo e o liberalismo. Foi um humanista dotado de grande e profunda cultura, mas teve de enfrentar o surgimento de uma ciência cínica e materialista. Foi um estadista capaz e um bom erudito, e procurava um *modus vivendi* com governos alienados, em cujas tentativas obteve sucesso geral. Procurou livrar a Igreja Católica Romana da transigência diante de qualquer forma política, governo ou ideologia específicas que a tornassem prisioneira das invenções e instituições humanas. Obteve menor sucesso na Itália do que em outras nações, para reconciliar a Igreja Católica Romana com o governo. Tal como fizera Pio IX, antes dele, ele proibiu aos católicos italianos de participarem na política do país, o que mostra até que ponto havia na Itália a alienação entre a Igreja Católica Romana e Estado, naquele período.

Leão XIII tinha ilimitada confiança na verdade, e promulgou pesquisas eruditas em todos os ramos do conhecimento, incluindo nas ciências, na história e na filosofia. Em 1879, fundou a Academia de São Tomás de Aquino, em Roma. A começar em 1881, ele organizou os arquivos e a biblioteca do Vaticano, para pô-los em disponibilidade aos eruditos. Em 1888, restaurou o observatório do Vaticano, e, em 1902, iniciou a comissão bíblica, que veio à existência a fim de promover estudos bíblicos eruditos. Fundou a Universidade Católica em Washington, D.C., nos Estados Unidos da América, bem como as de Friburgo, na Suíça, e de Luvain, na Bélgica.

Não conseguiu trazer de volta ao redil católico romano a Igreja Ortodoxa Oriental (especialmente seu ramo eslavo). Dentre todos os papas, talvez nenhum deles tivesse sido tão grande, como intelectual, como Leão XIII. Seus conhecimentos sobre teologia e filosofia eram enciclopédicos. Também foi latinista e poeta bem conhecido, pioneiro e líder dos estudos que envolvem as ciências político-sociais cristãs.

Faleceu em 1903 e seu corpo foi posto em São João Laterano, diante do túmulo de Inocente III, um papa internacional da Idade Média.

••• ••• •••

LEÃO DE JUDÁ — LECOMTE DU NOUY

LEÃO DE JUDA

A referência bíblica onde Cristo aparece com o Leão de Judá é Apo. 5:5, o que parece ter sido sugerido ou tomado por empréstimo de Gên. 49:9, onde Judá é chamado de «leãozinho».

Elementos

1. Cristo é o poderoso leão que abre os sete selos do julgamento, em Apo. 5:5, e assim cumpre a vontade de Deus, em contraste com Satanás (o leão), que assedia e prejudica aos santos do Senhor (I Ped. 5:8).

2. Cristo é da tribo de Judá (Mat. 1:1,20; 9:27; 12:23; Rom. 1:3; II Tim. 2:8).

3. Cristo é associado ao julgamento divino, e isso com uma qualidade incansável, sem dar quartel, tal como o leão salta subitamente sob a sua presa. Talvez os trechos de Isa. 38:13; Lam. 3:10; Osé. 5:14 e 13:8 sugiram a questão.

4. O *Leão de Judá* derrotou a águia romana, o principal adversário da Igreja quando foi escrito o livro de Apocalipse, que contém esse simbolismo.

5. O trecho de IV Esdras 12:31,32 retrata o Messias a atacar e derrotar Roma, onde ele aparece como o Leão que dominou a águia. Essa passagem pode ter sugerido o uso desse simbolismo no Apocalipse do Novo Testamento.

6. De modo geral, podemos pensar que o leão simboliza Cristo em sua força, coragem, autoridade e determinação, o que o capacita a ser o Cabeça e Protetor da Igreja cristã.

LEÃO HEBREU (ABARBANEL)

Suas datas foram 1460-1520. Ele foi um notável filósofo judeu, natural de Lisboa, Portugal, mas que foi forçado, por seus familiares, a viver entre a Espanha e a Itália. Finalmente, estabeleceu-se em Nápoles. Foi influenciado pela Academia de Florença e, especialmente, por *Ficino* (vide). Adquiriu certa fama no campo filosófico por causa de seus diálogos sobre o *amor*. Ele afirmava que Deus é a fonte originária de todo amor; que esse amor se irradia pela criação inteira; que o amor exerce poder sobre todos os seres inteligentes, servindo de grande poder unificador. O amor mover-se-ia do superior para o inferior, mas igualmente ao contrário, do inferior para o superior.

LE BON, GUSTAVE

Suas datas foram 1841-1931. Ele é bem lembrado em face de algumas declarações suas sobre as crenças humanas. Ele afirmou que os homens costumam aferrar-se tenazmente às suas crenças, mesmo quando não dispõem de quaisquer provas demonstradoras de que estão com a razão. Isso prova que o homem é, essencialmente, uma criatura ilógica. Os homens crêem em coisas ilógicas e desarrazoadas, contanto que essas crenças satisfaçam suas emoções e sentimentos. Por isso é que as crenças, e não a razão e a lógica, sempre desempenharam papéis tão importantes na vida e na história dos homens. As mudanças nas crenças, com freqüência, resultam em grandes alterações sociais. Apesar disso exprimir uma verdade, as mudanças nas crenças também resultam, com freqüência, de grandes descobertas científicas. Essas descobertas (não imediatamente, mas a longo prazo), levam a modificações nas crenças.

LEBONA

Transliteração do nome que, em hebraico, significa «incenso». Era um lugar na estrada, ou um marco ao

norte de Silo, entre Silo e Siquém (ver Juí. 21:19). Tem sido identificado com a moderna Lubban, cerca de cinco quilômetros a noroeste de Silo. Foi ali que os jovens rapazes de Benjamim, que haviam restado, receberam instruções para capturar as donzelas silonitas, por ocasião da festividade anual.

LEBRE

No hebraico, **arnebeth**, uma palavra empregada somente por duas vezes, em Lev. 11:6 e Deu. 14:7. No grego, *lagoós*, um termo que nunca aparece no Novo Testamento. A lebre era considerada um animal impróprio para a alimentação humana, pois «...rumina, mas não tem as unhas fendidas...» (Lev. 11:6). O alimento que a lebre come a princípio é digerido apenas em parte. A porção não digerida recebe a ação de bactérias, e então, na segunda vez em que tal porção passa por seu trato digestivo, pode ser melhor absorvida. Essencialmente o mesmo princípio está envolvido no verdadeiro ato de ruminação, como a do boi, por exemplo, pelo que a classificação que se lê naquele trecho é válida. Por classificação, a lebre é um roedor. — Há quatro variedades da lebre na Palestina: a *Lepus Syriacus*, que é bem difundida; a *Lepus Sinaiticusz*, a *Lepus Aegyptius* e a *Lepus Isabellinus*, as últimas três sendo, essencialmente, espécies que vivem no deserto.

Embora a lebre e o coelho pertençam à mesma família, poderíamos apontar para certas distinções entre as duas espécies. As lebres não fazem ninhos, e seus filhotes nascem bem peludos e de olhos abertos. Os coelhos nascem com olhos fechados, sem pêlos, e fazem ninhos subterrâneos. Entretanto, os dois vocábulos desde há muito são usados como sinônimos; mas algumas espécies não cabem bem dentro nem de uma nem de outra categoria. De fato, há espécies bem distintas de outras. Conhecem-se vinte e seis espécies diferentes de lebres. As lebres da Palestina parecem-se muito com as da Europa. O chamado «coelho norte-americano» é uma lebre verdadeira, mas geralmente de menor porte que a lebre da Palestina.

LECA

No hebraico, «trilha», mas outros preferem algo como «adição». Esse nome aparece nas genealogias de Judá (I Crô. 4:21), embora não haja certeza se está em foco um lugar fundado por Er, ou se Leca era o nome de um filho seu. Se está em pauta uma aldeia, então sua localização moderna é desconhecida.

LECIONÁRIO

Esse é o nome do livro que contém as **lectionis** (vide), lidas durante a celebração da eucaristia (epístolas e evangelhos litúrgicos) ou das matinas. Essa palavra também pode indicar uma tabela de lições determinada para tal uso. Alguns manuscritos lecionários são utilíssimos para efeito de crítica textual, visto que tendem a preservar um texto mais antigo do que o tempo em que foram escritos. O começo e o fim são adaptados, mas muitos textos correntes dos evangelhos e das epístolas foram deixados intactos. Dessa maneira, os lecionários se tornam um importante testemunho acerca do texto do Novo Testamento.

LECOMTE DU NOUY, PIERRE A.

Suas datas foram 1883-1947. Ele foi um biofísico e filósofo francês. Nasceu em Paris e educou-se na

LECTION — LEGALISMO

Sorbonne. Fez pesquisas no Instituto Rockefeller, de Nova Iorque, bem como no Instituto Pasteur, em Paris. Tornou-se melhor conhecido por causa de sua teoria *teísta* da evolução. Em outras palavras, a evolução não é apenas uma teoria, embora só possa ser adequadamente entendida se rejeitarmos a tese do mero acaso, e supormos que tudo foi guiado pela mente divina. Entre os seus argumentos, destaca-se aquele que diz que a vida veio à existência recentemente demais para poder ter aparecido por mero acaso (o que, segundo ele supunha, requereria muito, muito tempo), sem falar no fato de que a evolução por acaso contradiz a lei da *entropia*. A única explicação adequada para a vida, ainda de acordo com ele, é a tese do *telefinalismo*, ou seja, as coisas acontecem a fim de cumprir um propósito. Ele acreditava que há um designio operante no universo, procurando atingir propósitos específicos. Sendo isso verdade, precisamos aceitar a idéia da atuação de um Planejador (Deus). Ver os artigos separados sobre *Evolução*, *Argumento Teleológico* e *Teísmo*.

LECTION

Essa palavra latina indica alguma passagem selecionada das Escrituras, dos escritos dos pais da Igreja, ou das crônicas sobre as vidas santas, para ser lida nos cultos da Igreja Católica Romana, especialmente no tocante à celebração da *eucaristia* (vide) ou das *matinas* (vide).

LEÉM (JASUBI-LEÉM)

O manuscrito B da Septuaginta diz *Sochetha*. Talvez esteja em vista alguma localidade não identificada do território de Judá (ver I Crô. 4:22). A tradução inglesa Revised Standard Version diz que Joás e Sarafe retornaram a Léem. A King James Version mostra o termo como um nome pessoal. Há quem pense estar em foco uma expressão idiomática, traduzindo-a como «mas voltaram a si mesmos». Esse tipo de expressão aparece em Núm. 22:34; Deu. 5:30 e I Sam. 26:12. Kittel modificou a passagem para que se lesse «eles voltaram a Belém». Nossa versão portuguesa retém o nome como se fosse um nome locativo, «Jesubi-Leém».

LEGADOS E NÚNCIOS (PAPAIS)

Tanto os **legados** quanto os **núncios** são representantes do papa, embora difiram quanto ao grau de autoridade que eles exercem. Um *legado* pode ser enviado a um outro governante ou país, a fim de representar o papa, especificamente a fim de cumprir alguma função, como a de coroar um monarca. Ou, então, poderá presidir algum congresso eucarístico. Um *legatus a latere* é sempre um cardeal. O papa confere a ele, para a ocasião, a autoridade específica de que ele necessita, de acordo com as demandas das funções a serem desempenhadas. Se um representante do papa também representa a Santa Sé, como embaixador ao país para onde foi enviado, então ele é chamado pelo título de *núncio*. Visto que a sua função na verdade, é idêntica à de um embaixador, os termos *nunciatura* e *embaixada* são sinônimos.

Se o país para onde um desses embaixadores eclesiásticos é enviado é considerado de segunda categoria (por exemplo, dotado de pequena população católica romana), então ele será chamado de *internúncio*. Isso posto, a posição desse homem corresponde, a grosso modo, à de um ministro. O trabalho desenvolvido por um núncio ou por um internúncio é o mesmo de qualquer embaixador—cui-

dar de coisas importantes para a Igreja, no país onde tiver ido servir.

Um *delegado apostólico* está investido de uma autoridade menor. Esse não é considerado um embaixador oficial, mas antes, é um homem encarregado de cuidar de tarefas a ele delegadas.

LEGALISMO

Ver **Obras Relacionadas à Fé.**

Definição do Legalismo

Esta expressão, como usada pelos teólogos cristãos, não tem nada contra a dignidade da lei. Muito pelo contrário, fala de *abusos* dos propósitos da lei. Significa a crença de que a lei (ou diversas provisões da mesma) deve ser observada para obter a salvação. Secundariamente, o termo significa que a vida cristã deve ser governada pela observação da lei. É claro por muitos judeus convertidos ao cristianismo, que aceitaram o ensino de que *Jesus* era o Messias, ainda continuaram observando a lei pelas duas razões sugeridas, sendo que o judaísmo nunca promoveu um conceito de justificação pela fé. *Legalismo*, então, é o uso da lei como uma base de *soteriologia* e como o *guia* da vida espiritual, no lugar da justificação pela fé e a lei do Espírito como o guia da espiritualidade (Rom. 8:2). Ver o artigo separado sobre *Circuncisão, Partido da*.

Controvérsias acerca do legalismo — Atos 15:1-41

Dificuldades em Antioquia e Jerusalém — Atos 15:1-5

Este décimo quinto capítulo do livro de Atos tem sido sujeitado a críticas sérias da parte de diversos estudiosos, alguns dos quais acusam Lucas de não haver compreendido verdadeiramente a natureza da disputa havida em Jerusalém, acerca dos problemas de natureza legalista, na igreja primitiva. Por essa razão existem citações como a que transcrevemos aqui, acerca do problema: «A leitura do décimo quinto capítulo de Atos, como uma narrativa contínua, e o mero exame da significação geral dos decretos, deixa claro que o sentido que Lucas queria apresentar era o mínimo da lei que podia ser requerido dos crentes gentílicos, sem importar a circuncisão... Mas uma investigação mais profunda sobre o fraseado desses decretos...sugere que os mesmos diziam respeito ao problema das relações sociais entre os judeus e os gentios, na igreja cristã, e não ao problema da circuncisão». (*Beginnings of Christianity*, Kirsopp Lake, Londres: Macmillan and Co. 1920-1933, vol. V, págs. 204 e 205).

Mas o que diz esse autor mostra que ele julgou erroneamente o problema em sua inteireza, porquanto seria simplesmente impossível separar a questão da circuncisão da questão geral da mistura e relações sociais entre judeus e gentios, na comunidade da igreja primitiva. Pois, ao acompanharmos os lances principais da controvérsia, podemos perceber, com facilidade, que havia dois pontos básicos em debate, a saber: 1. A questão da circuncisão (ver Atos 15:1-2 e 11:2,3 e *ss*) e 2. A questão de qualquer tipo de associação social com os gentios (ver Gál. 2:11-14, que é o trecho que descreve as circunstâncias dessa controvérsia. Ver também o décimo capítulo do livro de Atos, bem como o trecho de Atos 11:1-18). A leitura desses textos bíblicos demonstra claramente que estavam envolvidos vários fatores nessa controvérsia, ficando inclusas as questões fundamentais do contacto social com os gentios em geral e da questão da permissão aos convertidos dentre os gentios para que permanecessem incircuncisos.

LEGALISMO

Aquilo que aqui nos interessa, por conseguinte, é um problema de graves conseqüências, isto é: a dificuldade inteira, criada pelo contacto com os gentios, e a formação de uma comunidade religiosa não-orientada pelas *leis cerimoniais* judaicas, o que envolvia a maneira dessa comunidade ser governada e quais normas deveriam ser seguidas, já que os crentes não deveriam aderir fortemente aos antigos caminhos do judaísmo, conforme os seus antepassados haviam feito. Em outras palavras, quanto do judaísmo antigo poderia e deveria ser incorporado na nova religião revelada, o cristianismo?

Cada comunidade cristã, dependendo de suas respectivas circunstâncias, mui provavelmente *incorporava graus diversos* do antigo judaísmo. Algumas dessas comunidades exigiam a circuncisão dos convertidos dentre os gentios, ao passo que outras não impunham tal exigência. —Algumas chegaram mesmo a repelir qualquer associação com os gentios, ao passo que outras não tinham tais escrúpulos. Ainda outras comunidades cristãs haviam abandonado totalmente o judaísmo, com todas as suas formalidades. Isso significa, pois, que algumas congregações cristãs eram muito parecidas com o judaísmo, em sua forma externa, — ao passo que outras divergiam, inteiramente, do mesmo.

— Ao concílio de Jerusalém, por conseguinte, coube decidir o que se deveria fazer, exatamente, quanto a essa questão em geral, e a simples leitura do texto sagrado nos mostra que, apesar dos gentios não serem forçados, de modo geral, a se tornarem judeus, antes de se tornarem cristãos, nem todos os elementos religiosos do judaísmo foram eliminados da igreja cristã, pelo menos em Jerusalém e nas circunvizinhanças. Porquanto a abstenção de animais sufocados indubitavelmente foi uma concessão feita aos costumes cerimoniais judaicos (ver Atos 15:20).

Embora a decisão a que chegou o concílio de Jerusalém tenha envolvido uma determinada dose de transigência, ante o judaísmo (simplesmente devido ao fato de que aqueles que tomaram essas decisões desde a infância vinham sendo treinados nas práticas do judaísmo), considerando a questão em termos gerais, essa decisão pode ser reputada como de natureza surpreendentemente liberal, — tendo sido eliminado o cerimonial judaico em um grau muito mais extenso do que se poderia esperar de tal concílio. Por causa disso é que houve grande número de pessoas, no seio do cristianismo primitivo, que passou a desconsiderar a decisão tomada pelo concílio de Jerusalém, sob a alegação de que os apóstolos tinham transigido, não mantendo a religião revelada em toda a sua pureza, permitindo que elementos estranhos penetrassem na prática da pura religião divina. A leitura das epístolas aos Gálatas e de Tiago é o suficiente para nos convencer disso.

O rito do batismo dos convertidos a Cristo parece ter tomado o lugar anteriormente ocupado pela circuncisão, ainda que os convertidos ao judaísmo, vindos do paganismo, fossem tanto batizados como circuncidados. Um judeu estrito não teria considerado o batismo como suficiente. É bem provável, portanto, que o partido judaico mais extremista tenha reputado as decisões do concílio de Jerusalém, como uma «desnacionalização», do Messias judaico (porquanto até mesmo esse partido, que fazia parte integrante da igreja cristã primitiva, havia aceito Jesus como o Messias), transformando o cristianismo, pelo menos em parte, em uma religião *paganizada*. Mui certamente, jamais foram capazes de imaginar qualquer expressão religiosa, «piedosa», e «santa», que não estivesse encrustada nas formas cerimoniais e ritualistas a que eles estavam acostumados. Aceitavam Jesus como o Messias, mas uma religião sem circuncisão, sem ritos, sem dias santos, etc., jamais! Isso era tudo quanto sempre haviam conhecido e ouvido e, naturalmente, estavam convencidos de que essa era a imutável verdade de Deus.

Quão moderno parece ser todo esse problema! Tão-somente as questões em debate são outras! Por um número demasiado de vezes se têm inventado vários «sistemas fechados», no seio do cristianismo, os quais nunca admitem qualquer modificação. Com que freqüência muitos, até mesmo nas modernas igrejas evangélicas, pensam que possuem toda a revelação de Deus, que nada de novo é possível a quem quer que seja e que alguém falar de modo que não se adapte perfeitamente às suas doutrinas fixas e aceitas, é apenas demonstração de que é um *herege*.

A controvérsia de que tratou o concílio de Jerusalém, pois, foi uma controvérsia multilateral, que tinha como seu centro a melhor maneira de mesclar tão diversas culturas, em uma única comunidade religiosa. Ora, isso não podia ser conseguido da noite para o dia, e nem era uma tarefa fácil. De fato, em muitas comunidades cristãs jamais se conseguiu realizar tal alvo, porquanto muitos daqueles primitivos cristãos desceram ao sepulcro aferrados aos seus antigos preconceitos, recusando-se a aceitar qualquer nova revelação ou modificação de seus costumes.

Houve ainda outros debates e discussões, o que, entretanto, não conseguiu encontrar solução para esse grande problema. (Ver os trechos de Atos 11:30 e de Gál. 2:1-10). É bem provável que algum tempo, antes dos acontecimentos narrados no décimo quinto capítulo do livro de Atos, Paulo tenha tido a sua disputa com Pedro, por causa desse mesmo problema. (Ver Gál. 2:14). Isso não significa, como é óbvio, que Pedro não concordasse doutrinariamente com Paulo, sobre essa questão, mas significa, tão-somente, que ele, sob pressão, tenha retornado aos seus antigos preconceitos judaicos. Talvez seja correto afirmarmos que o concílio de Jerusalém, narrado neste décimo quinto capítulo do livro de Atos, tenha resolvido a questão tanto em seu aspecto doutrinário como em seu aspecto prático, no caso de todos os apóstolos, ainda que não, certamente, para a igreja cristã inteira. (Para que o leitor possa entender melhor a questão inteira ver no NTI, as notas expositivas sobre «a profundidade do exclusivismo judeu e ódio aos gentios», em Atos 10:28). Ver igualmente como as fronteiras dogmáticas servem de obstáculos para o desenvolvimento espiritual, em Atos 10:44. No que diz respeito ao caráter judaico da igreja cristã primitiva, ver Atos 2:46 e 3:1. A leitura desses versículos ilustrará, para o leitor, a profundidade desse problema, o que, para nós, hoje em dia, pode parecer uma questão um tanto ou quanto tola. A verdade é que variações do mesmo problema subsistem até os nossos dias, no seio das igrejas evangélicas, porquanto muitas pessoas são rejeitadas de uma plena comunhão, com certos grupos, por causa de motivos de raça, de posição social e de outras distinções que os homens sempre ansiaram por estabelecer, exaltando a alguns e degradando a outros.

«É bem provável que a missão de Paulo e Barnabé, que alcançou tão grande sucesso, tenha sido a causa imediata desse protesto, por parte do partido judaico, de vistas tão curtas e estreitas. Esse partido, à medida que foi crescendo a igreja de Jerusalém, talvez também tenha crescido em número. O caso de Cornélio fora finalmente aceito, mas fora aquele um

LEGALISMO

caso um tanto excepcional, sendo algo muito diferente de solicitar que todos os gentios fossem aceitos como participantes da nova aliança, ficando eles situados em um nível idêntico ao dos cristãos judeus, sem importar se isso homenageava ou não à lei mosaica». (R.J. Knowling, *in loc.*).

Contra os judaizantes, Fil. 3:1-3

Posto que a igreja cristã, em seus passos iniciais, se alicerçou no judaísmo, foi apenas natural que muitas das idéias do judaísmo tivessem sido retidas por muitos cristãos primitivos, como a «salvação pelas obras», a «importância dos ritos e cerimônias», etc. Em outras palavras, a observância da lei de Moisés era imposta como algo necessário. E o décimo quinto capítulo do livro de Atos mostra-nos que muitos ex-fariseus, que tinham vindo a aceitar a Jesus de Nazaré como o Messias, não queriam modificar suas formas de adoração e suas crenças básicas, estribadas na legislação mosaica. Nos nossos tempos é dificílimo percebermos a grande diferença de doutrina que finalmente surgiu na igreja cristã, quando posta em confronto com o judaísmo comum. Estamos tão acostumados com as idéias paulinas da graça e da justificação pela fé, que não conseguimos sentir o impacto das mesmas como idéias revolucionárias. Não foi senão após a destruição de Jerusalém, quando caiu o estado judaico, quando o evangelho já estava bem espalhado pelos territórios gentílicos, e após a morte daquela primeira geração de cristãos, que o evangelho, conforme era pregado por Paulo, obteve total ascendência no seio da igreja cristã. Pois certamente que a igreja cristã, em Jerusalém e cercanias, continuou muito semelhante às sinagogas judaicas, com a exceção que os cristãos proclamavam Jesus como o Messias. (Quanto à natureza judaica de «igreja cristã primitiva», ver, no NTI, as notas expositivas sobre Atos 2:46 e 3:1. Quanto à questão do *legalismo*, ver Atos 10:9. Quanto ao *Partido da Circuncisão*, ver Atos 11:2. A leitura dessas notas expositivas dará ao leitor uma boa idéia da complexidade desse problema).

Não eram apenas os judeus incrédulos, fora das fileiras cristãs, que se preocupavam com a suposta *heresia* de Paulo. Julgavam-no «destruidor de Moisés», como quem punha de lado tudo quanto até então os judeus julgavam importante. Mas muitos judeus cristãos sentiam exatamente isso a respeito do apóstolo dos gentios, conforme se vê claramente em Atos 15:1,2 e 21:18-26. Além disso, vemos na primeira e na segunda epístola aos Coríntios, bem como na epístola aos Gálatas, que os elementos *legalistas* tinham alcançado surpreendente progresso, até mesmo em igrejas gentílicas. Isso se deu pelo menos em parte porque, em todas as cidades de algum tamanho, havia também certa população judaica. Vários judeus se converteram por toda a parte, conferindo à igreja cristã (embora formada principalmente de gentios) um acentuado sabor judaico, como a observância de práticas religiosas típicas do judaísmo. Além disso, havia «judaizantes» itinerantes, alguns dos quais seguiam ao apóstolo em seus calcanhares, procurando causar-lhe dificuldades. E Paulo falou em termos severos acerca desses, como se vê em Gál. 1:8,9, onde os acusou de pregarem a *outro evangelho*. Chegou mesmo a invocar uma «maldição» contra os tais. E também advertiu aos crentes gálatas que o bem espiritual que fora efetuado espiritualmente entre eles, em Cristo, estava no perigo de ser desfeito, e, juntamente com isso, a conversão deles a Cristo. (Ver Gál. 5:1-4). No entanto, o apóstolo não diz que os gálatas cativados pelo legalismo não eram crentes, ainda que tivesse visto certo perigo espiritual

por estarem dependendo de outras coisas, à parte de Cristo, o que poderia levá-los a perder a dependência cristã normal de Cristo, por parte deles. Portanto, é possível que os crentes assumam uma atitude legalista, ao pensarem que estão ajudando ou preservando sua salvação mediante as suas próprias obras, mediante ritos ou cerimônias, etc. Essa posição põe em perigo a fé cristã verdadeira.

Crente autêntico é aquele que teve um encontro com o Espírito de Deus, quando de sua conversão, em quem teve lugar uma operação divina. Não é necessariamente alguém que tem *opiniões certas* sobre qualquer coisa. Todavia, nem sempre isso ocorre no seio das modernas igrejas evangélicas. Deus se interessa primariamente pelo que é operado na própria alma do indivíduo, se Cristo está sendo formado ou não ali. O Senhor cuidará, no tempo apropriado, das nossas «opiniões», mediante muitos meios e instrumentos pelos quais ele nos pode ensinar a verdade. E o apóstolo não exigiu a exclusão de quem quer que fosse por defender opiniões errôneas, mas antes, recomendou a instrução cristã constante, a fim de que todos os convertidos pudessem crescer em Cristo, e assim fossem se harmonizando mais e mais com a verdade revelada em Jesus. A igreja de Corinto, por exemplo, era uma organização extremamente heterogênea. Mas Paulo não procurou derrubar os filósofos ali existentes (que tinham feito de Apolo seu herói), — nem os místicos (que tinham escolhido a Cristo como sua grande figura, os quais também rejeitavam toda e qualquer autoridade humana), — nem os legalistas (que tinham Pedro como seu herói), e nem o partido dos que defendiam a doutrina da justificação pela fé (e que consideravam Paulo a figura de proa). No entanto, hoje em dia, as denominações evangélicas e os crentes individuais são separados da comunhão uns com os outros, por razões as mais ínfimas. Isso não pode agradar a Deus, sendo prova de imaturidade espiritual.

É interessante que até este ponto, a epístola aos Filipenses se mostra muito tranqüila e gentil, mas agora, subitamente, Paulo irrompe em uma tempestade. Por essa razão é que alguns estudiosos têm imaginado que esta seção não faz parte da epístola original aos Filipenses, mas de uma outra qualquer, e que, na compilação dos escritos paulinos, dois fragmentos ou mais de epístolas curtas foram fundidos. O problema inteiro da *integridade* da presente epístola é discutido na introdução à mesma, em sua seção IV. Policarpo indica que Paulo escreveu *várias* epístolas aos Filipenses (ver Policarpo 3:2), não sendo impossível que nossa conhecida «epístola aos Filipenses» se componha de porções de várias missivas. Contudo, a defesa dessa idéia não é muito forte, não havendo boa maneira de resolvermos o problema. O terceiro capítulo desta epístola poderia resultar do surgimento repentino do desgosto de Paulo ante a tentativa de alguns de arruinarem o seu trabalho. Essa explosão pode ter surgido normalmente dentro de um contexto mais calmo. Uma única missiva pode ter muitos níveis e complexidades. O trecho de Fil. 3:1, entretanto, parece subentender ter havido outras cartas entre Paulo e os crentes filipenses, ainda que nossa carta presente preserve apenas uma delas, e não porções de diversas missivas.

A polêmica de Paulo contra os legalistas mostrou-se violenta e aguda, e até mesmo um tanto vulgar (ver o termo *mutilação*, como termo designativo de «partido da circuncisão», no segundo versículo deste capítulo). Paulo falou em termos ardentes devido à sua grande dedicação ao Senhor Jesus, não podendo ele tolerar a idéia de uma igreja cristã local a observar a antiga lei

LEGALISMO — LEGIÃO

mosaica e seus preceitos, em pé de igualdade com a revelação do novo pacto, firmado no sangue de Cristo, já que isso detrata da glória devida exclusivamente ao Senhor Jesus. Em sua intensa devoção a Cristo ele escreveu, logo em seguida, uma das passagens mais excelentes que há sobre a dedicação a Cristo e sobre a vida cristã que caracteriza tal dedicação (ver Fil. 3:7-14). Mas isso foi inspirado pelo intenso ataque do apóstolo contra aqueles que ele reputava como roubadores da glória do Senhor Jesus. Portanto, sem importar se esta seção é dura demais ou não, o fato é que ela resultou em algo proveitoso.

Vincent, em Fil. cap. 3, apresenta-nos uma excelente paráfrase sobre esta passagem: «Quanto ao resto, meus irmãos, sem importar quais sejam as vossas provações, o vosso passado, o vosso presente, ou o vosso futuro, continuai a regozijar-vos no Senhor. Não me sinto incômodo por escrever-vos acerca de uma questão sobre a qual já vos falei em minhas epístolas anteriores; mas sou impelido a falar-vos de novo por causa de minha ansiedade e visando a vossa segurança. Cuidado com aqueles *cães*, com aqueles maus obreiros, com aqueles que se jactam de uma circuncisão que não é melhor que a mera mutilação física, por ser destituída de qualquer significação espiritual. Nós, os crentes, é que somos a verdadeira 'circuncisão'; cujo serviço é impulsionado pelo Espírito de Deus; cujo regozijo se firma em Cristo Jesus, como a única fonte de autêntica retidão, os quais também não confiam na carne».

Um **uso moderno** desse termo diz respeito a situações éticas que negam valores éticos absolutos ou certos. Aqueles que supõem que Deus, ou alguma outra força tem valores fixos e específicos, que os seres humanos precisam obedecer, são chamados *legalistas*, porquanto dispõem de algum código fixo de ética ou de leis que, presumivelmente, sempre têm poder e autoridade. Portanto, de acordo com essa moderna definição, qualquer um que acredita na Bíblia como obra que é um código de ética inspirado, e que os homens têm a obrigação de seguir, pode ser intitulado de legalista.

Alguns grupos evangélicos têm sido chamados de «legalistas», por outros grupos devido ao seu fanático apego à lei como regra de conduta. Os *puritanos* (vide) foram um notável exemplo disso. Certas denominações cristãs, como os Adventistas do Sétimo Dia, são consideradas legalistas, por vários outros grupos evangélicos, da mesma forma que o é a Igreja Católica Romana pelos grupos protestantes.

LEGALISMO (ÉTICA)

Essa é a idéia de que a mais estrita conformidade a um conjunto de regras ou leis é a melhor maneira de se obter a excelência moral, mesmo que a perfeita realização disso chegue a violar a compaixão ou o bom senso. É mais ou menos como «lei a qualquer preço». Essa atitude é transferida para a fé religiosa, mesclando-se à atitude que descrevi sob o simples título de *Legalismo*. Na ética, ou na fé religiosa, o legalismo assevera que a expressão religiosa ou a conduta ética é governada, essencialmente, pela lei. Quando Emanuel Kant tentou formular algumas poucas leis universais para guiar-nos na ética, ele tirou proveito do elemento do legalismo, embora dificilmente possamos chamar o sistema como se fosse inteiramente de sua lavra. Ele supunha que a lei que diz: «Faze somente aquilo que gostarias que se tornasse uma lei universal» seria capaz de dirigir corretamente a conduta humana, em qualquer situação. As pessoas podem utilizar-se dessas leis como diretrizes do pensamento e da conduta, mas não

se pode olvidar a lei do Espírito, a sua presença conosco, que nos capacita e fortalece. Essa presença é obtida mediante o desenvolvimento espiritual, através de uma direta intervenção de Deus na vida do indivíduo, que transcende à mera observância de qualquer forma de lei.

Seja como for, no campo da ética o *legalismo* opõe-se ao *utilitarismo*. Dentro daquele sistema, o homem é instado a fazer aquilo que resulta em algum benefício, ou aquilo que evita a dor. Nos tempos modernos, encontramos o desenvolvimento da *ética situacional*. Em outras palavras, cada situação requer sua própria solução, não havendo leis universais quanto a isso. Ademais, o que a minha situação requer pode ser diferente daquilo que a situação de outrem requer. Destarte, não há soluções fixas, preestabelecidas. A ética situacional usualmente é hedonista em sua base. Ficamos à espera de soluções agradáveis, e tentamos evitar situações que importem em dor. Ver o artigo geral sobre a *Ética*.

LEGIÃO

1. *Informações Gerais*

Esse termo português vem do vocábulo grego, *legeon*, que, por sua vez, se deriva do latim, *legio*, palavra que se deriva de *legere*, «escolher», referindo-se a um corpo seleto de soldados. Uma legião era uma das divisões principais, dentro do antigo exército romano. Consistia em dez coortes de infantaria. Cada coorte, por sua vez, compunha-se de quatrocentos a seiscentos homens. Usualmente contava com uma força auxiliar de trezentos cavaleiros. Isso posto, uma legião podia consistir em um número entre quatro mil e seis mil homens.

Uma legião era sempre um corpo numeroso, embora seu número variasse de um período para outro da história. Além disso, há considerável discrepância nas declarações da literatura romana acerca das legiões. Há alguma evidência em favor da assertiva que, originalmente, uma legião consistia em três mil homens, mas que esse número foi aumentado com a passagem do tempo.

2. *Divisões de uma Legião*

a. Dez *coortes*. b. Cada coorte consistia em três *manípulas* ou bandos, e cada manípula consistia em duas *centúrias*. c. Uma *centúria* era formada por cem homens. Além disso, havia a *ala*, uma unidade de cavalaria com cerca de cento e vinte cavaleiros. Essas cifras, naturalmente, fornecem-nos um número maior do que uma legião usualmente continha, e, conforme já foi mencionado, esses números dependiam das referências literárias e da época envolvida. Seis mil homens, com a passagem do tempo, tornou-se uma espécie de número padrão para uma legião.

3. *Os Oficiais de uma Legião*

Cada legião contava com sessenta centuriões, bem como sessenta auxiliares, que ajudavam os centuriões, chamados *opções*. Cada legião era comandada por seis *tribunícios*, que serviam em sucessão, um após outro, até os dias de César. Foi esse imperador quem alterou o sistema, entregando cada legião ao comando de um *legado*. E César também deu aos tribunícios uma autoridade secundária. O pendão de cada legião era a *águia*.

4. *Referências no Novo Testamento*

O termo «legião» ocorre por quatro vezes nas páginas do Novo Testamento, a saber, em Mat. 26:53; Mar. 5:9,15 e Luc. 8:30. Entretanto, a referência, nessas passagens, não é a corpos militares, e, sim, refere-se ao conceito de que os anjos e os demônios organizam-se como se fossem legiões. Jesus disse que

LEGISLADOR — LEI

poderia convocar doze legiões de anjos para ajudá-Lo em seu período de provação e julgamento, se tivesse preferido apelar para uma exibição de poder, em vez de querer passar pela experiência da expiação vicária. Os demônios que tinham tomado conta de certo homem foram chamados de «legião» (ver Mar. 5:9), devido ao fato de que essa invasão demoníaca era múltipla, o que, conforme se sabe, ocasionalmente acontece. Há trechos dos evangelhos que indicam que os demônios existem formando numerosas tropas (ver Mat. 12:45 e Luc. 8:2), e Paulo diz a mesma coisa, embora sem usar a palavra «legião» (ver Efé. 6:11 ss).

LEGISLADOR

No hebraico, *chaqaq* (ver Gên. 49:10; Núm. 21:18; Deu. 33:21; Juí. 5:14; Sal. 60:7; 108:8; Isa. 10:1 e 33:22). No grego, *nomothétes* (ver Tia. 4:12). No Antigo Testamento, a palavra hebraica é usada em seu costumeiro sentido de «legislador», embora nossa versão portuguesa a tenha traduzido por «comandantes», em Juí. 5:14. No Novo Testamento, o termo foi usado para indicar Deus como o supremo Legislador e Juiz. Há outros lugares do Antigo Testamento onde a palavra hebraica em questão significa «cetro», o sinal do mando de um rei ou de legislador. Esse uso pode ser visto em Núm. 21:18; Sal. 60:7 e Gên. 49:10.

A descrição do Novo Testamento é enfática. Diz Tiago 4:12: «Um só é Legislador e Juiz, aquele que pode salvar e fazer perecer; tu, porém, quem és, que julgas ao próximo?» Assim, Deus é o único verdadeiro Legislador e Juiz, o único que tem o direito de salvar ou destruir. Toda lei deriva-se Dele. Ver o artigo intitulado *Direito Divino*. O décimo terceiro capítulo de Romanos mostra-nos que as leis humanas derivam-se da lei divina, e essa é a razão pela qual devemos obedecer às autoridades constituídas. Ver o artigo separado sobre o *Governo*. Os trechos de João 1:17 e 7:19 falam sobre Moisés como «legislador», o instrumento usado por Deus para essa função. Os capítulos quinto a sétimo de Mateus mostram-nos que Jesus, o Cristo, é o Novo e Superior Moisés, que substituiu ao primeiro, conferindo um caráter muito mais espiritual à lei. Os trechos de Atos 7:53 e Gál. 3:19 preservam a antiga tradição hebréia de que a lei foi dada a Israel por meio de anjos. O Novo Testamento aproveita esse fato para afirmar a sua própria superioridade, ao dizer que a nova revelação foi dada através do Filho e não meramente através de anjos. Ver Heb. 1:2,6-14.

LEGUMES

No hebraico, **zeroim** (somente em Dan. 1:12) e **zereonim** (somente em Dan. 1:16), o que mostra que eram apenas duas maneiras diferentes de se chamar a mesma coisa. Segundo as melhores autoridades, estariam em pauta o que designaríamos de leguminosas, como os feijões, as ervilhas, etc.

O regime alimentar humano bem equilibrado inclui não somente as carnes (de gado, de caças, de aves e de peixes), mas também frutas, ovos, castanhas, verduras e legumes. Não admira, pois, em certo sentido, que os filhos de Israel, depois de libertados da escravidão no Egito, e encontrando-se em um deserto estéril, tivessem desejado tanto contar com itens alimentares como «...dos peixes, que no Egito comíamos de graça; dos pepinos, dos melões, dos alhos silvestres, das cebolas e dos alhos» (Núm. 11:5).

As populações forçadas a viver no nomadismo não podem plantar verduras e legumes, porquanto a horticultura requer cuidados por vários meses a fio, antes que se possa fazer qualquer colheita. Abraão, Isaque e Jacó eram criadores de gado, e viviam sempre à procura de novos pastos para seus animais. O alimento deles não consistia em legumes e saladas recém-apanhados—e nem isso ocorre entre os beduínos do deserto, até os nossos próprios dias!

Jacó preparou uma «sopa de lentilhas»? (ver Gên. 25:34). Nesse caso, ou Isaque conseguiu plantá-las, ou as obteve em troca de animais de sua criação. Ver o artigo sobre as *Lentilhas*. Outros estudiosos pensam que a *Lens esculenta* podia ser encontrada medrando selvagem. Os criadores de gado, geralmente, procuravam lugares onde tal ervilhaca medrasse como mato, porque já se sabia que o gado que a comia tinha aumentada a sua produção de leite.

Outros legumes ou verduras plantados naquelas regiões arenosas, provavelmente, eram: a salada selvagem, as malvas, várias folhas de plantas arbustivas e as raízes de zimbro (ver Jó 30:4). Nesse versículo, Jó mostra-nos que esses alimentos vegetais eram consumidos pelas classes pobres.

A julgar pelo pedido de Daniel e seus companheiros ao cozinheiro-chefe, um regime vegetariano é melhor para a saúde do que um regime em que predominem as carnes gordas. Contudo, os nutricionistas dizem que toda a falta de carnes, na alimentação, pode levar à anemia e a uma certa debilidade. Terminado o dilúvio, Deus deu a receita para um regime alimentar bem equilibrado: «Tudo o que se move, e vive, ser-vos-á para alimento; como vos dei a erva verde, tudo vos dou agora. Carne, porém, com sua vida, isto é, com seu sangue, não comereis» (Gên. 9:3,4).

LEI

Esta enciclopédia oferece certo número de artigos sobre esse assunto. Esses artigos e sua ordem de apresentação aparecem na lista abaixo. Alguns títulos referem-se a artigos sob outras letras, mas damos aqui somente referências iniciadas pela letra *L*. Além desses artigos, ver também: *Legalismo; Direito; Direito Divino; Direito Natural; Direito Romano; Direitos Civis; Direitos Humanos; Direitos Naturais*.

Lei Agrária
Lei, Analogia da (Declaração Geral)
Lei Canônica
Lei, Características da
Lei Cerimonial
Lei — Códigos da Bíblia
Lei Comum
Lei do Levirato
Lei dos Três Estágios
Lei e Graça, Conflito
Lei e o Evangelho, A
Lei Espiritual, do Espírito
Lei, Função da
Lei Internacional
Lei, Jesus e, A
Lei, Jugo da
Lei, Modelo Abrangente da
Lei Moral
Lei Moral da Colheita Segundo a Semeadura
Lei na Filosofia
Lei Natural
Lei no Antigo Testamento
Lei no Novo Testamento
Lei Oral
Lei Romana
Lei, Rudimentos Fracos e Pobres
Lei, Usos da

LEI AGRÁRIA — LEI, ANALOGIA

LEI AGRÁRIA

1. Os hebreus eram essencialmente um povo pastoril. Os egípcios eram agricultores, e não gostavam da vida pastoral (ver Gên. 46:34). Mas, quando Israel tornou-se uma nação independente, e mudou-se para uma região já cultivada, teve de tornar-se um povo agrícola em escala maior do que fora antes. Isso exigiu leis que governassem o uso da terra.

2. Uma eqüitativa distribuição do solo era a lei básica (ver Núm. 26:53,54): uma tribo mais numerosa recebeu mais terras, e uma tribo menos numerosa, recebeu menos terras. Cada família, pois, possuía sua partilha, e nenhum oficial, tribo ou autoridade podia alterar a mesma.

3. *O acúmulo de dívidas* era impedido pela lei que proibia que um hebreu cobrasse juros de outro (ver Lev. 25:35,36). Ademais, a cada sétimo ano havia uma liberação regular das dívidas, e nenhum terreno podia ser alienado para sempre. A cada ano de jubileu, ou seja, cada sétimo ano sabático, todas as terras revertiam às famílias que eram suas proprietárias originais. Todos os negócios eram regulados em antecipação a essa provisão.

4. A lei dada sob o ponto acima não se aplicava às casas nas cidades, as quais, se não fossem resgatadas dentro de um ano após terem sido vendidas, eram alienadas para sempre (ver Lev. 25:29,30). O efeito dessa lei era que as pessoas preferiam a vida no interior, devido a vantagens econômicas. Essas leis fomentavam famílias fortemente formadas, com tradições que atravessavam muitas gerações. Uma família identificava-se com certa porção da terra. Isso resultava na solidariedade da família, ajudando na prevenção do crime.

5. *Serviço militar.* Esse também estava vinculado à terra. Cada proprietário era obrigado a servir, se e quando fosse necessário, às suas próprias custas, o que seria recompensado ou mais do que recompensado, mediante os despojos tomados (ver Deu. 20:5). Cada pessoa participava da segurança nacional, porque tinha sua própria terra para defender, e não apenas um estado nebuloso. Cada divisão do exército representava um corpo homogêneo, visto que os soldados daquela divisão vinham dessa mesma área e eram comandados por oficiais da mesma área. (Ver Êxo. 17 e Núm. 31:14). Visto que as pessoas viviam com base na terra, não havia glória no militarismo profissional. Retornando da batalha, ainda cheios da ira da guerra, os soldados eram considerados poluídos pela matança até depois dos ritos de purificação (ver Núm. 19:13-16; 31:19). Somente então podiam participar da vida religiosa, bem como das atividades comunitárias em geral. (G I IB S)

LEI, ANALOGIA DA (DECLARAÇÃO GERAL)

Ver sobre **Direito**.

1. *O Sentido Jurídico da Lei.* No seu sentido jurídico, a *lei* é o conjunto daquelas regras de conduta que um partido governante, juntamente com a comunidade por ele governada, reconhece como autoritário, e cuja desobediência requer alguma forma de punição, para assegurar que continuará em vigência. Muitos códigos legais também prometem alguma espécie de recompensa aos obedientes.

2. *A Natureza e a Origem da Lei:*

a. *A lei natural.* Ver os artigos separados sobre *Direito Natural* e *Direitos Naturais.* O primeiro pronunciamento sistemático sobre a lei natural foi desenvolvido entre os filósofos estóicos, o que foi enfaticamente reafirmado pela lei romana. Ver sobre

o *Direito Romano.* A idéia básica é que a natureza, Deus, os deuses ou os poderes cósmicos de alguma maneira dotam naturalmente os homens de certos direitos, que eles possuem meramente por fazerem parte da sociedade humana.

b. *A escola analítica.* Thomas Hobbes, em sua obra intitulada *Leviathan* (1651), e, de forma ainda mais proeminente nos escritos de John Austin (1790—1859), dava muita ênfase ao direito dos soberanos fazerem o que quisessem, paralelamente à necessidade de seus súditos obedecerem-nos. Ver o artigo sobre o *Direito Divino.* Ele acreditava que as leis naturais e a lei civil combinam-se naturalmente, ao ponto de serem uma e a mesma coisa. Os contratos sociais legais, para ele, conteriam os elementos básicos dessas leis naturais. Não ensinava que Deus está por detrás disso, e, sim, as leis naturais, mas, a sua ênfase sobre o poder dos soberanos faz-nos relembrar o ensino sobre o direito divino dos reis. Ver o artigo geral sobre Hobbes.

c. *O direito divino.* De acordo com esse ponto de vista, a autoridade dos soberanos, visto ser recebida da parte de Deus, é absoluta. O décimo terceiro capítulo da epístola aos Romanos reflete isso, embora o Novo Testamento reserve o direito de «desobediência» quando uma lei qualquer for claramente contraditória aos padrões espirituais exarados na Bíblia.

d. *Escolas históricas e comparativas.* Têm-se desenvolvido leis a partir dos *costumes sociais* e da conveniência dos homens, e não das leis naturais ou das leis divinas. As leis são produtos da sociedade, em suas tentativas para verificar o que funciona melhor. Essa perspectiva da lei originou-se com o aparecimento das ciências sociais, no século XIX. Os escritos de Henry Summer Maine (1822-1828) popularizaram essa maneira de pensar.

3. *As Sociedades Primitivas e a Lei.* Ficamos impressionados diante do forte sabor religioso dos conceitos de lei, nas sociedades antigas. Os babilônios, os egípcios e os hebreus tinham a certeza de que seus reis eram divinamente nomeados e guiados, e que suas leis originavam-se nos seus deuses ou em Deus. O *animismo* era importantíssimo em relação às leis primitivas. Os *espíritos* dos homens mortos e de outras espécies aterrorizavam os homens, exigindo deles muitas coisas. As leis primitivas não eram, necessariamente, menos detalhadas e exigentes do que as leis modernas. Uma coisa que nos surpreende, nesse contexto, é a severidade das sanções impostas a uma grande variedade de infrações. Outrossim, havia na antiguidade a tendência para não se distinguir entre crimes civis e crimes religiosos. Mas, o senso de comunidade era claro nessas antigas legislações. Algumas vezes, as infrações feitas por um indivíduo faziam o rigor da lei descarregar-se sobre sua família, ou mesmo sobre sua comunidade. O relato sobre Acã, no sétimo capítulo de Josué, ilustra o ponto. A lei de vingança privada operava nas sociedades antigas; e, apesar disso continuar sendo uma realidade prática, até hoje, as modernas legislações proíbem tal coisa. A *lex talionis* (lei do pagamento na mesma moeda) era um fator muito forte nas antigas legislações. Ver sobre *Lex Talionis.* Naturalmente, esse princípio aparece claramente no Antigo Testamento. Ver, por exemplo, Êxo. 21:24.

4. *A Lei Romana.* Todas as leis dos países europeus (e os sistemas legais dali derivados, incluindo os códigos norte, centro e sul-americanos), muito devem ao *Direito Romano* (vide). Os romanos eram dotados de uma capacidade especial para formular leis justas e razoáveis. A lei romana era influenciada pela

758

LEI — LEI CARACTERÍSTICAS DA

universalidade dos estóicos e o conceito de lei natural deles. O artigo referido neste parágrafo dá detalhes sobre a questão, incluindo uma demonstração de leis romanas específicas.

5. *Fontes das Leis Modernas*. Essas fontes são seis: a. *Lex scripta* ou *lei estatutária*. Cabem aí aquelas decisões legislativas que têm resultado de uma longa experiência, com base na tentativa e erro. b. *Lex non-scripta* ou *lei comum*. *Costumes prevalentes* são reconhecidos pelos tribunais de apelo. São os chamados precedentes. c. *Leis específicas*. Leis estatutárias e leis comuns são *adaptadas* a casos específicos, não mencionados diretamente nos códigos. d. *Legislação judicial*. Essas são as *novas regras* que vão sendo adicionadas, em face do processo da interpretação da lei, quando inadequações ou omissões são encontradas e precisam ser corrigidas.

6. *A Lei Internacional*. O inter-relacionamento cada vez mais intenso entre as nações, a par dos transportes rápidos e da comunicação em massa, tem exigido a formulação de leis internacionais, obrigatórias a todas as nações. Essas leis tratam das associações e interações entre os Estados, determinando os seus direitos e obrigações recíprocos. Com base nisso desenvolveram-se tribunais internacionais. Naturalmente, a eficácia do sistema depende da boa vontade das nações em acatar as decisões daqueles tribunais, visto que as nações, soberanas como se declaram, ainda não desistiram de seus poderes diante de qualquer comunidade internacional. Assim, os Estados Unidos da América do Norte exercem, em algumas áreas, uma força moral, embora não uma autoridade judiciária absoluta.

7. *O Monopólio de Violência*. Uma das mais notáveis características da sociedade moderna é o monopólio da violência por parte dos Estados. Assim, a retribuição por parte de indivíduos ou de grupos tem sido declarada ilegal na maioria dos países, em nossos dias.

8. *A Eficácia da Lei*. Tem sido amplamente demonstrado que a eficácia da lei não depende, acima de tudo, de ser ela imposta. Pois as pessoas sempre acabam encontrando meios de desobedecer às leis e não serem punidas. Portanto, um fator mais importante que a imposição da lei é o grau de correspondência entre as leis e as crenças religiosas, as convicções éticas e as tradições de um povo. O homem bom não precisa de leis. É conforme disse um certo professor meu: «A sociedade precisa de leis; eu, não». Procurar agradar aos deuses ou a Deus tem contribuído mais para fazer as pessoas serem o que são, do que qualquer legislação o tem conseguido. Naturalmente, o homem é uma criatura rebelde, e, algumas vezes, ele não se importa em agradar a quem quer que seja, senão a si mesmo. Talvez a maior de todas as leis seja a lei do auto-serviço, que predomina em todos os atos humanos. O amor, todavia, é a mais nobre de todas as leis; porém, os homens continuam mais a aprendê-la do que a pô-la em prática. (AM E F EP).

LEI CANÔNICA

Ver o artigo sobre o **Cânon**, sétimo ponto.

LEI CARACTERÍSTICAS DA
e Contrastada com a Graça

Gál. 3:12: *ora, a lei não é da fé, mas: O que fizer estas coisas, por elas viverá.*

Paulo acabara de mostrar que o «princípio da fé» é aquele que é aprovado aos olhos de Deus, bem como a fonte originária da vida. Já a lei não concorda com esse princípio da fé. Neste ponto, pois, Paulo mostra como esses dois princípios — o da fé e o da observância legal — se excluem mutuamente. Não pode ser «a fé e a lei», mas antes, «a fé ou a lei». O A.T. encerra passagens que prometem a vida eterna mediante a observância da lei, não duvidemos disso; e é evidente que muitos têm compreendido que isso se torna literalmente possível. Mas sem importar qual seja a promessa do A.T., e sem importar como essas promessas sejam compreendidas, nesta passagem o apóstolo procura mostrar a futilidade de tais promessas e da confiança nelas. (Quanto a outras notas expositivas sobre como «a graça e a lei se excluem mutuamente», ver os trechos de Rom. 4:4,14 e 11:6 no NTI). Paulo mostra tal futilidade das seguintes maneiras:

1. Deus determinou que a vida nos vem através de apenas um dos princípios, e não da mistura dos dois (lei e graça). Esses dois princípios se excluem mutuamente. A lei não provém da fé, e a fé não é um subproduto da lei. O versículo presente ensina exatamente isso.

2. A lei encerra uma promessa de vida, mas na realidade não pode conferi-la, porquanto a obediência humana jamais pode atingir o ponto da perfeição; e isso é o que Deus requer na lei. Assim o ensinam os versículos dez e doze de Gál. 3.

3. E mesmo que a lei pudesse ser perfeitamente obedecida, ainda assim não nos conferiria a vida, pois esta não é dada através do princípio legal (ver os versículos onze e doze). O princípio da vida procede «da fé», porquanto isso põe Deus no quadro também. Ele é a fonte originária da vida e conduta piedosa, de tal modo que a santidade produzida é a sua própria santidade perfeita; e somente essa combinação é aceitável para Deus.

4. A lei, apesar de estender para nós a possibilidade de bênção ou de maldição, na realidade só é capaz de conferir-nos a maldição, porque todos nos tornamos culpados perante ela. (Ver os versículos dez e treze).

5. A vida mediante a fé é o caminho original e único, conforme fica ilustrado no caso de Abraão, o pai dos fiéis, porquanto é no *crente Abraão* que nos tornamos aceitos como o verdadeiro Israel. (Ver os versículos nove e catorze).

6. A lei não foi inaugurada a fim de propiciar vida, pois não era esse o seu propósito. A lei foi acrescentada para cuidar da transgressão, para mostrar o caráter verdadeiro do pecado. Mas, ao assim fazê-lo, a lei tão-somente agrava a situação, em nada a aliviando. (Ver os versículos dezessete a dezenove. Com isso se pode comparar o trecho de Rom. 3:19,20 — quais os propósitos da lei? — bem como a passagem de Rom. 7:7-10, quanto ao fato de que a lei foi aparentemente baixada a fim de dar vida, mas terminou por produzir a morte).

7. A vida nos é outorgada mediante a *promessa* feita a Abraão (o pacto abraâmico), porque essa promessa se estende aos seus filhos espirituais. Dessa maneira é que Deus dá vida, e não mediante a observância legalista. (Ver os versículos dezesseis a dezenove). E a lei, que apareceu posteriormente, não pode anular aquele pacto e promessa.

8. A maneira normal de Deus tratar com os homens é diretamente, e não através de algum mediador. O fato de que a lei exigia um mediador mostra-nos que não é através da lei que Deus dispensa a vida aos homens. A natureza de Deus, como «um» só ser, mostra-nos que a lei foi um tratado incidental com os homens, e não a maneira essencial de Deus tratar com eles, porquanto na doação da vida eterna Deus entra

LEI — LEI CERIMONIAL

em contacto direto com o homem, através do seu Santo Espírito. (Ver o vigésimo versículo).

9. A lei, embora aparentemente prometa a vida, na realidade não é um princípio doador da vida, pois, de outra maneira, a vida teria sido conferida dessa maneira. Não existe uma lei que possa proporcionar a vida, porquanto simplesmente essa não é a natureza da lei. (Ver o versículo vinte e um).

10. A lei pode forçar os homens a se aproximarem de Cristo, até mesmo ensinando-lhes coisas proveitosas, que farão com que desejem ir a Cristo. Mas Cristo, e somente ele, é o doador da vida. (Ver os versículos vinte e quatro e vinte e cinco).

11. Uma vez que o *aio* ou *mestre-escola*, que é a lei, fez o seu trabalho, não continua sendo necessário como treinador das crianças conduzidas a Cristo. Daí por diante, Cristo assume esse papel. Por conseguinte, um homem não é justificado pela lei, e nem é santificado por ela. A lei não nos conduz à vida e nem mesmo serve para aperfeiçoar a santidade em nós. Mas existe uma lei superior, que é a (do Espírito), a qual dirige a vida cristã. Assim sendo, o legalismo, em todos os seus aspectos possíveis, é eliminado do quadro da vida cristã. (Ver os versículos vinte e cinco e vinte e sete, como também Gál. 3:1,3). A comunhão mística com Cristo, o batismo espiritual, assegura uma vida santa. A lei não pode produzir a piedade em um homem, porquanto isso é obra e incumbência do Espírito Santo. (Ver os versículos vinte e sete e vinte e oito, como também Rom. 6:3 e 8:1).

12. Ser alguém de Cristo é ser filho de Abraão, e isso *ultrapassa* em muito ao legalismo. Este fica inteiramente para trás, como caminho até Cristo. É de acordo com a promessa, com a aliança estabelecida segundo o princípio da fé, que alguém recebe a vida eterna. (Ver o vigésimo nono versículo deste capítulo).

Esses são os argumentos de Paulo em prol do «sistema da graça divina», em contraste com o sistema legal. Tais argumentos são perfeitamente convincentes, sem importar se o A.T. lhes dá apoio em qualquer coisa, em maior ou menor grau.

Paulo faz a lei, na qual os legalistas tanto confiavam, voltar-se contra eles, ao citar o trecho de Lev. 18:5. A lei nos faz a promessa da vida eterna, mas isso na dependência de sua perfeita obediência, razão pela qual tal promessa jamais pode ser obtida. A futilidade da promessa que nos é feita através da lei é que nos força a buscarmos a Cristo. Essa é uma das maneiras pelas quais a lei é o «mestre-escola» que nos ensina a nós, «crianças», a nos achegarmos a Cristo.

O livro apócrifo conhecido como II Esdras compartilha em parte do pessimismo de Paulo acerca da doação da vida mediante a lei. *Esdras*, nesse livro, se queixa como segue: «Nossos pais receberam a lei da vida, mas não a guardaram». (II Esdras 14:30). O grão da semente maligna, herdado de Adão, tem-se multiplicado de tal modo que abafa qualquer semente boa que a lei porventura possa implantar em um indivíduo. Por essa razão, a humanidade inteira fracassa na tentativa de justificar-se perante Deus mediante a observância da lei. (Essas são as idéias expostas pelo autor desse livro apócrifo em II Esdras 9:29-31). Não obstante, esse mesmo autor ainda se aferra à esperança de que um pequeno remanescente chegaria à vida através da lei. Mas o apóstolo Paulo, por ser muito mais realista, e porque entendia muito mais profundamente a verdadeira natureza da santidade que Deus exige, abandonou de vez o sistema legalista e apelou para Cristo, a fim de obter santidade e vida.

O livro apócrifo Sabedoria de Salomão (6:18), de

conformidade com as noções do judaísmo comum, declara que a obediência aos mandamentos da lei assegura a imortalidade, e que a lei é o tesouro inexaurível como meio de amizade com Deus. Por essa razão é que ali a lei mosaica é denominada de «lei da vida e do entendimento». Esse era o conceito judaico comum da natureza e propósito da lei. Paulo havia compartilhado dessa opinião por muitos anos, mas, finalmente, abandonou-a, por causa do conhecimento obtido através da experiência mística e da revelação divina.

Achegamo-nos a Deus mediante a fé. A fé é uma *capacidade*. É, também, o primeiro dom de Deus. Mas todos os homens, através da graça geral, podem exercer fé, já que Deus está disposto a capacitar para tanto. Deus requer do homem que reaja favoravelmente à sua vontade e uma vez que isso ocorra, o Espírito Santo insufla fé no mesmo, e, mediante a fé, a santidade. Ora, isso a lei nunca fez, nem mesmo poderia fazê-lo.

«A fé é uma coisa, e o legalismo é outra; não podem ser combinados como alicerce da justificação. Não há que duvidar que sempre houve aqueles que procuram combinar essas duas coisas, admitindo que a justificação vem pela fé, mas asseverando que a obediência à lei, não obstante, é necessária para a salvação. Tal fazem também certos cristãos modernos que afirmam que a religião é algo inteiramente espiritual, mas que, apesar disso, sentem-se mais seguros da salvação se forem batizados 'na água'». (Burton, *in loc.*).

LEI CERIMONIAL

Esse nome é dado àquela porção da legislação mosaica que trata das externalidades da fé religiosa, e não dos princípios morais básicos. Especificamente, essa porção aborda questões como cerimônias, festividades religiosas, holocaustos, e, de acordo com o ponto de vista cristão, a circuncisão. A «lei moral», em contraste com isso, aponta para os dez mandamentos e o desdobramento dos mesmos, constante nos livros de Êxodo a Deuteronômio. No entanto, a maior parte dos grupos cristãos elimina a observância do dia de sábado das leis morais. Desnecessário é dizer que os judeus nunca dividiriam sua lei em moral e cerimonial. Entre eles, o sábado e a circuncisão revestiam-se da máxima importância, e geralmente supunha-se que os sacrifícios podiam, realmente, obter o perdão dos pecados. Somente diante do refinamento dos princípios morais, quando são atingidos a alma e o coração, aprendemos a distinguir entre verdadeiras leis morais ou éticas e preceitos cerimoniais. Muitos cristãos da atualidade continuam misturando a lei moral com preceitos cerimoniais. Sinto dizê-lo, mas é claro que os sacramentos, que muitos evangélicos preferem chamar de «ordenanças», fazem parte de preceitos cerimoniais. Ver sobre os *Sacramentos*. Os homens têm o hábito quase incurável de transformar símbolos nas realidades representadas por esses símbolos. Para exemplificar, a participação mística na vida de Cristo é substituída pela eucaristia ou. Ceia do Senhor; a regeneração é confundida com o batismo em água (que vide); o perdão dos pecados, por parte de Deus, é confundido com a suposta autoridade de absolvição do padre, mediante a confissão auricular. À medida — que nossos conceitos religiosos se vão purificando, contudo, mais e mais vamos percebendo o que mais importa são as realidades espirituais, e não os seus emblemas externos. Para algumas pessoas, as realidades espirituais existem independentemente de símbolos externos; para outras, os símbolos fazem-

LEI CERIMONIAL — LEI—CÓDIGOS

nas relembrar as realidades espirituais; ainda para outras, realidades espirituais e símbolos externos tornam-se uma coisa só. Exemplificando, a circuncisão verdadeira não é a do prepúcio, mas a do coração (ver Rom. 2:29). No entanto, há quem confunda as duas coisas. Ver o artigo sobre o *Batismo Espiritual*. Outro tanto ocorre com os sacramentos ou ordenanças. Penso que um dos principais problemas envolvidos aqui é apenas um problema semântico. Muitas pessoas, por longo tempo, são instruídas a entender as Escrituras *literalmente*. Se uma pessoa insistir sempre nisso, acabará perdendo de vista os sentidos espirituais por detrás do literalismo, visto que este sempre confunde o sinal com a verdade representada. Assim, quando Jesus disse: «Este é o meu corpo» (Mat. 6:26), muitos milhões de pessoas agora supõem que essa declaração deve ser entendida de modo literal, e que o pão da Ceia já é o corpo de Jesus, quando, na realidade, é como se ele estivesse dizendo: «Este pão *representa* o meu corpo». Mediante essa interpretação literal, o sentido espiritual de sua declaração fica obscurecido. Assim surgem o cerimonialismo e toda a idéia por detrás dos sacramentos, que faz destes últimos meios diretos da graça. O ensino católico romano é que a participação nos ritos por si só torna a pessoa participante da graça divina. E assim o rito é concebido como se fora dotado de virtude divina, por si mesmo. Outro tanto pode ser dito sobre o batismo em água. O ensino da «regeneração batismal» surgiu quando os homens confundiram o novo nascimento, produzido por operação especial do Espírito Santo, com o símbolo dessa operação, que é o rito do batismo.

Ora, se puder ser demonstrado que os autores do Novo Testamento julgavam que as cerimônias são as realidades espirituais, em si mesmas, então teremos de concluir que eles permaneceram presos a conceitos do antigo judaísmo. No entanto, apesar de muitos dizerem que eles viveram em um período de transição, entre o antigo e o novo pactos, a verdade é que o Novo Testamento foi escrito, entre outras coisas, a fim de trazer à superfície o ensino espiritual do Antigo Testamento, oculto por detrás de sombras e símbolos. Disso testifica o trecho de Hebreus 10:1: «...a lei tem sombra dos bens vindouros, não a imagem real das cousas...» É inconcebível, pois, que os autores do Novo Testamento se deixassem impressionar pelos meros símbolos, esquecediços das realidades espirituais representadas por esses símbolos. Quanto maior for a luz espiritual que consigamos obter, tanto mais nos afastaremos dos símbolos e nos aproximaremos das realidades espirituais por eles representadas.

Jesus mostrou que a lei mosaica, mesmo a lei dos dez mandamentos, era provisória e incompleta, quando, reiteradamente, declarou: «Ouvistes que foi dito aos antigos...Eu, porém, vos digo...» (Mat. 5:21,22,27,28,33,34,38,39,43,44).

De cada uma dessas vezes, o Senhor aprofundou o sentido de algum mandamento, indicando não uma interpretação literal do mesmo, mas a verdadeira interpretação espiritual a respeito. Quanto à circuncisão, Paulo encarregou-se de mostrar o seu mais profundo sentido espiritual, conforme já vimos. Quanto ao sábado, que significa «descanso», a interpretação espiritual consiste no «descanso» de que desfrutamos, pela fé em Cristo. «Nós, porém, que cremos, entramos no descanso...» (Heb. 4:3). O sábado literal, que consistia na guarda do sétimo dia da semana, foi descontinuado nos dias de João Batista. «A lei e os profetas vigoraram até João; desde esse tempo vem sendo anunciado o evangelho do reino de Deus...» (Luc. 16:16). Visto que a lei, com todos os

seus mandamentos, tornara-se inválida a partir do instante em que o evangelho começou a ser pregado (ver também Col. 2:14), Jesus «não somente violava o sábado» (João 5:18), mas também defendeu os seus discípulos, acusados de fazerem coisas ilícitas em dia de sábado. Se o próprio Filho de Deus violava o sábado—visto que o mesmo estava então sem efeito—como é que alguns cerimonialistas hodiernos nos condenam por não guardarmos o sábado? Na verdade, não guardamos dia nenhum, integrados como estamos no espírito de passagens neotestamentárias como Gálatas 4:9,10. É claro que esses cerimonialistas continuam aferrados à interpretação literal da lei, e que a verdade espiritual da mesma ainda não lhes raiou no entendimento. Oremos em favor deles, irmãos, na esperança de que o Senhor venha a iluminá-los, para que participem das bênçãos neotestamentárias.

LEI—CÓDIGOS DA BÍBLIA

A Bíblia fornece-nos vários códigos legais. Israel sempre se distinguiu como nação profundamente interessada pela história, pela religião e pela lei. De fato, dentro da mentalidade hebréia, não há como separar esses três conceitos, porque, para um hebreu piedoso, todas as coisas tinham um forte sabor religioso. A preocupação com a lei foi transferida para o Novo Testamento, onde, entretanto, recebeu um novo caráter. Jesus foi o novo Moisés que nos trouxe um conhecimento mais profundo e uma aplicação mais perfeita dos princípios ensinados no Antigo Testamento.

1. *A lei mosaica, do Antigo Testamento*, veio à existência a fim de definir como a nação de Israel deveria relacionar-se a Yahweh e cumprir as suas exigências. Nos preceitos de lei havia a vida (potencialmente). Fora desses preceitos havia somente destruição e morte. É evidente que o código inteiro da lei mosaica estava alicerçado sobre essa suprema convicção religiosa. O propósito dos códigos era moldar a vida do povo de Deus, a fim de prepará-lo para a conduta apropriada, e tendo em vista a glória final de Israel, entre as nações, como a cabeça das nações. Para alguns, a esperança messiânica fazia parte da razão da boa conduta, por parte do povo de Deus.

2. *No Novo Testamento*, os preceitos de Jesus são encarados como uma graduação acima dos preceitos do Antigo Testamento, uma espiritualização dos mesmos. O advento do Messias fez com que a lei mosaica fosse cumprida em seus termos mais nobres. O discipulado cristão, além disso, tornou-se dependente de obediência prestada ao Messias, do que depende a promessa da vida eterna. Ver o décimo quinto capítulo do evangelho de João.

3. *O apóstolo Paulo* conferiu-nos um novo ângulo para contemplarmos a lei. Apesar de seus escritos incorporarem os preceitos morais da lei, e esses preceitos, naturalmente, serem obrigatórios para todos os homens, contudo, até mesmo esses preceitos devem ser agora vistos como cumpridos por intermédio do ministério capacitador do Espírito Santo, e não por causa dos próprios recursos do ser humano. Ver Rom. 8:1 *ss*. Ademais, Paulo eliminou da observância da lei toda a idéia de merecimento humano, salientando, única e exclusivamente, a lei do Espírito. Oferecemos artigos separados que abordam essas questões. Ver os seguintes artigos: *Lei, Função da; Lei, Usos da; Lei Espiritual, do Espírito.*

4. *A Lei do Amor* assumiu o seu devido lugar como lei suprema, divina em sua origem e obrigatória para todos os homens. Ver João 15:12 *ss*; I João 4:7 *ss*;

LEI — LEI E O EVANGELHO

Rom. 13:10.

5. *Códigos Específicos da Bíblia*:

a. *O Decálogo* (vide). Há duas recensões no Antigo Testamento. Ver Êxo. 20:1-17 e Deu. 5:6-21.

b. O pacto de Yahweh com Israel (versão sulista). Ver Êxo. 34:10-26.

c. O livro da aliança (versão nortista). Ver Êxo. 20:22—23:19.

d. O código de Deuteronômio, com afinidades com o reino do norte e com os profetas que pregaram para o norte. Ver Deu. 12—16.

e. A lei da santidade. Ver Lev. 17—26; Eze. 40—48.

f. A legislação sacerdotal, da qual alguns elementos estão espalhados pelo Pentateuco, por detrás dos quais haveria a chamada fonte informativa *S*. Ver o artigo sobre *J.E.D.P.(S.)*.

g. *A lei de Jesus*, o Novo Moisés. Aí temos suas idéias, adaptações e aplicações espirituais de vários princípios da legislação mosaica. Essas leis foram agrupadas pelo autor do evangelho de Mateus, provavelmente com propósitos catequéticos, nos capítulos quinto a sétimo de seu livro. Não deveríamos ficar inconscientes diante do propósito desse agrupamento das declarações de Jesus, no tocante à lei. Temos ali o Grande Mestre a interpretar a lei de Moisés.

h. *Os códigos éticos nas epístolas do Novo Testamento*. Nas epístolas dos apóstolos encontramos, essencialmente, uma adaptação cristã de grandes idéias do Antigo Testamento. Talvez, nas chamadas Epístolas Católicas (vide) também sejam adaptadas algumas idéias contidas na literatura de sabedoria do Antigo Testamento.

i. A base da lei inteira, de acordo com os padrões neotestamentários, é *a lei do amor*, conforme mostramos no ponto quarto, acima.

LEI COMUM

Ver o artigo geral sobre a **Lei**. A expressão «lei comum» refere-se à lei de vários países que têm conservado uma ininterrupta tradição de regras, técnicas e usos legais, desenvolvidos nos tribunais reais da Inglaterra, desde o século XI D.C. Esses países são a Inglaterra, a Irlanda e a maior parte da Comunidade Britânica de Nações, e, igualmente, os Estados Unidos da América do Norte. Em contraste com isso, a *lei civil* desenvolveu-se nos países do continente europeu, com base em diferentes costumes e usos locais.

No campo teológico, a *lei comum* indica a lei universal de Deus, que se impõe a todos os homens, conforme a mesma é refletida na lei mosaica, do povo de Israel, ou na lei da consciência, entre os povos gentílicos, onde os mesmos princípios fundamentais fazem-se sentir.

LEI DE AMOR

Ver **Amor**, seção V, **Lei no Novo Testamento**.

LEI DO LEVIRATO

Ver o artigo detalhado sobre **Matrimônio Levirato**.

LEI DOS TRÊS ESTÁGIOS Ver sobre **Comte**.

LEI E GRAÇA, CONFLITO

Quanto a esse assunto, ver o artigo sobre **Tiago**, sexta seção, o *Cristianismo Judaico*, e a sétima seção, *Paulo e Tiago*. Ver também sobre *Lei no Novo Testamento*. A lei, vista como uma medida justifica-

dora, com base no mérito humano, é absolutamente o oposto ao ensino paulino sobre a graça (Rom. 3:21 *ss*). E a mesma lei, vista como medida santificadora, como guia da vida, também é contrária ao ensino de Paulo sobre o Espírito Santo como nosso guia e santificador, segundo se vê em Rom. 8:1 *ss*. Entretanto, a lei, vista como as obras do Espírito em Deus—a lei de Deus que se torna real em nossas vidas—é sinônima da graça. Ver o artigo sobre a *Graça*, III. 8, onde esse conceito é descrito pormenorizadamente. Ver também sobre *Justificação*.

LEI E O EVANGELHO, A

Esboço:

    I. Considerações Preliminares
    II. A Lei e a Graça como Sistemas
    III. O Cristo-Misticismo
    IV. Graça e Obras como Sinônimos
    V. Distinções Históricas

I. Considerações Preliminares

O Pentateuco não encerra ensinamentos claros sobre o oferecimento da vida eterna, da mesma forma que nesses cinco livros seus mandamentos e advertências não estão vinculados quer à retribuição por causa do mal praticado, após a vida física, quer à recompensa pelo bem praticado, em algum estado pós-morte. Assim, quando é dito que um homem *viverá* se guardar os mandamentos (ver Lev. 18:5), podemos supor somente que a vida prometida é uma próspera vida presente, sob a bênção de Deus. O judaísmo posterior, como é óbvio, incorporou essa afirmação à sua teologia acerca da vida espiritual além da morte. Coisa alguma é mais claramente ensinada, no judaísmo, como o fato de que a justificação verifica-se mediante a fé e as obras e, especificamente, obras ilustradas e requeridas pela lei.

A força da lei. Os conceitos da lei apresentam os requisitos de Deus ao homem, a imutável vontade de Deus que nos diz o que é certo e o que é errado, e como o homem deve reagir diante desses fatores. Visto que a lei requer muito mais do que o homem é capaz de cumprir—a impecabilidade—ela se torna uma medida de morte, porquanto a condenação para os desobedientes—isto é, *todos* os homens—precisa ter seu cumprimento. Ver Rom. 3:19 *ss*.

A força da graça. A graça divina impulsiona o homem até muito além do que ele poderia fazer por si mesmo. Em primeiro lugar, na justificação que há na pessoa de Cristo. Estamos *em Cristo*, e não em nós mesmos, aos olhos de Deus. E, em segundo lugar, dentro daquele sistema da graça, o Espírito Santo nos é dado como medida justificadora, santificadora e glorificadora, transformando-nos à imagem de Cristo (Rom. 8:29). A graça, portanto, fala de um ato espiritual de Deus, que lhe transmite a vida e faz o homem ser o que não era. Há uma lei do Espírito que opera por meio da graça. Ver o artigo separado sobre *Lei Espiritual, do Espírito*.

II. A Lei e Graça como Sistemas

Para Paulo, a lei representava um sistema de vida, e não meramente uma série de mandamentos. Paulo nunca liga as operações do Espírito ao sistema da lei mosaica. Pelo contrário, chega a mostrar que uma coisa nada tem a ver com a outra: «Quero apenas saber isto de vós: recebestes o Espírito pelas obras da lei, ou pela pregação da fé?... Aquele, pois, que vos concede o Espírito e que opera milagres entre vós, porventura o faz pelas obras da lei, ou pela pregação

LEI E O EVANGELHO

da fé?» (Gál. 3:2 e 5). A lei foi dada ao povo judeu a fim de instruí-los quanto à verdadeira natureza do pecado e a realidade do mesmo, mas, nada oferecia para remediar a situação. Também era um sistema que envolvia muitas ameaças. A lei era uma medida para *impor a morte*: «Outrora, sem a lei, eu vivia; mas, sobrevindo o preceito, reviveu o pecado, e eu morri» (Rom. 7:9). Esse versículo é muito claro e radical. A lei prometia vida, mas terminou ministrando a morte. No entanto, a maioria dos judeus nunca compreendeu sua própria lei por esse prisma, e podemos entender por que motivo Paulo, ao falar nesses termos, foi considerado o arqui-herege do século I D.C.

As operações do Espírito Santo, no Antigo Testamento, são perfeitamente óbvias. Mas a esmagadora maioria dos judeus supunha que o Espírito operava por meio da lei, e não à revelia dela, e mesmo de modo contrário. O fato de que Paulo ensinava que o Espírito operava somente através do sistema da graça deve ter parecido uma doutrina estranha para os judeus, definidamente destrutiva de tudo quanto eles entendiam que Moisés representava. Naturalmente, Paulo teve o cuidado de ajuntar que ele não viera anular a lei (ver Rom. 3:21), mas antes, a graça divina viera *estabelecer* ou *confirmar* a lei. Com essa *confirmação*, o apóstolo entendia que a graça dá poder ao homem para cumprir a lei, em sentido espiritual, além de permitir que a lei cumpra sua devida função de informação e de condenação, a fim de que o homem se volte para a justificação que há em Cristo, mediante a fé. Entretanto, para a maioria dos judeus, isso envolvia um virtual anulamento da lei.

A *graça*, como um sistema, certamente não é um programa de distribuição de esmolas da parte de Deus. A graça é tão exigente quanto a lei, mas confere ao homem o poder que requer. Manifesta-se unida às operações do Espírito. E, uma vez que nos achamos em Cristo (uma expressão usada por Paulo mais de cento e sessenta vezes em suas epístolas; ver sobre o *Cristo-Misticismo*), somos justificados nele, somos capacitados por ele, somos transformados à sua imagem. Daí é que emerge a grande doutrina cristã da fé. O alvo final desse grandioso processo é a transformação segundo a imagem de Cristo, de forma a compartilharmos da natureza e dos atributos divinos. Ver o artigo separado intitulado *Transformação Segundo a Imagem de Cristo*. O sistema da lei, sem importar o que mais esperemos que chegue a realizar, nunca foi guindado a uma condição de tão augusta importância. Paulo mostrava que é a presença própria do Espírito Santo que torna operante o sistema da graça. Há uma *lei do Espírito* que nos santifica e transforma (Rom. 8:1 *ss*). Além disso, o Espírito Santo aparece como o agente de nossa eterna transformação segundo a imagem de Cristo, porquanto a glorificação é um processo eterno, e não uma ocorrência que ocorra em um único momento, por ocasião da morte biológica do indivíduo. Ver II Cor. 3:18.

III. O Cristo-Misticismo

Ver o artigo separado sobre esse assunto. Consideremos os *três* tipos fundamentais de religião:

1. *A Religião Legalista*. De acordo com esse tipo, a justificação e a espiritualidade são obtidas através da observância de leis e preceitos. Usualmente, esse tipo combina-se com a religião sacramental, em que as cerimônias e ritos religiosos recebem papel preponderante. Nesse caso, os ritos e as cerimônias fazem parte dos preceitos ou leis.

2. *A Religião Cerimonial*. Também chamada «sacramental». De acordo com esse tipo, a graça de

Deus é administrada mediante uma série de sacramentos, supostos veículos da espiritualidade. Assim, na Igreja Católica Romana, o sacramento do batismo é a cerimônia que, alegadamente, justifica ao homem. A Igreja administra os sacramentos, pelo que a Igreja torna-se o agente *sine qua non* da salvação. Ver o artigo separado sobre os *Sacramentos*.

3. *A Religião Mística*. De acordo com esse tipo, as realidades espirituais são mediadas pelo contacto genuíno com o Espírito de Deus, ou, pelo menos, com algum poder superior a nós mesmos. Algumas pessoas entendem mal o sentido e o uso do vocábulo *misticismo* (vide), tanto na religião quanto na filosofia. O sentido básico dessa palavra é que o espírito humano é capaz de entrar em contacto com algum poder superior a ele mesmo, seja o seu próprio «eu» superior, a superalma (de acordo com o *misticismo subjetivo*, que se vê em muitas religiões ocidentais), seja com um poder superior, como os anjos ou como Deus (Pai, Filho ou Espírito Santo), conforme se vê em alguns segmentos do cristianismo, ou mesmo com espíritos humanos glorificados, dotados de autoridade espiritual superior, chamados «santos», em outros ramos do cristianismo. Esse tipo de misticismo é chamado de *objetivo*. A fé de Paulo é ardentemente mística. Ele salientava o Espírito de Deus como o agente de todos os valores e realidades espirituais. A justificação, a santificação e a glorificação, nos escritos paulinos, são realizações do Espírito Santo. As virtudes espirituais também são cultivos do Espírito (ver Gál. 5:22,23). Esse poder místico sempre aparece ligado ao sistema da graça, nos escritos do Novo Testamento, e nunca ao sistema de leis ou ao sistema de cerimônias.

IV. Graça e Obras como Sinônimos

Se pensarmos naquilo que o homem realiza porque a lei foi escrita nas tábuas de carne do seu coração, pelo Espírito de Deus, e se essas obras forem concebidas como realizações do Espírito Santo, e não obras humanas meritórias, então essas obras e a graça divina tornam-se sinônimas, no sentido de que a graça divina é que produz essas obras. Temos desenvolvido esse conceito no artigo intitulado *Obras Relacionadas à Fé*, e também no artigo sobre a *Graça*, III.8.

V. Distinções Históricas

1. *Agostinho*. Na era pós-apostólica, *Agostinho* (vide) salientava a doutrina paulina da graça, embora de mistura com o *sacramentalismo* (vide), tal como o fez Lutero, séculos depois, um monge agostiniano. Pelo menos, em seus escritos contra Pelágio, Agostinho resistiu aos assédios do legalismo na Igreja Católica, e enfatizou a obra do Espírito acima de qualquer outro fator. Sua obra, *De Espiritu et Littera*, aborda especificamente o problema das relações entre a lei e o evangelho, com o seu sistema da graça divina. Essa obra de Agostinho foi escrita em 412 D.C. Ele comentou extensamente sobre o trecho de II Cor. 3:6, que nos diz que *a letra mata*, mas que *o Espírito dá vida*. A letra aponta para a lei, em seu pleno sentido veterotestamentário. E o Espírito, como é óbvio, indica o Espírito Santo, aquele que empresta energia à mensagem cristã. Só o Espírito transmite vida. Todavia, o sacramentalismo de Agostinho maculou toda a sua explicação, embora ele tivesse sido um intérprete de Paulo, em sua época.

2. *A Reforma Protestante* renovou a distinção radical entre a lei e a graça, tentando remover a compreensão legalista do evangelho. A Apologia da Confissão de Augsburg (4.5,6), referindo-se às Escrituras, diz o seguinte:

«Em alguns trechos elas apresentam a lei. Em outros, elas apresentam a promessa de Cristo. Isso

LEI E O EVANGELHO — LEI, FUNÇÃO

elas fazem quando prometem a vinda do Messias, e também prometem o perdão de pecados, a justificação e a vida eterna por causa Dele; ou, então, quando, no Novo Testamento, o Cristo, que veio promete o perdão dos pecados, a justificação e a vida eterna. — Com o termo *lei*, dentro dessa discussão, podemo-nos referir ao decálogo, onde quer que ele apareça nas Escrituras».

Assim, o protestantismo recusou-se a transformar o evangelho em uma **nova lei**, conforme foi a doutrina padrão da Igreja, durante a Idade Média. O evangelho, realmente, é de outra categoria.

3. *Lutero* tomou a linha agostiniana, o que era apenas natural para um monge agostiniano. Declarou ele o que transcrevemos abaixo.

«Essa distinção entre a lei e o evangelho é a arte mais elevada, no seio da cristandade, que deveria ser apreendida e entendida por todos aqueles que se chamam cristãos. Sem essa distinção, um cristão não poderá ser distinguido de um pagão ou de um judeu...Mas, todo aquele que recebeu a capacidade de distinguir a lei do evangelho está à testa de todos e pode ser intitulado de Doutor nas Santas Escrituras. Pois, sem o Espírito Santo é impossível alguém estabelecer essa distinção» (*Ética Luterana*, W (2) 9, 789 ss).

4. *Calvino*, em suas Institutas (3.17,6), faz a mesma distinção. Todavia, seu estudo a respeito não é tão vívido e conciso quanto o de Lutero. E é lamentável que Calvino tenha feito da lei «a regra, para uma vida reta». Isso significa que a Reforma produziu uma doutrina má que diz que se a lei não justifica, pelo menos santifica. Em seu *legalismo* (vide), Calvino mantém o seu poder pessoal sobre a Igreja. Paulo, por outro lado, ensinava que, dentro do sistema da graça, o Espírito proveu-nos uma nova lei, a lei do Espírito, que opera através de atuações místicas, e não por meios legalistas.

5. *O Abuso do Antinomianismo*. Alguns evangélicos, em seu entusiasmo em favor do ensino sobre a graça divina, reduziram-na a um programa de doações, que não requer qualquer responsabilidade moral. Dessa maneira, a lei do Espírito é anulada, e todas as regras são desprezadas. As pessoas esquecem-se de que o Espírito de Deus ainda é mais exigente do que a lei mosaica, pois sem a santificação, ninguém jamais verá a Deus (Heb. 12:14). João Agrícola, de Eisleben, um mestre luterano, chegou mesmo ao extremo de ensinar que a lei não deveria ser pregada e aplicada aos cristãos (1526—1527). Mas Lutero replicou que a lei deve ser ensinada entre os cristãos, a fim de que se sintam contritos diante de suas falhas morais. O triste resultado dessa controvérsia foi que a lei foi transformada (conforme Calvino fez) em guia *da piedade e da conduta*, isto é, em regra de vida. Ver sobre a *Fórmula de Concórdia*, 5D 4.3.

6. *Os Irmãos de Plymouth* muito contribuíram para fazer a Igreja voltar a depender da graça divina em tudo, na justificação, na santificação e na transformação gradual do crente. Assim, a lei voltou à posição que lhe fora conferida por Paulo: uma medida que descreve o pecado (dando conhecimento acerca do do mesmo), um poder condenador, um juiz, e não um salvador. Naturalmente, os princípios morais da lei estão incorporados no evangelho cristão, mas de uma maneira espiritualmente vitalizada, na *Lei do Espírito* (vide).

7. *A Lei é Sumariada no Amor*. Paulo deixou claro que a lei do amor sumaria todas as qualidades morais da lei do Antigo Testamento. O amor também aparece como um dos aspectos do caráter cristão,

cultivados pelo Espírito Santo, especificamente através do amor que nos inspira. Ver Rom. 13:10. (B H NTI)

LEI ESPIRITUAL, DO ESPÍRITO

Rom. 7:14: *Porque bem sabemos que :a lei é espiritual; mas eu sou carnal, vendido sob o pecado.*

A lei é espiritual. Os motivos disso são alistados abaixo:

1. Porque a sua fonte originária é o Espírito de Deus.

2. Porque a lei é o reflexo moral de Deus, isto é, indica-nos a sua natureza espiritual.

3. Porque, assim sendo, a lei é uma comunicação espiritual, cujo intuito é o de produzir, na natureza humana, a mesma natureza espiritual que Deus possui, ainda que na experiência real não possa cumprir esse alvo, o que é deixado ao encargo do sistema da graça.

4. Porque, sob exame de seu conteúdo, descobrimos que a lei é santa, justa e boa, sendo assim separada de qualquer carnalidade, em sua natureza inerente.

5. Alguns comentadores (como Calvino), acrescentam a esses pensamentos a idéia de que a lei é espiritual porque requer uma justiça celestial por parte dos homens.

6. Porque se relaciona à natureza superior ou espiritual dos homens.

7. Orígenes opinava que Paulo pensa aqui que a lei é vista em sua aplicação espiritual, isto é, a lei conforme ela é formada no homem interior por meio do Espírito Santo, não estando em vista apenas a egislação legalista da lei mosaica. Nesse sentido, pois, a lei é certamente «espiritual».

8. Uma variação dessa idéia é aquela que pressupõe a presença do Espírito Santo, como *condição* de seu cumprimento.

9. Sua natureza é idêntica àquela da natureza moral do Espírito Santo, porquanto suas afinidades são espirituais, e não humanas. Não há nisso qualquer discrepância. E é bem provável que Paulo tenha concordado com diversas das idéias expostas nesses pontos.

LEI, FUNÇÃO DA

Rom. 5:20: *Sobreveio, porém, a lei para que a ofensa abundasse; mas, onde o pecado abundou, superabundou a graça;*

A lei *intensifica* o pecado, ou fá-lo «abundar», e isso em vários sentidos, conforme mostramos abaixo:

1. Porquanto faz com que a ofensa se torne mais claramente *visível*, mais plenamente compreendida, removendo todos os motivos possíveis de desculpa. (No que diz respeito a esse aspecto da função da lei, ver as notas expositivas em Rom. 3:20 no NTI)

2. A lei *intensifica* a transgressão porque *estimula* impulsos pecaminosos dormentes, dando-lhes uma nova atividade. «As regras são feitas para serem desobedecidas», é um refrão popular muito conhecido, porquanto isso expressa algo da perversidade humana, que se deleita em fazer algo que é proibido, conforme também a experiência humana o comprova abundantemente (ver Rom. 4:15).

3. A lei causou uma espécie de imputação do pecado aos homens, embora essa imputação realmente não se tivesse completado senão já quando do primeiro advento de Cristo, conforme Paulo nos esclarece em Rom. 3:25. Não obstante, a lei *agravou* a

764

LEI, FUNÇÃO — LEI, JESUS E A

questão da imputação do pecado, tornando a transgressão algo mais sério, porque se tornou melhor compreendido quão prejudicial é o mal representado pelo pecado (ver Rom. 5:13).

4. A lei, que revela tão claramente a natureza do pecado, e que subentende a necessidade de julgamento, leva os homens a entrarem em inimizade contra o Senhor. Os homens podiam odiar Deus até mesmo por sua aparente severidade e por seus mandamentos «impossíveis de serem guardados». Mas tais indivíduos ignoram propositadamente a salvação que há em Cristo, e passam a amaldiçoar a Deus.

5. Dessa maneira, Paulo demonstra como é impossível alguém obter a vida através da guarda da lei, mediante o princípio legalista, e isso, por sua vez, mostra a necessidade da graça.

6. A abundância do pecado força a abundância da graça, e a lei põe isso em exercício, conferindo ao pecado a sua força.

7. A lei «foi adicionada» ou «sobreveio», isto é, não existia para Adão, nem para Abraão, e nem para a humanidade toda, antes de Moisés. Foi um acréscimo cujo intuito era ajudar, mas falhou em seu propósito. Pelo contrário, a lei aliou-se ao princípio do pecado-morte, e levou esse princípio a dominar o mundo inteiro.

8. A reação divina foi radical; Deus enviou seu Filho em sua missão salvatícia, até à cruz, mas ressuscitou-o com vista à nossa justificação (ver Rom. 4:25). A missão do Filho fez a graça abundar e através dela, a vida eterna (ver as notas em João 3:15 no NTI). A qualidade da salvação mostra-nos quão abundante é a graça. (Ver os artigos sobre *Graça* e *Salvação*).

O ponto de vista de Paulo sobre a «lei», conforme ele expressa aqui, dificilmente poderia agradar aos judeus, embora seja um pensamento muito comum dentro da teologia bíblica e evangélica. Aqui, entretanto, ele não diz tudo quanto se pode dizer acerca da natureza do princípio da graça, e o trecho de Rom. 3:31 subentende mais, nessa direção, do que faz o presente versículo. No entanto, ele nos fornece aqui uma idéia, sobre a qual podemos adicionar outras. Mas nenhuma dessas idéias, e nem todas elas em seu conjunto, conforme são entendidas pelo sistema teológico do cristianismo, teria agradado aos judeus, os quais viam a lei como um verdadeiro agente salvador, e a obediência à lei mosaica como algo possível em grau suficiente para que o homem viesse a obter correta posição espiritual diante de Deus. O apóstolo Paulo, pois, **contradiz aqui o que comumente se compreendia acerca da natureza e das funções da lei**, e deve ter sido considerado um dos piores hereges, pelos judeus, por causa desses seus ensinamentos.

Referindo-se às idéias de Paulo, sobre a lei, conforme ele as expressa aqui, diz Dwight (*in loc.*): «Foi (a lei) acrescentada no plano ou arranjo divino, tendo-se tornado uma ocasião ou motivo para que a graça superabundasse, abrindo assim o novo caminho para a justificação e para a vida».

«O dilúvio da graça ultrapassou em potência ao dilúvio do pecado, por maior que este último tivesse sido e seja». (Robertson, *in loc.*).

«...para que avultasse a ofensa... abundou o pecado...» Algumas traduções não observam que dois vocábulos gregos diferentes são empregados para expressar aqui essas idéias, conforme vemos na tradução portuguesa que serve de base textual para este comentário. O primeiro verbo significa «aumentar», «intensificar»; e o segundo significa «abundar além das medidas», «extravasar abundantemente».

John Newton, que antes fora um libertino e um incrédulo, conforme ele mesmo confessou, escreveu as palavras imortais de seu poema sobre a «graça de Deus»:

Ó graça de Deus, quão doce é o som
Que salvou um miserável como eu,
Antes, eu estava perdido, agora fui achado,
Eu era cego, mas agora vejo.

Foi a graça que ensinou meu coração a temer,
E a graça meus temores alivia;
Quão preciosa pareceu-me a graça,
Desde o momento em que cri.

(John Newton)

«'Mas onde abundou o pecado...' Sem importar se essa abundância é no 'mundo' ou no 'coração' do indivíduo, uma vez desvendado por essa lei puríssima e justa, a 'graça superabundou'. Não somente na forma de *perdão* para todo o passado é oferecido no evangelho, de tal maneira que todas as transgressões por causa das quais a alma é condenada à morte pela lei, são livre e plenamente perdoadas, mas também na forma da presença do Espírito Santo, na abundância de seus dons e bênçãos, preparando assim o seu recebedor a desfrutar de um peso excessivo e eterno de glória. Portanto, a graça do evangelho não somente nos redime da morte e, por conseguinte, nos restaura à vida, mas também leva a alma a ter uma nova relação para com Deus, uma nova participação na glória eterna, tal como não temos autoridade de crer que tais bênçãos pudessem ser a porção do próprio Adão, ainda que ele tivesse mantido eternamente a sua inocência. Assim, 'onde o pecado abundou, a graça superabundou'». (Adam Clarke, em Rom 5:20).

«O pecado penetrara abundantemente em todas as capacidades e faculdades da alma, no seu entendimento, na sua vontade e nas suas afeições, como homem não-regenerado que era. Porém, quando da regeneração, a graça de Deus mais do que abundou quanto às mesmas capacidades e faculdades, iluminando o entendimento, subjugando a vontade e influenciando as afeições com o amor pelas realidades divinas. O pecado abundou no mundo gentílico, antes da pregação do evangelho no mesmo; mas depois a graça superabundou na conversão de multidões, que se afastaram dos ídolos, a fim de servirem ao Deus vivo; e onde o pecado abundou em indivíduos particulares, de modo extraordinário, mesmo assim a graça ultrapassou a esse acúmulo, como nos casos do rei Manassés, de Maria Madalena, de Saulo de Tarso, e outros». (John Gill, em Rom. 5:20).

«A graça ainda não atingiu suas mais exaltadas alturas e soberania, mas dá início a essa soberania quando propicia aos homens o dom da justiça de Deus... O seu alvo, o seu limite, que contudo não é limite, é a vida eterna». (James Denny, *in loc.*, o qual corretamente percebe aqui a obra contínua e eterna da graça, na «vida», isto é, na outorga da vida de Cristo, de sua pessoa e imagem, de sua essência, para os crentes, os quais finalmente, haverão de atingir a sua perfeição, participando da divindade, que é a grande esperança do evangelho e da obra da graça, conforme se vê em Rom. 8:29 e II Ped. 1:4).

LEI INTERNACIONAL

Ver sobre **Nações Unidas** e sobre **Governo Mundial**.

LEI, JESUS E A

Essa questão é amplamente examinada no artigo *Lei no Novo Testamento*, segunda seção.

LEI, JUGO DA — LEI MORAL

LEI, JUGO DA

Jugo, Gál. 5:1. Essa palavra é usada metaforicamente para indicar uma carga ou servidão. (Comparar com Mat. 11:29,30; Atos 15:10 e I Tim. 6:1. Ver também, no A.T., os trechos de Gên. 27:40; Lev 26:13 e II Crô. 10:4,9-11,14). Essa palavra é usada nas páginas do N.T. para indicar uma «canga», exceto em Apo. 6:5, onde indica uma balança. No trecho de Atos 15:10 Pedro chamou o jugo do judaísmo e da lei de intolerável. Os crentes gálatas tiveram de aprender isso através da própria experiência deles. Mas Paulo queria salvar a todos disso.

Há uma curiosa narrativa no Talmude, *Midrash Shochar*, contada no *Yakut Simeoni*, parte 1.229, que ilustra bem o jugo da lei. E embora essa passagem pinte Coré procurando justificar-se de sua rebeldia, referindo-se à avareza dos sacerdotes, a história ainda assim e bastante ilustrativa: «Havia uma viúva na vizinhança que tinha dois filhos órfãos. Ela também tinha um campo. Quando começou a ará-lo, alguém se aproximou e disse: 'Não ararás com um boi e um jumento ao mesmo tempo'. Quando ela foi semeá-lo, ele disse: 'Não semearás teu campo com sementes diversas'. Quando ela começou a colher os molhos, disse ele: 'Deixa um punhado nos cantos do campo, para os pobres'. Quando ela se preparou para trilhar o grão, ele disse: 'Dá-me a oferta movida, bem como o primeiro e o segundo dízimo'. Ela fez conforme lhe foi ordenado. Mas então foi e vendeu seu campo, tendo comprado duas ovelhas, para que pudesse vestir a si mesma e à sua família com a lã, obtendo lucro com as ovelhas. Quando as crias nasceram, Aarão chegou e disse: 'Dá-me o primogênito', pois o Deus bendito disse: 'Todo o primogênito, que abrir a madre, será teu'. Ela cedeu às exigências dele e lhe deu as duas crias. Quando chegou o tempo da tosquia, ele disse: 'Dá-me as primícias da lei'. Uma vez que a viúva fez isso, disse ela: 'Não posso ficar na presença deste homem; matarei minhas ovelhas e as comerei'. Porém, quando ela matou as ovelhas, Aarão chegou e disse: 'Dá-me o ombro, a queixada e as vísceras'. A viúva disse: 'Embora eu tenha abatido minhas ovelhas, não posso livrar-me deste homem. Portanto, consagro tudo a Deus'. Mas Aarão disse: 'Tudo me pertence, pois o Deus santo e bendito disse: 'Tudo quanto for consagrado em Israel será dele (isto é, do sacerdote)'. Assim dizendo, ele tomou as carcaças inteiras e se foi, deixando a viúva e seus filhos órfãos na maior aflição».

LEI MODELO ABRANGENTE

Essa expressão indica a noção de que, para se chegar à verdadeira explicação sobre uma questão qualquer, deve haver uma lei que ofereça uma explanação adequada dos fenômenos envolvidos. Porém, não parece que encontrar tal lei seja algo necessário para explicar qualquer fenômeno. Muitos fenômenos ocorrem sem que estejam vinculados a qualquer lei geral. Assim, se um trem chega tarde à estação, não significa que os trens sempre devam chegar atrasados. Outrossim, mesmo quando podemos ligar os eventos a certas leis, com freqüência estas são inadequadas para explicar muitas coisas a eles relacionadas. Nem sempre é possível conseguir explicar formalmente as coisas, na ciência, na filosofia ou na fé religiosa. Nosso conhecimento ainda é por demais primitivo para que isso suceda em todos os casos.

LEI MORAL

Ver o artigo sobre a **Lei Cerimonial**, onde se faz a distinção entre a lei moral e a lei cerimonial.

LEI MORAL DA COLHEITA SEGUNDO A SEMEADURA

1. *Declaração Geral*

Paulo deixou bem claro que «...aquilo que o homem semear, isso também ceifará» (Gál. 6:7 *ss*). E esse texto mostra-nos que essa *colheita* envolve até mesmo a questão da salvação eterna, a *grande colheita*, e não meramente a interação entre causa e efeito, que temos de enfrentar todos os dias. No entanto, uma coisa está ligada à outra. A lei da colheita segundo a semeadura labora contra o *antinomianismo* (vide), embora *não* favoreça ao *legalismo* (vide). Fica entendido, dentro do contexto paulino, que qualquer semeadura apropriada precisa ser efetuada no poder do Espírito, que cultiva em nós todas as virtudes espirituais (ver Gál. 5:22,23). O homem, uma vez impelido no processo da transformação segundo a imagem do Filho (ver Rom. 8:29; II Cor. 3:18), de tal modo que virá a possuir toda a plenitude de Deus (ver Efé. 3:19), ou seja, a natureza divina (ver II Ped. 1:4; Col. 2:10), dificilmente poderá realizar tais coisas exceto em, e através do poder do Espírito Santo. Ver o artigo separado intitulado *Lei Espiritual, do Espírito*.

2. *O Princípio do Julgamento*

Todo julgamento depende das operações da lei da colheita segundo a semeadura. Cada indivíduo será julgado de acordo com as suas obras (ver Rom. 2:6), e isso se aplica tanto ao crente quanto ao incrédulo. Ver os artigos sobre os julgamentos de ambos, sob os títulos: *Julgamento de Deus dos Homens Perdidos; Julgamento do Crente por Deus* e *Julgamento Segundo as Obras*. O exame desses três artigos fornecerá ao leitor amplas ilustrações sobre a lei da colheita segundo a semeadura.

3. *Metáfora Extraída da Vida Agrícola*

Muitos dos leitores originais de Paulo eram agricultores. Em qualquer época da história, a agricultura reveste-se de importância suprema para a sustentação da vida dos homens. Todos aqueles que se ocupam nas lides agrícolas têm plena consciência de que só colhem aquilo que tiverem semeado. Também sabem que colhem a «espécie» plantada. Além disso, sabem que as plantações são atacadas e ameaçadas por ervas daninhas, pela seca e por pestes. Toda colheita abundante é resultante de uma semeadura abundante, e todo esse processo de plantio e colheita acompanha, necessariamente, as leis da natureza. No sentido espiritual, sempre é *Deus* quem faz progredir e multiplicar a colheita (I Cor. 3:7). A vida não é um jogo, embora muitos homens vivam como se ela o fosse. Embora a *graça* divina (vide) seja necessária para o avanço bem-sucedido de qualquer indivíduo, contudo, temos a responsabilidade de empregar nossos conhecimentos e nossas capacidades, a fim de distinguir o que é bom e o que é mau, e de tirar proveito das oportunidades, visando ao desenvolvimento espiritual de nossas almas, através do *uso* dos meios do crescimento espiritual. Esses meios são: o treinamento intelectual nos documentos sagrados e outros livros, que promovam um útil conhecimento e espiritualidade; a oração; a meditação; a santificação; a prática da lei do amor; as boas obras; a iluminação espiritual e o toque místico, com a possessão e a utilização dos dons espirituais.

Semeai um hábito, e colhereis um caráter.
Semeai um caráter, e colhereis um destino.
Semeai um destino, e colhereis...Deus.
(Prof. Huston Smith).

LEI MORAL — LEI NA FILOSOFIA

4. *Algumas Características Dessa Lei*

a. Ela atua segundo as obras de cada um (Rom. 2:6).

b. Ela está envolvida na questão das coroas e galardões (II Tim. 4:8). Ver o artigo sobre as *Coroas*.

c. Ela está vinculada ao tribunal de Cristo (II Cor. 5:10).

d. Ela não ensina a estagnação após a morte biológica do crente. O crente haverá de compartilhar da plenitude de Deus (ver Efé. 3:19), e simplesmente não conseguiria tal coisa, se lhe fosse tolhida a possibilidade de crescer, no outro lado da existência. A glorificação é um processo eterno, e não um acontecimento isolado, de um único instante. Os incrédulos também terão oportunidades no além-túmulo (ver I Ped. 4:6), e uma *restauração* geral aguarda a criação, conforme tenho descrito no artigo por esse nome. Essas condições (glorificação e restauração) também dependem da lei da colheita segundo a semeadura, que assumirá um papel ainda de *maiores dimensões*, nos mundos eternos.

5. *Uma Prova da Existência de Deus*

Emanuel Kant alicerçava um argumento em prol da existência de Deus sobre a necessidade que todos os homens têm de colher segundo o que tiverem semeado. De outro modo, teríamos de enfrentar um caos completo. A alma existe a fim de enfrentar — após a morte física — a recompensa ou o castigo que se faça mister. E Deus deve existir, visto ser ele o único que é suficientemente sábio, suficientemente poderoso para aplicar o castigo ou a recompensa apropriada.

6. *A Certeza Dessa Lei*

O trecho de Gál. 6:7 adverte-nos a não nos deixarmos enganar quanto a essa questão. A lei da colheita segundo a semeadura realmente opera, de outra maneira, Deus seria sujeito à zombaria. O verbo grego envolvido nessa ação de zombar de Deus, isto é, *mukterízo*, significa, literalmente, «torcer o nariz». É absurdo pensar que poderíamos torcer o nariz, em atitude de desrespeito, escapando da lei universal da colheita segundo a semeadura. Hipócrates usou esse termo para indicar «hemorragia nasal» (ver *Epid.* 7,123). O gesto de andar de nariz emproado (sinal de arrogância), ou de torcer o nariz (sinal de desprezo), sob hipótese alguma pode ser feito (metaforicamente falando) no tocante ao Senhor. E isso porque a lei da colheita segundo a semeadura terá um pleno e cabal cumprimento na vida de todos os seres humanos.

«Ninguém pode usar de desonestidade com Deus, porquanto ele conhece todos os pensamentos e intuitos do coração» (Rendall, comentando sobre Gál. 6:7).

7. *A Lei do Karma*

Nas religiões orientais, encontramos uma vívida representação **da lei da colheita** segundo a semeadura na doutrina do *karma*. Esse ensino supõe que tudo quanto um homem faz é inexoravelmente entesourado, levando-o a «encontrar-se consigo mesmo» em alguma outra reencarnação (vide), ou reencarnações. Alguns, que acreditam na lei do *karma*, nos termos ensinados por aquelas religiões orientais, acreditam que essa lei em nada contradiz à doutrina cristã da salvação pela graça divina, se a compreendermos no sentido de uma lei disciplinadora, que instrui os homens, até que eles encontrem a salvação em Jesus Cristo. De fato, não há muita diferença entre o *karma* e o ser julgado de acordo com as próprias obras, exceto que esse julgamento alude ao fim do processo, ao passo que a lei do *karma* fala sobre um processo que vai operando ao longo da vida do indivíduo.

Outrossim, nao podemos supor que as obras humanas, que criam um bom *karma*, sejam capazes de salvar a alma. Para tanto, já será mister a lei do Espírito, com o seu poder transformador. Não obstante, dizer *karma* e dizer *colher segundo a semeadura* são uma e a mesma coisa, se evitarmos certos abusos legalistas que a palavra *karma* envolve para certas pessoas. O artigo separado que escrevi, acerca desse assunto, entra em maiores detalhes no tocante a essa crença.

Alguns cristãos, além de outros, que aceitam tanto o *karma* quanto a *reencarnação* como descrições válidas do que realmente tem lugar na experiência humana, supõem que, em Cristo, todo *karma* é cancelado, diante do *verdadeiro arrependimento*, sendo precisamente aí que entra a graça de Deus. Em outras palavras, algumas pessoas supõem que o *karma* é a lei que opera antes de Cristo intervir em uma vida humana, mas que essa intervenção de Cristo a cancela. Mas, mesmo diante dessa hipótese, o julgamento dos crentes obedecerá a certa forma de *karma*. Em seu sentido oriental, o *karma* pode ser compreendido como uma espécie de aio, que conduz os homens a Cristo, tal como a lei mosaica o era para com os judeus. O *karma* forçaria os homens a buscarem outra solução possível, — porquanto_ intermináveis semeaduras e colheitas, jamais poderão salvar uma alma humana!

8. *O Alvo Glorioso*

O Novo Testamento ensina-nos a esperança. É possível um ser humano tornar-se um *vencedor*, e, então, entrar na glória resplendente do Senhor. Isso é exatamente o que nos garantiu a missão de Cristo, aquilo que é promovido pelo ministério do Espírito Santo.

Quando eu chegar ao fim do meu caminho,
Quando eu descansar no fim do dia da vida,
Quando 'Bem-vindo' eu ouvir Jesus dizer,
Oh, isso será a aurora para mim!

Quando, em sua beleza, eu vir o Grande Rei,
Unido com seus remidos, para entoar seus louvores,
Quando eu unir a eles os meus tributos,
Oh, isso será a aurora para mim!

Aurora amanhã, aurora amanhã,
Aurora na glória, espera por mim;
Aurora amanhã, aurora amanhã,
Aurora com Jesus, pela eternidade.

(W.C. Poole)

A Visão Beatífica. A glória final dos remidos envolve muito mais do que meramente contemplar a Deus. Antes, ao contemplarem ao Senhor, os remidos serão transformados, de modo a compartilharem de sua natureza e de seus atributos (ver II Ped. 1:4). As visões transformam. Mas, visto que há uma infinitude com que os remidos serão enchidos, também deverá haver um enchimento infinito. Ver o artigo intitulado *Transformação Segundo a Imagem de Cristo*. Ver também sobre a *Visão Beatífica*.

LEI NA FILOSOFIA

Esboço:
   I. Alguns Problemas Básicos
   II. Sentidos Descritivos
   III. Sentidos Prescritivos
   IV. A Filosofia da Lei

I. Alguns Problemas Básicos

1. *A Origem das Leis*. As leis humanas dependem das leis naturais, da lei divina, ou da evolução na sociedade humana (lei experimental)?

2. Pode haver tal coisa como uma *verdadeira* lei, ou

LEI NA FILOSOFIA

todas ás leis são apenas *experimentais?* A antiga máxima que diz: *Lex injusta non est lex,* «uma lei injusta não é lei», pressupõe que toda lei verdadeira será justa. Por outro lado, se aquilo que é justiça não emerge de alguma exigência divina ou cósmica e da mera experiência humana, então o conceito da lei em geral, como também de qualquer lei em particular, é um conceito em perene fluxo.

3. *O Poder é o Direito?* Se um soberano qualquer baixa uma lei e tem autoridade para pô-la em vigor, a sua lei é automaticamente correta? Alguns pensadores têm achado que aí reside a verdadeira substância da lei. É conforme disse Mao Tzé Tung, premier chinês da década passada: «O poder sai do cano de um fuzil».

4. *Senso de Responsabilidade.* Aqueles que são estudiosos de filosofia sabem quão difícil é tentar definir qualquer termo de sentido muito amplo. Como é óbvio, a *responsabilidade* é um conceito vital à lei. Não obstante, encontramos grande dificuldade para definir esse termo. De acordo com a doutrina do direito divino dos reis, a responsabilidade de cada homem é obedecer sem questionar, sem importar a evidente injustiça de algumas leis. Os religiosos supõem que os livros sagrados definem claramente a responsabilidade, mas o problema é que esses livros sagrados nem sempre são interpretados da mesma maneira, e poucos acreditam que sejamos capazes de resolver o problema da responsabilidade meramente apresentando textos de prova (juntamente com analogias e aplicações) extraídos dos Livros Sagrados. Além disso, devemos pensar nas chamadas «circunstâncias atenuantes». Por exemplo, um homem fez o que era errado; no entanto, ele está insano. Outro homem cometeu um erro, mas, fê-lo na inocência. Ainda um outro errou; no entanto, suas intenções eram boas. Como se poderia pesar as responsabilidades nesses casos? Aristóteles acreditava que a *voluntariedade* está por detrás de toda culpa, louvor e responsabilidade. Se um homem estiver obedecendo ordens que ele não pode ignorar, ou, então, se o fizer sobre uma pressão incomum da parte de outras pessoas, não poderá ser considerado responsável por algum ato errado, e, sê-mesmo que possa ser considerado como tal, sê-lo-á até que ponto? A vontade do indivíduo, afinal, muito tem a ver com a aquilatação das responsabilidades. A mesma coisa deve ser dita no tocante a pressões e ameaças externas, por causa das quais um indivíduo se vê forçado a agir de modo contrário à sua vontade. Finalmente, devemos enfrentar o problema da negligência. Imaginemos um homem que ultrapasse um semáforo e mate a alguém. Esse terá feito alguma coisa que não queria fazer; mas, mostrou-se negligente. Talvez não seja sentenciado à prisão perpétua, mas poderá ser condenado a um ano de prisão, ou terá de ficar sob custódia, dependendo da severidade do juiz.

5. *As Intenções.* Alguns pensadores opinam que não existe bondade exceto na vontade. Aquilo que tencionamos fazer direito, é bom, e aquilo que tencionamos fazer errado, é verdadeiramente errado. Ora, a intenção está intimamente vinculada à responsabilidade.

6. *Empecilhos.* Todos nós somos, algumas vezes, impedidos de fazer o bem que gostaríamos de fazer, ou somos impedidos por defeitos morais e mentais, que nos levam a fazer o que é errado, por assim dizer, contra a nossa própria vontade. Paulo referiu-se a essa questão no sétimo capítulo da epístola aos Romanos. Os mentalmente insanos são internados em hospitais psiquiátricos, e não em prisões, quando

fazem algo de errado. No entanto, em muitos casos, pode ser demonstrado que os insanos podem fazer coisas que criam ou mesmo agravam a sua insanidade. Por conseguinte, essa condição pode ser o primeiro erro de um indivíduo, como se dá no caso daqueles que se viciam com o álcool ou com as drogas e alucinógenos. Os homens devem ser responsabilizados por aquilo que fizerem de si mesmos. Alguns estudiosos supõem que as vidas passadas (ver sobre a *Reencarnação*) também podem fazer os homens serem quais maçãs podres, antes mesmo de nascerem. Nesse caso, eles seriam responsáveis pelo seu estado, embora tenham vindo a este mundo criminalmente insanos, ou possuidores de grandes tendências para os vícios e para o crime, *desde o próprio nascimento.*

7. *Retribuição.* Como devem ser aplicadas as sanções da lei? Quão severas devem ser essas sanções? De que tipos elas deveriam ser? Os filósofos continuam debatendo sobre essas questões. A punição capital está certa? Até que ponto deveríamos tentar recuperar aos criminosos empedernidos que matam, são aprisionados, mas matam novamente, se forem libertados? A retribuição deveria visar somente a propósitos de reabilitação, ou pode e deve haver algo como uma justa vingança, inteiramente à parte de qualquer desejo de reabilitar?

8. *Direitos e Obrigações.* A lei garante a todos certos direitos básicos. Mas, quais devem ser esses direitos? E esses direitos implicam em que obrigações?

9. *Conflitos de Grupos de Interesses.* O governo não é a Igreja, mas o governo é influenciado pela Igreja. Até que ponto as leis de um país refletem as crenças religiosas e as convicções do seu povo? Os lapsos religiosos deveriam ser castigados pela lei? As crenças religiosas deveriam ser ensinadas nas escolas públicas, com o apoio das leis civis? Podem existir escolas religiosas, se, por acaso, não cumprirem os requisitos educacionais do Estado? As uniões trabalhistas podem forçar seus membros a unirem-se às suas respectivas organizações? Se os trabalhadores não se unirem a essas uniões e sindicatos, deveriam eles participar dos benefícios obtidos da parte dessas uniões e sindicatos?

II. Sentidos Descritivos

Esse título é usado para falarmos sobre a lei como *leis da natureza.* Presumivelmente, os fenômenos que ocorrem na sociedade humana, e que podem ser examinados pelos cientistas sociais, dependem das funções naturais de nosso mundo e de nosso universo.

1. Alguns estudiosos têm ensinado a correspondência entre as leis naturais e a experiência humana, ou, então, que a experiência humana deveria coincidir com as leis naturais. Nesse caso, as leis deveriam ser formuladas de acordo com aquilo que a natureza parece requerer. E a filosofia e a teologia existiriam a fim de definir o que significa esse «parece».

2. *Peirce,* entretanto, não eliminava o elemento do acaso, no tocante a essa questão. Isso posto, a evolução estaria envolvida nos erros dos homens quanto às leis, da mesma maneira que a própria natureza pode errar.

3. *Augusto Comte* (vide) referia-se à lei da evolução cultural. Ele aludia a três estágios, nessa evolução, a saber: a. *A evolução teológica:* todas as dúvidas seriam solucionadas pelos clérigos, em seus livros e em suas declarações. Nesse caso, os *deuses* é que resolvem tudo. b. *A evolução metafísica:* aí os homens começam a pensar em termos mais abstratos. A religião continua sendo um fator importante; mas agora já se deve pensar em *forças cósmicas,* e não meramente em deuses. A ética contém abstrações e

LEI — LEI NO ANTIGO TESTAMENTO

discussões morais que transcendem àquilo que os eclesiásticos afirmam. c. *A evolução científica*: nesse ponto, os homens deixam de tentar resolver os seus problemas pelo apelo a «algo existente lá fora», e começam a definir a conduta deles em termos de suas próprias experiências, e essas experiências são examinadas e modificadas cientificamente.

III. Sentidos Prescritivos

1. *As leis do pensamento*, conforme são vistas na lógica tradicional, com os seus conceitos de identidade, contradição e meio-termo excluído, são prescritivas.

2. *A ética teísta* conta com uma lei prescritiva. Deus faz as leis. Ele também as prescreve. Sobre essa base é que concebemos Deus como o grande legislador, como o originador das leis naturais, visto que Deus é o criador da própria natureza.

3. *Platão*, com os seus *universais* (vide) perfeitos e imutáveis, supunha que a ética ideal e a lei seguem esses padrões absolutos, que prescrevem aquilo que devemos e que não devemos fazer.

4. *Tomás de Aquino*. Ele falava sobre quatro tipos de leis prescritivas, a saber: a. as leis das nações; b. as leis naturais; c. as leis positivas; d. as leis eternas. Todavia, esses tipos de leis prescritivas não teriam o mesmo peso e autoridade.

5. Se *as leis naturais* existem e são corretas, então podem ser prescritas para o homem, para que saiba o que deve fazer e o que não deve fazer.

IV. A Filosofia da Lei

1. **Problemas Básicos**. Descrevi esses problemas na primeira seção, acima.

2. A filosofia da lei é uma disciplina moderna que analisa conceitos prescritivos relacionados à jurisprudência.

3. O positivismo insiste sobre a experiência humana como o fator determinante de toda lei, e a experiência humana é uma situação de tentativa e erro.

4. O pragmatismo insiste sobre o princípio que bons resultados devem advir da lei, e não meramente alguma boa teoria.

5. Há regras primárias que impõem deveres; e há regras secundárias que se preocupam com o reconhecimento e a aquilatação das regras primárias. Ver sobre a Filosofia de *Hart*.

6. A religião continua exercendo poderosa influência sobre as leis e a legislação de muitos países; e as crenças religiosas, naturalmente, influenciam a filosofia da lei. (EP P)

LEI NATURAL

Ver sobre **Direito Natural e Direitos Naturais**.

LEI NO ANTIGO TESTAMENTO

Esboço:

I. Caracterização Geral
II. Tora e Outras Palavras Importantes
III. Três Tipos de Lei
IV. Códigos Legais
V. A Lei e as Alianças
VI. A Lei Antes e Depois de Moisés
VII. Princípios e Propósitos: Complexidade das Provisões da Lei
VIII. Confronto com o Código de Hamurabi e outros Códigos Antigos

I. Caracterização Geral

A lei nacional dos hebreus é conhecida como «lei de Moisés», visto que tanto a sua jurisprudência quanto o seu sistema de práticas rituais foram transmitidos através de Moisés, oriundos de Deus. Os livros sagrados originais dos hebreus, o *Pentateuco* (vide), durante milênios foram considerados essencialmente escritos por Moisés, embora não inteiramente. Mas a erudição moderna tem desafiado esse ponto de vista. Ver sobre o artigo *J.E.D.P.(S.)*, que procura dar ao leitor a essência da teoria de várias fontes originárias do Pentateuco. Mas, o que não devemos esquecer é que para os hebreus, como para a maioria dos povos antigos, dotados de leis formais, leis rituais e leis civis, a jurisprudência não se distinguia das leis religiosas.

Muitos estudiosos vêem no Antigo Testamento um longo período de desenvolvimento da lei, um processo que continuou entre os hebreus mediante comentários, como o Talmude e outros documentos religiosos principais dos judeus. Os principais fatores envolvidos nessa evolução eram a interpretação, a promulgação e a força dos costumes. Quando a *Mishnah* (vide) foi compilada pelo rabino Judá, o Patriarca, tornou-se o guia da prática judaica no tocante a cada questão que afeta à religião e à lei. E a tarefa principal dos estudiosos judeus posteriores, conhecidos como *amoraim* (que floresceram entre 200 e 500 D.C.), consistia em interpretar a Mishnah e ajustá-la à vida contemporânea. O termo *amora* vem do verbo hebraico *amar*, «dizer», «falar». Esse era o título oficial dos mestres ou conferencistas judeus, que expunham a Mishnah, em uso desde a morte de Judá, o Patriarca (219 D.C.), até à compilação do Talmude Babilônico (500 D.C.). Visto que as condições econômicas, sociais e políticas na Palestina e na Babilônia (um dos centros da erudição judaica e de uma numerosa comunidade judaica) eram diferentes entre si, a lei e sua interpretação também diferiam quanto a muitos pontos, no Talmude Palestino e no Talmude Babilônico. Durante o período gaônico (700—1040 D.C.), o Talmude Babilônico tornou-se mais autoritário do que o Talmude Palestino, sempre que aparecia conflito entre os dois. E, a partir do século XI D.C. houve grande desenvolvimento das tradições hebréias nos países europeus, como Alemanha, Espanha, França e Itália, além da Turquia, países esses onde foram estabelecidos centros de erudição da *diáspora* (vide). Não obstante, as duas principais autoridades, para todos os judeus de todos os países e épocas, sempre foram o Antigo Testamento e o Talmude.

Poucos povos envolveram-se com a lei como os judeus, e a lei dos hebreus é a legislação mais completa que tem sido preservada desde os tempos antigos. O poder e a influência da lei dos hebreus têm sido muito vastos, especialmente por causa da Bíblia, com seu Antigo e Novo Testamentos, que têm sido traduzidos para tantos idiomas, tornando-se parte da cultura e da religião de inúmeros povos.

II. Tora e Outras Palavras Importantes

1. *Tora*. O principal vocábulo hebraico traduzido em português por «lei» é *tora*. Essa palavra aparece por nada menos de duzentas e vinte vezes no Antigo Testamento. O sentido dessa palavra hebraica é mais abrangente do que nosso termo «lei», indicando a idéia de *instrução divina*. Esse vocábulo veio a tornar-se um dos títulos dos primeiros cinco livros do Antigo Testamento, também chamados *Pentateuco*. Os eruditos têm debatido sobre a etimologia da palavra *tora*. Está relacionada ao verbo hebraico *hora*, que significa «dirigir», «ensinar» ou «instruir». Sua raiz, *yrh*, está relacionada ao verbo *yara*, que significa «lançar», «atirar (dardos)», embora alguns duvidem disso. Outros estudiosos pensam que essa raiz está ligada a *goral*, «sorte», podendo dar a

LEI NO ANTIGO TESTAMENTO

entender o lançamento de sortes, tendo em vista determinar qual o oráculo divino sobre esta ou aquela questão. Todavia, quase todos os eruditos rejeitam essa explicação. — Ainda outros têm associado a palavra *tora* ao acádico *tertu*, «oráculo», o que também tem sido uma tentativa de explicação abandonada pela maioria dos estudiosos. Por isso mesmo, outros pensam que *tora* pode estar relacionada ao acádico *waru*, «guiar»; ou, então, ao árabe, *warra*, «mostrar». Seja como for, o uso da palavra *tora* mostra que havia associações com a idéia de «instruir». Ver Jó 6:24; 8:10 e Pro. 4:4. O substantivo «professor», no hebraico é *moreh* (ver Pro. 5:13), obviamente um termo cognato. Em Isa. 8:16-20 e Miq. 4:2, encontramos a palavra *tora* usada em seu sentido lato de «instrução», instrução da parte de Deus. Desse modo, indica a totalidade da vontade revelada de Deus, com suas palavras, seus mandamentos, seus julgamentos, seus caminhos, seus preceitos, etc. O Salmo 119 usa essa palavra no seu sentido mais amplo.

Na Septuaginta foi empregada a palavra grega **nomos** para traduzir o vocábulo hebraico **tora**. Essa palavra grega é útil para aludir aos documentos básicos da revelação divina. Ver Luc. 2:23,24; 10:26; João 1:17,45; Gál. 3:17; Tia. 2:10,11. Ou, então, para aludir ao *decálogo* (ver Rom. 3:20). Entretanto, o vocábulo grego *nómos* é um termo de significação mais estreita que *tora*, não dando a idéia de instrução completa da parte de Deus. Contudo, também foi usado ocasionalmente para indicar a totalidade do Antigo Testamento (ver João 10:34; 12:34 e Rom. 3:19). *Nómos*, usualmente, aparece no singular, confirmando a unidade do Antigo Testamento, nos dias de Paulo. Mas, deve-se notar que apesar de *tora* aludir obviamente às instruções divinas totais, também podia referir-se a alguma instrução em particular (ver Pro. 3:1; 6:23; 7:2 e 13:14).

2. *Dabar*. Em Deuteronômio 4:13, encontramos as *dez palavras*, que algumas traduções têm traduzido como «dez mandamentos» (ver a nossa versão portuguesa). *Dabar* é palavra hebraica com muitos sentidos: mandamento, conselho, relatório, petição, razão, declaração, etc. Também pode significar «oráculo» ou «revelação» (Juí. 3:20). Para alguns eruditos os *debarim* eram as leis sagradas, ao passo que os *mishpatim* eram as leis civis; mas essa distinção labora contra o ponto de vista dos hebreus sobre a qualidade sagrada de todos os aspectos da vida. Essa palavra, *dabar*, parece ter-se originado de uma raiz que significava «gravar». As *dez palavras* (ver Êxo. 32:16) foram esculpidas em tábuas de pedra. Porém o uso da palavra ultrapassa esse sentido original.

3. *Mishpatim*. Essa palavra refere-se a decisões e promulgações judiciais ou atos de julgamento, como os vereditos. Em um sentido abstrato, pode indicar «justiça», «direito», «privilégio». Ver Gên. 14:7; Deu. 1:46; Núm. 15:35. Em Núm. 11:16-25, temos a idéia de «decisões».

4. *Tisvah*. Essa palavra refere-se a um comando ou ordem. Ver Êxo. 18:23; 27:20; Núm. 5:2,8; Deu. 6:2; Jos. 1:11.

5. *Mitsvah*. Esse vocábulo deriva-se da palavra anterior. É o substantivo que significa «ordem», «preceito». Aponta para mandamentos tanto divinos quanto humanos. Ver II Crô. 8:14; Nee. 13:5. Usualmente é palavra que se refere a alguma ordem definida, e não à *lei* genérica, embora também fosse usada como sinônimo virtual de *tora*.

III. Três Tipos de Lei

Os teólogos cristãos têm distinguido entre três tipos

de lei, dentro do código mosaico. Essas são as leis *morais* (questões de bem e mal, que não se alteram com a passagem do tempo); as leis *cerimoniais* (os ritos que acompanhavam a legislação mosaica, quanto aos preceitos que não envolviam questões morais, e que podiam ser alterados com a passagem do tempo); e as leis *civis* (os estatutos que governavam os cidadãos de Israel, questões agrárias, etc., e que não tinham aplicação a povos fora da antiga nação de Israel, excetuando, talvez, como idéias sugestivas). O argumento dos teólogos cristãos, pois, é que os crentes estão na obrigação de observar somente os preceitos morais, ao passo que os outros tipos de leis tornaram-se obsoletos com a passagem do tempo.

Comentários Sobre Essa Divisão de Preceitos:

1. É verdade que o Novo Testamento incorpora a lei moral em seus ensinamentos éticos; mas faz isso através da *Lei Espiritual* (vide). Porém, a lei moral do Antigo Testamento não é nem nosso guia e nem nosso impulsionador. Esses dois ofícios pertencem ao Espírito Santo (Rom. 8:1 *ss*).

2. A lei moral cumpre-se na prática da lei do amor (ver Rom. 13:9,10).

3. A lei cerimonial inclui coisas que eram consideradas altamente obrigatórias e morais, como a circuncisão. Porém, o Novo Testamento descontinuou completamente essas cerimônias, que não fazem parte da prática cristã, embora elas simbolizem realidades espirituais. Ver Atos 15.

4. Essas distinções dentro das leis do código mosaico eram estranhas para o pensamento dos hebreus. Para eles, todas as leis envolviam um sentido moral. O Novo Testamento mostra que os fariseus sentiam que certos preceitos cerimoniais, incluindo aqueles que dizem respeito à lavagem de vasos, eram moralmente obrigatórios. Ver Mar. 7:4.

5. Apesar de alguns teólogos cristãos sentirem que o decálogo inteiro (excluindo-se unicamente o sábado) é obrigatório para os cristãos, devendo ser aceito como um guia da conduta diária (uma idéia comum que se originou na Reforma Protestante), a verdade é que esse não é o ensino do Novo Testamento. O trecho de Romanos 14:5 *ss* ensina que a observância do dia de sábado não mais tem vigência entre os crentes cristãos, mas outras passagens paulinas removem completamente a lei, como medida justificadora ou como poder santificador. Ver, para exemplificar, Rom. 3:10 *ss*.

6. Os legalistas entre os cristãos têm substituído o sábado judaico pelo domingo cristão, para então reterem o resto da lei como guia e medida santificadora. No entanto, ambas as idéias são estranhas aos escritos de Paulo. A retenção do código legal, incluindo o quarto mandamento (a observância do dia de sábado, em qualquer de suas formas) é algo que pertence ao *legalismo* (vide) e não ao cristianismo paulino.

IV. Códigos Legais

A maioria dos eruditos modernos não acredita que a legislação mosaica inteira tenha se originado ao mesmo tempo, como também não acredita que tenha tido começo na mesma época e com base nas mesmas fontes informativas. Antes, eles vêem nessa legislação um processo evolutivo, que teria envolvido até mesmo alguma codificação regional. Temos abordado essas questões em um artigo separado, intitulado *Lei — Códigos da Bíblia*.

V. A Lei e as Alianças

Alguns teólogos têm argumentado vigorosamente contra a idéia de que a lei mosaica estivesse ligada a alguma aliança. O raciocínio deles é que uma aliança

LEI NO ANTIGO TESTAMENTO

é um pacto ou *acordo* entre dois partidos ou mais, cada qual com condições a serem cumpridas, a fim de que o acordo seja cumprido. Uma aliança, pois, diz que se certas condições forem cumpridas, *então* certos benefícios resultarão daí. Apesar de haver algum mérito nessa explicação, o próprio Moisés disse: «*Se um homem cumprir esses mandamentos, por eles viverá*». Ver Lev. 18:5. Em contraste com essa maneira de pensar, temos uma elaborada descrição do *pacto mosaico*, na *Bíblia Anotada de Scofield*, em Êxodo 20. O pacto mosaico, ali, ocupa seu lugar entre outros sete pactos, a saber: edênico (Gên. 1:28); adâmico (Gên. 3:15); noaico (Gên. 9:1); abraâmico (Gên. 15:18); palestino (Deu. 30:3); davídico (II Sam. 7:16); e novo (Heb. 8:8). Ver o artigo sobre os *Pactos*, que fornece maiores descrições a respeito.

No tocante ao *Pacto Mosaico*, Scofield disse o seguinte:

«*O Pacto Mosaico*. 1. Foi dado a Israel; 2. em três divisões, cada qual essencial às outras e formando juntas o pacto mosaico, a saber: a. os *mandamentos*, que expressam a reta vontade de Deus (Êxo. 20:1-26); b. os *juízos*, que governam a vida social de Israel (Êxo. 24:12—31:18). Esses elementos formam *a lei*, conforme essa expressão geralmente é usada no Novo Testamento (por exemplo, em Mat. 5:17,18). Os *mandamentos* eram um *ministério da condenação* e da *morte* (II Cor. 3:7-9); c. as *ordenanças* davam, na pessoa do sumo sacerdote, um representante do povo diante de Yahweh; e nos sacrifícios havia *cobertura* (ver sobre a expiação; Lev. 16:6) para os pecados deles, em antecipação à cruz (Heb. 5:1-3; 9:6-9; Rom. 3:25,26). O crente não vive sob o pacto mosaico condicional das obras, a lei, mas está sob a nova aliança incondicional da graça (Rom. 3:21-27; 6:14,15; Gál. 2:16; 3:10-14,16-18; 4:21-31; Heb. 10:11-17). Ver também sobre o *Novo Pacto* (Heb. 8:8)».

A lei mosaica foi dada dentro do arcabouço do **pacto sinaítico**, que também fez parte das negociações entre Deus e seu povo de Israel. Apesar de sua natureza legalista, tinha sua origem na graça de Deus, que escolhera Israel, em seu amor (Êxo. 19:4,5). A própria lei é um dom da graça, porquanto teve um importante serviço espiritual a realizar. Deus ordenou que Moisés guardasse as tábuas das Dez Palavras dentro da arca da aliança (ver Deu. 10:2). Assim, apesar da lei não servir de meio para obtenção da graça divina, originou-se na graça, como uma de suas inspirações.

O trecho de Êxodo 19:5,6 situa bem definidamente a lei dentro do contexto da *aliança* que Deus estabeleceu com Israel. Essa aliança alicerça-se sobre a obediência por parte do povo de Israel, oferecendo a promessa de que esse povo seria possessão especial e povo de Deus à face da terra. Eles haveriam de ser um reino de sacerdotes e uma nação santa.

VI. A Lei Antes e Depois de Moisés
A. A Lei Antes de Moisés

1. *Provisões já existentes*. É um erro esperar total originalidade por parte da lei mosaica. De fato, o confronto com outros códigos antigos, especialmente o de Hamurabi, mostra-nos claramente que grande parte da legislação mosaica já existia nas leis de povos relacionados aos hebreus. Além disso, o conceito de lei como um dom *divino*, dado por intermédio dos profetas e de poderosos líderes nacionais, era um conceito comum desde antes da época de Moisés.

2. *Arcabouço bíblico*. A arqueologia tem demonstrado que muitas das leis e muitos dos costumes do período dos patriarcas da história do Antigo Testamento também eram compartilhados por outros povos semitas. A Bíblia contém as alianças edênica, adâmica e abraâmica; e cada uma delas tem algo que foi incorporado à filosofia do pacto mosaico. A aliança firmada com Noé contém vários mandamentos explícitos (ver Gên. 9:1-7). O conceito da lei divina, dado ao homem, já fazia parte do relato sobre o jardim do Éden, onde se esperava que o homem obedecesse às exigências impostas por Deus. Ver Gên. 1:26,27. E também havia proibições espirituais (ver Gên. 2:16,17).

3. Paulo tirou proveito da falta de uma lei formal, nos dias patriarcais, a fim de ensinar que, naqueles tempos, os princípios da graça e da fé eram os princípios dominantes. A isso, pois, foi *adicionada* a lei de Moisés, que não poderia anular o pacto anteriormente existente. Por semelhante modo, o *Novo Testamento* foi estabelecido *sem lei*. Ver Gál. 3:10 *ss*. Os gentios, por conseguinte, que nunca estiveram debaixo da lei mosaica, podiam participar das promessas feitas a Abraão, que recebeu aquelas promessas sem qualquer legislação, ou qualquer coisa parecida (ver Gál. 3:14). Portanto, Paulo aproveitou-se dessa ausência de legislação formal para conferir esperança aos gentios, que assim sendo, podem herdar as promessas feitas a Abraão, e isso por operação do Espírito de Deus, mediante a fé (ver Gál. 3:15). Desnecessário é dizer que os judeus devem ter ficado horrorizados diante desse argumento, mas o fato é que nada há de errado nesse argumento, que se tornou o ensino cristão e neotestamentário, e isso remove de cena a lei, como base de qualquer ensinamento a respeito da justificação e da salvação.

B. A Lei Depois de Moisés

A lei entrou em pleno vigor nos dias do ministério de Moisés. Conforme foi dito acima, sabemos que muitas de suas provisões já estavam em vigor, tanto entre os israelitas quanto entre outros povos semitas. Não obstante, a codificação e a autoridade maior da lei vieram juntamente com Moisés. E, então, a lei tornou-se parte integrante do *pacto mosaico*, que pôde, em um sentido especial, distinguiu o povo de Israel de todos os outros povos da terra. O início da era dos reis (a monarquia unida e então as duas monarquias, do norte e do sul) em nada modificou a questão. O rei passou a ser o supremo juiz e aplicador da lei (II Sam. 15:2-6). Contudo, ele mesmo estava sujeito à lei. Os sacerdotes continuaram a desempenhar importante papel na observância da lei—mormente em seu aspecto cerimonial — e também com poderes que garantiam a compreensão espiritual e a prática diária da lei. A tarefa deles consistia em interpretar e em fazer a lei entrar em vigor. Ver Deu. 33:10; Osé. 4:6; Jer. 5:4 *ss*. Os profetas surgiram, então, em cena a fim de reforçar essa condição, pregando contra os lapsos morais e religiosos de Israel. Os profetas ensinavam a autoridade da lei (ver Osé. 4:1 *ss*; 9:12; Jer. 11:1 *ss*; Eze. 22:1 *ss*). Criticavam a observância meramente formal e ritualista, estéril quanto a qualquer cometimento moral (ver Amós 5:21 *ss*; Osé. 6:6; Miq. 6:6 *ss*; Isa. 1:11 *ss*; Jer. 7:21 *ss*). Reconhecendo a necessidade de transformação moral, e não de mera obediência externa a preceitos, os profetas enfatizaram que Deus olha para o *coração* (ver Jer. 4:4). Isso posto, houve uma antecipação de que a lei mosaica seria ultrapassada na pessoa do Messias (ver Jer. 3:16; 31:31 *ss*; Zac. 14:20,21). Mas isso não quer dizer que tenha sido antecipada qualquer doutrina paulina expressa.

Os profetas que previram os dois exílios (o assírio e o babilônico) culparam o povo de Israel por sua desobediência à lei, como a causa principal desses.

LEI NO ANTIGO TESTAMENTO

exílios. E os repatriados do cativeiro babilônico concordaram com essa opinião, e assim, resolveram renovar a obediência à lei e restaurar a antiga fé como um meio de impedir quaisquer calamidades nacionais posteriores. Essa é a atitude prevalente na literatura judaica do período intertestamental, nos livros apócrifos e pseudepígrafos. A seita dos fariseus desenvolveu-se nesse período como uma espécie de seita ultraconservadora, que começou a fazer adições à lei e a exagerar suas proibições. Jesus e os seus apóstolos tiveram de abordar esses exageros, e o concílio de Jerusalém (Atos 15) rejeitou esse radicalismo. A teologia paulina anulou a antiga compreensão judaica sobre a lei, quanto às suas funções justificadoras e santificadoras, e essa teologia foi aceita por grandes segmentos da Igreja antiga. Ver o artigo intitulado *Lei no Novo Testamento*, acerca de como a lei foi tratada por Jesus e pelos seus apóstolos.

VII. Princípios e Propósitos: Complexidade das Provisões da Lei

1. *Uma parte integral do pacto mosaico.* Temos abordado essa questão na seção quinta, acima. A lei foi adicionada a fim de emprestar poder e substância ao pacto de Deus com Moisés, através do qual pudesse nascer uma nova nação, um povo mais espiritualizado, que se tornasse o veículo transmissor da mensagem espiritual ao mundo inteiro.

2. *A dispensação da lei tinha por escopo continuar a evolução do propósito divino em relação aos homens.* Ela assumiu lugar entre os outros grandes movimentos ou dispensações. Ver sobre *Pactos* e sobre *Dispensações (Dispensacionalismo).* De acordo com alguns teólogos cristãos, seu propósito era fracassar, mas, nesse fracasso, demonstrar que o homem não é capaz de obedecer à lei de Deus, e assim, teria de haver uma provisão da *graça,* se o homem tiver de obter a salvação de sua alma.

3. *A lei visava à revelação da vontade divina,* no tocante ao que se requer para que os homens sejam santos.

4. *Também tinha por intuito mostrar os juízos justos* que sobrevêm aos homens, quando teimam em mostrar-se desobedientes à vontade de Deus. Ver Deu. 24:16.

5. Por igual modo, a lei provia uma base para uma *vida material mais próspera.* Muito provavelmente, esse é o sentido de Lev. 18:5. O judaísmo posterior e o cristianismo aplicaram isso à *vida eterna* (a vida da alma).

6. *Jurisprudência geral.* A lei não considerava somente a questão de obedecer a Deus e prosperar, material e espiritualmente. A lei também era um elaborado código de jurisprudência, que abordava todos os aspectos da vida. Quanto a uma ilustração sobre isso, ver o artigo separado sobre a *Lei Agrícola.* Ver o sétimo ponto desse artigo, quanto a abundantes ilustrações de jurisprudência geral.

7. *Regulamentos específicos* que ilustram o ponto sexto, acima:

- *Acerca de pessoas:*

a. Acerca dos pais e filhos (Êxo. 21:15,17; Lev. 20:9; Deu. 21:18-21; Núm. 27:6-7; 30:3-5).

b. Acerca de marido e mulher (Núm. 30:6-15; 30:9; Deu. 24:5).

c. Acerca de matrimônio e divórcio (Lev. 18:1 *ss*; Deu. 21:1 *ss;* 22:13-31; 24:1-4; Êxo. 21:7-9).

d. Acerca da descendência e dos direitos das viúvas (Deu. 25:5-10).

e. Acerca de senhores e escravos (Êxo. 21:20,26,27; Deu. 15:12-18; 23:15; Lev. 25:10,47-54).

f. Acerca dos estrangeiros em Israel (Êxo. 22:21;

Lev. 19:33,34).

- *Acerca de coisas:*

a. Sobre as propriedades e possessões (Lev. 25:23; 25:25-28; 25:29,30; 23:22 e Deu. 25:19-21; Lev. 25:31-34; 25:14-39; Êxo. 21:19; 22:9; cada uma dessas unidades de versículos, embora repetitiva, indica algum tipo de provisão).

b. Sobre as dívidas (Deu. 15:1-11; Êxo. 22:25-27; Deu. 23:19,20, 24:6,10-13,17,18).

c. Sobre taxações e impostos (Êxo. 30:12-16).

d. Sobre despojos de guerra (Núm. 31:26 *ss*).

e. Sobre os dízimos e os pobres. Ver o artigo separado intitulado *Dízimos.* No tocante à provisão dos pobres, ver Lev. 19:9,10; Deu. 24:19-22; 23:24,25.

f. Sobre os salários (Deu. 23:24,25).

- *Acerca de leis criminais:*

a. Ofensas contra Deus: crimes religiosos (Êxo. 22:20; Deu. 13; 17:2-5; Êxo. 22:18; Deu. 18:9-22; Lev. 19:31; 24:15,16; Núm. 15:32-36).

b. Ofensas contra o homem (Êxo. 21:15,17; Lev. 20:9; Deu. 21:18-21; I Reis 21:10-14; II Crô. 24:21; Êxo. 21:12,14; Deu. 19:11-13; Êxo. 21:22,28-30; Núm. 35:9-28; Deu. 4:41-43; 19:4-10; 21:1-9; 22:22-27; Êxo. 22:16; Deu. 22:28,29; Êxo. 22:1-4; 22:5-15; 23:6-9; Deu. 19:16-21; Êxo. 23:4 *ss*; Deu. 22:1-4; Lev. 24:18; Êxo. 21:18,19,22-25; Lev. 24:19,20. Cada referência fala sobre um tipo específico de ofensa, e sobre aquilo que a lei requer em tais casos.

VIII. Confronto com o Código de Hamurabi e Outros Códigos Antigos

Ver o artigo separado sobre *Hamurabi, Código de.* Este artigo expõe muitas comparações entre a legislação mosaica e esse famoso código babilônico. Os estudiosos reconhecem que vários códigos são muito similares a preceitos mosaicos. O exemplo clássico a esse respeito, usado pelos eruditos, é o código de Hamurabi (vide). No entanto, o código de Hamurabi, dentro da história, foi de feitura comparativamente recente. As escavações arqueológicas, feitas nos últimos cinquenta anos, muito têm feito para lançar luz sobre a questão. Códigos sumérios, babilônicos, assírios, hititas e cananeus continham muito material similar. O código de Hamurabi data de cerca de 1700 A.C., mas há outros bem mais antigos. Parece que houve um desenvolvimento antiquíssimo de leis, entre os semitas. Finalmente, isso se generalizou entre vários ramos dos povos semitas, naturalmente com modificações, adições e subtrações, embora muitas leis comuns tivessem sido preservadas no processo. Outro tanto pode ser dito acerca da religião dos semitas, onde aparecem histórias da criação e do dilúvio, obviamente relacionadas ao relato bíblico. O código de Esnuna antecede ao de Hamurabi por quase dois séculos. Notável é a provisão concernente às divisões de bois, após algum combate fatal entre esses animais (cf. Êxo. 21:35). Além dos códigos, há antigos tabletes babilônicos e assírios de Canis, na Capadócia (século XIX A.C.), com alguns paralelos no Antigo Testamento. Além disso, muito material similar foi encontrado em Nuzu, perto da moderna cidade de Quircuque, onde também há muitos paralelos com preceitos do Antigo Testamento. Mais material ainda procede de Assur, às margens do rio Tigre, da época de Tiglate-Pileser (cerca de 1110 A.C.). Anteriores a esses códigos, por dois séculos, havia as leis dos hititas (chamados «heteus» em nossa versão portuguesa da Bíblia). Apesar de alguns eruditos muito se terem esforçado por demonstrar diferenças entre esses

LEI — LEI NO NOVO TESTAMENTO

antigos códigos e o código de Moisés, esses esforços erram inteiramente o ponto. Nem por isso, porém, devemos pensar que Moisés simplesmente aproveitou as leis de outros povos (mediante tal ação, dificilmente poder-se-ia dizer que ele recebeu revelações da parte de Deus). Antes, o que devemos observar aqui são as óbvias similaridades que indicam que havia um fundo comum de leis que os povos semitas possuíam. Cada ramo semita, pois, adotou alguma porção dessa legislação. Deve-se notar que, em todos os códigos antigos, são levados em conta os poderes divinos. O princípio da inspiração divina da lei era a crença virtualmente padrão entre os povos antigos.

Os *dez mandamentos*, pois, são o âmago da legislação mosaica; e uma parte desses mandamentos tem tido aplicação e influência universais. Temos preparado um artigo separado sobre o assunto, com esse título.

Bibliografia. ALB B BRI ND OES(1945) PF PFE UN VA YO Z.

LEI NO NOVO TESTAMENTO

Ver os artigos vinculados a essa questão: *Lei e o Evangelho, A; Lei Espiritual, do Espírito; Lei, Jugo da; Lei, Usos da; Lei, Rudimentos Fracos e Pobres.* Cada um desses artigos poderia formar uma seção de um artigo geral sobre a questão da lei, no Novo Testamento. Quanto aos muitos artigos sobre a *Lei*, oferecidos nesta enciclopédia, ver a lista apresentada sob o artigo chamado *Lei*.

Esboço:

I. Variedade de Referências à Lei no Novo Testamento
II. Jesus e a Lei
III. A Igreja Apostólica e a Lei
IV. Paulo e a Lei
V. João e a Lei
VI. A Epístola aos Hebreus e a Lei
VII. Tiago e a Lei

Essas seções foram escolhidas como itens que deveriam ser enfatizados ou expostos, com maiores detalhes, do que se fez nos artigos apresentados na lista existente no parágrafo acima.

I. Variedade de Referências à Lei no Novo Testamento

1. A palavra grega *nómos* é o termo comumente usado no Novo Testamento para aludir à «lei». Essa palavra é usada por cento e noventa e sete vezes no Novo Testamento, com uma grande variedade de significados. Apresentamos aqui alguns poucos exemplos, que iluminam as idéias principais a respeito. Ver Mat. 5:17,18; 7:12; 11:13; Luc. 2:22-24,27,39; 24:44; João 1:17; 7:19; 8:5; 12:34; 15:25; Atos 6:13; 13:15,39; 22:3,12; 28:23; Rom. 2:12-15,17,18,20,23,25-27; 3:19,20; 5:13; 13:8,10; I Cor. 7:39; 9:8; Gál. 2:16,18,19,21; 3:3,5; 6:2,13; Efé. 2:15; Fil. 3:5,9; I Tim. 1:8,9; Heb. 7:5,12,16,19,28; 8:4,10; 9:19,22; 10:1,8,16,28; Tia. 1:25; 2:8-12; 4:11.

2. *Referências Específicas* (tipos de leis no Novo Testamento):

a. *A totalidade do Antigo Testamento* (Rom. 3:19). Paulo citou várias porções da lei, em seu tratado. Naturalmente, ele indicava a *lei* conforme a mesma está contida no volume dos livros do Antigo Testamento. Talvez o trecho de Rom. 2:17-27 seja usado nesse sentido lato, conforme também se vê em Mat. 5:18; Luc. 16:17; João 8:17; 10:34 e 15:25. Visto que a lei é a porção mais importante do Antigo

Testamento, este pode ser chamado pelo termo «lei».

b. *A lei e os profetas*. Nesse caso, o uso é mais restrito. As três grandes divisões do Antigo Testamento são: a lei, os profetas e os salmos. Ver Mat. 5:17; 7:12; 11:13; 22:40; Luc. 16:16; Atos 13:15; Rom. 3:21.

c. *O Pentateuco*, ou seja, os primeiros cinco livros do Antigo Testamento (ver Luc. 24:44). Algumas referências poderiam dizer respeito somente ao Pentateuco, ou ao Pentateuco e aos salmos, excetuando os livros proféticos (ver João 1:45; Atos 28:23).

d. *A administração mosaica*, sem designação a porções específicas do Antigo Testamento. Ver Rom. 5:13,20; Gál. 3:17,19,21. Similar a esse uso é o emprego que Paulo fez da expressão «debaixo da lei» (ver I Cor. 9:20; Gál. 3:23; 4:4,5,21). As instituições mosaicas e a filosofia aparecem em contraste com as instituições que figuram no Novo Testamento.

e. *A vontade de Deus* (ver Rom. 3:20;. 4:15; 7:2,5,7-9,12,16,22; 8:3,4,7; I Cor. 15:56; Gál. 3:13; I Tim. 1:8; Tia. 1:25; 4:11). A lei exprime a vontade de Deus naquilo que ele requer da parte dos homens, ou seja, santidade e justiça em sua conduta diária.

f. *A lei natural de Deus, ou lei não-revelada*. Essa é aquela que opera mediante a natureza e na consciência humana. Ver Rom. 2:12-14. Presumivelmente, essa é a essência da lei revelada de Deus, à revelia dos documentos sagrados.

g. *A lei como um poder escravizador e condenador*. Temos aí a legislação mosaica considerada de seu ponto de vista negativo, por causa dos maus resultados que a acompanham. «Debaixo da lei» é a expressão paulina para indicar esse conceito. Ver Rom. 6:14. Isso é contrastado com a liberdade e o livramento que obtemos «em Cristo». Uma expressão parecida é «obras da lei». Ver Rom. 3:20; Gál. 2:16; 3:2,5,10. Os homens sem Cristo confiam nessas obras, mas com resultados desapontadores. No entanto, a justiça divina manifesta-se independentemente de tais obras (Rom. 3:21). Há uma justiça segundo a lei, que fracassa redondamente. Há aquele sistema da graça-fé que funciona e confere aos crentes a própria justiça de Deus, por estarem eles unidos misticamente com Cristo, identificados com ele. Por conseguinte, estamos «em Cristo» e não «debaixo da lei». Ver o artigo sobre o *Cristo-Misticismo*.

h. *Um princípio atuante e orientador*. Existe aquela *lei da fé* que substituiu a lei mosaica como meio de obtenção e desenvolvimento da espiritualidade. Ver Rom. 3:27. Isso posto, há um princípio da fé e um princípio da lei, que são opostos entre si e se excluem mutuamente.

i. *A lei interna, mas corrupta*. Talvez essa seja a própria natureza pecaminosa do homem, provocada e atuada pela lei mosaica. Ver Rom. 7:21. Essa lei impede-nos de fazer o bem, e inspira-nos a fazer o mal. Essa é a lei do homem carnal, não-regenerado, que tem sua base em sua natureza pecaminosa.

j. *A lei da mente*. Essa é a porção mais nobre do homem, talvez em sua alma regenerada, ou pelo menos, da alma que já recebeu certa dose de iluminação espiritual. Essa lei combate a lei interior e corrupta. Ver Rom. 7:23.

l. *A lei do pecado*. Talvez seja idêntica à lei interna e corrupta (ver i, acima). A natureza pecaminosa do homem recebe o apoio da lei mosaica (ver *b*, acima). A natureza pecaminosa do homem e a lei derrotam ao homem. Ver Rom. 7:23.

m. *O cristianismo como um todo*, ou seja, a filosofia, o código moral e a fé cristãos. Nisso consiste

LEI NO NOVO TESTAMENTO

a *nova lei*. Essa é a *lei da fé* (ver Rom. 3:27), ou seja, aquela lei que requer fé da parte do homem. Também é a *lei de Cristo* (ver Gál. 6:2). Além da fé em Cristo, essa lei requer a correta ação, em consonância com os princípios que têm sido revelados em Cristo. Essa é a lei que os homens regenerados, espirituais, seguem. A obra apócrifa de Barnabé 2:6 encerra uma declaração reveladora nessa conexão, que reflete as idéias dos primitivos cristãos. Ali a «nova lei de nosso Senhor Jesus Cristo» é posta em contraste com a antiga lei de Moisés.

II. Jesus e a Lei

Um dos problemas mais consternadores para os teólogos conservadores é o fato de que Jesus falou de modo bem diferente, acerca da lei de Moisés, em relação ao que disse Paulo. De fato, quase todas as declarações de Jesus acerca da lei concordam com a teologia judaica comum, embora ultrapassem em muito da mesma. Abaixo damos seus pontos de vista específicos sobre o assunto:

1. *A Validade e a Necessidade da Lei de Moisés.* Jesus reconheceu a autoridade da lei de Moisés. Ver Mat. 5:17 *ss*; 22:36 *ss*. Ele ordenou que outros guardassem a lei (ver Mat. 7:12; 8:4; 11:15 *ss*; 19:16 *ss*; Luc. 16:27 *ss*).

2. *A Rejeição do Fanatismo.* Jesus rejeitou o fanatismo dos fariseus no tocante à parte cerimonial da lei. Ver Mat. 23:23,25,26. Esse capítulo do evangelho de Mateus aborda os abusos dos líderes judaicos contra a lei. Estão ali em foco a superficialidade deles; o fato de que quebravam mandamentos importantes, mas mostravam-se muito particulares diante de questões triviais de suas próprias tradições. No entanto, como introdução à questão, Jesus recomendou às *multidões* que fizessem aquilo que era recomendado por escribas e fariseus, embora não devessem copiar o que eles punham em prática.

3. *Jesus Interpretou Certos Preceitos de Modo Menos Estrito.* Alguns eruditos sugerem que a visão de Jesus sobre a lei ensina-nos quão estritamente ela deve ser observada, em harmonia com os judeus da Galiléia, ao mesmo tempo em que rejeitava o fanatismo dos judeus de Jerusalém. A lei do sábado, para exemplificar, ilustra o ponto. Jesus fazia coisas, nesse dia, que os fariseus condenavam. Ver o décimo segundo capítulo de Mateus. Ele dava mais importância ao homem do que ao sábado. O *códex Bezae* (D) contém uma declaração extracanônica de Jesus (em Lucas 6, após o quarto versículo). «Naquele mesmo dia, vendo um homem trabalhando em dia de sábado, disse-lhe Jesus: 'Homem, se sabes o que estás fazendo, és bem-aventurado, mas, se não o sabes então és maldito e és um transgressor da lei'». Se essa é uma declaração autêntica de Jesus, então ele estava antecipando uma grande modificação que teria lugar quanto à estrita observância do sábado quanto a um dia santo. Mas, como dificilmente poder-se-á averiguar se essa declaração de Jesus é genuína ou não, nenhum argumento pode firmar-se sobre a mesma.

4. *A Lei e a Vida Eterna.* Quando certo indivíduo indagou o que teria de fazer, a fim de herdar a vida eterna, Jesus lhe disse simplesmente: «Guarda os mandamentos». E quando o homem perguntou quais, Jesus replicou citando os mandamentos que dizem respeito aos deveres entre homem e homem. Em seguida, Jesus mostrou quão supremamente importante é a observância da lei do amor. O homem deveria ir e vender tudo quanto tivesse, para dá-lo aos pobres. Isso deixou consternado ao inquiridor, como também continua a consternar àqueles que pensam

ser necessário fazer Jesus falar como Paulo. Na verdade, Jesus deu ao homem a resposta que lhe teriam dado os judeus, excetuando o «...depois vem, e segue-me» (Mat. 19:16-22). Com razão podemos acreditar que Jesus pensava que para um homem poder guardar os mandamentos, só se fosse um homem regenerado, mas, é óbvio que Jesus não estava falando em termos paulinos, e nem em consonância com a teologia paulina acerca da lei. Assim, em termos gerais, os judeus acreditavam que a correta observância da lei poderia resultar na vida eterna. Jesus deu essa mesma espécie de resposta, mas Paulo rejeitava enfaticamente a idéia inteira. Em Luc. 10:25 *ss*, encontramos algo similar. A mesma pergunta foi dirigida a Jesus. Dessa vez, Jesus respondeu citando a lei do amor, o âmago mesmo da lei mosaica. Se alguém amar a Deus, conforme diz o mais importante dos mandamentos, então «viverá». Poderíamos argumentar que o único que pode verdadeiramente amar a Deus é o homem regenerado, que confia em Cristo. Mas isso já nos leva até o cerne da teologia paulina, o que simplesmente não transparece nas palavras e ensinamentos de Jesus. Isso posto, o máximo que podemos dizer é que a doutrina paulina da graça existia potencialmente nos ensinos de Cristo, de forma não expressa, e que foi Paulo quem desdobrou essa doutrina da salvação pela graça divina. Porém, não há interpretação que possa solucionar plenamente o problema. Resta-nos a fé que Paulo falava de acordo com o ensino do Espírito de Cristo. Essa questão não me perturba espiritualmente e nem me perturba a mente, mas, há inúmeros teólogos cristãos que têm perdido o sono por esse motivo, tendo inventado muitos esquemas falsos. Um desses esquemas é que Jesus disse essas coisas, não a fim de dar uma resposta séria à pergunta, mas para mostrar que é simplesmente impossível que um homem realmente guarde os mandamentos, pelo que será necessário esse homem apelar para a fé e a graça. Mas essa explicação é tão absurda que nem merece comentário. Jesus simplesmente deu a resposta que também encontramos em Lev. 18:5: «Portanto, os meus estatutos e os meus juízos guardareis; cumprindo os quais, o homem viverá por eles: Eu sou o Senhor».

Tiago, no segundo capítulo de sua epístola, dá essencialmente a mesma resposta. Por que haveríamos de ficar surpreendidos diante do fato de que Jesus e Tiago deram uma resposta tipicamente judaica acerca do propósito e função da lei? Verdadeiramente, *Paulo* era diferente!

5. *Jesus, o Novo Legislador.* Jesus foi o novo Moisés, que ultrapassou aquilo que Moisés havia dito, e com muito maior autoridade que ele. Isso é claramente ensinado na abordagem de Jesus a vários mandamentos da lei, no quinto capítulo do evangelho de Mateus. «Moisés disse... mas *eu* vos digo!» Jesus fez os mandamentos descerem até os motivos dos corações, e não meramente aos atos dos homens, conforme fazia a lei. Dentro do ensino de Jesus, um homem pode quebrar um mandamento e tornar-se culpado, mesmo que *nada* faça, exteriormente falando. A *mente*, por si só, é um canteiro fértil para o pecado. Ver Mat. 5:21,22,27,28,31,32,33-37,38-42, 43-47.

6. *Jesus Antecipou Grandes Modificações.* Trechos bíblicos como o de Mat. 9:14-17 certamente indicam que Jesus não foi mero reformador do judaísmo. Antes, ele antecipou grandes modificações na dispensação mosaica, para algo inteiramente novo. Ver as parábolas dos odres e do remendo (Mat. 9:16 e 17). A cristologia dos evangelhos (para nada dizermos acerca das epístolas) ilustra a mesma verdade. Essa

LEI NO NOVO TESTAMENTO

grande alteração, naturalmente, afetaria a posição da lei mosaica. Paulo levou à sua plena fruição essa grande alteração, do ponto de vista teológico. Essa modificação profunda é reconhecida pelo autor da epístola aos Hebreus como uma inarredável necessidade. «Pois, quando se muda o sacerdócio, necessariamente há também mudança de lei» (Heb. 7:12).

III. A Igreja Apostólica e a Lei

Não se deve procurar homogeneidade quanto a esse ponto. A harmonia, quanto a esse ponto, é anti-histórica e anticronológica. O décimo quinto capítulo de Atos mostra-nos que havia grande conflito, no seio da Igreja, acerca de como se deve interpretar a lei no tocante à Nova Fé. Em Jerusalém, algumas das grandes colunas da Igreja eram fariseus convertidos. Eles reconheciam que Jesus era o Messias, mas, para eles, Moisés continuava a ser o grande guia da conduta diária. Eles chegaram mesmo a supor que a circuncisão era algo necessário à salvação, para nada dizer sobre a observância do decálogo. Apesar de pensarmos que o primeiro concílio ecumênico, em Jerusalém (com as regras ali estabelecidas), solucionou o problema, a história mostra-nos claramente que essas regras não foram respeitadas em muitos segmentos da Igreja primitiva e antiga. Outrossim, temos a considerar o *contraste* (e não a harmonia) entre Paulo e Tiago. Até onde posso ver as coisas, não há como reconciliar o segundo capítulo da epístola de Tiago com o terceiro capítulo da epístola aos Romanos. Assim sendo, o próprio Novo Testamento contém diversidade sobre a questão, o que se reflete na história posterior da Igreja. Ver o artigo separado sobre o *Legalismo*. Ver também sobre os *Judaizantes*. A epístola de Paulo aos Gálatas deve ter sido escrita *antes* do concílio de Jerusalém, pois, do contrário, Paulo teria tido um argumento mais definitivo que todos aqueles que ele usou naquela epístola, a saber, que a decisão unânime da Igreja fora a seu favor, incluindo Tiago e seu grupo. No entanto, forçoso é reconhecer que, a julgar pela epístola aos Romanos, a controvérsia não cessou, apesar dos mais zelosos esforços de Paulo. E a Igreja cristã histórica continuou a refletir esse conflito. Paulo nunca conseguiu conquistar, para a sua posição teológica, a inteira Igreja cristã! E a Reforma Protestante (vide) foi um retorno à teologia paulina quanto a várias questões, incluindo a questão relativa à lei. Todavia, não houve, nessa oportunidade, um retorno completo, pois certos segmentos da reforma, apesar de negarem que a lei seja capaz de justificar, ensinaram que a lei serve de guia e de medida santificadora da vida dos crentes. Temos descrito isso com significativas citações, no artigo intitulado, Lei e o Evangelho, A, em sua quinta seção, *Distinções Históricas*, pontos quarto e quinto.

IV. Paulo e a Lei

Vários artigos separados abordam com detalhes essa questão. Ver *Lei e o Evangelho, A; Lei Espiritual, do Espírito; Lei, Jugo da; Lei, Usos da; Lei, Rudimentos Fracos e Pobres*. Aqui apresentamos apenas um sumário de idéias:

1. Paulo rejeitava até a mais superficial possibilidade de que a justificação ou a salvação possam ser obtidas mediante a guarda da lei. Ver Rom. 3:20; 4:13; Gál. 3:11.

2. Não existe nenhuma lei, que pode ser dada, mediante a qual seja possível a obtenção da salvação. *Se* tal lei existisse, então Deus teria ensinado a justificação mediante a lei. Mas, nenhuma lei jamais existiu, segundo Paulo afirmou (ver Gál. 3:21), capaz de justificar. Por isso mesmo, a salvação precisa ser

conferida ao homem mediante o sistema da fé-graça. No entanto, essas enfáticas declarações têm sido ignoradas ou distorcidas por grandes segmentos da Igreja cristã.

3. Visto que não existe nenhuma lei que justifique, a salvação foi oferecida através das promessas do evangelho, promessas essas exemplificadas, desde a época dos patriarcas, antes que a lei mosaica fosse dada. Ver Gál. 3:15 *ss*.

4. A lei, por sua parte, tinha uma certa variedade de usos, conforme se pode ver nos sete pontos abaixo:

a. A lei nos ensina a natureza do pecado e proíbe o mesmo (Rom. 7:7).

b. Na lei se obtém o pleno conhecimento do pecado (Rom. 3:20). Isso tem em vista deixar fechada toda boca e não nos ensinar como ou por qual poder somos capazes de escapar do pecado e sua condenação.

c. A lei fortalece o pecado, em vez de abrandá-lo. E isso leva o indivíduo, esclarecido pela lei, a fugir para a graça divina, onde obterá a vitória. Ver Rom. 5:20.

d. A lei faz do pecado um matador, física e espiritualmente falando (I Cor. 15:56; Rom. 7:10).

e. A lei promete a vida, mas essa promessa é inútil, em face da pecaminosidade do homem. Isso força o homem a procurar outra solução, que encontra na graça divina, em Jesus Cristo (Gál. 3:12; Rom. 7:11).

f. A lei é o ministério da morte e da condenação (II Cor. 3:7). E assim, aqueles que querem receber a vida, são instruídos pela lei a procurá-la algures.

g. A lei teve a função de conduzir os homens a Cristo, como um aio. Isso visa especialmente à nação judaica. Ver Gál. 3:24. Essa orientação é feita mediante uma clara demonstração da necessidade do homem, que a própria lei não pode aliviar.

5. *A própria lei é boa*. Nada há de errado com a qualidade moral da lei (ver Rom. 7:12,14). Mas, apesar da lei mostrar o que é bom, e condenar o que é mau, ela não tem qualquer poder para ajudar o homem a seguir a bondade e evitar a maldade. O sétimo capítulo de Romanos demonstra isso claramente. O princípio do pecado, inerente ao homem, é forte demais para o homem. Se quiser ser salvo, terá de socorrer-se do Espírito de Deus e seu poder (ver Rom. 8:1 ss)

6. *A lei tornou-se uma maldição*. — Paulo contradisse, de modo absoluto, o princípio exarado em Lev. 18:5. Longe de dar qualquer promessa genuína de vida eterna, a lei tornou-se uma maldição. Cristo, entretanto, veio livrar-nos da maldição da lei (Gál. 3:13).

7. *A lei serviu de mestre-escola ou aio*. Mas, assim que Cristo veio, a lei perdeu essa função (Gál. 3:24,25). Uma vez unido ao Pai. o crente não mais precisa de aio. Ver Gál. 3:26.

8. *Os ensinamentos morais de Paulo incorporam os ensinos da lei*. Mas, nos escritos de Paulo, esses ensinos são postos nas mãos do Espírito Santo, nosso justificador e santificador. Assim, a lei nem justifica e nem santifica (Rom. 8:1 *ss*).

9. *A lei era apenas uma sombra*, e não a substância própria da espiritualidade (Col. 2:17).

10. *A lei do amor*. Todas as obrigações morais da lei cumprem-se na lei do amor (ver Rom. 13:8 *ss*, mormente o vs. 10).

11. Os homens acham-se ou *debaixo da lei*, ou *debaixo da graça*. As duas situações representam dois sistemas inteiramente diversos entre si, a mesma diferença que existe entre o Antigo e o Novo Testamento. Ver Rom. 6:14,15.

12. *Paulo anulou a lei*. Se pensarmos do ponto de vista judaico-ortodoxo, então diremos que Paulo

LEI NO N. TESTAMENTO — LEI ORAL

ab-rogou a lei. Paulo negava isso (Rom. 3:21); mas nenhum judeu teria aceitado esse argumento. Para Paulo, a única serventia da lei era a de mostrar aos homens o fracasso deles, levando-os a buscarem a Cristo. E isso porque a lei é uma medida condenadora. No entanto, como medida de salvação, Paulo anulava totalmente a lei. Mas os judeus pensavam obter a salvação por intermédio da lei.

Esse sumário demonstra vividamente quão *diferente* era Paulo. Não admira, portanto, que ele tivesse sido perseguido como um arqui-herege. As novas idéias nunca são aceitas ao serem expostas pela primeira vez. De fato, a aceitação geral das novas idéias só ocorre quando surge uma nova geração, quando essa nova geração acostuma-se à nova idéia.

Coisas Novas Podem Acontecer na Teologia:
Paulo mostrou que, realmente, coisas novas podem acontecer na teologia. Novas idéias podem *substituir*, e não somente suplementar antigas idéias. Ademais, não é mister haver *harmonia*, para que se avance na verdade. Paulo avançou na exposição da verdade, mediante uma *contradição* e o *abandono* de velhas idéias. Devemos observar, porém, que o que foi contradito e abandonado foram os ensinamentos padrões do Antigo Testamento. Esse é o tipo de filosofia que aplico à doutrina do julgamento. Quando Cristo desceu ao hades, e anunciou ali o evangelho, ele contradisse antigas idéias acerca do julgamento. E trouxe uma nova esperança e um programa mais otimista. Ele estendeu o dia da oportunidade para além do sepulcro. Isso contradisse e abandonou o antigo sistema de julgamento. A profunda verdade é que as grandes incursões na verdade e os desenvolvimentos espirituais maiores ocorrem por meio de contradição e abandono, e não por meio de suplementos. A grande prova disso é a natureza verdadeiramente *diferente* da economia do Novo Testamento, quando a comparamos com a economia veterotestamentária. Novos ciclos surgem em cena não se melhorando os antigos ciclos, mas mediante a destruição e abandono dos antigos ciclos. E os novos ciclos elevam-se dentre as cinzas dos antigos ciclos. Não se trata do embelezamento dos antigos ciclos, e, sim, de sua total ab-rogação.

V. João e a Lei

1. *A lei do amor.* A grande contribuição do apóstolo João ao conceito da lei foi a sua ênfase sobre a «lei do amor». Ele chegou ao ponto de afirmar que para uma pessoa poder viver segundo essa lei, terá de ter nascido de Deus. Outrossim, viver de acordo com essa vida é a grande prova da espiritualidade do indivíduo. Ver I João 4:7 *ss.*

2. *A observância dos mandamentos. C novo mandamento.* Essa observância é cristianizada nos escritos de João, porque os mandamentos ali em foco são os mandamentos de Cristo, o Novo Legislador. Se amamos a Cristo, então também haveremos de guardar os seus mandamentos. Ver João 14:15. Agindo dessa forma, mantemos comunhão com o Pai (João 15:10). O maior de todos esses mandamentos de Cristo, é o amor, de tal modo que o amor é chamado de *novo mandamento* (ver João 13:34). O amor sumaria e sintetiza a lei mosaica (Mat. 22:34 *ss*). Ver também o trecho de I João 2:7-11; quanto ao «novo mandamento».

3. *A superioridade da Nova Revelação.* João não expôs a doutrina cristã da mesma maneira radical que Paulo o fez, não obstante, ele enfatizou a superioridade de Cristo em relação a Moisés (João 1:17; 6:32; 8:12,16; 9:5; 15:1). E essa superioridade, como é óbvio, indica a substituição de uma coisa pela outra, uma fé inteiramente nova, e não mera reforma das antigas crenças.

4. *A antiga revelação apontava para a nova revelação.* O Antigo Testamento (incluindo a lei mosaica) era revelação de Deus, mas apontava para Cristo como sua maior revelação (João 1:45). Foi acerca de Cristo que Moisés e os profetas escreveram. O próprio Cristo é a Palavra, ou *Logos* de Deus (vide).

VI. A Epístola aos Hebreus e a Lei

A questão da lei do Antigo Testamento é destacada nessa epístola. Ali a lei é vista como cumprida em Cristo, o Novo Moisés, superior ao antigo Moisés. O antigo sacerdócio, que promovia a lei e cumpria suas exigências, foi substituído por Cristo, o nosso Sumo Sacerdócio. O intuito inteiro da lei teve cumprimento nesse novo Sumo Sacerdote. O verdadeiro propósito da lei consistiu em antecipar a pessoa de Cristo, que cumpriria todas as exigências e ofícios representados simbolicamente na lei. Através do novo Sumo Sacerdote, os homens têm acesso final a Cristo. O livro inteiro aos Hebreus é um tratado que promove esse tipo de filosofia. A introdução dessa epístola afirma isso desde as suas primeiras declarações: «Havendo Deus, outrora, falado muitas vezes, e de muitas maneiras, aos pais, pelos profetas, nestes últimos dias nos falou pelo Filho...» (Heb. 1:1,2).

A legislação mosaica era apenas uma sombra da superior revelação que seria dada em Cristo. Assim, aquela revelação inferior fora substituída por uma revelação superior, alicerçada sobre superiores promessas. Uma antiga aliança foi assim substituída por um novo pacto (ver Heb. 8:5-8 e 10:1). E os que eram os ministrantes e guardiães da lei foram substituídos (e não aprimorados) pelo Filho (ver Heb. 7:28).

VII. Tiago e a Lei

É ao mesmo tempo fútil e anacrônico tentar fazer Tiago concordar com Paulo. Ele representava o cristianismo legalista, o espírito que se manifestou no décimo quinto capítulo do livro de Atos. Meu tradutor e co-autor desta enciclopédia não concorda com essa avaliação; e seus argumentos podem ser vistos no artigo sobre a *Justificação*, décima seção, segundo ponto. Quanto a meus argumentos em favor da idéia de que Tiago era verdadeiramente legalista em seus pontos de vista, ver sobre *Tiago* (*O Livro*), seção VI, *O Cristianismo Judaico*, e seção VII. *Paulo e Tiago*. Lutero reconheceu a contradição básica entre Tiago e Paulo, e chamou a epístola de Tiago de «epístola de palha». O cânon do Novo Testamento, apesar dessas contradições, preservou a epístola de Tiago, devido às suas outras excelentes qualidades. E eu mesmo a tenho usado como base de muitas lições e sermões.

Bibliografia. A B C GU H I IB K ND NTI W.

••• ••• •••

LEI ORAL

Antes da composição da Lei de Moisés, é suposto que uma forma *oral*, que continha o conteúdo essencial da Lei Escrita, existia. Uma comparação da lei hebraica com as leis dos outros povos semitas, certamente, implica a verdade desta suposição. Este fato não anula a inspiração, mas, obviamente, nos indica que nada veio a existir num vazio. Eruditos liberais têm a tendência de dar datas relativamente recentes para o *Pentateuco*. Ver sobre a teoria *J.E.D.P.(S.)*. Se eles têm razão, então, a tradição oral existia muito tempo antes da forma escrita da mesma.

Talmude (Mishna). Outro uso do termo é aquele que se relaciona com a **lei oral**, alternativa, e contemporânea com a lei escrita. A tradição é que

776

LEI ORAL — LEI ROMANA

Deus deu esta lei paralela (oral) a Moisés; ele a transmitiu para Josué; Josué para os presbíteros e líderes principais do povo; estes para os profetas; e finalmente, a tradição chegou aos oficiais da Grande Sinagoga. Supostamente, então, a substância desta tradição foi compilada numa forma escrita no Talmude. Os fariseus defendiam esta tradição, mas os saduceus a rejeitaram, utilizando o Pentateuco **escrito** como sua única autoridade.

LEI ROMANA

Se os gregos eram amantes da filosofia, os romanos se deixavam fascinar pelas questões de direito. Se os primeiros advogados eram apenas filósofos-sofistas na Grécia, em Roma eles já eram profissionais. Roma deixou para nós o legado do Direito Romano, além da língua e da religião. Não se pense, contudo, que esse imenso corpo de leis tenha surgido da noite para o dia. De fato, *lei romana* é uma expressão que se reveste de duplo sentido: denota o sistema legal de Roma, durante todos os seus mil anos de desenvolvimento, desde as chamadas Doze Tábuas, até o código de Justiniano, ou *Imperatoris Iustiniani Institutions*, e, em segundo lugar, denota o próprio código de Justiniano.

As Doze Tábuas consistiam apenas de breves declarações de pontos da lei, mas que, não obstante, serviram de fundamento sobre o qual se estruturou todo o futuro complexo das leis romanas. A despeito de sua simplicidade, essas Doze Tábuas foram usadas por mais de mil anos, até o código de Teodósio (438 D.C.), e até o *Corpus Iuris Civilis* de Justiniano, durante esse tempo as leis de Roma nunca foram codificadas. Essas Doze Tábuas eram interpretadas pelos *jurisconsultos*, cujas opiniões e escritos, geralmente, eram adotados pelos *pretores*, em seus editos anuais. Disso conclui-se que as declarações das Doze Tábuas eram muito gerais, requerendo interpretação para que se pudesse aplicá-las na prática. Era como se as duas tábuas da lei mosaica não tivessem sido acompanhadas pelos preceitos detalhados dos livros de Êxodo, Números, Levítico e Deuteronômio. Isso nos dá idéia das manipulações que se faziam necessárias. Não admira que, ali, os advogados tivessem muito trabalho a fazer!

As *Institutas* de Justiniano, finalmente, moldaram as leis romanas, conferindo-lhes uma forma conveniente tanto para o praticante como para o estudante de direito romano. Essa codificação, porém, nunca foi completa e homogênea. Antes, vez por outra, alguma figura importante acrescentava mais algum remendo, como as constituições imperiais, os comentários gregos obscurecedores, e as revisões feitas por ordem de Constantino VII, em cerca de 945 D.C.

A despeito da confusão, o reconhecimento das doutrinas do antigo sistema, embora este tivesse sido varrido nos dias posteriores do império, é essencial para que possamos apreciar a lei romana, naquilo que ela se aplica ao pano de fundo do Novo Testamento. A principal dessas doutrinas elementares era o *ius civile*, cujos princípios determinavam a situação do pai ou chefe da família. A regra de descendência seguia a linha paterna, em torno da qual se formava a família patriarcal, sendo que da mesma havia a *gens* ou classe, com a qual estava ligada a família, por força de descender de um ancestral comum. A mais importante adição à lei romana foi o conceito da *lex naturae*, tomado por empréstimo dos estóicos, que dava a entender que as ações dos homens deveriam ser guiadas pela mesma lei que dirige o universo. O *ius gentium* emergiu daí, de tal modo que, juntamente com o *ius naturae*, essas duas agências melhoraram e ampliaram o *ius civile*, fazendo impor, um pouco mais, o senso de igualdade de todos diante da lei. Esse sistema romano mais ou menos permeou a maioria dos outros sistemas legais do mundo civilizado.

Convém comentarmos sobre o *ius gentium*, ou lei das nações, administrada pelos pretores e aplicada aos povos sob o domínio dos romanos. Essa era a lei comum para todos os homens, pois a palavra *ius* indicava tanto os direitos legais como as regras da lei. Os juristas romanos consideravam o *ius gentium* como alicerçado sobre o consentimento dos homens, por ser inerentemente razoável e por apelar à consciência dos homens. Não obstante, refletia mais ou menos o direito do mais forte mandar no mais fraco. Assim, a supremacia de Roma, nos negócios da Judéia, foi assinalada pelo governo de Herodes, confirmado por Augusto. Portanto, a lei romana era apenas um aspecto do caráter dominador da quarta fera de Daniel: «...eis aqui o quarto animal, terrível, espantoso e sobremodo forte, que tinha grandes dentes de ferro; ele devorava e fazia em pedaços, e pisava aos pés o que sobejava...» (Dan. 7:7).

Tendo chegado a essa compreensão, não nos interessa muito examinar a extrema complexidade da lei romana, conforme ela veio a ter nos estágios finais do império. Deixemos isso para os estudantes de direito. Mas, há interessantes aspectos da lei romana, que se refletem no Novo Testamento. Por exemplo, as referências à adoção, nas epístolas de Paulo (ver Rom. 8:15,23; 9:4; Gál. 4:5 e Efé. 1:5). O entendimento desse aspecto da lei romana ajuda-nos a entender melhor certos argumentos de Paulo. Dentro da lei romana, a adoção era uma antiqüíssima instituição, com raízes na adoração aos antepassados. A manutenção da família *sacra* era um ponto considerado tão importante que se um homem idoso estivesse morrendo e não tivesse descendentes, era-lhe permitido escolher algum cidadão, nomeando-o pai da família e tornando-o um virtual *filho*, com todos os direitos de herança e de continuar o nome da família. Por igual modo, uma pessoa podia ser adotada como filho por uma determinada família, sendo absorvida pela mesma, e onde passava a ser reputado um filho natural. Diz Paulo: «Ora, se somos filhos, somos também herdeiros de Deus e co-herdeiros com Cristo...» (Rom. 8:17; ver também Efé. 3:6). Essas alusões à lei romana baseiam-se na característica de que a principal função de um testamento não era a disposição das propriedades, conforme se vê nas leis modernas, mas antes, a nomeação de um sucessor, o herdeiro, que também se tornava o representante oficial do falecido. Essas idéias, que faziam parte da lei romana, lançam intensa luz sobre a questão enfocada pelo apóstolo naqueles trechos bíblicos.

O cristianismo não alterou em coisa alguma o arcabouço da lei romana. Isso foi feito mais tarde, por Justiniano. O código de Justiniano é a nossa principal fonte informativa sobre a lei romana. O primeiro livro desse código preceitua: «A justiça é um propósito fixo e constante de dar a cada qual o que lhe é devido». Ora, isso já é justiça no sentido de uma virtude moral, no sentido de um atributo do caráter humano, e não no sentido de um padrão legal.

O que dizer sobre o julgamento e a morte de Jesus? Quando Jesus foi apresentado a Pilatos, pelo menos nesse estágio, ele enfrentou um julgamento romano. Qual foi o veredito de Pilatos? «Não vejo neste homem crime algum» (Luc. 23:4). Jesus foi crucificado por permissão de Pilatos, pois os judeus, sob os romanos, não podiam executar a quem quer que fosse. Portanto, Pilatos agiu contrariamente à sua convicção. Jesus morreu como vítima da política romana,

777

LEI, RUDIMENTOS — LEI, USOS DA

que queria comprar as boas graças das autoridades judaicas. Até parece que, no império romano, as leis existiam somente para serem esquecidas, quando isso fosse conveniente! Quão antigo, mas quão moderno!

LEI, RUDIMENTOS FRACOS E POBRES

Rudimentos fracos, Gál. 4:9. A palavra *rudimentos*, neste caso, é tradução do mesmo termo grego, «stoicheia», que aparece em Gál. 4:3, dentro da expressão «rudimentos do mundo». Mui provavelmente, tal como no terceiro versículo deste capítulo, esses elementos rudimentares fazem alusão à *lei*, com suas múltiplas exigências, com seus ritos, com suas cerimônias, isto é, a uma religião essencialmente legalista e sacramental. Isso parece ser o sentido exigido pelo décimo versículo deste capítulo, onde são enumerados alguns dos elementos desses rudimentos, a saber, a observância de dias especiais, de meses, de anos, etc.

Fracos e pobres, Gál. 4:9. Houve tempo em que os rudimentos pelo menos eram «legítimos», isto é, serviam a um propósito divinamente tencionado. Porém, quando muito, eram apenas fracos, ignóbeis, pobres modos de buscar a Deus e de adorá-lo. Essas descrições foram usadas pelo apóstolo a fim de descrever a «impotência» da lei mosaica. Não podia ela proporcionar aquilo que aparentemente prometia, isto é, a vida eterna e a vitória sobre o pecado. Somente Deus Pai, mediante o envio de Deus Filho, pode fazer tal coisa. Quão grande é a insensatez daqueles, por conseguinte, que se voltam para um meio impotente! E agora Paulo indica que essas coisas não são mais «legítimas», visto que o seu propósito já teve cumprimento, posto que Jesus Cristo já subiu ao seu trono, deslocando completamente a lei do seu lugar anterior de utilidade.

Que os crentes gálatas estavam voltando para esses recursos superados e fracos, depois de terem ouvido e aceito a sua pregação, é que constituiu grande surpresa para o apóstolo dos gentios, surpresa essa que se reflete na sua indagação: «...como estais voltando outra vez...?» Com isso se pode comparar o trecho de Gál. 1:6, onde Paulo se «maravilha» de que tão prontamente os crentes gálatas se tivessem afastado daquele que os chamara pela sua graça, para aceitar um «outro evangelho».

Fracos, ou seja, em contraste com o poder salvador inerente ao evangelho de Cristo, que produz aquilo que promete. E «pobres» em contraste com as riquezas do evangelho, com a riquíssima herança que ele oferece. (Ver o sétimo versículo deste capítulo; e comparar com o trecho de Efé. 1:18).

Outra vez, Gál. 4:9. Uma vez mais se voltavam para a escravidão espiritual. E nessa oportunidade voltavam não à sua antiga servidão à idolatria, e, sim, ao legalismo, —que nem por isso deixava de ser uma forma de escravatura espiritual. Após terem se tornado filhos adultos de Deus, tinham preferido ser governados pela lei mosaica, que servia para os judeus tão-somente de serviçais escravos, e assim os crentes gálatas revertiam à posição que tipifica a imaturidade espiritual. Dessa maneira já haviam começado a negar sua relação filial para com Deus, bem como a negar a Jesus Cristo, que os comprara e redimira da servidão. Aos olhos do apóstolo, isso era o começo da apostasia, e não meramente a aceitação de alguma forma de adoração inferior. Ao perderem a «liberdade», os crentes gálatas igualmente corriam o perigo de perder a sua *filiação divina*.

«Eu e muitos outros temos experimentado a verdade que há aqui. Tenho conhecido monges que se têm esforçado laboriosamente por agradar a Deus, a fim de obter a salvação; no entanto, quanto mais labutam, mais impacientes, miseráveis, incertos e temerosos se tornam. O que mais se poderia esperar? Ninguém pode tornar-se forte mediante a fraqueza, ou rico através da pobreza. As pessoas que preferem a lei ao evangelho se assemelham ao cão da fábula de Esopo, que deixou ir-se a carne a fim de apanhar a sombra na água. Não existe qualquer satisfação na lei. Que satisfação poderia haver na coleção de preceitos que apenas atormentam o próprio indivíduo e outros? Um preceito provoca um outro, até que o seu número forme uma legião. Todo aquele que volta para a lei é que perdeu o conhecimento da verdade, deixando de reconhecer a sua própria pecaminosidade, não reconhecendo mais nem a Deus, nem ao diabo e nem a si mesmo, porquanto perdeu o entendimento acerca do sentido e do propósito da lei. Sem o conhecimento de Cristo, um homem sempre haverá de argumentar que a lei é necessária para a salvação, como se ela pudesse fortalecer os fracos e enriquecer os pobres. Onde quer que essa opinião se faça presente, as promessas de Deus passam a ser negadas. Cristo é rebaixado e a hipocrisia e a idolatria se firmam». (Lutero, em Gál. 4:9).

LEI, USOS DA

Rom. 7:7: *Que diremos pois? É a lei pecado? De modo nenhum. Contudo, eu não conheci o pecado senão pela lei; porque eu não conheceria a concupiscência, se a lei não dissesse: Não cobiçarás.*

Os Usos da Lei; O que Ela Tenta Fazer;
O Que Ela Faz

1. Rom. 7:7 procura ensinar-nos a natureza do pecado, proibindo-o.

2. O trecho de Rom. 3:20 é similar: através da lei obtemos o pleno conhecimento do pecado.

3. Romanos 5:20: mas a lei só serviu para conferir novas forças ao pecado, fazendo-o abundar. A lei aumenta a atração que o pecado exerce sobre os homens.

4. A lei confere ao pecado as forças para matar espiritual e fisicamente (ver I Cor. 15:56 e Rom. 7:10).

5. A lei promete a vida, mas somente engana os homens no que diz respeito a essa promessa (ver Gál. 3:12 e Rom. 7:11).

6. Portanto, a lei era o ministério da morte (ver II Cor. 3:7).

7. Serviu para guiar os homens, conduzindo-os a Cristo, mostrando-lhes a necessidade que dele tinham (ver Gál. 3:24).

Matthew Henry (*in loc.*) comenta sobre os efeitos prejudiciais da lei, especialmente devido ao fato de que retrata perante nós, com tanta clareza, a profundidade de nossa natureza pecaminosa. Se tal revelação, entretanto, tiver o dom de nos conduzir a Cristo, então poderíamos dizer verdadeiramente que a lei nos serve de «aio», conduzindo-nos a Cristo. Essa é uma função da lei, porém, que não é diretamente considerada nesta passagem, ainda que fique subentendida, porquanto o apóstolo Paulo procurava mostrar como a lei, em si mesma, não nos ajuda, a não ser para nos levar ao ponto do desespero, forçando-nos a buscar aquilo que possa fazer por nós o que está fora do alcance da mesma. Diz esse citado autor, pois: «O versículo sétimo mostra-nos o desvendamento. A lei desvenda diretamente aquilo que está torto, tal como um espelho nos mostra nosso rosto natural, com todas as suas manchas e deformações; assim também não há maneira de

LEI, USOS DA — LEIBNIZ

chegarmos àquele conhecimento do pecado que é necessário para o arrependimento e, conseqüentemente, para a paz e o perdão, senão comparando a nossa vida e o nosso coração com a lei. Particularmente, Paulo chegou ao conhecimento da pecaminosidade da cobiça através do décimo mandamento da lei, pois a lei falava em outra linguagem, diferente daquela que os escribas e fariseus faziam-na falar, pois falava em sentido e tonalidade espirituais. Por meio disso, ele veio a reconhecer que a cobiça (o desejo desordenado) é pecado, e extremamente pecaminosa; que aqueles movimentos e anelos do coração, para com o pecado, embora tais anelos nunca houvessem produzido ações, são pecaminosos, excessivamente pecaminosos, em si mesmos. Nada existe sobre o que o homem natural seja mais cego do que acerca de sua corrupção original, a respeito do que o seu entendimento se encontra em trevas as mais totais, até que o Espírito Santo comece a iluminá-lo através da lei, tornando assim reconhecida tal corrupção. Nunca vemos o veneno e a malignidade desesperadores que existem no pecado, até que nos chegamos a comparar com a lei, com a natureza espiritual da lei, e é então que percebemos que o pecado é algo maligno e amargo».

LEI

No hebraico, «maxilar». Ver Juí. 15:9,14,19. Essa palavra aponta para uma localidade desconhecida, no território de Judá. Foi ali que Sansão matou a mil filisteus, utilizando-se do maxilar de um asno. Talvez essa cidade ficasse localizada entre Zorá e Timna, na região de Bete-Semes. F.F. Bruce identificou-a com Khirbet es-Syyaj, as ruínas da antiga Siyyah. Mas outros estudiosos opinam que nenhuma identificação, até agora feita, é segura. Seja como for, foi o local onde Sansão exibiu um de seus prodígios de força física, por atuação do Espírito de Deus sobre ele. Ele fora amarrado e entregue aos filisteus, por seus próprios conterrâneos danitas. Os danitas haviam-no entregue aos filisteus, a fim de evitarem retaliações, da parte destes, — devido a outras matanças causadas por Sansão. Porém, ele quebrou as cordas que o amarravam, apossou-se de um maxilar de jumento, e matou a mil filisteus com grande facilidade.

LEIBNIZ, GOTTFRIED WILHELM

Suas datas foram 1646-1716. Ele foi um matemático de alto gabarito, filósofo e homem de muitos ofícios e atividades. Nasceu em Leipzig, na Alemanha. Era filho de um professor de filosofia moral. Foi criança prodígio, que aprendeu o latim com oito anos de idade, e o grego não muito depois. Recebeu o título de doutor em leis na Universidade de Altdorf, e, subseqüentemente, foi professor ali. Atuou como embaixador do eleitor de Mainz, por toda a Europa, tendo obtido sucessos e fracassos em seus labores. Inventou uma máquina de calcular que podia efetuar várias operações matemáticas, incluindo a extração da raiz quadrada. Isso ele demonstrou perante a Academia de Paris e a Royal Society, de Londres. Foi eleito membro desta última em 1676, e ficou encarregado da biblioteca Ducal. Viajou muito e visitou pessoas influentes, incluindo Spinoza. Estando em Roma, foi-lhe oferecido o cargo de chefe da biblioteca do Vaticano, mas, por causa de diferenças doutrinais e de preferências pessoais, declinou do convite. Em 1700, tornou-se presidente vitalício da Academia de Ciências, de Berlim. Subseqüentemente, serviu em vários outros ofícios políticos e honorários.

Seu trabalho no campo da matemática foi historicamente significativo. Ele e Newton aparentemente inventaram o *cálculo* independentes um do outro, embora Newton tivesse publicado suas informações em primeiro lugar. Também a Leibniz credita-se a origem do cálculo integral e diferencial. Leibniz foi um prolífico escritor, quase tudo realizado entre 1690 e 1716. Sua obra, intitulada *Teodicéia*, foi escrita a pedido da rainha da Prússia, e uma outra, de nome *Monadologia*, a pedido do príncipe Eugênio, de Savóia.

A vida de Leibniz foi uma trágica combinação de gigantescas realizações, paralelamente a planos grandiosos que tentavam o impossível. Talvez ele tenha sido o maior gênio intelectual entre os filósofos modernos, tendo contribuído para quase todos os ramos do conhecimento, incluindo a filosofia, a teologia, a matemática, a física, as leis, a história e muitos ramos da tecnologia. Suas descobertas algumas vezes não conseguiam influenciar seus contemporâneos, meramente por permanecerem sem divulgação. Sua filosofia foi o último e mais intelectual dos grandes sistemas filosóficos do século XVII.

Idéias:

1. *Importância da Teologia*. a. Sua doutrina das *mônadas*, dentro da qual Deus aparece como a *Grande Mônada*, refletida por todas as outras mônadas, conferiu ao mundo filosófico um outro conceito de Deus. b. Sua *teodicéia* era, ao mesmo tempo, profunda e sutil, tendo provido uma poderosa explicação e defesa de sua doutrina de *mônadas*. Christian Wolff (1679—1754) popularizou uma forma inferior das idéias de Leibniz, e publicou sua famosa teoria que diz: «Este mundo é o melhor de todos os mundos possíveis». O propósito dessa teoria era propor uma solução para o problema do mal (vide). c. A filosofia de Leibniz continha versões das demonstrações e provas do teísmo clássico. Entre elas podemos citar uma excelente reformulação do *argumento ontológico* (vide). Isso veio a tornar-se um ponto padrão da filosofia teológica do século XVIII, na Europa. Outros pontos relacionados à teologia, aparecem abaixo.

2. A mônada (no grego, *monas*, «unidade») tornou-se o conceito mais importante de sua filosofia, sobre o qual tantas outras de suas idéias repousavam. Ele acreditava que a realidade, onde as «causae efficientes pendent a finalibus» formam um sistema auto-suficiente, ímpar, constituído de centros de existência e percepção (mônadas). A qualidade das mônadas amplia-se continuamente, desde a obscura percepção de uma simples mônada, até à mais clara percepção das verdades necessárias, concebidas pelos espíritos racionais. Cada mônada *refletiria* o universo de seu ponto de vista, não por causa de uma interação mútua, mas por haver sido selecionada, para desempenhar seu papel, por um Deus (a Grande Mônada) que é onisciente, onipotente e todo-providente, cujas *fulgurações* trouxeram à existência este melhor de todos os mundos possíveis. Este é um mundo finito e, juntamente com a liberdade moral, requer a presença do mal. Deus, a fonte originária do mundo possível e real, deve existir. Somente ele pode ser a causa do mundo contingente que conhecemos. A fé e a razão harmonizam-se uma com a outra através do conhecimento de Deus.

Uma *mônada* é um indivíduo ou átomo simples, vivo e sensível, concebido como uma unidade elementar, indivisível, irredutível da realidade. Tratar-se-ia de uma espécie de alma ou «eu»

LEIBNIZ

autocontido, programado por Deus em toda a sua natureza e em todos os seus atos.

3. A *fulguração* seria o método mediante o qual todas as coisas vieram à existência, e não a criação absoluta, partindo do nada, e nem há a eternidade da matéria, que, com seu fluxo, teria produzido tudo. Antes, todas as coisas seriam fagulhas do Fogo Central. À Grande Mônada emitiria as mônadas que compõem todas as coisas, e essas emissões refletem o seu Originador. As mônadas secundárias, ou «criadas», diferem de Deus, não quanto à espécie, mas somente quanto ao grau. Elas deveriam ser consideradas consubstanciais com ele, e distinguidas dele somente por possuírem uma menor *quantidade* da mesma substância. Nesse caso, a criação delas pertenceria à natureza da procedência ou emanação de Deus. Porém, Leibniz não desejava desafiar a doutrina formal do cristianismo sobre a questão das origens, que fala sobre um ato criativo definido de Deus e nega a teoria das emanações, além de estabelecer uma diferença entre a substância de Deus e a substância de todas as outras coisas. Defrontado com essa dificuldade, ele tentou reconciliar pontos de vista opostos. Ele precisava de um termo que não salientasse demais a idéia das emanações, mas que, de algum modo, contradissesse a idéia da criação *ex nihilo*, «do nada». Por isso Leibniz lançou mão da palavra *fulguração*, com a qual ensinava que as mônadas secundárias e inferiores adquiriram uma existência separada de Deus, por meio de *faiscação*. Isso posto, a sua idéia de fulguração ficaria a meio caminho entre a criação *ex nihilo*, postulada pela Igreja, e a teoria das emanações. Mas, no sistema de Leibniz, visto que não se nota qualquer diferença no tipo de substância entre a Grande Mônada e as mônadas fulguradas, isso significa que esse sistema ensina uma variante do *panteísmo* (vide). As mônadas teriam fulgurado de uma vez por todas, antes do começo do tempo, da Mônada divina, pelo que seriam absolutamente indestrutíveis, a menos que Deus ordene que elas desapareçam. Esse conceito garante, nos termos mais enfáticos, a imortalidade da alma. Ver abaixo. O matemático Leibniz, pois, propôs que todas as coisas se derivam de Deus, tal como podemos fazer derivar proposições matemáticas de proposições maiores.

4. *Uma Harmonia Preestabelecida*. Todas as mônadas seriam fechadas em si mesmas, não havendo interação com as demais mônadas. Antes, interna e externamente elas teriam sido programadas pela Grande Mônada. Desse modo, pois, Leibniz resolvia o problema corpo-mente, contradizendo o dualismo de Descartes. Todas as coisas achar-se-iam em Deus e são de Deus, e todas as coisas seriam apenas extensões da Mente divina. Elas já contêm, em si mesmas (por efeito da programação divinamente impressa), todas as ações e interações, e interagem apenas aparentemente. Quando qualquer modificação ou desenvolvimento é insuflado em uma mônada, as alterações paralelas e apropriadas ocorrem em outras mônadas, não devido à relação de causa e efeito, mas apenas por força da pré-programação. Dois relógios poderão marcar perfeitamente a passagem do tempo, e estarem sempre em acordo um com o outro, mas um dos relógios não atua sobre o outro para conseguir essa harmonia. Antes, são unidades independentes, cujas funções coincidem, embora sem qualquer interação entre elas. E nem o aparente processo de causa e efeito precisa usar Deus continuamente, como um intermediário, conforme supõem os *ocasionalistas* (vide). Pelo contrário, a programação impressa de uma vez por todas nas coisas fá-las concordarem umas com as outras. É assim que obtemos uma explicação não somente da interação entre a mente e o corpo, mas também uma prova da existência de Deus. Somente um ser como Deus poderia explicar uma programação adredemente tão bem-feita. Ver o artigo separado sobre o *Probmema Corpo-Mente*.

5. *A Força e as Mônadas*. Força é o pressuposto e a explicação para todas as coisas, o objetivo de todas as nossas computações matemáticas. Trata-se do princípio que impulsiona todas as coisas. É um *princípio metafísico*. A força reveste-se de várias qualidades significativas: Ela está em todas as coisas; atua o tempo todo; não muda e nem está no processo de tornar-se; não tem extensão e nem pode ser dividida; não foi criada e não pode deixar de existir, a não ser por decreto divino. É eterna. No entanto, não existe uma força única. Há muitas forças, individuais. Mas cada força é o poder impulsionador da mônada, impedida de agir com a força de outra mônada qualquer, embora pareça haver interação entre elas, devido ao referido fenômeno da programação prévia. O número de forças individuais, que constituem a realidade, deve ser infinito. A força é o princípio vital que emana da *Mente Divina*. A força é a Mônada considerada como um princípio metafísico impulsionador e manifestador.

6. *Todas as Mônadas são Conscientes*. As coisas às quais chamamos de matéria morta seriam apenas mônadas que dormem, com um baixo grau e tipo de consciência. Há uma hierarquia de energias mentais e de consciência, nas mônadas, e o ponto culminante delas todas se encontra na Mente divina. Na verdade, não existiria tal coisa como matéria morta. Isso posto, nos escritos de Leibniz temos o ensino sobre o *pampsiquismo*.

7. *Diferenças Entre as Mônadas*. Visto que todas as mônadas não são extensíveis, são indivisíveis, simples, fundamentais e eternas, no que elas podem diferir entre si? Já vimos que uma das diferenças é a extensão em que elas participam da consciência. Algumas mônadas são brilhantes; mas há aquelas que se acham em uma espécie de estupor, como aquelas que compõem as chamadas coisas sem vida. Mas também diferem entre si quanto ao *grau* com que representam, para si mesmas, cada coisa considerada isoladamente. Essa representação, sem dúvida, envolve certa vitalidade de energia consciente. Cada mônada representa sua independência, para si mesma, de forma objetiva, visto que seu corpo está separado de todos os outros corpos. O espaço, que é a condição dessa separação, não é uma coisa externa, antes, é uma *experiência interna* de cada mônada.

8. *Definição da Realidade*. A realidade é constituída, para Leibniz, por um número infinito de mônadas que representam, para si mesmas, em graus que variam de zero ao infinito, a natureza essencial das coisas. Ou, então, conforme dizemos atualmente, a natureza do mesmo universo. Juntas, as mônadas representam para si mesmas, coletivamente, o universo; mas também representam, individualmente, suas próprias existências separadas. A infinitude é atingida somente pela Mente divina, a Mônada das mônadas. A Mente divina é a única mônada que tem toda a percepção, contém todas as representações, de forma absolutamente clara, articulada e perfeitamente inteligível. As mônadas que se derivam de Deus mediante a fulguração vão possuindo cada vez menor parcela da Mente divina, e é nisso que consiste a diferença essencial entre elas. Um homem, dotado de espírito e corpo, tem mônadas que representam, para si mesmas, essas duas condições diferentes, mas a diferença entre o corpo e o espírito consiste na

LEIBNIZ — LEIGO

extensão da consciência e na participação variada na Mente divina, e não há qualquer diferença essencial entre o corpo e a alma, no tocante ao tipo de natureza.

9. *O Melhor de Todos os Mundos Possíveis*. Uma solução proposta para o problema do mal. Poderíamos supor que as mônadas representam a si mesmas um universo diferente e melhor do que aquele que conhecemos. Porém, devemos lembrar que todas as suas representações são controladas por sua participação na Mente divina, a Mônada das mônadas. Visto que tudo procede da Mente divina por fulguração, então todas as coisas devem refletir a bondade e a justiça essenciais de Deus. Por outro lado, somente a Grande Mônada é perfeita. Todas as demais são ao mesmo tempo limitadas e imperfeitas, com base nas quais surgem as circunstâncias adversas. Porém, esse mal deve ser considerado como parte da programação estabelecida por Deus, pelo que se trata de um mal necessário. Além disso, o mal é como as cores escuras de um tapete, que fazem destacar ainda mais as cores brilhantes do mesmo. Portanto, o mal realiza bons propósitos, e justifica a fulguração da Mônada divina. Em certo sentido, portanto, o mal é uma ilusão. O universo que existe é o melhor de todos os mundos possíveis. Deus não fez nenhum erro, e o chamado mal não O apanhou de surpresa e nem estragou a sua fulguração (criação). O melhor de todos os mundos possíveis tem defeitos, mas, de alguma maneira, são defeitos necessários que, naturalmente, resultam da finitude. A maioria das religiões, naturalmente, pensa que o nosso mundo está em condições muito ruins e propõe a redenção como algo necessário para cumprir a vontade de Deus. Para Leibniz, a redenção é possível pela modificação nas fulgurações de Deus, modificação essa produzida por ele mesmo, produzindo um mundo ainda melhor. Devemos presumir que essa opção está aberta para ele. A Mente divina poderia escolher representar a si mesmo de maneira diferente. Ver também o artigo intitulado *Problema do Mal*.

10. *A Imortalidade da Alma*. A alma é necessariamente eterna, visto que as mônadas são eternas. Uma alma, que consiste em mônadas que se representam como um tipo específico de substância, poderia sair da existência somente por decreto divino. Não se deve esperar, porém, que Deus decrete jamais tal coisa. Mas, a fim de conformar seu ensino com a doutrina cristã (criacionismo), Leibniz ensinava que cada alma é praticamente criada por ocasião do nascimento, mediante fulguração, o que importa em certa individualização, de mônadas específicas. Para que uma alma não se desintegre do tipo de mônadas a que ela pertence, Deus a destaca, intacta, da mônada do corpo, por ocasião da morte, garantindo a sua integridade e continuação. Dessa maneira, a alma é preservada em suas representações de autoconsciência, de personalidade, de racionalidade, de moralidade. O corpo, por outra parte, composto de mônadas inferiores, sofre dissociação e separação de seu grupo de mônadas. Cada qual, pois, continua existindo, mas, no nível das mônadas materiais, isso envolve uma espécie de estupor, de nível muito baixo de consciência.

11. *A Liberdade da Vontade*. Dentro do sistema de Leibniz, não poderíamos desfrutar de qualquer tipo de *liberdade* que possa agradar àqueles que acreditam no livre-arbítrio. Para ele, a liberdade consiste em poder seguir as determinações que nos são impostas pela nossa natureza, e a nossa natureza é programada pela Mente divina. Assim sendo, a liberdade consiste em fazer aquilo que Deus programou para nós. Não podemos agir sem determinação. Podemos hesitar

entre duas alternativas, mas, no fim, agimos conforme nossa maneira de pensar nos força a fazer, e isso faz parte da programação divina. Não agimos de forma lógica, necessariamente. Somente a Grande Mônada é capaz disso, visto que somente Deus é perfeitamente iluminado. Deus já escolheu, adredemente, para os homens, os *atos livres* que eles haverão de realizar, e, quando os homens põem em prática esses atos, então eles participam do princípio de liberdade, mas, na realidade, não em face de seus próprios poderes criativos, conforme, inocente e erroneamente, eles imaginam.

Bibliografia. AM E EP MM P

LEIBNIZ (LEI DE)

Esse é o princípio que declara que se uma coisa é idêntica a outra, então qualquer coisa que descreve uma delas necessariamente descreve também a outra. Em certo sentido, isso é verdade. Em outro sentido, porém, não é assim. Na realidade, assim sucede, mas, em nossa interpretação e entendimento, isso não é necessariamente verdadeiro. Por exemplo, muitas pessoas não sabem que a Estrela Matutina e a Estrela Vespertina são a mesma coisa, o planeta Vênus. Em outras palavras, esse planeta pode ser ambas as coisas. Por outra parte, a Estrela Matutina também pode ser os planetas Júpiter, Marte, Saturno e Mercúrio. Mas, tendo em vista o argumento, digamos que Vênus tanto é a Estrela Matutina quanto é a Estrela Vespertina. Mas as pessoas, não sabendo desse fato, ao descreverem as supostas duas estrelas (ou planetas), apresentam diferentes descrições, embora estejam descrevendo uma mesma coisa, sob circunstâncias diferentes. Desse modo, de acordo com a compreensão e as descrições das pessoas, uma e a mesma coisa são diferentes.

Essa lei de Leibniz tem grande aplicação à teologia, visto que as pessoas podem estar-se referindo à mesma entidade espiritual, usando termos diferentes, dando assim a impressão de que estão falando sobre proposições teológicas distintas. O princípio do Logos, por exemplo, é bastante amplo na religião, e não meramente na fé cristã; mas esse princípio é descrito de maneiras diferentes, em diferentes religiões.

LEIGO, CONFISSÃO A UM

A prática da confissão de pecados, diante de um leigo, era comum na Idade Média, sempre que não houvesse padre disponível. Talvez existisse em analogia ao *batismo leigo* (vide), que era praticado em casos extremos, quando não havia presente qualquer clérigo.

LEIGO (IRMÃO, IRMÃ) Ver também **Leigos.**

Essa palavra portuguesa deriva-se do grego **laikós**, «relativo ao povo», que, por sua vez, vem de *laós*, «povo». O irmão ou irmã leigo é um membro de alguma ordem religiosa, mas que nem se obrigou a isso mediante as santas ordens, e nem tem tal obrigação em face da recitação do ofício no *coro* (um corpo de cantores treinados, que se ocupam da música coral litúrgica da eucaristia ou ofício divino). Esses leigos ocupam-se somente das questões seculares em um mosteiro ou convento. Essas pessoas religiosas leigas são clérigos no sentido somente do termo, embora desfrutem de imunidades clericais. Essa instituição era desconhecida na Igreja Católica Romana antes do século X D.C.

••• ••• •••

LEIGO, LEITOR — LEITE

LEIGO, LEITOR

Desde os dias elizabetanos, os bispos da comunidade anglicana têm tido o direito de nomear algum leigo para fazer a leitura dos textos, nos cultos, especialmente nos casos de ausência de clérigos. Na Igreja cristã antiga, essa prática não era exatamente duplicada, embora homens investidos em ordens menores, ou serviçais das paróquias, que usualmente eram pagos como assistentes do clero, pudessem ocupar-se desses deveres de leitura.

LEIGOS

Essa palavra vem do termo grego **laós**, «povo». Refere-se a todos os membros da Igreja que não fazem parte de seu clero. O termo não é aplicado a pessoas não-batizadas, ou que não sejam membros da Igreja. Por extensão, o vocábulo veio a indicar pessoas que não são profissionais, em contraste com os profissionais de alguma profissão ou negócio. Quase todos os sistemas eclesiásticos barram os leigos de qualquer exercício nos ofícios ministeriais, embora existam ofícios eclesiásticos abertos aos leigos. Alguns sistemas cristãos, que não reconhecem a existência de um clero profissional, entregam todas as funções religiosas a leigos qualificados devidamente.

1. *Ponto de Vista Histórico*. Aqueles que separam o clero do corpo laico dizem poder encontrar textos de prova para essa distinção, nas páginas do Novo Testamento. Assim, Jesus nomeou «apóstolos» e lhes conferiu poderes especiais. Os apóstolos, por sua vez, nomearam ministros, e, conforme se vê nas chamadas epístolas pastorais (vide), dentre esses ministros levantaram-se *bispos* (que se deriva de uma palavra grega, *epíscopoi*, «supervisores»), cuja autoridade envolveria regiões inteiras, e não meramente igrejas locais. Esses ministros é que têm encabeçado os movimentos missionários e realizado os ritos eclesiásticos, como o batismo e a ordenação de outros homens qualificados. Assim, além dos apóstolos haveria *ministros* (I Cor. 4:1; II Cor. 3:6; 6:4), *profetas* (Rom. 12:8; I Tes. 5:12; Heb. 13:7,17; Atos 13:1; 20:28), *pastores* (Efé. 4:11), *anciãos* (Tito), *mestres* (Atos 3:1; I Cor. 12:28).

Todavia, é muito difícil perceber-se, no Novo Testamento, uma situação estritamente controlada por leigos; no tocante às *funções* das igrejas todos são igualmente «irmãos», o que já representa a filosofia ou ponto de vista de certos grupos cristãos, que não acreditam em um clero, em distinção ao corpo laico.

No começo do cristianismo, os oficiais originais das igrejas eram aqueles que se distinguiam quanto aos dons espirituais, à eloqüência na pregação e, em alguns casos, uma óbvia nomeação ou chamada divina. — Mas, à proporção que os séculos se foram passando, o clero se foi profissionalizando cada vez mais, e os dons espirituais miraculosos se foram tornando menos proeminentes. Porém, apesar de podermos objetar à profissionalização dos ministros do evangelho, formando um clero, também é difícil ver somente leigos em função na Igreja do Novo Testamento.

2. *Evangelização*. Como é óbvio, tanto nos dias do Novo Testamento quanto atualmente, espera-se dos leigos que eles façam um trabalho missionário. Isso pode ser realizado de modo informal e não profissional. Porém, quando se trata da organização das igrejas, então já se torna mister algum modo de serviço e de exercício de autoridade, que ultrapassa ao conceito de que todos os crentes são apenas «irmãos». As várias denominações cristãs se têm distinguido umas das outras pela forma específica de governo eclesiástico que têm adotado, governo esse que pode variar desde a hierarquia da Igreja Católica Romana, ao presbitério, à democracia dos batistas ou ao governo episcopal dos anglicanos. Os mórmons (vide) repelem um clero profissional, o que não significa que eles não tenham os seus *bispos* devidamente nomeados, que são praticamente equivalentes aos pastores protestantes e evangélicos. Todavia, os mórmons retêm alguns poucos membros pagos, que são seus oficiais superiores, e que são obreiros de tempo integral no governo do grupo. Os seus missionários, porém, são jovens leigos, sustentados financeiramente por suas respectivas famílias, e não pelo grupo inteiro.

3. *União e Privilégios*. O clero e os leigos estão espiritualmente unidos no corpo místico de Cristo. Não devem ser distinguidos quanto a seus privilégios espirituais, embora suas *funções* e sua *autoridade*, nas igrejas, difiram. Todos os crentes são sacerdotes, mas nem todos são pastores.

4. *Contra o Dualismo*. Diferentes funções não deveriam criar um dualismo no seio das igrejas, com o distanciamento entre o clero e os leigos, onde os clérigos são tudo, ao passo que os leigos são meros espectadores, e não participantes. As qualidades cristãs são comuns a todos os crentes; a inquirição espiritual pertence a todos; a obrigação missionária também pesa sobre todos; o destino cristão está igualmente à espera de todos os crentes autênticos.

5. *O Exercício dos Dons Espirituais*. Apesar de se esperar que o clero exerça os dons espirituais, devendo distinguir-se através disso, também é de se esperar que todos os leigos tenham dons espirituais, usando-os dentro e fora da igreja local. Os dons espirituais dos ministros são os dons ministeriais, que o apóstolo Paulo enfeixa como os apóstolos, os profetas, os evangelistas e os pastores (alguns dos quais também são mestres), segundo se aprende em Efé. 4:11-14. Todavia, não se pode esperar que os leigos, mesmo quando espiritualmente dotados, exerçam participação no ensino, na exortação, no conforto, porquanto ao pastor e aos anciãos (se os houver), e a outros oficiais da igreja cabem as responsabilidades próprias da organização e liderança, que não pertencem aos leigos. Ver também o artigo *Governo Eclesiástico*, onde se aprende que o Novo Testamento não determina uma forma exclusiva de governo eclesiástico, mas antes, demonstra várias opções possíveis, contanto que os líderes espirituais estejam atuando sob a orientação do Espírito de Deus.

LEIS DA TERRA

Ver sobre **Lei no Antigo Testamento.**

LEIS DE MANU

Esse é o principal código do antigo hinduísmo. Ver sobre *Vedas*, quinto ponto.

LEITE

1. *As Palavras Envolvidas*

O termo hebraico é *halab*; o termo grego é *gala*. A palavra aparece no Antigo Testamento por cerca de quarenta vezes; e no Novo Testamento por cinco vezes: I Cor. 3:2; 9:7; Heb. 4:12,13; I Ped. 2:2. Esse termo é usado tanto literalmente, para indicar o leite de animais e o leite humano, quanto figuradamente.

2. *Exemplos de Referências no Antigo Testamento*

Gên. 18:8; 49:12; Êxo. 3:8,17; 13:5; 23:19; 33:3;

LEITE — LEITE, METÁFORA DO

34:26; Lev. 20:24; Núm. 13:27; Deu. 6:3; 11:9; 14:21; Jos. 5:6; Juí. 4:19; Jó 10:10; Pro. 27:27; Can. 4:11; 5:1,12; Isa. 7:22; 28:9; 60:16; Jer. 11:5; Lam. 4:7; Eze. 20:6; Joel 3:18.

3. Um Item da Dieta de Israel

O leite era um elemento importante da alimentação da nação de Israel, até onde recuam nossas fontes informativas. Os produtos derivados do leite também eram muito importantes. Era consumido leite de vaca ou ovelhas (Deu. 32:14; Isa. 7:22), de cabras (Pro. 27:27), e, talvez, até de camelas (Gên. 32:15). Leite era oferecido a recém-chegados, como bebida reconfortante (Gên. 18:8), e era bebido às refeições (Eze. 25:4). Algumas vezes, era misturado com mel ou com vinho (Gên. 49:12; Isa. 55:1; Joel 3:18). Com base nessa circunstância é que surgiram certos usos metafóricos do leite, o que discutimos mais abaixo.

O leite era usado na arte culinária. Porém, não era permitido usar o leite de uma cabra para cozinhar seu cabrito (ver Êxo. 23:18; Deu. 14:21). Com base nessa proibição, havia uma outra ainda mais ampla. As leis dietéticas dos judeus não permitiam que se usasse carne e leite como parte de uma mesma refeição. Os judeus ortodoxos mostram-se tão exigentes quanto a isso que nem mesmo usam o mesmo equipamento para o preparado de pratos com carne e de pratos com produtos lácteos. Provavelmente, a proibição original era de natureza meramente psicológica. Se alguém matar um cabrito para comê-lo, não parece correto, de alguma maneira, cozinhá-lo no leite de sua própria mãe! Essa proibição parece remontar a um costume cananeu, tendo sido adotado pela sociedade judaica, ou, então, a regra apareceu entre os próprios israelitas.

A palavra hebraica *hemah* parece referir-se tanto à manteiga quanto à coalhada, como também a queijos. A coalhada, depois do pão, continua sendo o alimento principal das classes mais pobres da Arábia e da Síria. Abraão ofereceu coalhada aos anjos (ver Gên. 18:8). E o trecho de Isaías 7:22 menciona a manteiga.

4. Usos Metafóricos e do Novo Testamento

a. *Leite e mel* são, freqüentemente, combinados na linguagem do Antigo Testamento. Ver Êxo. 3:8,17; 33:3; Lev. 20:24; Núm. 13:27; 14:8; 16:13; Deu. 6:3; 11:9; Jos. 5:6; Jer. 11:5. Essa lista é apenas representativa, e não completa. Segundo já pudemos notar, o leite era misturado com mel, como uma bebida. Mas, metaforicamente, essa expressão, «leite e mel», indica *abundância*. A Palestina é descrita por várias vezes como terra em que fluía leite e mel, e, portanto, uma terra caracterizada por muita abundância.

b. Leite e mel, *debaixo da língua*, indica a doce conversação com um ente amado (Can. 5:1).

c. O comentário de Kimchi, sobre Isa. 45:1, faz com que o leite, devido às suas qualidades *alimentícias*, refira-se à *lei*, que nutre a alma. O trecho de I Ped. 2:2 diz algo similar, embora aludindo à Palavra de Deus, conforme a mesma está contida na revelação cristã. Os crentes devem desejar esse alimento espiritual, da mesma forma que um infante deseja o leite materno.

d. Em I Cor. 3:2, a idéia de nutrição recebe um aspecto diferente, no que diz respeito ao leite. Os bebês é que desejam e precisam de leite. Mas os adultos precisam e desejam a nutrição oferecida por alimentos sólidos. Essas instruções paulinas indicam que devemos crescer, sempre aprendendo e desenvolvendo-nos, não nos satisfazendo com as coisas elementares da fé cristã e da espiritualidade. Os crentes maduros não agem como bebês, entregando-

se a suspeitas e contendas com outros, em perturbações que só mostram a imaturidade espiritual de quem assim age.

e. O trecho de Heb. 5:12,15 tem um uso semelhante ao de Paulo em I Coríntios, fazendo o leite referir-se aos «princípios elementares» da fé, que os crentes imaturos vivem desejando. Em distinção a isso, o alimento sólido é para os crentes maduros, cujas faculdades espirituais estão devidamente treinadas, mediante a prática, capacitando-os a distinguir entre o que é bom e o que é mal. A palavra da justiça é o alimento sólido do qual o crente precisa. Os aprendizes preferem o leite, mais fácil de digerir. Os mestres cristãos, porém, não se satisfazem senão com a dieta de alimentos sólidos.

f. Leite, em sonhos e visões, pode simbolizar nutrição e abundância, embora também possa indicar o sêmen e os poderes reprodutivos.

LEITE E MEL

Ver sobre o **Leite**, ponto 4.a.

LEITE, METÁFORA DO

I Ped. 2:2: *desejai como meninos recém-nascidos, o puro leite espiritual, a fim de por ele crescerdes para a salvação.*

Desejai ardentemente. Temos aqui uma única palavra grega, *epipotheo*, que significa «anelar», «desejar muito». Esse vocábulo é usado por nove vezes nas páginas do N.T., algumas vezes em bom sentido, e de outras vezes em mau sentido, como no sentido de «concupiscência» (ver Tia. 4:5; ver também I Tes. 3:6 e II Tim. 1:4). Sua forma composta dá a essa palavra um sentido intensivo, conforme é comum no grego.

Crianças recém-nascidas. No grego é *brephos*, palavra usada para designar os infantes de tenra idade. (Ver Luc. 18:15; Atos 7:19; e ver Luc. 2:12,16, acerca do infante Jesus). Também era palavra para indicar o «embrião» humano. O termo *artigennetos*, «recém-nascido» é bem traduzido aqui. Pedro não quis dizer que aqueles crentes tinham se convertido bem recentemente a Cristo, como se eles fossem «bebês» espirituais, embora isso também possa ficar subentendido; antes, o que ele queria salientar é que sem importar seu estado espiritual presente, e a despeito do tempo que já conheciam a Cristo, no desejo de crescerem espiritualmente, deveriam ter anelo pela Palavra de Deus, tal como uma criança recém-nascida anela pelo leite materno. Essa atitude deveria caracterizar todos os crentes, e não apenas os recém-convertidos. Essa é a mensagem de Pedro, neste ponto.

Leite Genuíno. No grego, o adjetivo é *adolos*, forma privativa da palavra usada no primeiro versículo, para indicar «dolo». Essa nutrição espiritual não deveria envolver nenhum elemento adulterador, mas antes, deve ser pura e genuína. Isso significa a nutrição espiritual encontrada em Cristo e no seu evangelho, sem qualquer mistura de idéias e práticas pagãs. Isso porque, o leite da Palavra, se for misturado com uma falsidade, pode tornar-se um veneno, e não um alimento nutritivo.

Espiritual. Assim quiseram os tradutores traduzir as palavras gregas *to logikon*, que alguns estudiosos pensam que se deveria traduzir por «da palavra». O termo «logos», em sua forma adjetivada (como aqui) significa «espiritual», «racional». (Ver Rom. 12:1 quanto a outro uso do mesmo, a única outra ocorrência em todo o N.T.). Portanto, o leite não é «da Palavra», ou seja, «das Escrituras» ou «do

783

LEITE, METÁFORA DO — LEITOR

evangelho», conforme este versículo tem sido freqüentemente interpretado. Naturalmente, o leite espiritual do qual nos nutrimos, vem através do evangelho e das Escrituras, mas não é isso que Pedro queria afirmar aqui, mais diretamente. Ele sabia que os seus leitores reconheceriam a necessidade que tinham da mensagem cristã e dos ensinamentos das Escrituras, e que esses são os elementos da nutrição espiritual. Alguns intérpretes preferem aqui a tradução «da Palavra», supondo que a forma adjetivada de «logos» pode significar «pertencente à palavra», e então, a «palavra» seria o «evangelho», conforme se vê em I Ped. 1:23,25. Porém, não há nenhum apoio léxico para tal significado.

Os Elementos da Metáfora

1. O uso que Pedro faz da metáfora do «leite» não corresponde ao uso paulino do mesmo elemento em I Cor 3:1. O uso de Paulo tem aspectos nitidamente depreciativos. Segundo disse o apóstolo dos gentios, é uma desgraça alguém precisar permanentemente de leite, como se continuasse sendo uma criança recém-nascida. Mas o uso que se faz da metáfora, em Heb. 5:12 e 6:2, é semelhante ao de Paulo.

2. A metáfora de Pedro simplesmente nos diz que devemos ter o «urgente desejo» de ter as realidades espirituais, tal e qual uma criança recém-nascida busca o leite como se a sua vida dependesse desse alimento, e como, na realidade, depende.

3. Em certo sentido, Pedro considerava todos os crentes, sem importar sua condição, jovens ou antigos, fortes ou fracos, como meros bebês, que precisam urgentemente do leite dos cuidados de Cristo. Nenhum indivíduo chega a ficar tão avançado e forte, espiritualmente falando, que não mais precise do leite espiritual. Ninguém jamais atinge uma tão elevada espiritualidade, que não possa ser chamado de mero infante, em contraste com a espiritualidade que ainda precisa atingir.

4. Para Pedro, assim sendo, «leite» não representa a doutrina ou a experiência cristã em seus estágios elementares, e, sim, a totalidade da nutrição espiritual, da qual todos precisamos, e sem a qual não poderemos crescer de forma alguma.

Crescimento, ou seja, o avanço na maturidade espiritual: purificação dos antigos vícios, paralelamente à obtenção dos atributos positivos e santos de Cristo, como o amor, a bondade, a fé, a justiça, etc. (Ver o artigo separado sobre *Fruto do Espírito*). Esse desenvolvimento moral provoca o «crescimento metafísico», que consiste em receber a própria natureza essencial de Cristo, a fim de nos tornarmos verdadeiros filhos de Deus, tal e qual ele é o Filho. E, finalmente, significa a participação na natureza divina (ver II Ped. 1:4; Col. 2:10 e Efé. 3:19), mediante o que todos teremos «a completa plenitude de Deus».

Para salvação, isto é, a salvação em sua maior extensão, que praticamente jaz toda no futuro, incluindo, finalmente, a *glorificação* (vide). (Ver o artigo separado sobre a *Salvação*). A salvação é vista aqui como algo essencialmente escatológico, e não o passo único que damos quando da conversão inicial. A salvação é o dom gratuito de Deus, embora requeira o uso dos meios de graça para que entremos em sua possessão, incluindo a reação positiva da vontade humana, a sua santificação (ver II Tes. 2:13) bem como seu desenvolvimento espiritual, conforme o presente versículo diz sem rebuços.

Avançando Além do ABC

1. O autor da epístola aos Hebreus fazia objeção à repetição interminável de doutrinas fundamentais,

sem um suficiente crescimento espiritual que levasse seus leitores a uma teologia mais avançada, com o acompanhamento de uma espiritualidade mais profunda.

2. Chegou à conclusão de que seus leitores eram espiritualmente preguiçosos, não havendo dedicado tempo e esforço para avançarem.

3. Encorajou seus leitores a «freqüentarem os cultos» (ver Heb. 10:25), mas insistiu que quando os crentes vão à igreja, devem receber algo sólido para suas almas. Não era suficiente, conforme ele via as coisas, que meramente freqüentassem as reuniões e ouvissem sempre as mesmas coisas.

4. Alguns pregadores modernos falam sobre o grave pecado do povo evangélico que costuma não freqüentar às reuniões, sem embargo, se esquecem convenientemente do papel que eles mesmos devem desempenhar nessa questão, ensinar! Em outras palavras, eles precisam prover os meios de desenvolvimento espiritual para aqueles que venham às reuniões. O ensino faz parte da Grande Comissão. Bastaria isso para mostrar-nos quão importante é o ensino cristão.

5. Não havendo progresso espiritual, há a possibilidade de apostasia, conforme os versículos que se seguem mostram dramaticamente.

Princípios elementares. No grego é usado o termo *arche*, que usualmente significa o *começo* de qualquer coisa, mas que aqui tem o sentido de «princípios elementares de um sistema religioso». A expressão equivale ao termo *stoicheia*, que figura em Heb. 5:12. Está em foco o ABC do ensinamento religioso, as idéias básicas do cristianismo, que são ensinadas em primeiro lugar. O autor sagrado alista seis aspectos que ele considera princípios elementares, neste e no versículo seguinte. A lista não tem por intuito ser exaustiva, mas é apenas uma sugestão.

LEITO

No hebraico, **yatsua**, «leito». Palavra usada por cinco vezes: I Crô. 5:1; Jó 17:13; Sal. 63:6; 132:3 e Gên. 49:4. Na referência de Gênesis, lemos que Rúben perdeu o precioso direito de primogenitura por haver cometido grave pecado sexual, o que é reiterado na referência de I Coríntios. Em Salmos 63:6, Davi registra como se lembrava do Senhor mesmo descansando em seu leito. Em Salmos 132:3, Davi vota que não descansaria em seu leito enquanto não encontrasse um lugar apropriado para a construção do templo, em Jerusalém. Ver o artigo geral intitulado *Cama*.

LEITOR

Na antiga Igreja cristã, o **leitor** era alguém que lia as lições para o povo ouvir, nos cultos religiosos. Justino, no século II D.C., mencionou que havia homens que se ocupavam desse serviço. Precisamos lembrar que os manuscritos da Bíblia eram poucos e caros, e que a esmagadora maioria dos membros da Igreja não tinha qualquer cópia de qualquer dos livros da Bíblia. Além de fazer parte importante do culto cristão, a leitura de passagens escriturísticas era, para todos os efeitos práticos, o único contato que as pessoas tinham com as Escrituras. Por isso mesmo, o leitor parece ter sido um dos mais importantes oficiais burocráticos nas igrejas. A ordem dos leitores, até hoje, é uma das quatro ordens menores da Igreja Católica Romana, como um passo a mais que conduz na direção do sacerdócio. Entretanto, somente nos ofícios da *Sexta-Feira Santa* é que o missal católico

LEITURA — LENIN

romano reconhece as funções dos leitores.

LEITURA

No campo da crítica textual, essa palavra refere-se ao conteúdo específico de um manuscrito qualquer, que o faz diferir dos demais. Talvez se trate de uma única palavra, ou frase, ou versículo. Assim, dizendo: «este manuscrito tem esta leitura», com o que queremos dar a entender que tem alguma palavra, frase, etc., que o faz contrastar com o conteúdo de outros manuscritos. Nos círculos do ocultismo ou das forças psíquicas, essa palavra indica a «mensagem» que estiver sendo dada à parte interessada, uma mensagem que pode ser um aviso, um conselho, uma predição quanto ao futuro, etc.

LEMBRETE DIVINO E PIEDOSO

Apo. 2:5: *Lembra-te, donde caíste, e arrepende-te, e pratica as primeiras obras; e se não, brevemente virei a ti, e removerei do seu lugar o teu candeeiro, se não te arrependeres.*

O lembrete divino e piedoso:

Lembra-te. Exortação à memória piedosa acerca dos dias anteriores, quando a devoção intensa a Cristo era a força motivadora de uma vida piedosa e de um imenso serviço. Notemos a progressão: «relembrar-se», «arrepender-se» e «praticar», os elos dourados da restauração e do progresso da igreja.

«A verdadeira piedade põe em ação todas as nossas faculdades. Um dos poderes humanos consiste em olharmos para trás, revivendo os acontecimentos e o curso da vida, através da memória. E essa capacidade é a primeira coisa que precisa ser posta em ação, para curar a decadência da vida e do fervor religiosos. As pessoas precisam pensar em seu passado, comparando aquilo que são agora com o que foram. A memória deve relembrar o passado, para que seja posto lado a lado com o presente.

Quando os apóstolos desejaram levar os crentes judeus à firmeza e constância contínua na fé, ordenavam-lhes que se lembrassem «...dos dias anteriores em que, depois de iluminados, sustentastes grande luta e sofrimentos. Porque não somente vos compadecestes dos encarcerados, como aceitastes com alegria o espólio dos vossos bens...» (Heb. 10:32). O Salvador fez a mesma coisa, com alusão aos membros da igreja efésia; e outro tanto deve-se dar no caso de todos nós». (Seiss, *in loc.*).

Lembremo-nos de nosso plano mais elevado de realização espiritual. Que tal é a comparação entre aquela condição e a condição de nossa vida espiritual atual? — Como primeiro passo de recuperação, procuremos reter a altura antes obtida, e então subamos dali para uma realização espiritual totalmente nova.

«A percepção de que tem havido declínio, a admissão de que tem havido um lapso, é o primeiro passo de volta ao estado original». (João Bunyan, *Graça Abundante*).

Relembra-te de onde te originaste:
Não foste formado para viver como os animais,
Mas para seguir à virtude e ao alto conhecimento.

(Ulisses no Inferno, xxvi)

LEMUEL

No hebraico, «devotado a Deus». Esse é o nome de uma pessoa a quem foram dirigidos os provérbios que se encontram em 31:1,19 desse livro. Ele teria sido um rei — para nós desconhecido — a quem sua mãe dirigiu esses conselhos. Porém, os estudiosos mais antigos acham que estava em vista a pessoa de Salomão. Outros eruditos, no entanto, dizem que devemos pensar no rei Ezequias, conforme pensavam Eichhorne, Ewald e alguns outros. Ainda outros afirmam que está em foco uma personagem inteiramente desconhecida, pensando que *Lemuel* é apenas uma apelação poética de um rei imaginário, por meio de quem as máximas em questão podem ser aplicadas a todos os monarcas. Seja como for, as máximas dizem respeito a um bom governo, advertindo contra os excessos do sexo e do vinho.

LENÇO

No grego, **soudarian**, significa **pano-suado** (pano para limpar o suor). É chamado *lenço* em Atos 19:12. É um pano usado para secar o suor do rosto e para limpar o nariz (Luc. 19:20; Atos 19:12). Era usado para enrolar a cabeça de um corpo, e também podia ser usado na cabeça separadamente, enquanto um outro pano (normalmente de linho) envolvia o corpo todo (ver João 11:44; 20:7). Por isso, no caso de Jesus e seu sepultamento, os *dois* panos são mencionados.

LENÇOL

Essa é a tradução portuguesa, em algumas versões, do termo hebraico *sadin*, «vestes ou panos de linho» (conforme se vê em Juí. 14:12,13), ou, então, do termo grego *othóne*, «pano de linho», que figura na visão de Pedro, em Jope (Atos 10:11; 11:5).

No caso que envolveu Pedro, a ocasião disse respeito à inclusão de crentes gentios na Igreja, como membros plenos da nova fé. Embora isso estivesse predito desde o Antigo Testamento, a plena aceitação de crentes gentios na comunidade religiosa judaica constituiu um ato revolucionário. Tanto isso é verdade que o apóstolo Pedro só aceitou a idéia mediante uma revelação direta.

LENDA

Essa palavra portuguesa vem do termo latino *legere*, «ler». Denota alguma estória popularmente aceita, ou uma coletânea dessas estórias. As lendas têm um certo uso religioso quando ensinam lições morais e espirituais. Um livro oriundo da Idade Média, que foi muito usado, foi a *Lenda Dourada*, de Jacobus de Voragine, que combinava leituras e lições juntamente com trechos bíblicos e relatos sobre santos. Sermões, dramas religiosos e devoções privadas sempre foram muito usados nas lendas. Os eruditos liberais crêem que tanto o Antigo quanto o Novo Testamentos preservaram um bom número de lendas, revestidas de valor como ensinamentos morais e espirituais, mas destituídos de historicidade. Alguns desses eruditos estão convencidos de que até mesmo as narrativas sobre a vida de Jesus estão misturadas com lendas. Ver os artigos separados sobre *Historicidade dos Evangelhos* e *Jesus Histórico*, onde essas questões são tratadas de maneira minuciosa.

LENIN, VLADIMIR ILYICH

Suas datas foram 1870-1924. Ele nasceu em Simbirsk (Ulianov, na União Soviética). Estudou em Kazem e em São Petersburgo. Foi aprisionado como ativista revolucionário, e foi exilado para a Sibéria (durante quase todo o tempo entre 1900 e 1917). Chegou ao poder como uma espécie de conseqüência natural que a Rússia recebeu durante a Primeira Grande Guerra (1914 — 1918). A 16 de abril de 1917, apenas um mês depois da derrubada da monarquia,

LENIN — LENTISCO

Lenin retornou à Rússia, em um trem fechado e pesadamente guardado, provido pelas autoridades alemãs. Os alemães esperavam que sua chegada apressasse o fim da resistência russa. No dia seguinte, ele anunciou a *Tese de Abril*, que exigia a derrubada do governo provisório *burguês* e sua substituição pelos soviéticos, que, na época, eram dirigidos pelos revolucionários socialistas e mensheviks. Dessa maneira, a guerra imperialista transformou-se em uma guerra civil intensa. Várias vicissitudes e conflitos continuaram até novembro. Lenin e seus aderentes foram obtendo cada vez mais força, até à vitória final. A 7 de novembro de 1917, tornou-se completa a derrubada do governo provisório. No mesmo dia foi formado um novo governo, a República Soviética Russa, tendo Lenin como seu cabeça. Isso levou à rápida comunização da Rússia. Ele encabeçou o Estado russo de 1917 a 1924.

Idéias:

1. A princípio, Lenin tentou aplicar as idéias de Karl Marx. Entretanto, o que ele almejava era descobrir uma versão mais radical do marxismo. A princípio, ele rejeitou a dialética, embora aderisse a um rígido materialismo. Gradualmente, porém, foi adotando a maioria dos pontos de vista de *Engels* (ver o artigo a respeito dele). A isso ele acrescentou algumas idéias próprias. Ver sobre o *Marxismo*, quarto ponto.

2. Lenin rejeitava aquelas formas de marxismo que comprometiam ou rejeitavam o materialismo. Ele aderia a um *materialismo* (vide) estrito, crendo que somente um *realismo* (vide) epistemológico é adequado como teoria do conhecimento para exprimir as suas idéias. Ele afirmava que os conceitos e as sensações, em nossas mentes, devem ser réplicas de realidades externas às nossas mentes. No entanto, para ele, a mente seria o cérebro, porquanto ele não antecipava qualquer dualismo do tipo corpo-mente. O marxismo ortodoxo tem defendido rigidamente esse tipo de teoria do conhecimento.

3. Lenin chegou a adotar, em forma modificada, o conceito de tese-antítese-síntese, postulado por Hegel, embora dando-lhe uma interpretação materialista, fazendo do dinheiro e do poder material a essência da realidade humana. Isso, naturalmente, não deixa espaço para Deus e nem para uma alma humana que sobrevive à morte biológica. Assim sendo, todos os valores devem ser achados neste mundo, e todas as motivações devem ser puramente físicas e mundanas.

4. *Teologia da Libertação*. Ver o artigo separado sobre esse assunto. Alguns teólogos modernos têm assumido a fantástica posição de que as pessoas atéias, bem como os Estados ateus, totalitários e militaristas opressivos podem servir de modelos a serem seguidos, com base em uma *teologia* liberalizante. O papa João Paulo II salientou o fato de que, dentro desse sistema, a teologia é reduzida à sociologia marxista. Dentro dessa teologia da libertação, os grandes temas da teologia cristã, como Deus, o Cristo transcendental, a alma humana e seu augusto *destino*, a soteriologia, a escatologia, o problema do pecado (conforme é entendido pela Bíblia), o problema do mal (conforme é compreendido pelos cristãos), etc., são postos inteiramente de lado. Em outras palavras, a essência real da teologia e da espiritualidade foi sacrificada, dentro desse sistema, em prol da mera melhoria material. Ajuntamos que a melhoria material não é errada em si mesma; mas ela é um substituto inadequado para as realidades e considerações espirituais. Ver o artigo separado sobre o *Comunismo*.

O que esse sistema tem ensinado ao mundo é que os grandes males e desigualdades sociais devem ser enfrentados, pois, sem isso, soluções inadequadas, como é o caso do comunismo, fatalmente surgem em cena. A revolta contra o comunismo, nos próprios países comunistas, embora cuidadosamente abafada, tão evidente na história recente, mostra-nos que o coração humano não permanece com qualquer sistema, para sempre, se o homem é transformado apenas em um animal inteligente. De fato, a própria ciência está às vésperas de conseguir uma prova empírica da existência da alma e sua sobrevivência diante da morte física. Uma vez que essa prova seja plenamente desenvolvida e reconhecida, o comunismo terá de sujeitar-se a uma revisão radical, se quiser sobreviver. Ver o artigo separado sobre *Experiências Perto da Morte*, que serve para ilustrar a espiritualidade humana. Ver os vários artigos a respeito, sob o título *Imortalidade*. Infelizmente, a Igreja organizada, com freqüência, se tem aliado às classes ricas e poderosas, deixando a miséria humana sem qualquer alívio prático. Por outra parte, que organização, em toda a história da humanidade, tem-se mostrado mais ativa em atos de caridade e de educação do que a Igreja Católica Romana? Isso tem sido feito, essencialmente, sem a força contrária do uso do poder militar, que tem sido usado para sujeitar as pessoas à força, dentro dos sistemas totalitários.

LENTILHAS

No hebraico, **adashim** (Gên. 25:34; II Sam. 17:28; 23:11 e Eze. 4:9). A lentilha é uma leguminosa cultivada, pertencente à família da ervilha. Nos mercados da Palestina, lentilhas vermelhas continuam sendo vendidas como a melhor de suas variedades. Muitas pessoas da atualidade, que as têm experimentado, afirmam que seriam uma refeição atrativa para algum caçador cansado (ver Gên. 25:29,34). De fato, dizem que Esaú teve uma tentação razoável. O trecho de II Sam. 23:11 menciona um terreno cheio de lentilhas, e até hoje a lentilha é bastante cultivada na Terra Santa. O trecho de Eze. 4:9 mostra-nos que os pobres faziam pães de lentilhas. Em alguns países de maioria católica romana, esse alimento é usado durante a quaresma (vide). Alguns supõem, com base nessa circunstância, que o nome inglês da quaresma, *lent*, vem de «lentilha». A verdade, porém, é que esse vocábulo inglês deriva-se do inglês antigo *lencten*, «primavera», o tempo do ano em que a quaresma era e continua sendo observada.

A lentilha era cortada e esmagada, como o trigo, reduzindo-se a uma espécie de farinha, mas também podia ser comida cozida, como os feijões ou as ervilhas. Até hoje, fazem-se assados ou sopas avermelhadas, de lentilhas, e as pessoas gostam de temperar esses pratos com bastante alho.

Aparência. A planta da lentilha produz uma pequena flor branca e violeta, produzindo uma espécie de ervilha doce. Depois forma-se uma vagem pequena e achatada. Dentro das vagens aparecem as lentilhas. As lentilhas são pequenas lentes convexas, o que explica o termo português «lentilha», ou «lente pequena». Quando elas são cozidas, ficam da cor do chocolate, uma coloração que, no Oriente, é considerada vermelha.

LENTISCO

A forma grega dessa palavra é *schinon*. Não há qualquer referência veterotestamentária a essa palavra, embora ela apareça no livro apócrifo de Susana (54). Está em vista a espécie vegetal *Pistacia lentiscus*.

LENTO — LEOPARDO

Trata-se de uma árvore que exsuda uma goma do tronco, quando o mesmo é golpeado. Esse produto chama-se *mástique*. Tem cor branca amarelada, sendo usado como base de um verniz. A planta é um arbusto sempre verde, que pode chegar a mais de seis metros de altura.

LENTO

Poderíamos incluir neste verbete certas palavras hebraicas e gregas usadas para indicar uma ação gradual ou desacelerada, a saber:

1. *Erek*, «longo». Termo hebraico usado para indicar a idéia de longaminidade, ou de quem é lento para irar-se. Esse termo é empregado por dez vezes com esse sentido: Nee. 9:17; Sal. 103:8; 145:8; Pro. 14:29; 15:18; 16:32; Joel 2:13; Jon. 4:2; Naum 1:3 e Ecl. 7:8.

2. *Kabed*, «pesado», «grave», «sobrecarregado». Palavra hebraica usada por quarenta vezes. Por exemplo: Gên. 12:10; 41:31; Éxo. 4:10; 8:24; 9:3,18,24; 10:14.

3. *Agrós*, «preguiçoso», «ocioso». Termo grego usado por trinta e seis vezes: Mat. 6:28,30; 13:24,27,31,36,38,44; 19:29; 22:5; 24:18,40; 27:7,8, 10 (neste último versículo citando Zac. 11:13); Mar. 5:14; 6:36,56: 10:29,30; 11:8; 13:16; 15:21; 16:12; Luc. 8:34; 9:12; 12:28; 14:18; 15:15,25; 17:7,31,36; 23:26; Atos 4:37; Tito 1:12. Neste último versículo temos a citação de um fragmento de um poema de algum observador cretense, da era pré-socrática, Epimênides (século VI A.C.).

4. *Bradús*, «lento», sobretudo dentro da expressão grega «lentos de coração», que a nossa versão port. traduz por «tardos de coração». Esse vocábulo ocorre por três vezes: Luc. 24:25; Tia. 1:19 (duas).

LENTULO, EPÍSTOLA DE

Não há certeza quanto à data desse breve documento, mas é provável que não foi escrito antes do século XIII. Provavelmente, foi produzido na Itália, embora também isso seja incerto. Seja como for, nesse documento há uma descrição da pessoa de Jesus, que alguns tomam a sério, mas outros não. Ali é declarado que ele era um «homem de estatura medianamente alta, de boa aparência, com uma fisionomia reverente, que as pessoas contemplavam com amor e com temor». O que é significativo nessa descrição é que ela segue a aparência das pinturas tradicionais de Jesus, bem como a imagem que ficou na mortalha de Turim (vide). Ver o artigo separado, intitulado *Sudário de Cristo*. Essa relíquia, que atualmente se encontra em Turim, na Itália, poderia ser a mortalha genuína de Jesus Cristo. Parece, pois, que se a descrição de Jesus, na epístola de Lentulo, é exata, em algum grau, essa exatidão deriva-se da arte pictórica antiga, que por sua vez, deriva-se do sudário de Turim. Tal exatidão, pois, não significa que esse documento medieval tenha qualquer autoridade especial. Nos manuscritos mais antigos dessa epístola, o texto afirma derivar-se dos anais romanos. Em suas formas mais recentes, — o texto afirma tratar-se de uma carta endereçada ao senado romano por parte de Lentulo, um oficial romano aquartelado na Judéia, nos dias do imperador Tibério.

Lentulo era o nome de uma família patrícia na Roma antiga, da gente de Cornélia. Vários de seus membros distinguiram-se por virtudes e por seus serviços ao Estado. Por conseguinte, teria sido natural que esse nome fosse usado em um documento que alegadamente refletia uma antiga carta, escrita na época de Cristo. Porém, é muito difícil acreditar-se na autenticidade dessa epístola, especialmente porque não veio a público senão já bem dentro da Idade Média. A descrição de Jesus é como segue: cabelos longos, partidos no meio, ondeando sobre os ombros; testa suave; expressão calma, sem manchas e nem rugas; bem barbado. Eusébio (Hist. 7:18,4) informa-nos que uma ocupação popular de muitos cristãos antigos era a especulação sobre a aparência física de Jesus.

LEOPARDO

No hebraico, **namer** (ver Can. 4:8; Isa. 11:6; Jer. 5:6; 13:23; Osé. 13:7 e Hab. 1:8); a forma *nemar* aparece em Dan. 7:6. No grego, *párdalis*, que ocorre somente em Apo. 13:2.

O leopardo é um grande felino, com manchas arredondadas pelo corpo, pertencente à família do leão. Seu nome científico é *Panthera pardus*. É carnívoro, e faz presa de qualquer animal que possa, embora sua predileção seja o cão. No entanto, na linguagem popular, o termo «leopardo» indica certa variedade de felinos de pele manchada, o que também se dava com o animal que, em hebraico, chamava-se *namer*. É simplesmente impossível determinar a espécie exata citada em cada referência bíblica. O trecho de Jer. 13:23 dá-nos a alusão mais bem conhecida a esse animal, em toda a Bíblia: «Pode acaso o etíope mudar a sua pele, ou o leopardo as suas manchas? Então poderíeis fazer o bem, estando acostumados a fazer o mal»? Esse uso é metafórico, como todos os demais usos da palavra nas Escrituras. A espécie *Felis chaus* continua sendo encontrada nos bosques da Palestina, especialmente na Galiléia. Mas o verdadeiro leopardo provavelmente desapareceu de Israel, embora continue sendo ocasionalmente avistado nos países que fazem fronteira com Israel. Um deles foi morto e fotografado no wadi Darejah, na Jordânia, em outubro de 1964; três meses mais tarde, um outro foi morto a tiros na Galiléia; e ainda um outro foi visto em Darejah, cerca de um ano depois. Isso posto, é possível que esse animal, à beira da extinção naquelas regiões, ainda persista em Israel. Suas dimensões variam muito, mas pode-se dizer que, incluindo a cauda, seu comprimento vai de 1,80 m a 2,30 m.

O leopardo caça boa variedade de presas, incluindo antílopes, veados e animais menores, inclusive aves. Os trechos de Jer. 5:6 e Osé. 13:7 referem-se ao leopardo em conexão com seus hábitos predadores. O leopardo é bem conhecido por causa de sua agilidade e velocidade, o que é mencionado em Hab. 1:8. Seu couro sempre foi muito procurado para o fabrico de tapetes, envoltórios de selas e vários outros itens de couro. Peles de leopardo eram usadas como parte das vestes cerimoniais por membros do sacerdócio egípcio. Esse animal é retratado nos cortejos de nações tributárias, sujeitas ao Egito.

Usos Figurados:

1. Jer. 13:23. O pecador não consegue, por si mesmo, mudar a sua maneira de ser e de viver, tal como o leopardo não pode alterar as suas manchas.

2. Os julgamentos divinos operam como o leopardo, que fica à espreita de sua presa. Esses animais esperam com paciência, mas atacam de súbito.

3. Os exércitos de Nabucodonosor assemelhavam-se a leopardos, isto é, rápidos, cruéis e destruidores. Ver Jer. 5:6 e Hab. 1:8.

4. Na visão de Daniel sobre vários animais, que

LEPRA — LESMA

representavam diversas nações, o *leopardo* era o símbolo da Grécia. Ver Dan. 7:6.

LEPRA, LEPROSO

Ver o artigo intitulado *Enfermidades na Bíblia*, primeira seção, *Enfermidades Físicas*, item número vinte e sete.

LEQUIER, JULES

Suas datas foram 1814-1862. Foi um filósofo francês. Nasceu em Quintin; educou-se em Paris. Renouvier foi um de seus discípulos, e, visto que William James foi discípulo de Renouvier, houve certa influência de Jules Lequier sobre William James, quanto à sua filosofia. Ele se tornou conhecido por suas idéias estranhas (do ponto de vista ortodoxo), que serviam para garantir a liberdade e a independência do homem, até mesmo em relação a Deus.

Idéias:

1. Tanto o conhecimento quanto a liberdade são possíveis ao homem. Outrossim, a liberdade é uma das condições para o verdadeiro conhecimento, visto que onde a liberdade se ausenta, nunca há um conhecimento genuíno.

2. Para que a liberdade exista (e, para Lequier, ela existia), Deus não poderia prever as coisas, o que criaria o *determinismo* (vide). Deus tem pleno conhecimento do homem e de seus atos históricos, mas pode somente adivinhar o que o homem fará em seguida.

3. Somente assim o homem seria verdadeiramente livre, agindo de forma independente de Deus. Ademais, quando Deus vê as coisas mudarem, ele também muda. O futuro seria contingente, e o homem e Deus manteriam uma relação de toma-e-dá, em meio ao fluxo e refluxo das coisas.

Obras: *The Search for Primary Truth* e *Liberty*.

É curioso que um tão grande comentador bíblico como foi Adam Clarke, aparentemente antes de Lequier (Clarke foi contemporâneo mais velho de Lequier), também tenha tentado preservar a liberdade humana, negando a presciência divina. Agostinho forneceu ao mundo teológico-filosófico uma solução melhor ao problema, ao declarar: «Deus prevê que o homem agirá livremente», o que faz a presciência divina garantir a liberdade do homem, em vez de anulá-la.

LESBIANISMO

Ver o artigo separado sobre o **Homossexualismo**, um artigo detalhado que examina as várias facetas do problema. Apesar dos verdadeiros homossexuais representarem apenas cerca de quatro por cento da população, o bissexualismo é praticado, ao menos ocasionalmente, por nada menos de vinte por cento das pessoas.

O termo *lesbianismo* vem do nome da ilha grega de Lesbos. Seiscentos anos antes de Cristo, durante a era áurea da Grécia, a poetisa Safo viveu naquela ilha, onde encorajava as mulheres jovens do lugar a manterem relações eróticas umas com as outras, como parte da adoração à deusa pagã Afrodite. Com base nessa circunstância, o homossexualismo feminino tornou-se conhecido como *safismo* ou *lesbianismo*. Os pesquisadores ainda não encontraram razões biológicas pelas quais as mulheres deixam-se atrair sexualmente por outras mulheres, e buscam motivos culturais, sociais e psicológicos, para explicar o fenômeno. Há mulheres que temem os homens, como

se eles fossem caçadores, exploradores, impulsionados por todas as formas de más intenções. Esse temor não impede a sexualidade feminina, mas pode fazer com que sua atração seja transferida para outras mulheres, mais gentis, de quem não se espera qualquer maldade. — Mulheres sem homens, mas que temem os homens, sentindo-se solitárias, algumas vezes deixam-se atrair por outras mulheres. Mas, há estudos que demonstram que o homossexualismo, entre as mulheres, pode ser um comportamento aprendido. E até mulheres heterossexuais podem descobrir, para sua grande surpresa, que podem achar prazer no lesbianismo, o que acaba transformando-se em algo habitual.

Ponto de Vista Bíblico. Apesar do fato de que houve gregos que exaltaram o homossexualismo masculino e feminino (embora a maioria das pessoas nunca tenha levado isso a sério), a Bíblia encara o lesbianismo, e não só o homossexualismo masculino, como pecaminoso. A única referência bíblica que tenho podido achar ao lesbianismo encontra-se em Rom. 1:26: «...porque até as suas mulheres mudaram o modo natural de suas relações íntimas, por outro contrário à natureza». Talvez essa prática fosse desconhecida, nos tempos do Antigo Testamento, entre as mulheres hebréias, o que explicaria sua omissão no Antigo Testamento. Entretanto, o Talmude, refletindo tempos posteriores, menciona essa prática (Bab. Sabbat. fol. 65.2; Piske Tosapa, art. 266), proibindo os sacerdotes de se casarem com mulheres lésbicas.

Mas a sociedade greco-romana, que Paulo conhecia, incluía o lesbianismo. E o apóstolo dos gentios condenou enfaticamente a prática, embora talvez com menor intensidade do que condenou o homossexualismo masculino. Isso não significa, porém, que ele considerasse menos pecaminoso o lesbianismo, mas talvez, como homem que era, não sentia pelo lesbianismo tanta repulsa quanto sentia pelo homossexualismo masculino.

A solução bíblica para esse pecado (que também constitui grave problema social, haja vista a incidência cada vez maior de AIDS) é a conversão e a santificação. É de se notar que o aconselhamento evangélico (acerca de cristãos envolvidos nesse pecado) não se tem mostrado mais eficaz do que o aconselhamento secular. De fato, simples diálogos sobre a questão parecem não exercer o mínimo efeito. Sabemos que algum homossexualismo é aprendido. Existem também certas evidências preliminares, pelo menos, de que o homossexualismo pode ter uma base biológica, e não apenas psicológica. Ver o artigo sobre o assunto, para maiores informações.

LESÉM

Uma forma alternativa de **Laís** (vide). Essa forma alternativa encontra-se somente em Jos. 19:47. Os danitas, uma vez conquistada a cidade, mudaram-lhe o nome para «Dã».

LESMA

No hebraico, **shablul**. Essa palavra ocorre exclusivamente em Sal. 58:8. O contexto desse versículo confirma tal identificação, quando diz: «Sejam como a lesma que passa diluindo-se...» — Há outra palavra hebraica, *chomet* (ver Lev. 11:30), que algumas versões também traduzem por «lesma» ou «caracol». Nossa versão portuguesa, entretanto, mais acertadamente, traduz essa palavra por «lagarto da areia». De fato, as principais autoridades sobre o assunto concordam que deve tratar-se de alguma

LESSING — LETRA (CARTA)

espécie de lagarto. Portanto, a única menção real à lesma, em toda a Bíblia, fica mesmo em Salmos 58:8.

A trilha visível deixada pela secreção aquosa da lesma, segundo os antigos pensavam, dava a entender que esse animal estava se dissolvendo. Por toda a região da Palestina há vários tipos de lesmas, que chegam a tornar-se uma peste nos campos irrigados, onde a umidade adicional permite que elas se mostrem ativas durante mais meses a cada ano.

LESSING, GOTTHOLD EPHRAIM

Suas datas foram 1729—1781. Ele foi um filósofo alemão, que produziu uma notável abundância de literatura. Era capaz de sustentar-se com o fruto das suas produções literárias. Nasceu em Kamenz, na Saxônia. Educou-se na Universidade de Leipzig. Escreveu todas as variedades de literatura, como peças teatrais, poemas, ensaios de crítica literária e tratados filosóficos. Também ocupou-se na tradução de várias obras.

Idéias:

1. *No campo da estética*. Ele afirmava que as obras de arte são uma espécie de *silhueta* do plano divino da criação, operando como uma espécie de teodicéia, quando têm o poder de vincular os eventos e exibir os fatos, com um efeito geral tendente ao bem.

2. *No campo da ética*. É um fato demonstrável, na experiência humana, que a bondade não se confina a qualquer sistema isolado. A bondade também não respeita os credos. Portanto, a tolerância, nas questões religiosas, é algo eminentemente razoável.

3. *No campo do cristianismo*. O uso e o poder do cristianismo (como, de resto, de qualquer religião), dependeriam de seu funcionamento, ministrando às necessidades humanas. O espírito religioso nada tem a temer, mesmo das mais ousadas especulações, visto que, certas ou erradas, essas atividades não impedem o verdadeiro propósito da fé religiosa.

4. *No campo das religiões em geral*. Em seu escrito final, com título em inglês, *Education of the Human Race*, «A Educação da Raça Humana», Lessing argumentou que todas as religiões têm contribuído com algo para o desenvolvimento humano. O progresso, para ele, é inevitável, embora possa haver algum retrocesso ocasional. Porém, até mesmo o retrocesso seria necessário, tornando-se um instrumento futuro do progresso. Seu *evangelho eterno* postulava a idéia de que o homem sempre buscará o que é direito, porquanto o direito tem sua própria recompensa, não que prometa algum galardão arbitrário para aqueles que o buscam.

5. Embora nunca tivesse escrito tal coisa em suas obras, declarou a *Jacobi* (vide) que ele seguia a filosofia de *Spinoza* (vide), e que era um determinista, tal como aquele o foi.

Obras Principais: *Laocoon; Nathan the Wise; The Education of the Human Race*.

LESTE

Nesta enciclopédia temos provido vários artigos referentes ao leste ou Oriente, como *Filhos do Oriente, Porta Oriental*, etc. Mas aqui estamos considerando essa porção da rosa-dos-ventos. O Antigo Testamento emprega a expressão *mizrah-semes* para indicar «o nascente» (ver Núm. 21:11; Juí. 11:18), pois o leste também pode ser indicado, no hebraico, somente pela palavra *mizrah* (ver Jos. 4:19), ou então pelo vocábulo *mosa* (ver Sal. 75:6). No Novo Testamento grego, encontramos a palavra *anatolé* (ver Mat. 2:1), com o mesmo sentido.

Significados Simbólicos. O leste simboliza o nascimento, — a vida terrena consciente, o lugar onde a sabedoria tem início. O leste também representava algum acontecimento revolucionário, o começo de algo novo e grande, um novo dia. Nos sonhos e nas visões, esses sentidos simbólicos podem ser tencionados.

LETRA (CARTA)

Ver o artigo separado intitulado **Escrita**.

1. Essa palavra é usada para indicar um *caráter do alfabeto*, e, por extensão, a correspondência por meio de cartas ou missivas. Uma referência bíblica onde figuram as duas idéias é Gál. 6:11, onde Paulo diz: «Vede com que letras grandes vos escrevi de meu próprio punho». Isso pode aludir às letras graúdas que ele escrevia (talvez devido à miopia), ou pode aludir ao volume da epístola aos Gálatas. Porém, a interpretação mais provável é a primeira.

2. A palavra *letra* (no grego, *grámmatos*) também foi usada por Paulo para indicar *a lei*, em contraste com o «Espírito». Ver Rom. 2:27,29; 7:6; II Cor. 3:6,7. A *letra*, pois, consiste na obediência à lei mosaica, que fala sobre uma espécie de obediência cerimonial, ritual, externa, à qual falta o poder transformador do Espírito Santo. Em Rom. 7:6, Paulo refere-se à «caducidade da letra», dando a entender que a *lei* foi substituída por algo novo, o *evangelho*.

3. *As Cartas Antigas*. Na antiguidade, as cartas eram enviadas por correios, que as levavam de um lugar para outro. Na Pérsia, criou-se um sistema de correios montados, que levavam os decretos reais até as mais longínquas regiões do império. As cartas, na antiguidade remota, eram escritas em tabletes de argila, fragmentos de barro ou em pergaminho, preparado com peles de animais. Os tabletes de argila eram marcados com instrumentos pontiagudos, sobre o barro ainda mole, produzindo-se assim a chamada escrita cuneiforme. Mais tarde, apareceu a tinta de escrever, que passou a ser usada sobre o papiro ou o pergaminho. Todos esses três materiais de escrita foram usados nos tempos bíblicos. A escrita hieroglífica ou cuneiforme era usada na Babilônia, na Pérsia e no Egito, e essa prática é mencionada em Jó 19:24. No artigo intitulado *Escrita*, descrevemos as antigas formas de escrita, e que variedades de alfabetos eram usados. Ver também, *Alfabeto* (*Escrita*). Cacos de cerâmica tornaram-se um material de escrita. Esse material chamava-se *ostraca* (vide), e foi muito usado nas comunicações escritas, depois que o alfabeto fenício amadureceu. Provavelmente as ostraca estivessem refletidas nos textos bíblicos, I Reis 21:8 e II Reis 19:14. Não há qualquer alusão direta ao material chamado «pergaminho», nas páginas do Antigo Testamento, mas a descoberta de pergaminhos em *Elefantina* (vide), de cerca do século V A.C., e as cartas de Bar-Cochba, de 132—135 D.C., mostram-nos que esse material era também usado em cartas, e não somente em livros.

4. *Cartas nas Páginas da História, fora da Bíblia*. Sabe-se que Isócrates (436—338 A.C.) escreveu nove cartas, avisando os atenienses sobre como deveriam recepcionar a Filipe II, da Macedônia, como conquistador. Alexandre, o Grande (356—326 A.C.), e Dario III, da Pérsia, trocaram cartas que abordavam questões nacionais e internacionais. O retórico grego, Alcipron (século II D.C.), escreveu muitas cartas, enviadas de lugares que ele visitava, versando sobre toda espécie de assunto. Dionísio de Halicarnasso (falecido em cerca de 7 A.C.) utilizou-se

LETRA (CARTA) — LETRA QUE MATA

de cartas para abordar problemas de retórica e dicção. Juliano, o Apóstata (vide), e que viveu de 331 a 363 D.C., escreveu várias centenas de cartas, que chegaram até nós, quase todas tratando sobre suas tentativas para reavivar o paganismo no mundo romano. Marcus Tullius Cicero (106—43 A.C.) fez da escrita de cartas uma verdadeira arte literária. Ele escreveu nada menos de oitocentas e sessenta e quatro cartas que são referidas, das quais noventa chegaram aos nossos dias. Ali ele falou sobre os negócios de Estado, sobre filosofia e sobre questões pessoais. Lucius Annaeus Sêneca (cerca de 4 A.C.—65 D.C.), enviou cento e vinte e quatro cartas moralizadoras a, um amigo, exibindo brilhante estilo epistolar e notável raciocínio filosófico. Plínio, o Moço (62—114 D.C.), produziu uma grande quantidade de cartas e falou sobre grande variedade de coisas, que servem para ilustrar muitos aspectos da vida antiga. Os leitores modernos sentem a paixão da erupção de Vesúvio e os sofrimentos dos primitivos cristãos, nessas cartas.

5. *As Epístolas do Novo Testamento*. Temos as epístolas de Paulo, de Pedro, de João, de Tiago e de Judas. Cerca de quarenta por cento do volume do Novo Testamento consiste em cartas, enviadas a igrejas locais ou a indivíduos. Ver o artigo separado intitulado *Epístola*. Embora essa literatura consista em cartas, elas conseguem conter muito material formal e informal, sobre assuntos teológicos, que servem de base para a formulação da teologia cristã. O artigo intitulado *Epístola* é bastante detalhado, descrevendo esse subponto do presente artigo, igualmente.

6: *Cartas dos Chamados Pais da Igreja*. Essas cartas fornecem-nos uma pista que nos capacita a traçar a história e o desenvolvimento do dogma, no seio da cristandade. Dessa maneira, a história posterior foi ilustrada, por cartas de alguns dos papas. Uma relativa representativa dessas cartas antigas é a seguinte: Epístolas de Clemente de Roma, de Inácio, de Policarpo, de Barnabé, de Diogneto, e das relíquias dos anciãos, preservadas por Irineu. Além dessas, temos outras: Epístola de Basílio (330?—379 D.C.), de Ambrósio (340?—397 D.C.), de Jerônimo (340?—420 D.C.), de Agostinho (354—430 D.C.), do papa Leão I (pontificou de 440 a 461 D.C.) e do papa Gregório I (pontificou de 590 a 604 D.C.).

LETRA QUE MATA (II Cor. 3:6)

A alusão dessas palavras é ao código escrito da lei mosaica, e, portanto, àquele pacto que veio através de Moisés, que é a antiga aliança. O A.T. inteiro se centraliza em redor desse pacto e da legislação de Moisés; por isso, como algo inteiro, recebe seu nome. As *tábuas de pedra* formavam o âmago desse documento escrito, que transmitia aos homens as condições e exigências do antigo pacto.

As mensagens escritas não são aqui condenadas: A presente expressão (em vinculação com as palavras «...mas o espírito vivifica...») com freqüência tem sido interpretada erroneamente, por pessoas intelectualmente preguiçosas (segundo suspeitamos), como se indicasse que as comunicações escritas, acerca das questões espirituais, fossem inferiores em seu discernimento espiritual, ou mesmo como se não envolvessem qualquer discernimento espiritual. Ora, nosso N.T. é também um documento escrito, embora nos transmita conhecimentos espirituais, e necessitamos de discernimento espiritual para compreendermos a sua mensagem. A forma mais elevada de comunicação humana é a linguagem escrita. Ninguém haveria de

reivindicar, pois, que o entendimento espiritual, inteiramente à parte de qualquer documento escrito, não fosse absolutamente necessário para o recebimento e o uso das questões espirituais mencionadas nos documentos escritos. Por outro lado, ninguém aqui condena «mensagem falada». Portanto, por que não se poderiam ter composto mensagens escritas que expusessem o sentido do N.T.? As mensagens escritas, todas as variedades de livros evangélicos, podem ser superiores, em seu conteúdo e poder, às mensagens faladas. Certamente tais mensagens são mais duradouras, e por conseguinte, são potencialmente mais úteis.

mas o espírito vivifica. Algumas traduções dizem aqui, O Espírito, querendo dar a entender que é o Espírito de Deus quem dá vida. É notório que no original grego nunca a palavra «pneuma» («espírito») é escrita com inicial maiúscula, mesmo quando se refere ao Espírito Santo. Por essa razão, algumas vezes é-nos impossível precisar quando está em foco a personalidade do Espírito de Deus ou algum «princípio espiritual», contrastado com o «princípio legalista». A diferença quanto ao sentido é praticamente nula, porque por toda a parte do N.T. fica subentendido que o princípio espiritual tem tal qualidade porque o Espírito Santo opera nos corações dos homens. Assim, pois, a vantagem do novo pacto é que o «espírito doador de vida» aplica seus conceitos, tornando-os reais aos homens, no nível da alma.

Tudo quanto é realizado nos homens, levando-os à vida e à piedade, é obra e feito do Espírito Santo (ver Gál. 5:22,23; ver também II Cor. 3:8). O «antigo» pacto trouxe a morte aos homens, porquanto lhes apresentou um código ético impossível de ser observado, e a falta de obediência implicava em pena de morte. Por isso mesmo é que a *letra mata*. Mas o «novo» pacto conferiu aos remidos o Espírito da água viva (ver João 7:37 e *ss*), o qual se transforma, nos homens, em uma fonte de água viva, que frutifica na forma de vida eterna. Esse é o contraste que Paulo desejava destacar.

Deve-se observar que, nesta seção, o apóstolo dos gentios repete, de maneira bem abreviada, as mensagens essenciais de suas epístolas aos Romanos e aos Gálatas. Os capítulos primeiro ao quinto da primeira dessas epístolas mostram-nos como a lei requer muito, mas nada outorga ao pecador, e isso explica a necessidade da vida ser proporcionada de outra maneira. O capítulo sexto dessa epístola aos Romanos mostra como, quando do «batismo espiritual», os homens são unidos em uma comunhão vital com Cristo. O sétimo capítulo mostra os dois princípios (a lei e a graça) como princípios incompatíveis entre si. O oitavo capítulo diz-nos exatamente no que consiste essa vida imortal que possuímos em Cristo. (Consultar no NTI, as notas expositivas sobre Rom. 8:29,30, quanto a um sumário acerca dessa questão. Ver especialmente as passagens de Rom. 5:12,13; 7:9 e 8:2, acerca de como a letra mata).

«Nenhuma idéia é mais familiar para nós do que a distinção entre o espírito e a letra. Não obstante, até onde vai meu conhecimento, essa idéia ocorre aqui pela primeira vez nos escritos do apóstolo Paulo. Não há que duvidar que tal conceito já desde antes flutuava no ar. Porém, ele o fixou; ele o tornou qual moeda corrente». (Lightfoot, *Sermons in St. Paul's*, pág. 206).

Letra. Quanto a essa palavra, consideremos os pontos seguintes:

1. O código escrito, a lei mosaica, é a sua correta interpretação.

LETRA QUE MATA — LEVI

2. Não estão em foco ensinamentos através de livros, documentos escritos, em contraste com o discernimento espiritual.

3. Não se trata também de uma alusão ao «sentido literal» das Escrituras, quer do Antigo quer do Novo Testamentos, em contraste com «espírito», como se fora o «sentido alegórico» desses documentos, conforme Orígenes e outros sugeriram.

4. Também não está em vista a «pregação externa», que não chega a atingir o coração (a letra), em contraste com o espírito da pregação aplicada (o espírito) no homem interior, conforme Calvino explicava.

Espírito. Consideremos aqui os dois pontos alistados:

1. Talvez esteja compreendido o — princípio espiritual — como algo que recebe sua força da parte do Espírito Santo. Esse «princípio espiritual» seria uma alusão a tudo quanto nos é dado em Cristo, na nova aliança, em contraste com a lei ou «letra».

2. Mas talvez haja uma referência direta ao Espírito Santo; e, nesse caso, o Espírito deve ser entendido como o agente que usa os conceitos do novo pacto em suas operações. O sentido é o mesmo, embora a ênfase seja ligeiramente diversa.

Mata. Paulo quis dar a entender a «morte espiritual», tal como em II Cor. 2:15,16; não aludia à punição capital exigida pela legislação mosaica para certos crimes, e nem aludia à morte física.

Vivifica. Está em pauta a vida espiritual, a vida eterna. (Ver o artigo sobre a *Vida Eterna*). Trata-se da vida necessária e independente, a imortalidade de Deus, conferida aos homens por meio de Cristo, conforme se vê nos comentários sobre os trechos de João 5:25,26 e 6:57 no NTI. (Comparar com João 6:63, que diz: «O espírito é o que vivifica; a carne para nada aproveita; as palavras que eu vos tenho dito, são espírito e são vida»).

Alguns descansam na mera letra do evangelho. Mas a regeneração não é a mera aceitação mental e a afirmação verbal das verdades do evangelho. Essa «letra» não é capaz de transmitir vida. A verdadeira doutrina cristã consiste na comunicação da parte do Espírito Santo, que envolve a regeneração íntima; a participação em uma nova vida, no nível da alma; a transformação espiritual segundo a imagem de Cristo, o que produz uma transfiguração literal do espírito humano. Tudo isso envolve misticismo, o *Cristo-misticismo* (ver o artigo sob este título). A *letra* do N.T. não vivifica com mais eficácia que a *letra* do A.T.

«Pode-se asseverar com segurança que os judeus, em nenhum período de sua história, nunca dependeram mais da letra de sua lei do que a vasta maioria dos cristãos o estão fazendo da letra do evangelho». (Adam Clarke, *in loc.*).

LETUSIM

Essa palavra hebraica significa «afiados», por esmerilhamento. Esse era o nome do segundo filho de Dedã, neto de Abraão e Quetura (ver Gên. 25:3), e fundador de uma das tribos árabes. Dele descendiam também os Assurim e os Leumim. Os estudiosos não estão certos quanto às identidades específicas deles, mas pensam que habitavam na península do Sinai. Sua data foi cerca de 2024 A.C.

LEUCIPO DE MILETO

Suas datas foram 450-420 A.C. Parece que ele foi o primeiro filósofo grego a produzir uma cosmologia atomista claramente enunciada. Seu contemporâneo mais jovem, *Demócrito* (vide), desenvolveu a idéia. E outros, como Epicuro, aceitaram-na por suas próprias razões específicas. Outro atomista bem conhecido, foi Lucrécio. Ver o artigo separado sobre o *Atomismo*.

LEUMIM

No hebraico, «povos». Esse era o nome dos descendentes de Dedã, neto de Abraão e Quetura (Gên. 25:3) e progenitor de uma tribo árabe que não se tem podido identificar. Ele viveu em cerca de 2024 A.C. Ptolomeu pensava que os *alumeotai* seriam a tribo em questão (6:7, par. 24). Porém, outros pensam que os *alumeotai*, da Arábia central, corresponderiam a *Almodade* (vide). Nas inscrições deixadas pelos sabeus ocorrem as formas *l'mm* e *l'mym*.

LEVI

De acordo com alguns intérpretes essa palavra significaria, no hebraico, «vaca selvagem», relacionada ao nome de *Lia* (vide). Uma idéia mais antiga (atualmente rejeitada por muitos estudiosos) associava esse nome próprio à palavra hebraica *lavah*, «unir», «juntar». De fato, parece haver um jogo de palavras com esse sentido, em Núm. 18:2,4. Mas, se o sentido do termo nada tem a ver com «vaca selvagem», então ele pode estar relacionado ao termo árabe *lawiyu*, que significa «aquele que fez voto» ou «aquele que está endividado». Ainda uma outra sugestão é a que diz que a palavra é cognata de *lawi'a*, «sacerdote», que, por sua vez, estaria vinculada ao verbo «juntar». Inscrições minoanas referem-se aos que trabalhavam nos templos como *lawi'u*, o que poderia concordar com a interpretação que diz que «sacerdote» é o sentido mais provável.

Personagens Bíblicas com Esse Nome. Várias pessoas aparecem com esse nome, nas páginas da Bíblia, a saber:

1. O terceiro filho de Jacó e Lia, nascido na Mesopotâmia, em cerca de 1950 A.C. Consideremos os seguintes informes bíblicos a seu respeito:

a. *Referências Bíblicas.* Podemos apresentar uma seleção, incluindo referências ao próprio Levi, a seus filhos e à tribo que tomou o seu nome: Gên. 29:34; 34:25,30; 25:23; 46:11; 49:5; Êxo. 1:2; 2:1; 6:16; 32:26,28; Núm. 3:22,23,28; 4:47,48. Os três filhos de Levi, Gérson, Coate e Merari, nasceram antes do êxodo do Egito. «Joquebede, filha de Levi, deve ser tomada como uma descendente de Levi, conforme era comum entre os hebreus chamar «filho», quando, na realidade, estava em foco apenas um descendente. Os três filhos de Levi tiveram suas respectivas famílias, de onde se originaram as diversas divisões de sacerdotes e levitas.

b. *Levi Vinga Diná, sua Irmã.* Levi e seu irmão mais velho, Simeão, vingaram-se do fato de que sua irmã, Diná, fora deflorada, massacrando os siquemitas (Gên. 34:25,26), uma vingança que Jacó sempre viu com horror, fazendo referência ao acontecido até perto da morte. Jacó ligou esses dois filhos seus em uma predição que previu que os descendentes deles seriam espalhados e divididos em Israel, por causa da disposição iracunda deles. No caso dos descendentes de Levi, entretanto, isso se tornou uma bênção, quando eles foram escolhidos como levitas e sacerdotes em Israel.

c. *Viagem ao Egito.* Juntamente com seus três filhos, Gérson, Coate e Merari, Levi desceu ao Egito (ver Gên. 46:6,11), o que, naturalmente, os tornou participantes do exílio de Israel no Egito, até que

LEVI — LEVI-STRAUSS

Moisés veio resgatar os seus descendentes, séculos mais tarde.

d. *Bênção e Morte de Levi*. Quando Aarão fez o bezerro de ouro (após o êxodo), Moisés clamou: «Quem é do Senhor, venha até mim». E foi a tribo de Levi que lhe deu todo o apoio, contra essa manifestação idólatra. E assim houve uma grande matança entre o povo. Ver Êxo. 32:26-29. Isso armou o palco para os levitas, Aarão e seus filhos, tornarem-se sacerdotes (vs. 29). Naturalmente, Aarão descendia de Levi diretamente, pelo que o sacerdócio também vinha solidamente de Levi. Ver o artigo separado intitulado *Sacerdotes e Levitas*. Damos ali alguns detalhes importantes sobre o título «levita».

e. *Diminuição do Número dos Homens da Tribo*. A comparação entre os trechos de Núm. 3:22,28,34 e Núm. 4:47,48 revela-nos um grande declínio no número dos levitas, e acerca do que nenhuma razão nos é dada na Bíblia. Talvez isso fizesse parte da predição negativa de Jacó. Ver o artigo separado sobre *Tribo* (*Tribos de Israel*).

2. Um filho de Simeão e pai de Matã, dentro da genealogia de Jesus Cristo, que viveu entre o tempo de Davi e o de Zorobabel (Luc. 3:29), ou seja, em cerca de 876 A.C.

3. Um filho de Melqui, pai de outro Matã, dentro da genealogia de Jesus Cristo (Luc. 3:24), que viveu em cerca de 22 A.C., ou mesmo antes.

4. Um filho de Alfeu, um apóstolo de Jesus, também melhor conhecido pelo nome de *Mateus*. Ver o artigo sobre o homem com esse nome. As referências bíblicas que contêm o nome de Mateus, como *Levi*, são Mar. 2:14 e Luc. 5:27,29. No evangelho de Mateus, porém, ele é sempre chamado «Mateus», e nunca «Levi» (ver Mat. 9:9-13). O nome «Levi» não aparece em qualquer das listas formais de apóstolos de Cristo, como forma variante de «Mateus».

LEVI BEN GERSON

Ver sobre **Gersonides; Gerson, Levi Ben.**

LEVIATÃ

1. *A Palavra*. O título deste artigo é a transliteração de uma palavra hebraica que parece provir de uma raiz que significa «torcer» ou «dobrar», isto é, *lawa*. O sentido aplicado parece ser «feito de dobras». Naturalmente, isso sugere alguma espécie de réptil, de serpente. Talvez a palavra tenha sido tomada por empréstimo da língua babilônica.

2. *Referências Bíblicas*. Há cinco referências a esse animal, nas páginas do Antigo Testamento: Jó 41:1; Sal. 74:14; 104:26; Isa. 27:1 (duas vezes). Esse nome também aparece em ugarítico, sob a forma de *lotan*, referindo-se a algum monstro marinho que teria sido morto por Baal (ANET, págs. 137 *ss*).

3. *Interpretações*. Alguns intérpretes bíblicos insistem em que há alusão a algum monstro marinho literal, com o qual não mais estamos familiarizados. Outros sugerem o *crocodilo* (interpretação de nossa tradução portuguesa), o que é impossível, pois nem começa a satisfazer as exigências da totalidade das referências bíblicas. Outros ainda frisam que, na mitologia cananéia, *lotan* significava as forças do caos, como personificação dessas forças. Esses crêem que, nas páginas do A. Testamento, trata-se de um animal mitológico, simbólico, pertencente à mitologia «morta», ou seja, já desacreditada, em que as pessoas não mais acreditavam, embora ainda usada, como símbolo poético, para indicar as forças que os homens não entendiam e temiam.

O caos e suas forças pertencem à criação divina, e estão sujeitas à vontade do Senhor (Sal. 104:6), sem importar o terror que possam impor aos homens. A referência a leviatã, no livro de Isaías, mostra-nos a figura em um contexto escatológico, referindo-se a como a iniqüidade haverá de produzir o caos. No trecho de Jó 41:1-34, a referência parece ser ao crocodilo, embora isso não explique o uso dessa palavra em toda a sua amplitude. Nos textos de Ugarite (Ras Shamra), que datam do século XIV A.C., sem dúvida há menção a algo mais do que o crocodilo, o que também se dá nas referências que falam acerca da Babilônia. Talvez o que esteja em pauta seja o terrível dragão, que, supostamente, causava eclipses do sol, enrolando-se em torno desse astro. *Lotan*, o monstro de sete cabeças da mitologia babilônica, é descrito em termos que são obviamente similares àqueles que vemos em Isa. 27:1.

LEVIS

Ver o artigo sobre Levi, quanto ao sentido desse nome. Esse foi o nome de um juiz de Israel, da época de Esdras, mas não mencionado nos livros canônicos do Antigo Testamento. O trecho de I Esdras 9.14 estampa esse nome, que, em várias traduções dos livros apócrifos aparece como «Levi». Entretanto, o trecho paralelo de Esd. 10:15 diz «...Sabetai, levita...», de «Levi e Sabetai», conforme se vê em I Esdras 9:14.

LEVI-STRAUSS, CLAUDE

Ele nasceu a 28 de novembro de 1908, mas nenhuma das fontes informativas que investigamos dá a data de seu falecimento. Nasceu em Bruxelas, na Bélgica. Formou-se em filosofia, na Sorbonne de Paris. Ensinou sociologia na Universidade de São Paulo, Brasil. Foi em nosso país que ele executou um notável trabalho no campo da antropologia, mormente entre os índios do Mato Grosso. Foi professor visitante da New School for Social Research, na cidade de Nova Iorque, nos Estados Unidos da América do Norte. Serviu como adido cultural nesse mesmo país. Uniu-se ao Institut d'Ethnologie, da Universidade de Paris, e foi nomeado para a cadeira de antropologia social do College de France.

Levi-Strauss é o fundador de uma técnica antropológica chamada *estruturalismo*, um método que estuda a organização social das tribos indígenas. Seus estudos sobre os mitos tribais levaram-no a concluir que os diferentes padrões culturais alicerçam-se sobre princípios universais do pensamento. E, em conseqüência, ele rejeitou a classificação das sociedades em avançadas e primitivas. Em vez disso, ele as chamou de *quentes*, isto é, «móveis», com avanços tecnológicos rápidos, e de *frias*, ou seja, «estáticas» quanto ao avanço tecnológico. Mas as sociedades frias, se eliminarmos o fator da tecnologia, podem ser superiores às sociedades quentes.

Idéias:

Além da tendência geral de seu pensamento, dado acima, também poderíamos mencionar alguns pontos sobre Levi-Strauss:

1. Ele pensava que as estruturas sociais são formas de entidades objetivas que existem independentes da consciência humana. Ele acreditava que todas as sociedades desenvolvem-se de acordo com as mesmas diretrizes, embora com maior ou menor impulso. Também pensava que a estrutura social está acima da realidade empírica. Isso poderia ser discernido nos mitos, nos rituais, na filosofia e na religião. Essas

LEVI-STRAUSS — LEVITAS

atividades tendem por ocultar ou justificar as discrepâncias entre os ideais humanos e a sua sociedade real. A estrutura jaz em nossa consciência, mais ou menos como um dos grandes arquétipos da mente, postulados por *Jung* (vide).

2. Os mitos não podem ser divididos em parcelas minúsculos, e nem podem ser totalizados por nossos estudos e esforços. O empirismo perde seu poder diante dos mitos. — Estes dão lugar à linguagem e suas estruturas gramaticais. A análise dos mitos vincula-os ao suprimento alimentar, aos sistemas de parentesco e às estruturas lingüísticas, tudo ao mesmo tempo. Assim, os mitos unem o ideal e o real. Eles refletem a história dos sistemas sociais, reconciliando elementos aparentemente contraditórios.

3. Levi-Strauss usava a linguagem como modelo para compreensão de todos os tipos de relacionamento. Assim, mediante os mitos, os estudiosos podem descobrir o tipo de gramática que um povo usa. Tal como a linguagem funciona como uma entidade inteira, emprestando significação às coisas, assim também os mitos, como um todo, provêem significação às coisas. Os mitos, entretanto, não estão sujeitos aos desgastes do tempo, ao passo que a linguagem o está. As relações de casamento, para exemplificar, assemelham-se às funções da linguagem, com seus tempos verbais e tipos específicos de comunicação. Os mitos são maiores que a linguagem, e transmitem uma mensagem não sujeita ao tempo. Os indivíduos, em suas mútuas relações, são como as palavras de um idioma. Porém, os mitos parecem-se com uma mensagem geral, sem serem dissecados em seus elementos formadores.

Obras: The Elementary Structures of Kinship; Structural Anthropology; The Savage Thought; Totemism; The Raw and the Cooked; Structure and Misfortune.

LEVITAS

Ver o artigo mais detalhado sobre **Sacerdotes e Levitas**. Quanto ao patriarca **Levi**, ver o artigo com esse título, II.1. O nome é explicado na primeira seção desse artigo. Ver também o artigo *Tribo* (*Tribos de Israel*).

Os levitas, ou filhos de Levi, eram antes uma tribo secular, mas que se tornou a tribo sacerdotal, pois deles procederam os sacerdotes (descendentes de Aarão) e os levitas (os demais membros da tribo). Os descendentes de Levi descendiam de seus três filhos, Gérson, Coate e Merari. No sentido mais estrito, o termo *levitas* designa todos os descendentes de Levi que ocuparam ofícios subordinados ao sacerdócio, a fim de distingui-los dos descendentes de Aarão, que eram os sacerdotes. Ver Êxo. 6:25; Lev. 25:32; Jos. 21:3,41. Todavia, em um outro sentido, o termo *levitas* aponta para aquele segmento da tribo que foi separado para o serviço do santuário, e que atuava subordinado aos sacerdotes (Núm. 8:6; Esd. 2:70; João 1:19). É por isso que se lê uma expressão como «...os sacerdotes e os levitas...» (Jos. 3:3; Eze. 44:15; embora nossa versão portuguesa diga ali, respectivamente «levitas sacerdotes» e «sacerdotes levíticos»).

Os levitas serviam no caráter de representantes da nação inteira, quanto às questões de honra, privilégio e obrigações do sacerdócio. A tríplice divisão do sacerdócio era: 1. o sumo sacerdote; 2. os sacerdotes comuns; e 3. os levitas. Todas três divisões descendiam diretamente de Levi. Assim, todos os sacerdotes eram levitas; mas nem todos os levitas eram sacerdotes. A ordem menor do sacerdócio era constituída pelos levitas, que cuidavam de vários serviços no santuário. Alguns de seus deveres são descritos em Êxo. 13:2,12,13; 22:29; 34:19,20; Lev. 27:27; Núm. 3:12,13,41,45; 8:14-17; 18:15; Deu. 15:19. Os filhos de Aarão, que foram separados para servirem especialmente como sacerdotes, eram os superiores dos levitas. Somente os sacerdotes podiam ministrar nos sacrifícios *do altar*. Os levitas serviam ao santuário, como um todo. Os sacerdotes formavam um grupo sacerdotal. Após a idolatria que envolveu o bezerro de ouro, foram os levitas que se juntaram em torno de Moisés, ajudando-o a restaurar a boa ordem. Desde então, eles passaram a ocupar uma posição distinta entre as tribos de Israel. Tornaram-se os guardiães do tabernáculo, e ninguém mais tinha permissão de aproximar-se do mesmo, sob pena de morte.

Desde o começo, os coatitas (descendentes de Coate), por serem os parentes mais chegados dos sacerdotes, receberam os ofícios mais elevados. Eram os coatitas que transportavam os vasos do santuário e a própria arca da aliança. Um arranjo permanente foi feito, para que recebessem o sustento com base nos dízimos pagos por todo o povo de Israel. À tribo de Levi, finalmente, foram destacadas quarenta e oito cidades, seis das quais também eram «cidades de refúgio» (vide). Entre as tarefas dos levitas estavam aquelas de preservar, copiar e interpretar a lei mosaica. Os levitas não foram incluídos no recenseamento geral, mas tiveram o seu próprio censo. Ver I Crô. 23:3. Eles preparavam os animais a serem sacrificados, mantinham vigilância, faziam trabalhos braçais, limpavam o lugar de adoração e agiam como assistentes e servos dos sacerdotes aarônicos. Alguns levitas aproximavam-se dos sacerdotes quanto à dignidade, mas outros eram pouco mais que escravos.

Terminado o cativeiro babilônico, quando o remanescente de Israel retornou a Jerusalém, não mais do que trinta e oito levitas puderam ser reunidos. A pureza de sangue deles e suas posições foram cuidadosamente preservadas por Esdras e Neemias. E, quando os romanos destruíram o templo de Jerusalém, em 70 D.C., e, então, dispersaram de vez aos judeus, depois de 132 D.C., os levitas desapareceram da história como um grupo distinto, misturando-se à multidão dos cativos e peregrinos judeus pelo mundo inteiro.

LEVITAS, CIDADES DOS

Ver a lista dessas cidades, o que se vê no vigésimo primeiro capítulo do livro de Josué.

Quarenta e oito cidades foram dadas por Moisés e Josué aos levitas (Núm. 35:1-8; Jos. 21). A tribo de Levi não recebeu um território regular, conforme sucedeu às demais tribos (Núm. 18:20-24; 26:62; Deu. 10:9; 18:1,2; Jos. 18:7). Os levitas foram separados para servirem no recinto sagrado, e a herança deles era o próprio Senhor. Porém, quanto às suas necessidades físicas, eles contavam com os dízimos pagos pelo povo (ver Núm. 18:21), e quanto a lugares onde residir, eles dispunham de cidades especiais — quarenta e oito cidades. Essas cidades foram selecionadas dentre várias outras tribos, não estando localizadas todas em um mesmo território, mas espalhadas por todo o território de Israel. Entre essas cidades, algumas eram consideradas «cidades de refúgio» (ver Núm. 35:9-34; Deu. 4:41-43). Ver o artigo separado chamado *Cidades de Refúgio*. As quarenta e oito cidades foram arranjadas para os levitas, quatro cidades dentre o território de cada tribo. Contando com essas cidades como centros, os levitas foram capazes de levar o culto divino ao povo de Israel, de maneira mais eficaz. As descrições e

LEVITAS — LEVÍTICO

dimensões dessas cidades aparecem em Núm. 35:4,5, embora o texto seja um tanto obscuro, o que tem causado aos intérpretes não poucas dores de cabeça.

Essas quarenta e oito cidades foram dadas somente aos levitas. O arranjo é que os levitas residiriam nessas cidades juntamente com outros habitantes, o que significa que cada cidade continuava pertencendo à tribo daquela área. Os levitas exerciam plenos direitos sobre as suas propriedades. Eles podiam vendê-las e redimi-las; e, naturalmente, tal como sucedia a todos os demais israelitas, no ano do Jubileu (vide), recebiam de volta essas propriedades. Todavia, os levitas não podiam vender os seus campos (Lev. 25:32 ss). No tocante à cidadania, os levitas (embora mantendo uma posição especial, como líderes religiosos) eram membros das tribos onde viviam, para todos os efeitos práticos. Pelo menos é a impressão que nos dá o trecho de Juí. 17:7. Elcana tanto era levita quanto era efraimita (I Sam. 1:1), o que significa que os levitas não formavam uma décima terceira tribo, em qualquer sentido. Não se sabe dizer quantas daquelas quarenta e oito cidades foram, realmente, ocupadas pelos levitas. Isso constituía um direito e um potencial, mas não é provável que o ideal tenha jamais sido inteiramente cumprido. A lista das cidades, em I Crô. 6:54-81, é um tanto menor, o que talvez reflita melhor a realidade da ocupação. Também apareceram algumas alterações nessas listas, pelo que a situação deve ter variado com a passagem do tempo. Alguns poucos nomes de cidades, após a época de Josué, aparece-ram, como vemos nos casos de Bete-Semes (I Sam. 6:13-15); Jatir (I Sam. 30:37); Anatote (I Reis 2:26; Jer. 1:1,32).

LEVÍTICO

Levítico é o terceiro livro do Pentateuco, chamado em hebraico *Wayyiqra*, que é a palavra inicial do livro e significa «Ele chamou». O título «Levítico» foi derivado da Vulgata Latina *Leviticus*, que por sua vez emprestou o vocábulo da LXX grega (*Leuitikon*). O nome Levítico foi atribuído ao livro devido ao fato de que nele está descrito o sistema de adoração e de conduta levíticas. Por outro lado, este nome é enganoso, pois as funções sacerdotais eram exercidas por um grupo seleto que clamava ser descendente de Arão, irmão de Moisés. Levítico está muito mais associado a esse grupo que aos levitas propriamen-te ditos. Na *Mishnah*, Levítico é também chamado, «lei dos sacerdotes», «livro dos sacerdotes», e «lei das oferendas»; no *Talmude*, «lei dos sacerdotes» e na *Pesh*, «o livro dos sacerdotes». Esses títulos indicam com mais precisão o conteúdo do livro.

Esboço:

I. Caracterização Geral
II. Autoria e Data
III. Propósitos
IV. Conteúdo
V. Notas sobre as Leis e a Expiação
VI. A Importância do Livro

I. Caracterização Geral

O Levítico é o terceiro dos cinco livros do *Pentateuco* (vide). Encerra, principalmente, a legisla-ção sacerdotal sobre um considerável número de assuntos, conforme se pode ver na lista abaixo:

1. Os sacrifícios (1:1 - 6:7). 2. O sacerdócio (6:8-10; 21:22). 3. As purificações (caps. 11 -15). 4. As estações sagradas (caps. 16 e 23). 5. O preceito acerca da ingestão de carnes (cap. 17). 6. As questões que envolvem o casamento e a castidade (cap. 18). 7. O

ano sabático e o ano do jubileu (cap. 25). 8. Os votos e os dízimos (cap. 27).

Os eruditos liberais não acreditam na autoria mosaica desse tipo de material. Ver o artigo intitulado *Pentateuco*, com sua discussão acerca da *autoridade*. Eles pensam que esse livro representa os labores do sacerdócio, no decurso de muitos séculos. Os sacerdotes levíticos teriam reunido e compilado esse material, com base em costumes posteriores. Aqueles eruditos designam as fontes de materiais como esses de P, a forma inglesa abreviada de *priestly*. Nesta enciclopédia, temos traduzido essa abreviatura por S, do termo português «sacerdotal». Ver o artigo sobre as alegadas fontes informativas do Pentateuco, *J. E. D. P. (S.)*, que procura aclarar e descrever essa teoria. Os estudiosos liberais datam esse material no século VI A.C., quando o sacerdócio levítico consolidou sua organização e sua produção literária. O *Código de Santidade* seria o verdadeiro responsável pelos caps. 17 - 26 do livro de Levítico. Ver o artigo *Santidade, Código da*, quanto a completas explicações sobre essa questão.

Acredita-se que o livro de Levítico, em sua forma presente (resultante de compilação), veio à tona tão tarde quanto 500 A.C. Discuti a questão da data do livro na segunda seção deste verbete. O judaísmo ortodoxo e os historiadores encontram muito valor no livro de Levítico, mas, no tocante à aplicação de princípios ali exarados, há pouca utilidade em nossos dias, exceto no que diz respeito aos tipos simbólicos. Isso serve de ilustração sobre como algo, *importantís-simo* na fé e na prática religiosa pode vir a tornar-se obsoleto, conforme o avanço no conhecimento.

II. Autoria e Data

A autoria do livro não é atribuída a Moisés em nenhuma passagem do livro. Aqueles que acreditam na plena inspiração das Escrituras dizem: «Nós devemos o conteúdo do livro à divina revelação dada a Moisés no Sinai». Essa atitude não resolve o problema da autoria de Levítico mas serve como base para a teoria conservantista que tenta resolvê-lo. Para os críticos, a questão da autoria desse livro se esclarece através da teoria documentária que envolve a composição do Pentateuco como um todo.

1. *Ponto de Vista Conservantista*. Embora o livro não registre o nome de seu autor, uma comparação entre Êxodo 40:1-17 e Números 1:1, sugere que essas leis pertencem ao primeiro mês do segundo ano depois do êxodo. Por conseguinte, o contexto dessas leis é, claramente, a revelação dada por Deus a Moisés no Sinai. Trinta e oito vezes o livro declara que Deus falou a Moisés no Sinai. Por outro lado, a declaração de 16:1 de que a lei para o dia da Expiação fora dada depois da morte de Nadabe e Abiú, recontada no capítulo 10, mostra que o material não fora organizado com ênfase em cronologia, mas em lógica. Talvez um escritor posterior tenha organizado o material mosaico do qual Levítico consiste, mas não há razão para se pensar que o próprio Moisés não tenha preparado as leis. Os conservantistas acrescen-tam que o ponto de vista crítico envolve a existência de um autor posterior de caráter fraudulento, que inventou um cenário histórico para todas as leis e narrativas a fim de realizar seus objetivos. (Z,p.916).

2. *Ponto de Vista Crítico*. Segundo a teoria documentária, Levítico é inteiramente produto de P, a fonte mais recente do Pentateuco, ne de S, Código de Santidade. O documento P(S) ou Código Sacerdotal, originou-se por volta de 500 A.C., mas sua redação prolongou-se até o século IV A.C. Os documentos J,E, e D, juntamente com P, que serviram de base para a composição do Pentateuco, não foram usados

LEVÍTICO

pelo compilador de Levítico. Ver o artigo sobre a teoriá J.E.D.P(S). O documento S originou-se por volta de 570 A.C., por um autor «semelhante a Ezequiel em pensamento e em forma de expressão».

Devido ao fato de que Ezequiel trata, até certo ponto, do tema da santidade, e que muitas das leis de S são paralelas às leis encontradas no livro de Ezequiel, alguns eruditos sugerem que Ezequiel compilou S. Não obstante, há mais probabilidade de que ambos, Ezequiel e S, foram derivados das mesmas fontes de leis e costumes para satisfazer a circunstâncias semelhantes. As leis de S, como as de P, consistem na compilação de leis conhecidas e na clarificação de costumes existentes, que até aquela época não haviam sido registrados na literatura. Muitas das práticas legais são conhecidas de outros códigos mais antigos, embora os detalhes variem em alguns pontos. A data de S (570 A.C.) mencionada acima é uma sugestão baseada nas evidências internas e na íntima associação com Ezequiel, todavia, a questão da prioridade em tempo entre Ezequiel e S não é definida. O material de S foi incorporado em Levítico pelo compilador de P, por volta de meados do século V A.C., que adicionou ao material, comentários e notas próprias, a fim de atribuir a S, o estilo e as idéias de P. A despeito disso, os caps. 17-26 que constituem o Código de Santidade, distinguem-se do Código Sacerdotal em muitas formas. No material de S as leis são colocadas num quadro de exortação, onde as passagens têm por tema a santidade de Jeová, e a necessidade de santidade por parte de seu povo que deve guardar seus estatutos. Israel deve se lembrar da intervenção divina e evitar a infiltração de coisas impuras, principalmente a idolatria cananita. O tema da santidade é tratado também em outros códigos, mas em nenhum outro é tão difundido como nessa passagem de Levítico.

Alguns problemas discutidos em P são também encontrados em S, ocasionalmente com tratamentos diferentes. Os capítulos de S possuem uma estrutura unificada: iniciam-se com leis de sacrifício, e se encerram com uma exortação. Os assuntos tratados nesses capítulos são extremamente variados, sendo estendendo de comida animal, pureza sexual, santidade sacerdotal, calendário festivo, a detalhes de sacrifício e de leis morais e religiosas. (EA. p.322)

Examinando o livro de um ponto de vista formalista alguns críticos têm concluído que Levítico é o resultado de estágios sucessivos de composição. M. Noth afirma que somente os capítulos 8-10 pertencem ao documento P. O restante do livro pertence ou à tradição oral, ou a outras fontes desconhecidas. Noth declara que há numerosos detalhes no livro que diferem drasticamente dos relatos do documento P. Ele acrescenta ainda que tais diferenças o conduzem à concluir que as porções não-narrativas do livro possuem história independente, e que foram inseridas posteriormente nas partes narrativas. Noth e os outros críticos que defendem esse ponto de vista atribuem as regulamentações cultuais e rituais à tradição oral. (Z, p. 915).

III. Propósitos

Levítico expõe um conjunto de leis e regulamentos que devem ser seguidos pelos israelitas como condição para que Jeová habite no meio deles. Com esse propósito o livro apresenta uma série de leis culturais, civis e morais. Outros assuntos como relações sociais, higiene e medicina, são trazidos à esfera da religião nesse livro. Os versículos de Lev. 26:11 e 12 asseguram que o povo desfrutará da companhia de Jeová se obedecerem seus estatutos e guardarem seus mandamentos. Portanto, o objetivo de Levítico era regular a vida nacional em toda sua conduta, e consagrar a nação de Israel a Deus.

IV. Conteúdo

Levítico contém um registro mais prolongado e desenvolvido da legislação sinaítica, cujo início se acha em Êxodo. O livro exibe um progresso histórico da legislação, conseqüentemente não se deve esperar uma exposição sistemática da lei nesse material. Há, contudo, certa ordem a ser observada, que se fundamenta na natureza do assunto em questão. De modo geral este livro está intimamente associado ao conteúdo do livro de Êxodo, pois este último conclui com a descrição do santuário ao qual está associada toda forma de culto externo descrita em Levítico.

A. *Direções para Aproximar-se de Deus* (1:1—16:24)
1. Direções para sacrifícios sacerdotais (1:1—7:38)
   a. Holocausto (1:1-17)
   b. Oferta de manjares (2:1-16)
   c. Sacrifício de paz (3:1-17)
   d. Sacrifício pelos erros dos sacerdotes (4:1-12)
   e. Sacrifício pelos erros do povo (4:13-21)
   f. Sacrifício pelos erros de um príncipe (4:22-26)
   g. Sacrifício pelo erro de uma pessoa comum (4:27-35)
   h. Sacrifício pelos pecados ocultos (5:1-13)
   i. Sacrifício pelo sacrilégio (5:14-16)
   j. Sacrifício pelos pecados de ignorância (5:17-19)
   l. Sacrifício pelos pecados voluntários (6:1-7)
   m. Lei acerca do holocausto (6:8-13)
   n. Lei acerca da oferta dos manjares (6:14-18)
   o. A oferta na consagração dos sacerdotes (6:19-23)
   p. Lei acerca da expiação pelo pecado (6:24-30)
   q. Lei acerca da expiação pela culpa (7:1-10)
   r. Lei acerca do sacrifício da paz (7:11-21)
   s. Deus proíbe comer gordura e sangue (7:22-27)
   t. A porção dos sacerdotes (7:28-38)
2. Direções para a consagração sacerdotal (8:1—9:24)
   a. A consagração de Arão e seus filhos (8:1-36)
   b. Arão oferece sacrifícios por si mesmo e pelo povo (9:1-24)
3. Direções sobre a violação sacerdotal (10:1-20)
   a. Nadabe e Abiú morrem diante do Senhor (10:1-11)
   b. Lei sobre as coisas santas (10:12-20)
4. Direções para a purificação sacerdotal (11:1—15:33)
   a. Os animais que devem comer e os que não devem comer (11:1-47)
   b. A purificação da mulher depois do parto (12)
   c. Leis acerca da praga da lepra (13)
   d. Lei acerca do leproso depois de sarado (14:1-32)
   e. Lei acerca da lepra numa casa (14:33-57)
   f. Lei acerca das excreções do homem e da mulher (15)
5. Direções para o dia de expiação (16:1-34)
   a. Instruções sobre como Arão deve entrar no santuário (16:1-10)
   b. O sacrifício pelo próprio sumo sacerdote (16:11-14)
   c. O sacrifício pelo povo (16:15-28)
   d. A festa anual das expiações (16:29-34)

B. *Direções para Manter um Relacionamento com Deus* (17:1-27:34)
1. Direções para preservar a santidade (17:1—

795

LEVÍTICO — LEX NATURALIS

22:33)
a. O lugar do sacrifício (17:1-9)
b. A proibição de comer sangue (17:10-16)
c. Casamentos ilícitos (18:1-18)
d. Uniões abomináveis (18:19-30)
e. Repetição das diversas leis (19)
f. Penas para diversos crimes (20)
g. Leis acerca dos sacerdotes (21)
h. Leis acerca de comer e oferecer sacrifícios (22)
2. Direções acerca das festas religiosas (23:1-44)
a. As festas solenes do Senhor (23:1-25)
b. O dia da Expiação (23:26-44)
3. Direções para o tabernáculo e para o acampamento (24)
a. Lei acerca das lâmpadas (24:1-4)
b. Pães da proposição (24:1-9)
c. Pena para o pecado de blasfêmia (24:10-23)
4. Direções sobre a terra (25)
a. O ano sabático (25:1-7)
b. O ano jubileu (25:8-23)
c. Redenção da terra (25:24-34)
d. Não tomar usura dos pobres (25:35-38)
e. Escravidão (25:39-55)
5. Promessas e advertências (26)
6. Instruções sobre votos e dízimos (27)

V. Notas Sobre as Leis e a Expiação

Leis Sacrificiais:

1. *Holocausto*. O holocausto era um sacrifício voluntário oferecido com a finalidade de assegurar ao ofertante o favor de Jeová. A oferenda consistia na queima de um animal. Exemplos de seu uso encontram-se em I Sam. 17:9; 13:9; Salmos 20. 2. *A oferta de manjares*, similarmente ao holocausto, era um sacrifício voluntário. Assim como um *inferior* oferece um presente ao seu *superior*, como uma expressão normal de sua submissão e lealdade, assim também o piedoso devoto fazia ofertas a Deus. A eficácia do ato, no entanto, consistia no envolvimento de renúncia por parte do ofertante, daí a razão de ofertar comida. 3. *A oferenda de par*, era também voluntária e expressava a humildade e submissão do ofertante em relação ao seu divino Senhor. Esse sacrifício, o único que podia ser comido por um sacerdote leigo, era motivado por um sentimento de apreciação e servia como expressão pública e moral de gratidão. Peculiar a esta oferenda era o fato de que o animal não fazia expiação (4:20,26,31,35, etc.). 4. A *oferenda do pecado* era oferecida mediante a transgressão de algum mandamento e designava o sacrifício que fazia expiação. Sangue era o preço exigido para acalmar a ira divina. 5. *A oferta da culpa* envolvia a compensação de um dano causado pelo pecado. A compensação deveria ser feita ou diretamente à pessoa prejudicada, ou ao santuário por ocasião do sacrifício.

Leis de Purificação:

1. *Animais puros e impuros*. Essa era uma lei dietética que classificava as comidas consideradas benéficas à saúde como puras, e as consideradas nocivas como impuras. 2. *Regulamentações sobre a lepra* encontram-se nos capítulos 13 e 14. Médicos modernos argumentam que a doença descrita nesses capítulos não é exatamente o mal de Hansen conhecido atualmente.

O Dia da Expiação.

A expiação anual ensina que a culpa não é removida pela purificação individual dos vários pecados e impurezas. Um grande sacrifício cobrindo todas as impurezas deveria ser feito para acalmar a ira divina.

VI. A Importância do Livro

Levítico é um livro valioso como fonte informativa dos costumes nacionais, sagrados e seculares, e abrange uma boa parte da história hebraica. Como documento religioso Levítico é um livro indispensável para o judaísmo pós-exílico. Mesmo atualmente, os judeus ortodoxos encontram suas regulamentações nesse livro. Levítico, segundo Harford-Battersby, é o monumento literário do sacerdócio hebreu.

Este livro fornece também um alicerce para todos os outros livros da Bíblia. Quaisquer referências a oferendas sacrificiais, cerimônias de purificação, ou regulamentações sobre o ano sabático e o ano de jubileu são explicadas em Levítico. Em Mateus 22:40, Jesus disse que toda a lei e os profetas dependiam de Deuteronômio 6:5 e Levítico 19:18. Ao curar o leproso, Jesus o instruiu a seguir a lei concernente a lepra, Lev.14. Os apóstolos consideraram Levítico como um livro divinamente inspirado, relacionado (profeticamente) à doutrina cristã. Por exemplo, os sacerdotes e sacrifícios associados ao tabernáculo prenunciaram o trabalho de Cristo em relação ao céu (Heb. 3:1; 4:14-16; caps. 9 e 10). A afinidade entre Levítico e o Novo Testamento se torna muito óbvia no livro de Hebreus, que é considerado por alguns como um comentário sobre Levítico no Novo Testamento. De modo geral, os rituais e as idéias do livro influenciaram profundamente o cristianismo, e mesmo uma leitura casual do Novo Testamento evidencia tal influência. (ALB AM ANET BA E I IB IOT WBC WES Y Z)

LEVY-BRUHL, LUCIEN

Suas datas foram 1857-1939. Ele foi professor de sociologia na Sorbonne, em Paris. Foi um continuador do *positivismo* (vide), de Augusto Comte; investigou, principalmente, a natureza da mentalidade primitiva de povos analfabetos. Ele tentou mostrar que a lei básica da mentalidade mística é a lei da participação. Ele interpretava a mentalidade primitiva como pré-lógica ou mística, embora não como antilógica. Ele supunha que as representações coletivas das mentalidades primitivas são essencialmente incompreensíveis para a mentalidade dos povos civilizados. Isso dever-se-ia, primariamente, a uma maior socialização da mentalidade primitiva. Por «participação» ele entendia qualquer coisa ou pessoa, de uma maneira impossível de entendermos, que pode ser, ao mesmo tempo, tanto ela mesma como algo diferente dela. Forças e qualidades seriam recebidas e comunicadas por meios místicos. Ver o artigo geral sobre o *Misticismo*. A mentalidade primitiva não precisa reconciliar idéias, da mesma maneira que o misticismo não tem necessidade disso. Ambos os lados de uma aparente contradição podem ser cridos, pelas mentes primitivas, sem a necessidade de se prover explicações. A essas mentes faltam distinções claras, racionais.

LEX DIVINA

Ver sobre **Ius Divinum**.

LEX NATURALIS

Essa expressão latina significa **lei natural**. Também é chamada, em latim, de *ius naturale*. Essa expressão designa a direção natural e nativa para onde se move a consciência humana, na convicção daquilo que é universalmente correto. Alguns intérpretes fazem a

LEX TALIONIS — LIA

lex naturalis alicerçar-se sobre o *ius divinum* (vide), ou seja, a mente e a lei divinas. A razão humana abarca os princípios imutáveis da razão, e, por meio deles, estabelece a justiça. A lei natural é encarada como a base de todas as leis, sendo refletida em toda boa legislação humana. Subentende que existem normas éticas universais, válidas para todos os seres humanos. Quanto a artigos que oferecem maiores detalhes a respeito, ver sobre *Direito Natural* e *Direitos Naturais*.

LEX TALIONIS

No latim, «lei tal e qual», ou seja, aquela lei que requer que as infrações sejam pagas recebendo o culpado o mesmo tipo de castigo. Trata-se da mesma lei de «vida por vida, olho por olho, dente por dente», estrita quanto aos castigos que devem ser aplicados aos que causarem algum dano ao próximo. Ver Êxo. 21:23 *ss*.

Apesar dessa lei usualmente ser tida como primitiva, foi um passo além da vingança pessoal, visto que dava à sociedade um padrão para julgamentos sociais e castigos aos criminosos. Sanções impostas pela comunidade, pois, substituíram as sanções pessoais, a vindita pessoal.

LEXICOGRAFIA

Essa palavra vem de dois termos gregos, **lexicon**, «dicionário», e *graphein*, «escrever». Temos aí, pois, a palavra que indica a compilação de dicionários ou léxicos. No seu sentido mais lato, esse vocábulo refere-se ao preparo de dicionários em geral. No seu sentido mais estrito, refere-se à compilação de dicionários que são úteis para a interpretação do Antigo Testamento hebraico e do Novo Testamento grego.

LI

Essa é uma palavra chinesa que significa «propriedade», «boas maneiras». No confucionismo, *li* é uma das quatro virtudes cardeais, sendo uma expressão externa da harmonia interior.

1. *No Neoconfucionismo*. Chou Tun-I, Chu Hsi, Ch'eng, Ch'eng Lu Hsian-shan e Wan Yan-ming foram mestres chineses que ensinaram que *li* é o princípio racional, não material do universo, fazendo contraste com *ch'i*, o princípio material.

2. Os *mohistas* (vide) faziam de *li* os benefícios advindos do princípio do amor. *Mo Tzu* (vide) foi um importante mestre chinês que explicava a questão dessa maneira.

LIA

Esboço:
1. Nome
2. Família
3. O Engano no Casamento
4. Jacó não Amava Lia
5. Sua Lealdade a Jacó
6. O Incidente que Envolveu Esaú
7. Sepultamento de Lia e Raquel
8. Lia, uma das Matriarcas de Israel

1. *Nome*

A palavra hebraica *lea*, ao que parece, significa «vaca selvagem», embora alguns pensem que o seu sentido é «impaciente». Ela foi descrita como mulher de «olhos baços», que alguns estudiosos pensam significar «olhos ternos», mas que outros vinculam ao seu nome, pensando que ela teria «olhar de vaca», ou coisa semelhante. Entretanto, a descrição poderia significar que ela era míope. Ver Gên. 29:17. Unger, em seu *Dicionário Bíblico*, sugeriu que uma das razões pelas quais Jacó se sentia atraído por Raquel era que Lia tinha olhos fracos. Porém, a razão deve ter sido algo muito maior do que isso.

2. *Família*

Lia era a filha mais velha de Labão, e irmã de Raquel. Era prima e esposa de Jacó. Também era sobrinha de Rebeca, esposa de Isaque. Se retrocedermos um pouco mais na árvore genealógica da família, então lembraremos que Abraão e Naor, bisavô de Lia, eram irmãos. Naor permanecera na terra de Harã e casara-se com Milca (Gên. 11:29). Naor e Milca tiveram oito filhos, um dos quais era Betuel (ver Gên. 22:22). Betuel, por sua vez, teve dois filhos, que são mencionados na Bíblia, a saber, Rebeca (Gên. 24:15) e Labão (Gên. 24:29). Então Rebeca casou-se com Isaque, e Jacó foi um dos filhos gêmeos que tiveram. Labão, por sua vez, teve duas filhas, Lia (Gên. 29:16) e Raquel. Isso significa que Lia, Raquel e Jacó eram primos-irmãos.

3. *O Engano na Casamento*

Labão, com a cooperação de Lia, enganou a Jacó, na noite de seu casamento com Raquel, por causa de quem ele havia trabalhado durante sete anos (ver Gên. 29:23). Labão substituiu-a por Lia, que foi para a cama com Jacó. E, incrivelmente, Jacó não a reconheceu, e só descobriu o logro ao amanhecer! Labão desculpou-se do logro dizendo que havia um costume local que impedia que uma filha mais jovem fosse dada em casamento, antes de uma filha mais velha (ver Gên. 29:21-30).

4. *Jacó Não Amava Lia*

Não há que duvidar que Jacó ressentiu-se do que Labão e Lia tinham feito, e também podemos estar certos de que ele não deixou que Lia se esquecesse disso por bastante tempo. Por outra parte, Jacó estava apaixonado por Raquel, e Lia não tinha muito com que atraísse a sua atenção. É muito difícil explicar a paixão que pode haver entre um homem e uma mulher. Isso sucede em alguns casos, mas não em outros, e, algumas vezes, sem qualquer razão evidente. O tipo físico tem muito a ver com isso; mas também há similaridades de vibrações das energias vitais dos próprios seres, em que igual atrai a igual. Além disso, se a alma é preexistente (como penso que é), com ou sem o concurso da reencarnação, então as histórias das almas algumas vezes podem explicar apegos incomuns que duas pessoas podem experimentar uma pela outra. Platão falava sobre almas cônjuges, os lados positivo e negativo de um único ser, os quais, finalmente unem-se diante de Deus. E, se isso é uma doutrina verdadeira, então alguns casos de poderosa e incomum atração poderiam ser explicados pela circunstância de que almas cônjuges *encontraram-se novamente*. A história de uma alma, sem dúvida, é como um livro com muitos capítulos, e os reencontros podem ser muito poderosos. Se assim sucedeu com Jacó e Raquel, então não nos admiremos que Lia tenha ficado de fora. Nem tudo pode ser explicado pelas circunstâncias de qualquer dada situação.

A extensão em que o afeto de Jacó por Raquel diferia do que ele sentia por Lia é ilustrada pelo fato de que, pelo menos em uma ocasião, Lia teve de barganhar com Raquel pelo privilégio de dormir com seu próprio marido! Ver Gên. 30:14-18. Lia anelava pelo amor de Jacó, e procurou usar sua fertilidade superior para capturar sua atenção (Gên. 29:32), mas nem mesmo isso afetava grandemente a Jacó.

LIA — LÍBANO

5. Sua Lealdade a Jacó

Quando Lia poderia ter permanecido em companhia de seu pai, e em sua própria terra, quando Jacó deixou Harã, ela preferiu ficar com seu marido (ver Gên. 31:14).

6. O Incidente que Envolveu Esaú

Jacó havia enganado e maltratado a seu irmão gêmeo, Esaú, e tivera de fugir para a região onde Labão, seu tio, vivia. Agora, deixando o território de Labão, e regressando à terra de seu pai, ele precisava entrar em contacto com Esaú. Jacó temia o que esse contato poderia significar de adverso para ele mesmo e para todo o seu clã. E novamente Jacó favoreceu a Raquel, deixando Lia à testa da caravana, e fazendo Raquel e José (até então filho único de Jacó e Raquel) ficarem bem para trás, para que estes tivessem uma oportunidade melhor de escapar da ira em potencial de Esaú. Ver Gên. 33:1,2. Mas, conforme as coisas sucederam, nada havia a temer. Os irmãos tiveram um jubiloso reencontro, por mais desconfortável que isso tenha sido para Jacó.

7. Sepultamento de Lia e Raquel

Lia deve ter falecido na terra de Canaã, visto que ela não é mencionada na lista daqueles que migraram para o Egito (ver Gên. 46:6). Apesar de não termos detalhes a esse respeito, sabemos que ela foi sepultada em Hebrom, no cemitério de família, em Macpela, o terreno que Abraão havia comprado (ver Gên. 49:21). Por outro lado, Raquel foi sepultada em um túmulo perto de Belém, cujo local está marcado até hoje. Alguns intérpretes pensam que isso mostra que, pelo menos na morte, Lia foi favorecida. Porém, dificilmente Jacó teria descategorizado Raquel. Seria absurdo pensar tal coisa. Ele deve ter tido razões para sepultá-la perto de Belém, e não no cemitério da família, em Hebrom. Seja como for, Jacó foi, finalmente, sepultado ao lado de Lia (ver Gên. 49:31), e não perto de Raquel. Mas, o que ele estava fazendo *em espírito* quando seu cadáver foi depositado no terreno de Macpela, isso é difícil de dizer. Porém, imagino que ele tenha se reunido a Raquel.

8. Lia, uma das Matriarcas de Israel

Lia contribuiu com seis filhos, que se tornaram os cabeças de seis das tribos de Israel. Ela foi mãe de Rúben, Simeão, Levi, Judá (ver Gên. 29:32-35), e também de Issacar e Zebulom (ver Gên. 30:17-20), e também teve uma filha, Diná (ver Gên. 30:21). Além disso, foi ela quem deu a Jacó sua serva Zilpa, que teve de dois filhos, Gade e Aser (ver Gên. 30:11,12).

Foi do quarto filho de Lia, Judá, que descendia Davi, do qual também descendia, segundo a carne, o Senhor Jesus Cristo. Alguns estudiosos têm salientado esse fato como se, *no fim*, Deus tivesse favorecido mais a Lia do que a Raquel, mas essa é uma interpretação fantasiosa. A decisão divina de que a linhagem real viria através de Judá dificilmente teria qualquer coisa a ver com os poucos sentimentos românticos de Jacó para com Lia!

LI AO

Ele viveu entre os séculos VIII e IX D.C. Foi um importante filósofo chinês, que imprimiu uma nova direção ao neoconfucionismo. Restaurou a ênfase histórica dessa fé, quanto à importância da natureza humana e a compreensão sobre a mesma. Ele exibia o grau de *Doutor Apresentado*, e foi professor de educação e um líder no sistema educacional chinês. Também foi vice-ministro do Ministério da Justiça, além de ter ocupado outros cargos políticos importantes. Foi aprimorador e harmonizador das filosofias já existentes em sua nação, mas não ofereceu quaisquer

inovações. Seu principal escrito tem o título, em inglês, de *Recovery of the Nature*, «Recuperação da Natureza».

LIBAÇÃO

Ver o artigo geral sobre **Sacrifícios e Ofertas**. Uma libação é um tipo de sacrifício, ou ritual sacrificial, em que um líquido é derramado em honra de alguma divindade ou de algum conceito religioso. Os líquidos que os homens têm usado nesses atos de libação têm sido tão variegados quanto sangue, vinho, azeite, leite, água e mel. Entre os gregos e os romanos, as libações faziam parte essencial de sacrifícios e ritos solenes. As libações também faziam parte do cerimonial simbólico dos hebreus. Ver Gên. 28:18; 35:14; Lev. 9:9; Núm. 28:7. À base das libações encontra-se a idéia de que os líquidos que têm certo valor (como o vinho, o leite, o azeite, etc.) devem agradar a Deus ou aos deuses aos quais são oferecidos. O *sangue*, que a Bíblia ensina ser a sede mesma da vida biológica (ver Lev. 17:11), era um elemento especialmente precioso, usado nos ritos mais solenes.

LIBAÇÃO, Ofertas de

Ver sobre **Sacrifícios e Ofertas**.

LÍBANO

Esboço:

I. A Palavra
II. Localização Geográfica e Descrição
III. Produtos e Recursos
IV. Informes Bíblicos e História
V. Usos Figurados
VI. O Líbano e a Arqueologia

I. A Palavra

O termo hebraico **lebanohn** significa «branco». Aquela região geográfica é assim chamada por causa de seus picos eternamente cobertos de neve. A raiz dessa palavra hebraica é *ibn*, «branco». A serra montanhosa ali existente recebeu tal nome, aparentemente por causa de dois fatores. Em primeiro lugar, contém grandes encostas de pedra calcária branca; e, em segundo lugar, por causa dos rebrilhantes picos montanhosos, recobertos de neve pelo menos durante seis meses a cada ano. Ver Jer. 18:14. Os assírios chamavam a região de *Laban*, e, posteriormente, *Labnanu*; os heteus chamavam-na de *Niblani*; os egípcios, de *rmnn* ou *rbrn*; e os cananeus, de *lbnn*.

Há cerca de setenta e cinco referências ao *Líbano*, nas páginas do Antigo Testamento, mas nenhuma no Novo Testamento, embora certas partes do mesmo sejam mencionados em várias referências. Para exemplificar, damos alguns trechos veterotestamentários que mencionam essa região: Deu. 1:7; 3:25; 11:24; Jos. 1:4; 9:1; Juí. 3:3; I Reis 4:33; 5:6,9; II Reis 14:9; 19:23; II Crô. 2:8; 9:16; Esd. 3:7; Sal. 29:5; 92:12; Can. 4:8; 5:15; Isa. 2:13; 14:8; 40:16; 60:13; Jer. 18:14; Eze. 17:3; 27:5; Osé. 14:5,6; Naum 1:4; Hab. 2:17; Zac. 10:10 e 11:1.

II. Localização Geográfica e Descrição

A cadeia montanhosa do Líbano é uma serra que se estende por cerca de cento e sessenta quilômetros. Segue a direção sudoeste a nordeste, acompanhando as costas fenícias, começando por detrás da cidade de Sidom, e seguindo na direção nordeste até o vale do rio Nhr El-Kebir (chamado *Eleutero* nos tempos antigos), vale esse que segue a direção leste-oeste. Na

LÍBANO

verdade, a cadeia do Líbano é um prolongamento de uma cadeia montanhosa maior, que vai descendo desde o *Cáucaso*, na direção sul, até que, em seu extremo sul, desdobra-se em duas serras paralelas, a saber, o *Antilíbano*, mais ao oriente, e o *Líbano* propriamente dito, mais ao ocidente. Liga o mar Mediterrâneo à planície de Hamate (que aparece com o nome de «entrada de Hamate», em Núm. 34:8). Daí corre na direção sudoeste, até que some na planície de Acre e nas colinas baixas da Galiléia. Seu comprimento em pouco ultrapassa os cento e sessenta quilômetros, com uma largura média de trinta e dois quilômetros. Seu pico mais alto é o Jebel Mukhmel, que se eleva a 3.110 m de altitude. Vários outros picos proeminentes têm 1.500 m de altura ou mais. O Jebel Kukhmel e o Sannin (este com mais de 2.750 m de altura), são recobertos de neves perpétuas.

O Líbano é conhecido por sua notável beleza, o que os escritores bíblicos com freqüência louvaram (ver Sal. 72:16; 104:16-18; Can. 4:15; Isa. 2:13; 35:2; Osé. 14:5). Atualmente, da mesma forma que na antiguidade, muitos animais selvagens habitam naquelas paragens. Ver II Reis 14:9 e Can. 4:8. O clima da região varia consideravelmente. Na planície de Dã, nas cabeceiras do rio Jordão, o calor é intenso e o clima é quase tropical. Ao longo das costas marítimas, a brisa marinha refresca as noites, comparativamente falando. O ar é seco, exceto nas estações de chuvas e neves. Nas planícies de Coele-Síria e de Damasco, chega a nevar. As serras principais recebem muita neve, de dezembro a março. Durante o verão, os níveis mais elevados das montanhas são frescos e agradáveis, e as chuvas rareiam de junho a setembro.

III. Produtos e Recursos

A cadeia do Líbano sempre foi notória por seus cedros (ver Sal. 29:5; Can. 5:15), por suas vinhas (Osé. 14:7), e por suas águas frescas (Jer. 18:14). Muitas fontes e riachos descem pelas encostas, até às áreas mais baixas. Os sopés mais baixos das montanhas provêem a possibilidade da horticultura, dos olivais, das vinhas, dos pomares de frutas (incluindo muitos tipos de bagas, figos, maçãs, abricós e vários tipos de castanha). Nos tempos antigos, a cadeia do Líbano era recoberta de cedros; r.as, atualmente, sobreviveram somente dois bosques isolados de cedros. O principal desses bosques fica em Bsharreh, a sudoeste de Trípoli. Os cedros ali existentes deram origem a várias expressões metafóricas, conforme é mencionado na quinta seção, abaixo. Os cedros do Líbano (e outras espécies de madeira de construção) forneciam material para muitas edificações no Oriente Próximo, e os reis do Egito, da Mesopotâmia, da Síria e da Palestina cobiçavam essa excelente madeira. Salomão obteve madeira vinda do Líbano, para a construção do templo de Jerusalém (ver I Reis 5:6,9,14; 7:2; 10:17,21). Os pinheiros do Líbano e do Antilíbano proviam boa madeira para a construção de embarcações (ver Eze. 27:5), bem como para as barcaças sagradas do Egito (conforme a arqueologia o tem demonstrado). A madeira usada na construção do segundo templo de Jerusalém também foi extraída do Líbano (ver Esd. 3:7). Móveis de excelente qualidade eram feitos com madeira cortada dali (ver Can. 3:9).

IV. Informes Bíblicos e História

Nas seções segunda e terceira, acima, apresentamos as referências básicas do Antigo Testamento que envolvem os montes e a área geográfica do Líbano. Neste ponto, damos referências que abordam especificamente a história do povo de Israel, no que diz respeito a essa região:

1. Josué, desde o começo, fez com que parte do Líbano se tornasse uma porção da Terra Prometida (Deu. 1:7; Jos. 1:4; Juí. 3:3).

2. Antes disso, Moisés havia orado pedindo para ver «...esta boa terra que está dalém do Jordão, esta boa região montanhosa, e o Líbano» (Deu. 3:25).

3. As atividades de Salomão, como construtor, envolveram o Líbano, visto que ele precisava de produtos ali produzidos (I Reis 9:19; II Crô. 8:6). Provavelmente, as vertentes orientais, perto de Beqaa, estão em pauta, visto que o império de Davi e Salomão estendia-se até aquele ponto. Os eruditos não acreditam que, em qualquer tempo, o império de Israel se estendesse até à Fenícia propriamente dita, ou até bem dentro das cadeias montanhosas do Líbano. Móveis de alta qualidade eram feitos com madeiras extraídas dali, conforme se vê em um trecho como Can. 3:9.

4. A madeira destinada à construção do segundo templo de Salomão também procedia do Líbano. Ao que tudo indica, seus produtos eram importados por Israel durante todo o transcurso de sua história.

V. Usos Figurados

1. Aquilo que é grande, forte e belo era simbolizado pelo Líbano e seus produtos. A própria serra era símbolo da grandeza de Deus, mas Deus é tão maior do que o Líbano que este *salta* como bois selvagens, quando Deus fala (Sal. 29:6). Foi Deus quem plantou os poderosos cedros do Líbano, pelo que isso faz alusão à provisão e aos cuidados divinos (Sal. 104:16).

2. Os cedros simbolizam os indivíduos arrogantes (Eze. 31:3). Porém, assim como Deus plantou os cedros do Líbano, assim também pode arrancá-los, o que significa que ele destrói e humilha os homens arrogantes (Isa. 10:34).

3. O Líbano era símbolo do que é inacessível, do que é romântico, do que é estranho, do que é misterioso. O leito de Salomão era feito de madeira do Líbano (Can. 3:9), o que deve ter sido considerado algo muito especial. Sua noiva foi convocada, *por assim dizer*, do Líbano (Can. 4:8), o que lhe deu uma aura de raridade e romance. Suas vestes eram como o perfume do Líbano (Can. 4:11). Nesse ponto, um jogo de palavras entre *Líbano* e incenso (no hebraico, *lebona*) pode estar em pauta.

4. A prosperidade e a estabilidade são simbolizadas pela declaração de que os justos crescerão «como o cedro no Líbano» (Sal. 92:12).

5. Oséias comparou a nação de Israel, uma vez restaurada, às árvores firmemente arraigadas e às fragrantes florestas do Líbano (Osé. 14:5-7).

6. Jerusalém e seu templo foram chamados de «Líbano» por haverem sido edificados, pelo menos em parte, com cedros do Líbano, além do que as muitas e elevadas edificações da cidade assemelhavam-se à floresta do Líbano (Hab. 2:17; Zac. 11:1; Eze. 17:3; Jer. 22:23).

7. O exército de Senaqueribe já se mostrara orgulhoso e arrogante como os cedros do Líbano; mas, quando foi decepado como estava, ficou humilhado (Isa. 10:34; Eze. 31:3,16).

8. As bênçãos da era do reino, incluindo a prosperidade espiritual das nações gentílicas, são simbolizadas pelo Líbano, convertido em bosque frutífero (Isa. 29:17).

VI. O Líbano e a Arqueologia

Importantes descobertas arqueológicas têm sido feitas em locais associados ao Líbano. Tiro, Sidom, Biblos e Balbeque aparecem com proeminência entre esses locais. Dúzias de localidades menos importantes, nessa mesma área, têm sido escavadas.

LIBERALIDADE — LIBERALISMO

LIBERALIDADE E GENEROSIDADE

1. Existe algo de apropriado no fato de que numa das poucas vezes em que Paulo citou o Senhor Jesus, é enfatizada a generosidade, Atos 20:35. O próprio evangelho nasceu em meio à generosidade: «Deus amou o mundo de tal maneira que deu o seu Filho...» (João 3:16). Tal como Jesus, o Mestre, foi enviado por um ato de amor generoso, assim também ele ministrou sua vida inteira em um ato admirável e contínuo de auto-sacrifício e generosidade.

2. Paulo seguia o exemplo de Cristo, tal como fica demonstrado no versículo que estamos considerando.

3. A generosidade consiste no amor em ação, e o amor é a comprovação mesma da espiritualidade. (Ver I João 4:7). O amor torna-se uma realidade por ocasião do novo nascimento. O Espírito cultiva em nós a qualidade do amor, sendo essa a princesa de todas as virtudes espirituais (ver Gál. 5:22,23), o solo onde todas elas medram e prosperam.

Consideremos Estas Referências e Idéias

Agradável a Deus (II Cor. 9:7; Heb. 13:16).
Deus nunca a esquece (Heb. 6:10).
Cristo deu exemplo da mesma (II Cor. 8:9).
Característica dos santos (Sal. 112:9; Isa. 32:8).
Sem proveito, sem o acompanhamento do amor (I Cor. 13:3).

Deveria ser exercida:
No serviço prestado a Deus (Êxo. 35:12-29).
Para com os santos (Rom. 12:13; Gál. 6:10).
Para com os servos (Deu. 15:12-14).
Para com os pobres (Deu. 15:11; Isa. 58:7).
Para com os estrangeiros (Lev. 25:35).
Para com os inimigos (Pro. 25:21).
Para com todos os homens (Gál. 6:10).
No empréstimo para os que padecem necessidades (Mat. 5:42).
Na doação de esmolas (Luc. 12:33).
No alívio aos destituídos (Isa. 58:7).
No fomento de missões (Fil. 4:14-16).
Na prestação de serviços pessoais (Fil. 2:30).
Sem ostentação (Mat. 6:1-3).
Com simplicidade (Rom. 12:8).
Segundo a capacidade de cada um (Deu. 16:10,17; I Cor. 16:2).
Voluntariamente (Êxo. 25:2; II Cor. 8:12).
Abundantemente (II Cor. 8:7; 9:11-13).

Seu exercício emula outros à mesma (II Cor. 9:2).
Esforcemo-nos para poder exercê-la (Atos 20:35; Efé. 4:28).

Sua ausência:
Atrai muitas maldições (Pro. 28:27).
É prova de que não amamos a Deus (I João 3:17).
É prova de que não temos fé (Tia. 2:14-16).
Bênçãos vinculadas à mesma (Sal. 41:1; Pro. 22:9; Atos 20:35).
Promessas aos liberais (Sal. 112:9; Prov. 11:25; Ecl. 11:1,2; Isa. 58:10).
Exortações a seu respeito (Luc. 3:11; 11:41; Atos 20:35; I Cor. 16:1; I Tim. 6:17,18).
Exemplificada: os príncipes de Israel (Núm. 7:2), (Rute 2:16), Davi (II Sam. 9:7,10), Barzilai, etc. (II Sam. 17:28), Araúna (II Sam. 24:22), a mulher sunamita (II Reis 4:8.10), Judá (II Crô. 24:10,11), Neemias (Nee. 7:70), os judeus (Nee. 7:71,72), Jó (Jó 29:15,16), Nebuzarada (Jer. 40:4,5), Joana, etc. (Luc. 8:3), Zaqueu (Luc. 19:8), os cristãos primitivos (Atos 2:45), Barnabé (Atos 4:36,37), Dorcas (Atos 9:36), Cornélio (Atos 16:2), a igreja de Antioquia (Atos 11:29,30), Lídia (Atos 16:15), Paulo (Atos 20:34), Estéfanas, etc. (I Cor. 16:17).

LIBERALISMO

Esboço:
I. Definições
II. Elementos Básicos e Atitudes do Liberalismo
III. O Liberalismo Teológico
IV. O Liberalismo Ético
V Avaliações

I. Definições

A base lingüística do termo «liberal» é a palavra latina *liberalis*, «pertinente ao liberto», em contraste com os escravos, que não podiam promover suas idéias e realizações.

Cada tipo específico de liberalismo envolve definições especializadas, as quais aparecem nas seções que se seguem. O *liberalismo*, explicado de modo geral, é uma atitude para com as idéias ou sistemas sociais, econômicos, políticos e religiosos, que não se valhe de dogmas fixos, e que, além disso, promove alterações que ocorrem por meio da razão e da experiência. No campo da teologia, tende por opor-se a teorias fixas sobre a inspiração das Escrituras, favorecendo antes o uso da crítica histórica e da aplicação das descobertas da ciência que envolvam algo das crenças religiosas.

Se o *fundamentalismo* (vide), que é o oposto do liberalismo, continua a confiar nas revelações da Bíblia, assentando suas crenças essencialmente sobre a Palavra escrita de Deus, o liberalismo assevera que essas revelações, apesar de conterem alguma verdade, não podem ser consideradas a base de toda a verdade. Ademais, todas as épocas, incluindo aquelas em que a Bíblia foi produzida, representaram *estágios* da verdade a que os homens já tinham alcançado, tanto no campo religioso quanto em qualquer outro campo do conhecimento humano. A própria Bíblia ensina que nosso conhecimento, por enquanto, é parcial (ver I Cor. 13:12), ao mesmo tempo em que ensina que o conhecimento total só nos será dado no outro lado da existência (essa mesma referência e I João 3:2). Por conseguinte, qualquer busca pela verdade precisa ir além dos documentos sagrados, embora, como é óbvio, não possa ignorar as Sagradas Escrituras como marcos orientadores importantes. Porém, devem ser considerados marcos, e não a estação final da verdade.

II. Elementos Básicos e Atitudes do Liberalismo

1. Os liberais são **individualistas** e não sentem necessidade de ajustar-se a qualquer sistema ou dogma estabelecido.

2. O elemento constante, típico a todas as formas de liberalismo, é uma atitude, e não alguma doutrina ou conjunto específico de doutrinas. Os eruditos liberais têm-se mostrado tradicionalmente *críticos*, tanto das instituições existentes quanto das autoridades estabelecidas. Isso não significa que eles não se sintam parte do sistema, ou que não promovam o mesmo, mas tão-somente que eles buscam alterar o sistema, não aceitando qualquer dogma contra essa atitude.

3. Os eruditos liberais mostram mais fé na *bondade inerente* do homem e em sua racionalidade, do que fazem os estudiosos conservadores.

4. Os liberais defendem a absoluta *liberdade de expressão* como algo necessário à sobrevivência deles, como algo fundamental para a promoção da evolução de idéias e das organizações que sentem ser necessárias para o bem dos homens. Em instâncias específicas, os liberais, uma vez que assumam o poder, têm-se mostrado tão ditatoriais quanto os

LIBERALISMO

conservadores, mas isso é contrário à filosofia básica do liberalismo. A democracia é necessária para que exista o liberalismo político, e a tolerância religiosa é necessária para o desenvolvimento do liberalismo teológico. Isso não significa, todavia, que todos os liberais religiosos sejam tolerantes, embora, de acordo com suas crenças básicas, devessem sê-lo.

5. Os liberais favorecem a *reforma*, e parte dessa reforma consiste na obtenção da liberdade para poderem fazer experiências.

6. Os liberais favorecem a aplicação do *método científico* nas ciências, na filosofia e na teologia. Isso requer experimentação, e não meramente a aceitação de antigas idéias e ultrapassados valores.

7. Apesar dos eruditos liberais respeitarem a sabedoria acumulada do passado, não fazem dela um objeto de adoração. Os liberais religiosos acusam os evangélicos fundamentalistas de transformarem a Bíblia em um *papa de papel*, ou em um *ídolo*, assim acusando-os de *bibliolatria* (vide), o que, afinal de contas, é uma forma suave de idolatria, mas que, tal como qualquer outra forma de idolatria, diminui a glória de Deus e deifica algo que não é divino.

8. Os liberais enfatizam a necessidade de *liberdade* diante de qualquer sistema opressor, seja político, social ou religioso, pois tais sistemas, naturalmente, opõem-se às reformas e inovações propugnadas pelos liberais. Um liberto romano, *liber* (em contraste com os escravos, cujas vontades estavam acorrentadas), provê a base lingüística e o principal elemento filosófico do liberalismo.

9. *Em seu lado negativo*, podemos salientar os seguintes pontos no liberalismo: em sua inquirição pela liberdade, alguns liberais subestimam o poder da revelação divina. Alguns deles chegam mesmo a negar inteiramente esse poder. A verdade é que os eruditos liberais têm-se mostrado tão preconceituosos quanto muitos fundamentalistas. Os liberais têm inventado teorias críticas, aparentemente com a finalidade de degradar antigas idéias, teorias críticas essas que, com freqüência, podem ser menos consubstanciadas ainda do que as antigas idéias. Poucos liberais mostram ter qualquer fé na profecia, e geralmente exibem uma atitude deísta, e não teísta. Apesar de que, teoricamente falando, a maioria dos liberais acredita em Deus, supondo que ele pode intervir na história da humanidade, na prática, com freqüência, mostram-se muito mais deístas do que teístas. Ver os artigos sobre o *Deísmo* e o *Teísmo*, quanto à distinção que estamos fazendo aqui. Muitos liberais exibem menor respeito pela Bíblia do que deveriam fazê-lo. Em sua ansiedade por rejeitar a bibliolatria, eles têm subestimado o valor da Bíblia. Alguns poucos liberais radicais têm mostrado que estão externamente manchados pelo preconceito, e são destrutivos, e tão amargos e desnecessariamente críticos quanto os fundamentalistas da extrema direita. E, assim sendo, tornam-se liberais não liberais. Além disso, muitos liberais têm salientado em demasia a ética relativista, mostrando-se por demais ansiosos por abandonar a idéia de que Deus realmente disse-nos o que é certo e o que é errado, por meio da revelação bíblica.

10. **O evangelho social**. Obras práticas de caridade, movimentos para o melhoramento econômico-social são freqüentemente enfatizados no lugar da salvação da alma e a esperança do **outro** mundo (os céus).

III. O Liberalismo Teológico

1. **Atitude Básica**. Em um sermão entregue em 1819, W.E. Channing ilustrou a atitude e os métodos dos liberais, quando declarou:

«Nosso princípio fundamental, na interpretação das Escrituras, é este — que a Bíblia foi um livro escrito para os homens, na linguagem dos homens, e que o seu significado deve ser buscado da mesma maneira que se faz com qualquer outro livro... De fato, admitimos que o uso da *razão*, na religião, é feito com perigo. Porém, solicitamos a todo homem honesto a examinar a história e o caminho percorrido pela Igreja, se a renúncia disso tudo ainda não é algo mais perigoso». O Oxford Dictionary define a palavra *liberal* como «originariamente, o epíteto distintivo daquelas artes e ciências que eram consideradas dignas de um homem livre, em oposição ao que é meramente *servil* ou *mecânico*». Os liberais dão grande valor a essa definição, porquanto muito revela sobre a atitude e os métodos deles.

2. **Responsabilidades**. Nem todos os liberais são indivíduos irresponsáveis, que se desfazem do que é antigo, e terminam como destruidores. A atitude liberal é contra isso. Para eles, o liberalismo é uma *inquirição* e uma *realização* educacional e espiritual que envolve as dignidades e as responsabilidades de um homem livre, e não meramente os seus direitos e a sua liberdade. Muitos liberais buscam seriamente a verdade, acreditando que ultrapassaram a seus irmãos conservadores, acumulando mais verdades do que aqueles, além de terem negado a amargura de espírito demonstrada pelos ultraconservadores.

3. **Alguns liberais** rejeitam totalmente a **revelação**. Mas há outros que acreditam nela, embora não creiam que qualquer livro sagrado seja, por si mesmo, uma revelação. Eles dizem encontrar revelações *dentro* dos livros sagrados, mas raramente limitam essas revelações à Bíblia cristã. Acreditam que a revelação é progressiva, estando sempre sujeita à expansão e ao aprimoramento.

4. **Alguns liberais** rejeitam o sobrenatural; mas há aqueles que acreditam no sobrenatural. Todavia, pensam que há muitos mitos associados a alegados eventos miraculosos.

5. **Muitos liberais** dedicam-se às suas respectivas instituições religiosas. De fato, é surpreendente a profundeza de lealdade e respeito que os liberais alemães demonstram ter por suas igrejas. Porém, consideram-nas dignas desse apego por serem veículos para a inquirição pela verdade, para a preservação de valores, e não por serem infalíveis em qualquer sentido. As instituições religiosas tornam-se mais dignas de devoção, quando se vão tornando veículos melhores para a busca pela verdade e pela promoção de empreendimentos de caridade e outras atividades humanas de valor.

6. **Bases históricas e desenvolvimentos do liberalismo:**

a. *O liberalismo religioso* (algumas vezes chamado «modernismo», ou, talvez, mais apropriadamente, «neoprotestantismo») foi um desenvolvimento da teologia alemã posterior ao *iluminismo* (vide). De fato, foi um produto do iluminismo. Entretanto, o liberalismo (em seus primeiros anos), opunha-se ao racionalismo extremado do iluminismo, bem como à rígida ortodoxia que parecia ultrapassada diante do avanço da ciência e do conhecimento. Um começo histórico de nomeada foi a obra de *Schleiermacher*, com título em alemão, *Uber die Religion: Reden an die gebildeten unter ihren Veraechtern*, publicada em 1799. Alguns supõem que o movimento liberal formal terminou com a publicação da obra de Barth, *Epistle to the Romans*, que instituiu o movimento da neo-ortodoxia. Ver o artigo sobre *Crítica da Bíblia*. O livro de Barth foi publicado em 1919. Naturalmente, o liberalismo continuou, mesmo depois disso, embora não com o mesmo ímpeto de antes.

LIBERALISMO

b. *Emanuel Kant*. Suas datas foram 1724—1804. Sua filosofia teve grande impacto sobre o protestantismo. Em sua *Crítica da Razão Pura*, ele apresentou argumentos que pareciam remover várias bases racionais das principais doutrinas cristãs. Por exemplo, ele convenceu muita gente de que os antigos argumentos em favor da existência de Deus—os argumentos ontológico, cosmológico e teleológico (ver sobre os *Cinco Argumentos de Tomás de Aquino em Favor da Existência de Deus*) — não eram argumentos válidos. Esse ataque contra o pensamento metafísico e as dúvidas lançadas sobre a teologia natural, a par com sua ênfase sobre o homem como um ser moral e pensante, que transcende à natureza, debilitou a base da religião puramente revelada, levando os pensadores a reexaminar sua teologia. Muitos abandonaram a teologia metafísica e começaram a frisar os poderes humanos e sua consciência interior ímpar, em busca de solução dos problemas teológicos. F.E.D. Schleiermacher (1768—1834) foi um desses teólogos que rejeitaram a teologia natural especulativa, procurando alicerçar as crenças cristãs sobre a consciência universal e subjetiva que o homem tem de Deus. O homem teria uma reação estética e espiritual interior natural, diante de Deus—essa era a idéia de Schleiermacher. O Espírito Absoluto estabelece uma espécie de ressonância no espírito humano, e daí é que emergiria a verdade religiosa. O homem dependeria completamente dessa ressonância. A idéia do Espírito Absoluto, naturalmente, começou com Hegel, tendo sido adaptada para os propósitos de Schleiermacher. O resultado foi que o protestantismo alemão assumiu um caráter fortemente antropológico. A revelação cristã não foi esquecida, e também reteve a sua importância, mas outros caminhos de pensamento foram abertos, com bases teológicas. E esse desenvolvimento foi muito importante para o surgimento do liberalismo teológico.

c. *Albrecht Ritschl*. Suas datas foram 1822—1889. Ele foi outra importante figura no desenvolvimento da teologia liberalizante. Ele reagia contra o naturalismo, o positivismo e o determinismo. Porém, também rejeitava a influência de todo pensamento metafísico sobre a teologia. Influenciado pelo idealismo neokantiano, Ritschl encontrou em Jesus um *arquétipo* do homem, que demonstrava a supremacia humana sobre a natureza. Jesus, apesar de todas as ameaças, confiou inteiramente em Deus, e assim revelou o padrão a ser seguido por todos os homens. A reação do homem a Deus, pois, está baseada sobre amor e graça não qualificados. Esse tipo de racionalismo substituiu a simples crença naquilo que a Bíblia ensina, confiando na revelação como fonte de tudo. O conhecimento religioso passou a ser considerável como obtido através da consciência do *valor* conferido pela vida do homem, por parte de Deus, através de Jesus. Todo conhecimento válido passou a ser visto como conhecimento que contém os valores que Deus dá ao homem, nesse processo de conscientização. Somente os julgamentos de valor da fé são dignos de nossa atenção. De acordo com Ritschl, esse conhecimento do valor haveria de transformar a sociedade humana, trazendo para os homens o Reino de Deus. Temos aí, portanto, uma espécie de ponto de vista pós-milenar. O próprio homem haveria de inaugurar o milênio. Além disso, esse pensamento tornou-se um importante alicerce para as teorias do evangelho social, que surgiram mais tarde, que tendem por eliminar a profecia e as especulações escatológicas.

Outros pensadores que desenvolveram o modo de pensar de Ritschl, com suas próprias adições e modificações, foram Adolf von Harnack (1851—1930), Wilhelm Herrmann (1846—1922) e Julius Kaftan (1848—1926). *Harnack* desenvolveu mais conceitos ainda do evangelho social. Ele foi um dos mestres de Karl Barth. Ver o artigo separado a seu respeito.

d. *O liberalismo do século XIX*. Um de seus principais alicerces era a crítica literária da Bíblia. Tenho abordado detalhadamente essa questão, no artigo intitulado *Crítica da Bíblia*. Métodos aplicados a qualquer tipo de literatura passaram a ser aplicados à Bíblia, juntamente com grandes doses de ceticismo, no que diz respeito à validade histórica e à integridade de muitos dos livros da Bíblia, juntamente com invenções de entusiastas, que tinham pouca base nos fatos históricos. A neo-ortodoxia de Karl Barth foi uma reação contra o radicalismo manifestado por esses ativistas. Muitos liberais deixaram de reputar o cristianismo como qualquer coisa ímpar, fazendo-o ocupar lugar entre outras religiões, como mais um desenvolvimento histórico da busca humana pela verdade. Para muitos liberais, Jesus deixou de ser uma figura sem igual, e as idéias sobre a sua divindade foram abandonadas. Ver o artigo sobre *Jesus Histórico*, que fornece mais detalhes sobre essa questão. Schleiermacher defendia o cristianismo como a religião que incorpora a mais elevada consciência do homem sobre a verdade de Deus, porém, muitos eruditos liberais, depois dele, não davam mais ao cristianismo tão elevada posição.

e. *Ernst Troeltsch*. Suas datas foram 1865—1923. Foi líder da chamada Escola da História das Religiões. Ele salientava, com grande erudição, as similaridades entre a fé cristã e outras fés, mostrando muitos pontos paralelos e muitos empréstimos, e admitia que poderia chegar o dia em que o cristianismo cederia seu papel de líder das fés religiosas, sacrificando esse papel diante de alguma novel religião.

f. *H.E.G. Paulus* (1761—1851) e *D.F. Strauss* (1808—1874) aplicaram o racionalismo aos elementos miraculosos que há na Bíblia. Eles tentaram eliminar o elemento sobrenatural da fé cristã. Foram apontados alegados mitos que haveria nas narrativas bíblicas. O livro de Strauss, *Life of Jesus*, contém muito desse tipo de especulação.

g. *Pressupostos e categorias de filosofias correntes* foram aplicadas a fim de explicar as origens da fé cristã. Hegel e Kant exerceram a principal influência dentro dessa atividade. Strauss e F.C. Baur (vide) deixaram-se influenciar pela filosofia de Hegel. Ritschl, por sua vez, foi influenciado pelas idéias antinaturalistas e antimetafísicas de Kant.

h. *O Jesus teológico e o Jesus histórico*. Os estudiosos liberais fizeram distinção entre a religião de Jesus (aquela que ele realmente ensinou) e a religião *sobre Jesus* (aquela que a Igreja inventou, atribuindo a Jesus toda espécie de qualidades metafísicas, que ele, na realidade, não teria). A religião *sobre Jesus*, com freqüência, foi identificada pelos liberais com as atividades e ensinamentos de Paulo, com as especulações helenistas e com um antigo supernaturalismo, geralmente sem sentido. Essas idéias foram propagadas principalmente através de obras como *The Essence of Christianity* (1841) e *The Essence of Religion* (1845), de Ludwig Feuerbach, e *What is Christianity?*, de Adolf Harnack. Um dos resultados dessa atividade foi a falta de confiança nos credos e dogmas tradicionais.

i. *Ataque contra a historicidade*. Para os liberais, a história foi-se tornando cada vez menos importante. De fato, se houve algo é que a investigação histórica

802

LIBERALISMO

passou a ser vista como contrária à crença na Bíblia. Os ensinamentos superiores ou mesmo inigualáveis do cristianismo, de acordo com os liberais, seriam a essência dessa fé, o elemento que deveria ser salientado. O poder de Jesus residiria em sua moralidade ímpar, e não em sua natureza metafísica sem igual entre os homens.

j. *Atitudes sobre o pecado e a salvação*. A pecaminosidade humana passou a ser menos crítica e radical, no liberalismo. Os eruditos liberais assumiram uma posição mais caridosa e compreensível sobre o homem e suas falhas. Essas falhas foram atribuídas à falta de conhecimento ou discernimento (conforme Sócrates ensinava). A salvação perdeu, entre eles, suas cruciais qualidades metafísicas e escatológicas, sendo vista como uma inspiração que livra o homem de sua condição adversa. Ritschl ensinava que o pecado é uma compreensão confusa, com base na ignorância do homem, sobre a verdadeira natureza de Deus. A doutrina da expiação, por sua vez, tem sido explicada por eles como um grande exemplo dado por Jesus, visando a exercer uma influência moral sobre os homens.

1. *Karl Barth*. Suas datas foram 1886 — . Oferecemos um artigo detalhado acerca dele. Nosso propósito, neste ponto, é apenas dizer que ele se revoltou contra os extremismos dos eruditos liberais, contra o negativismo e o ceticismo deles, tendo encontrado na graça divina a única base para a fé humana. Ele também negava que o cristianismo é apenas uma religião entre muitas, afirmando seu caráter único, e encontrando em Jesus a inigualável auto-revelação de Deus. A influência de Barth foi e continua sendo grande, tendo debilitado em muito o avanço do liberalismo. Por outra parte, muitos crêem que Barth apenas cortou o nó górdio, em vez de expor uma nova e vital verdade. Ver o artigo *Nó*, último parágrafo. Para os eruditos liberais, as atividades de Barth tenderam por obscurecer avanços genuínos na teologia. Para os conservadores, porém, não avançaram o suficiente as atividades de Barth para restaurar o *biblicismo* (vide). De fato, alguns têm-se referido à influência de Barth como *o cativeiro barthiano* da Igreja. Por outra parte, os artigos de *Rudolf Bultmann* (vide) e de *Paul Tillich* (vide) tenderam por dar continuidade ao pensamento liberal, segundo já se descreveu acima. Ambos esses homens estiveram associados à revolução teológica de Karl Barth, meio século atrás ou mais, e têm procurado evitar os excessos do liberalismo, ao mesmo tempo em que não promoviam os excessos do próprio Barth. Porém, as críticas que podem ser feitas contra esses homens são essencialmente as mesmas que os críticos têm feito contra o liberalismo mais antigo.

7. **Seis Características da Teologia Liberal**. Os pontos 6.e,f,g,h,i,j, além de demonstrarem os desenvolvimentos históricos da teologia liberal, também servem como as *seis principais* características dessa teologia. Ali oferecemos os detalhes. Aqui meramente damos títulos a esses detalhes. Essas seis características são as seguintes:

a. Foi posta em dúvida — a natureza única — do cristianismo.

b. Foi promovida a dessupernaturalização do cristianismo.

c. Foram evocadas filosofias correntes para explicar a natureza do cristiansimo, com a apresentação de argumentos antimetafísicos.

d. Veio à tona a distinção entre o Jesus teológico e o Jesus histórico.

e. A historicidade do cristianismo foi atacada, e seus ensinos sem igual foram salientados como a sua

verdadeira contribuição.

f. Mudaram as atitudes concernentes ao pecado e à salvação.

8. **Cinco Raízes Principais do Liberalismo Teológico:**

a. O idealismo filosófico alemão (Kant e Hegel), visto através de Schleiermacher, Ritschl e Biedermann (muito influenciado por Hegel).

b. A historicidade e a revelação foram atacadas, e se depositou uma grande fé nos estudos críticos, e não no objeto que estava sendo estudado — a Bíblia.

c. Muitas crenças judaicas e cristãs foram vistas como obsoletas, diante dos descobrimentos da ciência. Onde a ciência contradizia a Bíblia, era dada preferência à ciência.

d. Muitos estudiosos liberais foram notáveis eruditos, algo que, com freqüência, faltava aos estudiosos conservadores, os quais, somente ultimamente se estão destacando por sua erudição. Essa *nova erudição* era impressionante, tendo dado origem, pelo menos em parte, ao título «modernismo», como alternativa para *liberalismo*. Com grande freqüência, os liberais falavam com base na erudição e nas pesquisas, ao passo que os conservadores podiam apenas recorrer a *textos de prova* das Escrituras, um tipo de argumentação que envolve falhas, visto que os textos de prova podem ser manipulados, como a estatística, para que se defenda quase qualquer coisa que os debatedores queiram dizer. Outrossim, o uso de textos bíblicos de prova pressupõe que a Bíblia não pode conter qualquer tipo de erro, o que poucos eruditos conservadores iluminados ousariam dizer, hoje em dia. Os liberais eram os donos da erudição, e o anti-intelectualismo dos conservadores servia apenas para prejudicar a causa deles.

e. *Preocupação social*. É simplesmente impossível negar a genuinidade dos profundos interesses sociais dos eruditos liberais. A grande ênfase que eles têm dado às mudanças sociais e às instituições de caridade, visando ao bem-estar dos homens, tem tendido por produzir um evangelho social e por obviar em grande parte a preocupação com a salvação das almas.

9. **Produções Literárias Clássicas dos Eruditos Liberais**. A produção literária do liberalismo tem sido admirável, assinalada pelo exame exaustivo tipicamente teutônico. Salientamos abaixo apenas alguns dos volumes clássicos do neoprotestantismo:

The Christian Faith, de Schleiermacher; *The Christian Doctrine of Justification and Reconciliation*, de Ritschl; *What is Christianity?*, de Harnack; *The Essence of Christianity and the Essence of Religion*, de Ludwig Feuerbach; *The Modern Use of the Bible*, de E. Fosdick; *Life of Jesus*, de Strauss; *Jesus Christ and Mythology* de R. Bultmann. Outras obras liberais importantes são mencionadas no artigo sobre *Crítica da Bíblia*.

10. **Avaliações**. Ver a quinta seção do presente artigo.

IV. O Liberalismo Ético

Ver o artigo paralelo, *Conservantismo Ético*. Deve-se entender o liberalismo como movimento que sugere *liberdade de toda restrição*, mas não, necessariamente, liberdade da responsabilidade. De fato, quanto maior for a liberdade desfrutada por alguém, maior será a sua responsabilidade. Os usos históricos do termo «liberalismo ético» e sua idéia têm variado. Sugerimos várias formas possíveis de liberalismo ético:

1. *A liberdade individual* em contraste com as restrições impostas por algum sistema, como uma igreja, uma fé religiosa, o Estado, etc. O homem,

803

LIBERALISMO

como indivíduo, tem a liberdade de tomar suas próprias decisões éticas, sobre quaisquer bases e de acordo com qualquer sistema ou teoria. A liberdade ética, pois, não implica, necessariamente, na liberdade de qualquer tipo de obrigação, mas somente na liberdade de certos tipos de restrição. Assim, um homem pode sentir-se restringido por sua própria consciência e pela fé bíblica, mas não por outras forças. Essa é uma forma de liberalismo ético.

2. *O liberalismo como campeão do povo.* Os liberais — têm insistido na necessidade — de **tolerância** religiosa e outras formas de tolerância. Eles estão dispostos a aceitar *mudanças*, e tendem por negar a autoridade de qualquer modalidade de dogmatismo. Eles preferem acompanhar a maré da história, em vez de tentar estagná-la. Por esse motivo, usualmente não toleram valores fixos, engastados em sistemas dogmáticos.

3. *Eles frisam os direitos individuais*, opondo-se aos sistemas opressivos, sem importar se políticos ou religiosos. Os eruditos liberais atuam muito melhor nas sociedades democráticas e nas igrejas de tendências liberalizantes do que em sistemas políticos ou religiosos fechados, mormente quando estes últimos dão grande importância aos dogmas.

4. Eles crêem que as *questões de ética* devem ser *decididas por cada indivíduo*, sem qualquer interferência da parte de códigos e sistemas. Essa atitude, por outro lado, pode encorajar o *antinomianismo* (vide) e o *anarquismo* (vide).

5. Usualmente os liberais favorecem o *relativismo* e o *pragmatismo* no campo da ética. Ver os artigos sobre esses assuntos.

6. Apesar de crerem na revelação quanto a diretrizes éticas, usualmente os liberais *negam* a tese que a revelação é a principal ou melhor *fonte* de normas éticas. De fato, muitos eruditos liberais chegam a negar que a revelação seja uma fonte de informes éticos, pensando que o *humanismo* é a verdadeira fonte originária dos valores éticos.

7. O liberalismo *opõe-se* ao conservantismo rígido, sob a alegação de que este faz estagnar a inquirição pela verdade; que promove interesses estranhos; que o mesmo enfatiza sonhos, considerações sobre a vida após-túmulo, etc. Por sua vez, os eruditos liberais são acusados pelos eruditos conservadores de terem abandonado a verdadeira base da ética, a saber, os documentos sagrados que Deus tem dado aos homens, como uma doação do alto. O homem precisa obedecer ao que lhe foi proporcionado, em vez de substituir isso pelas invenções humanas.

8. Alguns eruditos liberais mais radicais *rejeitam* quaisquer questões éticas como se fossem julgamentos subjetivos de valor, refletindo apenas preferências individuais, e não verdadeiras questões. Atos *autênticos* são encorajados por eles, com o que dão a entender aquilo que funciona bem e dá os resultados almejados (pragmatismo), e não aquilo que é considerado teoricamente correto.

V. Avaliações

Assim como as divisões e as querelas são vícios do fundamentalismo, assim também o ceticismo e os exageros são vícios do liberalismo. Mas que o liberalismo tem contribuído em muito para a erudição bíblica, muito tendo feito por esclarecer os homens sobre a Bíblia e o cristianismo, quanto às questões de desenvolvimento histórico e dogmático, é algo que nem precisa ser defendido. — Mas que os liberais têm, por muitas vezes, enveredado por caminhos ainda mais impossíveis que o fundamentalismo, também não pode ser negado, pois têm

defendido idéias que simplesmente não se sustêm de pé. Alguns eruditos liberais são destruidores proposicionais, porquanto partem do pressuposto de que se deve fazer oposição às idéias mais antigas, as quais, segundo pensam, aprisionam a mente humana. Portanto, a busca pela verdade, por parte dos liberais, nem sempre é objetiva. Esse sentimento distorcido tem colorido a erudição de vários liberais. Sob a segunda seção, acima, temos dado os elementos e as atitudes fundamentais do liberalismo. O leitor poderá verificar, por si mesmo, que vários de tais elementos e atitudes seriam úteis, se não fossem os exageros. O nono ponto alista os itens negativos do liberalismo, o que deve ser tido como críticas à posição liberal.

Apesar de ser bom rejeitar a *bibliolatria* (que não podemos negar que existe entre muitos fundamentalistas), alguns eruditos liberais chegam a não demonstrar o devido respeito pelos poderes da revelação divina e pelas experiências místicas, que são nossas principais fontes de conhecimento espiritual. Apesar de estarem corretos quanto ao seu ataque contra o *anti-intelectualismo* (vide), a experiência religiosa da maioria dos eruditos liberais é por demais provincial para ser levada a sério e os elegermos como nossos guias às realidades espirituais. Os liberais procuram encontrar explicações racionalistas para o que é miraculoso; mas esse elemento miraculoso é um fator comum à existência humana. Como ilustração moderna, haja visto o caso de *Satya Sai Baba* (vide), um místico hindu, homem de poder e milagres, que demonstra como Jesus facilmente pode ter realizado tudo quanto os evangelhos lhe atribuem, e muito mais ainda, conforme se lê em João 20:30,31. Essas coisas foram escritas acerca de Jesus, a fim de que pudéssemos *crer*, e a crença cristã tem firme fundamento nos eventos miraculosos históricos, produzidos pelo extraordinário Jesus Cristo. A ênfase de alguns liberais sobre a ética relativista também tem sido prejudicial à moralidade cristã. A ética sempre deve ser encarada como muito mais do que meras experiências e testes humanos. Ademais, apesar da maioria dos eruditos liberais dizer-se teísta, muitos deles exibem as atitudes próprias do deísmo. Os artigos sobre o *Teísmo* e o *Deísmo* ilustram esse ponto.

A ênfase dos liberais sobre o método científico, e a disposição deles de aceitarem evidências confirmadas da ciência, ao mesmo tempo em que rejeitam certos antigos conceitos religiosos, têm produzido alguns avanços positivos na inquirição pela verdade. Uma coisa óbvia, para exemplificarmos, são as abundantes provas que a ciência arqueológica nos tem dado sobre a vasta idade da terra, o que é secundada pela geologia e pela astronomia. Somente os teólogos mais bitolados têm-se recusado a reconhecer que, quanto a esse particular, a ciência está com a razão, e que antigas idéias teológicas, alicerçadas sobre os informes genealógicos, estão irremediavelmente erradas. Nossa busca pela verdade deveria ser suficientemente aberta para incorporar novas idéias, sempre que houver provas convincentes das mesmas. As tradições, a curto prazo, são mais fortes que a verdade. Mas a verdade, a longo prazo, sempre sai vitoriosa, do que resultam alterações nas tradições. Quanto a ilustrações sobre esse ponto, ver os artigos sobre a *Criação*, seção V.4; *Antediluvianos*; *Astronomia*, terceiro ponto; e *Língua*, seção IV, *A Origem das Línguas*. Ali apresentamos fortes evidências arqueológicas de que a existência do homem, mesmo nas Américas, pode ser orçada em mais de quarenta mil anos. Isso nos leva a aceitar a idéia de que houve raças *pré-adâmicas* de homens. Isso ilustra idéias que

804

LIBERALISMO — LIBERDADE

a ciência consegue aclarar. Não se trata, porém, de alguma questão isolada, pois há outras questões que também poderão ser iluminadas pelas pesquisas científicas.

Bibliografia. AM B C E F ID R

LIBERALISMO CATÓLICO

A grosso modo, pode-se dizer que o **Liberalismo Católico** resultou da influência do liberalismo protestante (essencialmente descrito no artigo sobre o *Liberalismo*) sobre os católicos romanos. Naturalmente, antes mesmo disso já se faziam sentir os efeitos liberalizantes da comunidade anglicana muito aberta. Os anglicanos sempre enfatizaram muito o papel da razão e o respeito pela sólida erudição teológica. O século XIX, com seus avanços científicos, de mistura com a erudição liberal, submeteu a teste os próprios alicerces do cristianismo tradicional. Entre as diversas tentativas para diminuir a distância entre o cristianismo tradicional e o pensamento moderno, podemos citar a do liberalismo católico. Os católicos romanos, querendo continuar parte da Igreja Católica Romana, ainda assim desejavam ter o direito de repensar e modificar os credos. Exemplos conspícuos disso são os eruditos católicos romanos da Holanda e dos Estados Unidos da América do Norte. O liberalismo católico tem procurado reter alguma semelhança com a ortodoxia credal, ao mesmo tempo que concedendo plena autoridade aos *resultados seguros* da crítica histórica e da crítica bíblica. Esse tipo de teologia pode ser visto em seu melhor aspecto na obra *Lux Mundi* (vide), um volume de ensaios editado por Charles Gore (vide), em 1889. Essa obra assinalou a aceitação de uma seção de anglo-catolicismo da alta crítica bíblica e da filosofia idealista. Muitos católicos romanos deixaram-se influenciar por esse material, e, subseqüentemente, vários outros estudiosos estavam dizendo e escrevendo coisas similares. Os liberais de tendências mais radicais objetaram a esse tipo de abordagem conciliatória, ao passo que os conservadores estritos criticavam a mesma, por causa do liberalismo ou modernismo ali contido.

Em relação ao catolicismo romano, há um elemento adicional que não se tornou proeminente dentro do protestantismo. É que a Igreja Católica Romana sempre esteve intimamente vinculada ao Estado. A fim de que a teologia liberal tivesse sucesso, no seio do catolicismo romano, tornava-se necessário romper esse vínculo. Os católicos romanos conservadores, baseados sobre a teologia agostiniana, sempre pensaram que a união entre Igreja e Estado foi divinamente instituída. E por isso, dentro da Igreja Católica Romana sempre houve resistência a todas as demandas liberalizantes, incluindo o aspecto da separação entre a Igreja e o Estado. A idéia que a Igreja deveria retirar-se da política foi acerbamente criticada pelo papa Gregório XVI em sua encíclica *Mirari Vos* (1832), e pelo papa Pio IX, em seu *Syllabus* (1864). O papa Leão XIII em seu *Libertas Praestantissimum* (1888), e o papa Pio X, em seu *Lamentabili* (1907), condenaram o liberalismo como um esforço da sociedade civil por libertar-se da autoridade de Deus, concretizada na Igreja. Leão XIII também expediu sua *Rerum Novarum*, igualmente contra o liberalismo. Naturalmente, tanto a política liberal quanto a teologia liberal parecem ameaçadoras para qualquer sistema fechado, como é o caso da Igreja Católica Romana. Uma notável encíclica contra o liberalismo foi a *Pascendi*, de Pio X. Esse documento (1907) contém uma detalhada caracterização e crítica do liberalismo (modernismo).

Ali os bispos romanistas são encarregados da responsabilidade de ser os guardiães da Igreja e suas escolas, das heresias do liberalismo. O seu *Motu Próprio* (vide), foi chamado de *Sacrorum Antisitum*. Aquele papa determinou que todos os padres jurassem combater o modernismo, reafirmando sua fé nas tradições católicas romanas.

Existem muitas denominações protestantes que são sistemas fechados, não menos do que a Igreja Católica Romana. Para essas denominações, o liberalismo representa a mesma ameaça que representa para o romanismo. Todavia, houve teólogos católicos romanos, em Tubingen, na Alemanha, como J.A. Mohler e J.E. Kuhn, que tentaram incorporar idéias liberais (e outros avanços do pensamento) ao sistema católico romano, com resultados muito dúbios.

O papa João Paulo II (atual papa, fins de 1987) tem atacado vigorosamente àqueles que aceitam parte da doutrina da Igreja Católica Romana, mas rejeitam outra parte, e tem despedido de universidades católicas a vários professores de tendências liberais. No entanto, dentro do catolicismo romano de nossos dias há um segmento liberalizante bem amplo. Além disso, ainda há pouco tornou-se notório nos meios católicos romanos a chamada *Teologia da Libertação* (vide), ainda que, por incrível que pareça, apesar de seu título «da Libertação», na verdade é ferozmente *totalitária*, uma filosofia secular que modifica a teologia em uma sociologia religiosa. Portanto, a Igreja Católica Romana está enfrentando, na atualidade, uma dupla ameaça, cujo resultado pode ser um outro cisma ainda maior do que aquela no século XVI, no tempo da Reforma Protestante. Ver o artigo geral sobre o *Liberalismo*. (C R)

LIBERDADE

Esboço:

   I. Caracterização Geral

   II. Considerações Filosóficas

   III. Algumas Considerações Bíblicas e Teológicas

I. Caracterização Geral

1. *Quando o Homem é um Ser Livre?* Alguém já forneceu a seguinte resposta: «O homem é livre quando as condições sob as quais vive são de sua própria escolha». À primeira vista, parece que temos aí uma boa definição. Porém, essa definição envolve problemas. Pois se as pessoas forem treinadas, educadas ou mesmo forçadas a aceitarem um determinado conceito de liberdade, talvez se contentem relativamente bem diante da servidão, em vez de quererem ser verdadeiramente livres. Se houvesse eleições livres atualmente, na União Soviética, provavelmente o comunismo seria vencedor. Entretanto, isso não faria do comunismo um promotor da liberdade humana. Tal eleição serviria somente para provar que o povo russo foi treinado de tal modo que ncm saberia escolher direito entre opções. Antes, naturalmente, permaneceriam com aquilo que sempre conheceram, temendo que qualquer modificação pudesse apenas vir a piorar as suas condições de vida.

2. *Dentro do Campo Espiritual*. Aplica-se ali o mesmo princípio. Em nossos dias, vemos o espetáculo em que todo o tipo de deboche é apresentado como se fosse «moderno» e «livre». Um indivíduo completamente depravado e viciado, em várias modalidades de pecado, considera-se livre meramente porque a lei não proíbe o seu estilo de vida e porque tem a liberdade de deixar-se escravizar pelo pecado. Isso nada tem a ver com a liberdade autêntica. Jesus Cristo trouxe

LIBERDADE

para nós uma mensagem de libertação do pecado, que envolve o direito de nos tornarmos membros da família de Deus. Ver João 8:36. A verdadeira liberdade consiste no que disse ali o Senhor Jesus. A queda no pecado tornou os homens cativos do pecado e da mortalidade. — A mensagem do evangelho promete-nos liberdade dessas coisas. A liberdade genuína está diretamente ligada à verdadeira imortalidade. Platão referia-se ao mundo material como o sepulcro e a *prisão* da alma. A libertação, mediante a redenção que há em Cristo, pode reverter tal situação.

II. Considerações Filosóficas

1. Um importante elemento da *liberdade* é a capacidade e a oportunidade de ter uma genuína *escolha livre*. Ver os artigos separados sobre o *Livre-Arbítrio* e sobre o *Determinismo*. Entretanto, essa escolha não deve ser somente entre poderes ou forças externas, mas deve envolver o íntimo do próprio indivíduo. Talvez me seja dada a oportunidade de escolher o bem, por exemplo; mas, se eu mesmo estiver escravizado pelo mal, serei forçado, por compulsão íntima, a continuar escolhendo o mal. Terei feito uma aparente livre escolha, mas já me havia decidido, mediante fatores subjetivos.

2. A *teoria atômica* de Demócrito, dos epicureus e de Lucrécio propunha a liberdade em relação aos átomos. E as teorias éticas, baseadas nessa pequena metafísica, representavam o homem como um ser livre para agir, sem qualquer compulsão externa (os deuses não se incomodariam nem um pouco com o que fazemos), e também sem qualquer compulsão interna escravizadora.

3. Os *filósofos teólogos cristãos* têm assumido diversas posições acerca da questão da liberdade. Agostinho e Tomás de Aquino apoiavam a realidade das escolhas humanas, mas combinavam-na com a presciência divina e com um futuro previamente determinado. A queda do homem no pecado também é um fator importante da teologia, visto que muitos teólogos (como os calvinistas) crêem que o homem perdeu sua capacidade de vontade livre, quando caiu no pecado. Assim, o homem poderia escolher livremente o mal, mas não o bem, pelo que não o escolheria mesmo. Essa idéia reflete-se claramente no terceiro capítulo da epístola aos Romanos. Ver o artigo geral sobre o *Livre-Arbítrio* e também sobre o *Determinismo*, onde a questão é amplamente debatida.

4. *Guilherme de Ockham* favorecia fortemente a liberdade humana, ao ponto em que pensava que o futuro é sempre contingente, embora, de alguma maneira, a infinitude de Deus não seja por isso limitada, ainda que ele não soubesse dizer de que maneira, visto que um futuro contingente requer que pensemos em um Deus finito.

5. *Pico della Mirandola* acreditava que a liberdade de escolha do homem confere-lhe uma posição especial no universo, acima de todas as demais criaturas.

6. *Descartes* ensinava que os homens reconhecem, intuitivamente, que são livres quanto à sua escolha.

7. *Cousin* pensava que a fonte da liberdade é a espontaneidade. Essa condição seria universal, garantindo a liberdade.

8. *Martineu* definia a liberdade como a capacidade de escolher entre diferentes motivações.

9. *Charles Peirce* postulava que o *tiquismo* (vide), o princípio da chance (vide), é uma força que opera no mundo, garantindo a liberdade de escolha.

10. O *existencialismo* (vide) acredita que a liberdade (e, por conseguinte, a responsabilidade) é uma das principais características da existência humana. A liberdade não somente existe, mas também é inevitável e, com freqüência, mostra-se desastrosa. Nem sempre a liberdade leva à bondade e ao benefício. O existencialismo religioso encara a missão de Cristo, ou a bondade de Deus, como garantidoras de um bom resultado, porém, a variedade atéia do existencialismo vê um mundo pessimista misturado em meio a uma liberdade indefinida e sem sentido.

11. *David Hume* não pensava que a liberdade fosse incompatível com a necessidade, fazendo a coação ser o contrário da liberdade.

12. *Jonathan Edwards* fazia a liberdade tomar a feição de um determinismo disfarçado, assegurando-nos que os homens escolhem o que preferem, embora só escolham aquilo que Deus já determinou que deve acontecer.

13. *Voltaire* tomava uma posição parecida com a de Jonathan Edwards. Fazemos aquilo que preferimos: porém, escolhemos aquilo que necessariamente deve ser escolhido. Para Voltaire, isso parecia uma liberdade suficiente.

14. *Kant* falava em liberdade em termos de *autonomia*, uma qualidade da vida humana, posta à disposição de todos os homens, mas somente dentro do nível *noumenal* do ser, pois, dentro do mundo dos *fenômenos*, as coisas seriam governadas pelo determinismo.

15. *A definição normativa*. A verdadeira liberdade consiste em fazer aquilo que a pessoa *deveria fazer*, porquanto todos os demais tipos de atos são escravizadores. Agostinho e Tomás de Aquino trouxeram à tona esse conceito do valor da liberdade.

16. *Liberdade é caráter*. Milton ensinava que a liberdade verdadeira envolve a questão do caráter. Quem possui um caráter fraco sempre vive escravizado pelo pecado, por mais que declare, em altos brados, a sua liberdade, que é falsa. O caráter espiritual leva os homens a escolherem a bondade e a retidão, bem como a liberdade genuína.

17. A liberdade é o poder que inicia ou impulsiona as causas (Epicuro).

18. *Dewey* equiparava a liberdade com o poder de tomar decisões inteligentes.

19. A *liberdade política* consiste no estado de ser livre de compulsões externas. No regime de liberdade política os homens não são aprisionados, nem aterrorizados, por causa de suas convicções, e também desfrutam de certas liberdades fundamentais. Ninguém é inteiramente livre, mesmo sob circunstâncias ideais, visto que precisa viver em uma comunidade, cedendo aos direitos e desejos de outros seres humanos. Acresça-se a isso que o homem precisa ter um genuíno conceito de liberdade, com a permissão de expressar esse conceito de alguma maneira prática. Isso requer a garantia dos direitos e liberdades humanos básicos. A liberdade inclui o direito de seguir um certo curso de vida, incluindo alguma profissão, e não a isenção de qualquer opressão externa. As pessoas livres escolhem a sua própria condição de vida, embora também precisem ser treinadas a reconhecer como se deve escolher entre opções diversas. Antes de tudo, quem é livre é livre na mente e, em seguida, nos atos e nas condições.

III. Algumas Considerações Bíblicas e Teológicas

1. É patente que o grande adversário da verdadeira liberdade é o pecado e a sua degradação, porquanto o homem que é escravo de suas corrupções internas não é livre, sendo antes um cidadão do mundo dos poderes malignos. O terceiro capítulo da epístola aos Romanos descreve graficamente o poder escravizador

LIBERDADE

do pecado, e os capítulos que se seguem descrevem como o homem pode ser libertado, por meio do evangelho.

2. A *verdadeira liberdade* faz parte do poder libertador da missão de Cristo, conforme se aprende em João 8:36. A liberdade espiritual é mais importante que a liberdade pessoal e a política, e os escravos podem ser libertos em Cristo (I Cor. 7:22).

3. Embora a queda no pecado tenha embotado a capacidade do homem de fazer escolha, de tal modo que é verdade que ele escolhe facilmente o mal, ao passo que só dificilmente ele escolhe o bem, também é verdade que o homem pode escolher, realmente, o bem. E só será uma pessoa responsável se o fizer. A mensagem do evangelho dificilmente pode ser proclamada perante ouvidos surdos; mas, quem quiser atender ao seu chamamento, que o faça. Na Bíblia são ensinados tanto o livre-arbítrio quanto o determinismo. Se dissermos que o homem não é capaz de fazer escolhas entre o bem e o mal, por causa da queda, a menos que para isso seja capacitado pelo Espírito de Deus, então respondemos que o Espírito de Deus posta-se ao lado do crente, quando vê a mais tênue reação favorável a Cristo. — E se alguém argumentar dizendo que o homem não pode ter nem argumentar a mais tênue reação favorável, então replicamos que isso é contrário à experiência e à observação humanas. E também que o Espírito Santo, em face do amor de Deus, é poderoso para permitir a todos os homens essa reação mínima. E, mesmo que isso não ocorra deste lado da existência, o julgamento remedial, ensinado em I Ped. 4:6, e também a restauração geral, ensinada em Efé. 1:9,10, haverão de permitir essa oportunidade.

4. *O homem é um ser criativo.* Alguns teólogos têm dado pouco valor ao ser humano, referindo-se a ele como um verme, totalmente depravado e impotente. Porém, a experiência humana não concorda com essa avaliação. De fato, as evidências demonstram que o homem não somente é uma criatura capaz de fazer livre escolha, mas também é um ser criativo, que pode transformar tanto a si mesmo quanto ao seu meio ambiente e ao seu destino. Até onde sou capaz de ver as coisas, essas são qualidades que o ser humano possui, devido ao fato de haver sido criado segundo a imagem de Deus.

5. *O poder libertador de Cristo é universalmente libertador.* Ele mesmo ensinou que quando fosse levantado na cruz, *todos os homens* seriam atraídos a Ele (João 12:32). Essa declaração de Jesus soluciona de vez a questão da potencialidade humana.

6. Apesar do homem ser um egocêntrico, importante aos seus próprios olhos, preocupado somente consigo mesmo, auto-indulgente e justo perante seu próprio conceito, também é objeto do amor universal de Deus e da missão toda-poderosa de Jesus Cristo. Esses elementos divinos vencem a todas as possíveis barreiras humanas.

7. *Responsabilidade.* O apelo bíblico para que os homens escolham a bondade e os benefícios da missão de Cristo pressupõe que eles realmente são capazes de fazê-lo. Se os homens não pudessem corresponder a esse apelo, sob hipótese alguma poderiam ser considerados responsáveis por terem-no rejeitado. Condenar todos os homens, por causa da má escolha de Adão, sem qualquer recurso provido pelo Senhor é perder inteiramente de vista o significado da missão de Cristo. Essa missão tem um alcance universal na terra, no céu e no hades, pelo que os seus efeitos também são universais, podendo resgatar de modo universal. Uma teologia má é aquela que fecha qualquer dessas portas. Não obstante, sabemos que

apesar dessa capacitação, oferecida por Deus, mediante a missão de Cristo, muitos acabam mesmo preferindo o mal. O inferno ficará repleto, e não vazio! Há aqueles que nunca se deixarão conquistar pelo amor de Deus!

8. Um aspecto importante da liberdade ensinada na Bíblia é salientado pelo apóstolo Paulo, no quarto capítulo da epístola aos Gálatas. Em Cristo temos liberdade para desvencilhar-nos do sistema mosaico legalista, o qual apontava para a santidade, mas não tinha a capacidade de produzi-la. Ver Gál. 4:19 e *ss.* Naturalmente, essa é a mensagem, de modo geral, das epístolas aos Romanos e aos Gálatas.

9. *Liberdade moral e espiritual no serviço.* O indivíduo que é moralmente livre é aquele que já aprendeu a servir ao próximo. Aquele que desejar ser grande entre os homens, deve procurar essa grandeza no serviço que possa prestar a seus semelhantes. E quem desejar ser o primeiro, que se torne o último, na hierarquia do poder. O servo é aquele que dispõe de liberdade suficiente, libertando-se de seu egoísmo, para poder servir ao próximo. Ver Mar. 10:43,44. Jesus lavou os pés de Seus discípulos (João 13:12-20).

10. *Outros tipos de liberdade.* Ver os seguintes artigos: *Indiferença, Indiferentismo* e *Liberdade Cristã.*

LIBERDADE CRISTÃ

Esse título alude àquelas coisas que um crente pode fazer, mas que evita fazer, a fim de não ofender algum irmão escrupuloso com o ato. Falamos sobre coisas que, em si mesmas, são *indiferentes,* mas que deixam de sê-lo, somente porque alguém faz questão delas. O princípio básico da liberdade cristã é o fato de que Cristo liberta ao crente, não somente da servidão ao pecado, mas também da carga da lei de Moisés, como uma lei moral, como uma diretriz para a vida, sem falarmos na lei cerimonial, que não está mais em vigor. Ver João 8:31-36; Atos 26:17; Rom. 7:24,25; Heb. 2:14; Rom. 14. A união espiritual com Cristo (ver o artigo intitulado *Cristo-Misticismo*) faz toda a diferença, e é um agente libertador.

Nem a circuncisão nem todo o conjunto de ritos e observância de dias especiais foram incorporados na fé cristã. Ver João 4:20-24; Atos 15:1-29; Gál. 2:1-21; 5:1-6; Heb. 8:10,13. Naturalmente, houve um longo e difícil período de separação, enquanto o antigo pacto estava morrendo e o novo pacto estava nascendo. Muitos cristãos primitivos eram legalistas, procurando manter as formas antigas dentro da nova criação. Ver o artigo sobre o *Legalismo.* Em minha opinião, Paulo representava o novo pacto, ao passo que o autor da epístola de Tiago (provavelmente não o apóstolo Tiago, irmão do Senhor) representava o antigo pacto. E isso significa que no Novo Testamento encontramos livros canônicos que representam ambos os lados da controvérsia. O concílio de Jerusalém, o primeiro concílio ecumênico, deu liberdade para os gentios quanto à maioria dos antigos regulamentos, estabelecendo exceção somente quanto ao uso do sangue e à ingestão de carne de animais sufocados, porquanto essas coisas eram especialmente repelentes para os irmãos judeus. Os trechos de Rom. 13:1-23 e 14:14 mostram que até mesmo nos territórios gentílicos o problema estava longe de ser solucionado, e careceu de instruções especiais da parte de Paulo.

É significativo que Paulo tenha chamado as pessoas escrupulosas do antigo caminho de *fracas,* sem importar se aqueles que continuavam a observar os antigos caminhos julgavam-se *fortes* e melhores cristãos que os demais, orgulhando-se de seu culto religioso superior e de sua observância alegadamente mais fiel. De fato, os novos avanços na fé cristã

LIBERDADE RELIGIOSA

sempre envolvem os «inovadores religiosos e os hereges», na opinião da velha guarda.

Quanto a outras explicações, incluindo a moderna aplicação do princípio da *Liberdade Cristã*, ver o artigo intitulado *Indiferença, Indiferentismo*. Ver também o artigo geral sobre a *Liberdade*.

LIBERDADE DA VONTADE
Ver sobre o **Livre-Arbítrio**.

LIBERDADE DE INFORMAÇÕES
Ver o artigo sobre o **Sigilo**.

••• ••• •••

LIBERDADE RELIGIOSA
Esboço:
1. Ilustrações e Exemplos
2. Os Preconceitos e a Conduta Indigna
3. A Dignidade Humana
4. Liberdade para os Cativos
5. Na Igreja Cristã Primitiva
6. A Reforma Protestante
7. O Estado e a Liberdade Religiosa
8. Elementos e Tipos de Liberdade Religiosa
9. Direitos Religiosos Básicos
10. Onde Está o Espírito de Deus, Aí Há Liberdade

Ver o artigo geral sobre a *Liberdade*.

1. Ilustrações e Exemplos
Talvez, em um artigo sobre um tema tão importante, fosse bom começar com uma ilustração. Por algum tempo, vários grupos religiosos orientais, no estado de São Paulo, Brasil, em seu fervor propagandístico, estavam usando os ônibus interurbanos a fim de propagarem as suas doutrinas. Algumas vezes, aqueles propagandistas entravam em um desses ônibus para anunciar algum livro que tinham para vender, ou solicitavam doações em dinheiro para certa variedade de obras sociais e de caridade. Aparentemente, a direção daquelas companhias de ônibus permitia a continuação da prática. Ocasionalmente, os ativistas mais zelosos faziam a mesma coisa, mas iam em viagem, no ônibus, para então, ao longo do caminho, fazerem o seu trabalho religioso.

Embora eu não tivesse sido testemunha ocular do que passo a narrar, — o acontecimento foi visto por um amigo. Um dia, quando um representante de uma dessas religiões orientais estava fazendo a sua propaganda, um missionário evangélico resolveu intervir. Ele se levantou e anunciou que os passageiros do ônibus, certamente, não queriam comprar os livros que aquele homem estava tentando vender. Então seguiu o homem e recolheu todos os livros e os devolveu ao propagandista religioso. Apesar de que, à primeira vista, isso pode parecer um ato de coragem, em defesa do evangelho cristão, quando nos pomos a refletir, fica patente que foi um ato tolo, que milita contra a liberdade religiosa. Poderíamos questionar se é próprio que uma companhia de ônibus permita que seus veículos tornem-se cena de tal propaganda religiosa. No entanto, a primeira pedra fundamental da liberdade religiosa é que devo permitir que outras pessoas façam a mesma coisa que eu quero fazer. A liberdade religiosa instala-se quando todas as pessoas têm a liberdade de propagar a sua fé, sem importar

no que consista essa fé. Já que desejo liberdade para mim mesmo, devo conceder liberdade a todos os meus semelhantes. Muitos líderes protestantes, durante o período da Reforma, clamaram contra a opressão da Igreja Católica Romana, exigindo direitos iguais e liberdade religiosa. Porém, quando obtiveram poder político, tornaram-se opressores. Quanto a isso, João Calvino (vide) é um exemplo conspícuo. Chegamos a ficar estupefactos quando lemos quantos objetores e hereges foram executados ou exilados a mando dele. Ver o artigo sobre a *Tolerância*. Os anglicanos, por sua vez, nos têm dado bom exemplo de liberdade religiosa. Eles têm insistido que a tolerância não é suficiente. Também há o princípio de amor e compaixão, que deveria ser aplicado a toda a controvérsia religiosa. Apesar daquilo que reputo serem erros graves no mormonismo (ver o artigo sobre os *Santos dos Últimos Dias*), tenho de confessar que eles nos têm dado um notável exemplo de tolerância, que deve mesmo estar no centro da liberdade religiosa.

2. Os Preconceitos e a Conduta Indigna
Uma pessoa **preconceituosa** é uma pessoa **não** liberal e intolerante. É possível um homem ter opiniões corretas, ao mesmo tempo em que é preconceituoso. E também é possível alguém ser preconceituoso, e estar errado em suas opiniões religiosas. Visto que a teologia é *teologia*, e não *humanologia*, todas as pessoas religiosas erram em um ou outro ponto em sua teologia. Isso exige que sejamos humildes. O amor requer que sejamos tolerantes quanto aos nossos semelhantes e às suas crenças. Jesus misturava-se com os pecadores e não se mantinha afastado deles, conforme faziam os preconceituosos fariseus. Jesus atraía a Si mesmo os homens, mediante o poder da verdade que expunha. Ele jamais forçou quem quer que fosse a aderir a algum sistema. Ele criticou os seus próprios apóstolos quando demonstraram atitudes intolerantes, o que pode ser visto em dois significativos trechos bíblicos. Ver Mar. 9:38-40 e Luc. 9:51-56. Jesus aceitou certo homem como um seu discípulo autêntico, embora o homem não o seguisse e nem fizesse parte de seu próprio grupo (primeiro trecho bíblico); e Jesus desaprovou atitudes destrutivas concernentes aos samaritanos, que os judeus consideravam hereges (segundo trecho bíblico).

3. A Dignidade Humana
Uma das bases da liberdade religiosa é o conceito da dignidade do homem, o qual foi criado à imagem de Deus.

4. Liberdade Para os Cativos
Jesus veio a fim de pôr os homens em liberdade (ver Luc. 4:16-22). Ele fez isso pregando a verdade, expelindo demônios dos homens e salvando eternamente a muitos. Sua Igreja, embora discordando com seitas que se mantêm fora do pálio de Cristo, dificilmente segue o exemplo deixado por Deus; antes, por muitas vezes a Igreja organizada tem sido agente de perseguição. Uma pessoa ou um grupo de pessoas que seja um agente perseguidor dificilmente poderá ser respeitado como agência do evangelho, que liberta os homens no espírito do amor.

5. Na Igreja Cristã Primitiva
Atanásio, Hilário de Poitiers (*Contra Arianos vel Auxentium, Migne* x. 610) e Lactâncio (*Divina Institutio*, Migne vi. 1061) rejeitavam a idéia do uso da força a fim de subjugar os hereges. Agostinho, para sua eterna vergonha, defendia o uso da força para controlar as heresias, incluindo o uso do poder do Estado, para o que se valia dó argumento de que a liberdade pertence somente à verdade, e que aquele

LIBERDADE RELIGIOSA — LIBER

que não defende a verdade não deveria ser livre. Ele argumentava que as pessoas não deveriam ter o direito de escolher o erro, porque esse tipo de escolha não é uma forma de liberdade, e, sim, de servidão. Também ensinava que as religiões falsas deveriam ser exterminadas. O resultado lamentável dessa maneira de pensar foi que tanto o Estado quanto a Igreja tornaram-se perseguidores e destruidores, mesmo que não houvesse crimes civis envolvidos, mas apenas diferenças doutrinárias. A história da cristandade, desde Agostinho até à Reforma Protestante provê-nos uma triste ilustração de como a Igreja Católica seguiu as diretrizes ensinadas por Agostinho, quanto a essa questão da liberdade religiosa.

6. A Reforma Protestante

Os historiadores religiosos falam sobre esse evento como um gigantesco passo na direção do estabelecimento do princípio da liberdade religiosa, tanto na Igreja como no Estado. A Reforma Protestante, em muitos casos, intensificou o ódio e a perseguição pois vários líderes protestantes foram mortos, exilados e perseguidos, ou, então, mataram, exilaram e perseguiram a outros. Todavia, a Reforma Protestante restaurou o conceito da responsabilidade individual diante de Deus, diminuindo a força dos poderes totalitários, seculares ou religiosos. A Reforma, pois, foi um fator na liberalização da Europa, e parte do movimento que, finalmente, separou a Igreja do Estado, na maioria dos países modernos. Isso deu margem para a variedade religiosa. Além disso, visto que os protestantes requeriam liberdade para *si mesmos*, logicamente criaram a atmosfera em que *outras* pessoas também são consideradas dignas do mesmo direito, sem importar se não são nem católicas romanas e nem protestantes.

7. O Estado e a Liberdade Religiosa

Têm prevalecido três condições gerais quanto a essa questão:

a. *Territorialismo*. Um território ou país permite apenas uma religião, o que elimina totalmente a liberdade religiosa. Todavia, os cidadãos têm ali o direito de emigrar para outros países. Esse foi o conceito adotado pela Paz de Augsburgo (1555) e pela Paz de Westphalia (1658).

b. *Territorialismo e Tolerância Religiosa*. Embora haja uma religião oficial, a emigração não é exigida da parte dos que não concordam com ela. Poucas pressões são feitas sobre os que não concordam com a religião oficial, e muita tolerância religiosa pode ser conferida aos tais. Essa foi a norma que, por longo tempo, prevaleceu na Grã Bretanha.

c. *Pax Dissendentium*. Em outras palavras «paz entre os dissidentes». O Estado concorda em permitir certa variedade religiosa, em que os partidos dissidentes vivem juntos, em paz. A Polônia foi o primeiro país a experimentar o sistema, em 1783. Esse sistema chegou a prevalecer nos Estados Unidos da América do Norte, embora, nos primeiros anos, quando os puritanos eram a força dominante, o sistema não chegou a funcionar. Muitos países modernos têm adotado o sistema.

8. Elementos e Tipos de Liberdade Religiosa

a. A liberdade em Cristo, que liberta aos homens (João 8:36).

b. A liberdade de sistemas legalistas, como medidas justificadoras ou santificadoras, o que é a mensagem cêntrica das epístolas aos Romanos e aos Gálatas. Ver Rom. 3 e Gál. 5:1.

c. A liberdade religiosa pode ser concedida pelos governos, conforme foi sugerido no sétimo ponto, acima. Ver o r.ono ponto, quanto a uma lista de

direitos fundamentais que os governos devem dar aos seus governados.

9. Direitos Religiosos Básicos

a. Liberdade de expressão.

b. Liberdade de consciência.

c. Liberdade de reunião.

d. Liberdade de propagar a própria fé.

e. Liberdade de qualquer tipo de opressão por causa de crença religiosa.

f. Direito de falar sobre as implicações religiosas e espirituais das idéias e sistemas sociais, econômicos e políticos.

g. Liberdade de movimento nacional e internacional para os missionários religiosos.

h. O direito de manter escolas religiosas.

i. A necessidade de proteger o pluralismo religioso e político.

j. O direito de mudar de idéia e de unir-se a outros grupos religiosos.

Artigo 18 da Declaração Universal dos Direitos Humanos das Nações Unidas:

«Toda pessoa tem o direito à liberdade de pensamento, de consciência e de religião. Esse direito inclui a liberdade de mudar de religião ou de crença, bem como a liberdade — sozinho ou coletivamente, juntamente com outras pessoas, em público ou privadamente — de manifestar a própria religião ou crença no ensino, na prática, na adoração e na observância».

10. Onde Está o Espírito de Deus, Aí Há Liberdade

«Porque a lei do Espírito da vida, em Cristo Jesus, te livrou da lei do pecado e da morte» (Rom. 8:2).

«Ora, o Senhor é o Espírito; e onde está o Espírito do Senhor, aí há liberdade» (II Cor. 3:17).

«Para a liberdade foi que Cristo nos libertou. Permanecei, pois, firmes e não vos submetais de novo ao jugo da escravidão» (Gál. 5:1).

Bibliografia. C E P

LIBER DE CAUSIS

Esse tratado data de cerca do século IX D.C., embora tenha sido atribuído a Aristóteles. Trata-se de uma espécie de tratado neoplatônico sobre Deus e o mundo. Foi traduzido do grego para o árabe, e dali para o latim. Exerceu profunda influência sobre o pensamento de Eckhart, no século XIV D.C. Refere-se a muitos níveis de seres, começando por Deus, a Causa Primária. De Deus emanam, por meio de atos de *criação*, todas as formas de vida inteligente e todas as formas materiais. Essa obra difere das obras neoplatônicas comuns porque, nela, Deus aparece como o Criador, e não como emanador das outras coisas. Isso significa, por sua vez, que a essência de Deus é diferente de todas as outras essências, além de ser anterior a elas. O neoplatonismo comum era panteísta e dependia fortemente do conceito de *emanação* (vide), a fim de explicar a criação, conforme a conhecemos. A verdadeira origem desse tratado foi uma parte de um manuscrito de *Proclo*, adaptada para os propósitos de seu autor.

LIBER PONTIFICALIS

Esse nome latino significa «Livro dos Pontífices», ou «Livro dos Papas». O livro foi escrito por muitos autores, cada qual contribuindo com uma parte. A obra contém as biografias de papas, desde Simão Pedro (que ali aparece como o primeiro papa, embora a Bíblia nunca mencione tal coisa) até Estêvão V

LIBERTADOR — LIBERTARIANISMO

(885—891 D.C.). Foi iniciado por um autor desconhecido do século VI D.C., e, gradualmente, foi recebendo adições. Louis Duchese lançou uma edição que punha a obra em dia, até o ano de 1431.

LIBERTADOR, LIBERTAÇÃO

Há dezenove palavras hebraicas envolvidas, das quais seis são as principais, e há cinco palavras gregas envolvidas neste verbete, a saber:

1. *Chalats*, «tirar», «libertar». Palavra hebraica usada por vinte e três vezes com esse sentido, como, por exemplo, em II Sam. 22:20; Jó 36:15; Sal. 6:4; 7:4; 18:19; 34:7; 50:15; 140:1.

2. *Yasha*, «salvar». Palavra hebraica empregada por duzentas vezes, das quais no particípio *hifil* por quinze vezes, com o sentido de «salvador». Por exemplo: Juí. 2:16,18; 3:9,31; 8:22; 10:12-14; 13:5; Êxo. 14:30; Deu. 20:4; Jos. 10:6; I Sam. 7:8; Nee. 9:27; Sal. 3:7; Isa. 25:9; Jer. 2:27,28; Eze. 34:22, Zac. 8:7,13; 12:7.

3. *Malat*, «deixar escapar». Termo hebraico usado por noventa e duas vezes, como em II Sam. 19:9; Jó 6:23; 22:30; Sal. 33:17; Ecl. 8:7; Isa. 46:2,4; Amós 2:14,15.

4. *Netsal*, «libertar», «arrebatar». Palavra aramaica usada por quatro vezes, em Daniel 3:29; 6:14; 8:4,7.

5. *Palat*, «deixar escapar». Palavra hebraica usada por vinte e seis vezes, como em II Sam. 22:44; Jó 23:7; Sal. 17:13; 18:43,48; 31:1; 37:40; Miq. 6:14.

6. *Shezab*, «libertar». Palavra aramaica usada em Daniel, por nove vezes: Dan. 3:15,17,28; 6:14,16,20, 27.

7. *Apallásso*, «libertar», «modificar». Palavra grega usada por três vezes: Luc. 12:58; Atos 19:12; Heb. 2:15.

8. *Eleutheróo*, «libertar». Vocábulo grego empregado por sete vezes: João 8:32,36; Rom. 6:18,22; 8:2,21; Gál. 5:1.

9. *Eksairéo*, «tirar de», «arrebatar». Palavra grega usada por oito vezes: Mat. 5:29; 18:9; Atos 7:10; 7:34 (citando Êxo. 3:8); 12:11; 23:27; 26:17; Gál. 1:4.

10. *Rúomai*, «salvar». Vocábulo grego que aparece por dezessete vezes, por exemplo: Mat. 6:13; Rom. 7:24; II Cor. 1:10; Col. 1:13; I Tes. 1:10; II Ped. 2:7,9.

11. *Dídomi soterían*, «dar a salvação». Expressão grega usada somente em Atos 7:25.

Essas palavras expressam uma atividade dominante de Deus, que aparece em ambos os Testamentos. No uso comum, no Antigo Testamento, a palavra tem a idéia de «arrebatar», livrando a pessoa de algum perigo. Ver Gên. 37:21; II Sam. 19:9; Amós 2:14. Além disso, temos a considerar o extraordinário livramento do êxodo, exemplificado no livro inteiro intitulado Êxodo, como também, especialmente, em declarações como a de Êxo. 3:8: «...desci a fim de livrá-lo (o povo) da mão dos egípcios...» Visto que o livramento pode atingir a própria alma, e não somente o corpo, a palavra também tem uma importante conotação espiritual, podendo servir de sinônimo de *redenção*. Por causa disso, a narrativa sobre o livramento de Israel do Egito tornou-se símbolo da redenção espiritual. Em Jó 33:28 e Sal. 69:18, o uso da palavra aponta para a redenção. Mas também há aquele livramento negativo mediante o qual Deus entrega seu povo ao castigo, por motivo de suas más ações, como no caso dos cativeiros (ver Jer. 20:5; 21:7; 24:9; 29:18; Eze. 11:8,9; 21:31; Eze. 25:4-7). Mas isso já envolve outras palavras hebraicas. Outros livramentos incluem a libertação da morte

(Sal. 33:19); das tribulações (Sal. 34:6); das aflições de toda a variedade (Sal. 107:6); da fornalha ardente (Dan. 3:17,18); da cova dos leões (Dan. 6:14,16); da decadência (Rom. 8:21); da servidão espiritual, do perigo e da consternação, por parte do Messias (Isa. 59:20; Rom. 11:26). Essa última referência inclui a idéia da restauração nacional de Israel. Também há o livramento do poder de Satanás (Mat. 6:13); da segunda morte (Apo. 2:11; 20:6; Luc. 4:18, citando Isaías 61, que aponta para o livramento dos cativos do pecado e de seus resultados físicos, como a aflição e a enfermidade, por meio da missão do Messias). Também há o livramento da enfermidade (Luc. 13:16); do *reino* de Satanás (Luc. 11:14 *ss*); das perseguições, do sofrimento e das aflições (II Tim. 3:11; 4:17*ss*); do poder do pecado (Rom. 7:18-25); da tirania e do temor da morte (Heb. 2:15); do maligno (Mat. 6:13); e do presente mundo pervertido (I Tes. 1:10). (W)

LIBERTADOR, O

Ver o artigo geral sobre **Libertador, Libertação**. O Libertador é «alguém que salva e remove do perigo». Ele é o agente que providencia os muitos meios de libertação, conforme se vê no artigo referido. O próprio Deus aparece como o nosso Libertador (Sal. 40:17). Deus também figura como o Salvador, ou seja, libertador no sentido espiritual (Isa. 43:11). Aquele que livra de qualquer perigo é chamado «libertador» (Sal. 7:2). Moisés foi o agente usado por Deus no livramento de Israel do Egito, pelo que lhe é dado o título de «libertador», em Atos 7:35.

Reveste-se de especial interesse a figura do Libertador (Messias e Salvador) de Israel, conforme se vê em Rom. 11:26, o qual dará salvação nacional ao povo de Israel. Antecipo que isso envolverá muito mais que o remanescente israelense dos últimos dias, porquanto fará parte da restauração geral, prometida em Efésios 1:10. Seja como for, haverá um grande livramento para todos os povos, em consonância com o poder, a predestinação e o amor de Deus.

LIBERTARIANISMO E NECESSARIANISMO

Libertarianismo é sinônimo de crença no livre-arbítrio, o poder que os homens têm de dar início a decisões vitais. O *necessarianismo*, por sua vez, é o oposto, ou seja, a idéia de que os homens não têm verdadeira liberdade, visto que os seus atos estariam todos inevitavelmente condicionados por causas, muitas das quais estão acima do controle dos homens. Os problemas envolvidos não são meramente teológicos, também são de ordem científica, filosófica e política. A partir de *Newton* (vide), a ciência desvendou a necessidade na natureza (dependente da filosofia do *naturalismo mecanicista*). E Deus poderia estar envolvido ou não na questão, visto que a necessidade poderia ser assegurada por leis naturais, e não somente por imposição sobrenatural. Os eruditos passaram a tentar subordinar a filosofia e a ética ao mesmo conceito de lei, natural e sobrenatural, removendo, ao mesmo tempo, todo o autodeterminismo. Mas outros resistiram a essas tentativas, declarando que o determinismo existe, mas que é o «eu» que determina, pelo que a liberdade existe desde antes do determinismo. Com o descobrimento da *mecânica quantum* (vide) pelos cientistas, foi debilitada a visão mecanicista da natureza. De fato, essa descoberta tem possibilitado, à ciência, a especulação científica acerca da alma e suas operações, de um ponto de vista rigorosamente científico. Mas, além disso, há o espírito, que

810

LIBERTINOS — LIBERTOS

transcende às investigações científicas em qualquer época, e podemos supor que esse espírito é livre por decreto de Deus. Doutra sorte, o homem não passaria de um autômato, sem qualquer utilidade prática para Deus. Ora, Deus está interessado em «filhos», e não em autômatos. O libertarianismo favoreceu uma revolta contra o que é estático ou tende à estagnação; e vários promotores dessa filosofia geral viam nos princípios da evolução uma prova viva de sua filosofia básica.

Apesar de poderem ser formulados poderosos argumentos teóricos em prol do determinismo, conforme dizia Sidgwich: «Descubro ser impossível não pensar que posso *escolher agora*». Kant promoveu a idéia da liberdade como algo necessário, em torno do conceito inteiro de obrigação, e, destarte, ele situou a sua ética sobre a base da liberdade moral e suas resultantes obrigações.

Temos apresentado apenas uma pequena amostra da controvérsia que tem envolvido essa questão da liberdade versus determinismo. Em artigos separados, expandimos e expomos as idéias envolvidas. Ver também sobre *Determinismo; Predestinação* e *Livre-Arbítrio*.

LIBERTINOS

Esse termo tem sido usado com certa variedade, identificando uma atitude ética, grupos ou organizações. À raiz da palavra está o termo latino *liber*, «livre». A questão ficará mais clara se acompanharmos os pontos abaixo:

1. Houve uma seita panteísta e antinomiana na França e na Holanda, no século XVI, com esse nome, que, em francês, também ficaram conhecidos como *spirituels*. Eles chegaram ao cúmulo de negar a distinção entre o bem e o mal.

2. Os *perrinistas*, um partido político religioso, também foram apodados de *libertinos*. O chefe deles era *Ami Perrin* (daí o nome do grupo). Eles se opunham à liderança de Calvino em Genebra, na Suíça, estrita e, por muitas vezes, brutal. Mas, foram essencialmente destruídos em 1555. O grupo era formado por pessoas provenientes de vários interesses e motivações. Alguns deles eram simplesmente libertinos éticos; outros eram antinomianos teológicos. Havia também aqueles que apenas objetavam aos atos desumanos e aos métodos ditatoriais de Calvino, e que se uniram à causa dos libertinos como uma maneira de tentar quebrar o poder de Calvino.

3. *No Novo Testamento* (Atos 6:9) há referência a um partido com esse nome. Eles estavam entre os opositores de Estêvão, e participaram ativamente de sua execução injusta. Provavelmente, descendiam de libertos judeus que haviam sido expulsos de Roma pelo imperador Tibério. Nossa versão portuguesa, por isso mesmo, talvez, chama-os de «Libertos».

A palavra *Libertos* (no latim, *libertinus*) indica o que essa palavra quer dizer, referindo-se a judeus antes escravizados em Roma, mas que conseguiram obter a sua liberdade. O mais provável, nesse caso, é que eles seriam descendentes dos cativos judeus que Pompeu levara para Roma. E esses judeus, que haviam desde então adquirido a sua liberdade, deixando Roma a fim de voltarem a Jerusalém, eram tão numerosos que até puderam organizar a sua própria sinagoga. No entanto, alguns intérpretes opinam que há aqui uma alusão a judeus provenientes da *Líbia*, como sua pátria anterior. Os advogados dessa idéia salientam que havia na Líbia um distrito denominado *Libertina*, cujos habitantes recebiam o patronímico de *libertinos*. Não há como determinar, com absoluta certeza, qual dessas duas idéias será a

correta, mas a maioria dos estudiosos prefere a primeira alternativa. No NTI, em Atos 6:9, ofereço explicações mais completas.

4. *No campo da ética*. Usualmente, o termo «libertino» é usado em sentido pejorativo para referir-se ao indivíduo cujos atos não têm qualquer restrição, dando livre oportunidade a seus impulsos e apetites.

5. *No tocante a idéias*, o termo é aplicado a livre pensadores irresponsáveis.

LIBERTOS

Atos 6:9: *Levantaram-se, porém, alguns que eram da sinagoga chamada dos libertos, dos cireneus, dos alexandrinos, dos da Cilícia e da Ásia, e disputavam com Estêvão;*

A palavra *Libertos* (no latim, *libertinus*) indica o que essa palavra quer dizer, referindo-se a judeus anteriormente escravizados a Roma, que conseguiram obter a sua liberdade. O mais provável é, que neste caso, fossem descendentes dos cativos que Pompeu levara para Roma. E esses judeus, que haviam adquirido a sua liberdade, deixando Roma para voltar a Jerusalém, eram tão numerosos que puderam formar a sua própria sinagoga.

No entanto, alguns intérpretes opinam que há aqui uma referência a judeus provenientes da Líbia, como pátria anterior daqueles homens, visto que ali viviam também os cireneus (ver Atos 2:10) e que os alexandrinos não habitavam muito longe, por isso mesmo é que algumas traduções vinculam esses três grupos, como se os mesmos formassem uma única sinagoga, pensando ser natural que as três nacionalidades se tivessem unido para formar uma única congregação judaica. Assim sendo, os judeus da Cilícia e da Ásia formariam uma outra sinagoga. E isso significaria que estão aqui em foco duas sinagogas distintas. É perfeitamente possível, entretanto, que esses *Libertos* tenham chegado a Jerusalém através da Sardenha, ilha ao largo das costas marítimas da Itália, porque muitos judeus, antes escravos de Roma, haviam sido deportados para aquela ilha do mar Mediterrâneo. (Ver Tácito, Anais ii.85). Outrossim, não é mesmo impossível que, tendo eles vindo diretamente de Roma, se tivessem reunido na mesma sinagoga em companhia dos cilicianos e dos cireneus. Todavia, em defesa da idéia que os *Libertos* vieram da Líbia, salientam seus advogados que havia ali um distrito chamado Libertina, cujos habitantes recebiam o patronímico de «libertinos» e que, por isso mesmo, é bem possível que essa palavra tenha ficado vinculada a indivíduos que dali vieram, não estando em foco a idéia de que eram libertos que tinham vindo de Roma. Assim sendo, tanto com base na idéia de proximidade geográfica como com base no próprio vocábulo, talvez estejam em foco os líbios. Contudo, não há meios seguros para decidirmos a questão, embora a maioria dos eruditos acredite que se tratava, realmente, de libertos vindos de Roma. (Ver também Josefo, Antiq. xviii.3,5, que talvez sirva para confirmar esta última posição).

LIBERTOS

Ver o artigo **Libertinos**, terceiro ponto. A referência bíblica a esse grupo fica em Atos 6:9.

LIBERTOS, SINAGOGA DOS

Essa expressão acha-se apenas em Atos 6:9, referindo-se àqueles judeus de Cirene e de Alexandria que se tinham organizado como uma sinagoga, e que

LIBERTOS — LIBNA

então faziam oposição a Estêvão. Chegaram ao extremo de contratar falsas testemunhas, a fim de fortalecerem o seu caso, a fim de garantir a execução de Estêvão, sob a acusação de blasfêmia.

Os eruditos não estão certos quanto à identidade e à natureza dos «Libertos», conforme diz o texto sagrado. Foi descoberto uma inscrição em uma sinagoga de Jerusalém, por Raymond Weill, em 1920. Essa inscrição menciona a construção de uma sinagoga por parte de Teodato, filho de Veteno, sacerdote e chefe da sinagoga. O nome Veteno, naturalmente, é latino, uma alusão à família romana a cuja família judaica pertencera como escrava. Quando os judeus eram libertados e retornavam a Jerusalém, retinham o nome latino que haviam recebido e, então, tornavam-se conhecidos como *libertos*. Talvez por causa de vínculos comuns, aquela gente preferisse associar-se a uma ou mais sinagogas específicas. A sinagoga referida naquela inscrição é a mais antiga inscrição dessa natureza, descoberta pela arqueologia.

Tácito (*Anais* 2:85) informa-nos de que os judeus foram expulsos de Roma em cerca de 19 D.C., sendo possível que isso tivesse algo a ver com a libertação de escravos judeus, podendo estar relacionado com as circunstâncias historiadas em Atos 6:9. Todavia, alguns estudiosos pensam que o termo não deveria ser entendido como «Libertos» e, sim, como «*Líbios*», africanos. Porém, duas palavras diferentes deveriam ter sido usadas nesse caso, e a hipótese não tem sido bem aceita pela maioria dos estudiosos. Nas notas do NTI, em Atos 6:9, ofereço mais detalhes e especulações sobre a questão. Josefo (*Anti.* 18:3,5) alude a judeus libertos, essencialmente de forma paralela ao que Lucas nos diz no livro de Atos.

LÍBERUM ARBITRIUM

Expressão latina que significa «livre-arbítrio». Ver os artigos intitulados *Liberdade* e *Livre-Arbítrio*. Ver também sobre o *Determinismo*.

LÍBIA, LÍBIOS

Líbia é nome que vem da forma grega para o hebraico *Lubim* (vide). De acordo com alguns eruditos, esse nome parece significar «sedentos», o que pode ter-se originado nas condições de vida no deserto, onde eles viviam. Ver II Crô. 12:3; 16:8; Naum 3:9. No começo, o nome aparece com a forma de *Rbw* (= Libu), nos textos egípcios dos séculos XIII e XII A.C., referindo-se a uma tribo líbia hostil aos egípcios. Posteriormente, sob o nome grego de *Lubía*, a menção era aos povos do norte da África, ou mesmo à África inteira, de acordo com a limitada compreensão que os antigos tinham daquele continente. As referências, no hebraico, naturalmente, eram mais limitadas, referindo-se às tribos que descendiam de Cão, e que viviam a oeste do território do Alto Egito, e daí até às margens do mar Mediterrâneo, para o norte. Os termos hebraico e grego incluíam mais do que à tribo que os egípcios chamavam de *Rbw*.

Durante os séculos XII a VIII A.C., os líbios penetraram no Egito como atacantes, colonos ou soldados. Os lubim mostraram-se proeminentes nas forças do Faraó Sisaque (II Crô. 12:3; 14:9 e 16:8). Isso indica que muitos deles foram absorvidos na cultura egípcia. Também fizeram parte integrante dos Faraós etíopes que não conseguiram proteger No-Amom (Tebas) das devastações assírias, segundo está registrado em Naum 3:9. Em Dan. 11:43, talvez,

haja uma forma variante desse nome, *lubbim*, que nossa versão portuguesa traduz por «líbios».

Os *Leabim* que figuram em Gên. 10:13 (na tabela das nações) e em I Crô. 1:11, classificados sob o Egito, talvez sejam uma forma variante de *Lubim*. Os gregos usavam a forma *Lubía* para indicar o continente africano. Mas a Líbia do Novo Testamento (ver Atos 2:10) restringe-se à faixa de terras que margeia o Mediterrâneo, a oeste do Egito. Nos dias do Antigo Testamento, os *lubim* eram tribos nômades ou seminômades, as quais entraram em contacto com o Egito, com a Etiópia e com Israel, quando este povo foi aliado do Egito. Chegou tempo em que eles foram subjugados pelos cartagineses. Heródoto informa-nos de que nenhum dos líbios que vivia além do território cartaginês arava o solo (*Hist.* 4.186,187), e Políbio diz algo similar (Hist. i.161,167,177). O território passou às mãos dos gregos, dos romanos, dos sarracenos e dos turcos, em sucessão.

Pute, nos trechos de Gên. 10:6 e I Crô. 1:8, é alistado como uma nação separada, mas, em tempos posteriores, veio a associar-se com os *Lubim* (Naum 3:9). Os trechos de Eze. 27:10; 30:5; 38:5 alistam Pute juntamente com a Pérsia e com Lude, ou, então, Cuxe com Lude, pelo que parece ter havido na região grande mescla de povos. Ver o artigo separado sobre *Pute*.

Cirene era uma das cidades da Líbia. Simão, o cireneu, era nativo dessa cidade (Mat. 27:32; Mar. 15:21). Visitantes de certas partes da Líbia estiveram presentes em Jerusalém, por ocasião da festa de Pentecoste (Atos 2:10). Não há que duvidar que aquela gente era tanto judeu de nascimento quanto prosélito do judaísmo, que subiu a Jerusalém a fim de observar a festa do Pentecoste. Dentre eles, alguns converteram-se ao cristianismo. A região de Cirene encorajava que ali se formassem colônias judaicas e nos tempos em que o livro de Atos foi escrito, cerca de um quarto da população de Cirene era de origem judaica. Plínio asseverava que os gregos chamavam a África de Líbia (livro 5, no começo). Provavelmente, *Líbia* também era uma espécie de termo geral para a região da África, a oeste do Egito, sendo, sem dúvida, a região tencionada na lista de Lucas, no segundo capítulo do livro de Atos. Quanto a isso, coincide com a moderna Líbia. Josefo (*Anti.* 14.7,2) informa-nos que muitos judeus habitavam em Pentápolis, uma das principais cidades da Líbia.

LIBNA

No hebraico, «brancura». Esse é o nome de duas localidades que figuram no Antigo Testamento, a saber:

1. *Libna* era uma das cidades reais dos cananeus, que Josué conseguiu conquistar imediatamente depois que tomara a Maquedá (Jos. 10:20-30). Ela ficava no território que, finalmente, foi dado a Josué (15:42), e que, posteriormente, se tornou uma das cidades levíticas. Ver sobre *Levitas, Cidades dos*. Ver também Jos. 21:13 e I Crô. 6:57. Essa cidade ficava em Sephelah, ao norte de Laquis. Ela tem sido identificada, variegadamente, com Tell es-Safi ou com Tell Bornat. Em tempos posteriores, essa cidade revoltou-se com sucesso contra o domínio exercido por Judá, nos dias do rei Jeorão. Sabemos que as tribos mantinham domínio precário sobre certas áreas e cidades, sempre havendo um certo avanço ou recuo nessa questão. Todavia, Judá deve ter recuperado o domínio sobre a cidade, porquanto ela aparece como uma das cidades fortificadas que Senaqueribe atacou quando se lançou contra Judá, nos tempos do rei Ezequias. Ver II Reis 19:8 e Isa. 37:8. Foi durante

812

LIBNI — LICENÇA

essa invasão que uma praga dizimou o exército assírio (II Reis 19:35,36). Libna era a terra natal de Hamutal, mãe do rei Zedequias (II Reis 23:31; 24:18; Jer. 52:1). Albright, estudioso moderno, preferia identificar Libna com o Tell Bornat, cerca de dez quilômetros mais para o sul. Mas há estudiosos que preferem Gate ou Maquedá.

Arqueologia. O Tell es-Safi tem sido exaustivamente explorado pelos arqueólogos. Têm sido encontradas relíquias assírias naquele cômoro. Um tablete de pedra calcária, aí desenterrado, retrata o lançamento de um navio, acompanhado por ritos e cerimônias, incluindo sacrifícios de animais. Talvez esse tablete pertença aos dias de Senaqueribe.

Visto que há rochedos de pedra calcária perto daquele lugar, os cruzados chamaram-no de Blanchegard. Talvez a existência desses rochedos brancos é que tenha dado origem ao nome da cidade, na antiguidade.

2. A vigésima primeira parada onde os israelitas descansaram em sua jornada pelo deserto, após o *êxodo* (vide), também se chamava Libna. Ver Núm. 33:20,21. Essa é a única referência bíblica a essa localidade. Coisa alguma se sabe a seu respeito, e nem qualquer identificação positiva tem sido possível fazer. Há estudiosos que pensam que esse local é idêntico à Labã de Deu. 1:1.

LIBNI, LIBNITAS

Esses nomes também vêm do termo hebraico que significa «branco». Duas personagens eram chamadas Libni, nas páginas do Antigo Testamento:

1. O filho mais velho dos dois filhos de Gérson, filho de Levi (Êxo. 6:17; Núm. 3:17,21: I Crô. 6:17). Ele foi o progenitor dos libnitas (Núm. 3:21,26,48; ver abaixo).

2. Um filho de Merari, filho de Levi (I Crô. 6:29). Alguns estudiosos identificam esse homem com o primeiro, acima. O trecho de I Crô. 6:29 refere-se a ele como filho de Mali, que, por sua vez, foi filho de Merari. Parece evidente que houve alguma forma de corrupção textual envolvendo esse nome.

Os libnitas, descendentes de Libni, são mencionados em Núm. 3:21 e 26:48.

LIBRA

Ver sobre **Pesos e Medidas**.

LICAÔNIA

1. *O Nome*

O nome dessa região, aparentemente, deriva-se do povo chamado *lykaones*, os quais residiam na área. Ouvimos sobre eles, pela primeira vez, nos escritos de Xenofonte (*Anábasis* 4.2,23), do século IV A.C. A raiz dessa palavra talvez seja *lúkos*, «cabelo esbranquiçado», ou, então, «lobo». Mas a conexão entre o povo e a região é remota, no tocante a qualquer informação que tenhamos a respeito deles.

2. *A Região*

A Licaônia era uma antiga divisão da Ásia Menor, limitada ao norte pela Galácia; a leste pela Capadócia; ao sul pela Cilícia; e a oeste pela Pisídia. De acordo com os padrões modernos, era um território bem pequeno, com um total de apenas cerca de quatrocentos quilômetros de extensão. Tal região faz parte da moderna Turquia, especificamente a área de Conia.

3. *Informes Históricos*

Xenofonte mencionou a região em sua história sobre a expedição do jovem Ciro, intitulada *Anábasis*. Na época, a região fazia parte do império persa. Após ter sido conquistada por Alexandre, e após a morte deste, foi anexada ao reino da Síria. Posteriormente, tornou-se parte dos domínios de Eumenes II, rei de Pérgamo. Na última metade do século I A.C., foi conquistada por Amintas, rei da Galácia. Foi das mãos dele que passou para o domínio dos romanos, nos dias de César Augusto, quando então foi anexada à província da Capadócia. Tornou-se uma província romana em 25 A.C. A parte leste da Licaônia tornou-se independente da Capadócia; e, de 37 D.C. em diante, passou a fazer parte do reino de Antíoco, rei de Comagene, quando então ficou conhecida como Licaônia Antioqueana.

4. *No Novo Testamento*

Esse documento sagrado denota uma parte do território que constituía a província da Galácia, a Licaônia Galática. As cidades de Listra e Derbe, mencionadas no livro de Atos, ficavam nessa área. Ver Atos 14:6. O Novo Testamento indica que a cidade de Icônio ficava situada no lado frígio da fronteira que separava a Licaônia Galática da Frígia Galática, uma pequena informação da qual os eruditos chegaram a ter dúvidas. Porém, a confirmação dessa informação aumentou o caráter fidedigno do livro de Atos como história. Essa confirmação foi obtida por W.M. Ramsey. Paulo e Barnabé passaram por aquela região na primeira viagem missionária do apóstolo dos gentios (cerca de 47—48 D.C.), e assim atravessaram a fronteira lingüística entre Icônio e Listra. Assim, o trecho de Atos 14:11 refere-se à «língua licaônica» (no grego, *lykaonisti*). Esse idioma, como é óbvio, era um grego misturado com assírio. Em ocasião posterior, Paulo retornou à região por mais duas vezes (ver Atos 16:1,2 e 18:23). Atualmente, Icônio chama-se Konya. Paulo e Barnabé encontraram ali um povo um tanto selvagem, aguerrido, especialmente famoso por sua habilidade como arqueiros. No entanto, eles tiveram dificuldades com certos judeus, que criaram problemas. A Igreja cristã floresceu na região por diversos séculos, mas, finalmente, a região foi dominada pelos islamitas.

LICENÇA (TERMO ÉTICO)

No campo da ética, essa palavra não se refere a qualquer tipo de permissão formal para as fazer alguma coisa e, sim, refere-se a um desvio voluntário dos preceitos bíblicos ou dos princípios morais básicos, mediante um ato da vontade humana pervertida. O vocábulo grego *asélgeia* ocasionalmente tem sido traduzido por «licenciosidade», mas, usualmente, é traduzido por «lascívia», «sensualidade», etc. Em nossa versão portuguesa temos a tradução «lascívia» (em Mar. 7:22; II Cor. 12:21; Gál. 5:19) e «dissoluções» (Rom. 13:13).

Naturalmente, a rebelde vontade humana produz toda espécie de ato pervertido, pois o homem dá-se licença para tal, de acordo com seu prazer do momento. Os homens degeneram-se ao ponto em que se tornam escravos de sua natureza adâmica. E Deus acaba por entregá-los a paixões infames, o que é contrário aos seus reais interesses. No antigo *gnosticismo* (vide), tal como na situação ética do século XX, defendia-se e defende-se uma falsa liberdade mediante a qual o indivíduo tem licença de fazer tudo quanto lhe agradar, e ainda tem o displante de considerar isso «bom». Ver o artigo geral sobre os *Vícios* e *Licenciosidade*.

••• ••• •••

813

LICENCIOSIDADE — LÍDIA

LICENCIOSIDADE

No grego, **asélgeia**. Essa palavra grega ocorre por nove vezes no Novo Testamento: Mar. 7:12; Rom. 13:13; II Cor. 12:21; Gál. 5:19; Efé. 4:19; I Ped. 4:3; II Ped. 2:7,18; Jud. 4. Indica «licenciosidade», «deboche», «sensualidade», «desejo pervertido», «conduta indecente», «dissolução», etc. Jesus referiu-se a esse tipo de pecado entre aqueles pecados contaminadores, gerados pelo coração humano (Mar. 7:22,23). As pervertidas práticas sexuais de Sodoma e Gomorra fornecem-nos um exemplo de licenciosidade sem freios (II Ped. 2:7). O mundo pagão caracteriza-se por esse tipo de pecado (Efé. 4:19). A licenciosidade é uma das obras da carne (Gál. 5:19), que fazem contraste com os vários aspectos do fruto do Espírito (Gál. 5:22,23). O corpo deve ser servo da mente e do espírito, mas os homens têm feito uma inversão nesses valores, fazendo a mente ser serva das paixões físicas. Ver o artigo geral sobre os *Vícios*.

LICEU

Esse era o nome de um jardim público de Atenas, freqüentado por Aristóteles e seus discípulos. Com base nessa circunstância, sua escola de filosofia veio a tornar-se conhecida por esse nome. Também era chamada de escola *peripatética*, devido ao hábito daqueles filósofos ficarem andando pelo jardim, em suas discussões filosóficas. A palavra grega *lykeum* deriva-se de *lúketos*, «matador de lobos», apelido ou apodo dado a Apolo, cujo templo ficava próximo daquele jardim.

Aristóteles foi o primeiro cabeça daquela escola. Ele nomeou Teofrastos como seu sucessor. Outros renomados nomes foram Eudemo, Aristóxenos e Dicearco. Estrabão de Lampsaco tornou-se o terceiro cabeça da escola. Licon, seu discípulo foi o quarto presidente. Então, veio Aríston, em cujo período a escola quase terminou. Não demorou muito a perder toda a importância. Seja como for, tal escola promoveu as ciências e a filosofia, tendo-se tornado um ideal educacional, e não meramente uma escola. Esse nome foi novamente usado para designar a escola de Alexandria, no século I A.C.

LÍCIA

1. *Nome e Localização*

Essa era uma região montanhosa da Ásia Menor, localizada a sudoeste do mar Mediterrâneo. Para leste ficava a Panfília; para oeste e para o norte, a Cária; ao norte, a Frígia; e a nordeste, a Panfília. O território tinha menos de trezentos quilômetros de comprimento. É uma região isolada por uma íngreme cadeia montanhosa. Essa área contém o vale do rio Xanto, e os montes se elevam cerca de três mil metros de altitude.

2. *Informes Históricos*

A Lícia fora colonizada por gregos, provenientes da ilha de Creta, em tempos mui remotos. Eles e os cilícios foram os únicos povos a oeste do rio Halis que Creso não conseguiu conquistar. Também foram os dois últimos povos a resistir ao poder dos persas. Mas, finalmente, após muita luta e perda de vidas, a Lícia e a Cilícia sucumbiram àquele império, em 546 A.C. No século seguinte, foram libertadas pelos gregos, e submeteram-se voluntariamente a Alexandre, o Grande. Eles eram um povo misto, pois os colonos gregos originais misturaram-se por casamento com os habitantes da região. E assim, depois que Alexandre conquistou a região novamente, foi mister helenizar seus habitantes, que muito se haviam afastado de suas raízes primitivas. No século II A.C., a região caiu sob o tacão dos romanos. Em 43 D.C., Cláudio anexou Lícia à província da Panfília. Mas Nero, não muito depois, restaurou-lhe a independência. Em 69 D.C., Vespasiano separou a Panfília da Lícia, e combinou a Panfília com a província da Galácia. É possível que por essa época, devido a tais manobras, a Lícia se tenha tornado um território livre. O trecho de I Macabeus 15:23 mostra-nos que desde cerca do século II A.C., daí por diante, a área contava com uma apreciável comunidade judaica. Não sabemos dizer como passava a Igreja cristã ali, devido à falta de informações a respeito, nos primeiros séculos do cristianismo. Seja como for, tal como em todos os territórios circundantes, o lugar finalmente passou para o domínio dos islamitas.

3. *No Novo Testamento*

Lemos que Paulo visitou as cidades de Patara e Mira, que ficavam na Lícia. Ver Atos 21:2 e 27:5. Isso ocorreu quando Paulo voltava de sua terceira viagem missionária. Alguns manuscritos também mencionam a Mira. Dali, ele partiu para a Fenícia. Durante sua viagem a Roma, o navio em que Paulo seguia costeou a Cilícia e a Panfília. E, chegando o navio em Mira, ele e outros prisioneiros foram postos em outra embarcação. Esta havia chegado de Alexandria e estava velejando na direção da Itália. Mira era um lugar natural para os navios que transportavam cereais fazerem escala, antes de continuar viagem para a Itália.

LICOFRON

Ver sobre os **Sofistas**, quinto ponto.

LÍCON

Ele foi um filósofo grego. Nasceu em Laodicéia. Foi discípulo de *Estrato* (vide), estudou no *Liceu* (vide), e se tornou seu cabeça em cerca de 268 A.C. Permaneceu como presidente dessa famosa instituição de ensino filosófico e científico por quarenta anos. Mas sua época assinalou um período de declínio naquela escola, que, finalmente, chegou ao fim após o tempo de seu sucessor, Aríston.

LIDA

Ver sobre **Lode, Lida**.

LIDEBIR

Essa é uma variante marginal para *Debir* (vide), em Jos. 13:26. Os textos hebraico, grego, siríaco e a Vulgata Latina têm todos *Lidebir*. Talvez a forma correta dessa variante seja *Lo-Debar*, referindo-se a uma localidade em Gileade.

LÍDIA (MULHER)

Lídia, a mulher, que figura como personagem *central* em Atos 16:14 *ss*, provavelmente devia o seu nome por causa de sua vinculação com a província do mesmo nome (o que acontecia com muitas mulheres, de diversas regiões), em Filipos, e foi a primeira pessoa a se converter na Europa, pelo menos de conformidade com o registro do livro de Atos. É provável que muitas pessoas *antes* dela, provenientes da Europa, já se tivessem convertido a Cristo, devido a grande propagação do evangelho, que já havia chegado a Roma e a outros centros populacionais, mediante aqueles que fugiam das perseguições movidas contra o cristianismo. Mas segundo o

LÍDIA (MULHER) — LÍDIA (PAÍS)

registro de Lucas, ela foi a primeira convertida da Europa.

Lídia era uma mulher de negócios bem-sucedida, uma pessoa de alguma importância. Ela encabeçava uma família, indicando que ou era solteira ou viúva. Vendia ela o corante de púrpura, um importante e famoso produto da Lídia, sobretudo de Tiatira, o que vinha sucedendo desde os remotos tempos de Homero. (Ver Homero, A Ilíada, iv.141). É possível que Lídia fosse judia; muito mais certo, entretanto, é que ela fosse prosélita do judaísmo, que continuava se esforçando por cumprir as suas obrigações religiosas segundo as formas judaicas, ainda que não contasse com qualquer ajuda exterior nesse particular, e nem tivesse qualquer sinagoga que a encorajasse em suas práticas. Provavelmente havia aprendido sobre a fé judaica na colônia judaica de *Tiatira* (ver o artigo sobre *Tiatira, Igreja de*). Lídia era mulher conhecida pela sua hospitalidade, o que se tornou tradicional na igreja subseqüentemente fundada em Filipos (ver Fil. 1:5 e 4:10).

«Com discernimento ela percebeu que Paulo era o elemento mais importante do grupo. Ele possuía um magnetismo pessoal e um poder intelectual que o Espírito de Deus usava para conquistar o coração de muitos, como fez com aquela notável mulher, levando-os aos pés de Cristo. Valeu a pena o apóstolo ter vindo a Filipos, onde ganhou aquela excelente personalidade para o Reino de Deus. Ela haveria de ser o principal espírito daquela igreja que tanto daria a Paulo alegria e cooperação, mais do que qualquer das outras igrejas». (Robertson, Atos 16:14).

Vendedora de púrpura, Atos 16:14. É bem possível que ou ela vendesse o próprio corante, ou sedas e outros tecidos tingidos com esse corante, ou, talvez, uma combinação das duas mercadorias. No livro apócrifo de I Macabeus 4:23, esse corante é denominado *púrpura do mar*, e consistia do sangue ou do sumo de uma espécie de concha marinha, que os judeus designavam pelo nome de *«chalson»*. Maimônides menciona o uso desse corante pelos judeus, especialmente para tingir as franjas de suas vestes. (Ver *Hilchot Tizitzith*, cap. 2, seção 2).

Desde os tempos mais remotos, a cidade de Tiatira se tornara famosa por seu corante purpuríneo e pelos seus tecidos tingidos dessa cor, e muitíssimas pessoas eram empregadas nessa indústria. Essa cor purpurina era altamente preferida pelos antigos, incluindo muitas tonalidades, que variavam desde o vermelho rosa até o verde marinho ou azul marinho. Existem inscrições, provenientes de Tiatira, que mostram que havia sociedades de tingidores, porquanto essa indústria era uma das principais ocupações daquela área.

LÍDIA (PAÍS)

1. *O Nome*

O nome desse território aparentemente derivava-se do nome próprio *Lúdos*, o seu fundador. Mas outros dizem que se derivava de *Lude*, o quarto filho de Sem (ver Gên. 10:22). No grego, *ludos* indica os habitantes daquele território. O termo passou a ser usado para indicar o luxo, em face da prosperidade econômica da região, mas o sentido original do nome é desconhecido.

2. *Geografia*

A Lídia era uma província da parte ocidental da Ásia Menor. A oeste ficava o mar Egeu; ao sul, ficava a Cária; a leste, a Frígia; e ao norte, a Mísia. As suas antigas fronteiras, porém, não podem ser determinadas com precisão. A fronteira sul talvez se ampliasse até o rio Meandro (ver Estrabão 12:8,15). Porém, as informações sobre a fronteira leste são incertas, porquanto talvez até se modificassem de tempos em tempos. Disputa-se se Catececaumene, uma área vulcânica interior, às margens do rio Hermo, fazia parte da Lídia ou da Mísia (ver Estrabão 13:4,11). Os territórios envolvidos eram reivindicações de ambas as províncias. A região contém rios com vales férteis, entre as cadeias do Timolo e do Massogis. Sardes era a sua antiga capital.

3. *Informes Históricos*

Os habitantes originais da região, até onde a história nos permite saber, eram um povo chamado maeonianos. Não há certeza se eram de origem semita ou indopelásgica. Seja como for, eles foram vencidos pelos lídios, uma tribo cária. A prosperidade material estava associada ao nome desse povo. Grandes riquezas foram amealhadas pelo personagem semimitológico, Guigues (716 A.C.), e essas riquezas atingiram seu ponto culminante no tempo do mais rico de todos eles, Creso (546 A.C.). Mas, no tempo de Ciro, da Pérsia, ele foi dominado por esse monarca. Os historiadores deleitam-se em falar sobre as riquíssimas vestes, os lindos jardins, os tapetes caríssimos e as decorações dos edifícios e, naturalmente, sobre todo o dinheiro sob a forma de ouro, de prata, de pedras preciosas e outras possessões. O exemplo de luxo deixado pelos lídios, juntamente com os inevitáveis vícios, corrompeu os jônios, como também muitos outros povos, segundo é fácil de imaginar. As minas da área eram riquíssimas, e o rio Hermo (atualmente chamado Sarabate), juntamente com o rio Pactolo, tinham muito ouro. As pessoas contavam com muitos escravos para fazerem o trabalho, garantindo assim um maior acúmulo de bens materiais. Alguns historiadores acreditam que os lídios foram o primeiro povo a cunhar moedas. Portanto, pode-se dizer: «Eles foram os inventores do dinheiro!» Além disso, os lídios foram os primeiros a terem uma importante indústria hoteleira. Também inventaram vários instrumentos musicais, bem como a arte de costurar a lã (o que foi levado à perfeição em Mileto). Também eram bons artífices em metais.

Sardes, sua capital, tornou-se um importante centro comercial. Ali era promovido o comércio escravagista, e muitas mulheres eram vendidas para os haréns da Pérsia — e para diversos outros lugares. — Grandes túmulos, onde eram ocultados os cadáveres de seus reis, podem ser vistos até hoje. A arqueologia tem descoberto muitas inscrições lídias interessantes.

Josefo (Anti. 1.6,4) faz Lude, filho de Sem, ser o ancestral do **lídios**; porém, visto que os luden ou ruten dos monumentos egípcios dos séculos XIII e XV A.C. parecem ter vindo de um lugar ao norte da Palestina, perto da Mesopotâmia, essa identificação tem sido posta em dúvida por alguns estudiosos. Entretanto, outros eruditos sugerem que esse povo foi deslocado de seu lugar pelo poder dos assírios e, então, acabaram se estabelecendo na Ásia Menor. Inscrições do século IV A.C. indicam que os lídios falavam um idioma da família indo-européia; mas, aí pelo começo da era cristã, o grego era a língua falada na região.

Creso, o mais famoso e último rei dessa área, dominou a Ásia Menor inteira, antes da região ser conquistada por Ciro, o rei persa, em 546 A.C. Subseqüentemente, a região foi dominada por Alexandre, o Grande, e seus sucessores, tornando-se parte integrante do reino atálida de Pérgamo, antes de passar para as mãos dos romanos, o que sucedeu em 133 A.C., quando a mesma foi incorporada à

LÍDIA (PAÍS) — LIGAR, DESLIGAR

província romana da Ásia. Têm sido encontradas algumas inscrições lídias originais, mas, aí pelos primórdios da era cristã o grego já se tornara o idioma comum daquela gente. A Lídia foi o primeiro Estado do mundo a empregar moedas cunhadas, e foi o lar de diversas inovações no campo da música.

4. Descobertas Arqueológicas Recentes

Duas antigas taças gregas, descobertas em Sardes, têm fornecido importantes indícios sobre a sua queda. O *American Journal of Archaeology*, de outubro de 1986, informa-nos que essas taças foram encontradas parcialmente quebradas e queimadas, no soalho de um edifício que estava sendo escavado, em Sardes, cidade que, antigamente, fora a capital da Lídia. Essas taças datam de cerca dos meados do século VI A.C. Foi então que Ciro, rei da Pérsia (fins de 547 ou começo de 546 A.C.), conquistou a Lídia, quando ela estava no ponto culminante de sua glória e riquezas materiais. Os conquistadores tiraram a vida de Creso, o monarca lídio.

Construções defensivas colossais, incluindo uma gigantesca muralha, foram encontradas por detrás do edifício onde foram descobertas aquelas taças gregas. A muralha da cidade tinha mais de 18 m de espessura, e tem sido estudada pelos cientistas *in loc*. O soalho de que se falou acima, ficou sepultado sob os tijolos que formavam essa muralha. Entre os itens espalhados ao redor, havia panelas, utensílios de cozinha, taças, lâmpadas, contas de vidro e vários alimentos, incluindo cevada e trigo, em vasos próprios. Quase toda a cerâmica era tipicamente lídia, embora aquelas duas taças fossem de origem grega. Quando as taças foram reconstituídas, notou-se que uma delas trazia a imagem de duas panteras, na frente e atrás. A outra taça trazia a gravura de dois dançarinos de ambos os lados. Provavelmente, as taças foram importadas pouco antes da destruição de Sardes. Quando os persas invadiram a cidade, ao que tudo indica, os habitantes fugiram, deixando as coisas como elas estavam. A muralha caiu sobre aquele soalho, preservando assim uma cena que foi reencontrada pelos homens mais de dois milênios mais tarde.

Ver também o artigo sobre *Sardes*.

LIEBMANN, OTTO

Suas datas foram 1840-1912. O poder da filosofia hegeliana era grande, chegando mesmo a influenciar o desenvolvimento do liberalismo germânico. Ver sobre o *Liberalismo*. Ora, Liebmann fazia objeção a essa influência, preferindo, de modo geral, a filosofia de Kant. Por isso mesmo, ele instituiu uma espécie de movimento «de volta a Kant», nos círculos filosóficos alemães, tendo-se tornado um dos líderes da filosofia *neokantiana* (vide). Não obstante, Liebmann rejeitava a doutrina kantiana da «coisa em si mesma» (isto é, a verdadeira essência de alguma substância ou realidade). Antes, Liebmann ensinava que esse conceito representava ou algo que, na verdade, não existe, ou, então, que não pode ser conhecido, pelo que não teria lugar na filosofia, afinal de contas.

Seus principais escritos foram: *Kant and the Epigonen; On The Objective View; The Climax of Theory*. Ele foi professor nas universidades alemãs de Estrasburgo e Jena.

LIEBNER, CARL THEODOR ALBERT

Suas datas foram 1806-1871. Ele ensinou nas universidades alemãs de Gottingen, Kiel e Leipzig, tendo sido capelão da corte, em Dresden. Promoveu uma espécie de misticismo ético, com vistas à obtenção do conhecimento de Deus. Dava muita importância à doutrina da *kénosos* (o esvaziamento de Cristo, de certos atributos divinos). Cristo, na qualidade de homem ideal, dentro dessa filosofia, ocupava posição cêntrica em sua busca espiritual. Ele usava essas idéias fundamentais para construir uma ponte que chegasse a uma filosofia cristocêntrica da história.

LIEH TZU

Ele foi um pensador e filósofo chinês do século V A.C. Era seguidor do *taoísmo* (vide). Ele encarava essa fé de uma maneira negativa, visto que defendia o completo abandono de qualquer esforço. Dentro da teoria do conhecimento, Tzu rejeitava a idéia da possibilidade de qualquer verdadeiro conhecimento, o que significa que ensinava o *ceticismo* (vide).

LIGA DE ESMALCALDE

Essa foi a união de forças protestantes alemãs, incluindo cinco principados e onze cidades, formada, pela primeira vez, em 1531. Seu propósito era o de organizar uma força armada contra as perseguições e ameaças do imperador alemão do Santo Império Romano, Carlos V. Posteriormente, a isso se uniram outras forças alemãs e dinamarquesas. Essa liga promovia a causa religiosa do protestantismo, a liberdade religiosa e a autonomia dos protestantes, e veio a tornar-se um importante fator na política européia. Tal liga chegou ao fim quando as forças protestantes foram batidas em Muehlbergue, naquilo que se chamou historicamente de Guerra de Esmalcalde. Filipe de Hesse (vide) e João Frederico, eleitor da Saxônia, que tinham promovido a formação da liga, ficaram cativos.

LIGAR, DESLIGAR (Poderes dos Apóstolos)

No original grego temos os verbos **dein e luein**, respectivamente, «ser necessário» ou «dever» e «soltar» ou «liberar». Porém, nos trechos de Mateus 16:19 e 18:18, encontramos um uso especializado dos mesmos, referindo-se ao exercício de autoridade disciplinar, conferida por Cristo à sua Igreja, paralelamente à outorga das chaves do reino. As chaves do reino foram dadas primeiramente a Simão Pedro (Mat. 16:19), mas logo em seguida, também a todos os outros apóstolos (Mat. 18:18). A Igreja Católica Romana procura defender o sistema papal com base nas chaves do reino entregues a Pedro. Mas, se alguém torna-se papa, por haver recebido as chaves do reino, então logo de saída teríamos doze papas, pois todos os apóstolos as receberam. Portanto, o recebimento das chaves do reino não têm nada a ver com o papado. O trecho de João 20:23 é paralelo a esses, onde está em foco o perdão ou a retenção de pecados. Em Mateus, está em pauta a autoridade de deixar um indivíduo sob o poder de Satanás, ou de liberá-lo desse poder, transferindo-o para o reino de Deus.

1. Pano de Fundo Histórico. Encontramos fórmulas, nos escritos rabínicos, que indicam exclusão ou restabelecimento, como também o poder de proibir ou permitir coisas, em questões morais e religiosas (no aramaico, *asar* e *sera*). Os sentidos enfocados, nos escritos rabínicos, são: 1. Proibir ou permitir, através de injunções doutrinárias, estipulando o que podia e o que não podia ser feito pelos judeus interessados em seguir a lei. 2. Excluir e restabelecer na comunidade religiosa. 3. Ficar sujeito ou ser liberado do poder de um deus ou espírito maligno, através da feitiçaria

816

LIGAR — DESLIGAR

2. *Uso Geral no Novo Testamento*. Os dois verbos gregos em questão podem aludir a muitas questões relacionadas a poderes malignos, à sepultura, ou, simplesmente, às coisas que necessariamente são feitas na vida diária, ou mesmo coisas que podem ser proibidas ou permitidas. (Mat. 5:19; 12:29; 13:30; 14:4; 21:2; 22:13; 27:2; Luc. 2:49; 4:43; 9:22; João 3:7,14,30; 4:24). O verbo *dein* aparece por cento e cinco vezes no Novo Testamento; *luo*, por quarenta e três vezes, em todas as conexões imagináveis. Por exemplo, com o sentido de liberar, Mat. 16:19; 18:18; 21:2; Luc. 13:15; João 11:44; Apo. 5:2, etc. Com o sentido de soltar, Mar. 1:7; João 1:27. Com o sentido de dissolver, II Ped. 3:11,12; e com o sentido de derrubar, Efé. 2:14.

3. *Uso Especializado no Novo Testamento*. As palavras de Jesus, registradas em Mat. 16:19, são bem traduzidas em nossa versão portuguesa: «...o que ligares na terra, terá sido ligado nos céus; e o que desligares na terra, terá sido desligado nos céus». No grego temos o tempo futuro perfeito passivo. É como se Jesus tivesse dito: «Ligarás na terra o que já foi ligado no céu; e desligarás na terra o que já foi desligado nos céus». A interpretação e tradução tradicionais dessas palavras dão o poder de iniciativa a Pedro, com a conseqüente anuência por parte dos céus. A gramática grega, porém, mostra-nos que Cristo ensinou justamente o contrário. O Senhor tinha recomendado que Pedro não se esquecesse de sua subserviência ao céu. As decisões celestes deveriam ser confirmadas por ele. Esse era seu privilégio, como possuidor das chaves do reino, que o Senhor tornou extensivo a todos os apóstolos em Mat. 18:18. Cristo continua sentado em seu trono, ao passo que Pedro é apenas «...servo e apóstolo (enviado) de Jesus Cristo» (II Ped. 1:1).

Interpretações:

1. A interpretação católica romana, baseada em tradições e engodos (ver sobre as Falsas Decretais, usadas extensivamente durante a reforma gregoriana do século XI, e que ajudaram a firmar o poder do papado), que faz de Pedro o primeiro papa. Isso afeta profundamente todos os aspectos da vida e da doutrina romanistas, visto que o papa é considerado o «vigário» ou substituto de Cristo. A hierarquia romana participaria nesses poderes como uma delegação de autoridade.

2. Questões doutrinárias e disciplinares são determinadas pela Igreja, através de seus oficiais, mediante o exercício da pregação e da absolvição a particulares. O concílio de Trento reconheceu o sentido mais geral da questão, mas aplicou o trecho de Mat. 18:18 somente aos bispos e aos padres. A idéia de perdão de pecados está incluída na questão, por autoridade delegada (segundo o ponto de vista católico romano), ou por autoridade administrativa (conforme o ponto de vista evangélico). De acordo com esse último ponto de vista, o indivíduo tem seus pecados perdoados ou retidos, não por determinação de outrem, mas em face de sua reação favorável ou desfavorável diante do evangelho. Isso concorda com a declaração de Paulo em II Cor. 2:15,16: «...nós somos para Deus o bom perfume de Cristo; tanto nos que são salvos, como nos que se perdem. Para com estes cheiro de morte para morte; para com aqueles aroma de vida para vida. Quem, porém, é suficiente para estas cousas?»

3. Alguns pensam que estão em foco questões como mágica, poderes satânicos, etc., de acordo com o terceiro uso hebraico, sob Pano de Fundo Histórico. Alguns chegam mesmo a pensar que o texto recomendava que os apóstolos usassem encantamen- tos, para libertarem as almas, mas isso é inaceitável, segundo uma sã exegese.

4. Outros pensam que o texto ensina o direito que os apóstolos tinham de legislar sobre questões morais, conforme se vê, na prática, no décimo quinto capítulo do livro de Atos. Não há que duvidar que esse é um dos aspectos do ensino de Jesus, naqueles trechos de Mateus.

5. O direito conferido a Pedro, em Mat. 16:19, foi estendido a todos os apóstolos em Mateus 18:18. Isso teria feito de Pedro *primus inter pares*, ou seja, «o primeiro entre iguais». De fato, em algumas ocasiões, Pedro, por assim dizer, era o representante do grupo apostólico, mostrando-se mais vocal e dotado de mais iniciativa própria que os outros. Mas, para a Igreja Católica Romana, essa interpretação não é suficiente, embora a hierarquia romana também dê a Pedro a posição de *primus inter pares*. Para o romanismo, Pedro ocuparia uma posição inteiramente distinta e superior à das demais apóstolos, porquanto seria a «pedra» sobre a qual a Igreja está fundada. Qual o testemunho de Pedro a respeito? Teria sido por mera modéstia (segundo explica a interpretação romanista) que ele não aceitou para si a atribuição de ser a rocha basilar da Igreja? Pedro disse: «Este Jesus é pedra rejeitada por vós, os construtores, a qual se tornou a pedra angular» (Atos 4:11). E o original grego não usa o indefinido, como se Jesus fosse uma pedra qualquer que tivesse sido rejeitada. O grego diz *o líthos*, «a pedra».

Interpretações Patrísticas. Entre os chamados pais da Igreja havia diversas opiniões a respeito da questão:

1. Alguns interpretavam o ensino em foco no sentido disciplinador de exclusão ou readmissão à Igreja, o que implica na questão do perdão de pecados. Assim pensavam Tertuliano (*De Pud.* 21), Cipriano (73,7 *ad Jub.*) e Orígenes (Com. sobre Mateus, tomo xii).

2. Outros pensavam em poderes organizacionais e judiciários, pertencentes às autoridades eclesiásticas, os quais baseavam-se nesses versículos.

3. Desde os escritos de Tertuliano e Cipriano encontramos, em forma preliminar, laivos da interpretação papal. Essa foi tomando um vulto tal que, no começo da Idade Média, os textos em pauta já eram interpetados por muitos em termos tipicamente papais. Ver o artigo sobre o *Papado*, que aborda, com detalhes, o surgimento e desenvolvimento desse ofício extrabíblico. Quanto a notas expositivas completas sobre Mat. 16:19; 18:18 e João 20:23, examinar o NTI.

Exposição Bíblica dos Versículos
Mat. 18:18.

«Tudo o que ligardes». A tradução WM diz: «...deve já ter sido proibido no céu... deve já ter sido permitido no céu...», interpretando o futuro do indicativo (do grego) como imperativo. Essa tradução diminui a autoridade para com a vontade imutável de Deus; porém, precisamos ter cautela com os usos gramaticais do grego *koiné*, no qual foi escrito o N.T.

Parece ser opinião geral dos intérpretes e tradutores do N.T. que, a despeito da possibilidade do uso do tempo verbal futuro com sentido do imperativo (existem exemplos claros de tais empregos do tempo verbal futuro), é melhor traduzir aqui como futuro simples «será ligado» ou «será desligado». Essa tradução evita a possibilidade das dificuldades de interpretação sobre o limite ou extensão da autoridade da igreja, bem como qual a relação entre essa autoridade e a vontade «dos céus». A idéia que diz que

LIGAR — DESLIGAR

se deve traduzir por «já» permitido, vem do fato de que no grego temos o particípio passado perfeito, que pode indicar um estado contínuo, resultante de ações já efetuadas. Essas ações seriam as ações da vontade de Deus, como princípios eternos. As ações da igreja local seriam apenas confirmações dessas ações divinas. Essa interpretação enfatiza demais e exagera as possibilidades de interpretação, em vez de esclarecer por meio de razões mais prováveis, e tal ação, no grego «koiné», é perigosa. É melhor, portanto, ficar com a tradução «será ligado» e «será desligado».

Em primeiro lugar, observamos que temos aqui uma variação dos **logoi** encontrados em Mat. 16:19, que falam dos poderes especiais de Pedro na administração do evangelho e na função da igreja. É de se notar, pois, que os altos privilégios que foram conferidos a Pedro pessoalmente, naquela ocasião, aqui se estendem à igreja inteira. Os vss. 16 e 17 falam particularmente de disciplina, mas os vss. 18-20 estendem-se claramente além dessa provisão simples e incluem todas as ações da igreja na esfera moral, envolvendo qualquer coisa que seja de interesse da igreja, isto é, esperar que Deus dê, para cada problema ou situação nova da igreja, uma visão ou outra manifestação especial para resolvê-los. O Senhor deixa a responsabilidade com a autoridade da igreja, mediante uma atitude coletiva. A igreja tem autoridade para excluir um membro, pronunciando-se no tocante ao seu «pecado», isto é, estabelecendo um juízo sobre a natureza de tal pecado. Tal atitude, todavia, não impossibilita o perdão de pecados, nem tem coisa alguma a ver com o perdão final ou a ausência desse perdão. Por semelhante modo, a ação da igreja não determina no que consiste e no que não consiste realmente o pecado, como se a natureza de um pecado pudesse ser modificada a talante das decisões da igreja. Tal interpretação é exagero em relação a estes versículos. O texto ensina que a ação coletiva da igreja (com a ajuda da presença mística de Cristo) é ação aceitável, fidedigna para a comunidade religiosa, e deve ser reputada como ação dos «céus». Esse é o método de Deus, e não se deve esperar uma revelação especial para cada passo. Pouco a pouco, vão se estabelecendo, diversos precedentes da conduta cristã, sobre coisas que não foram descritas particularmente nas páginas das Escrituras Sagradas.

Lembrando-nos que o texto está ligado ao problema disciplinar, devemos reconhecer que o problema do *pecado* está aqui incluído. Mas, claramente, não temos a declaração que a — exclusão — torna o pecado *imperdoável*, mas antes, que a ação de exclusão é aceitável e aprovada pelos céus, pois tal ação faz parte da autoridade da igreja. Falando do problema do «pecado» e do seu perdão, devemos afirmar que nada pode ser «ligado» ou «desligado» para sempre para a eternidade, pela ação da igreja. Dizer que este texto inclui essa idéia é exagerar o propósito do mesmo. Nas ações da igreja, em sua situação atual, ela pode usar dos poderes necessários para preservar a sua existência como organização; mas as decisões finais, que tratam do destino final do homem, partem de Deus, e não do indivíduo ou da igreja. Em torno deste versículo (como no caso dos vss. 16,17), tem-se desenvolvido uma quantidade fabulosa de dogmas eclesiásticos.

A afirmação de que a igreja, por suas decisões, pode enviar uma pessoa para o inferno, requer o acréscimo de muitas outras opiniões e ensinos, que não estão implicados nem neste texto nem em qualquer outra porção bíblica. A afirmação de que algo é permitido ou proibido nos céus, não equivale, de maneira alguma, à afirmação de que a pessoa envolvida está perdida ou salva. E afirmar que a pessoa que merece ser excluída também é desligada nos céus, não equivale a afirmar que tal pessoa está perdida. Este versículo, por si mesmo, não tem essas implicações; essas implicações foram adicionadas pelo processo mental dos homens. Talvez o maior erro que se tem desenvolvido na interpretação deste versículo, é o fato de se pensar que uma certa igreja ou uma determinada denominação, ou mesmo um grupo de igrejas, é que está investida da autoridade conferida por estes versículos, desconsiderando totalmente a autoridade de outras igrejas ou denominações. A identificação de qualquer organização eclesiástica com as implicações destes versículos, separadamente de outras organizações, requer a inclusão de diversos dogmas, tradições e idéias humanas, o que certamente nada tem a ver com a interpretação deste texto. Repetindo, dizer que certa denominação ou divisão do cristianismo tem o poder de perdoar «eternamente» qualquer pecado ou de enviar uma alma para o inferno ou para os céus — ou ainda, que ser membro dessa igreja garante a salvação da alma — é um desenvolvimento eclesiástico que não consta dos ensinos do N.T. A aceitação de tais ensinos exige outro «salto de fé» — um salto dogmático — uma «ginástica lógica».

Mat. 16:19: *dar-te-ei as chaves do reino dos céus; o que ligares, pois, na terra será ligado nos céus, e o que desligares na terra será desligado nos céus.*

A passagem de Isa. 22:20-22 ilustra os pensamentos deste versículo: «E será naquele dia que chamarei a meu servo Eliaquim, filho de Hilquias, e revesti-lo-ei da tua túnica, e esforçá-lo-ei com o teu talabarte, e entregarei nas suas mãos o teu domínio, e será como pai para os moradores de Jerusalém e para a casa de Judá. E porei a chave da casa de Davi sobre o seu ombro, e abrirá, e ninguém fechará, e fechará e ninguém abrirá». O palácio do grande rei subentende a existência de alguém, de um oficial subordinado ao rei, que tenha autoridade no palácio, especialmente no tocante ao tesouro, mas cujos serviços não estariam limitados a essa função. O trecho de Apo. 3:7 usa o mesmo símbolo, relacionado à ampla pregação do evangelho, pregação essa que arrostará todos os obstáculos. A expressão *pedra* alude ao *núcleo* da igreja, como se deu no caso de Pedro; as *chaves* referem-se ao *exercício* do ofício apostólico na igreja.

Alford diz (*in loc.*): «Eis outra promessa pessoal feita a Pedro, cumprida de maneira notável na sua atitude pioneira de admitir tanto os judeus como os gentios na igreja; assim ele usou o poder das chaves para abrir as portas da salvação». Alguns intérpretes, como Wordsworth, aplicam essa promessa principalmente a Pedro, mas, por extensão da idéia, a todos quantos pregam o evangelho ou exercem outras funções na igreja, incluindo as funções relacionadas à disciplina.

«*O que ligares na terra...*» Há diversas interpretações sobre essas palavras: 1. Significa ligar à igreja ou desligar dela, fazendo de alguém membro ou não da Igreja Universal e, assim, participante ou não dos benefícios da igreja. Porém, devemos rejeitar essa interpretação, embora contenha certa verdade, porque a pregação do evangelho tem esse efeito. A pregação do indivíduo tem essa autoridade, mas dificilmente o próprio indivíduo tem tal autoridade. Olshausen diz que aqui há uma alusão ao antigo costume de amarrar as portas para fortalecê-las. Contudo, aqui Cristo falou de «chaves». Aceitando a idéia exata de seu sentido. Pois o que queria dizer «amarrar as portas» — ou «desamarrar as portas»?

LIGAR, DESLIGAR — LIGHTFOOT

A dificuldade permanece. 2. Na literatura dos rabinos, esses termos eram usados para significar *proibir e permitir*. John Gill explica que esse uso, na literatura judaica, aparece quase sem limite de repetição, e a implicação é a do ato de proibir certas coisas, declarando se elas são permitidas pela lei, ou o ato de recomendar outras coisas, declarando sua necessidade. De modo geral, o uso indica o que convém ser feito e o que não convém; o que é lícito e o que não é. Muitos intérpretes — aceitam essa explicação — do texto. Como ilustração dessa idéia, as autoridades dos judeus podiam pronunciar o que era reputado transgressão contra a lei do sábado e o que não era reputado tal. Esses seriam os atos de «ligar» ou «desligar», de «permitir» ou «proibir». Algumas dessas autoridades permitiam o divórcio por qualquer motivo, «permitindo» ou «desligando» os homens das responsabilidades do matrimônio. Outros estabeleciam leis mais severas, «ligando» ou «proibindo» certas atitudes. Provavelmente, em termos gerais, sem definições particulares, essa é a idéia aqui. Outras interpretações, como aquela que relaciona estas palavras à idéia do «perdão» de pecados ou da «disciplina» na igreja, poderão fazer parte dessa idéia geral. O ofício apostólico possuía diversos poderes em relação à natureza das leis eclesiásticas e à pregação do evangelho, que admitia pessoas ao reino ou à igreja, ou ainda, que excluía as mesmas da igreja, por atos disciplinares.

A passagem de João 20:23 dá um aspecto dessa idéia: «Se de alguns perdoardes os pecados, são-lhes perdoados; se lhos retiverdes, são retidos». Nota-se neste passo bíblico, que essa promessa foi feita *a todos* os apóstolos, e é justamente aqui que precisamos observar que aquilo que Jesus concedeu a Pedro, no princípio, antes de sua crucificação, se estendeu posteriormente a todos os apóstolos. O perdão de pecados não pertence ao indivíduo, em si mesmo, mas Cristo outorga essa autoridade àqueles que pregam a Palavra de Deus, porquanto a aceitação ou rejeição dessa mensagem é que determina o «perdão» ou ausência de perdão dos pecados. O homem não perdoa nem se recusa a perdoar, mas a sua ação, uma vez *dirigida por Deus*, está revestida dessa autoridade.

A passagem de Mat. 18:16-18 apresenta — outro aspecto — do privilégio que foi proporcionado a Pedro, e que mais tarde se estendeu aos outros: «Se, porém, não te ouvir, toma ainda contigo uma ou duas pessoas, para que, pelo depoimento de duas ou três testemunhas, toda palavra se estabeleça. E, se ele não os atender, dize-o à igreja; e, se recusar ouvir também a igreja, considera-o como gentio e publicano. Em verdade vos digo que tudo o que ligardes na terra, terá sido ligado no céu, e tudo o que desligardes na terra, terá sido desligado no céu». Aqui o texto fala da disciplina na igreja, e é de se notar que aquilo que antes fora dado a Pedro, tornou-se depois função dos membros comuns da igreja, pelo menos nesse importante aspecto. O assentimento dos membros de uma igreja, sobre qualquer problema disciplinar (naturalmente considerando-se que o caso seja justo), tem a aprovação dos céus, porque dos céus é que vem a autoridade da igreja. O vs. 18 indica que esse poder se estende a mais coisas além da disciplina, e parece que, da mesma forma que a declaração de Mat. 16:19 é geral, assim também esta declaração é de natureza geral. Portanto, pelo menos em termos gerais, parece que aquilo que foi conferido a Pedro mais tarde também foi dado à igreja em geral, para ser usado por consentimento mútuo.

Este versículo tem dado motivo a *controvérsias*, não menos que o vs. 18. Novamente, neste caso, alguns exageram o seu ensinamento e procuram fazer de Pedro o primeiro papa, como se tivesse exercido poder e autoridade quase sem limites e uma autoridade inerrante. Porém, a simples leitura do texto derruba por terra essa idéia, o que também se dá com os textos de João 20:23 e Mat. 18:16-18, a saber, esses poderes não foram dados exclusivamente a Pedro, mas também se estenderam a todos os outros apóstolos e ao *consenso da igreja*. A tradição romanista é que tem criado diversos privilégios papais, supostamente originados dessas simples palavras. Ainda que aceitemos o fato de que Pedro tenha exercido esses poderes com exclusividade, ainda que tenha exercido o poder absoluto de perdoar pecados, *de onde* se deriva a idéia que alguma igreja ou indivíduo *também* os tenha? As Escrituras não indicam qualquer *sucessão* de ofício, e a declaração da posse de tal poder não cria a *continuidade* do ofício. Tais crenças não procedem dos ensinamentos bíblicos e não têm origem histórica, mas se derivam de uma «ginástica lógica».

Alguns intérpretes e tradutores procuram eliminar toda a dificuldade desse versículo, *transferindo* toda a autoridade para os céus, com a tradução, «o que desligardes na terra, já deve ter sido desligado nos céus, e o que ligardes na terra, já deve ter sido ligado nos céus». Essa tradução vem da observação que aqui temos o particípio perfeito no grego, o que implica em ação ou condição contínua no presente, em face de uma ação anterior, cujos efeitos se fazem sentir até o presente. É verdade que o tempo verbal perfeito, no grego, pode ter esse sentido; mas, no grego «koiné» (que inclui o N.T.) nota-se que tal uso não é regular, razão por que não podemos confiar em tais explicações. À despeito do uso gramatical, parece claro que as outras interpretações são preferíveis.

A explicação dada por alguns, de que a referência é ao *reino dos céus*, e não à igreja, e que assim os privilégios especiais de Pedro se aplicam ao reino e não às funções eclesiásticas, ignora o fato de que Jesus introduz aqui a sua igreja e que o texto fala de igreja, e não de reino. Outrossim, devemos observar que o reino literal já fora rejeitado, e que agora Jesus falava em termos que implicam em que o «reino dos céus» será estabelecido (pelo menos na presente dispensação) não como reino literal, com a autoridade de Deus sobre a terra, mas na organização da igreja. Dessa maneira, a igreja agora é o reino. Isso não nega a existência do reino literal no futuro (na segunda vinda de Cristo). (B IB ID G NTI RO)

LIGHTFOOT, JOSEPH BARBER

Suas datas foram 1828-1889. Ele nasceu em Liverpool, na Inglaterra. Estudou no Trinity College. Foi discípulo de *Westcott* (vide), e, posteriormente, tornou-se um dos professores do Trinity College. De 1879 a 1880 foi um dos revisores da King James Version (em inglês) da Bíblia, que produziu a Revised Version. Em 1879, tornou-se bispo de Durham. Por muitos anos, foi um dos mais destacados eclesiásticos e eruditos anglicanos. Faleceu em Burnemouth.

Sua Erudição e seu Trabalho na Literatura Bíblica. Lightfood foi um dos melhores eruditos bíblicos do século XIX. Ele produziu comentários de valor permanente sobre as epístolas paulinas, e publicou uma monumental obra sobre os *Pais Apostólicos*, em cinco volumes. Ele aplicou às suas obras os modernos métodos de crítica textual e histórica. Foi mestre bem-sucedido, com muitos discípulos. Influenciou a

LIGUORI — LIMBO

exegese. Foi excelente ministro evangélico e pregador popular. Foi amigo chegado de Westcott (que o sucedeu como bispo de Durham) e de Hort, que se tornaram conhecidos pela sua edição do Novo Testamento Grego.

LIGUORI, ALFONSO

Suas datas foram 1696-1787. Ele nasceu em Marianella, perto de Nápoles, na Itália. Era advogado praticante. Foi ordenado padre católico romano. Começou a mostrar-se ativo no trabalho missionário. Fundou a Congregação do Santíssimo Redentor, também conhecida como os *Redentoristas* (vide), dos quais ele foi o superior a começar em 1743. Ele serviu como bispo da diocese de Sant' Agata dei Goti. Na teologia, ele é lembrado como fundador do sistema conhecido como *equiprobabilismo*. Isso significa que em qualquer questão teológica ou moral, quando duas idéias ou cursos de ação parecem estar em perfeito equilíbrio, os cristãos têm a liberdade de escolher entre as suas possibilidades. Seu principal escrito teológico intitulava-se *Theologia Moralis*.

Em sua vida pessoal, Liguori era asceta muito religioso, sendo considerado o maior santo católico que viveu no seu século. Seus ensinos exibem uma sábia moderação, evitando tanto o rigor quanto a lassidão. Foi beatificado em 1816 e foi canonizado em 1839 e, então, foi declarado doutor da Igreja, em 1871.

LILITE (FANTASMAS)

Em Isa. 34:14 temos uma palavra hebraica, **lilith**, que, segundo os estudiosos, pode referir-se a alguma espécie de ave ou quadrúpede. Mas o sentido da palavra hebraica está cercado de muitas dúvidas, tanto é que a mesma tem sido traduzida por «coruja», «mocho», «monstro noturno», «bruxa noturna», «monstro terrível», «fúria vingadora», «fantasma» (como em nossa versão portuguesa), ao passo que outras desistem de traduzi-la, meramente translite-rando-a por «lilite», conforme faz outra versão portuguesa.

Coisas assim desconhecidas atraem muita atenção, havendo interessantes lendas judaicas a respeito. Esse nome aparece em conexão com a destruição de Edom, e das trevas que circundariam a cena. Por isso mesmo, alguns têm pensado em algum demônio noturno, que se ocultaria em lugares escuros, à espera de vítimas. Outros eruditos pensam que esse era o equivalente hebraico do moderno «vampiro». Outros opinam que devem estar em foco as trevas causadas por tempestades de areia nos desertos, como se alguma criatura não deste mundo, oculta pelas trevas de tais tempestades, — quisesse destruir alguma vítima que ficasse ao seu alcance. O termo sumério *lil.la*, «vento tempestuoso», pode ser aqui refletido. Jerônimo dizia que a palavra significa «fúria vingadora», do tipo provocado por um tufão.

Na literatura judaica posterior, a questão tornou-se complexa. Assim, *Lilith* teria sido a primeira esposa de Adão. Ela o teria abandonado e voando como uma ave, transformou-se em um demônio. A especialidade desse demônio seria furtar e matar aos recém-nascidos humanos. E também trazer doenças aos lares.

Há estudiosos que pensam ser um erro tentar encontrar uma alusão mitológica nessa palavra. Eles pensam que está em foco algum animal real. A Septuaginta dá a entender que seria uma espécie de macaco sem cauda, mas é difícil perceber como um macaco assim poderia espantar tanto as pessoas.

Todavia, o versículo de Isaías não requer tanto susto, segundo alguns intérpretes supõem. Edom foi deixada desolada, e essa desolação talvez prediga o Armage-dom (conforme pensam os dispensacionalistas). Nos lugares desolados é possível achar feras, corujas e muitos animais que ocupam os lugares abandonados. Mas um macaco estaria totalmente fora de lugar nas ruínas. Por isso, outros pensam estar em foco alguma espécie de ave, embora seja inútil procurar sua exata identificação.

Contra a interpretação secular de *lilith*, alguns salientam que ela fazia parte da demonologia babilônica, pelo que talvez o Talmude esteja com a razão ao fazer de *lilith* partícipe da sua lista de demônios. A imaginação popular não permite que os lugares arruinados sejam habitados somente por animais conhecidos. Quando um morcego passa voando, e a gente sente a leve deslocação do ar nos cabelos, pelo menos por um momento a gente quase tem *a certeza* de que deve haver alguma verdade naquelas histórias sobre vampiros!

LIMBO

1. *O Termo*

A palavra portuguesa «limbo» vem do latim, *limbus*, que significa «fronteira». A noção que a cerca é que o limbo é um lugar de habitação das almas que não merecem chegar ao céu (por certa variedade de razões), mas que também não merecem ser deixadas no inferno. Por isso, residiriam na «fronteira» do inferno.

2. *Tipos de Limbo*

Haveria o *limbus patrum*, «limbo dos pais», um lugar bastante decente, onde residiriam os justos antes do advento de Cristo, que teria sido eliminado mediante a transferência das almas dali para o céu. O trecho de Efé. 4:9,10 é usado como texto de prova quanto a isso. O *limbus patrum* seria a mesma coisa que o «seio de Abraão», de Luc. 16:22. Esse era o lar temporário dos santos do Antigo Testamento. A missão e o ministério de Jesus ao hades teriam eliminado aquele lugar. Minha convicção pessoal a respeito é que a missão de Cristo abriu o hades (vide) como campo missionário, ampliando-se assim a oportunidade de salvação a todas as almas. O trecho de I Ped. 4:6 quase certamente ensina isso. Ver o artigo separado intitulado *Descida de Cristo ao Hades* quanto a uma completa explicação sobre essa noção. Assim, apesar da missão de Cristo no *limbus patrum* ser um notável feito por si mesmo, devemos aceitar sua realização ali como obra de bem maior escopo do que alguns segmentos da Igreja cristã crêem.

Também existiria o *limbus infantum*, que seria a residência permanente das crianças não batizadas, mortas na infância, ou dos mentalmente deficientes, sejam adultos sejam crianças, incapazes de fazer uma escolha inteligente acerca da salvação. Apesar dessas almas viverem em um belo e feliz lugar, não teriam acesso à *visão beatífica* (vide), um privilégio exclusivo dos salvos. Embora pecadores (por serem descenden-tes de Adão), tais pessoas não têm culpa pessoal, visto que a graça de Deus cuida dessa particularidade, visto que não tiveram qualquer oportunidade para decidirem-se. Vários teólogos têm opinado que os melhores dentre os pagãos, também vão residir no limbo, face à sua notável santidade e as suas grandes desvantagens.

3. *Teologia do Limbo: Descrições e Críticas*

O que é dito acima sobre o *limbus patrum* conta com algum apoio tanto das Sagradas Escrituras quanto das antigas tradições judaicas. Entretanto, o

820

LIMBO

chamado *limbus infantum* é uma idéia racionalista criada para cobrir uma área *desconhecida* da teologia. De fato, é bastante surpreendente que a Bíblia nada diga de específico sobre esses casos *marginais*, isto é, almas que não parecem merecer o céu, mas que também não merecem o inferno. Todavia, podemos tirar conclusões com base em alguns princípios bíblicos gerais a fim de cobrir esses casos, embora deva-se confessar que essa atividade tem levado a várias conclusões, dependendo do indivíduo ou denominação que se ponha a especular.

Idéias:

a. O limbus infantum é uma idéia católica romana. Tentando dar solução a casos problemáticos como a morte de infantes, ou os mentalmente incompetentes, ou a questão da justiça, muitos relutam em atribuir aos tais meramente um lugar garantido na melhor parte do inferno, o que para eles parece ser um ato de injustiça, sem qualquer razão e misericórdia. Essas são *almas excepcionais*, pelo que deveria haver lugares excepcionais para elas. Contra esse ponto de vista, porém, podemos afirmar que essa doutrina parece ser uma invenção *ad hoc* dos teólogos. Isso significa que foi inventada para solucionar «exatamente essa questão», com um certo propósito em mira. Naturalmente, os católicos romanos não concordam com essa apreciação. Mas, o conceito de autoridade, para os católicos romanos, é bem mais abrangente do que no caso dos protestantes e evangélicos. Para os católicos romanos, se os papas e os concílios se pronunciarem acerca de algo extrabíblico, ultrapassando daquilo que a Bíblia ensina, tais decisões ainda assim são consideradas autoritárias, visto que acreditam que os papas e os concílios receberam autoridade divina para tanto.

b. O Inferno dos Calvinistas. Alguns calvinistas radicais não hesitam em mandar para o inferno infantes e deficientes mentais, asseverando que a justificativa para isso é que todos os seres humanos são pecadores. Porém, esse tipo de justiça *nua* (aplicada sem as vestes do amor e da misericórdia divinos) não satisfaz à maioria dos protestantes, e nem mesmo a católicos romanos.

c. Idade da Razão. Essa é outra invenção **ad hoc**, mas de autoria protestante e evangélica. Origina-se da razão, conforme seu nome mesmo indica. Não tem alicerces bíblicos, porém, embora seja uma idéia mais *razoável* do que o manuseio dos casos excepcionais por um Deus destituído de sentimentos. Todavia, tal doutrina não pode ser defendida teologicamente. De fato, representa uma injustiça. Milhões de almas chegariam ao céu, sem terem feito qualquer escolha pessoal, meramente porque seus corpos físicos estavam na infância, tendo-lhes sido vantajoso morrer na infância. Porém, as *almas*, e não os corpos, é que são pecadoras. Assim, as almas é que precisam decidir seus próprios destinos. Nada tem a ver com a decisão de uma alma quando seu corpo humano morre. E nem uma alma pode obter transporte gratuito para o céu, somente porque teve a boa sorte de viver apenas temporariamente no seu veículo material.

d. A Idéia da Não Entrada no Corpo. Trata-se de uma outra racionalização. De acordo com ela, uma alma estava prestes a unir-se com um corpo, formando assim uma personalidade humana. Mas, devido à sua sabedoria superior, a alma sabe que o corpo em que estava prestes a entrar, logo morrerá. E assim, simplesmente não entra em tal corpo. Esse corpo vive por algum tempo, *sem alma*, e então morre. Em resultado disso, nenhuma alma vai para o céu, para o inferno ou para o limbo. Isso constitui um não acontecimento. Considero essa idéia muito improvável.

e. Oportunidade Contínua, Segundo a Igreja Cristã Oriental. Para as Igrejas Ortodoxas Orientais, a morte de um infante não constitui grande problema teológico. Esse segmento da cristandade, com quase vinte diferentes denominações, está sob a influência da doutrina dos pais gregos da Igreja, os quais diziam que a alma é preexistente e que a oportunidade de salvação da alma não termina por ocasião da morte biológica do indivíduo. O relato sobre a descida de Cristo ao hades é usado como texto de prova dessa idéia; e, efetivamente, o trecho de I Ped. 4:6 (a conclusão daquele relato) quase certamente ensina que há ampla oportunidade de salvação, pois Deus não requer que as questões eternas sejam determinadas somente neste lado terreno da existência. É que o trecho de I Ped. 4:6 vai mais além que o trecho de Heb. 9:27. A primeira dessas referências exibe uma teologia mais abrangente, contra o que não faço objeção. Se uma alma pode ir para alguma região espiritual onde tem o direito de escolher a provisão salvatícia de Cristo, — então, o fato de que seu corpo infante (um *veículo temporário* apenas) morreu prematuramente, torna-se uma questão indiferente. A morte de um infante deveria ser considerada um incidente relativamente secundário, que não requer qualquer medida heróica, como o *limbus infantum*, para resolver a questão. Em minha opinião, esse ponto de vista da Igreja Ortodoxa Oriental é muito superior à idéia da idade da razão dos protestantes ou à idéia do *limbus infantum* do catolicismo romano.

f. A Reencarnação. Se uma alma sai de um corpo infante que acabou de morrer, por que Deus simplesmente não pode enviá-la de volta para ocupar outro corpo? Conjecturo que Deus pode fazer isso, embora essa idéia não passe de uma especulação, pois a Bíblia é inteiramente silente a respeito. Tal idéia reveste-se de uma certa simplicidade. Se é a vontade de Deus que envia as almas humanas aos seus corpos físicos, então essa vontade divina pode persistir e enviar a alma a um outro corpo, em vez de permitir que ela parta para as esferas espirituais. Ockham (vide) dizia que devemos procurar as respostas mais simples para as questões, não multiplicando entidades metafísicas. Essa maneira de pensar chama-se «navalha de Ockham», visto que corta fora pensamentos desnecessários. Talvez a navalha de Ockham favoreça essa limitada forma de reencarnação. Todavia, forçoso é confessar que não dispomos da resposta indiscutível para esse tipo de problema, o qual, por isso mesmo, está envolto em muita especulação.

g. O Fator Desconhecido. Talvez exista uma resposta que continua fora do âmbito de nosso conhecimento e experiência, mas que, algum dia, obterá acesso à nossa consciência. Então as outras idéias tornar-se-ão obsoletas. Até lá, porém, parece melhor não as abandonar. — Talvez, alguma delas, afinal, corresponda à realidade dos fatos.

Quanto a esse ponto da teologia, como em tantos outros, é melhor admitirmos a nossa própria ignorância. Pessoalmente, porém, dou meu voto às posições *e* ou *f*, ou mesmo a ambas (ambas as coisas poderiam ocorrer, nos casos de certas almas), pois me parecem mais prováveis que as demais especulações. É bom a gente ser humilde no campo da teologia e não ter a boca muito grande.

Nossos pobres sistemas têm a sua época,
Têm a sua época, mas logo passam;

LIMBO — LIMPO E IMUNDO

*São lâmpadas bruxuleantes, ao lado
Da Tua Luz, ó Senhor.*
(Russell Champlin)

*Da covardia que teme novas verdades;
Da preguiça que aceita meias verdades;
Da arrogância que pensa saber toda a verdade;
Livra-nos, ó Senhor!*
(Arthur Ford).

Apesar do *limbo* fazer parte da teologia católica romana comum, a Inquisição e o papa Benedito XIV defendiam como ortodoxa a negação da existência desse lugar. Atualmente, muitos católicos romanos estão perguntando se o limbo faz justiça ao fato de que, de algum modo, todos os homens são afetados pela graça salvadora de Cristo. Gregório de Nissa e Gregório Nazianzeno preferiam deixar as almas em um estado intermediário, mas os *pelágios* (vide) preferiam pensar que elas vão diretamente para o céu. Alguns teólogos católicos romanos de nossos dias oscilam entre essas duas idéias. Essa questão foi explicitamente debatida pela Comissão Teológica Preparatória do Concílio Vaticano II, embora com resultados incertos. Ver o artigo separado e mais detalhado intitulado *Infantes, Morte e Salvação dos*.

Bibliografia. AM B E NTI R

LIMIAR

No hebraico devem ser considerados duas palavras, a saber:

1. *Saph*, «espaço», «limiar», «entrada». Esse vocábulo é usado por vinte e seis vezes, conforme se vê, por exemplo, em Juí. 19:27; I Reis 14:17; Eze. 40:67; 41:16; 43:8; Sof. 2:14; Isa. 6:4; Jer. 35:4; 52:24.

2. *Miphtan*, «soleira», «limiar». Aparece por oito vezes no Antigo Testamento: I Sam. 5:4,5; Eze. 9:3; 10:4,18; 46:2; 46:1; Sof. 1:9.

Quanto à primeira dessas palavras, nossa versão portuguesa, geralmente, a traduz por «limiar», embora também por «vestíbulo» e por «porta». No tocante à segunda dessas palavras, nossa versão portuguesa a traduz por «limiar», «entrada», «vestíbulo», e, em Sofonias 1:9, por «pedestal», uma tradução inteiramente destituída de base.

No caso dos templos, o limiar era considerado sagrado, o que se comprova pelos sacrifícios sepultados ali, propositalmente.

O trecho de Juízes 19:27 refere-se ao limiar de uma casa, sobre o qual caíram as mãos de uma concubina morta. Sofonias 2:14 descreve a desolação da cidade de Nínive, capital da Assíria, afirmando que corvos viriam c'ar nos seus limiares.

A passagem de I Reis 14:17 refere-se à morte do filho de Jeroboão, quando a rainha cruzou o limiar do palácio. Ester 2:21 menciona o conluio armado contra Assuero, por parte de dois eunucos, que guardavam a porta do palácio. Este é um dos casos em que o termo hebraico *saph* é usado com o sentido de «porta».

Outras alusões ao limiar de uma construção, no Antigo Testamento, são ao limiar do templo, ornamentado de ouro (II Crô. 3:7). Sacerdotes serviam como guardiães do limiar (II Reis 22:4; 25:18), incluindo levitas (II Crô. 34:9), algumas vezes em número de três (Jer. 52:24).

Os alicerces do limiar do templo «estremeceram» quando Isaías recebeu sua visão da glória de Deus (Isa. 6:4). Esse limiar era um lugar onde a glória do Senhor chegou a manifestar-se (Eze. 9:3; 10:4), e onde os sacerdotes adoravam (Eze. 46:2). Também apareceu na visão que Amós teve de Deus (Amós 9:1).

Fluía água do limiar do templo, dentro da visão de Ezequiel (47:1).

Também se faz menção ao limiar do templo de Dagom (I Sam. 5:4,5). E a passagem de Sofonias 1:9, talvez se refira a uma prática associada a espíritos que saltavam através do limiar (cf. I Sam. 5:5), embora também possa ser uma referência àqueles que se aproximavam do pedestal de um ídolo, a fim de adorá-lo.

LIMITES

No hebraico, **gebul**, palavra que figura por cerca de duzentas e quarenta vezes, desde Gênesis a Malaquias, cujo sentido é «lugar fechado». Um termo cognato, *gebulah*, com o mesmo sentido, aparece por dez vezes apenas. Ainda uma terceira palavra, *qatseh*, «limite», «extremidade», é usada no Antigo Testamento por noventa e quatro vezes (por exemplo: Eze. 25:9) a qual aproxima-se mais, quanto ao sentido, de nossa palavra «fronteira». Duas idéias básicas se destacam:

1. Limites geográficos. Nessa conexão, ver o artigo *Fronteiras*.

2. Os decretos divinos que delimitam a duração da vida de uma pessoa (Jó 14:5), os limites até onde se espraiam os oceanos (Jó 38:10) e a perpétua duração dos céus e da terra (Sal. 148:6).

LIMPO E IMUNDO

Várias palavras, hebraicas e gregas, foram empregadas, em ambos os Testamentos, para transmitir as idéias de condições puras e impuras. De algumas vezes, o sentido é literal, dizendo respeito a algo relativo à higiene; mais usualmente, porém, deve-se pensar em um sentido moral ou cerimonial. Há muita coisa, na lei moral, que trata da pureza cerimonial, e isso tornou-se uma obsessão para o judaísmo. No Antigo Testamento encontramos tanto a pureza cerimonial ou ritual (como em Lev. 12:7), como a pureza moral (como em Sal. 51:7). No Novo Testamento, excetuando aqueles textos que tratam das leis cerimoniais judaicas, deve-se pensar no sentido moral. Portanto, o que é puro implica em *santidade*, e o que é impuro implica em *polução moral* de alguma espécie.

Esboço:

1. Palavras Envolvidas
2. Conceitos Antigos
3. Leis Levíticas
4. Pureza Moral
5. Modos de Purificação
6. Conceitos do Novo Testamento
7. Evolução da Espiritualidade ou da Heresia

1. Palavras Envolvidas

a. *Tame*, «imundícia». Como substantivo a palavra aparece por vinte e seis vezes no Antigo Testamento; a forma adjetivada, «imundo», aparece por setenta e duas vezes.

b. *Tahor* e *barar* são termos hebraicos sinônimos, referindo-se à pureza. A primeira ocorre por noventa e quatro vezes; e a segunda, por dezoito vezes.

c. O termo grego *akatharsía* aparece por dez vezes: Mat. 28:37; Rom. 1:24; 6:19; II Cor. 12:21; Gál. 5:19; Efé. 4:19; 5:3; Col. 3:5; I Tes. 2:3 e 4:7. Esse vocábulo significa «imundícia». O adjetivo correspondente, «imundo», figura por trinta vezes, de Mateus 10:1 até Apocalipse 18:2.

d. *Katharós*, «puro». Palavra grega usada por vinte e três vezes: Mat. 5:8; 23:26; 27:59; Luc. 11:41; João

LIMPO E IMUNDO

13:10,11; 15:3; Atos 18:6; 20:26; Rom. 14:20; I Tim. 1:5; 3:9; II Tim. 1:3; 2:22; Tito 1:15; Heb. 10:22; Tia. 1:27; I Ped. 1:22; Apo. 15:6; 19:8,14; 21:18,21. O verbo e outros cognatos ocorrem por mais trinta e oito vezes.

Essas palavras hebraicas e gregas são usadas para indicar imundícia ou pureza literal, ou então ritual e ética.

2. Conceitos Antigos

Os rituais das religiões antigas quase universalmente incluíam atos de purificação. A água e sangue eram os elementos favoritos, usados nesses atos. Formas de batismo (que vide) freqüentemente estavam ligadas à noção de purificação. Os sacrifícios cruentos, segundo pensava-se, removiam a culpa e aplacavam os espíritos. As antigas fés quase sempre incluíam o conceito de *tabu*, uma palavra polinésia que significa «proibido». Essas fés eram invariavelmente espiritualistas, supondo-se que havia espíritos malignos que invadiam as vidas dos homens e os corrompiam. Mediante lavagens e ritos de todas as variedades, os homens tentavam contrabalançar as forças do mal, removendo as pessoas de sob o *tabu*. Além disso, haveria as forças boas, usualmente também inspiradas por espíritos, que deveriam ser encorajados e aplacados, para o que as pessoas precisavam ser purificadas, para se tornarem aceitáveis. Destarte, entravam no quadro vários tipos de ablução.

3. As Leis Levíticas

Muitos eruditos acreditam que a legislação original dos hebreus, sobre essas questões de limpo e imundo, estava inspirada em crenças similares àquelas referidas no ponto «2», acima. Porém, no Antigo Testamento encontramos a Deus supremo, Yahweh, como aquele que exigia cerimônias, e não alguma companhia nebulosa de espíritos, bons ou maus. Naturalmente, nem o judaísmo e nem o cristianismo negam o poder dos espíritos *imundos*.

Fatores. a. Yahweh requer pureza, incluindo a separação de toda idolatria (Lev. 19:5). Há um espírito de imundícia (Zac. 13:2), que satura as práticas idólatras. Fazia parte da teologia judaica comum, a idéia de que a idolatria está alicerçada sobre poderes demoníacos, e que os idólatras, na realidade, prestam lealdade aos espíritos demoníacos. O trecho de I Coríntios 10:20 reflete essa crença. Sacrificar aos ídolos é sacrificar aos demônios. b. *A purificação cerimonial*. Conforme a noção de pureza cerimonial, o homem aproxima-se de Deus como um ente santo, sendo necessárias certas cerimônias para enfatizar esse ponto (ver Lev. 15:31 e o contexto). c. *Muitos requisitos*. Esses abarcavam pessoas, animais e objetos.

i. *Pessoas*. O contacto de israelitas com animais proibidos, ou então com cadáveres de homens ou de animais, com uma mulher menstruada, com leprosos, com sêmen humano, etc., requeria a purificação cerimonal desses judeus. A lista é bastante longa. Ver as referências bíblicas abaixo, dando atenção às variedades mencionadas: Lev. 21:1; Núm. 9:6,10,19 ss; 31:19; Lev. 22:4 ss; Lev. 11:28; Deu. 14:8; Lev. 12:4 ss e 15:19. O contacto com qualquer forma de imundícia fazia um israelita tornar-se incapacitado de participar das funções religiosas, segundo se vê em Lev. 21:11 e Hab. 2:13.

ii. *Animais*. As leis levíticas dividiam os animais em limpos e imundos. Os primeiros podiam ser consumidos na alimentação dos israelitas, mas não os segundos. Parte dessa legislação provavelmente estava envolvida no conflito contra a idolatria, visto que, no paganismo, muitos animais eram tidos como sagra-

dos, incluindo espécies como peixes, porcos, bois, etc. De acordo com os mistérios eleusianos, o sangue do porco era considerado dotado de poderes purificadores. A Israel estava vedado observar costumes pagãos (Lev. 20:23). Algumas das razões expostas para essas proibições são compreensíveis. Por exemplo, todos os animais que se alimentam de carniça, as aves de rapina, etc., eram proibidos como alimentos, provavelmente por razões higiênicas, além de motivos psicológicos, porquanto tais animais e pássaros eram asquerosos. Quem gostaria de ter um urubu assado para o jantar?

Durante minha permanência de alguns anos em Manaus, ouvi dizer que pessoas muito pobres tentavam comer a carne dessa ave, mas que a cocção não podia remover a dureza e indigestão de sua carne. Por igual modo, de acordo com a legislação mosaica, animais usados nos cultos pagãos, como porcos, cães, ratos, serpentes, coelhos e insetos como o escaravelho, eram proibidos. A associação dessas espécies com a idolatria, era suficiente para removê-las do cardápio dos israelitas. Além disso, há aqueles animais que inspiram repulsa, como os «exames de criaturas» (Lev. 11:41). É fácil evitarmos tais espécies, mesmo quando estamos famintos. Recentemente, li sobre um jovem que se perdeu em um lugar desértico, mas que sobreviveu comendo formigas. Também existem animais desconhecidos e exóticos, que as pessoas evitam comer, simplesmente porque temem fazer a experiência. No entanto, no Oriente, cães e ratos são consumidos. Dizem que o cão tem gosto de porco, e que a carne do rato se parece com a do esquilo, mas não tenho a menor vontade de experimentá-los. Meu irmão foi missionário no Congo (atual Zaire), e ali eles têm sua lista de animais proibidos. Porém, as *cobras* estão na lista dos alimentos permissíveis. Meu irmão não pensou jamais em comer carne de cobra, não por ser ele de ascendência judaica, mas porque tal criatura nunca conseguiu despertar o seu apetite. Quando meu irmão foi desafiado por um médico-feiticeiro a comer cobra, para mostrar que não tinha preconceitos, meu irmão comeu um pouco. E depois disse que a carne de cobra não é assim tão ruim. Mas, quando meu irmão desafiou o médico-feiticeiro a comer um de seus animais proibidos, que, para meu irmão, parecia perfeitamente apetecível, o médico-feiticeiro recusou-se, dizendo que se o homem branco contentava-se em quebrar as suas regras, isso não queria dizer que o homem negro também estava disposto a quebrar as suas. No entanto, em certos supermercados nos Estados Unidos da América, vende-se carne de cascavel, um alimento considerado um acepipe delicioso, por algumas *poucas* pessoas. E quando eu trabalhava na estrada de ferro Union Pacific, nos Estados Unidos da América, por algumas poucas semanas, em meus dias de colegial, conheci um grego que devorava toda espécie de insetos. Ele declarava, talvez corretamente, que nunca poderia morrer de inanição, sem importar quão difícil se tornasse conseguir alimentos, porquanto sempre haveria insetos em grande quantidade para ele consumir.

Conheci um missionário evangélico que fez uma viagem ao extremo norte brasileiro. Internou-se em um pequeno tributário do rio Negro, habitado por tribos indígenas. Estando ali, o «igarapé» secou, e ele não mais podia descer ribeiro abaixo com o seu pequeno grupo. Não havia como sair dali, senão a pé. (Sua esposa chegou a dá-lo como morto; e, quando ele, finalmente, chegou, ela perguntou: «Por que você não me escreveu, contando o que estava acontecendo?») Fosse como fosse, ali estava ele, preso em meio à

823

LIMPO E IMUNDO

floresta amazônica. O grupo estava faminto. Um dia, alguém do grupo sugeriu que eles comessem carne de jacaré, visto que aqueles sáurios eram tão abundantes. Meu amigo conseguiu acertar em um dos jacarés com um tiro direto entre os olhos, com sua pistola calibre 22, matando-o no mesmo instante. E obteve uma desmerecida reputação de ter boa pontaria. Eles comeram a cauda do jacaré, e depois disseram que tinha gosto de peixe. Todas as coisas são limpas para quem tem fome. Voltando ao Zaire, devo informar ao leitor que ali se diz solenemente que as mulheres não podem comer carne de *frango*, sob pena de adoecerem, ou mesmo morrerem. Mas os homens podem comer quanta carne de frango quiserem. É difícil entender por que existem regras como essa.

Os judeus contavam com toda espécie de leis sobre a questão, conforme já pude demonstrar. Algumas dessas proibições são fáceis de entender, mas não outras. Uma das estipulações difíceis de compreender é aquela que diz que os animais de patas bipartidas e que ruminam são próprios para a alimentação humana; mas, se alguma espécie não tinha essas características, era retirada da lista (Lev. 11:3; Deu. 14:3 ss). Só podiam ser consumidos os peixes dotados de barbatanas e escamas, Lev. 11:9 ss. A lei proibia a ingestão de criaturas aladas que também fossem quadrúpedes (Lev. 11:20-23). Entretanto, gafanhotos e grilos eram permitidos. Essas proibições deixam perplexos a vários intérpretes, embora deva haver alguma razão para elas, que não ficou registrada no texto sagrado. Além disso, a última coisa que um judeu podia usar em sua alimentação era o sangue (Lev. 3:17; 17:10-14; Deu. 12:5,23-25; 15:23). Pensava-se no sangue como a essência mística da vida, pelo que seria de propriedade exclusiva de Deus, e, obviamente, um item não apropriado para a alimentação humana.

iii. **Objetos.** A impureza cerimonial podia ser transmitida por qualquer coisa que fosse tocada por uma pessoa ou por um animal considerado imundo, como uma cama, um assento, uma sela, vestes, vasos de barro, etc. A lepra era um terror para os hebreus. Eles supunham que até as vestes podiam ser infeccionadas pela lepra. Provavelmente confundiam certas espécies de fungo com a lepra. Também pensavam que até as paredes de uma casa podiam ficar leprosas (Lev. 14:33 ss). Neste caso, também parece que estava em pauta algum tipo de fungo. Seja como for, tudo quanto fosse tocado por um leproso, ficava cerimonialmente impuro. Inúmeros preceitos ensinavam como as coisas impuras podiam ser purificadas. Casos mais sérios requeriam ritos de purificação que se prolongavam até por sete dias (Lev. 15:13); enquanto que casos menos sérios perduravam somente do momento da infecção até o cair da noite (Lev. 15:6 ss). Ritos de expiação e purificação eram efetuados em relação a lugares, como o lugar santo (Lev. 16:16, 20), o altar (vs. 18 ss), o propiciatório (vs. 15), o véu do santuário (Lev. 4:6). Também precisavam ser purificados aqueles que manuseavam com as cinzas da novilha, referida em Núm. 19:10, e com a água da impureza, de Núm. 19:20. O sistema judaico de ritos purificadores era complexo, realmente, totalmente estranho à nossa maneira cristã de viver e de pensar.

4. Pureza Moral. Não há que duvidar que, entre os judeus, a pureza e a impureza cerimoniais eram consideradas importantes questões morais. O Novo Testamento demonstra isso, segundo se vê em Atos 10:11 ss. Porém, inteiramente à parte do sistema cerimonial, os hebreus reconheciam a pureza e a impureza morais. A culpa pelo sangue inocentemente derramado era uma poluição séria entre eles (ver Núm. 35:33 ss). O adultério era considerado uma contaminação (Lev. 18:20), como também o eram os atos sexuais desnaturais (Lev. 20:13). Até mesmo as crianças eram julgadas por seus atos, se puros ou não (Pro. 20:11). Davi reconheceu o poder de poluição de certos pecados por ele cometidos, e clamou pedindo purificação (Sal. 51). Ele anelava por um coração puro, e não meramente por ser declarado cerimonialmente limpo (vs. 10). Também reconheceu que sacrifícios de animais de nada valeriam em seu caso, pelo que ele apresentou a Deus um sacrifício que consistia em um coração contrito (vs. 17). A lei moral judaica consistia precisamente nisso, um código moral cujo intuito era separar o pecador do seu pecado. Talvez meneemos a cabeça em sinal de desolação, diante da interminável lista de regras e ritos do judaísmo; mas os hebreus distinguiam-se de outros povos em face de seu agudo senso de certo e errado.

5. Modos de Purificação. Uma vez mais, defrontamo-nos com grande complexidade. Havia provisões cuidadosas quanto a toda forma de poluição, cerimonial ou moral. Um conceito básico era aquele que dizia que a imundície separa o homem de Deus, e que a adoração e a comunhão tornam-se impossíveis, por esse motivo.

a. *O uso da água*. Há menção à água da expiação (Núm. 8:7), à água de purificação (Núm. 19:9,13 e 8:7), e também à água corrente da purificação (Núm. 19:17). Ver também Lev. 6:28; 8:6; 14:8 ss, Eze. 36:35 quanto a maiores detalhes.

b. *O sangue dos sacrifícios*. Arão e seus filhos foram ungidos para o sacerdócio por meio do sangue (Lev. 8:23 ss). A purificação da lepra era realizada com sangue (Núm. 19:17). A oferta pelo pecado era efetuada mediante sangue (Lev. 16:11 ss).

c. *Cinzas*. As cinzas das vítimas sacrificadas, segundo se pensava, tinham muito valor para propósitos de purificação cerimonial (Núm. 19:17), sobretudo no caso da novilha vermelha, cujas cinzas eram usadas exclusivamente com propósitos de purificação (Núm. 19:1-13).

d. *Madeira de cedro*. Essa era misturada com escarlata (alguma espécie de fio ou tecido) e hissopo (Lev. 14:4,5,51 ss). Isso tem envolvido os estudiosos em toda espécie de conjecturas e idéias. Alguns intérpretes supõem que o fio escarlata tinha por intuito afastar os maus espíritos, havendo alguma evidência em favor dessa conjectura no Talmude (*Shabb* 9:3; *Yoma* 4:2). O hissopo era uma erva que teria propriedades catárticas especiais, sendo usado para aspergir a água santa (ver Sal. 51:7).

e. *Fogo*. Esse era o elemento mais radical usado nas purificações cerimoniais. Era usado para purificação de vasos de metal (Núm. 31:22 ss). Para prevenir a poluição, eram queimados a fogo os restos do cordeiro pascal (Êxo. 12:10). Também outros sacrifícios compartilhavam dessa característica (Lev. 7:17). As ofertas pela culpa eram totalmente queimadas e as cinzas eram removidas do acampamento (Lev. 4:12). Em casos extremos, indivíduos especialmente pecaminosos eram queimados na fogueira (Lev. 20:14; 21:9). Isso, segundo se pensava, purificava o acampamento, mesmo que talvez, não as pessoas envolvidas. Os ídolos eram destruídos a fogo (Êxo. 32:20; Deu. 9:21). Uma cidade entregue à idolatria podia ser incendiada até a sua destruição total (Lev. 13:12 ss), para nunca mais ser reedificada.

6. Conceitos do Novo Testamento: uma Revolução. Foi uma medida realmente revolucionária quando a Igreja primitiva descontinuou as leis cerimoniais do

LIMPO E IMUNDO

judaísmo. Essa foi uma medida que muitos judeus consideraram herética e radical. No Novo Testamento, o conceito moral de pureza é retido e ampliado, mas os meros ritos simbólicos do Antigo Testamento são considerados cumpridos em Cristo.

a. *Os ensinamentos de Jesus*. Jesus referiu-se às questões mais importantes da lei, diminuindo, conseqüentemente, a importância dos ritos (Mat. 23:23). Demonstrou como os fariseus (que vide) cuidavam tanto das questões rituais que negligenciavam as verdades morais e espirituais. Há coisas que realmente poluem uma pessoa, como a extorsão e a ganância (Mat. 23:25 ss). Jesus também falou sobre a necessidade da pureza interna (Luc. 11:41). Questões similares foram levantadas na questão da obsessão da lavagem das mãos (Mar. 7:2-8). A pureza externa serve de mero símbolo da pureza interna (Mar. 1:4,15). O trecho de Marcos 7:6 ss mostra a preocupação do Senhor Jesus com a fé religiosa autêntica, que não se alicerça sobre coisas meramente superficiais e externas. Por essa razão, Jesus acusou os líderes religiosos do judaísmo de abandonarem os mandamentos de Deus, ao mesmo tempo em que se apegavam às tradições dos homens (Mar. 7:8). E o versículo catorze do sétimo capítulo de Marcos fala de coisas que realmente contaminam um homem. Esses pecados, **abrigados no coração**, são coisas como a fornicação, o furto, o homicídio, o adultério, a cobiça, a iniquidade, o logro, a licensiosidade, a inveja, a calúnia, o orgulho e a insensatez. Essas são as coisas que corrompem moralmente a uma pessoa. Porém, aquilo que um homem come não o contamina, a menos, naturalmente, que ele seja um glutão (vs. 18). Os judeus, entretanto, tinham caído em extremos. Assim, um vendedor de vasos temia que alguma pessoa cerimonialmente impura tocasse em seus produtos, tornando-os poluídos. Isso o obrigaria a purificá-los ritualmente (ver *Tohoroth* 7:1). Havia entre eles até mesmo a teoria da reação em cadeia. Um objeto imundo poderia tocar em um objeto limpo, o qual, por sua vez, ficaria imundo. Então esse segundo objeto podia tocar em um terceiro, que também ficaria imundo, etc., *ad nauseum*. Um indivíduo religioso, pois, nunca poderia sentir-se tranqüilo. Jesus, porém, aquietou os espíritos, quanto a questões assim.

b. *Desenvolvimentos teológicos*. A epístola aos Hebreus ensina como Cristo tomou o lugar de todo o sistema veterotestamentário de sacerdotes e ritos. Isso mostra que o Antigo Testamento, dentro da teologia cristã, assumiu uma posição *simbólica*, representativa das qualidades espirituais e morais de Cristo, ou então, de certas qualidades ou aspectos de sua missão. O conceito de sacerdócio cumpriu-se em Cristo (Heb. 5, 7, 8, além de outras referências). A relação de pacto agora gira em torno de Cristo, e a sua missão eliminou todos os sacrifícios e holocaustos (Heb. 9:11 ss). A lei era apenas *sombra* dos valores vindouros (Heb. 10:1 ss), e o sacrifício único de Cristo substituiu a todos os sacrifícios (Heb. 10:5 ss). O sangue derramado sobre o altar foi substituído pelo sangue da cruz, vertido de uma vez por todas (Heb. 10:4; I João 1:7,9; Heb. 9:13 ss; Ló 12:22).

O uso levítico da água foi parcialmente substituído pelo **batismo cristão**, e os aspectos que não estão contidos ali foram incorporados no ensino cristão moral sobre a purificação dos pecados. A purificação representada pelo batismo consiste em uma boa *consciência* diante de Deus, mediante a ressurreição de Jesus Cristo (I Ped. 3:21). A regeneração é a purificação final, que suplanta a purificação meramente cerimonial (Tito 3:5); e a regeneração é

simbolizada pelo batismo em água. A Palavra de Deus, transmissora de vida, santifica ao crente (Efé. 5:26; João 3:5). Os homens que precisam de purificação são *podados* através do poder do Espírito Santo (João 15:1,22). O sangue de Cristo purifica (Apo. 7:14). A alma do penitente é que é purificada, e não o seu corpo (I Ped. 1:22). Temos uma *esperança* que purifica (I João 3:3). Na relação matrimonial, o cônjuge incrédulo é santificado através do cônjuge crente, o que indica primariamente, se não mesmo exclusivamente, que o casamento, nesse caso, é legítimo, contrariamente ao ensino judaico de que os casamentos mistos (entre um judeu e um gentio) não eram válidos (I Cor. 7:14).

Coisas Impuras no Novo Testamento. Os espíritos malignos (Mar. 1:26); os impenitentes não-regenerados (Rom. 1:24); as observâncias legais (Gál. 4:4); a desconsideração pelas coisas assim consideradas, dentro das leis cerimoniais judaicas (Atos 11:1-12; Mat. 15:3-20); o retrocesso ao cerimonialismo do gnosticismo (Col. 2:16; 20:22); os perdidos (Apo. 22:14).

Os Alimentos no Novo Testamento. A visão de Pedro, registrada em Atos 10:11 ss, deu a entender que os preceitos alimentares do Antigo Testamento não continuavam em vigor, dentro da fé cristã. O décimo quinto capítulo de Atos mantém a proibição quanto ao uso do sangue como alimento, não porque isso fosse algo errado, por si mesmo, mas porque os membros judeus da Igreja primitiva muito se ofendiam diante do ato. Além disso, animais estrangulados, que, naturalmente, retinham o sangue na carne, foram proibidos. A poluição da idolatria, mencionada no mesmo decreto (ver Atos 15:20), incluía os alimentos usados nos ritos pagãos, que, em seguida, eram vendidos nos mercados. O decreto de Atos 15 proibia o consumo de tais carnes. Paulo, porém, incluiu tais alimentos dentro da lista de itens liberados para os cristãos. Em outras palavras, um crente podia consumir tais alimentos, contanto que nenhum irmão na fé, sabedor do que ele estava fazendo, se escandalizasse diante de tal ato. No caso do ato ofender a algum irmão, então o crente não deveria comer alimentos oferecidos previamente a ídolos (I Cor. 8). Contudo, isso não solucionou totalmente a questão, dentro da Igreja primitiva, visto que no Apocalipse (2:14,20), esse ato é proibido. No que concerne às inúmeras leis levíticas contra a e a favor da ingestão de animais específicos, o trecho de I Timóteo 4:4,5 elimina a questão inteira. Agora, qualquer animal (visto que todos foram criados por Deus) pode ser ingerido livremente, se o ato for feito em ação de graças a Deus.

7. Evolução da Espiritualidade e da Heresia. É patente que o cristianismo trouxe imensas modificações ao mundo religioso. O cristianismo originou-se no judaísmo, mas eliminou as leis cerimoniais deste último. Também substituiu o sistema sacerdotal inteiro por um só sacerdote, Cristo. Valorizou a graça em lugar das obras, como meio de justificação. Substituiu o templo e seu elaborado sistema de sacrifícios pelas reuniões simples nos lares, quando as pessoas se reúnem para partir o pão em memória do sacrifício de Cristo. Essas modificações foram muito radicais. Não se pode duvidar que muitos judeus consideraram-nas altamente heréticas. Não somente isso, mas essas modificações cristãs também contradiziam muitas injunções do Antigo Testamento. Isso significa que os judeus não teriam grande dificuldade em provar a natureza herética do cristianismo mediante o uso de textos de prova extraídos do Antigo Testamento. Isso, por sua vez, mostra-nos que o

LINCHAMENTO — LÍNGUA

avanço espiritual nos conduz a áreas que são reputadas heréticas ou mesmo apóstatas por pessoas que defendem os sistemas antigos que estão sendo substituídos ou aprimorados. Torna-se evidente, pois, que não podemos sempre aquilatar uma doutrina mediante o apelo a textos de prova. Ocasionalmente, a evolução da espiritualidade leva-nos a novas áreas, nunca antes antecipadas. A verdade é tão ampla que as modificações, até mesmo as mais radicais, são possíveis. Não podemos erguer uma cerca diante de Deus e dizer: «A revelação cessou aqui, conosco». Essa é uma posição manifestamente absurda, passando apenas de um dogma humano, e não de um ensino espiritual revelado. Porém, a curto prazo, as tradições derrotam a verdade. Somente a longo prazo é que a verdade divina prevalece. Na verdade, a ortodoxia de hoje, em muitos casos, foi a heresia de ontem; as ortodoxias se alteram, transformando-se em pontos de fé ultrapassados, e as heresias que eram combatidas tornam-se novas ortodoxias. A cada vez que ocorre uma grande e profunda modificação, os homens entram em conflito. Novas ortodoxias sempre são consideradas «o desenvolvimento espiritual *final*». Porém, nunca chegaremos ao estágio final de nossa evolução espiritual, visto que o que é meramente finito está absorvendo a infinitude de Deus. Isso envolverá um processo eterno, dentro do qual coisas fantásticas, nunca antes imaginadas, esperam por nós. (B CGM ND DE UN)

LINCHAMENTO

Por lei, o estado tem o monopólio da violência e da vingança. Nas sociedades primitivas, a vingança não somente era aprovada, como era até exigida, e isso era devido, pelo menos em parte, à ausência de uma força policial organizada. Em outras palavras, indivíduos eram autorizados a fazer o trabalho de uma força policial, quando eles ou seus familiares tivessem sofrido alguma violência ou injustiça. A sociedade hebréia provia cidades de refúgio (vide), a fim de dar a oportunidade de viverem sem receio àqueles que tivessem prejudicado a outras pessoas, sem terem querido fazê-lo propositalmente. O refúgio nessas cidades equivalia a uma sentença perpétua, mas, pelo menos, dentro dessas cidades, os refugiados tinham liberdade de movimento.

O linchamento é uma violência coletiva. Embora não seja o indivíduo quem toma a justiça nas próprias mãos, ainda assim é o povo que faz a justiça. Ora, apesar dessa prática continuar vigorando em muitos países, tudo é feito fora da lei. A maioria desses casos, porém, mesmo quando os culpados são condenados, eles não são punidos. Nas fronteiras norte-americanas, para oeste, a prática era bastante comum, tal como nos mostram os filmes chamados «bang bang». Meu avô e um tio meu, que trabalhavam em uma estrada de ferro na parte ocidental da América do Norte, tinham muitos relatos sobre essas violências. No sul dos Estados Unidos da América, a prática era usada para castigar os negros e mantê-los sob controle, mediante o terror constante. Antes e depois da guerra civil norte-americana, — os negros eram assaltados pela violência das turbas brancas; e a temível Ku Klux Klan foi organizada a fim de promover a intimidação. Os historiadores revelam que cerca de quatro mil pessoas de raça negra foram linchadas, entre 1882 e 1951. O racismo é uma atitude totalmente errada, pois só existe uma espécie humana, o *Homo sapiens*.

A ética cristã sempre se opôs a atos dessa natureza; mas tem sido mister um tempo demasiadamente prolongado para que tais violências terminem. Violência gera violência (ver Gên. 9:16; Mat. 26:52; Apo. 13:10). A vingança deve ser deixada nas mãos do Senhor (ver Rom. 13:19), e é uma das atribuições do Estado organizado (ver Rom. 13).

LING CHOS

Essas palavras são tibetanas: **chos**, «estórias»; **ling**, «país». O título refere-se às antigas lendas e estórias da religião pré-budista dos tibetanos. Ali há lendas sobre heróis, deuses e demônios. As fontes originárias desses relatos parecem ser variegadas; indo-européias, tibetanas e chinesas. Finalmente, o budismo sobrepujou totalmente no Tibete, como em nenhum outro país, embora tenham sobrevivido elementos das mais antigas crenças religiosas no budismo tibetano; e alguns desses elementos são aqueles que se alicerçam sobre o *Ling Chos*. Nas áreas não controladas pelos grandes lamas, essa mistura de idéias ainda é maior.

LINGA

O deus **Shiva** (vide) é adorado na Índia mediante o símbolo fálico, com o nome de *linga*. Esses símbolos referem-se à fertilidade e aos poderes geradores na natureza.

LINGAYATS

Esse é o título de uma subseita hindu, do shivismo, com cerca de três milhões de seguidores. Seu símbolo é a *linga* (vide), e todos os seus membros usam um pequeno enfeite em relevo, com uma representação desse símbolo, feito de pedra. Esta seita foi fundada como uma espécie de revolta contra os *brâmanes* (vide), no século XII D.C. Seus seguidores opõem-se ao casamento entre pessoas de castas diferentes, e permitem novo casamento para as viúvas. A seita é composta principalmente de pessoas não arianas.

••• ••• •••

LÍNGUA-LINGUAGEM-LINGUAGENS

Esta enciclopédia apresenta os seguintes artigos relacionados à **linguagem:**

Aramaico
Hebraico
Língua
Língua do Novo Testamento
Língua Estranha
Língua Grega
Linguagem dos Livros Apócrifos
Linguagem Ética
Linguagem (Filosofia E)
Linguagem, Jogo de
Linguagem, Uso Apropriado da
Linguagem Religiosa
Línguas, Confusão das
Línguas de Fogo
Línguas (Falar em)
Línguas, Falar em (Dom de)
Línguas, Interpretação de
Línguas, Origens das

Aramaico e **Hebraico** são artigos apresentados em sua devida ordem alfabética. Os demais artigos seguem a ordem dada acima. Neste ponto, oferecemos uma declaração geral sobre as linguagens, um mapa que ilustra a distribuição geográfica dos idiomas, na área do globo terrestre relacionada à Bíblia Sagrada.

LÍNGUA

LÍNGUA

Esboço:
I. Línguas do Mundo
II. Línguas Indo-européias
III. As Seis Línguas Mais Faladas do Mundo
IV. A Origem das Línguas
V. Uso Apropriado da Linguagem
VI. Mapa Ilustrativo: Distribuição Geográfica dos Idiomas no Mundo Bíblico

Introdução

1. Orgão Físico

No hebraico, **lashon**, termo que aparece por cento e oito vezes com o sentido geral de idioma ou do membro do corpo com esse nome, começando por Gên. 10:5 e terminando em Zac. 14:12. Com o sentido de membro do corpo, aparece na maioria dessas ocorrências, em sentido literal ou simbólico. No grego, temos a palavra *glossa*, que é usada por cinqüenta vezes, de Marcos 7:33 a Apo. 17:15, igualmente com o sentido de idioma ou como um dos membros do corpo, e também em sentido literal ou simbólico.

A língua é um órgão ímpar, musculoso, muito móvel, simétrico, situado na cavidade bucal. Estende-se desde sua ligação ao osso hióide e à epiglote, na parte superior e frontal do pescoço, até uma ponta livre, diante dos dentes incisivos. Tem a forma geral de uma pirâmide, achada na parte superior e na inferior, sendo arredondada em seus ângulos e terminando na frente em ponta rombuda. Composta quase inteiramente de fibras musculares entrelaçadas, suas superfícies, expostas às secreções da boca e da garganta, são recobertas de membranas mucosas. Nessas membranas, na superfície superior da língua, estão localizadas as papilas gustativas. Há cinco tipos de tais papilas, acumuladas principalmente na parte anterior da língua, já perto da garganta. É através dessas papilas gustativas que a língua atua como um dos órgãos dos sentidos, o do paladar. Na verdade, é o único órgão dos sentidos que não aparece aos pares, no corpo humano. Mas, na língua, também é muito desenvolvido o sentido do tato, de tal modo que ela pode localizar partículas de alimento na cavidade bucal, principalmente entre os dentes, partículas essas que, de outra maneira, não seriam sentidas. A manutenção de pedaços de alimentos entre os dentes superiores e os inferiores é algo importante na função da mastigação, e a língua muito contribui para isso. A língua também ajuda no ato de sugar, de engolir e cuspir e de controlar as secreções e excreções respiratórias. Finalmente, deve-se salientar que a língua é um dos mais importantes órgãos da fala, porquanto ela facilita a pronúncia dos fonemas de que se compõem as palavras que proferimos.

É em face dessa última função da língua, como órgão da fala, que esse membro do corpo aparece nas Escrituras como uma poderosa força. A Bíblia diz que a morte e a vida estão sob o poder da língua (Pro. 18:21). Tiago elabora sobre o tema, quando se refere à língua como indomável, como um mal incontido, cheia de veneno mortal (Tia. 3:8), e também como um fogo, um mundo de iniqüidade (Tia. 3:6). Paulo, por sua vez, refere-se à língua como um instrumento do ludíbrio (Rom. 3:13), uma das grandes características do indivíduo não-regenerado.

2. Linguagem

No sentido secundário de «idioma», a palavra *língua* aparece, igualmente, no volume sagrado, como nome dos vários idiomas falados pela humanidade. As Escrituras revelam que «...em toda a terra havia apenas uma linguagem e uma só maneira de falar» (Gên. 11:1). Mas, por causa da construção da torre de Babel, que revelou o excessivo orgulho e empáfia da humanidade, o Senhor resolveu: «Vinde, desçamos e confundamos ali a sua linguagem, para que um não entenda a linguagem do outro» (vs. 8). E, logo adiante, Moisés ajunta: «...ali confundiu o Senhor a linguagem de toda a terra, e dali os dispersou por toda a superfície dela» (vs. 9).

É claro das evidências arqueológicas que a origem da linguagem, e a multiplicidade das línguas, é um assunto misterioso que nenhuma explicação consegue esclarecer. Itens da arqueologia, podem demonstrar semelhanças entre civilizações, mas dificilmente falam qualquer coisa significante sobre a origem do falar humano e suas inumeráveis manifestações. Ver seção IV..

Interessante é observar que, quanto ao membro físico chamado «língua», há um costume médico de pedir a um paciente que mostre a língua. Isso se deve ao fato de que certas enfermidades sistêmicas do corpo humano manifestam a sua presença com alterações na língua, como as alergias, a pelagra, a psilose, a anemia perniciosa, a deficiência de ferro e certas deficiências vitamínicas. Outrossim, uma paralisia em metade da língua, isto é, em seu lado esquerdo ou em seu lado direito, revela-se por meio de tal exame em razão do desvio desse membro para o lado afetado. Isso pode indicar alguma condição enfermiça em uma região do cérebro, como um derrame ou hemorragia interna, a trombose de uma artéria, ou um tumor cerebral.

Nos trechos de Apocalipse 5:9 e 7:9, João destaca o fato de que a redenção que há em Cristo haverá de ser proclamada entre todas as línguas, ou seja, de maneira universal. Citamos a primeira dessas passagens: «...e entoavam novo cântico, dizendo: Digno és de tomar o livro e de abrir-lhe os selos, porque foste morto e com o teu sangue compraste para Deus os que procedem de toda tribo, língua, povo e nação...»

I. Línguas do Mundo

1. *A Prioridade do Homem.* É a linguagem que mais distingue o homem dos animais inferiores. Chimpanzés e gorilas têm sido treinados para se expressarem através de computadores com teclas, e têm demonstrado a capacidade de usar sintaxe e analogia lingüística, além de poderem reter um vocabulário simbólico bastante extenso. É definido que se tivessem o aparelho próprio para falar, eles poderiam usar linguagem, visto que têm inteligência adequada para tanto. Também sabe-se, por meio de outros estudos científicos, que outros animais, como aqueles da família da baleia e dos golfinhos, são capazes de modos complexos de comunicação não-lingüística, usualmente por meio de sons. Em alguns mamíferos marinhos, esse sistema é complexo e preciso. Não obstante, o homem é que possui tanto a inteligência quanto a capacidade de falar, com base em sua habilidade de guardar conhecimentos e de comunicar-se. Alguns filósofos têm mesmo pensado que a linguagem é a essência mesma da inteligência. É sobre essa suposição é que a filosofia da linguagem tem-se desenvolvido. Ver o artigo intitulado *Linguagem (Filosofia e)*, *Filosofia da Linguagem*.

2. *Definição da Linguagem.* Uma língua é um sistema de sinais vocais convencionais que caracterizam as interações entre uma ou mais comunidades de seres humanos. Essa definição não inclui somente a linguagem falada, mas também a escrita, que é uma forma concreta de representar os sons. A descrição da linguagem é o primeiro passo da *lingüística*, cujas

LÍNGUA

principais divisões são a fonética, a fonêmica, a morfêmica e a sintaxe.

3. *Um Grande Número de Idiomas*. É impossível dizer quantas línguas os homens já falaram, desde que o fenômeno veio à existência. Muitos milhares de idiomas têm sido usados, têm evoluído e têm desaparecido. Povos inteiros têm desaparecido, juntamente com os idiomas que usavam. Até mesmo quanto à atualidade, é difícil dizer-se exatamente quantas línguas são faladas no mundo. Além disso, em alguns casos, é impossível separar-se um idioma de outro ou um dialeto de outro. Para exemplificar, o sardenho provavelmente é um dialeto do italiano, e o swyzerisch, provavelmente, é um dialeto do alemão. Seja como for, calcula-se que existam entre três mil e quatro mil dialetos falados atualmente no mundo inteiro, cada qual com sua própria gramática, seus fonemas (os sons da língua) e a sua sintaxe (a construção das sentenças).

4. *Famílias de Línguas*. Podem ser distinguidas pelo menos quarenta famílias de línguas. Uma *família* lingüística é um grupo de idiomas que estão relacionados entre si, tendo descendido de uma língua ancestral comum. Para exemplificar, o português, o espanhol, o italiano, o francês, o catalão, o provençal podem ser consideradas línguas irmãs, descendentes diretas do latim. E o latim, por sua vez, era língua irmã do grego. Juntamente com o alemão, o celta, o eslavo, o persa, e outras, o latim e o grego descendem diretamente do sânscrito. Essa família é chamada de família *indo-européia*, por causa da localidade geográfica de seu desenvolvimento. Alguns técnicos nesse campo pensam que nada menos de cem famílias diferentes de línguas podem ser distinguidas, embora existam línguas (como o basco) que desafiam a qualquer tentativa de classificação. Sobre o basco queremos destacar que, embora ela seja falada em áreas onde se falam o espanhol e o francês, ela não é uma das línguas romances, ou seja, derivadas do latim. Alguns eruditos pensam que ela é a única sobrevivente de uma língua falada por povos neolíticos que habitavam naquelas áreas, antes das migrações dos indo-europeus para aquelas regiões do extremo ocidental da Europa.

II. Línguas Indo-européias

O sistema dessa família de línguas é apresentado como representante daquilo que acontece no desenvolvimento de todas as línguas. Se excluirmos o chinês, as línguas indo-européias representam o maior grupo de línguas modernas. A *mãe* dessa família já existia, em algum lugar da Ásia e da Europa, há cerca de três mil anos. Os eruditos supõem que os vários idiomas indo-europeus espalharam-se de algum ponto do que atualmente é o sul da União Soviética, por meio de migrações sucessivas, a começar pelo terceiro milênio A.C. A *filha* mais velha identificável dessa família é o heteu ou hitita, que pode ser datada como tendo surgido por volta de 1500 A.C. Depois vêm os documentos Rig Veda, em sânscrito. Interessante é que antes costumava-se pensar que o sânscrito seria a mãe de todas as línguas indo-européias, porém, outros estudiosos têm achado que ela não é mais arcaica que outras línguas da família indo-européia. Sua distinção é que a sua literatura é mais antiga que a de suas outras irmãs. Esses estudiosos, pois, não sabem dizer qual a língua que foi *a mãe* de todos os idiomas indo-europeus.

Ramos da Família Indo-européia
(lista parcial)

••• ••• •••

828

LÍNGUA

Notas:

★ O português é o último ramo do latim. Já foi dialeto do espanhol, até que Portugal se separou da Espanha, em 1140. Citamos o belo e instrutivo soneto de Olavo Bilac, príncipe dos poetas brasileiros: «Língua Portuguesa».

Última flor do Lácio inculta e bela,
És, a um tempo, esplendor e sepultura;
Ouro nativo, que na ganga impura
A bruta mina entre os cascalhos vela...

Amo-te assim, desconhecida e obscura,
Tuba de alto clangor, lira singela
Que tens o trom e o silvo da procela,
E o arrolo da saudade e da ternura.

Amo o teu viço agreste e o teu aroma
Das virgens selvas e de oceano largo!
Amo-te, ó rude e doloroso idioma,

Em que da voz materna ouvi «meu filho!»
E em que Camões chorou, no exílio amargo,
O gênio sem ventura e o amor sem brilho!

★★ O inglês, embora classificado aqui como um dos idiomas germânicos, é, em vocabulário, uma mescla com o latim, pois uma grande porcentagem de seu vocabulário procede do latim, e também sofreu grande influência do francês, no passado.

★★★ O checo, também conhecido como checoslovaco, é uma mistura de uma língua celta com o eslavo, pelo que, à semelhança do inglês, poderia ser classificado como língua eslava ou como língua celta. O inglês é germânico-latino no vocabulário, mas na gramática é germânico.

De grande interesse para os estudiosos da Bíblia é a razão proposta pela qual o chinês é falado por uma parcela tão grandemente desproporcional da população do mundo. Ultimamente, as estatísticas chinesas falam em um bilhão e cem milhões de chineses—o povo mais numeroso do mundo!

A razão proposta para o chinês como língua mais falada do mundo (ver o ponto terceiro, abaixo, *As Seis Línguas Mais Faladas do Mundo*) é que, por ocasião do dilúvio de Noé, a China continental não foi atingida pelo mesmo, pelo que esse povo continuou a desenvolver-se e multiplicar-se, sem haver sofrido total despovoamento. O resto da humanidade teve de começar de novo. Essa teoria, naturalmente, apóia a teoria de um dilúvio parcial. Ver sobre o *Dilúvio de Noé*. Em favor dessa teoria, é que a história chinesa pode retroceder facilmente à data suposta do dilúvio. Conforme alguns têm dito: «Os chineses fizeram uma boa história debaixo da água!» Sabe-se, com base nos registros dos campos magnéticos, contidos nas rochas, que imensas catástrofes têm agitado o globo terrestre pelo menos por quatrocentas vezes, sempre com mudanças das posições dos pólos norte e sul. O relato sobre o dilúvio de Noé foi sobre o mais recente de uma grande série de desastres universais. Há muitos mistérios na história geológica que simples registros históricos (relativamente recentes, em comparação) não podem resolver. O nosso conhecimento é muito parcial (pois a Bíblia é uma história selecionada, que conta, essencialmente, a história da redenção, e não tanto a história da humanidade), e deveríamos ter a humildade para confessar isso.

III. As Seis Línguas Mais Faladas do Mundo

Essas seis línguas são, em ordem decrescente:

1. Chinês
2. Inglês
3. Russo
4. Hindu
5. Espanhol
6. Português.

IV. A Origem das Línguas

1. *O relato sobre a torre de Babel* (Gên. 11), para algumas pessoas, resolve o problema. Lembremos, porém, que já existia a linguagem antes disso, além do que a cronologia de Gênesis registra uma história relativamente recente. A arqueologia tem demonstrado uma história do homem muito mais antiga do que nos revela o relato de Gênesis, indicando que houve raças pré-adâmicas. Ver o artigo sobre os *Antediluvianos*.

2. *A Evolução*. Os evolucionistas supõem que o aparelho fonador do homem desenvolveu-se a partir do aparelho fonador dos primatas mais elevados, atingindo seu ponto culminante no homem. E, uma vez dotado da capacidade de emitir os mais variegados sons, começou a chamar os objetos por nomes específicos, de onde ter-se-ia desenvolvido a linguagem, tudo o que precisou foi de um processo evolutivo muito longo. Mas, contra essa teoria temos a considerar a grande complexidade das línguas antigas, em contraste com as formas relativamente simples da atualidade. É muito difícil imaginarmos os selvagens, propostos pela teoria da evolução, a usar sistemas de dez casos, ou de seis casos, com complexas conjugações verbais, exibidos pelas línguas antigas. Se a linguagem começou quando homens da caverna começaram a dar nomes às coisas, então os idiomas devem ter começado bem *simples*, e não complexos. Mas, quanto mais antiga a língua, mais complexa ela mostra ser.

3. *Origem Divina*. Alguns lingüistas teístas supõem que a linguagem serve de prova da existência de Deus, por ser uma daquelas coisas que exibem um admirável *desígnio*. Alguns teístas crêem que Deus simplesmente criou o homem com a capacidade de falar. Mas, tudo quanto se sabe sobre a origem da linguagem, incluindo as indicações que nos são dadas no livro de Gênesis, são apenas alguns poucos detalhes em todo o trajeto que deve ter sido coberto pela história da linguagem. O resto permanece envolto em mistérios.

4. *Explicações Angelicais e Extraterrestres*. De acordo com essa posição, a linguagem nem se originou diretamente em Deus, e nem foi criação de selvagens, por questões evolutivas. Antes, a linguagem teria sido trazida à terra por seres extraterrestres que fizeram da terra o lugar de sua habitação. Uma versão religiosa dessa idéia é que a linguagem era possessão de muitas ordens angelicais, que ensinaram as línguas aos homens. Uma versão alternativa dessa opinião sugere que o espírito humano pertence a uma ordem angelical, pelo que já seria dotado de linguagem muito antes de unir-se ao seu corpo físico, o que lhe possibilitou a existência neste mundo. De acordo com esse ponto de vista, o homem já trouxe consigo a linguagem; e, quando se tornou um ser espiritual-físico (mediante união com o corpo, que foi criado mediante a criação divina especial ou mediante a evolução gradativa), permaneceu sendo um ser falante. E o aparelho fonador do homem foi criado (ou evoluiu) como um veículo para que o homem pudesse continuar falando.

5. *Um Mistério*. Talvez a verdadeira resposta nem seja resposta. Simplesmente não sabemos como a linguagem começou. E esse fato, juntamente com muitos outros mistérios, deveria levar-nos a nos sentirmos humildes e dependentes, porquanto pouco ou nada sabemos sobre as origens. De fato, a ciência nada sabe acerca das origens, pois só pode estudar as coisas conforme elas se encontram.

6. *Ilustração de raças pré-adâmicas*, que implica

LÍNGUA

que a origem da linguagem não é conhecida por *textos de prova* de qualquer livro sagrado. Alguns mistérios ficam sem solução.

Reportagem do *Estado de São Paulo*, 26 de setembro de 1987.

Teoria Sobre o Homem na América Pode Mudar

A teoria segundo a qual o homem pré-histórico chegou à América vindo da Ásia através do Estreito de Bering, atingindo primeiro o Alasca e descendo aos poucos até a América do Sul, poderá ser contestada com a descoberta da arqueóloga Niede Guidon, anunciada no último dia 22, em Campinas. Segundo a pesquisadora, os mais antigos vestígios do homem na América, encontrados em São Raimundo Nonato, no Piauí, poderão ultrapassar 32 mil anos, enquanto os norte-americanos descobriram sinais mais antigos entre 10 e 13 mil anos. Esse foi o tema de maior impacto nos debates da IV Reunião Científica da Arqueologia, encerrada ontem em Santos.

Segundo a arqueóloga Sílvia Maranca, que participa das pesquisas, a cientista norte-americana Betty Meggers («que respeito muito», diz Sílvia) só está duvidando das descobertas de Niebe Guidon «porque ainda não esteve no sítio de Pedra Furada, em São Raimundo Nonato». Lembrou ainda que a descoberta anterior de Niebe, de que a datação mais antiga do continente americano chegava até 32 mil anos foi publicada há cerca de um ano na revista inglesa *Nature*. Mas no dia 22 de setembro, Niebe Guidon, coordenadora dos trabalhos no Piauí, professora da Escola de Altos Estudos em Ciências Sociais de Paris e professora visitante da Unicamp, anunciou ter descoberto novos vestígios provavelmente mais antigos ainda no sítio de Pedra Furada.

Esses vestígios, que podem datar de 32.500 até 45 mil anos são constituídos de carvão encontrado em restos de fogueiras existentes nas câmaras abaixo das escavações anteriores. O carvão foi enviado ao Laboratório Beta Analitic, de Miami, que deverá concluir os testes com carbono 14 nos próximos dez dias. Os novos fragmentos foram localizados entre três, quatro e cinco metros abaixo do nível do solo, enquanto os 32 mil anos foram fixados com base em pesquisas feitas só dois metros abaixo da superfície. Supõe-se que, quanto mais profundo estiver o vestígio, mais antigo ele será.

Em 1973, os arqueólogos localizaram 53 abrigos com pinturas rupestres. Até agora, foram pesquisados cerca de cem abrigos, o que representa a maior concentração de arte rupestre do mundo. Foram encontrados nesses locais vestígios de homens pré-históricos de 1.090 a 32.500 anos, como fogueiras, restos de alimentos, esqueletos, pedras e artefatos de osso. Uma urna funerária continha pele e cabelo.

Pesquisa Confirma o Homem na América há 39 Mil Anos

Artigo do *Estado de São Paulo* de 17 de outubro de 1987, por Reali Júnior, correspondente.

Paris — A arqueóloga Niebe Guidon, professora da Escola de Altos Estudos em Ciências Sociais, de Paris, revelou ontem na capital francesa que o povoamento da América poderá ser ainda anterior a 39.200 anos, idade já comprovada pelas análises com carvão efetuadas nos EUA. Segunda ela, o material foi recolhido no sítio arqueológico Boqueirão da Pedra Dourada, no qual está trabalhando desde 1978, no Piauí. Nas escavações efetuadas nos meses de junho e julho últimos, sua equipe encontrou *seis níveis* abaixo de 32 mil anos, sendo que o carvão examinado pertence ao nível *três*, existindo ainda três outros níveis inferiores.

O carvão foi para os EUA para ser analisado no laboratório *Beta Analitic*, e o resultado deu uma idade de mais de 39.200 anos, por meio do método Carbono .14. Isso indica que o povoamento da América é ainda anterior ao que se admitia nas teorias antigas. Segundo Niebe Guidon, esse nível datado e analisado é o terceiro inferior, mas sua equipe já possui material de outros três níveis inferiores, isto é, mais antigos.

Segundo a arqueóloga francesa, atualmente já se trabalha no limite do método de datação pelo Carbono 14, que é de 45 mil anos. «A partir daí, é muito difícil obter resultados com segurança por esse método. Agora, vamos ter de ver os métodos que utilizaremos daqui para frente, mas, de qualquer forma, isso demonstra a importância e o avanço da arqueologia do Nordeste», disse Niebe Guidon.

V. Uso Apropriado da Linguagem

Jesus ensinou que os homens terão de prestar contas, finalmente, de sua vida na terra, incluindo «toda palavra frívola que proferirem». Esse é um pensamento seriíssimo. Ver Mat. 12:36. Se o juízo divino descer a pontos delicados e minuciosos como esse, então o exame que teremos de enfrentar será, realmente, completo! O terceiro capítulo de I Coríntios alude, figuradamente ao juízo a que os crentes serão submetidos. Então as *obras inúteis* dos homens serão queimadas como palha, feno ou madeira, em contraste com aquelas coisas permanentes como o ouro, a prata e as pedras preciosas (capazes de resistir ao teste do fogo de Deus). Um colega de seminário disse, de certa feita: «Haverá tanta fumaça, em meu julgamento, que ninguém poderá ver os outros sendo julgados!» Tudo isso ilustra o quanto precisamos da graça de Deus. O uso da linguagem é uma questão importante. Esta enciclopédia contém um artigo intitulado *Linguagem, Uso Apropriado da.*

••• ••• •••

LÍNGUA

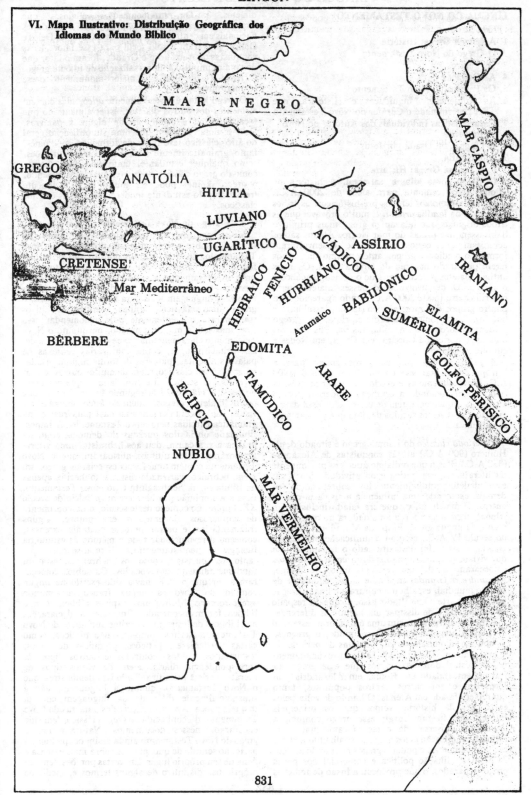

VI. Mapa Ilustrativo: Distribuição Geográfica dos Idiomas do Mundo Bíblico

831

LÍNGUA DO NOVO TESTAMENTO

LÍNGUA DO NOVO TESTAMENTO

Esboço:

1. A Língua Grega: História
2. O Grego do Novo Testamento
3. Os Papiros
4. As Ostracas
5. Os Papiros do Novo Testamento
6. As Influências Lingüísticas e Históricas que Têm Determinado o Caráter do Novo Testamento
7. Características Individuais dos Autores do Novo Testamento
8. A Linguagem Usada por Jesus
9. Bibliografia

1. A Língua Grega: História

O Grego como idioma universal. A história do idioma grego remonta para além de 2000 A.C., chegando mesmo aos tempos pré-históricos, às tribos primitivas da família *ariana*. É muito provável que as tribos originais que falavam o grego mais primitivo habitassem nas praias do mar Negro. Alguns sábios acreditam que certos dialetos se desenvolveram formando o idioma grego, antes mesmo das tribos terem penetrado na área da Grécia atual. Os mais antigos dialetos parecem ter sido o dórico, o aeólico e o jônico. O desenvolvimento desses dialetos teria ocorrido entre 1600 e 2000 A.C., tendo aparecido com quatro grupos distintos: aeólico (lêsbio, tessalônico e beócio), ático-jônico, arcádio-cipriota, e grego ocidental (noroeste da Aetólia, Locris, Elis e outros lugares; e dórico na Corcira, em Creta, em Rodes e em outros lugares).

A primeira migração de povos gregos para a Europa continental deve ter tido lugar antes de 1900 A.C. Provavelmente esse êxodo teve lugar através da Ásia Menor, segundo a erudição moderna, com o auxílio da arqueologia, tem demonstrado. Essa data é anterior por diversos séculos da data que previamente se calculava.

O período clássico do idioma grego é situado desde Homero (900 A.C.) até às conquistas de Alexandre (330 A.C.). Posto que o dialeto ático era proeminente na literatura grega antiga e na atividade filosófica, esse dialeto gradualmente foi sobrepujando os demais, exercendo uma influência mais vasta que os outros. O dialeto ático, que era falado inclusive em Atenas, tornou-se a força amoldadora no desenvolvimento da língua grega. Filipe da Macedônia (meados do século IV A.C.) efetuou a unificação política da Grécia, e assim foi descontinuado o isolamento em que viviam as cidades-estados dos gregos. Os dialetos começaram a desaparecer. O filho de Filipe, *Alexandre o Grande*, mediante suas conquistas de âmbito mundial, espalhou a cultura e a língua gregas por toda a parte. O resultado disso, no que diz respeito ao idioma, foi o de dissipar mais ainda as diferenças dialéticas, emergindo assim uma única forma essencial do idioma grego, o *koiné*. Desse modo, o grego se tornou um idioma universal. As datas do período do «koiné» vão de 300 A.C. a 330 D.C., aproximadamente. Os historiadores dizem-nos que esse grego era francamente falado em Roma, em Alexandria, em Jerusalém e em outros centros populosos, tanto quanto era falado em Atenas. Olhando de volta pelos corredores da história, vemos que os principais fatores, que fizeram surgir esse grego comum, a linguagem universal de então, foram quatro: 1. Extensa colonização pelos gregos, espalhando assim a cultura, o idioma e o poderio grego no mundo antigo. 2. A íntima filiação política e comercial dos povos gregos separados, o que provocou a fusão de todos os dialetos. 3. Os entrelaçamentos religiosos, que tiveram o mesmo efeito. As grandes festividades nacionais em centros religiosos como Olímpia, Delos e Delfos, proveram o solo fértil para esse fator. 4. As conquistas de Alexandre o Grande, foram o fator que deu maior impulso à universalização do idioma grego. O Novo Testamento é o maior monumento desse idioma universal.

O grego koiné é essencialmente *ático*, mas contém elementos dos outros dialetos, especialmente no que toca à forma e soletração de algumas palavras. Deve-se notar também que uma simplificação geral do ático clássico teve lugar na formação do «koiné», tanto gramaticalmente como em suas expressões, como qualquer estudante, tanto do grego «koiné» como do grego clássico pode averiguar. Assim sendo, o grego «koiné» pode ser muito mais facilmente traduzido pelo estudante moderno do que os escritos clássicos.

2. O Grego do Novo Testamento

Muita controvérsia tem girado em torno da discussão sobre o caráter exato do grego do Novo Testamento. Os dois campos opostos, no princípio, foram os chamados *puristas* e *hebraístas*. Os primeiros criam que a revelação de Deus, no Novo Testamento, não poderia ser dada senão na mais excelente linguagem — e para eles isso significava o grego ático clássico. Muitas eruditos primitivos trabalharam diligentemente para recomendar essa tese, mas sem o menor resultado, porquanto o Novo Testamento claramente não cabe dentro desse molde. Em primeiro lugar, conta com várias centenas de palavras distintas, palavras de forma alguma usadas no grego ático clássico, além de muitos outros termos revestidos de sentido diferente daquele que possuíam no período clássico. Em segundo lugar, é óbvio que outros dialetos gregos, além do ático, podiam ser vistos, de alguma maneira, nas palavras e na gramática exibidas pelo Novo Testamento. A impossibilidade óbvia dos puristas de demonstrarem na prática a sua causa, deu aos hebraístas uma vitória temporária. Estes últimos afirmavam que o Novo Testamento contém uma forma especial de grego, um grego hebraico, variedade distinta conhecida apenas na Bíblia — na Septuaginta e no Novo Testamento. Essa era a opinião prevalecente até o início do século XX. Porém, no começo deste século, o descobrimento de numerosos documentos em papiro, alguns fragmentários, e outras porções bastante extensas, começou a revolucionar todo o método de estudo da filologia — neotestamentária. Tornou-se óbvio que tanto os puristas como os hebraístas estavam fundamentalmente equivocados. Os sábios começaram a ver que o N.T. havia sido escrito na língua comum do povo, a língua franca do mundo greco-romano. Muitíssimos papiros bíblicos e não bíblicos foram encontrados. Entre eles, as declarações não bíblicas de Jesus, manuscritos autênticos do Novo Testamento, escritos completos não bíblicos, como cartas particulares, petições, pesquisas de terras, testamentos, contas, contratos e outros tipos de correspondência diária, além de vários tipos de literatura cristã primitiva. Tudo isso demonstrou que o Novo Testamento, quanto à linguagem, não é substancialmente diferente da linguagem comum daquela época. A vasta maioria das palavras do Novo Testamento, desconhecida no grego clássico, tem sido encontrada nesses documentos. Naturalmente, o grego do Novo Testamento ainda assim ocupa lugar à parte, no sentido de que qualquer obra mais extensa é dona de seu próprio lugar. Em certas porções, tem seu próprio uso distintivo de alguns termos e, mediante

LÍNGUA DO NOVO TESTAMENTO

seus vários autores, tem seu estilo todo próprio. Parte do Novo Testamento foi escrito em bom grego literário «koiné» (nome esse que significa *comum*), um termo que designa o grego helênico ali empregado, o que tem em vista o linguajar 'comum' do povo, o grego padronizado da época, em contraste com a linguagem dos autores clássicos. Lucas e Paulo usaram uma boa forma de *koiné literário*, em contraste com a linguagem mais coloquial do homem de rua, sem grande educação. Por outro lado, Marcos e o livro do Apocalipse, revelam um *koiné*, menos educado, contendo erros gramaticais como geralmente o povo comum comete. Os escritos de Lucas (Lucas, Atos) e a epístola aos Hebreus, refletem um idioma mais clássico que o de Paulo; e Lucas chega a ocasionalmente usar um termo em seu sentido clássico, e não próprio do *koiné*. Todavia, todos os livros, como um todo, podem ser seguramente catalogados na corrente da linguagem comum do século I de nossa era, a despeito do fato de que representam aspectos vários da corrente.

Mas tudo isso precisa ser dito sem que se despreze certos livros, e os evangelhos em particular, que mostram influências do hebraico e do aramaico, visto que a língua materna de Cristo e seus apóstolos era o aramaico. Apenas alguns poucos eruditos se têm recusado a conceder a possibilidade de certas fontes aramaicas para esses livros. A atual tendência do estudo a respeito parece indicar que a «influência aramaica» tem sido provada como parte legítima do grego *koiné*. E assim, apesar de continuar-se a admitir a *influência* aramaica, todos admitem que a linguagem essencial do Novo Testamento é o grego *koiné*, largamente usado na época por todo o mundo greco-romano.

3. Os Papiros

Calcula-se que cerca de 25 mil **papiros** têm sido descobertos, os quais confirmam a natureza do grego do Novo Testamento, segundo se descreve acima. A maioria desses papiros, naturalmente, consiste de matéria não bíblica, como cartas particulares, notas, contratos, etc.

Entre as mais importantes descobertas, no tocante aos papiros, temos: Das ruínas de Herculano, na Itália, chegou às nossas mãos o remanescente de uma biblioteca filosófica, que constituiu a primeira descoberta substancial de papiros. Em Behnesa, antigo *Oxyrynchus*, no Egito, foram desenterrados papiros contendo declarações extrabíblicas atribuídas a Jesus. Foram publicadas em 1897 sob o título de «Logia». No sul de Fayum, Egito, sendo utilizados como envoltórios e estofos de crocodilos mumificados (por serem divinizados pelos antigos) foram descobertos muitíssimos papiros, contendo contratos, cartas particulares, pesquisas de terras e grande variedade de outros documentos. Esses papiros foram descobertos por acidente, quando um operário irado (indignado por nada haver achado de mais valor do que crocodilos mumificados) jogou um deles contra uma rocha. O crocodilo partiu-se pelo meio, e os olhos admirados do operário viram esses documentos. Muitos outros crocodilos mumificados produziram mais papiros.

As descobertas de papiros contendo literatura cristã primitiva, mas não parte do Novo Testamento também têm ajudado a iluminar a linguagem do Novo Testamento. Entre essas há uma cópia do Pastor de Hermas, uma conclusão diferente de Atos, onze páginas mais longa, um sermão de Melito de Sardes, *Sobre a Paixão*, além de partes das obras de um certo número dos pais da Igreja, como Irineu, Aristides, Clemente e alguns livros apócrifos, além de hinos cristãos, orações, cartas, etc.

Muitas inscrições têm sido encontradas que ilustram em parte a linguagem do Novo Testamento, mas usualmente uma inscrição é feita em linguagem um tanto formal e artificial, pelo que seu valor, com essa finalidade, é limitado.

4. As Ostracas

Outra evidência arqueológica de grande importância para o estudo do grego do Novo Testamento é a descoberta de *ostraca*.

Muitas Milhares de Ostracas têm sido achadas em montes de lixo, túmulos, sepulturas e outros tipos de lugares explorados pela arqueologia. As ostracas são pedaços quebrados de argila ou vasos, usados pelas classes mais pobres como material de escrita. Preservam registros de muitas espécies, incluindo recibos de impostos, cartas pessoais, etc. Dos muitos milhares desses pedaços de ostraca apenas 20 contêm alguma porção do Novo Testamento. Desses, dez registram a extensa passagem de Lucas 22:40-71. Outros trazem Mat. 27:31,32, Mar. 5:40,41; 9:17,18, Luc. 12:13-16; João 1:1-9; 1:1-14-17; 18:19-25 e 19:15-17. Embora pouquíssimas passagens bíblicas tivessem sido assim preservadas, e essas pertençam acerca do século VII, não sendo por isso mesmo especialmente antigas, as ostracas não bíblicas têm desempenhado papel importante, lançando luz sobre muitos detalhes das características lingüísticas do Novo Testamento.

As ostracas escritas não em grego, mas especialmente em *cóptico*, ainda que nada ilustrem sobre a linguagem do Novo Testamento, revestem-se de importância no tocante à história do cristianismo, pois algumas contêm cartas, hinos e outros escritos cristãos semelhantes.

5. Os Papiros do Novo Testamento

Nas últimas décadas têm sido descobertos muitos papiros, manuscritos do Novo Testamento. Variam quanto à data do século II ao século VII, e assim fornecem-nos um texto muito mais antigo que qualquer outro conhecido antes do século XX. Quando Erasmo (no século XVI) compilou o que atualmente se conhece como *Textus Receptus* (do que a maioria das primeiras traduções foi feita) o manuscrito mais antigo que se dispunha era o Códex 1, um manuscrito do século X. Pode-se ver facilmente, portanto que os tradutores modernos têm a vantagem de contar com manuscritos muito mais antigos. Toda informação provida pelos antigos manuscritos descobertos tem sido incorporada em textos gregos modernos como o texto de *Nestle*, que já passou por mais do que 25 edições, apresentando sempre novas descobertas. Agora possuímos 76 papiros do Novo Testamento Grego, alguns fragmentários, mas outros contendo largas porções do mesmo. Cerca de 79% do N.T. está coberto pelos papiros, e certas porções disso por mais de um manuscrito. Os papiros mais completos são o P(45) (largas porções dos evangelhos) e P(46) (a maior parte das epístolas paulinas); o P(47) (porções de Atos, Tiago, I e II Pedro, I,II e III João), o P(75) (muito de Lucas e João) e o P(72) (Judas, I e II Pedro). Ver a lista completa dos *papiros* no artigo sobre os *Manuscritos do Novo Testamento*.

6. As Influências Lingüísticas e Históricas que têm determinado o caráter do Novo Testamento são diversas:

Embora algo do que foi exposto anteriormente procure mostrar que — a influência exercida pelos idiomas hebraico e aramaico tenha sido exagerada, seria um sério engano subentender, com isso, que o Novo Testamento não exibe muita

LÍNGUA DO NOVO TESTAMENTO

influência lingüística e estilística de muitas obras literárias anteriores, que lhe afetou até mesmo a gramática. O tipo de linguagem usado no N.T., tanto no tocante ao estilo como no tocante à gramática, é um desdobramento — pois começou muito antes, nos escritos dos autores clássicos. Por exemplo, já no século IV A.C., nos escritos dos autores das comédias gregas, pode-se ver uma influência, não nos seus temas, mas no fato de que esses autores começaram a empregar a linguagem do povo comum, em contraste com uma linguagem literária elevada. O N.T. foi escrito quase inteiramente nesse tipo de linguagem. Os historiadores gregos, tais como Xenofonte, Heródoto e Tucídides, criaram *uma prosa* (em contraste com a poesia, que durante muito tempo fora a única forma de expressão literária) que contribuiu para o tipo de prosa que finalmente foi usado no N.T. No século II A.C., Políbio escreveu em um grego não muito diferente do de Lucas, no livro de Atos. Foi o grego ático *koiné*, e esse desenvolvimento pavimentou o caminho para o idioma universal que serviu de veículo dos escritos do N.T. Através de tudo isso temos o processo da simplificação e da universalização, e ambos esses aspectos foram necessários para que o N.T. fosse largamente divulgado e tivesse larga esfera de influência. Antigos oradores gregos, tais como Diodoro e Dionísio, também participaram na preparação do caminho para o tipo de linguagem e estilo que se encontra no N.T., especialmente segundo se nota em alguns escritos de Paulo, principalmente a sua epístola aos Romanos.

De modo geral, pode-se distinguir **quatro correntes** distintas de tradição lingüística:

1. *A Septuaginta* (ou *LXX*) — (tradução da Bíblia hebraica para o grego), dentre todas as obras literárias da antiguidade, é a que tem exercido influência mais poderosa sobre o conteúdo e o caráter do N.T. Muitas citações (de fato, a maioria delas), no N.T., foram extraídas diretamente dessa obra, e não do A.T. em hebraico, e por isso sua linguagem e estilo transparecem com proeminência nas páginas do N.T. A LXX reflete o grego *koiné*, o que também ocorre com o N.T. O pensamento oriental dá colorido à parte de sua linguagem, mas talvez a maior influência, fora do grego «koiné» típico, seja encontrada nos sentidos dos vocábulos. Posto que a LXX foi uma tradução do hebraico, é natural que os sentidos das palavras, ocasionalmente, se baseiem em idéias hebraicas, e não em qualquer elemento distintamente grego. Por detrás de termos como «justiça», «justificação», «fé», «verdade», «conhecimento», «graça» e muitos outros semelhantes, precisamos esperar a influência das idéias hebraicas, havendo necessidade, pois, de uma redefinição de muitos vocábulos gregos para que se adaptem ao conteúdo religioso do cristianismo histórico, o qual, afinal de contas, foi altamente influenciado pelos conceitos hebraicos já existentes. Portanto, se por um lado as estruturas gramaticais de qualquer dada passagem possam ser bom grego *koiné*, com influências ocasionais de uma sentença ou de uma palavra tipicamente hebraica, ou mesmo de um uso gramatical do hebraico, contudo, as idéias expressas podem ser, essencialmente, mais um desdobramento ou extensão do que já era pensado na Bíblia hebraica e expresso no idioma hebraico. Muitas interpretações equivocadas se têm originado da falta de apreciação desse fator. Note-se, por exemplo, o uso do termo «santificado», em I Cor 7:14, onde se lê: «Porque o marido incrédulo é santificado no convívio da esposa e a esposa incrédula é santificada no convívio do marido crente». Alguns intérpretes têm insistido em uma

idéia totalmente cristã, neste caso, como se a *santificação* fosse uma forma de salvação, ou, pelo menos, uma grande tendência para a salvação, ou mesmo uma espécie de «graça» conferida através do cônjuge crente.

John Gill, o grande erudito bíblico do hebraico, em seu comentário (**in loc.**), salientou a possível interpretação verdadeira dessa passagem, ao demonstrar, à base de conceitos e da literatura hebraica, que tudo quanto está em vista aqui é que o casamento deve ser considerado um matrimônio *legal*. Ordinariamente, um judeu não aceitaria um casamento misto (crente com incrédulo) como um casamento legítimo. Paulo, pois, quis dizer que o casamento deve ser considerado legal em tais casos, porquanto os filhos são legítimos. É isso que se deve entender aqui por *santificado*, sendo uma modalidade diferente de santificação daquilo que se encontra geralmente como conceito neotestamentário de *«santificação»*. Esse é um exemplo da influência de idéias hebraicas, ou, pelo menos, do fato de que conceitos hebraicos podem, com freqüência, determinar o sentido da passagem. É em questões assim que se pode ver a influência mais profunda da cultura e do idioma hebraicos no N.T. A LXX trouxe para o N.T. grande parte dessa influência, embora disfarçada pelo uso da linguagem grega. Para os hebreus, a palavra *psyche* significava apenas *vida*, e não se referia diretamente à alma imortal. O trecho de Mat. 10:39 evidentemente reflete esse uso. Não obstante, nos autores gregos como Platão, essa palavra geralmente significa a parte imaterial do homem, a alma imortal, e provavelmente isso é o que está em vista, nos vs. 28 desse mesmo capítulo (Mat. 10:28). Assim sendo, no mesmo capítulo, temos as duas idéias, que se originaram em culturas diferentes. Naturalmente, nos dias de Jesus, muitos judeus aceitavam a doutrina da imortalidade da alma (certamente essa era crença de Paulo; ver II Cor. 5), pelo que o idioma hebraico (realmente era o aramaico, nos dias de Jesus, pois o verdadeiro hebraico não era mais falado pelo povo comum) incorporou outras idéias na definição de suas palavras. De modo geral, portanto, observamos que a influência hebraica é grande no N.T., embora se expresse mais na forma de definição de palavras, de conceitos, etc., do que no uso gramatical (embora este último fator também seja verdadeiro, especialmente no tocante a determinados autores, como, por exemplo, no caso do Apocalipse, que evidencia que a língua nativa de seu autor era o aramaico. O seu grego é pobre e imita as estruturas sintáticas comuns ao aramaico).

2. *A segunda grande corrente* de influência, na linguagem e estilo do N.T., é a tradição histórica dos autores gregos, o uso da prosa que começou com Heródoto, foi continuado com Tucídides e foi modificado e simplificado para se transformar no grego *koiné* por Xenofonte, e que finalmente foi expresso em bom grego *koiné* (essencialmente o dialeto ático, embora também um idioma universal) por Políbio. Esse tipo de grego é demonstrado principalmente na narrativa do N.T., a saber, nos evangelhos e no livro de Atos. Pelo tempo de Políbio, a maior parte das modificações gramaticais já haviam tido lugar, ficando formado assim o grego *koiné*, e é no N.T. que vemos aquela linguagem grandemente simplificada que se tornou universal, a qual, para Platão, teria parecido estranha, e para os antigos gramáticos teria parecido ofensiva. Por exemplo, o modo optativo é quase inexistente, pois o subjuntivo absorveu a maioria de seus sentidos. Paulo e Lucas lançaram mão do optativo, mas mesmo em seus

LÍNGUA DO NOVO TESTAMENTO

escritos sua ocorrência não é grande. No grego *koiné* há um uso mais simplificado, uma variedade maior, e mais liberdade no emprego das formas. A gramática, geralmente, não se caracteriza por grande exatidão, havendo falta de concordância entre os pronomes e seus antecedentes. Os verbos nem sempre concordam em número com seus sujeitos. O sistema de verbos é simplificado, pois o aoristo e o imperfeito eram usados quase que um em substituição ao outro, sem grande diferença no tipo de ação expressa. As preposições passaram a ser usadas com mais liberdade e com sentidos novos. O tempo perfeito passou a ser usado sem expressar, necessariamente, a «ação completa com resultados contínuos».

3. *Uma terceira corrente* de influência pode ser vista na *filosofia grega*. A filosofia grega desenvolveu o idioma grego como veículo de expressão de pensamentos abstratos. Por exemplo, *arche*, causa primária (em Platão), certamente é o sentido tencionado em passagens tais como Apo. 3:14, onde Cristo é referido como o *princípio da criação de Deus*. Cristo não foi a primeira coisa criada, mas antes, a «causa primária» da criação. A palavra «morphe», que tem o sentido de *forma*, é usada no conceito paulino de que Cristo é a *forma* de Deus, em Fil. 2:6, que significa que ele concentra em si mesmo as propriedades essenciais do Pai. Ao expressar-se assim, Paulo se utilizou de uma forma filosófica de expressão e desenvolveu termos que expressam pensamentos abstratos. Por muitas vezes os termos adquirem significações diferentes, mas o uso é o mesmo, isto é, os termos assumem sentidos técnicos, e isso é um desenvolvimento especial dos filósofos gregos. Naturalmente tal desenvolvimento era universal, pelo que não podemos dizer que essa corrente de influência (ou tipo de influência) teve origem exclusivamente grega. Não obstante, encontramos o fato de que os primeiros pais da igreja, tais como Orígenes e Clemente de Alexandria, além de muitos outros, desenvolveram a teologia cristã empregando a *terminologia* dos filósofos gregos. Esses homens geralmente foram influenciados pelo neoplatonismo, um tipo de aplicação religiosa das idéias de Platão e alguns deles foram francamente neoplatonistas.

4. *A quarta grande corrente* de influência no N.T., justamente a descrita com mais evidência nas páginas anteriores, pelo que não necessita de ser ainda mais enfatizada aqui, foi a linguagem do povo comum, o grego *koiné*, que se transformara em idioma universal. Sabemos que, ao tempo de Jesus, em todas as cidades principais do mundo antigo se falava o grego *koiné*, incluindo a cidade de Jerusalém. O N.T., portanto, em sua essência, é um documento desse idioma.

7. Características Individuais dos Autores do Novo Testamento

A qualidade do grego *koiné*, apresentada nos diversos livros do Novo Testamento, de forma alguma é idêntica da primeira à última página. Eis uma breve caracterização dessas várias qualidades de grego *koiné*:

Pode-se dizer que, de forma geral, a qualidade do grego *koiné*, apresentado no N.T., está mais afastada do grego usado em Atenas, em seu período de glória, do que do grego *koiné* dos autores contemporâneos não judeus. Quase todos os livros do N.T. foram escritos por judeus, pelo que não se pode esperar o mesmo tipo de grego que se poderia esperar de escritores não judaicos. Em menor ou maior extensão, quase todos os livros do N.T. exibem alguma influência semita no vocabulário, na sintaxe ou no estilo. Parte dessa influência pode ser atribuída

diretamente ao A.T., e parte ao fato de que o aramaico era falado na Palestina ao tempo em que foi escrito o N.T., e que seus autores também falavam esse idioma. Vemos que até mesmo Lucas, que não era judeu, por causa de seu grande conhecimento e uso da versão da LXX, ou A.T. vertido para o grego, ocasionalmente duplica a fraseologia característica dessa tradução grega do A.T. Como *ilustração* desse fenômeno, temos apenas de lembrar a influência que a tradução da Bíblia, feita por Lutero, exerceu sobre o idioma germânico. Essa influência foi tão poderosa que o alemão, que até então consistira de diversos dialetos distintos, dali por diante se unificou, finalmente produzindo o caráter particular do idioma alemão moderno. Por semelhante modo, a LXX deu colorido ao estilo e à expressão dos autores do N.T. O idioma deles, portanto, apesar de continuar sendo definitivamente o grego *koiné*, não é inteiramente idêntico ao grego *koiné* de autores não judeus.

Comecemos por aqueles livros que demonstram um grego *koiné* da mais alta qualidade:

Epístola aos Hebreus: O **primeiro** lugar deve ser dado a esse livro, cujo autor certamente não pode ter sido Paulo. Isso é abundantemente demonstrado pela qualidade e pelo estilo do grego em que foi lavrado, muito superior ao de Paulo, e certamente diferente tanto quanto ao vocabulário como quanto à expressão literária em geral. Praticamente nenhum erudito do grego pode ver o mesmo autor por detrás das epístolas de Paulo e por detrás da epístola aos Hebreus. (Ver introdução ao livro aos Hebreus, quanto aos detalhes). Essa é a obra literária do N.T. que exibe a mais fraca influência *hebraica*, a despeito do fato de que foi dirigida aos hebreus. Suas citações, todavia, invariavelmente foram extraídas da LXX. O seu autor empregou um rico vocabulário grego, empregando-o com grande aptidão. Esse livro fornece todas as indicações de haver sido escrito por alguém que não só falava o grego como língua nativa, mas que também aprendeu a usá-la com eficiência. O seu estilo é característica de um erudito com grande prática. Distingue-se por sua cadência rítmica, tão cultivada pelos «bons» autores gregos. Algumas vezes o seu autor escolheu as suas palavras a fim de produzir aliteração. Por exemplo, no primeiro versículo desse tratado, há cinco palavras que começam com a sílaba «pol», ou «pro», em Heb. 9:27, dentre cinco palavras consecutivas, quatro começam com «a». Tal como os bons autores *clássicos*, o autor procura evitar juntar duas palavras quando uma termina com uma vogal e a outra começa com uma vogal (o que se chama hiato). O autor demonstra o conhecimento e a habilidade de usar os truques de estilo dos retóricos. Diferentemente de Paulo, ele jamais permitiu que as suas emoções o dominassem e afetassem a sintaxe de suas construções gramaticais. As emoções de Paulo algumas vezes produziram expressões de alto naipe, embora vertidas em uma sintaxe grega estranha. Isso se faz totalmente ausente na epístola aos Hebreus. Em geral, pode-se dizer que o autor desta epístola demonstra a habilidade de um notável escritor no idioma grego, pelo que a sua obra se destaca muito acima de toda outra produção literária do N.T., se ajuizarmos tão somente por suas características lingüísticas.

Epístola de Tiago: Esta breve epístola conta com muitas das características mencionadas acerca da epístola aos Hebreus. A linguagem é de um grego *excelente*, e tem um estilo notavelmente elevado e pitoresco, que se assemelha ao dos profetas hebreus. Porém, embora o tom e a mensagem geral sejam distintamente judaicos, talvez mais do que qualquer

835

LÍNGUA DO NOVO TESTAMENTO

outro dos livros do N.T., contudo a linguagem contém poucos hebraísmos. O autor observa certas questões técnicas da gramática grega, tal como o uso das duas negativas gregas, «ou» e «me». Exibe farto vocabulário grego, escolhendo palavras que são relativamente raras, sendo quase certo que seu autor falava o grego como idioma nativo. Tal como o autor da epístola aos Hebreus, ele se dá ao luxo de empregar a arte da aliteração. Por exemplo, três palavras proeminentes em 1:21 dessa epístola começam com a letra «d». Por muitas vezes ele termina duas ou mais palavras em íntima justaposição com a mesma sílaba ou sílabas, como em 1:7,14; 2:16,19 e 5:5,6. O seu estilo se caracteriza por certa concisão epigramática.

Evangelho de Lucas e livro de Atos: Lucas, o médico amado (Col. 4:14), demonstrou considerável aptidão como escritor na língua grega. Suas peças literárias exibem maior versatilidade do que qualquer outra obra do N.T. Seu prefácio elaboradamente redigido para o seu evangelho (Luc. 1:1-4) pode ser comparado favoravelmente com os prefácios de famosos historiadores gregos, como Heródoto e Tucídides. Lucas demonstra possuir sólida cultura ao usar um grande e bem escolhido vocabulário. Seus dois livros contêm cerca de setecentos e cinqüenta vocábulos que não se encontram em nenhuma outra porção do N.T., e isso é uma grande proporção, considerando-se que o vocabulário total do N.T. é de apenas cerca de cinco mil palavras. O pensamento freqüentemente repetido de que o seu vocabulário exibe um vocabulário *médico* especial não tem sido bem recebido pela maioria dos eruditos modernos, mas pelo menos essas palavras indicam uma boa educação e uma sólida cultura. Todavia, é definidamente verdadeiro, que a sua posição como médico e que os seus conhecimentos de medicina, deixaram traços que se destacam no evangelho de Lucas e no livro de Atos. (Ver Luc. 4:38, em comparação com Mat. 8:14 e Mar. 1:30, onde Lucas dá uma descrição mais exata sobre a «febre alta», outro tanto se verifica com respeito a Luc. 5:12, em contraste com Mt. 8:2 e Mar. 1:40, onde Lucas diz que o homem estava «coberto de lepra»).

Lucas emprega o modo *optativo* por vinte e oito vezes, embora esse modo já estivesse quase desaparecido no grego *koiné* de seus dias e não figure nos escritos de Mateus, João, Tiago e no livro de Apocalipse. Seu emprego do idioma grego não é muito diferente do grego de Políbio, Dioscórides e Josefo. Os autores dotados de boa cultura não apreciavam palavras estrangeiras de som estranho, e Lucas exibiu essa aversão. Assim é que ele *omite* palavras tais como *Boanerges*, conforme se vê no evangelho de Marcos, além de muitas palavras distintamente aramaicas como *hosana, Getsêmani, abba, Gólgota, e Eloi, Eloi, lama sabachthani*. Em lugar do vocábulo aramaico «rabi», que aparece por dezesseis vezes nos demais evangelhos, ele usa a palavra distintamente grega, *mestre*. Não obstante, Lucas não reescreveu completamente as narrativas de Marcos e de outras fontes menos literárias que usou, e nessas seções encontramos influências de expressões aramaicas, bem como outros elementos indesejáveis do ponto de vista literário. Por conseguinte, podem ser vistos dois níveis de qualidade. Por exemplo, no livro de Atos, a primeira porção do livro, que diz respeito a situações e testemunhos palestinianos, pode-se observar um grego menos culto, que algumas vezes contém semitismos bem definidos. A última parte do livro, porém, que foi escrita acerca de situações totalmente gentílicas, foi vazada em um grego *koiné* muito mais elegante.

Primeira epístola de Pedro. Para o leitor médio, talvez seja *surpreendente* saber que o grego dessa epístola é mais próximo aos padrões do grego clássico do que do grego *koiné* vernáculo. Seu autor empregou a *LXX*. nas citações, demonstrando ter perfeito conhecimento daquela obra; porém, ao mesmo tempo, deixou os sinais de seu próprio estilo, até mesmo nas citações feitas. Usou o artigo definido grego com mais aptidão do que qualquer outro dos autores do N.T. Usou o termo gr. *'os* (omega sigma) com habilidade, que só é igualado em Hebreus. Seu vocabulário é vasto e bem selecionado. O grego dessa epístola é totalmente diverso do que seria falado por um pescador da Galiléia, cujo idioma nativo fosse o aramaico, pelo que se tem sugerido com freqüência que o estilo e o idioma dessa epístola se devem ao amanuense de Pedro, Silvano. (Ver I Ped. 5:12).

Pode-se afirmar que todos os autores acima usaram um bom grego «koiné» literário, embora não se possa dizer outro tanto das obras que vêm em seguida.

Evangelho de Marcos: A falta de polimento do grego de Marcos é obscurecida pela tradução, posto que poucos tradutores imitariam propositadamente os erros gramaticais somente para serem mais fiéis ao original. Não obstante, até mesmo as traduções *refletem* os elementos mais pobres, como o uso freqüente da palavra copulativa «eu». Por exemplo, dos quarenta e cinco versículos do primeiro capítulo, nada menos de trinta e cinco começam com «e». Doze dos dezesseis capítulos começam com a palavra «e». E de um total de oitenta e oito seções e subseções, desse evangelho, oitenta começam com «e». Marcos usa um vocabulário de cerca de 1270 palavras, das quais apenas oitenta lhe são peculiares. Isso mostra que ele empregou um vocabulário extremamente comum.

Todavia, o que falta a Marcos em estilo e em graça, é contrabalançado em *novidade* e *vigor*. Em algumas seções, Marcos é o mais emocional e comovente dos escritores evangélicos. O seu idioma se caracteriza pela simplicidade, mas mesmo assim ele consegue certa grandeza. Embora o grego «koiné» de Marcos possa ser classificado entre os exemplos mais deficientes do N.T., e que sem dúvida ele se sentia mais à vontade com o aramaico do que com o grego (o seu evangelho é o que contém o maior número de aramaísmo), contudo ele demonstra que dominava bem o grego *koiné*, coloquial. A seu crédito também poderíamos dizer que ele deve ser relembrado um tanto como inovador literário e gênio artístico, porquanto inventou uma nova modalidade de literatura. Ninguém jamais escrevera qualquer coisa parecida com o seu *evangelho*, antes dele.

O livro de Apocalipse: Dionísio de Alexandria (século III D.C., de conformidade com a **História Eclesiástica** VII. 25.26, de Eusébio), chamou o grego em que foi escrito este livro de «bárbaro e não gramatical. Seu texto demonstra freqüentes violações da sintaxe grega, falta de harmonia e concordância entre verbos e sujeitos ou entre pronomes e antecedentes. Com freqüência o autor cai em expressões *não gregas*, imitando o uso semita. De acordo com o uso semita, ele usa construções pleonásticas. Por exemplo, diz ele: «Aquele que vencer, a ele darei...» (2:7). Ou poderíamos traduzir literalmente outra frase: «Tenho posto diante de ti uma porta aberta, a qual ninguém a pode fechar» (3:8). Esse tipo de construção é estranho mas é explicável à base da gramática hebraica (coordenação de uma partícula com um verbo finito). O autor regularmente desconsidera os gêneros (exemplos: 1:10; 4:1,8, 11:4 e 19:20, além de muitos outros casos). Alguns desses casos se devem ao fato de que o autor *pensava* segundo padrões semitas, enquanto

836

LÍNGUA DO NOVO TESTAMENTO

outros casos talvez se devam, simplesmente, ao descuido, porquanto em muitas outras oportunidades o autor observou os gêneros.

A despeito da falta de *adornos* literários e gramaticais, não há falta de grandeza e poder no livro. Certas passagens solenes e sonoras são quase poeticamente rítmicas, e entre elas se encontram algumas das maiores passagens literárias conhecidas pelo homem (ver 4:11; 5:9,10; 7:15-17; 11:17,18; 15:3,4; 18:2-8; 19:24). Tem-se observado que alguns trechos têm o toque da *voz do órgão* de Milton, o que se pode discernir até mesmo nas traduções para línguas modernas. Bruce Metzger diz (introdução ao «Interpreter's Bible», *Language of the New Testament*, pág. 49): «Somente um poeta pode apreciar um poeta». Por essa razão, Christina G. Rossetti foi capaz de perceber e interpretar certas nuanças no Apocalipse que se perdem inteiramente para mentes mais prosaicas. (Ver o livro de C.G. Rossetti, intitulado, *The Face of the Deep*: A Devotional Commentary on the Apocalypse, segunda edição, London: Society for Promoting Christian Knowledge, 1893).

Evangelho de Mateus: Do ponto de vista de **qualidade** do grego **koiné**, este evangelho fica a meio termo entre Marcos e Lucas, isto é, inferior a Lucas mas superior a Marcos. O estilo de Mateus é menos individualista que o deles. É mais suave que o de Marcos, porém mais monótono que o de Lucas. O vocabulário de Mateus é *mais rico* que o de Marcos, mas menos variado que o de Lucas. Mateus usa cerca de 95 palavras que lhe são características, enquanto que Marcos usa 41 e Lucas usa 151 dessas palavras. Mateus corrige alguns dos erros estilísticos mais crassos de Marcos, como em Mt. 12:14 «tomaram conselho», em lugar de «deram conselho», de Marcos (alguns mss dizem «formaram conselho», Mar. 3:6). Em muitos lugares, Mateus elimina o uso freqüente do presente histórico. O autor gostava de seguir o arranjo rabínico, como o de enfileirar coisas de três em três: três divisões na genealogia (Mat. 1:1-17), três tentações (4:1-11), três ilustrações sobre a retidão (6:1-18), três mandamentos (7:7), três milagres de cura (8:1-15), três milagres que demonstram poder (8:23-9:8), e um bom número de outros arranjos semelhantes. Isso também pode ser visto em relação ao número sete: sete cláusulas na oração do Pai Nosso (Mt. 6:9-13), sete cestos (15:37), sete irmãos (22:15) e sete ais (cap. 3).

De modo geral, pode-se observar que o grego *koiné* desse evangelho nem é muito deficiente nem muito polido e literário. Não obstante, o documento produzido foi um dos maiores livros jamais escritos, e desde os tempos antigos tem sido favorito de muitos.

Evangelho e epístolas de João: O evangelho de João se caracteriza por sua extrema **simplicidade**. Certamente, qualquer menino de escola daqueles tempos poderia ler o grego ali apresentado, mas essa simplicidade faz parte de sua grandiosidade, no que não encontra rival em qualquer livro no N.T. João emprega um vocabulário ainda menor que Marcos. Usa pouquíssimos verbos compostos e poucos adjetivos. Fala de modo simples, porém eloqüente, de «verdade», «amor», «luz», «testemunho», «mundo», «pecado», «julgamento» e *vida*. Sua construção sintática é tão simples que quase chega a ser infantil. Empregou muitas construções que envolvem o vocábulo «e» (*partaxe*) quando outra partícula copulativa teria produzido algo estilisticamente mais aceitável. Por exemplo: «Examinais as Escrituras, porque julgais ter nelas a vida eterna, *e* são elas mesmas que testificam de mim. *Contudo* não quereis vir a mim para terdes vida» (João 5:39,40; no grego, a

palavra aqui traduzida por *contudo* também é *kai*, ou seja *e*). Algumas vezes João eliminou até mesmo a cópula *e*, e simplesmente ligou as idéias sem palavras conectivas (o que se chama *assindeton*, na gramática). Por exemplo, os primeiros vinte versículos do décimo quinto capítulo seguem-se uns aos outros sem qualquer conjunção. O grego de João é relativamente puro, tanto nas palavras como na gramática, mas encontram-se ali algumas expressões que são tipicamente semitas, e não gregas. João escreveu com sentenças curtas, mas cheias de significado. Usou de maneira excessiva o tempo perfeito, três vezes mais que Marcos e Lucas, com o que mui provavelmente desejava salientar as conseqüências permanentes e a significação eterna das palavras e da obra do *Filho unigênito* de Deus. Apesar de suas falhas literárias, o evangelho de João destaca-se numa modalidade de grandeza sem-par nos escritos do N.T.

Epístolas de Paulo: Sabemos muito mais acerca de **Paulo** do que com respeito a qualquer outro autor do N.T. Sabemos que ele era judeu, mas que nasceu e foi criado em um centro intelectual *gentílico*, a cidade de Tarso. Por conseguinte, era um judeu *helenista*. Evidentemente falava tanto o aramaico (o hebraico mencionado em Atos 21:40, pois o verdadeiro hebraico não era falado na Palestina durante o primeiro século da era cristã) como o grego. Seu treinamento, aos pés de Gamaliel (Atos 22:3), certamente lhe garantiu um perfeito conhecimento do idioma e da cultura hebraicos e do A.T. Não há qualquer evidência direta de que Paulo era versado nos escritores clássicos, quer poetas, quer filósofos; mas transparece, em suas alusões, que ele deve ter estudado consideravelmente a filosofia, especialmente o *estoicismo*. Sabemos que a cidade de Tarso era um centro da versão romanizada do estoicismo, e aqueles que lêem Sêneca (contemporâneo de Paulo) e as epístolas paulinas podem notar a grande similaridade de muitas expressões e ilustrações empregadas por ambos, como, por exemplo, a conquista de uma *coroa*, a figura de um *atleta*, etc. Entretanto, de maneira geral, o vocabulário de Paulo não se deriva de fontes literárias gregas, mas antes, do tesouro comum do grego comumente falado. — É muito provável que o fato de que ele ditava as suas cartas tivesse exercido influência no tipo de grego coloquial que se encontra nelas. Paulo se utilizou, freqüentemente, da LXX, embora algumas vezes tenha preferido citar diretamente do A.T. em hebraico. Somente a epístola aos Efésios contém muitos semitismos, porquanto o resto de sua correspondência se notabiliza pela ausência dessa influência.

O material exposto por Paulo é, freqüentemente arranjado em diálogo retórico de perguntas e respostas. Ele também usava o *diatribe*, que pode ser encontrado nos filósofos estóicos. No entanto, sabemos que os rabinos costumavam usar também esse tipo de ensino, e pode ser que essa influência, no caso de Paulo, fosse tão real como o estoicismo romano. Paulo se deixava levar por emoções ardentes e intensas, e por causa disso o seu grego comumente coloquial, — algumas vezes se tornava elevado e dinâmico. Essa atitude produziu grandiosas passagens como Rom. 8 e I Cor. 13 acérca das quais alguns têm dito que sua dicção «se eleva às alturas de Platão, no Faedro». (Ver Eduard Norden, «*Die antike Kunstprosa*, VI Hahrhundert v. Chr. bis in die Zeit der Renaissance», Leipzig and Berlin, B.G. Teubner, 1923, II pág. 509). *O fervor emotivo* de Paulo com freqüência embaralhou a sua sintaxe, pois ele, às vezes, começava uma sentença mas jamais a terminava, ou, em outros casos, muito mais adiante

LÍNGUA — LINGUAGEM

voltava ao pensamento inicialmente começado. Assim sendo, ele criava intèrrupções em sua gramática que se chamam *anacolutos*, o que significa que duas frases não têm seqüência lógica, seguindo corretamente uma à outra (ver Rom. 5:12,13). A linguagem de Paulo se assemelha ao próprio homem, isto é, variegado, dinâmico, mas algumas vezes interrompido. Foi dito por um renomado dos clássicos: «O grego de Paulo nada tem a ver com qualquer escola ou modelo, mas se origina desabridamente e com borbulante efeito, de seu próprio coração, mas é grego verdadeiro». (Ulrich von Wilamowitz-Maeollendorff, «Die griechishe Literatur und Sproche» (Die Kultur 'den Gegenwart, Teil I, Abteilung viii; segunda edição; Berlin und Leipzig; B.G. 'Teubner, 1905, pág. 157). É verdade que suas epístolas pastorais exibem um estilo diferente, talvez devido ao estilo variegado do próprio escritor, que era um autor criativo; ou talvez se deva, pelo menos em parte, ao fato de que ele empregou diversos *amanuenses* para escrever as suas epístolas. Os diferentes temas dessas epístolas, certamente, também afetaram o estilo e o vocabulário das mesmas.

Segunda epístola de Pedro: Metzger já observou que II Pedro talvez seja o único livro do N.T., que tirou proveito do fato de ter sido traduzido (*op. cit.* pág. 52). O grego dessa epístola dá a impressão de que o autor não falava grego como sua língua nativa, ou mesmo como sua segunda língua falada, e, sim, que a *aprendera* em livros. O autor se esforça, um tanto *artificialmente*, por produzir uma elegante peça de literatura, mas a construção de suas sentenças, algumas vezes arrastada e desajeitada, arruina esse propósito. A grande divergência de estilo, de vocabulário e de linguagem, entre I e II Pedro tem levantado, na mente de muitos eruditos, dúvidas.

Jerônimo e outros explicaram o fenômeno à base de uso de diferentes amanuenses, mas muitas outras autoridades, antigas e modernas (como Lutero), tem negado que Pedro tenha escrito a epístola chamada de II Pedro. Calvino sugeriu que um dos *discípulos* de Pedro escreveu essa epístola no nome e no espírito de seu mestre. A maioria dos intérpretes modernos acredita que II Ped., por conseguinte, é uma pseudepígrafe escrita no princípio do segundo século de nossa era, quando os gostos literários artificiais dos aticistas chegaram ao seu clímax. *Lutero* cria que II Pedro era uma espécie de rearranjo da epístola de Judas.

Epístola de Judas. O autor desta epístola dominava o grego *koiné* muito melhor que o autor de II Pedro. Selecionou os seus vocábulos com gosto literário, empregando-os devidamente. Dentro de vinte e cinco versículos, o *optativo* aparece por duas vezes. Tal como Mateus, este autor apreciava as tríades (ver os vss. 2:5-7,8,11,12,19,22-23,25). A epístola de Judas é representativa de um grego *koiné* idiomático de estilo moderadamente bom.

8. A Linguagem Usada por Jesus

Jesus falava o aramaico comum, que era um dialeto do *siríaco*. Essa era a linguagem falada pelo povo comum da Palestina, no primeiro século da era cristã, posto que o hebraico clássico há muito deixara de ser uma língua viva, como ocorre hoje ao grego e ao latim. Os eruditos estudavam o heb. para que pudessem examinar o A.T. Mas o povo comum certamente pouco compreendia desta língua do ponto de vista erudito. A maior parte das instruções dadas por Jesus, se não mesmo todas, foram originalmente entregues no idioma aramaico. Marcos deixou transparecer isso, ao suprir palavras e expressões aramaicas, lado a lado a seus equivalentes gregos. Por exemplo, *Talitha cumi*

(Mar. 5:41), *ephphatha* (7:34), *abba* (14:36), *Eloi, Eloi, lama sabachthani* (15:34). Algumas das declarações de Jesus envolvem algum jogo de palavras que se perdem na versão grega. Pela história, fica-se sabendo que os hebreus gostavam de charadas, e Jesus, evidentemente, as empregava. Em sua declaração: «*Guias cegos*! que coais o mosquito e engolis o camelo» (Mat. 23:24), provavelmente envolvia um jogo de palavras que envolvia dois vocábulos, *galma* (mosquito) e *gamla* (camelo). No aramaico, as palavras «cometer» e «escravo» são similares e, em João 8:34, parece que uma palavra sugere a outra, pois ali lemos: «Todo o que *comete* pecado é *escravo* do pecado». Um desses jogos de palavras tem deixado os intérpretes caírem nos abismos da confusão e do mal-entendido. Em Mat. 16:18, Jesus disse a Pedro: «Também eu te digo que tu és *kepha*, e sobre esta *kepha* (a mesma palavra, sempre com o sentido de *rocha*) edificarei a minha igreja...» As exigências da gramática grega fazem essas duas ocorrências da palavra aramaica serem vertidas de modo um tanto diferente, e por esse motivo muitos intérpretes têm suposto que Jesus não tencionava falar sobre *Pedro* ao referir à *pedra*.

Sabemos que o grego koiné era falado em quase *todas as capitais* do mundo antigo, ao tempo de Jesus, e isso incluía até mesmo *Jerusalém*. Também sabemos que o uso do grego era largamente distribuído por toda a Galiléia, especialmente por causa do intenso comércio com nações gentílicas que ali havia, além do fato de que se tratava de uma população mista que habitava naqueles territórios. Jesus, portanto, provavelmente, também falava o grego. Não é provável, todavia, que suas declarações doutrinárias e outras tivessem sido originalmente feitas nesse idioma, embora seja quase certo que os originais dos evangelhos de Mateus, Marcos, Lucas e João foram escritos na *língua grega*.

9. Bibliografia: A BLAC DEIS DOD (1960) MOU RO (1931)

LÍNGUA ESTRANHA

Ver sobre **Línguas, Dom de**.

LÍNGUA GREGA

Ver o artigo sobre a **Língua do Novo Testamento**.

LINGUAGEM DOS LIVROS APÓCRIFOS

Ver o artigo separado sobre os **Livros Apócrifos**. Além disso, cada um dos livros apócrifos conta com um artigo em separado. Em cada artigo é discutida a questão da linguagem original daqueles livros, juntamente com as várias versões dos idiomas originais.

Os *livros apócrifos* formam um grupo heterogêneo de livros, pelo que falar sobre a linguagem dos mesmos só faz sentido no contexto de cada livro em particular. Diferente dos livros do Novo Testamento, essa coletânea não foi escrita em um só idioma, mas em vários. Os livros apócrifos, contudo, foram preservados para nós no grego *koiné*, na versão da Septuaginta do Antigo Testamento. Todavia, o grego em que foram traduzidos esses livros varia muito em sua qualidade. Assim, o grego de livros como Tobias, Judite, Ben Siraque e I Macabeus é de boa qualidade, embora mostrando que se tratam de traduções. Os estudiosos têm disputado se os originais desses livros foram escritos em aramaico ou em hebraico; mas todas as discussões são inúteis. O máximo que se pode dizer é que os originais foram escritos em um idioma

LINGUAGEM — LINGUAGEM ÉTICA

semítico. Nos livros de II Macabeus e Sabedoria de Salomão, os originais foram escritos em grego. O prólogo do livro Sabedoria de Ben Siraque, também chamado *Eclesiástico*, foi escrito em hebraico. As adições ao livro de Daniel foram escritas em hebraico. O grego do livro Oração de Manassés é fluente, mas há obscuridades, nos vs. 4 e 7, que representam expressões em hebraico. Talvez um bom autor bilíngüe tenha escrito essa obra, embora tivesse inserido um pouco de expressões não próprias do grego. O livro de Baruque parece ter sido uma tradução do hebraico para o grego. O livro de I Esdras parece ter sido escrito parcialmente em heb. e parcialmente em aramaico. Os eruditos têm debatido se o original da epístola de Jeremias foi escrito em grego, em hebraico ou em algum outro idioma, embora o grego e o hebraico sejam as propostas preferidas. Originais hebraicos ou aramaicos também têm sido propostos para o livro de II Esdras. Esse livro não existe em grego. Adições ao livro de Ester parecem ter sido escritas em hebraico, embora haja estudiosos que prefiram pensar no aramaico.

Material escrito, proveniente dos Manuscritos do Mar Morto, mostram cartas escritas em hebraico; há outras evidências de que esse idioma continuou sendo um veículo literário no período entre o Antigo e o Novo Testamentos. Porém, o aramaico também permaneceu sendo um veículo literário durante esse período, o que mostra a possibilidade de que uma ou outra dessas línguas esteve envolvida na produção dos vários livros apócrifos.

O grego *koiné*, naturalmente, era a língua franca da época, pelo que vários dos livros apócrifos podem ter sido originalmente escritos nesse idioma. Pelo tempo em que o Novo Testamento foi escrito, o uso desse idioma tornou-se ainda mais generalizado. E, visto que a Igreja cristã não tardou a tornar-se uma Igreja esmagadoramente gentílica, foi apenas natural que o grego tivesse sido escolhido como o mais apropriado veículo de expressão, embora a maioria, se não mesmo todos os escritores sagrados do Novo Testamento poderiam ter escrito em hebraico ou aramaico (talvez com a única exceção de Lucas). Mas, entre o hebraico e o aramaico, havia ainda maiores probabilidades no caso do aramaico.

LINGUAGEM ÉTICA

Esboço:

I. Caracterização Geral
II. As Proposições Éticas são Assertivas
III. As Proposições Éticas como Sentimentos
IV. Assertivas Objetivas e Subjetivas
V. Juízos Morais e Critérios Universalmente Obrigatórios
VI. Os Pontos de Vista Metaéticos e a Linguagem
VII. A Linguagem Ética da Revelação Divina

I. Caracterização Geral

No tocante à **ética** (vide), a primeira coisa a indagar é: Existem, realmente, atos certos e errados? E, em caso positivo, por que meios poderíamos distinguir entre tais atos? Em segundo lugar, visto que somos limitados a um modo de expressão e comunicação obviamente fraco, como é a *linguagem humana*, até que ponto podemos afirmar que nossas verbalizações éticas realmente descrevem o que é certo e o que é errado? Em seguida, surge em cena o gigantesco problema das definições de termos. Assim, quem pode dar, realmente, uma boa definição de vocábulos como «bom» e «justiça»? Os filósofos sabem que terminamos sempre fazendo «descrições», e não

definições, quando tentamos falar sobre tão vastos e profundos assuntos. Até que ponto, portanto, as descrições nos ajudam a entender a conduta ideal? Finalmente, terminamos tentando *justificar* as asserções morais, e, no entanto, a própria justificação das asserções não é uma tarefa fácil.

Os *sofistas* (vide) dos dias de Platão eram antigos relativistas (ver sobre o *Relativismo*), e pensavam que todos os atos seriam chamados *bons* ou *maus* por mera convenção. Uma teoria favorita é que *o poder é o direito*, ou seja, aquilo que consideramos certo é apenas o que a sociedade nos impõe como tal. Mas, aparecendo em cena outro poder na sociedade, as *forças* que atuam sobre os homens fazem alterar todas as nossas definições éticas. Platão objetava a tal ponto de vista, pois pensava que o que é direito é determinado pelo universal do que é justo, a Idéia Divina. E isso estaria sujeito ao *descobrimento*, por parte do homem, embora não tivesse sido inventado pelo homem. Para Platão, por conseguinte, o direito é um valor fixo que precisa ser descoberto. Apesar da nossa linguagem poder exprimir o que é correto apenas de maneira débil, pelo menos os valores divinos podem ser comunicados à mente humana, podendo ser até mesmo conhecidos intuitivamente. Podemos estar certos, pois, se concordamos com Platão, que nossa linguagem pode dizer-nos, razoavelmente bem, o bem que devemos praticar e o mal que devemos evitar.

O ponto de vista bíblico está alicerçado sobre a *revelação*. E essa revelação nos é dada verbalmente. A fé bíblica afirma que as palavras da Bíblia são dignas de confiança, dando-nos uma boa descrição daquilo que se espera do nós, ética e espiritualmente falando.

II. As Proposições Éticas são Assertivas

G.E. Moore, em seu livro, **Principia Ethica**, defendeu a tese de que a linguagem humana, quando aborda questões éticas, faz *assertivas*. Isso significa que quando alguém diz: «Isto é direito», esse alguém está afirmando um juízo de valor, ou seja, está fazendo uma afirmação sobre o estado das questões humanas. Tal afirmação pode ser falsa ou verdadeira, mas continua sendo uma afirmação, e não mero sentimento acerca de algo. O que *é bom* denota uma propriedade distinta sobre aquilo que podemos falar, e que existe na experiência humana. Moore dizia que os valores éticos são sem igual, indefiníveis, simples e *não-naturais*, podendo ser conhecidos pela *inspeção racional*. Aparentemente, ele concordava com a abordagem de Sócrates à ética. Sócrates buscava definir conceitos da mente universal, que existiriam à parte da experiência humana, mas que podem ser descobertos por meio da razão e da pesquisa.

III. As Proposições Éticas como Sentimentos

Os positivistas lógicos (ver sobre o **Positivismo Lógico**) assumem um ponto de vista não cognitivo sobre a linguaguem ética. Negam que tal linguagem *assevere* qualquer coisa. A.J. Ayer, por exemplo, pensava que os termos éticos servem de veículos para expressar sentimentos de aprovação ou desaprovação. Porém, nesse ponto, caímos no subjetivismo. Quando eu digo: «Isto é correto!», na verdade não estou dizendo, de acordo com esse ponto de vista, sobre o que é, realmente, certo ou errado (se é que tais distinções podem ser feitas corretamente), mas tãosomente estou exprimindo meus sentimentos sobre aquela questão em foco. Gosto de uma coisa qualquer—portanto, para mim, ela está certa. Ou, então, não gosto de uma outra coisa—pelo que, para mim, ela está errada. Outrossim, os sentimentos seriam coisas que aprendemos por meio do condicionamento imposto pela sociedade, e os meus

LINGUAGEM (FILOSOFIA E)

sentimentos não se ajustam aos sentimentos de outras pessoas, pelo que os conceitos de certo e de errado variam de acordo com os sentimentos condicionados ou de acordo com diferentes indivíduos ou sociedades. A linguagem ética, de acordo com essa posição, torna-se um veículo de persuasões não racionais que as pessoas sentem.

IV. Assertivas Objetivas e Subjetivas

Alguns filósofos rejeitam as idéias tanto de Moore quanto de Ayer, e supõem que a verdade jaz em algum ponto entre esses dois extremos. Assim, se eu disser: «Uma maçã é excelente», terei feito isso porque existe alguma qualidade *objetiva* em uma maçã que lhe dá uma qualidade excelente, embora também exista algo de *subjetivo*, em mim, que me faz apreciar aquela excelência. E, se eu desaprovar o assassinato é que, sem dúvida, há sentimentos em mim que me fazem sentir aversões por tal ato. No entanto, isso não esgota a questão inteira, porquanto é objetivamente errado matar a outra pessoa, sem importar quais os meus sentimentos sobre a questão. Meus sentimentos podem ajudar-me a definir melhor uma questão qualquer, porque as palavras e as assertivas, expressas com sentimento, carregadas de emoção, são eficazes para persuadir e convencer. Ademais, os próprios sentimentos podem repousar sobre valores objetivos.

V. Juízos Morais e Critérios Universalmente Obrigatórios

A filosofia ética mostra-se hesitante quando alguém teme exprimir julgamentos morais! Parece que algumas pessoas sentem-se tão perdidas, em meio à confusão da liberalidade contemporânea que temem dizer: «Isto é o certo!» Ou então: «Isto é errado!» Mas, isso não muda o fato de que há coisas verdadeiramente certas e coisas verdadeiramente erradas. Prova apenas que certas pessoas perderam o seu senso moral das coisas. De fato, do ponto de vista moral, há pessoas que estão caminhando pelo teto. É bom que consideremos a possibilidade de que pelo menos alguns *juízos morais* existem, por estarem fundados sobre critérios genuínos, universais e obrigatórios de certo e errado. Por certo, as convenções não podem explicar a vida humana em todos os seus aspectos. A experiência humana deveria ser vista como algo valioso, à parte de qualquer ordem divina das coisas. As pessoas têm aprendido, pelo menos até certo ponto, que coisas mostram ser boas, e que coisas mostram ser más. Essa é a própria base de toda legislação e sistemas legais. Nesses códigos, pelo menos alguns critérios universais têm sido obrigatórios. *Sentimos* e, então, asseveramos um juízo moral que concorda com a nossa própria experiência. Kant acreditava que pelo menos existe uma lei universal: «Nada faças que não gostarias que se tornasse uma lei universal». Mediante a razão e a intuição (e, talvez, as experiências místicas) sabemos que certas coisas são fundamentais, e a nossa linguagem não encontra qualquer dificuldade em expressar com exatidão as nossas intuições.

VI. Os Pontos de Vista Metaéticos e a Linguagem

O termo «mataético» (além da ética) é empregado para salientar que muitos termos (se não mesmo todos) que usamos são considerados *morais* ou *imorais*, quando não são nem uma e nem a outra coisa. Ilustrando, podemos supor que muitas das regras observadas na sociedade alicerçam-se sobre puras convenções, tendo em mira a promoção da harmonia social, ou mesmo o bem-estar de uma elite, em vez de abordarem qualquer problema real de certo e errado. É óbvio que as leis, com freqüência, são feitas para promover o interesse de certas classes. E, quando assim sucede, então as leis são imorais, amorais e meramente convencionais. Mas os homens, através do condicionamento, podem supor que esteja em foco alguma questão moral real. Alguns filósofos morais assumem a posição que afirma que todos os juízos morais são expressões apenas de questões neutras, mas que os homens têm tachado de morais ou imorais. Segundo a opinião deles, a linguagem moral é *metaética*, ou seja, moralmente neutra. A grosso modo, devemos reconhecer que a *neutralidade*, no campo da ética, tem causado mais males do que bens, e a linguagem neutra é uma postura que não deveríamos adotar, apesar do fato de que, *algumas vezes*, ela nos diz a verdade sobre alguma crença ética em particular. Nem tudo é moral ou imoral. Existem coisas e situações amorais.

VII. A Linguagem Ética da Revelação Divina

A maioria das pessoas religiosas supõe que Deus existe e que manifesta a sua vontade aos homens. Ele faria isso através de visões ou mensagens dadas aos profetas, os quais, por sua vez, transmitem isso verbalmente aos homens. Finalmente, sua mensagem é reduzida à forma escrita, originando os livros sagrados. Apesar de confessarmos que nem todos os livros sagrados e nem tudo quanto é sagrado nesses livros pode ser chamado de verdadeiramente divino, temos de defender a proposição de que um *conhecimento genuíno* pode ser alcançado desse modo. Outrossim, pessoalmente, eu não limitaria esse tipo de revelação somente às Escrituras hebreu-cristãs. As sementes do Logos (*logoi spermatikoi*) têm sido largamente disseminadas por toda a sociedade humana, e muito material valioso nos tem sido dado, incluindo instruções éticas, fora da Bíblia. De fato, é no campo da moral que a maioria das religiões concorda entre si, um fato que deve ser por nós atendido e respeitado. Assim, a despeito de não podermos resolver todos os problemas morais mediante a citação de textos de prova extraídos de algum livro sagrado, temos a fé para crer que muitas questões morais são abordadas, de maneira significativa, nos capítulos e versículos das Sagradas Escrituras. O certo é que as Escrituras Sagradas (a Bíblia) são muito superiores a nós, em sua expressão moral, religiosa e espiritual, e que, se procurarmos segui-las, tornar-nos-emos pessoas melhores do que somos atualmente. (AY H HRM MR)

LINGUAGEM (FILOSOFIA E):
Filosofia da Linguagem

A filosofia moderna tem dado muita atenção ao estudo da natureza e do uso da linguagem. Isso é assim porque alguns filósofos estão convencidos de que a linguagem é, por essência, o veículo da inteligência humana. Assim, quanto melhor for compreendida a linguagem, melhor serão compreendidos o conhecimento e a inteligência dos homens. Os eruditos conservadores sempre deram grande valor à linguagem, supondo que a divina inspiração foi dada verbalmente. Todavia, continua em debate o que significa esse «verbalmente», mas essa assertiva levanta a imensa questão do valor da linguagem. É verdade que o misticismo (vide) ensina que os estados místicos superiores não são verbais, e, de fato, não se pode esperar que experiências inefáveis possam ser descritas pela linguagem humana. Assim, a revelação por meio da linguagem é uma espécie de condescendência divina à nossa condição humana. Nem por isso, entretanto, devemos ignorar a importância da linguagem. A linguagem não é *tudo* quanto devemos compreender, mas a linguagem é um importante fator

840

LINGUAGEM (FILOSOFIA E)

no tipo de compreensão que podemos ter neste lado da existência, com suas óbvias e sempre presentes limitações. Ver o artigo separado sobre *Linguagem Religiosa*, com o subtítulo *A Importância e o Uso da Linguagem na Religião*.

Antes da filosofia lançar-se ao exame científico da linguagem como um ramo distinto da filosofia—a filosofia da linguagem—os filósofos, de maneira menos científica, já tinham dito muita coisa sobre a linguagem.

1. *Platão*. Ele explorou o problema da relação entre os nomes das coisas e as formas universais, às quais aquelas coisas estão vinculadas. Na sua obra *República*, livro X, ele asseverou: «Sempre que um certo número de indivíduos tem um *nome comum*, supomos que eles têm também uma *idéia* ou *forma* correspondente». Para ele, essa «idéia» ou «forma» correspondente era o universal (vide). Se isso expressa uma verdade, então a linguagem humana está densamente envolvida nas realidades metafísicas, como uma espécie de reflexo dessas realidades, por meio dos nomes que usamos. Nesse sentido, pois, a linguagem pode ser reputada *divina*. Só compreendemos bem as coisas quando ultrapassamos das palavras e chegamos às realidades divinas e universais que elas representam. Os nomes devem ser dados racional, intuitiva ou misticamente. E, mesmo quando não são *dados* dessas três maneiras, pelo menos eles *devem* refletir as realidades metafísicas por meio de alguma força divina. Seja como for, não se pode separar a linguagem da metafísica.

2. *Os Sofistas*. Eles ensinavam um ponto de vista convencional e relativista do conhecimento e da ética. Naturalmente, eles pensavam que a linguagem humana é uma questão puramente fenomenalista que, através de seus símbolos, promove meras convenções. Os *nomes* ou as coisas que eles simbolizam não refletem qualquer contraparte celestial, mas são meros termos designados para indicar entidades terrenas (*nominalismo; vide*).

3. *Sócrates*. Em contraste com os sofistas, ele aceitava o conceito dos *universais* (vide), pelo que os nomes das coisas corresponderiam a conceitos da *mente universal* (vide). Por meio de exercícios mentais e diálogos, ele procurava determinar os verdadeiros sentidos dos termos, para corresponderem à realidade da mente universal. Ver o artigo intitulado *Conceptualismo*.

4. *Aristóteles* ensinava um *realismo moderado*. Ele negava o dualismo e o realismo radicais de Platão, e supunha que os universais têm uma existência independente dos particulares (vide); dizia que os universais só se encontram nos particulares, e não em algum mundo separado todo seu. A palavra *bom*, portanto, não representaria alguma entidade metafísica distinta no céu dos universais. Pelo contrário, representa uma qualidade em alguma pessoa, coisa ou situação particular. Sempre usamos nomes, em conexão com alguma declaração verbal. Nunca dizemos «senta», «anda» ou qualquer outra palavra que expressa ação ou estado (isto é, um verbo), sem ligá-lo a algum sujeito. Antes, dizemos «ele senta», «ela anda», etc. A coisa que age é uma substância, à qual pertencem vários atos ou estados. Exprimimos esses estados por algum termo da linguagem, e esse termo indica alguma qualidade de alguma substância. Essas qualidades são compartilhadas por outras substâncias. O nome, pois, é mais do que uma mera convenção, mas não reflete nenhum estado metafísico dualista.

5. *Thomas Hobbes* entendia a linguagem como uma computação que usa palavras, em vez de números, sempre seguindo a força da experiência. Como materialista que ele era, rejeitava as implicações metafísicas dos nomes. A experiência humana tem produzido os nomes que usamos. Ninguém precisaria buscar respostas misteriosas para essa questão da linguagem.

6. *Leibniz* queria que os homens pudessem inventar uma *característica universal*, isto é, uma linguagem universal que pudesse ser aplicada a todos os povos e a todos os campos da atividade humana. Desse modo, as *disputas* seriam substituídas pelos *cálculos*. Ele acreditava que os homens poderiam criar uma linguagem exata e científica.

7. *O empirismo* supõe que a linguagem começa com impressões; passa para as idéias; e torna-se concreta quando damos nomes às idéias. Dessa maneira, a linguagem seria mero reflexo da experiência humana, inventada por essa experiência.

8. *Herder* pensava que a linguagem é um produto natural da experiência e da evolução humanas. Quanto a meus comentários sobre essa idéia ver o artigo intitulado *Língua*, em sua quarta seção, *A Origem das Línguas*.

9. *Von Humboldt* ensinava que cada língua de cada povo (e cultura) tem uma específica *Sprachform*, ou seja, uma *Forma Interior* que contém um ponto de vista característico do mundo. O ponto de vista mundial de um povo, ou mesmo de um indivíduo, determina os tipos de usos e definições que tal povo ou indivíduo dá às palavras.

10. *Mauthner* supunha que a linguagem é, essencialmente, a função adjetival mediante a qual as pessoas descrevem as coisas atinentes às suas experiências. Os substantivos ter-se-iam desenvolvido a partir dos adjetivos.

11. *Ferdinando de Saussure* considerava a linguagem como um armazém de palavras e frases que resultaram da livre e criativa atividade dos homens.

12. *Franz Boas* apresentou uma teoria similar à de Von Humboldt. Ele pensava que cada idioma tem uma estrutura gramatical ímpar, que reflete a sua própria cultura. A tarefa dos lingüísticos, pois, consistiria em descobrir as categorias descritivas apropriadas de cada idioma.

13. *Paul Tillich* distinguia entre símbolos e sinais. Ele pensava que a linguagem religiosa depende de *símbolos*. Esses símbolos teriam uma vida bem própria, relacionando-se à realidade de uma maneira ímpar. A teologia, em certo sentido, é o estudo dos símbolos, na tentativa de verificar que realidade poderia tê-los inspirado.

14. *Eduardo Sapir* supunha que a linguagem começa com metáforas e que expressões cognitivas representam as metáforas que se estagnaram ou estão *mortas*, conforme ele as chamava. Portanto, o *conceito* é sempre uma forma de estagnação do pensamento. A metáfora permite uma contínua expansão.

15. *Leonardo Bloomfield* opinava que a linguagem é sempre descritiva, um reflexo do comportamento humano. Somente o uso por aqueles que falam uma língua como nativos pode fornecer descrições dignas de confiança.

16. *Ludwig Wittgenstein* e *Bertrand Russell* ensinavam o que se chama de *atomismo lógico*, que supõe que existe uma relação de espelho entre os símbolos e os fatos por eles simbolizados. Russell afirmou: «...em um simbolismo logicamente correto sempre haverá uma certa identidade fundamental de estrutura entre um fato e o símbolo (uso) do mesmo; e... a complexidade do símbolo corresponde bem de perto à complexidade dos fatos simbolizados». (*Lógica e*

LINGUAGEM — LINGUAGEM, JOGO DE

Conhecimento). Almeja-se, pois, traçar uma linguagem perfeitamente lógica. Se isso fosse conseguido, poderíamos distinguir entre diferentes tipos de sentenças que afirmam fatos, e assim chegaríamos a compreender o que a linguagem procura asseverar. Há simples sentenças de sujeito-predicado, como «Esta bola é vermelha»; e também há as chamadas sentenças existenciais, como: «Há uma escrivaninha naquela sala». O propósito de um idioma científico seria determinar como cada sentença é composta, e de que tipos de elementos ela é composta. E, então, veríamos como seus elementos constituintes relacionam-se entre si, e que relações lógicas existem entre sentenças de diferentes tipos. Dessa maneira, poderíamos aprender que tipos de *fatos* existem na realidade, refletidos na linguagem. Ver o artigo intitulado *Linguagem, Jogo de*, que descreve a teoria de *Wittgenstein* a respeito da linguagem.

17. *A Lógica e a Linguagem*. Os lógicos, necessariamente, interessam-se pela ciência da linguagem. Por meio das atividades deles, um exame científico da linguagem tem sido produzido. Assim sendo, na filosofia, temos o ramo separado da filosofia da linguagem. A lógica consiste no estudo de inferências ou raciocínios. Visto que o raciocínio é constantemente usado na linguagem, se quisermos analisar vários tipos de inferências, torna-se mister analisar as declarações que figuram nos raciocínios e inferências. A validade ou invalidade de um argumento é assim concebida como algo que depende das *formas* das declarações mediante as quais esse argumento é formulado. A ciência da linguagem examina e melhora essas formas de declaração.

18. *A Teoria do Conhecimento e a Linguagem*. O conhecimento *a priori*, como na matemática, repousa sobre máximas lingüisticamente expressas, que a razão aceita como válidas, por suas próprias definições. Assim, dizemos que dois mais dois são quatro, um conhecimento *a priori* que não pode ser modificado mediante a experimentação. Usamos símbolos para indicar valores fixos. Poderíamos substituir dois por três, de tal modo que o nome «três» passe a significar dois. E então poderíamos dizer que três mais três são quatro, contanto que «três», nesse caso, signifique *dois*. Mas, ao assim fazer, não teremos alterado a realidade simbolizada por esses algarismos. Tal realidade ainda assim permanecerá um valor que a razão aceita como verdadeiro, sem necessidade alguma de experimentação. Por outro lado, outras proposições são estabelecidas por meio da experimentação, proposições essas chamadas *a posteriori*. Quanto a isso, a linguagem torna-se empírica e experimental. Destarte, a linguagem pode expressar proposições *analíticas* (raciocínio *a priori*), ou proposições *sintéticas* (raciocínio *a posteriori*). Com base nessas circunstâncias, parece que existem certas realidades que nem são conhecidas e nem são estabelecidas pela experiência, ao passo que há outras realidades que evoluem a partir da experiência, e a linguagem é um reflexo de ambas as coisas.

19. *A Intuição, o Misticismo e a Linguagem*. As grandes realidades são *inefáveis* e podem ser sentidas, mas não descritas. Assim, a linguagem não é um bom veículo para exprimir as realidades maiores, embora se preste bem para descrever as coisas deste mundo, isto é, aquele tipo de coisas que a ciência investiga. O homem é capaz de unir seu espírito à realidade das coisas, e, dessa forma, pode obter um certo sentimento acerca do qual tenta expressar-se verbalmente. As tentativas do homem necessariamente fracassam, embora essas tentativas não fracassem totalmente, porquanto podem comunicar *algo* de útil.

Porém, podemos ter a certeza de que a linguagem *distorce* um tanto a realidade. E também podemos ter a certeza de qúe um *conceito* é algo que cristaliza o conhecimento. Com freqüência, um conceito chega mesmo a cristalizar aquela distorção. A teologia, pois, está repleta de distorções e cristalizações, por causa da inerente incapacidade da linguagem humana expressar a realidade de forma correta e completa.

20. *A Inspiração Verbal das Escrituras e a Linguagem*. Em nossos dias, nos círculos evangélicos conservadores, a inspiração verbal das Escrituras é defendida como um ponto cardeal da ortodoxia. Apesar de ser óbvio que, via de regra, a inspiração é dada mediante fórmulas verbais—pois sem isso não a compreenderíamos—é necessário darmos atenção ao que foi dito no ponto dezenove, acima. A linguagem humana falha completamente quando tenta descrever as grandes realidades espirituais. Assim, quando a Bíblia procura descrever a pessoa de Deus, ela precisa apelar para toda espécie de *descrição antropomórifica*, que, necessariamente, distorce nossa compreensão de Deus. De fato, em nossa linguagem fazemos de Deus um mero super-homem. Falamos superficialmente sobre os atributos de Deus como se estivéssemos dizendo grandes coisas, mas, o tempo todo, estamos apenas atribuindo a Deus, *em grande medida*, o que nós mesmos possuímos, *em alguma medida*. Assim, nossa teologia jacta-se e faz grandes assertivas, como se todo conhecimento terminasse na teologia. O fato é que estamos apenas usando *símbolos*, na fraca tentativa de descrever Deus, o *Mysterium Tremendum*, que é essencialmente indescritível, pela linguagem humana. Segue-se que o nosso mais profundo conhecimento reside em nossa união com Deus, a qual sentimos, pela qual somos transformados, mas que só podemos descrever muito debilmente com as nossas palavras. Conclui-se, pois, que os pontos culminantes da inspiração são realmente inefáveis.

A **inspiração verbal, apesar de útil**, é uma idéia que importa em tremenda **condescendência** à condição humana, e não um reflexo das verdades mais elevadas. Tudo isso faz parte de nossa condição humana, e não há como negar esse fato. É evidente, pois, que os conceitos sempre estão sujeitos a redefinições, alterações e evoluções, pois, doutra sorte, não poderão acompanhar um crescente conhecimento. Infelizmente, porém, a teologia dogmática tem deificado virtualmente os conceitos, sempre pronta a chamar de *heréticos* àqueles que não se amoldam aos seus estreitos limites. Contudo, os «hereges», mediante sua união com Deus, através de suas experiências espirituais, podem saber algumas coisas a respeito de Deus que foram *distorcidas* pelos teólogos dogmáticos, ou mesmo que eles desconhecem inteiramente.

Em face do exposto, é claro, pois, que qualquer inquirição pelo conhecimento deve ser efetuada em atitude de humildade. Na verdade, o conhecimento incha, e um arrogante e falso conhecimento transforma as pessoas em balões. Todos os sistemas são apenas seitas que descobriram algumas coisas, mas às quais falta o discernimento que foi obtido por outras seitas. Isso inclui todas as denominações cristãs.

LINGUAGEM, JOGO DE

Ver os artigos *Linguagem* (*Filosofia e*); *Filosofia da Linguagem*, ponto dezesseis, quanto às idéias de Wittgenstein sobre a questão. Um conceito básico, expresso nas obras finais de Wittgenstein, um filósofo

LINGUAGEM, USO APROPRIADO DA

que se especializou no estudo da linguagem, diz respeito ao *jogo de linguagem*. Ele criou certa analogia entre os uso da linguagem e os jogos. Em ambas as coisas há várias regras e convenções. Essas regras é que determinam os movimentos que podem ser feitos, ou que não são permitidos. Cada conjunto de regras distingue um jogo específico. Por igual modo, no caso de *diferentes línguas*, as pessoas ou grupos de pessoas se utilizam delas mediante certo número de regras não expressas. A confusão surge quando alguém julga a validade de um jogo de linguagem através das regras de outro jogo. E assim, dois jogos estão sendo jogados ao mesmo tempo, com o emprego de dois conjuntos diferentes de regras, embora os participantes não tenham consciência do fato. Tomemos, por exemplo, uma discussão entre um teólogo e um cientista. Provavelmente, eles usam linguagens diferentes, com regras diferentes, e jamais conseguem chegar a um acordo. E assim, uma das tarefas da filosofia consiste em aclarar o jogo de linguagem mediante esclarecimentos sistemáticos sobre diferenças relevantes nas linguagens. Wittgenstein acreditava que essa é a tarefa mais importante da filosofia.

LINGUAGEM, USO APROPRIADO DA

Texto Importante Sobre Este Assunto

Efé. 4:29: *Não saia da vossa boca nenhuma palavra torpe, mas só a que seja boa para a necessária edificação, a fim de que ministre graça aos que a ouvem.*

Palavra torpe é tradução do termo grego *sapros*, que significa «podre», «decadente», usada para indicar peixe, carne ou vida vegetal estragados, ou seja, figuradamente, «mau», «corrupto», «imoral», dando a idéia de «torpeza».

«Costuma-se dizer que se pode conversar 'fiado'. Mas, será mesmo? Homero fala sobre 'palavras aladas'. Sim, as palavras voam como dardos. Podem ferir. O próprio Senhor Jesus disse: 'Digo-vos que de toda palavra frívola que proferirem os homens, dela darão conta no dia do juízo' (Mat. 12:36). A conversão cristã pode diferir profundamente daquilo que ainda não foi tocado pela graça anunciada pelo evangelho. Não que os cristãos precisem falar sempre piamente, ou com demonstrações patentes de devoção. Alguém já disse que um dos sinais de um verdadeiro crente é que ele sabe ouvir. O crente sabe dar ouvidos a Deus, tal como os ímpios temem fazê-lo. Mas o crente também escuta ao seu irmão na fé. A verdadeira atenção implica em ausência de egoísmo. O 'tu' se torna importante, tanto quanto o perenemente presente 'eu'. Observemos as conversas numa roda de mundanos. Com freqüência isso não se reduz a um caos de monólogos voluntariosos? A sociedade ímpia é simbolizada pela dispersão das línguas, na torre de Babel. Trata-se de uma 'comunicação corrupta'».

«Cada encontro de um homem com seu próximo lhe apresenta uma ocasião de transmitir 'graça para aqueles que ouvem'. Isso pode exibir o amor cristão, um amor que nos mostra paciente e gentil', que não insiste sobre seus próprios caminhos, que não se irrita e nem se ressente (ver I Cor. 13:4,5), mas que é bom para edificação, conforme se apresente a ocasião». (Wedel, *in loc.*).

Para a edificação. (Ver o artigo sobre a *Edificação Cristã*). A vida inteira de um crente, incluindo suas ações e suas palavras, deveria visar a edificação e o benefício alheios. Literalmente traduzido, o original grego diria aqui «...para a edificação da necessida-

de...», o que significa «edificando conforme o exigido em cada caso necessário». Sim, em nossos contactos com outros homens, teremos oportunidade de observar muitos problemas, muitas situações onde os homens se vêem a braços com necessidades as mais diversas. Ora, nossas palavras com os homens devem ter o fito de ajudá-los, e não de desanimá-los ou de corrompê-los com conversas pervertidas.

«Literalmente, 'para edificação com respeito à necessidade', segundo a ocasião de necessidade dos que ouvem de se apresentar, agora a censura e, noutra ocasião o consolo. Até mesmo as palavras que são boas em si mesmas devem ser ditas no tempo conveniente, a fim de que não venham a ser prejudiciais, —em vez de úteis (conforme Trench afirma). Não estão em foco generalidades vagas, que seriam apropriadas para milhares de outros casos, igualmente bons ou maus; nossas palavras deveriam ser quais pregos fincados em lugar seguro, palavras que se adaptam ao tempo presente da pessoa com quem falamos no presente...» (Faucett, *in loc.*).

Assim transmita graça. O vocábulo «...*graça*...» pode ter diversos significados nas páginas do N.T. (Uma lista desses significados é dada nas notas expositivas sobre Efé. 2:8 no NTI). Quanto ao uso da palavra neste versículo vários sentidos lhe têm sido conferidos pelos estudiosos, a saber:

1. Crisóstomo pensava que tal palavra indica que o ouvinte das palavras edificadoras se tornaria *grato*; porém, apesar de que isso realmente pode acontecer, essas palavras não têm tal significação neste ponto.

2. Outros pensam que está em foco aquilo que é *aceitável*; mas os discursos edificadores nem sempre são necessariamente aceitos pelos seus ouvintes.

3. Lutero preferia pensar no *discurso gracioso*, enfatizando a qualidade estética das boas conversas. É possível que isso faça parte do sentido geral, mas não é o pensamento central dessa frase.

4. Outros preferem pensar que há aqui um sentido *teológico*, tendente à administração da «graça», da salvação pela graça. Porém, esse uso é comum, e não apenas teológico.

5. O mais provável é que a conversa cristã correta confira uma *benção*, um «favor», algum «bem espiritual». Toda comunicação falada entre crentes deveria transmitir alguma forma de «benefício»; e tal benefício idealmente deveria satisfazer as necessidades do indivíduo, conforme a situação do momento. Assim sendo, poderia ser algum consolo, ou aviso, ou reprimenda, ou encorajamento ou correção — qualquer dentre os muitos benefícios possíveis, que tenha o efeito de «edificar» ao nosso interlocutor.

Antes de falares

Faz tudo passar diante de três portas de ouro:
As portas estreitas são, a primeira: *É verdade*
Em seguida: *É necessário?* Em tua mente
Fornece uma resposta veraz. E a próxima
É a última e mais estreita: *É gentil?*
E se tudo chegar, afinal aos teus lábios,
Depois de ter passado por essas três portas,
Então poderás relatar o caso, sem temeres
Qual seja o resultado de tuas palavras.

(Beth Day)

Senhor, disse eu,
Jamais eu poderia matar um meu semelhante;
Crime de tal grandeza cabe a um selvagem somente,
É o crescimento venenoso de mente maligna,
Ato alienado do mais indigno.
Senhor, disse eu,
Jamais eu poderia matar um meu semelhante;

LINGUAGEM RELIGIOSA

Um ato horrível de raiva sem misericórdia,
Apunhalada irreversível de inclinações perversas,
Ato não imaginável de plano ímpio.

Disse-me o Senhor:
Uma palavra sem afeto lançado contra vítima que
odeias,
É um dardo abrindo feridas de dores cruéis.
Bisbilhotice corta o homem pelas costas,
Um ato covarde que não podes retirar.
Ódio no teu coração, ou inveja levantando sua
horrível cabeça,
É um desejo secreto de ver alguém morto.
(Russell Champlin, meditando sobre Mat.
5:21,22)

Col. 3:17: *E tudo quanto fizerdes por palavras
ou por obras, fazei-o em nome do Senhor Jesus,
dando por ele graças a Deus Pai.*

A conduta geral do crente envolve tanto o que ele
faz como *o que ele diz*. Ambas essas áreas da vida do
crente devem ser singularmente dedicadas a Cristo.
Consideremos o poder das palavras, e também das
ações, nas vidas de nossos semelhantes, sem falarmos
do que isso afeta a nossa própria espiritualidade!

«A língua é um pequeno membro. Mas quão grande
poder tem. A língua é um fogo que pode inflamar
uma multidão e levá-la a um repentino linchamento.
A língua é um pequeno membro, mas pode inspirar
uma nação à ação heróica. Palavras raivosas podem
iniciar contendas, destruir amizades, destroçar lares e
instigar guerras. Por outro lado, palavras de consolo
podem salvar a uma alma do desespero; palavras
ousadas podem desfechar golpes poderosos em favor
da justiça; palavras inspiradas podem pôr pés em
marcha, na direção do alvo da fraternidade humana.
Alguém já declarou: 'Uma palavra dita em momento
solene pode ser uma força mais poderosa em favor do
bem ou do mal do que qualquer ato físico'. E Píndaro
escreveu: 'Mais que os atos vive a palavra' (*Odes de
Neméia* IV). Pensemos nas reverberações do discurso
de Gettysburg, feito por Lincoln. Pensemos no que
poderia ter sucedido à Inglaterra se não tivesse havido
alguém como Churchill, que falasse sobre 'sangue,
suor e lágrimas'. O efeito de Jesus sobre a história tem
sido mediado por meio de palavras. O poder de Hitler
sobre as massas também foi mediado desse modo.
'Tanto a glória como a desgraça vêm das palavras',
dizia Ben Siraque (Eclesiástico 5:13). Seria para
admirar, pois, que Jesus tenha dito: '...pelas tuas
palavras serás justificado e pelas tuas palavras serás
condenado' (Mat. 12:37)... «Muitos têm caído ao fio
da espada, mas não tantos quantos têm caído pela
língua', é declaração veraz de Ben Siraque (ver
Eclesiástico 28:18). Isso é mais veraz do que aquele
dito popular: 'Paus e pedras podem quebrar-me os
ossos, mas as palavras nunca poderão ferir-me'. Se a
religião de um homem não lhe confere o controle da
língua, de tal modo que as suas palavras edifiquem, e
não corrompam (comparar com Efé. 4:29), então sua
religião é inútil, porquanto terá falhado no ponto
mais crucial. (Comparar com Tia. 1:26»). (Easton, *in
loc.*).

LINGUAGEM RELIGIOSA

Esboço:
1. Inspiração Verbal
2. O Problema dos Antropomorfismos
3. O Dilema dos Empiristas
4. Via Negationis
5. Via Eminentiae
6. A Linguagem é Simbólica
7. Os Arquétipos

8. O Existencialismo
9. A Mitologia e a Linguagem,
10. Analogia Gratiae; Analogia Fidei

1. Inspiração Verbal

Examinaremos aqui a importância e o uso da
linguagem no campo religioso. Visto que Deus falou,
como podemos compreender o que ele disse? Ele falou
claramente, usando a linguagem humana; e, nesse
caso, como essa mensagem foi preservada? A questão
da inspiração verbal está vitalmente associada à
autoridade e caráter fidedigno das Sagradas Escrituras. Damos declarações detalhadas sobre essa questão
no artigo chamado *Linguagem* (*Filosofia e*); *Filosofia
da Linguagem*, em seus pontos dezenove e vinte. Ver
também sobre *Inspiração*, primeira seção. *A Inspiração e as Escrituras*; e *Escrituras*, segunda seção,
Inspiração das Escrituras; e seção quinta, *Níveis e
Tipos de Inspiração*.

Nosso primeiro problema, no campo do uso
religioso da linguagem, é a validade da fala humana
(incluindo os documentos escritos) como veículo da
expressão do conhecimento divinamente transmitido.
Os artigos acima referidos abordam esse problema.

2. O Problema dos Antropomorfismos

Um dos maiores problemas da linguagem usada na
descrição dos assuntos e valores religiosos e espirituais
consiste no uso de expressões que são tipicamente
humanas, mas que *pretendem* descrever aquilo que é
divino. Antes de tudo, concebemos Deus como se
fosse uma espécie de super-homem, cujos atributos
supostamente podem ser descritos mediante o uso de
superlativos das coisas que costumamos dizer a
respeito dos homens. Nessa linguagem, Deus aparece
como uma *pessoa*, embora alguns teólogos objetem a
que possamos chamar Deus de pessoa (usando os
termos e o entendimento humanos a respeito), para
descrever o *Mysterium Tremendum*. Alguns até
pensam que não faz sentido dizer que Deus *existe*,
compreendendo por «existência» aquilo que nós
descrevemos como tal, com a nossa linguagem. Deus
está muito além de tudo aquilo que compreendemos
por meio de tal termo, e as nossas provas da existência
de Deus naturalmente dependem das condições e da
compreensão humanas. Além disso, atribuímos a
Deus todas as variedades de emoções, como quando
dizemos: «Deus irou-se, e fez isto ou aquilo». Não é
degradante à pessoa de Deus retratá-lo de tal
maneira? «Ira», nesse caso, torna-se um termo
metafórico para «julgamento», não servindo para
descrever qualquer emoção forte da parte de Deus,
que corresponda àquilo que *nós* conhecemos por
«ira». Um dos pontos da teologia dá grande
importância a essa questão. Alguns objetam à obra
expiatória de Cristo ser chamada de *expiação*, visto
que esse termo rejeita a idéia de que Deus tem o
sentimento da *ira*. E preferem o termo *propiciação*
que indica que Deus tem o sentimento da *ira*, como os
homens entendem aquele conceito. Aqueles que
insistem sobre esse particular, insistem sobre uma
visão antropomórfica de Deus, que deve ser evitada,
porquanto parece desviar-nos da verdade de Deus, em
vez de aproximar-nos dela.

3. O Dilema dos Empiristas

Muitos filósofos e teólogos têm insistido quanto à
tese de que o nosso conhecimento nos chega através
dos nossos cinco sentidos. Se isso é verdade, então,
como poderíamos falar sobre Deus e a alma (além de
outros assuntos e valores espirituais), visto que Deus e
a alma são imateriais, não sujeitos à percepção dos
sentidos. Disso surgiram as discussões chamadas via
negationis e *via eminentiae*, que são explicadas nos
dois parágrafos abaixo.

LINGUAGEM RELIGIOSA

4. Via Negationis

Um nome alternativo é **via negativa**, a maneira negativa de descrever Deus. Visto que a linguagem humana é totalmente inadequada para descrever Deus, e visto que não queremos usar de expressões antropomórficas, que inevitavelmente fazem parte das descrições positivas de Deus, então concluímos que só podemos descrever Deus em termos negativos. Deus é aquilo que o homem não é. Deus é imaterial (o homem é material); ele é imortal (o homem é mortal); ele é infinito (o homem é finito); ele é invisível (o homem é visível), etc. Os filósofos, entretanto, têm posto em sérias dúvidas se podemos obter grande conhecimento a respeito de Deus através de uma série de negações. Ver um estudo mais completo sobre essa questão sob o título *Via Negativa*.

5. Via Eminentiae.

Um nome alternativo é **via positiva** (vide). Sob esse título, apresentamos a maior parte do material sobre esse assunto. A idéia básica é que os seres *finitos* devem possuir características próprias do Ser *Infinito*, pelo que os atributos daqueles seres são reflexos dos atributos divinos. Se o homem é bom, então Deus é todo-bom; se o homem tem poder, então Deus é todopoderoso; se o homem busca pela perfeição, então Deus é perfeito. Deus, que é o *ens realissimum* (o ser mais real) e o *ens perfectissimum* (o ser realmente perfeito), então Deus deve conter, de *maneira eminente* (daí o título, *via eminentiae*), as boas qualidades dos seres finitos. Esse argumento também é chamado de *argumento da analogia*, visto que aquilo que é dito acerca de Deus é dito por analogia ao que dizemos acerca do homem. Quando dizemos que Deus é Pai, não devemos ter em mente a idéia de procriação, conforme a conhecemos, e, sim, as qualidades paternais de Deus, que deram origem a todas as coisas.

Por meio da *via eminentiae* surgiu grande abundância de descrições antropomórficas de Deus, que tanto têm perturbado alguns teólogos. Quando muito, podemos dizer que estamos afirmando *algo* de significativo sobre Deus, visto que o homem foi criado à imagem de Deus, mas, o *quanto* estamos dizendo é muito difícil de determinar, visto que os livros sagrados, naturalmente, dependem das descrições antropomórficas, por causa do dilema da linguagem humana, com suas limitações naturais.

6. A Linguagem é Simbólica

Nossa mente fala por meio de **parábolas**. Se compreendermos que nossa linguagem necessariamente não expressa *a realidade* diretamente, a não ser metaforicamente, então, teremos obtido algum progresso em nossas descrições espirituais. Toda a linguagem sobre as realidades superiores é *parabólica*. Nas experiências perto da morte, por exemplo, sem dúvida, encontramos material significativo para falar acerca da sobrevivência do espírito humano diante da morte. Porém, sabemos que as cenas comuns a essa experiência, como as cidades douradas, os lugares paradisíacos, etc., quase certamente são apenas símbolos das realidades do além-túmulo, como também são as cenas de fogo e enxofre, de algumas dessas experiências, quando negativas. Isso pode ser facilmente demonstrado pelo fato de que algumas pessoas têm tais visões, quando suas vidas em nada estão sendo ameaçadas. Talvez uma pessoa pressinta que vai morrer; mas em nada ela está sendo ameaçada, e nem está à beira da morte. Tal experiência, contudo, ainda assim é capaz de provocar uma experiência de quase morte, com todo o seu simbolismo parabólico. As parábolas apontam para as realidades superiores e as ilustram; porém,

empregam uma linguagem simbólica que nem sempre pode ser considerada literalmente. A mente conta com arquétipos que falam sobre as grandes questões da espiritualidade, da vida e da morte; e ela pode apelar para um desses arquétipos, mesmo quando nenhuma visão é contemplada acerca das realidades superiores. Ver o ponto abaixo. Ver o artigo sobre *Experiências Perto da Morte*.

7. Os Arquétipos

A mente humana é um grande depósito de *arquétipos*. Ver o artigo separado sobre *Jung*, onde os arquétipos da mente são descritos, no seu sétimo ponto, *Arquétipos Simbólicos*. Assim, se o *vilão*, que simboliza minha natureza inferior e seus atos nefandos, aparecer em um sonho, não devo pensar que serei literalmente visitado por um mau-caráter. Se o velho sábio ou profeta chegar a visitar-me, não devo imaginar que tive uma visão de Deus. Esses são arquétipos da mente, que me podem ser apresentados para minha própria instrução. As visões podem ser nada mais do que revisões *subjetivas* dos arquétipos da mente. Podem parecer muito reais, mas são inteiramente subjetivas. Isso não significa que não foi comunicada qualquer mensagem importante, mas tãosomente que tal mensagem foi transmitida em forma de arquétipos, e não de maneira literal. A maneira como pensamos, a maneira como nos expressamos, e aquilo que cremos é determinado, pelo menos em parte, pelos arquétipos já entesourados na nossa mente. Esses arquétipos fazem parte da herança natural da natureza humana. Sem dúvida, é verdade que algumas crenças religiosas, até mesmo crenças importantes, originaram-se desse fundo de arquétipos mentais. O fogo literal do julgamento é um desses exemplos. No entanto, sabemos que chamas literais jamais poderiam danificar e fazer sofrer um ser imaterial. Seria como tentar jogar pedras contra o sol. Todavia, o julgamento divino é perfeitamente real, embora *não* seja material em qualquer sentido. Porém, a nossa mente pode representá-lo como algo *material*; e, então, essa materialidade é transformada em um *dogma* religioso acerca do julgamento divino. Provavelmente, muitos de nossos dogmas são meros arquétipos da mente, por nós transformados em realidades objetivas. Deveríamos ser suficientemente humildes para reconhecer a natureza elementar do nosso conhecimento, como também para reconhecer as maneiras elementares de que dispomos para adquirir conhecimento. Os teólogos falam com boca de trovão; mas, muito daquilo que dizem é apenas ruído. Assim falando, entretanto, não estou diminuindo em nada as realidades espirituais, mas somente frisando a natureza *primitiva* do nosso conhecimento, e a fraqueza da linguagem humana para referir-se às realidades espirituais.

8. O Existencialismo

Os empiristas exigem uma demonstração física e material das proposições. Isso em nada ajuda à teologia. Os existencialistas, por outra parte, põem em dúvida a validade da linguagem humana para expressar as realidades espirituais. Antes de tudo, Deus é visto, por alguns deles, como o Grande Transcendente, como o Totalmente Outro, e que nunca deixará de sê-lo. Portanto, quando muito, a nossa linguagem só pode utilizar-se de símbolos sobre aquilo que é essencialmente desconhecido e desconhecível. Ver o artigo separado sobre *Tillich*, que aborda esse tipo de discussão.

Martin Heidegger (vide) pensava que a linguagem humana realmente *cria* a humanidade conforme a conhecemos, pelo que algumas crenças seriam produtos da linguagem humana e suas formas, e não

845

LINGUAGEM – LÍNGUAS (FALAR EM)

que as realidades criam certas formas de linguagem. Para ele, a linguagem não é algum jogo que jogamos, cujas regras criamos conforme avançamos; antes, constitui a nossa humanidade, o lugar onde a humanidade fala. A linguagem, para ele, seria *anterior* à humanidade, porquanto ela molda a compreensão humana. A linguagem, para ele, é o instrumento por meio do qual o próprio ser comunica-se com a nossa existência e lhe outorga compreensão. A existência humana é autenticada quando, — em sua responsabilidade lingüística —, ela se torna 'o porta-voz do ser. Isso posto, os poetas seriam os verdadeiros sumos sacerdotes da humanidade, porque, através deles, manifestar-se-ia a palavra do ser. A mitologia sobre Hermes como o arauto dos deuses, da mesma maneira que tantos outros detalhes da mitologia poética dos gregos, recebe grande atenção da parte de Heidegger.

9. A Mitologia e a Linguagem

A filosofia analítica, que dá tanto valor à analise da linguagem, e que nos força a procurar uma maior precisão nas nossas expressões, com base em nossas experiências reais, e não em meras fantasias, tem levado alguns teólogos a dizer que nosso termo *Deus* não tem qualquer significado. Seria apenas uma espécie de chavão para indicar todas as modalidades de imaginação e mitologia. Isso posto, toda a linguagem religiosa seria apenas serva de crenças mitológicas, que então são expressas, com um senso de grande confiança, sob a forma de dogmas. Porém, conforme prossegue esse argumento, a base da linguagem religiosa é o grande acúmulo de mitologias que há no mundo. Contra essa opinião, podemos fazer duas observações. A declaração que diz que toda a linguagem religiosa repousa sobre a mitologia, não passa de um dogma, que nunca foi comprovado. De fato, essa declaração não leva em conta o campo inteiro das experiências místicas, onde a linguagem religiosa faz sentir mais poderosamente os seus efeitos. Além disso, afirmar que só podemos saber aquelas coisas que podemos averiguar empiricamente também é um dogma que deixa de lado os poderes da razão, da intuição e das experiências místicas, poderes esses que podem fornecer-nos algumas verdades que as experiências por meio dos sentidos físicos não nos podem fornecer.

10. Analogia Gratiae; Analogia Fidei

Karl Barth, ao negar a validade da **via negationis** e da **via eminentiae**, quando se trata de falar sobre Deus, e também ao rejeitar as conclusões dos empiristas e existencialistas, propôs o argumento que Deus, em sua graça, simplesmente revela-se e pode tornar-se conhecido através da revelação bíblica. Deus simplesmente confere a *fé* aos homens. Assim, a graça e a fé se refletem nos títulos latinos dados para exprimir esse ponto. E sobre esses fatores repousa aquilo que podemos saber e dizer a respeito de Deus. O raciocínio analítico, e de modo algum o empirismo, pode saltar por cima do abismo que há entre o Deus e o homem. A graça de Deus opera o milagre da fé, e o homem pode chegar a conhecer a Deus e a falar sobre ele, por esses meios. Em outras palavras, Deus *confere à linguagem humana* a capacidade de falar de modo significativo sobre ele. Porém, ao assim fazermos, sempre falamos alicerçados sobre a fé, e não sobre evidências palpáveis. Além disso, quando assim falamos acerca de Deus, fazemo-lo através da fé, e não no plano do discurso filosófico.

Contrariando Karl Barth, muitos filósofos e teólogos têm afirmado que ele cortou o nó górdio, mas não encontrou a solução genuína para o problema. Para entender melhor a questão, o leitor deve examinar o artigo sobre *Nó*, em seu segundo parágrafo. (E F EP)

LÍNGUAS, CONFUSÃO DAS

Ver o artigo geral sobre **Babel (Torre e Cidade).**

LÍNGUAS DE FOGO

No grego, **glôssai ôsei purós**, «línguas como de fogo», exatamente a tradução que aparece em nossa versão portuguesa. A expressão aparece em Atos 2:3, onde se lê: «E apareceram, distribuídas entre eles, línguas como de fogo, e pousou uma sobre cada um deles».

O texto grego não permite a interpretação que o Espírito Santo pousou sobre cada um dos «cento e vinte» sob a forma de línguas como de fogo. Antes, assevera que apareceu a eles como que um fogo, que então se distribuiu entre eles. Qual o sentido dessas línguas de fogo? Provavelmente, indicavam o testemunho destemido e persuasivo que é dado pelo poder do Espírito Santo e que, dali por diante, haveria de caracterizar o testemunho dos discípulos de Cristo. Esse fenômeno também foi uma das características da inauguração do ministério do Espírito, pois somente no dia de Pentecoste se verificou o mesmo, não sendo mais repetido nos relatos bíblicos que descrevem casos de batismo no Espírito Santo, no livro de Atos; e nem se reitera esse fenômeno na experiência cristã atual. Uma outra característica inaugural, foi o «som como de um vento impetuoso». Notemos que nem houve fogo e nem vento literais, mas apenas aparências dessas coisas. O Espírito Santo é uma pessoa divina, e não um fogo ou um vento. Mas, visto que ele é espírito, precisou manifestar-se de alguma forma palpável, fazendo-o por meios visíveis e audíveis, tal como, por ocasião do batismo do Senhor Jesus, no rio Jordão, foi visto por João Batista sob o símbolo de uma pomba que adejava sobre Cristo. Ver Mat. 3:16.

LÍNGUAS (FALAR EM)

Ver também, *Línguas (Falar em) Dom de*.

Esboço:

I. Uma Experiência Ilustrativa
II. Avaliações da 'Experiência Ilustrativa pelo Autor desta Enciclopédia; Avaliações Gerais
III. Confronto do Uso das Línguas em Atos e em I Coríntios
IV. Variedades do Falar em Línguas
V. As Línguas e o Batismo no Espírito Santo

I. Uma Experiência Ilustrativa

Narramos aqui a experiência de David Christopher Lane que, quando adolescente, passou pelo chamado batismo no Espírito Santo, evidenciado pelo falar em línguas. Isso sucedeu quando ele ainda era ginasiano, vinculado ao movimento carismático no seio da Igreja Católica Romana. Ele já ouvira falar sobre a tal experiência, mas, apesar de achá-la curiosa, não cria nela e nem a buscava. A convite de um amigo, fez-se presente a uma reunião que promovia o *batismo no Espírito*. A reunião teve lugar na Universidade de Loyola, no sul do estado da Califórnia, em 1972.

Reuniu-se um grande número de pessoas, principalmente jovens. Houve muitos testemunhos sobre o que o batismo no Espírito fizera em favor de várias pessoas, incluindo o livramento de viciados em drogas. Após o cântico de hinos e dos testemunhos, o grupo foi à capela assistir à missa. Todavia, não foi uma missa católica romana usual. Não havia separação entre o altar e os bancos. O padre e os

LÍNGUAS (FALAR EM)

leigos estavam juntos, em redor do altar. Em uma ocasião assim é que as pessoas participantes diziam que o Espírito mostrava-se especialmente ativo.

David continuava não buscando nem o batismo no Espírito e nem as línguas. Ele apenas queria *saber*, porquanto ficara profundamente impressionado pelo que vira até àquele ponto. Ajoelhou-se diante do altar, conforme tinham feito outras pessoas. Um dos líderes do grupo perguntou-lhe o que ele queria. E ele disse: «Apenas quero saber; apenas quero saber». O líder impôs a mão sobre a cabeça de David. Imediatamente ele sentiu um tremendo poder que brotava das profundezas do seu ser, como se uma grande onda de energia radiante estivesse saindo do âmago do seu coração, brotando para cima. Todo o seu corpo encheu-se com o senso supranormal de calor e de paz. Ele se sentia incrivelmente vivo, como se tudo quanto lhe tivesse acontecido até ali fosse embotado, como um mero sonho.

O misterioso poder tomou conta de suas cordas vocais e ele começou a falar em línguas. Ele falava, ria e clamava e, mentalmente, repetia por vezes intermináveis: «Deus realmente existe; Deus realmente existe». Naqueles instantes, pois, ele experimentou o que certos santos da Igreja queriam dizer quando falaram sobre um *encontro místico*. Ele sentiu a presença do *Mistério Tremendo*, do *Ganz Andere* (inteiramente outro). A experiência perdurou apenas por cerca de dez minutos. David pôs-se de pé, admirado com o que acabara de lhe acontecer. Tudo foi inteiramente espontâneo. Nada fora provocado por gritos e contorsões e fora algo inteiramente real. O líder do grupo prorrompeu em lágrimas de alegria. Um de seus rapazes experimentara a *glossolalia*.

Naquela noite, David não conseguiu dormir. Ele continuava a vibrar diante daquela experiência. Seus pais não conseguiam entendê-lo. Ele retirava-se para o seu quarto em estado de grande excitação e, então, novamente, por alguns poucos segundos, prorrompia em línguas. Seu irmão era testemunha disso, e sentia-se profundamente admirado, pois percebia que David não estava fingindo.

David torna-se uma celebridade. No dia seguinte, quando David foi à escola, havia outra surpresa à sua espera. Ele se tornara uma *celebridade religiosa*. A febre das línguas percorrera a escola inteira e David era o guru. Reuniões de oração foram efetuadas, a fim de promover a experiência, e os jovens não faltavam. Os pais começaram a freqüentar as reuniões, para ver o que estava ocorrendo. Muitos jovens começaram a gritar, fingindo ter recebido a experiência, a fim de impressionarem às suas namoradinhas. Outros também queriam virar celebridade. As reuniões terminavam em autêntico frenezi de gritos e experiências emotivas. David sabia que o que estava sucedendo nada tinha a ver com o que ele experimentara, nada tinha a ver com alguma genuína experiência espiritual.

O frenezi continuou, e os oficiais do ginásio tiveram de cancelar as reuniões de oração. Tornou-se opinião geral de que a coisa inteira nada era senão uma energia emocional, além da tentativa baldada, por parte de muitas pessoas, para exibirem sua suposta grande santidade e poder espiritual. Não há que duvidar que essa avaliação foi correta, excetuando alguns poucos casos genuínos do falar em línguas, como evidência de alguma experiência mística. David sentia que não mais que dez por cento do que estava acontecendo tinha qualquer substância real. O resto era puro exibicionismo.

Avaliações feitas por David Christopher Lane. Tudo isso sucedeu há quinze anos atrás. Desde então, David Lane cresceu, e agora está com vinte e nove anos de idade, e tem aprendido muitas coisas. Tornou-se professor de religiões comparadas do Warren College, parte da Universidade da Califórnia, nos Estados Unidos da América do Norte, e tem escrito vários livros sobre assuntos religiosos. Tem investigado a fundo as experiências místicas, dentro e fora da Igreja cristã. Tem averiguado que esse tipo de experiência, embora seu *modus operandi* possa variar, é comum à fé religiosa em geral, não estando limitado à fé cristã. Abaixo estão os itens de sua avaliação:

1. David mostrara-se acolhedor para com uma experiência genuína, não a fim de exaltar-se, mas porque realmente queria saber mais sobre as realidades espirituais.

2. Ele não estava buscando especificamente pelas línguas, e nem queria impressionar a quem quer que fosse. Tão somente queria um andar mais perto de Deus, ter certeza sobre as verdades religiosas.

3. David contara com a vantagem de ter um líder espiritual que havia passado pessoalmente pela experiência do batismo no Espírito Santo. Mediante a imposição de mãos, a mesma coisa ocorrera com ele. Suas investigações têm mostrado que as experiências místicas, no Ocidente ou no Oriente, dentro ou fora da Igreja, são ajudadas pela presença e esforço medianeiro de algum líder espiritual, o que pode incluir ou não a imposição de mãos. Seja como for, esse tipo de experiência, com freqüência, requer, ou pelo menos floresce com mais facilidade, por meio de um mediador, havendo então a transmissão de alguma espécie de energia, ou, mediante quem, alguma força espiritual encoraja a liberação da própria energia espiritual do indivíduo. Mas as religiões não-cristãs contam com coisas similares. Portanto, tem-se tornado claro para David que esse tipo de fenômeno não é possessão exclusiva de algum grupo isolado, mas antes, representa algo *universal*, embora, dentro de tal grupo, seja algo *interpretado* de modo diferente. Ademais, tal experiência transforma-se em um dogma, embora, por si mesma, nada tenha de dogmática.

4. Segundo David sentiu, as línguas não são a própria experiência. De fato, são apenas um efeito secundário (e não a causa) de alguma experiência maior, onde se manifesta o *Mistério Tremendo*. Ele acredita que a própria experiência poderia ter ocorrido sem aquele final com línguas. O que é a essência da experiência é o encontro místico com o Poder Superior, e as línguas foram apenas um acréscimo. E assim David afirma que nos equivocamos quando isolamos e exaltamos as línguas, as quais são apenas um *efeito* possível, e não a própria causa dessa experiência mística.

5. *Causas possíveis*. David acredita que diferentes grupos apontarão para diferentes causas possíveis. Os cristãos dizem que o Espírito Santo é o causador dessa experiência, mas um iogue ou um santo homem pode falar em níveis de consciência superior. Sócrates, por sua vez, falava sobre a Mente Universal. Todos, porém, indicam algum estado transpessoal. Experiências similares ao batismo cristão no Espírito ocorrem no *kundalini* dos hindus, embora sem o acompanhamento das línguas, visto que, segundo ele crê, esse tipo de efeito posterior não é esperado entre eles. Os elementos que aparecem diferem de acordo com as expectações, ao mesmo tempo em que o âmago da experiência é universal e não sectária. Na Índia, um acontecimento secundário, um *sinal*, como as línguas, pode acompanhar o *kundalini* (ver sobre Ioga, décimo ponto), chama-se *kriya*. Esse elemento é interessante,

LÍNGUAS (FALAR EM)

mas não é a *substância* mesma da experiência. Lane, pois, acredita que é mistèr distinguir entre a formação religiosa e cultural de cada indivíduo, que tem interpretações específicas e parciais, e a experiência mística, que tem uma amplitude universal.

6. As religiões caem no erro de consubstanciar e declarar a validade de seus dogmas por terem experiências religiosas genuínas dentro do contexto de seus respectivos grupos religiosos. Em outras palavras, não deveríamos tentar provar a validade de nossos dogmas, meramente por havermos passado por alguma experiência mística. Essas experiências manifestam-se em qualquer tipo de fé religiosa dogmática, não servindo de comprovação da veracidade de qualquer credo em particular.

«É realmente entristecedor, não é verdade, que tentemos atribuir essas declarações *universais* a seitas e credos que *dividem*, — em vez de unir a humanidade».

7. É errado glorificar as línguas como se, por elas mesmas, fossem algo de grandioso. Se houver alguma grandeza, em uma pessoa ou em um acontecimento, isso se deve a alguma espiritualidade mais profunda, ou por causa de alguma Presença Superior, que causa aquela manifestação em forma de línguas.

8. A experiência das línguas, mesmo quando genuína, serve apenas de um *toque* místico, e não é uma finalidade por si mesma. É somente *um passo*, ao longo da vereda espiritual, que nos pode levar a experiências ainda mais profundas. As línguas são apenas o *começo* da iluminação, e não a substância dessa iluminação. Não é um sinal necessário da iluminação, e nem é uma experiência mística por si mesma. Tal experiência pode ocorrer, inteiramente à parte do sinal das línguas, o que tem sucedido a milhares de pessoas.

II. Avaliações da Experiência Ilustrativa pelo Autor desta Enciclopédia; Avaliações Gerais

1. Estou convencido de que o Dr. Lane está na trilha certa quando se refere às línguas como uma manifestação possível da experiência mística, e que a experiência mística mesma é universal, não podendo ser limitada a qualquer religião ou credo. A história inteira da religião comprova a tese. Aqueles que exaltam a experiência das línguas estão exaltando, por assim dizer, a cauda do elefante, e não o próprio elefante.

2. No tocante às causas, penso que podemos dizer que o Espírito de Deus está por detrás de todas as fontes de experiência mística genuína, embora possa haver diferentes mediações e modos de operação. Os pais alexandrinos da Igreja assumiam um ponto de vista mais lato sobre a obra do Espírito no mundo, supondo que as fés não-cristãs, antes e depois do primeiro advento de Cristo (incluindo as melhores filosofias), dispõem de manifestações espirituais genuínas que contribuem para levar os homens, finalmente, à unidade em Cristo. E penso que o trecho de Efésios 1:9,10 — que fala sobre a restauração final de todas as coisas, em torno do Logos — pode dar margem às operações do Espírito **em fés não-cristãs**. — Falamos sobre os *logoi spermatikoi*, ou seja, as *sementes do Logos*. Ele implanta as suas sementes por toda a parte e essas sementes medram nos lugares mais insuspeitos. O cultivo é do Espírito, e ele semeia e recolhe fora da Igreja cristã. Algum dia, todos os homens estarão unidos; e a pluralidade que vemos atualmente representa a pluralidade das operações do Espírito. Isso, todavia, não faz com que todas as fés religiosas sejam igualmente válidas; mas significa que há maior valor do que os crentes fundamentalistas usualmente dispõem-se a admitir.

3. Sendo essa a verdade, não há razão para duvidarmos que a *kundalini* dos hindus, por exemplo, não possa ser um genuíno despertamento espiritual, similar ao batismo cristão no Espírito Santo. E nem a fonte originária precisa ser fundamentalmente diferente, embora o *modus operandi* o seja.

4. A exaltação de uma denominação cristã qualquer sobre outra, por causa da presença da experiência com as línguas, é uma tolice tipicamente sectarista.

5. A afirmação de Lane de que apenas dez por cento das experiências que ele viu seriam válidas, provavelmente exagera para mais, e não para menos, se empregarmos o ponto ao presente movimento carismático (vide). Ali, a taxa de fingimentos deve ser ainda maior.

6. A busca pelas línguas, provocada pelas orgias emocionais, constitui uma perversão da espiritualidade, e não um sinal de espiritualidade.

7. O uso das línguas, com vistas à autoglorificação, é um sinal de carnalidade, e não de espiritualidade superior.

8. Há uma *autêntica experiência mística* que pode ser acompanhada pelas línguas. E isso reveste-se de certo valor, não devendo ser negado e nem mesmo depreciado. Mas esse tipo de experiência é apenas *um* modo de iluminação e capacitação espiritual, não sendo o único modo. Outras veredas para experimentar o *Mistério Tremendo* são tão válidas e tão recompensadoras. As línguas são, na verdade, um sinal, e não a substância da questão. Outrossim, a vereda é vasta e longa. Tais experiências são apenas começos, e não fins em si mesmas. O nosso alvo final é a participação na própria natureza divina, com suas glórias e atributos. Quando a experiência das línguas é genuína, *aponta* para esse fim. Não é ainda o *fim*. Ver II Cor. 3:18. Há uma glorificação gradual à nossa esfera, de um nível de glória para o próximo. Por enquanto, esse processo não pode avançar muito. Na verdade, o processo não terá fim. Pois é uma inquirição eterna.

9. Deveríamos encarar essa experiência dentro do contexto geral da iluminação espiritual, como *um* dos elementos possíveis da mesma, mas não como a própria iluminação espiritual.

10. Não há qualquer razão dogmática para rejeitar as línguas como uma possível experiência válida para os crentes da atualidade. Certamente o trecho de I Coríntios 13:8, que diz que as línguas cessarão, está aludindo ao efeito produzido futuramente pela *parousia* (segunda vinda de Cristo), e não pela formação do cânon do Novo Testamento.

11. Existem línguas fraudulentas, naturais e demoníacas.

12. Ademais, nem toda a experiência com línguas, mesmo quando genuína, reflete necessariamente o mesmo *grau* de iluminação espiritual e de poder. Devemos afirmar que essas experiências são dadas em níveis mais profundos ou mais superficiais. As experiências místicas, acompanhadas por línguas, não têm sempre a mesma qualidade e profundidade. Há uma variedade *significante* que não podemos ignorar.

13. Por si mesmas, as línguas não devem ser exaltadas. Profundo poder e iluminação espirituais podem ser dados a um indivíduo inteiramente à parte do sinal das línguas, ou de qualquer outro sinal padronizado.

14. Nossa busca não deveria visar restaurar esse *modus operandi* das línguas, que está sujeito a muitos abusos. Deveríamos estar interessados no *avanço*

LÍNGUAS (FALAR EM)

espiritual, e não em mera restauração de um fenômeno. O poder do Espírito prossegue. Ele não ficou estagnado no dia de Pentecoste, nem se limitou ao que ali aconteceu. O Novo Testamento é um livro de começos, e não de fins. Coisa alguma aconteceu que não possa ser aprimorado. Nenhuma maneira de suceder tornou-se permanente em si mesma.

Ao mesmo tempo, se o Espírito de Deus resolver lidar com alguns homens da mesma maneira que lidou com os primitivos cristãos, incluindo o sinal das línguas, não deveríamos fazer qualquer objeção. Antes, deveríamos estar interessados pela substância do Toque Divino. *Muitos* modos de operação podem acompanhar as manifestações do Mistério Tremendo.

15. Ainda pior do que as línguas fraudulentas é a atitude de indiferença, da parte de alguns cristãos que se consideram ortodoxos, os quais pensam que os valores religiosos residem na correção dos credos. Precisamos desesperadamente de *experiências espirituais* mais profundas. Precisamos aquecer as nossas mãos nas chamas da presença de Deus. Precisamos ver o Rei. Dessa maneira, a fé assume grande poder de convicção. Precisamos tanto do poder quanto da convicção.

III. Confronto do Uso das Línguas em Atos e I Coríntios

1. No livro de Atos, foram falados idiomas humanos, revertendo, por assim dizer, a maldição da confusão das línguas, imposta em Babel.

2. As línguas, quando do Pentecoste, tiveram um efeito evangelizador. Possibilitaram que alguns ensinassem a tantos em tão pouco tempo. Todavia, também serviram de sinal da realidade da descida do Espírito Santo.

3. É possível, entretanto, que, quando do Pentecoste sumaritano (Atos 8:14 e *ss*, se línguas foram faladas naquela oportunidade) e do Pentecoste gentílico (Atos 10:44 e *ss*), que essas línguas tivessem sido um sinal de poder e de prova da descida do Espírito, pois não havia necessidade de mais línguas com vistas à evangelização. Portanto, nesses casos, temos uma razão diferente para o fenômeno, sendo indubitável que as línguas então faladas não foram entendidas e nem interpretadas. Seu intuito não era evangelizar e nem ensinar.

4. Em I Coríntios, as línguas são essencialmente *didáticas* em sua natureza, tanto para aquele que as fala (pois assim lhe é possível aprender intuitivamente certas realidades espirituais), como para outras pessoas, quando algum intérprete explicava o que fora dito. (Ver I Cor. 14:2 e *ss*).

5. Em I Coríntios, as línguas também serviam de sinal para os incrédulos (I Cor. 12:28-31), demonstrando a presença do poder espiritual no seio da igreja, onde pode suceder o que é miraculoso e onde as vidas humanas podem ser transformadas.

6. As línguas ocupam um lugar bastante inferior em comparação com a profecia (I Cor. 14:1 e 19). Foram classificadas entre as «coisas infantis» do desenvolvimento espiritual (I Cor. 13:11). Paulo recomenda que se buscassem dons a isso superiores (I Cor. 12:31).

7. Tipos: a. línguas reais, Atos 2; b. sons inarticulados, ou talvez uma mistura de vários idiomas, palavras e frases individuais, juntamente com sons que não podem ser identificados com qualquer idioma; c. idiomas angelicais. Abaixo oferecemos notas sobre as «línguas», na tentativa de dar descrições e avaliações mais completas.

As Línguas no Livro de Atos — A posição do fenômeno das línguas, no livro de Atos, obviamente é mais elevada do que aquela atribuída pelo apóstolo Paulo em suas epístolas. O livro de Atos parece ter sido a confirmação do recebimento do Espírito Santo (entre outros sinais), pois em cada caso em que o evangelho era anunciado em algum novo lugar, depois do Pentecoste no cenáculo e em cada instância em que um novo grupo de pessoas recebia o evangelho, era também batizado no Espírito Santo, com o acompanhamento da experiência das línguas; pelo que também parece que o autor sagrado tencionava que entendêssemos que essa experiência era a validação visível da genuinidade do batismo do Espírito Santo. (Ver Atos 2:4; 10:46 e 19:6). Deve-se observar, por semelhante modo, e em contraste com as línguas descritas por Paulo, que no livro o fenômeno aparece como o falar em idiomas estrangeiros, que podiam ser compreendidos pelos presentes que normalmente falavam os mesmos. (Ver Atos 2:6,11). É óbvio que isso tem por intuito indicar que a *confusão das línguas*, quando da construção da torre de Babel, por causa da revolta dos homens contra Deus, foi aqui *revertida*: — por igual modo, a universalidade do cristianismo foi destacada por esse fenômeno, o que é um tema tanto dos evangelhos como também do livro de Atos. O Espírito Santo outorgou poder à igreja cristã a fim de que a mensagem de Cristo fosse levada a todas as nações, a fim de que pudesse ser uma gloriosa realidade, a redenção da humanidade, em grande escala.

IV. Variedades do Falar em Línguas

1. *Meios naturais* (puramente humanos).

a. *Transe hipnótico*. Tem sido demonstrado em estudos realizados que, sob a hipnose, o indivíduo pode experimentar um grande aumento na capacidade psíquica como a telepatia, as curas e, algumas vezes, o conhecimento prévio. As línguas podem ser faladas por efeito telepático, em que uma mente toma emprestado de outras, e a hipnose facilita tal experiência.

b. *O falar simultâneo*. Trata-se de uma forma de telepatia. Nos anos de 1966 e 1967, apareceu um homem na televisão norte-americana, que podia duplicar, simultaneamente, qualquer coisa que outra pessoa falasse, mesmo que o fizesse em idioma estrangeiro ou que estivesse lendo um material inteiramente desconhecido. Além disso, a distância não fazia qualquer diferença. No momento exato em que tal material fosse lido, ou que outra pessoa falasse, sem importar em que idioma, aquele homem era capaz de duplicar tudo com perfeição. (Registrado no artigo intitulado em inglês «Simultaneous Speaking», na revista *Fate*, de julho de 1967).

O autor desta obra conhece pessoalmente um caso em que certa mulher, quando de visita ao Brasil, embora nunca tivesse estudado o português, era capaz de acompanhar, cantando, hinos que fossem entoados em português, simultaneamente, embora não fizesse a menor idéia do que estava cantando, e sem entrar em qualquer estado hipnótico. Era pura telepatia, o que, conforme estudos feitos em laboratório, tem sido demonstrado ser uma propriedade comum a todas as raças humanas.

c. *Estados especiais*, como estados febris. Em um relato fidedigno, contou-se como uma arrumadeira, que trabalhava em certa universidade, ao sofrer de febre alta, podia falar em grego ou latim. As investigações feitas descobriram que ela costumava trabalhar na sala ou próximo da sala onde um professor de idiomas clássicos tinha por hábito caminhar para lá e para cá, repetindo passagens de autores clássicos. Essa forma de línguas apenas trazia do subconsciente o que lá foi entesourado pelo ouvir.

LÍNGUAS, FALAR EM (DOM DE)

O estado especial da febre podia ativar aquele estado novamente.

d. *Participação na mente universal*. Certos estudos (apoiados por séculos de teoria filosófica) indicam que há um depósito universal de conhecimento. A mente humana individual, sob certas circunstâncias (sobretudo em estados alterados da consciência), pode tomar algo por empréstimo desse fundo comum, e, ao assim fazê-lo, em alguns casos, pode falar um idioma, antigo ou moderno, que nunca foi pessoalmente estudado. Não sabemos dizer se a Mente Universal é pessoal (envolvendo seres inteligentes) ou impessoal, como se assumisse a forma de alguma energia que registra pensamentos, tal como um disco pode registrar sons. As especulações sobre esse fundo comum de inteligência, retrocedem até pelo menos o tempo de Anaxágoras, 500 A.C.

A história demonstra que o fenômeno das línguas com freqüência se tem manifestado inteiramente à parte da fé religiosa, e sem intuitos religiosos de qualquer espécie. Trata-se de um fenômeno estranho, que a psique humana pode produzir por meios puramente naturais. Os estudos feitos em laboratório, demonstram que há capacidades telepáticas no homem, e a experiência demonstra que as línguas podem não ser outra coisa além de uma espécie de ginástica mental.

e. *Freud*. Afirmava que algumas vezes as línguas não passam de palavreado sem sentido, produzido propositalmente com a finalidade de autoglorificar quem as fala.

2. *Línguas demoníacas* (desnaturais). Alguns casos, bem documentados, mostram que, nas igrejas, algumas vezes as línguas exprimem blasfêmias e obscenidades. Em alguns desses casos, pois, podemos ter línguas «naturais» que operam desde as profundezas da mente humana depravada. Em outros casos, por certo, forças espirituais estranhas se apossam dos homens (até mesmo no seio da igreja cristã), usando-os para proferirem suas blasfêmias.

3. *Línguas angelicais*. Se as línguas podem ser línguas de anjos — conforme nos diz I Cor. 13:1 — então parece lógica a suposição de que podem ser inspiradas pelos anjos. Isso poderia fazer parte dos ministérios angelicais mencionado em Heb. 1:14. Os anjos poderiam, nesse caso, inspirar e usar os dons espirituais. Quiçá alguns de nossos homens mais poderosos sejam aqueles que possam manter-se próximos de seus anjos guardiães, recebendo deles o impulso.

4. *Línguas sobrenaturais*. O Espírito Santo pode inspirar línguas nos crentes, como um sinal para os incrédulos ou com propósitos didáticos, bem como para a edificação daquele que as fala.

V. Línguas e o Batismo do Espírito

Ver o artigo separado chamado, **Batismo do Espírito Santo**, especialmente seção III.

LÍNGUAS, FALAR EM (DOM DE)

No grego, **glossai**, «línguas». Dentro da lista de dons espirituais de I Coríntios 12:4-11, esse é o oitavo dos nove dons do Espírito Santo. Essa lista é reiterada noutros lugares do Novo Testamento, em forma levemente diferente. A primeira e mais clara exibição desse dom, no Novo Testamento, fica no segundo capítulo do livro de Atos, entre os acontecimentos que assinalaram o dia de Pentecoste e a fundação virtual da Igreja. O estudo mais extenso acerca dos dons espirituais fica nos capítulos doze a catorze da primeira epístola de Paulo aos Coríntios. Contudo, alguns estudiosos duvidam que essas passagens

escriturísticas referem-se ao mesmo fenômeno. No decorrer da exposição feita neste verbete, veremos se eles têm razão ou não.

Esboço:

I. As Línguas no Antigo Testamento
II. As Línguas nos Evangelhos
III. A Experiência do Dia de Pentecoste
IV. Evidências Posteriores no Livro de Atos
V. As Línguas nas Epístolas Paulinas
VI. As Línguas na Igreja Pós-Apostólica

I. As Línguas no Antigo Testamento

A doutrina neotestamentária das línguas—ejaculações extáticas, espirituais, não controladas conscientemente ou racionalmente por quem as fala, como um dos resultados diretos da operação divina e do enchimento com o Espírito Santo—tem uma longa história anterior, no Antigo Testamento. Lemos em Atos 2:1-4, a descrição inicial do fenômeno, por parte de Lucas: «Ao cumprir-se o dia de Pentecoste, estavam todos reunidos no mesmo lugar; de repente veio do céu um som, como de um vento impetuoso, e encheu toda a casa onde estavam assentados. E apareceram, distribuídas entre eles, línguas como de fogo, e pousou uma sobre cada um deles. Todos ficaram cheios do Espírito Santo, e passaram a falar em outras línguas, segundo o Espírito lhes concedia que falassem».

Quando Pedro explicou à multidão que se reuniu, sem dúvida atraída pelo silvo e rugido do vento impetuoso—essa multidão era formada por peregrinos judeus, reunidos em Jerusalém—ele o fez utilizando-se das palavras do profeta Joel (ver Atos 2:15-21): «...o que ocorre é o que foi dito por intermédio do profeta Joel» (Atos 2:15). Por igual modo, quando Paulo explicou a natureza das línguas, como um dom do Espírito, fê-lo utilizando-se de algo que fora dito pelo profeta Isaías: «Na lei está escrito: Falarei a este povo por homens de outras línguas e por lábios de outros povos, e nem assim me ouvirão, diz o Senhor» (I Cor. 14:21; ver também Isaías 28:11).

Por semelhante modo, quase todos os estudiosos da Bíblia concordam que a experiência extática que envolveu os setenta anciãos de Israel (ver Núm. 11:24-29), é uma alusão veterotestamentária ao «falar em línguas», embora a palavra ali usada, para indicar o fenômeno, seja «profetizaram». Não há que duvidar que, nesse contexto, temos ali um sinal externo da vinda e presença do Espírito Santo entre aqueles anciãos. Interessante é observar que esse tipo de êxtase nunca é atribuído ao próprio Moisés. De fato, sua posição como profeta é contrastada com a posição dos *profetas* comuns (ver Núm. 12:7,8). — É mesmo possível que o vocábulo hebraico ali usado, *nabi*, realmente signifique «falador extático». Samuel, por igual modo, fez-se cercar por um grupo de homens que recebiam experiências extáticas (ver I Sam. 19:18-24). O profetizar deles, que parecia afetar a outros, devendo ter algo de similar com as «línguas», foi considerado como um sinal da presença do Espírito de Yahweh. Todavia, a reputação de Samuel como profeta dependia mais de suas predições exatas (I Sam. 3:20). A mesma coisa pode ser dita no tocante a Elias e a Eliseu. Interessante é notar que também houve uma conduta similarmente extática por parte dos falsos profetas de Baal, onde parece ter havido declarações extáticas (ver I Reis 18:28). Entretanto, nos dias dos grandes «profetas escritores» de Israel, não há qualquer alusão a essa forma de fenômeno, a menos que os *transes* do profeta Ezequiel pertençam a essa categoria.

850

LÍNGUAS, FALAR EM (DOM DE)

II. As Línguas nos Evangelhos

Nos quatro evangelhos não há qualquer referência ao falar em línguas, nem como algo ocorrido e nem como algo antecipado para mais tarde. Há uma única exceção a esse silêncio, o trecho de Marcos 16:17. Mas, visto que esse versículo faz parte de um acréscimo posterior, não original, podemos reiterar o que dissemos: os evangelhos não falam sobre esse assunto. Isso pode parecer-nos surpreendente, em face das evidentes manifestações do Espírito, como na vida de João Batista (cheio do Espírito Santo desde o ventre materno; ver Luc. 1:15), ou na vida de Jesus Cristo (sobre quem o Espírito foi visto descendo em forma corpórea, por ocasião de seu batismo; ver Mat. 3:16), ou nas vidas dos discípulos de Jesus (que fizeram milagres de cura e de expulsão de demônios; ver Luc. 10:17). No entanto, lembremo-nos que Joel vincula as línguas à inauguração do ministério do Espírito Santo entre a Igreja. Portanto, pode lançar confusão referir-se a línguas, antes da vinda do Espírito. Assim, nos evangelhos, não há qualquer conexão necessária entre as «línguas» e o ser «cheio do Espírito». Nesse caso, como a menção às «línguas» acabou aparecendo em Marcos 16:17? Sem dúvida foi um acréscimo posterior, com base naquilo que então estava sucedendo entre os cristãos primitivos, mesmo que da época subseqüente ao período apostólico. Notemos que a menção às línguas ocorre entre a alusão à expulsão de demônios e ao manuseio de serpentes e ingestão de venenos, coisas essas que também tinham ocorrido na Igreja apostólica e posteriormente (ver Atos 16:18; 28:5). Isso posto, aquele trecho do fim do evangelho de Marcos não pode ser considerado como um testemunho em favor da glossolalia, se quisermos ser precisos em nossa interpretação. Razões textuais proíbem-nos de lançar mão dessa passagem em prol do assunto.

III. A Experiência do Dia de Pentecoste

À primeira vista, a descrição do segundo capítulo de Atos parece não deixar margem a qualquer mal-entendido. Todos os crentes reunidos foram cheios do Espírito Santo e começaram a falar em outras línguas—idiomas estrangeiros—que os discípulos nunca haviam estudado, embora compreensíveis para os peregrinos judeus, reunidos em multidão, que tinham vindo visitar Jerusalém provenientes de vários países. Lemos no sexto versículo daquele capítulo: «...cada um os ouvia falar na sua própria língua». É evidente que o dom de línguas, nessa oportunidade, manifestou-se de maneira diferente daquilo que vemos em todas as outras ocasiões em que o fenômeno é descrito ou explicado. Pois Paulo diz que aquele que fala em línguas «...ninguém o entende, e em espírito fala mistérios» (I Cor. 14:2).

Além dessa diferença capital, alguns eruditos sentem que o quadro se complica com a menção ao «...som, como de um vento impetuoso...» (bastante ruidoso para atrair uma multidão), e também devido ao fato de que, entre a multidão, houve aqueles que confundissem o fenômeno com o mero balbuciar de embriagados (ver o vs. 13). Esses detalhes, entretanto, servem somente para mostrar que a primeira ocorrência do fenômeno, no dia de Pentecoste, foi diferente de tudo quanto sucedeu subseqüentemente. Isso é confirmado pelo fato de que Paulo mostra que, nos seus dias, as «línguas» só podiam ser compreendidas por quem tivesse o dom paralelo da «interpretação de línguas» (I Cor. 14:5 ss). Acresça-se a isso que a multidão reunida no dia de Pentecoste não pensou estar ouvindo línguas de anjos, conforme Paulo parece dar a entender que pode ocorrer, quando, agora, alguém fala em «línguas» (ver I Cor. 13:1).

Os eruditos não duvidam que Lucas estava descrevendo corretamente o que sucedeu, mas que ali aconteceu precisamente o contrário do que teve lugar quando da construção da torre de Babel, onde as línguas variegadas fora... criadas por um ato miraculoso do poder de Deus (ver Gên. 11:9). Também poderíamos observar que, no dia de Pentecoste, houve muito mais um milagre de «audição» do que um milagre de «fala»; mas, nas modernas manifestações de glossolalia, temos apenas um milagre de «fala», a menos que também ocorra o dom da «interpretação de línguas». Mas, neste caso, quem manifesta este último dom são crentes, e não incrédulos, conforme se viu no dia de Pentecoste. Quando os eruditos modernos falam em «transferência de pensamento» ou em «compreensão intuitiva», eles estão lançando mão da explicação que fala em um milagre de «audição»; ou, então, afirmam que, em termos paulinos, aqueles judeus incrédulos receberam o dom da «interpretação». Esta última possibilidade, entretanto, envolve mais problemas do que aqueles que resolve. Por exemplo, Deus confere dons de seu Espírito a incrédulos? Tudo isso nos mostra que é difícil entender tudo quanto esteve envolvido, e que o mais seguro é reconhecer que, embora se tratando de uma mesma manifestação do Espírito, no dia de Pentecoste o dom de línguas revestiu-se de uma forma diferente de tudo quanto se tem visto desde então, pelo menos dentro daquilo que mais nos informa o Novo Testamento.

IV. Evidências Posteriores no Livro de Atos

O dom de línguas é sempre a evidência indispensável do batismo no Espírito Santo? Os grupos pentecostais geralmente pensam assim, mas tanto os relatos neotestamentários quanto a experiência cristã negam isso. O Novo Testamento refere-se a casos de batismo no Espírito Santo *sem* o acompanhamento das «línguas». Por exemplo, o batismo no Espírito, no caso de Saulo de Tarso (ver Atos 9:17 e 18). Ou o caso dos convertidos de Samaria (ver Atos 8:17 *ss*). Todavia, temos de admitir que o detalhe pode ter sido deixado de mencionar, embora tenha ficado subentendido. Assim, Paulo recebeu as línguas mais tarde, ou falou em línguas no instante em que Ananias lhe impôs as mãos e as escamas lhe caíram dos olhos?

Outra questão que precisa ser levada em conta é o fator tempo. O dom de línguas acompanha sempre o batismo em água? A julgar pelas ocorrências historiadas no livro de Atos, não há qualquer vinculação entre o batismo em água e o falar em línguas, ou mesmo entre o batismo em água e o batismo no Espírito Santo (sem importar se este último é sempre acompanhado ou não pelo falar em línguas). Assim, no dia de Pentecoste, o dom foi dado a crentes batizados há cerca de três anos e meio. Eles foram batizados antes ou no começo do ministério de Jesus, mas só receberam o dom do Espírito quando o ministério terreno do Senhor Jesus já havia terminado. Já em Cesaréia (ver Atos 10 e 11:1-18), o batismo no Espírito Santo e o falar em línguas (ver Atos 10:45,46) ocorreram antes do batismo em água, e, de fato, foi a causa do batismo daqueles crentes (ver Atos 10:47,48). Já no caso de Samaria (Atos 8:14-17), o Espírito Santo veio como uma espécie de «confirmação», demonstrando que aqueles eram crentes autênticos.

O que é insustentável é a interpretação que diz que quando a pessoa se converte, automaticamente recebe o batismo no Espírito. Isso não sucedeu senão no caso de Cornélio e seus amigos. Mas não sucedeu no caso dos apóstolos, não sucedeu no caso dos samaritanos (Atos 8:15,16), e não sucedeu no caso dos crentes

851

LÍNGUAS, FALAR EM (DOM DE)

efésios, com quem Pedro se encontrou (Atos 19:2-7). É patente que ter o Espírito (o que ocorre por ocasião da conversão) não é a mesma coisa que receber o batismo no Espírito Santo (o que, na esmagadora maioria dos casos, ocorre algum tempo depois da conversão—Paulo converteu-se na estrada de Damasco, mas somente três dias depois foi batizado no Espírito Santo). A verdade é que o Espírito Santo nos é dado em vários níveis, e um desses níveis chama-se, especificamente, batismo no Espírito Santo. Podemos provar isso facilmente. Os apóstolos tinham todos o Espírito de Cristo, muito antes do dia de Pentecoste. Eles eram de Cristo. E Paulo diz: «E se alguém não tem o Espírito de Cristo, esse tal não é dele» (Rom. 8:9). No entanto, no dia de sua ressurreição, lemos que Jesus soprou sobre os apóstolos reunidos e lhes disse: «Recebei o Espírito Santo» (João 20:22). E é evidente que, naquele momento, eles receberam o Espírito Santo, em algum nível, em algum tipo de experiência. A única alternativa é que o Senhor se enganou ou estava ludibriando os apóstolos, o que é uma conclusão que nem podemos tolerar. No entanto, foi somente dez dias mais tarde, no dia de Pentecoste, que eles receberam o «batismo» no Espírito Santo.

O batismo no Espírito Santo, o falar em línguas e quaisquer outros dons carismáticos são bênçãos extras da graça divina em Jesus Cristo. Nenhuma dessas coisas é necessária à salvação, e nem todos os crentes as recebem. Mas, se uma apreciável parcela de crentes não recebe essas bênçãos extras, isso em nada diminui a realidade desses fenômenos que, reiterando, nos são dados como manifestações extraordinárias da graça divina. Cabe aqui o esclarecimento apostólico: «Mas um só é o mesmo Espírito realiza todas estas cousas, distribuindo-as, como lhe apraz, a cada um, individualmente» (I Cor. 12:11).

V. As Línguas nas Epístolas Paulinas

Já falamos algo sobre isso, nos segmentos anteriores deste artigo. Porém, o tratamento clássico sobre essa doutrina aparece nos capítulos doze a catorze da primeira epístola de Paulo aos Coríntios, sob o título geral de «dons espirituais» (I Cor. 12:1; no grego, *charísmata*). A leitura dessa e de outras passagens neotestamentárias indica que esse e outros dons espirituais eram manifestações tão familiares para os crentes primitivos, que o apóstolo dos gentios nunca sentiu a necessidade de explicar com precisão o que está envolvido nesses fenômenos. Além disso, essas manifestações (incluindo as «línguas») não se limitavam à igreja em Corinto. O livro de Atos refere-se a vários casos de «línguas», mas nunca entre os crentes de Corinto. Além disso, Romanos 8:26, com a sua alusão à intercessão do Espírito pelos santos, «...com gemidos inexprimíveis...», tem fortes possibilidades de referir-se às «línguas», embora não possamos dizer isso com qualquer certeza. — Porém, *pode* corresponder ao que Paulo diz algures: «Orarei com o espírito...» (I Cor. 14:15), como expressão sinônima de «orar em línguas».

Alguns escritores modernos, procurando diminuir o valor das línguas e de outros dons espirituais, frisam que esse dom é abordado por Paulo justamente nas duas epístolas que ele dirigiu às igrejas gentílicas mais problemáticas, do ponto de vista moral, como se somente os crentes carnais ou imorais recebessem essas manifestações. Se isso fosse verdade, Paulo não teria regulamentado o emprego das línguas, antes, teria proibido totalmente as línguas, como é claro. Em vez disso, porém, ele não somente recomenda: «...procurai com zelo o dom de profetizar, e não proibais o falar em outras línguas» (I Cor. 14:39), mas também nos revelou algo de sua vida espiritual,

quando declarou: «Dou graças a Deus, porque falo em outras línguas mais do que todos vós» (I Cor. 14:18). É óbvio que Paulo jamais se gloriaria em um dom espiritual que fosse prova de pouco desenvolvimento espiritual ou de imoralidade. Continuando nessa linha de pensamento, Paulo não teria elogiado aos crentes de Corinto, conforme se vê logo nos primeiros versículos de I Coríntios: «...em tudo fostes enriquecidos nele, (em Cristo)... de maneira que não vos falta nenhum dom...» (1:5 e 7). Logo, é falsa a conclusão que diz que os dons espirituais destinam-se à infância espiritual, e que a maturidade espiritual os obvia. Se assim fosse, todos os crentes começariam sua carreira falando em línguas, profetizando, operando curas, demonstrando profunda sabedoria e conhecimento espirituais, etc., e iriam perdendo essas maravilhas à medida que fossem crescendo em Cristo. Absurdo! Todos esses argumentos devem-se muito mais à incredulidade quanto às manifestações do Espírito. Aos crentes que receberam essas operações do Espírito cabe cultivá-las cada vez mais, apoiados sobre as instruções regulamentadoras da Bíblia Sagrada, concentradas (embora não com exclusividade), nos capítulos doze, treze e catorze da primeira epístola aos Coríntios.

Entre essas instruções bíblicas, a primeira e mais importante é a questão da origem. É de suma importância que a força impulsionadora seja o Espírito Santo, e não algum espírito demoníaco ou o próprio espírito humano (neste último caso, fingidamente). Isso Paulo destaca em I Cor. 12:3: «Por isso vos faço compreender que ninguém que fala pelo Espírito de Deus afirma: Anátema Jesus! por outro lado, ninguém pode dizer: Senhor Jesus! senão pelo Espírito Santo». Essa idéia de autenticidade é reiterada logo adiante, onde Paulo fala sobre o dom do «discernimento de espíritos». Esse dom, por assim dizer, policia as manifestações carismáticas. Uma outra importante instrução paulina, especificamente acerca das «línguas», ocorre em I Cor. 14:4: «O que fala em outra língua a si mesmo se edifica, mas o que profetiza edifica a Igreja». Esse versículo estabelece dois pontos fundamentais: 1. Há uma clara distinção entre o dom de línguas e o dom de profecia; e 2. é destacado o grau de utilidade ou serventia de cada um desses dois dons, postos em contraste. Alguns críticos modernos dos dons espirituais indagam: «Para que serve o dom de línguas, se ninguém entende o que é dito?» Paulo responde: «O que fala em língua a si mesmo se edifica...» O tipo de edificação recebido por aquele que fala em línguas só pode ser experimentado por quem as fala. Uma outra instrução paulina necessária é a questão da boa ordem (ver I Cor. 14:27 ss). De fato, uma congregação numerosa onde muitos irmãos falam em línguas ao mesmo tempo, em meio a gritos quase histéricos de «Aleluia!» é um espetáculo pouco edificante. Melhor seria às igrejas aterderem à instrução paulina que diz: «No caso de alguém falar em outra língua, que não sejam mais do que dois ou quando muito três, e isso sucessivamente, e haja quem interprete. Mas, não havendo intérprete, fique calado na igreja, falando consigo mesmo e com Deus» (I Cor. 14:27,28).

Mas, a principal instrução paulina é aquela que diz que tudo deve ser feito e praticado no ambiente do amor cristão: «Ainda que eu fale as línguas dos homens e dos anjos, se não tiver amor, serei como o bronze que soa, ou como o címbalo que retine» (I Cor. 13:1). Se os crentes estudassem essas instruções e explicações paulinas, não cairiam em diversos erros, como, por exemplo, o exibicionismo. Todavia, esse é dos erros menores a respeito. Um erro mais grave é

LÍNGUAS, FALAR EM — LINHA

aquele que pensa que quem fala em línguas já chegou no ápice da experiência cristã. Na verdade, na escala de valores que o Novo Testamento nos dá, o falar em línguas é o menos importante dos dons espirituais. É menos importante que a profecia: «...quem profetiza é superior ao que fala em outras línguas, salvo se as interpretar, para que a igreja receba edificação» (I Cor. 14:5). Esse versículo também nos mostra que o critério do valor dos dons espirituais é o alcance da edificação. Ora, já vimos que quem fala em línguas, só edifica a si mesmo. Outrossim, o falar em línguas é menos importante que a pregação e o ensino cristãos, embora alguns praticantes de glossolalia não se deixem convencer disso. Mas Paulo ensina: «...prefiro falar na igreja cinco palavras com o meu entendimento, para instruir outros, a falar dez mil palavras em outra língua» (I Cor. 14:19).

Por causa de abusos, e admitimos que são muitos, alguns crentes recomendam que os crentes abandonem totalmente a prática da glossolalia e de outros dons espirituais. Já vimos que Paulo não concordava com isso, pois recomendou: «...procurai com zelo os dons espirituais, mas, principalmente, que profetizeis» (I Cor. 14:1). Também há aqueles que dizem que o uso dos dons espirituais era legítimo no tempo dos apóstolos, quando o Novo Testamento ainda não fora completado, e nem os crentes haviam atingido a perfeição. Esses supõem que já atingimos a perfeição (vide), que, segundo eles pensam, ocorreu nc momento em que o apóstolo João depositou a pena, após ter escrito as últimas palavras do Apocalipse. No entanto, nem a própria Bíblia limita o uso dos dons espirituais ao período apostólico, e nem a Igreja atingiu ainda a perfeição. Esta só ocorrerá por ocasião da segunda vinda de Cristo, conforme se vê claramente no verbete desta enciclopédia intitulado *Perfeição*.

VI. As Línguas na Igreja Pós-Apostólica

Talvez devido ao crescente institucionalismo, não se ouve falar muito sobre as línguas e outros dons espirituais nos séculos que se seguiram ao período apostólico, excetuando entre grupos que outros cristãos não consideravam como formadores do centro da cristandade, como foi o caso dos montanistas, para exemplificar. Não há que duvidar que nesses grupos, a prática fosse ` acompanhada por um grande desequilíbrio teológico, o que contribuiu mais ainda para seu descrédito. Lá pelo século IV D.C., o dom de línguas deve ter desaparecido virtualmente. Os pais da Igreja (vide), em sua maioria, sentiam-se inteiramente perdidos quando tentavam expor ou ensinar sobre os dons espirituais, o que transparece claramente em seus comentários que chegaram até nós.

Por igual modo, na época inicial da Reforma Protestante (vide), tão importante para nós, os evangélicos, praticamente nada se falou a respeito. Esse silêncio, contudo, é perfeitamente compreensível. Os reformadores estavam envolvidos em temas muito mais fundamentais da doutrina cristã, como a justificação pela fé, a separação entre a Igreja e o Estado, etc. Todavia, em seus escritos, os grandes luminares da Reforma protestante não fizeram silêncio somente sobre os dons espirituais. Eles também se olvidaram quase inteiramente dos temas escatológicos. Por igual modo, se eles muito falaram sobre a natureza da Igreja de Cristo, pouco falaram com profundidade sobre o reino de Deus. Esses vários outros assuntos só vieram à tona com o passar dos séculos. Não obstante, em tempos de tensão ou renovação espirituais, temas assim têm reaparecido na história do cristianismo. O tempo em que vivemos é um desses períodos de renovação e de tensões. A partir de 1900 reacendeu-se, notavelmente, o interesse pelo batismo no Espírito Santo, pelos dons espirituais, pela glossolalia, etc., nem sempre com entendimento real do que está envolvido. É trágico que tantos crentes estejam tentando pôr em prática os dons espirituais, de mistura com tantos erros e simulações. Todavia, à medida que se for avizinhando a volta do Senhor Jesus a este mundo, mais se intensificarão as manifestações do Espírito. Isso foi dito por Joel e foi reiterado pelo apóstolo Pedro, pois, desde o começo, fez parte da pregação apostólica: «...o que ocorre é o que foi dito por intermédio do profeta Joel: «E acontecerá nos últimos dias, diz o Senhor, que derramarei do meu Espírito sobre toda carne...» (Atos 2:16,17). Ver *Dons Espirituais* e *Movimento Carismático*.

LÍNGUAS, INTERPRETAÇÃO DE

Ver o artigo geral chamado **Línguas, Falar em**. O trecho de I Cor. 12:10 alista essa capacidade de interpretar línguas como um dos dons do Espírito Santo. Esse dom ocupa o nono lugar na lista dos dons espirituais. Não é provável que a ordem de apresentação desses dons assinale seu grau de importância. Mas é verdade que Paulo dava maior valor à profecia do que às línguas, por ser mais instrutiva. Ver I Cor. 14:2 *ss*. Ele ensinou que todo aquele que fala em línguas deveria orar para que também pudesse interpretá-las. Nesse caso, as línguas tornar-se-iam uma forma de profecia. Ver I Cor. 14:13. Paulo também instruiu no sentido de que os crentes não deveriam falar línguas na Igreja (embora possam fazê-lo particularmente), a menos que esteja presente um intérprete (ver I Cor. 14:28). Essa área dos dons espirituais tem sido sujeita a muitos abusos, dentro do moderno *movimento carismático* (vide). Primeiro, porque as instruções paulinas a respeito são ignoradas, e, em segundo lugar, porque as interpretações são dadas por pessoas que não receberam o dom de interpretação de línguas. Isso tem sido demonstrado por aqueles que têm submetido a questão à prova, falando em algum idioma desconhecido para a comunidade, e, então, esperando para ver o que acontece. Um caso envolveu um estudante de teologia, que se fez presente a uma reunião onde se falavam línguas. Ele se levantou e citou o Salmo 23 em hebraico. Imediatamente alguém levantou-se e pôs a interpretar o que ele dissera, mas, naturalmente, nem foi mencionado o Salmo 23. O entusiasmo, às vezes, substitui a autenticidade!

LÍNGUAS, ORIGEM DAS

Ver sobre **Língua,** seção quarta.

LINGÜÍSTICA, FILOSOFIA DA

Ver *Filosofia Lingüística* e *Língua e Linguagem (Filosofia da), Filosofia da Linguagem*.

LINHA

Usos Bíblicos:

1. *Um Cordel de Medir.* No hebraico, *gav, geveh*. Servia para medir terrenos, cidades, casas, o templo, etc. Essa é a palavra usada em muitas situações metafóricas, como no caso da medição do lavatório do templo (I Reis 7:23); cidades, terras, edifícios (Isa. 34:17; Jer. 31:29; Zac. 1:16; Eze. 47:3). Ela também expressava a linha de um prumo (II Reis 21:13; Isa. 28:17).

LINHA — LINHO

2. Uma Corda. No hebraico, *chebel*. Um instrumento usado para dividir terras e determinar as dimensões das heranças na forma de terras (Sal. 16:6, 78:55; II Sam. 8:2; Amós 7:17; Zac. 2:1).

3. Usos Miscelâneos. No hebraico, *chut*. Essa palavra é usada em I Reis 7:15, indicando uma linha usada para medir a circunferência das colunas do templo de Salomão. No hebraico, *pathil* (ver Eze. 40:3), que indica a linha de medir, feita de linho, relacionada ao templo visionário de Ezequiel. No hebraico, *tiqvah* (ver Jos. 2:18,21), que indica a corda vermelha usada por Raabe.

4. No Novo Testamento. Temos a considerar o termo grego *kánon*, «vara» ou «linha» de medir. Essa palavra é usada por cinco vezes no Novo Testamento. Em II Cor. 10:13,15; Gál. 6:16 e Fil. 3:16, significa «regra», sendo a mesma palavra também traduzida para o português para indicar o «cânon» das Escrituras, ou seja, a regra que determinou quais eram os seus livros autoritários. Em II Cor. 10:16 há um uso metafórico da palavra, onde nossa versão portuguesa e outras a traduzem por «campo», dentro da frase «realizadas em campo alheio». Paulo desejava pregar em lugar onde outros ainda não tivessem semeado a Palavra, — e assim, não invadia campo alheio, isto é, lugar já evangelizado por outrem. Deus assinala os territórios do ministério de seus pregadores.

5. Usos Metafóricos

a. Aquele que acabamos de mencionar, áreas demarcadas de atividade dos pregadores enviados pelo Senhor.

b. A Palavra de Deus usada como medida de medir a conduta humana (Eze. 40:3).

c. Estender a linha em um lugar dá a entender que a edificação de casas é apropriada naquele lugar (Jer. 31:39; Zac. 1:16; 2:1).

d. Estender o «cordel da destruição» significa deixar um lugar desolado (Isa. 34:11,17).

e. Estender «o cordel de Samaria e o prumo da casa de Acabe» indica a ruína da cidade de Samaria e a extinção da família de Acabe (II Reis 21:13).

f. Há uma expressão, em Isa. 28:17, que em nossa tradução portuguesa diz: «Farei juízo a regra, e justiça o prumo», a qual indica punir o povo de acordo com as obras de cada um.

LINHA, METÁFORA PLATÔNICA DA
A Linha Dividida

A fim de ilustrar alguns conceitos de seu sistema de conhecimento, Platão, em sua obra *República*, livro VI, apresentou a metáfora da *linha dividida*. Uma linha é dividida ao meio, e as duas partes resultantes são, por sua vez, divididas. A primeira divisão mostra que há duas partes *desiguais* na questão do conhecimento. Os mundos visível e inteligível são assim distinguidos. Então o mundo sensível (aquele conhecido através da percepção dos sentidos) é dividido. A primeira seção é a *vã imaginação*. A segunda seção é a *conjectura*. Temos aqui a percepção dos sentidos em uma inútil tentativa de descobrir a verdade. Atravessando a linha divisória e chegando ao conhecimento, no que diz respeito ao mundo inteligível, onde as coisas são conhecidas acima da percepção dos sentidos, chegamos a uma terceira seção. Essa é a esfera do pensamento disciplinado, onde começam a ética e as ciências humanas. A quarta seção é a dialética racional e mística, onde se encontra a sabedoria filosófica. Nesse ponto, pois, encontramos um sistema unificado de *idéias*, que busca um conceito todo abrangente da *Idéia-que-a-tudo-explica*. Dentro da teologia cristã, diríamos que Deus é essa *Idéia*, e que todo conhecimento procede dele.

• • • • • • • • •

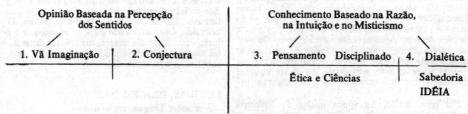

ILUSTRAÇÃO
A Linha Dividida
Os Quatro Estágios do Conhecimento

Ver o artigo separado sobre **Platão**, especialmente seção II, **Teoria do Conhecimento**.

LINHO

1. Palavras Empregadas; Materiais

a. No hebraico, *pishteh*. Essa palavra é traduzida por «linho» por nove vezes, como em Lev. 13:47-59; Deu. 22:11; Eze. 44:17,18. Esse termo designa tanto a planta como o material fabricado à base dessa planta. Era material empregado no fabrico de redes (Isa. 29:9); cintos (Jer. 13:1); linhas de medir (Eze. 40:3); vestes sacerdotais (Eze. 44:17,18), etc.

b. *Buts*, de uma raiz que significa «brancura», relacionado ao vocábulo grego *bússos* (ver abaixo), é outra palavra hebraica empregada em relação às vestes do coro de levitas, que cantavam no templo de Jerusalém (II Crô. 5:12), ou às vestes reais (I Crô. 15:27), ou às vestes dos ricaços (Luc. 16:19), e que também aparece entre os itens de luxo, mencionados em Apo. 18:12. Há estudiosos que pensam estar em foco o «algodão», no caso da palavra hebraica *buts*.

c. No hebraico, *sheshi* ou *shesh*, «alvejado». Esse termo foi emprestado do egípcio *bysus*. Ver Eze. 27:7; Êxo. 26:4; 35:6. Não se sabe se está em pauta o linho ou a seda.

LINHO — LINHO RETORCIDO

d. No hebraico, *etun*, palavra usada exclusivamente em Pro. 7:16. Era um fio feito de linho e usado para se fazerem materiais para decoração de leitos, para confecção de tapetes e outros materiais decorativos.

e. No hebraico, *bad*, «separação». Portanto, refere-se a algum material empregado nas vestes sagradas dos sacerdotes, que eram separados para o serviço ao Senhor. Ver Êxo. 28:42; 39:28; Lev. 6:10; 17:4; I Sam. 2:18; Dan. 10:5; 17:6,7. Essa palavra parece que era usada para indicar linhos extrafinos, bem como coisas confeccionadas com esses linhos.

f. No grego, *bússos*, «linho». Esse vocábulo aparece somente por duas vezes em todo o Novo Testamento: Luc. 16:19 e Apo. 18:12.

g. No grego *bússinos*, «de linho». Ver Apo. 18:16; 19:8,14.

h. No grego, *sindón*, «linho» (ver Mat. 27:59; Mar. 14:51,51; 15:46; Luc. 23:53). O rico, diante de cuja casa Lázaro esmolava, tinha roupas feitas desse material (Luc. 16:19). O jovem que seguiu a Jesus e fugiu, perdeu seu único traje feito de linho, ou, talvez, o lençol de linho com que se cobria (Mar. 14:51). E a noiva do Cordeiro estará vestida de linho fino, o que lhe é apropriado (Apo. 19:14).

i. No grego, *línon*, «linho», palavra que ocorre em Mat. 12:20 e Apo. 15:6.

2. Descrição

O linho é um fio ou um tecido feito com as fibras da planta desse nome. O linho possui excelentes qualidades. É forte, leve, fresco, branco brilhante, lavável, lustroso, durável e resistente aos ataques das traças. Suas desvantagens incluem o labor necessário para o cultivo e a preparação do linho. É muito laboriosa a fiação do linho, e também é difícil de tingir. Em sua forma final, pode assemelhar-se muito ao algodão. A fibra do linho tem juntas, como se fosse o colmo do bambu, ao passo que as fibras do algodão assemelham-se a uma fita torcida, conforme se percebe no exame sob o microscópio.

3. Um Material Antigo

A arqueologia tem descoberto **antiqüíssimos espécimes de linho**, desde tempos tão remotos quanto o período neolítico da Europa. Durante a idade do Bronze, a lã era mais intensamente usada, mas o linho continuava a ser importante material têxtil. Linhos têm sido encontrados na antiga Mesopotâmia, na Índia, na China e no Egito. Quase três quilômetros de tiras de tecido de linho eram usados para enrolar uma única múmia. No Egito, o espécime mais antigo de linho provém de cerca de 5000 A.C. Alguns dos antiqüíssimos linhos do Egito eram de grande qualidade e finura. Têm sido encontrados tecidos de linho com nada menos de duzentos e setenta fios duplos, na urdidura, por cada polegada quadrada. Pinturas tumulares mostram o processo inteiro da manufatura do linho. Registros escritos informam-nos sobre o comércio com o linho. A Bíblia contém muitas referências a esse produto, e outro tanto se dá no caso das culturas grega e romana, embora nessas últimas a lã fosse o item mais intensamente comercializado.

O linho era nativo na Palestina antes que Israel chegasse ali, conforme o demonstra o trecho de Jos. 21:1,6. Raabe ocultou os dois espias israelitas sob um monte de linho, que ela estava secando sobre o teto plano de sua casa, em Jericó. Desde os tempos mais remotos, um certo tipo de tecido era feito com esse material. Tendo chegado do deserto, o povo de Israel, sem dúvida, aceitou com entusiasmo um produto que podia ser transformado em vestuário, como alternativa para a lã, mais apropriado para um clima quente,

como o da Terra Santa. O trecho de Pro. 31:13 menciona o uso do linho, e a boa esposa é habilidosa no uso do linho. A passagem de Isa. 19:9 menciona o «linho fino», feito desse material. A arqueologia e as antigas referências literárias confirmam a existência do linho fino, no Egito; e também sabemos que os sacerdotes de Israel tinham vestes feitas dessa fibra de qualidade. Tecido de linho também era usado no fabrico de velas de embarcações (Eze. 27:7), além de outros artigos, como toalhas e aventais (João 11:44; 13:4). Mortalhas para os mortos também eram feitas de linho (Mar. 15:46). Ver o artigo sobre o chamado *Sudário de Turim*, que poderia ter sido o sudário usado quando da crucificação de Jesus.

O nome científico do linho é *Linum usitatíssimum*. Cresce de 0,60 m a 1,20 m de altura e produz flores azuis. Uma vez maduras, as plantas são arrancadas e deitadas para secarem. Em seguida elas são mergulhadas na água, durante três ou quatro semanas, o que faz as fibras separarem-se. Então, os fios são separados uns dos outros. O tecido produzido com esses fios tinha diferentes qualidades, dependendo da técnica e do refinamento, desde o linho grosseiro (ver Eze. 9:2), até o tecido mais excelente (Êxo. 26:1; Est. 8:15). O linho era um material muito procurado, e o fracasso na colheita do linho era considerado um desastre sério, de tal modo que era atribuído a um castigo divino (Osé. 2:9). Da vagem do linho extrai-se também o óleo de linhaça, um outro produto de considerável valor comercial.

4. Usos Figurados

— A Noiva do Senhor Jesus Cristo ressurrecto haverá de vestir-se em «linho finíssimo» (Apo. 19:8). E os sete anjos, com os sete flagelos, saíram vestidos do santuário celeste em «linho puro e resplandecente» (Apo. 15:6). Está em foco a idéia de santidade; mas, no caso das almas humanas, o linho fino pode indicar a vestidura da imortalidade, conforme temos em II Cor. 5:2 ss. Outrossim, a riqueza do material indica a *riqueza* inerente à salvação eterna. Os santos têm sido ornamentados pelas graças e atributos do Senhor, e isso os tem enriquecido espiritualmente. O linho dos santos é finíssimo, rebrilhante e branco, por haver sido lavado no sangue do Cordeiro (Apo. 5:9). Na antiguidade, o linho tinha um valor variegado, dependendo do seu grau de brancura e de seu lustre. Passamos a possuir verdadeira natureza espiritual, investida de santidade, mas isso somente devido à nossa união mística com Cristo (I Cor. 1:4), que nos transforma segundo a sua natureza e imagem (II Cor. 3:18). É dessa forma que chegamos a participar da natureza divina. Ver II Ped. 1:4 e Col. 2:10.

LINHO EM FLOR

A expressão aparece em Êxodo 9:31. A alusão é à vagem do linho, prestes a deixar escapar as suas sementes. Faz parte da explicação de que certas plantas não foram atingidas pela saraivada, a sétima praga do Egito.

LINHO RETORCIDO

No hebraico, **sheshi**. Está em foco um linho fino, feito com fios de qualidade superior. Cada fio era feito de muitos fiozinhos delicados. Os egípcios eram grandes artífices em obras desse tipo. Heródoto (3:47) afirma que Amasis, rei do Egito (564—526 A.C.), enviou a alguém um corpete, onde cada fio consistia em trezentos e sessenta fiozinhos separados, todos eles claramente visíveis.

LINO — LÍRIOS DO CAMPO

Linho fino retorcido foi usado na feitura das cortinas, do véu e das cortinas da entrada do tabernáculo (Êxo. 26:1,31,36), como também nas cortinas do portão do átrio e do átrio propriamente dito (Êxo. 27:9,16,18), e também no caso da estola sacerdotal, do cinto da *estola* e do peitoral usado pelo sumo sacerdote (Êxo. 28:6,15; 39:2,5,8,24,29). Ver também o artigo separado sobre o *Linho*.

LINO

Esse antigo cristão, da época apostólica, é mencionado somente em II Tim. 4:21. Nada sabemos acerca dele exceto que era membro da comunidade cristã de Roma. As tradições, porém, fazem dele bispo de Roma, o primeiro sucessor de Pedro, que, nas gerações posteriores, recebeu o título de «papa». Quanto a antigas referências, antes de surgirem os dogmas papais, ver Irineu, *Contra as Heresias* (III 3.3); Eusébio, *Hist. Eccl.* (III.4); Teodoreto, *Comentários*, ao comentar sobre esse texto de II Timóteo. Entretanto, outras tradições dizem que Pedro consagrou Clemente como seu sucessor. Supostamente, Lino teria nascido em Volterra, na Toscana, pertencente à raça dos mouros. Estudou em Roma; encontrou-se com Pedro, e converteu-se ao cristianismo. Lino aparece na lista dos setenta discípulos especiais de Jesus (Luc. 10). Teria sofrido o martírio sob Saturnino, cuja filha fora libertada por Lino da possessão demoníaca. Diz-se que foi bispo da igreja de Roma pelo espaço de dez a onze anos. Parece que seu nome deriva-se de *linho*. Porém, por que motivo isso foi transformado em seu nome próprio, não sabemos dizê-lo. É possível que isso se devia ao fato de que, naquela época, havia muitas famílias que ganhavam a vida no fabrico e comércio do linho. Entretanto, tal nome também pode aludir à cor dos cabelos, ou seja, «louro», ou «amarelo pálido».

De acordo com Irineu, Anacleto foi o sucessor de Lino, como bispo de Roma. Clemente também diz que Anacleto veio depois de Lino. Podemos supor que os primeiros pais da Igreja, aqui citados, devem ter tido conhecimento autêntico sobre essas coisas.

LIQUI

No hebraico, «erudito». Nome de um homem da tribo de Manassés (I Crô. 7:19). O terceiro da lista dos filhos de Semida. Viveu em algum tempo, após 1950 A.C.

LIRA, NICOLAU DE

Suas datas foram 1270-1340. Ele foi um monge franciscano e um comentador da Bíblia, bem conhecido. Trabalhou como professor na Universidade de Sorbonne. Seus comentários sobre a Bíblia foram largamente usados durante a Idade Média. Lutero estudou-os a sério.

LÍRIOS

Ver o artigo separado sobre **Lírios do Campo**, na citação de Jesus, em Mat. 6:28 *ss*. O ensino que ele quis destacar ali, é detalhado naquele artigo, pelo que não é repetido neste ponto.

Referências Bíblicas. I Reis 7:19,22,26; II Crô. 4:5; Can. 2:1,2,16; 4:5; 5:13; 6:2,3; 7:2; Mat. 6:28; Luc. 12:27. Provavelmente, essas referências incluem mais do que uma espécie de lírio, e até outras espécies de flores. Os trechos de Ecl. 1:18 e Osé. 14:5 também parecem referir-se a espécies de lírios.

O lírio é uma planta bulbosa, da qual medravam diversas variedades na Palestina. Quanto às identificações, crê-se que o «lírio» de Cantares de Salomão seja o *Hyacinthus orientalis*, embora lábios como lírios (Can. 5:13) falem mais sobre a *Anemone coronaria*. Talvez Can. 6:2 aluda ao *Lilium candidum*. Esse lírio é uma flor comum na Palestina. A flor mencionada em Ecl. 1:18 e Osé. 14:5 poderia ser o tipo de lírio que cientificamente é chamado de *Iris pseudacorus*. Essas diversas espécies aparecem na natureza em cores e formatos variegados. Eram usadas para decorar os lares, tal como até hoje fazem as donas de casa.

Na antiguidade, os lírios na Palestina, existiam em maior número de espécies e com maior abundância do que hoje em dia. Sabe-se que intenso desflorestamento teve lugar nos dias de Salomão, o que prosseguiu desde então. O resultado foi que muitas áreas densamente arborizadas nos dias bíblicos, hoje são virtuais desertos. Isso não condiz com a sobrevivência de muitas espécies vegetais. Na maioria dos trechos bíblicos, a menção ao lírio serve para ilustrar alguma forma de beleza, como dos campos, da mulher, das cores ou das formas das coisas. Desde os tempos mais remotos, o lírio vem sendo imitado em pedra e em bronze, como um ornamento arquitetural. Ver I Reis 7:19; II Cor. 4:5.

LÍRIOS DO CAMPO

Ver o artigo separado sobre **Lírios**. Lemos em Mat. 6:28-30: «...por que andais ansiosos quanto ao vestuário? Considerai como crescem os lírios do campo: eles não trabalham nem fiam. Eu, contudo, vos afirmo que nem Salomão, em toda a sua glória, se vestiu como qualquer deles. Ora, se Deus veste assim a erva do campo, que hoje existe e amanhã é lançada no forno, quanto mais a vós outros, homens de pequena fé?»

A palavra grega traduzida por «lírio», no Novo Testamento, é *krínon*. Ela aparece somente por duas vezes, no texto citado de Mateus e em Luc. 12:27, a passagem paralela. Muitas tentativas têm sido feitas pelos estudiosos para identificar essa flor, como a anêmona ou o gladíolo. «O fato de que a planta seria reduzida a *palha*, isto é, a referência ao forno (ver o vs. 30), leva este escritor a crer que se trata esse *lírio* da camomila, *Anthemis palestina*, dotada de folhas fragrantes e que produz pequenas margaridas brancas» (Z). Essa planta era e continua sendo comum na Palestina, florescendo mais ou menos na época em que é colhido o feno. Seja como for, Jesus parece ter aludido a alguma espécie de flor selvagem, e não ao lírio, que é uma planta alta. A espécie que cientificamente chama-se *Anemone coronaria* era uma flor comum na Palestina, sem dúvida vista em abundância por Jesus. Suas pétalas podem ser vermelhas, púrpura, azuis, róseas ou brancas, com um tale que chega até cerca de 40 cm. Na opinião de alguns intérpretes, essa altura da planta é contra a sua identificação, neste caso. Porém, durante as colheitas, é possível que os homens não hesitassem em cortar essa planta, se, porventura, medrasse no meio da relva sem nenhum cultivo. Quanto a outras informações sobre os «lírios» referidos na Bíblia, ver o artigo intitulado *Lírios*.

A Lição dos Lírios do Campo. As especulações acerca da identificação dos «lírios» referidas por Jesus não deveriam levar-nos a olvidar a lição que ele quis ensinar. «Olhai para os lírios do campo...», disse ele. Essa é uma lição que não deveríamos olvidar. Existem coisas ricas que não são cultivadas pelos homens, mas que atraem a atenção de Deus. Os lírios do campo são uma dessas coisas. O próprio Salomão, um rico que se

LÍRIOS, FLOR — LISÍMACO

tornou largamente conhecido como pessoa gastadora, nunca se adornou como os lírios. No entanto, os lírios obtêm seu esplendor meramente pela vontade de Deus, sem qualquer intervenção ou esforço humano. Em comparação com um ser humano, um lírio nada é. Na colheita, os homens nem tentam evitar decepar essa planta. Portanto, a lição é clara. A ansiedade dos homens, quanto ao sustento diário, é inteiramente descabida, do ponto de vista espiritual. Deus é quem garante nosso presente e nosso futuro. Salomão trajava-se esplendorosamente. Para os antigos, as vestes eram um item importante em suas riquezas. Mas os lírios enfeitam gloriosamente os campos, sem que os homens tenham de cultivá-los.

O trecho de Mat. 10:29 *ss* envolve lição similar. Deus cuida dos pardais, a despeito de seu ínfimo valor. Quanto mais o Senhor cuida do homem que nele confia!

LÍRIOS, FLOR DE

Imitar os lírios, para fins decorativos, era uma arte desde a antiguidade. O trecho de II Crô. 4:5 menciona duas colunas, no vestíbulo do templo de Salomão, cujas bordas eram adornadas como «borda de copo, como flor de lírios». Aquelas colunas contavam com capitéis, onde se encontravam esses adornos. Abaixo um pouco desse enfeite, havia um trançado de romãs esculpidas, pelo que o enfeite era atraente e dotado de muita imaginação. Ver também I Reis 7:19-22 nessa conexão. Os arqueólogos têm achado lavores semelhantes no Egito, sendo provável que os mesmos tenham sido importados da arte egípcia. Todavia, decorações parecidas têm sido encontradas na Assíria, na Pérsia e entre os cananeus da Palestina, pelo que é difícil alguém ser dogmático quanto à origem desse tipo de adorno escultural. O *lotus egípcio* era a flor favorita usada como modelo em obras esculpidas. Essa flor pertence à família dos lírios aquáticos, notória pelas suas grandes folhas flutuantes e belas flores, que tinham as cores branca, róseo e azul. No hebraico, a palavra correspondente ao «lírio» é *shoshannah*, de onde provém o nome próprio feminino, Suzana.

LÍRIOS, OS

No hebraico, **shoshannim eduth**. Essas palavras fazem parte do título dos Salmos 45 e 80. Nossa versão portuguesa traduze-as por «Segundo a melodia: os lírios». Ver também sobre *Música e Instrumentos Musicais*.

LISÂNIAS

Essa palavra grega significa «livre de tristeza», relacionado a *lúsis*, «soltura», e *ania*, «tribulação». Em Lucas 3:1 *ss*, o autor sagrado relata o começo do ministério de João Batista dentro do período de certos governantes, entre os quais ele mencionou *Lisânias*. Ele foi mencionado ali como «tetrarca de Abilene» (vide). A data foi cerca de 26 D.C. Essa é a única referência do Novo Testamento a esse homem. Lucas, porém, tem sido acusado de anacronismo, visto que Josefo se referiu a um homem do mesmo nome, que, em 40 AC., sucedeu a seu pai, Ptolomeu, no trono da Calcídica. Ele foi executado por Marco Antônio, em 36 A.C., por exigência de Cleópatra, que recebeu os territórios que tinham pertencido a ele (ver *Anti*. 15.4,1; 14.13,3; i.13,1). Procurando reconciliação, os eruditos supõem que Josefo se referia a outro homem do mesmo nome, que teria vivido antes. Provavelmente, ele aludiu a dois homens do mesmo nome, um dos quais era tetrarca, e o outro, filho de Ptolomeu. Nesse caso, o Lisânias referido por Lucas teria sido ainda um terceiro homem com esse nome. A referência de Josefo e a de Lucas não falam sobre os mesmos territórios governados. Existem evidências arqueológicas em prol dessa assertiva. Uma inscrição (CIG, 4521) descoberta em Abila mostra que houve um tetrarca posterior de nome Lisânias. Ambas as regiões em questão, em data posterior, foram governadas por Herodes Agripa. A data daquela inscrição pode ser tão tardia quanto 29 D.C., embora alguns especialistas atribuam-na cerca de 11 D.C. Seja como for, o que é claro é que o Lisânias referido por Lucas não é o mesmo Lisânias referido por Josefo, o que significa que não há qualquer conflito nos informes dados por esses dois historiadores, o grego e o judeu.

«A tetrarquia de Lisânias, cuja capital era Abila, ficava cerca de vinte e nove quilômetros a noroeste de Damasco e era distinta do reino da Calcídica (Josefo, *Anti*. 19.5,1; 20:7,1). No tempo em que Lucas escreveu, a região em torno de Abila era governada pelo tetrarca Lisânias, e Lucas está certo» (UN). Não sabemos dizer por que Lucas mencionou o tetrarca Lisânias, mas omitiu o nome do governador de Damasco.

LÍSIAS

A derivação desse nome é desconhecida. Há dois homens com esse nome, nas páginas da Bíblia. Um deles era um capitão romano, ou *quiliarca* (tribuno militar), mencionado em Atos 21—23, que esteve envolvido com o apóstolo Paulo. Temos provido um detalhado artigo sobre ele, sob o nome de *Cláudio Lísias*.

Além disso, um proeminente general sírio, que serviu no tempo de Antíoco IV Epifânio, e Antíoco V Eupator, era assim chamado. Os livros de I e II Macabeus dão-lhe considerável espaço. E ele também é mencionado por Josefo (*Anti*. 12.295-298; 313-315; 361, 367). Ver também I Macabeus 3.32-38; 6.17; 7.1-4; II Macabeus 10 e 11.

LISÍMACO

Esse nome vem de duas palavras gregas, **luo**, «soltar», e **machê**, «batalha», «contenda». Portanto, significa «terminador de contendas». Dois homens com esse nome aparecem nas páginas da Bíblia.

1. Um homem com esse nome é mencionado nas adições ao livro de Ester (no grego), como o tradutor daquele livro para o grego. Esse informe é dado no final do texto grego, onde ele é chamado de «filho de Ptolomeu, de Jerusalém». Essa informação também diz que Fodiyurdo (um sacerdote e levita) e Ptolomeu, seu filho, trouxeram a epístola de Purim ao Egito. Nada se sabe sobre o homem que é chamado de o tradutor; e nem podemos ter certeza sobre a autenticidade de tal informação.

2. Menelau era o sumo sacerdote dos judeus, nos dias de Antíoco IV Epifânio. Seu irmão chamava-se Lisímaco, e é dito que, por algum tempo, ele serviu como sumo sacerdote, em lugar de Menelau. O quarto capítulo de II Macabeus informa-nos que ele foi culpado de muitos sacrilégios, aos quais Menelau deu seu consentimento. Muitos dos vasos do templo foram pilhados, e o povo opunha-se amargamente a Lisímaco. O povo reuniu-se a fim de pôr um ponto final à questão, mediante a violência. Lisímaco reuniu homens armados em número de três mil. As forças opostas chocaram-se. O povo venceu, e Lisímaco foi morto ao lado do tesouro.

857

LISTADOS — LITANIA

LISTADOS

No hebraico significa precisamente isso. Trata-se de um vocábulo usado por sete vezes, a fim de descrever parte da aparência das ovelhas que se tornaram possessão de Jacó, enquanto trabalhava para Labão, seu tio (ver Gên. 30:35,39,40; 31:8,10, 12). Indica um animal de mais de uma cor. Mas, se essa variedade de colorido tinha a forma de listas, ou se a palavra deve ser entendida como vinculada à raiz hebraica que significa «amarrar», que alguns aceitam como a tradução correta, mas que outros consideram duvidosa, continua sendo questão debatida (cf. BDB, 785).

LISTRA

Ver o artigo geral sobre a **Licaônia**, o território onde ficava Listra.

Ver Atos 14:6; 8:21; 16:1,2; e II Tim. 3:11.

O local da antiga cidade era desconhecido e incerto até o ano de 1885, quando suas ruínas foram identificadas pelos arqueólogos, perto da moderna cidade de Catin. Fica cerca de trinta e quatro quilômetros a sudoeste de Icônio. Uma inscrição, ali encontrada, informa-nos que essa cidade se tornou colônia nos tempos do imperador Augusto.

Listra era uma obscura aldeia, nas altas planícies da Licaônia (próxima da moderna Hatum Sarai), que foi selecionada por César Augusto como local de uma dentre diversas colônias romanas, provavelmente com propósitos de melhorar a defesa. Inscrições até hoje existentes mostram-nos que naquela época havia ali uma comunidade que falava o latim. Paulo e Barnabé talvez tenham se dirigido para aquele obscuro lugar, na esperança de terem um ministério pacífico, isento das perseguições movidas pelos judeus, mas essa expectativa estava fadada a não se cumprir. Naquela localidade havia uma população de origem grega e judaica (ver Atos 16:1), mas também havia uma substancial porção não helênica (conforme nos mostra o décimo primeiro versículo deste capítulo). Atualmente, no sítio de Listra, está a moderna cidade de Zoldera.

Não se sabe ao certo qual a localização das chamadas igrejas da Galácia, as quais são mencionadas na epístola de Paulo aos «Gálatas». Alguns eruditos acreditam que Paulo escreveu às igrejas localizadas principalmente em Listra, Derbe, Antioquia da Pisídia e Icônio, cidades do mais antigo território conhecido por Galácia. Esses estudiosos defendem a chamada «teoria da Galácia do Sul», a qual é defendida pela maioria dos estudiosos modernos. Mas outros crêem que o apóstolo Paulo escreveu para algumas cidades não designadas por nome, pertencentes à província romana da Galácia. Supostamente esse grupo de igrejas ficaria situado um pouco mais para o norte, sobre cujo estabelecimento não possuímos qualquer registro histórico escrito. A província romana da Galácia derivou o seu nome do menor e mais nortista distrito da Galácia, que foi incluído na província romana do mesmo nome, que igualmente incorporava o Ponto, a Frígia, a Licaônia, a Pisídia, a Paflagônia e a Isáuria. (Quanto a outros estudos sobre a questão para quem Paulo teria escrito sua epístola intitulada *Aos Gálatas*, ver as notas expositivas em Atos 13:13 no NTI).

As jornadas de Paulo e Barnabé, levavam-nos agora para uma área mais selvagem, menos civilizada. A cadeia do Tauro separa essa antiga área da região mais bem cultivada da Cilícia e da Pisídia. A área em que agora adentravam foi descrita, por antigos escritores, como ressequida, desnuda de árvores,

destituída de água potável, coberta de diversos lagos salgados. Ovídio (*Metaph.* viii.621), com base em suas observações pessoais, diz-nos que aquela era uma terra

Onde homens antes habitaram, onde se vê um lago lamacento,
Onde galeirões e alcaravões buscam a água esverdeada.

No que diz respeito às descrições dessa área, feitas por *Estrabão*, ver xii.6 de suas obras.

Nessa região de Listra o judaísmo era débil. Esse território selvagem não conseguiu atrair numerosa população judaica, embora a passagem de Atos 16:1-4 mostre que mesmo assim habitavam ali alguns judeus. Não há menção de qualquer sinagoga, quer em Listra ou em Derbe; contudo, se havia qualquer população judaica, então também havia alguma sinagoga.

Seja como for, parece-nos que, pela primeira vez, o apóstolo Paulo começou um trabalho de evangelização sem dirigir-se, «primeiramente», aos judeus, conforme sucedeu sempre em outras paragens, nas quais ele se dirigia, antes de tudo, à sinagoga judaica.

Paulo conheceu a Timóteo em Listra (ver Atos 16:1), sendo notável que lhe fora permitido chegar à idade adulta sem jamais ter sido circuncidado, embora sua mãe fosse judia. Isso demonstra quão menos proeminente e forte deve ter sido o judaísmo naquela região. Quão estranho, pois, que Paulo, a fim de agradar à exígua população dessa área, tenha feito Timóteo circuncidar-se! É possível que durante esse período Paulo se sentisse *exausto da batalha*, tendo feito uma concessão que jamais teria feito, quando menos exposto ao cansaço por causa do trabalho e das asperezas encontradas.

Paulo e Barnabé também trabalharam nas áreas ao derredor, cobrindo áreas ainda de menor importância, como as aldeias interioranas; e esse trabalho, quase certamente, se desenvolveu entre uma população puramente gentílica. Timóteo e Gaio são os convertidos mais bem conhecidos que resultaram dessa obra, nessas duas cidades de Listra e Derbe, bem como no território em geral. (Os trechos de Atos 16:1 e *s*, e 20:4 devem ser examinados quanto a isso). A julgar por essas descrições bíblicas, os missionários cristãos devem ter passado um tempo considerável naquela região.

LITANIA

Essa palavra vem tanto do grego **litaneia**, quanto do latim, *depracatio litania*, «oração». A raiz é o termo grego *lité*, «oração». Uma litania é uma forma litúrgica de oração, que consiste em uma série de diferentes súplicas, proferidas pelos clérigos, após o que o coro ou a congregação repete uma parte responsiva. Nas religiões pagãs misteriosas já havia esse tipo de ladainha, antes do surgimento do cristianismo. E, no cristianismo, essa forma litúrgica começou a ser usada pelos fins do século IV D.C., em Antioquia, ou, então, no século V D.C., em Roma. Na Igreja Ortodoxa Oriental, essa forma tornou-se e continua sendo uma parcela importante do culto. No Ocidente, as litanias tornaram-se uma cerimônia distinta, usada em procissões como a de 25 de abril, durante os dias da rogação ¹ (segunda, terça e quarta-feira anteriores ao dia da Ascensão do Senhor), ou em períodos de perigo iminente. A chamada Litania dos Santos começou no século V D.C., aparecendo no rito do Sábado Santo da missa católica romana.

Várias litanias tornaram-se populares durante a Idade Média, como a litania de Loreto (vide) e a

LITEIRA — LITERATURA

litania do Nome Santo (vide). Na Igreja Anglicana, adotou-se uma litania para o Domingo da Eucaristia e diversas diferentes para outras ocasiões especiais.

LITEIRA

No hebraico, **sab** (Isa. 66:20). Tratava-se de uma armação com longas varas horizontais, puxada por animais de tração ou por homens. Isaías diz que trarão pessoas em vários animais, carruagens e liteiras, para que adorem e recebam instrução espiritual. O trecho de II Macabeus 9:8 nos diz como Antíoco foi transportado pomposamente em uma liteira. O trecho de Can. 3:7,9 fala sobre um certo tipo de liteira (no hebraico, *aphiryon*; no grego, *porion*), que era uma espécie de canapé móvel, e não uma carruagem, embora nossa versão portuguesa traduza essa palavra por *liteira* (no vs. 7) e por *palanquim de madeira* (no vs. 9). É possível que se trate de uma espécie de trono transportável. Talvez fosse levado por homens ou por animais. A palavra hebraica *shibreeyeh*, que nunca figura no Antigo Testamento, era uma espécie de liteira puxada por um camelo.

LITERATURA, A BÍBLIA COMO

Esboço:

I. Caracterização Geral
II. O Estudo da Bíblia como Literatura
III. Qualidades Literárias da Bíblia
IV. A Influência Exercida pela Bíblia

I. Caracterização Geral

Alguns documentos religiosos têm somente essa qualidade, são «religiosos». Não se destacam como grandes obras literárias. Mas há outros desses documentos, incluindo a Bíblia hebreu-cristã, que são universalmente reconhecidos como grandiosas obras literárias, e não apenas documentos religiosos puros e simples. A literatura de boa qualidade é assinalada por certo número de características (o que comentamos na seção III), por sua notória influência (o que comentamos na seção IV) e, igualmente, pela universalidade de sua mensagem. As universidades sentem-se na obrigação de ensinar peças de literatura religiosa que são grandiosas em si mesmas, sem qualquer ligação com a propagação de teologias ou filosofias de vida. Minha experiência pessoal ilustra a questão. Na Universidade de Utah, nos Estados Unidos da América do Norte, onde recebi meu doutorado, o Departamento de Filosofia contratou um professor para dirigir os estudos do Novo Testamento, em face de suas idéias filosóficas, que têm influenciado tantos milhões de pessoas. O Departamento de Línguas também ensinava ali a Bíblia como literatura; e outros departamentos daquela Universidade estavam envolvidos na mesma atividade. Um certo professor universitário que conheci, declarou: «Ninguém completou ainda sua educação, se desconhece a Bíblia». E essa é uma declaração realista, porquanto muito da cultura ocidental está alicerçado sobre os conceitos bíblicos. O Novo Testamento já foi traduzido para mais de mil línguas e cerca de dois mil dialetos, um tributo que nenhum outro documento escrito tem merecido. A Bíblia é uma literatura vigorosa, razão pela qual tem exercido uma longa e profunda influência sobre muitos e variegados povos e culturas. Esse *universalismo* da Bíblia mostra que ela é uma literatura de grande valor.

A Bíblia reivindica para si a distinção de ser a única obra literária inteiramente escrita sob a divina inspiração. O trecho de II Tim.3:16 é o mais conspícuo dessas declarações, onde se lê: «Toda Escritura é inspirada por Deus e útil para o ensino, para a repreensão, para a correção, para a educação na justiça». Todavia, ao que parece, essa afirmação refere-se às Escrituras do Antigo Testamento apenas, pelo menos na opinião de alguns estudiosos. E, apesar de, nesse caso, não haver reivindicação similar no tocante ao Novo Testamento, deveríamos lembrar-nos de vários fatores: *primeiro*, homens como Paulo tinham visões e outras experiências extáticas que lhes davam informações que foram preservadas sob forma escrita. *Segundo*, apesar dessas experiências nem sempre estarem por detrás do que é dito no Novo Testamento, as experiências religiosas e o conhecimento espiritual de seus autores, por si mesmos, fazem do Novo Testamento um documento espiritual distintivo. *Terceiro*, temos a considerar que houve a direção imprimida pelo Espírito de Deus, o que levou a nova religião a ultrapassar ao judaísmo. Certamente esse é um dos temas dos evangelhos, especialmente do de João, sendo também a idéia principal do livro aos Hebreus. *Quarto*, o Novo Testamento é aquela coletânea de livros que salienta as declarações, os princípios espirituais e a inspiração da pessoa de Jesus, o Cristo—e esse é o principal fator que engrandece o Novo Testamento. Conclui-se daí que qualquer documento escrito estribado sobre tais qualidades, não poderia deixar de ser notável como obra literária, inteiramente à parte de seu conteúdo teológico. Além disso, deve-se observar que a teologia (as idéias espirituais, a fé religiosa, etc.) por si mesma faz parte importante de qualquer cultura; e, em alguns casos, a teologia é o centro em torno do qual toda uma cultura tem sido arquitetada e levantada, como é o caso da cultura dos hebreus.

II. O Estudo da Bíblia Como Literatura

1. *O Prestígio da Bíblia nas Universidades*. A maioria das universidades exibe o bom senso de incluir cursos sobre a Bíblia. Inúmeras instituições de ensino superior têm dado aos estudos bíblicos uma posição cêntrica nos seus currículos. Já falei sobre isso na primeira parte do ponto I. A influência da Bíblia é tão decisiva em nossa cultura que ninguém pode afirmar que é, realmente, uma pessoa bem informada e educada, a menos que tenha, pelo menos, um conhecimento geral sobre a Bíblia, como literatura.

2. *Uma história momentosa* destaca-se por detrás da Bíblia. Com freqüência, a cultura ocidental tem sido chamada de judaico-cristã. Isso é assim porque a história tem-se desenrolado de tal modo, formando a nossa cultura ocidental, que muito tem dependido da influência do judaísmo e, então, da influência avassaladora e perenemente presente dos conceitos cristãos. Um longo período da história da Europa foi inteiramente dominado pela Igreja Católica Romana, o que não teria sido possível não fora o poder do Livro que continua a controlar as mentes de milhões e milhões de pessoas — em nossa cultura ocidental. A educação de uma pessoa não se completará sem que ela tome conhecimento da Bíblia, ainda que seja como mera literatura. Há algumas décadas atrás, a educação, em nosso mundo ocidental, começava pela Bíblia e pelos escritos clássicos gregos e romanos e, então, ia-se expandindo por outras áreas, incluindo questões como gramática, retórica, filosofia e outros cursos de humanidades. Com o surgimento das ciências, porém, essa ênfase foi sendo modificada para as matérias de cunho mais técnico e científico. Em nosso país, por exemplo, há um quarto de século havia cursos clássicos de 2º grau, onde se estudavam ainda matérias como filosofia preliminar. Mas, o militarismo que dominou o Brasil

859

LITERATURA, A BÍBLIA COMO

durante duas décadas deixou somente o curso científico de 2º grau, com o nome de Colegial. No entanto, esboça-se um retorno ao estudo de humanidades no Brasil, conforme se fazia antes. Se isso não se concretizar, só teremos a lamentar, pois a educação do povo brasileiro muito sofrerá com isso, porquanto cada vez mais abaixa de nível. Apesar de tudo, não se pode negar que continua de pé, em toda parte, a influência inegável da Bíblia. A história de Jesus continua sendo a mais extraordinária história que já foi contada.

3. *Literatura Significativa.* Cerca de quarenta autores diferentes, durante um período de mil e trezentos anos (talvez até mesmo quinze séculos), produziram a Bíblia Sagrada. O chamado cânon palestino incorporava os trinta e nove livros tradicionais do Antigo Testamento, formando um único volume literário. O cânon alexandrino, porém, adicionou a isso outros doze ou catorze livros. No caso do Novo Testamento, chegou-se ao consenso de ser formado por vinte e sete livros, embora esse número não tenha sido aceito imediatamente. Ver o artigo separado sobre o *Cânon*. O resultado foi que desse modo se formou uma distintiva coletânea de livros, sem igual em toda a história do mundo, se julgarmos a mesma em termos de influência e durabilidade. A Bíblia é uma literatura grandiosa em vários sentidos. Ninguém pode negar a notável exatidão histórica do Antigo e do Novo Testamentos. Os livros poéticos da Bíblia são excelentes como literatura poética. A palavra firme dos profetas é outro ponto alto. Não podemos esquecer a incomparável história de Jesus de Nazaré; nem os poderosos escritos doutrinários dos apóstolos de Cristo; e nem a tradição profética, que continua no Novo Testamento, cujo ponto culminante é o livro do Apocalipse, o produto acabado da tradição apocalíptica judaico-cristã. Isso posto, a literatura bíblica combina as qualidades estéticas, éticas, religiosas e espirituais, formando a maior produção literária que já se formou à face da terra.

4. *Uma Mensagem Significativa.* Os críticos arrogaram-se a tarefa de examinar e explicar a Bíblia como se fosse uma obra literária qualquer. Apesar desses esforços terem produzido muitas conclusões valiosas, tais críticos deixaram de reconhecer o real e mais profundo valor da Bíblia. Assim, C.S. Lewis, em seu volume, *Modern Theology and Biblical Criticism*, vergastou críticos como Rudolf Bultmann e Alec Vidler, por não terem apreciado devidamente o valor literário da Bíblia. Declarou ele: «Sem importar o papel desses homens como críticos da Bíblia, não confio neles como críticos. Parece-me faltar-lhes a capacidade de fazer um bom juízo literário, mostrando-se indiferentes diante da qualidade literária dos textos que liam». Além disso, Lewis criticou-os por não terem reconhecido o caráter dinâmico das narrativas neotestamentárias sobre Jesus, o que aponta para a historicidade daqueles acontecimentos narrados, porquanto, na opinião deles, tudo não passaria de lendas e mitos. Lewis, uma figura de boa estatura literária no mundo de fala inglesa, era bom conhecedor de todas as variedades literárias, e afirmou saber quando se defrontava com algum mito; no entanto, estava certo de que não lia mitos, quando tinha à sua frente o Novo Testamento.

Os mitos podem formar uma literatura divertida e engenhosa; mas nunca nos transmitem uma mensagem significativa, solidamente apoiada sobre a história, sobre acontecimentos reais. Ora, o relato sobre Jesus Cristo é uma história humana, porquanto, sendo ele Deus, veio identificar-se em tudo com os homens. Enfrentou as mesmas provações e retrocessos

que eles. Pregou a sua mensagem de vida e salvação. Morreu de forma vergonhosa, mas reverteu tudo isso com sua ressurreição dentre os mortos. Isso, por sua vez, injetou extraordinário poder à sua mensagem. Homens acovardados, que O tinham abandonado em seu momento mais crítico, ressurgiram como leões que rugem, e não demoraram a começar a propagar a vitória sobre a morte por todos os países e povos do mundo então conhecido. E essa marcha cristã até hoje não parou, porquanto a mensagem de Cristo é, deveras, poderosíssima.

III. Qualidades Literárias da Bíblia

1. *O Contexto Teísta da Bíblia.* A Bíblia começa situando o homem dentro do contexto teísta. Deus existe; ele criou tudo, ele está interessado pela vida humana; ele faz intervenções; ele galardoa e pune. A Bíblia, assim sendo, desde o começo adquiriu a qualidade de uma literatura realista, que dá ao homem o lugar que ele ocupa, realmente. O homem, por sua vez, não é um ser independente; nem está sozinho no universo. Além disso, tem um destino. A literatura de boa qualidade, como um de seus predicados, destaca fatos significativos e outras diretrizes para a conduta humana. É o que faz a Bíblia. Ver os artigos intitulados *Teísmo* e *Deísmo*.

2. *A Universalidade da Bíblia.* Um dos pontos significativos acerca de Bíblia como literatura, é o seu apelo e a sua influência universais. A literatura de qualidade influencia os homens; e nenhum outro documento mostra-se mais influente do que a Bíblia. Embora escrita quase inteiramente por judeus (a única exceção sendo Lucas, autor do evangelho que tem seu nome e do livro de Atos), não é um livro ao qual se possa aplicar o adjetivo de provincial. «A Bíblia é possuidora de uma universalidade que a coloca à base ou à testa, ou em ambas as posições, de toda a literatura moderna» (A.S. Cook, *Cambridge History of English Literature*, vol. IV, pág. 31).

3. *A Mensagem Mística da Bíblia.* Platão raciocinava diante de homens inteligentes. Meus alunos (sou professor universitário) têm-se queixado de que é difícil compreender os diálogos platônicos. É verdade que alguns desses estudantes são negligentes; mas, por outra parte, não é fácil acompanhar os raciocínios de Platão, a menos que se conte com a ajuda de um professor, sempre disposto a ajudar. Platão produziu uma literatura imortal, uma mensagem que deveria ser ouvida. Porém, somente certas pessoas estão aptas a ouvir a sabedoria de Platão. Por outra parte, a mensagem mística dos profetas facilmente penetra nos corações das massas populares. A mensagem da Bíblia pode ser percebida pela reação intuitiva do coração humano, conforme reconhecem todos aqueles que estão afeitos à sua leitura. «O coração tem razões que a razão desconhece... É o coração, e não a razão, que experimenta Deus» (Pascal, *Pensées*, nos. 277, 278). Apesar dessa apreciação conter um certo exagero, porquanto Deus deu-nos a razão a fim de que pudéssemos conhecê-lo racionalmente, ainda assim há uma verdade básica nessa declaração de Pascal.

4. *Sublimidade.* Como estudante e, subseqüentemente, como professor, tenho lido muito os clássicos gregos e romanos. Essa literatura é bela e grandiosa. Há muitos e dignos livros dessa categoria. Ao afirmar isso, entretanto, em nada quero detratar a Bíblia, como literatura. Os salmos são universalmente reconhecidos como obras-primas poéticas, e nenhuma outra escrita jamais ultrapassou ao livro de Jó como poesia. O Espírito de Deus fala através dos escritos dos profetas, e as mensagens deles, embora antigas, são perfeitamente atuais, porque abordam problemas

LITERATURA, A BÍBLIA COMO

humanos de todas as gerações. Os evangelhos, no Novo Testamento, criaram um novo gênero literário. Penso que não foi difícil criar esse gênero literário, porquanto eles tinham a história de Jesus Cristo para contar, que não podia mesmo ser narrada de maneira comum. As epístolas de Paulo nunca foram ultrapassadas como instruções espirituais. Essas epístolas formam um manual de idéias éticas e religiosas. O próprio Paulo foi autor de considerável habilidade literária, inteiramente à parte do fator da inspiração divina.

5. *Compromisso com a Verdade*. Foi dito acerca do filósofo *Fichte* (vide) que ele filosofava com os punhos sobre a mesa. Isso é uma expressão idiomática que significa que o que ele dizia era para ser aplicado, de modo prático, à maneira como os homens vivem. Quanto a isso, a Bíblia se destaca dentre toda outra literatura. A Bíblia é inflexível em sua busca pela verdade, e essa verdade é sempre aplicada às vidas humanas de maneira prática. J.B. Phillips, que produziu uma tradução do Novo Testamento para o inglês, afirmou que sentia que a sua vida fora transformada, devido aos anos de labor que passou na tradução. Conforme afirmou certo autor, a Bíblia envolve uma «alta seriedade», e essa seriedade reflete as «profundezas de Deus» (ver I Cor. 2:10). Há uma curiosa declaração de João Bunyan, autor do notável «O Peregrino», que ilustra o ponto. Essa declaração aparece no seu livro, *Graça Abundante*: «Deus não estava brincando quando me convenceu; o diabo não brinca quando me tenta. Portanto, não posso brincar em meus relacionamentos com eles; antes devo ser direto e simples, apresentando as questões tal e qual elas são».

6. *Formas Literárias*. A Bíblia é uma coletânea de formas literárias, todas as quais nos apresentam a mensagem espiritual. Ali temos história, teologia, profecia, poesia de vários tipos, cartas, declarações extáticas, relatos ilustrativos, parábolas, discursos, teses, sermões e discursos retóricos. Os evangelhos formam um gênero literário sem igual, o que comento no ponto 7, abaixo.

Ilustração:

História. Gênesis, Êxodo, I e II Samuel, I e II Reis, I e II Crônicas. É bem reconhecido o fato de que os judeus eram historiadores sérios, e que, começando em cerca de 1000 A.C., a história bíblica passou a adquirir um elevadíssimo grau de exatidão. No Novo Testamento, isso se repete nos evangelhos e em Atos.

Profecia. Os profetas Maiores e Menores, cujos livros formam um importante bloco no Antigo Testamento. A história e a arqueologia têm demonstrado a notável exatidão das tradições proféticas do Antigo Testamento. O Apocalipse é o único livro profético do N. Testamento. Quase toda a mensagem desse livro ainda aguarda cumprimento, embora, mui significativamente, os místicos modernos confirmem que, em seu *esboço geral*, esse livro seja exato, concordando com o esboço geral das profecias bíblicas.

Literatura de Sabedoria. Provérbios, Eclesiastes e Salmos fazem parte desse tipo de literatura. E, no período intertestamental, esse gênero literário foi ainda mais amplamente desenvolvido. A leitura desses livros impressiona muito aos seus leitores atentos. São verdadeiramente ricos.

Poesia, Em Suas Várias Formas. Poesia Lírica (Êxo. 15:1-18; Juí. 5; Isa. 5:1-7). Muitos salmos podem ser assim classificados, os Salmos 1, 19, 23, 46, 90 e 139. A poesia lírica é aquela que é recitada juntamente com a lira e outros instrumentos musicais. *Poesia romântica* (Cantares de Salomão). *Poesia dramática* (Jó). *Poesia litúrgica* (muitos Salmos, como 120—134). *Poesia didática* (Sal. 119). *Poesia épica* (Gên. 1—11; 37—50).

Lei. A legislação mosaica é um complexo sistema legal, incorporando, para dizer a verdade, muitos preceitos comuns às sociedades semitas, embora também tivesse desenvolvido conceitos legais em várias direções. Talvez coisa alguma tenha influenciado tanto a cultura ocidental quanto a legislação mosaica.

Biografia. Isso representa uma boa parcela da Bíblia, como I Sam. 16:1; I Reis 2—11; e os livros de Rute, Ester, Esdras e Neemias.

Parábolas. Eze. 17:1-10 e as muitas parábolas de Jesus, nos evangelhos.

Sermões. Deu. 1:1—4:40; Mat. 5—7; Atos 7.

Discursos Teológicos. O livro aos Hebreus.

Epístolas. As de Paulo, de Pedro, de Tiago, de Judas e de João.

7. *Os Evangelhos como um Gênero Literário Distinto*

Não há outra literatura exatamente como a dos **quatro evangelhos.** Apesar de consistir em história e em crônicas, também consiste em instruções teológicas e em elevadas mensagens espirituais. Os três evangelhos sinópticos são, essencialmente, narrativas históricas; e o quarto evangelho, de João, se excluirmos suas porções históricas, é um evangelho teológico. Porém, a seleção de eventos históricos, que seu autor fez, dão apoio notável à sua mensagem teológica. Os evangelhos também envolvem sermões, instruções didáticas e parabólicas. O problema enfrentado pelos quatro evangelistas foi o de explicar quem é Jesus, e como ele realizou o que realizou. Por detrás de tudo isso avulta o problema da natureza da *encarnação* (vide), isto é, como Deus manifestou-se em carne humana, e como o Logos divino tornou-se o Cristo. A explicação dessa profunda questão teológica foi feita em meio a uma narrativa, a narrativa sobre Jesus. «O intuito inerente do Novo Testamento é apresentar Cristo como um Ser *sui generis*, divino e humano, ao mesmo tempo» (R.M. Frye).

8. *Fatores da Educação*. A despeito das modernas formas de comunicação em massa, a literatura continua sendo a forma mais eficaz de comunicação. Onde quer que chegasse a atividade missionária cristã, ali também chegava a educação, mesmo no caso dos povos mais primitivos, o que prossegue até os nossos dias. A Bíblia tem servido de alicerce dessa educação. Apesar das ciências terem dominado o campo de educação, de algumas décadas para cá, nos países mais desenvolvidos, a qualidade educativa da Bíblia, como literatura, nunca se perdeu ou se tornou obsoleta. A United Bible Societies informou o público que, até 1973, a Bíblia inteira já havia sido traduzida para duzentos e cinqüenta e cinco idiomas, e que o Novo Testamento somente já fora traduzido para mais de mil idiomas, ao passo que porções da Bíblia já haviam sido traduzidas para mais de mil e quinhentos idiomas e dialetos. A tradução da Bíblia para o alemão, feita por Lutero, unificou essa língua, tornando-se tal tradução a mãe do alemão moderno. O trabalho de Adoniran Judson, ao traduzir a Bíblia para o burmês, resultou em conferir ao povo que fala aquele idioma uma forma escrita de sua língua. E outro tanto tem acontecido no caso de vários outros idiomas.

IV. A Influência Exercida pela Bíblia

As pessoas escrevem peças literárias a fim de

LITERATURAS SAGRADAS

comunicarem suas idéias e influenciarem outras pessoas. Os livros que ficam encalhados não conseguem fazer esse trabalho de comunicação e influência, sem importar quão bons possam ser. A Bíblia é o permanente sucesso de livraria, ano após ano. Seu apelo nunca se perdeu. A maior vendedora de Bíblias no Brasil é a Rodoviária de São Paulo; não poderia mesmo ser diferente, porque a Bíblia é o livro das massas, e a maior de todas as influências literárias isoladas sobre as pessoas. A Bíblia edificou a Igreja, e durante mil anos de história européia, a Igreja dominou a Europa, em grande parte devido à influência da Bíblia. Apesar do neopaganismo que se instalou nas sociedades modernas ter diminuído um pouco a influência da Bíblia, para nada dizer sobre o vasto movimento comunista ateu, essa influência continua sendo muito poderosa e generalizada.

A influência da Bíblia faz-se sentir, de forma óbvia, nas seguintes esferas: 1. acima de tudo, na esfera religiosa e teológica, que envolve a esfera maior da população total do mundo. 2. Em seguida, sobre outras formas de literatura. Muitos autores têm sentido a influência da Bíblia, e muitos deles citam ou reverberam passagens bíblicas na literatura que escrevem. 3. *No campo da lei.* Apesar das leis romanas exercerem vasta influência até hoje, essa influência tem sido amparada, em grande parte, pelas leis da Bíblia, que chegam a rivalizar com aquelas, quanto ao mundo ocidental. 4. *Na ética e na filosofia.* À Bíblia não é uma obra de filosofia, mas contém muitas idéias filosóficas que têm sido aproveitadas, modificadas ou negadas pelos filósofos. Embora a Bíblia não apresente um sistema ético, é, supremamente, um livro de ética; no Ocidente é o mais poderoso manual de ética que existe. 5. *No campo da espiritualidade.* O homem, em última análise, é um espírito, e não um corpo físico. Isso se reveste de importância suprema, porquanto promove a espiritualidade humana, o que lhe fornece instruções, fala sobre o futuro e lhe acena com a esperança da redenção. Esses são os assuntos sobre os quais a Bíblia se especializa. (AM CAM E LEW(1967) Z)

LITERATURA APOCALÍPTICA

Ver **Apocalipse** seção I e **Apocalípticos, Livros**.

LITERATURAS SAGRADAS

1. Teísmo, e Não Deísmo

Na maioria das fés religiosas, as *literaturas sagradas* ocupam um importante papel. Quase todas as religiões partem do pressuposto de que o *teísmo* exprime uma verdade, em oposição ao *deísmo*. O pressuposto básico do teísmo é que Deus existe, que ele revela a sua vontade, bem como o conhecimento espiritual e princípios éticos, que ele intervém na história da humanidade, recompensando e castigando. Por outra parte, o deísmo diz que apesar de Deus (ou alguma força cósmica superior) poder existir, ele não está nem um pouco interessado pelos homens, tendo entregue a criação ao sabor das forças naturais.

Ver os artigos sobre o *Teísmo* e o *Deísmo*.

2. Os Sistemas Teístas

Deus, a Fonte
da Vida e da Informação
Revelação aos Profetas
Comunicação Oral ou Escrita
aos Discípulos
Produção de Livros Sagrados
A Igreja, Guardiã
da Mensagem Revelada.

Como é fácil ver, uma parte crítica da crença teísta é a comunicação da mensagem revelada através de livros, que consolidam aquela mensagem dada por ocasião da *revelação* (vide). A revelação é uma subcategoria do *misticismo* (vide), pelo que é um conceito fundamental na maioria das fés religiosas. A definição fundamental do misticismo é que é possível à alma humana obter alguma forma de contato com um ser ou seres superiores ao próprio indivíduo. Isso pode ocorrer de forma *objetiva*: o ser ou seres são externos à existência de quem recebe o contato. Ou pode ocorrer de forma *subjetiva*: o ser contatado é o próprio «eu» superior do indivíduo. O misticismo objetivo é do Ocidente. O misticismo subjetivo é típico do Oriente.

3. Antiguidade das Literaturas Sagradas

O sentimento religioso (algumas vezes com revelações francas) sempre inspirou os homens a escreverem. A arqueologia tem mostrado que nada é tão comum, nos escritos da antiguidade, como mandamentos religiosos, relatos, fórmulas de adoração e alegadas idéias dadas pelos deuses ou espíritos. Uma casta sacerdotal, com freqüência, acompanhava esses escritos sagrados. Eles eram os intérpretes, os mestres e aqueles que punham em vigor os ensinamentos contidos naqueles escritos. Assim, encontramos lendas, estórias sobre heróis, cerimônias, encantamentos, agouros, hinos, códigos morais e instruções para a religião prática, alicerçada sobre esse material. Com freqüência, elaborados sistemas de transmissão das idéias religiosas eram estabelecidos, como de pai para filho, formando castas sacerdotais. Os *ritos de iniciação*, por igual modo, com freqüência, acompanhavam a entrada de novos membros. Algumas vezes, os reis se tornavam os chefes da classe sacerdotal, bem como os chefes das comunidades seculares.

4. Classes de Literatura Sagrada

a. Antes de tudo, há a revelação ou invenção original, que então assume a forma de um cânon de escritos autorizados. As pessoas envolvidas nisso são os mestres ou profetas originais, que se tornam os heróis da fé.

b. Em seguida vêm à tona os comentários, as tradições e um contínuo desenvolvimento literário, que serve para explicar e reforçar a revelação (ou invenção) original. Usualmente, as pessoas envolvidas nesse processo não têm a aura de autoridade dos profetas ou mestres originais. Essas pessoas são intérpretes, e não originadoras.

5. Alguma Literatura Sagrada Específica

a. Os escritos sagrados dos babilônios e egípcios.

b. O Antigo Testamento dos hebreus. Ver o artigo sobre o *Antigo Testamento*.

c. As obras de Homero, a *Ilíada* e a *Odisséia*, a «Bíblia dos gregos».

d. O *Rig, Yajur* e *Sama Vedas* (o tríplice Vedas) dos hindus. Um quarto veda, chamado *Atharva*, foi adicionado posteriormente. Então surgiram obras como *Brahmanas, Aranyakas* e *Upanishads*, de tal modo que, nessa cultura, desenvolveu-se um conjunto de livros sagrados bem complexo e completo. Outrossim, temos a considerar os grandes livros épicos do hinduísmo, chamados *Mahabharata, Ramayana* e *Puranas*, que têm servido como a Bíblia do hinduísmo popular. Esses épicos eram, originalmente, baladas heróicas. Porém, os sacerdotes do hinduísmo transformaram-nos em poemas religiosos, que falam sobre a salvação e a devoção religiosa. As *Puranas* encerram elementos que equivalem ao livro de Gênesis dos hebreus, ou seja, tentativas para

LITERATURAS SAGRADAS

explicar a origem das coisas. Nessa obra, também vemos o surgimento de deuses populares, como Visnu e Siva, que passaram a ser exaltados acima de outros.

e. As escrituras do *jainismo* são chamadas *Agamas*. Essa tradição foi fixada em cerca de 300 A.C. Seguiram-se as revisões, até 454 D.C. Essa coletânea de literatura sagrada compõe-se de onze *angas* (uma décima segunda *anga* perdeu-se); de seis *cheda sutras* e de quatro *mula sutras*. Essas obras exibem os elementos essenciais da religião, do ponto de vista sobre o mundo, da salvação, das ordens monásticas, da ética e dos costumes religiosos. Além disso, há os livros de doutrinação e disciplina, as Upangas e as Painass. Nessas últimas obras há ensinamentos astronômicos, astrológicos, fisiológicos e geográficos, em meio a muitos ensinamentos e regulamentos religiosos.

f. O *budismo* teve um longo período de tradição oral. Mas sua massa de ensinos foi finalmente reduzida à forma escrita, nos fins do século I A.C. O *cânon* budista veio a incluir o que se conhece como «três cestas»: A *Tipitaka;* a *Suttaritaka* (em cinco livros), que têm muito do budismo original, as declarações do seu profeta e de seus discípulos imediatos; e a *Vinaya-Pitaka*, que consiste, principalmente, em um manual sobre o ofício e a disciplina dos monges. A obra *Abidhamma-Pitaka* é uma edição posterior, à qual foi adicionado muito de doutrina, filosofia e ética.

A mais antiga expressão do **budismo** (vide) era denominada **Hinayana**. Depois apareceu o **Mahayana**, de inclinações mais metafísicas. Então surgiram em cena outros livros sagrados. Isso tornou-se necessário para exprimir a mensagem budista. Foram escritas três biografias de Buda (com as doutrinas acompanhantes), a saber, o *Maha-'vastu;* o *Buddhacharita* e o *Lalita Vistara*. Então foram compostos muitos *sutras*, dentre os quais o mais importante chama-se *Saddharma-Pundarika* (Loto da Boa Lei), onde Buda aparece pregando sua mensagem com a ajuda de muitos seres celestiais. O *Prajnaparamita* consiste em textos filosóficos, procurando explicar o Nirvana. O *Dasabhumisvara* explica os dez estágios do caminho que leva a Buda. O *Samadhi-raja* explica a prática da meditação. O *Karandavyuha* louva a Avalokitesvara, sua providência e sua misericórdia. O *Sukhavativyuha* refere-se à graça salvadora e às glórias do paraíso.

g. Os *sikhs* (vide) contam com o seu *Adi-Granth*, uma coleção de escritos de seus primeiros cinco *gurus*. Tudo começa com *Nanak*, que nasceu em 1469 D.C. A partir do século XVII D.C., essa literatura sagrada tomou o lugar de gurus vivos, passando a ser considerada como uma revelação divina.

h. O *zoroastrismo* (vide) não obteve seu cânon de literatura sagrada senão já no século IV D.C. Mas isso consta apenas de uma reconstituição fragmentar do *Avesta* original. Ali acha-se a parte chamada *Yasna* (registros relativos à moralidade, à teologia e ao cerimonial). Também encontramos ali as *Gathas*, uma parte atribuída ao próprio Zoroastro. A porção intitulada *Visparad* consiste em invocações; as *Yashts* são hinos de louvor; os *Nyaishes* e *Gahs*, são litanias; o *Vendidad* consiste em um código sacerdotal. Materiais posteriores incluem a parte chamada *Dinkart*, lendas e idéias filosóficas; as partes chamadas *Bundahishm* e *Arda Viraf Nameh* incluem cosmogonia, cosmologia, escatologia e ensinamentos afins. Também há uma porção de nome *Shikand Gumanik*, que tem explicações e interpretações que refletem conflitos com o cristianismo e com o islamismo.

i. Os *chineses* produziram um complexo conjunto de livros. Mas, essencialmente, temos ali o que se chama de *Cinco Clássicos* e *Quatro Livros*. Os clássicos são os seguintes: o *Shu-Ching* (um livro de história); o *Shih-Ching* (um livro de trezentas e cinco odes, poemas dos mestres, e algumas odes cerimoniais); o *I Ching* (livro das mudanças, uma antiga técnica adivinhatória, conselhos e avaliações práticas); o *Li Chi* (usos cerimoniais e regras de propriedade); o *Ch'un Ch'iu* (anais do estado de Lu; 722—484 A.C.). Os *Quatro Livros*, por sua vez, são os seguintes: o *Lun-Yu* (analectos, as conversas entre Confúcio e seus discípulos); o *Ta Hsueh* (a grande erudição, amor, virtudes, a busca pelo bem maior); o *Chung Yung* (doutrina do meio-termo; regras para a conduta moderada do homem bom; regras para a harmonia social e a ordem cósmica). Finalmente, há as discussões de *Mêncio*, uma coletânea de raciocínios e ensinos de natureza política, moral e filosófica.

O *Tao Te Ching* é a obra clássica da antiga escola taoísta. Há aforismos e ensinos sobre o *Tao*, o cósmico final, e o *Te*, a manifestação de Tao na sociedade humana e nos seres humanos.

j. *Islamismo*. O *Alcorão* (vide) de Maomé, a revelação dada por Allah, o único Deus. Essas mensagens teriam sido mediadas pelo anjo Gabriel. Para o islamismo, o Alcorão representa tudo: religião, filosofia, ética e orientação política.

1. O *xintoísmo* japonês tem o seu *Kojiki* (712 D.C.) e o seu *Nihongi* (720 D.C.) como seus principais textos sagrados. Esses livros registram a história antiga, de mistura com lendas, estágios de divindades e ensinamentos religiosos. O *Engishiki* (século X D.C.) descreve as cerimônias oficiais do xintoísmo. Parte dessa obra é o *Norito*, um livro de encantamentos rituais. Um dos ensinos fundamentais do xintoísmo, a respeito da divindade do imperador, faz parte da herança dessa literatura.

m. O *Novo Testamento* é a coleção sagrada principal dos cristãos. Cada livro dessa coletânea merece um artigo separado nesta enciclopédia, além de um artigo geral sobre o próprio Novo Testamento inteiro.

n. *Modernas revelações* (cristãs?). Ellen G. White, líder e profetisa dos Adventistas do Sétimo Dia, reivindicava possuir revelações e iluminação divinas. Ver o artigo separado sobre ela. Joseph Smith, o profeta do mormonismo, afirmava ter recebido elaboradas revelações por meio de Moroni. Ver sobre o *Livro de Mórmon*. Várias outras figuras têm aparecido, reivindicando-se luminares, o que abordamos no artigo intitulado *Livros Apócrifos Modernos*. O movimento espírita dispõe de grande acúmulo de material recebido por intermédio dos médiuns, o que, para eles, constitui uma «terceira revelação». Ver sobre o *Espiritismo*.

6. *Avaliação*

Os pais gregos da Igreja diziam que o **Logos** implanta suas sementes (**logoi spermatikoi**) por toda a parte, não havendo razão para duvidar que as principais religiões do mundo (e talvez até entre as secundárias) não tenham recebido algumas informações genuínas da parte de Deus. A Bíblia ensina que a natureza é um dos meios usados por Deus para instruir aos homens, porquanto Deus deixou ali as marcas de seus passos. Sendo assim o caso, é possível que ele tenha deixado suas marcas em várias literaturas, embora somente muita investigação e sabedoria espiritual possam determinar até que ponto essa declaração é veraz. Há crentes que pensam que somente o Antigo e o Novo Testamento foram verdadeiramente inspirados por Deus, e que qualquer

LITURGIA — LITURGIAS GALICANAS

outra literatura sagrada ou é fraudulenta em suas reivindicações, ou é mesmo obra de espíritos estranhos ou demoníacos. Essa é uma posição extrema. Há mesmo cristãos que estreitam esse escopo ao Novo Testamento, dizendo que a revelação dada aos hebreus (o Antigo Testamento) caiu na obsolescência. Minha própria experiência, porém, corre justamente no sentido contrário. Quanto mais aprendo, mais respeito as opiniões, as obras escritas e as instituições de outros. Algumas jóias verdadeiramente preciosas podem ser encontradas onde menos suspeitamos, e nem é mister aceitar um sistema a fim de extrair dali gemas preciosas. Creio, pois, no princípio da extração. A Bíblia ensina-nos uma unidade final de todas as coisas em redor de Cristo (ver Efé. 1:9,10). De fato, a isso chamamos de *mistério da vontade de Deus*. Para muitos crentes, o assunto continua desconhecido, ao mesmo tempo em que se apegam tenazmente a antigas idéias sobre o julgamento divino, como se a verdade de Deus não pudesse avançar. Ver sobre a *Restauração*, quanto àquilo que tenho a dizer sobre o assunto. Visto que, finalmente, haverá a unidade de tudo (no verdadeiro e divino movimento ecumênico), em torno de Cristo, é apenas razoável supormos que estaria havendo alguma preparação preliminar para isso. E parte dessa preparação pode ser a literatura sagrada dos vários povos, apesar de seus erros, superstições e falsidades óbvias, contidas nessa literatura sagrada, extrabíblica. (AM BALL E EP SB)

LITURGIA

Esboço:
1. Palavras e Usos no Novo Testamento
2. Definição Geral
3. Formas Históricas
4. Duas Divisões Litúrgicas Principais

1. *Palavras e Usos no Novo Testamento*

A palavra grega por detrás dessa transliteração é *leitourgía*, «obra pública» ou «dever público». A Septuaginta usa essa palavra no contexto religioso; e, então, o Novo Testamento utiliza-se dela por seis vezes: Luc. 1:23; II Cor. 9:12; Fil. 2:17,30; Heb. 8:6 e 9:21. Em Luc. 1:23 referindo-se aos dias de ministração ou serviço, prestado por Zacarias. Em outras passagens está em foco o serviço prestado por cristãos, em várias situações. O termo *leitourgós*, «servo», figura por cinco vezes no Novo Testamento: Rom. 13:6; 15:16; Fil. 2:25; Heb. 1:7 (citando Sal. 104:4) e 8:2. O adjetivo *liturgikós*, «ministradores», «serviçais», aparece em Heb. 1:14. Portanto, temos doze usos neotestamentários dessa palavra e seus cognatos.

2. *Definição Geral*

A liturgia é uma coleção de formas ritualistas prescritas, visando à adoração pública. Nas Igrejas grega e romana, essa palavra chega a ser usada como sinônimo de *eucaristia*. Em seu sentido mais lato, porém, refere-se à adoração pública em suas formas, em contraste com as devoções privadas. O Concílio Vaticano II, efetuado em 1963, referiu-se à questão em seu sentido mais amplo, em sua *Constitutio de Sacra Liturgia*. Estão em foco os ofícios divinos (horas, breviário), as litanias (vide) e as maneiras em que são administrados os sacramentos.

3. *Formas Históricas*

Essas formas emergiram nos séculos IV e V D.C. Na história da antiga Igreja, as coisas eram bem mais simples. O *Didache* (cerca de 100 D.C.) nos fornece as primeiras descrições não neotestamentárias. Justino

Mártir (*Apol.* 65,67), em cerca de 160 D.C., descreveu as formas antigas da liturgia cristã. Hipólito (cerca de 220 D.C.) fez a mesma coisa em sua obra, *Anaphora*, que fazia parte de uma obra maior, chamada *Tradição Apostólica*.

Na história posterior da cristandade, temos as liturgias ocidental (latina) e oriental (grega). Tanto no Ocidente quanto no Oriente havia duas formas litúrgicas distintas.

a. Havia a liturgia *antioquiana* ou *síria*, conforme foi chamada nos escritos clementinos (Constituições Apostólicas, liv. 8). Também havia a chamada liturgia de *São Tiago*, praticada naquelas regiões. Daí é que se derivou o rito bizantino, o que se generalizou por toda a Igreja Ortodoxa Oriental. O rito antioquiano é usado somente pelos monofisistas sírios (também conhecidos como jacobitas).

b. A liturgia *alexandrina* ou *egípcia*, também era conhecida como liturgia de São Marcos. Essa é a forma até hoje observada pelos coptas ou abissínios.

c. A liturgia *galicana* incorporava as formas celta, moçárabica (na Espanha) e romanizada ou ambrosiana (Ambrósio de Milão). Não se conhece bem a origem do rito galicano. Finalmente foi absorvido pela missa católica romana, enriquecendo-o de pormenores.

d. A liturgia *romana*. Essa foi inicialmente usada no centro e no sul da Itália. Mas, aí pelo século VIII D.C., de mistura com o rito galicano, tornou-se mais generalizada.

A Reforma Protestante introduziu grandes modificações nas antigas liturgias. As figuras envolvidas nessas modificações foram Lutero (na Alemanha) Zwínglio (na Suíça), Bucer (em Estrasburgo, na Alemanha), Calvino (em Genebra, na Suíça) e Cranmer (na Inglaterra).

4. *Duas Divisões Litúrgicas Principais*

a. Havia a divisão dos catecúmenos, de natureza didática e exotérica. Elementos do judaísmo foram preservados nessa divisão. Essa liturgia utiliza as lições extraídas das Escrituras, dos salmos e de outras instruções religiosas.

b. Também havia a divisão dos fiéis. É nessa divisão que achamos os ritos do ofertório, da consagração, da comunhão, dos quais somente os fiéis já batizados podem participar. A eucaristia é o aspecto mais importante da liturgia católica romana. Em alguns lugares, os ritos que acompanham a missa são bastante complexos, tomando por empréstimo muitos elementos antigos. Ver o artigo sobre a *Missa*. (AM B C E)

LITURGIA (FORMA DE ADORAÇÃO DA)

A adoração litúrgica é aquela adoração efetuada segundo as formas litúrgicas. Ver sobre a *Liturgia*. Em contraste com isso, há a *adoração livre*, despida de formas litúrgicas. Vários grupos evangélicos seguem uma adoração livre. E toda devoção particular também é dessa natureza. No sentido mais estrito, a adoração litúrgica refere-se aos ritos elaborados em torno da eucaristia, na Igreja Católica Romana, nas Igrejas Ortodoxas Orientais e na Igreja Anglicana.

LITURGIAS GALICANAS

Essa expressão refere-se aos antigos ritos da Igreja Ocidental não romana, dos quais algumas características foram adotadas pelos ritos católicos romanos, quando, durante a Idade Média, os ritos romanos, finalmente, superaram os ritos galicanos.

LITÚRGICA — LIVRE-ARBÍTRIO

LITÚRGICA

A litúrgica é a **disciplina teológica** que trata da adoração cristã, com os seus ritos e cerimônias. Estão envolvidos: 1. os textos e documentos litúrgicos; 2. os fatos litúrgicos, ou seja, as cerimônias propriamente ditas. O *método* seguido pela litúrgica é o método histórico. Esse estudo tenta descobrir como e onde se desenvolveu a liturgia cristã, para, em seguida, descrever seus usos e propósitos. Nessa pesquisa são empregadas tanto a crítica histórica quanto a crítica literária. Ademais, há o lado *prático* da litúrgica, os ensinos que explicam os usos e seu simbolismo, a aplicação prática do culto, o valor devocional buscado nessa prática. Na prática, a litúrgica é mais uma arte do que mesmo uma ciência.

LITURGIOLOGIA

Esse termo refere-se ao estudo histórico e teológico da liturgia. Ver os artigos *Liturgia; Litúrgica* e *Liturgia (Forma de Adoração da)*.

LIVINGSTONE, DAVID

Suas datas foram 1813 - 1873. Ele foi um missionário explorador dos interiores africanos. Nasceu na Escócia, perto de Glasgow. Trabalhou em uma fábrica de tecidos de algodão. Estudou teologia e medicina. Partiu para a África em 1840. A vida que ele passou na África foi um espetacular exemplo de coragem e graça cristãs. Ele foi um explorador pioneiro do continente africano. Ocupou-se ativamente em curas médicas e no ensino cristão. Seu trabalho e seus escritos foram fatores na abolição do comércio escravagista, tendo contribuído para a abertura da África ao resto do mundo. As explorações de Livingstone foram efetuadas de maneira científica, tendo lançado os alicerces para a geografia física e humana da África. Faleceu, entre seus amigos africanos, estando ajoelhado, em oração.

LIVRE-ARBÍTRIO

Esboço:

1. O Livre-Arbítrio é um Ensinamento Bíblico
2. O Livre-Arbítrio é uma Experiência Humana
3. Obrigação Moral Sem Livre-Arbítrio é um Absurdo
4. A Chamada ao Arrependimento e à Fé
5. Graça Geral
6. Significados Mais Amplos do Livre-Arbítrio
7. Livre-Arbítrio e Determinismo
8. Conceitos Relacionados
9. O Homem, um Ser Criativo

1. O Livre-Arbítrio é Um Ensinamento Bíblico

A mensagem cristã inteira diz que Cristo veio para salvar aos pecadores, e deles se espera que correspondam à chamada divina ao arrependimento (ver Atos 2:38). O trecho de João 7:17 subentende que a aceitação da salvação oferecida em Cristo depende da «vontade» humana de fazê-lo. Por isso é que diz a tradução inglesa de William (aqui vertida para o português): «Se alguém estiver disposto (presente em geral) a continuar fazendo a vontade de Deus, saberá se meu ensinamento vem de Deus ou se meramente expresso minhas próprias idéias». (Ver Rom. 8:32; 11:32; Tito 2:11; João 12:32 e I João 2:2 que subentendem a real possibilidade de salvação para todos os seres humanos, o que não seria verdade a menos que todos pudessem crer. De fato, a capacidade de vir a crer é algo inerente em todos os

homens, contanto que queiram fazê-lo).

Quando da conversão, como que surgem à frente dos indivíduos duas estradas. Por sua própria vontade, o homem pode querer seguir aquilo que está de acordo com a vontade de Deus. Quando do arrependimento, o homem quer arrepender-se, e Deus lhe confere poder para tal. Não podemos negligenciar qualquer desses aspectos. O ser divino sempre vem ao encontro do ser humano; o ser humano sempre coopera com o ser divino. É assim que o homem usa de seu livre-arbítrio, exercendo arrependimento e fé, e, portanto, se convertendo.

Paralelamente a essas observações, pode-se dizer que a *vontade de crer* e a própria «fé», como também toda a boa ação ou passo na direção de Deus, devem ser conferidas por Deus. Isso é uma verdade, mas é apenas um dos lados da verdade. Tal verdade é ensinada em Efé. 2:8 e Gál. 5:22. Trata-se do lado divino da verdade do livre-arbítrio. (Ver Rom. 3:10 e *ss*; 8:5-8; Efé. 2:1-10 e João 6:44, bem como as notas expositivas ali existentes no NTI acerca desse ensinamento bíblico). É verdade que nenhum homem pode vir a Cristo, a menos que «Deus se achegue» a ele. Mas não é menos verdadeiro que «Deus se achegou a nós na cruz»; e o trecho de João 12:34 indica definidamente que certa «graça geral» nos foi conferida na cruz, mediante a qual cada ser humano «pode crer, se assim quiser fazê-lo», isto é, se quiser controlar suas naturais más propensões que tentam destruir o impulso de crer. Por conseguinte, as Escrituras ensinam que todos os homens são donos potenciais da «fé» conferida por Deus, a fim de que venham realmente a crer, se assim quiserem fazê-lo. Essa é uma dádiva divina dada aos homens.

Não devemos negar essa dádiva a fim de sustentar alguma teoria unilateral. O que cada indivíduo fizer com o seu potencial de crer é questão exclusivamente sua, por ser algo sujeito ao seu livre-arbítrio; portanto, se alguém preferir abafar a sua fé, tornar-se-á culpado e responsabilizado por isso, tendo de ser julgado por esse motivo. Não é válida a objeção que declara que a idéia que um homem pode exercer fé e é capaz disso, contribui para a sua salvação, pois, na realidade, o homem *deve* contribuir voluntariamente para a sua salvação. Todo e qualquer passo dado na direção de Deus deve ser feito em meio a agonia de alma, não sendo algo automático, como também a experiência humana o demonstra. Em relação à salvação, a passagem de Apo. 22:17 subentende o concurso do livre-arbítrio humano, e esse é o último convite da Bíblia aos homens, para que se deixem salvar.

2. O Livre-Arbítrio é uma Experiência Humana

No contexto do N.T., não devemos compreender que o homem possa agir totalmente «sem causa ou razão», conforme diz a definição filosófica do «livre-arbítrio». Antes, devemos entender que o homem é dotado de *livre-agência*, isto é, pode alterar o curso de sua maneira de pensar e de viver, sendo responsável por fazer tal. Nunca devemos pensar que isso funciona no vácuo. De fato, para vir a crer, cada indivíduo humano tem de vencer a si mesmo, além de ter de vencer muita oposição fora de si mesmo. Mas Deus tornou isso possível, através do que ele realizou na cruz, em Cristo Jesus. E até mesmo a alma humana decaída é capaz de reconhecer seu próprio criador; e isso continuaria possível mesmo que não houvesse livre-agência em cada um de nós.

De conformidade com o trecho de Rom. 1:18, o homem se afastou de Deus voluntariamente; mas isso pode ser revertido, por mais difícil que seja tal empresa. A experiência humana mostra-nos que um

LIVRE-ARBÍTRIO

homem, com Cristo ou sem ele, sabe a diferença entre o bem e o mal, e pode escolher uma coisa ou outra, ainda que, normalmente, o homem não regenerado prefira sempre o mal. Apesar disso, alguns indivíduos não regenerados, de acordo com todas as aparências externas, permitem que o bem seja a força dominante, ainda que não sejam crentes professos. É absurdo dizer que um homem não pode fazer o bem, se assim quiser fazê-lo, pois os homens simplesmente assim agem. Naturalmente, não nos devemos olvidar da influência geral do Espírito Santo, que leva os homens a praticarem o bem, pois todo o bem praticado, em última análise, vem da parte de Deus. Contudo, o ministério do Espírito Santo é universal, conforme entendemos com base em João 16:17. O Espírito de Deus não atua apenas no seio da igreja, mas entre todos os homens. Portanto, todos os homens podem seguir a retidão, podem achegar-se a Cristo, pois recebem o poder para tanto, se ao menos assim quiserem fazê-lo. Além disso, a própria alma humana, criada segundo a imagem de Deus, em nenhum ser humano se acha tão depravada a ponto de não ter capacidade de agir corretamente e de tomar as decisões certas. Confiar em Cristo é uma decisão certa, que se espera da parte dos incrédulos, os quais podem pelo menos tentar fazer debilmente, se assim quiserem fazê-lo. Ora, quando o indivíduo faz essa débil tentativa, então Deus vem ao encontro dele, no caminho, e então o divino e o humano se encontram, havendo, como resultado disso, verdadeira outorga da alma humana aos cuidados de Cristo. Toda a experiência humana prova ser essa a verdade; e aquele que passou por tal experiência não dá importância aos argumentos em contrário, daqueles que ainda não passaram por ela.

3. Obrigação Moral Sem Livre-Arbítrio é um Absurdo

Nenhum sistema moral será possível a menos que o indivíduo seja considerado responsável pelas suas ações e decisões. Não poderá ser julgado se não lhe foi dada escolha, e se agiu debaixo de pressão, vinda da parte de sua natureza perdida, por opressão do diabo ou por permissão de Deus. O julgamento, em todas as sociedades humanas, se baseia na premissa que um homem podia ter agido de outra maneira, se assim tivesse querido fazê-lo. Todos os sistemas éticos, a recompensa pelas boas ações e o castigo pela má conduta, dependem do fato de que um homem poderia ter agido diferentemente, se assim tivesse querido. Ninguém merecerá recompensa pelo bem praticado, se porventura isso não partiu de sua própria vontade, ainda que a influência divina é que o tenha levado a essa atitude.

Não perceber livre-arbítrio no homem é destruir o poder e a justeza de todo o mandamento moral que há nas Escrituras. Além disso, consideremos que as Escrituras ensinam que o homem pode falhar, até mesmo após a sua conversão, segundo se aprende em I Cor. 9:26; II João 8 e 9; Fil. 2:12 e II Ped. 1:10. Notemos, especialmente em Fil. 2:12, como a questão inteira da salvação é apresentada de tal modo que a poderíamos comparar com uma estrada de duas vias — uma humana e outra divina. Há na salvação o encontro e o intercâmbio entre Deus e o homem. Todos os mandamentos que nos impelem à ação moral, conforme se vê nos capítulos terceiro e décimo segundo das epístolas aos Colossenses e aos Romanos, respectivamente, bem como em todas as demais passagens bíblicas que versam sobre a conduta humana, nada significariam, a menos que o homem pudesse ser-lhes obediente ou desobediente, de conformidade com a aceitação ou a rejeição que fizer

da vontade divina, que sobre ele atua. Simplesmente não há como alguém erguer um sistema moral, com exigências e advertências válidas, com recompensas e punições, a menos que o homem possua livre-arbítrio, a menos que possa ceder aos impulsos divinos ou resistir aos mesmos. A Bíblia inteira, tanto em seu convite à salvação como em seu sistema ético, se alicerça nesse fato fundamental.

4. A Chamada ao Arrependimento e à Fé

Textos que exigem arrependimento e fé se encontram na Bíblia inteira, e visam todos os homens (conforme se vê em I Tim. 2:4 e Atos 17:30). Esta exigência seria uma zombaria se os homens não pudessem reagir, positivamente, as exigências de Deus. A chamada universal seria falsa se os homens não se pudessem arrepender. O mandamento de Deus é que ele «...notifica aos homens que todos em toda parte se arrependam...» (Atos 17:30). Como se poderia pensar que Deus ordena aos homens uma coisa que lhes é impossível obedecerem? Isso é inconcebível, fazendo as Escrituras se tornarem meras zombarias. Bem pelo contrário disso, Deus é o Salvador, que ama o mundo inteiro (ver João 3:16), e que proveu meio seguro de salvação para todos, contanto que se queiram deixar salvar. A pregação cristã também não deve ser vista como um jogo de tiro ao alvo, como se seu único propósito fosse o de descobrir os eleitos entre as miríades de pessoas que nos ouvem. Na realidade, todos os homens podem salvar-se, isto é, há possibilidade e abertura da oportunidade para todos. A finalidade mesmo da seção — I Tim. 2:1-7, é a de mostrar isso. Buscamos aos homens porque há plena potencialidade de salvação para todos. E assim cai por terra a doutrina gnóstica de uma redenção limitada.

5. Graça Geral

Os homens caíram bem longe de Deus, de tal modo que bastaria isso para amortecer neles qualquer propensão que tenham para retornar ao Senhor. Não obstante, tendo sido criados à imagem de Deus, retêm o bastante dessa imagem para que Deus lhes possa insuflar novamente o interesse pelo Senhor. Outrossim, há uma graça geral, dada na cruz, que confere a todos os homens a capacidade de buscarem a Deus, em fé, se assim quiserem fazê-lo. Nas notas anteriores, o trecho de João 12:34 é dado como prova disso. Deus se apresentou diante de todos os homens, na cruz; ele fez tudo quanto é necessário para que todos os homens possam crer, se assim quiserem fazê-lo; em seus próprios seres há essa possibilidade. Portanto, a chamada divina ao arrependimento não é um escárnio, não é feita em vão. É verdade que alguns trechos bíblicos, como Rom. 3:10 e ss, mostram que o homem é totalmente impotente, jamais se interessando por si mesmo a inquirir por Deus; mas a cruz de Cristo lhe desperta o interesse, capacitando-o a buscar a Deus, porquanto até mesmo na alma do indivíduo mais depravado há alguma espécie de desejo de libertar-se da alienação que a queda no pecado nos tem imposto. E todos os sistemas éticos são prova disso, sem importar se tais sistemas são religiosamente orientados ou não. O homem sabe que não é o que deveria ser, e demonstra algum anelo, por mais débil que seja, de melhorar sua situação espiritual. Mas o Espírito Santo, que está no mundo (ver João 16:7 e ss), exerce influência sobre todos os homens, não apenas sobre os crentes. Por esta razão, todos os homens podem buscar a Deus e encontrá-lo, por intermédio de Jesus Cristo, se assim quiserem fazê-lo.

6. Significados Mais Amplos do Livre-Arbítrio

a. Na filosofia, o sentido dessa expressão envolve a

LIVRE-ARBÍTRIO — LIVRE EMPRESA

suposta capacidade humana que um homem tem de agir totalmente *sem causa*, de forma inteiramente caprichosa. É óbvio que tal ato seria muito raro, embora muitos filósofos insistam que isso é possível. Parece que, de fato, tal ação é possível, embora explique pouquíssimas das ações humanas. Quase sempre há causas, ou biológicas, ou culturais, ou espirituais, que levam um homem a fazer o que ele faz. No entanto, um indivíduo pode ceder gradualmente a forças estranhas a seu próprio ser, a seus semelhantes humanos ou a alguma figura cósmica, até tornar-se um escravo virtual, praticando aquilo que «não quer», e até mesmo aquilo que abomina. Essa própria servidão, porém, resulta de suas escolhas continuadas. Não devemos imaginar que essas escolhas são feitas «sem causa», e, sim, que um homem *pode vencer* tais inclinações, se assim quiser fazê-lo. Portanto, apesar de que, do ponto de vista filosófico, o «livre-arbítrio» virtualmente não exista, contudo, existe a «responsabilidade» como algo bem reconhecido pela filosofia, pois, segundo dizem os filósofos, o indivíduo é dotado de «livre-escolha», embora quase não tenha «livre-arbítrio», podendo vencer seus pendores,. se assim quiser fazê-lo. O indivíduo pode criar suas próprias causas mediante a disciplina, e isso é suficientemente óbvio na experiência humana, sendo exatamente aquilo que torna um homem melhor do que outro, moralmente falando.

b. Além disso, há aquela espécie de livre-arbítrio que se desperta no indivíduo, *quando se converte* a Cristo e é por ele remido. A tal pessoa é conferida uma *nova vontade*, um novo poder de decisão, novos propósitos e alvos; e é assim que o crente se torna autêntico «servo» de Cristo, porquanto nele vai sendo formada a vontade divina, mediante a influência do Espírito Santo. O alvo final desse processo é que a vontade humana se mescle inteiramente com a vontade divina. Ver o artigo sobre *Escravidão, Seção VI, Aplicações Espirituais*.

Nos remidos, portanto, desenvolve-se uma vontade *superior e melhor*, que busca o bem e que sente total afinidade com o bem, o que, finalmente, liberta o indivíduo de toda a influência maléfica, o que é um grande salto para frente, nessa busca pela perfeição (ver Mat. 5:48). Essa nova vontade, formada no crente, é fortíssima base da santificação gradual, mediante a qual a salvação se vai concretizando (ver II Tes. 2:13). É através de tal processo que os homens se tornam verdadeiramente livres, pois assim a natureza divina se funde com a natureza humana, e o infinito se mistura ao finito. (Ver II Cor. 3:18 e Gál. 5:22,23). É assim que os homens chegam a conhecer a verdade, e a verdade, por sua vez, os liberta (ver João 8:32). Lê-se, em João 8:36: «Se, pois, o Filho vos libertar, verdadeiramente sereis livres». A redenção em Cristo, bem como a concretização plena e final da salvação, nos levam à «gloriosa liberdade dos filhos de Deus»; e somente essas pessoas é que, segundo o ponto de vista divino, *realmente* possuem o livre-arbítrio. Todos os demais seres humanos, de uma maneira ou de outra, estão debaixo da servidão.

As verdades bíblicas da predestinação divina e do livre-arbítrio humano não se contradizem entre si, porquanto são apenas dois lados de uma grande verdade, que diz respeito à interação da vontade divina e da vontade humana. Deus se utiliza da vontade humana para cumprir os seus decretos, mas sem destruir essa vontade. Todavia, como Deus faz isso, não sabemos dizê-lo. (Ver o artigo sobre *Predestinação*).

As mais tristes palavras
De todas as palavras da língua ou da pena,
As mais tristes são, 'poderia ter sido'.
(John Greenleaf Whittier)

Estudos feitos acerca da personalidade humana e sobre seus poderes inerentes, afirmam que o homem é um *ser criativo*, que pode estabelecer as suas próprias circunstâncias, porquanto até mesmo em seu estado decaído no pecado, continua sendo um ser espiritual, que não se situa muito abaixo dos anjos. Nessa qualidade, pois, o homem é um ser responsável, dotado de livre-agência. Por conseguinte, bem longe de ser mero boneco, lançado para lá e para cá pelos ventos cósmicos, é um ser responsável pelo que faz. A grande estatura espiritual do homem é ilustrada pela verdade de seu «livre-arbítrio»; e é isso que o torna responsável pelas suas próprias ações. (Quanto a notas expositivas que demonstram a grande estatura do homem, como um *ser espiritual* que ele é, ver II Cor. 12:2 no NTI).

7. Livre-Arbítrio e Determinismo

Não podemos descobrir um meio para reconciliar entre si o livre-arbítrio e a eleição. A palavra *eleição*, por si mesma, fala de limitação, ao passo que o livre-arbítrio afirma que todos poderiam ser salvos se o quisessem, e que todos poderiam exercer fé. Simplesmente temos de aceitar ambos esses conceitos como verdadeiros, esperando receber maior luz para entendermos como isso pode ser. Deus se utiliza do livre-arbítrio do homem sem destruí-lo, apesar de não sabermos exprimir de que maneira o faz. Isso nós apresenta um «paradoxo», isto é, um ensino que parece entrar em contradição consigo mesmo. Não deveríamos diminuir o vulto da eleição, procurando fazê-la ajustar-se ao livre-arbítrio. E nem deveríamos diminuir a importância do livre-arbítrio procurando ajustá-lo à eleição. Por que se pensaria ser estranho que os mais profundos conceitos teológicos escapam à nossa pobre capacidade de expressão? A eleição muito ensina aos homens. Portanto, ensinemo-la! O livre-arbítrio muito ensina aos homens. Portanto, ensinemo-lo!

8. Conceitos Relacionados

Ver os artigos separados sobre **Determinismo, Predestinação, Voluntarismo e Reprovação**.

A *compreensão intelectual* nem sempre é o critério certo para aceitarmos algum ensinamento ou doutrina. Não existe problema mais difícil, tanto para a ciência como para a filosofia (e também para a teologia) do que aquele apresentado pelas evidências dadas tanto pelo livre-arbítrio (ou liberdade) como pelo determinismo, sob o que a predestinação e a eleição podem ser classificadas como subcategorias.

9. O Homem é um Ser Criativo

Quanto mais aprendemos sobre o homem e suas capacidades, mais ficamos sabendo que ele é um ser *criativo* e que a teologia que faz dele um verme é uma teologia ultrapassada. Orígenes não contemplou uma diferença entre a natureza angelical e humana, explicando que o estado baixo do homem atual se deve a queda no pecado. A despeito disto, o homem possui grandes capacidades intelectuais e espirituais, e de fato, é capaz e responsável para reagir ao chamamento do Evangelho. O determinismo exagerado e unipolar tem escondido estes fatos.

LIVRE EMPRESA

Ver os artigos separados sobre o *Capitalismo*, sobre o *Laissez-Faire*, sobre o *Socialismo* e sobre o *Comunismo*.

A livre empresa, como um sistema econômico, está

LIVRE EMPRESA — LIVRO

alicerçada sobre o conceito que a liberdade de escolha provê tanto o incentivo individual quanto o incentivo social desejável, sob a forma de recompensas desejáveis, na produção e distribuição de bens e serviços. Esse sistema faz contraste com aqueles que advogam um poder centralizado que obriga atos, ou através de agências econômicas, ou mediante agências industriais ou mesmo governamentais. A livre empresa opera através de um sistema competitivo e repousa sobre as forças da procura e da oferta. Depende do princípio do lucro ou do prejuízo e da liberdade básica para pôr em estado de equilíbrio esses princípios. Geralmente é associada ao princípio do capitalismo laissez-faire, onde a propriedade privada e o controle do capital e da propriedade, os meios particulares de produção e outras atividades humanas afins, recebem permissão para receber um livre curso. Os direitos e oportunidades individuais de tomar iniciativas particulares, são pontos essenciais dentro desse sistema.

As *liberdades* associadas à livre empresa são as seguintes: 1. A liberdade de competição entre os produtores e os trabalhadores; 2. A liberdade de fazer investimentos; 3. A liberdade de escolher o próprio trabalho ou profissão; 4. A liberdade de estabelecer contratos e acordos; 5. A liberdade de determinar todos os tipos, qualidades e quantidades de bens, de acordo com o princípio da procura; 6. A liberdade de poupar; 7. A liberdade de organizar os trabalhadores e de estabelecer negociações dentro de barganhas coletivas; 8. Os governos são considerados responsáveis pelo estabelecimento de leis que garantem essas liberdades e, consequentemente, de começar a funcionar o sistema da livre empresa.

Os começos filosóficos desse sistema podem ser encontrados no liberalismo econômico de Adam Smith (vide). As suas principais contribuições têm sido a eficiência e a magnitude da produção de bens materiais. Como é óbvio, essas questões nos envolvem em considerações éticas, o que justifica a presença deste artigo em nossa enciclopédia.

LIVRE, LIBERTO

Devemos partir do estudo de dois vocábulos gregos, neste verbete:

1. *Eleutheros*, «livre». Essa palavra indica o estado de quem está livre, ou seja, é o dono de seus próprios atos, sem ter que prestar contas deles a algum seu semelhante. Ocorre por vinte e três vezes no Novo Testamento: Mat. 17:36; João 8:33,36; Rom. 6:20; 7:3; I Cor. 7:21,22,39; 9:1,19; 12:13; Gál. 3:28; 4:22,23,26,30 (citando Gên. 21:10); 3:31; Efé. 6:8; Col. 3:11; I Ped. 2:16; Apo. 6:15; 13:16; 19:18.

2. *Apeleútheros*, «escravo emancipado». Esse vocábulo hebraico aparece somente por uma vez em todo o Novo Testamento, em I Cor. 7:22. Contudo, esse uso indica um emprego metafórico. Aquele que é libertado pelo Senhor fica realmente livre (espiritualmente falando), embora possa permanecer escravo no sentido físico. Uma vez liberto, tornou-se servo de Cristo, em face do que assume muitas e novas responsabilidades. Ademais, o homem livre (fisicamente falando) é um escravo de Cristo, quando se converte, e assume as mesmas responsabilidades que o primeiro. Paulo, portanto, estava demonstrando que as condições terrenas em nada servem de empecilho para a posição espiritual que uma pessoa adquiriu em Jesus Cristo.

O adjetivo *eleútheros* refere-se a qualquer forma de estado livre, incluindo a liberdade política e social. No trecho de I Coríntios 7:21 a alusão é à liberdade literal

para quem fora um escravo. Paulo recomendava que se um escravo viesse a converter-se, não deveria preocupar-se exageradamente por *libertar-se*, visto que, em seu estado de escravidão, teria oportunidade de realizar um bom serviço em prol da causa de Cristo, e, afinal de contas, ele era um liberto em Cristo. A palavra grega é usada para aludir a uma classe social, nas listas de Colossenses 12:13; Gálatas 3:28; Efésios 6:8; Colossenses 3:11; Apocalipse 6:15; 13:16 e 19:18. Ali aparecem gregos, bárbaros, escravos, libertos, reis, etc. Esse termo também indica qualquer tipo de ação independente (ver I Cor. 9:1; Mat. 17:26; Rom. 6:20; 7:3) e de liberdade espiritual em Cristo, o qual nos libertou da servidão espiritual em que nos encontrávamos (João 8:36). Diz ali o Senhor Jesus: «Se, pois, o Filho vos libertar, verdadeiramente sereis livres». Ver também I Ped. 2:16 e Gál. 4:26. Ver o artigo geral sobre a *Liberdade*. A passagem de Gálatas 4:22,23,30 fala a respeito de Sara, esposa de Abraão, tachando-a de mulher livre, em contraste com Hagar, a concubina, que era a escrava egípcia. Paulo usa esse relato a fim de ilustrar a liberdade que nos foi provida em Cristo, dentro do sistema da graça do evangelho, em contraste com o sistema escravizador da lei mosaica (ver Gál. 4:31). Na qualidade de crentes, ficamos livres da servidão à legislação mosaica, que não podia mesmo salvar-nos. O monte Sinai é representado, em Gál. 4:24, por Hagar. Tal metáfora deve ter deixado os judeus incrédulos indignados. Seja como for, a mensagem é clara. A mensagem cristã anuncia a libertação do pecado e da escravidão ao princípio legal, fazendo o Espírito do Senhor entrar em cena, libertando-nos de tudo aquilo em que estávamos presos por causa do pecado.

LIVRO, (LIVROS)

No hebraico, **sefer** (usado por 181 vezes). No Grego, *bíblos* (usado por dez vezes: Mat. 1:1; Mar. 12:26; Luc. 34; 20:42; Atos 1:20; 7:42; 19:19; Fil. 4:3; Apo. 3:5; 20:15). O termo hebraico indica qualquer coisa escrita, incluindo um documento de venda ou compra (Jer. 32:12), uma nota de acusação (Jó 31:35), uma carta de divórcio (Deu. 24:1,3) uma carta (II Sam. 11:14) um volume (Êxo. 17:14 e Deu. 28:58). Ver o artigo geral sobre a *Escrita*. Ver também sobre o *Alfabeto*.

Expressões Relacionadas a Livros. 1. Comer um livro (Eze. 2:9; Apo. 10:9), indica dominar seu conteúdo, recebendo-o no mais íntimo do ser. 2. Um livro selado (Apo. 5:1-3) indica uma questão que não pode ser revelada, ou que não pode ser entendida, embora possa ser lida (Isa. 29:11). 3. Um livro escrito por dentro e por fora (Apo. 5:1) era um rolo escrito tanto em uma superfície quanto na outra. 4. Livro de genealogia significa registro da família ou da nação (Gên. 5:1; Mat. 1:1). 5. Livros do julgamento (Dan. 7:10) eram os registros celestiais. 6. Livro dos feitos memoráveis (Est. 6:1-3). Um livro conservado na corte persa de Assuero, onde eram registrados serviços notáveis de quaisquer indivíduos. 7. Os livros (Apo. 20:12) encerravam o conhecimento total sobre todas as coisas, em registro divinamente garantido; e os atos ali anotados servirão de base para o julgamento das obras. 8. Livro das Guerras do Senhor (Núm. 21:14), — era uma coletânea de obras, provavelmente poéticas, como uma coleção de odes, que celebravam os atos gloriosos de Deus em favor de Israel. Essa é uma das antigas obras literárias dos israelitas que se perderam. 9. Livro dos Justos (Jos. 10:13 e II Sam. 1:18), provavelmente uma antiga crônica nacional do começo da história de Israel, mas

LIVRO — LIVRO DA VIDA

atualmente perdida. 10. Livro da Vida. Ver o artigo separado sobre esse assunto. 11. Muitos livros, desconhecidos para nós, cuja escrita nunca cessa (Ecl. 12:12). 12. Livros valorizados por Paulo, mencionados como distintos dos pergaminhos (ou Escrituras) (II Tim. 4:13). 13. Livro da lei, uma referência ao Pentateuco, ou, mais geralmente ainda, à coletânea inteira dos livros do Antigo Testamento (II Reis 23:2,21). Ver também um uso mais restrito e diferente dessa expressão, em Jos. 24:26. Ver Mar. 12:26 e Gál. 3:10. 14. Livro da genealogia de Jesus (Mat. 1:1). Ver Gên. 5:1 quanto a um uso similar. 15. Livros do céu, semelhantes ao livro da vida (Sal. 56:8; Dan. 7:10). 16. Livros atualmente perdidos, relacionados ao Antigo Testamento (Núm. 21:14; I Crô. 29:29; II Crô. 9:29; 20:34; I Reis 14:29; 15:7). 17. Livros miscelâneos: da geografia palestina (Jos. 18:9); das nações (Esd. 4:15; 6:1,2), e livros mágicos que foram queimados (Atos 19:19). (S UN Z)

LIVRO DA ALIANÇA

O «livro da aliança» (no hebraico, **sepher habberit**) foi lido por Moisés como a base do pacto de Yahweh com Israel (Êxo. 24:7). Não há certeza sobre que livro era esse, mas, provavelmente, era ou incluía o decálogo, isto é, Êxodo 20:2-17. Entretanto, a expressão também foi aplicada a Êxodo 20:22 — 22:33. Em II Reis, a expressão refere-se à lei deuteronômica como um todo. Seja como for, estamos tratando da mais antiga codificação da lei de Israel, que consiste em juízos (*mispatim*) e estatutos (*debarim*). Os juízos eram mandamentos positivos: «Faze isto...»; e os estatutos eram mandamentos negativos: «Não...» Também havia provisões chamadas leis participiais, porquanto, no hebraico, são expressos por algum verbo no tempo particípio: «Fazendo isto ou aquilo, morrerá...» A grosso modo, podemos dizer que o «livro da aliança» é o decálogo, com seus comentários e implicações.

Um código, similar quanto a certos pontos, é o de Hamurabi, embora ali os homens estivessem divididos em três classes: a aristocracia, a classe comum dos cidadãos e os escravos. E as leis eram bastante desiguais, quando aplicadas a essas três classes. Algumas das provisões, porém, eram idênticas, como, para exemplificar, a sentença de morte contra o seqüestro (Êxo. 21:16; Deu. 24:7; *Código de Hamurabi*, nº 14). Quanto ao furto, as leis hebraicas não requeriam a morte, e o código de Hamurabi requeria a punição capital, embora com o tempo, isso fosse relaxado para o roubo de objetos religiosos ou de propriedades do estado, posteriormente, foi requerida uma sétupla devolução. Ambos esses códigos permitiam que as dívidas fossem saldadas mediante a servidão, havendo provisões para a redenção, a fim de que os cidadãos não se tornassem escravos permanentes. Êxo. 22:2-11; Deu. 15:12-18; *Código de Hamurabi* nºs. 117-119. A *lei de Talião*, em face da qual o castigo aplicado correspondia exatamente ao dano praticado, era aplicada de forma um tanto mais lassa no código de Hamurabi (nº 198), do que na lei mosaica. Diz Êxodo 21:23-25: «Mas se houver dano grave, então darás vida por vida, olho por olho, dente por dente, mão por mão, pé por pé, queimadura por queimadura, ferimento por ferimento, golpe por golpe». O povo comum e os escravos eram menos protegidos nas leis babilônicas do que na lei mosaica. Um pastor que perdesse uma ou várias ovelhas, tinha de fazer reparação em valores, de acordo com o *Código de Hamurabi* nº 267. A lei mosaica (Êxo. 22:10-13) era mais suave, porquanto admitia perdas que não se deviam à culpa do pastor, como o ataque

de algum animal feroz. Nesses casos, bastava-lhe fazer um juramento de sua inocência, e nada precisava pagar. Essas e outras comparações demonstram que o Código de Hamurabi, bem como outras legislações existentes na região, juntamente com as leis do Antigo Testamento, estavam alicerçadas sobre algum fundo comum de leis. Mas, em diversas provisões, as leis do Antigo Testamento elevaram os padrões, injetando um maior espírito de misericórdia do que outros códigos. (BRI)

LIVRO DA CONCÓRDIA

Composto pelos documentos da confissão luterana (que vide), consiste em três credos ecumênicos: a Confissão de Augsburgo (que vide), a Apologia da Confissão de Augsburgo e os Artigos de Schmalkald (que vide), além do Pequeno Catecismo de Lutero e do Grande Catecismo e da Fórmula de Concórdia (que vide). Foi publicado pela primeira vez devido a um acordo entre potentados alemães luteranos, em 1580, a fim de comemorar o décimo quinto aniversário de Augsburgo e pôr ponto final nas controvérsias doutrinárias internas. A maioria dos luteranos aceita o «Livro da Concórdia», embora as igrejas luteranas oficiais da Suécia e da Noruega nunca tenham subscrito formalmente ao documento inteiro. Os luteranos liberais, naturalmente, não se sentem forçados a observar suas estipulações. (E)

LIVRO DA VIDA

Esboço:

    I. A Metáfora
    II. Outros Livros Celestiais
    III. Questão de Segurança
    IV. A Confissão Pública; A Confissão da Alma
    V. Outras Observações

I. A Metáfora.

Pode-se comparar essa metáfora com os trechos de Êxo. 32:32 e *ss* e Sal. 69:28, onde se lê acerca do «livro de Deus» e do «livro dos vivos». Na antiga nação de Israel, tal como em outras culturas, havia um registro dos cidadãos, da cidade, da província ou do país. No caso de Israel, ter o próprio nome em um daqueles registros, era prova de cidadania, com os seus respectivos privilégios. Era um pequeno passo, desde esse antigo costume, até à imaginação que Deus conserva um livro onde são registrados todos os nomes dos verdadeiros cidadãos dos céus. Ali os nomes podem ser escritos ou apagados, tal como em situações terrenas. Conseqüentemente, as bênçãos da «cidadania», nos lugares celestiais, dependem do que for feito com o nome de alguém. O vidente João mostra-nos que para que o nome de alguém seja registrado ali, ficando assim assegurada a sua *salvação* e *glorificação*, depende do que os homens façam com as advertências de Cristo e com ele mesmo. O livro de Jubileu exibe o típico ponto de vista «arminiano», ao declarar que os indivíduos que se voltam para o pecado e para a iniqüidade, podem ter seus nomes apagados do Livro da Vida, mesmo depois de terem sido ali registrados (ver Jubileus 30:22). Se um cidadão terreno de uma cidade-estado ou de um país, for culpado de algum grande crime, como a traição, seu nome será removido do registro, sendo anulada a sua cidadania. Outro tanto se dá na pátria celestial, conforme nos sugere o vidente João.

II. Outros Livros Celestiais

Além do grande Livro da Vida, a tradição da literatura do A.T. desenvolveu livros similares, como o da memória de ações boas e más — de ações boas,

869

LIVRO DA VIDA

como se vê em Sal. 66:8; Mal. 3:16; Nee. 13:14 e Jubileus 30:22; e de ações más, como se vê em Isa. 65:6; I Enoque 81:4; 89:61-64,68,70,71; II Baruque 24.1; e de ações boas e más, como se vê em Dan. 7:10; II Enoque 52:15; 53:2; Apo. 20:12 e Ascensão de Isaías 9:22. Naturalmente, não há necessidade de imaginarmos a existência real de qualquer livro ou livros literais. São apenas meios poéticos de expressar a lei da «colheita segundo a semeadura», conforme se vê em Gál. 6:7,8. Cada homem é considerado responsável por aquilo que faz. Aquilo que ele faz resulta daquilo que é; e aquilo que alguém é resulta no julgamento ou glória que vier a receber. Isso se aplica tanto ao crente como ao incrédulo, conforme se aprende claramente em II Cor. 5:10.

Há referências nos escritos pagãos às idéias contidas em Apo. 3:5. Dentro da astrologia babilônica, poderíamos considerar o próprio zodíaco como o livro ou tabletes sobre os quais eram escritos a vontade divina e o destino humano. As constelações são comentários sobre a vida e sobre os poderes de dirigí-la. Os cinco planetas visíveis seriam intérpretes da vontade divina. Um tipo de determinismo, naturalmente, está mesclado com tudo isso. Algumas vezes o determinismo é vinculado ao conceito do «Livro da Vida», em alguns escritos judaicos, como Jubileus 30:20-22; mas esse não era o único conceito judaico, pois o livre-arbítrio também desempenhava uma importante parte na literatura deles.

Referências bíblicas ao *Livro da Vida* se acham em Êxo. 32:32; Sal. 69:28; Dan. 12:1; Fil. 4:3. E também se pode comparar isso com trechos como Luc. 10:20 e Heb. 12:23.

III. Questão de Segurança

A possibilidade do nome de alguém ser apagado do Livro da Vida, após ter sido ali registrado, naturalmente, é um conceito arminiano. Porque negar que a teologia judaica era arminiana? (Quanto a um estudo completo acerca da *questão da segurança eterna*, ver as notas expositivas sobre Rom. 8:39 no NTI). Esta enciclopédia toma a posição de que a «queda» é algo relativo à existência humana, antes da «parousia» ou segundo advento de Cristo. Em outras palavras, o desvio pode caracterizar a experiência até mesmo de crentes autênticos, até que Cristo trace limites eternos, quando de sua segunda vinda. (Ver Ped. 4:6 quanto ao fato de que tais limites são determinados por ocasião da segunda vinda de Cristo, e não por ocasião da morte do indivíduo). No entanto, a «segurança eterna» é algo absoluto, que finalmente haverá de caracterizar o verdadeiro crente.

IV. A Confissão Pública; A confissão da Alma

A confissão de Cristo do crente e o Livro da Vida:
«O que vencer será assim vestido de vestes brancas e de maneira nenhuma riscarei o seu nome do livro da vida; antes confessarei o seu nome diante de meu Pai e diante dos seus anjos». (Apo. 3:5).

1. Em nossos dias, em que tanto se enfatiza a confissão oral e pública, precisamos estar alertas para o fato de que tal confissão, isoladamente, de nada serve. A confissão dada pela vida transformada é que demonstra a conversão genuína.

2. Um famoso estadista norte-americano, quando jazia moribundo em seu leito, há alguns anos passados, a quem fora dirigida a pergunta, «Quer que alguém ore por ti?», retrucou: «Não. A minha vida é a minha oração». Da mesma maneira que uma oração, no final da vida, não pode substituir a santidade e a bondade no decorrer da vida sem essas qualidades, assim também nenhuma confissão pública pode substituir a real operação do Espírito Santo sobre a alma.

3. Os nomes dos verdadeiros crentes estão registrados em um livro, nos lugares celestiais, mas esse registro é efetuado por Deus, o qual avalia a genuinidade da fé e da santificação de cada um, isto é, de conformidade com o fato (ou a ausência) da regeneração. Nenhum «mero reconhecimento público de fé em Cristo» pode substituir esse fato celestial.

4. Ver o artigo sobre a *Fé*, que consiste na outorga da alma aos cuidados de Cristo, e não em mera crença em certos itens de um credo qualquer (ver Heb. 11:1). Ver os artigos sobre *Arrependimento e Regeneração*.

5. Amiudadas vezes, em nossos dias, essa confissão pública tem sido transformada em outra forma de «mérito», em substituição a atos legalistas e a sacramentos. Não existe mágica alguma em uma confissão verbal. A transformação da alma é que é realização do Espírito; e sem isso, não terá havido regeneração.

V. Outras Observações

1. O nome registrado no Livro da Vida, será confessado por Cristo.

Encontrando, seguindo, guardando, lutando,
Abençoará Ele certamente?
Santos, apóstolos, profetas, mártires;
Respondem: 'sim!'.
(John M. Neale,
«Art thou weary, art thou troubled?»)

2. A «confissão» verdadeira é o achar, o seguir, o guardar e o lutar por toda a vida do crente, e não consiste de meras palavras proferidas. Tal autêntica confissão presume uma operação divina na alma humana; e o Espírito Santo é quem produz tal maravilha. (Ver II Cor. 3:18).

3. *Ter o próprio nome retido...* na lista dos cidadãos celestiais, por esse tempo, era uma metáfora corrente para indicar a comunhão eterna com Deus e com o seu povo. E, mediante uma inferência natural, extraída de Apo. 13:8, indicava a idéia da «predestinação», crença que formava neles, como sempre, uma vívida inspiração debaixo da aflição e do conflito. Quanto ao apagar de nomes do registro cívico, após a condenação do dono desses nomes, comparar com *Dio Chrys*. xxxi.336c; Xenofonte, *Hell*. ii.3,51 e Arist. Pac. 1180», (Moffatt, *in loc.*).

4. A adoração judaica contemporânea (refletida em Esreh. xii., revisão palestina), mostrava que os judeus proferiam uma maldição contra os hereges, estando incluídos os nazarenos (cristãos). Essa maldição incluía o desejo de que Deus os condenasse, removendo seus nomes do Livro da Vida.

5. Nos registros antigos, os nomes dos mortos eram removidos. Assim, na comunidade cristã de Sardes, aqueles que estavam mortos, embora tivessem nome dos que viviam, não tinham seus nomes no Livro da Vida.

6. Tanto o livre-arbítrio como o determinismo, a predestinação e a liberdade humana, são idéias que aparecem nas Escrituras. O judaísmo antigo também combinava o livre-arbítrio e o determinismo. Ninguém jamais apresentou uma explicação realmente boa sobre como ambos esses elementos podem existir em uma única teologia. (Ver Rom. 9:15,16 acerca da «predestinação»; e ver I Tim. 2:4 acerca do «livre-arbítrio»). Ver os artigos separados sobre *Determinismo e Predestinação*. Ambos os conceitos são verazes, embora não saibamos como harmonizá-los. Deus usa o livre-arbítrio do homem sem destruí-lo, ainda que também não saibamos explicá-lo.

7. Apesar de ser justo os crentes confessarem

870

LIVRO — LIVRO DE MÓRMON

publicamente sua confiança em Cristo, a verdadeira confissão cristã é aquela que se faz com a vida diária, no nível da alma. Aquele que verdadeiramente confessa a Cristo, será verdadeiramente reconhecido nos céus; e a sua glória não terá fim.

Ver o artigo separado chamado **Revisão da Vida.**

LIVRO DAS MUDANÇAS

Também chamado **I Ching**, um dos livros básicos da literatura clássica chinesa, que aborda questões de adivinhação. Tomou corpo entre os séculos VI e III A.C. Consiste de 64 hexagramas que podem ser usados para descrever situações da vida diária, conferindo conselhos ou predizendo o futuro. Esses hexagramas podem ser aplicados a qualquer situação, mediante vários métodos de seleção, incluindo o lançamento de moedas, em uma série, para que se obtenha a combinação que supostamente se aplica ao caso sob exame.

Filosofia por detrás do I Ching. No princípio, o Grande Alvo (Deus) deu origem aos elementos do *yin* e do *yang*, que correspondem a princípios como macho e fêmea, positivo e negativo, ativo e passivo. Essas formas, por sua vez, deram origem a tudo quanto pode suceder, o que explica o título «Livro das Mudanças», ou seja, produção, reprodução, decadência e declínio. Os movimentos do *yin* e do *yang* produzem tudo e retiram tudo de circulação. Todas as pessoas estão envolvidas nesse processo, bem como todas as situações, e os 64 hexagramas representam toda a gama das possibilidades de mutações ou mudanças.

As experiências que envolvem os hexagramas mostram que as mesmas podem mostrar-se surpreendentemente exatas. Carl Jung (que vide) pensava que pode haver na questão o controle exercido pela telepatia, produzindo *psicocinese* (que vide). A ação das moedas lançadas pode ser controlada pelas forças mentais. É bem possível que assim seja, conforme tem sido demonstrado por experiências efetuadas na Universidade Duke. Além disso, precisamos levar em conta o princípio das «coincidências significativas», postuladas por Carl Jung. Através dessas coincidências, coisas não relacionadas, como causa e efeito podem ser cronologicamente relacionadas. Portanto, o hexagrama que se aplica à minha situação, no momento preciso, vem à tona mediante a pura chance, correspondendo às minhas circunstâncias e aos meus desejos.

Há algo de real que envolve esse princípio, embora esteja oculta de nosso entendimento a grande complexidade de causas e efeitos, que ainda não compreendemos. Alguns astrólogos supõem que há um verdadeiro relacionamento entre as vidas humanas e os corpos celestes; não por causa e efeito diretos, e, sim, mediante coincidências significativas. No tocante ao Livro das Mudanças, aqueles que se valem dele, concordando com a filosofia chinesa que lhe serve de base, supõem que ali operam causas e efeitos reais. Por outro lado, há pessoas religiosas que atribuem todas essas coisas inexplicáveis ao diabo. Entretanto, esses métodos de adivinhação não se revestem de poder suficiente para que os exaltemos a ponto de misturá-los com o poder diabólico. A maioria desses métodos são apenas jogos que as pessoas jogam com alguma dose de telepatia e psicocinese, com alguns resultados notáveis. Ver o artigo sobre a *Terminologia Chinesa.* O *I Ching* pode ser adquirido em muitos idiomas, incluindo o português. Sempre foi um dos sucessos de livraria. (E P)

LIVRO DE ABRAÃO

Ver **Abraão, Apocalipse de.**

LIVRO DE ENOQUE

Ver **Enoque, Livros de.**

LIVRO DE HOMILIAS

Ver sobre **Homilias.**

LIVRO DE MÓRMON

Esse livro é descrito no artigo **Livros Apócrifos Modernos**, primeiro item. É possível que o material constante nesse artigo venha a ofender muitas pessoas sérias em sua inquirição religiosa. Não é meu propósito ofender a quem quer que seja. Antes, busco a verdade, e a inclusão desse artigo reflete aquilo que acredito ser a verdade. Seja como for, os pontos favoráveis e desfavoráveis do mormonismo, seus méritos e desmeritos, estão incluídos naquele artigo. Em todas as controvérsias, deveríamos expor as nossas crenças sem ódio e sem contenção. Na verdade, todos nós misturamos verdades e erros em nossos credos e em nossas crenças pessoais. Sem o espírito de tolerância, a inquirição pela verdade torna-se impossível, pelo que cumpre defendermos os direitos de nossos semelhantes de crerem e buscarem conforme melhor sentirem ser próprio. A lei do amor deve governar todas as coisas, porquanto isso é a própria prova da espiritualidade. (Ver I João 4:11,12).

Breve Análise do Livro de Mórmon

Três classes de placas de registro são indicadas na página de introdução do Livro de Mórmon, a saber:

1. *As Placas de Nefi*, as quais, conforme aquele livro deixa claro, eram de duas espécies: a. as placas maiores; e b. as placas menores. As primeiras dedicavam-se mais particularmente à história secular dos povos envolvidos, enquanto que as últimas ocupavam-se, principalmente, com registros sagrados.

2. *As Placas de Mórmon*, que continham uma versão abreviada das placas de Nefi, preparada por Mórmon, com muitos comentários e uma continuação da história, feita por ele mesmo, e com outras adições, feitas por Moroni, filho de Mórmon.

3. *As Placas de Eter*, que continham a história dos jareditas, um relato que fora abreviado por Moroni, que inserira comentários seus, incorporando o registro dentro da história geral sob o título Livro de Eter. A isso poderíamos adicionar um outro conjunto de placas, com freqüência mencionadas no Livro de Mórmon, a saber:

4. *As Placas de Bronze de Labão*, trazidas pelo povo da Lei, de Jerusalém, contendo Escrituras hebraicas e genealogias, muitos extratos das quais aparecem nos registros nefitas.

O Livro de Mórmon consiste em quinze partes ou divisões principais, cada uma delas, com uma única exceção, é chamada de livro, de acordo com o nome de seu autor principal. Dentre esses, os seis primeiros livros, a saber, Primeiro Nefi, Segundo Nefi, Jacó, Enos, Jarom e Omni são traduções das seções correspondentes das Placas Menores de Nefi. Entre os livros de Omni e de Mosias, encontramos as *Palavras de Mórmon*, que vinculam o registro de Nefi, conforme o mesmo se encontrava gravado nas placas menores, com o sumário feito por Mórmon sobre as placas maiores, quanto aos períodos que se seguiram.

LIVRO — LIVRO DOS MORTOS

As *Palavras de Mórmon* constituem uma breve explicação das porções anteriores do registro, bem como um prefácio para as partes que se seguem.

O corpo principal do Livro de Mórmon, de Mosias a Mórmon, sétimo capítulo, inclusive, é a tradução do sumário feito por Mórmon das placas de Nefi. A porção final do Livro de Mórmon, desde o começo de Mórmon, oitavo capítulo, até o final do volume, foi gravado pelo filho de Mórmon, Moroni, a fim de ser colocada antes do fim do registro da vida de seu pai, e, então, foi feito um sumário do registro dos jereditas, como o livro de Eter. Posteriormente, ele adicionou as porções que se tornaram conhecidas como o Livro de Moroni.

O período coberto pelos anais do Livro de Mórmon estende-se desde 600 A.C. até 421 D.C. Nessa última data, ou em redor da mesma, Moroni, o último dos historiadores nefitas, selou o registro sagrado, e escondeu-o para o Senhor, a fim de ser desvendado somente em dias futuros, conforme fora predito pela voz de Deus aos seus antigos profetas. Em 1827 D.C., esse mesmo Moroni, então uma personagem que havia ressuscitado, entregou as placas gravadas a Joseph Smith.

Ver o artigo sobre *Santos dos Últimos Dias* (*Mórmons*).

LIVRO DE NOÉ
Ver **Noé, Livro de**.

LIVRO DE ORAÇÃO COMUM
Esse é o nome de uma obra anglicana com instruções para adoração pública, administração dos sacramentos e administração de outros ritos. Suas fontes informativas principais foram livros de culto escritos em latim, na Inglaterra, antes da Reforma protestante, como o missal, o breviário, o manual e o pontifical. O arcebispo Cranmer (ver o artigo) reuniu todo esse material, dando-lhes uma forma artística. A primeira publicação desse livro continuou tendo um tom quase católico romano (1549), mas a segunda edição (1552) mostra mudanças na direção dos ideais da Reforma. Edições subseqüentes mantiveram essa mudança em ênfase. A edição que se usa nos tempos modernos vem desde 1662. As alterações propostas pela Igreja anglicana, em 1927 e 1928, foram rejeitadas pelo parlamento inglês. Vários segmentos da comunidade anglicana têm feito adaptações com vistas ao enriquecimento, à flexibilidade e à aplicação às exigências da vida moderna. Modificações recentes têm feito os conservadores deplorarem as mesmas. (E P)

LIVRO DOS JUBILEUS
Ver **Jubileus, Livro dos**.

LIVRO DOS MORTOS
Um livro religioso dos egípcios, com muitas fórmulas de orações e hinos, — cujo intuito era ajudar os espíritos dos mortos a enfrentarem os desafios da passagem dos espíritos deste mundo para o mundo dos mortos. Cópias desse livro têm sido encontradas nos túmulos, junto com restos mortais. Porções do mesmo eram esculpidas em sarcófagos ou pintadas nas paredes internas dos túmulos. O livro envolve muita mágica, ritual e mitos.

Os mais antigos exemplares desse livro pertencem à XVIII dinastia, de 1570 a 1304 A.C. Porém, algumas porções do mesmo estão presentes nos chamados Textos da Pirâmide, que datam das dinastias V, VI e VIII, o que nos mostra que esse livro é antiqüíssimo.

Conceitos Egípcios da Vida Após Morte. Alguns desses conceitos são evidências do Livro dos Mortos. O *submundo* seria uma região subterrânea, destituída de luz, onde há doze divisões, cada qual governada por um deus. Um grande rio, semelhante ao Nilo, liga as doze divisões. O deus-sol viaja por esse rio levando luz e alegria aos habitantes do submundo. Esse conceito pode ser comparado ao ensino bíblico da *descida de Cristo ao hades*. Ver o artigo sobre o assunto. Muitas culturas têm antecipado a idéia de que a luz será levada ao mundo dos mortos, e essa tradição também mostra-se sólida no judaísmo e no cristianismo.

O reino de Osíris (que vide) é referido como a sexta divisão do submundo. Seria uma área agrícola, dotada de canais. Somente os espíritos dignos dos mortos poderiam chegar ali. Após a morte, os egípcios esperavam ser capazes de retornar a este mundo, mediante a *reencarnação* (que vide) ou então serem aceitos no reino bendito de Osíris. As diversas instruções do *Livro dos Mortos* têm por escopo ajudar as pessoas a atingirem esse alvo. Os vários encantamentos e ritos têm por propósito enfrentar os problemas específicos que os mortos têm de arrostar. O encantamento 154, por exemplo, exibe o anelo pela imortalidade: «Eu continuo a existir; eu continuo a existir, vivo, vivo, durando para sempre, durando para sempre. Desperto em paz, sem perturbação». Jesus recomendou a seus seguidores: «Não se turbe o vosso coração; credes em Deus, crede também em mim» (João 14:1).

O capítulo 125 do Livro dos Mortos, a porção mais bem conhecida dessa antiga obra, contém uma descrição do juízo final. Osíris aparece como o supremo juiz e está entronizado. Ele está de frente para quatro divindades secundárias e para um hipopótamo com cabeça de crocodilo. O dever deste último é devorar os mortos indignos. Ao centro fica uma grande balança. O deus Thoth, deus da sabedoria e da escrita, registra os resultados do julgamento. Os deuses Horus e Anubis verificam a balança. A deusa Maat atua como recepcionista. Ela é a deusa da verdade. Quarenta e duas divindades assentam-se para julgar, no salão do juízo. A alma a ser julgada dirige-se a Osíris e nega sua culpa, afirmando-se inocente, apresentando de modo geral a sua defesa. Também declara de que maneira cumpriu todos os seus deveres religiosos. Em seguida, a alma apresenta outra defesa, diante dos quarenta e dois juízes, e nega uma falha qualquer diante de cada um deles. Finalmente, a alma dirige-se ao seu próprio *coração*, pois o verdadeiro julgamento parte do homem interior. Se o coração de um homem confirma a sua inocência, então ele ganhará um bom lugar no outro mundo. Mas se seu próprio coração chegar a condená-lo, a balança descerá o prato para o lado negativo, e o homem será condenado. Então Horus conduz a alma à presença de Osíris o qual atribui a ela o lugar que lhe compete.

A obtenção de um bom lugar, a cada pessoa, dependeria, pelo menos parcialmente, de seu conhecimento das mágicas e encantamentos existentes no Livro dos Mortos, pois, se *manipulasse* bem essas coisas (no que consistiria o seu conhecimento religioso), poderia *forçar* uma decisão favorável a ela, mesmo que a vida terrena de tal pessoa não tivesse sido muito recomendável neste mundo. Antes de sua partida para o além, os mortos solicitavam a ajuda dos sacerdotes para lhes exporem essas liturgias, para serem usadas depois de sua partida — prenúncios da

LIVRO — LIVROS APÓCRIFOS

doutrina católica das missas pelos mortos! Além disso, as liturgias, em forma escrita, eram sepultadas juntamente com o cadáver, como suposta garantia de que ele estaria *liturgicamente* preparado para enfrentar sua entrada na vida após-morte. Porém, meus amigos, temos de reconhecer que truques teológicos dessa natureza de nada nos valem.

Cada alma leva consigo seu próprio bem ou seu próprio mal, como algo que foi cuidadosamente cultivado durante a vida terrena, e a eloqüência litúrgica em coisa alguma altera essa realidade. Não obstante, a misericórdia de Deus proveu uma contínua oportunidade (I Ped. 4:6; Efé. 1:10). Os destinos não são fixados por ocasião da morte biológica da pessoa. (AM P)

LIVRO NEGRO

Um dos dois livros sagrados dos *adoradores do diabo* (ver o artigo). O outro livro sagrado deles é o nosso Apocalipse canônico do Novo Testamento!

LIVROS APÓCRIFOS (Antigo e Novo Testamentos)

Apócrifo vem do grego *apokrufe*, «oculto», «secreto», *misterioso*, termo aplicado a certos livros que são tidos como sagrados, mas cuja validade é negada por muitos. A palavra ocorre em Mar. 4:22 e Lucas 12:2: «Pois nada está oculto (*apokrufon*), senão para ser manifesto; e nada se faz escondido, senão para ser revelado». Ver também Col. 2:3: «...em que todos os tesouros da sabedoria e do conhecimento estão *ocultos*». A primeira vez em que o termo aparece para designar uma classe de livros é em *Stromata* 13, cap. 4., de Clemente de Alexandria.

ANTIGO TESTAMENTO

Esboço

I. Discussão Preliminar
1. Primeiras definições
2. Uso dos livros apócrifos, apocalípticos e pseudepígrafos no Novo Testamento
3. Livros apócrifos e obras canônicas do Antigo Testamento

II. Livros Apócrifos do Antigo Testamento Lista e características

NOVO TESTAMENTO

III. Novo Testamento: Livros Apócrifos e Outra Literatura Cristã Antiga
IV. Influência dos Livros Apócrifos e Pseudepígrafos sobre o Judaísmo Posterior (Helenista) o Cristianismo e o Judaísmo Moderno
V. Gráficos Ilustrativos (A.T. e N.T.)
1. Catálogos Cristãos — Livros Disputados do A.T.
2. Livros Apócrifos do A.T. citados como Escrituras
3. Desenvolvimento dos Livros Apócrifos e Hagiógrafos
4. Cronologia da Literatura do Novo Testamento
VI. Bibliografia (A.T. e N.T.)

I. Discussão Preliminar

1. *Primeiras definições*. Na antiga Igreja cristã, o termo era usado para designar livros de autoria incerta, escritos sob pseudônimos, bem como aqueles de validade canônica dúbia. Alguns livros que finalmente foram aceitos como integrantes do cânon neotestamentário (ver o artigo a respeito), ocasionalmente foram considerados apócrifos, como o Apocalipse, que Gregório de Nissa (falecido em 395 D.C.) especificamente classificou como tal. As citações de origem desconhecida, que podem ser achadas na Bíblia, também recebiam esse título (Orígenes, *Prefácio sobre Cânt.*). Jerônimo supunha que as palavras de Efé. 5:14: «Desperta, ó tu que dormes, levanta-te de entre os mortos, e Cristo te iluminará», eram de um profeta desconhecido, e, portanto, «apócrifas». Epifânio usava a palavra para aludir aos livros que não eram postos na arca da aliança, mas que eram guardados em outro lugar. Visto que a maioria dos livros apócrifos não eram tidos como dignos de serem lidos nas igrejas, embora muitos deles eram aceitáveis para leitura individual; o próprio termo «apócrifo» veio a tomar o sentido de *espúrio*, ou mesmo de *herético*, embora no século V D.C. a palavra continuasse sendo largamente usada para denotar os livros *não-canônicos*, e não obras heréticas. Isso corresponde ao uso de Jerônimo (420), sendo a idéia que predomina hoje.

2. *Uso dos livros apócrifos, apocalípticos e pseudepígrafos no Novo Testamento*. Em alguns círculos cristãos, tornou-se popular dizer que esses livros nunca foram usados pelos escritores do Novo Testamento. Mas a pesquisa demonstra que a opinião é falsa. O Apocalipse de João tem um quadro profético bastante parecido com o da literatura apocalíptica e pseudepígrafa judaica (ver o artigo sobre esse assunto). Também toma por empréstimo muitos itens e idéias dos mesmos livros. Em meu comentário sobre o Novo Testamento, intitulado *O Novo Testamento Interpretado*, na introdução ao Apocalipse, IV. *Dependência Literária*, sob o segundo ponto, apresento amplas evidências em favor dessa reivindicação. As epístolas católicas também contêm muitos elementos emprestados. Ver também Heb. 1:1-3, em comparação com a Sabedoria de Salomão 7:15-27; ou Judas 14, em comparação com I Enoque. Outros trechos provavelmente baseados em fontes apócrifas são: Mat. 11:28-30, reminiscências das palavras finais do Eclesiástico; Luc. 11:49, evidentemente de algum livro não-canônico perdido; os dois primeiros capítulos da epístola aos Romanos, similares a passagens da Sabedoria de Salomão. Efé. 6:13-17, com paralelos em Sabedoria de Salomão 5:17-20; e Heb. 11, com paralelos em Eclesiástico 44. Nada disso deveria nos surpreender, se nos lembrarmos que os judeus helenistas (aqueles que falavam grego) e, conseqüentemente, os primeiros cristãos, que falavam o grego, sempre aceitaram os livros apócrifos como canônicos, demonstrando grande respeito por outros escritos não-canônicos.

3. *Livros Apócrifos e Obras Canônicas do Antigo Testamento*. Os saduceus aceitavam somente os livros de Moisés. Os fariseus palestinos aceitavam o Antigo Testamento conforme o encontramos nas atuais Bíblias protestantes. Os judeus helenistas aceitavam também os livros apócrifos, ou seja, essencialmente o cânon atual da Igreja Católica Romana. A Septuaginta (o Antigo Testamento traduzido para o grego) sempre incluiu os livros apócrifos. Por esse motivo, os cristãos que falavam o grego usavam esses livros, juntamente com o Antigo Testamento canônico. De modo geral, podemos dizer que os livros apócrifos eram tidos em alta conta, usualmente considerados canônicos pela maioria dos cristãos, até o século IV D.C. Jerônimo (400 D.C.) lhes conferiu uma classificação separada e inferior. Mas a Igreja oriental, até ao fim do período patrístico, e a Igreja ocidental, até à Reforma, aceitam-nos, de modo geral, em igual nível de importância ao resto do Antigo Testamento. Por ocasião da Reforma, porém, toda a tradição reformada rebaixou os livros apócrifos ou a classe de livros comuns (não-sagrados), segundo a Confissão de Westminster, ou a posição de

873

LIVROS APÓCRIFOS

úteis como registros de exemplos morais, história e alegoria espiritual etc., sem ser uma base doutrinária (Bíblia de Genebra, os Trinta e Nove Artigos da Igreja Anglicana e a Igreja oriental). A maioria dos evangélicos protestantes (excetuando apenas os anglicanos) permanece em quase total ignorância desses livros. Mas, aqueles que os lêem, dão valor ao menos a certas porções dos mesmos, considerando-as como de não menos valor que o teor geral do Antigo Testamento. É indubitável que nossa compreensão sobre o conhecimento de Deus, por parte dos judeus, e sobre a peregrinação deles como uma nação, seria empobrecida se perdêssemos esse material.

Em 1548, o concílio de Trento reconheceu que os livros apócrifos são canônicos e próprios para a leitura nas igrejas, a despeito da resistência de Jerônimo à sua inclusão na Vulgata. Tal decisão deixou de lado somente I e II Esdras e a Oração de Manassés. Essa é a posição da Igreja Católica Romana atualmente. A Igreja Ortodoxa Grega aceita a maioria deles como canônicos, afirmando estar certa a decisão do Segundo Concílio de Trulan (692).

II. Livros Apócrifos do Antigo Testamento
Lista e características:

1. *I Esdras* (III Esdras, na Vulgata). Começa com uma narrativa da grande festa da páscoa observada pelo rei Josias, a queda de Jerusalém e o exílio; então alude ao retorno, à reconstrução do templo e às reformas sob Esdras. A obra parece estar baseada em II Crônicas, Esdras e Neemias, mas não foi terminada. Provavelmente é uma recensão separada, independente da Septuaginta. De modo geral, foi escrita em um grego melhor que o da Septuaginta. Está incluída a história dos três jovens na corte de Dario I (caps. 3:1-4:42). Data: entre 150 e 50 A.C.

2. II Esdras (IV Esdras, na Vulgata). Também se chama Apocalipse de Esdras. Foi escrito original-mente em aramaico, e então traduzido para o grego. Ambas as versões desapareceram, havendo cópias em latim, siríaco, etíope e outras línguas antigas, traduzidas da versão grega, com a possível exceção do siríaco, que pode ter sido traduzido diretamente do aramaico. A versão latina contém algumas adições cristã: caps. 1 e 2 (de cerca de 150 D.C.) e caps. 15 e 16 (de cerca de 250 D.C.). Os caps. 3 - 14, o original Apocalipse de Esdras, que consistia de seis visões, aborda o problema do mal e dos sofrimentos de Israel, em resultado à destruição de Jerusalém em 70 D.C., e não à destruição mais antiga, de 586 A.C. O advento do Messias haveria de pôr fim a esse período de sofrimentos. Data: 90 D.C.

3. *Tobias* é uma história curta que combina certo número de motivos populares, como a narrativa de uma viagem a terras distantes, uma expedição de pesca, uma droga maravilhosa, casos de amor, o salvamento de uma jovem aflita, a redescoberta de um tesouro, o encontro com um anjo disfarçado, um caso de exorcismo, costumes de sepultamento, costumes religiosos, idéias teístas e exemplos do cuidado divino pelos Seus. A narrativa nos provê uma janela por meio da qual podemos olhar e obter uma idéia da piedade e da vida judaicas, no começo do segundo século antes de Cristo. Data: Cerca de 190-170 A.C.

4. *Judite*, a breve história de uma heroína, ideal da mulher judia devota, que exemplificou a coragem feminina. A composição enfatiza o princípio da total obediência à vontade de Deus, lealdade à Sua lei, mesmo que com sacrifício pessoal. O caso teria ocorrido nos primeiros dias do retorno do cativeiro, contando a derrota das tropas de Nabucodonosor pela astúcia de Judite. O monarca declarara guerra contra a Judéia, por não o haver apoiado em sua guerra

contra a Média. Judite, ao visitar Holofernes, o comandante do inimigo, fingiu intenções amorosas. Apanhando-o desprevenido, foi capaz de decapitá-lo. Sua cabeça foi enviada de volta a Betúlia, cidade natal de Judite, para ser exibida. Inspirados por isso, os habitantes da cidade, até então cercados, lançaram seu ataque e obtiveram a vitória. A moral da história é que qualquer coisa pode ser feita se agirmos com coragem, dentro do contexto da vontade de Deus. Data: cerca de 150 A.C. O livro foi originalmente escrito em hebraico, e então traduzido para o grego.

5. *Adições ao Livro de Ester*. São passagens que suplementam o relato secular do livro de Ester, que era lido quando da festa de Purim (ver o artigo a respeito). Essas adições ressaltam o sentido religioso da narrativa original. A Vulgata põe essas adições no fim do livro canônico, como um apêndice. Data: 114-78 A.C. O livro foi originalmente escrito em hebraico, e então traduzido para o grego.

6. *Sabedoria de Salomão*. Exalta a sabedoria, a qual tanto é retidão como é a *hipóstase* divina; um ser quase divino. Ataca a insensatez da idolatria, mormente a egípcia. O terceiro capítulo contém uma sublime declaração em prol da imortalidade da alma, diferindo radicalmente do ponto de vista judaico normal da ressurreição, no tocante ao destino humano. Mui provavelmente reflete a filosofia platônica e estóica, por intermédio de mestres judeus alexandrinos. As almas dos justos estão nas mãos de Deus, e o tormento não os atingirá. À vista dos insensatos, eles parecem morrer, e a partida deles é tomada como miséria, como se tivessem sido totalmente destruídos ao se irem de nós: mas eles estão em paz». Data: cerca de 100-50 A.C. Foi originalmente escrito em grego, em Alexandria.

7. *Eclesiástico*, ou *Sabedoria de Jesus Ben-Siraque*. Sem dúvida, o mais longo dos livros apócrifos. Ben-Siraque foi um mestre religioso em Jerusalém, um escriba, intérprete e mestre da lei. Ele escreveu essa coletânea de aforismos e minúsculos ensaios sobre religião e moral, em dois volumes, seguindo os Provérbios canônicos, o segundo dos quais começa no atual capítulo vinte e quatro. O livro inclui como características principais elogios aos escribas (38:24-39:11) e aos médicos (38:1-12), louvores a homens famosos (44-50), concluindo com o louvor a Simão, que viveu no começo do século II A.C. O prólogo evidentemente é de outro autor, sendo uma sinopse cristã posterior. O livro é hebreu em seu caráter essencial, saduceu em sua ênfase, sem qualquer influência da cultura helênica. Foi originalmente escrito em hebraico, e cerca de duas terças partes ainda existem nesse idioma. Data: cerca de 185 A.C.

8. *Baruque*. Uma obra composta, fornecendo alegadas informações sobre o amanuense do profeta Jeremias. O livro combina a confissão dos pecados de Israel, que produziram a destruição de Jerusalém em 586 A.C., com uma seção que louva a sabedoria, juntamente com outra seção acerca da futura salvação de Israel. O livro exibe marcante dependência literária de Jó, Daniel e Isaías. Era largamente lido pelos judeus da diáspora, o qual tornou-se parte da liturgia da sinagoga, tendo chegado até o início da era cristã. Foi originalmente escrito em hebraico, mas sobrevive em uma versão grega. Data: cerca de 150-100 A.C.

9. *Epístola de Jeremias*. Com freqüência é incluída como o sexto capítulo do livro de Baruque. Um ataque vergastador contra a idolatria, refletindo os sentimentos de judeus leais em meio ao paganismo. Seu original foi escrito em aramaico, como se fosse uma carta de Jeremias aos judeus exilados na

874

LIVROS APÓCRIFOS

Babilônia (ver Jer. 29:1 ss). Data: cerca de 150 A.C.

10. *Adições a Daniel*. Oração de Azarias, Cântico dos Três Jovens e História de Susana. Todas essas adições aparecem nas Bíblias grega e latina. A oração de Azarias, que fala sobre o Filho, segue Dan. 3:23. Na Bíblia grega, Susana antecede o começo do livro de Daniel, mas é o décimo terceiro capítulo de Daniel na Vugata Latina. Em algumas publicações e edições, forma um livro separado, totalizando assim catorze livros apócrifos. *Bel e o D*ragão aparece no fim do livro de Daniel, na versão grega, mas é o décimo quarto capítulo do mesmo na Vulgata. A oração e o cântico são notáveis exemplos da poesia litúrgica dos judeus. O Cântico continua sendo usado na adoração cristã como o Benedicite, em duas partes do Livro de Oração. Susana é uma breve história que enfatiza a proteção de Deus aos fiéis. Recomenda que se façam indagações separadas das duas testemunhas requeridas pela lei judaica. *Bel e o Dragão* narra como foi desmascarada a astúcia de babilônios idólatras, além de ridicularizar a idolatria e a adoração dos cultos. Provavelmente teve um original hebraico, talvez do século III A.C., mas certas porções podem ser tão tardias quanto o ano 100 A.C.

11. *Oração de Manassés*. É um típico salmo penitencial judaico, apropriadamente atribuído ao rei Manassés (II Crô. 33:1-13), mas que, por motivos óbvios, não foi composto por ele. Os livros apócrifos contêm muitos poemas religiosos e muitas orações, servindo de estudo da devoção judaica pré-cristã. Essa obra exemplifica o fato. Não há certeza se foi escrito originalmente em hebraico, mas sobreviveu em grego. Data: século I A.C.

12. *I Macabeus*. Um relato da guerra de independência dos macabeus, desde seus primórdios, nos dias de Antíoco IV Epifânio (reinou de 175 a 614 A.C.) até o governo de João Hircano (135-104 A.C.), que se tornou sumo sacerdote e governante dos judeus. A narrativa é objetiva, obviamente baseada em registros e observações. Há algumas incoerências internas, embora seja exato o bastante para que Josefo se sentisse capaz de usá-lo como fonte informativa em suas *Antiguidades*. Foi escrito em hebraico, tendo sido traduzido para o grego pouco depois de sua publicação. Data: cerca de 104 A.C.

13. *II Macabeus*. Sumário da obra de Jasan de Cirene (cerca de 100 A.C.) em cinco livros. Aborda um período histórico bem mais breve que o de I Macabeus (quinze anos, —em vez de quarenta) Há pontos paralelos entre os dois livros: I Mac. 1-2 e II Mac. 4-7; I Mac. 3-5 e II Mac. 8-10; I Mac. 6-7 e II Mac. 11-15. O livro lança mão de invenções sobrenaturais muito mais que I Macabeus. O autor interessava-se pelo interesse de Deus pelo templo de Jerusalém. A obra abunda em milagres e lendas sagradas, como o martírio dos sete irmãos, expondo doutrinas a que objetaram os reformadores protestantes. Isso constituiu uma das razões para a rejeição de todos os livros apócrifos, como a oração de almas encarnadas em favor de almas de falecidos, ou de almas de falecidos em favor de almas encarnadas. A doutrina do *purgatório* (ver o artigo) também figura ali, sendo essa a única declaração clara daquela doutrina, em obras que, pelo menos em certos segmentos da cristandade, são consideradas canônicas e autoritárias. \ Muitas outras religiões, entretanto, têm exposto uma forma ou outra de purificação após a morte biológica.

O autor desconhecido informa que extraiu grande parte de seu livro de uma obra em cinco volumes de Jason de Cirene. Por esse motivo, o autor tornou-se conhecido como o epitomista. Ele mesmo nos proveu o prólogo (2:19-32), o epílogo (15:37-39), e talvez a carta aos judeus egípcios (1:1-2:18). A obra de Jason parece ter sido escrita em grego. Data: cerca de 100 A.C.

Com II Macabeus termina a coletânea ordinariamente chamada livros *apócrifos*. Ainda outros livros dessa natureza foram usados em alguns segmentos da Igreja antiga, como segue:

III Macabeus. Aceito no cânon das Igrejas orientais. O livro era também chamado *Ptolemaica*. Sua narrativa envolve o reinado de Ptolemeu Filopater, que reinou entre 222 e 205 A.C. De acordo com o relato, ficou irado diante da recusa dos judeus por não admitirem-no no Santo dos Santos no templo de Jerusalém e retornou a Alexandria com sentimentos assassinos no coração, em busca de vingança. Porém, uma intervenção divina lhe frustrou o plano. Aparentemente foi escrito em grego. Data: de I A.C. a I D.C.

IV Macabeus. Esse livro é incluído em algumas listas do cânon do Antigo Testamento. Trata-se de uma obra filosófica que aborda a questão se a razão devota é senhora de si mesma. Seu conteúdo é essencialmente um catálogo de mártires judeus, baseado quase inteiramente em II Mac. 6:18-7:42, mas com a adição de detalhes sangüinários. A filosofia do mesmo é estóica, e o estilo é retórico. Seu original aparentemente foi escrito em grego. Data: século I D.C.

III. Novo Testamento: Livros Apócrifos e outra Literatura Cristã Antiga

NOVO TESTAMENTO

ESBOÇO
1. Escritos Patrísticos: Epístolas, Apologias, Ensinos
2. Literatura Apócrifa
   a. Evangelhos
   b. Atos
   c. Epístolas
   d. Apocalipses
   e. Ensinos
IV. Influência dos Livros Apócrifos e Pseudepígrafos sobre o Judaísmo Posterior (Helenista), o Cristianismo e o Judaísmo Moderno
V. Gráficos: N.B. 3 e 4 se aplicam ao N.T.
VI. Bibliografia (A.T. e N.T.)

1. Escritos Patrísticos

Naturalmente o N.T. representa o **escrito mais antigo** que possuímos e que trata das origens do cristianismo e dos ensinamentos do sistema cristão. Em segundo lugar quanto à antiguidade, após o N.T., e mais antigos que os livros apócrifos do N.T., avultam os escritos dos primitivos cristãos, alguns dos quais foram discípulos imediatos dos apóstolos. As epístolas de *Clemente* e de *Barnabé* e o livro intitulado *Pastor de Hermas* tiveram grande influência na igreja primitiva e em algumas das primeiras coleções de escritos do N.T., nas quais esses livros mencionados foram incluídos. Em algumas seções da cristandade, esses livros adquiriram uma posição quase canônica, enquanto que alguns crentes individuais aceitavam-nos como perfeitamente canônicos. Todavia, a tendência geral foi de ir eliminando aqueles livros que não repousavam sobre autoridade apostólica direta — ou escritos diretamente pelos apóstolos, ou aqueles livros cujos materiais provinham diretamente de fontes apostólicas, como, por exemplo, o evangelho de Marcos.

Os principais desses escritos, com suas respectivas

875

LIVROS APÓCRIFOS

datas, são os seguintes: 1. I Clemente (95 D.C.), usualmente reputado como uma epístola genuína de Clemente aos crentes de Corinto (por alguns considerado como o Clemente de Fil. 4:3, embora isso seja incerto). Entretanto, provavelmente foi um discípulo de Pedro, e um dos primeiros líderes da igreja em Roma. 2. II *Clemente* (150 D.C.). Esta epístola não é reputada como autêntica, isto é, não é um escrito autêntico de Clemente, na opinião da maioria dos eruditos modernos. 3. *Epístola de Barnabé* (primeira metade do século II D.C.). Essa obra é realmente anônima, pois não há qualquer evidência de que Barnabé a tenha escrito. Trata-se de uma curiosa comparação entre o legalismo judaico e os padrões éticos do cristianismo. 4. *Epístola de Policarpo* (antes de 155 D.C.). Epístola genuína de Policarpo à igreja em Filipos. 5. *Epístolas de Inácio* (cerca de 115 D.C.). Inácio escreveu certo número de epístolas em seu próprio nome, a maioria das quais provavelmente quando viajava para ser martirizado em Roma. Sete dessas epístolas que permanecem até hoje são consideradas escritos genuínos de Inácio. São epístolas endereçadas a Éfeso, Magnésia, Trales, Roma, Filadélfia, Esmirna e ao bispo de Esmirna (Policarpo). 6. *O Pastor de Hermas* (130-150 D.C.). Essa obra não é realmente uma epístola, mas se assemelha mais a um apocalipse. Contém visões, exortações e algumas parábolas. 7. *O Didache* (transliteração do termo grego que significa «ensino», século II ou III D.C.). Essa obra foi descoberta no fim do século XIX. Trata-se de obra pseudônima, cujo título completo em português seria «Ensino do Senhor aos Gentios através dos Doze Apóstolos». A primeira parte da obra descreve os *Dois Caminhos*, sendo uma espécie de expansão dos *dois caminhos* apresentados por Jesus no sétimo capítulo do evangelho de Mateus. Seus ensinos são principalmente éticos. A última parte do livro dá instruções acerca do uso dos sacramentos e acerca de algumas práticas eclesiásticas. Alguns acreditam que a epístola de Barnabé foi uma das fontes do conteúdo deste livro. 8. *Epístola a Diogneto* (século III D.C.). Talvez esta obra fosse melhor classificada entre as «apologias», cuja descrição vem mais abaixo. Esse livro foi endereçado a Diogneto, pelo que seu nome foi preservado, mas não sabemos quem foi o seu autor. 9. Nessa coleção poderíamos incluir a obra *O Martírio de Policarpo*, que foi um dos primeiros exemplos dos «Atos dos Mártires», e que posteriormente se tornaram um dos temas favoritos dos escritos cristãos. À parte esta última, a coleção desses livros difere do N.T. no fato que não expõe narrativas das vidas de crentes bem conhecidos e acrescenta pouquíssimo conhecimento ao que já se sabe sobre os eventos históricos da vida de Jesus. Tais livros, contudo, foram expressões espontâneas dos cristãos primitivos que procuravam definir as implicações da vida de Cristo, e que servem de testemunhas sobre a autenticidade e a grandeza da vida que ele viveu.

Algumas obras foram escritas particularmente com o propósito de apresentar uma defesa do cristianismo. Essas obras foram produzidas nos séculos II e III D.C., e, consideradas em separado, compõem uma coletânea separada de escritos primitivos que vieram à existência por causa da vasta influência da vida de Jesus sobre o mundo antigo. As mais longas e mais bem conhecidas dessas «apologias» são as de Justino Mártir, que incluem o seu *Diálogo com Trifo*, o qual é apresentado nessa apologia como um questionador judeu acerca das idéias básicas do cristianismo. Essa obra apresenta a defesa do cristianismo contra as críticas judaicas. Suas «Primeira» e «Segunda»

apologias foram dirigidas a elementos gentílicos. Outros escritos pertencentes a essa mesma natureza, de outros autores, contêm defesas do cristianismo misturadas com ataques contra as religiões pagãs. A função dessas últimas era não somente convencer os incrédulos, mas também confirmar os crentes em suas crenças. Muitas dessas primeiras apologias se perderam inteiramente, salvo alguma menção em outras obras. Aquelas que continuam disponíveis até hoje são as seguintes: 1. *Aristides de Atenas*—Essa apologia tem sido restaurada mediante uma tradução siríaca e à base de uma forma da mesma obra, incorporada em uma obra literária grega posterior. 2. Justino Mártir—Além de seu livro *Diálogo com Trifo*, temos mais duas de suas apologias. 3. Taciano—*Discurso aos Gregos*. 4. Atenágoras —*Embaixada em Favor dos Cristãos*. 5. Teófilo de Antioquia—*A Autólico*. Essa obra é apresentada em três volumes.

Além dessas obras mencionadas especificamente por nome, houve muitíssimas outras, escritas por diversos cristãos da antiguidade, mas que se perderam inteiramente (são mencionadas apenas por título em outros escritos, mas nenhuma cópia tem sido encontrada) ou, pelo menos, foram preservadas apenas na forma de pequeníssimos fragmentos. Mediante esse grande impulso que levou muitos a escreverem, podemos notar o *formidável impacto* que a vida de Cristo exerceu sobre o mundo antigo, e disso se pode concluir que ele não viveu uma vida comum e nem foi um homem qualquer.

Em segundo lugar, tudo isso demonstra, ao menos indiretamente, a *autenticidade* do N.T., e, particularmente dos evangelhos, que expõem a história da vida de Jesus Cristo. Se Jesus tivesse sido um homem comum, e não tivesse feito aquilo que é reivindicado para ele, não é provável que tantos tivessem escrito a seu respeito, na tentativa de mostrar a autenticidade de sua vida e de suas palavras.

2. Literatura Apócrifa:

Essas coletâneas de escritos, embora mais numerosas que as dos livros apócrifos do AT, geralmente são menos conhecidas. O termo geralmente indica aquelas obras não-canônicas, que afirmam fornecer informação adicional de espécie supostamente autêntica, sobre Cristo, Seus apóstolos, ou outros seguidores de Cristo. Mediante essa definição eliminamos, assim, o que poderia ser mais acertadamente denominado de *literatura patrística*, ou seja, a literatura produzida pelos primeiros Pais da Igreja, como cartas ou tratados. Sob essa classificação podem ser alistadas as cartas de Clemente, Inácio, Policarpo, Papias e outros. E também o Didache, a epístola de Barnabé e o Pastor de Hermas, usualmente classificados de «patrísticos», apesar de várias dificuldades quanto à autoria e o conteúdo.

A maior parte da literatura apócrifa do N.T. pode ser classificada como o próprio Novo Testamento: evangelhos, atos, epístolas e apocalipses. A literatura que vai além dessas classificações são as obras que se declaram cânones de disciplina eclesiástica e de liturgia, como as «Constituições Apostólicas», que afirmam representar práticas apostólicas, e o «Testamento de Nosso Senhor», que faz a assertiva ousada de conter os discursos de Cristo proferidos depois de Sua ressurreição.

Muitos motivos variados estão por detrás da produção dessas obras posteriores, muitas das quais escritas em nome de um dos apóstolos ou de alguns dos outros cristãos primitivos bem conhecidos. O *mais óbvio* motivo é o vasto impacto da pessoa de Cristo no mundo. É natural que tal pessoa como Ele provocasse a imaginação e o interesse dos homens o bastante para

LIVROS APÓCRIFOS

causar a escrita de numerosas obras, por pessoas que viveram depois da era apostólica. Algumas foram escritas para preencher os detalhes da vida de Cristo ou dos apóstolos, onde os livros canônicos não prestam tal informação. Assim é que há vários evangelhos que supostamente nos dão detalhes dos anos da infância de Cristo. Epístolas e tratados foram escritos em nome dos apóstolos, fornecendo detalhes sobre certos pontos de doutrina, ou expandindo muito o que já era óbvio nas epístolas canônicas. Outros escreveram para projetar no pensamento cristão as suas doutrinas ou preconceitos favoritos; e o exemplo mais óbvio disso são os muitos documentos *gnósticos*, tanto evangelhos como epístolas. As vidas dos apóstolos, bem como a vida de Cristo, também inspiraram a escrita de muitos «atos»; e apesar de algo desse material ser apenas suplementar, outra parte torce propositalmente as informações ou fabrica incidentes e afirmativas para promover uma doutrina ou grupo religioso que veio à existência mais tarde.

a. Os Evangelhos Apócrifos

Evangelho segundo os Hebreus. Essa obra (100 D.C.) era conhecida por um bom número dos primeiros Pais da Igreja, como Clemente de Alexandria, Orígenes, Hegesipo, Eusébio e Jerônimo. É um evangelho de forte tom judaico, que usa Mateus como fonte principal de informações. Alguns, nos primeiros séculos, julgaram tratar-se do original hebraico de Mateus, mencionado por Papias. Provavelmente foi uma espécie de evangelho «local», dos cristãos judeus da Síria, e que continha algum material autêntico. Eusébio refere-se a uma narrativa do mesmo, de uma mulher com muitos pecados, que foi acusada perante Jesus. Alguns crêem tratar-se da história da última porção de João 7 e do início de João 8, que teria sido tomado de empréstimo daquela fonte, visto que a evidência manuscrita é contra a autenticidade desse relato, em nosso evangelho de João. (Ver o NTI em João 7:53). Embora esse evangelho pareça ter algum valor, tendo gozado de respeito em pequena porção da Igreja primitiva, nunca foi admitido no cânon pela Igreja em geral.

Evangelho aos Egípcios. Conhecido principalmente em citações ao mesmo, por Clemente de Alexandria, no «Stromateis». É uma espécie de diálogo ascético entre Cristo e Salomé. Foi usado por alguns gnósticos para repudiar as relações sexuais. Sua data cai entre 130 a 150 D.C., sendo uma óbvia fabricação.

Evangelho de Tomé. Uma cópia desse evangelho foi achada entre os mss. descobertos em Nag-Hammadi. Essa descoberta trouxe à luz 13 códices cópticos, contendo quarenta e três tratados gnósticos. (Ver nota em Col. 1:15, — quanto aos detalhes da descoberta). O evangelho de Tomé é o único evangelho apócrifo completo descoberto até o momento. Contém 114 «Logia» ou declarações, atribuídas a Jesus, supostamente escritas pelo apóstolo Tomé. Três fontes são evidentes: 1. Cerca de metade dessas declarações foi tomada de empréstimo dos evangelhos canônicos; 2. algumas foram tomadas de empréstimo de outros evangelhos apócrifos, principalmente dos evangelhos aos Egípcios e aos Hebreus; 3. uma fonte desconhecida. Alguns crêem que essa fonte desconhecida merece igual consideração que os evangelhos canônicos, mas parece que embora algumas declarações autênticas se façam presentes, em geral são meras fabricações dos gnósticos. Assim, esse documento é importante testemunho não do desenvolvimento do cristianismo histórico, mas do desenvolvimento da cristologia gnóstica. Data de cerca de 100 D.C.

Evangelho de Pedro. Contém elementos gnósticos e implicações docéticas. Está um tanto marcado por elemento miraculoso, espúrio e tolo. Reduz a culpa de Pilatos, aumenta a culpa de Herodes e dos judeus—possivelmente uma concessão ao governo romano dominante. O grito: «Deus meu, Deus meu, por que me abandonaste?» é transformado em «Meu poder, por que me abandonaste», um tom gnóstico. Data de meados do século II.

Evangelho de Nicodemos (entre os séculos II e V). Produzido por um autor piedoso, que salienta fortemente a deidade de Cristo e apresenta algumas declarações vívidas, mas certamente forjadas, usando os evangelhos canônicos como base, além do chamado «Atos de Pilatos». A altamente colorida «Descida ao Inferno», é boa peça literária, que copia idéias gregas acerca do submundo, mas certamente não é inspirada. O livro vindica inteiramente Pilatos, o que levou à santificação de Pilatos em algumas seções da Igreja. Seu martírio é ainda celebrado na Igreja Cóptica.

Evangelhos da Infância (séculos II a V). O mais popular desses é o *Protevangelium de Tiago*. Foi escrito em defesa de certas teorias sobre a virgindade perpétua de Maria, e narra muitas histórias fabulosas sobre a vida de Maria.

Evangelho de Tomé sobre a infância de Jesus Cristo. Contém muitas narrativas fabulosas sobre o princípio da vida terrena de Jesus—algumas das quais pintam-no mais como um santo executor do que como o suave Salvador. Por várias ocasiões ele teria matado miraculosamente a outras crianças, que tê-lo-iam ofendido, e sem arrepender-se disso. Graças a Deus, tudo não passa de invencionice.

Outros evangelhos existem de interesse secundário, muitos dos quais escritos pelos gnósticos, em apoio e propaganda de suas crenças.

b. Atos Apócrifos: Atos de João (150-160 D.C.). Descreve milagres e cita sermões, gnósticos em seu caráter. É bastante ascético em suas idéias morais, mas contém descrições repulsivas. *Atos de Paulo* (cerca de 160 D.C.). Contém uma seção chamada de *Atos de Paulo e Tecla*, que seria a história de uma jovem de Icônio, convertida sob Paulo, e que rompeu seu noivado por causa de sua prédica. O seu alvo principal é exaltar a virgindade perpétua. Outra seção dá mais correspondência do apóstolo com os coríntios; e outra seção fala sobre o martírio de Paulo, que é lendário, todavia. O tom geral da outra é extremamente ascético, mas no mais é ortodoxo. *Atos de Pedro* (século II). Supostos incidentes do ministério de Pedro, a queda da Igreja de Roma devido às vilezas de Simão Mago, a fuga de Pedro de Roma, sua volta e crucificação de cabeça para baixo. Acredita-se ter sofrido influência gnóstica, e é muito ascético em sua tonalidade. *Atos de Tomé* (fins do século II). Descreve Tomé, missionário na Índia, e suas aventuras. Muito ascético em seu caráter, sofreu influências gnósticas.

c. Epístolas Apócrifas. Terceira Epístola aos Coríntios e Epístola dos Apóstolos, uma espécie de fabricações de visões, ligadas na forma de um discurso. Tudo escrito a fim de expor supostos ensinos de Cristo, após sua ressurreição. *Correspondência entre Paulo e Adgar*, rei de Edessa. Eusébio fez tradução, do siríaco, dessa suposta correspondência, julgando obviamente haver alguma verdade nela. Mas nada pode ser provado nesse sentido. *Epístola aos Laodicenses*, escrita para materializar a epístola mencionada em Col. 4:16, mas sendo apenas uma fileira de declarações paulinas, tiradas de outras fontes e ligadas entre si. A *Correspondência entre Paulo e Sêneca*, certamente foi escrita para encorajar a leitura das verdadeiras epístolas de Paulo, nos

877

LIVROS APÓCRIFOS

círculos filosóficos. Embora a ética de Paulo reflita certa variedade do estoicismo romano (do qual Sêneca era um dos porta-vozes) e apesar de Paulo haver nascido em um centro do estoicismo romano (Tarso), não há qualquer evidência de ter havido correspondência entre esses homens, que foram contemporâneos um do outro.

d. Apócalipses: O mais bem conhecido é o **Apocalipse de Pedro**, que é a única obra apócrifa sobre a qual há evidências positivas de haver tido posição quase-canônica por qualquer espaço de tempo. O fragmento «Muratonian» (mss. posterior, datado em cerca de 180 D.C.), que contém uma lista dos livros canônicos aceitos, menciona essa obra, juntamente com uma nota que algumas igrejas não a liam publicamente. Parece ter estado em uso em algumas seções da Igreja, pelo menos até o século V. Contém visões do Senhor transfigurado, detalhes chocantes da punição dos condenados. Eusébio reputava-o espúrio. Houve vários apocalipses de origem gnóstica, incluindo alguns *Apocalipses de Paulo*. Um desses era conhecido por Orígenes (225 D.C.).

e. Ensinos

Houve outras obras gnósticas apócrifas, como o *Apócrifon de João*, dando doutrinas secretas (gnósticas) supostamente ensinadas pelo Senhor a João. (Foi encontrado entre os mss. de Nag Hammadi). Data de cerca de 180 D.C. O *Apócrifon de Tiago*, também foi achado entre os mss. de Nag. Hammadi. Data de cerca de 125 D.C., e em geral está livre da doutrina gnóstica, embora, quanto ao estilo, se pareça com outros livros apócrifos de origem definidamente gnóstica. A obra chamada de *Homilias Clementinas* é uma espécie de reflexão de uma novela do segundo século, acerca da conversão de Clemente ao cristianismo, mediante a influência de Pedro. Apresenta um tipo fortemente «judaico» de cristianismo.

Embora a simples leitura dessas obras seja suficiente para convencer a maioria das pessoas de que sua não inclusão no cânon foi perfeitamente justa, contudo o mundo cristão certamente ficaria endividado a alguém que, mediante estudo e pesquisa diligente, pudesse recolher aqueles elementos das mesmas que provavelmente são autênticos, e que acrescentaria, pelo menos em pequena medida, ao nosso conhecimento sobre a vida e as declarações de Cristo e dos apóstolos. Quanto a uma discussão sobre esses princípios, à base das quais foi formado o cânon das Escrituras, ver o *artigo* sobre este assunto.

IV. Influência dos **Livros Apócrifos e Pseudepígrafos** sobre o Judaísmo Posterior (Helenista), o Cristianismo e o Judaísmo Moderno

A. Posição Canônica

1. **A comunidade judaica da dispersão**, conforme se vê na coletânea dos livros da *Septuaginta*, aceitava os livros apócrifos do Antigo Testamento. Alguns eruditos referem-se à coletânea de livros da Septuaginta (tradução do Antigo Testamento hebraico para o grego, feita em Alexandria, entre 280 — 130 A.C.) como o *cânon alexandrino*, em contraste com o *cânon palestino*, que não incluía esses livros. Têm sido feitas objeções quanto à distinção entre esses dois cânones, mas o fato histórico é que a Septuaginta (ou LXX) mostra que as comunidades judaicas alexandrina e palestina tinham pontos de vista diferentes sobre o cânon das Escrituras. Isso é frisado ainda mais pelo fato de que muitos líderes religiosos de Jerusalém ensinavam que é um erro a existência das Escrituras Sagradas traduzidas para o grego. Pois isso mostra que eles não simpatizavam com a expansão do número de livros, conforme se vê na Septuaginta.

2. Os *livros pseudepígrafos* nunca receberam posição canônica, embora tenham exercido enorme influências sobre as *idéias*, embora não sobre a coletânea dos livros sagrados. Entre os manuscritos do mar Morto, tanto os livros apócrifos quanto os livros pseudepígrafos foram largamente incluídos, o que demonstra que pelo menos alguns judeus, às portas mesmo de Jerusalém, usavam esses livros durante o período helenista.

3. As duas principais seitas religiosas dos judeus, os *saduceus* e os *fariseus*, desenvolveram-se durante o período helenista. Não existem documentos escritos produzidos pelos saduceus. Por sua vez, os fariseus eram prolíficos comentadores das Escrituras do Antigo Testamento, o que resultou no Talmude. O judaísmo conservador moderno é essencialmente farisaico em seu caráter. O farisaísmo foi influenciado, quanto às suas idéias, pelos livros apócrifos e pseudepígrafos. Logo, é patente que o judaísmo conservador moderno deve muito a esses livros quanto à sua expressão.

4. O *concílio de Trento* (1545 — 1563) aceitou os livros apócrifos como canônicos, o que significa que a Igreja Católica Romana reteve oficialmente esses livros como autoritários para a fé e a prática.

5. A *Igreja Ortodoxa Oriental* aceitava os livros apócrifos, no mesmo nível que todo o resto da tradição do Antigo Testamento, até o fim do período patrístico, ou seja, na época dos primeiros pais da Igreja; mas, desde então, muitos oficiais desse agrupamento têm conferido uma posição inferior aos livros apócrifos.

6. A *comunidade anglicana*, em seus Trinta e Nove Artigos, demonstra respeito por esses livros, especialmente como guias em lições espirituais e morais, embora negando que eles devam ser usados para o estabelecimento de doutrinas cristãs.

7. Os *grupos protestantes* (incluindo os *evangélicos*), em sua maior parte, ignoram totalmente o conteúdo dos livros apócrifos e pseudepígrafos, visto que desde a Reforma tais livros foram rejeitados como canônicos. Vale dizer, esses grupos seguem o cânon palestino, quanto ao Antigo Testamento.

Pelo exposto, torna-se claro que tanto o judaísmo quanto largos segmentos da Igreja cristã têm usado e sido influenciados pelos livros apócrifos e pseudepígrafos. Os itens abaixo mostram isso de modo incisivo.

B. Citações dos Livros Apócrifos no Novo Testamento

Apesar de não haver muitas citações *diretas* dos livros apócrifos no Novo Testamento, há muitas alusões aos mesmos, com o empréstimo de idéias e forma de expressão. Os autores do Novo Testamento empregaram a Septuaginta em suas citações, pelo que sabemos que esse documento (que incluía os livros apócrifos) estava constantemente à frente deles.

Algumas citações ou empréstimos óbvios:

1. O trecho de Mat. 11:28-30 quase repete as palavras do final do livro de Eclesiástico.

2. O décimo primeiro capítulo de Hebreus, ao descrever os heróis da fé, mostra-se bastante parecido com o capítulo quarenta e quatro do Eclesiástico. A passagem de Heb. 11:35, evidentemente, refere-se ao herói macabeu Eleazar, segundo a descrição de II Macabeus 6:20,21.

3. O trecho de Efé. 6:13-17, ao descrever as armas da nossa milícia espiritual (uma metáfora militar), mostra-se bem parecido com o de Sabedoria de

LIVROS APÓCRIFOS

Salomão 5:17-20.

4. O trecho de Heb. 1:1-3, ao descrever o Cristo eterno, exaltado e preexistente, o *Logos* (embora esta última palavra não seja usada pelo autor dessa epístola), é bastante similar ao que diz o livro Sabedoria de Salomão (7:15-27), ao aludir à sabedoria de Deus.

C. Os Livros Pseudepígrafos do Antigo Testamento no Novo Testamento

Esses livros também faziam parte da produção literária do judaísmo helenista. São chamados *pseudepígrafos* porque os autores que os teriam escrito (heróis e líderes espirituais do Antigo Testamento) são falsos. Assim, para exemplificar, *Enoque* não escreveu os livros que lhe são atribuídos. Esses livros foram escritos entre 200 A.C. e 200 D.C. Incluem o livro dos Jubileus, a Carta de Aristéias, os Livros de Adão e Eva, os vários livros de Enoque, os Segredos de Enoque, os Testamentos dos Doze Patriarcas, os Oráculos Sibilinos, a Assunção de Moisés, o Apocalipse Siríaco de Baruque (também chamado de Segundo Baruque), o Apocalipse Grego de Baruque (ou Terceiro Baruque), o Quarto Livro de Esdras (ou Segundo Esdras), os Salmos de Salomão, o Quarto Livro dos Macabeus, a História de Aicar, e as Declarações dos Pais (ou *Pirke Aboth*).

Idéias, citações e alusões dos livros pseudepígrafos no Novo Testamento:

1. A descida de Cristo ao hades (I Ped. 3:18 — 4:6). O relato sobre descidas de heróis e deuses ao hades (lugar das almas desencarnadas, sem importar se estivessem sofrendo castigos, ou não) é um motivo universal da literatura religiosa. Pode-se ver isso nos livros pseudepígrafos em I Enoque 60:5,25; 69:26 e nos Doze Patriarcas — Levi 4. No Novo Testamento, seu uso serve para mostrar que a oportunidade de redenção não é interrompida pela morte biológica do indivíduo, e que o evangelho foi pregado aos mortos (I Ped. 4:6). Alguns estudiosos pensam que aquela passagem da primeira epístola de Pedro é um empréstimo direto feito de I Enoque.

2. Judas 9 (no Novo Testamento), que fala sobre a disputa havida entre o anjo Miguel e o diabo, em torno do cadáver de Moisés, foi emprestado do livro *Assunção de Moisés*, segundo nos informa Orígenes em *Sobre os Primeiros Princípios* 3:2,1. Isso faz parte da angelologia que se desenvolveu dentro do judaísmo helenista, que, posteriormente, veio a fazer parte da doutrina cristã.

3. Os versículos 14 e 15 da epístola de Judas foram extraídos diretamente de I Enoque 1:9; 5:4; 27:2; 60:8 e 93:2. Esses versículos referem-se ao trabalho dos anjos por ocasião do julgamento dos homens ímpios. E isso veio a tornar-se uma doutrina neotestamentária, conforme se vê em Mat. 13:39,41. E o trecho de Jubileus 7:38,39 diz algo similar.

4. Judas 11 menciona o caminho de Caim e o erro de Balaão. Esses itens ilustram, metaforicamente, os conceitos judaico-helenistas sobre o princípio do mal e sua atuação no mundo. O autor da epístola de Judas aparentemente extraiu o seu comentário de Sabedoria de Salomão 10:3 e de Jubileus 4:1-5. O primeiro é um dos livros apócrifos, e o segundo, um dos pseudepígrafos. O caminho de Balaão também é discutido em *Pirke Aboth* 5:21,22.

5. O conceito de que os arcanjos têm províncias de atuação, vê-se em Dan. 10:13,21 e em I Enoque 20:1-8. E os escritos paulinos de Efé. 1:21 *ss* e 6:11 *ss* refletem essa crença.

6. *I Enoque*. Em muitos sentidos, esse é o livro mais destacado dentre as obras pseudepígrafas. Esse livro contém muitos temas que são aproveitados no Novo Testamento, através do judaísmo helenista. Alguns desses temas são deveras importantes para o pensamento cristão. Abaixo damos exemplos:

a. *As chamas do inferno foram acesas em I Enoque*. O Antigo Testamento não contém a doutrina de um inferno de fogo. Os trechos de I Enoque 9:6; 21:7-10; 54:1,2 e 93:6-16 deveriam ser comparados com os trechos de Mat. 5:22-28 e Apo. 14:11 e 20:14,15. O décimo capítulo de II Esdras contém material similar aos de II Esdras 7:36. A doutrina de um inferno eterno, em chamas, tem exercido uma poderosa influência sobre a maneira como muitos cristãos têm pensado e agido, através dos séculos. Notemos que II Esdras é uma obra apócrifa (e não parte dos pseudepígrafos), pelo que é considerado canônico pela Igreja Católica Romana.

b. O conceito do *reino de Deus* aparece claramente em I Enoque 104:4,6. Comparar isso com Mat. 22:23-33 e Mar. 12:18-27.

c. O tema da *esperança messiânica* aparece em I Enoque 33:2 e 53:6. Compare-se isso com Atos 3:15 e 7:52, onde Jesus, o Messias, é intitulado de «o Justo», tal como naquelas passagens de I Enoque.

d. O *Filho do homem*, como um título dado ao esperado Messias, acha-se em I Enoque 46:2,3. Ver Mat. 9:6 e Luc. 17:22.

e. O *Messias celeste* é um tema dos capítulos 45 — 57 de I Enoque. Esse conceito reaparece em Mat. 26:64 e Fil. 2:5 *ss*, como um dos principais temas cristãos. O primeiro capítulo de Hebreus reflete essa idéia.

f. *Angelologia*. O trecho de I Enoque 6:16 reflete uma complexa noção atinente aos anjos, e em certo aspecto, assemelha-se ao que diz I Cor. 11:10.

g. A *era áurea*, ou *milênio* (embora não com mil anos de duração) é um tema que aparece nos capítulos 91 e 93 de I Enoque. E isso se reflete em Apo. 20:6.

De modo geral, podemos afirmar que a tradição profética encontra o seu esboço em I Enoque, um esboço que foi essencialmente transferido para o Novo Testamento. O livro veterotestamentário de Daniel, naturalmente, teve um papel muito importante na questão, mas outros desenvolvimentos tiveram de esperar pelo aparecimento dos livros pseudepígrafos.

D. O Purgatório e os Livros Apócrifos

O livro de II Macabeus (12:40-46) foi usado pela Igreja Católica Romana como texto de prova «canônico» do conceito do purgatório e da eficácia das preces em favor dos mortos. O concílio de Trento (1545 — 1563) oficializou essa doutrina, no caso da Igreja Católica Romana. Muitos anglicanos e membros das igrejas ortodoxas orientais acreditam na eficácia da oração pelos mortos, com base no conceito da comunhão dos santos; porém, os protestantes e os evangélicos rejeitam ambas essas idéias do purgatório e das orações em favor dos mortos.

E. A História e o Nacionalismo Judaicos

Não há que duvidar que o relato sobre os macabeus, em sua luta pela independência, contra grandes adversidades, com suas subseqüentes vitórias, influenciou o pensamento dos judeus que viveram desde então, através dos séculos. Os israelenses modernos avançaram em massa para conquistar os territórios tomados dos árabes. E fizeram isso escudados na promessa de Deu. 11:24,25: «Todo lugar que pisar a planta do vosso pé será vosso: desde o deserto, desde o Líbano, desde o rio, o rio Eufrates até ao mar ocidental, será o vosso termo. Ninguém vos poderá resistir...» É realmente notável o fato de que

879

LIVROS APÓCRIFOS

Isràel, a despeito do grande cativeiro egípcio e dos cativeiros subseqüentes na Assíria (quanto ao reino do norte) e na Babilônia (quanto ao reino do sul), tenha conseguido manter sua identidade distinta. Poderíamos acrescentar a isso o fato de que, embora disperso entre as nações, durante quase dois mil anos, em nossos próprios dias o povo de Israel conseguiu novamente organizar-se como uma nação, em sua própria terra natal. A tradição registrada nós livros dos Macabeus tem servido de grande inspiração para a unificação dos judeus, conforme se vê na atualidade, embora nem todos os judeus sigam as idéias sionistas, de retorno à Terra Santa. É que a força das idéias é sempre mais poderosa que os fatores históricos e as circunstâncias.

••• ••• •••

V. Gráficos Ilustrativos

1. CATÁLOGOS CRISTÃOS DOS LIVROS DO ANTIGO TESTAMENTO

CHAVE:
* indica que o livro é expressamente reputado Escritura Sagrada
+ indica que ocupa segunda categoria
? indica que o livro é duvidoso

um espaço em branco marca o silêncio do autor sobre o livro em pauta

N.B. A lista envolve somente os livros disputados.

	Lam.	Bar.	Est.	Ecl.	Sab.	Tob.	Jud.	I,II Mac.	
I. Catálogos Conciliares									
Laodicéia 363 D.C.	*	*	*						Cânon lix
Cartago 397 (?)	*	*	*		+	+	+	* *	III, Cânon xxxix (al. 47)
Cânones Apostólicos			+		+	?	? +	* *	lxxvi (al. 85)
II Catálogos Privados									
a. Escritos gregos									
Melito c. 160 (180)	*								Apo. Euséb. H.e. iv. 26
Orígenes c. 183-253		?	+					+ +	Apo. Euséb. H.E. vi. 25
Atanásio 296-373	*	*	*		+	+	+	+	Ep. Fest. i.767, ed. Ben.
Cirilo Jer. 315-386	*	*	*						Cat. iv.35
Sinópse S. Escrituras				+	+	+	+	+ +	Credner, Zur Gresch. des Kan. 127 s.
Nicéforo, Esticomet.				+	+	+	+	+ +	Credner, a.a. O. pág. 117 ss.
Gregório Naz. 300-391			*						Carm. xii.31, ed. Par. 1840
Anfilóquio c. 380			?		?			?	Anf. ed. Combef. pág. 132
Epifânio c. 303-403	*	*	+		+	+	+	+	De Mensuris, pág. 162, ed. Petav.
Leôncio c. 590									De sectis, a. ii (Gal. xii:625 ss)
João Damasceno c. 750									De Fide orthod. iv. 17
Nicéforo Cal. c. 1330	*	*	?	?	?	?	?	?	Hody. pág. 648
Cód. Gr. Séc. X			+		+	+	+	*	Montfaucon, Bib. Coislin, p. 193 ss
b. Escritos latinos									
Hilário c. 370			?			?	?	+	Pról. in Sal. 15
Jerônimo 329-420		+	?		+	+ +	+ +	+ +	Pról. Galea. ix; p. 547 ss, Migna
Rufino c. 380	*	*	*	*	*	*	*	*	Expos. Symb., pág. 37 s.
Agostinho 355-430	*	*	*	*	*	*	*	*	De Doctr. Christ. ii. 8
Cassiodoro c. 570	*	*	*	*	*	*	*	*	De Inst. Div. Litt. xiv
Isidoro c. 696	*	*	*	*	*	*	*	*	de Orig. vi.1
Sacram. Gálicos			*			*	*		Hody, pág. 654
Cod. Clarom. sec. VII			*		*	*	*	*	Ed. Tisch., pág. 468 ss

LIVROS APÓCRIFOS

2. Livros Apócrifos do Antigo Testamento, Citados como Escrituras
Colchetes indicam dúvidas.

	1, 2 Macc.	Baruch.	Ecclesiasticus.	Wisdom.	Tobit.	Judith.	Additions to Esther.	Additions to Daniel.
I. Greek writers.								
Clemens Rom.				[Ep. ad Cor. 27.]		[Ep. ad Cor. 55.]		
Polycarp.					[Ep. ad Phil. 10.]			
Barnabas.				[Ep. c. 6.]				
Irenæus.		Adv. Haer. v: 35, 1.		[Adv. Haer. iv: 38, 3.]	[Adv. Haer. i: 30, 11.]			Adv. Haer. iv: 5, 2; 26, 3. Proph. Ecl. 1.
Clem. Alex.	[Strom. v: 14.]	Paed. i: 10; ii: 3.	Strom. iii: 5. etc.	Strom. iv: 16; vi: 11, 14, 15, etc.	Strom. ii: 23; vi: 12.	Strom. ii: 7.		
Origenes.	De Princ. ii: 1, 5.	Sel. in Ps. cxxv. Sel. in Jer. xxxi. Adv. d. Noct. 5.	Comm. in Joan. xxxiii: 14.	c. Cels iii: 72; v: 29; Hom. sæpe. In Cant. Prol.	Ep. ad Afric. p. 13 De Orat. p. 11. [In Dan. p. 697, ed. Migne.]	[Hom. ix. in Jud. 1.] Sel. in Jer. p. 23. [Conv. xi: 2]	Ep. ad Afric. De Orat. 14.	Ep. ad Afric. etc. Comm. in Dan. p. 639 ff. ed. Migne. [Conv. xi: 2]
Hippolytus.	[De Antichr. 49.]							
Methodius.		Conv. viii: 3.	Conv. i: 3, etc.	Conv. i: 3, etc.				
Athanasius.		c. Arian. i, p. 416.	c. Arian. i. p. 183.	c. Arian. ii, p. 513	c. Arian. i, p. 133.	c. Arian. i, p. 133.		c. Arian. iii, p. 580.
Eusebius.		Dem. Ev. vi: 19		Praep. Ev. i: 9.				
Cyril. Hieros.		Cat. xi: 15.	[Cat. xxiii: 17.]	Cat. ix: 2.				Cat. ii: 16, etc.
Gregor. Naz.								Orat. xxxvi: 3.
Basil.		Adv. Eun. iv: 16.	Haer. xxiv: 6, etc.	Adv. Eunom. v: 2.				Hom. xii. in Prov. 13.
Epiphanius.		Haer. lvii: 2. etc.	De Lax. ii: 4.	Haer. xxvi (Gnost.) 15. etc. In Ps. cix: 7.				Ancor. pp. 23, 24.
Chrysostom.		In Ps. xlix: 3.						
II. Latin writers.								
Tertullian.	Ep. 59 (55), 4.	Scorp. 8.		[De Praes. Haer. 7.]				Adv. Hermog. 44.
Cyprian.		Test. ii: 6.	Testim. ii: 1; De Mortal, p. 23.	Testim. ii: 14; De Mortal, p. 23.	De Orat Dom. 32.			De Orat. Dom. 8.
Hilarius Pictav.		In Ps. lxviii: 19. De Trin. iv: 142. In Ps. cxviii: 18, 2.	In Ps. lxvi: 9, etc.	In Ps. cxviii: 2, 8.	In Ps. cxxix: 7.	In Ps. cxxv: 6.		In Ps. lii: 19, etc.
Ambrosius.			De bono mortis, 8.	De Sp. S. iii: 18. 135. etc.	Lib. de Tobia, 1.			De Sp. S. iii: 6, 39.
Hieronymus.			[Dial. Pelag. i: 33]	[Dial. c. Pelag. i: 33]				
Lucifer.	De non parc. p. 958 ff.			Pro Atham. i, p. 860, ed. Migne.	Pro Atham. i, p. 871.	De non parc. p. 955.		Pro Atham. ii, p. 884 ff.
Optatus.			De Sch. Dom. iii: 3.	De Sch. Dom. ii: 25.				
Augustinus.		De Civ. xviii: 34.	In Ps. lxvii: 8, etc.	In Ps. lviii: 1.				Serm. cccxliii.

LIVROS APÓCRIFOS

3. Desenvolvimento dos Livros Apócrifos e Hagiógrafos

CRONOLOGIA DO A. TESTAMENTO

	Eventos Históricos	História e Lenda	Apocalipse	Sermão e Ensaio	Sabedoria	Salmos
AC		Aikar (?) Tobias, 220 AC? Adições a Ester, c. 181-145 AC				
250	Palestina sob Ptolomeus (Egito)					
200	Palestina sob Seleucidas (Síria), 198 Antíoco IV contamina o templo, 167; Judas Macabeu o purifica, 164 AC.	Judite, 180-100		Testamento 12 Patriarcas I Baruque, 150 AC.	Sabedoria de Jesus Ben Siraque (Eclesiástico), 180 AC.	
150	Dinastia Hasmoneana	I Esdras, antes de 100 AC. I Macabeus, 105-65 AC.?; II Macabeus, 100 AC 70 DC.?; Susana, 80-50 AC; Bel e o Dragão, 80-50 AC.; Vidas dos Profetas; III Macabeus, 50 AC -50 DC.; Martírio de Isaías; Crônicas de Jeremias; Vida de Adão e Eva / Apo. de Moisés/	I Enoque, 183-80 AC. Guerra Filhos da Luz e Trevas	Manual de Disciplina, 100 AC? Fragmentos Sadoquitas; Oráculos Sibilinos III; Epístola Jeremias; Carta de Aristéias; Comentário sobre Habacuque 1,2; IV Macabeus, 50 AC - 70 DC.		Cântico dos Três Jovens; Salmos da Seita de Qumran
63	Pompeu conquista Jerusalém, 63 AC.					
50	Herodes, O Grande, 40 AC		Assunção de Moisés, 4 AC-28 DC.		Sabedoria de Salomão 50 AC-10 DC	Salmos de Salomão
DC						
1	Judéia sob procuradores romanos				Ditos dos Pais /Pirke Aboth, 10-100 DC?/	Oração de Manassés
66	Começa a guerra judaica, 66 DC.		II Baruque /Baruque siríaco/. II Enoque /Enoque eslavônico ou Segredos de Enoque/; II Esdras, 88-117 DC. Apocalipse de Abraão; III Baruque /Baruque grego/			
100	Queda de Jerusalém, 70 DC.					

LIVROS APÓCRIFOS

4. Cronologia da Literatura do N. Testamento

Desenvolvimento da Literatura do Novo Testamento e de outra Literatura Cristã Primitiva
Datado e Comparado com a História Geral e com a História Narrada no Novo Testamento

DATAS	HISTÓRIA GERAL	HISTÓRIA DO NOVO TESTAMENTO	LITERATURA
Até 47 A.C.	Antípatre, procurador da Judéia (pai de Herodes, o Grande)		
50 A.C.	Herodes, o Grande (40-4 A.C.)	Nacimento de Jesus (8-4 A.C.)	
1 D.C.	César Augusto (27 A.C.-14 D.C.)		
14 D.C.	Tibério (14-37 D.C.)		
28 D.C.	Pôncio Pilatos, procurador (26-36 D.C.)	Pregação de João Batista (28 D.C.)	
30 D.C		Crucificação de Jesus (30 D.C.)	
		Desenvolvimento da igreja	
32 D.C.		Conversão de Paulo (32-39 D.C.)	
		Paulo em Jerusalém (37-38 D.C.)	
38 D C.	Gaio e Calígula (37-41 D.C.)		
46 D.C.	Cláudio (41-54 D.C.)	Evangelização do sul da Galácia (45-46 D.C. Atos 13-14)	
	Fome na Palestina (46 D.C.)	Concílio de Jerusalém (46-47 D.C. Atos 11:30; 15:2; Gál. 2:11)	
50 D.C.	Expulsão dos judeus de Roma, sob Cláudio (49 D.C.)	Primeira viagem missionária de Paulo (46-47 D.C. Atos 13-14)	
51 D.C.	Gálio, procônsul da Acaia (51-52 D.C.)	Segunda viagem missionária de Paulo (48-51 D.C. Atos 16-17)	
		Paulo em Corinto (50 D.C. Atos 18)	I Tes. (50 D.C.)
53 D.C.	Félix, procurador (52-58 D.C.)	Terceira viagem missionária (53 D.C. Éfeso, 54-57; Atos 19)	I Cor. (54-55 D.C.) Marc. (50-54 D.C.)
58 D.C.	Nero (54-68 D.C.)	Paulo em Macedônea e na Grécia (55-58 D.C. Atos 20:1-6; 21:17)	Gál. (54-55 D.C.)
	Festo, procurador (58-62 D.C.)	Paulo em Jerusalém (56 D.C. Atos 21)	II Cor. (55 D.C.)
59 D.C.		Paulo em Roma (59 D.C. Atos 28)	Rom. (56 D.C.) Col. (59 D.C.)
61 D.C.		Fim da história de Atos (61 D.C.)	File. (59-61 D.C.) Fil. (59-61 D.C.)
62 D.C.		Martírio de Tiago, irmão do Senhor (62 D.C.)	Efé. (59-61 D.C.) I e II Tim. (61-62 D.C.) Tito (61 D.C.)
64 D.C.	Perseguição de Nero (64 D.C.)	Martírio de Paulo (61-64 D.C.)	I Ped. (60-64 D.C.?)
66 D.C.		Começa a revolta dos judeus. Cristãos fogem para Pela (66 D.C.)	Heb. (70-80 D.C.)
70 D.C.	Galva, Oto, Vitélio (68-69 D.Ç.) Vespasiano (69-79 D.C.)	Queda de Jerusalém (70 D.C.) Perseguições de Domiciano (81-96 D.C.)	Tiago (75-80) Luc.-Atos (75-80 D.C.) Mat. (75-80 D.C.)
81 D.C.	Pompeu (79 D.C.) Tito (79-81 D.C.)		Apo. (100 D.C.) João (100 D.C.)
100 D.C.		Morte de João (100 D.C.)	I, II, III João (100 D.C.)
	Plínio persegue os cristãos (112 D.C.)		Judas (100 D.C.) 1 Clem. (100 D.C.)
	Inácio martirizado em Roma (115 D.C.)		Inácio (100 D.C.)

LIVROS APÓCRIFOS

Cronologia Literária, cont.

segundo século

Didache (140 D.C.)
II Ped. (150 D.C.)
II Clem. (150 D.C.)
Pastor de Hermas (130-150 D.C.)
Ev. de Tomé (100-150 D.C.)
Ev. dos Egípcios (150 D.C.)
Ev. de Pedro (160 D. C.)
Ev. de Nicodemos (Séc. II-V?)
Ev. da Infância (séc. II-V)
Atos de João (150-160 D.C.)
Atos de Pedro (160 D.C.)
Atos de Tomé (180-200 D.C.)
III Cor. (200 D.C.)
Ep. Laodicenses (180 D.C.?)
Paulo e Sêneca (190 D.C.?)
Apo. de Pedro (180 D.C.)
Apo. de João (180 D.C.)
Apo. de Tiago (125-180 D.C.?)
Apo. de Paulo (225- D.C.)

VI. BIBLIOGRAFIA: ADM ALLE AM ANT APOT
BROC BUR BW CG CE CH
DOT EN GD HAAR HEN
HRL I IB ID JA ME SO Z

....

LIVROS APÓCRIFOS

Um Evangelho Desconhecido, Rylands Papyrus, 457,
— Cortesia, British Museum

RECTO

VERSO

Um Evangelho Desconhecido, Egerton Papyrus,
— Cortesia, British Museum

LIVROS APÓCRIFOS

O Evangelho de Tomás, Século III — Cortesia, Bodleian Library

LIVROS APÓCRIFOS (MODERNOS)

LIVROS APÓCRIFOS (MODERNOS)

— Muitos livros apócrifos modernos afirmam que adicionam informes sobre assuntos ou idéias tratadas na Bíblia, — tanto no Antigo, — quanto no Novo Testamentos. Alguns declaram-se baseados em documentos antigos, existentes ou perdidos. Alguns de seus autores dizem ter recebido suas informações por meios paranormais, como visões ou discernimentos psíquicos. Alguns desses livros podem ser reputados fraudulentos, mas outros foram produzidos por pessoas sinceras, que criam ter recebido informações genuínas que precisavam ser dadas ao público. O propósito deste material não é fazer uma caça às bruxas, nem ofender àqueles que têm pontos de vista diferentes dos evangélicos, e para quem idéias divergentes das nossas são sagradas e deveriam ser respeitadas, mesmo que não as possamos aceitar. Se as idéias não fossem respeitadas em nossa sociedade, não poderia haver tal coisa como liberdade religiosa. E também não ganhamos coisa alguma mediante o ódio e a amargura. Muito pelo contrário, a lei do amor é o principal item do nosso credo, e devemos observá-la a todo custo. Não obstante, nem todas as idéias religiosas são verdadeiras, e devemos identificar cuidadosamente as falsas idéias religiosas, cotejando os conceitos com o teor da revelação bíblica.

1. *O Livro de Mórmon*. Trata-se do alegado registro sobre antigos habitantes do continente norte-americano, recebido por Joseph Smith Jr. (ver o artigo a seu respeito), por parte de visitantes angelicais, na primavera de 1820 e em setembro de 1823. Ele teria sido levado a encontrar placas de ouro, a 22 de setembro de 1827. Smith teria sido capacitado a traduzir esse material para o inglês, mediante o uso de certos óculos mágicos, e o resultado foi o Livro de Mórmon. O próprio livro foi publicado pela primeira vez em 1830. Seguiram-se desde então mais de cem edições do mesmo. O livro narra três ondas migratórias para a América do Norte: a. Em cerca de 2200 A.C., da torre de Babel. Toda essa gente pereceu. b. Descendentes de Manassés, de Jerusalém, em cerca de 600 A.C. c. Uma colônia de Jerusalém, liderada por um filho de Zedequias, em 588 A.C. Dessas duas últimas imigrações, duas tribos se formaram, a dos nefitas e a dos lamanitas. Essas tribos foram visitadas por Cristo, após a Sua ressurreição, e durante duzentos anos viveram em paz. Mais tarde, em cerca de 400 D.C., a guerra destruiu todos os lamanitas, os quais, de acordo com as crenças mórmons, teriam sido os antepassados dos índios norte-americanos. Os Mórmons (ou Santos dos Últimos Dias) também têm outros livros sagrados.

A **origem do livro de Mórmon** é considerada sagrada e divina por cerca de três milhões de mórmons espalhados pelo mundo, mas reputados apócrifos por não-mórmons que têm investigado tal reivindicação. Não há qualquer evidência arqueológica que confirme diretamente a existência das tribos ali descritas. Os críticos percebem muitos anacronismos no tocante a referências e citações, que são óbvios empréstimos verbais do Novo Testamento e que aparecem em alegados tempos veterotestamentários, ou antes de Cristo. Esses muitos empréstimos verbais do Novo Testamento mostram que o autor do livro de Mórmon estava bem familiarizado com esse documento cristão. Mas a objeção é respondida com a declaração de que isso veio por meio de inspiração, tornando-se então, uma questão de fé. As evidências demonstram que Joseph Smith era possuidor de alguma habilidade psíquica, curadora e de conhecimento prévio, tudo o que poderia ser explicado por meio de habilidades naturais, que todos os seres humanos têm em um grau ou outro, conforme o demonstram os estudos de *parapsicologia* (ver o artigo a respeito). Os críticos afirmam que a fraude envolveu ao menos uma parte dessa habilidade de Joseph Smith; mas, seja como for, muitos místicos modernos têm sido mais bem dotados do que Joseph Smith quanto a essas capacidades, mas não deram início a novas religiões. Contra isso, tem-se dito que a prova de um profeta não é a sua capacidade psíquica (que pessoas comuns, que não são profetas, também podem ter), e sim, a sua mensagem. A objeção mais séria contra o mormonismo é que esse contém doutrinas inteiramente contrárias àquela que ensina o cristianismo bíblico. Isso diz respeito especialmente à doutrina de Deus, — que é ali pintado como um *organizador*, e não como criador (a matéria é considerada eterna), e que presumivelmente evoluiu a partir de uma condição humana. Deus teria esposas, e mediante uma constante procriação é o pai das almas humanas. Outrossim, os mórmons são politeístas, porquanto crêem na existência de muitos deuses, embora, segundo dizem, *temos* responsabilidade somente diante de três, o Pai, o Filho e o Espírito Santo, os quais seriam deuses separados, e não membros inseparáveis da Triunidade. Portanto, são triteístas, e não trinitarianos. Contra tais objeções, eles afirmam que o conhecimento religioso dos homens tem sido dado progressivamente, e que as diferenças entre a doutrina mórmon e as doutrinas do cristianismo bíblico não são maiores que a diferença entre o Antigo e o Novo Testamento, quanto às suas idéias e formas religiosas.

2. *A Vida Desconhecida de Cristo*. Essa obra foi publicada em 1894 por um russo de nome Nicolas Notovitch. Presumivelmente, ele baseou sua informação no que lhe disse o principal lama de um mosteiro tibetano. O livro assevera que Jesus passou dos treze aos vinte e nove anos na Índia, no Tibete e na Pérsia e então retornou à Palestina, para ali realizar a Sua missão. Mas os monges tibetanos negaram ter conhecimento do autor ou de sua obra, e nada sabiam acerca dos manuscritos sobre os quais seu livro alegadamente estava alicerçado.

3. *O Evangelho Aquariano*. Foi publicado em Los Angeles, nos Estados Unidos da América, em 1911. Foi escrito pelo Dr. Levi H. Dowling, afirmando que o mesmo lhe fora dado por iluminação interna, das duas às seis da madrugada. O título vem da doutrina astrológica de que a vida de Jesus (e os séculos posteriores) pertencia ao signo de Peixes, mas que o mesmo agora está cedendo lugar ao signo de Aquário. Jesus teria estudado com *Hilel* (ver o artigo a seu respeito), com sábios da Índia e do Tibete, e com magos visitantes da Pérsia. Ele teria pregado aos atenienses, e presumivelmente foi ordenado por um concílio de sete sábios do mundo, levado a efeito em Alexandria.

4. *A Crucificação de Jesus*. Um alegado ancião essênio, em Jerusalém, testemunha ocular da crucificação, escreveu uma carta, sete anos depois desta, descrevendo o evento. Escreveu essa carta a outro essênio, que residia em Alexandria. Afirma-se ali que José, João Batista, Nicodemos, Jesus e o anjo que apareceu no túmulo de Jesus eram todos essênios. Nessa obra, não aparece a ressurreição tradicional de Jesus. Antes, Jesus foi ressuscitado pelos essênios, viveu durante seis meses, e morreu definitivamente. O livro foi impresso pela primeira vez na Suécia, em 1851.

5. *O Relatório de Pilatos*. Esse livro apareceu pela primeira vez em 1879, e então em uma edição expandida, em 1884. Foi escrito pelo Rev. W.D.

LIVROS APÓCRIFOS (MODERNOS)

Mahan, um clérigo presbiteriano de Cumberland. A edição expandida contém alegadas entrevistas com os pastores, uma entrevista de Gamaliel com José e Maria, a história de Eli sobre os magos, a defesa de Herodes perante o senado romano, por ter matado as criancinhas de Belém, e naturalmente, o relatório de Pilatos, que constitui a maior parte do livro original. Nas edições finais, o livro foi intitulado *Escritos Arqueológicos e Históricos do Sinédrio e dos Talmudes dos Judeus*; então, *O Volume Archko*. Investigações feitas quanto às reivindicações do livro descobriram o interessante fato de que a história de Eli sobre os magos foi tirada do livro de Lew Wallace, a novela Ben-Hur, ao ponto de reproduzir os seus erros tipográficos.

6. *A Confissão de Pôncio Pilatos*. Um bispo libanês, em 1889, produziu esse livro de ficção. Foi publicado na língua inglesa quatro anos mais tarde, sem o prefácio do bom bispo, onde o livro é chamado de «ficção». Fala sobre Pilatos como um exilado em Viena, na Áustria, sobre os diálogos que ele teria tido com antigos amigos acerca de seu relacionamento com Jesus, sobre o remorso e sobre o suicídio de Pilatos.

7. *A Carta de Behan*. Esse livro foi publicado em Berlim, em 1910. Behan teria sido um sacerdote egípcio que escreveu a Estrabão acerca de Jesus. O livro relata informações sobre a criação de Jesus, sobre Seu treinamento nas tradições rabínicas, como menino no Egito, Seu retorno à Palestina, e Sua missão ali, antes de Sua morte. Behan teria viajado por todo o mundo antigo, tendo sido testemunha ocular de toda sorte de interessantes eventos históricos, como o incêndio de Roma, em 64 D.C., a queda de Jerusalém, em 70 D.C., e a erupção do Vesúvio, em 79 D.C.

8. *O Vigésimo Nono Capítulo de Atos*. Esse livro foi publicado em Londres, em 1871. Descreve uma alegada jornada de Paulo à Espanha e às ilhas Britânicas, onde ele conferenciou com os druidas, que lhe revelaram ser descendentes de judeus que escaparam do cativeiro assírio, em 722 A.C. Paulo teria pregado no monte Lud, o futuro local da catedral de São Paulo. Essa obra evidentemente foi escrita para promover o movimento que a pôs em circulação.

9. *A Epístola do Céu*. Uma única página, presumivelmente ditada por Jesus. Teria sido encontrada sob uma grande pedra, ao pé da cruz. Apareceu uma edição latina desde o século VI D.C., tendo circulado então em muitas línguas. Aborda principalmente a observância do sábado e os mandamentos de Jesus, e promete uma bênção àqueles que possuírem e observarem esses mandamentos.

10. *O Evangelho de Josefo*. Presumivelmente, Josefo escreveu o livro pouco antes de morrer. Alegadamente, o livro tornou-se a fonte informativa dos quatro evangelhos, que foram escritos mais tarde. O italiano Signor Luigi Moccia teria encontrado os manuscritos; mas, mais tarde, admitiu que o livro inteiro era uma tapeação. Contudo, as pessoas continuaram lendo o livro e crendo em sua genuinidade.

11. *O Livro dos Justos*. Foi uma tentativa fraudulenta de reconstituir o Livro dos Justos, mencionado em Jos. 10:13 e II Sam. 1:18. Na realidade, é apenas um engodo, um tipo de sumário dos primeiros sete livros do Antigo Testamento, compilado por Jacob Hive de Londres, em 1751. Foi imediatamente reconhecido como uma fraude.

12. *A Descrição de Cristo*. Presumivelmente, era uma carta escrita por um suposto governador da Judéia, Públio Lentulos, ao senado romano, descrevendo Jesus. Ocupa uma única página. Já era conhecida desde o século XIII D.C., e pode ter-se baseado em livros de instruções escritos para os pintores de miniaturas gregas, que ilustravam manuscritos medievais. Nenhum oficial com o nome de Públio Lentulus acha-se alistado entre os governadores romanos da Palestina.

13. *O Atestado de Óbito de Jesus Cristo*. Presumivelmente, uma placa de cobre foi encontrada no reino de Nápoles, em 1810, contendo informações sobre o atestado de óbito passado por Pilatos para confirmar a morte de Jesus. Ali são enumeradas as acusações feitas contra Ele. O panfleto circulou largamente nos Estados Unidos da América. Mas nenhuma placa de cobre foi jamais apresentada.

14. *O Longamente Perdido Segundo Livro de Atos*. Foi publicado em 1904 por um clérigo episcopal e médico, Dr. Kenneth S. Guthrie. O livro procura dar apoio à doutrina da reencarnação, exemplificada em Jesus e Maria. Maria, ao falecer, segreda ao apóstolo João acerca de suas sucessivas reencarnações e Jesus, tomando-a nos braços, fala de sete reencarnações Dele mesmo.

15. *Oahspe*. O livro volumoso, de quase mil páginas, escrito pelo Dr. John B. Newbrough, em 1882. Presumivelmente, o Dr. Newbrough recebeu o livro mediante o processo chamado psicografia ou escrita automática, processo pelo qual uma pessoa escreve sem ter controle consciente do que está escrevendo. O fenômeno existe, mas há muita disputa sobre o seu mecanismo. Os médiuns espíritas usam o fenômeno e dizem que o mesmo é produzido por espíritos. Outros asseveram que é o subconsciente da própria pessoa que escreve, *como se fosse* um espírito distinto. As pessoas que se opõem à questão, supõem que se trata de uma obra demoníaca. O autor do livro afirmava que alguma outra inteligência era a responsável pelo mesmo. Os publicadores informam que envolve «evolução, revolução e revelação», afirmando que se trata da «nova Bíblia americana».

16. *Os Livros Perdidos da Bíblia*. Presumivelmente, antigos bispos da Igreja retiraram propositalmente certo material do volume da Bíblia, e assim decidiram arbitrariamente o que deveria fazer parte ou não do *cânon* (ver o artigo a respeito). O livro apareceu em 1926, embora fosse apenas uma reimpressão do Novo Testamento apócrifo, publicado em 1820, além de uma edição dos escritos dos pais apostólicos, que haviam aparecido em 1737. Desde aquele tempo, consideráveis adições (mediante várias descobertas) têm aumentado o volume dos livros apócrifos do Novo Testamento. (Ver o artigo sobre *Livros Apócrifos*, III. Novo Testamento).

17. *Gravuras sobre o Cristo* e o *Evangelho de Magus*. Dois livros escritos por Charles C. Wise Jr. Ele é um advogado aposentado, dotado de profundo senso de missão, sincero como poucos. O autor apresenta trinta e duas estórias pessoais ou retratos, a respeito da vida de Cristo. Ele afirma que o material lhe foi dado psiquicamente, não através da psicografia, mas através da compreensão psíquica, estando ele em leve estado de transe. Por assim dizer, ele entrou em contato com a consciência de Jesus, vendo, em primeira mão, tudo quanto ocorreu. O material narra várias facetas insuspeitas, tanto da vida de Jesus como também de vários homens e mulheres do Novo Testamento. O anjo Gabriel e o Espírito Santo revelam como eles operam. Foi escrito em versos chãos, e as histórias variam de meia a trinta e cinco páginas. Cada narrativa tem uma sentença ou mais que dá idéia do que se seguirá.

Abraão e Ló fazem um pacto

A vitória do amor: Abraão deu a Ló a melhor parte.

Ainda que eu falasse as línguas dos homens e dos anjos, e não tivesse Caridade, seria como o metal que soa ou como o sino que tine. E ainda que tivesse o DOM de profecia, e conhecesse todos os mistérios e toda a ciência, e ainda tivesse toda a fé, de maneira tal que transportasse os montes, e não tivesse Caridade, NADA seria. E ainda que distribuísse toda minha fortuna para o sustento dos pobres, e ainda que entregasse o meu corpo para ser queimado, e NÃO tivesse Caridade, nada disso ME Aproveitaria.

1 aos Coríntios 13 1~3

Caligrafia de Darrell Steven Champlin

LIVROS CARLOVÍNGIOS — LÓ

O Evangelho do Irmão Yeshua, de Magus. Trata-se de uma obra adicional. Juntamente com o primeiro volume, constitui as Escrituras fundamentais da Era Aquariana, que estaria começando em nossa época. Novas igrejas haverão de surgir, que usarão essas obras, dando novo molde ao evangelho e restaurando seus verdadeiros ensinamentos. O livro alegadamente é a história pessoal de Jesus sobre a Sua vida, produzida através da consciência de Carolus Magus, que o Irmão Yeshua (Jesus) autentica pessoalmente no post-scriptum. As últimas cinqüenta páginas põem de lado a história passada, comentando sobre questões atuais como o pecado, a meditação, as curas, a reencarnação, dando profecias de destruição acerca dos anos de 1980 a 2010, principalmente devido à explosão demográfica abusiva.

O Jesus retratado nesses vários livros. Ele seria um homem casado, iniciado nos mistérios egípcios, dotado de grandes poderes psíquicos, participante da divindade inerente a todos nós. Evoluindo após muitas encarnações anteriores, Ele teria atingido um elevadíssimo grau de desenvolvimento espiritual. Cada realidade espiritual individual é ímpar, mas, ao mesmo tempo, compartilha da experiência universal, e Jesus é o pioneiro nesse tipo de desenvolvimento. (E. JR, outubro de 1984, págs. 260 e 261). (GD Z)

LIVROS CARLOVÍNGIOS

Um documento publicado perto do fim do século VIII D.C., sob a tutela de Carlos Magno, imperador e fundador do Santo Império Romano. Esse livro atacava a autoridade e as descobertas do segundo concílio de Nicéia (787 D.C.), opondo-se vigorosamente à adoração às imagens de escultura. (E)

LIVROS DA BÍBLIA

Ver o artigo sobre a **Bíblia**.

LIVROS DE ADÃO

Ver **Adão, Livros de**.

LIVROS DO ANTIGO TESTAMENTO

Ver sobre o **Antigo Testamento**.

LIVROS DO NOVO TESTAMENTO

Ver sobre o **Novo Testamento**.

LIVROS PERDIDOS DA BÍBLIA

Ver o artigo geral sobre **Livro, (Livros)**. As referências do Antigo Testamento mostram-nos que nem toda a biblioteca sagrada dos hebreus que sobreviveu, tornou-se parte do cânon veterotestamentário. Os pontos oito e nove daquele artigo geral demonstram esse fato. Sem entrarmos na questão do cânon, deveríamos afirmar que não é correto as pessoas chamarem esses livros perdidos «da Bíblia», embora seja esse o título deste verbete.

Alguns desses livros podem ter tido considerável importância, e também podem ter servido de fonte informativa para certos livros da Bíblia, mas não são livros bíblicos.

Também sabemos que alguns escritos paulinos (talvez muitos) se perderam, o que se depreende de Col. 4:16: «E, uma vez lida esta epístola perante vós, providenciai por que seja também lida na igreja dos laodicenses; e a dos de *Laodicéia* lede-a igualmente

perante vós». No entanto, não temos nenhuma epístola à igreja de Laodicéia, a menos que se trate da epístola aos Efésios, conforme têm sugerido alguns estudiosos. Ver o verbete sobre a *Epístola aos Efésios*. Além disso, vários «evangelhos» serviram de fontes informativas para Lucas, mas dos quais não dispomos. Ver Luc. 1:1. A expressão «Livros Perdidos da Bíblia» foi usada como título da publicação de livros apócrifos do Novo Testamento, impressa em 1926. Mas, naturalmente, foi um nome erroneamente aplicado. Ver o artigo sobre *Livros Apócrifos do Novo Testamento*. Ver também o artigo intitulado *Pseude-pígrafos*. Tal expressão também tem sido usada para indicar várias obras religiosas modernas forjadas (como modernos livros apócrifos), como se tivessem feito parte de alguma coletânea bíblica perdida. Ver sobre os *Livros Apócrifos Modernos*.

LÓ

1. *O Nome*. No hebraico, *lot*, «cobertura». A raiz dessa palavra significa «enrolar», «embrulhar», talvez indicando a ação das mães que embrulham seus bebês. O nome ocorre por trinta e uma vezes no Antigo Testamento, vinte e oito vezes no livro de Gênesis, e também em Deu. 2:9,19 e Sal. 83:8. No Novo Testamento por quatro vezes: Luc. 17:28,29,32 e II Ped. 2:7. Ele viveu por volta de 1900 A.C.

2. *Família*. Ló era filho de Harã e sobrinho de Abraão. Harã foi o irmão mais jovem de Abraão (ver Gên. 11:27,31; 12:5). Ele nasceu em Ur dos caldeus. A identificação comum do lugar de seu nascimento é cerca de 260 km ao norte do golfo Pérsico, embora a questão seja disputada. A família migrou dessa localidade e mediante uma migração contínua, terminou na terra de Canaã, bem para oeste da terra de seus antepassados.

3. *Migrações*. O pai de Ló morreu relativamente jovem, e Ló tornou-se o herdeiro de suas propriedades. Ver Gên. 11:31. Abraão não tinha filhos nessa época, e Ló ficara órfão. Talvez os dois se apoiassem mutuamente. Finalmente, em suas andanças, chegaram à terra de Canaã. Para ali levaram suas possessões, que consistiam, principalmente, em gado. Eram homens profundamente religiosos, segundo se evidencia pelo fato de que eles foram estabelecendo altares ao longo de sua caminhada, com propósitos de culto religioso. *Yahweh* foi honrado nesses santuários em Siquém, Betel e no Neguebe (ver Gên. 11:27-32; 12:4-10; 12:1). Há uma tradição (com base na sugestão de Gên. 12:10 *ss*) no sentido de que Ló teria acompanhado Abraão e Sara ao Egito, a fim de escaparem da fome (ver *Genesis Apocryphon* 20:11, 33,34, obra descoberta entre os manuscritos do mar Morto). Betel serviu de ponto de descanso por algum tempo, mas prosperaram tanto ali, que a terra não podia sustentar os animais que ambos criavam.

4. *Separação Entre Ló e Abraão*. Sendo generoso, Abraão concedeu a Ló o direito da escolha do território para onde ele se retiraria. Ló preferiu a direção em que ficava a cidade de Sodoma, onde havia pastagem suficiente para suas ovelhas. Aquelas terras eram férteis e havia bom suprimento de água (ver Gên. 13:13). Os animais de Ló viviam bem alimentados, mas a alma dele começou a definhar, porquanto seus novos vizinhos e amigos eram degenerados. Ele sentia profundamente a perversidade deles (ver II Ped. 2:7), embora isso não o tenha feito afastar-se daquela região.

Os intérpretes supõem que foi nessa época que começaram a surgir falhas e pontos fracos no caráter básico de Ló. Em primeiro lugar, ele preferiu

LÓ – LOBO

egoisticamente as melhores terras para si, às custas de seu tio, Abraão. Em segundo lugar, ele achou que havia vantagem em residir entre um povo degenerado. Destarte chegou ao ponto em que foi preciso ser salvo, mediante uma intervenção divina, a fim de que as coisas se endireitassem novamente em sua vida.

5. *Aprisionamento*. A área onde Ló escolheu para habitar, perto do mar Morto, tornou-se o local de uma série de ataques armados, por parte de quatro reis do Oriente. Em um desses ataques, Quedorlaomer, de Elão, e seus aliados, derrotaram o rei de Sodoma e seus quatro aliados (ver Gên. 14:1-16). Sodoma e Gomorra sofreram o saque, e foram levados cativos, incluindo Ló e seus familiares. Abraão, porém, ouviu as notícias, reuniu seus homens e saiu atrás dos invasores. Em Damasco, bem ao norte de onde tinha havido o ataque, Abraão conseguiu apanhar o inimigo de surpresa, recuperando os cativos e muito despojo.

6. *O Julgamento Divino de Sodoma*. Ló, a despeito de suas dificuldades e de sua consciência pesada, resolveu ficar em Sodoma. Mas a iniquidade dos habitantes da cidade tornou-se insuportável para a mente de Deus, e foi decretado o julgamento do lugar. Três anjos anunciaram a Abraão a iminente condenação. Abraão orou para que a cidade fosse poupada, se ao menos dez homens justos podessem ser encontrados ali. Mas não havia nem mesmo esse pequeno número. Dois dos anjos foram adiante, avisar Ló sobre o que estava prestes a suceder. Eles ficaram com Ló aquela noite, mas os maníacos sexuais de Sodoma vieram para aproveitar-se deles. Ló, afundando moralmente mais do que nunca, ofereceu à turba suas duas filhas virgens, para abusarem delas, mas os sujeitos não queriam saber de mulheres. Os anjos, pois, tiveram de usar seu extraordinário poder, cegando momentaneamente os intrusos. Tudo isso serviu de excelente lição objetiva para Ló, acerca da necessidade dele e sua família deixarem aquele lugar. Todavia, os seus futuros genros não lhe quiseram dar ouvidos, e pereceram (ver Gên. 19:14). Ló, sua esposa e suas duas filhas foram escoltados pelos anjos até fora da cidade. Porém, a esposa de Ló hesitou e olhou para trás, o que lhes havia sido proibido pelos anjos. E assim foi atingida pelo julgamento, e foi transformada em uma estátua de sal (ver Gên. 19:26). Mas Ló foi poupado, por amor a Abraão, o que nos mostra quão ampla é a graça divina. Essa graciosa intervenção de Deus também é mencionada em Sabedoria de Salomão 10:6-8; Luc. 17:28 e II Ped. 2:7,8.

7. *O Julgamento Divino e Sua Natureza*. O trecho de Gên. 19:24 revela que Deus fez chover fogo e enxofre sobre Sodoma e as cidades vizinhas. As interpretações naturalistas tentam explicar o acontecido como acontecimento natural. — A maioria dessas interpretações fala em, terremotos e atividades vulcânicas. A arqueologia, de fato, tem mostrado que a área estava sujeita a esse tipo de atividade natural. Nesse caso, alguma imensa erupção vulcânica terminou com Sodoma e Gomorra e, então, mudanças de nível do solo, devido a abalos sísmicos, fizeram a área ser inundada, deixando as antigas cidades de Sodoma, Gomorra e outras menores, debaixo da superfície das águas do mar Morto. A nota da Revised Standard Version diz o seguinte:

«*Enxofre e fogo*, uma memória de uma catástrofe da antiguidade remota, quando a atividade sísmica e a explosão de gases subterrâneos mudaram a configuração da superfície, antes tão fértil (ver Gên. 13:10)». No tocante à estátua de sal, essa nota marginal continua: «...uma antiga tradição para explicar as bizarras formações de sal naquela região, como as que podem ser vistas atualmente em Jebel Usdum».

O terremoto e a erupção vulcânica serviram de instrumentos nas mãos de Deus a fim de punir a um povo rebelde e pervertido, conforme também nos revela o livro de Apocalipse. Essas atividades naturais tornaram-se instrumentos divinos a fim de julgar os homens, o que é confirmado por toda a literatura judaica apocalíptica.

8. *Origem dos Moabitas e Amonitas*. Ló deixara Sodoma, mas Sodoma não o deixara e nem a seus familiares. Suas filhas, temendo a extinção da linhagem da família, resolveram ter filhos através do único homem disponível, o próprio pai delas. Intoxicaram-no com vinho e fizeram sexo com ele, uma de cada vez, uma em cada dia. O filho da filha mais velha de Ló chamou-se Moabe, progenitor dos moabitas. O filho da filha mais nova de Ló foi chamado de Ben-Ami, sendo esse o progenitor dos amonitas. A história acha-se em Gên. 19:30-38. Após esse lamentável incidente, Ló nunca mais é mencionado pessoalmente no Antigo Testamento. Todavia, no Novo Testamento, em II Ped. 2:7,8, Ló é chamado de «justo», o qual se angustiava diariamente devido às suas associações com os ímpios habitantes de Sodoma. Destarte, ele tornou-se tipo do crente carnal e mundano, que não tem a força de vontade suficiente para desligar-se das coisas que, em seu coração, sabe que estão erradas.

9. *Sodomia*. Essa palavra veio à existência, com base na natureza moral pervertida dos homens de Sodoma. Em pauta estão vícios como o homossexualismo, a bestialidade (cópula carnal entre seres humanos e animais) e o sexo anal. Ver o artigo sobre o *Homossexualismo*.

LO-AMI

No hebraico, «não meu povo». Essa expressão se encontra em Osé. 1:9, para denotar simbolicamente o segundo filho do profeta Oséias e sua esposa prostituta, Gômer. Uma filha do casal foi chamada de *Lo-Ruama*, «não compadecida». Esses dois nomes foram usados para indicar que Israel (a infiel esposa de Deus), em seu adultério e desobediência espirituais, havia perdido o direito à proteção e à compaixão naturais que, normalmente, poderia esperar da parte de *Yahweh* (seu marido). A ameaça de julgamento divino, que pairava sobre a desobediente nação de Israel, era o cativeiro assírio.

LOBO

No hebraico, **zeeb**. No grego, **lúkos**. A palavra hebraica, que também significa «chacal», ocorre por sete vezes: Gên. 49:27; Isa. 11:6; 65:25; Jer. 5:6; Eze. 22:27; Hab. 1:8 e Sof. 3:3. No Novo Testamento, a palavra aparece por seis vezes: Mat. 7:15; 10:16; Luc. 10:3; João 10:12 e Atos 20:29.

O lobo é o maior animal selvagem da ordem canina. Nunca é literalmente mencionado no Antigo ou no Novo Testamentos, embora deva ter sido um animal familiar à fauna da Palestina durante todo o período bíblico. Na qualidade de ancestral selvagem do cão doméstico, e também parente próximo do chacal dos países do Oriente Médio, o lobo é um predador por natureza. É um animal formidável, com os seus quase cinquenta quilos, com um comprimento total de até 1,69 m, da ponta do focinho à ponta da cauda. Não é de surpreender, pois, que nosso Senhor tenha considerado o lobo uma tremenda ameaça para os rebanhos, conforme se vê em João 10:12, etc.

LOBO — LOCKE, JOHN

O lobo cinzento (*Canis lupus*) já habitou em grandes áreas da Ásia, da Europa e da América do Norte. Atualmente acha-se extinto em quase todas as áreas ocupadas pelo homem, sendo abundante somente nas áreas ermas das florestas e das estepes, como, por exemplo, no Alasca e em grande parte do Canadá, embora também possa ser encontrado em certas regiões frias da Europa e em grande parte da Sibéria. O que admira é que ainda sobrevive na própria Palestina, embora sempre em pequenos números, e não mais uma ameaça aos rebanhos, como antigamente o era.

Por causa de seu porte avantajado, e também porque os lobos atacam em bandos, eles são capazes de fazer presa de animais bem maiores do que no caso dos chacais e das raposas, porém, na maioria das vezes, eles se contentam em caçar animais menores, incluindo ratos, caranguejos, e até mesmo peixes e insetos. Um dos casos mais dramáticos de ataques de lobos é aquele que envolve Miro, um dos grandes heróis dos antigos jogos olímpicos. Miro era um gigante dotado de força extraordinária. Depois de ter vencido a um touro, quebrando-lhe o pescoço, diante da multidão reunida no estádio, ele carregou o animal e deu uma volta inteira com o touro nos ombros, em torno da pista. Pois foi esse atleta que, de certa feita, tendo rachado uma árvore com as mãos, ficou com uma delas presa no tronco rachado. O local era ermo, e não havia quem o ajudasse. Então vieram os lobos, em uma matilha, e o atacaram e mataram e lhe devoraram as carnes!

Até no Brasil encontram-se lobos, chamado lobo Guará. Esse animal tem as pernas bem compridas, sendo muito mais alto que um cão comum de porte semelhante. Ele é até maior que um pastor alemão, parecendo um misto de cão e hiena, de pêlo amarelo escuro. Mas, como está em vias de extinção, não constitui um perigo.

O Lobo na Linguagem Simbólica da Bíblia. Devido às suas características, o lobo é representação do mal e da violência, em muitas passagens bíblicas, conforme se vê na relação abaixo:

- A tribo de Benjamim, entre a qual nasceram tantos homens valentes (Gên. 49:27)
- Inimigos ferozes (Jer. 5:6; Hab. 1:8)
- Os ímpios (Mat. 10:16; Luc. 10:3)
- Governantes sem temor de Deus (Eze. 22:27; Sof. 3:3)
- Falsos mestres (Mat. 7:15; Atos 20:29)
- O próprio Satanás (João 10:12)
- O amansamento do lobo é ilustrativo da conversão (Isa. 11:6 e 65:25).

A Igreja de todos os séculos deveria precaver-se no tocante aos «lobos», conforme avisou o apóstolo Paulo: «Eu sei que, depois da minha partida, entre vós penetrarão lobos vorazes, que não pouparão o rebanho. E que, dentre vós mesmos, se levantarão homens falando cousas pervertidas, para arrastar os discípulos atrás deles...» (Atos 20:29,30). Talvez o apóstolo tivesse na memória o trecho de Habacuque 1:8, que mostra a ferocidade dos lobos, especialmente quando se põem à caça: «...mais ferozes do que os lobos ao anoitecer são os seus cavaleiros que se espalham por toda a parte...» O profeta falava sobre os caldeus, destinados a assolar o reino de Judá, e destruí-lo.

LOBSTEIN, PAUL

Suas datas foram 1850-1922. Foi homem conhecido por sua sabedoria e erudição, que ensinou na Universidade de Estrasburgo, na França. No tocante à religião e à teologia, ele se tornou melhor conhecido por suas críticas contra as tradicionais descrições de Deus e contra os argumentos em favor de sua existência. Ele fazia objeção aos argumentos que diminuem a onipotência de Deus, e acreditava que a *personalidade* é um conceito chave em qualquer discussão sobre Deus. Ele preferia o método de argumentação de natureza histórica e psicológica.

Apesar dele enfatizar a *personalidade* como um fator crucial nas discussões acerca de Deus, tinha plena consciência de que esse vocábulo difere muito, em seu uso moderno, em relação ao que se acha nas páginas da Bíblia. Ele objetava às descrições de Deus que dependem da extração de paralelos do homem e da natureza humana. Em outras palavras, ele se revoltava contra o antropomorfismo, ao descrever o ser divino e sua personalidade. Porém, por rejeitar os antropomorfismos, como é natural, suas descrições ressentiam-se de substância e coerência, porquanto, afinal de contas, falamos em termos antropomórficos por nos faltarem meios lingüísticos para exprimir o Ser de Deus, podendo fazê-lo apenas mediante os *sentimentos* e as *intuições*, que recebemos por parte das experiências místicas. Porém, tais sentimentos e intuições tendem por ser inefáveis, razão pela qual, quando começamos a tentar descrever Deus, temos de apelar para os termos antropomórficos.

Augusto Sabatier (vide) influenciou a maneira de pensar de Lobstein. Este pensava que os dogmas teológicos são símbolos transitórios para apontar para experiências religiosas permanentes. Assim, apesar de sermos forçados a usar de simbolismos antropomórficos, sabemos que são apenas instrumentos que nos ajudam a chegar a grandes problemas teológicos, e não soluções para esses problemas. Seus estudos sobre a doutrina de Deus foi dos melhores que resultaram do protestantismo francês.

LOCI COMMUNES

No latim, «tópicos comuns». Esse foi o título que Malancton deu ao seu tratado sobre dogmática, que foi a primeira teologia sistemática de um autor protestante. Essa obra foi publicada em 1521. A primeira edição refletia muito a Paulo, o apóstolo, e a Lufero. A segunda edição (1535) já exibia uma variedade melhor de idéias. No tocante à vontade humana, à soberania de Deus e à salvação, Malancton adotava uma posição sinérgica, porquanto referia-se à cooperação entre a Palavra, o Espírito de Deus e a vontade humana na conversão. Depois da época de Melancton, o título por ele escolhido tornou-se bastante usado para intitular obras teológicas.

LOCI THEOLOGICI

No latim, «tópicos teológicos». Esse título foi usado pelos primeiros teólogos dogmáticos luteranos, nas suas publicações que descreviam suas doutrinas. Martin Chemnitz (1591) e Johann Gerhard (1610—1622) produziram as obras mais importantes que receberam esse título.

LOCKE, JOHN

Suas datas foram 1632-1704. Ele nasceu em Wrington, em Somersetshire, na Grã-Bretanha. Estudou em Christ Church, Oxford, tendo-se formado como bacharel e mestre. Tornou-se professor particular em Oxford, ensinando grego, retórica e filosofia. Era praticante de medicina, embora não tivesse terminado seu curso de medicina. Foi secretário do conde de Shaftesbury. Mudou-se, então,

LOCKE, JOHN

para Londres, onde se tornou membro da Real Sociedade e serviu em seu conselho. Escreveu durante vinte anos sobre o entendimento humano, e o augusto resultado desses esforços foi sua publicação *Essay Concerning Human Understanding*, publicado pela primeira vez em 1690.

Locke se meteu em dificuldades políticas e mudou-se para um lugar perto de Paris, na França, a fim de se proteger de inimigos. Em Paris, ele entrou em contato com muitas personagens bem conhecidas dos campos da ciência e da filosofia. Seu protetor, o conde de Shaftesbury, esteve em grande perigo de vida, devido a questões políticas. Em vista disso, Locke mudou-se para a Holanda, onde se ocultou sob o nome falso de Dr. Van der Linden. Visto que perdeu sua posição de professor em Oxford, passou a escrever e a ensinar na Holanda. Tinha, na época, cinqüenta e quatro anos de idade.

Mas, quando James II, rei da Inglaterra, foi deposto, Locke pôde retornar à Inglaterra, em 1688. Tornou a brilhar na política e foi-lhe oferecida a posição de embaixador, em Brandenburgo, mas ele não aceitou o oferecimento. Então, foi nomeado comissário de apelos. Foi por essa época que ele publicou certo número de livros. Locke estabeleceu residência permanente com um seu amigo, de nome Masham, que vivia em Oates, em Essex, na Inglaterra. A sra. Masham era filha de Cudworth, que era um dos platonistas de Cambridge. Locke foi ainda nomeado comissário do Comércio e da Agricultura, tendo mantido o cargo por quatro anos. Mas sua saúde, que sempre fora periclitante, acabou piorando de vez, e ele faleceu em Oates, em 1704, com a idade de setenta e dois anos.

Idéias:

1. *Ataque Contra as Idéias Inatas*. A mais bem conhecida obra de Locke, intitulada em inglês *Essay on Human Understanding*, a princípio foi severamente criticada em Oxford. Mas tornou-o famoso no continente europeu. Essa obra tornou-se um clássico no campo da teoria do conhecimento, abordando a questão por um ângulo rigorosamente empírico. Ali ele atacou todas as noções sobre *idéias inatas*, ou seja, a noção de que o homem pode ter conhecimentos que transcendem aos cinco sentidos, com base na intuição inata ou na razão. Ele levou o seu empirismo a um ponto tão extremado que, virtualmente, negou o próprio conhecimento, terminando em uma posição de quase ceticismo. Naturalmente, o positivismo lógico tomou essa posição filosófica, baseando a ciência humana sobre a mesma.

2. *Tabula Rasa*. No latim, «ardósia limpa». O homem, de acordo com Locke, começa a viver neste mundo com a mente completamente vazia. Ela não traz nenhuma marca e nem impressão escrita sobre a mesma. Por meio da experiência é que o homem começaria a escrever sobre essa ardósia. Todas as idéias teriam fundamento nas experiências. Com base nas experiências, pois, os homens formulariam idiomas. Com base nos idiomas, os homens formulariam idéias. Com base nas idéias é que os homens construiriam o seu conhecimento. Mas tudo pode retroceder até à percepção dos sentidos.

3. *Discernimento e Distinção*. O homem combinaria idéias, produzindo idéias complexas, a partir de idéias mais simples. As idéias simples originam-se na percepção dos sentidos. Os homens descobrem relações entre idéias simples mediante analogias, através da razão. A própria razão, porém, é algo aprendido, e não uma qualidade inata ao homem. O homem ocupa-se em abstrações, e assim é capaz de perceber o que é *comum* a várias situações e

realidades. Dessa maneira é que o homem chega às idéias gerais, chamadas *universais*.

4. *Os Universais*. Para Locke os homens apenas revestem suas idéias com termos de significado geral. Na filosofia, isso se chama *nominalismo*. Ver o artigo geral sobre os *Universais*. As essências reais das substâncias permanecem misteriosas, entretanto. Essas essências são desconhecidas para nós. No entanto, de uma maneira prática, um conhecimento real pode ser possuído pelos homens, no tocante às leis morais e à ciência, da mesma maneira que eles são donos de um conhecimento real matemático. Proposições *frutíferas* (posição do *pragmatismo*, vide), são aquelas às quais nos apegamos como expressões da verdade.

5. *Tipos de Idéias Complexas*. Podemos pensar em três tipos:

a. *Modos*. Essas são idéias cujos objetos não podem existir por si mesmos, mas que devem fazer parte de alguma outra coisa. Assim, a *beleza* é um modo misto. Pois pertence a muitas coisas diferentes. A beleza é mista porque chegamos a compreender o significado desse vocábulo mediante associações e adições. Porém, a idéia de *dois*, por exemplo, é simples. Sabemos do que se trata, sem ter necessidade de fazer qualquer associação.

b. *Substâncias*. Essas são as idéias de coisas que existem por si mesmas. Uma substância é algo acima de suas meras qualidades. Pode ter qualidades primárias e secundárias, além de poderes (ver o ponto 6, abaixo), mas envolve mais do que isso. No entanto, quando falamos a respeito de uma substância, pensamos na combinação do que essa substância é, juntamente com as suas qualidades.

c. *Relações*. Essas são as idéias que resultam de *comparações*. As idéias simples são comparadas entre si, por meio de analogias. Conceitos como Deus, infinitude, tempo, duração, substância—todos resultam de nossas comparações. Nosso mundo conceptual é resultado de *inferências* e *construções*.

6. *Substância*. Quando nos pomos a examinar algum objeto a que chamamos de substância, tomamos consciência de suas qualidades primárias e secundárias, e também de seus poderes. Porém, além disso, supomos que deve haver *algo*, e dizemos: «Não sei o que deve haver além e por detrás dessa coisa». «A idéia de substância como *algo além* de suas qualidades, tal como a idéia de infinitude, é algo negativo, e não positivo» (MM). Por meio de inferências, chegamos a supor a existência de substâncias, mas o que sabemos a respeito dessas substâncias são apenas suas qualidades e poderes. A idéia da essência de alguma substância parece existir sem a percepção de nossos sentidos. É uma espécie de inferência indagadora, criada pela nossa experiência com as qualidades e os poderes das coisas. Podemos supor que as qualidades são inerentes às substâncias. Assim, a substância é a realidade por detrás das aparências, aquela realidade que sentimos que existe, mas que o nosso conhecimento não consegue apreender e nem descrever. Os objetos são substâncias, mas suas essências nos são desconhecidas, e essas essências é que são as verdadeiras substâncias. As qualidades dessas substâncias são por nós conhecidas através da percepção dos sentidos.

7. *Qualidades e Poderes*. Antes de tudo, existem qualidades *primárias*. Essas são questões como solidez, extensão, número, formato, inércia de repouso, inércia de movimento—qualidades essas *inseparáveis* dos objetos, imprescindíveis para a existência deles.

892

LOCKE, JOHN

As qualidades *secundárias* consistem nas várias maneiras como um objeto *afeta* nossa sensibilidade. As qualidades secundárias, pois, são as nossas avaliações mentais sobre alguma coisa, e não as qualidades que pertencem, necessariamente, às coisas. Coisas como cor, som, paladar, olfato, qualidades tácteis—são todas qualidades secundárias. Apesar de serem avaliações mentais, não são somente isso. Derivam-se de qualidades primárias, e são percebidas como *poderes*. Ouro não é a mesma coisa que amarelo; não obstante, a cor amarela é associada ao ouro como uma qualidade secundária. No ouro existe algo de primário que nos faz vê-lo como amarelo. O ouro tem um *poder* que nos leva a perceber sua cor amarela, ou qualquer outra qualidade secundária possuída por esse metal. «Locke deixou entendido que se nossos sentidos físicos fossem *ultramicroscópicos* em sua agudeza, desapareceriam as qualidades secundárias, e, em vez delas, perceberíamos a admirável textura de partes de um certo tamanho e figura» (MM). E, com base nessa circunstância, então, compreenderíamos por que as qualidades primárias irradiam (por assim dizer) as qualidades secundárias.

As qualidades *terciárias*. Na filosofia posterior, surgiu outro desdobramento dessa questão das qualidades das substâncias. As qualidades terciárias seriam os *valores* que atribuímos às coisas. Uma antiga fotografia tem a essência do que ela é (qualidades primárias); tem também textura e cor (qualidades secundárias); mas também tem *valor*, de tal modo que uma pessoa guardará aquela fotografia em seu álbum de fotografias prezadas, e não alguma outra. Essa é uma qualidade *terciária*. O valor que os homens dão ao ouro é, essencialmente, uma qualidade terciária, visto que muitos outros metais são muito mais úteis, quanto ao seu emprego; mas são menos valiosos quanto à avaliação mental dos homens.

8. *O Conhecimento Intuitivo*. Embora Locke rejeitasse as chamadas «idéias inatas» (que, usualmente, são importantes no campo da *intuição*), ele referiu-se a certo tipo de *intuição* (vide). Porém, ele compreendia isso de maneira toda pessoal. Para ele, esse tipo de conhecimento é a base de todo conhecimento, embora funcione por meio de uma espécie de comparação de idéias, onde seus pontos de semelhança, de diferença e de relações são percebidos. Essa percepção nos chega de imediato, através de alguma forma de poder de raciocínio arguto, possuída por todos os homens, e que não perdem tempo em arranjar as idéias mais simples para dali extrair idéias mais complexas, e nem as idéias mais complexas para daí extrair o conhecimento.

9. *Conhecimento Demonstrativo*. Esse conhecimento repousa sobre a variedade intuitiva. Nesse caso, a concordância ou não de idéias emerge quando passamos de um degrau para outro em nossas investigações, como se dá dentro do método científico, nada havendo de imediato nesse processo.

10. *Conhecimento Sensível*. Esse conhecimento aponta para a tentativa de se obter a conexão entre as nossas idéias e o mundo exterior, para averiguarmos até que ponto as nossas idéias refletem os objetos e as realidades externas.

Ilustrações de Tipos de Conhecimento:

a. Temos um conhecimento intuitivo de Deus. Não precisamos esforçar-nos a fim de obter esse tipo de conhecimento. Esse conhecimento é imediato, embora a Idéia divina não seja uma idéia inata ao homem.

b. Possuímos um conhecimento demonstrativo da existência de Deus, mediante nossos processos de raciocínio.

c. Temos um conhecimento sensível da existência de tudo o mais que cai dentro do alcance da percepção de nossos sentidos.

11. *A Idéia Divina*. Essa é a demonstração de que Deus existe. Podemos saber com certeza que Deus existe. O argumento de Locke, quanto a isso, partia do homem para Deus. Sabemos que existimos. É óbvio que não podemos ter vindo do nada. A razão mostra-nos que viemos de um ser eterno. Meus poderes derivam-se desse eterno poder. É repugnante a suposição de que o meu ser, o meu pensamento e o meu poder vieram da matéria morta e insensível. Obtemos ao menos algumas idéias porque elas são causadas por coisas externas a nós mesmos. Uma dessas idéias é a Idéia Divina.

12. *Causalidade e Identidade*. Locke não negava as causas das coisas, conforme fazia David Hume. Ele acreditava que a origem de algumas de nossas idéias reside no poder que os objetos exteriores exercem sobre nós. Quanto à causa original, não podemos ter certeza se a criação veio à existência como algo inteiramente inédito, ou se através da *feitura* de algo, mediante uma causa externa, segundo se dá no caso das manufaturas, ou se foi através da *modificação* de algo que já existia.

Para chegarmos à causa final, teremos de abordar o que é negativo. Nossas observações só podem nos levar até esse ponto. A partir daí, temos de postular alguma outra coisa; e não sabemos como isso poderia solucionar aquilo que para nós, agora é um mistério. A idéia de causa envolve-nos no conceito de substâncias e seus modos, conforme foi descrito nos pontos 6 e 7, acima, e então, passamos para o campo das relações. Dentro desse contexto acha-se a idéia da *identidade*. Cada objeto é uma auto-identidade. havendo certo inter-relacionamento entre esses objetos, que opera através de causa e efeito. A identidade pessoal repousa sobre a consciência individual de cada pessoa, e a consciência requer a existência da memória. Assim, se a reencarnação for uma realidade, então uma pessoa não é a mesma pessoa, visto que ela se reencarnaria, mas não se lembra de sua vida anterior. Para mim, entretanto, esse argumento de Locke é destituído de sentido. Pois não nos lembramos de grande parte de nossa vida, sobretudo de nossos primeiros anos de vida, e, comparativamente falando, lembramo-nos muito pouco do que nos sucedeu no passado. Mas isso não significa que fomos diversas pessoas ao longo do trajeto da vida, cada qual com sua própria memória sobre um período específico de tempo. Foi quanto a esse particular que Locke nos brindou com uma noção bastante *sui generis*. O indivíduo que não pode lembrar seu passado é o mesmo indivíduo, embora não a mesma *pessoa*. Isso posto, Locke estabelecia distinção entre a essência de algo, e como esse algo é experimentado por nós. Diferentes experiências produziram diferentes pessoas, dentro de uma mesma substância. Ele acreditava que a consciência pessoal é anexada a uma *substância imaterial* individual e pessoal (a alma), embora não acreditasse que possamos *saber* isso com certeza absoluta.

13. *Algumas Idéias Religiosas de Locke*:

a. Pode-se saber que Deus existe como a grande *causa original*. Ver o décimo primeiro ponto, acima.

b. O homem é a alma imaterial, embora não possamos saber com certeza de que maneira isso se relaciona à *pessoa*. Somente podemos saber sobre nós mesmos e sobre Deus sem qualquer disputa. Ambas essas idéias são tão óbvias que não requerem qualquer prova. Podemos demonstrar a Idéia Divina,

LOCKE, JOHN — LODE, LIDA

uma atividade que ultrapassa a simples tomada de conhecimento, conforme temos descrito sob o décimo primeiro ponto.

c. O verdadeiro homem é tão *imaterial* quanto Deus o é. Isso vai além de nosso poder de compreensão e descrição, a despeito do que é uma realidade. Como é óbvio, o empirismo puro de Locke, nesse ponto cedia diante da fé, da intuição e da razão. Ele aceitava a realidade da imortalidade da alma com base em um ato de fé, e não à base de seus vários tipos e métodos de conhecimento.

d. Em seu livro, *Reasonableness of Christianity*, ele asseverou que não podemos inferir a imortalidade das idéias de identidade e de personalidade, como também não podemos tirar essa inferência empiricamente. Ele também acreditava que tanto o fato de nossa imortalidade quanto a consciência que temos dela eram *dons* de Deus. Atualmente, entretanto, dispomos de vários modos de subentender (se não mesmo de demonstrar) cientificamente a imortalidade. Ver, quanto a isso, os seguintes artigos: *Experiências Perto da Morte; Abordagem Científica à Crença na Alma e em Sua Sobrevivência Ante a Morte Biológica*.

e. *Revelação*. Locke acreditava que existe tal coisa como a *verdade revelada*, embora também cresse que a mesma está sempre sujeita à razão humana; e também que essa verdade revelada pode ser dúbia, visto não estar ligada à experiência direta, por meio da qual obtemos nossas verdades demonstráveis. Isso posto, as reivindicações do misticismo (incluindo a revelação) precisariam ser levadas a sério. Porém, esse método de obtenção do conhecimento estaria longe de ser perfeito, ao contrário do que muitas pessoas religiosas acreditam. A revelação pode militar contra as probabilidades; contudo, poderíamos testar essa improbabilidade por meio da razão e da experiência. Simplesmente deveríamos aceitar, pela fé pura, aquilo que não pode ser conhecido por outros meios que repousam sobre a experiência. As coisas que aceitamos pela fé, segundo Locke, dependeriam das taxas de probabilidade, e não da absoluta certeza, excetuando daí apenas os conceitos básicos sobre Deus e a alma. Todavia, mesmo no tocante a Deus e a alma não temos muitas descrições satisfatórias.

Fé Naquilo que se Aceita como Verdade. Até os próprios profetas podiam dar-se ao luxo de crer naquilo que eles aceitavam como verdade. De fato, muitas pessoas anelam por crer a qualquer custo, como uma medida de consolo mental. Essas pessoas estão seguras de que elas têm a certeza e, no entanto, a *verdade* é bem outra do que elas acreditam. Há muitas revelações que não passam de fé naquilo que os homens acreditam. Também pode ocorrer que uma fé seja *parcialmente* dessa natureza, e *parcialmente* seja crença na verdade. Os sistemas que afirmam possuir mais do que essa dose de verdade, podem ser apenas exercícios de fé naquilo que as pessoas aceitam como verdade. Locke aceitava que Deus é a grande Razão por detrás de tudo, e que qualquer verdade que nos seja dada por Deus, ela é torna razoável. Nesse caso, a razão seria o grande juiz e o guia final em todos os conceitos, inclusive no tocante às noções religiosas.

f. *O Livre-Arbítrio*. Locke estabelecia uma delicada distinção quanto a essa particularidade, que não é fácil de ser seguida. Ele afirmava que os *homens* são livres, mas não a vontade deles. Os homens teriam liberdade para agir em conformidade com suas respectivas escolhas. Um homem poderia deixar de fazer isto ou aquilo—e nisso consistiria toda a liberdade que ele tem. As escolhas seriam feitas após exame, juízo e raciocínio; e, nesse processo, a pessoa verificaria que resultado bom ou mau adviria daí. Contudo, a verdadeira liberdade seria quando um homem é compelido por suas escolhas a seguir o bem superior. Deus não pode escolher o que não é bom, e o homem acaba aprendendo a escolher conforme Deus escolhe. A vontade humana é autodeterminada, tal como a vontade divina.

g. *Ética*. A liberdade humana importa em sua responsabilidade moral (ponto *f*, acima). A vontade humana seguiria o bem, pois no bem está a felicidade (*eudemonismo*; vide). Deus tem a imperiosa necessidade de sentir-se feliz, visto que a bondade leva à felicidade. Quanto mais feliz for um indivíduo, tanto mais próximo estaria ele da infinita perfeição e da razão de sua própria existência. Locke, pois, demonstrava grande confiança na boa tendência natural da vontade humana, crendo que o cultivo da vontade, no ambiente da liberdade, assegura a bondade e a felicidade, em última análise. (AM C E EP F MM)

LOCUSTA

Ver o detalhado artigo sobre **Praga de Gafanhotos**.

LODE, LIDA

Esses são os dois nomes que eram aplicados a uma mesma cidade. Ver I Crô. 8:12; Esd. 2:33; Nee. 7:37; 11:35. Essa cidade ficava dentro do território de Efraim, cerca de catorze quilômetros e meio de Jope, na estrada que ia dessa cidade portuária a Jerusalém. Originalmente, os hebreus chamavam-na Lode, cujo nome significa «fissura». Parece que foi edificada pelos homens da tribo de Benjamim. Terminado o exílio babilônico, os benjamitas vieram novamente ocupar o lugar. Ver I Crô. 8:12; Esd. 2:33; Nee. 11:35. A menção mais antiga a essa cidade é aquela que aparece nos anais das cidades e possessões asiáticas que os egípcios haviam adquirido nos tempos de Tutmés III (1502—1448 A.C.). Essa lista foi encontrada em uma das paredes do templo dedicado a Amom, em Carnaque, no Egito. Essa cidade não é mencionada no Pentateuco e se, por acaso, ela existia antes da conquista da Terra Prometida, então podemos supor que os benjamitas primeiramente a conquistaram, embora, mais tarde, se tenha tornado parte integrante do território da tribo de Efraim. Esse era um dos lugares mais ocidentais ocupados pelos hebreus, terminado o exílio babilônico. Seu antigo local era chamado Ge-Hadarashim, isto é, «vale dos ferreiros ou artífices». Nos dias do apóstolo, Paulo, essa cidade ficava cerca de 18 km a suleste da cidade costeira chamada Jafa (no Novo Testamento, *Jope*), e cerca de 51 km de Jerusalém. Terminado o cativeiro babilônico, a cidade foi novamente ocupada por judeus. Posteriormente, caiu sob o controle samaritano, mas foi novamente conquistada pelos judeus, em 145 A.C. (ver I Macabeus 11:34). Nos tempos de Nero, a cidade foi incendiada. Após a queda de Jerusalém (em 70 D.C.), Jope tornou-se um grande centro da erudição rabínica. Nos séculos que se sucederam, contou com um bispo ou supervisor cristão, o que nos mostra que a igreja cristã continuava a florescer ali. Mais tarde ainda, veio a ser conhecida pelo nome de *Dióspolis* (cidade de Zeus). Atualmente chama-se Lude ou Lode, o que representa a restauração de seu nome mais primitivo. Foi nesse lugar que Jorge foi martirizado, em 303 D.C. Durante o quarto século da era cristã, era a sede episcopal da Igreja Síria, e também foi o lugar onde se reuniu o

LODE, LIDA – LÓGICA

concílio que condenou Pelágio e as suas doutrinas. A história de Jorge fascinou o rei Ricardo da Inglaterra. Esse monarca viajou até ali, durante a Terceira Cruzada. O rei Eduardo III baixou um edito, fazendo de São Jorge o patrono da Inglaterra. Durante algum tempo, os árabes estiveram na posse da cidade, mas, finalmente, ela passou para as mãos do povo de Israel, nos dias atuais do moderno Estado de Israel.

É muito provável que o evangelho tenha sido pregado ali, pela primeira vez, através dos esforços de Filipe, o evangelista, posto estar localizada na estrada que ia de Azoto a Cesaréia, em cujo caminho Filipe passou, conforme lemos em Atos 8:40, tendo evangelizado diversas localidades situadas ao longo do mesmo. Portanto, sem dúvida Pedro estava inspecionando e confirmando a obra de Filipe (ver Atos 9:32 ss), tal como já fizera anteriormente, no caso do ministério samaritano daquele mesmo evangelista.

LO-DEBAR

Forma alternativa do nome da cidade também chamada **Debir** (vide).

LOGIA

1. Definições e a Descoberta em Oxyrhynchus

Essa é a forma plural do termo grego *logos*, que indica «palavra», «declaração», «discurso», «idéia». Tornou-se, com o tempo, um termo técnico para aludir às *declarações de Jesus*, ou às declarações de importantes figuras religiosas ou filosóficas. Com freqüência, o termo é aplicado àquelas afirmações de Jesus que não se encontram nos evangelhos canônicos. Grenfell e Hunt usaram o vocábulo ao se referirem aos fragmentos de certa coletânea de tais afirmações, descobertos por eles em Oxyrhynchus, no Egito, em 1897. Ver o artigo separado intitulado *Oxyrhynchus, Ditados (Logia) de Jesus de*. Essa cidade de Oxyrhynchus é a atual cidade de Benesa, a 195 km do Cairo, e a dezesseis quilômetros a oeste do rio Nilo. Alguns eruditos têm usado essa expressão para referir-se às declarações canônicas de Jesus, no evangelho de Mateus, ou em Mateus-Lucas, com base na chamada fonte informativa *Q* (vide); ou, então, a declarações têm, mas que Marcos, com base nas fontes informativas *M* e *L*. Ver o artigo sobre o *Problema Sinóptico*, que discute sobre essas questões. Em seu uso mais amplo, as declarações de Jesus estão em foco, sem qualquer distinção de fonte informativa e canonicidade. Papias, um dos mais antigos pais da Igreja, falava sobre as *logia* que Mateus havia compilado (de acordo com a menção feita por Eusébio, em *Hist. Eccl.* 3.39,16). O fato de que Papias disse que essas declarações foram registradas em hebraico pode significar que não está em vista o evangelho canônico de Mateus, mas tão-somente uma possível fonte informativa desse evangelho. Alguns estudiosos têm resistido resolutamente à idéia de que a referência feita por Papias possa ter sido a fonte informativa *Q*, acreditando que está em foco, realmente, o nosso evangelho canônico de Mateus. Porém, essa posição cria uma série de problemas que não podem ser facilmente resolvidos. O evangelho de Mateus, não dá qualquer indício de ter sido uma tradução do hebraico para o grego, antes, certamente ele foi originalmente escrito no grego «koiné».

2. Muitas Coletâneas de Logia

Antigas logia perdidas. A introdução de Lucas ao seu evangelho dá a entender a existência de muitas fontes informativas sobre a vida, as obras e as palavras de Jesus. Talvez houvesse muitas dessas coletâneas de *logia*. Os trechos de Atos 20:35 e I Tes. 4:16,17 parecem refletir uma dessas primitivas *logias*, embora a segunda dessas passagens possa indicar revelações feitas a Paulo, e não fragmentos de declarações de Jesus. As *logia* de Oxyrhynchus, sem dúvida, representam muitas dessas declarações, algumas das quais apenas sobreviveram até nós. Esse material data do século III D.C., e sua fonte informativa, provavelmente, pertencia ao século II D.C., o que significa que algumas dessas declarações podem ser autênticas. Em 1903, foram encontradas outras declarações de Jesus, em papiros provenientes da mesma localidade. Entre essas havia aquelas que pareciam reverberar os evangelhos sinópticos, embora não todas elas. Algumas dessas declarações têm sido encontradas nos escritos dos chamados pais da Igreja (vide).

3. Nag Hammadi, Antiga Chenoboskion

Ver o artigo separado sobre *Nag Hammadi, Manuscritos de*, quanto a maiores detalhes. Muito material de origem gnóstica foi achado nesse lugar, em 1946. Estavam inclusos um *Evangelho de Tomé* e um *Evangelho de Filipe*. Temos ali coletâneas de declarações de Jesus, na língua cóptica. O *Evangelho de Tomé* contém cento e catorze declarações de Jesus. Ao que parece, o livro foi originalmente escrito em grego (talvez no século II D.C.), mas depois traduzido para o cóptico, já no século IV ou V D.C. Algumas dessas afirmações assemelham-se muito com as de Oxyrhynchus. Mas há outras que, obviamente, são criações heréticas. O *Evangelho de Filipe*, por sua vez, encerra cento e vinte e sete declarações que, segundo tudo prova, são meras invenções de acordo com as preferências gnósticas. Datam de cerca de 400 D.C.

O *Códex Bezae* (D) contém uma interessante e importante (se autêntica) declaração de Jesus, que não aparece em qualquer outro manuscrito do Novo Testamento. O quinto versículo do sexto capítulo de Lucas aparece após o vs. 10; e, em lugar do décimo versículo, entre os vss. 4 e 6, encontramos o seguinte texto: «Naquele mesmo dia, vendo um homem trabalhando em dia de sábado, ele (Jesus) lhe disse: Homem se sabes o que estás fazendo, és bem-aventurado; mas, se não o sabes, és maldito e transgressor da lei». Se essa afirmação é autêntica, então antecipa a grande mudança de atitude relativa ao mandamento sobre o sábado, que houve na Igreja cristã. Por outra parte, os próprios cristãos (algum cristão tipo paulino) podem ter adicionado essa afirmação, por razões dogmáticas.

LÓGICA

1. Definição e Primórdios
2. Tipos de Lógica
   a. Lógica dedutiva
   b. Lógica metafísica
   c. Lógica simbólica
   d. Lógica indutiva
   e. Lógica experimental
3. Relação Entre a Lógica e a Fé Religiosa

1. Definição e Primórdios

«A **lógica** é a disciplina filosófica que analisa, codifica e sistematiza os princípios envolvidos na avaliação das evidências e no juízo das reivindicações de conhecimento. Para cumprir essa tarefa, a lógica examina os modos de dependência entre as proposições ou afirmativas. Portanto, com freqüência, a lógica é definida como o estudo de vários tipos de relações subentendidas entre declarações» (AM). De

895

LÓGICA

modo abreviado, podemos dizer que a Lógica é a teoria das condições das inferências válidas.

O termo *lógica* foi usado pela primeira vez por Alexandre de Afrodísio (século II D.C.). E as primeiras extensas formulações da lógica dedutiva nos são apresentadas no *Organon* (vide) de Aristóteles. O desenvolvimento dessa disciplina, como, de resto, de toda a filosofia, tem-se ampliado por dois mil e quinhentos anos no mundo ocidental. Antes de Aristóteles, as demonstrações geométricas de Pitágoras, a dialética de Zenon de Elea e os diálogos de Platão proveram alguma base sobre a qual Aristóteles edificou sua ciência.

2. Tipos de Lógica

a. A *lógica dedutiva* de Aristóteles e suas modernas adaptações, dependem do silogismo: Todos os homens são racionais; todos os brasileiros são homens; logo, todos os brasileiros são racionais (um silogismo válido). Um silogismo é válido quando obedece às leis inerentes à lógica dedutiva. Porém, um verdadeiro silogismo não diz, necessariamente, a verdade. Para tanto, as asserções básicas, ou seja, as premissas, precisam ser verídicas. Por exemplo, *todos* os homens são, realmente, racionais? É claro que não. Tomemos também o seguinte exemplo: Todos os gatos são animais; todos os cães são animais; logo, todos os cães são gatos. Esse é um silogismo inválido. E um cultor da lógica, com suas várias regras, pode dizer-nos o porquê. Há dezenove formas válidas de silogismos; e um número ainda maior de silogismos inválidos. A lógica dedutiva é, essencialmente, o estudo dos silogismos válidos e dos silogismos inválidos, embora a sua aplicação à vida diária seja mais ampla do que isso. De fato, a dedução é uma maneira de pensar tipicamente humana.

b. A *lógica metafísica*. Hegel foi quem nos brindou com essa forma de lógica. Seu princípio de *tese*, *antítese* e *síntese* é uma forma de lógica. Ver os detalhes a respeito, no artigo sobre *Hegel*.

c. A *lógica simbólica*. A matemática, na realidade, é uma lógica simbólica. Os símbolos exprimem os conceitos matemáticos. A lógica simbólica é uma espécie de aplicação final da lógica dedutiva. Suas verdades são racionais e analíticas, e não empíricas.

d. A *lógica indutiva*. Nesse ramo da lógica não há proposições básicas aceitas. Antes, através da experimentação, adquirimos informes que servem de base para o conhecimento que buscamos adquirir. Desses informes abstraímos conclusões, e essas conclusões representam um conhecimento tentativo. As descobertas do medicamento e seu uso, por exemplo, resultam da lógica indutiva. Não precisamos conhecer a natureza da essência da substância que servirá de remédio. Antes, efetuamos muitas experiências, para ver como está aquela substância atua, e quais são os seus possíveis efeitos colaterais indesejáveis. E, então, com base nos informes colhidos nessas experiências, podemos induzir a utilidade de uma substância para esta ou aquela enfermidade. A lógica indutiva terá guiado assim as nossas investigações. O método científico é uma aplicação da lógica indutiva, a qual, portanto, tem uma base muito prática.

e. A *lógica experimental*. John Dewey não acreditava que pudéssemos dispor de verdades fixas. Ele insistia que, em cada situação, temos «experiências» que devem ser especificamente aplicadas ao campo da educação. Na experimentação, pois, descobriríamos o que funciona melhor (posição do *pragmatismo*; vide).

3. Relação Entre a Lógica e a Fé Religiosa

Meu estudo sobre a lógica foi breve, tendo sido apresentado somente para conduzir o leitor a este terceiro ponto. Neste ponto, consideremos as seguintes observações:

a. A contribuição da lógica para a filosofia da ciência e para a teoria do conhecimento tem sido extraordinária, acima de toda dúvida. A lógica tem sido muito relevante para outras disciplinas que não a filosofia, igualmente. A matemática e a psicologia dependem de formas de lógica; a matemática de uma maneira absoluta, e a psicologia em parte. Além disso, a linguagem está entretecida com a lógica.

b. O estudo da fé religiosa e das proposições teológicas muito se tem beneficiado com as exigências da lógica, que diz que os termos e as proposições ali utilizados devem obedecer às exigências comuns da linguagem correta. A demanda de Karl Popper, de que devemos buscar instâncias de negação, e não meramente uma longa lista de proposições e experimentos afirmativos, é muito útil. As pessoas religiosas tendem por ser crédulas; e um pouco de lógica pode ajudar a separar o útil do inútil.

c. Precisamos saber no que consiste uma proposição, visto que a teologia dogmática faz uso livre das proposições. Além disso, os termos da linguagem devem ser sujeitos à análise que a lógica nos oferece, visto que os vocábulos são as pedras do alicerce dos nossos conceitos. «O teólogo precisa desenvolver ...uma lógica que lhe dê uma prestação de contas satisfatória sobre qualquer contradição aparente que ele se sinta impulsionado a afirmar. Essa é uma tarefa difícil: dar outro nome aos casos problemáticos, chamando-os de *paradoxos*, é uma medida que é apenas o primeiro passo» (C). Em outras palavras, dos paradoxos, devemos tentar partir para as verdadeiras soluções, não nos contentando em dizer: «Isto é um paradoxo», e nada mais fazer!

d. *Os argumentos teístas* têm envolvido, no decurso da história, e em nossos próprios dias, muitas e complexas racionalizações lógicas. Os teólogos modernos continuam disputando acerca do *argumento ontológico* (vide), acerca do significado de termos como «existe», «ser», «bom», etc., e também acerca de como podemos determinar o que tais termos envolvem, e o quanto da nossa linguagem (por meio dos antropomorfismos) pode ser aplicado à pessoa de Deus.

e. O estudo da *linguagem teológica* é uma tarefa para os teólogos devidamente treinados na lógica. As afirmativas humanas acerca de Deus, com suas manipulações de termos lingüísticos, precisam ser esclarecidas. Ver o artigo detalhado sobre a *Linguagem Teológica*, quanto a completas discussões sobre a questão.

f. *A verdade é mais profunda do que a lógica*. Em nosso entusiasmo sobre a ciência, a lógica e a linguagem correta, não nos deveríamos esquecer que, necessariamente, a verdade ultrapassa à linguagem. A principal fonte da verdade religiosa são as experiências místicas, incluindo a revelação divina. Ver o artigo sobre o *Misticismo*. As experiências místicas são tão profundas que podem desafiar qualquer aplicação considerável da linguagem humana, visto que tais experiências tendem por ser inefáveis. Podemos sentir significados, podemos ter certeza de certos significados, podemos sentir-nos exaltados e felizes diante da verdade, com ou sem a capacidade ou possibilidade de expressá-la por meio da linguagem humana. Apesar da linguagem, usualmente, servir de veículo do conhecimento humano, há verdades profundas demais para a linguagem humana. Na existência há mais coisas que a filosofia e a lógica são capazes ao menos de sonhar.

LÓGICA — LOGOS (VERBO)

Assim, apesar de ser útil aplicar a lógica à fé religiosa (e um número grande demais de pessoas faz bem pouco nesse sentido, terminando em radicalismos), ainda é mais útil encontrar comunhão com a presença de Deus, naqueles pontos em que a linguagem humana e a lógica falham totalmente. Disse Tertuliano: «Creio, porque é absurdo». E isso em face de sua convicção de que as verdades espirituais mais profundas podem parecer ridículas de acordo com os padrões humanos e com a experiência geral dos homens. Apesar de haver grande verdade nessa declaração de Tertuliano, deveríamos preservar a posição da razão na fé, rejeitando os excessos do *antiintelectualismo* (vide). (AM C E EP)

LÓGICA TRANSCENDENTAL

Essa expressão alude à idéia de Emanuel Kant de que o conhecimento *a priori* (que é inerente à estrutura da mente humana) transcende à percepção dos sentidos. De fato, dentro das categorias do pensamento, força a experiência humana a assumir as formas que ela tem. As doze categorias de pensamento de Kant pertencem a essa forma de lógica, porquanto são maneiras de pensar *a priori*, não derivadas das experiências obtidas mediante a percepção dos sentidos. Ver sobre *Kant*, segundo ponto, *Teoria do Conhecimento*, especialmente o ponto g., onde são abordadas essas *categorias*.

LOGOI SPERMATIKOI Ver **Rationes Seminales.**

LOGOS (VERBO)

Esboço

Introdução

I. No Princípio era o Verbo
  Considerações Preliminares
II. Diversas Interpretações do Logos
  1. Heráclito
  2. Os Estoicos
  3. No Antigo Testamento
  4. Uso nos Livros Apócrifos
  5. Uso Posterior no Hebraico
  6. Filo de Alexandria
III. A Doutrina do Logos no Evangelho de João
IV. Sumário de Idéias da Filosofia e da Teologia
Bibliografia

Introdução:

1. *A doutrina do Logos* tem desempenhado um importante papel na história da filosofia e da teologia. Tem atuado como uma espécie de ponte entre a filosofia e a teologia, no tocante a especulações acerca de *como* o poder divino manifesta-se no cosmos e no mundo dos homens. O Novo Testamento tirou proveito da antiga idéia filosófica do Logos para explicar certos aspectos da doutrina do Filho de Deus e seu ofício messiânico. Essa doutrina já havia passado por algumas modificações favoráveis no neoplatonismo e no judaísmo helenista, o que possibilitou o aproveitamento da idéia no Novo Testamento.

2. *A Palavra. Definições.* O termo grego *Logos* tem o sentido primário de «razão», «palavra», «fala», «discurso», «definição», «princípio». Visto que Deus aparece como a mente divina, seus atos podem ser concebidos como atos que se manifestam através da «razão». A mente divina controla tudo através de seu poder, e manifesta-se por meio de outras mentes. A mente é distinta da matéria, mas, de alguma maneira, é responsável por sua existência e modo de manifestação. A mente é uma força criativa, controlando aquilo que ela cria ou que dela emana. O

Logos, pois, entra na filosofia como um poder modelador, tal como a mente humana modela suas condições neste mundo. Na filosofia grega, a *nous* (mente) era uma espécie de maneira alternativa de falar sobre o *Logos*. De fato, com base nos escritos de Anaxágoras, passando por Aristóteles, esse termo substituiu o termo Logos como o princípio motivador do universo.

3. *Com o Sentido de «Palavra».* Visto que o termo grego *logos* pode significar «palavra», era apenas natural que o evangelho de João tivesse usado o termo com o significado de «revelação» (ver João 1:18). O Grande Desconhecido, jamais visto por olhos mortais, tornou-se conhecido por meio do *Logos*. Mas, para João, o *Logos* também é o poder criativo, a inteligência divina por detrás de todas as coisas que vemos.

4. *A Universalidade do Logos.* Em seu ofício de revelador, as atividades do *Logos* são muito amplas. Ele não se limita a qualquer sistema isolado, nem mesmo ao cristianismo. Ela se revela na natureza, embora também se revele aos homens por meio de outros sistemas, porquanto ele é o inspirador das idéias boas e nobres, onde quer que elas se encontrem. Os pais gregos de Igreja criam que o *Logos* implanta as suas sementes por toda a parte, que eles chamavam de *logoi spermatikoi*, que poderiam ser encontradas nos melhores aspectos da filosofia grega, mormente no platonismo. Eles acreditavam que a filosofia atua como um mestre-escola, procurando conduzir os homens a Cristo, tal como a lei operava no tocante aos judeus.

5. *Conexão do Logos com o Antigo Testamento.* A mente divina planejou, e a *voz* divina falou. Esse foi o princípio, e, através dessa *palavra*, a criação física veio à existência (Gên. 1:1). Assim também, no Novo Testamento, a *voz* divina (o *Logos*) falou, o que indica o começo da nova criação e da nova revelação (João 1:1,18).

6. *O Teísmo.* O *Logos* mostrou-se ativo em favor do homem, fazendo as coisas virem à existência, física e espiritualmente, e, então, revelando à criação a vontade de Deus. Temos aí a essência do *teísmo* (vide), em contraste com o *deísmo* (vide). O teísmo ensina que Deus está interessado em sua criação. Ele guia, corrige, castiga e galardoa. O *deísmo*, por sua vez, ensina que o poder criativo (pessoal ou não) abandonou a sua criação, deixando-a entregue às leis naturais.

7. *A Comunicação da Natureza Divina.* O nosso mais elevado conceito religioso é aquele que ensina que Deus compartilha de sua natureza com os homens, através da redenção. Isso consiste na completa transformação dos homens segundo a imagem de Cristo, que é o *Logos* (ver Rom. 8:29; II Cor. 3:18; Col. 2:9,10; Efé. 3:19). Ver o artigo separado sobre esse assunto, intitulado *Transformação Segundo a Imagem de Cristo* (o *Logos*).

I. No Princípio era o Verbo
Considerações Preliminares

João 1:1: *No princípio era o Verbo, e o Verbo estava com Deus, e o Verbo era Deus.*

No princípio era o Verbo. Temos aqui uma óbvia referência às palavras iniciais do A.T., que descrevem a criação original. Essa alusão ao livro de Gênesis, que pertence ao V.T., se torna ainda mais patente quando nos lembramos que qualquer judeu podia falar constantemente do livro de Gênesis, e citá-lo, como «be reshith», isto é, como *No princípio...* À base dessa observação, alguns intérpretes têm insistido que a frase empregada pelo apóstolo João é meramente

LOGOS (VERBO)

uma referência à criação original. Se assim fosse, essa frase ensinaria meramente a preexistência do *Logos*, mas não, necessariamente, a sua eternidade. Devemos observar, entretanto, que este versículo não diz: «No princípio o Logos se tornou, foi criado», etc., e, sim, que ele *já era*. Assim sendo, ainda que essa frase nada mais seja do que uma referência ao ponto, no tempo, em que ocorreu a criação operada por Deus, já encontramos ali o «Logos» em existência, e isso claramente é anterior ao ponto de tempo que assinalou o começo da criação. Naturalmente, isso não requer que o «Logos» seja eterno, mas tão somente que já existia antes da criação, conforme a conhecemos. Porém, qualquer indivíduo que tenha estudado o ensino sobre o «Logos», a começar por Heráclito, através do estoicismo, no neoplatonismo, especialmente conforme ele é expresso por Filo, o filósofo judeu neoplatônico (viveu até 50 D.C.), poderá afirmar que crer que o *Logos* poderia ter tido um começo, ou que poderia fazer parte da criação, seja como for, é algo totalmente contrário a qualquer noção que já foi proferida no mundo antigo acerca da natureza do «Logos». Um «Logos» que tivesse tido começo não é o «Logos» da antiguidade e, sim, alguma estranha criação de mentes eivadas de preconceitos, as quais criam um Cristo segundo a imagem de suas próprias especulações, a fim de adaptá-lo a um sistema teológico adredemente erigido. Não se pode encontrar, em parte alguma do pensamento antigo, uma única linha que recomende a teoria de um «Logos» que não seja eterno. Assim sendo, a expressão «...*no princípio*...», embora faça alusão à criação original, é utilizada no evangelho de João como equivalente à «eternidade passada», não havendo nisso qualquer idéia de estabelecer um ponto distinto, no tempo, quando o «Logos» teria tido começo. Desde a eternidade passada que o «Logos» sempre existiu.

A palavra que é usada no original grego, *arche* («princípio»), era usada com o propósito de fazer referência à geração primária ou ao surgimento de todas as coisas e ainda que esse vocábulo tenha sido usado desta maneira aqui, não há indicação alguma de que isso queira dizer que o «Logos» teve começo nessa ocasião; pelo contrário, ele é visto como já em existência nessa ocasião.

Platão se utilizou dessa palavra para indicar a *força geradora*, a força originadora ou aquele que «começa», que gera. Por essa mesma razão é que Jesus Cristo, na passagem de Apo. 3:14, é referido como o «princípio da criação de Deus», palavras essas que significam que Cristo é o agente primário, o «iniciador» da criação, a força ou energia criadora, e jamais que ele foi a primeira criatura a ser criada. Esse uso também aparece no evangelho apócrifo de Nicodemos, onde Satanás é intitulado de «arche» (começo ou iniciador) da iniqüidade. Isso significa, claramente, que ele é o personagem que trouxe o mal à existência, o originador do mal.

Muitas interpretações têm sido atribuídas à palavra **arche**, neste texto; e abaixo damos alguns exemplos das mesmas:

1. O princípio seria *Deus Pai*, pelo que o Verbo teria estado eternamente nele. (Cirilo de Alexandria).

2. Os gnósticos valentinianos (de conformidade com o que diz Irineu 1.8,5) interpretavam-no como uma *hipóstase divina distinta*, entre o Pai e o «Logos».

3. Orígenes pensava que se trata de *sabedoria divina*, e que essa sabedoria é Cristo. (Ver em Joannem IV, págs. 19 e 20).

4. Teodoro de Mopsuéstia e outros julgavam tratar-se da *eternidade*.

5. Os socínios (e também alguns unitários modernos), imaginavam tratar-se do *evangelho*.

Embora haja diversas maneiras de alguém chegar à mesma conclusão, isto é, mediante diferentes interpretações do vocábulo *arche*, contudo, a maioria dos intérpretes sempre chega à mesma conclusão — aqui é ensinada a eternidade do Verbo de Deus. E nenhuma outra interpretação é possível quando nos lembramos da antiga noção acerca da natureza do «Logos». Qualquer outra interpretação seria um escárnio de séculos de filosofia especulativa, a qual desenvolveu a doutrina do «Logos», e que o autor deste evangelho descobriu ser tão apropriado como veículo de seus esforços ao ensinar algo sobre a natureza do Cristo eterno.

«João eleva essa frase, de sua referência a um ponto no tempo — o começo da criação — para o tempo de preexistência absoluta, antes de qualquer ato de criação, o que não é mencionado senão já no terceiro versículo do prólogo. Esse princípio não teve começo (comparar o vs. 3 com João 17:5; I João 1:1; Efé. 1:4; Pro. 8:23 e Sal. 40:2). Essa elevação do conceito, entretanto, aparece não tanto em *arche* (princípio), que simplesmente abre espaço para o mesmo, mas aparece principalmente na palavra 'ein' (era), que denota existência absoluta. (Comparar o vocábulo *eimi* — eu sou — em João 7:58). Isso, em vez de 'egeneto' (veio à existência, ou começou a ser), verbo esse que é empregado nos versículos terceiro e décimo quarto, e que se refere à criação que veio a existir e ao Verbo (*Logos*), quando se tornou carne». (Vincent, *in loc.*).

«Em Gênesis 1:1 o historiador sagrado começa do princípio e vai descendo, assim mantendo-nos na vereda do tempo. Mas neste caso, João começa no mesmo ponto e vai subindo, conduzindo-nos, dessa maneira, à eternidade que antecedeu o tempo». (*Milligan and Moulton*).

«O *Logos* não estava meramente em existência, porém, no princípio. Mas o 'arche' (princípio), em si mesmo e em suas operações, negro, caótico, é que já havia, e a sua idéia e o seu começo são comprimidos em uma única palavra luminosa, que é a palavra 'Logos'. Portanto, quando se diz que o 'Logos' estava no princípio, já nisso fica expressa a sua existência eterna, e também já fica indicada assim a sua posição eterna na deidade». (Lange, *in loc.*).

«Por oito vezes, na narrativa da criação (no livro de Gênesis), ocorrem, como se fora o refrão de um hino, as palavras: '...e disse Deus...' João reúne todas essas declarações de Deus em uma única declaração, viva e dotada de atividade e inteligência, de onde emanam todas as ordens divinas: ele descobre, como base de todas as palavras proferidas, a Palavra que falava». (Godet, *in loc.*).

II. Diversas Interpretações do Verbo

Era o Verbo. Aqui temos a doutrina do Logos.

1. Heráclito. Nossos indícios mais antigos sobre a doutrina do «Logos» se encontram nos escritos de Heráclito (800 A.C.), embora seja verdade que a própria palavra «Logos» jamais tenha sido empregada por ele. Não obstante, o sentido se faz presente. E embora nos escritos de Homero, e mesmo no grego dos dias de Heráclito, esse termo significasse «discurso», *ensino*, ou, talvez, «sabedoria» e, assim sendo, não pudesse ser utilizado para expressar a elevada idéia metafísica do «Logos», contudo, já estava delineada a doutrina, embora não houvesse por essa palavra. Heráclito se referia ao princípio orientador de seu mundo em fluxo, onde ninguém pode pisar por duas vezes no mesmo rio. Essa lei de

LOGOS (VERBO)

transformação produz o caráter ordeiro das transformações que constituem o processo deste mundo, e isso foi chamado por Heráclito de uma espécie de «sabedoria», inerente ao estofo deste mundo. Esta característica, própria das manifestações da natureza inteira, é que controlaria o padrão e a regra de conduta comuns a todas as coisas, característica essa exibida em tudo e em todas as partes, e é sempre uma manifestação da razão. Mas essa lei de transformação jamais sofre alteração. «O sábio é somente um... queira ou não queira ser chamado pelo nome de zeus». (Fragmento 65, conforme dado por Burnet, pág. 65). «É o pensamento mediante o qual todas as coisas são guiadas através de todas as coisas». (*Fragmento* 19, op. cit.).

2. Os estóicos. Esses, que tomaram de empréstimo de Heráclito os seus conceitos metafísicos, expandiram a idéia dessa razão universal e dessa lei de transformação, que por sua vez não sofre alteração, e evidentemente foram os primeiros a empregar o vocábulo *Logos* com o intuito de expressar esse princípio. Para eles, o «Logos» seria a razão universal, a força criadora eterna, a energia sustentadora e orientadora, a «alma do mundo». Tudo isso são outras tantas expressões do «Logos»; e dessa forma foi criado um tipo de panteísmo, com emanação e absorção final. O *Logos* seria a existência, na realidade uma substância *material*, a saber, o «fogo». Tratar-se-ia do universo como uma razão mundial ativa e criadora, e as suas manifestações foram chamadas de *logoi spermatikoi*, ou seja, «sementes da razão». Todas as formas existentes no mundo, bem como todas as leis que atuam neste mundo, seriam «logoi spermatikoi» ou manifestações do «Logos». Assim, pois, o «Logos» seria a organização de todas as miríades de formas e de leis que emprestam naturezas e nomes aos objetos individuais e inspiram e governam as suas atividades. Por isso mesmo, o «Logos» seria uma força material, cósmica, impessoal, e não uma pessoa. Não obstante, algumas de suas características e atividades são aquelas atribuídas ao «Logos» pessoal, pertencente ao pensamento cristão. Posto que os estóicos ensinavam uma modalidade de panteísmo, o «Logos» é mui naturalmente reputado *divino*.

3. No Antigo Testamento. O *Logos* é a **Palavra viva** de Deus.

a) A *Palavra*, que corporifica a *vontade divina*, é personalizada na poesia hebraica. Assim é que atributos divinos lhe são conferidos, visto ser uma contínua revelação de Deus. A Palavra é um curador (ver Sal. 107:27); um mensageiro (ver Sal. 147:15), e o agente dos decretos divinos (ver Is. 55:11). (Ver também Sal. 32:4; Is. 40:8 e Sal. 119:105).

b. A *Palavra* é a *sabedoria personificada*. (Ver Jó. 28:12; Pro. 8:9). A sabedoria está oculta dos homens, porquanto Deus é a fonte de toda a sabedoria. Até mesmo a morte, que desvenda tantos segredos, conhece a sabedoria apenas como um rumor. (Ver o vs. 22). Mas Deus possuía a sabedoria desde o começo de seus dias (isto é, desde toda a eternidade — formas poéticas em termos concretos). Não obstante, Deus revela a sua sabedoria, que é a fonte da salvação para os homens. A sabedoria envolve todas as revelações feitas por Deus, sendo esse o grande atributo que combina todos os demais atributos divinos.

Muitos aceitam a passagem de Prov. cap. 8 como *messiânica;* e, se assim for, verdadeiramente, então terá vinculação especial para com a nossa passagem de João 1:1.

c. A *Palavra* é o *Anjo de Jeová*. Algumas vezes esse mensageiro é distinguido do próprio Deus, e outras vezes é alusão ao próprio Deus. (Ver Gên. 16:6-13; 32:24-28; Osé. 12:4,5; Êx. 23:20,21 e Mal. 3:1). Pode-se ver, portanto, que o ensinamento central da doutrina da Palavra (ou *Logos*) se evidencia no V.T., embora ali jamais seja desenvolvido como um conceito filosófico, segundo sucedeu na Grécia.

4. Uso nos livros apócrifos. A doutrina do **Logos** também pode ser vista nos livros apócrifos do V.T., que, de forma geral, contêm a idéia do próprio V.T., embora com modificações, especialmente na direção do panteísmo. No livro Sabedoria de Salomão (escrito em cerca de 100 A.C.), a sabedoria é encarada como um outro termo que indica a *natureza divina inteira*. Essa sabedoria não é messiânica, mas procede essencialmente da parte de Deus, sendo uma verdadeira imagem de Deus. Em Sabedoria de Salomão 7:22 se pode ler: «Ela é o hálito do poder de Deus, e uma influência pura que flui da glória do Todo-poderoso; portanto, nada de contaminado pode entrar nela. Pois ela é o resplendor da luz eterna, o espelho sem mácula do poder de Deus, e a imagem de sua benignidade». A semelhança dessa passagem com o trecho de Heb. 1:3 (um trecho cristológico central) é notável e, mui provavelmente, não foi conseguida por puro acidente. (Ver também Sabedoria de Siraque, capítulos primeiro e vigésimo quarto; e Baruque, capítulos terceiro e 4:1-4).

5. Uso posterior no hebraico. Os comentários e as exposições do A.T., bem como a teologia judaica personalizavam o conceito da Palavra e, sob o termo «teofania», foi criado um agente de Deus, como se fora a união de seus atributos, segundo eles são revelados aos homens. Isso era designado como o princípio todo inclusivo do *Menra* (Palavra ou «Logos») de Jeová. Os eruditos judaicos introduziram essa idéia nos Targuns, ou seja, nas paráfrases inseridas no V.T., escritas no idioma aramaico. Assim sendo, parafrasearam no trecho de Gên. 39:21: «A Menra estava com José, na prisão». A «Menra» também teria sido o anjo que destruiu os primogênitos do Egito, e também teria sido a *Menra* quem conduziu Israel, na nuvem de fogo.

6. Filo de Alexandria (até 50 D.C.). Alexandria foi um centro da erudição judaica, e ali vivia cerca de um milhão de judeus, no tempo de Filo. A tradução da Septuaginta (do V.T. em hebraico para a língua grega), que foi preparada entre 280 e 150 A.C., foi o começo da união entre a cultura helenista e a cultura hebraica, a conexão entre a filosofia grega e a teologia dos hebreus. Entre os eruditos judeus helenistas, Filo foi o mais importante, e foi um filósofo neoplatônico. A doutrina do «Logos», segundo o estoicismo, com facilidade pôde ser incorporada nas adaptações religiosas da filosofia de Filo, o que passou a ser conhecido pelo título de neoplatonismo. Essa doutrina não diferia, em muitos aspectos, da idéia dos *universais* de Platão, especialmente no aspecto que descrevia o *demiurgo* ou poder intermediário que criou este mundo sensível, de conformidade com o padrão ou desígnio dos universais. Assim também, no neoplatonismo, encontra-se uma mescla de princípios platônicos e da metafísica dos estóicos.

Algumas vezes Filo se referia à *impersonalidade* do «Logos», como se fosse a essência imaterial da mente de Deus, de onde teria procedido o plano e o padrão da criação. Algumas vezes, entretanto, ele falou *pessoalmente* sobre o «Logos», como o *anjo* do Senhor. O Deus de Filo é transcendental, e acerca dele podemos asseverar **tão-somente** que ele existe, porquanto não possuímos qualquer outro conhecimento detalhado sobre ele, além desse. Segundo esse conceito, Deus não pode contaminar-se com a vil

LOGOS (VERBO)

matéria, razão pela qual precisa contar com agentes, tanto na criação como nos seus contactos com o mundo. O princípio de mediação entre Deus e a. matéria seria a Razão ou «Logos», de natureza divina e universal, no qual estariam comprimidas todas as. idéias das coisas finitas, e que teria criado o mundo material, fazendo essas idéias penetrarem na matéria. Esse «Logos», como é natural e não é difícil de ser percebido, é o mesmo que o «demiurgo» de Platão. Assim sendo, Deus estaria circundado de «poderes», mais ou menos equivalentes aos universais de Platão ou aos anjos dos escritos judaicos, e esses emanam de Deus, emanação essa que também pode ser expressa dentro da estrutura da doutrina do «Logos», porquanto ali também temos certa modalidade de panteísmo, segundo se vê no estoicismo. Filo procurou reconciliar a teologia hebraica com a filosofia grega. E ele não era um Moisés a falar em grego, conforme alguns têm dito, porém, se assemelhava mais com Platão a falar em hebraico. Seja como for, essa filosofia acaba por ser mais grega (mais baseada em Platão e no estoicismo) do que ser puro monoteísmo e metafísica hebraicos. Nos escritos de Filo, o «Logos» é a razão divina e universal, a razão imanente, que contém dentro de si mesmo o ideal universal, mas que, ao mesmo tempo, é a palavra expressa, que procede da parte de Deus e que se manifesta neste mundo em tudo quanto aqui existe. Seria a manifestação que Deus faz de si mesmo neste mundo. Por conseguinte, para Filo, o «Logos» seria a súmula total do livre exercício das energias divinas. Dessa maneira, ao revelar a si mesmo, Deus poderia ser chamado de *Logos;* o *Logos,* na qualidade de agente revelador de Deus, poderia ser chamado de Deus.

III. A Doutrina do Logos no Evangelho de João

Qualquer pessoa que leia os conceitos exposto acima, sobre a natureza do *Logos,* poderá perceber, de imediato, que o conceito do evangelho de João sobre o «Logos» realmente tem muitos elementos similares, e que, na realidade, o autor desse evangelho se aproveitou de uma idéia corrente e bem conhecida no mundo helenista, a fim de expressar uma profunda verdade concernente à pessoa do Cristo encarnado. Que essa doutrina não foi criada no vácuo, e que não era inteiramente original a João (embora em seus escritos existam elementos diferentes), é fato que não deve causar surpresa a quem quer que seja, e nem deve esse fator ser considerado como algo que labora contra a veracidade dessa doutrina bíblica. No evangelho de João, o «Logos» aparece como:

1. *Uma força criadora*
2. *Uma força controladora*
3. *Uma pessoa,* que embora deva ser identificada com Deus, não obstante é pessoa distinta de Deus «Pai». E dessa maneira João evita o conceito panteísta, e lança o alicerce para o conceito da Trindade divina.
4. Uma personalidade, *de natureza divina,* embora se tivesse encarnado como homem. E, ao mesmo tempo, Deus e homem, **isto é, o Deus-homem.**

Orígenes foi o primeiro a declarar tal verdade, ao que se saiba, nessas palavras, ao empregar o vocábulo grego *theanthropos.* Os teólogos do concílio de Nicéia definiram a natureza de Cristo como «Deus de Deus», «gerado, mas não feito». Irineu ensinava que «*Deus se tornou homem, para que o homem pudesse tornar-se Deus*», e considerava a encarnação como a base da *esperança da imortalidade.* Ora, tudo isso refutava a heresia de Ário, que ensinava que «houve tempo em que ele, Cristo, não existia», pelo que também, na heresia ariana, Cristo era visto como parte da criação de Deus. Ver a nossa participação na divindade de

Cristo, II Ped. 1:4.

O «Logos» era reputado como *consubstancial* com o Pai, e era negado, na igreja cristã primitiva, que o espírito do «Logos» meramente veio possuir o corpo físico de Jesus de Nazaré, por ocasião de seu batismo, tendo abandonado esse corpo por ocasião de sua morte. Pelo contrário, a verdade é que Jesus foi a encarnação do «Logos» eterno, não havendo nisso envolvimento de duas entidades separadas, e sim, — uma única pessoa.

5. Um dos mais conspícuos ensinamentos de João sobre o «Logos» é que ele é quem *revela a Deus,* servindo de elo de conexão entre Deus e nós, motivo pelo qual lhe convinha compartilhar das naturezas divina e humana.

6. **O Logos veio a fim de aproximar Deus aos homens** e, finalmente, a fim de entregar os homens de volta a Deus, ao ponto em que os homens viessem a participar da essência divina, conforme ela se manifestou no «Logos», na pessoa do Filho, no Cristo, porquanto, finalmente, todos seremos inteiramente transformados em sua imagem. Essa é a grande mensagem de Paulo. Ver Rom. 8:29; Col. 2:9,10 e II Cor. 3:18. Ver o artigo sobre *Transformação Segundo a Imagem de Cristo.* Certamente, essa é a doutrina mais elevada do sistema cristão bíblico, embora venha sendo virtualmente ignorada pela igreja, que só volta as vistas para questões comparativamente iniciais do perdão dos pecados e da mudança de endereço para o céu. O evangelho, todavia, envolve *muito mais* do que isso, e a doutrina do «Logos» faz-nos lembrar qual é o ensinamento central do evangelho de Cristo, a saber, a transformação dos crentes segundo a própria imagem de Cristo.

7. Outrossim, o *Logos* é a expressão de Deus na *criação inteira,* e não meramente para o homem, pois ele sempre existiu, desde a eternidade passada, e tem sido a manifestação de Deus para todas as demais criaturas inteligentes. Ele é a Luz de Deus e, nessa qualidade, ilumina a criação em sua totalidade, incluindo os homens, de maneira bem especial. Portanto, em outras palavras, ele é a mensagem de Deus, a Palavra de Deus.

8. *O Verbo estava com Deus.* Qualquer judeu, ao ouvir dizer que o «Logos» é eterno, imediatamente identificaria o «Logos» com Deus, porquanto somente Deus é eterno, ao passo que tudo o mais é temporal e dependente dele. Todavia, o evangelho de João assevera que o *Logos* é eterno, contudo, é uma pessoa *distinta* que goza de comunhão com o Pai.

Algumas traduções traduzem aqui «*...face a face com Deus...*», e expressam assim a opinião de que as palavras «...com Deus...» dão a entender comunhão, e não mera presença ou caráter distinto de pessoas. A preposição grega «pros», aqui usada (traduzida aqui por *com*), pode assumir o sentido de estar perto ou ao lado. Assim também se lê que estar ausente do corpo é estar presente «com» («pros») o Senhor. (Ver II Cor. 5:8). O *Logos* é possuidor de autoconsciência, tendo uma personalidade distinta, mas, ao mesmo tempo, desfruta de comunhão com Deus Pai.

«Embora existisse eternamente com Deus, o Logos estava em perfeita comunhão com Deus. *Pros,* com o acusativo, apresenta-nos um plano de igualdade e intimidade, face a face um com o outro. Em I João 2:1, encontramos um emprego semelhante de *pros.* Temos um Paracleto para com o Pai». (Robertson, *in loc.*).

Falando sobre a preposição grega «*pros*», Bruce diz (*in loc.*): «Significa mais do que *metá* ou *pará*, e é regularmente empregada para expressar a presença

LOGOS (VERBO)

de uma pessoa com outra». E Crisóstomo comentava (*in loc.*): «Não em Deus, mas *com* Deus, como pessoa' distinta, eternamente.

9. *O Verbo era Deus*. Aqui temos a idéia que completa o que tenciona ser uma declaração gradual acerca da natureza do *Logos*. .É conservada a distinção entre pessoas, mas, por outro lado, é preservada a unidade de substância ou de natureza essencial. Além disso, cada declaração explica a anterior. O Verbo é eterno, razão por que deve ser considerado divino. Porém, essa divindade não significa que não possa existir distinção de pessoas, porquanto o «Logos» estava «...com Deus...», e, por isso mesmo, é distinto de Deus Pai. Isso, no entanto, não significa que existam dois deuses, porquanto o «Logos» é Deus, ou seja, idêntico em essência, pelo que também é uma expressão de uma *única* essência divina.

Esta última declaração bíblica é a **maior das três**, e incorpora as outras em si mesma. A ordem das palavras, no grego, nessa declaração, é: «...Deus era o Verbo», e algumas traduções têm seguido essa ordem de palavras; contudo, à base da regra gramatical do grego, que aplica à sintaxe do artigo definido, sabemos que o Verbo é que é o sujeito, e que Deus é o predicado do Verbo, porquanto o artigo definido acompanha a palavra «Logos» e, dessa maneira, identifica-a como o sujeito da frase. E a ausência do artigo definido, antes do vocábulo «Deus», não nos dá licença para traduzirmos *O Verbo era um deus*, segundo alguns têm imaginado, posto que, em primeiro lugar, isso seria totalmente contrário ao conceito monoteísta que há por detrás da teologia judaica e cristã. Em segundo lugar, tal tradução é meramente uma possibilidade, e não uma necessidade, visto que a ausência do artigo não requer a adição do artigo indefinido, **mas tão-somente** significa que se trata de uma tradução possível. 'Se, coerentemente, acrescentássemos o artigo indefinido cada vez que não figura o artigo definido antes de um substantivo, a tradução transformar-se-ia num autêntico caos. Por exemplo, o vs. 14 deste primeiro capítulo do evangelho de João diria: «...e o Verbo se tornou uma carne...» O vs. 18 do mesmo capítulo diria: «...ninguém jamais viu a um deus...» E note-se que, neste último caso, a referência bem definida é a Deus Pai, o que nos forçaria a chamar o Pai de *um deus* e não de «Deus» ou «o Deus». Por sua vez, o vs. 6 diria: «...houve um homem enviado de um deus...» E, uma vez mais, a referência óbvia é ao Pai, que novamente deveria ser intitulado de «um deus», se insistíssemos em suprir o artigo indefinido cada vez que' o artigo definido não acompanhasse a algum substantivo. Qualquer pessoa que tomasse de um N.T. grego e de uma concordância grega, e seguisse o termo «Deus», observando quando recebe e quando não recebe o artigo definido, ficaria plenamente convencido de que não se pode estabelecer quanto a isso qualquer regra fixa, e que traduzir, neste lugar, «...o Verbo era um deus...» não passa do mais profundo preconceito, lançando na confusão qualquer tentativa de tradução razoável e coerente, além de labutar contra a teologia cristã.

No que diz respeito à ausência do artigo definido antes da palavra *Deus*, neste versículo primeiro do evangelho de João, podemos fazer a seguinte observação no tocante à possível significação desse fenômeno: A função ordinária do artigo definido é a de apontar ou especificar. Assim sendo, *o Deus* poderia ser compreendido como «O Deus de Israel» algum Deus particular, ou alguma identificação particular ou idéia característica de Deus. Mas, sem o artigo definido, temos em vista meramente a essência divinà. Ora, até mesmo nos idiomas modernos preservamos esse uso. Se dissermos «o homem», estaremos apontando para alguma pessoa particular, algum homem, em distinção a todos os outros homens. Porém, se dissermos «homem», já estaremos fazendo alusão à «humanidade», à essência da humanidade, ao estado dos seres humanos. Assim também se dá neste caso. *Logos* não é apontado como «o Pai» ou (o Deus dos judeus); pelo contrário, ele é *Deus*, isto é, possuiu a natureza e a essência da divindade. É justamente seguindo essa idéia que a tradução inglesa de Williams diz neste ponto: «No princípio a Palavra existia; e a Palavra estava face a face com Deus; sim, a Palavra era Deus mesmo». E, no rodapé ele acrescentou a seguinte observação: *Deus, enfático; portanto, Deus mesmo*.

«O artigo definido, antes de *theos* (Deus), destruiria, neste caso, a distinção de personalidade, e confundiria o Filho com o Pai. A sentença anterior assevera a hipóstase distinta do «Logos», a saber, a Sua unidade essencial com Deus. Conceber um ser independente, que tivesse existido desde a eternidade, fora e separado do único Deus e de substância diferente, haveria de ser a derrocada da verdade fundamental do monoteísmo e do caráter absoluto de Deus. Só pode haver um ser ou substância de ordem divina». (Phillip Schaff, *in loc.*, no Lange's Commentary).

«O evangelho declara que os homens devem 'honrar ao Filho, tal como honram ao Pai', sem identificá-los entre si (João 5:23). Quanto à relação existente entre os dois, ver João 14:9,28; 5:30; 6:38; e 10:30». (Wilber F. Howard, *in loc.*).

Assim também, neste versículo primeiro do evangelho de João, o «Logos» é identificado com um ser divino, mediante o emprego da palavra «Deus», sem o concurso do artigo definido. A sua essência é divina. No vs. 14, por semelhante modo, a palavra «carne», sem o artigo definido, identifica a natureza humana autêntica de Jesus Cristo. A essência de Cristo também é humana. Ver o artigo sobre a *Divindade de Cristo*.

IV. Sumário de Idéias da Filosofia e da Teologia

1. *Heráclito*. No universo há um poder *formativo*, criador, modelador e sustentador, um tanto análogo ao poder da *razão* no homem. Esse é o *Logos*. A alma humana é parte desse poder raciocinador, que poderíamos chamar de *mente divina*, embora essa não fosse terminologia usada por Heráclito.

2. *De Anaxágoras, Através de Aristóteles*. O *nous* (vide) tomava o lugar do *Logos* como princípio motivador do universo. A *nous* seria o princípio divino, e. seria imaterial. O *Logos*, algumas vezes, dentro desse contexto, é referido como o poder da *nous* neste mundo material.

3. A idéia do *Logos* reapareceu no *estoicismo* (vide), onde se tornou um virtual sinônimo de Deus. Os estóicos, porém, não concebiam um Deus pessoal. O *Logos*, para eles, era um poder cósmico impessoal que se emanaria e se recolheria de novo, em grandes ciclos, criando tudo e, então, anulando tudo, mediante a reabsorção em si mesmo. Isso é apenas uma forma de *panteísmo* (vide). Uma doutrina suplementar era a dos *logoi spermatikoi*, as sementes da razão, presentes em todas as coisas, de tal modo que a mente divina operaria até sobre a chamada matéria morta. Isso explicaria como a matéria morta poderia evoluir, mostrar desígnio, etc. O *Logos* existente na razão (racionalidade), dentre da psique humana - a força divina em operação. Essa racionalidade (no latim, *ratio*) torna-se a palavra (no

LOGOS — LOISY

latim, *oratio*) nos lábios humanos, de tal modo que os homens podem falar sabedoria.

4. *No judaísmo*, a tendência era personificar o *Logos*, associando-O ao Anjo do Senhor e ao poder criativo divino. *Filo* (vide) identificava o poder criativo de Deus com o *Logos* dos *estóicos* e do *neoplatonismo* (vide). Nos escritos de Filo, o *Logos* figura como uma manifestação pessoal de Deus, mas também como o poder divino impessoal e transcendental dos estóicos. Outrossim, o *Logos* ganha, nos escritos de Filo, uma função remidora, tornando-se o meio que leva os homens a uma natureza espiritual mais elevada. Pode-se ver nisso uma grande aproximação da doutrina do Logos, segundo o evangelho de João. Não há como pensar que o ponto de vista joanino do Logos era independente das idéias expostas por Filo.

5. *No Evangelho de João*. Na terceira seção, acima, temos dado uma completa descrição sobre isso, pelo que não repetirei o ponto aqui. Aqui basta dizer que o *Logos*, personalizado em Filo, agora *encarnou-se como homem*, na pessoa de Jesus Cristo, o Filho de Deus. Essa é a distintiva contribuição do apóstolo João à evolução do conceito do *Logos*. Por meio da *encarnação* (vide), encontramos as missões reveladora e remidora do *Logos*. Foi uma excelente adição à doutrina, que cremos ser um ensinamento verdadeiro. Nesse conceito vê-se a combinação da soteriologia com a cristologia. O Cristo divino salva ao comunicar a sua própria natureza aos homens, e não meramente ao ensinar-lhes alguma doutrina superior.

6. *Na teologia cristã*, o *Logos* é equiparado ao princípio do Filho, dentro da trindade (vide).

7. *No gnosticismo* (vide). De acordo com essa posição, o *Logos* é alistado como a mais poderosa das *emanações* (vide) de Deus.

8. *Entre os apologetas*, como *Minúcio* (vide), o *Logos* é identificado com o Filho de Deus, uma afirmação de que, desse modo, a doutrina cristã da Trindade foi antecipada na filosofia grega. Esse ensino tinha por fim aproximar o pensamento grego da teologia cristã, pavimentando assim o caminho para a conversão dos gregos e dos filósofos ao cristianismo. Não se pode duvidar que o método foi eficaz. Consideremos a Igreja Ortodoxa Grega e as igrejas orientais ortodoxas, que sempre se deixaram influenciar pelas idéias gregas, mediadas através dos pais gregos da Igreja.

9. *Fichte* (vide) dizia que Deus está presente em todas as coisas através do *Logos*.

10. Para *Hegel* (vide) o *Logos*, ou mente divina que teria criado e guiado a manifestação de sua dialética, com as tríades que trazem todas as coisas à existência e determinam a natureza dessas coisas.

11. *Unamuno* (vide) rejeitava o termo *Logos*, preferindo dizer *Palavra*. A Palavra estaria presente em todos os discursos, sendo a expressão íntima dos homens mortais.

12. *Heidegger* (vide) afirmava que o Logos, ou Palavra, está presente em todos os discursos, sendo capaz de desvendar para nós o Ser.

Na Bíblia portuguesa, a palavra grega *Logos* é traduzida por *Verbo*, principalmente por ser este um vocábulo do gênero masculino, o que combina com o gênero da palavra grega *Logos*, que também é masculino.

Bibliografia. AM C B E EP I IB MM P NTI

LOGRO

Um logro é um truque enganador, com o intuito de fazer as pessoas pensarem algo que não corresponde à verdade. Algumas vezes, isso é feito como se fosse uma piada, mas, outras vezes, com o propósito de ferir e de causar um curso de ação que, de outra maneira, não seria escolhido. As pessoas inventam estórias e as publicam com finalidades sensacionalistas, ou para desviar a atenção de outras pessoas para longe da verdade. Logros têm sido perpetrados no caso dos alegados escritos de pessoas famosas e infames, com o propósito de obter dinheiro. Visto que as Escrituras e os princípios éticos proíbem o logro, essa prática é apenas um outro pecado da pervertida mente humana.

LOHE, JOHANN KONRAD WILHELM

Suas datas foram 1808-1872. Nasceu em Furth, perto de Nuremberg, na Alemanha, e morreu nessa última. Educou-se nas Universidades de Erlangen e Berlim, e em 1831, tornou-se vigário em Kirchenlamitz. Em seus dias de estudante, identificou-se com o reavivamento luterano. Tornou-se pregador e evangelista fervoroso, mas acabou sendo desligado de Kirchenlamitz acusado de favorecer o *misticismo* (vide). Sempre foi um crítico severo da Igreja organizada, embora também nunca tivesse deixado de servi-la. Em 1837, tornou-se pastor em Neuendettelsau, onde se tornou figura de projeção. Muitos alemães estavam migrando para os Estados Unidos da América e, a fim de proteger espiritualmente essa gente, em sua nova aventura, ele fundou duas casas de treinamento missionário. Interessava-se tanto pelas missões estrangeiras quanto pelas missões em solo pátrio, como também pelas obras de caridade. Tornou-se uma autoridade em assuntos litúrgicos, e suas obras escritas formaram a base do *Culto Comum* da Igreja Luterana da América do Norte. Ele organizou escolas, seminários e asilos para os enfermos. Como é óbvio, ele se mostrou muito ativo nas atividades pastorais. (AM E)

LÓIDE

No grego, **Lois**. O sentido desse nome próprio é desconhecido. A única referência bíblica a *Lóide* fica em II Tim. 1:5. Ela era a avó de Timóteo, presumivelmente mãe de Eunice, conforme aquela referência dá a entender. Ela era judia devota, mui provavelmente, convertida ao cristianismo, pois, do contrário, Paulo não teria falado tão favoravelmente a seu respeito. Todavia, essa é a única alusão a Lóide, em todo o Novo Testamento, não havendo sobre ela qualquer outra informação. Esse nome não era comum, e os intérpretes são forçados a confessar sua ignorância quanto ao seu sentido. Alguns estudiosos têm conjecturado em torno do sentido «agradável», pensando que esse apelativo talvez ligado ao termo grego *loia*, «mais desejável», «mais agradável». Ela era avó de Timóteo, pelo lado de sua mãe (a judia, e não a grega). A família residia em Listra (Atos 16:1).

LOISY, ALFREDO, ABADE

Suas datas foram 1857-1940. Foi um notório erudito francês da Bíblia, orientalista e crítico da Bíblia, tendo-se envolvido muito na controvérsia modernista do catolicismo romano. Seus livros, *The Gospel and the Church* e *What is Christianity?*, causaram muita agitação, e muitos de seus pontos de vista foram condenados pela Sé de Roma. Finalmente, Loisy foi forçado a abandonar o catolicismo romano, e começou a ensinar no Collège de France. Em 1917, sem ter-se retratado de suas idéias,

LOISY — LOMBOS

publicou um livro intitulado, em francês, *La Religion*, no qual ele interpretava a religião em termos de sociologia e humanismo, muito ao sabor de Comte (vide) e de Durkheim (vide).

Loisy foi um escritor prolífero, que produziu um certo número de comentários sobre a Bíblia, entre suas outras obras. Sua autobiografia intitulava-se, em inglês, *My Duel with the Vatican; the Autobiography of a Catholic Modernist*.

Algumas Idéias Específicas:

1. Crença nos esforços sociais e humanistas da religião.
2. A imanência divina e a importância da expressão religiosa individual, em contraste com o tipo de expressão confinada, imposta pelas autoridades eclesiásticas.
3. Todas as religiões possibilitariam sucessivas relações entre Deus e os homens. Os livros sagrados das religiões são o registro dessas relações; mas nenhum desses registros é completo, final ou perfeito.
4. Simpatia com muitas idéias liberais, que ele promovia abertamente.

O papa Pio X, em 1907, publicou uma encíclica contra o modernismo, com o título de *Síntese de Todas as Heresias*. Loisy respondeu ainda com mais heresias (segundo o ponto de vista do papado), em 1908, em seu livro, com título em inglês, *Simple Reflections*. Não demorou muito para ele ser excomungado.

Além dos comentários bíblicos, Loisy escreveu outros livros, cujos títulos em inglês são: *Babylonian Myths and the First Chapter of Genesis; Small Book; Simple Reflections; On the Decree; Pagan Mysteries and the Christian Mystery; Are There Two Sources of Religion and Morals?*

Ver também o artigo sobre o *Liberalismo*.

LOKAYATAS

Esse termo está alicerçado sobre a palavra sanscrita *loka*, «mundo». Esse é o nome de uma das seitas do *hinduísmo* (vide). Também é conhecida como *Charvakas*, por haver sido fundada por um homem com esse nome. Mui estranhamente, esses hindus são materialistas. Apesar de falarem sobre a inteligência como algo separado da matéria, não crêem que sua sede seja a alma, e nem que a alma possa sobreviver ante a morte física. De acordo com a doutrina deles, a morte não traz nenhuma conseqüência para bem ou para mal. Eles também rejeitam as doutrinas normais do hinduísmo como a alma, os deuses, o karma, a transmigração das almas, etc. No campo da gnosiologia, eles alicerçam todo conhecimento sobre a percepção dos sentidos. São declaradamente céticos, por alegarem que a percepção dos sentidos não é digna de confiança. Na ética, são hedonistas, visto pensarem que os prazeres são o alvo próprio desta vida fugidia.

Essa escola foi inicialmente desenvolvida na Índia, em torno de 800 A.C. Ela foi uma das fontes do janaísmo e do budismo, que surgiram posteriormente. Eles não confiavam nos Vedas, antigos escritos sânscritos, por julgarem-nos caracterizados pela falta de veracidade, por contradições internas e por vãs repetições. O materialismo hindu continua existindo, mas os *lokayatas*, como uma escola de pensamento, desapareceu. Em outras palavras, suas idéias persistem, mas não sua organização formal.

LOLARDOS

Esse nome vem do vocábulo holandês **lollaerd**,

«resmungador». Esse nome alude à maneira como esse grupo resmungava suas orações e entoava os salmos. Foram eles uma seita religiosa que surgiu no século XIV e continuou até bem dentro do século XV. O grupo original residia em Antuérpia, na Bélgica. Essa seita começou por ocasião de uma grande praga, e os resmungos a que referimos diziam respeito à maneira tristonha como entoavam seus ritos de sepultamento. Posteriormente, o apelido foi transferido para os seguidores de *Wycliffe* (vide), na Inglaterra e na Escócia, um povo que resultou dos esforços dos Pregadores Pobres que Wycliffe enviava para pregar suas doutrinas entre as classes menos favorecidas. Eles se opunham às corrupções da Igreja organizada da época, ao envolvimento político dos seus ministros, e promoviam a Bíblia como a única regra de fé e prática. Wycliffe havia provido para eles uma tradução da Bíblia para o inglês, de tal modo que o povo comum da Inglaterra dispunha da Bíblia em seu próprio idioma. Uma outra força literária desse grupo era a obra que se atribuía a Guilherme Langland (Langley), *The Vision of the Piers Plowman*, que era uma espécie de poema alegórico, onde um honesto lavrador percebia todos os erros e hipocrisias da religião organizada, especialmente ajudado por seu credo e o estudo das Santas Escrituras.

Nessa época ainda não havia surgido o protestantismo, pelo que os lolardos foram uma espécie de movimento pré-reforma, protestante e evangélico. Esse movimento continuou crescendo até a década de 1490. Tiveram de enfrentar fortíssima oposição. William Courteney, arcebispo de Canterbury, condenou-os em vinte e quatro acusações. Dessas, dez representavam heresias, e catorze seriam erros, de acordo com os termos da condenação. Entre as «heresias» havia a negação da doutrina da transubstanciação; o arrependimento de todo o coração é necessário aos homens, eliminando qualquer necessidade de confissão eclesiástica formal; Cristo não ordenou as missas católicas; negação do poder e autoridade papais; nenhum ministro do evangelho deveria ocupar cargos políticos. Leigos e ministros secundários podem pregar o evangelho sem qualquer autorização da parte de oficiais eclesiásticos. E, finalmente, os lolardos objetavam à prática dos religiosos sobreviverem pedindo esmolas.

Os lolardos aproximavam-se muito dos puritanos posteriores, quanto à natureza de sua religiosidade, e foram uma indiscutível influência sobre a Reforma Protestante, que se seguiu, no século XVI. Em seu ponto de maior sucesso, eles chegaram a ter vinte cinco por cento da população. Mas Henrique IV, de Lancaster, ascendeu ao trono da Inglaterra e virtualmente destruiu o movimento dos lolardos mediante intensa perseguição e até morticínios (começo do século XV). Mas, se o movimento desapareceu, seus sentimentos e suas doutrinas tiveram prosseguimento, através do que, pelo menos em parte, foi facilitado o movimento da Reforma Protestante do século XVI.

LOMBARDO, PEDRO

Ver sobre **Pedro Lombardo**.

LOMBOS

Várias palavras hebraicas e gregas são assim traduzidas. Está em vista a região lombar ou quadris. O termo hebraico *mothen* vem de uma raiz que significa «delgado», o que indica que está em foco a

LOMBOS — LONGINO

cintura, na parte das costas. Todavia, a palavra é bastante lata para indicar também os quadris. Em Êxo. 28:42, essa palavra descreve a porção média das costas, por onde se coloca um cinturão. Interessante é que, pelo menos em alguns casos, essa era a porção considerada mais grossa do corpo humano (ver I Reis 12:10), talvez atendendo ao fato de que algumas pessoas engordam muito nessa região. Também era nessa região que as pessoas se cingiam com pano de saco (Gên. 37:34; I Reis 20:32). Os costumes orientais ditavam que as roupas fossem atadas em torno da cintura, quando a pessoa precisava correr, por razões óbvias (I Reis 18:46). Com base nessa circunstância é que esse ato veio a tornar-se símbolo de preparação para a ação espiritual. Os hebreus atribuíam qualidades físicas e espirituais aos órgãos e partes do corpo humano (ver o artigo sobre *Órgãos Vitais*); e aos lombos era atribuída a força, literal e metaforicamente. Ver Naum 2:1. Enfermidades terríveis e acontecimentos adversos poderiam fazer os lombos de um homem (a origem de sua força) tremerem; e, quando isso sucedia, então a calamidade havia-se abatido sobre tal homem. Ver Sal. 69:23. A mesma coisa podia ser simbolizada pelo ato de descingir os lombos.

Uma outra palavra hebraica, *chatats*, «força», «vigor», é usada em Gên. 35:11, como origem da vida e da prole, sem dúvida, uma alusão muito imprecisa e eufemística aos órgãos sexuais, especialmente os interiores, onde o sêmen masculino é fabricado e armazenado.

Além disso, temos a palavra hebraica *kecel*, «gordura», termo que pode indicar tanto os lombos quanto as vísceras. Metaforicamente, essa palavra pode indicar «insensatez», «esperança» ou «confiança». No Antigo Testamento, essa palavra é usada literalmente, exceto em Sal. 38:7. Naquela passagem estão em foco a enfermidade, a debilidade e o desespero, pelo que os lombos são descritos como uma parte do corpo que «arde».

No Novo Testamento, temos somente a palavra grega *osphús*, que ocorre por oito vezes. Ver Mat. 3:4; Mar. 1:6; Luc. 12:35; Atos 2:30; Efé. 6:14; Heb. 7:5,10 e I Ped. 1:13. Na referência de Mateus está em pauta a *cintura*, o lugar onde as vestes são firmadas em torno do corpo. Lucas 12:35 usa o termo no sentido metafórico de preparação para a ação espiritual ou de alerta espiritual. No trecho de Efé. 6:14, ter os lombos cingidos faz parte do preparo do soldado cristão para a batalha espiritual. A mesma atitude de preparação espiritual é evidente nessa palavra, usada em I Ped. 1:13. A passagem de Hebreus 7:5,10 encerra esse vocábulo indicando os poderes geradores do homem, um uso paralelo ao do trecho de Gên. 35:11.

LONGÂNIMO

1. *Palavras e Definições*

No hebraico temos a expressão *'erek 'appayim*, «lento em irar-se». Mais literalmente, essa expressão significa «comprido de nariz» ou «comprido de rosto», e veio a ser associada à idéia de irar-se com dificuldade (talvez devido ao fato de que é no rosto que a pessoa mostra suas emoções fortes, pelo que a fisionomia seria indicadora dessas emoções). Ou, então, conforme outros têm sugerido, o *nariz* é um indicador da ira, visto que a pessoa respira forte, e até mesmo resfolega, quando excitada pela ira. Seja como for, a longanimidade é um atributo divino, tanto no Antigo quanto no Novo Testamentos, sendo uma expressão do famoso amor de Deus. No Antigo Testamento, ver passagens como Êxo. 34:6; Núm. 14:18; Sal. 86:15 e Jer. 15:5. Deus sabe que os homens não passam de pó, pelo que se mostra superpaciente para com eles. Essa é a idéia por detrás da longanimidade divina.

No grego temos o vocábulo *makrothumía*, que vem de *mákros* = grande; e *thumía* = emoção. Poderíamos pensar em «longo de mente», «longo de emoção», «longo de alma», ou inversamente, «suportar muito». O contrário, «curto de mente» indicaria a impaciência. Essa palavra grega aponta para a grande paciência, para a grande tolerância, para a persistência em não se deixar arrebatar pelas emoções fortes. Há catorze ocorrências dessa palavra grega no Novo Testamento: Rom. 2:4; 9:22; II Cor. 6:6; Gál. 5:22 (onde a longanimidade aparece como um dos aspectos do fruto do Espírito, no crente); Efé. 4:2; Col. 1:11; 3:12; I Tim. 1:16; II Tim. 3:10; 4:2; Heb. 6:12; Tia. 5:10; I Ped. 3:20; II Ped. 3:15.

2. *Exemplos Bíblicos de Longanimidade*

a. A história do profeta Jonas, que corresponde ao trecho de João 3:16, no Antigo Testamento. Deus dava atenção até aos animais irracionais, quanto mais aos seres humanos (Jon. 4:11).

b. Deus é longânimo para com os homens em geral, esperando que eles se arrependam (Rom. 2:4; II Ped. 3:9).

c. Para com a humanidade de antes do dilúvio (I Ped. 3:20).

d. Para como Faraó, rei do Egito (Rom. 9:17,22).

e. Para com as nações pagãs (Atos 14:16).

f. Para com o rei Manassés (II Crô. 33:10-13).

g. Para com a nação de Israel (Nee. 9:31; Sal. 78:28; Isa. 30:18).

h. Para com a cidade de Jerusalém (Mat. 22:37).

i. Os crentes deveriam ser exemplos de longanimidade, cultivando essa qualidade espiritual (Gál. 5:22; Rom. 15:5).

j. Deus mostrou longanimidade a Paulo e através dele (I Tim. 1:16).

3. *Resultados dos Abusos Contra a Longanimidade de Deus*

Isso resulta em punição dos culpados (Nee. 9:30; Mat. 24:50); e desgasta a paciência de Deus, que não é longânimo para sempre diante do pecado (Gên. 6:3; Jer. 44:22).

4. *Narrativas que Ilustram a Longanimidade Divina*

a. O cântico da vinha (Isa. 5:17).

b. Duas parábolas dos evangelhos (Mat. 21:33-41; Luc. 16:6-9).

LONGINO

Suas datas foram cerca de 213-273 D.C. Ele foi um retórico grego, nascido na Síria. Estudou em Alexandria, sob Ammonius Saccas. Ensinou em Atenas. Foi colega estudante de Plotino, em Alexandria, embora os dois divergissem um tanto em seus pontos de vista. A principal diferença entre eles é que Longino pensava que as *Idéias* (vide) têm uma condição metafísica distinta, existindo separadas e fora da mente divina, ou *Nous*. O neoplatonismo pensa que essas idéias são as emanações e modos de expressão da mente divina. Quanto a isso, Longino aproxima-se mais do platonismo original, do que do neoplatonismo. Naturalmente, Platão, em seu diálogo sobre as *Leis*, chamou suas idéias, coletivamente falando, de *Deus*; e assim, pelo menos naquele diálogo, temos um precedente para a adaptação neoplatônica de seus conceitos. Longino é reputado

904

LORETO — LOUCURA

autor da obra neoplatônica intitulado *Sobre o Sublime*, embora haja eruditos modernos que supõem que um autor desconhecido foi, realmente, o autor desse material. No entanto, sabe-se que Longino escreveu as seguintes obras: *On First Principles; On the Chief End;* um *Comentário* sobre o Timeu de Platão; e *The Art of Rhetoric*.

LORETO, SANTA CASA DE

As pessoas religiosas que queiram «crer», podem acreditar em coisas verdadeiramente fantásticas. Certo filósofo queixou-se de que os homens, afinal de contas, não são nem lógicos e nem racionais, mas que geralmente crêem em coisas em troca de consolo mental. Um desses exemplos de extrema credulidade é a questão que envolve a *Santa Casa de Loreto*. Trata-se de uma minúscula construção, cuja área é de apenas cerca de 9,5 m por 4 m, dentro da basílica de Loreto, perto de Ancona, na Itália. Há tradições que dizem que essa era a casa onde residia a Sagrada Família, em Nazaré. Teria sido transportada pelos anjos, primeiramente para a Ilíria (em 1291), e, então, para Loreto, na Itália (em 1294)! Certos «santos» e papas aprovaram essa tradição, mas os católicos romanos modernos, excetuando os devotos do santuário, encaram tudo isso como mera lenda, e não acreditam na tradição. Tal como sucede com a maioria dos santuários, ocorrem ali, realmente, milagres, e podemos supor que estão em ação forças psicossomáticas. Noutras oportunidades, podemos supor que Deus simplesmente usa de misericórdia para com os que vêm ali fazer suas preces, apesar da óbvia falsidade de tal tradição. É possível que os santuários religiosos atraiam poderosas (mas invisíveis) entidades espirituais, as quais, vez por outra, realizam algum ato de maior envergadura. Os protestantes dão a explicação comum de que tudo não passa do poder demoníaco; mas precisamos ter cuidado para não dar ao diabo mais crédito do que ele merece. E nem podemos ter certeza sobre quanto crédito ele merece no tocante a casos específicos.

LO-RUAMA

Ver Osé. 1:6. Esse era o nome de uma filha de Oséias e sua prostituída esposa, Gômer. Esse nome significa «Não Compadecida». O símbolo envolvido era que a nação de Israel (a infiel esposa de Deus), em seu adultério espiritual e desobediência, havia perdido a compaixão natural e a proteção que, normalmente, poderia esperar da parte de Yahweh, devido à sua relação com ele como o seu povo. Profeticamente falando, estava em vista a ameaça do cativeiro assírio. Ver também o artigo sobre *Lo-Ami*.

LOTERIA

Ver o artigo sobre o **Jogo**.

LOTOS (ÁRVORE)

Alguns intérpretes supõem que o trecho de Jó 40:21,22 refere-se ao lotos, que é uma árvore ou arbusto. Nesse caso, provavelmente, está em vista a espécie *Zizyphus lotus*. Trata-se de uma árvore pequena, com folhas elípticas oblongas, e que produz flores minúsculas. Dessas flores emergem frutos redondos, amarelados. Essa espécie vegetal era e continua sendo comum na Palestina, produzindo uma boa sombra. Porém, não há como ter certeza quanto à sua identificação. As traduções de Goodspeed e de Moffat dizem *lotos* na referência de Jó, o que também se vê em nossa versão portuguesa, onde outras versões dizem «árvores que dão sombra».

LOTZE, RUDOLF HERMANN

Suas datas foram 1817-1881. Nasceu em Bautzen, na Alemanha, e educou-se em Leipzig. Ensinou em Gottingen e em Berlim. Interessava-se pela medicina e pelas ciências naturais, que estudou; mas, finalmente, especializou-se em filosofia. Tornou-se conhecido por causa de seus estudos no campo da *axiologia*, a teoria dos valores. Foi um erudito criativo em várias áreas, como a fisiologia, a psicologia, a lógica, a estética e a filosofia em geral, incluindo algumas importantes idéias relacionadas à teologia.

Idéias:

1. Embora fosse kantiano de maneira geral, Lotze ensinava que o poder interpretativo da mente pode dar-nos uma idéia unificada da realidade.

2. Valores ímpares da existência são inatos à mente humana. Ver o artigo intitulado *Idéias Inatas*.

3. *Idéias Relacionadas à Teologia:*

a. Lotze favorecia a idéia das causas mecânicas na natureza, que ele chamava de «inalterável modo de ação». Isso equivale às «leis naturais», postuladas por outros filósofos.

b. *Deus* é a Pessoa transcendental incondicionada, de Quem fazem parte todos os seres finitos, sem com isso perderem sua própria identidade («ser em si mesmo»), qualidade própria de todo ser. Isso reflete uma forma de pampsiquismo (vide).

c. Por meio de Deus, todos os outros seres agem de maneira recíproca.

d. Deus escolheu as leis por meio das quais todas as coisas operam e têm os seus seres distintivos. As leis de Deus refletem-se no conceito humano da lei e da ordem. O homem possui uma unidade em seu próprio «ser», em meio a uma multiplicidade de estados.

e. O homem é um microcosmo que duplica, em escala de miniatura, o macrocosmo que foi ordenado por Deus, e a mesma coisa se dá com os outros seres.

f. Lotze, porém, não tentava provar a existência de Deus partindo do microcosmo. Deus é o Absoluto, e não está sujeito às nossas tentativas de descrição.

g. Porém, podemos sentir algo da natureza de Deus, mediante os valores que se manifestam na ética, na estética, na metafísica e, de resto, em tudo o mais.

4. *Quanto à teoria do conhecimento*, dispomos da orientação dos valores. Os valores transcendem ao escopo da ciência, que, nem por isso, é invalidada. A fim de compreendermos os valores, precisamos de *empatia*. Assim, uma obra de arte é compreendida não através da razão e, sim, através de suas qualidades. Os *postulados* são pressupostos absolutamente necessários, sem os quais o conteúdo de uma dada série de observações somente chocar-se-ia com as leis de nosso pensamento. Nos pressupostos operam as idéias inatas. As *hipóteses* são conjecturas que fornecem detalhes aos postulados fundamentais, ao fornecerem causas e casos concretos, forças e processos que atuam nos fenômenos. *Ritschl* (vide) derivou de Lotze os elementos essenciais de sua *teoria do conhecimento*.

LOUCURA (HOMENS LOUCOS)

Ver sobre *Enfermidades*, ponto segundo, e também sobre *Lunático*.

••• ••• •••

LOUVOR

LOUVOR

Esboço:
- I. Palavras Bíblicas
- II. Definições
- III. Formas de Louvor
- IV. Idéias do Novo Testamento
- V. Nos Salmos, o Livro do Louvor

I. Palavras Bíblicas

O **louvor** é um dos assuntos mais cêntricos da Bíblia. Várias palavras hebraicas e gregas expressam esse assunto. O termo hebraico mais comum é *halal*, cuja raiz significa «fazer barulho», nesse caso, os sons proferidos pelas pessoas envolvidas como parte da adoração ao Senhor. Ver o artigo geral sobre a *Adoração*. Outra palavra hebraica, *yada*, estava associada a movimentos corporais que exprimem o louvor. *Zamar*, ainda outra palavra hebraica, indicava o louvor expresso mediante cânticos ou instrumentos musicais. No Novo Testamento, a palavra mais comum é *eucharistéo*, que significa, literalmente, «agradecer». Além disso, há também a palavra grega *eulogéo*, «abençoar», «bendizer». O artigo sobre *Lugar de Oração*, ilustra abundamentemente, com referências, o uso dessas palavras.

II. Definições

Louvar significa «magnificar», «aprovar», «honrar», «glorificar», «oferecer ações de graças», «elogiar», «adorar», «aclamar», e, quando não há sinceridade no louvor, «lisonjear». O louvor brota do coração que sente gratidão, ação de graças ou admiração, o que então é vocalizado. Assim, o que é dito torna-se parte da adoração, particular ou pública. O homem que se regozija em seu coração, profere palavras de louvor. O homem que sente a majestade de Deus expressa isso por meio de sua linguagem. Apesar do louvor ser um dever humano (ver Jó 1:21), mui naturalmente, origina-se no coração do homem espiritual, e não precisa ser algo forçado.

III. Formas de Louvor

1. *Os Anjos; Louvor Angelical*. Embora sendo seres de grande força e inteligência, eles sentem o dever de louvar a Deus, a fonte de todo bem-estar e grandeza. Eles levantam suas vozes nessa atividade (Sal. 103:20). Os anjos glorificaram a Deus, por ocasião do nascimento de Cristo (Luc. 2:13,14); e haverão de louvar ao Cristo triunfante (Apo. 5:11,12).

2. *Na Literatura e na Liturgia*. Os Salmos 113—118 são chamados de *Salmos do Hallel*, por serem salmos de louvor. Esses salmos mostram-nos que todas as criaturas vivas prestam louvor a Deus, como é de seu dever. Ver. Sal. 135:1,2; 69:34; 150:6. Os salmos em questão têm sido usados na liturgia de Israel e da Igreja cristã.

3. *Instrumentos Musicais*. Os Salmos 150:3-5 e 104:33 mostram que é bom os homens usarem instrumentos musicais como uma maneira de ajudar o louvor. É entristecedor que essa função tenha sido pervertida através do uso de música mundana e sensual, nas Igrejas, um tipo de música que agita erradamente o corpo, e não a mente e a sensibilidade artísticas. Ver sobre a *Música*.

4. Nos *sacrifícios*, os israelitas ofereciam louvor, de forma literal, o que os crentes cristãos fazem de maneira figurada (ver Lev. 7:13; Rom. 12:1 *ss*).

5. O *testemunho* é uma forma do crente prestar louvor (Sal. 66:16).

6. O *louvor público* ou *particular* também é uma forma de adoração (Sal. 96:3).

Louvai a Deus, de Quem fluem todas as bênçãos;

Louvai-O, todos vós, criaturas cá de baixo;
Louvai-O acima, todas as hostes celestes.
Louvai a Ele: Pai, Filho e Espírito Santo.
(Saltério de Genebra, 1551).

7. A *maneira como uma pessoa vive* pode ser uma bênção ou uma maldição para outras pessoas. Se uma bênção, então isso se torna um sacrifício vivo e um louvor a Deus (Rom. 12:1 *ss*).

IV. Idéias do Novo Testamento

1. O aparecimento do reino de Deus à face da terra, através do ofício messiânico, é motivo de louvores (ver Isa. 9:2; Luc. 2:13,14; Apo. 5:9-14).

2. Os cristãos primitivos exprimiam seu louvor no templo de Jerusalém (Luc. 25:53); mas logo isso cedeu lugar à adoração da comunidade geral dos cristãos, visto que os crentes são templos de Deus (ver Heb. 10:19 *ss*).

3. A alegria é a atitude dominante na fé cristã (epístola aos Filipenses), e isso nos vem mediante a missão salvadora de Cristo (ver Luc. 18:43; Mar. 2:12).

4. A mensagem cristã desperta um louvor espontâneo (Atos 2:46; 11:18; 16:25; Efé. 1:1-14).

5. Novos hinos de louvor foram escritos (ver Apo. 5:8-14; Col. 3:16; I Cor. 14:26; Luc. 1:46-55,68-79; 2:29-32; Fil. 2:6-11; 5:14; I Tim. 3:16; Apo. 1:4-7; 5:9-14; 15:3,4). Várias dessas passagens, provavelmente, contêm fragmentos de antiqüíssimos hinos cristãos.

6. O louvor, em si mesmo, é um sacrifício que agrada a Deus (Heb. 13:15).

7. A dedicação do indivíduo a Cristo e o abandono do mundo e de seus caminhos é uma maneira de oferecer louvor a Deus (ver Rom. 12:1 *ss*). Desse modo, o indivíduo cumpre os requisitos de seu sacerdócio real (ver Apo. 1:5,6; I Ped. 2:9).

8. As ações de graças e o louvor têm um poder santificador (I Tim. 4:4,5; I Cor. 10:30,31; I Tes. 5:16-18).

9. Nossas orações devem incluir o louvor (Fil. 4:6).

10. O louvor é oferecido a Cristo e é aceito por ele (João 12:13; Heb. 13:15).

11. Louvar é um privilégio e um dever dos santos (I Ped. 2:9).

12. O louvor exprime alegria (Tia. 5:13).

13. Exemplos do Novo Testamento: Zacarias (Luc. 1:64); os pastores (Luc. 2:20); Simeão (Luc. 2:28); Ana (Luc. 2:38); as multidões (Luc. 18:43); os discípulos (Luc. 19:37,38); os apóstolos (Luc. 24:53); os primeiros convertidos cristãos (Atos 2:47); o aleijado que foi curado (Atos 3:8); Paulo e Silas no cárcere (Atos 16:25).

V. Nos Salmos, o Livro do Louvor

O louvor é prestado a Deus, pelas seguintes razões:
1. Por sua majestade (Sal. 96:1,6).
2. Por sua glória (Sal. 138:5).
3. Por suas excelências (Sal. 148:13).
4. Por sua grandeza (Sal. 145:3).
5. Por sua bondade (Sal. 107:8).
6. Por sua misericórdia (Sal. 89:1).
7. Por sua longanimidade e veracidade (Sal. 138:2)
8. Por sua salvação (Sal. 18:46).
9. Por suas maravilhosas obras (Sal. 89:5).
10. Por suas consolações (Sal. 42:5).
11. Por seus juízos (Sal. 101:1).
12. Por seus conselhos eternos (Sal. 16:7).
13. Porque ele perdoa o pecado (Sal. 103:1-3).
14. Por sua proteção (Sal. 71:6).

LOYOLA — LUA

15. Por seu livramento (Sal. 40:1-3).

16. Por sua resposta às orações (Sal. 28:6).

17. O louvor é expresso pelos anjos (Sal. 103:20); pelos santos (Sal. 30:4); pelos gentios (Sal. 117:1); pelos filhos de Deus (Sal. 8:2); pelos exaltados e pelos humildes (Sal. 148:1); pelos jovens e idosos (Sal. 148:1,11); por todos os seres humanos (Sal. 107:8).

LOYOLA, INÁCIO DE

Ver sobre **Inácio de Loyola.**

LUA

Esboço:

1. Informes Bíblicos Quanto a seu Começo
2. A Lua, os Calendários e seus Nomes Bíblicos
3. A Lua e os Dias e Períodos Santos
4. Um Símbolo de Permanência e Sinais Espirituais
5. A Lua como Objeto de Adoração
6. A Lua e a Escatologia Bíblica
7. Fatos Científicos Sobre a Lua

Ver o artigo separado intitulado , **Lua Nova**

1. Informes Bíblicos Quanto a Seu Começo

O trecho de Gên. 1:16 refere-se à criação divina da lua, chamando-a de «luzeiro menor», para controlar a noite, em benefício do homem. A cosmologia dos hebreus não antecipava as imensas distâncias que separam os corpos celestes, e supunha que a lua é um corpo relativamente pequeno, gerador de luz, não muito distante da terra. Além disso, não houve antecipação da descoberta científica de que a lua não tem luz própria, mas apenas reflete a luz do sol. A lua era concebida como um corpo luminoso para governar a noite, tal como o sol controlaria o dia.

2. A Lua, Os Calendários e seus Nome Bíblicos

O aparecimento da lua no firmamento, em fases regulares, forneceu a base para os primeiros calendários lunares. Esses primeiros calendários não eram muito exatos, embora melhores do que nada. Ver sobre *Calendário*. A palavra hebraica *yareah*, «mês», deriva-se da mesma raiz que *yareach*, «vagabunda», o nome hebraico para **lua.** Da mesma maneira, a palavra inglesa **month,** «mês», é cognata de *moon*, «lua». Palavras relacionadas ao termo hebraico aparecem no acádico, no ugarítico, no fenício e em outras línguas semíticas, com as mesmas referências. Um outro vocábulo hebraico para «lua» é *lebanah*, «branca» (ver Can. 6:10; Isa. 24:23; 30:26). O termo hebraico, *chodesh* significa «lua nova», um vocábulo associado a certas festividades religiosas (ver I Sam. 20:5) e oferendas (ver I Crô. 23:31), além de designar uma fase da lua (ver Gên. 38:24) e indicar meses do calendário judaico (ver Êxo 13:4). O termo hebraico *kese*, «apontado», indica «lua cheia». Essa palavra aparece somente em Jó 26:9; Sal. 81:3 e Pro. 7:20, em todo o Antigo Testamento. Aparentemente vem do termo acádico *kuseu*, que significa «coroa». É que os homens imaginavam que a lua cheia assemelha-se a um homem usando uma coroa. I Enoque (78:2) é livro que dá quatro nomes à lua: Asonja, Ebla, Benase e Erae.

A palavra grega para «lua» é *seléne*. Esse vocábulo grego figura por nove vezes no Novo Testamento: Mat. 24:29; Mar. 13:24; Luc. 21:25; Atos 2:20 (citando Joel 3:4); I Cor. 15:41; Apo. 6:12; 8:12; 12:1 e 21:23. Nos trechos de Luc. 21:25 e Apo. 21:23, a lua é usada em contextos escatológicos. Em Col. 2:16, ocorre a palavra grega *neomenía*, «lua nova», onde há menção a festas religiosas dos judeus e dos gentios.

3. A Luas e os Dias e Períodos Santos

Entre os israelitas, o primeiro dia de cada lua nova era considerado santo. Por isso mesmo a lua nova estava ligada ao sábado (ver Isa. 1:13). Esse novo começo era celebrado com sacrifícios e ritos especiais (ver Núm. 28:11-15), e soavam as trombetas, anunciando a lua nova (ver Núm. 10:10; Sal. 81:3). A lua nova, pois, era uma espécie de sábado, e ninguém podia trabalhar durante aquele dia. Com base em Eze. 46:1,3 parece que aquele dia era propício para a consulta aos profetas. Seja como for, era um dia de adoração especial.

4. Um Símbolo de Permanência e Sinais Espirituais

A passagem de Sal. 72:5 refere-se ao sol e à lua como símbolos de permanência. A lua é uma das maravilhas da criação, de acordo com Sal. 8:3. Também haverá de prover um dos sinais apocalípticos (ver Mar. 13:24). Interessante é que a lua, de acordo com Sal. 121:6; Mat. 4:24 e 17:15, é capaz de afetar a mente dos homens. Nessas duas passagens do Novo Testamento, o grego traz o verbo *seleniázomai*, «ficar lunático», que nossa versão portuguesa traduz como um adjetivo, «lunático».

5. A Lua Como Objeto de Adoração

É apenas natural que os pagãos viessem a adorar a lua. O antigo pensamento grego acerca da lua e de outros corpos celestes é que os mesmos eram os corpos de divindades, ou, pelo menos, coisas controladas pelos deuses. O próprio Sócrates achou graça na idéia que alguém pensasse na lua como um corpo de matéria análogo à terra, segundo lemos na *Apologia* de Platão. Sabe-se que a lua era adorada no Oriente Próximo e Médio por vários povos. A arqueologia tem mostrado que assim sucedia na Palestina e na Síria. O trecho de Jó 31:26 mostra que o culto à lua era antiqüíssimo. Os trechos de Deu. 4:19; 17:3 e Jó 31:26,28 advertem os homens a não adorarem a lua e a outros corpos celestes, indicando ainda que os israelitas haviam sucumbido diante de tal culto, pois sempre ansiavam por imitar aos pagãos. Jeremias (8:1,2) mostra que o povo de Israel tornou-se culpado dessa modalidade de idolatria. A arqueologia tem provado que a lua era deificada na antiga Ásia ocidental, desde os tempos dos sumérios, e até tão tarde quanto os dias dos islamitas. Na Mesopotâmia, o deus-lua dos sumérios, Nana (chamado *Sim* pelos acadianos), era adorado especialmente em Ur. Textos ugaríticos mostram que a lua era adorada com nome de *yrh*. Nos monumentos dos deuses, por muitas vezes, aparece a representação de uma lua em quarto crescente. Foi achada uma estela cananéia, em Hazor, na Palestina, exibindo duas mãos erguidas, em oração dirigida à lua em seu quarto crescente.

6. A Lua e a Escatologia Bíblica

Os juízos e catástrofes preditos para o futuro haverão de envolver sinais na lua. Ver as seguintes referências: Isa. 13:10; 30:26; 62:22,23; Eze. 32:7; Joel 2:10,31; 3:15; Mat. 24:29; Mar. 13:24; Luc. 21:25; Atos 2:20 (citando Joel 3:21); Apo. 6:12; 12:1. No estado eterno, porém, não haverá mais lua, de conformidade com o que se lê em Apo. 21:23: «A cidade não precisa nem do sol, nem da lua, para lhe darem claridade, pois a glória de Deus a iluminou, e o Cordeiro é a sua lâmpada».

7. Fatos Científicos Sobre a Lua

Nada há de singular sobre a lua da terra. Outros planetas também têm luas (satélites naturais). O diâmetro da lua tem cerca de 3.475 quilômetros, ou seja, mais ou menos vinte e sete por cento do diâmetro da terra. A área de sua superfície é de cerca de 7,4% da área da superfície da terra, mas seu volume total é

LUA — LUA NOVA

de apenas cerca de dois por cento. À sua menor distância da terra, a lua chega a cerca de 356 mil quilômetros, e à sua maior distância, fica a cerca de 407 mil quilômetros da terra. Sua gravidade é de cerca de um sexto da gravidade da terra.

Tanto a terra quanto a lua são muito mais jovens que o universo, resultantes de cataclismos subseqüentes. Alguns propõem que a lua foi, originalmente, uma massa que se desprendeu da terra primeva e que a cavidade que atualmente é ocupada pelo Oceano Pacífico poderia ter sido o lugar de onde aquela matéria desprendeu-se. Mas outros estudiosos pensam que tanto a terra quanto a lua foram formadas por matéria que se desligou do sol. Ainda outros sugerem que a lua era uma espécie de planeta independente, que acabou apanhado pela atração gravitacional da terra, ficando cativo.

A lua gira em torno do sol, de oeste para leste, em um ciclo de 29,53 dias. A lua reflete somente sete por cento da luz que a atinge, e, juntamente com Mercúrio, aparece como o pior refletor de luz do sol, dentro do nosso sistema solar. A lua conta com montanhas que, mui provavelmente, foram formadas da mesma maneira que as montanhas do nosso globo terrestre. Porém, são montanhas muito mais recortadas, devido à falta de erosão, causada pela atmosfera. Algumas das montanhas lunares são mais elevadas que as da terra. Assim, Epsilon, na cadeia de Leibnitz, eleva-se a 9.150 m acima da superfície, ou seja, é 305 m mais alta que o monte Everest, a montanha mais alta da terra, na cadeia do Himalaia.

A atração gravitacional da lua cria marés à superfície das águas da terra. Há marés até em um copo de água, embora isso só seja percebido por instrumentos extremamente sensíveis. As marés chegam a cada dia cerca de cinqüenta minutos mais tarde do que no dia anterior, o que é uma conseqüência do retardamento da lua. A velocidade média da rotação da terra é mais rápida do que a velocidade das marés, pelo que o movimento das marés atua como um freio na rotação do globo terrestre. Mas esse freio atua em proporção infinitesimal. Assim, um segundo é acrescentado à rotação da terra, a cada cem mil anos! A terra e a lua parecem ter cerca de cinco bilhões de anos de antiguidade, mas são ambas relativamente recém-chegadas ao universo.

LUA NOVA

A lua nova indica o dia em cuja noite a lua torna-se invisível, dando início a um novo ciclo lunar. O primeiro dia de lua nova era considerado santo, razão pela qual veio a ser associado ao sábado semanal (ver Isa. 1:13). Esse novo começo era marcado por sacrifícios especiais (Núm. 27:11-15), quando as trombetas eram tocadas, como uma característica da observância (Núm. 10:10; Sal. 81:3). Esse dia era aparentemente tratado como um sábado, e o trabalho era proibido. Amós queixou-se sobre como negociantes desonestos esperavam ansiosamente que esse dia se acabasse, a fim de reiniciarem suas atividades enganadoras (Amós 8:5). Cientificamente, a lua nova é a fase em que a lua se acha diretamente entre a terra e o sol, tornando-se assim invisível. Todavia, algumas vezes a expressão *lua nova* era usada para indicar o primeiro crescente visível do disco lunar. As culturas primitivas, porém, não compreendiam a questão, pelo que o «reaparecimento» da lua, que a fazia iluminar a noite, era tido como um acontecimento sagrado.

A lua nova é ligada ao sábado em II Reis 4:23; Isa. 66:23; Eze. 46:1-6. Por isso, são alistados os sábados, as luas novas e as festividades (assembléias) como sumário das observâncias religiosas (ver I Crô. 23:31; II Crô. 2:4; 8:13; 31:3; Nee. 10:33; Isa. 1:13 *ss;* Eze. 45:17; Osé. 2:11). Sem dúvida, essa festividade era associada à agricultura, visto que a contemplação das fases da lua era (e continua sendo) comum entre aqueles que trabalham o solo.

O dia de lua nova era observado mediante festejos nas comunidades locais, pelo que quando Davi não apareceu no banquete de Saul, esse rei pensou que Davi fora impedido de fazê-lo devido a alguma impureza ritual (I Sam. 20:5,26). Se os negociantes odiavam os feriados, os ricos e ostentadores, para nada dizer sobre os preguiçosos, deliciavam-se em um outro dia em que podiam entregar-se aos banquetes, ao vinho, e à inatividade.

Os calendários antigos eram formados com base nos ciclos lunares, pois os povos ainda não eram suficientemente educados, no sentido científico, para usar o sol como base de seus calendários. Daí porque a lua e seus ciclos eram mais importantes, nas mentes das pessoas, do que hoje em dia. Ver o artigo intitulado *Calendário*. O período da lua de conjunção com o sol não segue um número sempre exato de dias, e seu ângulo, em relação ao horizonte, vai mudando de estação em estação do ano. Essa é a razão pela qual o começo de cada novo ciclo lunar, na lua nova, nem sempre podia ser predito com completa exatidão. Essa parece ser a razão por detrás do fato de que uma festa de dois dias era, algumas vezes, observada (ver I Sam. 20:5). Essa circunstância era deleite dos extremamente religiosos e dos preguiçosos, mas deixava furiosos aos negociantes. O trecho de II Reis 4:23 mostra-nos que a lua nova, pelo menos em algumas ocasiões, servia de oportunidade para o povo receber instrução religiosa, e não apenas de motivo para folguedos. O toque das trombetas, contudo, emprestava-lhe um ar festivo, e os holocaustos davam-lhe um caráter distintamente religioso. Todavia, nos dias de lua nova não havia santa convocação do povo, conforme se via nos dias de sábado. A *sétima* lua nova do calendário religioso era a festa das trombetas; e isso assinalava o começo do ano civil, em Israel.

As circunstâncias que cercam essa observância são instrutivas em vários sentidos. Os israelitas religiosos aproveitavam a ocasião para buscar a Deus e admirar as maravilhas de sua criação, e o que elas devem significar para os homens. Os ostentadores tiravam proveito da ocasião para exibir sua alegada espiritualidade. E os que apreciavam festas e feriados deleitavam-se, mormente se as inexatidões da lua lhes permitissem dois dias de feriado. Mas o «tempo perdido», na opinião dos comerciantes, impedia que eles ganhassem dinheiro desonesto.

A Lua na Simbologia dos Sonhos e das Visões:

Lua=deusa é o princípio feminino, enquanto o *sol=deus*, o princípio masculino. A lua simboliza o espelho da alma, a intuição, a sabedoria interior; fala de atitudes *lunáticas* (portanto, da *loucura*); a lua cheia é associada com esta tendência; a lua nova e cheia = a mágica e a loucura; fases da lua = ciclos da vida (fluxo dos mares da vida); a *Ânima* (princípio feminino de Jung); ciclos renovados da lua = a morte e a ressurreição; a tentativa de tocar a lua = ambições inatingíveis; saltar por cima da lua = uma grande alegria numa realização significante. Passagens banhadas pela lua podem simbolizar o mundo de sonhos que os amantes desfrutam antes do casamento e que antecede o mundo das duas realidades da vida que são iluminadas pela luz do sol.

908

LUBIM — LUCAS. EVANGELHO DE

LUBIM
Ver sobre **Líbia**.

LUCAS, EVANGELHO DE
Ver também sobre **Lucas, o Evangelista**.

Esboço:
Observações Gerais
1. Autoria: Unidade de Lucas-Atos
2. Data e Lugar
3. Propósito do Evangelho de Lucas
4. Fontes Informativas
  a. Muitas Fontes
  b. Evangelho de Marcos
  c. Q
  d. L
  e. A Influência de Paulo
  f. Diagrama das Fontes do Evangelho de Lucas
5. Conteúdo
  a. Breve Esboço
  b. Esboço Pormenorizado
  c. Material Encontrado só em Lucas
6. Bibliografia

O mesmo eminente erudito, *Ernest Renan*, que designou o evangelho de Mateus como «o mais importante livro que jamais foi escrito», declarou que o evangelho de Lucas é *«o mais belo livro que jamais foi escrito»*. Buckner B. Tarwick («The New Testament as Literature», Gospels and Acts, pág. 50), acredita que o evangelho de Lucas é o mais amado dos livros. E é amado por todos porque seu próprio autor sempre demonstrou sinais de ternura. Contentou-se em se perder inteiramente em Alguém maior do que ele, e o seu livro mostra que ele amava a humanidade com uma afeição genuína. Era o «médico amado» conforme o apóstolo Paulo o chamou (ver Col. 4:14).

1. Autoria
Ver o tratamento muito mais completo sobre este assunto na introdução a Atos, sob o mesmo título. Lá também é dada a descrição da pessoa de Lucas no último parágrafo.

Unidade de Lucas-Atos
Considerados juntamente, os livros do evangelho de Lucas e dos Atos dos Apóstolos representam pouco mais do que um quarto do volume do N.T. Isso significa que Lucas contribuiu com mais material, para o volume total do N.T., do que qualquer outro autor sagrado, porquanto Lucas-Atos contém mais material do que as treze epístolas paulinas (se não considerarmos como paulina a epístola aos Hebreus). Ainda que não houvesse outro motivo além do volume, Lucas-Atos teria de ser uma importante consideração no estudo do N.T. A autoria comum desses dois documentos, e o fato de que Lucas foi esse autor, é um fato óbvio e universalmente reconhecido. Constituem dois volumes do mesmo esforço literário. A passagem de Atos 1:1 mostra que os dois volumes constituem uma *unidade* e têm origem comum. Já no ano de 185 D.C. (no livro de Irineu, *Contra Heresias* 3:14), encontramos uma afirmação sobre a autoria lucana desses dois livros. O testemunho do Cânon Muratoriano, dos fins do século II da era cristã, confirma essa declaração. Testemunhos similares são dados por Tertuliano (Mar. IV.2), Orígenes, Eusébio (*História*, VI.25) e Jerônimo (Vir. *illustr*. 7). Pelos fins do século II D.C. essa era uma tradição comum na igreja de Roma. Evidências lingüísticas comprovam as reivindicações da autoria de Lucas, bem como as declarações da tradição citada acima. Quase duas vezes mais são as palavras peculiares dos livros de

Lucas e Atos, no N.T., do que nos outros dois evangelhos sinópticos e em Atos, e muitas palavras e expressões características do estilo de Lucas se encontram em ambos os documentos. Essas declarações têm sido desafiadas (como no livro de A.C. Clark, *The Acts of the Apostles*), sobre argumentos lingüísticos. Mas quase universalmente esses desafios. não são reputados convincentes, especialmente à luz de muitas provas positivas que consubstanciam a autoria lucana desses dois documentos sagrados.

2. Data e Lugar
Ver o tratamento mais completo sobre este assunto na introdução a Atos, sob o mesmo título.

É *provável* que o livro de Atos tenha sido escrito pouco depois do evangelho de Lucas (segundo fica subentendido no trecho de Atos 1:1-3), além do fato de que realmente temos nos dois volumes uma única obra literária. Portanto, não é provável que o autor se tenha demorado em demasia a escrever a segunda porção de sua obra. Poderíamos supor que o livro de Atos foi escrito não muito depois de terem ocorrido os últimos acontecimentos ali registrados, isto é, quando alguns dos apóstolos ainda estavam vivos. Ao mesmo tempo, o evangelho de Lucas e o livro de Atos devem ter sido escritos depois do evangelho de Marcos, visto que esta é uma das principais *fontes informativas* do evangelho de Lucas. Se aceitarmos os anos de 50 ou 60 D.C. como a data do evangelho de Marcos, então poríamos o evangelho de Lucas entre os anos 60 e 80 D.C. O livro de Atos se situaria no período final desse cálculo. Alguns crêem que há evidências que indicam que esse evangelho foi escrito após a destruição de Jerusalém, o que também é verdade quanto ao evangelho de Mateus, o que o situaria entre 70 e 80 D.C., como data de sua autoria. Todavia, pode ter precedido a esse acontecimento; e nesse caso, poderia ser situado entre 60 e 70 D.C. Lucas teve contactos constantes com Marcos (ver Col. 4:10,14; Filemom 24; Atos 12:12,25; 13:13; 15:37,41; II Tim. 4:11-13), pelo que teve acesso ao seu evangelho, provavelmente pouco tempo depois de haver sido completado.

O *lugar* de sua composição tem de ser deixado na área das conjecturas, porquanto não temos qualquer evidência positiva a esse respeito. A tradição antiga associa Lucas a Antioquia da Síria, mas, ainda que essa fosse a verdade, não poderíamos afirmar que, só por isso, Lucas ali escreveu o seu evangelho. As cidades de Roma, Éfeso e Corinto também têm sido sugeridas. Não é impossível, posto que Lucas visitou tantas testemunhas oculares dos muitos acontecimentos e, portanto, que tantas viagens fez, que grande parte de seu evangelho tenha sido escrita em viagem, e que mais tarde ele reuniu o material e o editou.

3. Propósito do Evangelho de Lucas
O **próprio autor** declara peremptoriamente um dos *propósitos* que teve, ao escrever a sua obra, no prefácio deste evangelho (1:1-4). Muitas pessoas haviam escrito a respeito de Jesus e sua vida admirável, talvez de maneiras incompletas e quiçá contraditórias; e Lucas desejava suprir uma narrativa em ordem e digna de confiança para Teófilo (que evidentemente era um alto oficial romano, possivelmente recém-convertido ao cristianismo). Todavia, também é possível que Teófilo não fosse o único destinatário porque Lucas pode ter tido o interesse de suprir um evangelho em ordem e completo para leitores não judeus. E Lucas também queria esclarecer, ao governo imperial de Roma, que os cristãos não eram alguma seita sediciosa e *subversiva*, e nem mera facção do judaísmo; pelo contrário, que a sua mensagem é universal e, por isso mesmo,

LUCAS, EVANGELHO DE

importante para todos os povos. Também desejava apresentar um Salvador universal, um grande e compassivo Médico, Mestre e Profeta, que viera aliviar os sofrimentos humanos e salvar as almas dos homens. O governo romano havia aprendido a tolerar o judaísmo, quase inteiramente, por ter antigas e profundas raízes culturais. É verdade que o cristianismo tinha origem recente, mas isso não significava que não tivesse importância universal, motivo por que também deveria usufruir de aceitação por parte do estado romano. É interessante observarmos que este evangelho exerceu pouco efeito na situação política, e que as perseguições de forma alguma se abrandaram; de fato, se prolongaram até os dias de Constantino (300 D.C.). Por conseguinte, a legalidade do cristianismo não foi aceita, nem por causa deste evangelho nem em vista de qualquer outro motivo.

Não podemos deixar de notar, igualmente, que a mensagem geral dos evangelhos *sinópticos*, e não apenas a do evangelho de Lucas, é que a igreja tinha por intenção suprimir a sinagoga como o verdadeiro Israel, e que por isso mesmo tinha o direito de ser reconhecida e até mesmo de ser protegida pelo estado, conforme este vinha fazendo com o judaísmo. Os cristãos foram perseguidos, tanto por Roma como pelos judeus. Os cristãos gostariam de ver removidos ambos esses fatores, ou, então, pelo menos, de ter obtido, em alguma medida, alguma proteção romana contra as ações maldosas de determinados elementos radicais, as autoridades religiosas dos judeus. Jesus mostrou ser o *Messias* das profecias judaicas sobrenaturalmente comprovado. Somente a perversão voluntária das massas populares judaicas havia forçado Paulo e Barnabé a se lançarem em uma missão entre os pagãos. Os cristãos, portanto, em realidade não eram apóstatas do judaísmo, mas representavam o verdadeiro Israel, porquanto a massa do povo terreno de Israel se recusara obstinadamente a reconhecer a mensagem de Deus, entregue por intermédio do seu próprio Messias.

Apesar de suas origens judaicas, todavia, o cristianismo deveria ser reputado como *religião universal*, porque não reconhecia qualquer limitação racial ou cultural. O evangelho de Lucas traça a genealogia de Jesus até Adão, e não até Abraão, e esse fato, por si mesmo, é extremamente significativo, porquanto subentende universalidade. Jesus foi declarado pelo profeta Simeão como «...*luz para revelação aos gentios, e para glória do teu povo de Israel*» (Lucas 2:32). No evangelho de Lucas, em seu sermão inaugural, Jesus asseverou que Elias não fora enviado às muitas viúvas de Israel e, sim, a Sarepta, na terra de Sidom, ao passo que Eliseu não purificou nenhum dos muitos leprosos que havia em Israel, mas tão-somente a Naamã, o sírio. Um samaritano e não um judeu, é o herói de uma das mais coloridas parábolas do evangelho de Lucas. Quando Jesus curou os dez leprosos, apenas um, um agradecido samaritano, regressou para louvar a Deus e dar-lhe graças. Além desses fatos, também devemos notar que o próprio evangelho de Lucas *prepara o caminho* para o livro de Atos, que é, bem definidamente, uma descrição sobre a evangelização universal, feita pelos cristãos primitivos. E é assim que ouvimos Pedro a pregar: «Reconheço por verdade que Deus *não faz acepção de pessoas*; pelo contrário, em qualquer nação, aquele que o teme e faz o que é justo lhe é aceitável» (Atos 10:34,35). E é ali, igualmente, que encontramos as palavras de Paulo e Barnabé: «Eu te constituí para *luz dos gentios*, a fim de que sejas para salvação até aos confins da terra» (Atos 13:46,47). Por

conseguinte, pode-se ver claramente que um dos grandes temas deste evangelho é a — universalidade — da mensagem cristã.

Existem outros propósitos, além dessas finalidades mais latas: Lucas dá proeminência à obra do *Espírito Santo*. Há dezessete referências ao Espírito, no evangelho de Lucas, em comparação com as seis referências no evangelho de Marcos, e com as doze referências no evangelho de Mateus. Assim é que já nos capítulos de introdução, lemos a informação do enchimento de João Batista com o Espírito Santo. Maria recebeu a sua mensagem por agência do Espírito Santo. Jesus foi batizado no Espírito Santo. O Cristo que saiu por toda a parte fazendo o bem, era guiado pelo Espírito Santo, e o Senhor prometeu a mesma bênção aos seus discípulos, especialmente após a sua ressurreição. O livro de Atos dá continuação ao mesmo notável pormenor, pois neste livro é que o Espírito Santo recebe mesmo proeminência.

Lucas salientou a *vida de oração* de Jesus mais do que qualquer dos demais evangelhos. Vemos isso logo após o seu batismo, imediatamente antes de haver selecionado os doze, quando passou a noite inteira em oração, e por ocasião de sua transfiguração, e até mesmo no momento da morte: «Pai, em tuas mãos entrego o meu espírito». A prática da oração, por conseguinte, tornou-se comum na igreja primitiva.

Muitos têm observado que o evangelho de Lucas demonstra um marcante interesse pelo papel *das mulheres* e a importância delas na tradição do evangelho. Portanto, um dos propósitos de Lucas foi o de mostrar os privilégios do sexo mais fraco no seio da igreja. É por essa razão que ali encontramos várias narrativas com essa ênfase: Maria, Isabel, a profetisa Ana, as «filhas de Jerusalém», que lamentavam os sofrimentos e a morte de Jesus, etc. Mulheres também *são destacadas* no livro de Atos, como Safira, Priscila, Drusila, Berenice, Maria (mãe de João Marcos), a criada Rode, Lídia, Damaris de Atenas, as quatro filhas de Filipe, que profetizavam, e uma referência incidental de que Paulo tinha uma irmã (Atos 23:16).

Lucas procurou compensar certas grandes deficiências do evangelho de Marcos, como, por exemplo, a falta de menção das aparições de Jesus após a sua ressurreição. O propósito de Lucas era fortalecer a fé na história do sepulcro vazio, e as suas pesquisas preencheram admiravelmente essa necessidade.

4. Fontes Informativas

Parece perfeitamente óbvio que o próprio Lucas *não foi* uma testemunha ocular. Existem tradições que declaram que ele foi um dos setenta discípulos especiais enviados por Jesus, a fim de expandir o ministério dos doze apóstolos (conforme se vê em Epifânio, Her. 1:12). Talvez essa tradição se tenha originado da observação de que somente Lucas registrou o ministério dos setenta discípulos. Porém, o prefácio do evangelho de Lucas deixa — perfeitamente claro — que ele mesmo não era testemunha ocular, embora tivesse tido contacto com muitas delas. Eusébio (*História Eclesiástica*, III.4) diz-nos que Lucas era nativo de Antioquia da Síria, e que os seus pais eram gentios (conforme também é indicado por Col. 4:11,14). Provavelmente se converteu desde cedo ao cristianismo, depois da inauguração dos primeiros esforços evangelísticos da igreja. A sua história, no livro de Atos, tem ligações iniciais com Paulo, em Trôade (ver Atos 16:10), onde a palavra *nós* subentende que naquele tempo o escritor era um dos companheiros do apóstolo.

a. Muitas fontes. As fontes informativas foram muitas, tanto escritas como orais: Lucas declara em

LUCAS, EVANGELHO DE

seu prólogo (Luc. 1:1-4) que fez um *intenso estudo* da narrativa evangélica a fim de ser capaz de escrever uma narrativa digna de confiança e convincente da verdade sobre a grandeza de Jesus. Consultou a muitos dos que tinham tido conhecimento em primeira mão das palavras e das ações de Jesus. É provável que muitos dos incidentes registrados no evangelho de Lucas (que não se encontram nos evangelhos de Marcos ou de Mateus), tal como o aparecimento de Jesus, após a sua ressurreição, aos discípulos de Emaús, foram acontecimentos registrados à base de apenas uma ou duas testemunhas. Uma delas é designada pelo nome, isto é, Cléopas, sendo provável que ele é quem tenha suprido a história. Deve ter havido muitas outras narrativas e afirmações de Jesus, supridas a Lucas, por diversas testemunhas oculares diferentes. As histórias sobre os últimos dias de Jesus, em Jerusalém, foram narradas por tais *testemunhas oculares*, e gradualmente assumiram a forma de uma narrativa contínua. Paulo menciona quinhentas testemunhas oculares da ressurreição de Jesus, pois viram-no em determinada ocasião; Marcos baseia sua crença no descobrimento feito pelas mulheres; Mateus acrescenta a isso o aparecimento de Jesus aos onze, na Galiléia. A narrativa de Lucas contém ainda mais pormenores, resultantes de suas pesquisas pessoais, — em vez de depender das tradições apresentadas nos evangelhos de Marcos e Mateus. Outro tanto pode-se dizer a respeito dos capítulos finais do evangelho de João, e talvez também do evangelho não-canônico de Pedro. As diferenças nas versões envolvem, principalmente, questões de conteúdo, ênfase e ordem de acontecimentos e disso não se pode deduzir qualquer coisa certa acerca da legitimidade histórica comparativa de cada narrativa.

b. Evangelho de Marcos. Quase universalmente se concorda hoje em dia que tanto Mateus como Lucas se utilizaram de Marcos como esboços históricos básicos de seus respectivos evangelhos. As razões para essa crença são dadas no artigo sobre o *Problema Sinóptico*, onde o leitor poderá encontrar pormenores sobre essa idéia. — As fontes informativas do evangelho de Marcos, são descritas na introdução àquele evangelho, pelo que essas fontes, em sentido secundário, também são fontes informativas empregadas por Mateus e por Lucas. Lucas omite maior porção de Marcos do que o fez Mateus (o que empregou cerca de noventa e três por cento do material de Marcos), ao passo que Lucas conta com cerca de sessenta por cento dos seiscentos e sessenta e um versículos do evangelho de Marcos, de mistura com seu próprio total de mil, cento e quarenta e oito versículos. Portanto, Marcos contribuiu com cerca de *um terço* do conteúdo total do evangelho de Lucas. Lucas segue quase exatamente a ordem de acontecimentos do evangelho de Marcos, desviando-se apenas duas vezes em sua seqüência histórica. No corpo de seu evangelho, Lucas usou cinco blocos de material do evangelho de Marcos, a saber: 4:31-44; 5:12 — 6:16; 8:27 — 9:50; 18:15-43 e 19:28 — 22:13. Juntamente com essas porções, Lucas entremeou combinações dos materiais «L» e «Q», ou apenas do material «L». Os motivos de Lucas, para omitir o material de Marcos, em contraste com a atitude de Mateus, que o usou praticamente todo, talvez sejam os seguintes:

1. Melhorar o estilo e o conteúdo do evangelho de Marcos, substituindo-o por algum outro material.

2. Omitir incidentes secundários ou materiais considerados de relativa importância.

3. Omitir incidentes que não pareciam e adaptar bem com a ordem e o propósito de seu evangelho, tal como a maldição contra a figueira (Mar. 11:12 —

14,20-22).

A mais notável omissão do material de Marcos, por parte de Lucas, é o trecho de Mar. 6:45 — 8:26, o que alguns estudiosos chamam de *A Grande Omissão*. Essa seção encerra os seguintes incidentes: Jesus anda por sobre a água; curas operadas em Genezaré; controvérsia com os fariseus sobre a tradição dos anciãos; Jesus e a mulher siro-fenícia; cura do surdo-mudo, por meio de saliva; multiplicação dos pães para os quatro mil homens; controvérsia com os fariseus acerca de um sinal do céu; discurso em uma embarcação, quando Jesus e seus discípulos atravessavam o lago; e cura de um cego por meio de saliva. Alguns têm postulado uma forma mais antiga do evangelho de Marcos, chamado de *protomarcos*, que Lucas teria usado e que não encerrava esses incidentes, mas isso não parece provável. É possível que parte dessa seção não fizesse parte do *protomarcos* original, isto é, Mar. 8:1-26, posto que essa seção é paralela a 6:30 — 7:37 (Marcos), e ambas comecem com a multiplicação miraculosa de pães e terminem com a travessia do lago e uma discussão entre Jesus e os seus discípulos. É possível que ambas tivessem alicerce numa única narrativa, ou que ambas fossem realmente variações da mesma tradição, e que uma delas (8:1-26) fosse uma adição posterior. Mas, acerca disso, não podemos ter nenhum conhecimento certo, e mesmo que o tivéssemos, não explicaria as outras porções onde Lucas omite essa longa seção.

Abundam teorias sobre a razão pela qual ocorreu essa omissão, mas em realidade *nada sabemos* com absoluta certeza. Provavelmente Lucas dispunha de tanto material, para possível uso, após suas diversas pesquisas, que simplesmente teve de deixar de fora certas informações, para que seu evangelho não ficasse demasiadamente volumoso. Parte do material de Marcos foi omitido porque Lucas, nessas passagens, empregou outras fontes que apresentavam conteúdo similar. Essas passagens são: Mar. 1:16-20, a chamada de Simão, André, Tiago e João (Luc. 5:1-11, da fonte informativa «L»); Mar. 3:19b-30, a controvérsia sobre Belzebu (Lucas 11:14-26, da fonte informativa *Q*); Mar. 4:16-33, parábolas do crescimento secreto da semente e da semente de mostarda (Lucas 13:18-21, da fonte *Q*); Mar. 7:1-6, rejeição de Jesus em Nazaré (Lucas 4:16-30, da fonte informativa *L*); Mar. 10:42-45, afirmações sobre a verdadeira grandeza (Luc. 22:15-27, da fonte informativa *L*); Mar. 12:28c-34, indagação sobre o grande mandamento, pelo escriba (Luc. 10:25-28, da fonte informativa *L*); Mar. 14:3-9, unção de Jesus em Betânia (Luc. 7:36-39,44-50, da fonte informativa *L*).

c. Fonte informativa Q. Deriva-se do vocábulo germânico, **quelle**, que significa **fonte**. Cerca de um quinto do material do evangelho de Lucas se deriva da fonte de tradições que se tem convencionado chamar de *Q*. Lucas usou esse material em comum com Mateus, mas é provável que muitas das «declarações» que há no evangelho de Lucas não façam parte desse documento, mas antes, representem outras fontes escritas ou orais às quais Lucas teve acesso. Talvez a base de grande parte desse material fosse os chamados *oráculos do Senhor*, supostamente obra do apóstolo Mateus; e, embora esse documento tivesse sido escrito em hebraico, com o que Papias queria dizer *aramaico*, não é impossível que também existisse uma tradução para o grego. A fonte *Q* quase certamente era um documento vazado no idioma grego. A proveniência de quase toda a fonte informativa *Q* provavelmente era palestiniana. Alguns têm suposto que Mateus usou Lucas, ou então que Lucas usou Mateus como fonte informativa, e

LUCAS, EVANGELHO DE

que, por isso mesmo, aquilo que se chamou de fonte informativa *Q* é simplesmente uma cópia e adaptação de materiais que já existiam em forma escrita, em um ou outro desses dois evangelhos. Porém, os eruditos modernos, em sua maioria, duvidam dessa possibilidade. Outros duvidam da própria existência de *Q*. De qualquer maneira, as nossas declarações sobre «fontes» são *tentativas* e não dogmáticas.

d. Fonte informativa L. Esta é a fonte do evangelho de Lucas, por detrás dos materiais que se encontram somente nesse evangelho. Sua proveniência (tal como no caso da fonte informativa *Q*), provavelmente é *palestiniana*. Cerca de — quarenta por cento - do evangelho de Lucas se deriva dessa fonte informativa *L*, a qual, mui provavelmente, em realidade era uma combinação de tradições, tanto escritas quanto orais, algumas das quais certamente dependiam de uma única testemunha ocular qualquer. A fonte informativa *L* representa *as pesquisas pessoais* de Lucas nas questões que cercaram a vida e as declarações do Senhor Jesus, acerca das quais somos informados no prólogo do evangelho de Lucas. Incluso na fonte informativa *L* acha-se o *documento de viagem*, Luc. 9:51 — 18:4, que descreve como que uma lenta viagem da Galiléia até Jerusalém, onde são narrados muitos incidentes da vida de Jesus, como se tivessem ocorrido durante essa viagem. Entretanto, é provável que Lucas não quisesse que essa seção fosse assim compreendida, **mas tão-somente** estava expandindo o nosso conhecimento sobre a vida terrena de Cristo. Foi provavelmente por acaso que essa seção foi posta *no fim* do material que Lucas tomou de Marcos por empréstimo, em cujo ponto a jornada a Jerusalém teve início. Tendo usado *todo* o material histórico de Marcos. Lucas ainda tinha muito a dizer, e, simplesmente, pôs tudo em um único bloco, nesse ponto, sem intenção alguma de torná-lo parte de uma longa e lenta viagem a Jerusalém. Dessa fonte informativa *L* também se deriva o tratamento especial dado por Lucas à semana da paixão e às aparições de Jesus, após a sua ressurreição, que não se encontram nos outros evangelhos. Sua consideração especial para com as mulheres, para com o ladrão penitente, para com a forma como Jesus escapou da turba, em Nazaré, a extraordinária pesca de Simão, a ressurreição do filho da viúva de Naim, a cura de uma mulher aleijada, a cura de um homem que sofria de hidropisia, a cura de dez leprosos (com o grato samaritano que havia entre eles), tudo isso se deriva dessa fonte informativa. Essa tradição retrata Jesus como profeta, mestre e médico, tendo afinidades com a *profecia judaica* e sua literatura de *sabedoria*. A fonte informativa *L* era particularmente rica em parábolas. Existem treze parábolas contidas apenas no evangelho de Lucas. (Ver a lista na seção seguinte, intitulada *Conteúdo*, sob o subtítulo «Material encontrado só em Lucas»)

e. A influência de Paulo. É possível que certas das revelações dadas ao apóstolo Paulo tenham influenciado algumas expressões e conceitos básicos do evangelho de Lucas (tais como as que encontramos em Efé. 3:3; I Cor. 9:1 e 11:23). Parece haver certo *paralelismo* nas palavras, e há tais comparações como Luc. 10:7 com I Cor. 10:27; Luc. 17:27-29 e 21:34,35 com I Tes. 5:2,3,6,7. Alguns também acreditam que a escolha de materiais, no evangelho de Lucas, especialmente a porção derivada da fonte informativa *L*, tenha sido influenciada pelos ensinamentos de Paulo, bem como da associação geral que Lucas teve com Paulo. Alguns eruditos têm negado essa influência, ou, pelo menos, têm-na diminuído grandemente, contudo, não podemos desconsiderá-la inteiramente.

••• ••• •••

f. Diagrama das fontes do evangelho de Lucas

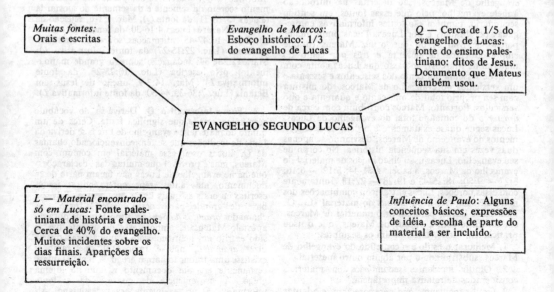

912

LUCAS — LUCAS, O EVANGELISTA

5. Conteúdo
a. Breve esboço:

A organização do material deste evangelho é similar à de Marcos, a saber: Introdução: Nascimento de João Batista e infância de Jesus — Caps. 1—2; Batismo e tentação de Jesus — Caps. 3:1 — 4:13; Ministério na Galiléia — Caps. 4:14 — 9:50; Ministério na Peréia — Caps. 9:51 — 10:28; Ministério na Judéia, crucificação, ressurreição e ascensão de Jesus — Caps. 22:39 — 24:53.

b. Esboço pormenorizado:
1. *Prefácio*, 1:1-4
2. *Nascimento e Infância de Jesus*, 1:5 — 2:52
   a. Anunciações a Zacarias e a Maria, 1:5 — 25
   b. Promessa a Maria sobre o nascimento de Jesus, 1:25-56
   c. Nascimentos de João Batista e de Jesus, 1:57 —2:20
   d. Infância e meninice de Jesus, 2:21—52
3. *Introdução ao Ministério Público de Jesus, 3:1 — 4:13*
   a. Ministério de João Batista, 3:1-20
   b. Prelúdio do ministério de Jesus, com seu batismo, genealogia e tentação, 3:21 — 4:13
4. *Ministério Galileu*, 4:14 — 9:50
   a. Início, volta à Galiléia, rejeição em Nazaré, 4:14-30
   b. Ministério em Cafarnaum e cercanias, cura do endemoninhado, da sogra de Simão, chamada dos primeiros discípulos, cura de um leproso. 4:31 — 5:16
   c. Controvérsias com as autoridades, cura de um paralítico, chamada de Levi, parábola dos convidados ao casamento, outras parábolas, colheita de grãos no sábado, — a escolha dos doze, 5:17-6:11.
   d. Grande sermão, paralelo do sermão do monte de Mateus, 6:12-49
   e. Ministério de curas de Jesus. 7:1-17
   f. Relações entre Jesus e João Batista. 7:18-35
   g. Relação de Jesus com um pecador penitente. 7:36-50
   h. Jesus como mestre itinerante e operador de milagres, parábola do semeador, da candeia e outras, parentesco espiritual, acalmando a tempestade, o endemoninhado geraseno, a filha de Jairo, a mulher com hemorragia, 8:1-56
   i. Relações entre Jesus e os discípulos, missão dos doze, primeira multiplicação dos pães, confissão de Pedro, primeira predição de Jesus sobre sua morte, a transfiguração, exorcismo de demônios, segunda predição de Jesus sobre sua morte. disputa sobre posições, amor aos discípulos desconhecidos, 9:1-50
5. *Viagem a Jerusalém*, 9:51 — 19:27
   a. Os samaritanos hostis, 9:51-56
   b. Missão dos setenta, 10:1-24
   c. Controvérsias e perguntas, 10:25-42
   d. Ensino sobre a oração, 11:1-13
   e. Exorcismo de demônios, 11:14-28
   f. Sobre os sinais, 11:29-36
   g. Denúncia contra as autoridades, 11:37-54
   h. Responsabilidades e privilégios do discipulado 12:1 — 13:9
   i. Ensino na sinagoga no sábado, 13:10-21
   j. Ensino durante a viagem, 13:22-35
   k. Cura e ensinos, 14:1-24
   l. Condições do discipulado, 14:25-35
   m. Amor de Deus pelos perdidos, 15:1-32

   n. Uso e abuso das riquezas, 16:1-31
   o. O perdão, a fé, a graça e a ingratidão, 17:20-37
   p. O reino e o Filho do Homem, 17:1-19
   q. Prática da oração, 18:1-14
   r. Entrada no reino dos céus, 18:15-34
   s. Jesus em Jericó, 18:35 — 19:27
6. *Ministério de Jesus em Jerusalém*, 19:28 — 24:12
   a. Entrada, 19:28-46
   b. Tentativas de incriminar a Jesus, 19:47 — 21:4
   c. O *pequeno Apocalipse*, 21:5-38
   d. A última ceia, 22:1-23
   e. Discursos de despedida, 22:24-38
   f. Aprisionamento de Jesus, 22:39-65
   g. Condenação de Jesus, 22:66-23:25
   h. O Calvário, 23:26-56
   i. O túmulo vazio, 24:1-12
7. *O Cristo Ressurrecto*, 24:13-53
   a. Na estrada de Emaús 24:13-35
   b. Aparecimento de Cristo em Jerusalém 24:36-43
   c. Mensagem final aos discípulos 24:44-49
   d. A despedida 24:50-53

c. Material encontrado só em Lucas
Milagres. No evangelho de Lucas são narrados vinte milagres. Desses, quinze aparecem em Mateus, em Marcos ou em ambos. Um desses milagres (a pesca milagrosa) é contado exclusivamente por Lucas e João. Quatro milagres são historiados apenas por Lucas: a ressurreição do filho da viúva de Naum (7:11-17), a cura da mulher defeituosa (13:10-17), a cura de um homem com hidropisia (14:1-6), a cura dos dez leprosos (17:11-19).

Parábolas. O evangelho de Lucas é o melhor recontador das parábolas de Jesus. Ali são preservadas trinta parábolas, das quais dez são peculiares a esse evangelho: os dois devedores (7:36-50); o bom samaritano (10:25-37); o amigo importuno (11:5-10); o rico insensato (12:16-21); a figueira estéril (13:6-9); o intruso (14:7-11); o banquete (14:16-24); o cálculo do custo; duas parábolas concernentes ao discipulado (14:28-33); a moeda perdida (15:8-10); o filho pródigo (15:11-32); o mordomo desonesto (16:1-9); o rico e Lázaro (16:19-31); o agricultor e seu servo (17:7-10); a viúva persistente e o juiz injusto (18:1-8); e o fariseu e o publicano (18:9-14).

Outros incidentes. Além do material que aborda os milagres e as **parábolas**, o evangelho de Lucas provê algumas informações históricas adicionais. A história das anunciações a Zacarias e a Maria, a história do nascimento de João Batista, a infância de Jesus, o incidente no templo, quando Jesus tinha doze anos de idade, a ênfase sobre as mulheres, a profetisa Ana, a viúva de Naim, Marta e Maria, e a ministração às mulheres. Este evangelho também historia, com exclusividade o julgamento de Jesus perante Herodes, certas palavras proferidas por Jesus na cruz, como «...perdoa-lhes...», o arrependimento de um dos assaltantes crucificados, a viagem até Emaús e a ascensão de Jesus (se o término do evangelho de Marcos não é autêntico).

6. Bibliografia. AM E EN I IB LAN MOF NTI TI TIN TRA VIN RO Z

LUCAS, O EVANGELISTA
1. Nome e Identificação

Seu nome, no grego, é *Loukás*, forma abreviada de *Loûkios*, «Lúcio» (vide). Essa palavra significa

913

LUCAS, O EVANGELISTA

«iluminador». Era um nome comum entre os romanos, podendo ser achado tanto em inscrições quanto em referências literárias. Embora Lucas seja o autor tradicional de mais ou menos vinte e cinco por cento do volume do Novo Testamento (seus livros Lucas-Atos), ele nunca menciona o próprio nome, a menos que o texto ocidental de Atos 20:13 seja um reflexo do original (embora isso não seja provável). Aí diz, «Eu, Lucas». Entretanto, as tradições que vêm dos tempos mais remotos afirmam a autoria lucana desses livros. Ver *Lucas, Evangelho de*, seção I, quanto a uma detalhada discussão a respeito. O trecho de Col. 4:10-14 dá a entender que Lucas era gentio (não da circuncisão). Sua habilidade como escritor de grego é evidente. Ele era médico, e foi companheiro de viagens de Paulo, um missionário médico e autor sagrado de grande estatura. Lucas foi o único autor sacro da Bíblia que não era judeu. E isso significa uma grande honra, da parte do Espírito de Deus, ao escolhê-lo como um dos homens inspirados.

2. Pano de Fundo

Parece que Lucas nasceu em Antioquia da Síria, conforme a informação prestada por Jerônimo (*De Vir*, 3:5). Ver também Eusébio (*Hist. Eccl.* 3:4,7). O livro de Atos reflete o interesse de Lucas por Antioquia da Síria (ver Atos 6:5; 11:19-27; 13:1; 14:19; 15:22,23,30,35; 18:22). Talvez ele fosse irmão de Tito (II Cor. 8:18; 12:18).

Alguns estudiosos conjecturam que a amizade de Lucas com Paulo vinha do tempo em que ainda não eram cristãos, quando ambos eram estudantes na Universidade de Tarso, mas isso alicerça-se sobre um pensamento romântico. Certamente, a história não pode confirmar nada disso. Se Lucas era um *liberto* (vide), isso ainda não faria dele um judeu. Havia muitos escravos que não eram judeus. Sabemos, porém, que muitos escravos eram treinados como médicos, o que talvez aponte para seu anterior estado de escravo. Mas, naturalmente, tudo isso, novamente, não passa de conjectura. Uma outra conjectura é aquela que diz que ele foi criado na casa de Teófilo, um rico oficial do governo, em Antioquia, e que foi a esse homem que Lucas dirigiu sua produção histórica notável, Lucas-Atos. Ver Luc. 1:3. A imaginação fértil dos homens às vezes pensa no que é possível, mas é impossível comprovar todas essas conjecturas.

3. Lucas, o Historiador

A magistral obra de Lucas-Atos é universalmente reconhecida quanto à sua qualidade. A arqueologia tem vindicado a exatidão dos registros históricos lucanos. Quanto à questão do volume, sua contribuição para o Novo Testamento foi ligeiramente maior que a de Paulo, o que classifica Lucas como o mais volumoso autor desse documento sagrado.

4. Detalhes de sua Vida

Lucas é contração do nome próprio latino, *Lucanus*, uma alusão à Lucânia, distrito da baixa Itália. Embora Lucas seja reputado o autor da maior narrativa de todo o N.T., os livros de Lucas e Atos, que ocupam cerca de trinta por cento do seu volume (pelo que ele escreveu até mesmo mais do que Paulo, quanto ao volume total do N.T.), ele é mencionado poucas vezes nesse documento sagrado. (Ver Col. 4:14; File. 24 e II Tim. 4:11). Essas são as únicas referências diretas a ele, em todo o N.T., embora se acredite que as chamadas *passagens nós*, no livro de Atos, indiquem que, naqueles pontos, Lucas acompanhou ao grupo apostólico, dentro das ações descritas. Mas somente em Col. 4:14 é que ficamos sabendo qual era a sua profissão. Provavelmente ele assistia a Paulo, devido à saúde periclitante deste, além de ser um dos seus cooperadores no evangelho. Portanto,

vê-se que em companhia de Paulo havia dois evangelistas, Lucas e Marcos. Porventura sabiam eles que, juntos, seriam os principais contribuintes do maior de todos os documentos humanos! Alguns eruditos supõem que a junção de Lucas ao grupo apostólico foi sincrônico aos ataques de malária que Paulo sofreu (ver Gál. 4:13,14), e que se uniu ao grupo em sua capacidade profissional. Todavia, nada pode ser comprovado nesse sentido. Outros têm imaginado que Lucas fez parte dos setenta discípulos originais (ver o décimo capítulo do evangelho de Lucas), mas isso dificilmente concorda com o prefácio do evangelho de Lucas, onde o autor sagrado não diz ter sido uma das testemunhas oculares da vida de Cristo, embora, como é claro, ele tenha consultado a muitas testemunhas oculares.

Só se sabe alguma coisa acerca de Lucas com base no conteúdo de seu evangelho e de seu livro histórico, a narrativa de «Lucas-Atos», que, originalmente compunha um único volume, pois o livro de Atos é a continuação da narrativa do evangelho, conforme o próprio autor sagrado o diz (ver Atos 1:1). Sua linguagem e seu estilo mostram ter sido ele o homem de elevada educação. Era um grego bem-educado, além de ser historiador de mão cheia. As descobertas arqueológicas sempre tendem por confirmar as suas informações, ainda que algumas delas continuem sem confirmação. Ele afirma ter feito completa e intensa obra de investigação, a fim de escrever (ver Luc. 1:1-4). A igreja cristã lhe deve uma imensa dívida, porque, sem os seus escritos, nosso conhecimento sobre o cristianismo primitivo seria extremamente limitado e entrecortado.

Lucas foi companheiro de Paulo em grande parte de seus labores missionários, conforme é indicado nas chamadas *passagens nós*, isto é, Atos 16:10-17; 20:5; 21:18 e 27:1—28:16. E pode-se ver que Lucas acompanhou ao apóstolo em sua fatídica viagem final a Roma e, talvez, mais cedo, a Jerusalém, onde foi aprisionado. Lucas deve ter permanecido em companhia de Paulo tanto em seu primeiro como em seu segundo período de encarceramento. E, então, aparecem aquelas palavras pungentes, escritas pouco *antes* do grande apóstolo dos gentios ser martirizado: «Somente Lucas está comigo» (II Tim. 4:11). Por conseguinte, é possível que por mais tempo, e mais do que qualquer outro, Lucas se tenha mostrado fiel a Paulo, e ele nunca perderá o seu galardão por causa disso. É interessante que, por essa época, Paulo tenha dado instruções para que Marcos fosse trazido para sua companhia; aquele que antes o abandonara, agora foi escolhido acima de todos os demais, o que é uma distorção estranha da sorte.

5. O Médico Amado (Col. 4:14)

1. Somente neste ponto temos informação sobre a profissão de Lucas. Provavelmente, em suas viagens em companhia de Paulo, ele usou métodos naturais de cura com alguma vantagem. O trecho de Atos 28:8-10, provavelmente, é indicação desse fato.

2. Lucas, pois, foi o *missionário médico* original. E que ele pôde assim ministrar (por meios naturais) mostra-nos que até mesmo onde operam os dons de cura, a cura pelos processos naturais não é contrária à vontade divina. Muito pelo contrário, todas as coisas boas procedem de Deus, e a cura pelos meios naturais é uma coisa boa.

6. Tradições Posteriores

De acordo com as tradições cristãs antigas, Lucas teve um longo e frutífero labor, sem distrações domésticas, até que, com a idade de oitena e quatro anos, faleceu em Boécia, na Grécia.

914

LUCAS, O EVANGELISTA — LÚCIFER

7. Sua Missão

Lucas foi extremamente útil a Paulo, cumprindo um ministério quase apostólico. Por ser o autor da narrativa de Lucas-Atos, ele contribuiu para a formação da coletânea do N.T. mais do que qualquer outro autor sagrado. Através disso ele tem exercido poderosa influência no mundo, há muitos séculos. O que Deus pode fazer com um homem que cumpre sua missão, dentro da vontade divina! Os escritos de Lucas mostram elevada qualidade literária, e assim vemos que ele foi bem escolhido pela vontade divina para sua importante missão. Cada homem tem uma missão ímpar a cumprir (ver Apo. 2:17), e para tanto é preparado pelo Espírito. Mas nem todos cedem às diretivas do Espírito Santo!

LUCIANO DE SAMOSATA (DA SÍRIA)

Suas datas foram cerca de 125-180 D.C. Ele tinha uma maneira especial de dizer coisas que era astuta, cortante e satírica. Ele opunha-se a todos os tipos de entusiasmo; e mesmo quando falava sobre filósofos que respeitava, não conseguia evitar de injetar suas ironias. Estava sob a influência dos *epicureus*, dos *céticos*, e, especialmente, dos *cínicos* (ver os artigos sobre essas três escolas de pensamento). Ele empregava o estilo satírico dos cínicos, tendo-se tornado conhecido devido a esse estilo, empregado em seus diálogos. As doutrinas filosóficas e religiosas muito sofriam em suas mãos. Foi um escritor brilhante, havendo pelo menos oitenta de suas obras autênticas (além de alguns tratados de autoria dúbia), embora muitas delas em forma apenas fragmentar. Também escreveu cartas, biografias, críticas literárias e narrativas. O seu *Theon Dialogoi* (Diálogos de Deus) é uma narrativa dramática sobre a mitologia pagã popular. Outra obra sua, *Alethes Historia* (História Verdadeira), relata aventuras fantásticas. Uma outra, intitulada *Nekrikoi Dialogoi* (Diálogos dos Mortos) provê estudos sobre muitas questões morais e religiosas, contendo sátiras espirituosas acerca da vaidade das atividades humanas. Seus escritos dão-nos um bom quadro sobre a vida no mundo Mediterrâneo, durante o século II D.C.

LUCIANO MÁRTIR

Suas datas foram cerca de 250-312 D.C. Ele foi pastor da Igreja e cabeça da escola teológica de Antioquia. Ver sobre a *Escola Teológica de Antioquia*. Ário e alguns de seus associados estavam entre seus alunos. Além de seu trabalho como ministro do evangelho e líder eclesiástico, Luciano mostrou-se ativo em projetos literários. Ele revisou a *Septuaginta* (vide), com base no texto hebraico, e publicou uma recensão do Novo Testamento Grego. Começou com ele o chamado texto eclesiástico do Novo Testamento Grego, cuja forma final foi o Textus Receptus, publicado por Erasmo de Roterdam. Antes dele, não havia esse tipo de texto grego. Mas, na verdade, esse texto foi produto de uma corrupção textual gradual, que não representa corretamente o original do Novo Testamento. Naturalmente, as diferenças não são assim tão grandes. O texto inchado do Textus Receptus envolve cerca de quinze por cento de bagagem (acréscimos), em comparação com o original; mas quase todos esses acréscimos são de pequena importância quanto à compreensão do texto sagrado. O texto de Luciano, pois, exibe o começo desse trabalho de acréscimos. Esse texto tornou-se o texto oficial prevalente em toda a Igreja Bizantina, de onde procedeu uma espécie de texto fundido padronizado. Luciano foi martirizado em 312 D.C.

LÚCIFER

Esboço:
1. Palavras Envolvidas e Seus Significados
2. Astrologia e Simbolismos
3. O Demonismo
4. Satanás e Sua Queda

1. Palavras Envolvidas e Seus Significados

A palavra hebraica **helel**, traduzida na Bíblia portuguesa por «Lúcifer», significa «brilho», «resplendor». Em Isa. 14:12—14 esse nome aparece vinculado à expressão «filho da alva», que pode apontar para diferentes planetas que vão surgindo no horizonte, conforme a estação do ano, como Vênus ou Júpiter. A palavra Lúcifer, por sua vez, vem do latim, *lucifer*, «portador da luz». A Septuaginta, por sua vez, tem *heósphoros*, que significa exatamente isso, «portador da luz». No árabe, a palavra para o planeta Vênus é *zuhratun*, «brilhante estrela da manhã». O texto de Isaías é considerado como uma referência primitiva a Satanás, o príncipe das forças demoníacas.

2. Astrologia e Simbolismos

A maioria dos intérpretes concorda que o termo «Lúcifer» deriva-se da astrologia babilônica. A «estrela da manhã» era uma das designações do rei da Babilônia; e, por detrás disso, havia o uso astrológico e a idéia comum, corrente entre os povos antigos, de que os reis da Babilônia eram instrumentos dos deuses, como seus representantes entre os homens. O rei da Babilônia, em sua pompa, colocava-se entre as divindades. Os babilônios e os assírios personificavam a estrela da manhã chamando-a de *Belite* e de *Istar*.

Devemo-nos lembrar que os antigos não sabiam que os planetas não são estrelas, e nem pensavam nesses planetas como entidades semelhantes ao globo terrestre. Antes, imaginavam que entidades divinas habitariam em tais lugares, ou que esses corpos celestes fossem as próprias divindades. Não faziam qualquer idéia sobre as dimensões dos corpos celestes. Os livros pseudepígrafos do Antigo Testamento contêm referências astrológicas, e muitos intérpretes supõem que alguns textos do Apocalipse canônico do Novo Testamento só podem ser compreendidos do ponto de vista da astrologia. Ver Apo. 9:1 e 12:9. E o primeiro capítulo do Apocalipse muito tem a dizer sobre as *estrelas*. E, apesar do sentido tencionado não corresponder às antigas mitologias, pelo menos os termos e os simbolismos foram tomados por empréstimo dali, através dos livros pseudepígrafos do Antigo Testamento. Ver o artigo sobre o *Apocalipse*, quarto ponto, *Dependência Literária*, e segundo ponto, *Os Livros Pseudepígrafos*, quanto a evidência sobre o emprego desses livros como fontes informativas. O quarto ponto daquela mesma seção discute os elementos astrológicos, numerológicos e cabalísticos do livro. Quanto à influência exercida pela astrologia sobre o judaísmo posterior, ver o NTI, nos comentários sobre Col. 2:8. No livro de Apocalipse, essa influência é percebida em 1:20; 2:1; 4:4,6; 5:11; 7:1; 8:2; 12:1; 14:18; 15:1; 16:1,5; 18:1 e 20:1. Tal como um pregador moderno pode ilustrar um sermão mediante a astronomia, assim também um antigo escritor lançava mão da astrologia. Podemos supor que grande parte desse material astrológico era crido pelos antigos. Seja como for, esse material forneceu o pano de fundo para certas idéias e expressões.

3. O Demonismo

Alguns intérpretes, de modo anacrônico, misturam o demonismo com as tradições astrológicas. Paulo ensinou que, por detrás da idolatria, há forças demoníacas em operação (I Cor. 10:20). Mas isso não é a mesma coisa que a astrologia. Alguns evangélicos

915

LÚCIFER — LUCRÉCIO

modernos pensam que a astrologia tem inspiração demoníaca; e assim transferem essa atitude para os antigos judeus. — Mas isso é um anacronismo. De acordo com o judaísmo sincretista, as *estrelas* representavam espíritos bons e maus, mas as alusões à astrologia, ou mesmo a usos astrológicos, não eram, para os judeus, extensões automáticas do demonismo, conforme pensam alguns cristãos modernos. Ver o artigo separado sobre a *Adivinhação*, quinto ponto, onde há uma discussão sobre a *Astrologia*. Ver também os artigos sobre *Astrologia* e *Astrólogo*, que são mais completos ainda. O Senhor Jesus, na glória de sua ascensão, é a verdadeira «estrela da manhã» (Apo. 22:16). Infelizmente, ele tem quem O imite.

4. Satanás Sua Queda

O trecho de Isaías 14:12 **ss** alude à queda de Satanás. Esse texto é ligado a Luc. 10:18 e Apo. 9:1, o que representa uma continuação daquela tradição. Ver o artigo separado sobre *Satanás, Queda de*. Historicamente, porém, a referência é à derrocada dos poderes pagãos e seus líderes. Os tiranos que se opunham a Israel, como o rei da Babilônia, aspiravam ser como os deuses, e se julgavam representantes dessas divindades; mas haviam caído no sheol (vide), o mundo dos mortos. A Estrela Matutina corresponde aos nomes hebraicos *Helal* e *Shahar*, que são nomes de divindades pagãs.

John Gill, grande comentador batista do passado, diz, acerca de Isa. 14:12: «Não se deve entender isso como a queda de Satanás e dos anjos apostatados, do seu primeiro estado, quando foram lançados do céu ao inferno, embora possa haver alguma alusão a isso; ver Luc. 10:18. Mas essas palavras são uma continuação do discurso dos mortos ao rei da Babilônia, admirados, como se fosse algo incrível, de que aquele que parecia tão firmado no trono de seu reino, que era no próprio céu, tivesse sido deposto do mesmo». Essa é a interpretação histórica. O judaísmo posterior tomou esse texto e aplicou-o a Satanás. Os intérpretes rabínicos aplicavam o nome «Lúcifer» a Nabucodonosor ou a Belsazar, embora sem razão para tanto.

Naturalmente, após termos dito tudo isso, precisamos acrescentar que o crente não deve e nem precisa depender de horóscopos, que se fazem por meio da astrologia. Essa é uma pseudociência medieval, que as mentes esclarecidas, mesmo que inteiramente seculares, há muito lançaram no descrédito. Juntamente com a astrologia poderíamos incluir métodos de adivinhação como as bolas de cristal, a quiromancia, as cartas de baralho, o tarô, e coisas desse jaez. Contamos com um Deus vivo, que se manifesta mais e mais claramente, à medida que nos vamos adentrando no caminho do verdadeiro misticismo, a comunhão com o Espírito Santo, sob a égide das Sagradas Escrituras. Aí a orientação é segura.

LÚCIO

No grego, **Loûkios;** no latim, **Lucius**. Lucas (no grego. **loukás**) é a diminutiva de Loûkios. Esse nome significa «iluminador». Entre os romanos era nome comum, bem confirmado nas inscrições e referências literárias. Nas páginas do Novo Testamento há dois homens com esse nome; e nos livros apócrifos do Antigo Testamento há um outro, conforme se vê abaixo:

1. Lúcio, apelidado de «Cirene». Juntamente com Barnabé, Saulo e outros, ele era considerado um dos profetas e mestres da igreja em Antioquia (Atos 13:1).

Diversas tentativas têm sido feitas para identificar este personagem com Lucas, o evangelista, autor da dupla narrativa Lucas-Atos. No entanto, mesmo que esses nomes se derivem da mesma raiz, conforme alguns estudiosos asseveram, não é provável que fosse aqui apresentada essa variação da designação pessoal de Lucas. O líder da igreja aqui em foco provavelmente deve ser identificado com o grupo de missionários mencionado em Atos 11:19-21. Alguns intérpretes identificam-no com o «Lúcio» do trecho de Rom. 16:12, que é chamado «parente» de Paulo, mas nesse caso, tudo que ali se depreende é que ele era judeu. Ele é ali descrito como um dos «cooperadores» de Paulo. Se o Lúcio de Cirene, aqui mencionado, e o Lúcio de Rom. 16:21 são um só indivíduo, isso eliminaria automaticamente a sua identificação com Lucas, posto que Lucas era gentio, não *parente* (judeu) do apóstolo Paulo. (Quanto ao fato de que Lucas era «gentio», ver o trecho de Col. 4:11,14).

É provável que uma das razões pelas quais alguns estudiosos têm procurado identificar esse «Lúcio» com o evangelista Lucas é que *Heródoto* (iii.131) informa-nos de que os médicos de Cirene tinham a reputação de serem considerados inferiores somente aos de Crotona, conforme a opinião dos gregos. Outrossim, Galeno, o médico, diz que Lúcio fora antes dele um distinguido médico, em Tarso da Cilícia. Assim, pois, alguns têm imaginado que Lucas teria estudado a medicina em Cirene e dali teria partido para Tarso da Cilícia, onde teria conhecido Saulo, talvez vindo a converter-se por intermédio dele. Tudo isso, entretanto, não passa de pura suposição. (Ver o artigo separado sobre *Cirene*).

2. Um companheiro de Paulo, em Corinto, era chamado por esse nome. Ele enviou saudações à igreja em Roma (Rom. 16:21). Ele é chamado de «parente» desse apóstolo, o que, provavelmente, significa apenas que era um seu compatriota judeu. Alguns intérpretes o têm identificado com o Lucas de número 1, acima, e também com Lucas, escritor do terceiro evangelho e do livro de Atos. Orígenes adotava a segunda dessas conjecturas. No entanto, Lucas, o médico amado, era gentio, segundo se vê em Col. 4:12-14, o que parece militar contra tal identificação.

3. Esse também foi o nome de um cônsul romano, que, em resposta a uma embaixada enviada a Roma, da parte de Simão, o sumo sacerdote dos judeus, escreveu uma carta a Ptolomeu Evergetes, do Egito (I Macabeus 15:16-21) e a outros governantes do Oriente Próximo (I Macabeus 15:22,23). Ele apoiava a causa de Simão contra os selêucidas. A identificação exata desse cônsul tem sido disputada. Provavelmente ele foi Lucius Culpurnius Piso, que foi cônsul romano entre 130 e 138 A.C. Josefo (*Anti*. 14:8,6), além de outros, identificou esse homem como Lucius Valerius, que escreveu uma carta similar a Hircano II (47 A.C.); mas os casos são bem diferentes, como também as datas. Isso posto, Lúcio Valério não pode ter sido mencionado em I Macabeus, um livro escrito bem antes de sua época.

LUCRÉCIO

Seu nome completo era Tito Lucrécio Cara (em latim, *Tito Lucrecius Carus*). Suas datas foram cerca de 99—55 A.C. Foi um poeta romano que obteve posição garantida na história da literatura com sua obra *De Rerum Natura*.

Ele valeu-se do atomismo de Demócrito e Epicuro, tendo composto uma espécie de ensaio poético com o propósito de explicar a natureza do mundo físico. Ele queria remover dos homens o temor da morte, assim

LUCRÉCIO — LUCRO

liberando-os para que pudessem desfrutar dos prazeres, o que para ele, seria a razão mesma da existência humana. A fim de atingir esse alvo, ele dizia que a alma compõe-se de partículas materiais finíssimas, as quais, por ocasião da morte física, separam-se, fazendo a alma deixar de existir. Apesar de crer na existência dos deuses, tomava uma posição deísta. Para ele, os deuses não poderiam importar-se menos com o que acontece aos homens, nunca entrando em contato com eles. Ver sobre o *Deísmo*.

Lucrécio nasceu em Roma, como membro da aristocracia. Estudou a filosofia grega, tendo-se especializado nos escritos de Epicuro. Suetônio, porém, ajunta que Lucrécio acabou sofrendo das faculdades mentais, e que o seu livro de poesias foi composto em um tempo em que ele ainda estava lúcido. Cícero teria lido e corrigido sua obra, antes da publicação da mesma. Também corre o rumor de que Lucrécio cometeu suicídio com quarenta e nove anos de idade, embora não se possa confirmar tal coisa. Mas as tradições dizem que sua loucura foi causada por uma poção do amor; se isso é verdade, então ficou assim por efeito de uma droga potente. Além disso, as tradições dizem que ele escreveu vários livros, embora tenha restado somente o seu poema sobre a natureza. Essa obra ocupava cinco livros e, ao que tudo indica, ficou por terminar. Nela, Lucrécio exibiu considerável habilidade literária, e uma mente perceptiva, sem importar com que finalidade ele escreveu. O poema é uma espécie de cruzada religiosa equivocada, contra as idéias e as práticas da sociedade romana. Apesar de ser boa a sua intenção de libertar os homens do temor a deuses brutais e insensíveis, sua maneira de fazê-lo, mortalizando a alma e deixando-a longe dos cuidados de Deus, dificilmente é a maneira certa de atingir aquele propósito. Nesse poema, Lucrécio fez uma notável declaração, que aborda o problema do mal, e que tenho citado no artigo sobre esse assunto. Ver sobre o *Problema do Mal*.

Sumário de Idéias.

1. A *natureza* compõe-se de átomos materiais. Os átomos são indestrutíveis, têm dimensão, formato e peso, mas não qualidades secundárias. As coisas existem através de diferentes misturas de diferentes átomos.

2. A *matéria e o espaço* são infinitos. Mundos inúmeros passam a existir e, então, desaparecem. Os astrônomos modernos estão falando coisas assim. Parece que devemos lançar no crédito de Lucrécio um tremendo discernimento.

3. As *guinadas*. Os átomos, em sua queda, dão guinadas, o que permite eventos inesperados e o livre-arbítrio humano, visto que a queda não é algo determinado. Essas guinadas também fazem mundos virem à existência, bem como toda forma de vicissitude que há nesta vida. Em um certo sentido, «todas as coisas acontecem por puro acaso».

4. A *alma*, para Lucrécio, seria feita de material atômico muito rarefeito, incapaz de sobreviver à dissolução do corpo físico, pelo que deixaria de existir por ocasião da morte. Lucrécio pensava que a aniquilação total do ser humano nos deveria libertar do temor da morte, mas os psicólogos têm mostrado que deixar de existir é o maior de todos os temores humanos.

5. As *sensações e percepções* surgem quando os átomos saltam dos objetos e ferem os órgãos dos sentidos humanos. Todo «conhecimento», isso posto, está alicerçado sobre os sentidos. A mente pode interpretar erroneamente a informação recebida, e, nesse caso, temos a desinformação.

6. *Os átomos sempre existiram*. As coisas chegam à existência quando elas se organizam. Forças cegas entram em ação. Não precisaríamos esperar qualquer tipo de providência divina. Formas vivas desenvolvem-se dos átomos, primeiramente através da vegetação e, então, chegando até às formas animais. Muitas espécies de plantas e animais já existiram, e agora não existem mais.

7. *Os deuses existem*. Mas, para Lucrécio, eles seriam auto-suficientes e, assim, não teriam qualquer interesse pelo homem. Isso posto, não precisamos temê-los, e nem deveríamos lançar sobre eles a culpa pelas misérias humanas. Em tempo, para Lucrécio, os deuses não seriam criadores.

8. A *ética*. O prazer seria o próprio alvo da existência humana, embora os prazeres mais importantes sejam a paz e a pureza de coração, acompanhados pela boa consciência. Encontramos essas virtudes quando nos devotamos à busca pela verdade, o que é a coisa mais divertida de tudo. A morte nada é; os prazeres são bons; é uma estupidez ser supersticioso e temer o desconhecido, porquanto nunca teremos de enfrentar o desconhecido. (AM E EP MM P)

LUCRO

Três palavras hebraicas e quatro palavras gregas estão envolvidas neste verbete, a saber:

1. *Betsa* ou *batsa*, «ganho desonesto». Essa palavra, em suas duas variantes, ocorre por trinta e duas vezes, conforme se vê, por exemplo, em Juí. 5:19; Jó 22:3; Pro. 1:19; 15:27; Isa. 33:15; 56:11; Miq. 4:13; Eze. 22:13,27; Jó 27:8.

2. *Mechir*, «preço», «aluguel». Palavra hebraica que ocorre por catorze vezes, conforme se exemplifica em Dan. 11:39; Deu. 23:18; II Sam. 24:24; I Reis 10:28; II Crô. 1:16; Jó 28:15; Sal. 44:12; Jer. 15:13.

3. *Tebuah*, «aumento», «fruto». Palavra hebraica que, com o sentido de *lucro*, aparece por seis vezes: Pro. 3:14; 8:19; 15:6; 16:8; Isa. 23:3 e Jer. 12:13.

4. *Kérdos*, «lucro». Vocábulo grego que é usado por três vezes: Fil. 1:21; 3:7 e Tito 1:11. —O verbo, *kerdaíno*, «lucrar», aparece por treze vezes, em Mat. 16:26; 18:15; 25:17,20,22; Mar. 8:36; Luc. 9:25; Atos 27:21; I Cor. 9:19-22.

5. *Porismós*, «obtenção», «provisão», termo grego que aparece somente por duas vezes em todo o Novo Testamento: I Tim. 6:5,6.

6. *Ergasía*, «esforço», «trabalho». Com o sentido de *lucro*, esse termo grego aparece por três vezes: Atos 16:16,19; 19:24. A forma reforçada, *prosergázomai*, «visar ao lucro», aparece por uma vez, em Lucas 19:16.

7. *Pleonektéo*, «tirar vantagem de». Verbo grego que ocorre por duas vezes: II Cor. 12:17,18,

Conforme se vê na lista acima, as palavras apontam para um lucro obtido através da violência, da injustiça (Juí. 5:19); para os despojos (Jó 22:3; Pro. 1:19); para o ato de alugar, de contratar (Miq. 4:13); ou então para uma recompensa (Dan. 11:39) e para o ganho mediante o ato de compra (Dan. 2:8).

Os vocábulos gregos, usados no Novo Testamento, referem-se ao trabalho ou aos negócios (Atos 16:16,19); à vantajosa obtenção da vida eterna, adquirida por ocasião da morte biológica do crente (Fil. 3:7); a algum meio de ganho (I Tim. 6:5,6); a piedade é um grande lucro (vs. 6); obter ganho ou lucro (Mat. 16:26; 18:15; 25:17); ao lucro por meio do comércio (Luc. 19:16). Além disso, temos a idéia de ganhar pessoas para Cristo, mediante o evangelho (I Cor. 9:19,20).

LUDE — LUGAR MAIS SANTO

LUDE, LUDIM

Em Gên. 10:22, **Lude** aparece como o quarto filho de Sem. Em Gên. 10:13, *Ludim* (uma palavra que, no hebraico, está no plural) figura como o primogênito de Mizraim, filho de Cão. No décimo capítulo de I Crônicas, a tabela das nações, Lude é um povo semita, e Ludim é um povo camita, descendente de Mizraim, o Egito (ver os vss. 13 e 22). Josefo (*Anti*. 1:6,4) refere-se aos lídios como descendentes de Lude. Heródoto fala sobre os lídios, embora ele não exclua uma identificação semítica desse povo. Ver o artigo sobre a *Lídia*. Nos trechos de Eze. 27:10 e 30:5, o povo de Lude é descrito como aliado de Tiro e do Egito, respectivamente. A Lídia (*Ludu*) aparece como aliada do Egito, nos registros neobabilônicos. As inscrições egípcias dos séculos XIII e XV A.C., referem-se a um povo chamado *Luden*, localizado perto da Mesopotâmia. Alguns eruditos supõem que isso indica que esse povo fora deslocado de sua pátria original, na Mesopotâmia e, então, migrou para a Ásia Menor. Seja como for, a Lídia veio a tornar-se parte do império romano, após a morte de Croeso, às mãos de Ciro, rei da Média Pérsia.

A identificação dos Ludim com a Lídia é duvidosa; mas Lude quase certamente corresponde à Lídia. As inscrições assírias referem-se aos lídios chamando-os de Ludu. Essa é uma palavra cognata do termo hebraico, *lud*. Josefo também fez essa identificação. As evidências demonstram que Heródoto falou sobre *Lydus* como o ancestral dos lídios.

Ludim é um povo de origem camita, segundo se vê em Gên. 10:13 e I Crô. 1:11. Talvez esteja em foco uma nação africana, que não se consegue identificar. Mas alguns estudiosos pensam que deve ser *Lubim* (Líbia), o que somente serve para aumentar a confusão.

LUDLUL BEL MEMEQI

Essas palavras são babilônicas e significam: «Louvemos ao deus da sabedoria». Essa é a linha inicial do hino a *Marduque* (vide), o deus principal da Babilônia. Há uma certa similaridade entre essa obra escrita (preservada em quatro tabletes em escrita cuneiforme) e o livro canônico de Jó. Um homem piedoso, mas enfermo, tentou penetrar nos planos e desígnios dos deuses. A obra contém um bom raciocínio filosófico, mas vazado em tom melancólico. Trata-se de um espécime de literatura de sabedoria dos babilônios. Transcrevemos abaixo algumas de suas linhas:

Quem aprendeu o plano dos deuses celestes?
Quem sabe qual o esquema do outro mundo?
Onde os mortais entenderam o caminho dos deuses? (LW)

Ver também o artigo sobre o *Problema do Mal*.

LUDOLFO DA SAXÔNIA

Não se sabe quando ele nasceu, mas sabe-se que morreu em cerca de 1377 D.C. Ele pertencia à ordem religiosa católica romana dos *cartuxos* (vide), fundada por Bruno, em 1084 D.C. Ludolfo é lembrado por sua excelente obra sobre a *Vida de Cristo*. Apesar de sua obra não ser nem original e nem crítica, era uma boa expressão de devoção, salientando o caráter prático de Cristo e de seu evangelho, quanto à vida diária do cristão. Tal obra foi muito popular durante a Idade Média. Essa expressão mística conclama os homens a renunciarem a tudo por amor a Cristo, e são apresentadas coisas que contribuiriam para a reforma eclesiástica, que Ludolfo sentia ser necessária.

LUGAR DE ORAÇÃO

Ver Atos 16:13. Uma sinagoga pode ter estado em vista como o lugar tencionado; mas isso é duvidoso, de acordo com alguns, pois uma sinagoga requer que haja pelo menos dez membros adultos para que ela seja formada. Além disso, em Filipos (nesse lugar de oração) parece que se reuniam apenas mulheres, e Paulo compareceu entre elas para falar-lhes sobre as realidades espirituais. Outros estudiosos opinam que as palavras «um lugar de oração», no grego, equivalem ao hebraico, «casa de oração», que se lê em Mat. 21:13, o que apontaria para uma sinagoga. John Gill, grande comentador bíblico do passado, diz que as «casas de oração», ou sinagogas eram construídas à beira de algum rio, aproveitando o simbolismo natural da água como *vida*. Por outro lado, os bosques e rios eram lugares naturais de devoção, inteiramente à parte de templos construídos. Juvenal (*Sat*. 3.11-13) diz-nos que os judeus haviam abandonado tais lugares quando a fé deles entrou em decadência. Tertuliano menciona a prática de orações e adoração serem conduzidas perto dos rios ou nas praias de grandes volumes de água (*ad Nat*. 1:13). Ele chamou isso de *orationes litorales*. É possível que o lugar mencionado em Atos 16:13 tivesse sido uma sinagoga, mas isso não significa que estivesse em pauta algum culto formal. As mulheres talvez tivessem permissão de usar alguma edificação a fim de orarem, — inteiramente à parte de reuniões religiosas formais, efetuadas em outras oportunidades.

LUGAR MAIS SANTO

Ver sobre o **Tabernáculo**, IV.4.b. Ver também sua seção X. O artigo sobre o *Tabernáculo* fornece os muitos tipos simbólicos envolvidos naquela antiga estrutura. Em sentido geral, pode-se dizer que o tabernáculo representa vários níveis de acesso a Deus. Fora do tabernáculo ficavam os gentios; as mulheres tinham um acesso limitado. Os homens de Israel podiam entrar no santuário. Mas somente o sumo sacerdote, e apenas uma vez por ano, podia entrar no Santo dos Santos, onde Deus se encontrava com o homem. Cristo, em sua missão terrena, abriu o caminho até à presença de Deus. Em Cristo, o próprio Homem tornou-se o templo e o tabernáculo de Deus, e isso indica o potencial de um total acesso a Deus. Ver Heb. 8:2; 9:8,12,24,25; 10:19; 13:11. Por meio do sangue de Cristo, penetramos no Santo dos Santos, segundo aprendemos em Heb. 10:19. Isso é uma extensão do ensino bíblico que diz que Cristo é o caminho (João 14:6), mostrando-nos de que maneira, finalmente, ele é o *Caminho*, no tocante ao nosso acesso a Deus.

O Santo dos Santos. Ver Êxo. 26:33. No tabernáculo original, o Santo dos Santos ficava localizado no fim do ambiente fechado, penetrando na área do *Lugar Santo* (vide). Cinco colunas formavam a entrada, e diante delas ficava o véu. O santuário mais interno, o Santo dos Santos, tinha cerca de 18 m de lado, pois era quadrado. Continha a arca da aliança, a tampa, chamada *propiciatório*, sobre a qual era aspergido o sangue. A própria arca continha os itens mencionados e descritos em Heb. 9:4. O Santo dos Santos simbolizava o *acesso* final a Deus. Naturalmente, pois, dentro da tipologia do Novo Testamento, isso veio a indicar as esferas da existência de Deus, bem como a possibilidade que temos de entrar ali, por meio de Cristo. Esse acesso, entretanto, além do que local; também é espiritual. Quando nos tornamos filhos, moldados segundo a imagem de Cristo, então nós mesmos temos acesso a

LUGAR SANTO — LUGARES ALTOS

Deus como os filhos têm acesso a seu pai. Obteremos a própria natureza divina (ver II Ped. 1:4). Ver o artigo sobre o *Templo de Jerusalém*, que contém outros detalhes concernentes a essa questão toda.

LUGAR SANTO (SANTUÁRIO)

A expressão **Lugar Santo** pode se referir ao local do templo de Jerusalém, o lugar mais santo da terra, para os judeus. Uma porção das paredes dessa estrutura continua de pé, com o nome moderno de *Muro das Lamentações*. Isso porque os judeus costumam reunir-se defronte dessas paredes a fim de orar, lamentando o que sucedeu ao templo. Esse é um lugar popular para peregrinos judeus e cristãos, os quais se reúnem ali para orar e lamentar as tragédias que têm atingido os judeus da dispersão.

Lugar Santo (Santuário). Isso se refere ao tabernáculo real, mas também à réplica do tabernáculo (vide), incorporado na estrutura do templo de Jerusalém. Ver os artigos gerais sobre *Tabernáculo* e *Templo*, quanto a completos detalhes. O Lugar Santo era distinguido do Santo dos Santos devido ao fato de que este fazia parte daquele. Ver o artigo separado sobre o *Santo dos Santos*. Na epístola aos Hebreus, o Lugar Santo simboliza a contraparte dos céus, visto que as mais piedosas tradições judaicas falavam sobre o tabernáculo como reprodução de um protótipo celestial. Ver Heb. 8:5, quanto às notas expositivas do NTI, acerca dessa tradição. Presume-se que Moisés recebeu um plano que duplicava, em algum sentido, o tabernáculo celestial.

O átrio fechado media, no tabernáculo original, cerca de 50 m x 25 m de lado. Antes de se entrar no *Santo Lugar*, era mister passar pelo átrio exterior, onde estava o altar dos holocaustos e a pia de bronze. No tempo em que estava armada a tenda da congregação ou tabernáculo, esse altar era comparativamente pequeno e portátil, com cerca de 3 m de lado, um quadrado. Era feito de madeira de acácia, recoberta de bronze, e o seu interior era oco (ver Êxo. 28:8). Ali eram efetuados os holocaustos. Nos vários templos de Jerusalém, construídos depois disso, esse altar foi-se tornando cada vez maior. No templo de Herodes, tinha 10 m de altura por 30 m de comprimento e outro tanto de largura. A pia existia para várias lavagens, sobretudo das mãos e dos pés dos sacerdotes, antes de oferecerem os sacrifícios. Esse item ficava no átrio exterior, entre o altar e a porta da tenda, um pouco desviado do centro, para o sul (Êxo. 30:19-21).

LUGARES ALTOS

Esboço:

I. Significado da Expressão
II. Usos da Palavra Hebraica Bamah
III. Sentido Negativo
IV. Um Sentido Positivo
V. Origens e Psicologia Envolvida
VI. Poluções Pagãs

I. Significado da Expressão

«Lugares altos» é uma expressão que corresponde ao termo hebraico *bamah*, que pode significar tanto «elevação» quanto «santuário». Era costume dos cananeus e dos povos semitas estabelecer santuários ou centros de adoração religiosa em lugares elevados. Isso nos faz lembrar do monte Olimpo dos gregos. A conexão entre as divindades e as montanhas é uma conexão comum nas religiões. Podia ser detectada em todas as regiões do Oriente Próximo, e prevalecia, especialmente, na Ásia Menor e na Síria.

Quanto aos povos semitas, nem todos os seus santuários eram erigidos em regiões elevadas; mas o termo *bamah* continuava sendo usado, dando a entender a ereção de altares e santuários. No tocante ao povo de Israel, eles nada viam de errado nos lugares altos, propriamente ditos. Originalmente, esses locais tinham sido lugares de culto dos cananeus, mas os israelitas rededicaram-nos ao culto a Yahweh, pelo menos em alguns casos. Porém, devido à influência de costumes estrangeiros, com a ajuda da corrupção interior dos homens, tais lugares vieram a ser dominados por práticas idólatras. O trecho de II Reis 23:8 mostra-nos quão generalizados eram os *lugares altos*, e quanta importância se dava aos mesmos. Foi por causa de tais abusos que os profetas hebreus denunciaram com tanto vigor os lugares altos. Alguns dos reis de Judá tentaram eliminar os lugares altos (ou seja, seu uso para fins idólatras e imorais). Um dos exemplos mais conspícuos disso foi o do rei Josias (ver II Reis 22:3 e II Crô. 34:3).

II. Usos da Palavra Hebraica »Bamah»

1. Ela podia indicar, meramente, algum lugar elevado, como o cume de um monte qualquer. O acádico e o ugarítico tinham palavras cognatas, com esse sentido. Fortalezas e fortins eram construídos nos montes, e encontramos alusões a vitórias militares obtidas em tais lugares. Ver Deu. 32:12; Juí. 5:18; II Sam. 1:19,25. Em Isa. 14:14, o termo é corretamente traduzido por «altas», dentro da expressão: «...subirei acima das mais altas nuvens, e serei semelhante ao Altíssimo».

2. Chegou tempo em que os próprios santuários eram chamados *bamah*, sem importar se tinham sido construídos ou não em lugares elevados. Pois o próprio santuário e o seu altar eram lugares elevados. Todavia, muitos desses santuários eram, realmente, construídos em lugares elevados, pelo que, em tudo isso há um duplo significado da palavra *bamah*. O trecho de I Reis 14:23 mostra-nos que muitas colinas eram usadas com propósitos religiosos em Israel. Saul subiu para Betel, onde se encontrou com um grupo de profetas de Deus, que desciam da *bamah* (ver I Sam. 10:5,13, onde essa palavra aparece na expressão «...profetas que descem do alto...»).

3. Algumas *cidades*, em lugares elevados, tornaram-se centros de adoração religiosa, pelo que elas também vieram a receber o título de *bamah*. Um lugar alto importante era Gibeom (I Reis 3:14 *ss*; II Crô. 1:2-6). Salomão sacrificou ali a mil carneiros. Gibeom era o lugar mais elevado que havia em derredor, por muitos quilômetros.

III. Sentido Negativo

Em Israel, o centro da adoração ficava no templo de Jerusalém. Podemos ter a certeza de que certos lugares altos, porém, vieram a competir com a adoração centralizada de Israel. Assim, em oposição à adoração no templo de Jerusalém, o rei Jeroboão promoveu a apostasia de Israel, estabelecendo bezerros de ouro em Betel e em Dã, em imitação ao ato de Aarão (I Reis 12:38; comparar com Êxo. 32:4,8. Ver também I Reis 12:32, quanto a outras atividades semelhantes. É possível que tudo isso tivesse ocorrido em nome de Yahweh; mas, como envolvia falsidade e desvio, foi censurado (ver I Reis 13:1-6). E as coisas não correram melhor no reino do sul, Judá. Nos tempos do rei Reobão, o povo adotou a idolatria cananéia, tendo erigido lugares altos e colunas, e isso de maneira bastante generalizada. Lê-se em I Reis 14:23: «Porque também em Judá edificaram altos, estátuas, colunas e postes ídolos no alto de todos os elevados outeiros, e debaixo de todas as árvores verdes».

919

LUGARES — LUGARES CELESTIAIS

IV. Um Sentido Positivo

O rei Asa, de Judá, tentou fazer o que era reto aos olhos de Deus; e, no entanto, não removeu os lugares altos que seu pai havia permitido. Isso pode significar que, pelo menos em parte, ele fracassou quanto aos seus propósitos; ou então que não teve a autoridade ou a energia necessária para impor uma reforma religiosa completa. Ou ainda, ele limpou o país de santuários idólatras, mas não destruiu os centros de adoração localizados nas colinas. Ver I Reis 14:11-14. Porém, Ezequias removeu esses lugares altos (ver II Reis 18:4,22). Portanto, tal remoção era algo possível, de onde podemos presumir que os esforços de Asa não foram muito objetivos. Todas as tentativas de purificação desses lugares altos, pois, envolvem um sentido positivo da questão.

V. Origens e Psicologia Envolvida

Muitos povos antigos supunham, literalmente, que subir a um lugar alto levava a uma maior proximidade com a divindade. Consideremos, como ilustração, o relato sobre a torre de Babel. Isso reflete-se até mesmo em vários idiomas. Em português, por exemplo, a palavra *céu* tanto refere-se à abóbada celeste, em seu aspecto físico, onde pairam as nuvens e resplandecem o sol, a lua e as estrelas, quanto aos lugares celestiais, da dimensão espiritual, onde Deus reside. Assim, nas regiões onde não havia montes ou colinas, elevações artificiais eram construídas para que os homens, supostamente, chegassem mais perto dos deuses, como era o caso dos *zigurates* (vide). Objetos de adoração eram colocados nas árvores, a fim de atrair a atenção das divindades. Nos lugares altos, por sua vez, havia auxílios comuns à adoração religiosa, como pilhas de pedras, altares de pedras toscos, estátuas e vários tipos de santuários, sempre dando a impressão de altura, de elevação.

VI. Poluções Pagãs

Ao entrar na terra de Canaã, Israel encontrou muitos lugares altos dos cananeus. Pecados horrendos eram cometidos nesses lugares, incluindo sacrifícios de infantes, prostituição cultual e toda forma de adoração idólatra. Israel, pois, recebeu ordens para demolir tais lugares (Núm. 33:52). Porém, após a destruição de Silo, e antes da construção do templo de Jerusalém, tais lugares tornaram-se lugares das devoções religiosas de muitos israelitas. Samuel abençoou as oferendas que o povo fez em um lugar alto (I Sam. 8:12-14). Ezequias eliminou os abusos que haviam penetrado, ao destruir os santuários existentes nos lugares altos, mas Manassés, seu filho e sucessor, reconstruiu muitos desses santuários, trazendo de volta a Israel as poluções pagãs (II Reis 21:2-9; II Crô. 33:3-9,17,19). Josias fez outra tentativa para reformar tais costumes (II Reis 23:5), destruindo e contaminando lugares altos desde Geba até Berseba. Os profetas denunciavam os lugares altos, com todas as suas práticas (Isa. 15:2; 16:12; Jer. 48:35). Mas a resposta a todas aquelas abominações foi dada sob a forma do cativeiro babilônico (vide), que pôs fim ao costume. (ALB (1957) ND UN Z)

LUGARES CELESTIAIS

I. Assunto Importante de Efésios

As referências: 1:3,20; 2:6; 3:10 e 6:12. Essa expressão se encontra cinco vezes nesta epístola, mas (em termos exatos) em nenhuma outra parte do N.T. O conceito existe em outros livros do N.T., sem a expressão exata. Estão em pauta as *habitações* celestes, esferas de existência espiritual. Não estão em foco os benefícios celestes, mas antes, esferas de existência de seres espirituais. Na qualidade de habitações celestes, podemos perceber as seguintes características:

1. São a habitação de Deus Pai e de Deus Filho (ver Efé. 1:20).

2. São as moradas dos remidos, os quais são descritos como quem está assentado ali, em companhia de Jesus Cristo, embora somente no futuro é que isso se concretizará (ver Efé. 2:6).

3. São a habitação dos seres angelicais de todas as ordens (ver Efé. 3:10), e nessa passagem a alusão é aos anjos santos, exaltados, seres espirituais não caídos.

4. Mas também são a habitação de muitíssimas ordens de seres espirituais decaídos, que se encontram nos «lugares celestiais».

Sabendo-se que muitas variedades de seres habitam nesses «lugares celestiais», precisamos dizer que muitas regiões, mundos e universos estão aqui em foco. O crente, pois, partirá para os «lugares celestiais»; mas para onde ele vai é definido no texto presente; ele vai para aquelas regiões que pertencem a Deus Pai e ao Senhor Jesus Cristo.

II. Considerando os Lugares Celestiais

a. Paulo menciona o «terceiro céu», em II Cor. 12:2, o que quase certamente é uma referência aos sete céus, ou, pelo menos, um reflexo de sua crença em «muitos céus», um conceito judaico comum em seus dias.

b. A alusão feita por Jesus às «muitas mansões» (João 14:2) é outro reflexo neotestamentário dessa crença.

c. Os judeus da época de Jesus, pensavam que o templo servia de ilustração sobre a estrutura dos céus. O templo compunha-se de muitas divisões, como o átrio dos gentios, o átrio das mulheres, o Lugar Santo, o Santo dos Santos, etc. Por semelhante modo, o céu seria «céus», por conter muitas divisões, cada qual com seu respectivo nível de glória. (Ver Heb. 9:3, onde esse conceito é refletido).

d. Jesus, como Pioneiro de nossa fé, foi capaz de atravessar todas essas divisões, e penetrar na maior glória, a saber, no Santo dos Santos. Dessa forma, ele preparou um lugar para os demais filhos de Deus, capazes de entrar na mais elevada glória. Isso não significa que entrarão diretamente na glória maior. Pois, na verdade, os próprios céus são lugares onde se alcança progresso espiritual, embora todos eles, coletivamente, sejam «a casa de Deus», o «céu» de Deus.

e. É provável, conforme as especulações de vários dos pais da igreja, que a glorificação envolverá uma passagem de um nível celestial para outro, como se alguém passasse de uma dependência do templo de Jerusalém para outra. Alguns pais da igreja supunham que tal passagem exigiria o recebimento de novos corpos espirituais, veículos apropriados para cada estágio mais avançado de glória. Provavelmente essa opinião esteja correta, embora não haja como prová-la. O trecho de II Cor. 3:18, como é óbvio, alude à passagem de um estágio de glória para outro. A glorificação será um processo interminável, porque, havendo uma infinitude com que seremos cheios, também deverá haver um enchimento infinito. (Ver as notas no NTI sobre esse conceito em Efé. 3:19).

III. Outras Interpretações

Quase todos os intérpretes compreendem que a expressão «lugares celestiais» tem um sentido «local», falando sobre esferas definidas de existência. Todavia, há outras interpretações, muito menos prováveis, que são as seguintes:

LUGARES CELESTIAIS — LUÍTE

1. Aquela que pensa em bênção de natureza celeste, provenientes do céu, «bens» celestiais.

2. Outros pensam que o «céu espiritual» é contrastado com o firmamento estrelado, que podemos contemplar.

3. Há aqueles que julgam tratar-se do «reino celeste» à face da terra, em um aspecto presente ou futuro, e que talvez envolva a própria igreja.

4. Também não temos aqui o «céu», aludido mediante uma expressão vazada no plural, e não no singular; pelo contrário, aquilo que chamamos de «céu», na realidade se compõe de muitas regiões de glória celeste, embora essa expressão — lugares celestiais — possa expressar qualquer dimensão espiritual, ocupada por espíritos bons ou maus.

IV. Lições Morais e Espirituais Ligadas ao Conceito

1. Os crentes são os cidadãos legítimos dos lugares celestiais. A mente dos crentes, pois, deveria voltar-se para o seu lar celeste (ver Col. 3:1), atitude essa que modificaria toda a sua vida presente, a começar pela sua maneira de pensar e terminando em tudo quanto fizessem.

2. O crente é um «cidadão» de um outro país — o celestial — e não deveria envolver-se, como tal, com aquilo que é terreno e carnal (ver Fil. 3:20).

3. Nosso tesouro se encontra nesse país celestial, razão pela qual deveríamos procurar cultivar uma vida capaz de demonstrar esse fato, desvencilhando-nos dos cuidados terrestres (ver Mat. 6:20,21).

4. Nossa herança se acha nos céus, e ali deveríamos fixar nossa mente, e em favor dessa herança deveríamos labutar (ver I Ped. 1:4 e Rom. 8:17).

5. Posto que nosso destino é os lugares celestiais, aqui e agora somos estrangeiros e peregrinos (ver Heb. 11:13).

Em nenhuma outra porção do N.T. é usada a expressão «lugares celestiais», de maneira específica, embora existam termos similares. Essa doutrina indubitavelmente é paulina, conforme a exposição dessa idéia o demonstra, e também é de origem judaica. Não sabemos dizer por que razão Paulo empregou essa expressão exclusivamente nesta epístola aos Efésios. Naturalmente, aqueles que afirmam que esta epístola não foi escrita pelo próprio Paulo, e, sim, por algum de seus discípulos, contam aqui com um trunfo em apoio à sua opinião. Mas a expressão exata poderia ter sido cunhada por essa pessoa, embora a mesma expresse uma idéia claramente paulina.

V. Os Lugares Celestiais e o Destino Humano

Os eleitos irão de um estágio de glória para outro, interminavelmente, II Cor. 3:18. O destino é certo. Estaremos com o Filho na grande mansão de Deus, os lugares celestiais, pois ela tem compartimentos do mesmo «céu». Sempre poderemos nos aproximar mais e mais do Filho, da natureza e da habitação celestial, já que a porta jamais se fechará. Agora mesmo a porta da glória permanece aberta. Tens a coragem para entrar?

Portanto, faz parte da glória de Jesus Cristo que todos os seus irmãos estejam onde ele também já está. Pois o céu não seria muito celestial para Cristo a menos que os seus amigos eternos estivessem em sua companhia também. E isso tem por motivo os vínculos que o ligam com os seus seguidores, laços esses que são eternos, conforme se depreende, por exemplo, de Efé. 1:3,4, onde se lê: «Bendito o Deus e Pai de nosso Senhor Jesus Cristo, que nos tem abençoado com toda sorte de bênção espiritual nas regiões celestiais em Cristo, assim como nos escolheu nele antes da fundação do mundo, para sermos santos e irrepreensíveis perante ele».

O Senhor Jesus se encarnou a fim de poder conduzir os escolhidos aos lugares celestiais, onde lhes convém habitar:

Porventura o caminho serpeia até lá em cima?
Sim, até o próprio fim.
O Dia de jornada ocupará o dia inteiro?
Da manhã à noite, meu amigo.
(Extraído de *Uphill*, de Christina Rossetti).

LU HSIANG-SHAN

Suas datas foram 1139-1193 D.C. Ele foi um filósofo chinês, um erudito apresentado. Era encarregado dos registros e professor da Universidade Nacional da China. Foi chamado de Mestre Hsiang-Shan como um título honorífico. Serviu como magistrado, de 1190 até à sua morte. Dirigiu conferências a que milhares de pessoas se faziam presentes. Desenvolveu uma forma de neoconfucionismo, sustentando o lado idealista daquela fé, em contraste com seu aspecto racionalista. Escreveu muitas obras que foram coletadas em uma publicação intitulada *Obras Completas de Lu Hsiang-Shan*.

Idéias:

1. Mediante o estudo da própria mente, a pessoa pode tomar conhecimento da natureza das coisas. A mente contém os princípios da natureza, sendo o espelho de todas as entidades.

2. A doutrina confucionista requer a busca do bem, e aí cabe a investigação inteligente de tudo quanto está envolvido no bem. Lu acreditava que a mente tem um conhecimento inato do bem, sendo um guia seguro nessa busca. A mente é poderosa, e pode levar um homem a praticar o que é direito, uma vez que isso seja compreendido. Deus permeia a mente humana; Deus emana da mente e estende-se a todo o universo. Quanto a esse particular, Lu mostrou-se muito parecido com Sócrates, que disse: «Conhece-te a ti mesmo». Para Sócrates, assim fazendo, um homem encontraria a chave de tudo, incluindo o conhecimento e a bondade. De acordo com essa noção, o homem que sabe segue aquilo que sabe. A ignorância seria a base de todo o mal, sob a forma de atitudes e atos. A psicologia moderna, naturalmente, não se mostra tão generosa. Antes, reconhece que há certa perversidade no homem, — residente nos seus impulsos básicos, o que o leva a fazer coisas que ele sabe que estão erradas. Isso pode baixar até o ponto do impulso da autodestruição, o impulso da morte.

3. Existem princípios concretos e corretos que permeiam toda a natureza e a consciência humana inteira. Sábios dos tempos mais remotos da humanidade, foram capazes de salientar esses princípios, que são inerentes à própria vida. A mente do indivíduo é o universo, e o universo é a mente do indivíduo. Se examinarmos a mente, acharemos ali todas as coisas. Ali está a bondade, para ser contemplada por nós, bem como o poder de fazer aquilo que faz parte inerente da mente.

4. Quanto ao aprendizado e ao progresso, Lu disse o seguinte: O indivíduo deve começar pelo «...interesse genuíno e pessoal, pelo auto-exame, corrigindo os próprios equívocos, reformando-se a fim de melhorar. Isso é tudo».

LUÍTE, SUBIDA DE

No hebraico, essa palavra, **luhith**, significa «mesa»,

LULABE — LUND

ou «assoalhada», conforme preferem outros. Essa era uma das cidades dos moabitas, situada em um local elevado. Habitantes de Moabe, ao fugirem dos babilônios (ver Isa. 15:5; Jer. 48:5), passaram por esse lugar, a caminho de Zoar.

Eusébio situava Luíte entre Areópolis e Zoar, mas a localidade ainda não foi achada pelos arqueólogos.

LULABE

No hebraico, «ramo». A alusão é à palmeira, usada em conexão com as cerimônias da festa dos tabernáculos (vide), determinada em Lev. 23:40. Três ramos diferentes eram empregados: ramos de palmeiras, ramos de árvores frondosas e salgueiros de ribeiros. E as pessoas agitavam os mesmos durante os momentos de recitação de passagens especiais dos salmos.

LULLUS, RAIMUNDO

Ele também era conhecido como **Lull**. Suas datas foram 1236—1315 D.C. Foi um homem de características incomuns. Foi um filósofo de primeira linha e um incansável missionário. Nasceu em Palma de Majorca. Ensinou por diversos anos em Paris. Deve ser considerado um dos últimos apologistas cristãos, tendo criado o que ele pensava ser um sistema invencível para confundir os infiéis, os céticos e os ateus. Esse método acha-se contido em sua obra *Ars Magna*. Nesse livro, Lull procurou produzir uma metodologia que exaurisse todas as perguntas que possam relacionar-se a um problema qualquer. Ele traçava três círculos concêntricos. Um dos círculos era dividido em nove predicados relevantes; o segundo, em nove sujeitos relevantes; e o terceiro, em nove perguntas. Essas perguntas eram as seguintes: O quê? De onde? Por quê? Quão grande? De que tipo? Quando? Onde? Como? Um desses círculos era fixo, mas os outros giravam, o que provia uma série completa de perguntas e declarações. Seu sistema, ainda que duvidoso, obteve muita popularidade na França, na Itália e na Espanha, e o *lullismo* chegou a competir com o *tomismo* (vide), por algum tempo. Sua influência continuou poderosa na Universidade de Palma, até bem dentro do século XVIII.

Lullus, entretanto, tinha um outro lado em sua vida. Ele foi um incansável missionário. Aprendeu o árabe e foi trabalhar na África do Norte. Retirou-se da vida de luxos e passou a viver como eremita em Majorca, como preparação para as suas atividades missionárias. — Em 1276, estabeleceu um colégio (faculdade) franciscano, que se especializava nos estudos de lingüística, preparando pessoas para o serviço em missões na África e nos países orientais. Ele trabalhava arduamente a fim de obter apoio financeiro para seus projetos, e muito se esforçou por conseguir professores de línguas orientais, ensinadas em bases regulares nas Universidades de Paris, Oxford e Salamanca. Seus labores missionários envolveram-no em imensos sacrifícios pessoais, e ele sempre se mostrava incansável. Faleceu em 1316, apredrejado por uma multidão, no Norte da África. Lullus é relembrado como filósofo erudito, professor universitário e missionário zeloso.

O termo *lullismo* refere-se ao seu método de buscar a verdade, através dos círculos concêntricos, acima referidos, os quais, supostamente, poderiam exaurir todas as possibilidades de investigação em uma questão qualquer, mostrando-se avassaladoramente convincente.

••• ••• •••

LUMEN GRATIAE; LUMEN NATURALE

Essas frases latinas significam, respectivamente, «luz da graça» e «luz natural». A luz natural é o poder da razão desajudada para entender a verdade divina. E a luz da graça é a iluminação que nos vem através da revelação divina. Como é óbvio, ambas as luzes operam entre os homens, e nenhuma delas deve ser desprezada.

LUNÁTICO

Ver o artigo geral sobre **Enfermidades**. Sua segunda seção trata, especificamente sobre as desordens mentais. A palavra portuguesa «lunático» vem do latim, *luna*, «lua». Desde os tempos mais antigos, as pessoas têm pensado que o lua exerce influência sobre os processos mentais do homem. A ciência moderna tem demonstrado que há algum fundo de verdade nessa questão. Pois, na verdade, na época da lua cheia, as enfermidades mentais pioram e aumentam os crimes por motivo de insanidade. No Novo Testamento, em Mat. 4:24 e 17:15 temos a palavra grega *seleniadizetai*, que está baseada na palavra grega para lua, *selene*. Aquele termo grego foi usado de tal modo que dá a idéia de que a lua está relacionada às desordens mentais. O texto de Mat. 4:24 também menciona as atividades dos demônios, que provocariam distúrbios mentais. É mesmo provável que o aparecimento de ambos os conceitos, nesse contexto bíblico, demonstre que os antigos não atribuíam todos os casos de desordem mental ao demonismo. No artigo acima mencionado temos provido um estudo sobre esse assunto, em sua segunda seção.

Alguns estudiosos pensam que a *epilepsia* (vide) esteja em foco naqueles textos neotestamentários, que os antigos chamavam de *enfermidade divina*. E isso porque, ao que se supunha, ela era causada por alguma espécie de poder extra-humano. Na linguagem moderna, o adjetivo *lunático* é sinônimo de «insanidade mental», tendo-se perdido a antiga conotação referente à lua.

LUND, A TEOLOGIA DE

Essa forma de teologia é chamada **lundensiana**. Esse nome vem da Universidade de Lund, na Suécia. O principal formulador dessa teologia foi Anders Nygren (vide). Seu próprio pensamento foi influenciado por seus mestres e colegas, Einar Billing, Nathan Soderblom e Gustav Aulen (vide). Aulen foi seu colega e professor, naquela universidade. Esses homens eram luteranos, que não se sentiam satisfeitos com as tendências da teologia luterana. A teologia de Harnack (vide) foi rejeitada por eles. Nygren produziu uma maneira de interpretar o cristianismo que consistia em contrastar *éros* com *agapé* (em uma obra intitulada exatamente *Éros e Agapé*, publicada em 1930). Ele se referia ao cristianismo como essencial e supremamente o amor de Deus em ação. Ele distinguia claramente o amor de Deus dos tipos humanos de amor, que ele classificava de *éros*. Ensinava que o amor de Deus, o *agapé*, é motivado somente pelo próprio Ser divino, nada havendo no homem capaz de motivar tal amor. Desse modo, ele enfatizava a doutrina da graça, compreendida através do amor divino. O princípio do *agapé* era por ele aplicado à ética, à escatologia e ao problema da lei divina e da lei humana. Nygren reinterpretava a história humana e eclesiástica, a fim de mostrar como a doutrina cristã bíblica fora sendo adulterada com a passagem dos séculos.

LURDES — LUTA DE CLASSES

LURDES (LOURDES)

Lurdes é uma pequena cidade da França, situada ao pé dos montes Pireneus, na porção sudoeste da divisa dos Altos-Pireneus, no rio Gave de Pau. Tornou-se famosa devido ao santuário católico romano que atingiu um século de existência em 1958.

A 11 de fevereiro de 1858, Marie Bernardette Soubirous, na época com catorze anos de idade, declarou ter visto uma visão da Virgem Maria, em uma gruta. Ter-lhe-ia sido dito pela virgem que procurasse uma fonte, que ela conseguiu localizar. Pouco depois, as águas que emanavam da fonte começaram a produzir milagres de cura. As visões continuaram, tendo havido um total de dezoito visitações da virgem. Isso aconteceu durante certo período de tempo.

Lurdes tornou-se assim um famoso santuário religioso, lugar de intenso turismo e de peregrinações religiosas. Apenas uma pequena porcentagem dos dois milhões de pessoas que visitam a cidade a cada ano estão doentes e em busca de cura. O centro da curiosidade é o Domaine de la Grotte, uma área fechada com sessenta acres, onde ocorrem quase todas as cerimônias religiosas. Há celebração de missas em três pontos diferentes: no altar da própria gruta, e em duas gigantescas basílicas, construídas uma acima da outra, em um abrigo espaçoso onde cabem vinte mil pessoas. No Domaine há vinte torneiras, onde os peregrinos podem beber a água miraculosa. Também há nove banheiras onde as pessoas podem banhar-se!

A Igreja Católica Romana faz testes muito rigorosos quanto aos alegados milagres, antes de serem tidos como autênticos. A cada ano são examinados cerca de cinqüenta milagres desses. De fato, ocorrem coisas inexplicáveis, embora também sucedam coisas sem grande significação. Até o ano de 1970, cinqüenta e dois milagres foram julgados autênticos, resultantes do poder divino que reside em Lurdes!

A festa da Aparição de Nossa Senhora é celebrada em toda a Igreja Ocidental a 11 de fevereiro. É bom relembrar que a credulidade dos religiosos é sempre preferível às zombarias dos céticos. Apesar de, sem dúvida, ocorrerem curas psicossomáticas em tais santuários, sabemos, com base na experiência, que ocorrem milagres genuínos. Ver o artigo sobre *Satya Sai Baba*, quanto a demonstrações modernas a esse respeito. Apesar dessas questões sempre estarem sujeitas a abusos, especialmente a comercialização e a credulidade das massas populares, devemos cuidar em não atribuir todas essas coisas à atividade demoníaca. Em todas as questões, precisamos exercer tolerância, mesmo que não concordemos com as práticas de outras pessoas.

LUTA

A luta livre é um esporte antiqüíssimo, bem ilustrado na cultura egípcia e mesopotâmica. Todos os povos contam com algum tipo de luta entre dois contendores que medem sua força e agilidade um contra o outro. O esporte nacional japonês é o «sumô», com lutadores, algumas vezes, de duzentos quilos. Até os brasilíndios ou índios brasileiros têm sua forma de luta livre. Durante o período do reino antigo, no Egito, nas gravuras em relevo dos túmulos de Ptaotepe, em Sacara, fizeram-se muitas representações de lutas livres. Mais de quatrocentos grupos em luta aparecem nas pinturas em paredes, nos túmulos do reino médio egípcio, em Beni Hasan. Outras cenas de lutas têm sido encontradas pela arqueologia moderna, pertencentes ao templo da XX Dinastia do Egito, em Medinet Habu. Esse templo foi construído por ordens de Ramsés III (vide).

Nas páginas da Bíblia, é provável que nenhuma outra luta corporal seja mais famosa e revestida de tão grandes conseqüências como a luta entre Jacó e o anjo que lhe apareceu. Essa narrativa aparece em Gênesis 32:24,25: «...ficando ele só; e lutava com ele um homem, até ao romper do dia. Vendo este que não podia com ele, tocou-lhe na articulação da coxa; deslocou-se a junta da coxa de Jacó, na luta com o homem». A palavra aqui traduzida por «lutava» e por «luta», corresponde ao vocábulo hebraico *abaq*, «agarrar», «lutar».

Entretanto, no caso dos conflitos entre Lia e Raquel, irmãs, ambas esposas de Jacó, já encontramos outras duas palavras, e ambas em um mesmo versículo, Gênesis 30:8, onde lemos: «Disse Raquel: Com grandes lutas (no hebraico, *naphtulim*, «lutas») tenho competido (no hebraico, *pathal*, «competição»). Ambas essas palavras também só ocorrem por uma vez cada, ou seja, nesse mesmo versículo. Incidentalmente, isso mostra a superioridade da monogamia, pelo menos no tocante à ausência de competição entre as esposas de um mesmo homem.

No Novo Testamento, encontramos uma interessante passagem, em Efésios 6:12. Lemos ali: «...porque a nossa luta não é contra o sangue e a carne, e, sim, contra os principados e potestades, contra os dominadores deste mundo tenebroso, contra as forças espirituais do mal, nas regiões celestes». Ali o termo grego que corresponde a «luta» é *pále*. Essa palavra deriva-se do verbo *pállo*, «balançar para a frente e para trás», apontando para os movimentos de esquiva e ataque que os lutadores, geralmente, dão um diante do outro. E isso demonstra, por sua vez, a intensidade da luta do crente contra o diabo e suas forças malignas. Basta-nos pensar que se os outros lutadores lutam de olhos bem abertos, atentos aos golpes desferidos pelos adversários, a fim de poder evitá-los, nós lutamos contra inimigos invisíveis, que nos acossam de várias direções ao mesmo tempo, sem que, por muitas vezes, sejamos capazes de antecipar seus golpes traiçoeiros. Isso encarece a necessidade de vigilância, da nossa parte, e da proteção divina, por outra parte. «Vigiai e orai, para que não entreis em tentação; o espírito, na verdade, está pronto, mas a carne é fraca» (Mat. 26:41).

LUTA DE CLASSES

A **expressão** envolve uma importante e influente teoria da ciência social e política. Essa teoria exerce fortíssima influência sobre a teologia contemporânea. A idéia básica é de que as várias classes de pessoas, na sociedade, estão em estado de luta, segundo o qual os fortes e ricos dominam e perseguem às classes pobres e humildes. O dinheiro é o fator principal em tudo isso, porque aqueles que têm dinheiro, naturalmente também têm poder. Dentro das teorias comunistas (que vide), a luta de classes é aludida por meio das tríadas hegelianas. De acordo com essa teoria, nas sociedades humanas originais e primitivas, prevaleceria um sistema comunista em uma utopia primitiva. Nessa fase, os homens escravizavam a outros homens. Em oposição a isso, o sistema feudal trouxe algumas melhorias. Então surgiu o capitalismo em oposição ao feudalismo. Conseqüentemente, o socialismo se opõe ao capitalismo O estágio final dá-se quando o comunismo, em oposição ao capitalismo, triunfa, levando o homem de volta à utopia primitiva.

Entrementes, a Igreja organizada habitualmente alia-se às classes ricas e poderosas, pelo que, no seio

LUTA DE CLASSES — LUTERANISMO

da religião organizada encontramos uma luta de classes, onde os ministros ou clérigos oprimem os pobres, tanto os da Igreja quanto os da sociedade em geral. Em face disso, Jesus é idealizado como o cabeça de uma revolução política, em vista da qual a Igreja é libertada de sua hierarquia opressiva. A Teologia da Libertação (que vide) tem feito da luta de classes um dos mais importantes aspectos de seu pensamento. A Igreja Católica Romana, por isso mesmo, está enfrentando um dos mais severos testes de sua longa história, porquanto agora há uma «Igreja popular», em contraste com a Igreja tradicional. A solução proposta para a luta de classes, dentro do capitalismo, é a revolução social, que organiza esse sistema coletivo de produção em propriedades coletivas de trabalhadores, unificando todas as suas operações sob um sistema abrangente, não sujeito a crises.

O que sucede sob o regime comunista é bem diferente disso. Ali emergem algumas poucas classes privilegiadas cujo padrão de vida é notavelmente mais elevado do que o das classes pobres, que se professam emancipar. Isso prova que, tanto no capitalismo quanto no comunismo (ou sob qualquer outro sistema de governo político que se possa conceber) o coração humano continua o mesmo, inclinado ao mal e à opressão. O Espírito de Deus, e não as teorias políticas, é que terminará por fazer a diferença. Cada sistema político tem fracassado exatamente por esse motivo. O capitalismo é cruel, pois é um sistema onde o dinheiro torna-se o deus dos mais ricos, para os quais os pobres existem apenas como consumidores, e de acordo com o qual os únicos valores que interessam são os valores econômicos. Por outra parte, nos sistemas socialistas, o empobrecimento das classes pobres manifesta-se mais sob a forma da perda de liberdades básicas, como os direitos individuais, e onde o indivíduo se perde em meio aos interesses de um estado monstruoso que, qual polvo, controla todas as atividades, sufocando toda iniciativa particular. Ora, segundo todos os melhores pensadores concordam, esses direitos individuais formam o próprio âmago do direito. Nos países de governo comunista as escolas religiosas são fechadas, e nas escolas públicas às crianças ensinam-se o ateísmo e o secularismo. As realidades do espírito são esquecidas, e homens assim sufocados são declarados livres e emancipados. A religião, sob todas as formas, é perseguida. Os líderes religiosos são banidos, perseguidos e mortos. O comunismo tem produzido mais mártires cristãos do que qualquer outro sistema político da história. E no entanto, alguns líderes católicos romanos, incluindo arcebispos e bispos são ativistas políticos que promovem a causa comunista no seio do catolicismo romano. Ver os artigos separados sobre *Socialismo* e sobre *Comunismo*.

Referindo-nos novamente à Teologia da Libertação, que prega a doutrina da luta de classes, o papa João Paulo II tem dito: «As conseqüências desta teologia são a total politização da existência cristã, a dissolução da linguagem da fé nas ciências sociais e o esvaziamento da dimensão transcendental da salvação cristã».

A primitiva Igreja Católica, sempre mancomunada com o poder dominante, fosse ele qual fosse, não alterou sua atitude política quando da divisão em Igreja Católica Romana e Igreja Ortodoxa Oriental. O sistema feudal, na Idade Média, alicerçava-se sobre dois poderes dominantes, o clero e a nobreza. A Revolução Francesa, dos fins do século XVIII, sacudiu esse jugo, propagando o ideal republicano e democrático. O moderno sistema democrático de

governo, pois, é uma reação. Situação similar verificou-se, mais recentemente (1917), na Rússia, quando a revolução bolchevista derrubou o governo czarista, cujo principal aliado de opressão era a Igreja Ortodoxa. E, assim como na França instalou-se o regime do Terror (que vide), que procurou secularizar a França, até mesmo em bases ateístas; outro tanto tem sucedido na Rússia e nos países dominados pelo comunismo. O comunismo, pois, é uma reação. Democracia moderna e comunismo moderno são apenas reações contra a opressão social que uma Igreja organizada ajudou tão significativamente a impor. Segundo este tradutor, essa Igreja está colhendo os frutos das sementes daninhas que ela semeou por tantos séculos. Remédio? A volta do Senhor Jesus e a instauração de seu reino milenar, quando então imperará a justiça, incluindo o seu aspecto social. Antes disso, a maldade inerente ao homem encarregar-se-á de frustrar todos os esforços para eliminar os injustos desnivelamentos sociais. Os crentes verdadeiros não preconizam uma solução política, e, sim, a solução mediante a instauração de uma nova era na história da humanidade, correspondente ao retorno de Cristo a este mundo. (E H)

LUTA LIVRE

Ver os artigos **Esporte** e **Atletismo**.

LUTERANISMO

Ver o artigo separado sobre *Lutero, Martinho*.
Esboço:
1. O Nome
2. Expansão do Luteranismo
3. Bases Credais Históricas
4. Lutero e as Igrejas Reformadas
5. Doutrinas Luteranas Distintivas
6. A Ética do Luteranismo

1. O Nome

Luteranismo é um nome que se deriva do nome próprio de *Martinho Lutero*. Embora ele tivesse instruído a seus seguidores que não dessem ao movimento algum título denominacional (pois qual é o valor do homem?), as suas ordens foram desobedecidas. O termo *luteranismo* é hoje usado como designação denominacional, indicando as Igrejas e as doutrinas de vários grupos luteranos modernos, que atualmente representam um largo espectro de doutrinas, desde as mais conservadoras até às mais liberais.

2. A Expansão do Luteranismo

Ver o pano de fundo histórico da Igreja Luterana no artigo sobre *Lutero, Martinho*. Da Alemanha, o movimento propagou-se à Suécia, à Dinamarca e à Noruega, onde deixou uma Igreja luterana nacional. Os luteranos suecos têm-se mostrado muito ativos na teologia e na expansão do cristianismo, no presente século. Missões germânicas e escandinavas têm garantido a propagação da Igreja Luterana por todo o Novo Mundo. Também apareceram congregações luteranas na Ásia e na África. Os luteranos modernos têm procurado fomentar a unidade, — embora alguns deles tenham objetado vigorosamente a isso. A Federação Luterana Mundial, formada em 1947, tem cultivado a união dos luteranos, e tem conseguido congraçar mais de cinqüenta grupos como membros. O condado luterano original fica agora na Alemanha Oriental, onde o luteranismo tradicional tem permanecido mais vivo naquele país. Muitos teólogos luteranos têm-se distinguido, tendo originado escolas teológicas de pensamento, ou, então, novas tendên-

LUTERANISMO

cias liberais. Ver sobre *Lund, A Teologia de: Harnack, Adolf Von; Nyoren, Anders; Bultmann, Rudolf; Kierkegaard, Soren.* O número total de luteranos, por todo o mundo, atinge cerca de oitenta milhões de pessoas.

3. Bases Credais Históricas

Apesar do luteranismo defender a idéia da Bíblia como único livro de credo absolutamente autoritário, o movimento luterano reconhece nove diferentes credos como expressões da verdade bíblica, a saber:

a. O credo dos apóstolos. Ver *Credo dos Apóstolos.*

b. O credo niceno (com o *Filioque*, vide). Ver sobre *Nicéia, Credo de.*

c. O credo atanasiano. Ver sobre *Credo Atanasiano.*

d. A confissão de Augsburg. Ver sobre *Augsburg, Confissão de.*

e. Os artigos de Schmalkald. Ver sobre *Artigos de Esmalcalde (Schmalkald).*

f. A fórmula de Concórdia. Ver sobre *Concórdia, Fórmula de.*

g. Uma apologia da Confissão de Augsburg, escrita por Melancton.

h. e i. Dois catecismos escritos por Lutero, o grande e o pequeno. Esses tornaram-se manuais do pensamento e da teologia protestantes.

Os grupos luteranos que não estão agrilhoados a qualquer credo, aceitam, com várias ênfases, a autoridade desses vários escritos.

4. Lutero e as Igrejas Reformadas

A Reforma Protestante produziu esses dois grupos principais, os luteranos e os reformados. Mas desde então a fragmentação tem sido quase interminável. A Igreja Luterana desenvolveu-se historicamente a partir de Lutero e seus associados na Alemanha. As Igrejas reformadas, por sua vez, vêem em Zwínglio e em Calvino os seus fundadores. O luteranismo tem produzido Igrejas nacionais, o que também sucedeu às Igrejas reformadas em Genebra, na Suíça. Mas, no caso destas últimas, isso não mais sucedeu assim.

5. Doutrinas Luteranas Distintivas

a. *Agostinianismo* em contraste com o tomismo. Lutero era monge agostiniano. Não admira, pois, que ele favorecesse as idéias de *Agostinho* (vide), e não as de Tomás de Aquino. Ver os artigos *Tomismo* e *Aquino, Tomás de.* Algumas coisas específicas que resultaram dessa preferência são: uma maior ênfase sobre a soberania de Deus, encontra a idéia do livre-arbítrio humano; uma abordagem mais bíblica às questões religiosas e às doutrinas cristãs, com a rejeição de uma base filosófica para as idéias. Muita dessa atividade era instrutiva, embora também tivesse havido abusos. Lutero preferia a simplicidade da autoridade bíblica no tocante a todas as crenças. Em certo sentido, a Reforma Protestante foi um retorno de um *segmento* da Igreja cristã aos ensinos de Agostinho, com o abandono paralelo do tomismo. Lutero criticava a teologia escolástica, porquanto não se deixava orientar pela Bíblia.

b. Apesar de Lutero não ter negado a doutrina das *indulgências*, dava-lhe um sentido estranho aos ensinos católicos romanos. Ele dizia que a única punição temporal pelo pecado que um padre poderia dispensar era aquela especificamente imposta *por ele* como medida disciplinar. Mas negava que as indulgências humanas pudessem afetar, em qualquer sentido, os atos divinos. Também negava o valor das indulgências para libertar as almas humanas do purgatório, ou que pudessem diminuir as penas que as almas ali tivessem de sofrer. Esse ensino fazia parte das Noventa e Cinco Teses originais que deram início

a todo o tumulto.

c. Nem o papa, e muito menos um padre qualquer, tem o poder de remover ós castigos temporais de um pecador. Podem somente anular as penas eclesiásticas impostas pela Igreja. E isso também fazia parte das Noventa e Cinco Teses.

d. A culpa pelo pecado não pode ser anulada por meio de indulgências, outra daquelas Noventa e Cinco Teses.

e. Somente um autêntico arrependimento pode resolver a questão da culpa e do castigo, o que depende única e exclusivamente de Cristo. Essa era outra das Noventa e Cinco Teses.

f. Só há um Mediador entre Deus e os homens, o homem Jesus Cristo. Lutero negava qualquer ofício medianeiro por parte dos padres. O sacerdócio geral de *todos os crentes*, tornou-se uma doutrina protestante cardeal. Cada indivíduo é o seu próprio sacerdote; cada indivíduo tem livre acesso a Deus, sem a necessidade de qualquer mediador humano. Vários capítulos da epístola aos Hebreus eram usados por Lutero em apoio a esse ponto de vista (ver os caps. 7—10). Cristo é o grande Sumo Sacerdote, e todos os crentes são sacerdotes.

g. Lutero negava a autoridade especial do papa. Finalmente, Lutero chegou a chamar o papa de «anticristo».

h. Lutero negava que os concílios são inerrantes. As decisões dos concílios deveriam ser respeitadas, mas também deveria ser reconhecido que os concílios cometem enganos. Por essa razão, devemos olhar para uma autoridade maior—a autoridade de Deus, que emana das Sagradas Escrituras.

i. *A Bíblia* é a única autoridade de fé e prática para o cristão. Cada indivíduo é um sacerdote e seu próprio intérprete autoritário, embora deva respeitar as idéias de outros crentes. Era exatamente isso que Lutero não fez, por várias vezes. Para mim, autor desta enciclopédia, é impossível reduzir a autoridade à Bíblia. Tenho afirmado minhas razões para isso no artigo sobre a *Autoridade.* A regra que diz «a Bíblia somente» inevitável e necessariamente degenera em «como eu e minha denominação interpretamos a Bíblia». Ademais, a Bíblia como única autoridade é *um dogma* que não pode receber apoio da própria Bíblia, a própria Bíblia não faz essa reivindicação. Os estudiosos liberais têm criticado essa posição como postura que cria um *papa de papel*, ao passo que outros acusam os defensores dessa posição de *bibliolatria.* Assim, se Lutero liberou os homens por uma parte, por outra parte, amarrou-os. A busca pela verdade é uma aventura; mas, se tirarmos dessa busca a aventura, automaticamente perderemos muita verdade. Precisamos admitir que há mais de uma maneira de obter a verdade.

j. A justificação pela fé, júntamente com a renovação da teologia paulina, foi uma das principais ênfases de Lutero, e continua a sê-lo do luteranismo e das Igrejas reformadas. A *graça* de Deus, ao salvar os homens, é um paralelo natural do ensino da justificação exclusivamente pela fé.

l. A soberania de Deus foi enfatizada às expensas do livre-arbítrio humano.

m. A doutrina da *consubstanciação* substituiu a doutrina da *transubstanciação.* Ver os artigos separados sobre essas duas doutrinas. Muitos luteranos, entretanto, não têm seguido Lutero nessa sua explicação, preferindo pensar que a eucaristia é mesmo um mistério.

n. Lutero reduziu os sacramentos a dois: o batismo e a Ceia do Senhor. Todavia, a verdade é que ele

925

LUTERANISMO — LUTERO

continuou sendo sacramentalista, quanto a esses dois pontos. Ver os artigos chamados *Sacramentos* e *Sacramentalismo*.

o. *Denúncia contra abusos*. Lutero simplificou a adoração e a filosofia religiosa. Ele opunha-se a veneração dos santos, ao uso de imagens nas Igrejas, às doutrinas da missa e das penitências e ao uso de relíquias.

p. *O fim do celibato*. Muito antes de ter-se casado, Lutero atacou a *imposição* do celibato clerical, pensando que o mesmo deveria ser voluntário. Quando a Reforma Protestante obteve maior força, padres e freiras começaram a se casar por toda a parte.

q. Separação entre a Igreja e o Estado.

r. A total depravação da natureza humana.

s. Batismo infantil e comunhão fechada.

t. Educação dos fiéis em escolas paroquianas.

u. Repúdio à hierarquia eclesiástica.

v. O corpo laico, em face do sacerdócio de todos os crentes, deve tomar parte ativa nos cultos e atividades das Igrejas, deixando de ser meros espectadores.

6. *A Ética do Luteranismo*

A ética luterana não difere da ética da maioria dos grupos evangélicos.

a. A Bíblia é nossa grande fonte informativa sobre como os homens devem agir. A ética está alicerçada sobre a provisão da divina revelação. Os homens não descobrem o que é bom para eles mediante a experimentação, e, sim, obedecendo aos preceitos divinos.

b. Os *padrões éticos* são absolutos, e não-relativos. A ética é formal e rigorista, ou seja, envolve padrões fixos e absolutos, não sofrendo modificações com a passagem do tempo, e nem dependendo de lugares e pessoas.

c. *As fontes informativas interpretativas* são os catecismos padrões do luteranismo, além de vários outros escritos luteranos oficiais, os livros escritos por Lutero e por outros. Essas obras não são autoridades absolutas, mas devem ser respeitadas como normas interpretativas. Para exemplificar, temos a *Tabela dos Deveres* de Lutero, uma seleção de passagens bíblicas, com comentários. Além disso, a *Confissão de Augsburg* tem uma porção ética, tal como sucede à *Apologia*, obra paralela. Nessas obras há artigos como: *A Nova Obediência* (art. vi); *Ordem na Igreja* (art. xiv); *Usos Eclesiásticos* (art. xv); *Negócios Civis* (art. xvi); *A Fé e as Boas Obras* (art. xx). Além disso, há vários artigos éticos nos *Artigos de Schmalkald* e na *Fórmula de Concórdia*. Nesse último documento, as porções intituladas *Boas Obras* (art. iv); *A Lei e o Evangelho* (art. v); e *A Terceira Função da Lei* (art. vi) oferecem a posição reformada sobre a relação entre a lei e a graça, com suas implicações éticas.

d. *A lei como guia da vida*. O evangelismo posterior lamentou que a Reforma (tanto a luterana quanto a reformada) tivesse preservado a lei de Moisés como guia para a ética e a santificação. Destarte, apesar de ser negada à lei a tarefa justificadora, foi-lhe atribuída a tarefa santificadora. Isso é contrário à «lei do Espírito», além de dar à lei mosaica uma ênfase errada. Apesar do fato de que os princípios da lei são preservados no Novo Testamento, esses princípios são incorporados na lei do amor, ficando sujeitos ao poder do Espírito. O homem não se santifica observando regras e, sim, pelo poder de uma vida nova, que inclui a comunhão mística com o Espírito de Deus. O homem, uma vez convertido, não está *debaixo* da lei, mas também não está *acima* dela, porquanto observa a *lei de Cristo*, mediante a força que lhe é

dada pelo Espírito Santo.

e. O homem, mesmo quando *convertido* e *perdoado*, continua sendo um pecador e, por essa razão, deve cuidar continuamente de sua natureza corrompida. Isso exibe a importância da ética, que está envolvida nessa questão da santificação.

f. *A igualdade em vários chamamentos*. Todas as chamadas, que resultam em missões e atividades específicas na vida, são iguais. «O trabalho é o que a pessoa é», dizia Lutero. E isso se aplica igualmente ao professor, ao médico, ao operário, ao ministro do evangelho, etc., contanto que eles estejam cumprindo seus respectivos chamamentos. Dentro de cada chamamento, é de suprema importância a fidelidade a Cristo. A vida de cada crente deve ser sua missão, sob essa luz.

g. O crente é um *peregrino* e um *estranho* na terra. Apesar dele poder participar do governo e das instituições da ordem social, antes de tudo ele é um cidadão da pátria celestial, a pátria à qual, verdadeiramente, ele pertence.

h. O luteranismo não *promove* qualquer sistema político específico, mas mostra-se categoricamente contrário a qualquer forma de tirania ou monismo, que furte o povo de sua livre expressão, escravizando-o de forma a impedir ou tolher sua vida como cristão.

LUTERO

Esboço:
  I. Informes Biográficos
  II. Os Eventos Históricos e Lutero
  III. A Teologia e Lutero
  IV. Tendências do Luteranismo

I. Informes Biográficos

1. *Sua Vida e Eventos Preparatórios*. Martinho Lutero nasceu a 10 de novembro de 1483, em Eisleben, na Alemanha. Ele era o segundo filho de Hans Lutero, pequeno aldeão. Foi criado em Mansfeld. Seu pai, mediante trabalho duro e persistente, conseguiu atingir uma posição respeitável na sua comunidade. Poderíamos dizer que o jovem Martinho, dessa forma, tornou-se membro da classe média da época. Como estudante, Martinho mostrou-se muito promissor, tendo sido enviado às escolas de latim de Magdeburg (1497) e Eisenach (1498—1501). Em abril de 1501, ingressou na Universidade de Erfurt, onde obteve o grau de bacharel em artes (1502) e de mestre em artes (1505).

Seu pai queria que ele fosse advogado. E assim, a princípio, em espírito de obediência filial, ele começou a seguir esse curso. Abruptamente, porém ele interrompeu tais estudos e entrou no claustro dos eremitas agostinianos, em Erfurt. Os historiadores não têm podido explicar essa súbita mudança; mas podemos ter certeza de que era a mão do Senhor que estava dirigindo os acontecimentos na vida de Martinho Lutero. Alguns historiadores, contudo, dizem que a causa de tão grande guinada na vida de Lutero foi um enorme susto que ele teve quando, certo dia, caminhava de Mansfeld para Erfurt. Ele teria sido apanhado em meio a uma grande tempestade elétrica, e quase foi atingido por um raio. Ele foi derrubado por terra e em seu pavor, gritava: «Ajuda-me, Santa Ana! Eu serei um monge!» E foi assim que ele entrou na carreira eclesiástica, tendo sido consagrado padre em 1507.

Mas Deus o tirou do mosteiro e entre 1508 e 1512, fez preleções de filosofia na Universidade de Wurtemberg, onde também ensinou as Escrituras, especiali-

LUTERO

zando-se nas *Sentenças* de Pedro Lombardo. Em 1512 formou-se como doutor em teologia. E fazia conferências sobre a Bíblia, especializando-se nas epístolas aos Romanos, Gálatas e Hebreus. Foi durante esse período que a teologia paulina tomou conta de seu coração, e ele foi capaz de perceber claramente os erros da Igreja Católica Romana à luz daqueles documentos fundamentais do cristianismo primitivo.

Lutero era homem de elevado intelecto e consideráveis habilidades pessoais. Por isso, foi galgando postos eclesiásticos. Em 1515, foi nomeado vigário, responsável por onze mosteiros. Foi então que se viu envolvido nas controvérisas em torno da venda de *indulgências* (vide), que se tornara apenas uma fábrica de dinheiro na Igreja Católica Romana, sem qualquer autêntico intuito espiritual.

2. *Suas Lutas Pessoais*. Lutero estava galgando posições na Igreja Católica Romana e estava muito envolvido em seus aspectos intelectuais e funcionais. No entanto, estava empenhado em uma feroz batalha pessoal no tocante à questão da salvação pessoal. Sua vida monástica e intelectual não lhe tinha provido respostas para suas mais aflitivas indagações. Seus estudos sobre os escritos de Paulo deixaram-no ainda mais agitado e inseguro. A declaração paulina: «O Justo viverá pela fé» (Rom. 1:17), ia tomando conta, cada vez mais poderosamente, de sua mente. Ele percebia que a lei serve tão-somente para condenar e humilhar ao homem e que, dessa direção, tal como Paulo havia ensinado, não podemos esperar qualquer ajuda no tocante à salvação da alma. Ele estava muito atarefado «repensando o evangelho». O fato de que Lutero era um monge agostiniano deve ter influenciado consideravelmente sua maneira de pensar, pois, afinal de contas, Agostinho era bastante paulino quanto a seus pontos de vista. Lutero, pois, estava chegando a uma *nova fé*, que enfatiza a graça de Deus e a justificação do ímpio mediante a fé.

Essa nova fé tornou-se o centro de suas preleções. Entrementes, ele começou a criticar o domínio da filosofia tomista sobre a teologia católica romana. Expandiam-se os seus horizontes intelectuais e espirituais. Ele estudava os escritos de Agostinho, de Anselmo e de Bernardo de Clairvaux, e nesses escritos descobria a fé que começara a proclamar. Além disso, Staupitz (vide) orientou-o para que estudasse os místicos, em cujos escritos ele muito se consolou, fazendo seu espírito alçar vôo para novas alturas.

Em 1516, ele publicou o livro devocional de um místico desconhecido. Essa obra foi publicada sob o título *Theologia Deutsch*. Algum tempo depois, Lutero tornou-se pároco da igreja da Wittenberg, e tornou-se um pregador popular, proclamando a sua nova fé. E opunha-se à venda fácil e insensata das indulgências, sob a direção de João Tetzel, porquanto ele via que isso só prejudicava o povo de sua congregação, no tocante a essa questão.

3. *As Noventa e Cinco Teses de Lutero*. Parcialmente como resultado de sua oposição às indulgências, e inspirado por vários motivos, na noite antes do Dia de Todos os Santos, a 31 de outubro de 1517, Lutero após à entrada da Scholosskirche (castelo igreja), em Wittenberg, as suas noventa e cinco teses acadêmicas, intituladas *Sobre o Poder das Indulgências*. Ele desejava debater a questão e o seu relacionamento com a doutrina da penitência. Seu argumento era que as indulgências só faziam sentido como livramento das penas temporais impostas pelos padres aos fiéis. Mas Lutero opunha-se à idéia de que a compra das indulgências ou a obtenção das mesmas, de qualquer outra maneira, fosse capaz de

impedir Deus de aplicar as punições temporais. Outrossim, ele dizia que elas nada têm a ver com os castigos do purgatório (vide). Lutero também afirmava que as penitências devem ser praticadas diariamente pelos cristãos, durante toda a sua vida, e não algo a ser posto em prática apenas ocasionalmente, por determinação sacerdotal.

4. *Resultado das Teses de Lutero*. Lutero havia aberto a caixa de Pandora. Ele mesmo ficou assustado diante das controvérsias que se seguiram. A tempestade rugia, com Lutero no centro da tormenta. Foi denunciado em Roma. João Eck, homem muito persistente e habilidoso, foi seu oponente durante o resto da vida, tendo sido ele o estopim da controvérsia. Eck foi o instrumento usado, acima de qualquer outro, para a condenação e exclusão de Lutero da Igreja Católica Romana. Silvestre Mazzolini, padre confessor do papa, concordou com o parecer condenatório de Eck acerca de Lutero, dando assim maior força à oposição de Eck ao monge agostiniano. Lutero ainda escreveu seu livro, *Resolutiones* (1518), no qual defendia seus pontos de vista sobre as indulgências, dirigindo a obra diretamente ao papa. Mas o livro não obteve o menor efeito em favor dos pontos de vista de Lutero. Alguns indivíduos influentes, entretanto, declararam-se em favor dele, e ele se tornou um polemista popular e bem-sucedido. Ocupou-se assim em um debate em Heidelbergue, a 26 de abril de 1518. E os que estavam presentes disseram que ele se saiu bem demais para agradar às autoridades católicas romanas.

5. *Ações da Cúria Papal*. A 7 de agosto de 1518, Lutero foi convocado a Roma, onde seria julgado sob a acusação de heresia. Lutero apelou para seu príncipe, Frederico, o Sábio, a fim de que o local de seu julgamento fosse mudado para o território alemão. Nas datas de 12—14 de outubro de 1518, compareceu Lutero diante do cardeal Cajetano, em Augsburg, e recusou-se a retratar-se quanto à qüinquagésima oitava sentença de suas Noventa e Cinco Teses, o que Cajetano interpretou como rejeição à autoridade do papa. Lutero chegou a mostrar-se arrogante, dizendo que o papa estava pouco informado, quando deveria informar-se melhor. E teve de fugir da cidade. Nessa altura dos acontecimentos, ele deu início a estudos históricos a fim de escudar sua crescente convicção de que o papado não tem qualquer autoridade *bíblica*, mas tão-somente aquela autoridade que fora forjada nos concílios. Ao assim dizer, como é óbvio, Lutero abandonou a posição católica romana que diz que os concílios não podem equivocar-se. Seus pontos de vista foram defendidos em um debate com João Eck, na Universidade de Leipzig, entre 4 e 8 de julho de 1519. Eck forçou Lutero a admitir que ele sentia que os concílios podem errar, uma doutrina especificamente combatida pela Igreja Católica Romana. Além disso, Eck fez Lutero confessar que pensava que João Huss havia sido injustamente condenado pelo concílio de Constança. Lutero, por sua vez, ia dependendo cada vez mais da Bíblia, como sua autoridade. Sua rebelião contra o papado tornou-se mais evidente ainda, e ele chegou a crer que muitas corrupções haviam entrado na Igreja Católica Romana através do papado. Começou a falar sobre a influência do diabo na Igreja, dizendo que o papa era o anticristo e o falso profeta (embora ele não soubesse determinar qual dessas duas figuras). Para ele, esse tema tornou-se uma verdadeira obsessão, e apenas um ano antes de sua morte (que ocorreu em 1545), ele publicou um **amargo livro**, intitulado **Sobre O Papado em Roma, Fundado Pelo Diabo**.

LUTERO

6. *A Convocação Para a Reforma.* Após o debate em Leipzig, Lutero começou a reclamar abertamente que a Igreja Católica Romana precisava ser reformada. Publicou uma série de escritos com essa finalidade, entre os quais destacamos um, de longo título: *Carta Aberta à Nobreza Cristã da Nação Alemã Sobre a Reforma do Estado Cristão.* Lutero procurou obter o apoio de governantes civis para ajudá-lo em seus desígnios. Começou a ensinar o sacerdócio universal dos crentes, Cristo como o único Mediador entre Deus e os homens, e a autoridade exclusiva das Escrituras, em oposição à autoridade de papas e concílios. Também acentuou a necessidade de pôr um fim aos abusos eclesiásticos, tendo alistado várias práticas abusivas nos jejuns, missas, dias santos, votos monásticos (entre os quais a exigência de celibato para os clérigos). Em sua obra *Sobre o Cativeiro Babilônico da Igreja,* ele atacou o sacramentalismo da Igreja. Dizia que, pelas Escrituras, só podem ser distinguidos dois sacramentos, o batismo e a Ceia do Senhor. Objetava à alegada repetida morte sacrificial de Cristo, por ocasião da missa. Em outro livro seu, chamado **Sobre a Liberdade Cristã**, ele apresentou um estudo sobre a ética cristã, com base no amor. Lutero obteve grande popularidade entre o povo, e também considerável influência entre o clero.

7. *A Cúria Romana Ataca de Novo.* Havia muito trabalho a ser feito. A situação estava quase fora de controle. A 15 de junho de 1520, a Cúria romana expediu a bula **Exsurge Domine**, que ameaçava Lutero de ser excomungado, a menos que se retratasse de seus pontos de vista. Lutero respondeu queimando publicamente a bula. Em retaliação, o imperador do Santo Império Romano, Carlos V, recém-eleito, mandou queimar publicamente os livros publicados por Lutero.

8. *Lutero é Ouvido.* Carlos V queria que Lutero fosse condenado mesmo sem ser ouvido. Mas essa medida não obteve o apoio de teólogos e príncipes. Por ocasião da Dieta de Worms, de 17 a 19 de abril de 1521, Lutero compareceu à convocação. Lutero recusou-se a retratar-se, dizendo que sua consciência era cativa à Palavra de Deus, pelo que se retratar não seria nem correto e nem seguro. Os historiadores dizem-nos que ele concluiu sua defesa com estas palavras: «Aqui estou; não posso fazer outra coisa. Que Deus me ajude. Amém». A Dieta respondeu a 25 de maio de 1521, formalizando a decisão de excomungar a Lutero. A nascente Reforma também foi condenada, e foram publicadas ameaças. As palavras finais de Lutero, naquela oportunidade, tornaram-se o grito de guerra da Reforma.

9. *Reclusão em Wartburg: a Tradução do Novo Testamento para o Alemão.*

Lutero permaneceu por dez meses no castelo de Frederico, o Sábio, onde estava bem protegido. Isso forneceu-lhe tempo para trabalhar na tradução do Novo Testamento para a língua alemã. Essa tradução foi publicada em 1522. Com a ajuda de Melancton e outros, a Bíblia inteira foi traduzida, e, então, foi publicada em 1532. Finalmente, essa tradução unificou os vários dialetos alemães, do que resultou o alemão moderno.

10. *Influência Política*

Alguns têm chegado ao ponto de dizer que, de 1521 a 1525, Lutero foi o verdadeiro líder da Alemanha. Houve a Guerra dos Aldeões em 1525, quando essas classes pobres se revoltaram contra os seus líderes. Lutero tentou estacar o derramamento de sangue, mas, quando os aldeões se recusaram a ouvi-lo, ele apelou para os príncipes a fim de que interviessem e restabelecessem a paz e a ordem.

11. *O Casamento de Lutero*

Desde há muito Lutero opunha-se ao celibato forçado do clero. Quando rompeu definitivamente com a Igreja Católica Romana, — encorajou o casamento de padres e freiras que tinham preferido passar para a Reforma Protestante. Ele deu o exemplo, contraindo matrimônio com Catarina von Bora, filha de família nobre, que fora freira cisterciana. Ela lhe deu seis filhos, três rapazes (Hans, Martinho e Paulo) e três meninas (Madalena, que morreu criança; Isabel, que morreu na infância; e Margarida). Além desses filhos, eles adotaram outras crianças, pelo que na casa havia cerca de dez crianças. Lutero observou que era diferente se acordar pela manhã e encontrar os longos cabelos de uma mulher sobre o travesseiro!

12. *Controvérsias com Erasmo de Roterdã*

Erasmo era grande humanista, aquele que publicou o primeiro Novo Testamento Grego em forma impressa, que pôs fim à imensa parada de variantes textuais desse documento sagrado. Ver o artigo separado sobre *Erasmo.* Lutero entrou em controvérsia com Erasmo (que nunca deixou a Igreja Católica Romana), especialmente em torno do livre-arbítrio, que Erasmo defendia e que Lutero negava. Apesar de admitir que o livre-arbítrio é uma realidade quanto a coisas triviais, Lutero negava que fosse eficaz no tocante à salvação da alma. Antes, Lutero falava em termos da escravidão da vontade humana. Na verdade, Lutero foi muito radical quanto à questão, não dando crédito a vários versículos neotestamentários que asseveram tanto o livre-arbítrio quanto a responsabilidade humanos. Ele também foi longe demais ao dizer que os escritos de Erasmo serviam somente de papel higiênico!

Ver os artigos **Determinismo; Predestinação e Livre-Arbítrio**, três artigos que abordam com detalhes os problemas acima ventilados. Ver também o artigo intitulado *Polaridade*, onde se encontra um equilíbrio doutrinário a respeito.

13. *A Dieta de Speyer. O Nome Protestante*

Uma dessas reuniões semi-anuais das autoridades do Santo Império Romano foi efetuada em 1526, que declarou o princípio de que cada Estado constituinte teria o direito de tomar suas próprias decisões religiosas. Fortalecido por tal princípio, Lutero passou a simplificar os cultos eclesiásticos. Outra dieta de Speyer foi efetuada em 1529. Então o imperador tentou restaurar a unidade eclesiástica anterior, e isso prejudicou à causa protestante, visto que os direitos foram ameaçados. Foi contra essa dieta que os protestantes «protestaram», de onde lhes veio o título eclesiástico de *protestantes*, como designação das Igrejas reformadas em geral. Ver o artigo sobre o *Protestantismo.*

14. *Catecismos*

Em 1528 e 1529, Lutero publicou, respectivamente, o pequeno e o grande catecismos, que se tornaram manuais doutrinários dos protestantes. Grande ênfase foi dada às doutrinas evangélicas, mormente a justificação pela fé.

15. *Confissões Protestantes*

Zwinglio produziu uma confissão; e Lutero, com Melancton e outros, produziram o que veio a se chamar de confissão de Augsburg. Essa confissão sumaria a fé luterana em vinte e oito artigos. Ver *Augsburg, Confissão de.* Essa confissão foi incorporada ao livro da Concórdia, em 1580, e continua a ser reputada uma declaração autoritária por muitos luteranos. Em 1537, cumprindo um desejo expresso por João Frederico, da Saxônia, Lutero compôs os

LUTERO — LUX MUNDI

Artigos de Schmalkald, que sumariám seus ensinamentos. Esse documento frisa a soberania de Deus, Cristo como o único Mediador entre Deus e os homens, a justificação pela fé e outras doutrinas evangélicas típicas. Também é uma obra polêmica, denunciando a missa, as penitências, a veneração aos santos, as relíquias e as imagens na Igreja, além de identificar o papa como o anticristo. Ver o artigo separado *Artigos de Esmalcalde (Schmalkald)*.

16. *Enfermidade e Morte*

Os últimos anos de vida de Lutero tornaram-se difíceis por causa de problemas digestivos. Ele tinha cálculos nos rins e no pâncreas, os quais lhe causavam muitas agonias físicas. Com freqüência, era acossado por ataques de melancolia profunda, daquele tipo que alguns chamam de maníaco depressivo. Apesar desses problemas, era capaz de trabalhar arduamente. Morreu de ataque do coração a 18 de fevereiro de 1546, em Eisleben, onde fora a fim de arbitrar entre os condes de Mansfeld, que estavam em disputa.

17. *Contribuição*

Lutero instruiu aos seus seguidores que *não* chamassem o movimento que ele desenvolveu de uma denominação, depois de sua morte. Ele também objetava a que pessoas o elegessem como uma *estrela* que lhes desse direção. Ele dizia que era antes um *planeta* (uma estrela vagabunda), e não uma estrela. A despeito de seus exageros de temperamento (com freqüência, ele era arrogante e abrasivo), é óbvio que ele era dono de uma mente brilhante e produtiva. Era dotado de intensa espiritualidade, que inspirava outras pessoas. Ele dizia que não era nenhum santo, mas afirmava ter cumprido a missão de um profeta. Quando a poeira da batalha amainou, até mesmo muitos teólogos católicos romanos disseram que Lutero havia erguido a voz contra muitos abusos reais, alguns dos quais, pelo menos, a Igreja Católica Romana procurou corrigir mais tarde. O catolicismo romano não haverá de levantar a rejeição sistemática a Lutero, mas haverá de chegar o dia em que todos reconhecerão que Martinho Lutero foi um dos mais ilustres e brilhantes filhos da Igreja. Há mais coisas que nos unem do que coisas que nos dividem. Esse fato, algum dia, haverá de unificar todos os crentes verdadeiros em torno de Cristo. Ver o artigo separado sobre o *Luteranismo*.

18. *Doutrinas Luteranas Distintivas*

Ver sobre o *Luteranismo*, quinto ponto.

II. Os Acontecimentos Históricos e Lutero

1. *Certa Variedade de Modificações*. Na primeira seção pudemos expor certo número de eventos históricos muito importantes para a história secular e religiosa diretamente ligados à vida de Martinho Lutero. A *Reforma Protestante* (vide) foi uma das causas do *Iluminismo* (vide), que expandiu a liberdade humana quanto a todos os campos, incluindo o político. A humanidade ocidental foi elevada a grande altura de civilização intelectual, e todas as fases da vida evoluíram. A Reforma abateu as autoridades militantes e a impostura religiosa, dando aos homens a oportunidade de repensar sobre muitas coisas. Apesar de que alguns dos primeiros reformadores foram ditadores intolerantes (mormente *Calvino*, vide), pelo menos mostraram que novas idéias e movimentos podem emergir e sobreviver.

2. *O Mundo Religioso*. Dois grandes grupos religiosos emergiram da Reforma Protestante, a saber, a Igreja Luterana e as Igrejas Reformadas. O luteranismo foi causado por Lutero e seus associados; e os reformados por Calvino e Zwínglio. Mas, a partir daí, a fragmentação tem sido quase interminável, e

minúsculas diferenças têm dado lugar à desculpa para a formação de alguma nova seita ou denominação. Uma autoridade poderosa contribui mais para a unidade. Mas, quando cada indivíduo torna-se a sua própria autoridade, cada qual supostamente interpretando a Bíblia melhor que os demais, então, a fragmentação torna-se inevitável. O grito de Lutero: «A Bíblia somente», no tocante à fé e à prática cristãs, apesar de ter seus pontos positivos, também criou condições psicológicas para a fragmentação. O fato de que ele removeu a autoridade de papas e concílios removeu também o alicerce de uma autoridade centralizada.

3. *O Mundo Político*. Lutero exerceu uma tremenda influência política, apesar do fato de ter sido perseguido e interditado. Entre 1521 e 1525 ele foi o verdadeiro líder da Alemanha. As suas idéias favoreceram a democratização da Europa e a queda de tiranos, embora isso tivesse levado algum tempo para concretizar-se, além do que essa democratização teve várias outras causas.

4. *Unificação do Idioma Alemão; a Bíblia é Posta nas Mãos do Povo*. A tradução feita por Lutero, da Bíblia latina para o alemão, foi o principal fator da eliminação de vários dialetos alemães que existiam em sua época. Daí emergiu o alemão moderno. Aquela tradução da Bíblia para o vernáculo abriu para o povo o conhecimento da Bíblia, o que, antes da época, era propriedade exclusiva dos ministros religiosos. Antes disso, até mesmo muitos desses ministros ignoravam, para todos os efeitos práticos, o conteúdo da Bíblia. Quem podia ler o latim? Seguiu-se à Bíblia traduzida por Lutero, muitas outras traduções. Naturalmente, a tradução feita por Lutero não foi a primeira tradução moderna da Bíblia. Antes dele, por exemplo, *Wycliffe* (vide), havia traduzido a Bíblia para o idioma inglês.

III. A Teologia e Lutero

Ver sobre o **Luteranismo**, quinto ponto.

IV. Tendências do Luteranismo

Ver o artigo geral sobre o **Luteranismo**.

Bibliografia. AM C E ELE ELE(2) EP PEL LU

LUTHARDT, CHRISTOPH ERNST

Suas datas foram 1823-1902. Ele foi professor nas Universidades de Marburgo e Leipzig, na Alemanha. Tornou-se melhor conhecido por seus labores como defensor do luteranismo, defendendo a visão bíblica contra os ataques das ciências naturais modernas. Ver o artigo geral sobre o *Neoluteranismo*, que aborda a questão da luta que aquela denominação teve contra idéias e sistemas que estavam sofrendo grandes modificações na direção do materialismo.

LUX MUNDI

Expressão latina que significa «luz do mundo». Esse foi o título de um volume de ensaios editado por Carlos Gore, em 1889, como produto anglo-católico. Esses ensaios foram escritos em torno do tema que Cristo é a luz do mundo, mas que a Igreja, com freqüência, erra e inventa coisas que ultrapassam aos requisitos da fé religiosa. Naturalmente, isso constituiu um desvio do dogma católico romano comum que diz que a Igreja, como representante de Cristo, sempre expõe e ensina a doutrina correta. Essa atitude «liberal», de fato, foi exatamente isso, a aceitação, por parte de seus autores, de conclusões a que tinham chegado a alta crítica, na tentativa de acompanhar tais idéias. Os eruditos envolvidos pertenciam a Oxford, e as obras por eles produzidas tiveram larga influência em sua época. Apesar do

LUZ — LUZ, A METÁFORA DA

liberalismo ter sido parcialmente aceito, houve também a tentativa para preservar o tipo de cristianismo que se harmoniza com os credos principais, sem se mostrar por demais conservador, mas também sem refrear as idéias em evolução.

LUZ

Temos exposto os ensinos bíblicos a respeito da *Luz*, com muitas aplicações metafóricas, mediante quatro artigos distintos, a saber:

1. *Luz, A Metáfora da.*
2. *Luz, Deus Como.*
3. *Luz do Mundo, Cristo Como a.*
4. *Luz, Homens Como.*

LUZ (CIDADE)

Houve duas cidades com esse nome, nos tempos bíblicos, a saber:

1. *Luz (Betel).* No hebraico, «amendoeira». Luz é o antigo nome de *Betel* (vide). Esse era o nome que os cananeus davam ao lugar, desde tempos remotos. Esse nome foi preservado em Gên. 25:6; 28:19 e 48:3. Em Jos. 16:3 faz-se a distinção entre Luz e Betel, não porque fossem cidades diferentes mais ou menos da mesma região, mas porque, naquele trecho, Luz refere-se à cadeia montanhosa ao sul, que pertencia geograficamente a Betel. Aquelas colinas demarcavam a fronteira entre tribos, naquele ponto. Luz foi entregue à tribo de Benjamim (ver Jos. 18:13). O termo Betel foi dado antes ao local, quando Jacó estava jornadeando por ali, onde recebeu uma experiência mística, perto de Luz. Posteriormente, o termo Betel veio a indicar a cidade propriamente dita (ver Jos. 18:13; Juí. 1:23). O antigo nome, porém, continuou sendo usado pelo menos até o tempo dos juízes de Israel (Juí. 1:23-26).

2. *Uma cidade hetéia* era assim chamada. Ela foi construída por alguém que havia residido em Luz, e que resolveu transferir o nome para a recém-fundada localidade. Quando Luz (*Betel*) foi destruída pelos benjamitas, aquele homem foi poupado e partiu para a terra dos heteus ou hititas. O que é chamado de «terra dos heteus» (ver Juí. 1:24-26), provavelmente, é uma área ao norte da Síria. Nos tabletes de Alalah encontra-se o nome *Lazi*, sendo provável que se trate de uma referência ao lugar que foi fundado por aquele homem e recebeu o nome de Luz. Seja como for, o local da cidade é desconhecido atualmente.

LUZ, A METÁFORA DA

Esboço:

I. Natureza da Metáfora e Contraste com a Metáfora das Trevas
II. Deus como a Luz
III. Cristo como a Luz
IV. A Luz e Iluminação São Universais
V. O Crente como Luz
VI. Referências e Idéias

I. Natureza da Metáfora e Contraste com a Metáfora das Trevas

As metáforas da luz e das trevas são utilizadas em muitos trechos do N.T. Ver João 1:4-9. O nono versículo fala sobre Cristo como «a luz do mundo». Em João 3:19-21, a luz e as trevas indicam, respectivamente, santidade e pecaminosidade. Em João 8:12 e 9:5, Cristo é a «luz do mundo». Em João 12:35,36, os crentes são *filhos da luz* porque

participam da luz de Cristo. Em Mat. 5:14, os crentes são *a luz do mundo*. Em Mat. 6:22,23, a participação no bem ou no mal é exposta sob o simbolismo da luz e das trevas. Em I Tim. 6:16, Deus figura como aquele que habita em luz de tão grande intensidade que ninguém pode se aproximar dele.

1. A bondade, a pureza, a retidão são *luzes*, porquanto refletem o caráter moral de Deus.

2. A «presença» de Deus é *luz*. Isso pode significar, literalmente, que o seu grandioso ser irradia luz; mas também há um sentido metafórico, no qual o Senhor Deus é a essência mesma da bondade, da pureza, da santidade, etc., pelo que também a sua presença é conhecida como lugar onde tais virtudes habitam supremamente, sem mescla com qualquer forma de maldade.

3. Além disso, o próprio Deus é luz, ou seja, é o padrão perfeito de toda a santidade e retidão, «...Deus é luz, e não há nele treva nenhuma» (I João 1:5). Não pode haver qualquer tendência para o mal, na pessoa de Deus, já que ele é luz pura.

4. O que é dito com relação a Deus Pai, também é dito acerca de Cristo, pois, em sua divindade, Cristo também é luz, tal como o Pai (ver João 1:9; 8:12 e 9:5).

5. Os crentes em Cristo também são luzes e isso não apenas como um reflexo (ainda que tal aspecto também diga uma verdade), pois também está inclusa a idéia de nossa participação na natureza de Cristo, ou seja, em sua santidade (ou luz). (Ver o trecho de João 12:35,36). Os crentes são «filhos da luz», isto é, a sua natureza básica os força a serem isso, tal como sucede a Cristo, devido à sua natureza básica.

6. A maneira de andar ou conduta geral dos crentes, portanto, deve ser de conformidade com essa verdade. Precisam mostrar a santidade de Cristo naquilo que fazem, pois eles «são Cristo» no mundo, são «Cristo em formação». (Ver Efé. 5:8 e I João 1:7). Precisamos «andar na luz», e a passagem bíblica de I João 1:8,9 mostra-nos algo sobre como isso deve ser feito.

7. Por essas razões é que os reinos opostos da verdade e da mentira são chamados de *luz* e de *trevas*, respectivamente, pois neles habita supremamente uma ou outra dessas qualidades. Nesses reinos habitam seres cujas naturezas manifestam uma ou outra dessas tendências (ver Apo. 16:10; Col. 1:12,13; Jud. 6:13 e II Ped. 2:17).

II. Deus como a Luz

A vida de Deus, aparece no mundo como «luz verdadeira» (ver I João 2:8 e João 1:9), e, por ocasião da encarnação de Cristo, isso se tornou real e operante entre os homens.

Deus é Luz. Sua presença é luminosa, tão brilhante que ninguém pode se aproximar dele (ver I Tim. 6:16). Nessa luz é que se encontra a imortalidade autêntica, e, sem Cristo e a transmissão da imortalidade por intermédio dele, nenhuma pessoa poderá chegar jamais à verdadeira imortalidade. Uma vez mais as Escrituras vinculam a luz e a vida, na referência a que acabamos de aludir. Cristo nos ilumina a fim de permitir-nos aproximar da luz de Deus, para podermos ser totalmente absorvidos pela mesma, mediante o que nossa natureza será de tal modo espiritualizada que participará de seu tipo de vida. Os gnósticos, porém, que repeliam a santidade básica em suas vidas diárias, santidade essa que consiste de andarmos na luz de Deus (um processo de iluminação presente), dificilmente poderiam vir a participar da vida de Deus, através do poder da luz divina.

930

A LUZ

Lâmpadas da Antiguidade
A — grega
B — cretense
C — egípcia
D — grega
E — cipriota
F — romana
G — romana

Cortesia, Metropolitan Museum of Art

••• •••

LUZ
Versículos-Chaves

•••

Toda a boa dádiva e todo o dom perfeito
vem do alto, descendo do Pai das luzes.
  (Tiago 1:17)

Esta é a mensagem que dele ouvimos, e vos
anunciamos: que Deus é Luz, e não há nele
trevas nenhumas.
  (I João 1:5)

Eu sou a Luz que vim ao mundo, para que
todo aquele que crê em mim não permaneça
nas trevas.
  (João 12:46)

Porque noutro tempo éreis trevas, mas
agora sois luz no Senhor; andai
como filhos da luz.
  (Efé. 5:8)

•••

Vós sois a luz do mundo; não se
pode esconder uma cidade edificada sobre
um monte. (Mat. 5:14)
Assim resplandeça a vossa luz diante dos
homens, para que vejam as vossas boas obras
e glorifiquem a vosso Pai, que está nos céus.
  (Mat. 5:16)

••• •••

LUZ, A METÁFORA DA

A glória daquele que move a tudo
Interpenetra o universo, e resplandece
Em uma parte mais e em outra menos.
Dentro daquele céu que mais luz recebe
Estava eu.

(Dante, *Paraíso*, i.1-5)

Na presença daquela luz alguém se torna tal,
Que retirar-se dali para outra condição
É impossível que venha a consentir;
Porque o bem, que é o objeto da vontade,
Está concentrado ali, e excluído dali
É retirado do perfeito todo e qualquer defeito.

(Paraíso, xxxiii.100-105)

Não há nele treva nenhuma, I João 1:5. Os livros joaninos, com freqüência, têm um conceito expresso em forma positiva, e então negativa. Assim sendo, Deus é Luz, e nele não há treva alguma. (Comparar esse uso com João 1:7,8,20; 3:15,17,20; 4:42,5,24; 8:35; 10:28; I João 1:6,8; 2:4,27 e 5:12).

Quanto a um completo desenvolvimento das metáforas da luz e das trevas, mais do que é oferecido no texto presente, ver Efé. 5:8 no NTI.

A cruz tem seu peso, sua obrigação moral, suas exigências. Conduz das trevas para a luz do dia eterno. Os gnósticos queriam um evangelho sem o peso da cruz.

«Embora o conhecimento completo de Deus seja impossível, ele pode ser realmente 'conhecido' aqui e agora, sob as condições e limitações da vida humana. A sua natureza é 'luz', que se comunica com os homens, feitos à sua imagem, até serem transformados à sua semelhança» (Brooke, *in loc.*). Deus, portanto, não vive afastado de sua criação, conforme os gnósticos imaginavam. Ele é imanente em sua criação.

••• ••• •••

«Ele é a Luz e a Fonte da luz, tanto da matéria como da ética. No mundo material, as trevas são a ausência da luz; no outro, as trevas, a inverdade, o engano, a falsidade, são a ausência de Deus» (Alford).

Temos aqui a essência da teologia cristã, a verdade acerca da deidade, em contraste com todas as concepções imperfeitas daquele que amargura as mentes dos sábios. Para os pagãos, a deidade se compunha de seres iracundos e malévolos, melhor adorados pelo segredo de vícios ultrajantes; para os gregos e romanos, eram as forças da natureza, transformadas em mulheres e homens sobrenaturais, poderosos e impuros; para os filósofos, era uma abstração moral ou física; para os gnósticos, era uma idéia remota, forças iguais do bem e do mal, em luta, reconhecíveis apenas através de deputados mais ou menos perfeitos. Tudo isso, João, sumariando o que diziam o A.T. e nosso Senhor, acerca do Pai Todo Poderoso, envolve em uma única declaração da verdade.

O pecado, por ser trevas, é visto não apenas como «privação» do bem, mas também como hostilidade contra Deus, pois se opõe à natureza de Deus como luz. Jesus é quem ilumina os homens.

A luz foi dada para que 'andássemos nela' e desfrutássemos de suas bênçãos... É assim que o evangelho atinge seu fim e cumpre seu propósito em nós... Luz significa calor, saúde, visão; em suma, 'vida'.

Donde vens? Venho das trevas
Onde vais? Vou para a luz.
Tão curvada a fronte levas?
Que admira? É o peso da cruz!
......

E ainda crês? Creio no Eterno:
O sofrimento é crisol:
Às vezes, em pleno inverno,
Há dias cheios de sol!

(Guilherme Braga)

III. Cristo como a Luz

João 1:9: *Pois a verdadeira luz, que alumina a todo homem, estava chegando ao mundo*

Jesus Cristo veio a este mundo como a verdadeira Luz, e, nessa capacidade, a sua função iluminadora não teve começo quando de sua encarnação — em sua encarnação a sua esfera de atividade foi modificada, ou talvez devêssemos dizer que se alterou a área de sua atividade, pois antes mesmo de sua encarnação Jesus já iluminava aos homens. Assim é que diz Adam Clarke (*in loc.*): «Da mesma maneira que Cristo é a fonte e a origem de toda a sabedoria, assim também a sabedoria que há nos homens se deriva dele; o intelecto humano é apenas um raio do resplendor dele, e a própria razão se origina nesse *Logos*, a razão eterna. Alguns dos rabinos mais eminentes têm compreendido a passagem de Is. 60:1: 'Dispõe-te, resplandece, porque vem a tua luz...' como uma alusão ao Messias, o qual haveria de iluminar a Israel, e que, conforme criam, fora referido naquela palavra de Gên. 1:3, que diz: '*Disse Deus: Haja luz; e houve luz*'».

Com as palavras deste versículo tem prosseguimento o «hino» ou «poema» ao «Logos», após o comentário parentético, vazado em forma de prosa (vss. 6:8). Agora o «Logos» aparece na forma de luz; ele é eterno, estava com Deus (isto é, distingue-se de Deus, embora em comunhão perfeita com ele), e era Deus (ou seja, é divino). *Cristo é a divina Luz*, e nessa capacidade, incorpora a luz de Deus, a sua natureza moral e metafísica, que, por si mesma, é a revelação da mais elevada verdade possível para os homens. A vida está essencialmente vinculada à luz ou às trevas, ao bem ou ao mal, ao sucesso ou ao fracasso, e esse sucesso ou fracasso, em termos bíblicos, depende dos homens conseguirem encontrar-se ou não com Deus. E mais especificamente ainda, nos escritos *joaninos e paulinos*, tal sucesso ou fracasso depende dos homens entrarem no conhecimento de Cristo e serem transformados segundo a sua imagem (ver Rom. 8:29). A verdadeira Luz ilumina aos homens, e, mediante essa iluminação, os homens são transformados segundo a imagem daquele que é a própria Luz, e isso fala de uma modificação literal da natureza da substância ou do ser essencial dos homens. Dessa maneira é que os crentes se tornam seres de natureza supremamente elevada, pois, na realidade, passam a participar da divina essência, conforme ela está na pessoa de Cristo, o Filho de Deus, posto que eles são filhos de Deus, conduzidos à glória (ver também Efé. 1:23).

IV. A Luz e Iluminação São Universais

Ora, o *grande Cristo*, que é a imensa fonte luminosa *para todos os homens*, o que os capacita a perceber a revelação de Deus, não teve qualquer dificuldade em abrir os olhos físicos do cego de nascença para que viesse a enxergar a luz do sol, e também não teve dificuldade alguma em infundir na alma daquele homem a luz celeste, a fim de prepará-lo para o resplendor dos lugares celestiais, onde Deus habita.

Sendo que o amor de Deus é universal (Jo. 3:16), assim seus efeitos também devem ser. Sendo que a luz é universal, assim seus efeitos também devem ser. Ver o artigo sobre *Restauração*. Cristo também iluminou o próprio hades. Ver o artigo sobre a *Descida de*

LUZ, METÁFORA DA

Cristo ao Hades.

V. O Crente como Luz

Efé. 5:8: *...outrora éreis trevas, mas agora sois luz no Senhor; andai como filhos da luz.*

A palavra «...Senhor...», como é usual no N.T., refere-se ao Senhor Jesus Cristo. Ao reconhecerem a Cristo como seu Senhor, os homens recebem luz, e, nessa luz, tornando-se iluminados, eles mesmos se tornam luz, já que participam da natureza do Senhor. Assim, pois, os crentes não são meros refletores da luz, mas tornam-se a própria essência da luz, em Cristo Jesus. Também são transformados pela luz, para que tenham a natureza básica de Cristo, isto é, caracterizada pela santidade, pela bondade, pela retidão, pela pureza (pela luz, enfim). Desse modo é que os crentes se tornam cidadãos aptos para o reino da luz. Os homens recebem luz (ver o décimo terceiro versículo deste capítulo), e isso da parte de Cristo, mas os crentes também se tornam luz, e isso em Cristo Jesus. As palavras *no Senhor*, são uma expressão mística que indica intimidade e identificação espirituais (ver I Cor. 1:4).

O andar. A metáfora do ato de *andar* expressa alguma ação habitual, um padrão de vida ou o *caráter* de uma pessoa. Esta metáfora é comum tanto na literatura sagrada *como na* literatura profana. Ver o artigo sobre *Andar.* O homem iluminado *anda na luz* porque isto corresponde ao seu caráter essencial.

Os filhos iluminados. Deus Pai é chamado Pai das luzes (Tia. 1:17). Os filhos compartilham a natureza do Pai.

Nossos pequenos sistemas têm sua época;
Têm sua época, mas logo desaparecem:
São meras lâmpadas quebradas de Ti,
E Tu, ó Senhor, és mais do que eles.

(*in memoriam*, Tennyson)

VI. Referências e Idéias

1. Os perdidos estão em trevas, sem qualquer luz. (Ver Mat. 4:16). Mas Cristo é a luz. 2. Os crentes são luzes (ver Mat. 5:14). 3. Cristo é luz (ver João 1:4-9). 4. Deus é luz (ver I João 1:5). 5. O pecado destrói a luz da alma (ver Luc. 11:33 e *ss*). 6. Os homens pecaminosos evitam a luz (ver João 3:19,20). 7. A luz está associada à vida, pois a confere (ver João 1:4 e 8:12). 8. A luz é verdade que deve ser crida (ver João 12:35). 9. A luz consiste da vida santa (ver Efé. 5:8). 10. A herança dos santos é na luz eterna (ver Col. 1:12). 11. Os crentes deixaram a luz para entrar na maravilhosa luz divina (ver I Ped. 2:9). 12. O amor aos irmãos é prova de que andamos na luz (ver I João 2:9,10). 13. O Cordeiro é a luz da Jerusalém celestial (ver Apo. 21:23). 14. Deus dá aos crentes a luz eterna (ver Apo. 22:5).

LUZ, DEUS COMO A

1. *A luz de Deus é inabordável.* Esse é o ensino de I Timóteo 6:16, onde se lê: «...o único que possui imortalidade, que habita em luz inacessível, a quem homem algum jamais viu, nem é capaz de ver...» Não está em pauta alguma luz natural. Mas estão em vista a majestática espiritualidade de Deus e o fato de que ele pertence a outra categoria inteiramente diferente da sua criação. Temas rabínicos comuns eram a singularidade de Deus em sua imortalidade, bem como a sua glória inacessível ao homem. Há instâncias desses pensamentos no Antigo Testamento. Para exemplificar, ver Sal. 104:2; Jó 37:23; II Cor. 4:6; I João 1:7; Rom. 1:23; Atos 7:2; Sabedoria 15:3; Filo, *de sacrifici Abelis*, cap. 30; Dan. 2:22.

Ó Ser intelectual!
Velado pelo teu próprio esplendor!
És aquele oculto pelos teus esplendores.

(Sinésio)

2. *No Logos*, é revelada aos homens a luz inacessível de Deus. Essa revelação fazia parte da missão de Jesus Cristo. Ver o artigo *Luz do Mundo, Cristo como a*, quanto a uma completa declaração sobre os princípios envolvidos. A luz de Deus foi revelada na pessoa de Cristo.

3. *A luz e a justiça.* A luz expele as trevas. Assim, em Deus não há trevas nenhumas (I João 1:5). A perfeita santidade de Deus está em pauta, nessa passagem. Ver também João 3:19,20 e Efé. 5:8. A última dessas referências mostra como os homens podem participar dessa tremenda realidade.

4. *Deus habita na luz.* Ver Col. 1:12. O lugar onde Deus habita está isento de qualquer mácula ou sombra de pecado; esse lugar é majestático, é inacessível, é indescritível.

5. *Na luz de Deus há alegria e vida.* A luz produz a vida, e a vida, por sua vez, torna-se luz (João 1:4). Ver o artigo *Luz do Mundo, Cristo como a*, em seu terceiro ponto. A luz é usada em associação com a alegria, com a bênção divina e com a vida, nas páginas da Bíblia, e em contraste com a tristeza, com a adversidade e com a morte. Ver Gên. 1:3 *ss*; Jó 10:22; 18:5 *ss*.

6. *A presença e o favor de Deus* são indicados por meio da luz. Ver Sal. 27:1; Isa. 9:2; II Cor. 4:6.

7. Deus é luz não derivada, além de ser a única verdadeira fonte de luz. Ver Tia. 1:17. Todas as outras luzes, físicas ou espirituais, foram criadas por ele (Gên. 1:3; Isa. 45:7), excetuando a luz do Logos, cuja luz também não é derivada, mas é própria (ver Heb. 1:3).

8. *A glória de Deus* é simbolizada pela luz. Ver Sal.104:2; I Tim. 6:16.

9. *A sabedoria de Deus é a luz dos homens*, capaz de iluminar suas mentes e os seus corações. Ver Dan. 2:22.

10. *A palavra de Deus é luz* (ver Sal. 119:105,130). Os homens encontram todo conhecimento necessário e toda instrução espiritual necessária na Palavra de Deus.

11. *O favor de Deus é luz.* Ver Sal. 4:6; Isa. 2:5.

12. *As revelações de Deus são iluminadoras.* Deus entregou a lei a Moisés, e ele desceu do monte Sinai com o rosto resplendente (ver Êxo. 34:29; II Cor. 3:12-18). Deus nos deu a sua revelação por meio do Logos, e isso tornou-se a iluminação e a revelação de Deus para todos os homens (ver João 1:9).

13 . *A luz de Deus na criação.* Os mundos materiais tornaram-se possíveis mediante o ato criativo de Deus, que produz a «luz». A mesma coisa se dá no caso de sua criação espiritual.

14. *Luz é sinônimo de companheirismo.* Os homens que receberam a luz de Deus desfrutam de comunhão com ele. Ver I João 1:6. A revelação de Deus é a luz por intermédio da qual os homens podem receber a vida eterna (Isa. 62:1; Col. 1:12).

15. *Existem reinos de luz e de trevas.* De conformidade como os homens recebem e aplicam a revelação de Deus, assim pertencem a um ou a outro desses dois reinos (ver Col. 1:13). Participar do reino de Deus significa obter uma herança eterna na luz de Deus (ver Col. 1:12).

16. *O evangelho é a luz de Deus.* O apóstolo Paulo referiu-se à «luz do evangelho da glória de Cristo», além de dizer que foi o próprio Deus quem

LUZ DO MUNDO — LUZ, HOMENS COMO

«resplandeceu em nossos corações» (II Cor. 4:4-6).

LUZ DO MUNDO, CRISTO COMO A

1. *Uma das Declarações «Eu Sou»*

Que Cristo é a «luz do mundo» é afirmado em uma de suas grandes declarações «Eu sou». Ver João 8:12. Quanto a essas declarações «eu sou», ver João 6:35,41,51; 8:12; 10:7,11; 11:25; 14:6 e 15:1. Cada uma dessas declarações afirma algum importante aspecto da natureza e das operações do Logos, o Cristo, conforme ele se chamou em sua encarnação. O *Logos*, como a luz de Deus, é a *revelação* de Deus aos homens, o que envolve verdades eternas.

2. *A Luz como Agente da Vida*. Sem a luz do sol, não poderia haver vida física na terra. Sem a luz do Logos, não poderia haver vida espiritual. Em sua luz, a vida física está sendo absorvida pela vida eterna.

3. *A Vida Torna-se Luz*. Diz o trecho de João 1:4: «A vida estava nele, e a vida era a luz dos homens». Cristo, o Logos trouxe até nós a vida espiritual e eterna, uma luz que iluminou o caminho para os homens percorrerem. Essa luz resplandece como a aurora de um novo dia, e ilumina o caminho pelo qual os homens devem avançar. Os homens, naturalmente, amam mais às trevas do que à luz, porquanto os seus próprios caminhos são maus. «Pois todo aquele que pratica o mal, aborrece a luz e não se chega para a luz, a fim de não serem argüidas as suas obras» (João 3:20). Mas a alma remida, bem ao contrário disso, é atraída pela luz e nela se deleita (ver o vs. 21).

Nova luz, novo amor, nova vida tem criado;
Uma vida que vive pelo amor, e que ama pela luz:
Um amor a ele, em quem todos os amores estão
soldados;
Uma luz, para a qual o sol é noite escura;
Luz dos olhos, amor do coração, luz, olhos, tudo é
dele;
Ele é olhos, luz, coração, amor, alma;
Ele é toda a minha alegria e bem-aventurança.

(Purple Island, Cântico I.5,7).

4. *O Elo Entre a Vida e a Luz da Criação*

«*Disse Deus: Haja luz; e houve luz*» (Gên. 1:3). Esse ato divino armou o palco para a criação física, a qual não poderia ter existido sem a luz. As trevas do caos ficaram assim eliminadas, e a criação física surgiu ao amanhecer do dia da criação. Por semelhante modo, em Cristo, como a Luz, o palco é armado para a criação espiritual, e daí é que emana a aurora da vida eterna.

5. *A Natureza de Deus*. O Logos, como a Luz de Deus, é mais do que um mero reflexo. Ele participa da natureza essencial de Deus, como sua verdadeira e única emanação (ver Heb. 1:3). Quanto a Deus como a *Luz*, ver o artigo intitulado *Luz do Mundo, Deus Como a*.

6. *A Retidão da Luz*. O trecho de João 3:19 *ss* apresenta-nos esse tema. A luz ilumina e elimina as trevas do mal. A santidade de Deus, manifestada através do Filho, que é santo, trouxe a justiça aos homens. O trecho de I João 1:5 refere-se à luz como representação da pureza de Deus. Mat. 17:2 é passagem que ensina a mesma coisa em relação a Jesus Cristo. Deus habita em uma luz que é inabordável por parte do homem (ver I Tim. 6:16). Em Cristo, porém, podemos aproximar-nos da luz divina.

7. *A Cura Produzida Pela Luz*. Ultimamente, a ciência tem demonstrado que certas enfermidades podem ser curadas com o auxílio da luz. Os místicos, por sua parte, há muito que falam sobre as qualidades curativas da luz. Na luz há cura física e também há cura espiritual. A luz do Logos de Deus é boa para curar as almas enfermas. Ver o artigo separado sobre a *Luz, Propriedades Curativas da*.

8. *A Luz Como Iluminação Espiritual*. A luz de Deus propicia sabedoria. À alma do indivíduo é dada a luz interior. Deus dá ao homem a sua *revelação*. Os corações humanos são iluminados mediante a sua união com Cristo (ver Efé. 1:18). Ver o artigo separado chamado *Luz Interior*, que desenvolve esse tema. Ver também sobre *Iluminação*.

9. *A Iluminação dos Povos Pagãos*. O trecho de João 1:9 declara que todos os homens participam da iluminação que o Logos trouxe ao mundo. Vários dos chamados pais da Igreja, especialmente gregos, pensavam que o Logos ilumina a *todos* os homens, não se limitando, quanto a essa iluminação, ao judaísmo e ao cristianismo. A melhor porção da filosofia grega, especialmente nos escritos de Platão, ensinava os pagãos a virem a Cristo, como se fosse um aio, mais ou menos como a lei mosaica fez no caso dos hebreus. Mas, além disso, devemos levar em conta a luz da natureza, bem como aquela que brilha em muitas filosofias e religiões, cada qual manifestando alguma parcela da sabedoria do Logos, embora também de mistura com muitas noções humanas erradas. No entanto, a luz de Deus brilhou com toda a intensidade na face de Cristo.

Nossos pequenos sistemas têm a sua época;
Têm a sua época, mas logo desaparecem;
São meras lâmpadas quebradas;
Mas Tu, ó Senhor, és mais do que eles.

(*In Memoriam*, Tennyson).

10. *A Polêmica*. O evangelho de João, sem a menor dúvida, usou a metáfora do Logos como luz, a fim de frisar o fato de que ele é a verdadeira luz, em contraste com as luzes falsas. Foi dito acerca de João Batista que ele *não* era a luz (João 1:8), e o evangelho de João ataca àqueles, dentre os judeus, que resistiam à luz de Deus, e assim preferiam permanecer em trevas. Cristo como «a luz» faz parte de uma polêmica em favor da superioridade da fé cristã. O oitavo capítulo do evangelho de João aborda essa questão ainda mais enfaticamente.

11. *Em Cristo, os Homens Tornam-se Luzes*. Os homens são iluminados, e assim absorvem a luz de Deus. Dessa maneira, os remidos não são meros refletores da luz divina, mas possuem, em si mesmos, a essência da luz e da vida de Deus. Os salvos chegam a participar na natureza de Deus (ver II Ped. 1:4), bem como na imagem e natureza do Filho de Deus (ver Rom. 8:29; II Cor. 3:18). Isso ocorre mediante uma iluminação e transformação espiritual gradual.

LUZ E ESCURIDÃO, METÁFORA DA

Ver sobre **Luz, A Metáfora da**.

LUZ, HOMENS COMO

Ver os artigos separados sobre *Luz do Mundo, Cristo Como a* e *Luz, Deus Como*. Esses artigos contêm vários pontos que coincidem com o que dizemos neste artigo.

1. *Há Homens que Estão em Trevas*. A teologia cristã deixa claro que os homens, em seu estado natural, não são seres iluminados. Diz a passagem de Efé. 5:8: «Pois outrora éreis trevas...» A iluminação é o *sine qua non* da regeneração. É sobre isso que falam os primeiros versículos do evangelho de João. A luz é vida, e a vida é luz.

933

LUZ — LXX

2. *Os Homens Podem Tornar-se Luzes*. Fica subentendido, em João 1:4 que a luz de Deus e a sua essência metafísica estão entretecidas uma na outra. Ora, os homens iluminados vão recebendo mais e mais da natureza de Deus. Esses homens não são meros refletores da luz. Quanto ao desenvolvimento desse apaixonante assunto, ver o artigo *Luz do Mundo, Cristo como a*, ponto décimo primeiro.

3. *O Logos, como Luz de Deus, Trouxe a Revelação de Deus aos Homens*. Essa é a mensagem central do primeiro capítulo do evangelho de João. Moisés foi iluminado. Quando ele recebeu a lei e esteve com Deus, isso fez seu rosto resplandecer. Porém, há uma luz infinitamente superior na face de Cristo. Isso significa, entre outras coisas, que uma verdade maior e um grande avanço espiritual nos foram oferecidos no evangelho de Cristo. Ver Êxo. 34:29; II Cor. 3:12-18; 4:4-6; João 1:9.

4. *A Tora, Pessoas Santificadas e os Crentes são Luzes de Deus*. Os intérpretes rabínicos referiam-se à Tora como a luz de Deus. Davi foi chamado de «a lâmpada de Israel» (II Sam. 21:17). E os seus descendentes também foram chamados de «lâmpada», em I Reis 11:36; Sal. 132:17; Luc. 3:32. Nessa conexão, o livro de Levi, uma obra judaica, tem uma interessante declaração: «Sede luzes de Israel, mais puros do que todos os gentios... Que farão todos os gentios, se fordes obscurecidos por transgressões?» Se Deus, em Jesus Cristo, é a luz primária, os crentes são luzes secundárias. Paulo diz que os crentes são «luzeiros no mundo» (Fil. 2:15). E o trecho de Mat. 15:15 indica que os crentes são reputados luzes porque participam da luz que procede da fonte luminosa, Cristo.

5. *Luzeiros*. No grego temos o vocábulo *phostér*, que significa «corpo luminoso» ou «corpo de luz». Essa palavra geralmente é usada para indicar as estrelas, ou até mesmo o sol. Os crentes, por conseguinte, são mais do que meras lâmpadas, que dão luz, embora não sejam a própria luz. Por semelhante modo, não se assemelham à lua, que reflete a luz do sol, mas não produz luz própria. Pelo contrário, os crentes são *fontes luminosas*, que compartilham da natureza da Luz. Os crentes precisam ser corpos de luz, fontes de luz, em meio às trevas deste mundo.

6. *Implicações Morais*. Se um crente tiver de ser luz, membro do reino da luz, então terá de permanecer em oposição às trevas do pecado, como um representante do mundo vindouro, que será o mundo iluminado por Deus. É isso que aprendemos em Efé. 5:8 *ss*. Os crentes não podem participar «nas obras infrutíferas das trevas» (vs. 11), mas antes, devem denunciar essas obras tenebrosas.

7. *Nosso Futuro e Glorioso Lar*. A promessa que nos foi feita é que os verdadeiros crentes aguardam um futuro glorioso, no reino da luz. É o que se lê em Col. 1:12,13: «...dando graças ao Pai que vos fez idôneos à parte que vos cabe da herança dos santos na luz. Ele nos libertou do império das trevas e nos transportou para o reino do Filho do seu amor».

LUZ INTELIGÍVEL

Agostinho inventou uma vívida metáfora quando disse que Deus é uma Luz que pode ser compreendida. E Deus também seria uma luz inteligente, ou seja, uma luz que nos conhece. Ver o artigo sobre a *Luz, Metáfora da*.

••• ••• •••

LUZ INTERIOR

Ver o artigo geral sobre **Iluminação**. A alma possui *olhos*, e esses olhos precisam de luz espiritual para enxergarem coisas. A idéia da fé como uma iluminação dos olhos espirituais do coração é um conceito antigo, refletido no Novo Testamento em Efé. 1:18: «...iluminados os olhos do vosso entendimento...»

Alguns, errando muito, têm imaginado que a luz interior é dada através do rito do batismo em água, ao menos em seus primeiros estágios. Em II Coríntios 4:6 aprendemos que é o próprio Deus quem resplandece em nossos corações, para que possamos compreender a glória de Deus, na pessoa de Cristo. Antes, devemos ver o batismo apenas como um símbolo das realidades espirituais, e não como veículos dessas realidades.

A Sociedade dos Amigos usa a expressão «luz interior» para indicar a iluminação conferida pelo Espírito Santo. Naturalmente, isso é um aspecto da experiência mística dos convertidos. Ver sobre *Misticismo*. Outros têm ensinado a doutrina do *ontologismo* (vide), que é a idéia de que o homem possui um conhecimento certo e imediato de Deus, mediante a afinidade de sua natureza espiritual com a natureza divina. Esse conhecimento é considerado pelos tais como o alicerce e a garantia de todo o conhecimento espiritual. Naturalmente, há nisso alguma verdade, mas ela não significa muito sem o preparo espiritual que nos capacita a extrair benefícios dessa iluminação.

LUZ, PROPRIEDADES CURATIVAS DA

Sabemos que a vida é impossível na ausência de luz. Atualmente, há evidências que se acumulam, indicando que a aplicação de luz pode curar certas enfermidades. O Dr. Thomas J. Dougherty, da Divisão de Biologia Radiada do Instituto Roswell Park Memorial, um centro de tratamento e pesquisas do câncer, em Baltimore, Maryland, nos Estados Unidos da América, tem feito experiências que indicam que a luz é dotada de potencial curativo. Em 1972, ele notou que certas células, que ele havia colorido com corantes, morriam na presença da luz. Ele e os seus colegas decidiram testar um derivativo corante não-tóxico da hematoporfirina, que elimina lentamente as células cancerosas. Então decidiram aplicar a luz vermelha às células, visto que essa luz penetra nos tecidos mais profundamente que qualquer outra onda visível de luz. O corante faz as células cancerosas mostrarem-se sensíveis à luz, de tal modo que, quando a luz incide sobre elas, a reação resulta na liberação de pequena porção de oxigênio. Embora a perda do oxigênio perdure por apenas um milionésimo de segundo, isso é fatal às células cancerosas. James McCaughan, um cirurgião do tórax, que trabalha no Grant Medical Center, em Columbus, Ohio, nos Estados Unidos da América, tem empregado esse processo por mais de trezentas vezes, com sucesso notável na eliminação de células cancerosas, principalmente dos pulmões, do esôfago e do globo ocular.

LXX

Essa é a abreviação para a versão grega do Antigo Testamento, a Septuaginta. Tanto Septuaginta quanto LXX significam «setenta», devido à tradição que foram setenta e dois os tradutores envolvidos na produção dessa obra, o que lhes ocupou o espaço de setenta dias. Alguns eruditos pensam que a tradição original aludia somente ao Pentateuco, mas que o

LYON, CONCÍLIOS DE — LYTTON

nome acabou sendo usado para designar a tradução inteira, que envolve tanto o Antigo Testamento quanto os livros apócrifos.

O próprio nome certamente é mais antigo que sua primeira menção literária conhecida, que se encontra na epístola de Aristeas (cerca de 100 A.C.). Essa tradição afirma que setenta e dois sábios judeus, trazidos da Palestina, por ordem de Ptolomeu II Filadelfo (285—246 A.C.), foram os tradutores do Antigo Testamento hebraico para o grego. Essa história é corretamente chamada de «explicação lendária». A parte dessa lenda que diz que foram necessários apenas setenta dias para completar a tarefa é fantástica, para dizermos o mínimo, mesmo que esteja em foco apenas o Pentateuco. Ver o artigo chamado *Septuaginta*.

LYONS, CONCÍLIOS DE

Ver o artigo geral sobre os **Concílios Ecumênicos**. Vários sínodos provinciais foram efetuados em Lyons, na França. Mas, além desses, houve dois concílios gerais naquela cidade francesa: 1. o Primeiro Concílio de Lyons, que foi o décimo terceiro concílio ecumênico da Igreja Católica, e que teve lugar de junho a dezembro de 1245. Não publicou qualquer declaração dogmática, mas depôs Frederico II, e votou fazerem-se coletas para aliviar a Terra Santa e para beneficiar o império latino de Constantinopla. 2. O Segundo Concílio de Lyons, que teve lugar em maio-junho de 1274, e foi o décimo quarto concílio ecumênico da Igreja Católica. Tentou (mas fracassou) restabelecer a união entre a Igreja Oriental e a Igreja Ocidental. Uma união temporária falhou. Foi definida a palavra *filioque* (vide); foi prescrita uma profissão de fé e reformas foram instituídas. Um dos pontos mais importantes foi a regularização das eleições papais.

LYTTON, BULWER

Ver o artigo intitulado **Utopia**, nono ponto.

••• ••• •••

Sua opinião é importante
para nós. Por gentileza, envie
seus comentários pelo e-mail
editorial@hagnos.com.br

Visite nosso site:
www.hagnos.com.br

Esta obra foi impressa na
Imprensa da Fé.
São Paulo, Brasil.
Outono de 2021.